V

OBRAS COMPLETAS
DE PIO BAROJA

V

OBRAS COMPLETAS
DE PÍO BAROJA

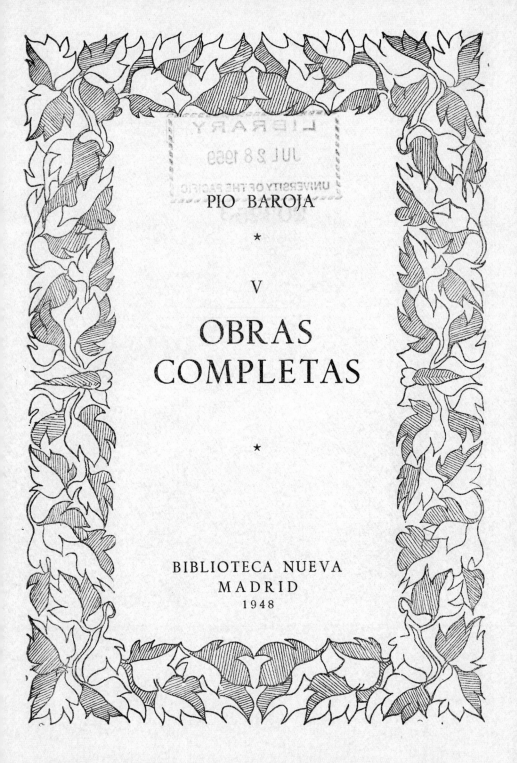

PIO BAROJA

*

V

OBRAS COMPLETAS

*

BIBLIOTECA NUEVA
MADRID
1948

INDICE

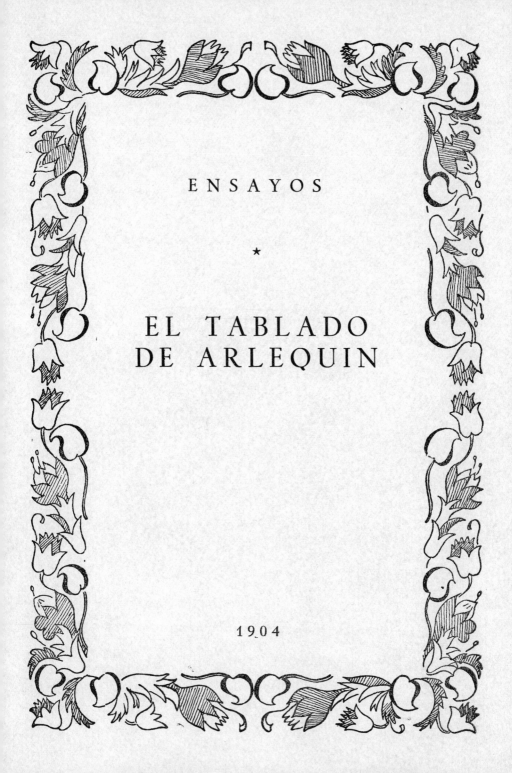

ENSAYOS

★

EL TABLADO
DE ARLEQUIN

1904

PROLOGO

OS que escribimos para nosotros mismos sin esperanza apenas de llegar al público grande, ni al pequeño, sostenemos nuestro entusiasmo literario, o por una gran fe, la cual, generalmente, no responde a lo delezcable de la obra, o por un espíritu de curiosidad mezclado con un tanto de egotismo.

Yo, por mi parte, no tengo fe alguna en mi obra; pero, en cambio, siento una gran curiosidad por todo lo que está cerca de mí, y nada tan cerca de mí como yo mismo.

Por este espíritu de curiosidad contemplo el modo de representarse en mi inteligencia las cosas del mundo, como quien asiste a una función de magia, unas veces amable y jovial, otras pesada y aburridísima.

Comprendo que la ocupación no es muy útil ni beneficiosa, pero en calidad de *sport* no está muy por debajo de la filatelia, del tresillo o del noble juego del billar.

Haré una pequeña comparación poética, una comparacioncilla poética, como diría un antigalicista.

Como el niño que en los canales de riego de los jardines sigue atento con los ojos la marcha de la rama caída o de la hoja seca y toma interés en ver cómo la rama se para en un islote formado por piedras, y corre al estrecharse el canal, y se precipita en la microscópica catarata, y se detiene en el remanso, así contemplo yo a mi espíritu que pasa por la vida.

Y si alguien me preguntara si ocupación tan necia era digna de un hombre, le diría que el hombre me parece la cosa más repugnante de este planeta, y, además, le diría que fuera a convencer al niño que se emociona viendo correr la rama por el agua del jardín de que eso no tiene importancia, que no haga caso de la rama que corre por el arroyo, porque hay océanos y acorazados en el mundo.

Por esa curiosidad que tengo de mí mismo y por ese instinto agradable de engañarme que me hace creer que la cáscara de nuez en donde navego es un acorazado, y el canal de riego por donde voy, todo un océano, publico estos artículos reunidos.

Les doy el título de EL TABLADO DE ARLEQUÍN, como podría darles otro cualquiera.

Indudablemente, el tablado es pobre y este Arlequín triste. La función no será muy divertida.

Hay que resignarse.

PRESUPUESTOS DE ALEGRIA

Hoy, al asomarme al balcón, he visto el día algo triste, una tristeza agradable para mí: los árboles de una plazoleta, lejana todavía, verdes, pero con hojas que ya amarillean; el aire, limpio por la lluvia de la noche pasada; el sol, de color de oro, y el cielo, azul pálido, cruzado por nubes blancas.

Me ha parecido oír a lo lejos la voz del otoño que comenzaba a murmurar débilmente, muy débilmente, llegada con las ráfagas del aire.

Sobre la mesa del cuarto, estaban los periódicos, no leídos por mí hace meses. Los he abierto, y lo primero en que me he fijado ha sido en las listas de compañías, en los anuncios de inauguraciones y estrenos de los teatros, en noticias tan interesantes como esta de que Pérez va a reforzar la lista de la Comedia, y Martínez, la de Eslava.

Casi entusiasmado con esto, pensando en las seducciones que nos reserva el invierno, he salido de casa a vagar, ocupación de filósofo; al anochecer me 'ha parecido la calle de Alcalá más animada y alegre que otros días, y a no haber hablado con un amigo de algunos viejos pensadores estoicos admirados por ambos, conversación que me trajo a la corriente interior de mi vida, hubiese creído que el invierno próximo iba a traernos a todos la alegría y la dicha.

Pero después he pensado que estas promesas de los periódicos son las mismas de siempre: las del año pasado, y las del otro, y las del que vendrá después; un proyectar eterno de felicidades, un presupuesto de alegría anual que concluye irremisiblemente con un déficit, pues no se encuentra jamás el placer que se busca, y se pierde, en cambio, la fuerza de desear en la misma corriente de los deseos.

Y cuando todas las diversiones del invierno estén preparadas, volverá la gente rica de París, de Biarritz, de San Sebastián; organizará cotillones, saraos, fiestas; hará su presupuesto de alegrías, que concluirá con el déficit del aburrimiento. Los políticos blandirán sus armas de guardarropía y reñirán enormes batallas en medio de la indiferencia absoluta de todos; los periodistas harán gemir las prensas, y de cuando en cuando algunos señores examinarán unos sables en una quinta...

Y, mientras tanto, Sirio brillará indiferente allá arriba, en las hermosas noches de invierno, y el buen Dios, acariciándose su luenga barba blanca, sonreirá bondadoso, contemplando esta pobre Humanidad, que canta en su jaula y sueña con que descubre algo y cree encontrar un jugo nuevo en la ubre ya seca de la vieja nodriza de la vida.

SANTA AUSTERIDAD

Somos para la mayoría—unos cuantos que queremos ser rebeldes porque tenemos la aspiración de ser sinceros—una tropa de gente malhumorada y virulenta, que se pasa la vida rechinando y maldiciendo de todo.

Si manifestamos nuestro odio por este liberalismo español que ha llenado de conventos a España, nos dicen: «Son ustedes reaccionarios»; si expresamos nuestra repugnancia por este arte español de nuestros días, ñoño, insustancial y sin fibra, nos acusan de antipatriotas.

Hay majadero que cree de buena fe que unos cuantos que protestamos contra todo estamos pagados por los jesuitas.

* * *

De todas las manifestaciones de la época, ninguna me parece tan estúpida como la austeridad que reina, que vence y que impera.

Sánchez, el gobernador, y los demás Sánchez de la Prensa, se han dedicado a moralizarnos, a predicarnos la austeridad y el horror al vicio.

Nos han suprimido los organillos, porque unos cuantos genios austeros se quejaban de que el tango del *Morrongo* y de la *Cacerola* no les dejaban producir sus magistrales lucubraciones, esas lucubraciones tan admiradas en Madrid, en Getafe y en todos los demás centros de cultura de la Mancha.

Nos cierran los cafés a las dos para que no se depraven nuestras costumbres y nos vayamos habituando a acostarnos cuando las gallinas.

Ya antes nos suprimieron el teatro japonés, porque nos inmoralizábamos; prohibieron a la *Bella Belén* que bailase el tango, porque hacía nacer en nuestras almas los deseos deshonestos. Nos van a prohibir el Carnaval para el año que viene. Yo creo que nos van a prohibir hasta la respiración.

Unid a esto la predicación de los periódicos, que, desde algún tiempo a esta parte, se han convertido en cátedras de moral: *El alcohol conduce a la locura*, ponía el otro día uno de los diarios con letras grandes, y no se leen en las columnas de los periódicos más que tremendas advertencias: «Víctimas del juego», «Víctimas del alcohol», «Escándalos del Carnaval». De esto al *Hermano, morir tenemos*, ya no va nada.

* * *

Ahora la cosa va contra los señoritos. *El Heraldo* del otro día se lamentaba de que la gente joven se aparte de los Ateneos y Academias y se dedique a la juerga libre dentro del Estado libre. Yo creo que hacen perfectamente. Además, les sería muy difícil contentar a los hombres austeros.

Si los jóvenes van al Ateneo a discutir esas pamplinas de si la novela ha de ser de este modo o del otro, les llaman estetas, modernistas, y suponen, con la mayor de las bellaquerías, que no por esto han de ser de un sexo dudoso.

Si se dedican a la juerga, los consideran como matones indecentes, chulos aburridos, Zaratustras de las chirlatas y de las casas de citas, dignos del presidio.

Y si hacen como yo y otros—relativamente jóvenes—, que no discuten en el Ateneo ni arman broncas y no piensan más que en sacar dinero de la industria, de la Bolsa o del periódico para vivir lo mejor posible, los miran como brutos egoístas.

El único figurín del agrado de los señores austeros es el del joven sociólogo, que puede hacer *pendant* con el del joven jesuítico.

El joven sociólogo es austero. El socialismo, más o menos cristiano y más o menos repugnante; el democratismo, más o menos canalejista y más o menos cursí; Carlos Marx y Spencer; la pedagogía y la educación integran... todas estas paparruchas, son el caballo de batalla del joven sociólogo... y austero.

* * *

En serio. ¿Esta austeridad es soportable en España? Yo creo que no. Predicar la austeridad en otros países está bien. Pero ¿aquí? ¿Por qué? Somos el pueblo del mínimum. Mínimum de inteligencia, mínimum de vicios, mínimum de pasiones, mínimum de alimentación, mínimum de todo. Consumimos menos alcohol que ningún pueblo, menos tabaco que en ninguna parte. La estadística nos dice que el número de hijos ilegítimos en Madrid, en comparación de los pueblos de otras naciones europeas, es pequeñísimo; el número de suicidas, escaso...

¿A qué viene esta austeridad? Yo ya sé que muchos dirán por *pose:* «Nosotros somos tan viciosos como los de cualquiera otra parte.» ¡Ca! ¡Qué hemos de ser! Si se pudiera hacer una estadística de adulterios, resultaría, seguramente, España el país de Europa en donde hay menos adulterios. Una prueba clara de la poca concurrencia sexual y de la honradez de las mujeres en España es la fealdad horrorosa de nuestras prostitutas. En un pueblo en donde las relaciones sexuales fueran fáciles, prostitutas como las que hay en Madrid no podrían vivir; se tendrían que dedicar a trabajos de mujeres honradas.

Haciendo la crítica o el prólogo de un libro de un joven escritor aristócrata, se asombraba la Pardo Bazán de que este escritor pintara la aristocracia como un lodazal; y se asombraba, y con razón, porque doña Emilia no ha visto el tal lodazal por ninguna parte.

Yo no conozco la aristocracia, pero creo a pies juntillas lo que dice la Pardo Bazán. Esa corrupción de que se habla ya no la veo. Yo no encuentro por donde miro más que vida ñoña, arte ñoño, literatura ñoña y gente ñoña. Y por encima de esto, una estúpida capa de austeridad espesa e impenetrable.

Yo creo que un pueblo vicioso, un pueblo revuelto, es capaz de algo; un pueblo ñoño no es capaz de nada.

BURGUESIA SOCIALISTA

Tengo un amigo que es industrial; se empeña en serlo por la influencia de esas ideas semiyanquis que ahora corren en España, y gastó los cuartos que le dejaron sus padres en una industria. Había estudiado maquinarias, procedimientos modernos de trabajo, y se decidió a poner su fábrica.

—No seas majadero—le decíamos los amigos—, no te metas en esas historias. Compra papel del Estado, busca un destino, y entre la renta y el sueldo podrás pasarlo tranquilamente e ir a la última de Apolo, que es el ideal de casi todo madrileño.

Se empeñó en que había de ser anglosajón, sin comprender que era manchego y que vivía entre manchegos, y hoy, después de dos años de trabajos y sinsabores, está el hombre en visperas de la ruina.

Para instalar su industria, el amigo tuvo que echar el bofe. Primeramente había que luchar con el Ayuntamiento y con las Ordenanzas municipales, que son una especie de muralla de la China para defender Madrid de todo intento de industria.

Hizo sus planos y fue a la Alcaldía.

—Esto debe estar firmado por un arquitecto—le dijeron—, y tiene que tener estas y las otras y las demás condiciones.

—Pero si mi procedimiento es distinto, ¿cómo van a exigírsele las mismas condiciones que a las demás fábricas?—dijo el amigo—. Las condiciones son otras. Si yo en vez de caballos empleo un motor eléctrico, ¿para qué necesito cuadra en mi casa?

—Las Ordenanzas así lo exigen.

El hombre inventó en el plano de su fábrica una cuadra, inventó otras cosas que no había, y fue a ver a un arquitecto, que le firmó los planos. Presentó el expediente y preguntó:

—¿Lo resolverán pronto?

—De aquí lo pasamos a la secretaría—contestó el empleado—; de la secretaría, a la Alcaldía-presidencia; el alcalde-presidente lo envía al arquitecto municipal; el arquitecto municipal, al teniente de alcalde; el teniente de alcalde preguntará a los vecinos si la industria les perjudica, y pondrá un edicto; si hay una duda, se consultará con el arquitecto municipal; el arquitecto enviará los planos al alcalde-presidente; éste, a la sección de Obras; después esperará a que se

publique en la *Gaceta* y se le dará a usted la licencia. Tardará un mes.

Efectivamente, tardó cinco. El proyecto tenía que dar más vueltas que una peonza.

—Active usted eso—le decían.

En cada Negociado, el expediente se estancaba una semana o dos.

El hombre se armó de paciencia, y al último, viendo que no se resolvía su expediente, siguió el consejo de alguien y empezó a trabajar.

De cuando en cuando aparecía un municipal a preguntar muy amablemente si tenía licencia. El amigo le daba una propinilla, y a los cinco o seis días aparecía otro.

Con los obreros de la obra mi amigo se desesperó lo indecible; trabajaban maquinalmente, sin hacer caso de lo que se les indicaba; si el patrón no miraba, hacían una de chapuzas indecentes.

Trató el amigo de ajustar el precio del trabajo con albañiles, carpinteros y herreros, de antemano; no fue posible. Una cosa que se podía hacer en diez días, lo hacían en treinta; y, además, el albañil le robaba, y le robaba el carpintero, el herrero, el pintor: todos.

Terminó, al fin, el amigo sus obras, que le costaron el doble de lo que había calculado; le dieron la licencia para la fabricación; llevó obreros y se encontró con otro obstáculo que no esperaba La Sociedad de resistencia. El creyó que era libre para contratar los obreros que le pareciera; nada de eso. Una pobre mujer le suplicó que diera trabajo a su hijo, y el amigo le empleó en su fábrica, e inmediatamente los operarios le salieron al paso y le dijeron:

—Si toma usted ese trabajador no asociado, nos vamos ahora mismo todos.

El, desesperado, les dijo:

—Váyanse ustedes, no cedo; que se hunda la fábrica.

Viendo que mi amigo estaba decidido, se callaron; pero al muchacho hijo de la viuda le dijeron.

—O entras en la Sociedad o no trabajas en el taller.

El muchacho entró en la Sociedad, y hoy es un enemigo más de su patrón.

Mi amigo está desesperado; ha perdido su dinero, ha perdido sus relaciones, que encontraron muy ordinario que se hiciera industrial, y probablemente debe abominar de los anglosajones y creer algo así como un sueño que se puede ir por las noches a ver la cuarta de Apolo.

* * *

El domingo pasado decía Pablo Iglesias que el patrón quiere pactar con los individuos y no con las colectividades. ¡Claro! ¿Cómo va a pactar con éstas? Tanto valdría entregarse de pies y manos, declararse esclavo de ellas. Para eso vale más dejar de ser patrón.

Están las Sociedades obreras engendrando una burguesía nueva, llena de privilegios, como la antigua. Y lo molesto, lo que tiene un carácter injusto, es que esa nueva burguesía, cada vez más poderosa, a quien revienta es al pequeño industrial, que muchas veces no tiene un céntimo, y que lo único que posee es audacia o inteligencia. Al industrial grande, al que cuenta con dinero para resistir la racha, no le hacen daño ninguno, y al capitalista, menos; al que corta sus cupones todos los trimestres o cobra los alquileres de sus casas le importa un pepino que los obreros se asocien o no.

La burguesía actual, que adivina en los obreros asociados otra burguesía, otra clase con el tiempo privilegiada, le abre ya sus brazos, y así los periódicos de gran circulación adulan constantemente a los socialistas.

Y es natural; al banquero, a la marquesa, al negociante rico, ¿qué le importa la huelga del carpintero, del panadero o del tipógrafo? Absolutamente nada; el campo de acción del socialista es la ciudad; mientras el bracero de los olivares o de las viñas no se desmande, y tardará mucho en hacerlo; mientras la huelga no tome bastante incremento para hacer bajar el papel, el capitalista puede estar tranquilo.

En cambio, el pequeño industrial cada día ha de estar peor con el incremento que toma el socialismo; dentro de diez años no podrá vivir.

Había una defensa para él: unirse como hacen los obreros, y entonces nacerían *trusts* y cooperativas; pero el industrial español es individualista por temperamento. Sabe, y lo ha visto por experiencia, que no se puede fiar de sus colegas, porque el que no es un tonto es un pillo, y conoce, además, su incapacidad para la administración.

El final de esto, dada la inminente desaparición de las pequeñas industrias; dada, además, la incapacidad nuestra para la administración, será la entrada de Sociedades extranjeras, que, así como hoy explotan trenes, tranvías y minas, mañana explotarán en grande desde la fabricación del aceite hasta la de los zapatos.

* * *

He sido un curioso del socialismo. No he estudiado gran cosa de sus doctrinas, porque su parte científica me ha sido repulsiva; además, las ideas me parecen menos interesantes que las cosas y que los hombres; pero si no su parte dogmática, he observado a los que siguen esas doctrinas.

De los socialistas, los unos, los intelectuales, en casi todos los países son en su mayoría una colección de profesores pedantes, parientes en grado muy próximo de nuestros genios de la Universidad de Oviedo, genios soporíferos, que escriben libros muy grandes y artículos muy pesados para decir de un modo vulgar y pedestre lo que otros han dicho bien y con gracia.

Los otros socialistas, los obreros, son, como digo, los burgueses del porvenir; forman una burguesía en germen, que viene llena de malos instintos, con toda la petulancia y la inmoralidad de la actual, con el mismo entusiasmo por discursear, con las mismas prácticas viejas del sistema parlamentario. Llamarse compañero o su señoría, es lo mismo; en compañero hay como una falsa humildad, y en su señoría, como una falsa nobleza; pero es igual.

Otra belleza tiene el socialista. Se ha convencido de que el honor caballeresco y la patria y la bandera son farsas; ha perdido estas tradicionales nociones; pero ¿qué ha tomado a cambio de éstas? Nada, absolutamente nada; así que el socialista actual, no hablo del obrero ilustrado, sino del socialista vulgar, está en camino de ser, si no un granuja, un perfecto egoísta.

Este egoísmo del socialista se observa en sus mítines; así como en las reuniones anarquistas se oye hablar de los mendigos, de los niños, de las prostitutas, con un sentimentalismo delirante, en los socialistas no se oye hablar más que de obreros y patronos. Todo lo demás es letra muerta; y es que esta burguesía que nace hereda todos los instintos egoístas de esta otra burguesía que vive.

Dada la adoración por el número y por la masa que hoy se siente, yo me figuro que el porvenir será socialista; pero, a pesar de eso, siento una antipatía profunda por esa doctrina y por ese partido, que trae la glorificación de la manada, el apabullamiento del individuo por los demás.

* * *

A pesar de lo que dicen los periódicos representantes del capitalismo, a nosotros, médicos, abogados, ingenieros, pequeños industriales; a los que queremos trabajar para vivir, no nos asustan más los anarquistas que los socialistas. Estos nos quieren convertir en obreros; aquéllos sueñan con darnos a cada uno de los hombres nuestra casita, nuestra tierrecilla y un trabajo cualquiera para entretenernos.

Será imposible lo último, pero nuestras simpatías han de estar por eso. Y, respecto al desorden y a la revolución, me decía el otro día un carpintero, medio arruinado por la huelga, comentando un artículo de *El Imparcial:*

—Si a mí me quitan la manera de vivir, ¿qué me importa que después venga el fin del mundo?

Y esto es lógico. Es preferible ser salvaje entre los salvajes que no mendigo entre civilizados.

Yo así lo creo; me parece el único bien del hombre la libertad; cuanto más absoluta, mejor.

Si llegara esa dulce era de la vida en rebaño, por mi parte, antes de ocupar el número ochenta o noventa mil que me tocara en el gran pesebre socialista, preferiría emigrar, refugiarme en otro país más atrasado y menos socialista, aunque no tuviera allí más derecho que el derecho al santo revólver.

EL ÉXITO DE NIETZSCHE

He visto en una librería el *Anticristo*, de Nietzsche, traducido al castellano, y he preguntado al librero:

—¿Se vende este libro?

—Mucho—me ha contestado.

Es extraño el éxito de Nietzsche. Por todas partes, en revistas, libros y periódicos, sobre todo en los extranjeros, no se hace más que citar el nombre del célebre filósofo prusiano. ¿De qué depende esta boga, este entusiasmo tan grande? Es lo que trato de explicarme.

Pregunto a un literato alemán su opinión, y me dice: «Entre nosotros, el estilo de Nietzsche explica todo o casi todo. Antes, si uno tenía interés en conocer la filosofía, necesitaba leer obras pesadas, escritas en una jerga estúpida.

»Schopenhauer introdujo en la filosofía la espiritualidad, la gracia. Nietzsche hizo más: puso en sus obras filosóficas pasión.

»En Nietzsche, el estilo resplandece como una piedra preciosa; su lenguaje es musical como ninguno; su prosa hace un efecto parecido al de las armonías de Wagner: emborracha, excita los nervios, pero vivifica también. Como le digo a usted, el estilo de Nietzsche justifica la mayor parte de su éxito.»

Un intelectual, hombre que está al corriente de las ideas modernas, me dice: «Yo no creo que Nietzsche sea un gran metafísico como Kant o como Hegel; pero eso no importa. El no habló únicamente al intelecto frío; no fue sólo un hombre de representación, o, si lo fue, fue de una representación volitiva.»

Afirmó que la masa y la muchedumbre es siempre miserable; comprendió que el mundo sólo se debe a los elegidos.

Un poeta paganizante confiesa que, si tiene respeto por Nietzsche, más que nada es por ser antirreligioso. El confesó sin temor lo que millares de hombres de nuestro tiempo han sentido, lo que estaba en el ambiente moral de esta época, lo que nadie se atrevía a confesar: que el cristianismo es un mal.

Desde Goethe nadie ha declarado la guerra tan enérgicamente como él a todo ascetismo, nadie ha condenado con más fuerza la doctrina absurda del pecado en el hombre. Para mí, desde que el cristianismo existe, ha habido dos hombres: Juliano *el Apóstata* y Nietzsche. Nietzsche era un griego, merecía no ser alemán; por eso los poetas le amamos.

La explicación que me da un anarquista de sus simpatías por Nietzsche hela aquí. Nietzsche es de los nuestros. Su martillo ha roto en mil pedazos esta losa pesada e imbécil de las preocupaciones burguesas. El ha opuesto al ideal ñoño del hombre mediocre, cantado y ensalzado por el socialismo, el ideal del *superhombre*, el carnívoro voluptuoso errante por la vida. Los libros de Nietzsche son la bomba de Ravachol en el mundo de las ideas.

Es curioso que unos entusiastas de Nietzsche se entusiasmen con aquello que otros admiradores tan fervientes desprecian. Aun así, yo comprendo muy bien la admiración de los que viven en un medio exclusivamente intelectual; lo extraño es que la zona de admiración llegue a los que no se ocupan para nada de cuestiones filosóficas.

Un político que habla de cuando en cuando del superhombre, y que aunque se llama político es más bien un hombre de negocios, me da la razón siguiente de su nietzscheanismo:

«Es un filósofo que me es simpático, aunque si quiere usted que le diga la verdad, no conozco sus libros, pero creo que era un hombre que comprendía la vida. Ya era hora que los emborronadores de papel escribieran algo lógico sin sentimentalismos ni necedades. Yo, sabe usted, cuando tropiezo con algún hombre fuerte, trato de asociarle a mis negocios.

»La Humanidad ha hecho siempre lo contrario protegiendo al débil; así va ella. El fuerte se come al débil, ¿no es esto? ¿Quién ha dicho esta verdad? ¿Darwin o Nietzsche? No sé. El caso es ser fuerte.»

Un egoísta razona así su simpatía:

«El culto del *yo* me parece excelente. La piedad es muy bonita. Pero ¿por qué me he de sacrificar yo por nadie? Yo no he nacido para santo, no tengo obligación alguna para nada ni para nadie.

»¿Que hay que exterminar a todos los enfermos, miserables, cojos y tullidos? Me parece bien. ¡Es tan molesto ver a toda esa gentuza por las calles!...»

Ultimamente, un bandolero, que creo que ha cometido una barbaridad de desmanes y que me trata, me dijo:

—Desde que he leído un artículo en un periódico sobre ese filósofo en moda, estoy satisfecho; tenía ideas estúpidas en la cabeza, remordimientos... ¡Ya ve usted qué tontería! Cuando vi escrita esta máxima: «Nada es verdad, todo es permitido», dije: «Este es mi hombre.» Que he hecho esto, y lo otro, y lo de más allá, ¿y qué? Hay hombre altos y bajos, orgullosos, cobardes, lujuriosos, estúpidos. Yo soy un hombre que no tiene *moralina*. Nada más.

* * *

Quizá fuera necesario escribir una psicología completa del tiempo actual para poderse explicar con lógica el éxito de Nietzsche, que en la actualidad llena todo el mundo de la inteligencia.

He oído decir a un amigo que don Juan Valera piensa escribir algo acerca de Nietzsche y de la filosofía del superhombre.

Los comentarios de don Juan a las ideas del filósofo prusiano han de ser interesantísimos. Valera, que es el espíritu más agudo de la España actual, y que tiene, como hombre apolínico, que diría Nietzsche, una gran antipatía por todo lo que viene del Norte, encontrará seguramente nuevos puntos de vista al examinar las doctrinas del filósofo del superhombre.

Yo espero esos comentarios de don Juan con verdadera curiosidad.

FAMILIAS TREPADORAS

He dicho yo en algún lado que una de las causas de que exista la golfería es la democracia, que ha destruido y aniquilado las murallas que separaban antiguamente las clases.

Si los golfos son los flecos que cuelgan de las distintas capas sociales, las familias trepadoras son como esos mismos flecos invertidos; en vez de ir hacia abajo, se dirigen hacia arriba; constituyen estas familias un sistema de tentáculos que suben de una clase social a la inmediata superior.

Cada clase tiene un elemento de asimilación: la familia trepadora; y un elemento de desasimilación: el golfo. El trepador individualista, el que sube por su fuerza o por su astucia, es un tipo eterno, es el luchador, *struggle-forlifeur*, como le llamó Daudet, adaptando una frase inglesa al francés.

En donde es interesante encontrar a los trepadores es en familia, cuando no va progresando uno de sus miembros aisladamente, sino que sube la familia entera. Entre estas familias, las mejor definidas, las más fáciles de conocer y de caracterizar son las familias trepadoras burguesas, que van acercándose lenta, pero continuamente, a la aristocracia.

Como esos leones rampantes (creo que el Diccionario los llama rapantes, pero a mí esto me da idea de barbería), como esos leones rampantes de los escudos, tratan las trepadoras de escalar la parte alta de la fortaleza social, en donde brillan la aristocracia de la sangre y la de las monedas.

Para conseguir su objeto, las trepadoras tienen la paciencia de la hiedra, la fuerza de cohesión del muérdago.

Esto depende en parte de la cobardía de la clase media española, que no tiene el valor de afirmarse. Entre nosotros no puede haber definido estable más que pueblo y aristocracia, miseria y opulencia. Un individuo de la clase media no es más que una especie de asteroide que camina por la nebulosa de la burguesía a buscar la aristocracia, que aquí no es noble ni hidalga, sino únicamente adinerada.

Después de todo, en Madrid, en donde hay dos o tres mil aristócratas, apenas llegarán a veinte las familias de nobleza antigua que tengan la glo-

ria de contar entre sus antepasados algún guerrero o algún capitán famoso. La mayoría de las familias aristocráticas han sido hasta hace poco trepadoras, rampantes, y esto infunde esperanzas en las trepadoras actuales.

Una causa importante para la formación de esta clase transitoria es la manera de vivir madrileña, superficial, externa, poco íntima y poco sincera.

Esta clase superburguesa de rampantes se forma con lentitud. Se necesitan diez o doce años por lo menos para hacer olvidar el comercio de bacalao de algún pueblo de la costa o el negocio sucio de Cuba o Filipinas, y ya olvidado esto se van adquiriendo relaciones.

En Madrid, en general, se vive sin hogar, sin comodidades, buscando la manera de darse tono; las muchachas soñando con el novio rico, los jóvenes a caza de dote, los hombres vagando o fumando cigarrillos en la oficina y las mujeres charlando.

Esta falta de sinceridad y de intimidad en nuestra vida yo me la explico por el respeto exagerado que tenemos todos por las apariencias; porque, a pesar de su aspecto refinado, Madrid es un pueblo sin hormar, un pueblo de calidoscopio o de cinematógrafo. La gente aquí se ve todos los días y no se conoce, o se conoce sólo de vista; hablan unos con otros y no tienen intimidad alguna.

El francés, que conserva y guarda un gran respeto por la elegancia y el buen parecer, puede llegar a la sinceridad sin perder el decoro; el inglés, que además de esto tiene un fondo religioso en su alma, puede ser íntimo y sincero; pero el español, que no posee ninguna de estas cosas, cuando quiere ser sincero, generalmente se va hacia la grosería. Y ya que por dentro no puede ser elegante, tiene que serlo por fuera. Así parece que en Madrid el decoro está más en la pechera de la camisa que en el alma, y parece también que, a la primera arruga que haga el planchado, ya de caballeros nos convertimos en jayanes.

Así como el golfo al dejar la clase social a que pertenece rompe con las ideas de esa clase, al rampante o trepador le sucede lo contrario: exagera las ideas de la clase a que piensa escalar.

La hija de la marquesa de L. o la duquesa de N., por ejemplo, pueden en el palco de un teatro hablar alto, sonarse fuerte, reírse a carcajadas, llevar el compás con el abanico; pero estas cosas ya no las puede hacer una rampante que vigila por el honor y el prestigio de la aristocracia.

Las familias rampantes proceden casi todas ellas de la burocracia y de la milicia; algunas, las que necesitan una elaboración especial de diez o doce años, vienen del comercio y de la industria. Mujeres e hijas de magistrados, brigadieres y coroneles, de jefes de Administración, de abogados con pleitos, todas éstas y algunas más pertenecen por derecho propio al sistema de tentáculos, formado por la subclase de las familias trepadoras.

Las trepadoras entre sí no hablan más que de la aristocracia; algunas gastan coche todos los días, son raras; otras sólo cuando repican gordo, y hay otras que cuando van en coche siempre lo hacen de gorra.

Las rampantes no llegan al palco en el Real; a lo más, a los altos; pero las butacas les pertenecen; siempre hay algún amigo que consigue butacas para ellas pagando la entrada. En el Español lo suelen dominar todo: palcos, principales, segundos, plateas, butacas.

Las familias trepadoras viven casi siempre en el barrio de Salamanca, por estar cerca de la *crème;* suelen tener la casa con el mal gusto y la banalidad que en Madrid se estila. Nunca se ve en la casa de una trepadora, aunque sea rica, nada que tenga un carácter suyo. Los muebles, los cuadros, todos serán sin estilo, sin gracia, conforme al patrón frío de la moda. Una cosa personal, de capricho, tendría para la rampante el sello de la exageración o de la extravagancia, cosa muy desagradable para todos los que tienen el espíritu estrecho y mezquino.

En la Castellana, las rampantes tienen su acera, que es, naturalmente, la misma en donde pasean las familias aristocráticas. Las trepadoras siempre están en el secreto, porque en la vida social siempre hay un secreto. Comienzan a pasear cuatro o cinco familias de la alta.

¿Eh? Veo que me han comprendido. Sospecho que todos somos rampantes.

Pues bien: comienzan a pasear cuatro o cinco familias de la alta por una de las aceras de la Castellana, hasta entonces desierta, y en seguida las rampantes, que están en el secreto, cruzan el paseo y marchan detrás, ¡hala!, ¡hala!, y sólo quedan impertérritas en el otro lado las que no están en el secreto, las mujeres de los empleados y de los comerciantes.

Otra de las especialidades de las trepadoras, además de su olfato para descubrir el secreto de la vida social, es el de la composición. La familia madrileña trepadora, cuando sale a la calle, compone; es una propiedad que no tienen todas las familias. Componer es difícil, no está a la altura de todas las inteligencias. Hay composiciones de todas clases.

Para la mañana, teniendo institutriz propia o alquilada, se impone esta composición: en primer término, la señorita, lo más metafísica posible, de mantilla, traje oscuro, devocionario en la mano, paso largo inglés, bota sin tacón; en segundo término, la institutriz, lo más fea posible, lo más colorada y achaparrada posible; en tercer término, un joven con los bigotes erizados que lleva el bastón cogido por la contera.

Para señores y por la tarde: el papá en medio, sombrero de copa, bastón, traje negro, guantes; las dos hijas a los lados vestidas lo mismo. Las dos chicas se pueden sustituir por dos chicos, pero entonces éstos tienen necesidad de llevar trajes de marinero, cuello grande y blanco.

Para señoras, y también por la tarde: la mamá terrible, a su lado la hija mayor, delante la otra hija con el novio.

Yo confieso que todo esto es muy superficial y no marca más que el aspecto exterior de las trepadoras, y comprendiéndolo así, he tratado de sorprender algunas veces sus conversaciones, por si de ellas se deducía su manera de pensar.

Las rampantes, así como adornan la casa todas del mismo modo, hablan igual, con suavidad madrileña, aunque sean de Lugo o de San Felíu de Guixols; son amables, finas, de verdadera corrección en su trato, siempre, como es natural, que hablen con personas de sociedad. Si no es una persona de sociedad está perdido; ya puede haber descubierto la pólvora; esto no le salva.

El buen tono, las buenas formas, la distinción, es lo principal para la rampante: les entusiasma.

Son capaces del mayor absurdo por no faltar a estos sacrosantos dogmas.

Las muchachas de estas familias trepadoras suelen ser casi siempre inteligentes, tienen un sentido de la realidad tan claro que no les aventaja en esto el filósofo más escéptico.

Se habla de novios entre ellas como entre estudiantes de carreras; el matrimonio es un modo de vida o de emancipación. Mal partido o buen partido; ésta es la clasificación que hacen de los hombres.

No hay entre las trepadoras el romanticismo que suele encontrarse en las muchachas de la burguesía pobre; éstas suelen tener aspiraciones modestas, de novela de Pérez Escrich; aquéllas ponen el ideal de su vida en representar algo en la buena sociedad, y encaminan todos sus actos y dirigen todos sus deseos a la realización de ese ideal.

Los jovencitos de las familias trepadoras pertenecen casi siempre a la congregación de los Luises o a la de San Estanilao de Kostka. De niños se los lleva a estudiar a un colegio de jesuitas para que no se contaminen en el Instituto con gentes ordinarias. Vienen al mundo y ya son conservadores; los primeros cuartos que les dan en casa se los gastan en comprar corbatas o guantes. Saben escoger sus amigos; si hay algún duquesito entre los condiscípulos, allá van ellos a hacerles la corte, pensando en el interés que esto pueda reportarles.

Cuando tienen dieciséis o diecisiete años, ya conocen a todas las muchachas ricas que hay en Madrid y se saben de memoria la dote de cada una. Están prestos para el ataque; que hay un destino vacante de seis u ocho mil reales para no ir a la oficina, allí están ellos, y entre la marquesa y el padre Tal lo consiguen.

Si pueden vestir bien, lo hacen, pero nunca tienen un capricho en su indumentaria; visten como los demás, y si fuera posible arreglarse la casa del patrón común, lo harían. Un día tienen una cuestión, un desafío, y son valientes pensando en los demás. Estos muchachos son verdaderos superhombres. Están tan eternamente metidos en el rebaño, que prosperan casi siempre.

En estas familias trepadoras, los hombres suelen ser, generalmente, insignificantes; en cambio, las mujeres, ¡qué energías, qué tesón para defender las prerrogativas más o menos ilusorias que se asignan!

Sienten una profunda repugnancia por las gentes ordinarias, como dicen ellas, y las indigna confundirse con personas que no son de su clase. En cambio, ¡qué alegría cuando se encuentran entre la marquesa, la condesa y el duque! Algunas veces suele suceder que algún pobre diablo que no está en el secreto dice a una señora rampante:

—Ahí está la marquesa de Tal con su querido. ¡Parece mentira, una mujer tan vieja!

Al oír esto, la trepadora tuerce el gesto y fulmina una mirada de desprecio al infeliz que se ha atrevido a decir tal cosa. Y no es porque el hecho la disguste a la señora rampante, es la forma. Eso se dice sonriendo; así:

—¿Quién es ése que está hoy con la marquesa?

—Es el hijo de los de Peñón-Hendido.

—¡Ah!

—Sí; parece que ahora tienen buenas amistades. *(Con una sonrisa amable.)* ¡Esta pobre Adela!

La trepadora está siempre al corriente de todas estas cosas mundanas; se encanta leyendo las crónicas de «Montecristo» en *El Imparcial*, o las de «Mascarilla» en *La Epoca*; sabe cuál es la novela de moda, el color de moda, el predicador de moda, el perfume de moda. La trepadora sabe saludar, sabe recibir y sabe comer.

Estos ingleses, que no hacen más que perturbar con sus inocencias el mundo del buen tono, han sacado a relucir hace años una palabra perturbadora. Es la palabra *smart*. Resulta que el ser *smart* es ser elegante de una manera descuidada, y que para llegar a obtener ese preclaro título no hay leyes, ni modas, ni preceptos, ni nada. Afortunadamente, los trepadores madrileños no han caído en esa añagaza del *smartismo*; siguen rindiendo culto a la moda, imitándose unos a otros en sus trajes y en sus gestos. Y cuando un jovencito ve a otro jovencito idéntico a él, con el mismo peinado y la misma forma de vestir y el mismo sombrero y la misma manera de hablar, siente una satisfacción parecida a la que experimenta un negro cuando ve a otro de su raza y de su tribu.

DEMOCRACIA Y MALA EDUCACION

De chico recuerdo haber visto en mi pueblo un cómico muy malo, bizco por añadidura, que, cuando no sabía el papel, se quedaba mirando furibundamente al apuntador para dar a entender al público que el de la concha era el culpable de todo, y luego, cuando le parecía larga la pantomima, hacía una graciosa pirueta y sonreía amablemente. Se ganaba una respetable silba; pero al día siguiente, el hombre, impertérrito, repetía la suerte.

Como aquel pobre hombre, nuestros políticos tienen una pirueta para salir del paso y disimular el vacío de sus cerebros, y, sin embargo, se les aplaude. Los reaccionarios, la fe, la patria, las venerandas costumbres; los revolucionarios, la libertad y la democracia.

¡Oh la democracia! Es la palabra más insulsa que se ha inventado. Es como la pirueta del cómico de mi pueblo; la mayoría ni sabemos lo que es democracia ni lo que significa, y, sin embargo, nos sugestiona y nos hace efecto. Como la música cancanesca de Offenbach, los aires democráticos nos dan ganas de echar los pies por alto y de amenazar con la punta de la bota la nariz del vecino.

Hay algo que se llama democracia: una especie de benevolencia de unos por otros, que es como la expresión del estado actual de la Humanidad, y ésa no se puede denigrar; esa democracia es un resultado del progreso.

La otra democracia, de la que tengo el honor de hablar mal, es la política, la que tiende al dominio de la masa, y que es un absolutismo del número, como el socialismo es un absolutismo del estómago.

He leído, como todo el mundo, algo acerca de la democracia, pero no tengo una idea clara de lo que es; etimológicamente, significa gobierno del pueblo, pero yo creo—quizá me engañe—que el pueblo no ha mandado nunca ni en los tiempos más revolucionarios y que tampoco mandará en el porvenir.

¿Que tienen representantes o delegados que mandan por él? Riámonos de eso. Es la farsa más estupenda que se ha inventado.

Una de las tendencias que parece envolver la idea democrática, y con ella la idea socialista, es la de la equidad y la de la justicia. A cada uno *según su capacidad, a cada capacidad según sus obras*, ha dicho un socialista, y esta fórmula sería lógica como ninguna si la Naturaleza fuera también equitativa y justa. Pero la Naturaleza ha hecho sanos y enfermos, fuertes y débiles, talentudos y bobos; como la sociedad ha hecho ricos y pobres, nobles y plebeyos. Tan respetable y tan execrable es una injusticia como otra. Nacer león o nacer cordero, nacer hombre o perro, son cosas que no se deben a ningún mérito anterior. Un poquillo de sustancia gris de más en el cerebro, y es uno un genio; un poquillo más de sustancia blanca, y es uno un idiota. ¿A qué viene el dar premios a la mayor capacidad, si ésta es un hecho casual de la Naturaleza, como el ser rico es un hecho casual de la sociedad?

A pesar de esto, para el progreso de la especie sería mejor abrir el campo a las energías de los fuertes; pero actualmente, al menos, no se ve que la democracia sea como una comadrona de genios; dada la manera de ser comunista de la enseñanza, un hombre de talento no tiene más medios de sobresalir que hace doscientos años; quizá tenga menos, porque el afán del lucro arrastra a las Universidades y a las escuelas un turbión de gente que obstruyen todos los caminos y ahogan con su masa las personalidades, aun las más enérgicas.

Otra de las consecuencias, a mi modo de ver, fatales de la democracia y del socialismo es la de supeditar y subyugar el individuo en beneficio de la sociedad y del Estado.

Además, ha inculcado en todos el ansia del perfeccionamiento social, el anhelo de escalar posiciones, y ha hecho que el hombre busque su progreso de fuera, su progreso que se podría decir objetivo, más que el subjetivo o de su ser moral.

De estos deseos, de estas ansias, unidas a la afirmación de la igualdad legal, se ha pasado inconscientemente a la afirmación de la igualdad social. Todos nos creemos socialmente iguales a los superiores y superiores a los inferiores; si hacemos la corte a una duquesa, se nos ocurre pensar que en el amor no hay clases; pero si el hijo de la portera quiere *flirtear* con nuestra hermana o nuestra hija, ¡oh!, entonces hay clases, ¡ya lo creo!

Escuchad a esos socialistas y demócratas cuando razonan en el seno de la confianza; todos sus argumentos giran alrededor de su *yo* como un satélite alrededor de un planeta. ¿Por qué yo he de estar aquí fastidiado, mientras que...? ¿Por qué yo, que soy...?

Desconfío de los demócratas y socialistas pobres; creo que si fueran ricos no serían demócratas.

Quisiera ver a muchos amigos socialistas en posiciones elevadas para demostrarles que serían más tiranos, más insoportables, pero mucho más que los de ahora, si ocupasen sus puestos.

¡El advenedizo! ¡Y en España, en donde todos nos sentimos dictadores! Hay que ver la soberbia de un tabernero convertido en agente de Policía para comprenderlo. Aquí el guarda de un jardín es tan déspota como un zar; un portero se da más tono que el propietario; un cocinero de casa grande le mira a uno por encima del hombro, y, si a mano viene, su señor saluda con finura; al director de un periódico de importancia no se le puede comparar más que con Dios...

¡Un Gobierno popular! ¡Sería encantador! Sé por experiencia cómo las gastan los demócratas.

Fue una vez a una Alcaldía a pedir una cosa justa, y el teniente de alcalde, un republicano y furibundo demócrata, después de someterme a un interrogatorio humillante me mandó a paseo sin oírme. Se va a pagar la contribución o a tomar la cédula: le hacen a uno estar en la escalera; si se pierde todo el día y se atreve alguien a hacer la más mínima observación al escribiente, le hacen esperar hasta el último, si es que no lo echan a la calle. Se quiere encontrar un expediente en una oficina: «¿Se puede ver a...?», se le pregunta al portero, saludándole con finura, y cuando no contesta con un bufido, vuelve tranquilamente la espalda sin hacer caso. Está lloviendo, y se va ensuciando la escalera..., la portera gruñe. ¡Es un encanto!

Será útil para los demócratas y socialistas el dominio del pueblo; pero para los demás, si debemos desear algo, es que manden los aristócratas, porque en el Poder tendrán menos impaciencias, menos apetitos y formas más corteses.

La democracia lleva envuelta en sí misma una ansia de exclusivismo por el cuarto estado, que será, con el tiempo, para los errantes, los pobres y los que no tienen trabajo, una burguesía tan odiosa como la actual.

La libertad es muy hermosa y muy grande; en el alma del hombre libre y emancipado hay una Religión, una Patria, un Estado, una Justicia, todo; y esto le basta al hombre libre, que no necesita para nada una protección social, basada en intereses parecidos a los suyos. Por la Libertad están las conciencias; por la Democracia y por el Socialismo, los estómagos.

LOS HUMBERT

Los Humbert han sido presos. El gobernador, los agentes de Policía que hicieron la detención, el embajador de Francia, una porción de señores más, están de enhorabuena (1).

Con ellos se regocija el público entero. El comerciante que nos vende bacalao podrido y nos envenena con sus géneros averiados, está que no cabe de satisfacción en el pellejo; el usurero que presta al sesenta por ciento al mes, explica a sus hijos en el seno de la familia lo que es un estafador; el capitalista que expulsa y embarga al inquilino porque no le ha pagado una mensualidad de tres duros, se felicita por el éxito de la Policía española.

No discuto el éxito. Quizá a alguno le asombraría que una familia cuyas señas se habían enviado por la Prefectura de París a Madrid y que vivía en un hotel, no haya sido notada por nuestros agentes de Vigilancia en seis meses que vivió entre nosotros; yo no me asombro de esto ni de nada.

Lo único que sé es que hay gente que ha cometido tantas estafas como los Humbert y que nadie los persigue; es que hay personas que han hecho no sólo estafas, sino grandes infamias, y que viven tranquilamente, respetadas por todo el mundo.

Será, quizá, romanticismo pueril, será lo resultante del sentido anárquico español, que mira con simpatía al bandolero; pero yo, que no daría la mano a muchos señores respetados que viven en Madrid, se la daría a los Humbert.

Ellos tenían un sentido alto de la vida, un sentido digno de los hombres del Renacimiento; eran generosos, eran buenos, gustaban rodearse de obras de arte. Habían nacido para ser ricos, no lo fueron, y buscaron la manera de serlo. Desvalijaron a unos cuantos comerciantes sórdidos que trataban de sacar a su capital un interés crecido, y gastaron este dinero en obras de arte.

Hay una gran belleza en todo esto; hay más: hay un fondo de equidad, de moral.

En esta vida triste que padecemos, ante esta sociedad de burgueses sin corazón, de gente mezquina, la infamia cometida extralegalmente es un crimen; la infamia legal es un negocio.

Ese señor, que fundó una Sociedad minera o de banca con la que arruinó a media provincia y se enriqueció él, ¿tenía sus libros en regla? ¿Sí? Pues era un negociante de talento. ¿No? Pues era un criminal.

Haced infamias, pero hacedlas siempre dentro de la ley; no tendréis obstáculos en vuestro paso. La ley actualmente no es, como decía Montesquieu, una tela de araña en donde se enredan las moscas y que deja pasar a los moscardones; la ley es la defensa de los fuertes, de los hábiles, de los egoístas. La ley es la que protege al ministro de Hacienda X para hacer un negocio de millones de francos; la ley es la que protege al casero para expulsar al pobre; la ley es la que permite al hombre explotar al hombre; la ley es la que reprime al hambriento cuando pide de comer; la ley es la que castiga al vago por el delito de no tener donde trabajar.

La ley es inexorable, como los pe-

(1) Aún no se conocía el acto genial del señor Cotarelo.

rros: no ladran más que al que va mal vestido.

Han preso a los Humbert. Yo lo siento; lo siento; lo siento por ellos primeramente; lo siento también por esos miserables, idénticos a los de la *Robe rouge,* de Brieux, que se estarán ya relamiendo de gusto.

EL CULTO DEL *YO*

Yo creo posible un renacimiento, no en la ciencia ni en el arte, sino en la vida. El primer renacimiento se originó cuando los pueblos latinos hallaron bajo los escombros de una civilización, muerta, al parecer, el mundo helénico tan hermoso, aún palpitante; el nuevo renacimiento puede producirse, porque debajo del montón de viejas tradiciones estúpidas, de dogmas necios, se ha vuelto a descubrir el soberano *yo.*

No creo que haya nada tan hermosamente expresado como esta teoría de Darwin, a la que denominó él con una brutalidad shakespeariana: *struggle for life:* lucha por la vida.

Todos los animales se hallan en un estado de permanente lucha respecto a los demás; el puesto que cada uno de ellos ocupa se lo disputan otros cien; tiene que defenderse o morir. Se defiende y mata; está en su derecho.

El animal emplea todos sus recursos en el combate; el hombre, no; está envuelto en una trama espesa de leyes, de costumbres, de prejuicios... Hay que romper esa trama.

No hay que respetar nada, no hay que aceptar tradiciones que tanto pesan y entristecen.

Hay que olvidar para siempre los nombres de los teólogos, de los poetas, de todos los filósofos, de todos los apóstoles, de todos los mistificadores que nos han entristecido la vida sometiéndola a una moral absurda.

Tenemos que inmoralizarnos. El tiempo de la escuela ha pasado ya; ahora hay que vivir.

* * *

Estamos en un período de transición de la vida sencilla a la vida complicada del progreso. De aquí nuestro malestar. Nuestros abuelos trabajaron por costumbre, apaciblemente; nuestros padres trabajaron más que ellos, pero tuvieron la suerte de encontrarse con muchos puestos vacíos en la sociedad; nosotros nos encontramos con todos los sitios ocupados y con la competencia que nos hacemos unos a otros. Nos dicen que somos degenerados. Es mentira; si hubiera cien Américas por descubrir, las cien las descubriríamos los hombres modernos, aunque tuviéramos menos recursos que Cristóbal Colón.

El hombre moderno vale más, por todos conceptos, que el hombre antiguo; pero para llegar a su estado de perfección necesita volver a la ley natural; santificar el egoísmo, utilizar todos sus recursos para poder vencer en la lucha por la vida.

Esa malla estrecha de leyes y preceptos sociales, en vez de satisfacer los mandatos de la Naturaleza, los dificulta.

No debemos nunca sacrificar nuestra personalidad a nada ni a nadie; y si la necesidad nos obliga al sacrificio, hagámoslo con reservas mentales, esperando el día del desquite.

No debemos tampoco resistir a los

atractivos de la vida; esto sería llevar el desorden a la dinámica de nuestro ser. Por otra parte, tampoco debemos edificar sobre la base de ilusiones, como la fidelidad y la constancia en el amor, por ejemplo; porque destruyendo de este modo el libre ejercicio de las pasiones, tratando de hacer duradero lo que no puede ni debe ser más que transitorio, nos oponemos también a nuestra manera de ser íntima.

Nunca se debe desconfiar de sí mismo; todo lo que se quiera enérgicamente merece ser conseguido.

* * *

Hay hombres que no les basta con el triunfo personal en la lucha por la vida y necesitan influir sobre las voluntades ajenas; necesitan convertir su ley particular en ley general. Estos hombres, que tratan de cambiar el ambiente de los otros, porque si no la vida suya sería imposible, son los reformadores en política, en religión, en arte.

Para que la acción de estos hombres sea útil, deben prescindir de toda ley.

Ellos van a realizar su vida; su moral no puede ser la de cualquiera.

Si para la realización de su fin tienen que sacrificar a los demás, lo moral es que los sacrifiquen; no deben retroceder ante lo contingente cuando su idea es trascendental.

Lo mismo que a ellos le ocurre al que va en busca de la felicidad. Al que, llevado por una gran pasión de amor, salta por encima de la ley, no hay que vituperarle, sino aplaudirle.

El hombre o la mujer que cometió un error al unirse con su cónyuge, y al reconocer este error lo destruye salvando su individualidad, hace bien. Sólo los mezquinos y los miserables pueden condenar y acusar al que, llevado por una gran pasión, rompe todas las leyes de la sociedad para imponer por su fuerza el derecho de su pasión.

El amor, que es el principio y el fin de la vida, tiene todos los derechos; el hombre del renacimiento no debe reconocer obstáculos a la felicidad de dos seres humanos.

* * *

Sí, yo creo posible un renacimiento en la vida. Creo que sin el peso de las tradiciones podría ser nuestra existencia más enérgica; creo que podríamos gastar más decentemente las fuerzas de la vida. Ese debe ser nuestro deseo: agotar todos los instintos, derrochar todas las energías.

Pero hay un mundo que lo impide; es un mundo de impotentes, de pálidos espectros, que monopolizan las mujeres y no las fecundan; que monopolizan el dinero y no lo emplean; que lo monopolizan todo y lo guardan todo.

Es lástima; los que tenemos el mundo de deseos, de instintos no satisfechos, debíamos reunirnos para enterrar vivos a todos esos impotentes que nos impiden realizar nuestras ansias de poder, de amor, de orgullo...

Después de enterrarlos, tendríamos tiempo de devorarnos los unos a los otros.

DULCE EGOISMO

El salón de una señora muy amable y muy buena. Delante de la chimenea hablamos de Maura, de Silvela, del tiempo y de otra porción de cosas sin importancia, unas cuantas personas.

Un señor muy elegante que me han presentado, pero que no recuerdo cómo se llama, me dice, acompañando la palabra con una simpática sonrisa:

—No sabe usted lo que me gusta el invierno.

—¿Le sienta a usted bien?—le pregunté, viendo que, a pesar de su aspecto de currutaco, se nota que está fatigado.

—No; suelo padecer reuma.

—¿Tiene usted un plan, algo que hacer?

—¡Oh, no! Soy rico y no trabajo.

—¿Piensa usted divertirse?

—No crea usted...

—¿No le gusta a usted el teatro?

—No; yo apenas voy al teatro.

—¿Frecuenta usted reuniones, bailes, sin duda?

—No, no; tampoco.

—¿Le gusta a usted pasar las veladas en casa leyendo?

—No. ¡Ca!

—¿Tiene usted algún proyecto?

—¡Oh! Ninguno.

«¿Por qué le alegrará a este hombre que venga el invierno?», me he preguntado.

Hemos salido juntos a la calle. Hacía una niebla helada que penetraba en los huesos; los globos eléctricos en sus altos soportes se veían al través de una gasa de niebla azulada.

En la calle andaban unos cuantos golfos descalzos, con los brazos cruzados sobre el pecho, con un aspecto de micos, saltando para calentarse.

—¿Sabe usted lo que hace que me guste el invierno?—me ha preguntado el señor amable con una ingenua sonrisa.

—¿Qué?

—Pues pensar que hay gente que tiene frío cuando yo estoy entre mantas; que hay gente que no come cuando yo estoy en la mesa. Es una tontería, ¿verdad?—ha añadido el señor amable, sonriendo.

—No, no es una tontería.

—¿De veras no le parece a usted una tontería?

—¡Qué me ha de parecer una tontería! Me parece muy bien, pero que muy bien.

Y el señor amable y yo nos hemos despedido amablemente, cambiando la más afectuosa de las sonrisas.

VIEJA ESPAÑA, PATRIA NUEVA

«Nosotros queremos organizar a España según sus tradiciones, sus costumbres, su lengua: queremos organizar a España de una manera natural.»

(Domenech, en el Congreso.)

Yo empiezo a considerar posible la redención de España; casi, casi creo que estamos en el momento en que esta redención va a comenzar.

Hemos purgado el error de haber descubierto América, de haberla colonizado más generosamente de lo que cuentan los historiadores extranjeros con un criterio protestante imbécil y tan fanático o más que el del catolico. Hemos perdido las colonias. España ha sido durante siglos un árbol frondoso, de ramas tan fuertes, tan lozanas, que quitaban toda la savia al tronco. El sol no se ponía en nuestros dominios; pero mientras en América iluminaba ciudades y puertos y monumentos construidos por los españoles, en España no alumbraba más que campos abandonados, pueblos sin vida, ruina y desolación por todas partes.

Se han perdido las colonias; se han podado las últimas ramas, y España queda como el tronco negruzco de un árbol desmochado. Hay quien asegura que ese tronco tiene vida; hay quien dice que está muerto.

* * *

A mí, actualmente, España se me representa como algunas de las iglesias de nuestras viejas ciudades: un párroco mandó cerrar una puerta; otro cubrió con yeso unos angelotes porque eran inmortales; el que le siguió cerró una capilla con un altar, se tapiaron las ventanas, se abrieron otras, y, al ver ahora la iglesia, no se puede uno figurar su forma primitiva.

Los que esperamos y deseamos la rendición de España no la queremos ver como un país próspero sin unión con el pasado; la queremos ver próspera, pero siendo sustancialmente la España de siempre. Si se nos dice que a esa vieja iglesia estropeada, en vez de restaurarla se la va a derribar, y que en su sitio se levantará otra iglesia nueva, o una fábrica de gas, o un almacén de yeso, no nos entusiasmará la idea; primeramente, es muy posible que, después del derribo, no venga la construcción; además de es-

to, creemos que hay en el viejo edificio muchas cosas aprovechables.

* * *

Si tuviéramos una idea clara y exacta de lo que hemos sido; si conociéramos nuestra historia sin leyendas ni ficciones, no sólo en períodos anormales, sino en el período normal de la vida, podríamos comprender fácilmente lo que podemos ser.

Nuestros sabios y eruditos no han sabido hacer nada respeto a eso. Para que se hayan llegado a conocer muchas de las cosas buenas de España han tenido que venir sabios y críticos extranjeros. No tenemos una historia de nuestra vida pasada, ni una historia de nuestra arquitectura; el país donde han nacido los más grandes pintores del mundo no tiene ni aun siquiera un manual completo de historia de su pintura escrito por autor español. Sólo Menéndez y Pelayo ha hecho algo con relación a la literatura y a la filosofía españolas; pero lo ha hecho con criterio de ultramontano, lleno de prejuicios y de preocupaciones.

No sabemos lo que era España en la época más típica suya, en los siglos XV y XVI; queremos hacer revivir su espíritu. ¿Cómo, si no lo hemos descubierto todavía?

* * *

Una de las cosas que parece paradójica y es muy exacta es la intransigencia, el fetichismo de los liberales y de los que en España se llaman avanzados.

El fanatismo religioso y el fanatismo liberal han de ser un obstáculo enorme para la redención de España. Los fanáticos en religión impedirán la evolución del sentimiento religioso; los fanáticos de la democracia, considerando intangible el sufragio, la libertad de Prensa y el parlamentarismo, impedirán la evolución de la idea política.

* * *

Hallado el ideal, armonizar las conquistas de la civilización con el carácter y la manera de ser nuestra sería cosa inmediata y fácil. Pero primeramente hay que hallar ese ideal, definirlo, concretarlo.

Hay que sondear en el espíritu de la patria y en el espíritu de la religión.

* * *

Para mí, uno de los mayores males de España es el espíritu de romanticismo en política. Que sea romántico en la poesía, no está mal; que un hombre sea romántico en la vida, allá se las haya; pero que un Gobierno, un poder cualquiera trate de falsear la verdad con idealismos y perturbe así los intereses de mucha gente, ¡no, eso es una locura!

Desde que los dogmas de una religión, por absurdos que sean, dejan de ser algo inmanente en las conciencias, no queda en una sociedad nada fijo ni inmutable. La moral misma varía, es un producto de la raza, del medio ambiente, del clima; lo que es inmoral entre los europeos, es moral entre los papúes, y al contrario.

En este estado de dogmatismo en que nos empezamos a encontrar ahora, la única política posible, la única política beneficiosa sería la absolutamente experimental. España podría llegar a ser algo con una política así, antirromántica y positiva.

Aquí se debían de estudiar lo mejor posible las cualidades de una provincia o de una región, sus aspiraciones y sus necesidades, y, según el resultado, darles una manera de regirse más o menos autonómica. El terruño sería la base del plan de vida en la aldea; la industria y el comercio, en la ciudad.

Experimentalmente, y visto que el sufragio universal no resuelve nada, debía ser suprimido y hacer de manera que los nuevos, siempre los más inteligentes, resolvieran, no conforme al criterio de la mayoría, sino conforme a las condiciones y necesidades de la región, de la ciudad o de la aldea.

De aquí se originaría un absolutismo de los inteligentes sobre los no inteligentes, de los espíritus que han llegado al estado de conciencia sobre los dormidos o torpes.

Esto sería un ataque a la libertad, dirá alguno. Cierto. Pero en España no debemos ser liberales. Luis Veuillot ha puesto el dedo en la llaga con esta o parecida frase dirigida a los liberales: «Nosotros, los reaccionarios, les pedimos la libertad, porque está en sus principios; se la negamos, porque no está en los nuestros.»

Por eso, queriendo ser fuertes, no podemos ser liberales; debemos ser autoritarios y evolutivos, dirigir y encaminar nuestros esfuerzos a conseguir el máximo de perfección, de piedad, de inteligencia, de bondad compatible con la raza. Queriendo ser fuertes no podemos ser románticos, porque el falseamiento de la verdad lleva a la alucinación.

* * *

Siguiendo una política experimental, no se haría nunca reforma alguna, a no ser que se notara la necesidad absoluta de ella y fuera para evolucionar progresivamente. Marcharíamos directamente, sin ambages, a la supresión de las instituciones democráticas, como las Cortes, el Jurado y las demás, que no tienen más bases que la ley de las mayorías y el número aplastante que representa la fuerza de un rebaño de bárbaros.

Experimentalmente, veríamos que la masa es siempre lo infame, lo cobarde, lo bajo; que un público, que también representa la masa, es siempre imbécil, y que en una Cámara o en un Congreso los sentimientos falsos sustituyen a los sinceros, que las almas viles y rastreras se sobreponen a las altas y nobles.

La gran ventaja que tiene el Gobierno por uno, cuando ese uno es bueno, es que puede conocer a los hombres, lo que nunca conoce una asamblea, y, además, que puede obrar fuera de la ley cuando convenga.

Debíamos pensar en suprimir toda esa cáfila de periodistas hambrientos y ambiciosos que hablan en nombre de la libertad, y que, a espaldas del público, viven del chantaje y de los manejos más viles con el Gobierno, tan cobarde y tan miserable, que teme a esos periodistas, no precisamente por los cargos políticos que les puedan hacer, sino porque todos tienen mucho que ocultar en su vida privada.

Habría que imposibilitar a todos esos políticos de oficio, ambiciosos sin talento, que llegan al Poder después de una serie inacabable de líos y chanchullos públicos y privados; arrinconar a tanto general de salón, a tanto demócrata parlanchín, a tanto escritor abyecto, a tanto gomoso de la política.

Si el país necesita entenebrecer su vida, oscurezcámosla. Si necesita un buen tirano, busquémosle.

* * *

Hay dos liberalismos: uno, condenado por el Papa, que es el lógico, el natural, el necesario; otro, aceptado por el Papa, que es el estúpido. El primero envuelve la libertad de pensar, la única que puede existir con todas las tiranías y todos los despotismos, porque ni la *razón ni la voluntad están expuestas a los ladrones.*

El segundo liberalismo envuelve todas esas falsas y ridículas libertades que están expresadas en los programas políticos: libertad de asociación, sufragio universal, libertad de la Prensa, inviolabilidad del domicilio. Todo eso es estúpido y no tiene utilidad alguna.

Si me tienen que prender, a mí lo mismo me da que me prendan con auto de juez que sin él; sé que un juez puede condenarme o absolverme, según quiera; que si llego a estar alguna vez en su presencia, me encuentro atado de pies y manos, y que lo mismo puede hacer esto con libertades que sin ellas.

Sé que si mañana me encuentro vejado por una enorme injusticia, no he de encontrar Prensa que me defienda, a no ser que tenga amistades con periodistas o vaya a señalar algo que el exponerlo sea beneficioso para los intereses del periódico.

¿Y estas libertades vamos a defender? No; que se las lleve el demonio. La Libertad la llevamos todos en nuestra alma; en ella gobierna; la libertad de fuera, de ejecutar, no la conseguiremos nunca.

Los que, con un criterio positivista, mandaran, debían hacer que la libertad fuera una religión en nuestro espíritu; fuera de él, nada.

* * *

Y si con un criterio humano, más que doctrinal, se llegara a gobernar, ¡qué descanso no sentiría España entera! Todo lo perturbado por la democracia volvería a su cauce natural. Se trataría de restaurar lo pintoresco, se restaurarían los antiguos conventos; pero se prohibiría edificar nuevos conventos de ladrillo en los alrededores de las ciudades más populosas. Se disminuiría el número de obispados y de parroquias. El dinero de una se emplearía para el esplendor del culto de la otra. Se prohibiría que los párrocos tuvieran poder en sus iglesias; se catalogarían todas las riquezas artísticas de las corporaciones y de los particulares, y se prohibiría el vender una obra en el extranjero, castigando al que lo hiciera con multas enormes.

Se haría un ejército mercenario, con menos oficiales, y éstos bien pagados. Se aconsejaría a los prelados vender las joyas sin mérito artístico. Se entablarían negociaciones con los demás países para que nos enviaran todos nuestros cuadros a cambio de los suyos, y, sintiéndose el Poder con fuerza, haría independiente la Iglesia española de la de Roma.

Nuestras Diputaciones y Ayuntamientos debían trabajar en restaurar lo viejo armonizable con la manera de ser del país, y en adaptar lo nuevo que tuviera la misma condición, siempre llevando por guía un criterio progresivo.

* * *

Se debía exagerar todo lo posible la tendencia individualista, la úni-

ca que produce el hogar verdadero, el *home*, en el cual el hombre, con un admirable egoísmo, siente y reconoce con energía su personalidad y desprecia lo que no se relaciona con ella; pero el hombre del hogar es el que necesita ser sociable.

Si nosotros, en nuestros campos, hiciéramos la vida soportable en la aldea al rico algo instruido y al hombre de ciencia modesto, médico, farmacéutico o maestro de escuela, habríamos hecho más que todas las leyes y decretos que se pueden insertar en la *Gaceta*. Porque está muy bien que sociólogos e higienistas prediquen el amor rural, la vida en el campo, pero ésta se puede hacer en tanto que no corte de raíz una serie de necesidades espirituales del hombre.

No sé en qué novela de Galdós, en una de sus *Episodios nacionales*, hay un cura o preceptor que aconseja a un joven que deje de hacer el amor a las señoritas de la corte, encanijadas y decadentes; que se vaya al campo y se case allí con una muchacha sana y robusta que huela a ajo. No. ¡Por Cristo! No. Mientras la alternativa sea ésta, nadie irá por gusto al campo. Si le dan a elegir a un joven entre Madrid, absolutamente imbécil por dentro, pero con apariencias de cortés y amable, y la vida del campo, no vacilará en escoger Madrid.

Pero no hay ninguna ley, ni física, ni metafísica, ni matemática, que obligue por necesidad a que el hombre del campo sea un idiota, ni a que la mujer también del campo tenga que oler a ajo.

De esto se debe tratar, de que se viva en el campo sin ser un bruto; de que la mujer no sólo no huela a ajo, sino que sea limpia, bien vestida, agradable, inteligente y de que tenga la coquetería y la gracia naturales en ella. Y que es armonizable vivir en el campo, leer libros, periódicos, tener sociedad y vivir como civilizado, lo prueban los ingleses, los franceses y los alemanes: toda la gente del Norte.

Para el individuo, mejorarse, educarse, perfeccionarse y, como consecuencia, gozar todo lo más posible, ése debe ser su fin; para el Estado, mejorar, educar, perfeccionar la sociedad. Y eso sólo se podría alcanzar con una política experimental, que en España se reduciría a un mínimo de ley y a un máximo de autoridad.

* * *

Que todo eso es hablar, que la redención de España es muy difícil, y, además de difícil, muy larga, ya lo sé. Como he dicho antes, tan lejos vamos de ese camino, que creo que no hemos llegado ni siquiera a descubrir España.

OASIS

Había un voluptuoso, creo que era Maquiavelo, que se disfrazaba de mendigo y andaba en las tabernas más infectas con gente miserable y astrosa. Cuando se sentía ya saturado de miseria, de tristeza, de dolor, iba a su casa, se vestía con su túnica más espléndida y gozaba mejor de su riqueza y de su fausto.

Al igual de aquel prudente patricio hallo yo en la vida, no gozando con mi riqueza, porque no la tengo, ni poniendo sobre mis hombros manto de armiño; pero ya que no puedo esto, me encierro dentro de mi misma alma, y la oigo cantar su canción humilde, en medio de la soledad y del silencio.

En medio de las andanzas de la vida del día, se ha experimentado el contacto del sableador sinvergüenza en la calle, del pincho de la casa de juego en el café, del periodista chanchullero en la redacción; se ha cambiado una palabra amable con un idiota a quien se desprecia y que lo desprecia a uno; se ha adulado a un político ilustre que no sabe ni escribir, lo que no es obstáculo para que sus discursos estén guardados en el *Diario de las Sesiones* como bloques finísimos de elocuencia parlamentaria; se ha cubierto el alma de lepra, y cuando se llega al silencioso rincón en donde se vive, se respira más libremente ante las cuatro blancas y frías paredes del cuarto.

En medio de esta vileza ambiente, en este mundo del chanchullo, del hampa, del baraterismo, hay algunos oasis tranquilos, en donde se respira serena placidez.

Yo he pasado muchas veces por la noche horas enteras mirando desde la calle por la ventana del taller de algún tornero, de algún encuadernador. Se notan en el interior la placidez y el trabajo. La luz confidencial de una lámpara alumbra el rincón pacífico. La gente trabaja sin apresurarse.

Yo he creído muchas veces—quizá equivocadamente—que ahí dentro, en esos interiores tranquilos, debe refugiarse la dicha. Se me figuran esos talleres de artífices modestos oasis de paz, de serenidad, en medio de estos desiertos de egoísmo, de miseria moral, de abyección y de vileza.

ESPIRITU DE SUBORDINACION

Los periódicos franceses de hoy cuentan la heroica entrada en Ruán del joven soldado Hartman, un niño de diecinueve años que, enfermo, agotado, después de hacer una jornada de veintitrés kilómetros arrastrándose, ha reclamado el fusil para atravesar la ciudad con honor, y lo ha llevado, temblando por la fiebre, hasta el cuartel, que le ha abierto las puertas para la muerte.

Clemenceau, en la Cámara, ha saludado a *esos francesitos dignos de su raza y de su país*; y en las tribunas los espectadores aplaudieron, y hubo una explosión de lágrimas entre las mujeres.

Yo no sé si este pobre soldado, muerto tras de esta heroicidad inútil, será de la clase acomodada o del pueblo; pero apostaría cualquier cosa a que su familia pertenece al pueblo. Si esto hubiera sucedido en España, no apostaría, aseguraría que el soldado era de la clase humilde.

¿Por qué? Porque sólo en esa clase humilde existe en España el espíritu militar de obediencia, de disciplina, de sumisión.

Es para mí esto un resultado de la herencia, un resultado de que subsiste todavía, aunque disimulado por la democracia, el régimen de castas.

Ayer, entre la turba de bandidos y aventureros, iban a la guerra los siervos del terruño sin armaduras que protegiesen su pecho, sin prolongadas lanzas ni cortantes sables. Los señores, recubiertos de acero, los seguían, caracoleando sus caballos; los siervos, los miserables, entraban los primeros en la refriega; si vencían, el triunfo y el botín eran para sus señores; si eran vencidos, los llevaban como rebaño de bestias a trabajar para sus nuevos amos.

Sufrían y miraban al cielo, esperándolo todo de arriba; el cura los enervaba con sus misterios, el noble los robaba, el rey los tiranizaba; ellos querían al cura, al rey y al noble. Tenían sangre de esclavos.

Mientras tanto, los hidalguillos que vivían en las aldeas campaban por sus respetos y hacían su santa voluntad; los mercaderes se reunían en gremios, recababan fueros y privilegios. Iban preparando una clase libre y orgullosa.

Hoy sucede lo mismo. El pueblo siente, por atavismo de raza, el espíritu militar; la burguesía siente, también por atavismo de raza, el espíritu independiente.

Así ellos van a engrosar las filas del ejército sin protestar nunca; los herederos de los antiguos siervos, abandonando la fábrica el obrero, olvidando el terruño el labrador.

Los antiguos nobles, los antiguos comerciantes, les hablan de la patria; les hablan de la disciplina, del honor militar, y forman con ellos una fuerza enorme, una fuerza maravillosa, que sirve para defender el mundo de los privilegiados de los ataques de aquellos que no tienen más patrimonio que hambre y desesperación.

Sólo entre algunos insectos se dan casos de una previsión tan admirable. Sacar un ejército—la fuerza ordenada—de la masa, que es el desorden tumultuoso y heterogéneo, es lo más genial que puede verse.

Extraer el soldado de la multitud, hacerle olvidar su origen, sus anhelos, su pasada desnudez, sus miserias, su ignorancia, y convencerle de que debe pelear contra el obrero sublevado, contra el que lucha por mejorar la situación de su clase, es trágico. Sólo esos herederos de aquellos esclavos pueden aceptar esto; sólo ellos pueden sentir ese espíritu de subordinación y de disciplina en el ejército y fuera del ejército. Nosotros, los burgueses, los herederos de aquellos mercaderes y de aquellos hidalguillos, acostumbrados al mando y al privilegio, no podemos sentir esa veneración por ninguna de esas instituciones sagradas ante las cuales se inmola al imbécil pueblo.

Nosotros, cuando llega la hora del servicio militar, pagamos si tenemos dinero; si no lo tenemos, nos empeñamos, pero no servimos; cuando llega la hora de votar, no votamos; en los negocios somos siempre los amos; en la vida somos siempre los hombres de presa.

No tenemos idea alguna de solidaridad, de clase.

Conocemos la injusticia social. Sabemos que a un lado están los que llevan la piedra al hombro, los que manejan la pluma o el martillo o conducen el arado, y al otro los que cortan los cupones y viven bien. Sabemos que aquéllos son los buenos; pero nosotros, que hemos suprimido el problema social por el individuol, queremos convertirnos de trabajadores en cortacupones.

No nos subordinamos más que a esto: a triunfar, y no nos inclinamos ante nada.

NAVIDADES TERRIBLES

En la oficina se han reunido todos los empleados. Se discute, se augura; las probabilidades de continuar desempeñando el empleo son pocas, poquísimas. El jefe del Negociado ha tratado de ver al ministro una vez y dos para ponerse a sus órdenes; el ministro no le ha querido recibir. Es una manera discreta de decirle que ya ha dispuesto de su plaza; que él y todos sus subalternos pueden marcharse cuando quieran.

Los empleados tienen alternativas de esperanza y desaliento. ¿Quién sabe? Cuando entró Pérez no dejó cesante a nadie. Pero el nuevo ministro es moralizador; ha dicho varias veces que cuando llegue al Poder reorganizará los servicios.

Esta reorganización de los servicios sabe todo el mundo que es una filfa, una de tantas frases que corre como moneda buena, aunque no hay nadie que no esté enterado de que es falsa.

Mientras tanto, la desorganización de los servicios desorganiza la existencia de los empleados.

¡Qué vida se les presenta! Ellos, que se veían todos los finales de mes sin un cuarto, se encuentran ahora, desde el primer día, en esta situación angustiosa. Hay que comenzar la caza del duro y de las dos pesetas, tan dificilísima en Madrid. El viaje de ida y vuelta a la casa de préstamos se va a convertir en viaje de ida sólo, y, al volver, en vez de desempeñar el reloj o la capa, se empeñará la papeleta.

La perspectiva es tétrica; la Navidad, horrible.

Ni el tambor y el pandero para los chicos, ni el pavo comprado en familia en la plaza Mayor con el sueldo adelantado de Nochebuena, ni cánticos, ni villancicos; el día del nacimiento de Dios, el padre estaba en la mesa enfurruñado; la mujer, triste; el uno, pensando en el sablazo que va a dar al día siguiente a Fulano; la otra, en que tiene que despachar a la criada.

¡Qué extraña, qué imprevisora la vida de la mayoría de nosotros! Sabemos que el plazo se acerca, que va a llegar...; tan tranquilos. Sólo cuando la catástrofe está encima nos damos cuenta de que ha llegado.

Afortunadamente, somos frívolos, nos consolamos hablando, soñando, imaginando los acontecimientos tal como los pintan nuestros deseos.

Sí; afortunadamente somos frívolos y confiados; si no, no podríamos vivir. Confiamos en el azar, en la suerte, en la lotería, en el amigo influyente, en todo lo que no nos exige trabajo y constancia.

Si fuéramos más sensatos, si tuviéramos ideas sólidas, no podríamos vivir. La frivolidad es un bien que no otorga la Providencia; el cesante de hoy, después de las tristes perspectivas que se presentan ante su vista, las olvida al momento, y con un optimismo ingenuo les dice a sus compañeros que salen de la oficina:

—Nos echaron; pero crea usted que este Gobierno no dura más de cuatro o cinco meses.

Y alguno que no tiene la misma confianza, murmura tristemente:

—Eso dice todo el mundo cuando cae; yo no veo más que una cosa: que las Navidades van a ser terribles.

GORKI

Hace dos años, en la Redacción de *L'Humanité Nouvelle*, de París, oí hablar por primera vez de Gorki, un escritor ruso a quien algunos llamaban el poeta de los vagabundos.

Entonces el escritor ruso de moda era Tchekhow, el autor de *Los mujicks*, que seguía gloriosamente la tradición de Dostoyewski; hoy Gorki ha borrado el nombre de Tchekhow, y en Francia y en Alemania no se habla más que de este último y se traducen sus obras, que se publican de folletín en los periódicos, y se escriben todos los días artículos acerca de su vida y de su personalidad literaria.

El Gobierno del zar, que encarceló a Gorki con otros vagabundos, hizo en Rusia al escritor el hombre del día; hace algún tiempo nadie le hubiera conocido por esto; pero ahora que el mundo literario presta tanta atención a las producciones rusas, la noticia de la prisión de un escritor notable dio que hablar bastante en Europa.

Sin ese acontecimiento, es lo más probable que Gorki hubiera conseguido al fin llamar la atención del mundo literario. Hay escritores que no tienen otro timbre de gloria que el haber encontrado una zona inexplorada de la vida; son como los viajeros que descubren un lago o una montaña, los que dan su nombre; hay otros que unen al mérito de descubridores, siempre algo casual, condiciones personales no debidas al acierto o a la eventualidad. Bret-Harte, por ejemplo, que ha pintado la vida aventurera de California y del Occidente americano con sus buscadores de oro, ha sido, además de explorador social, un gran humorista; a Rudyard Kipling le sucede lo mismo; nos ha llevado a las regiones ignotas de las orillas del Ganges, ha descrito la vida de los indios, y al interés del reportaje ha unido la magia de su poesía.

Máximo Gorki, como explorador de la sociedad, ha descubierto la vida del garito, de la taberna, la vida criminal y maleante en Rusia; como escritor, ha puesto de manifiesto las condiciones sólidas de su temperamento inquieto, su realismo pujante, sus ideas valientes que nacen de un concepto del mundo original y atrevido.

Por lo que leo en una de sus biografías, Gorki nació en Nijni-Novgorod en 1868 ó 1869, él mismo no lo sabe de cierto; sus padres eran gente humilde; quedó huérfano a los pocos años. Entonces hizo una vida de vagabundo, recorriendo los caminos, pasando algún tiempo, siempre corto, de aprendiz en fábricas y talleres. Su inquietud no le permitía perseverar en el aprendizaje de los oficios, y constantemente se escapaba del taller y huía por los caminos e iba instruyéndose leyendo novelas. Fue cordelero, grabador, pintor de santos, cocinero, guardavía, buhonero, mozo de cuerda, hasta que Korolencko, el escritor, le inició en el mundo literario.

La mayoría de las obras de Gorki son cortas; de todas ellas se desprende una personalidad que constituye un caso típico de patología social. En los cuentos de Gorki, un cortejo de mendigos, de borrachos, de ladrones, se pegan, se insultan, roban, abominan de la sociedad. Es cierto que en las obras de Zola sucede lo mismo; pero el autor de *Los Rougon-Macquart,* como honrado y buen ciudadano al mismo tiempo que gran artista, indica mal con la idea piadosa de que se le ataje, muestra la podre-

dumbre de la clase humana buscando el remedio, la limpieza, la desinfección. En las obras de Dostoyewski brotan también por todas partes miserias y sufrimientos, anatemas y blasfemias; pero este gran escritor ruso legitima las deformidades morales y las santifica con una inmensa piedad; Gorki, no; Gorki arroja la deformidad moral sobre la sociedad y la defiende como buena. Gorki no contempla sus tipos con los ojos del hombre de orden horrorizado del crimen, que pide educación o cárceles, ni con la mirada de dolor de un pietista cristiano; al revés, Gorki considera sus vagabundos criminales como héroes, se burla del ciudadano de instintos débiles; para él sus compañeros de crápula, sus amigos, los ladrones y asesinos, son los verdaderos representantes de la fuerza del pueblo no domeñada aún por las leyes. Cierto que no espera de ellos la regeneración de la sociedad, pero eso no le impide admirarlos y enaltecerlos.

El caso de Gorki se viene observando desde hace algún tiempo en todos los países intelectuales. Lo que antes era entusiasmo pacífico por la soledad y el campo, se ha ido transformando en los escritores modernos en odio y en instinto antisocial.

Si seguimos así, dentro de poco, en el terreno de la literatura, los únicos conservadores serán los anarquistas; al lado de ellos, todos estos escritores, como Nietzsche o Gorki, anárquicos y antidemocráticos al mismo tiempo, son muchísimo más disolventes. Los vagabundos cínicos de Gorki tienen la moral preconizada por Nietzsche, esa moral que consiste en satisfacer todos los instintos sin preocuparse para nada del prójimo.

En una de las novelas de Gorki, la hija de un coronel, una niña ingenua, le dice a un galanteador suyo, profesor de Filosofía: «¡Dios mío, qué aburrida debe ser su vida, siempre sin poder hacer nada! Mi opinión es que debía usted ser de otra manera: que quiere usted molestar a alguno, pues le molesta usted; que quiere usted ser injusto, séalo.»

Esto parece bastante infantil para tomarlo en consideración; sin embargo, es un síntoma. Quizá la Humanidad ha abusado un tanto de la moral del sacrificio, y los hombres comienzan a protestar de esta noción aniquiladora de las energías individuales. La protesta, indudablemente, es exagerada; la preconización de la amoralidad es absurda; pero no hay que pasar ante fenómenos como Nietzsche y Gorki con un gesto de desprecio; necesitan estos casos una explicación, como todo fenómeno patológico.

Para la moral cristiana, el tipo del hombre superior es el asceta; para la moral de Nietzsche y de Gorki es un criminal; el superhombre es para ellos un subhombre. Gorki tiene un verdadero horror por los tipos morales; como Nietzsche, no se cansa de considerar a todos los socráticos como enemigos de la Humanidad. Gorki se burla de los que han sustituido sus instintos naturales por un código moral y que le preguntan, mientras ejecutan un acto, si, conforme a la ley moral de Kant, su acción se podría convertir en norma de las acciones de los demás hombres.

El éxito de Gorki se explica por su amoralidad. Este instinto anárquico que todos vagamente sentimos, es, sin duda, el que hace que lo leamos con gusto y saboreemos sus páginas con la alegría perversa con que se goza de todo lo prohibido.

Todos tenemos un rebelde dentro de nosotros; y como por útil y beneficiosa que sea la constitución del Estado y del orden social vemos que tiene también sus desventajas, en éstas se basan nuestras simpatías por lo antisocial. La protección de los débiles, que está dentro de los dogmas cristianos, tiene, por consecuencia necesaria, un encadenamiento de los fuertes, y el que se sienta fuerte y hombre de presa, al verse sujeto por las cadenas de las leyes, ha de mirar con rencor al Estado, enemigo natural suyo que le coarta sus energías. Lo mismo les sucede a los literatos, desde Balzac hasta Gorki: prefieren el ejemplar extraño de la especie humana, que se presta a su contemplación y a su estudio, que no un rebaño de bípedos pacíficos y felices que buscan su pasto.

Esta predilección por los tipos antisociales y su amoralidad hacen del nuevo escritor ruso un hombre tan peligroso para el Estado como si fuera nihilista. El mendigo que pasa las noches en las cabañas cubiertas de heno, entre hordas de miserables, a orillas del mar Negro, copiando las conversaciones de sus astrosos compañeros, es un entusiasta de la vida vagabunda, un cantor de la vida libre y errante. «Vive—dice en uno de sus libros—y espera que la vida te quebrante; cuando la vida te haya quebrantado, espera la muerte.»

En esta Rusia extraña y misteriosa, en donde las ideas toman una encarnación tan potente, cada hombre parece que lleva dentro un salvaje.

INDIFERENCIA

Todos los periódicos están conformes en asegurar que las elecciones provinciales se han celebrado en Madrid, como en provincias, en medio de la más absoluta indiferencia.

Suponen algunos que el ser las Diputaciones provinciales organismos cuya utilidad no comprende la mayoría de los electores influye grandemente en esta frialdad.

Quizá sea cierto; pero también lo es que los electores y los candidatos saben, no sólo que las Diputaciones provinciales son, en general, inútiles, sino que el cargo de diputado provincial es de poca representación y de poco lucimiento. De ahí la indolencia del cuerpo electoral.

Esta misma indolencia se advertiría en las elecciones de concejales y de diputados a Cortes si la paternidad de la patria o la vigilancia del Municipio no tuviera sus gajes, unas veces de vanidad y de consideración social; otras, de ingresos públicos o secretos.

Estos gajes, que para los concejales estriban en contratos productivos y para los diputados en la Subsecretaría, en el Gobierno civil o en la cantidad recogida en el Ministerio de la Gobernación, hacen que haya tantos golosos que quieran ir al Congreso o al Ayuntamiento.

Si la concejalía o la diputación no fuera una sinecura, apenas se presentarían candidatos en España, excepto algún hombre de buena intención y alguno que otro que quisiera darse tono en el Congreso. Si estos cargos no dieran influencia para otorgar favores y destinos, no habría quien se acercara a los colegios electorales.

Somos así; no tenemos el sentimiento social que tienen otras razas. Sentimos el atomismo individualista más que la solidaridad social.

Si nos cuentan, con ocasión de las elecciones, que se destituyen Ayuntamientos en masa, que se hacen violencias, que se cometen una serie de ilegalidades, de prevaricaciones y de atropellos, no nos indignamos. En el fondo, la mayoría de los españoles consideramos estas cosas como armas de combate, casi, casi, de buena ley.

En el seno de la confianza celebramos todos esos gatuperios y trampas electorales, y cuando el diputado o el concejal nos cuenta en su casa o en el Casino a media voz cómo falsificó las actas y las triquiñuelas de que se valió, no sólo no le despreciamos, sino que le admiramos y le tenemos por un hombre listo y barbián; y es que nos parece esta lucha tan artificial, que le damos menos importancia que a un juego de cartas, y los que no daríamos la mano a un tahur que hace una trampa en el juego, abrazamos al diputado que ha hecho una trampa en las elecciones.

¿A qué negarlo? Nosotros, los españoles, tenemos el instinto democrático en las costumbres y en los usos de la vida, pero no sentimos la democracia en las leyes. Un francés demócrata trata con más altivez a su criada que un español reaccionario; pero el francés vota religiosamente, y el español, no.

Si en España se estableciera, como en Suiza, el castigo con una multa al que no ejerciese el derecho del sufragio, estoy seguro de que la mayoría de los españoles que tuviesen para pagar la multa, si ésta no fuera grande, preferirían pagar a votar.

Somos individualistas; además, tenemos una completa desconfianza en los hombres, empezando por nosotros mismos.

Este atomismo, que en el extranjero es patrimonio de unos cuantos intelectuales alambicados, que asombran al mundo por ser enemigos de la democracia y de la ley del número, aquí es moneda corriente. Este atomismo lo siente en España el tonelero, el trabajador, el burgués, todos...

¿Somos inferiores o somos superiores a los hombres de los demás países? No lo sé; pero creo que, siendo como somos, las leyes y las costumbres políticas de nuestro país debían estar ajustadas a nuestra manera de ser, quizá defectuosa y mala, pero que es la nuestra.

MALA HIERBA

Esta cuestión del juego, de los garitos y chirlatas que funcionan en Madrid, es de esas que los periódicos llaman batallonas. Sirve esta cuestión para que unos cuantos cronistas luzcan su mal humor y hablen como pequeños Juvenales de nuestra sociedad, y hasta se sientan elocuentes y abominen de los organillos.

Indudablemente, la frecuencia de crímenes en los garitos pone de manifiesto la existencia de un hampa que vive del fraude, de levantar muertos y de otra porción de martingalas y socaliñas más o menos permitidas.

Todos estos alardes de austeridad que hacen nuestros cronistas me parecerían muy bien si fueran un poco más generales, si fustigarán con su terrible látigo el hampa allá donde se hallase. Pero eso no sucede. Hay otros mundos de hampones que nadie se toma el trabajo de observar.

Existe una *golfería* que explota el garito y la casa de juego, es indudable; pero existen también otras muchas clases de hampa que, en general, nuestros grandes cronistas, a pesar de su penetración, no señalan.

Hay un hampa o golfería miserable que se refugia en los barrios pobres, como las Injurias, las Cambroneras, el barrio de los Hojalateros y los Cuatro Caminos. La componen los que viven de la busca, pidiendo limosna, *mangando* lo que se tenía; forma este hampa el mundo de los randas, mangantes, descuideros, ninchis, golfos propiamente dichos, como diría cualquier profesor de los nuestros, y golfolaires.

Por encima de éste hay otro mundo de hampones que tienen sus reales en un espacio muy reducido del centro de Madrid. Este mundo comienza en el organillero que se llama a sí mismo pianista, y concluye en el presidente de cualquier círculo o casino, un buen señor que gasta coche y se tutea con el delegado del distrito. En esta honrada congregación están comprendidos muchos de esos tipos, mixtos de chulos y de polizontes, que se ven a altas horas de la noche en los colmados y tabernas de Madrid, los *croupiers*, los pinchos de las casas de juego y los matones.

Más arriba aún está la *golfería* financiera, la *golfería* política, y en la cúspide, coronándolo todo con los cuarteles nobiliarios de sus escudos, la *golfería* aristocrática.

Si queréis ver la *golfería* financiera, id repetidas veces a la Bolsa, y allí tendréis ejemplares curiosísimos del pufista y del zurupeto, que juega en el corro cientos de miles de pesetas y no tiene dos reales. Observaréis que todos o casi todos los socios tienen confianza unos con otros, que se hablan de tú, dando así una prueba alta de fraternidad humana.

La *golfería* política es la más amplia; en su seno bullen desde el humilde gacetillero hasta el pequeño tiburón, que no ha crecido lo necesario para devorar todo lo que se le ponga por delante; caben en este hampa el libertario y el ultramontano, el empleado y el cesante, el que habla mal del Gobierno en las aceras de la Puerta del Sol y el que ha lanzado una amarra al Ministerio y se ha unido al presupuesto por un misterioso cordón umbilical por donde absorbe una respetable cantidad de pesetas del fondo de reptiles.

En la última clase, en el cogollo del hampa, está la *golfería* aristocrática, formada por señores muy finos, que viven: unos, de la pensión que les pasan sus mujeres; otros, del dinero que sacan a sus queridas, comiendo un pan que entre la gente se denomina de una manera bastante gráfica, aunque no muy limpia.

Estos vividores tienen por todo capital: unos, su virilidad; otros, su manejo de las armas; otros, que no tienen virilidad ni saben esgrimir más armas que la cuchara, se dedican al parasitismo amable.

Las altas clases de *golfería* se unen, se relacionan y se compenetran. El golfo aristócrata y el político utilizan muchas veces al pincho y al matón. Unas veces hay que hacer un chantaje, otras propinar una paliza a alguien que estorba, y para la ejecución de altas obras, los *bravos* suelen ser utilísimos.

Sólo la *golfería* miserable, esa multitud astrosa que vive en los suburbios, es la que no llega a tener nunca el honor de mezclar sus harapos con las chaquetas toreras de los matones ni con las levitas de los zurupetos y políticos *golfos*.

La mala hierba crece en nuestra sociedad por todas partes: arriba, abajo y en medio; aniquila e imposibilita la vida de los que quieren trabajar.

Estamos dominados por la plutocracia más absoluta. El dinero nos ha hecho perder una porción de ideas, quizá falsas, pero que nos sostenían. Nos industrializamos para todo lo malo; quedamos tan arcaicos como antes para todo lo bueno.

Pero nuestros cronistas ilustres no quieren ver esto. Se entretienen hablando mal del juego y de los organillos.

LA SECULARIZACION DE LAS MUJERES

Una idea aceptada por todos, y que corre como cierta, es la de que las mujeres son física y moralmente mucho más sensibles que el hombre. El que ha saludado solamente la fisiología sabe que no es así.

La mujer es más dura para el dolor físico que el hombre; es, por tanto, más cruel. A mayor desarrollo de la inteligencia corresponde siempre mayor capacidad para sentir el dolor moral; la mujer desarrolla poco su inteligencia; por eso siente poco el dolor moral. A consecuencia de estos dos hechos, fisiológico el uno, de educación el otro, resulta que la mujer en general, por su indiferencia para el dolor físico y por su menor capacidad de experimentar el dolor moral; es insensible y cruel.

La insensibilidad orgánica de la mujer la han demostrado los sabios con el estesiómetro. La moral se puede comprobar también.

Este es hecho general a todos los países; pero mayor en aquellos en donde la cultura de la mujer es nula. Por eso en España, en donde es casi negativa, la insensibilidad y la crueldad de la mujer son grandes.

Nuestras mujeres son mujercitas de acero, tienen una inteligencia viva, pero como no la emplean dignamente, esta inteligencia les sirve para murmurar con travesura, y morder con gracia, y hacer chistes crueles a beneficio de las amigas.

Se les habla de cosas sentimentales, y se ríen donosamente; ven en el matrimonio, primero, la cuestión económica; luego, el *trousseau*, la función, el traje de boda; pero si alguien se atreve a hablar de cariño, ya lo encuentran cursi, y si se dice amor, les parece una palabra de peluquero.

Y esto no es un alarde de insensibilidad, es su manera de ser. Una de las cosas que demuestra también la crueldad de nuestras mujeres es la hostilidad que sienten por el pretendiente desdeñado. Como si el haberse fijado en ellas fuera ya un atentado a su dignidad, se muestran con él severas, y, en cambio, son amables para el que las mira con indiferencia; dedican al pobre hombre enamorado las miradas desdeñosas, las sonrisas mortificantes; no le ahorran ni una humillación, ni un dolor.

Esta insensibilidad las hace profesar inconscientemente una filosofía de un escepticismo desolado. El éxito para ella es sinónimo de la virtud y del talento. Este verano una señorita me preguntaba, en San Sebastián:

—¿Quién es ese señor con quien paseaba usted esta tarde?

—Darío de Regoyos—le dije—, un pintor muy notable.

—Ganará mucho.

—No; al revés, gana muy poco.

—Pues entonces no será tan bueno.

Es su lógica, una lógica aplastante.

Para estas filósofas, el trabajo sin remuneración inmediata de dinero o de gloria entra a formar parte de las chifladuras, y así, en general, la mujer, en vez de alentar y sostener al hombre en su trabajo, le desalienta. Suele ser casi siempre el adversario de que nos habla Capus.

Con esta coraza de insensibilidad, armada de su malicia y de su escepticismo, inconsciente para todo lo que no sea contante, sonante o tangible, llega la mujer al matrimonio; viene el conflicto de las dos voluntades: la de la mujer, una voluntad elástica y fuerte; la del hombre, una voluntad gastada con el choque de la vida. La mujer, con un ideal reaccionario; el hombre, sin ideal alguno, y la mujer vence casi siempre.

Las consecuencias de esta victoria son terribles para la sociedad española; entrañan la persistencia de la vida mezquina, hipócrita y fría.

Ni el hombre debe imponer su criterio en la vida social, ni la mujer tampoco. Toda sociedad en donde trate de eliminarse la influencia femenina es una sociedad anómala. En la sociedad española, a la mujer se la relega al hogar, no se la deja influir por su inteligencia ni por su corazón, y domina por sus malos instintos.

Y esto es lo que hay que evitar, y para evitarlo es preciso *secularizar* a la mujer, sacarla de ese claustro del hogar en donde conspira en contra del progreso humano, convertirla de enemiga en colaboradora.

Los españoles no han sabido educar a las mujeres; no han sabido hacerlas partícipes de sus trabajos y de sus luchas; no han sabido humanizarlas, *secularizarlas*. Han dicho: para nosotros, la calle; para ellas, el hogar. Y el hogar vence, no por sus virtudes ni por sus sentimientos, desgraciadamente, sino por la perfidia y la hipocresía.

Mientras en el progreso no entre de lleno la mujer y lo adorne y lo embellezca, el progreso no existirá.

¿Sois revolucionarios? ¿Queréis determinar una transformación social? Conquistad a las mujeres.

Al principio se opondrán; las convencidas exagerarán las ideas hasta deformarlas; al fin colaborarán tranquilamente en la obra humana, que no es otra que la consecución de la belleza y del bien. Habrá imbéciles que empleen contra ellas la ironía y la sátira; pero eso, ¿qué importa? La gente mezquina se ha reído de todos los impulsos nobles, y eso no ha sido obstáculo para que siguieran siendo nobles.

La colaboración activa de la mujer en la vida social no implicaría, ni mucho menos, la destrucción del hogar; al contrario, lo afirmaría, le daría una cohesión moral que ahora no tiene.

Los que ven el lado superficial de las cosas creerán que yo defiendo que las mujeres se hagan médicos y abogados y entren en la Academia. No; esto me tiene sin cuidado. Tampoco me preocupa eso de si la mujer es igual, inferior o superior al hombre, si está a mayor o menor altura.

En esto me atengo a esta hermosa frase de un drama de Shakespeare:

«Ni más arriba, ni más abajo; a la altura de mi corazón.»

ADULTERIO Y DIVORCIO

Entre las muchas cosas que he leído esta semana y me han preocupado, una ha sido esta frase de «Zeda» en un artículo de *La Epoca*, titulado «Callejón sin salida», en donde se comentaba la última comedia de Hervieu. La frase era ésta: «El adulterio en el hombre es una falta; en la mujer es un crimen.»

Yo estimo mucho a «Zeda» por su sinceridad, por su imparcialidad tranquila y serena, por su instinto de justicia.

Pero esta frase me ha parecido tan injusta, que siento la comezón de replicar inmediatamente.

¿Razones? No, no presentaré razones científicas, primeramente porque no las conozco, y después, ¿para qué? En una cuestión sentimental, la ciencia sobra; las únicas razones son las que nacen de la conciencia, y la conciencia me dice a mí que esa calificación del delito de adulterio—falta en el hombre, crimen en la mujer—es arbitraria, y no tiene más defensa que un prejuicio tradicional. Es una apreciación injusta, una idea atávica, residuo de una concepción de la vida hidalguesca de los pueblos semíticos.

El adulterio es a veces crimen, es a veces delito, a veces falta; es a veces, en los pueblos en que no existe el divorcio, un derecho, el derecho que todos los hombres tenemos al amor y a la felicidad.

El adulterio presenta diversos grados de inmoralidad, según las clases sociales en donde se presenta.

En la clase media, en la burguesía

humilde, es donde, generalmente, ofrece caracteres de odiosidad mayor. El hombre (médico, abogado, ingeniero, periodista) es el alimentador de la familia, tiene que buscarse la vida trabajando hasta echar el alma por la boca; la mujer, que no ha aportado al matrimonio más que su persona, vive en un ambiente de intimidad, en un aire más puro. En este caso, el adulterio, por parte de la mujer, cuando el hombre es un hombre honrado, es indisculpable; supone, además de una naturaleza sin pudor y sin sentido moral, una ingratitud monstruosa. Sólo una pasión muy grande puede medio legitimar con la irresponsabilidad la falta de la mujer así atendida, mimada por el hombre que se hace su esclavo. Para uno y otro caso, el divorcio es la mejor solución.

En las clases ricas ya no sucede lo mismo; la ingratitud no existe. La mujer ha aportado al matrimonio una dote considerable que le permite una independencia económica absoluta; el hombre tiene su fortuna. Juran los dos guardarse fidelidad; los dos se obligan a guardar la fe jurada; hay la igualdad de medios económicos; ni él le debe a ella ni ella le debe a él: hay igualdad de derechos. ¿Por qué en este caso la falta del marido ha de ser falta y la de la mujer un crimen? Yo no veo la razón. Se me dirá que en el orden vigente es así; que para el hombre la infidelidad de la mujer, dentro de la vida social, es un perjuicio más grave que para la mujer la infidelidad del hombre; se me dirá que el marido engañado aparece ante la sociedad como un tipo ridículo, y que, en cambio, la mujer del calavera tiene cierta aureola de martirio que no les va del todo mal a algunas damas. No lo niego; pero si es cierto que el dolor es mayor en el hombre, ser social, también es verdad que la pena de sufrir el engaño es mayor en la mujer, porque ésta pone todas sus facultades en la vida del amor, y, en cambio, el hombre, por educación, tiene otras preocupaciones, ambiciones y deseos de gloria.

En las clases pobres sucede con frecuencia algo parecido a lo que ocurre en las altas; la extrema miseria y la extrema riqueza dan condiciones semejantes al matrimonio. Entre los pobres, la mujer trabaja tanto, muchas veces más que el hombre. Las condiciones económicas se equilibran; no hay muchas veces, en la mujer pobre que engaña al marido, ingratitud alguna.

Respecto a los hijos, les toca siempre las de perder, más en los de los matrimonios burgueses que en los ricos y en los pobres; pierden siempre más si la mujer es la infiel que no si es el hombre. Pero ¿no pierden aún más si el padre o la madre eran tísicos, alcohólicos o tenían otra enfermedad constitucional? Además, creo que el perjuicio que experimentan los hijos con aparecer como naturales o adulterinos sería fácil de evitar suprimiendo en el Registro civil las palabras de *hijo legítimo* y no haciendo mención de si los inscritos como nacidos son hijos de matrimonio o del amor.

Yo, por más que pienso, no encuentro una razón ética fundamental que me convenza de que el adulterio en el hombre sea sólo una falta y en la mujer sea crimen.

Respecto a que, como dice «Zeda», «con divorcio o sin divorcio, el matrimonio en caso de adulterio es un dédalo del cual no es posible salir», yo no lo creo así. Es más, creo que el divorcio es por hoy la única solución humana del conflicto; creo que España debe irse preparando para implantarlo.

¿Para que poner ejemplos de casos en que el divorcio es la única solución lógica, posible y humana? Todos conocemos estos casos, todos sabemos de vidas destrozadas, de corazones humanos desecados y marchitos como las flores de los pensamientos en las hojas de un libro.

El perdón es una solución, la mejor solución cuando brota del alma del que perdona y es aceptado y reconocido por el perdonado; pero cuando el perdón no está sentido, entonces es la peor y la más peligrosa de las soluciones.

El perdón podrá ser bueno para las almas escogidas; para los demás, para los que no se sienten con espíritu evangélico, el único camino es el divorcio.

Este podrá preparar con el tiempo la unión libre, la forma más perfecta, más acabada de unión sexual, la más favorable para la selección de la especie y para el bienestar del individuo.

LA CONDENADA FORMA

Eramos íntimos amigos, estudiábamos Medicina y nos habían puesto de internos en la misma sala.

No nos cansábamos nunca de hablar y de discutir. Yo había leído a Kant, a Fichte y a Hegel, y me creía en mi fuero interno superior a media Humanidad; él pasaba los veranos en una casa de campo que tenía su madre cerca de Dax, y conocía a los escritores franceses modernos.

—Créeme—le decía yo—, la idea es todo. No existe más que el *noumeno*.

—La forma es todo—replicaba él.

Teníamos por entonces en la sala un caso muy curioso de adherencia del pericardio, una diablura tramada por el saco en donde se encierra el corazón, que se había ido estrechando poco a poco hasta convertirse en una estrecha cáscara fibrosa que no dejaba moverse a la máquina vivaracha encerrada dentro.

Aquel bonito caso ocupaba la cama número 13 y era un hombre taciturno que no debía de tener familia, porque nadie iba a visitarle.

La historia era vulgar, muy vulgar. Había sido mozo en un café de las afueras y sus ahorros se los prestó al amo del establecimiento. Cuando pensó en casarse pidió su dinero una vez, y dos, y muchas; pero el dueño, que era muy listo, en vez de pagarle, le despachó de su casa. El amenazó a su amo con hacer una barbaridad; el otro le dijo que era un *pagüé* y un *primo*, y el antiguo mozo machacó la cabeza de su principal con un bastón de hierro.

Cuando fue a cumplir su condena al *Abanico*, unos cuantos meses, le acometió, al verse encerrado entre las cuatro paredes de la celda, una melancolía aplastante y un gran deseo de volver a su hermosa tierra gallega, y entre la morriña y el mal trato empezó a *tosir*, a *tosir*, como decía él, y cuando salió de la cárcel no tenía alma ni para moverse.

Entonces empezó para él una vida que un declamador llamaría horrible. Hambriento, desfallecido, sin estar bastante malo para que le admitieran en los hospitales, repletos de carne podrida, sin encontrar un rincón en donde descansar, quizá renegó de la Providencia. Pero la Providencia no le olvidó, y cuando ya se estaba muriendo le condujo a nuestra sala.

Era una historia triste la suya, lamentable; nos la confió a mi amigo y a mí una mañana alegre de invierno, mientras le reconocíamos con el estetoscopio, entusiasmados con los ruidos de aquel pulmón que parecía una caja de música.

Debíamos habernos conmovido al oír aquel hombre, ¿verdad? Pues nada, como si tal cosa. Y no es que fuéramos insensibles. Y la prueba es que a mi amigo, al recitar unas poesías de Hugo, le temblaba la voz y a mí me daban ganas de llorar.

Es que el enfermo no sabía encontrar, al referir sus desgracias, el ademán justo, la inflexión de la voz propia del momento. Además, pensábamos en lo bonita que sería su autopsia.

Al cabo de algún tiempo, cuando se murió ese enfermo, ocupó su cama un chiquillo de la Inclusa, lo más miserable, lo más horrorosamente miserable que pueda existir. Al verle se experimentaba cierta compasión; pero más repugnancia que compasión, hay que confesarlo.

Un día le compadecimos de veras: el día de Reyes. Estaba el niño en la cama jugando con unos cartones de cajas de cerillas, mirándonos de cuando en cuando con la mirada de viejo de sus ojos hundidos y recelosos.

El médico, aquel día, se sintió romántico; recordó que los niños de las ricos tienen en esa época juguetes, regalos, caricias maternales... ¡Ah! ¡Ah!... ¡Caricias maternales!... La frase estaba bien dicha; cada uno de los que estábamos allí aportó un sentimentalismo más y nos conmovimos.

Con el corazón lleno de sentimientos piadosos y caritativos, salimos del hospital. Un pobre nos importunó en la calle con la cantilena de que tenía siete hijos y la mujer enferma. Era un tío con un aspecto de bruto y unas manchas rojas en la cara; le mandamos a paseo y no tuvimos inconveniente alguno en suponer que era un borracho.

—Con esa cara no se debe salir a pedir—dijo uno, bromeando.

Y tenía razón; para pedir limosna, para excitar la compasión, hay que preparar la cara y tomar una postura. He visto llorar a una madre revolcándose por el suelo, desmelenada, furiosa, junto al cadáver de su hijo, que calló de un andamio a la calle. En las personas que la contemplaban no se veía más que indiferencia, una indiferencia mezclada con la irritación de gentes a quienes no les dan lo que se les ha prometido. Todos se hubieran deshecho en lágrimas en la representación de un melodrama.

«La forma es todo», como decía mi amigo; necesitamos para conmovernos el dolor artístico, la lágrima transparente que corre por la tersa mejilla. Somos unos miserables.

* * *

Algún tiempo después yo fui a un partido de médico y mi amigo quedó en Dax con su madre. No tenía noticia alguna de él, cuando me escribió diciéndome que estaba enfermo con una ataxia locomotriz. Leí su carta y me pareció banal y sin interés, y no le contesté. Tras de unas semanas recibí su esquela de defunción. Somos unos miserables. Es verdad. Y después de todo, ¿qué importa?

¡TRISTE PAIS!

Estos periódicos franceses que dicen que España es un triste país tienen mucha razón, muchísima razón. España es un triste país, como Francia es un hermoso país.

Yo, la verdad, no admiro de Francia ni sus sabios, ni sus poetas, ni sus pintores; lo que más me entusiasma es su terreno fértil y llano, su clima dulce; sus ríos, que se deslizan claros y transparentes a flor de tierra; lo que más me entusiasma de Francia es su tierra y, sobre todo, su vida.

¡Qué diferencia entre España y Francia! ¡Entre esta Península llena de piedras, quemada por el sol, helada en el invierno, y aquel país amable y sonriente!

La tierra y la vida de Francia son admirables; los hombres, también; pero los productos humanos del país vecino no me parece que puedan compararse con sus productos agrícolas e industriales; los dramas de Racine no están indudablemente tan bien elaborados como el vino de Burdeos, ni los cuadros de Delacroix valen tanto como las ostras de Arcachón.

En cambio, entre los españoles sucede casi lo contrario; nuestros grandes hombres, Cervantes, Velázquez, el *Greco*, Goya, valen tanto o más que los grandes hombres de cualquier lado; en cambio, nuestra vida actual vale menos, no que la vida de Marruecos, menos que la vida de Portugal. Es una pobre, una lamentable vida la nuestra.

Todos nuestros productos materiales e intelectuales son duros, ásperos, desagradables. El vino es gordo, la carne es mala; los periódicos, aburridos, y la literatura, triste.

Yo no sé que tiene nuestra literatura para ser tan desagradable. No hay blandura de corazón en nuestros escritores, ni en los antiguos, ni en los modernos, ni en los del Norte, ni en los del Mediodía, ni en los de Levante, ni en los de Poniente. Todos son unos.

* * *

Yo me tengo que sincerar de mi fama de sombrío, primeramente porque es muy agradable hablar de sí mismo y después porque tengo una fama de tétrico que no me la merezco.

Yo escribo en triste porque el medio ambiente me molesta, el sol me ofusca, lo que digo me irrita; pero en el fondo de mi alma amo ardientemente la vida.

—Usted—me decía la Pardo Bazán hace algún tiempo—no es un intelectual. Usted es un hombre sensual.

Y es verdad; yo no soy un intelectual, ni un hombre de discurso, ni un hombre de pensamientos profundos, no; no soy más que un hombre que tiene las grandes condiciones para no hacer nada. Yo, si pudiera, no haría más que esto: estar tendido perezosamente en la hierba, respirar con las narices abiertas como los bueyes el aire lleno de perfumes del campo, ver cerca de mí las pupilas claras y dulces de una mujer sonriente, y saborear el olor del helecho en las faldas de los montes, y saborear la melancolía del campo cuando el *Angelus* vierte su tristeza en los valles hundidos y los sapos lanzan su nota de cristal en el silencio lleno de rumores de la noche serena...

Y después de reposar en el campo

volvería a la gran ciudad y vería gente, luces, y bailarines, y *galops*...

* * *

Para mí una de las cosas más tristes de España es que los españoles no podamos ser frívolos ni joviales.

El hombre es producto del medio; no sólo es hijo del cosmos, es el mismo cosmos que siente y piensa, y el cosmos en España es bastante desagradable.

Valle-Inclán tuvo que pasarse un año entero en pelea continua para tener el gusto de llevar melenas. La gente se paraba a mirarle con impertinencia o le insultaba. ¿Con qué derecho se dejaba melenas? ¿Por qué quería distinguirse?

Triste país en donde no se pueden satisfacer las tonterías que uno tiene; en donde no se pueden llevar melenas, ni usar polainas blancas, ni intimar con su mujer en la calle, ni llevar un ramo de flores en la mano sin llamar la atención; triste país en donde tiene uno que avergonzarse de todo lo que es sentimental y humano, en donde hay un espíritu hostil a todo lo pintoresco y en donde el novelista tiene que inventar tipos porque no los hay.

Triste país éste, en donde, para divertirse, se hacen corridas de toros o luchas de fieras y se canta la jota, que es la brutalidad cuajada en canción; triste país, en donde todos los hombres son graves y todas las mujeres displicentes, en donde en la mirada de un hombre que pasa vemos la mirada del enemigo.

Triste país, en donde la libertad está en unos papeles y no está en el corazón.

Triste país, en donde por todas partes y en todos los pueblos se vive pensando en todo menos en la vida.

Vivimos en un triste país; por eso ya en el mundo nadie nos hace caso..., y hacen bien.

UN VIAJE A LAGNY

Pero ni aun para divertirse dejan los franceses su aire atareado.

Llegan a la estación del vapor o del tren a la hora fija, corren, se apresuran, les falta tiempo para todo.

El domingo pasado esperaba el tren en la estación de Estrasburgo para ir a Lagny, un pueblecillo de los alrededores.

Se me había escapado el tren, y tomé la resolución heroica de esperar sentado, y me senté en un banco junto a un moro viejo vestido con un jaique sucio.

Todo el mundo corría en la sala de la estación; una señora con una cesta, un caballero con un cochecito de niño, una vieja con un loro, todos se apresuraban, hablaban, se cruzaban, entraban y salían. El moro y yo éramos los únicos que seguíamos inmóviles en nuestro banco.

Yo, que estaba impaciente, manifesté en una exclamación muy gráfica mi impaciencia, y entonces el moro me dijo en andaluz cerrado:

—¿No le *paese*, compare, que es muy difícil que nosotros hagamos *changa* entre esta gente que corre tanto?

—Pero ¿es usted español?—le dije yo.

—No; pero he estado en Sevilla mucho tiempo vendiendo dátiles.

Hablamos un rato y me despedí de él para subir a un vagón que parecía, por el calor que echaba, una cocina económica.

Echó a andar el tren y cruzamos diez o doce estaciones pequeñas con sus marquesinas de cristales y sus armaduras de hierro, y me detuve en Lagny-Marigni, estación común a dos pueblos colocados a ambas orillas del Marne y unidos por un puente.

Seguí el camino corto por la vía, aunque encontré un cartel en donde indicaba que estaba prohibido pasar por allá bajo pena de multa y de proceso verbal; pero pensé que con decir que era español y que no entendía lo que decía el cartel, estaba libre.

Pasé el puente, atraído por un gran letrero de una casa de la otra villa, en donde se leía: *Matelotes-Fritures-Vins*, y entré en la fonda, cuyos dos pisos estaban atestados de gente, y me di por muy satisfecho al encontrar un rincón junto a la ventana de una galería que cae sobre el río.

Mientras esperaba la comida vi a los viajeros *legales* que habían salido de la estación por donde se debe salir, que venían apresuradamente, sin saber que iban a encontrarse con que en el restaurante no había un sitio disponible. Comprendí entonces aquella frase: «La legalidad nos mata.»

En el río veía a algunos pescadores que se dedicaban pacíficamente desde sus barcas a las delicias de la caña. El Marne se alargaba a lo lejos como una franja de plata entre sus orillas, poco elevadas.

Después de comer di una vuelta por Lagny; entré en la iglesia, grande y hermosa; el sacristán, que estaba arreglando las velas del altar, me preguntó si deseaba algo; la verdad, me chocó la pregunta tanto como a él se conoce que le chocó la visita, y me marché a la calle.

A la orilla del río vi a un viejo pescando con caña, tan atento a su faena que me quedé mirando yo también el corcho del aparejo.

—Parece que se pesca, ¿eh?—le pregunté yo por decir algo.

El hombre se debió de quedar calculando el derecho que podría tener un desconocido para hablarle, y no contestó nada, quizá para no asustar a los peces.

Luego, cuando levantó la caña para cebar el anzuelo, me enseñó el puente de piedra, un puente que los franceses volaron en tiempo de la guerra para que no pasaran los alemanes.

También me contó con verdadera indignación que un alumno alemán de un colegio del pueblo, del Instituto Fleury, que fue después en su tierra oficial del ejército prusiano, era uno de los que mandaban las tropas que entraron en Lagny.

Ya de vuelta a París, y de noche, cenaba en el restaurante Richer, un rincón simpático en donde se reúne una turba de artistas principiantes, cuando uno propuso ir a pasar la noche a Montmartre.

Aceptaron la invitación unos cuantos, y entre ellos yo. Llegamos a Montmartre, tomamos un *bock* en la cervecería Cyrano y entramos en Moulin-Rouge. Iban ya en la última parte del programa; Cecilia de Gracieux cantaba *On demande un professeur capable*, y después de ella M. Dufor cantó *J'ai perdu la boule*.

La gente reía a carcajadas las gracias más insustanciales; formaba el público un conjunto de *cocottes*, de caballeros y de chulos, que por su candidez más parecía una bandada de estudiantes en vacaciones.

Tras del concierto vino el baile en el jardín. Un amigo me dijo que el director de la orquesta se llamaba *monsieur* de Mabille, un apellido muy en carácter para Moulin-Rouge.

Alrededor del quiosco se bailaban

aires de cancán entre mujeres solas; las faldas a la altura del pecho y las piernas por todo lo alto, hasta darse con ellas en el sombrero.

Los amigos se iban perdiendo intencionadamente, y habían encontrado sus parejas; yo iba hablando español con un gascón, cuando encontró él una conocida y se reunió a ella.

—Este señor—dijo por mí—es español.

—*Espagnol... de Batignolles*—replicó ella después de mirarme de arriba abajo y de echarse a reír.

Me quedé solo; había concluido el baile y salí del Moulin-Rouge. Eché a andar sin saber a punto fijo el camino de casa, y recorrí calles y más calles.

Días antes un amigo me había llenado la cabeza con relatos de ataques nocturnos que dan los golfos a las altas horas de la noche, diciéndome que en París no había vigilancia y que los periódicos tenían una sección, *Paris la nuit*, para contar las fechorías de las turbas de perdidos que pululan por las calles de París.

Después de callejear mucho, llegué a los Mercados centrales, iluminados con luz eléctrica, y recordé las descripciones de Zola en *Le ventre de Paris*. Luego, habiendo encontrado la dirección de mi casa, me dirigí hacia ella por las calles desiertas y tranquilas.

PRIMAVERA ANDALUZA

Hay imágenes profundamente grabadas en nosotros que duermen largo tiempo, meses, a veces años, y que despiertan después enérgicas y brillantes como si la impresión se acabara de sentir.

Yo, ahora, después de contemplar el mar del Castillo, recuerdo, no sé por qué razón, con mis sentidos, con una energía grande, un viaje hecho por el Guadalquivir en esta primavera pasada. Estoy viendo desde la playa de Sanlúcar de Barrameda el cielo anubarrado y gris, y allá lejos, las puntas del mar verde, de un tono gelatinoso, que murmuraba con arrullo dulce en las rocas bajas y rompía en blancas espumas.

Entramos en un vaporcito en el muelle de Sanlúcar, y comenzó la hélice del barco a girar. Ibamos ayudados por la marea; el río era ancho, de color de barro, amarillento; desierto y abandonado como un río americano.

En algunas islas bajas llenas de espadañas levantaban el vuelo bandadas de pájaros, y algunos martín-pescadores de pintado color se deslizaban rasando el agua plana y amarilla.

En las riberas, grandes bueyes negros pastaban tranquilos; algunos en el suelo, con las patas dobladas, esperaban la baja marea para beber en el río; otros, con la cabeza alta y rizada, adornada de grandes cuernos, miraban el lejano horizonte, graves y serenos como olímpicos dioses.

No había esplendores en el cielo anubarrado, no había bosques en las orillas ni aguas de cristal en el río; pero un efluvio de vida parecía animarlo todo.

Era la primavera, la eterna primavera, siempre joven, que murmuraba en el viento, que corría en la onda, que adornaba la orilla con humildes flores silvestres; era la primavera, que animaba el viejo río; el viejo río surcado por las naves de los mercaderes de hace tres mil años, por las trirremes griegas y las falúas latinas, parecía aún desierto e inexplorado, como un río joven de una tierra virgen.

Se sentía, más que el esplendor, la vida. En algunos puntos, por un fenómeno de espejismo, parecían verse lagos inmensos redondeados como grandes pupilas luminosas de la tierra.

El vapor pasó por delante de dos o tres pueblecillos pescadores, con pequeñas ensenadas en donde se amontonaban lanchas viejas.

Alguna que otra barcaza pasó junto a las bordas del vapor con la vela hinchada.

... Y comenzó a anochecer. Ya el río se había estrechado, y sus aguas iban entenebreciéndose; las orillas aparecían cubiertas de follaje; un olor dulce se esparcía en el ambiente.

Una mujer vestida de claro se presentó en la orilla; apenas si se la divisaba, y en la penumbra parecía inmóvil y blanca como una diosa antigua.

Alguna que otra casa encalada se entreveía en las arboledas, que se reflejaban en la tersa superficie del río y en las orillas cubiertas de follaje; los rosales silvestres caían sobre el agua oscura y brillante como cabelleras blancas que flotasen sobre el agua.

... Oscurecía: los pájaros habían comenzado su canto, el río estaba cada vez más negro y las ligeras ondas que hacía el barco empezaban a hundirse en las sombras.

Pasó el vaporcito cerca de una draga, saludó, y la draga, de una de cuyas bordas escapaba una cascada de agua turbia, contestó con los roncos sonidos de su sirena.

Nos íbamos acercando a Sevilla; comenzaban a verse las luces de los barcos anclados en el muelle, cerca de Triana.

Un olor penetrante llegaba de la tierra, y el barco seguía andando, dejando una plateada estela en la ya negra y bruñida superficie del río.

LA NOVELA

Yo no creo que la novela sea en literatura una forma definitiva. Es muy posible, es hasta probable que varíe, que evolucione y que cambie radicalmente. Ahora el arte, no considerado como un conjunto de reglas, sino como una aspiración hacia el ideal, será eterno. Por más que la Humanidad ascienda por la espiral del tiempo cada vez más arriba, eternamente tendrá un más allá inasequible, al que todas las almas generosas dirigirán sus miradas, y para satisfacer esta ansia del ideal existirá siempre el arte.

El arte literario se realizará en el periódico o se realizará en el libro. Yo creo que en el libro. El individuo está por encima de la masa. En el periódico el escritor va al público; en el libro, el público va al escritor.

El periódico es al libro lo que la fotografía al cuadro.

No creo eso que dice Julio Verne: que, como recuerdos para la Historia, el mundo archive sus periódicos. En el periódico no se refleja la vida tal cual es; el periódico no da nunca más que el aspecto exterior de las cosas, y aun eso cuando lo da.

Leed un periódico de una de vuestras capitales de provincia, arcaica y tradicional, y comparadlo con otro de una ciudad rusa o de un pueblo nuevo de América; no encontraréis en ellos apenas diferencias más que diferencias materiales; en uno, más telegramas, mejor información; en otro, telegramas usados; pero no hallaréis nada específico que los separe. En cambio, leed a Galdós, y después a Bret-Harte y a Mark Twain, y después a Gorki, y veréis los caracteres típicos de cada raza destacándose claramente.

Julio Verne dice que los escritores del porvenir se harán periodistas; no lo creo. Verne habla en Francia, en donde hay muchos hombres de talento, pero no hay ningún genio. No se perdería gran cosa, es indudable, con que Mirbeau, Paul Bourget, Prévost, Gyp, los Margueritte y otros escritores de ingenio se hicieran periodistas, porque lo que ellos escriben es para el momento; pero sería una lástima que Ibsen y Tolstoi, por ejemplo, en vez de hacer dramas y novelas, hiciesen artículos de periódico en Noruega y en Rusia.

EL LABRADOR Y EL VAGABUNDO

El vagabundo es comunista por temperamento; el labrador es individualista. El labrador no comprende la vida sin la propiedad; el vagabundo comprende la vida y odia la propiedad.

El labrador construye tapias y vallados, el vagabundo los salta; el labrador acota campos, el vagabundo los cruza.

El uno quiere que su heredad sea para él; el otro, que la tierra sea para todos.

En presencia de la tierra, la inclinación natural del hombre se determina.

El antiguo pastor o el antiguo agricultor, nuestro lejano ascendiente, se manifiesta todavía con claridad en nuestros instintos.

El labrador ve en la tapia la defensa de sus intereses; el vagabundo, un obstáculo para su vida.

El uno dice: «Yo he comprado el campo, lo he trabajado; sus frutos son míos.» El otro dice: «El sol, que ha hecho crear el árbol, es de todos; la lluvia, que ha fecundado el campo, también es de todos; ¿por qué privar a nadie de aquella sombra, de aquel fruto, de aquella leña con que puede uno calentarse?»

El vagabundo es romántico, andrajoso y espléndido; el agricultor, práctico, rico y miserable; el uno tiene familia, tiene hogar, tiene hacienda, tiene dinero; el otro no tiene nada más que la libertad, el cielo azul...

Y, sin embargo, al caer de la tarde es para mí más triste ver al labrador detrás de su arado que al vagabundo que cruza la carretera.

Y es que mi corazón es vagabundo.

SILVERIO LANZA

Hay en Getafe un hombre misterioso que vive en una casita baja de la calle de Olivares.

A primera vista, este hombre no tiene nada de extraordinario; es de mediana estatura, fornido, ancho de hombros; parece un buen burgués que, cansado de la vida ciudadana, se ha retirado a una aldea.

Pero hablad con él, e inmediatamente quedaréis sorprendidos, llenos de asombro, mareados. Experimentaréis al oírle la sensación de lo extraño.

¿Hay nada más extraño que un hombre de gran talento?

Los ojos de este hombre brillan con una luz fosforescente; su conversación es una serie de saltos, de cabriolas, de ideas que aparecen y desaparecen, tan pronto cómicas como profundas. Este hombre, el ingenio más frenético y más desarreglado de nuestra época, en la literatura se llama *Silverio Lanza*; en la vida, don Juan Bautista Amorós.

He hablado con hombres de talento; he conversado con Eliseo Reclús, con Pi y Margall, con Salmerón, con don Juan Valera, con Galdós, con Benavente; ninguno me ha producido el asombro, la admiración que me ha producido *Lanza*. Su cerebro es un hervidero de ideas y de paradojas; un bullir continuo de proyectos, razonados unos, ilógicos los otros, de planes políticos, sociales, mercantiles, de toda clase.

Y este hombre, ¿qué es? ¿Es un literato? ¿Es un filósofo? Sobre todo y por encima de todo, es un pensador de una originalidad violenta, de una independencia huraña y salvaje. Es el más anarquista de todos los escritores españoles contemporáneos.

Ha escrito mucho. Yo recuerdo ahora mismo: *El año triste, Mala cuna y mala fosa, Noticia biográfica acerca del excelentísimo señor marqués del Mantillo, Ni en la vida ni en la muerte, Desde la quilla hasta el tope, Artuña* y varios tomos de cuentos.

Yo escribiré algún día una crítica de las obras de este ingenio peregrino y trataré de hacer un resumen de la filosofía de *Silverio Lanza*, que es, a mi modo de ver, de las más audaces, de las más atrevidas que se han expuesto en el mundo.

La filosofía de *Lanza* es una forma pintoresca de un nihilismo trascendental.

¿Cómo se explica el alejamiento del público de un escritor tan original y tan fecundo como *Lanza*? ¿Es por modestia del autor? No. *Lanza* no es modesto. Sabe que tiene mucho talento, y sólo los tontos poseen esa dulce cualidad de la modestia.

La explicación de la falta de popularidad de *Silverio Lanza* es cuestión de densidades.

El público español, ahora, y más cuando apareció *Lanza*, era un publiquito para folletines de *La Correspondencia*, para el *Madrid Cómico* y la *Gran Vía*; *Silverio* era denso para sobrenadar en este mar de ñoñería; su barca tenía demasiado lastre y se fue al fondo. ¿Cuándo saldrá a flote? No sé. Quizá les pase a sus obras como a las de *Stendhall*, como a las de Schopenhauer, como últimamente, entre nosotros, a los libros de Ganivet.

Ganivet tiene muchos puntos de semejanza con Juan Bautista Amorós; son los dos escritores de una misma índole, paradójicos, contradictorios, en discordancia completa con el momento histórico en que nacen y con la sociedad que los rodea. *Los trabajos de Pío Cid* son la equivalencia de *Artuña*; pero mientras Ganivet, en medio de su paradojismo, sabe conservar una cierta ponderación que le hace fácilmente accesible a un público reducido, *Lanza* va abiertamente en contra de toda tradición, de toda medida y de toda regla.

Los dos, *Lanza* y Ganivet, no han conocido aún los favores de la crítica ni del público; pero una reacción va iniciándose en la juventud presente, que hará que estos grandes desconocidos sean al fin los triunfadores.

PATOLOGIA DEL GOLFO

CONCEPTO DEL GOLFO

Cuando en un idioma aparece una palabra nueva es porque en su fondo ha germinado una idea, un producto, un tipo, algo también nuevo; y si la palabra surge y se generaliza y corre de boca en boca, entonces, indudablemente, la palabra llena un vacío, señala una cosa hasta entonces sin nombre.

Esto ha pasado con la palabra *golfo*. Se inventó donde se inventan esas cosas: en un presidio, en algún lupanar; comenzó a usarse entre la gente del bronce, pasó al periódico, luego al teatro y se hizo del dominio común.

¡Golfo! La aplicación de la voz es tan extensa, que no es fácil definirla; pondré ejemplos:

El otro día, en la ronda de Valencia, me detuve a mirar a tres muchachos sentados en el suelo que deshacían colillas.

—Oye, *Inclusa*—le dijo uno a otro—. Y el *Pastiri*, ¿no viene hoy de *compi*? (Ir de *compi* es como ir formando sociedad.)

—¡Ese! ¡Quia!—contestó el otro—. Se ha ido de *pira*. Es un golfo.

Días después, en el teatro, dos gomosillos de esos que, por la belleza de sus ademanes, parecen oficiales de peluquero, hablaban a mi lado.

—Oye, ése del palco que está haciéndose señas con Paca Trigo, ¿quién es?—preguntó uno de ellos.

—¡Ah! ¡Ese! Es el hijo del marqués de Tal. No tiene un cuarto. Anda buscando una mujer rica para casarse. Es un *golfo*.

El uno, colillero y golfo; el otro, hijo de marqués y golfo. Había para quedarse *sumergido*, como dice el portero de mi casa.

Esto demuestra que el golfo no es un producto exclusivo de la clase pobre. El golfo no es un mendigo, ni un ratero, ni un desocupado; es una forma que ha nacido de nuestro raquítico medio social, es un tipo separado por una causa cualquiera de su medio ambiente y que reúne en sí mismo todas las aspiraciones de su clase.

El golfo no pertenece a una sola categoría social; es un detrito de las distintas clases sociales. En nuestra sociedad el que se eleva puede pasar del proletariado a la burguesía, a la aristocracia; pero el que desciende no lleva esa misma marcha invertida. El aristócrata que se arruina y alrededor del cual hacen el vacío sus conocidos, no se convierte en burgués; el burgués que pierde su renta o su destino no se transforma en obrero; uno y otro quedan sin base: son golfos.

La golfería, a mi modo de ver, es como un fleco que cuelga de las distintas clases sociales.

El golfo, al romper con las ideas más o menos exactas de su medio, se forma sin darse cuenta una filosofía para su uso particular. Por instinto comprende que en la vida la línea recta no es la más corta entre una aspiración y un resultado. Cuando se llega a la posesión de esta idea y no se tiene el freno de una conciencia rígida, se abandona el camino ancho, se busca la senda tortuosa, se pierde la noción del bien y del mal, y entonces empiezan los equilibrios del golfo entre los dos Códigos.

Si el equilibrista se sostiene en su cuerda, es un hombre honrado, porque la idea actual de honradez es una idea negativa y no expresa más que el desconocimiento de un hecho punible en la vida de un hombre. Si el equilibrista cae, no es equilibrista, es un delincuente.

En resumen: el golfo es un hombre desligado por una causa cualquiera de su clase, sin las ideas ni las preocupaciones de ésta, con una filosofía propia, que es generalmente negación de toda moral.

ETIOLOGIA

Una de las causas de la golfería es la democracia; yo no soy enemigo de ella; las conquistas revolucionarias me entusiasman tanto como a cualquier otro; pero la democracia nuestra, la que gastamos en España, me parece la institución más estéril, la más superficial y estúpida.

La democracia para nosotros no ha sido más que un camino abierto a todas las ambiciones pequeñas, a todos los deseos mezquinos y malsanos. Ha hecho que el hombre busque su progreso social más que su perfeccionamiento moral; ha producido en todos la ambición de *representar* más que la de *ser*. De aquí un desequilibrio, una necesidad de aparentar lo que no se tiene ni se es; de ese desequilibrio nacen las situaciones falsas.

El que vaya a pasear un día a la Castellana podrá ver, si tiene hábitos de observador, las miradas de la gente que transita por ella, casi siempre reveladoras de ansias de grandeza y de ambiciosos deseos. Los de a pie miran con envidia a los que van en coche; los que van en *simón*, a los de los carruajes de lujo; éstos, a los que llevan blasones y coronas en las portezuelas del coche; todos se observan, se estudian; envidian si están abajo; desdeñan si están arriba; todos aparentan lo que no son.

Un derrumbamiento de una de esas familias que se sostiene en una situación falsa es un semillero de golfos. La democracia, al destruir las murallas que separaban las clases, ha producido la golfería.

Hay otras muchas causas para la germinación y desarrollo del golfo. El golfo aristócrata se forma en los salones, en los grandes saraos y fiestas, en los paseos, en todos los sitios en donde saltan a los ojos las delicias de la vida rica y refinada.

El golfo burgués se va formando en los teatros por horas, en los escaparates de las tiendas de lujo, en la atmósfera envenenada del café. El periódico, con su montón revuelto de noticias y sus cambios vertiginosos de criterio, cultiva su histeria; la envidia le muerde, la vanidad le acaricia con sus sueños megalómanos, la mujer le achaca su pobreza, el amigo le muestra los distintos aspectos de la desigualdad social. Pero no siempre el impulso parte del hombre; muchas veces la resistencia del medio es la que produce el abatimiento precursor del estado de falta de idea moral del golfo. Viene un joven sano de corazón y de cerebro a Madrid con su título profesional, y se encuentra con una inmensa competencia en las carreras, ve que todos los caminos están cerrados y que aun en las artes liberales dominan el monopolio y la explotación. El hombre trabaja, lucha..., observa que cátedras, destinos, cruces, grados, clientela, ascensos, plazas de los periódicos y de los teatros, medallas de las exposiciones, todo esto y lo que forma el capítulo de riquezas y de honores de nuestra sociedad se obtiene por el favor y la recomendación.

Comprende que el camino llano, en donde la masa de nulidades ahoga a la capacidad, no lleva a ninguna parte, y en seguida busca la senda tortuosa, forja planes astutamente combinados y, vencido o vencedor, pierde la idea moral de su clase: se hace golfo.

El golfo pobre es completamente inconsciente. Sus culpas son las culpas de la sociedad que le abandona.

SINTOMAS

En todas las clases el golfo tiene la misma filosofía, el egotismo, la filosofía del *yo*. Al perder la moral de su medio ambiente, al no tener utilidad para él los preceptos morales de su clase, desaparece de su espíritu toda relación de deber para con los demás. Se ríe de la justicia y de la equidad en su modo de ser abstracto; pero respeta al polizonte. Es partidario de Nietzsche sin saberlo. ¿Puede robar impunemente? Roba. ¿Puede vivir sin trabajar prostituyendo a sus hermanas o a sus hijas? Lo hace.

Al golfo, como al anormal involutivo, la Humanidad no se le representa nunca como motivo de un acto.

VARIEDADES

En la clase inferior a la obrera, entre los miserables, el golfo no es un holgazán; si de niño no va a la escuela, es porque tiene que andar *a la busca* para comer, y eso le distrae todas las horas del día.

Sus tareas suelen ser múltiples: recoge colillas, ocupación que puede producir (al que sepa su oficio) hasta setenta céntimos, cantidad que pagan en el Rastro por un cuarto de kilo de tabaco, que es lo que puede recoger en un día, según dictamen de un colillero a quien he interviuvado; pesca pececillos en los estanques del Retiro y de la Casa de Campo y cangrejos en la Moncloa; arranca tablones en las vallas, que cambia en las pastelerías por *escorza;* sube equipajes en la estación, arrastra organillos...

Sus frases favoritas *aluspiar, estar al file, andar a la busca,* pintan al que acecha y espía, no al holgazán enamorado de la vida vagabunda.

Cuando pasa de la infancia a la juventud se decide la suerte del golfo; entonces, o entra en un taller y se hace hombre honrado, o va a engrosar las filas de los estafadores, ratas, espadistas y demás *caballeros.*

En la juventud la vida del golfo es más fácil que en la infancia; si es fuerte y jacarandoso, tiene un campo vastísimo que explotar: las mujeres. La prostituta busca al matón para que la proteja, y el matón no la protege, pero cobra. Además de tener el golfo medios de vivir por martingalas más o menos honradas o por el robo, tiene grandes facilidades de divertirse; forma parte de la *claque* de los teatros, se arregla para entrar sin pagar en la Plaza de Toros y presencia, encaramado en los árboles o en los faroles, todas las fiestas, procesiones, ceremonias y carnavaladas de este buen pueblo madrileño, capital del reino de los papanatas.

Sin embargo de lo dicho, no todos los golfos se diferencian convirtiéndose en personas decentes o haciéndose pinchos, ganchos o rateros. Hay notables equilibristas que se pasan toda la vida en equilibrio inestable, pero sin caerse; merodean en los alrededores del Código Penal y no hay artículo que les agarre.

Muchos de ellos son esos tipos mixtos de chulo y de polizonte que se ven a las altas horas de la noche en las tabernas, buñolerías, cafetines, chirlatas y garitos de toda clase. Visten a la última moda de los barrios bajos: el pantalón ceñido en los muslos, holgado en la pierna y con dobleces hacia el tobillo; la chaqueta corta, aunque no tanto como las de los toreros; el pañuelo de seda en el cuello, y en la cabeza un sombrero ancho los días de toros y un *huito* negro o de color de café, un tanto inclinado hacia la oreja, en los días ordinarios.

Estos *puntos* generalmente cambian de ocupación como de camisa; pero siempre los oficios que encuentran son descansados y les permiten echar *un quince* de cuando en cuando. Son, sucesivamente, revendedores, matuteros, corredores de alhajas, prestamistas, jefes de la *claque*, ganchos de garito, encargados de un *coín* o de una casa de citas; tienen asuntos pendientes con señoras y con perdidas; hablan tan familiarmente con *los del Gallo* como con los más distinguidos carteristas; forman la parte inferior del ejército de los hampones, así como los políticos constituyen la espuma del hampa.

Entre los golfos de la clase media hay un sinnúmero de variedades que se diferencian por el matiz especial que da la profesión, las inclinaciones,

el medio... Hay el estudiante perezoso y ávido de placeres, el empleado con un sueldo mezquino, el periodista que emplea el chantaje para vivir, el médico de sociedad que gana diez duros al mes por trabajar todo el día, el picapleitos que vive del chanchullo y de la estafa legal, el zurupeto de la puerta de la Bolsa, el cómico sin contrata, el empresario sin un cuarto y, últimamente, todos los socios de la Sagrada Cofradía del Sable.

El golfo de la aristocracia es de idéntico carácter; lo que le distingue del burgués es su menor capacidad intelectual y los medios que emplea para satisfacer su ansia de dinero, los cuales no son, generalmente, más que perseguir una buena dote, buscar una vieja rica que los alimente y les ponga casa o ejercer de parásitos bufones entre sus amigos.

En general, en esta turba de golfos aristócratas y burgueses se marcan dos tipos opuestos: el uno, el vulgar, el golfo que odia; el otro, el más raro, el golfo que filosofa.

Al primero le caracteriza la envidia; sus energías nacen de la fuerza de su odio y de su egotismo.

Se consume al ver que no prospera, y al encontrarse arrinconado devorando un mendrugo, se queja del país, que no premia al mérito; de que le faltan ocupaciones decentes, y esto, que en otro puede ser una verdad dolorosa, en él es un pretexto para disimular su impotencia y la vacuidad de su cerebro.

El que filosofa, más que un golfo es un intelectual. Mira la vida como espectador. Comprende que su pereza o su mala suerte son causa importante de sus desdichas, y las soporta con resignación cuando no se ríe de ellas. Tiene el escepticismo amable que nace de pasear las miradas sobre la multitud y de oír constantemente las opiniones contrarias de la muchedumbre.

En el que odia hay esa incredulidad grosera que sonríe burlonamente a todo, que no cree en rasgos nobles de nadie y mide a la Humanidad por el rasero de su conciencia. En el que filosofa hay la ironía que no hiere y divierte. El uno se burla de la credulidad de Martínez o de la estupidez de Fernández; al otro le agrada más reírse de los aspectos ridículos del hombre en general.

Entre los que odian, pocos son tan temibles como los periodistas golfos. Como hombres que viven del favor del público, son envidiosos, rabian al verse impotentes; ellos, que en colectividad, en el periódico, son una fuerza y aislados no son nada, sienten como nadie la tristeza del bien ajeno, son ejemplares venenosos de la especie humana. Viven en un ambiente de torpezas tristes, de mezquindades dolorosas, en contacto con los fuertes y los ricos, con el cerebro lleno de ambiciones burguesas, y pasan la vida rechinando en una continua destilación de veneno.

PRONOSTICO

El golfo es un mal grave; pero puede tener utilidad. Lo malo a veces es útil; la Humanidad se sirve del dolor para sublimarse: la vida del microbio y del gusano para su purificación.

El golfo es el microbio de la vida social; echa sus ideas y sus actos disolventes en el organismo de la sociedad; si ésta tiene salud, fuerza y resistencia, el microbio no prospera; donde la vitalidad está perdida, el microbio se descompone y sus toxinas penetran hasta el corazón del cuerpo social.

TRATAMIENTO

No se me ocurren más que dos indicaciones que podrían llenarse en el caso patológico del golfo: una, terapéutica: educarlo; otra, higiénica: ahorcarlo.

¡Educar a los golfos! Pero ¿quién? Los que tengan conocimientos y, sobre todo, un criterio moral, fijo y sano... ¿Y en dónde están ésos? En ninguna parte, ¿no es verdad?

¡Ahorcarlos! ¡Exterminarlos! Es brutal; pero sería una solución.

Se me ocurre una duda. Si los políticos, los directores de la farsa social, pudieran y quisieran exterminar a los golfos, ¿no correrían el peligro de exterminarse a sí mismos?

LA VENTA

Al viajar en el tren por las provincias del Norte habréis visto alguna casuca oscura en el cruce de una carretera solitaria, junto a algún pueblecillo negro.

Os habéis fijado en que frente a la casa está parada una diligencia, en que el portal se halla abierto e iluminado, en que el zaguán ancho tiene un aspecto de tienda o de taberna.

Habéis supuesto, con lógica, que es la venta del pueblo aquella casa, y en el fondo de vuestra alma ha nacido cierta compasión por la pobre gente que vive allí, en aquel lugar desierto.

Y los de la venta han salido al camino a mirar el tren, y lo han visto pasar con tristeza, y lo han saludado con el pañuelo.

Parece que entre los que se quedan

y los que se van, los dichosos son éstos, que pasan veloces, y quizá son más dichosos los que se quedan.

Estos que corren, que huyen a confundirse pronto en el torbellino de la ciudad, no conocen las ventas de nuestras provincias vascongadas, las ventas más hospitalarias, las más amables de la tierra.

Vosotros, que habéis recorrido el mundo a pie; vosotros, mendigos, charlatanes, buhoneros, saltimbanquis; vosotros, errantes que no tenéis más patria que el suelo que pisáis; vosotros, humildes, sin otra hacienda que la que lleváis sobre las espaldas; vosotros, vagabundos, caminantes, que no tenéis más amores que la hermosa libertad y el campo, decidme: ¿no es verdad lo que aseguro? ¿No es verdad, decidlo francamente, que las ventas de mi tierra son las más dulces, las más candorosas de este mundo, el mejor de todos los mundos?

Cierto que las hay tristes y melancólicas en campos desolados y yertos, paisajes de una pesadilla siniestra; pero la mayoría son alegres y sonrientes, y sus ventanas parece que os miran de una manera cariñosa.

Esos desdichados que cruzan corriendo en la máquina negra por el campo sin conocerlo, que huyen a confundirse en el torbellino de las ciudades grandes, no han sentido la impresión más deliciosa, la más exquisita de la vida: la de llegar a la venta después de un largo viaje en coche. ¡Oh!

¡Exquisito! Es la única palabra propia de ese momento. Lleváis unas horas de diligencia. Está lloviendo. El ambiente gris envuelve la tierra desnuda del invierno. La carretera, llena de charcos de agua amarillenta, se alarga entre la bruma a medida que la diligencia avanza por entre filas de árboles sin hojas, a orillas del río, turbio por las crecidas, junto a la falda del monte, llena de aliagas y zarzas secas.

Estáis amodorrados por el frío, habéis ideado una porción de posturas fantásticas para dormir un rato, y no lo habéis conseguido. El monótono cascabeleo de las colleras de los caballos suena constantemente en los oídos; no hay medio de perder la conciencia de que se tiene frío y hambre y aturdimiento.

Se figura uno que el viaje no va a concluir nunca, y los montes, y los caseríos, y los saltos de agua, y las casucas solitarias del cruce de las carreteras que se ven por entre los cristales empañados de la ventanilla parece que son los que se dejaron atrás, que van siguiendo al coche en su marcha.

Se llega a un pueblo; las ruedas de la diligencia empiezan a rebotar torpemente en el empedrado desigual de la calle. «¿Habremos llegado?», se pregunta uno, asomándose a la ventana; pero el mayoral no baja, echa un paquete de cartas a un hombre, entrega una cesta a una mujer, vuelve a chasquear la tralla de su látigo, y otra vez la diligencia tropieza en los guijarros del empedrado y vuelve a rodar suavemente por la carretera llena de charcos.

Tras de muchos aburrimientos, cuando ya empieza el sueño a cerrar los párpados y comienza uno a pensar seriamente si el viaje no tendrá fin, se para la diligencia y se ve que el mayoral salta desde el pescante a la carretera.

Se ha llegado; baja uno del coche, molido, encorvado, casi sin poder sostener la maleta entre los dedos.

Entra uno en la venta.

—Pase usted, por aquí..., por aquí...; ya le subiremos todo esto al cuarto.

Le desembarazan a uno del abrigo y del equipaje y le preguntan si quiere calentarse en la cocina.

Entráis en ella, y al principio el humo os empieza a picar en los ojos. «Es la chimenea—dicen—, que no tira bien, y como el viento está alborotado...» Pero ¿quién se ocupa de esto?

Luego, la vieja, que ve que habláis vascuence, os hace sitio junto al fuego con grandes extremos y finura, y mientras os preparan la cena y os tostáis los pies, la viejecita de la nariz ganchuda y del pañuelo atado a la cabeza os cuenta alguna historia insustancial del tiempo de su juventud, en que ella estuvo de criada en casa del rector del pueblo, hace más de cincuenta años, y con los recuerdos sonríe enseñando sus encías como las de los niños, desprovistas de dientes.

Mientras tanto, la dueña de la casa va de un lado a otro, y el patrón juega una partida al mus con otros tres en una mesa tan alta como los bancos donde se sientan; los cuatro, graves y serios, doblan los naipes, ya de suyo grasientos y abarquillados, y los *envido* y los *quiero* se suceden acompasadamente y se va aumentando el número de habichuelas blancas y coloradas de los dos bandos contrarios.

Junto a la lumbre, el gracioso del pueblo, holgazán de oficio, poeta y cantor de iglesia, que vive casi de limosna en la venta, habla con el cazador de truchas, cazador, no pescador, como suele advertir él, porque mata las truchas a tiro de escopeta, y los dos se enfrascan en una larga y misteriosa conversación acerca de las costumbres de los salmones y de las nutrias, de los jabalíes y de los erizos.

—¿Cenará su merced aquí o en el comedor?—pregunta la dueña de la casa, comprendiendo que sois persona de importancia, lo menos viajante de comercio.

—Aquí, aquí.

Y ponen una mesita con su mantel blanco, y viene la cena, que os sirve la muchacha, *Martceliña* o *Iñachi*, una chica frescachona y garrida.

Se devoran los guisos y se moja el pan en las salsas, no precisamente con la elegancia de un duque del *faubourg* Saint-Germain, y se come en la misma cazuela, lo que quizá no se use en las casas aristocráticas.

Coméis de todo y bebéis un poquillo de más, y mientras *Martceliña* os escancia el bondadoso aguardiente, le decís que es muy bonita y que..., y ella se ríe con una risa alegre y argentina al ver vuestros ojos brillantes y vuestra nariz colorada.

Y luego, después de la cena, sube uno a dormir al piso principal, en una alcoba pequeña, ocupada casi completamente por una cama enorme de madera, con cuatro o cinco colchones y otros tantos jergones, y cuando se escala aquella torre y se estira uno entre las sábanas, que huelen a hierba, mientras se oye el ruido de la lluvia en el tejado y del viento que muge, se enternece uno, y casi con lágrimas en los ojos se cree más que nunca en que hay un buen papá allá arriba que no se ocupa de otra cosa más que de poner camas mullidas en las ventas de los caminos y de dar cenas suculentas a los pobres viajeros.

EL VAGO

Apoyado en una farola de la Puerta del Sol, mira, entretenido, pasar la gente.

Es un hombre ni alto ni bajo, ni delgado ni grueso, ni rubio ni moreno; puede tener treinta años y puede tener cincuenta; no está bien vestido, pero tampoco es un desharrapado.

¿Qué hace? ¿Mira algo? ¿Espera algo? No, no espera nada. De cuando en cuando sonríe; pero su sonrisa no es sarcástica ni su mirada es oblicua.

No es un tipo de Montepín. No tiene los ojos impasibles, la boca impasible y la nariz también impasible que se necesita para ser un satánico.

¿Es algún empleado? No. ¿Tiene rentas? Tampoco. ¿Alguna industria? Pchs. Casi, casi es una industria vivir sin trabajar.

Vamos, es un vago. Sí, es un vago. Ya veo a los Catones de las tiendas de ultramarinos indignarse contra ellos, usando la prosa estúpida de un confeccionador de artículos de periódico de gran circulación. El vago, para todos esos moralistas, es casi un criminal.

El mío, ese de quien hablo, seguramente no lo es; tiene la mirada profunda, la boca burlona, el ademán indolente.

Mira como un hombre que no espera nada de nadie.

Es un espectador de la vida, no es un cantor. Es un intelectual.

Un vendedor de periódicos se acerca al farol en donde se apoya el vago y se recuesta en él.

Un farol puede sostener dos espaldas.

* * *

Un vago apoyado en un farol es un motivo de reflexión. El farol, la ciencia, la rigidez, la luz; el vago, la duda, la indecisión, la sombra.

¡Glorificad a los faroles! ¡No despreciéis a los vagos!

Alguno dirá: «¡Bah! Ser vago es cosa facilísima.» Error, error profundo; ser vago es casi ser filósofo; es algo más que ser un cualquiera.

¿Que hay vagos a patadas? ¡Qué ha de haber! Tenéis en la clase alta gomosos, *clubmen*, *sportmen* más o menos elegantes, más o menos *smart* y hasta *snobs*, si queréis. Todos éstos son átomos brillantes de la atmósfera de imbecilidad que recubre a este ridículo planeta que habitamos; pero no son vagos. No hay más que mirarlos; andan de prisa, dando zancadas, como si en la vida hubiera algo que valiese la pena de correr, y van siempre pensando en algún caballo, en alguna mujer, en algún perro, en algún amigo o en otra cosa sin importancia de la misma clase. En las otras capas o costras sociales hay empleados, estudiantes, mendigos, *maletas* y demás morralla; pero tampoco son vagos perfectos, porque no dejan correr la vida; la emplean en tonterías, en cosas mezquinas; no se dejan arrastrar por el *far niente*, como el vago tipo, al cual no se le puede achacar más que esa pequeña debilidad de perder la afición al trabajo en la flor de la juventud.

El vago será una bagatela, pero no es una escoria. Una bagatela puede ser trascendental, y una cosa trascendental puede ser baladí. Inventar un juguete demuestra tanto ingenio como inventar una máquina. Tan constructor me creo yo, que he hecho en colaboración con un amigo un tranvía eléctrico de cartón que se mueve a veces, como si hubiera hecho uno de veras.

Idear una catedral será una gran cosa; pero idear una rama de papel tampoco es despreciable.

* * *

El vago del farol y yo nos conocemos y nos hablamos.

Me protege. Es un hombre que no saluda a nadie. Debe de tener pocos amigos; quizá no tenga ninguno. Señal de inteligencia. El mayor número de amigos marca el grado máximo en el dinamómetro de la estupidez. Creo que es una frase.

¿A inteligente? No le gana nadie. Se le habla de política..., sonríe; se le habla de literatura..., sonríe; se le habla de cualquier otra cosa..., sonríe.

El otro día me dijo uno de él que debía de ser un imbécil.

Pero es lo que pasa en estas sociedades sin freno; se empieza a hablar mal de las personas serias, y se llega a hablar mal hasta de los vagos.

REVISION NECESARIA

Actualmente, para Europa existe latente una cuestión española que el mundo civilizado tiene que resolver, más pronto o más tarde, como existe un problema turco y un problema ruso.

Para nosotros es triste, es amargo ser nuestra nación de tal modo desprestigiada, pero es así. Europa tiene de España una idea pobrísima, y el tiempo pasa y esta idea persiste y se extiende y se generaliza.

¿De quién es la culpa? ¿Somos nosotros los que pecamos? ¿O son ellos los que nos calumnian? En absoluto; ni en una cosa ni en otra se puede creer. Ni nosotros podemos ser tan bárbaros, tan crueles, tan incivilizados como ellos nos pintan, ni ellos pueden ser tan calumniadores como algunos quieren suponerlos.

Hay algo de culpa en nosotros; hay algo de mala voluntad en ellos.

Europa ve que España, a pesar de los desastres sufridos, se empeña en no ser una nación europea. Europa ve que España no ha hecho la limpia necesaria de sus hombres funestos, que trata de sostener el prestigio de sus ideas arcaicas y de su gente fracasada.

El extranjero que viene a España oye hablar de militares enriquecidos en la guerra de Cuba, de medicinas vendidas en las farmacias sustraídas al ejército, de soldados muertos de hambre; oye hablar de hombres atormentados en Montjuich, de inocentes agarrotados en Jerez cuando la Mano Negra, y en otros sucesos más recientes; le dicen que en Barcelona se fusilaron inocentes, que Rizal fue condenado a muerte por exigencias de los frailes, que en Alcalá del Valle se atormentó a unos pobres campesinos.

¿Qué va a decir este extranjero al llegar a su tierra? Dirá que España es un país bárbaro, insensato y cruel.

A esto arguye el español seudopatriota, diciendo: «Es que todo eso es mentira. Es que todo eso es una leyenda.»

Y yo digo: «Será mentira, pero para el mundo entero es verdad.»

Quizá sea también mentira el que los deportados rusos en Siberia sufran tormentos horribles; pero para el mundo entero, exceptuando los burócratas de San Petersburgo, esos tormentos son verdad.

Es extraño que esas leyendas sanguinarias se forjen únicamente en contra de Rusia y de España. ¿Por qué no se habla de obreros martirizados en Inglaterra y en los Estados Unidos?

El proverbio es viejo, pero encierra una verdad: «Cuando el río suena, agua lleva.» Y si suena y no lleva agua, no debe sonar.

Si en España ha habido en estos años pasados algo horrible, algo monstruoso, debe salir a la superficie; si no ha habido nada, se debe probar al mundo de una manera tan clara, tan evidente, lo injusto de las acusaciones, que de una vez se apaguen esos murmullos siniestros que corren por Europa para deshonra nuestra. Pero en España ha habido algo monstruoso y terrible; lo sentimos todos en nuestra conciencia. Y no es esto lo peor; lo peor es que las injusticias y las iniquidades y el abandono perduran sin que nadie se dé cuenta de ello.

Yo, hace unos meses, he viajado a pie por el campo y he visto que existe en él un feudalismo rural del que no se tiene idea en Madrid; he visto en algunos pueblos de la Vera, uno de ellos Poyales del Hoyo, el camino convertido en acequia para que el rico propietario, sin gasto de ninguna clase, pueda regar sus prados; he visto a un guarda-jurado amenazar con la escopeta a unas mujeres que habían cogido unas bellotas del suelo de una dehesa.

En nuestro viaje, la primera noche que dormimos en el campo en la tienda de campaña, a la mañana siguiente, cuando nos preparábamos para la marcha, vimos al guarda de Villavi-

ciosa de Odón venir hacia nosotros con la escopeta cargada con bola y amartillada. Al preguntarle para qué hacía esto, nos dijo que había pensado si seríamos húngaros. Siendo húngaros, el hombre encontraba el tiro legitimado.

¡Y en Madrid! En Madrid he oído hablar de hombres apaleados por la Policía, he oído hablar de otros a quienes se les ha puesto una especie de cuñas en los dedos, y de otros a quienes se les ha apretado la cabeza con un tortor.

En el hospital de San Juan de Dios, cuando éste estaba en la calle de Atocha y yo era estudiante de Medicina, he visto al médico de la sala enviar a una buhardilla, a pan y agua, a muchas enfermas por el crimen de no poder contener los gritos en el acto de una operación dolorosísima.

Y hace un mes, o cosa así, una criada de mi casa tuvo que sacar a un hijo suyo que estaba en un asilo porque una monja guardiana le había tenido al chico, de cuatro años, durante seis días, atado a dos camas, en cruz y desnudo.

¿Cómo nos va a asombrar a nosotros la leyenda de la crueldad española que corre por Europa? No nos puede asombrar, porque tiene mucho de cierta, porque tiene mucho de real.

¿Qué hacer ante esto?

Yo no veo más que un medio de saneamiento: la revisión.

Hay que revisar todos los resortes, todos los engranajes de la vida española; hay que contrastar nuevamente muchas leyes, muchas ordenanzas, muchos decretos.

Al mismo tiempo hay que sanear agrupaciones políticas, organismos civiles y militares, someter a la crítica los políticos, los literatos, los generales, los magistrados.

Si España no emprende la revisión

de sus organismos y de sus prestigios; si esa bola de nieve de nuestra crueldad, de nuestra ignorancia, de nuestra torpeza y de nuestra insensatez va creciendo en España, el porvenir de nuestro país va a ser muy negro.

Y hay un síntoma que, aun sin tener gran importancia en sí, indica que la mayoría de la gente intelectual no quiere revisión alguna; este síntoma lo da la cuestión de Echegaray. La protesta contra el homenaje, que algunos hemos firmado, no era más que una invitación a la crítica, y se ha tomado como una ofensa. Lo natural hubiera sido decir: «Discutamos a Echegaray; ustedes apunten sus defectos, nosotros señalaremos sus cualidades.» No. Eso era imprudente. Lo fácil ha sido decir: «¿Ustedes protestan contra un homenaje como dos? Le haremos a Echegaray un homenaje como ciento.»

¿Y qué?

Es como si mañana los militares dijeran de Weyler que no les parecía un César, y el ministro de la Guerra contestara: «¿No les parece a ustedes un César? Bueno, pues yo le voy a hacer capitán general.»

¿Y qué?

En esto hay una cuestión grave. Toda consagración de un prestigio falso atrasa por momentos la revisión necesaria: todo prestigio falso es reaccionario y partidario de lo estático. El dramaturgo vacío se apoya en el periodista huero, y los dos en el pintor malo, y los tres en el magistrado venal, y todos éstos se unen con el político, y entre el político, y el magistrado, y el pintor, y el periodista, y el dramaturgo, hacen que en Poyales del Hoyo el camino esté convertido en acequia para que el rico propietario, sin gastos de ninguna clase, pueda regar sus prados, y el dramaturgo, y el periodista, y el pintor, y el magistrado, y el político, hacen que el hijo de mi criada sea maltratado en un asilo por una monja.

Empezando por arriba o empezando por abajo, hay que comenzar pronto la revisión. Si no, Europa, haciendo de Alejandro, va a cortar este nudo gordiano de España de una manera brutal a la mejor ocasión.

CABRIOLAS

EN EL MUSEO

Como el ministro de Bellas Artes permite ya que se pueda visitar el Museo del Prado desde las diez de la mañana hasta las cuatro de la tarde, fui ayer por allí a saludar a algunos amigos contiguos que se pasan la vida sin poder escaparse del lienzo, asomados a la ventana de sus marcos.

En la antesala que precede al gran salón del Museo había un viejecito con anteojos, copiando cuidadosamente un cuadro del Greco.

Estuve mirándole cómo trabajaba, y al ir a separarme de su lado me dijo familiarmente, señalando su copia:

—Está mal, ¿verdad?

—Hombre—le contesté yo—, creo que se parece.

—Sí; se parece, pero eso no tiene importancia. ¿Ha visto usted esos tres cuadros nuevos que hay del *Greco?*

—Sí. ¿De dónde los habrán sacado?

—¿De dónde?—murmuró el viejecillo, mezclando con furia colores en la paleta—. Del sótano, seguramente.

—Pero ¿tienen en el sótano cuadros como éstos?

—¡Vaya, y mejores que éstos!

Cuando empezaron las obras para dar luz central a las salas, metieron, yo no sé si en buhardillas o en los sótanos, una barbaridad de lienzos de las escuelas holandesa y flamenca, y allí se están ennegreciendo y estropeando. ¡Si hacen cada barbaridad aquí!

—Pero, hombre, en algún lado tenían que guardarlos. ¿Dónde, si no, los iban a colocar?

—¿En dónde?—y el viejecillo me miró con ira—. En cualquier lado menos en los sótanos: en la Biblioteca o en otro sitio, y si no hubiera lugar, en ninguna parte. ¿Sabe usted lo que yo haría? Pues separar del Museo Moderno diez o doce obras estimables, las únicas que hay, y pegarles fuego a las demás; así habría sitio.

—¡Demonio! Es usted radical.

—No lo soy lo bastante. Créame usted, nos están estropeando el Museo; hay aquí retocadores que apenas si saben dibujar y se atreven a todo; le podría señalar a usted una cabeza de una monja de Velázquez retocada, la mano de una Venus de Ticiano con una veladura. Si a algunos de los señores que dirigen esto se les ocurre algo, siempre es una simpleza, como poner cristales a los cuadros cuando no los necesitan, o variar sin ton ni son el nombre del autor de una obra. Hay un lienzo de la escuela italiana que se tuvo siempre como del Giorgione; se cambió de director, y apareció el cuadro atribuido a Palma el Viejo; se cambió nuevamente de director, y resulta ahora que es del Ticiano.

—Se habrán hecho, quizá, nuevas investigaciones...

—¡Qué se han de hacer, hombre! ¡Qué se han de hacer! Todo eso no es más que pedantería y ganas de demostrar conocimientos... ¡A mí me da vergüenza cuando vienen los extranjeros! Hace algún tiempo llegaron unos académicos—el viejo pronunció esta palabra con el desprecio con que hubiera podido pronunciarla Daudet—, y esos académicos dijeron que la *Gioconda* de aquí no es original de Leonardo, sino una copia; debieron haber añadido que era una mala copia para desacreditarla más. ¡Imbéciles! Con Velázquez sucede una cosa parecida; muchos cuadros en donde antes ponía sólo «Velázquez», ahora están, no como originales, sino atribuidos a él. ¡Atribuidos! ¡Claro! ¿Acaso se sabe con seguridad algo? ¿Está usted seguro de que el *Quijote* lo escribió Cervantes? ¿Usted, sí? Pues yo, no.

Y el viejecillo, indignado, me volvió la espalda y siguió copiando el retrato del *Greco*.

Quizá, en parte, tenía razón.

ROMANTICISMOS

I

Entre la turba de bandidos y aventureros iban a pie los siervos del terruño. No llevaban armaduras para proteger su pecho, ni largas lanzas, ni cortantes sables: las hondas, las piedras, las ballestas, eran sus instrumentos de guerra.

Los señores, recubiertos de acero, los seguían caracoleando en sus caballos y les animaban para la refriega; los siervos, los miserables, entraban los primeros en la liza y regaban el campo de batalla con su sangre. Si vencían, el triunfo y el botín eran para sus amos; la Historia perpetuaba las hazañas de los jefes; si quedaban vencidos, los señores eran respetados. A los siervos se les llevaba como manadas de bestia a trabajar para sus nuevos dueños.

Sufrían y miraban al cielo, esperándolo todo de arriba. El sacerdote los enervaba con sus oraciones y sus promesas celestes, los enloquecía y desequilibraba con sus cuentos milagrosos, sus fantasmas y sus espectros; llenaba sus almas de sombra, de inquietudes y de tristeza. El rey hacía pesar su tiranía sobre ellos, el noble los explotaba con odiosas gabelas e ignominiosos tributos. Y ellos, los pobres, amaban al sacerdote, adoraban al rey y respetaban al noble.

Entonces la fuerza bruta regía el mundo; el egoísmo de unos pocos era su ley. La guerra imperaba, la ciencia parecía muerta. La Judea, adusta y esclava, había vencido a la Grecia, libre y luminosa. Minerva, la diosa de los ojos verdes, lloraba sobre las ruinas de Atenea y Delfos.

....
....

II

Allá van; saben que hay una patria que necesita de su fiereza y de su sangre, una patria a la cual conocen por el recaudador de contribuciones. Tienen una idea lejana del sentimiento del honor nacional, y marchan todos a la guerra, abandonando su industria el obrero, olvidando su terruño el labrador.

Van sin entusiasmos, no gritan a los acordes de marchas fanfarronas ni se indignan por los ultrajes inferidos al sagrado nombre de la patria. Heredaron la servidumbre como sus amos la hacienda.

Producen una fuerza ordenada, nacida del desorden; un despotismo, nacido de una anarquía. Nada hay tan reaccionario como el ejército que forman; nada tan revolucionario como las masas en donde nacen.

¡Masas! ¡Turbas! Compuestos heterogéneos, en los cuales el individuo se deslíe y se borra, aportando al total de la masa un grito, un puño amenazador, un alarido desesperado. Las multitudes tienen oleaje como los mares; en la Monarquía son republicanas; en la República, anárquicas; sus ímpetus no son razonados, son como flores que nacen en los tiestos de la miseria, regadas por lágrimas producidas por los sufrimientos, las enfermedades, las desnudeces de los que luchan estremecidos por el dolor.

De esas multitudes viene el soldado. Sus jefes le inculcan ideas medievales y le hacen olvidar su origen. Por eso el soldado lucha encarnizadamente contra las revoluciones fraguadas para dar libertad a los suyos; por eso defiende a sus enemigos en contra de los revolucionarios, sus naturales aliados.

Hoy, como ayer, el egoísmo rige el mundo; pero no es el egoísmo de pocos, es el egoísmo de muchos. La civilización enterrada en Grecia resucita. Del cielo huyen los santos, las Dolorosas, los venerables, con sus nimbos de luz y sus azules túnicas.

Demeter reina en la tierra; el inquieto Prometeo, representación del hombre, desafía a la tempestad y desafía a Júpiter. Los ideales viejos van cayendo a medida que la ciencia los ilumina con sus rayos puros. La ciencia ha humanizado la guerra, pero no ha concluido con ella.

Y mientras los hombres se exterminan, los sabios, los investigadores, en sus talleres de mecánico y de química buscan máquinas infernales, explosivos bastante terribles para las luchas de la tierra y del mar, que por su misma brutalidad y por sus mismos efectos formidables pongan un término a la odiosa guerra.

....
....

III

En una pradera inmensa, inundada por la luz del sol, trabajan los hombres junto a la Madre Tierra, siempre fecunda y generosa.

No más odios, no más rencores. El hombre es sólo hombre; no quiere dividir en rincones su madriguera. El mundo es su patria y lo encuentra pequeño para sus nuevos planes. La imaginación presenta mundos mejores, no más allá de la muerte, sino en la vida, quizá en otro planeta, quizá fuera de la órbita del sol.

Nada reposa. La materia, como blanda cera, se amolda al pensamiento del hombre, está dominada y se va utilizando el mayor número de sus fuerzas.

La ciencia ha matado a la guerra,

ha modificado el egoísmo del hombre, y con ese manantial de brutalidad y de fuerza ha movido el engranaje de la humana piedad. El amor a la idea y el amor a la especie han nacido de la afirmación enérgica del *yo*.

El horizonte de la Humanidad se ensancha; es cada vez más extenso, cada vez más azul. En los nuevos espacios abiertos a la mirada, al romperse las nubes de las preocupaciones, al desvanecerse las humaredas de los egoísmos fieros, las ideas aparecen como playas brillantes sobre un mar de plata, iluminadas, por luces de infinita blancura.

En la atmósfera rarificada del pensamiento, los espíritus se bañan en el éter puro y transparente de lo absoluto y de lo abstracto.

Como las gotas de agua de la nube caen en el monte, corren en el arroyo y siguen en el río a perderse en el verdoso mar, así el pensamiento de los hombres, en ansia de lo mejor, va de lo definido a lo indefinido, buscando la senda para fundir su esencia en el mar inmenso de lo infinito.

En el mundo no existe ya la oscuridad ni la noche. Todo es luz, todo es amor y todo es vida...

CONFIDENCIAS DE UN HOMBRE DE PLUMA

Yo, señores, soy un hombre que ha tenido la desgracia de ser hijo de un hombre de talento, un talento extraño y un tanto misterioso, a quien unos han considerado como un majadero, otros como un ser fantástico y algunos como un filósofo cínico y bufón.

Mi padre era un hombre original; digo era porque no teniendo noticias suyas desde hace cuatro años en que fue a colonizar el Africa con su amigo Diz (1), supongo que habrá muerto.

La fama suya de loco y de fantástico se ha comunicado a mí, y no hay manera de que yo pueda convencer a nadie de que soy una persona sensata, seria, hasta grave y sesuda. Las penas mías, las convicciones mías, todo el mundo las toma a chacota, y

_____
(1) Silvestre Paradox.

cuanta mayor es mi insistencia en demostrar que siento lo que digo, más los que me oyen creen que finjo y que soy un bufón redomado.

Yo ya no puedo hablar en serio; cuanto más en serio hablo más creen que me río; mis amigos piensan que tengo tercera y hasta cuarta intención, y no tengo muchas veces ni primera. Soy un alma clara, un espíritu transparente; pero de puro transparente algunos se figuran que soy oscuro y tenebroso.

Estas confidencias creo que demostrarán hasta la evidencia mi candor.

* * *

Una de las cosas que más feliz me hubiera hecho, en esta perra y lacerada vida, hubiese sido el escribir bien, con fluidez y soltura y con toda la sintaxis que dicen es necesaria a un literato, no sólo por la gloria, sino también por lo cómoda, dulce, descansada y apacible que debe de ser la existencia del hombre feliz que se dedica con éxito a emborronar papel e inventa diariamente una porción de historias entretenidas y graciosas, y enreda a la marquesa con el paje, y obliga a mugir al marqués, y saca de la oscuridad de las multitudes amorfas—creo que es una frase—, constituidas por hombres sin historia, tipos bien perfilados y definidos, nobles, nobles orgullosos, niñas cándidas y angelicales, banqueros sin corazón, bailarinas frívolas, sabios negros más o menos misteriosos, damas livianas y perversas, y otra porción de seres que existen, aunque digan lo contrario los analistas, los sociólogos y los psicólogos modernos.

¿Habrá—yo creo que no—placer tan grande como barajar las terribles pasiones humanas: el amor, el odio, la envidia, el orgullo; enredar los hechos al capricho de uno; hacer asesinar, robar, desafiar, envenenar, cometer una porción de desafueros y de barbaridades a los personajes, mientras uno se calienta al amor de la lumbre y en la mesa humea la taza de café y entre los dedos el cigarro?

Es difícil; indudablemente, es muy difícil.

Yo esperaba llegar a ejercer esa dulce profesión de novelista imaginativo y fecundo y asesinar al honrado padre de familia en el primer tomo y resucitarlo en el quinto, cuando me asesinaron a mí aconsejándome que no escribiera porque no tenía sintaxis.

La sintaxis me ha perdido.

Por esta carencia absoluta de sintaxis, mi tío, el senador don Carlos Eduardo Pérez de los Pasados, conde de la Fumarada del Campo, no quiso nunca que fuera yo su secretario particular, y trató de probarme varias veces, entre dos *yo entiendo*, el prosaísmo vulgar de mi prosa chabacana.

Humildemente le manifesté yo el gusto que tendría en ver algún producto de su alada pluma; pero él me contestó que sus ocupaciones políticas no le dieron tiempo para limar el estilo, y que, además, consideraba de una manera despectiva la literatura y, en general, las artes.

Mi primo Augusto, el segundo hijo del conde, afirma que su papá entiende tanto de literatura como una mula de varas; pero yo, a fuer de sincero, no le creo a mi primo, porque es un maldiciente y, además, porque no es posible que el conde, siendo tan indocto, haya pasado ante el país como uno de los hombres más graves y sesudos de nuestra época y como profundo conocedor de las cuestiones de enseñanza; ni es posible tampoco que sin mérito alguno sus discursos estén guardados en el *Diario de las Sesiones* de ambas Cámaras como finísimos bloques de elocuencia parlamentaria.

Aclarado este importantísimo punto, tengo que manifestar que estoy dispuesto a escribir, y a escribir la historia de mi familia en sus variadas fases, hipóstasis o etapas de grandeza y de miseria, de esplendor y de desgracia, de dicha y de infortunio. Me impulsa a ello, primeramente, el no servir para nada y, además—¿por qué no decirlo en el seno de la intimidad?—, el gusto de molestar un poco a mi respetable parentela, que se ha portado conmigo bastante mal.

¿Cómo he llegado al convencimiento de mi absoluta ineptitud para toda clase de trabajos? ¿Cuál ha sido el proceso psicológico o psicofísico que ha llevado a mi ánimo la certidumbre de mi inutilidad para trabajar?

Tomaré la cuestión desde el principio. *Ab ovo*, como dice mi tío el conde.

* * *

Una vez, paseando mi padre y yo por la Moncloa, me decía:

—Toda situación natural, social o política del hombre y de los animales (hasta las hormigas tienen religión y política, lo que para mí es un signo de inferioridad—añadió—), representa un punto de una circunferencia con un punto próximo más alto y otro más bajo o, si te parece mejor, con uno a la derecha y otro a la izquierda; un ejemplo: las hierbas se alimentan de la tierra; a las hierbas se las comen los pulgones; a los pulgones, las hormigas; a las hormigas, las gallinas; a las gallinas, los hombres; a los hombres, las mujeres, y a todos, la tierra, y de la tierra vuelven a alimentarse las hierbas... Ese que yo imagino, inexacto, claro, es un círculo de vida, y en cualquier sentido que mires, desde cualquier punto de vista que escojas, natural o socialmente, todos son círculos... ¿Qué consecuencia sacas tú de eso?

—¡Hombre! Yo..., que cuanto más arriba se encuentre uno en el círculo, se está mejor.

Mi padre, que quería sacar, sin duda, una deducción estoica, me miró atentamente y se calló con su natural estoicismo.

Mi padre, como he dicho antes, tenía ideas distintas de la generalidad de las personas; creía, por ejemplo, que un buen médico debía empezar su carrera de enfermero; un arquitecto, de albañil; un militar, de soldado, y un cura, de monaguillo. Aseguraba que las Universidades son focos de la petrificación cerebral de España, y que los profesores, por el mero hecho de serlo, se convierten en una especie de papagayos y entran a formar parte del género *psitacus* de la familia de los loros. Cuando aprobé yo esa cosa que se llama el bachillerato, el bueno de mi padre me miró muy serio y me dijo:

—Has estudiado, o hecho como que estudiabas, una porción de cosas que no te servirán para nada. Piensa en lo que te pueda gustar; aunque tus gustos sean bajos y vulgares, no te importe. Explora tus deseos; arroja la sonda en la intimidad de tus inclinaciones instintivas.

«¿Tendré yo inclinaciones instintivas?», me pregunté, perplejo.

—Vas a venir conmigo—siguió diciendo mi padre—durante unos días, y si te gusta algo de lo que veamos, dímelo.

Me pareció excelente la idea. El primer día fuimos a una fundición; vimos una máquina de vapor con unas bolas que giraban rápidamente. Pregunté lo que eran y me dijeron que aquello se llamaba un regulador de Watt, y que yo debía saber lo que era por la Física, aunque no lo sabía. Luego nos enseñaron unas calderas que silbaban, unas correas sin fin que se deslizaban cerca del techo y otra porción de cosas extravagantes que se movían y echaban chorros de vapor.

—¿Te gustaría estar aquí?—me preguntó mi padre.

—No, papá. Esto me marea.

A los dos o tres días mi padre me llevó a San Carlos; vi la sala de disección con sus mesas blancas de mármol, sobre las cuales había piernas y brazos de personas. Aquello me dio frío.

—¡Cuánta carne!—esto fue lo único que se me ocurrió decir.

—Pues aún hay más en el matadero—replicó, burlonamente, mi padre.

De allí fuimos a un laboratorio con muchos armarios y muchas ventanas, en donde un señor muy flaco, muy escurrido, muy negro, de aspecto malhumorado, revolvía con una varilla de cristal una especie de cacerola de porcelana.

—¿Qué hay, don Benito?—le dijo mi padre.

—Nada. Aquí ando con estos gargajos de un tísico a ver si tienen el bacilo. ¿Es hijo de usted éste?

—Sí. Le traigo a ver si le gusta esto.

—No, creo que no le gusta; tiene cara de holgazán este chico.

Yo me callé; pero al salir de allí le dije a mi padre que aquello me parecía una suciedad.

En los días posteriores vimos una serrería, varios almacenes, una casa de banca, una fábrica de electricidad, otra de guano, otra de pastas para sopa, otra de hilados, una fundición, un molino de vapor, una galería de fotógrafo y toda clase de talleres e instalaciones eléctricas.

Un día mi padre tenía que resolver algún asunto en un Ministerio y fuimos a una oficina. Estaban allá los empleados charlando y fumando alegremente.

A la salida le dije a mi padre:

—¿Ves? Esto ya me gusta.

Entonces mi padre, con tono fúnebre, me dijo:

—Mira, ya que no sirves para nada útil, estudia para abogado.

Lo hice así, y, gracias a las recomendaciones de mi tío, el conde, pude ir saliendo adelante en los exámenes. Es verdad que yo nunca supe una palabra de Derecho, pero mis condiscípulos no supieron más que yo, y algunos que eran hijos de ministros sacaban sobresaliente, y yo, sobrino de un conde senador, no llegaba más que al aprobado. Una verdadera injusticia.

Tomé el título, me inscribí como abogado de pobres, y en la primera defensa que hice comprendí que no servía para el Foro. El fiscal pedía la cabeza del reo, porque en la temporada no había conseguido obtener más que cuatro cabezas, y por dignidad y para su ascenso necesitaba cinco; el hombre dijo en su discurso una porción de vaciedades y de gansadas, lo tergiversó todo; verdad que el objeto que le guiaba era noble. Yo me levanté a intentar deshacer aquella maraña, pero no era tan fácil como yo creía; comencé a hablar cuando los señores del birrete y de las sayas negras felicitaban al fiscal; no me hicieron caso; grité, se me secó la garganta, los señores del Jurado, en cuyos ojos no brillaban precisamente ni la inteligencia ni la bondad, se aturdieron; concluyó la vista y condenaron al reo.

Pensando y pensando entonces en

lo triste que es no tener un cuarto y no sentirse con aptitudes para nada, se me figuró que quizá sirviese yo para literato.

—¿Qué te parece, papá, si me metiese a escritor?

—Pchs..., bien—contestó mi padre, encogiéndose de hombros—. En España es la profesión de todos los inútiles. Se dedican a ella los que no pueden ser abogados, ni tenientes, los que salen mal en las oposiciones a Correos y a Aduanas...; siempre es más fácil hacer una zarzuela o un artículo de periódico que un mal cerrojo.

—¿De modo que no te parece absurda la idea?

—No. En España no hay nada absurdo más que el trabajo, la iniciativa y la generosidad...; lo demás, no. Vivimos en un país averiado..., género de saldo.

—¿Cómo de saldo?

—Sí, de saldo. Utilizamos ideas usadas, máquinas viejas. España no existe. Es verdad que hay una Península llena de piedras, en donde se toca la guitarra... De fuera, esa Península parece algo, con el duque de Alba y Felipe Segundo, y nada, no es nada.

Como mi padre tenía intenciones de seguir divagando, le atajé en su peroración:

—Pero bueno: ¿te parece bien o no que me meta a escritor?

—Hombre, casi preferiría que te metieses a torero—me contestó.

Comprendí que no le había gustado la idea; pero como no se me ocurrió otra cosa, me dediqué a escribir poesías: *A ella*, *A la ciencia*, *A la tumba*.

Mi tío me protegió; me proporcionó en el Ayuntamiento una plaza de basurero y otra de inspector del alcantarillado; me daban, sin hacer nada, veinticuatro duros al mes, y él de su bolsillo particular me regalaba de cuando en cuando un billete de cin-cuenta pesetas por llevarle la correspondencia y acompañarle en sus paseos.

La ambición, al querer ascender en una de esas circunferencias de la vida que decía mi padre, me fastidió y cortó mi porvenir. Yo le cultivaba a mi tío, como mi única propiedad que era, con un cariño calurosamente simulado; le adulaba, le complacía, le soportaba, en una palabra.

¡Lo que puede hacer un hombre por amor de unas miserables pesetas!

La gran preocupación de mi tío era, y debe seguir siendo todavía, el pasar por un noble de antiguo cuño.

—Los Encrucijados somos—me solía decir—anteriores a los Albas y a los Osunas.

En el árbol genealógico aparece el primer Fumarada en el siglo VI. En el Tizón de la Nobleza no está nuestro título.

El escudo de los Fumaradas tenía una barbaridad de cuarteles con calderas, pitos, puentes, ya en campo de gules, ya en campo de sinoples.

Una vez que fue mi padre a ver al conde, le dijo, no sé si por adulación o por broma, que le había oído afirmar a un anticuario que el título de Fumarada venía de Fumareda, un castillo de un señor cristiano que prefirió prender fuego a su mansión que entregarla al moro alevoso, y que el verdadero escudo de la familia era una humareda en campo de azur; pero después, en confianza, me dijo mi padre que si había humaredas en la familia, más que producidas por el incendio de la mansión de algún señor de horca y cuchillo, serían ocasionadas por el horno de algún modesto carbonero.

No puedo menos de confesar que me impulsa a la publicación de mis cuartillas un sentimiento de venganza. No hubiera escrito seguramente esto si mi tío el conde no me hubiera jugado una mala pasada, despidiéndome de su casa con el pretexto de que hacía el amor a su hija.

Aun así, quizá no hubiera impreso mis apuntes si al cabo de poco tiempo no hubiera visto que me dejaban cesante de mis dos cargos de basurero y de inspector de alcantarillas. ¡Y cuidado que me han dado disgustos estos empleos! Siempre pensando en ellos. Me remordía la conciencia; luego, al menor síntoma de crisis, ya estaba temblando. He pasado dos años pensando en las alcantarillas y las basuras.

Con este motivo de quedarme alejado de las basuras, escribí una carta a mi tío tratando de demostrarle que no era yo quien le hacía el amor a su hija, sino ella la que me hacía el amor a mí. «¿Qué culpa tengo yo, le decía, de que la señorita Lilí Fumarada no tenga una nariz griega, y de que en su labio superior apunte más de lo regular el bigote? Claro que si fuera una Venus de Milo no me hubiera hecho caso a mí...» Todos mis argumentos no sirvieron de nada, y el conde me contestó en una carta diciéndome que, además de ingrato, era un impertinente, de una imprudencia repulsiva.

Ahora que me he quedado huérfano del servicio de basuras y alcantarillas, hablaré claro; diré que el tal árbol genealógico de mi familia es una mistificación, y que los Encrucijados no proceden del siglo VI, ni del VII, ni estuvieron en las cruzadas, sino que hasta hace poco tiempo fueron unos pelafustanes, gente que, como dice mi patrona, se lavaba en el río con una piedra porque no tenía para jabón.

Hacía tiempo que tenía esta certidumbre, pero como no ganaba nada con manifestarla, la ocultaba y hacía como que creía en el señor cristiano, en la humareda, en las cruzadas, en las calderas, pitos y demás chirimbolos heráldicos.

* * *

Un compañero de tren, que el pobrecito, en uno de esos círculos de la vida estaba muy bajo, por haberle pegado a uno una puñalada y encontrarse en presidio, fue el primero que me dio un indicio de que no todos eran príncipes entre los Fumaradas. El caso fue como sigue: venía yo hace cinco o seis años, de vuelta de Hendaya, en un vagón de tercera clase. En un apeadero, cerca de Vitoria, entraron en nuestro coche unos presos atados codo con codo y custodiados por guardias civiles.

En todo el tiempo que fueron los presos en el tren, ni ellos ni los que iban con ellos hablaron una palabra. Al llegar a Burgos bajaron presos y guardias, y todos los que íbamos en el coche nos pusimos a hacer comentarios acerca de la suerte de aquellos infelices.

Una muchacha, cogiendo de la falda un sobre gris, me dijo:

—Mire usted lo que me ha dejado uno de los presos.

Abrí el sobre y saqué de dentro una fotografía y una carta. La carta era una declaración de amor copiada de algún libro de esos que dan modelos para tales cosas.

Después añadía en estilo más llano que era de buena familia, pariente del conde de Fumarada, y que por una desgracia, por fantasía geográfica, de haberle pegado a uno una puñalada con mala suerte—¡cosas de hombre!—estaba en presidio.

Terminaba diciendo: «¡Escríbeme! ¡Escríbeme!» Firmaba la carta Francisco Pérez Cachicán, y sus señas eran: número 43, penal de Burgos.

El retrato era de un soldado con traje de rayadillo, y estaba hecho en Argamasilla, la patria de los Fumaradas.

Ya le estoy viendo a mi tío el conde hecho una fiera cuando lea mi libro, diciendo que esos Pérez y esos Cachicán no tienen nada que ver con los Pérez y los Cachicán de su familia, que ellos son Pérez de los Pasados y Cachicán de Almuradiel; le estoy oyendo hablar de sus ejecutorias de nobleza, de su árbol genealógico, del primer señor de la Fumarada, don Teodosio, y de sus hijos don Dionís y don García. Pura farsa, aunque quizá mi tío el conde no lo sepa. Nadie mejor que yo puede asegurar que la historia aristocrática de los Fumaradas es una farsa, nadie mejor que yo, porque toda esa historia no es más que los cuatro capítulos primeros de mi gran novela inédita *Los caballeros del puñal*.

Hace tres años mi tío el conde pensó en cruzar a su hijo mayor caballero de no sé qué cosa, y me encargó a mí que fuera a Argamasilla y sacara las fes de bautismo de sus padres y abuelos, y, además, tratara de encontrar la historia del título. Yo no pude hallar historia alguna, y coloqué los cuatro capítulos primeros de mi gran novela *Los caballeros del puñal*. Entonces me enteré de la historia verdadera de mis parientes y pude evidenciar la vanidad y el humo que encierran las ambiciones aristocráticas de los Fumaradas.

En ese viaje, al mismo tiempo que enviaba a mi tío los cuatro capítulos de *Los caballeros del puñal*, compuse un libro narrando el origen verdadero de la fortuna de los Fumaradas, y, ¡paradoja extraordinaria, paradoja inaudita, paradoja digna de mi padre, don Silvestre Paradox!, mi novela pasa por buena historia y la historia pasa por mala novela.

Verdaderamente ocurren cosas despampanantes en este bajo mundo.

Tan despampanantes, que yo empiezo a creer en Echegaray, en Javier de Montepin y en Pérez Escrich.

Otro día seguiré con mis confidencias.

LIGERAS VACIEDADES EN FORMA DE PENSAMIENTOS ACERCA DE LA VIDA Y DE LA MORAL

A LOS ENCARNADOS

Estábamos en el Casino de Biarritz un círculo de amigos charlando, y entre nosotros había dos señoras, una de ellas madrileña.

El marido de ésta solía intentar la suerte en el juego, unas veces en los caballitos, otras en la ruleta, e iba a la parte con su mujer.

Aquella noche, en vez de venir el marido, como otras, satisfecho y alegre, le vimos llegar cabizbajo y serio.

—¿Qué, has perdido?—le preguntó su mujer.

—Sí.

—¿A qué has jugado?

—A los azules, y han salido los encarnados.

—¿Y por qué no has jugado a los encarnados?

El marido se quedó perplejo, y yo también. Aquella mujer tenía razón: ¿por qué no había jugado a los encarnados?

Después he comprendido que en la vida, como en los juegos de azar, hay que jugar siempre a los encarnados; siempre que toquen.

LOS PADRES DE LA PATRIA

La vida política de los partidos, hasta aquella de los que parecen más puros, descansa y se sostiene sobre una base enorme de vividores, de chanchulleros y de chantajistas. Cada diputado representa, por lo menos, unos cuantos matones, unos cuantos bandidos, unos cuantos explotadores; y lo menos malo que puede representar es unos cuantos caciques.

Y esto es muy difícil que varíe, porque cambia la forma de gobierno.

LOS PUEBLOS CIVILIZADOS

He estado en un pueblo con alumbrado eléctrico y en una calle tirada a cordel, llamada nada menos que calle de Sanz del Río, en donde unos chicos me obsequiaron apedreándome y el sacristán no me dejó entrar en la iglesia.

También he estado en un aduar próximo a Tánger, en donde unos pobres moros me ofrecieron, sin conocerme, hospitalidad y un plato de cuzcuz. Pero este aduar no estaba civilizado.

LOS DEGENERADOS

La moral no debe ser más que un instinto inconsciente de la masa humana que quiere mejorar no sabemos para qué. Los principios morales, desde este punto de vista, no son más que adivinaciones científicas obtenidas *a priori* por intuición.

El instinto moral es tan natural, tan íntimo en el hombre como el instinto de conservación o de reproducción; la moralidad es un recurso de lo organizado para ayudar a su perfeccionamiento. Así, sólo en el degenerado, en el criminal, se da la moralidad, como también en esto se da el instinto suicida y la inversión de los instintos sexuales, porque no teniendo estos tipos humanos garantías de buena generación, siendo frutos podridos, es conveniente que desaparezcan.

EL ESTADO Y EL HIJO

Es indudable que al matrimonio por el robo o por la compra de la mujer hecha en los pueblos salvajes, ha sucedido el matrimonio por la dote, lo que no produce selección, y, además, perjudica el progreso de la especie. Pero también es cierto que, aun concediendo la posibilidad de un orden social comunista, arreglador y mantenedor de todo, la cuestión no estaba resuelta en sentido evolutivo, porque el Estado podría criar y alimentar al hijo, pero no podría rodearlo de la atmósfera de la familia, tan importante como el alimento y la instrucción.

FIN DE «EL TABLADO DE ARLEQUÍN»

ENSAYOS

*

NUEVO TABLADO
DE ARLEQUIN

1917

ENSAYOS

*

NUEVO TABLADO
DE ARLEQUIN

1917

LA PRUEBA DEL PARAISO, O LA LOCURA HUMANA

 ACE unos días, no sé si seis o siete, después de la gran batalla, varios hombres, que en su vida mortal habían sido soldados, vieron con sorpresa que estaban muertos y que marchaban a sus cielos respectivos.

Eran estos ciudadanos un mandingo, llamado Tata-bubu-chichi-ka, que quiere decir en su lengua el joven cazador de los dientes blancos de la orilla del río azul donde se baña el gran hipopótamo; el turco Mojamed-Mojamad, que era argelino, a pesar de ser turco; el joven parisiense Hipólito Duval, a quien sus amigos llamaban siempre *Polyte;* el profesor Sauerbach, el indio Taratara de Bagora, Pinkins esq. P. F. B. C. S. y el joven ruso Iván Ivanovich Caratoff.

El ideal de Tata-bubu-chichi-ka (el joven cazador de los dientes blancos de la orilla del río azul donde se baña el gran hipopótamo) era llegar al cielo para comer unas magníficas habichuelas blancas con tocino y frotar su nariz con las de algunos amigos y amigas. Con esto, y con ver el fetiche familiar, el buen mandingo estaba satisfecho.

H. Pinkins esq. P. F. B. C. S., presidente de la Sociedad Foot-Ball y Cricket, suponía que el paraíso protestante tendría su Támesis y sus campos de fútbol en la orilla, y estaba pensando en qué condiciones haría sus partidos, si se podría jugar de nuevo el célebre campeonato Pinkins contra Baxton, o si sería mejor Samson contra Baker.

Polyte, o sea Hipólito Duval, pensaba que si en el cielo habían suprimido el ajenjo, los cafés cantantes y la galantería francesa, su vida no iba a tener objeto.

El profesor Sauerbach barajaba en su mente una ilusión, pensaba en el favor que haría a su país si pudiera construir una plataforma de cemento armado al lado del trono del Altísimo, por si era necesario instalar un obús del 42 para bombardear alguna otra catedral.

Mojamed-Mojamad entornaba los ojos voluptuosamente pensando en las huríes del paraíso, y le decía a Duval, hablando a lo negro:

—*Sidi, mon ami..., petites femmes avec la fleur d'oranger toujours.*

—*Mais ça doit entre un peu fatigant, mon vieux*—decía *Polyte,* hablando con la nariz.

Iván Ivanovich Caratoff pensaba vagamente en la *kascha,* en el samovar, y tan pronto se sentía muy triste como muy consolado.

Taratara de Bagora tenía una especie de religión que no le permitía comer carne más que cazada a lazo con unas cuerdas hechas con una liana de la India, y después de sangrada durante treinta y cinco minutos, contados con reloj de sol.

A Taratara le preocupaba si habría esta clase de liana en el paraíso.

Iban marchando todos estos soldados muertos a gran prisa, cuando llegaron a la encrucijada en donde se dividen los caminos. Por los letreros podía uno orientarse y dirigirse al cielo católico, al budista, etc.

Antes de separarse, Pinkins esq. P. F. B. C. S. se detuvo y dijo:

—*Gentlemen*, despidámonos.

Y tendió su mano, y dio a las manos de todos una violenta sacudida.

El profesor Sauerbach, que estaba preocupado con cuestiones militares, murmuró:

—Por si acaso no podemos ocupar estratégicamente nuestros respectivos paraísos, o el Estado Mayor no tiene la administración militar bastante bien organizada, convendría que nos diéramos cita dentro de un mes aquí.

—Me parece bien—dijo Pinkins.

—A mí también—añadió *Polyte*.

Y los demás estuvieron de acuerdo.

Pasó un mes, y el primero que se presentó a la cita fue Pinkins esq. P. F. B. C. S.; estaba muy disgustado con la cocina del paraíso presbiteriano y con la monotonía de sus juegos. No se conocía el *whisky* ni el póquer. El fútbol era una leyenda en el paraíso. Poco después apareció el profesor Sauerbach con unos planos de cañones, indignado porque en el paraíso luterano no se permitía la fundición de armas de fuego.

Tras de Sauerbach apareció *Polyte*, diciendo que no podía resistir el ajenjo celestial, que era tan *sucré* que le empalagaba.

Poco después vino Ivanovich, tam-

bién disgustado con el cielo ortodoxo. El había tenido la ilusión de visitar de cuando en cuando los hospitales y los asilos y de poder llorar y consolarse tomando tazas de té. Pero como no había hospitales ni asilos, todas las facultades piadosas de Caratoff eran inútiles.

Estando contando sus cuitas el ruso, se presentó Mojamed-Mojamad muy lánguido, y dijo que el paraíso con las *petites femmes... avec la fleur d'oranger toujours era très fatigant, très fatigant.*

Por último, apareció Taratara de Bagora, descontento de la flora celestial semibudista. Donde no existía la sagrada liana, única buena para cazar los animales comestibles.

Unicamente Tata-bubu-chichi-ka (el joven cazador de los dientes blancos de la orilla del río azul donde se baña el gran hipopótamo) no acudió a la cita, y se quedó comiendo sus magníficas habichuelas con tocino y frotando su nariz con las de algunos amigos y amigas en el paraíso fetichista.

Al saber esta reunión subversiva de hombres escapados de varios cielos, los San Pedros respectivos gritaron:

—Mentecatos, ¿qué queréis?

Así aquel picador, después de quedar como las propias rosas, según él, se dirigía a parte del público, señalando a los que le increpaban, y decía:

—Pero ¿qué «quedrán»?

De todo esto se deduce que la locura humana es limitada, y que de escoger un paraíso, es mejor el de Tata-bubu-chichi-ka (el joven cazador de los dientes blancos de la orilla del río azul donde se baña el gran hipopótamo), porque es el que más llena el corazón del hombre honrado que no se diferencia en nada del corazón del buen mandingo.

EL MAESTRO EZCABARTE, O LA LIMITACION

Este punto de la filosofía práctica de si es mejor limitarse en la vida o no, me ha preocupado siempre. La mayoría de los antiguos estoicos han recomendado la limitación. Schopenhauer dice varias veces: «Limitarse es hacerse feliz.» Goethe escribió una poesía con este título: «En nada puse mi deseo».

Schopenhauer, que en *Parerga y Paraliponema* afirma que limitarse es hacerse feliz, en otros párrafos del mismo libro dice que vale más ser desdichado en plena civilización que feliz dentro del salvajismo.

Nietzsche se indigna también contra los que buscan esa tranquilidad tan del gusto de las mujeres, de las vacas y de los ingleses.

¿Hay que limitarse o no hay que limitarse? ¿Hay que comprimirse, como diría un chulo de teatro, o hay que expandirse, como diría un pedante, también de teatro? He aquí la cuestión.

El verano pasado hice una excursión en automóvil por la Rioja. Me encontré en Logroño con un amigo que tenía fábrica de productos farmacéuticos, que se proponía visitar varios pueblos. Nos asociamos y salimos: él, a correr sus productos; yo, a correr por los caminos.

Un día paramos en un pueblecito a almorzar. Mi amigo bajó del automóvil y se fue a hacer visitas; el chófer y yo nos quedamos en el atrio de la iglesia viendo cómo los chicos jugaban a la pelota.

Estando allá vino mi amigo en compañía de un joven que parecía escapado de una taberna del Barrio Latino, un hombre pálido, de ojos negros, vestido de luto, con sombrero flexible y gran chalina negra. Era el médico del pueblo.

Este hombre, que tenía cierto aire de carnero, me saludó con voz desfallecida y dijo que me rogaba fuera en su compañía a tomar café.

Llegamos a casa del médico y nos subió a un despacho cerrado, lóbrego, que olía a ácido fénico.

El médico parecía haber buscado el modo de que su cuarto fuera desagradable; tenía en la pared unos cuadros de enfermedades de la piel, y sobre un armario, un feto en un frasco y otra piltrafa nauseabunda en otro. El médico mandó traer a su mujer café, un café sin color, que me pareció también fenicado, y un aguardiente que sospeché si lo habría sacado del frasco del feto.

Mientras sorbíamos el brebaje, el médico quiso convencernos de que era un grande hombre no comprendido, y como no tenía tiempo para ello, en media hora nos leyó seis poesías, tres artículos, un capítulo de novela de gran perversidad, según él; nos mostró un recorte de un periódico donde le llamaban inspirado y genial y un retrato suyo en un periódico de la localidad.

El hombre quería que yo le diese noticias de la vida literaria de Madrid. ¿Era verdad que García había llegado? ¿Era cierto que Pérez entraba en el gran mundo? Yo le dije que no conocía ni a García ni a Pérez, y que creía que en Madrid nadie llegaba a ninguna parte. Entonces el médico, con su aire de carnero, habló de sus nostalgias. Aquel pueblo, según él, era un pueblo de brutos; a él no se le comprendía. Dijo también que él se levantaba a las doce del día y se acostaba a las tres de la mañana. No podía aguantar la vida vulgar, corriente, banal.

Nos corría el tiempo y salimos del antro fenicado presidido por el feto.

—¿Qué le ha parecido a usted? —me dijo mi amigo, ya en el automóvil.

—Insoportable, tan insoportable como su despacho, su café y su feto. Además, sospecho que en el fondo este hombre es un idiota.

Un mes después iba yo con un amigo en un tílburi desde Vera del Bidasoa a Pamplona.

Al subir el alto de Velate, una herradura de nuestro caballo comenzó a resonar. Poco después, el caballo perdía la herradura y tuvimos que marchar despacio.

—Iremos a un pueblo de aquí cerca—dijo mi amigo—, y le veremos a Ezcabarte.

—¡Ezcabarte!—dije yo—. ¿Quién es Ezcabarte?

—Un herrador.

—¿Si será un condiscípulo mío de la infancia, Martín Ezcabarte?

—El mismo.

Martín Ezcabarte, cuando le conocí en Pamplona, hace ya muchos años, era un tipo alto, un poco encorvado de espaldas, gran jugador de pelota, fuerte como pocos. Cultivaba una semiblasfemia con gracia; sustituía la palabra Dios por diez, o por Sos, o por Reus, y se encarnizaba. Martín Ezcabarte era un estudiante malísimo. De él se contaban anécdotas. El profesor de Geometría, que parecía el Comendador por lo serio, lo pálido, lo trágico y la blanca perilla temblorosa, le dijo una vez con voz sepulcral:

—Señor Ezcabarte, trace usted una circunferencia.

Ezcabarte tomó un cordel y tiza y la trazó en el encerado.

—Ahora tire usted la cuerda.

Ezcabarte cogió el cordel y lo tiró al suelo. Todos los condiscípulos nos echamos a reír. Ezcabarte, mirándonos, preguntó:

—¿Qué? ¿De qué os reís? ¿No me ha dicho que tire la cuerda?

En el examen de Historia Natural, Ezcabarte estuvo también muy gracioso.

—En el fruto—le dijo el profesor—hay pericarpo, mesocarpo y endocarpo. ¿No es verdad?

—Sí, señor.

—¿Qué se comería usted de un melocotón? ¿El pericarpo, el mesocarpo o el endocarpo?

—El endocarpo—dijo Ezcabarte, decidido.

—Pero, hombre, el endocarpo es el hueso. ¿Usted se comería el hueso de un melocotón?

—Por una apuesta, sí:

El profesor sonrió y dijo:

—No está usted hecho mal melocotón.

Recordando estas y otras anécdotas de Ezcabarte, nos acercamos al pueblo y llegamos a la fragua del herrador. Nos asomamos a la puerta y, entre una nube de chispas, vi acercarse a un hombre fornido, con la cara rasurada, alegre y los ojos brillantes. Era el mismo Ezcabarte.

Me miró, me conoció y se echó a reír.

—¿Tenéis que pasar aquí la noche? —dijo.

—Sí; aquí la pasaremos.

Ezcabarte se metió los dedos en la boca y silbó con un silbido agudo. Apareció un chico, y Ezcabarte le dijo:

—Anda, llévales a estos señores a casa y dile a tu madre que son amigos míos.

Fuimos a la casa de Ezcabarte, que

era posada. Abajo tenía carnicería y taberna; arriba, comedores y alcobas. La casa estaba limpia, recién pintada; la mujer de Ezcabarte era una mujer guapa y todavía joven, madre de una lechigada de chiquillos.

Nos enseñó la casa y la huerta. A la hora de cenar llegó Ezcabarte y nos condujo al comedor. Ezcabarte vivía admirablemente. En la cena hablamos de nuestra infancia, y él, a los postres, nos obsequió con una botella de champaña.

Por tener huéspedes amigos, aquella noche el herrador se acostó a las diez, porque su costumbre era estar en la cama a las nueve.

A la mañana siguiente aparejamos el coche y nos acercamos a la fragua de Ezcabarte. El herrador salió a saludarnos.

—Ezcabarte — le dije —, eres un sabio.

—Yo, no, chico, no; ni quiero.

—Sí, eres un sabio. Tienes la sabiduría que no se enseña, pero que es la más grande y la más profunda. Yo cuando pueda haré algo como tú; me dedicaré a cultivar mis coles y mis habichuelas.

—Bah, no lo harás.

—Sí lo haré, y vendré a decirte: «Ezcabarte, aquí tienes un discípulo.»

Nos despedimos del herrador, y al montar en el choche grité yo, quitándome la boina:

—¡Viva Ezcabarte! ¡Viva la limitación! Sí. ¡Viva la limitación, amigo Ezcabarte! Porque aunque existan muchas cosas en el mundo que hagan más ruido que tu martillo, no por eso son más eficaces ni más definitivas. ¡Viva la limitación! Porque el resplandor de las chispas de tu fragua puede competir en brillo con otros resplandores. ¡Viva la limitación que nos da un país, un ambiente, una montaña en lo lejano, y que si nos cierra el camino de las aspiraciones teatrales, no nos impide pensar, ni querer, ni soñar...

Un lector.—Pero ¡usted es un farsante, señor Baroja! ¡Usted se contradice!

Yo.—Hombre, no. Es que estoy cantando el aria de la Limitación.

LA LABOR COMUN

Comparando el carácter actual de la intelectualidad burguesa con el de la intelectualidad obrera, se observa a primera vista una diferencia radical. Todos o casi todos los intelectuales burgueses son disolventes, desorganizadores y anárquicos; todos o casi todos los intelectuales que proceden de la clase obrera son constructores, organizadores y disciplinados.

La razón de esta diferencia no es difícil de explicar ni de comprender. El intelectual burgués, hombre de ciencia, literato o artista, ve en el mundo de los privilegiados la injusticia individual, en él o en otro; en cambio, el obrero ve a su alrededor la explotación y las vejaciones hechas a la clase trabajadora.

El intelectual burgués observa en el curso de su vida, en las aulas, en las Academias, en sociedad, que el absurdo y la extravagancia dominan en todo. Si tiene un condiscípulo imbécil, hijo de un ex ministro o de un gran aristócrata, sabe que progresará necesariamente; que lo encontrará después de diputado, de gobernador o desempeñando cualquier otro cargo importante. El intelectual burgués asiste a la tramoya de la vida política y social; si triunfa y es egoísta y un poco vil, acepta los beneficios de su situación porque le convienen; si fracasa y es inteligente, se hace un rebelde, pero un rebelde nihilista, malhumorado e iracundo, que señala con rabia y con desprecio todas las aberraciones y tonterías de que ha sido testigo. El intelectual obrero no tiene tan cerca las bambalinas del teatro de los poderosos, no asiste a la repartición caprichosa de los papeles que se representan en el mundo; le llega la injusticia social, pero le llega extendida a sus compañeros, y así, al rebelarse, siente en sí mismo que en el fondo se rebela toda su clase.

El intelectual burgués, además de lo injusto, ve a su alrededor lo grotesco; sabe que el señor ministro no tiene ortografía y que apenas sabe firmar, que la espiritual dama es estúpida como un ganso, que el valiente general se desmaya cuando oye un cohete, que el señor obispo no come de vigilia los viernes de Cuaresma, y todas estas cosas y otras muchísimas más le dan la impresión de que está asistiendo a una farsa, que a veces da risa y a veces asco.

El caso del intelectual obrero es completamente opuesto. Halla a su lado gente buena, desinteresada, que trabaja y, sin embargo, nadie se ocupa de ella. En su vida todo es parco, menos el trabajo, que es abundante, y esta misma parquedad, esta precisión de un esfuerzo grande y tenaz para un resultante pequeño, le tonifica y le hace perseverante.

Por un fenómeno lógico y comprensible, los dos tipos de descontentos de la vida de hoy, el intelectual burgués y el obrero, no se entienden ni simpatizan.

En general, el obrero no estima gran cosa la labor negativa del intelectual burgués, y éste suele dudar muchas veces de la eficacia de los trabajos de su compañero proletario.

Y, sin embargo, desde un punto de vista general, la acción del uno disolviendo y descomponiendo la burguesía con el análisis y con la burla, y la del otro juntando y organizando el proletariado, es una acción que termina en un fin común.

El intelectual burgués va demoliendo la casa vieja e incómoda; el obrero va poniendo los cimientos de la casa del porvenir.

La misión de la intelectualidad burguesa no es otra: destruir.

Hay que destruir tenazmente, implacablemente.

En todos los países, y lo mismo en España, salen de cuando en cuando algunos minúsculos moralistas, pesados y graves, que, haciendo gala de un aristocratismo banal, nos vienen diciendo: «Ya basta de crítica, basta de destrucción. Hay que conservar, hay que crear.»

¿Conservar qué? ¿El privilegio? ¿La barbarie? ¿El prestigio de cuatro desdichados? No. Esto es una ridiculez. No hay que conservar nada; hay que destruir.

La gran construcción de la Humanidad, la ciencia, en nada peligra con las ideas que se llaman disolventes.

Lo que se bambolea en presencia de la verdad es porque está llamado a desaparecer.

Sólo la Iglesia, que tiene un dogma cerrado, que hay que creer con los ojos también cerrados, tiene derecho para afirmar el absurdo de que hay que conservar tradiciones y prejuicios porque sí; las demás instituciones y sistemas basados en la razón natural no tienen derecho.

Nuestra sociedad es todavía bárbara, y hay que perfeccionarla, cuanto antes mejor. Que es bárbara está en la conciencia de todos; una sociedad que necesita del cura, del militar, del verdugo, del título nobiliario, de la cárcel y de la horca, es una sociedad primitiva, embrionaria y absurda. En el fondo estamos todavía en plena Edad Media.

Por eso no hay que hacer caso de esos minúsculos moralistas, ridículos y pesados, que nos hablan de que hay que conservar. No; hay que destruir.

Mientras el rebelde nacido en la burguesía destruye, el obrero atento, disciplinado, estudioso, construye.

Un día, esta que parece hoy acción paralela, se reunirá en un punto; la burguesía habrá perdido sus preeminencias, el proletariado se habrá posesionado de sus derechos, y todos, convertidos en trabajadores, podrán laborar por el ideal común, que será la expansión libre de la vida humana en el seno de la Naturaleza.

EFECTOS DE LA PRIMAVERA

La primavera se acerca, los almendros están en flor, los árboles echan sus botones y la madre Flora saca sus cacharros de pintura y sus pinceles y se prepara a embadurnarnos de verde toda la tierra.

En este jardín de una plazoleta madrileña, los pájaros cantan, ha llovido, ahora hace sol y el cronista escucha la gente al pasar.

UN VAGABUNDO MISÁNTROPO

¡Absurdo! ¡Absurdo! Ya estamos en primavera. ¡Qué falta de seriedad en el tiempo! ¡Qué falta de consideración para los que no tenemos un buen guardarropa! No sabe uno a qué atenerse. Llueve, graniza, truena, sale el sol, se pone el sol, se nubla, aparece el arco iris... ¿Para qué tanta fantasmagoría?... ¡Absurdo, absurdo!... Y luego quieren que uno ame al prójimo.

¡Qué servicio meteorológico el de ahí arriba! ¡Qué amabilidad con la gente! Tan pronto frío, tan pronto calor. Se quita uno la bufanda, y estornuda; se pone uno el viejo gabán, y suda. Pasa uno del sol a la sombra, y se constipa y no tiene uno bastantes pañuelos para enjugarse la nariz. ¡Absurdo! ¡Absurdo! ¡Y luego quiere que uno ame al prójimo!

Los bancos de los parques están mojados, las colillas se estropean en el suelo, y luego por todas partes hay parejas y ese estúpido Cupido anda rondando por los rincones... ¡Absurdo! ¡Absurdo! Y luego quieren que uno ame al prójimo.

¡Quién fuera un perro de lanas para ir bien abrigado y ser esquilado en verano! ¡Quién fuera un caracol para tener segura la casa de huéspedes! ¡Oh la tonta estación, la estúpida estación primaveral..! ¡Absurdo! ¡Absurdo! Y luego quieren que uno ame al prójimo.

DOS APRENDIZAS

UNA.—¿Ves aquel que está allí? Es el que me gusta.

LA OTRA.—Pero, chica, si es un viejo. Debe de tener más de cincuenta años.

UNA.—¿Y qué? Yo tengo catorce.

LA OTRA.—Pues nada, que puede ser tu abuelo.

UNA.—A mí me gustan los hombres así, formados. Si me casara con él le trataría muy bien. Le daría calditos.

LA OTRA.—Y le tendrías que sacar al sol en una espuerta.

UNA.—Mira, dale con la caja del sombrero al pasar, a ver si nos mira.

LA OTRA. (Empujando con la caja al señor.)—Pero, chica, si es un viejales.

UN ESTUDIANTE

¿Si vendrá? ¿Si me querrá tomar el pelo? El caso es que hoy yo debía de ir a clase, porque el profesor va a pasar lista y va a preguntar. Pero ¿para qué voy a ir? Si no sé la lección.

Al menos, si ella viniera. Son las tres. Todavía podía ir a clase. La verdad, yo debía tener ahora un momento de seriedad, de severidad, de conciencia, y marcharme de prisa a clase... Pero estoy viendo que no lo voy a tener, y lo siento. ¡Si al menos viniera ella!

DOS SEÑORAS

UNA.—Estuvo muy imprudente. Salía yo de San José, y se acercó a mí. Me dijo..., no te puedes figurar las barbaridades que me dijo. Me habló de mis encantos, que se veían y de los que se adivinaban. Me dijo que estaba ardiendo por mí.

Yo, como puedes comprender, ni le miré siquiera. Fui a una tienda de la calle de Sevilla, él detrás de mí; después, a una de la Carrera, él detrás; luego, a una de la calle de Postas, y, por último, me marché a casa; le he tenido dos días paseando la calle; mi marido estaba ya escamado. Ayer, desgraciadamente, no pareció.

LA OTRA.—¿Desgraciadamente?

UNA.—Me he trabucado; quería decir afortunadamente.

EL SÁTIRO

He comido espléndidamente: primero, carne; luego, carne, y después, carne. Soy un hombre encarnizado. A mí que no me saquen de la carne. He tomado un café fuerte y dos copas de coñac. Estoy como un reloj.

Hoy no hay oficina; tengo la tarde por mi cuenta. Mi dios es el pequeño Eros; todo lo que cae bajo sus dominios me enloquece. Soy un pulpo erótico; tengo todos mis sentidos en mis manos; me siento tentacular, completamente tentacular.

¡Oh viejas damas insinuantes y discretas, con arrugas disimuladas con los polvos de arroz! ¡Oh viudas ingenuas y mantecosas, inconsolables hasta que os consuelan! ¡Oh solteronas socarradas y requemadas, con la mirada ardiente! ¡Oh bellas casadas, satisfechas y fastuosas como pavos reales! ¡Oh ingenuas de veinte años! ¡Oh tobilleras de catorce, vírgenes locas y adorables! Yo soy el sátiro, el gran sátiro de los parques y de los jardines. Soy el pulpo erótico; tengo todos mis sentidos en las manos, y me siento tentacular, completamente tentacular.

EL FILÓSOFO

La eclíptica produce las estaciones, y, por tanto, la primavera; la primavera renueva el amor.

Enderezad el eje de la tierra, y no habría primavera. En marzo no florecerían los almendros, ni en abril las lilas; ni las patatas ni las cebollas germinarían en esta época.

¡Qué precisión la de la Naturaleza! ¡Qué hábiles manejos de tercería la de esta buena dama!

La madre Naturaleza es sabia y mixtificadora; necesita tener su almacén repleto de hombres, de animales, de coles y de lechugas, y se vale de todos los procedimientos que puede. A los vegetales les pone una semilla; a los animales, un huevo. Para los grandes mamíferos, como el hombre, necesita muchas complicaciones: centros nerviosos, nervios, glándulas, mil artefactos extraordinarios. Luego la primavera, con sus cambios térmicos, hace temblar este tinglado como el viento hace temblar los alambres del teléfono, y de ahí el amor.

Alguno encontrará de mal gusto estos recursos de nuestra madre; a alguno quizá le parecerá extraordinariamente cómica. No; tengamos benevolencia. Para estar hecha por un aficionado, no está mal.

....

He aquí lo que el cronista oía decir una tarde de primavera en una plaza de Madrid, fantástica, a unos cuantos individuos también fantásticos.

EL MILAGRO DE LA CAMPANA

Hace unos meses, una noche de otoño salía yo de casa de Apeiztegui de discutir esta pesada cuestión de la guerra, cuando me encontré con Errotachipi y Cathon, que estaban sentados en la acera de la casa del médico.

—¡Hola! ¡Buenas noches!—les dije yo—. ¿Qué, tomando el fresco?

—Le estamos esperando a *Chistorme*—dijo Errotachipi—, que ha ido a casa de Petrich a comprar pan. Vamos a las Palomeras de Echalar.

—¡Hombre! ¿Ya ha empezado la pasa?

—Sí. Si quiere usted venir. La noche está «manífica». Llevamos buen almuerzo. Vaya usted a casa y coja usted la escopeta. Le esperamos en el puente de Muquizu.

Vacilé; pero como no tenía sueño, fui a casa, abrí la puerta, cogí la escopeta, salí de nuevo y me marché al puente de Muquizu.

Allá estaban Cathon, Errotachipi y *Chistorme*.

—¿Ya estamos?—dijo Errotachipi.

—Sí.

—Pues adelante.

Errotachipi era flaco, viejo, vivo y burlón. Tenía una nuez prominente, que subía y bajaba por entre las cuerdas de su cuello como un ascensor, y era duro como una piedra. Cathon era más filósofo que otra cosa. El había dicho cuando se habla de movilizaciones: «A mí que no me den más movilización que ésta: de casa de Apeiztegui a casa de Nicasio, y de casa de Nicasio a la de Agustina.» Cathon no comprendía más movilización que esta de la taberna de la derecha a la de la izquierda.

Respecto a *Chistorme* («Chorizo delgado»), era un hombre de precisión. El año pasado le pregunté yo:

—¿Ha habido mucha diversión este año?

—Sí—me dijo—; pero siempre más en Alzate que en Vera. Si en Vera hay un 25 por 100 de diversión, en Alzate hay un 75 por 100.

A *Chistorme* («Chorizo delgado») no le gustan las vaguedades ni las páginas retóricas; si alguna vez se le ocurriera leer un libro, no sería seguramente una novela de Ricardo León, sino algo exacto y matemático.

Cathon, Errotachipi, *Chistorme* y yo dejamos el puente de Muquizu y nos dedicamos a escalar la falda del monte Labiaga.

La noche estaba hermosa, el cielo lleno de estrellas. Las piedras de Labiaga brillaban a la pálida claridad de la noche. Al llegar a la cuesta de Premoscha, le pregunté yo a *Chistorme:*

—¿Cuánto habremos andado?

—Un 18 por 100 del camino—contestó él.

El 18 por 100 fue convirtiéndose a medida que avanzábamos en 35, 40, 75, hasta que, al llegar a la borda del caserío Maschtierne, *Chistorme* declaró que no nos faltaba más que un 5 por 100 para llegar a las Palomeras.

—Puesto que nos falta solamente un 5 por 100, creo que debemos hacer alto—dije yo.

Errotachipi objetó que luego los de las Palomeras se incomodarían si veían pasar por allí gente; pero todos dijimos que no nos debíamos preocupar para nada de esto.

Entramos, pues, en la borda, e hicimos un fuego de helechos secos capaz de hacer arder la choza y el monte. Cathon y *Chistorme* sacaron unos trozos de carne y chorizo, que calentaron al fuego. Los comimos, bebimos y estuvimos reclinados con los pies hacia la lumbre.

—Hace ya muchos años—dijo de pronto Errotachipi—se hizo en esta borda un milagro.

—¡Diablo!—exclamé yo—. ¡Un milagro!

—Sí, señor. Por entonces era yo chico. Una noche como la de hoy salimos de Vera Shaguit y yo con una escopeta vieja que nos prestó Ceferino, el panadero. Llegamos aquí cuando no había amanecido aún y nos acercamos a esta misma borda. Estaba la puerta cerrada, y para entrar levantamos unas tejas, nos metimos dentro y nos echamos en la hierba seca. Debimos dormir demasiado, porque nos despertamos con la luz del sol. Ya no podíamos cazar. En estos nos levantamos y vimos un pajarraco grande que andaba entre los helechos. Era un buitre, pero un señor buitre calvo, que, sin duda, habían encerrado allí.

Al principio tuvimos mucho miedo, pero nos tranquilizamos al ver que estaba atado por una pata.

Shaguit había encontrado un cencerro como de ternero entre la hierba, y me dijo:

—Oye, tú, vamos a ponerle este cencerro al buitre.

—Nos va a hacer pedazos.

Le empezamos a echar manojos de helechos, y, empujándole contra la pared, lo sujetamos y le atamos el cencerro. Hecho esto, abrimos la puerta de la borda y cortamos la cuerda que le ataba la pata.

El buitre salió furioso, azotando las alas, revolcándose por el suelo, hasta llegar a un alto, y de aquí se tiró y comenzó a volar. Nosotros le vimos levantarse maravillados. El cencerro, mientras tanto, iba haciendo «talán», «talán», «talán».

Al cabo de quince días o un mes se empezó a hablar en el pueblo de si se oía por la noche ruido misterioso de campanas.

Una mujer de Achulechecoborda había oído claramente «talán», «talán» en el aire. Convencida de que era esto cuestión de las ánimas del purgatorio, envió una vela de dos libras de cera y mandó decir una misa; otra de Garmendía oyó también al anochecer «talán», «talán» en el aire, y dobló la ofrenda de los domingos; un viejo de Zugardi, que estaba despierto por los dolores reumáticos, oyó durante mucho tiempo «tilín», «talán», y con este motivo entregó al cura veinte duros...

Todo el mundo estaba convencido de que las ánimas rondaban el pueblo, cuando Capagorri, el cazador ese que está casado con la hija de *Chacur-chulo*, que vive ahí cerca de Cherribuztangoerreca, salió un domingo al monte de Santa Bárbara, vio un buitre, le disparó un tiro, lo mató y vio con asombro que llevaba colgado un cencerro.

Cuando lo contó en el pueblo, nadie lo quiso creer; el vicario dijo que Capagorri era un iluso o un cínico, y que había leído a Lutero y a Juan Jacobo Rousseau.

La verdad es que desde entonces no volvieron a oírse campanas en el aire por la noche; pero el milagro estaba hecho, y el vicario tuvo más misas que nunca, y el cerero de la plaza, don José Ignacio Perosterena, vendió trescientas veinticuatro libras de cera más que el año pasado, a siete reales y medio la libra...

Esta exactitud de Errotachipi produjo una sonrisa de satisfacción en *Chistorme* («Chorizo delgado»).

Se discutió el relato de Errotachipi y yo le dije a *Chistorme:*

—Todos los que inventan estas historias tienen un 25 por 100 de buitre.

—Y los que las creen—replicó *Chistorme*—, un 75 por 100 de probabilidades de llevar cencerro.

Celebramos la precisión de conceptos de *Chistorme* («Chorizo delgado»), y salimos de la borda.

La aurora sonreía en el cielo, la llanura francesa se llenaba de claridad, la iglesia de Sara sobresalía con su tejado puntiagudo en medio de su caserío, y por el aire azul venía una bandada de pájaros de mil colores...

REVOLUCION Y SOMBRERERIA

Hay quien afirma que nuestro amigo García es un imbécil; yo no me atrevo a decir tanto; que es un poco grosero, un poco pesado, un poco lerdo, no cabe duda.

Es innegable que García tiene una idea exageradamente buena de sí mismo y exageradamente mala de los demás; que le indigna que le molesten y que no le importa molestar al prójimo; pero estos pequeños detalles quizá no dependan de su voluntad.

Hay que convenir en que García, cuando es impertinente, lo es sin quererlo. Si escupe al que pasa a su lado y echa la ceniza del cigarro encendida en el traje de una señora, es sin mala intención.

En donde verdaderamente nuestro amigo suele estar desagradable es en los tranvías. ¿Que están cerradas las ventanas? García tiene calor, y pide que se abran. ¿Que están abiertas? Entonces García manda al cobrador imperiosamente que las cierre, porque está constipado.

Uno de sus compañeros de oficina —¿dónde puede estar un hombre inútil mejor que en una oficina?—dice que, así como el licenciado Cabra era archipobre y protomiseria, García es archilata y protochinche en su grado máximo.

La otra tarde le encontré a García, y como el hombre da tanta importancia a todas las cosas suyas, me explicó detalladamente por qué razones tiene que abandonar el sombrero de paja seboso que lleva y comprarse otro nuevo.

—¿Quiere usted acompañarme a la sombrerería?—me dijo.

—Bueno.

Entramos en la sombrereía, y un dependiente joven se acercó precipitadamente a nosotros.

—¿Qué desean ustedes?—nos dijo con una amabilidad de sirena.

—Yo quisiera—contestó García, secamente—un sombrero blando, flexible.

—¿De color o negro?

—De color.

—¿Lo quiere usted verde, azul, café con leche?...

—No; quiero un sombrero de color oscuro; pero que no sea tan oscuro, tan oscuro, que parezca negro...

—Comprendido.

—Ni tan claro, tan claro...

—Que resulte jovial—dije yo.

—Tampoco quisiera—siguió diciendo García—un sombrero de alas anchas como de pintor modernista, ni uno de esos de alas tan estrechas que parecen una ensaimada.

—¿De manera—puntualizó el dependiente—que usted quiere un sombrero oscuro que no sea muy negro, que no tenga las alas muy anchas...?

—Ni tampoco muy estrechas.

—Está entendido.

—Y que no sea muy flexible, muy flexible, ni exageradamente duro; una cosa media.

—Muy bien.

—¡Ah! Espere usted, joven.

—¿Quiere usted algo más?—preguntó el dependiente.

—Sí; que no cueste arriba de seis pesetas.

García me miró, satisfecho, a través de sus anteojos, como indicándome que aprendiera la exactitud matemática que ponía en sus indicaciones.

El dependiente se acercó al principal y especificó los deseos de García, y el dueño de la tienda, desdeñosamente, sin mirarnos siquiera, dijo:

—No tengo esa clase de sombreros.

García y yo salimos apabullados. Fuimos paseando por la calle de Alcalá y nos encontramos con el amigo Pérez, uno de nuestros más conspicuos revolucionarios.

Pérez es un revolucionario terrible; un revolucionario verdad, como dice él.

Hay gente absurda que quiere la revolución porque tiene ideas comunistas, socialistas, anarquistas, imperialistas, individualistas, nacionalistas... Pérez, no; Pérez no tiene ideas; Pérez quiere, primero, la revolución; luego, la República.

Es sencillo como una máquina de alcohol, como una percha, como una cafetera rusa, como una dentadura postiza. No necesita explicación ni comentarios. Primero, la revolución; luego, la República.

A Pérez le conocí yo en un mitin de superhombres de la calle de la Ruda; el presidente, que era un carnicero que parecía una vaca, le presentó al público, diciendo:

—Tiene la palabra el popular orador señor González...; digo, no. Pérez.

A Pérez hacía tiempo que no le veía, y me figuraba que estaría en la cárcel por conspirador. Hablamos de los últimos sucesos, siempre hay últimos sucesos, y yo le dije:

—¡Qué ocasión han perdido ustedes, amigo Pérez!

—Ca, hombre—contestó él—; en este momento no se podía hacer nada.

—¿Cree usted?...

—Nada.

—Pero, hombre. Si ustedes unen sus fuerzas con las de los obreros, ¿quién sabe?, podía venir la revolución.

—Una revolución así, traída por

descontentos, sería la ruina de España y nos costaría muchas víctimas. Además, ¿qué Gobierno iba a venir luego? ¿Quién iba a mandar? ¿Cómo se iba a formar el Ministerio?

—¡Ah, claro! El primer momento sería difícil...

—¿Difícil? ¡Imposible!

—Pero, entonces, ¿cómo quieren ustedes hacer la revolución?

—Con el ejército — contestó Pérez—; sin derramamiento de sangre, sin lucha. La revolución no deben traerla los obreros descontentos, las masas famélicas, no; la revolución debe hacerla la burguesía rica, la gente ilustrada y de buena posición, amparada en el derecho, en la legalidad, en el respeto a lo establecido, en...

—Dispense usted, Pérez—le dije, y le conté en pocas palabras la historia del sombrero de García.

—¿Y qué me quiere usted decir con eso?—me preguntó el ciudadano Pérez con un gesto de desdén.

—Nada—repliqué yo—; que cuando expliquen y especifiquen ustedes cómo quieren la revolución, de qué clase, con qué caracteres, en qué día y en qué momento, se van a encontrar con un amo de tienda que, como el otro ha dicho: «No tengo esa clase de sombreros», les va a decir a ustedes: «No tengo esa clase de revoluciones.»

BOHEMIA MADRILEÑA

Todas las cosas y las ideas tienden a convertirse en algo que les sirve de representación. El entusiasmo por la supuesta vida holgazana de artistas y literatos encarnó hace tiempo en el libro célebre de Enrique Murger, titulado *Escenas de la vida bohemia*, libro un tanto mediocre y amanerado, pero agradable a la primera lectura.

En el fondo, los héroes de Murger son los mismos personajes de Paul de Kock, un tanto poetizados. Los trajes son diferentes, la percalina es la misma. Entre los horteras del uno y los artistas del otro no hay el canto de un duro, no hay más que la sombra de un lugar común.

Muchas veces a mí me han dicho: «Usted ha sido un bohemio, ¿verdad?» Yo siempre he contestado que no. Podrá uno haber vivido una vida más o menos desarreglada, en una época, pero yo no he sido jamás el espíritu de la bohemia.

Además, no he visto por Madrid Rodolfos, ni Colines, Mimís ni Musetas. Si los he visto alguna vez, ha sido en los teatros y en los cinematógrafos para entretenimiento del buen filisteo. Todavía por Madrid se puede encontrar algo parecido al hombre bohemio; lo que no se encontrará es algo parecido a la mujer bohemia. Y la razón es comprensible. Con la vida desordenada, el hombre puede perder algo, la mujer lo pierde todo.

La mujer española no ha colaborado, ni colaborará jamás, en la bohemia, porque su idea de familia, del hogar, del orden, se lo impide.

Todos los estetas juntos, desde los profesores de retórica grandilocuente, como D'Annunzio, hasta los ramplones cantores de la inmoralidad fácil y vulgar que tenemos entre nuestros literatos, no convencerán a la mujer de que el ideal femenino es la cortesana griega, ni de que su misión estriba en satisfacer la sensualidad de unos Narcisos petulantes.

La mujer es la defensora de la especie, la guardadora de la tradición familiar, y por instinto considera la vida galante como un relajamiento de lo más noble de su personalidad.

Y sin vida galante no hay bohemia.

El hombre puede ser nómada de espíritu y de cuerpo; la mujer es siempre sedentaria; el fin que ella considera suyo, la creación del hogar y de la familia, exigen tranquilidad y reposo.

La mujer no colabora con gusto, y menos en España, en la vida desarreglada y azarosa. Aquí la bohemia no tiene sacerdotisas. Si a esto se añade que tampoco tiene sacerdotes voluntarios, porque nadie vive a gusto mal e incómodamente, y que esa existencia alegre, de amores fáciles, diversiones y fiestas, que se llama vida de bohemio, la llevan los señoritos ricos, los banqueros, los diputados de la mayoría, pero nunca o casi nunca los artistas, se puede colegir que la bohemia es una de tantas leyendas que corren por ahí; una bonita invención para óperas y zarzuelas, pero sin ninguna raíz en la realidad.

Así, pues, no pintaré una cosa que no he visto y en la que no creo: lo único que haré es hablar de la vida de los principiantes de la literatura y del arte, a quienes suele llamarse también bohemios.

La bohemia ésta es casi siempre antisentimental y poco enamoradiza.

El joven Cupido no causa grandes estragos entre los bohemios. Verdad es que este diosecillo se va haciendo tan práctico que desprecia al que no tiene cuenta corriente en el Banco de España.

He sido amigo de un señor, conocedor—según decía él—del corazón humano, que aseguraba que la edad más romántica, más cándida, más llena de ilusiones para el hombre son los cincuenta años.

—No hay quien pueda sospechar —me decía—las semejanzas profundas, los parecidos extraordinarios que existen entre el corazón de una muchacha de quince y el de un hombre de cincuenta primaveras.

Los dos se consideran, igualmente, frágiles, delicados, dignos de la atención y del mimo. Los dos son, igualmente, fogosos.

Un *sportman* que vive bien y se alimenta bien, a los cincuenta años tiene fuerzas para enamorarse. Un bohemio que vive mal, a los veinte sueña con su arte; a los cincuenta bastante hace con vivir, si puede.

Con la amistad del bohemio sucede como con el amor. El bohemio es poco afectuoso. No se cruzan impunemente esos desiertos de la indiferencia y del abandono, no se siente el rostro azotado por el viento de la áspera miseria sin que germinen en el fondo del alma cóleras y rabias; no se sufre el frío del invierno y los caprichos de la primavera sin rechinamientos interiores.

Claro que hay bohemios resignados, contemplativos, dulces hermanos de la cofradía de los desharrapados, pequeños San Franciscos de Asís del arroyo, que pasean por el planeta acariciando un sueño interior cándido y dulce; pero la mayoría no son así, la mayoría tiene odios violentos y cóleras feroces.

A pesar de su antisentimentalismo, el bohemio no es práctico. Proyecta, proyecta mucho, pero no pasa de ahí. Quiere ser, quiere llegar, quiere encontrar el atajo, el camino rápido, aunque sea tortuoso, y la Humanidad lleva demasiados años de ciencia y de sabiduría para dejar camino sin explorar en el mal o en el bien.

Vanidad de vanidades, dijo el predicador que era la vida; vanidad de vanidades, todo vanidad.

El bohemio no sólo es vanidoso, sino que esególatra, siente admiración por sí mismo.

Si se ve humilde, desdeñado y solo, va casi siempre gozando con su desgracia interior; si está enfermo o triste, llega también a gozar. Hay esos placeres paradójicos y malsanos en los fondos turbios de la personalidad humana.

En la vida seudobohemia hay vanidades trágicas, vanidades cómicas, vanidades archigrotescas.

Yo recuerdo algún tipo de éstos que era duro, cruel, rajante en todo cuanto se refería a los demás, y era blando, lleno de curvas morbosas, cuando se refería a sí mismo.

Su nariz torcida le parecía recta, su color bituminoso se le antojaba un encanto, su impotencia de imaginar le parecía una cualidad más. Si su hígado funcionaba mal, creía que todos los hígados de todos los hombres debían funcionar mal, para ser perfectos.

¡Pobre hombre! ¡Qué fuerza de ilusión tenía!

Otro de los caracteres de la bohemia madrileña ha sido el amor a lo lúgubre.

Muchas veces yo y otros amigos, llevados por esta tendencia fúnebre, hemos ido de noche a esos cementerios románticos que hay hacia Vallehermoso, cerca del Canalillo. Al mismo tiempo que nosotros buscábamos la sensación, una pandilla de golfos se dedicaba a robar alambres del teléfono y a desvalijar las tumbas.

A uno de los nuestros se le ocurrió la idea de entrar en uno de aquellos cementerios y representar una escena del *Hamlet*.

Luego después he sabido que en aquel cementerio estaba enterrado Aviraneta.

Realmente, a pesar de la envoltura literaria, que casi siempre lo falsea todo, muchas de estas impresiones de la vida absurda, aun vistas por un espectador, son fuertes y sugestivas.

Andar por las calles y plazas hasta las altas horas de la noche, entrar en una buñolería y fraternizar con el hambre y con la chulapería desgarrada y pintoresca, impulsados por este sentimiento de caballero y de mendigo que tenemos los españoles, hablar en cínico y en golfo, y luego, con la impresión en la garganta del aceite frito y del aguardiente, ir al amanecer por las calles de Madrid, bajo un cielo opaco, como un cristal esmerilado, y sentir el frío, el cansancio, el aniquilamiento del trasnochador.

Dejar después la ciudad y ver entre las vallas de dos solares esas eras inciertas, pardas, que se alargan hasta fundirse con las colinas onduladas del horizonte, en el cielo gris de la mañana, en la enorme desolación de los alrededores madrileños.

Yo confieso que después de estas excursiones experimentaba al volver a casa como un remordimiento. Realmente no sé si era remordimiento o aprensión de ponerme malo, o, simplemente, exceso de ácido clorhídrico en el estómago; pero la verdad era que me sentía turbado y débil.

Sin embargo, al día siguiente volvía al café, nuestro centro de operaciones.

La bohemia anterior a la que yo conocía era un poco aficionada a la taberna; la de mi tiempo, no; tenía cierta vaga aspiración al guante blanco.

Sus principales puntos de reunión eran los cafés, las redacciones, los talleres de pintor, y, a veces, las oficinas.

Había tertulias de cafés que eran un muestrario de tipos raros que se iban sucediendo; literatos, periodistas, aventureros, policías, curas de regimiento, cómicos, anarquistas, todo lo más barroco de Madrid pasaba por ellas.

En general, esas reuniones eran constantemente literarias, pero antes de las exposiciones se convertían en pictóricas. Entonces se producía una avalancha de melenas, sombreros blandos, pipas, corbatas flotantes; las conversaciones variaban. A Shakespeare le sustituía Velázquez, y a Dostoyewski, Goya.

En una de las avalanchas precursoras de las exposiciones conocimos a un ilustre paisajista catalán, que después se trastornó un poco. Este pintor solía venir con nosotros a recorrer las afueras por la noche, y, como era un simpático salvaje, se le ocurrían barbaridades. Una de las cosas que nos proponía con frecuencia era atar a un amigo suyo a un árbol y dejarlo allá hasta el día siguiente.

Entre estos artistas había gente de una energía y de una voluntad maravillosas; recuerdo un escultor catalán que durante más de tres años vivió comiendo con los mendigos en un cuartel y trabajando. Cuando empezó a estar bien económicamente, se murió. Otro, un pintor, tenía una buhardilla tan estrecha, que no le cabía en ella más que la cama, y cuando quería estirarse, le era indispensable sacar los pies por el tragaluz del tejado.

Entre las redacciones, las había muy pintorescas; todavía quedaban muchas en donde no cobraba nadie, ni siquiera el director. En las revistas de gente joven se veían cosas graciosas; en una de ellas, una cuerda estirada separaba la redacción de la administración. Creía uno que estaba hablando con el director, y se equivocaba, porque había la cuerda de por medio y se estaba uno dirigiendo al administrador. Otra redacción de una revista de jóvenes estaba en la imprenta de un periódico desdicado a defender los intereses de la carnicería, y uno de los nuestros se dedicaba a quitarle los libros de un armario al director del periódico carnicero.

¡Y qué vidas! ¡Qué vidas más pobres! ¡Qué vidas más míseras!

Recuerdo de un poeta andaluz que vivía escribiendo artículos encomiásticos en un periódico de bombos. Le daban datos biográficos de las personas a quienes había de bombear, y sobre ellos hacía un artículo que el director pagaba a peseta. El fue el que, en una semblanza de un fabricante catalán, escribió esta frase magnífica:

«El señor Tal es el cacique más importante de la provincia de Tarragona, y aun así hay algunos que le niegan sus votos.»

Este «aun así» era una muestra de la cándida inmoralidad que produce el hambre; de que sin dinero no se puede ser moral.

Otra clase de bohemios que yo he conocido por casualidad han sido los bohemios científicos. Estoy viendo a un hombre alto y flaco, con la barba negra e inculta y la nariz colorada como una rosa, que solía ir a verme, y me decía:

—Otros necesitan laboratorios, aparatos... Yo no necesito más que dos cosas para mis invenciones: luz cenital y agua corriente.

Con esto, él se encargaba de eclipsar a todos los sabios del mundo; desde Tales de Mileto al padre Zacarías. Pero el pobre hombre no tenía ni luz cenital ni agua corriente.

Así que se encontraba más cerca de Zacarías que de Tales.

También venían a verme otros dos: uno que había ideado una ratonera con un espejo, basada en el instinto de sociabilidad de los ratones, y un inventor de una dentadura postiza tan buena, según él, que casi comía sola.

De todos aquellos literatos y artistas que emprendieron el paso de este desierto de la indiferencia, unos, los fuertes y los menos, siguieron adelante; otros, quizá los más, quedaron a un lado del camino.

Los que han afrontado la miseria y el abandono y han triunfado, es decir, se han conservado dignos, deben mirar el sendero recorrido como una especie de vía Appia sembrada de tumbas.

....
....

No sé por qué parecen tristes y melancólicas las cosas que fueron; no se lo explica uno bien; se recuerda claramente que en aquellos días no era uno feliz, que se encontraba más inquieto, más en desarmonía con el medio social, y, sin embargo, parece que el sol de entonces debía tener un azul más puro y más espléndido.

Ese pensamiento en el pasado, cuando se deja atrás la juventud y se le mira desde lejos, es como una herida en el alma que va afluyendo constantemente y nos anega de tristeza.

Uno quisiera que las cosas unidas a sus recuerdos fueran eternas, pero nuestra existencia no representa nada en la corriente tumultuosa de los acontecimientos. En aquel rincón fuimos casi felices..., nuestra felicidad o nuestra desgracia tiene poca importancia.

Al pensar en todos aquellos tipos que pasaron al lado de uno, con sus sueños, con sus preocupaciones, con sus extravagancias, la mayoría necios y egoístas, pero algunos, pocos, inteligentes y nobles, siente uno en el fondo del alma un sentimiento confuso de horror, de rebeldía y de piedad. De horror por la vida, de tristeza y de pena por la iniquidad social.

Yo he vacilado muchas veces queriendo resolver, no ya si en el cosmos, sino en el interior del espíritu, es mejor la fuerza indiferente al dolor o a la piedad. Pensando estoy por la fuerza, y me inclino a creer que el mundo es un circo de atletas, en donde no se debe hacer más que vencer, vencer de cualquier manera; sintiendo estoy por la piedad, y entonces me parece la vida algo caótico, absurdo y enfermizo.

Quizá en lo por venir los hombres sepan armonizar la fuerza y la piedad; pero hoy, que todavía la fuerza es dura, brutal y atropelladora, hay que tener piedad; piedad por los desheredados. por los desquiciados, por los enfermos, por los ególatras, cuya vida es sólo vanidad y aflicción de espíritu.

Y, además, hay que tener esperanza.

Dentro de lo posible está el que la ciencia encuentre la finalidad de nuestro mundo, que ahora nos parece una bola inútil y estúpida repleta de carne dolorida que anda paseándose por los espacios.

Y aunque tengamos la evidencia de que hemos de vivir constantemente en la oscuridad y en las tinieblas, sin objeto y sin fin, hay que tener esperanza. Hay que hacer que nuestro corazón sea como el ruiseñor, que canta en la soledad de la noche negra y sin estrellas, o como la alondra, que levanta su vuelo sobre la desolación de los campos a la luz poderosa y cándida de la mañana.

EUROPEIZACION

En nuestros periódicos es muy difícil que el monólogo de un articulista se convierta en diálogo por la réplica de otro; los acontecimientos del día suelen ser demasiado intensos, demasiado sensacionales, para que la atención se fije en los asuntos de un carácter permanente e inactual y éstos sean debatidos de una manera tranquila.

El español se encuentra hoy metido dentro de un círculo de cuestiones que debía resolver y no resuelve, no ya en la práctica, ni aun siquiera en la teoría, y estas cuestiones que no resuelve y que aumentan de número por momentos, van haciendo su aparición periódica, seguida de su desaparición, y quedan en el mismo estado de virginidad con que se han presentado.

Hay, sin embargo, un problema general, que los escritores españoles, desde hace tiempo, intentan resolver; este problema es el de la europeización de España.

Dos posiciones radicales se señalan ante la idea de la europeización: una, la de los tradicionalistas, la de los ultramontanos, que creen que España no necesita para nada de la influencia extranjera, que le basta seguir con sus tradiciones y sus hábitos castizos; otra, la de los europeizadores, que suponen que España debe acudir a la fuente de la Europa central a empaparse de ciencia nueva, de arte nuevo y de moral nueva.

Entre estas dos tendencias absolutas y en globo hay otras dos intermedias, parciales, menos intransigentes, más eclécticas. Quizá haya tantas como españoles hayan pensado en el porvenir de España.

Afirmar que España no necesita para nada de la influencia de Europa es una afirmación de fe más que de razonamientos. El católico convencido, el que cree que la única verdad está en la cátedra del Espíritu Santo, es lógico que considere que todos los esfuerzos de la ciencia para implantar formas nuevas de vida social son perfectamente inútiles.

La misma doctrina del progreso es una superchería para el religioso de verdad. El hombre ha ido de más a menos, según las religiones; ha ido del paraíso a la tierra, de la felicidad al trabajo; el hombre va de menos a más, según la evolución. Comenzó en el antropoide, ha llegado a hombre, puede pasar de hombre. ¿Por qué no? El Espíritu Santo, según el racionalista, está en nuestro cerebro.

No se puede combatir con argumentos al creyente. ¿Cree? Basta. Nuestra zona no es la suya. Vivimos en otro mundo.

Dejemos al antieuropeísta; vayamos con los europeizadores. Alguno de éstos, como digo, afirman que los españoles debemos incorporarnos a la ciencia, a la moral y al arte europeos hasta identificarnos con ellos, hasta confundir con la suya nuestra vida y nuestras ideas, arrojando todo lo que no es privativo y característico.

A mí esta proposición me parece mala en principio. Creo que España debe aspirar a incorporar su trabajo científico al trabajo universal, creo que debe colaborar con los pueblos de Europa en todo lo genérico; pero que debe aspirar a diferenciarse en lo artístico y literario de los demás países y a independizarse en la esfera de la moral.

La obra científica o filosófica es, por su carácter, universal, y no puede suponérsela nacional o regional; en cambio, la obra artística es siempre nacional, aunque llegue, por su intensidad o por su belleza, a universalizarse. Así, en lo antiguo, el *Quijote* y *Hamlet*, siendo el uno muy español y el otro muy inglés, se hacen universales; así, en lo moderno, al drama de Ibsen, muy noruego, y al cuento de Tolstoi, muy ruso, les pasa lo mismo.

Se puede decir que no hay obra artística que haya nacido internacional; en cambio, ¿quién encontrará nacionalidad a los trabajos de Newton o de D'Alambert, a la obra de Darwin o de Virchow?

El hombre de ciencia marca el tanto de cultura de un país; el artista, no; el artista, desde hace tiempo, no es una medida de cultura, es más una medida de humanidad. Así, se puede dar en la España decadente de Carlos IV y de Fernando VII un hombre como Goya, el pintor más grande de su tiempo. ¿Hubiera sido posible un Lavoisier, un Stephenson, un Malthus en la España de los siglos XVIII y XIX? No; no había ambiente necesario para la formación de estas sumidades científicas; sin embargo, lo había para un artista.

Que el español, el italiano, el francés, el alemán, el ruso, tienen, ante las cuestiones de sensación y de sentimiento, una actitud distinta, no cabe duda. Todos, orientales y occidentales, nórdicos y meridionales, estamos conformes en cuestiones económicas, financieras, científicas, industriales; pero cuando llegamos a la arbitrariedad sentimental de los colores, de las líneas, de los sonidos, se marcan en seguida las diferencias. Lo que le parece bello a un habitante del Báltico, le parece feo a uno del Mediterráneo,

y, al contrario, generalmente las simpatías de uno y otro no están acordes.

En el fondo, aunque la fisiología no pueda apreciarlo con exactitud, nosotros tenemos la retina, los bronquios, el estómago, el hígado, la piel, diferentes a un alemán, a un inglés o a un ruso, y no podemos sentir igual que ellos.

Respecto a la moral, tampoco creo que debamos ser tributarios de nadie, no porque la moral española sea buena, ni mucho menos, sino porque no es perfecta, ni superior siquiera, ninguna moral practicada en los otros países.

Bernard Shaw y Wells, en Inglaterra, han especificado los horrores que han hecho los ingleses en el Africa del Sur; constantemente vienen en los periódicos las barbaridades de los yanquis con los negros. Los franceses, los holandeses y los belgas no se han quedado atrás en sus colonias africanas y oceánicas. Han sabido desollar negros y exterminar indígenas como los conquistadores de América. ¿Esto quiere decir que, en vista de la crueldad universal, los españoles no debemos trabajar en mejorar nuestra cultura ética? No; quiere decir que hay que hacer el esfuerzo poniendo la vista en una moral superior; quiere decir que si nosotros intentamos, por ejemplo, alguna vez y por motivos éticos, suprimir los toros, no tenemos que pensar que en Inglaterra queda el boxeo. Allá ellos. Nosotros debemos seguir adelante.

Ninguno de los países actuales tiene una moral tan superior a la nuestra para que podamos tomarlo como modelo. La misma política de los países prósperos, como Francia, Alemania o Inglaterra, aun habiendo llegado al éxito, no presenta ninguna altura moral. Igualmente son agresivos con el débil, igualmente son rapaces, como lo sería una tribu de pieles rojas.

El día que España llegue a tener conciencia de su vida y de su manera de ser, tendrá que hacer un completo cambio de valores y al mismo tiempo echar por la borda una porción de ficciones democráticas y sentimentales sin utilidad y sin eficacia...

Si yo rechazo la imitación de lo artístico y de lo ético del extranjero, suponiendo que el ideal artístico está en las entrañas del país y que el ideal ético está en las regiones de lo absoluto, ¿qué queda, en mi opinión, de la europeización útil y buena para España? Queda, sobre todo, la ciencia.

El problema espiritual de España es dar carácter español a la civilización científica actual, decir algo sobre ella. Y para esto se necesita principalmente cargarse de ciencia. Y para eso hay que buscarla donde sea más completa y al mismo tiempo donde esté menos impregnada del espíritu del país.

EL CIRCO

El público mira con ojos de pasión la pista, iluminada con la luz cruda y violenta de los arcos voltaicos.

Es un público de plaza de toros trasladado a un lugar urbano donde no hay sol—cosa estúpida—, donde no hay sangre—cosa más estúpida todavía.

Es un público de plaza de toros domesticado por la noche y la luz eléctrica.

Una orquesta en lo alto de la galería lanza al aire, lleno de humo, las notas discordantes de sus instrumentos.

Esta música de circo es una música brillante y ramplona, algo como un salón lujoso con muebles pintados de purpurina o un caballero elegante con cuello y puños de papel. Es una música deshecha a fuerza de ser usada, una música digerida, bilificada, quilificada, que tiene la gracia que pueden tener las cosas conocidas y sabidas.

Es su encanto, el encanto de los gabanes viejos, de las pipas viejas, de las zapatillas viejas, de los amigos viejos y de otra porción de cosas viejas, que sirven a veces y que no molestan demasiado.

Esta música de saldo nos llena de esa animación bullanguera de las fiestas plebeyas.

Valses, polcas, *galops*, *Hermoso Danubio azul*, miss Leona, Max, aires de *La mascota*...

Música. Música. Música.

Ha comenzado el espectáculo, y una *troupe* de acróbatas ha aparecido en la pista.

Comienzan los saltos mortales, seguidos del saludo de los gimnastas, que extienden los brazos graciosamente.

El público, enfurruñado por el calor y las apreturas, mira con indiferencia estos ejercicios, a los que está ya acostumbrado.

Los acróbatas se van y los reemplaza el atleta, que viene con andar derrengado de *bulldog* de mal humor. ¿Qué mérito puede tener un atleta? El mérito del gimnasta se explica; estriba en hacer pensar al público, por un momento, que no existe apenas la materia y que la ley de Newton es casi una broma; el mérito del atleta debe consistir en afirmar la materia olvidándose de la ciencia y de los procedimientos de la mecánica racional.

El atleta hace una porción de cosas cuya utilidad práctica, metafísica y estética es bastante exigua y dudosa.

El atleta dobla una barra de hierro con el brazo o con los dientes, sostiene veinticinco hombres con una mano. Si no habla—quizá es alalo—, sus músculos hablan por él. Su bíceps bronquial se abulta, su tríceps femoral se infla, el eterno cleidomastoideo va a saltar, los glúteos se dibujan formidables. Una vieja dama toma sus gemelos, los contempla y suspira. Músculos, huesos, apófisis, ligamentos...

Anatomía. Anatomía. Anatomía.

El atleta se marcha y sale un caballo blanco, gordo, con unas redondeces de jamona, con un lomo plano, por donde se puede andar de paseo, y una arrogancia casi tan académica como la de un auténtico caballo de cartón. La amazona se presenta acompañada de un payaso con un látigo, salta sobre la popa redonda del caballo y hace mil filigranas. Brinca, se arrodilla, pasa por un aro de flores y por otro de papel, bebe champaña.

El pobre caballo, gordo y blanco, sabio como veinte académicos, lleva el paso, hace reverencias, se coloca en una actitud elegantemente incómoda. ¡Inteligente animal! ¡Tranquilo animal! ¡Eres digno de que haya un paraíso para ti al que puedas ir en compañía de los perros amaestrados, de las cacatúas, de los gatos, de los loros, de las focas que dicen papá y mamá!...

Zoología. Zoología. Zoología.

Después de la amazona viene el clown y su augusto; pero el clown y su augusto no nos hacen sonreír.

¡Oh Grimaldi, cantado por Dickens! ¡Oh Tony Grice! ¡Oh Wedelman! ¡Oh Lite Pich! ¡Oh Gober Belling!

El clown y su augusto no nos hacen sonreír. ¿Por qué? Y pensando en este problema encontramos que el clown y su augusto no son de las tierras donde se hacen tostadas con manteca y se bebe cerveza, sino de las más meridionales, en que se guisa con aceite y se bebe vino.

¿Por qué el aceite y el vino pueden producir el torero y no el clown? ¿Qué influencia tiene la manteca y la cerveza en el espíritu clownesco y cuál el aceite y el vino de la sangre torera?

Ignoramos, ignoramos, como dijo el fisiólogo Dubois-Reymond, pensando en los misterios de la Naturaleza y del hombre...

Antropología. Antropología. Antropología.

Después de los clowns, los criados del circo marchan corriendo cómicamente con una gracia de enterradores a doblar la alfombra y a llevársela.

Hay un intermedio y vienen de nuevo equilibristas, excéntricos, ciclistas que tienen por pista un cuadrado de un par de palmos.

Más ejercicios violentos, más juegos peligrosos y absurdos...

Barroquismo. Barroquismo. Barroquismo.

Y, a pesar de esto, tú, espectador picardeado, te aburres.

Cintas, trapos, luces, bofetadas de payasos, caídas, vueltas en barra fija, amazonas, atletas, madamas domesticadoras de cacatúas, virtuosos del cornetín de pistón. ¡Qué pena me da el pensar que ya no me producís sorpresa, ni hilaridad, ni interés!

¡Qué aburrimiento el de sentirse por dentro tan poco ingenuo, tan poco dionisíaco!

Desilusión. Desilusión. Desilusión.

EL ESPAÑOL NO SE ENTERA

El español actual es impotente para ver la realidad. No puede, no se entera; además, no tiene curiosidad ninguna.

Un español llega al mundo como un viajero inquieto a la estación de un tren en donde la parada es larga. Va, viene, se sienta, pregunta una porción de cosas inútiles. Detrás de la mampara de cristales de esa estación hay un pueblo, un monte, un castillo... El español no se entera, tiene prisa. ¿Prisa para qué? Para nada... Los demás viajeros han recorrido el pueblo; alguno ha comprado algo que le convenía comprar; todos están a la hora del almuerzo en la fonda. El, no; él no ha visto el pueblo; se le ha ocurrido salir en el momento de almorzar, y come mal, de prisa y corriendo, y está a punto de que se le escape el tren.

Así me represento al español andando por la vida, sin pan, sin tino, y, sobre todo, sin fuerza para ver la realidad.

En el comercio, en la industria, en la política, en la literatura o en la ciencia, el español apenas ve. Todos los escritores españoles presenciarían hoy luchas como las de la *Ilíada* y, si no estaban ya de antemano reconocidas como sustancia literaria, no las apreciarían. Pensarían en el abate Coignard, en Pierrot y Colombina o en cualquier otra cursilería de moda por el estilo.

En el comercio, en la ciencia y en la industria pasa igual. Yo recuerdo un profesor de Medicina que, habiendo llegado a hacer con perfección más de diez mil preparaciones histológicas, no se le había ocurrido nunca cambiar los procedimientos que veía en los libros; todo lo hacía como lo leía; pero nunca fue capaz de hacer un ensayo por su cuenta.

Hace unos meses estaba yo en un pueblo, y en la fonda me encontré con un vinatero rico. Este señor, hablando de la riqueza de España y de las demás naciones, me dijo muy seriamente que el terreno bueno de Francia para la agricultura era, poco más o menos, como el terreno malo de España.

—Usted sabrá—le dije yo—que la extensión superficial de España es casi tan grande como la de Francia.

—Sí.

—Usted sabrá que Francia tiene cerca de cuarenta millones de habitantes y que España no llega a veinte. ¿Cómo se explica usted que teniendo nosotros, según usted, mayor riqueza y una extensión superficial parecida, vivamos nosotros menos y peor y ellos el doble de nosotros y mejor?

—Porque son más trabajadores —dijo el hombre, molesto.

—Es que si fuera así — repliqué yo—habría que matarnos a todos los españoles.

Y es que aquí la gente no se entera. No hay español que al ir a París, que es el primer punto de salida del español, no nos haya hablado del Barrio Latino, de los barracones de feria del bulevard de Clichy y de todas esas cosas ridículas y amaneradas de la Ville Lumière; pero nadie nos ha hablado de la fuerza industrial que representa París, que, en el fondo, es su vida; de la extrañeza de que el puerto fluvial de París sea el de más comercio de Francia, de mucho más tonelaje que Marsella y que El Havre; ni de que el valle del Sena sea uno de los más fértiles del mundo.

Y es que el español no se entera; va un catalán allí a lucir sus melenas, o un andaluz a lucir su capa; va un americano que tiene la nostalgia de las plumas y del taparrabo, y unos y otros no pueden ver más que lo que les han dicho que hay.

En último término, esta tendencia a no enterarse del español (del español de España, porque el español de América está en otras condiciones) es un procedimiento de defensa, es un velo que pone el instinto vital sobre las cosas para que podamos vivir.

Cuando la realidad es completamente dura y amarga, el instinto de vivir hace que los hombres no la veamos; cuando la realidad comienza a dulcificarse un poco, los hombres comienzan también a verla y se hacen pesimistas.

De aquí creo yo que nace el pesimismo de los que van enterándose de las cosas de España. Los que están tranquilos, los que lo consideran todo con un buen aspecto, es que no se enteran. Y ésa es la mayoría de los españoles.

¡ADIOS A LA BOHEMIA!

RAMÓN, treinta años.
TRINI, veinticinco.
UN MOZO, cincuenta.
UN CHULO, veinte.
UN SEÑOR VIEJO QUE LEE EL «HERALDO».
UN SEÑOR DE CAPA.
Varios JÓVENES que discuten.

EL MOZO.—*(Al* SEÑOR QUE LEE EL «HERALDO»).—Ayer se quedaron hasta muy tarde. Luego vino don Julio, y cuando se fueron a casa serían ya cerca de las dos.

EL SEÑOR DEL «HERALDO».—Cerca de las dos, ¿eh?

EL MOZO.—Sí, cerca de las dos. *(En el grupo de artistas.)*

UNO DE LOS ARTISTAS.—El *Greco,* Velázquez, Goya... Esos son pintores.

EL OTRO.—Y Pantoja de la Cruz y Sánchez Coello...

UN TERCERO.—Para mí, donde esté el *Ticiano* se acabaron todos los pintores...

RAMÓN.—*(Sentado a una mesa, cerca del* SEÑOR QUE LEE EL «HERALDO», *toma un vaso de café. Es un hombre flaco, de barba, sombrero blando y pañuelo en el cuello.)* ¡Si no vendrá! Sería una desilusión más. Y ella

misma me citó. *(Mira a la puerta.)* No, no es ella. Sentiría que no viniese. *(Se abre la puerta.)* No, no es ella tampoco. Quizá no venga.

UN SEÑOR DE CAPA.—*(Que ha entrado y cruza el café. A* RAMÓN.) ¡Hombre, usted por aquí! Hace mucho tiempo que no se le ve.

RAMÓN.—Si ya no vengo. ¿Y usted?

UN SEÑOR DE CAPA.—Yo voy a jugar arriba una partida al tresillo y luego me voy temprano a casa. ¿Y qué es de su vida?

RAMÓN.—¡Pchs! Vamos viviendo.

UN SEÑOR DE CAPA.—¿Espera usted a alguno?

RAMÓN.—Sí; a un amigo.

UN SEÑOR DE CAPA.—Bueno; pues no le entretengo más. Adiós. Mucho gusto.

RAMÓN.—Adiós. *(Sólo.)* Si no vendrá. *(Mira al reloj.)* Son las diez y cuarto. *(Se abre la puerta nuevamente.)* ¡Ah! Aquí está.

(Entra TRINI, *muy garbosa, con talma y una toquilla a la cabeza. El* SEÑOR QUE LEE EL «HERALDO» *la contempla.)*

TRINI.—¡Hola!

RAMÓN.— ¡Hola, Trini! Siéntate. Por fin has venido.

TRINI.—Chico, no pude antes. (Sentándose.) Llegó mi hermano del cuartel...

RAMÓN.— ¡Tu hermano!... ¿Y qué dice ese ilustre golfo?

TRINI.— ¡Golfo! Eso tú... El marqués sin domicilio.

RAMÓN.—Habrá ido a pediros dinero, como si lo viera.

EL MOZO.—Buenas noches.

TRINI.—Tráigame usted café, Antonio. (A RAMÓN.) ¿Y qué? Que nos ha pedido dinero, ¿y qué? No parece sino que te lo pide a ti.

RAMÓN.—Sería igual. Aunque lo tuviera, no le daría un cuarto.

TRINI.— ¡Roñoso!

RAMÓN.— ¡Si ese hermanito tuyo es un ganguero! Y vosotras le habéis dado .. ¡Qué primas!

TRINI.—Y bien. ¿Te importa algo?

RAMÓN.—¿A mí?... Nada, mujer... Tu dinero es y tú lo ganas con tu honrado trabajo.

TRINI.— ¡Asaúra! Tienes la asaúra en la boca. A mí tu risa, ya sabes..., cero. ¿Te ríes, calamidad?

RAMÓN.—(Riéndose.) Es que me haces mucha gracia, chica.

TRINI.—Pues a mí tú, ninguna. (Irritada.) Pero ¿de qué te ríes?

RAMÓN.—Me río de que reñimos como antes, como cuando nos queríamos.

TRINI.—Es verdad.

EL MOZO.—(Con las cafeteras.) ¿Café?

TRINI.—Bueno; ya basta. Eche usted en la copa un poco de leche. Bueno. (Se guarda los terrones en el bolsillo.) Le guardo los terrones al chico de la Inés, mi sobrino... ¡Es más mono! (Sorbe el café.) Conque la Petra te puso al fresco, ¿eh?

RAMÓN.—¿Qué quieres? Ahora se ha arreglado con un gomoso... ¡Hay que vivir!

TRINI.—¿Y tú, tan... tranquilo?

RAMÓN.—¿Y qué voy a hacer?

TRINI.—Pero ¿tú has estado enamorado de ella?

RAMÓN.—Creo que sí. Estuve enamorado unos días..., seis o siete..., entre siete u ocho días.

TRINI.—Chico, ¿tú enamorado... de la Petra? ¡Tiene gracia!

RAMÓN.— ¡Gracia! ¿Por qué? No tiene nada de particular.

TRINI.—Sí; verdad es que ni ella, ni su marido, ni tú tenéis tanto así de vergüenza.

RAMÓN.—Gracias

TRINI.—Sí, ¡es verdad! ¡Valiente gentuza os reuníais en esa casa!...

RAMÓN.—Sólo faltabas tú allá para que estuviese el cuadro completo.

TRINI.— ¡Jesús qué asco! Ni que fuera una...

RAMÓN.—¿Qué?

TRINI.—Que yo, aunque soy una mujer... así, si hubiera tenido la suerte de esa tía, de casarme, no le engañaría a un hombre ni por un golfo como tú ni por otro que valiera más que tú.

RAMÓN.—¿Por qué no te has casado entonces?

TRINI.—¿Por qué? ¿A ti qué te importa?

RAMÓN.—Nada; pero te quejas... Como se casó tu hermana la Inés, podías tú también...

TRINI.—Sí; pero la Inés se casó cuando mi padre trabajaba en el taller y había dinero en casa; luego se quedó enfermo, y ¿qué?..., ni agua. La Milagros y yo empezamos de modelos en los talleres, y como los pintores sois unos sinvergüenzas...

RAMÓN.—¿No tenías un novio?

TRINI.—Mira; no me hables de esas cosas... Madre mía es, pero algunas veces me han dado ganas de retorcerla el pescuezo por la mala obra que me hizo.

(El Señor que lee el «Heraldo» mira con asombro.)

RAMÓN.—Si te hablaba en broma. Hay que tener filosofía, como yo... Te advierto que así te pones hasta fea.

TRINI.—Tanto da. Para como vive una, lo mismo daría morirse. *(Apoya la cabeza en la mano.)*

RAMÓN.—No hagas caso... Sé filósofa, mujer. ¿Vamos a dar una vuelta? Hace una noche pistonuda.

TRINI.—No, no, porque luego la Milagros va a venir a buscarme aquí.

RAMÓN.—Como quieras.

TRINI.—No hablemos de mí. Y de ese empleo que tú buscabas, ¿qué?

RAMÓN.—Chica, del empleo, *na.*

TRINI.—¿De manera que te vas?

RAMÓN.—Me parece. ¿Qué voy a hacer? Me voy a mi tierra, a destripar terrones.

TRINI.—¡Qué lástima! Tú hubieras sido un gran pintor.

RAMÓN.—*(Con sonrisa dolorosa.)* ¡Bah! ¿Tú qué sabes?

TRINI.—Sí; todos lo decían cuando vivíamos juntos. Ramón es un artista. Ramón llegará.

RAMÓN.—Pues ya ves: todos se han equivocado.

TRINI.—Oye, ¿qué hiciste de aquella tela?... Estaba yo con un corazón en la mano, sonriendo...

RAMÓN.—La quemé... Aquella figura es la mejor que me ha sallido... No podía hacer otra cosa que resultase a su lado... Hubiera tenido necesidad de tiempo..., de tranquilidad... y, ya sabes, no tenía tiempo, ni tranquilidad, ni dinero. Me quisieron comprar el cuadro sin concluir, y dije: «No, qué demonio, lo quemo!...» Y le pegué fuego. Romperlo me hubiera hecho daño. Ya no pienso coger los pinceles. *(Se queda mirando fijamente al suelo.)*

TRINI.—¿Ves? Ahora tú te pones triste.

RAMÓN.—Sí, es verdad; se me había olvidado que era filósofo. ¡Perra vida! *(Saca del bolsillo de la chaqueta dos o tres papeles de fumar, grasientos; estira uno y va sacando motas de tabaco de todos los bolsillos, hasta que reúne bastante para liar un cigarro.)*

TRINI.—Oye, di, ¿por qué eres tan desaborío?

RAMÓN.—¿Yo? ¿Pues qué he hecho?

TRINI.—No tienes ni una mota de tabaco y te crees rebajado por pedirme a mí un real para una cajetilla.

RAMÓN.—No, si tengo.

TRINI.—¡Mentira!

RAMÓN.—Era para aprovechar.

TRINI.—¡Qué *gili!* Si tú nunca aprovecharás nada. ¡Desgraciado! ¡Calamidad!

RAMÓN.—No tengo tabaco, pero tengo dinero.

TRINI.—Sí, para pagar los cafés, y nada más.

RAMÓN.—Sí; tengo más.

TRINI.—¡Qué vas a tener! *(Al Mozo.)* ¡Eh, Antonio! Traiga usted cigarros, pero buenos. *(Echando un duro sobre la mesa.)*

RAMÓN.—No seas bestia, Trini; guarda esos cuartos.

TRINI.—¡No me da la gana! ¡Ea! ¿No gastaste cuando tú tenías tu dinero conmigo?

RAMÓN.—Pero...

TRINI.—Nada.

EL MOZO.—*(Con una caja de puros.)* ¿Qué, se han hecho ustedes amigos de nuevo?

RAMÓN.—Ya ves... ¿Qué, no tocan ya, Antonio?

EL MOZO.—*(Mirando hacia el fondo.)* Sí. Ahora van a tocar. Esta es una buena breva, don Ramón.

RAMÓN.—¿Cuál?

EL MOZO.—Esta que le ofrezco a usted.

RAMÓN.—¡Muchas gracias, Antonio! Trini me regala el cigarro. Toma los cafés...

TRINI.—No; yo pago todo.

RAMÓN.—Déjame convidarte por última vez.. Aunque sea un miserable, que me haga la ilusión de que no lo soy por un momento.

TRINI.—Bueno, bueno; como quieras.

(EL MOZO *enciende un fósforo y se lo da a* RAMÓN. *El piano y el violín del café comienzan a tocar la sinfonía de* Cavallería rusticana. RAMÓN *y la* TRINI *escuchan sin hablar. Sólo se oyen las voces de los artistas que discuten y los siseos del público que protesta de la charla.*)

RAMÓN.—Esta música, ¡cómo me recuerda aquellos tiempos! ¿Te acuerdas de nuestro estudio?

TRINI.—Sí. Qué frío era, ¿eh?

RAMÓN.—El Polo. Pero frío y todo, lo pasábamos bien, ¿verdad?

TRINI.—¡Ya lo creo!

RAMÓN.—¿Te acuerdas la apuesta que hicimos? Yo, a que te subiría en brazos hasta arriba, y tú, a que no.

TRINI.—Sí.

RAMÓN.—¡Y cómo la gané! Luego, aquel periodista que venía aquí decía que eso lo había copiado yo no sé de dónde. ¡Copiar nosotros, que éramos de una originalidad salvaje!

TRINI.—Tú, sí; siempre has sido un poco chiflado..., vamos, original.

RAMÓN.—Y tú también. ¿Te acuerdas aquella primera noche que pasaste allá, cuando me decías que me brillaban los ojos como a un aguilucho?...

TRINI.—Sí. Era verdad.

RAMÓN.—Es que te quería.

TRINI.—¡Bah!

RAMÓN.—Sí; me parece que tú no lo has creído nunca.

TRINI.—¿Y aquella tarde que fuimos a la Moncloa?

RAMÓN.—Es verdad... Yo no sé qué pasa; ya no hay tardes ahora como aquella. Al llegar hacia la Florida había un charco grande, ¿recuerdas? Tú no querías pasar, para no mojarte los zapatitos de charol, y yo te cogí en brazos, con gran algazara de unos golfos, y al llevarte así me mirabas sonriendo...

TRINI.—Es que te quería.

RAMÓN.—Un poco quizá, pero mucho menos que yo... ¿Y cuando vino aquel poeta enfermo a casa, no recuerdas?

TRINI.—Sí.

RAMÓN.—Lo estoy viendo entrar; nevaba fuera, y nosotros hablábamos con una vecina alrededor de la estufa. ¡Cómo temblaba el pobrecillo! «No he encontrado a nadie en el café—recuerdo que nos dijo, castañeteándole los dientes—y voy a pasar aquí un rato, si no os estorbo.» Tú le invitaste a cenar, y cuando él nos dijo que hacía ya mucho tiempo que no dormía en una cama, tú le dijiste que se acostara en la nuestra, y te tendiste en el sofá. Yo pasé la noche sentado, fumando, y al verte dormida pensaba: «Es una mujer buena, muy buena.» Y ya ves, cuando después reñíamos algunas veces...

TRINI.—¿Algunas veces sólo?

RAMÓN.—No, muchas veces. Pues bien: cuando reñíamos, yo pensaba: «Sí; tiene estos y estos defectos, pero es una mujer buena.»

TRINI.—*(Avanzando la mano.)* Tú también has sido bueno para mí.

RAMÓN.—*(Tomando la mano entre las suyas.)* No; yo, no.

TRINI.—¿Y qué se hizo de aquel pobre hombre, del poeta?

RAMÓN.—Murió en un hospital.

TRINI.—¿Y hacía versos bonitos de verdad?

RAMÓN.—No sé... Yo no leí nunca nada suyo; pero tan injusto me parece que muera un genio en un hospital, abandonado, como que muera allí un pobre hombre.

TRINI.—¿Y aquel escultor catalán de pelo largo?

RAMÓN.—Creo que dejó el oficio. Se hizo vaciador. Ahora come. Ha bajado de categoría y ha subido de alimentación.

TRINI.—¿Y el otro? El francés flaco de perilla, que cantaba y accionaba...

RAMÓN.—¿El que recitaba los versos de Paul Verlaine por la calle? Creo que murió; lo cogió un ómnibus en París.

TRINI.—¿Y el anarquista?

RAMÓN.—Ese se hizo de la Policía.

TRINI.—¿Y el otro, el de los bigotes?

RAMÓN.—¡Ah, sí! ¡Qué tipo! Recuerdo la disputa que tuvo con otro amigo, los dos en aquella época desastrados y zarrapastrosos; llegaron a insultarse discutiendo cuál de los dos hubiera llevado mejor un frac en un sarao elegante. El de los bigotes, que después llegó a conseguir buena posición, gastaba unos pantalones extraordinarios. Eran unos pantalones que no tenían más que los dos tubos para las piernas, esos tubos que no sé cómo se llaman en sastrería. Los llevaba atados con unas cuerdas al cinturón y disimulaba aquel espectáculo complicado con un gabán raído. Conservaba también un bastón sin contera, tan desgastado, que para tocar con la punta en el suelo tenía que agacharse y bajar el brazo. A pesar de su indumentaria, que no era precisamente la de un Petronio, me decía una vez, paseando él y yo por la Castellana y mostrándome las damas reclinadas en sus coches: «Estas señoras nos miran con un desdén... inexplicable.»

TRINI.—¡Inexplicable! ¡Tiene gracia!

RAMÓN.—¡Pobre hombre; qué fuerza e ilusión tenía!

TRINI.—¿Murió también?

RAMÓN.—Sí; murió. Casi todos los que nos reuníamos aquí desaparecieron. Nadie ha triunfado, y otros muchachos, llenos de ilusiones, nos han sustituido, y, como nosotros, sueñan y hablan del amor y del arte y de la anarquía. Las cosas están igual; nosotros únicamente hemos variado.

TRINI.—No, chico, todo no está igual. Se conoce que no has pasado por nuestra antigua casa.

RAMÓN.—¡No he de pasar! La han tirado, ya lo sé. El otro día me asomé al solar; no hay allá más que un agujero muy grande, tan grande como el que hay en mi corazón. No sé, no me hagas caso, pero creo que lloré.

TRINI.—Yo también he llorado algunas veces al pasar por allá.

RAMÓN.—Uno quisiera que las cosas unidas a sus recuerdos fueran eternas; pero nuestras vidas no tienen importancia para eso. *(Dan en la parte de fuera y asoma una cara a través del cristal.)*

TRINI.—Es la Milagros con ése, que viene a buscarme.

RAMÓN.—¿Te vas?

TRINI.—Sí, chico.

RAMÓN.—¡Parece mentira que nosotros podamos despedirnos así! En fin, tú aquí, en Madrid, estás mejor que yo. Me olvidarás pronto.

TRINI.—Más pronto me olvidarás tú a mí. Tú tienes vida por delante. En tu pueblo te casarás...; puedes tener mujer..., hijos... Yo, en cambio... ¿Qué le queda a una como yo? El hospital..., el viaducto... *(Se levanta.)*

RAMÓN.—*(Sujetándola de la mano.)* No, Trini, no. Yo no te puedo dejar así. Tú has sido mi mujer. A mí no me importa que la sociedad, los poderosos, puedan decir que hemos vivido amancebados; a mí no me importa que nos desprecien... Yo soy un humilde, como tú... Mi padre era labrador..., un pobre trabajador del campo... Para mí has sido mi mujer, y yo no puedo dejarte así, no.

TRINI.—¿Y qué puedes hacer tú, pobrecillo? Dinero no tienes. ¿Casarte conmigo? Pero es que yo no lo querría, ¿sabes?, porque, aunque no soy una mujer como debía ser, tengo corazón y vergüenza..., más que otras..., y tú ni nadie pueden darme lo que ya he perdido. (Vuelven a llamar en los cristales. La TRINI, tendiendo la mano.) Conque, chico...

RAMÓN.—¿Y ya no volveré más a saber de ti?

TRINI.—¿Para qué?

RAMÓN.—Eres muy cruel conmigo.

TRINI.—Más cruel soy conmigo misma. (Está sin hablar, mirando al suelo. Entra un CHULITO, de capa y sombrero ancho, y se acerca a la mesa.)

EL CHULO.—(Tocándose el ala del sombrero.) ¡Buenas noches!

RAMÓN.—Buenas.

EL CHULO.—(A la TRINI.) ¿Conque vienes o no? Esos nos están esperando.

TRINI.—Ya voy. ¡Adiós, chico! (Alarga la mano a RAMÓN.)

RAMÓN.—¡Adiós!

(La TRINI va con el CHULO, se acerca a la puerta, se vuelve con vacilación, ve a RAMÓN con la cabeza baja, suspira y sale. RAMÓN se levanta decidido a ir tras ella.)

EL SEÑOR QUE LEE EL «HERALDO». (Cogiendo a RAMÓN del gabán.) Pero ¿qué va usted a hacer, hombre? Si ella no quisiera, no se iría.

RAMÓN.—Es verdad, tiene usted razón. (Se sienta de nuevo. EL MOZO se acerca a la mesa, retira los vasos y platillos y pasa el paño por el mármol.)

EL MOZO.—No se apure usted, don Ramón. Cuando una mujer se va, otra viene.

RAMÓN.—Es que no es una mujer la que se va, Antonio. ¡Es la juventud..., la juventud..., y ésa no vuelve!

EL MOZO.—Es verdad. Pero ¿qué se le va a hacer? Así es la vida, y hay que tener paciencia..., porque todo pasa, y bien pronto, no crea usted.

EL SEÑOR QUE LEE EL «HERALDO». (Moviendo afirmativamente la cabeza.) ¡Ya lo creo!

EL MOZO.—(A RAMÓN.) Qué, ¿se va usted, señorito?

RAMÓN.—Sí, me voy a dar un paseo largo..., muy largo. (Levantándose y saludando con el sombrero al SEÑOR DEL «HERALDO».) ¡Buenas noches!

EL SEÑOR QUE LEE EL «HERALDO». (Amablemente.) ¡Muy buenas noches! (RAMÓN cruza el café y sale a la calle.)

UNO DE LOS ARTISTAS.—¡El Greco! Ese era un pintor sabiendo...

OTRO DE LOS ARTISTAS.—Para mí no hay más técnica que la del Ticiano.

LAS IDEAS DISOLVENTES

En España, la obra magna sería la de armonizar las ideas de la civilización con el carácter y la manera de ser íntima de nuestra raza, y si había algo de inadaptable, ver por qué motivo lo era.

El progreso de las cosas materiales debe tener su causa para ser fecundo en el progreso de las ideas. No hacer más que lo que hacemos nosotros: ir siguiendo los adelantos científicos y apropiárnoslos, eso no sirve para nuestra cultura.

En España no hemos tenido una filosofía revolucionaria porque no hemos tenido ciencia. La revolución va tan unida a todo progreso científico, intelectual y material, que únicamente en los países en donde se elabora filosofía y ciencia pueden nacer ideas renovadoras.

En España, la labor más revolucionaria, más útil para la emancipación del pensamiento, es la labor de crítica.

Hay que producir en cada español una intranquilidad, un instinto de examen, un anhelo, aunque sea inconcreto de algo mejor.

Hay que disociar todas las ideas del ambiente; las ideas nuevas se nutren con los restos de las ideas tradicionales.

Algunas gentes temen lo que llaman ideas disolventes. ¿Por qué? Gracias a las ideas disolventes, la Humanidad marcha. Gracias a las ideas disolventes, el hombre vive hoy mejor que ayer.

Todos los hombres tenemos nuestro tesoro que nadie puede arrebatarnos; este tesoro es la ciencia; ella hace que nuestra vida sea mejor, que nuestro hijo no enferme por viruela, que llegue a ser curado si está enfermo de difteria.

No hay anarquismo que disuelva la ciencia, no hay anarquismo que pueda nada contra un teorema.

Que las ideas disolventes nos demuestran que el rey es igual al cargador, y que el fetiche, adornado con coronas y perlas de nuestras iglesias y de nuestras ermitas, no puede nada contra el rayo o contra la peste.

Mejor, una mentira menos.

Sí; no hay miedo de que las ideas disolventes nos pierdan.

¡Disolved, amigos! ¡Disolved!

INDECISION

(LEÓN es un joven de unos cincuenta y tantos años, soltero y galante. Tiene un egoísmo tranquilo, nunca se ha preocupado para nada de los demás. Lleva un bigote gris a la borgoñona, tiene las piernas cortas, el abdomen abultado, las botas de charol, chaleco blanco y el sombrero de paja. LEÓN entra en el circo de Price a las diez de la noche.)

LEÓN.—La gente es muy egoísta. Yo necesitaría que alguien me indicara adónde debo ir, porque si no estoy expuesto a aburrirme como el año pasado. ¡Luego estos médicos son tan estúpidos! Le digo a mi médico: «Yo estoy malo, doctor.» «¿Qué le pasa a usted? ¿No tiene usted apetito?» «Sí, tengo apetito.» «¿No tiene usted sueño?» «Sí, tengo sueño.» «Entonces, ¿qué siente usted?» «Hombre, yo no siento nada, pero me intranquilizo con facilidad, me aburro por cualquier cosa, y eso no puede ser sano.

Yo debía tomar unas aguas.» «Pues vaya usted a Arrigorriaga, o a Caldeira, o a la Carbonera...» Y se marcha. ¡Estos médicos son tan egoístas!

(León pasea por un pasillo, hasta que ve a su amigo, y se sienta a su lado.)

LEÓN.—¡Hola, Curro! ¡Buenas noches!

CURRO.—¡Hola, León! ¿Qué hay?

LEÓN.—Nada, aquí como siempre. Esto está muy desanimado.

CURRO.—¡Si se ha ido ya todo el mundo! ¿Tú no te vas?

LEÓN.—Estoy vacilando, porque me encuentro malucho. Me han dicho que vaya a Arrigorriaga, que aquello es hermoso.

CURRO.—¿Hermoso? Es magnífico, chico. Allí se pasan los días sin notarlo. Toda la gente, de Madrid, te advierto. El año pasado estuvo Lola Izquierdo, y nos divertimos la mar.

LEÓN.—¿Y se come bien?

CURRO.—Magníficamente, mejor que en cualquier hotel de aquí.

LEÓN.—Otros me han dicho que vaya a Caldeira.

CURRO.—¡Oh Caldeira! ¡Admirable! ¡Qué veranos he pasado allá! Unas muchachas gallegas preciosas. Un paisaje..., unos manzanos...

LEÓN.—Y este balneario de la Carbonera, ¿qué tal es?

CURRO.—¿La Carbonera? Un paraíso. Allá se pone uno bueno sin querer. El hotel está a una altura grandísima sobre el nivel del mar. Y luego una gente tan campechana, tan simpática... ¿Qué, vamos a ver al *clown*?

LEÓN.—Sí; vamos.

(Se levantan los dos y entran en el teatro.)

LEÓN.—*(Aparte.)* Pues, señor, este hombre no me ha sacado de dudas. Arrigorriaga es magnífico, Caldeira es magnífico, la Carbonera es magní- fico. *(Mirando con los gemelos.)* Allá están Lolita y Trinidad. Voy a saludarlas. ¡Adiós, Curro!

CURRO.—¡Adiós, León! Hasta otro rato.

LEÓN.—*(Acercándose al grupo, y con voz de conquistador.)* Aunque usted no quiera, Lolita, vengo a saludarla...

LOLITA.—¡Hola, León!

TRINIDAD.—¡Hola, Leoncito!

SANDOVAL.—*(Un hombre de barba negra y mirada aviesa, cruzado entre dos sillas.)* ¡Hola, don León! Se le ve a usted poco.

LEÓN.—Sí; estoy algo malucho.

SANDOVAL.—Sí; va usted tomando facha de viejecillo. Estas bribonas le ponen a usted malo. Y usted no está ya para esos trotes.

LEÓN.—*(Sonriendo de mala gana.)* Claro, el tiempo pasa para todos. Estoy pensando en salir este verano. Creo que voy a ir a Arrigorriaga.

SANDOVAL.—No haga usted ese disparate.

LEÓN.—¿No? ¿Por qué?

SANDOVAL.—Porque es insoportable. Allí no hay más que gente de Madrid, pero de lo más impertinente y ceremoniosa que puede usted suponer. Hay que vestirse para ir al comedor, para ir a tomar las aguas. Es insoportable. Luego, caro como un demonio; por llevarle la maleta a su habitación, diez pesetas; por un vaso de agua, trescientas pesetas...

LEÓN.—¡Qué barbaridad!

SANDOVAL.—Además, aquello es húmedo y malsano. ¡Se cogen unos reumatismos terribles! Y de mala clase. Yo he conocido a dos que murieron de un reumatismo deformante, cogido allá.

LEÓN.—¡Demonios! Pues no voy. Me marcho a Caldeira.

SANDOVAL.—¿A Caldeira? Me hace mucha gracia que diga usted eso.

LEÓN.—¿Por qué?

SANDOVAL.—Porque ir a Caldeira es como ir al fin del mundo. Tiene usted que hacer cuatro transbordos, pasar una noche en una estación, donde no hay fonda, y andar seis horas en diligencia.

LEÓN.—¡Qué disparate!

SANDOVAL.—Luego allá no tiene usted ni un periódico, ni un libro, ni gente con quien hablar. A los cinco o seis días entra una melancolía...

LEÓN.—Pues es una broma. Y el balneario de la Carbonera, ¿también es malo? Porque he oído decir que es una maravilla.

SANDOVAL.—No tiene más inconveniente que ahora estará a cuarenta y cinco grados a la sombra.

LEÓN.—¿Es caliente?

SANDOVAL.—Allí se asfixia uno, y eso no es lo peor.

LEÓN.—¿Pues qué es lo peor?

SANDOVAL.—Lo peor es la gente.

LEÓN.—Si me han dicho que es gente muy campechana.

SANDOVAL.—Sí; labradores ricos de por allá; muy francotes y muy alegres; un día le llenan a usted de tierra la cama, otro día le tiran a un charco...; son muy divertidos.

LEÓN.—Pero todos no serán así.

SANDOVAL.—No; hay hombres graves y serios, y ésos le convidan a usted a ir a su cortijo; doce o catorce horas a caballo al sol, y si no acepta usted, lo toman a desaire, y son capaces de darle a usted dos palos.

LEÓN.—Pues, señor, parece que en España no hay un balneario donde ir. Voy a dar una vuelta. ¡Hasta luego!

TODOS.—¡Hasta luego, León!

SANDOVAL.—(Riendo a carcajadas.) El vejete se marcha furioso.

LOLITA.—¡Qué malo es usted!

LEÓN.—(Solo.) La gente es muy egoísta. Elogian o desdeñan sin motivo y se ríen de las cosas más serias. Ya me han fastidiado, ya no sé dónde ir. Nadie se ocupa de uno. Nadie le da a uno un buen consejo. Y no ven que uno no tiene más que cincuenta años... La verdad es que la gente es muy egoísta...

LA LOGICA LATINA

La frase de un diputado catalán, de que los ingleses no hacen gran caso de la lógica, me recuerda una conversación que tuve con un ilustre escritor inglés, gran conocedor de España, y que voy a transcribir por si los lectores la encuentran interesante.

Me había convidado este ilustre escritor a comer en un club de Piccadilly, y después de la comida pasamos a un salón de intimidad, nos acomodamos en dos sillones, al lado de la chimenea, y estuvimos charlando y fumando.

—¿Va usted a escribir algo sobre Inglaterra?—me preguntó él.

—No, no me atrevo—contesté yo—. Esto es demasiado complejo y vario. Además, no sé si será por ignorancia mía, pero yo lo que veo lo encuentro esencialmente contradictorio. Hay aquí, al mismo tiempo que una serie de restricciones absurdas, una gran cantidad de libertades; a veces se figura uno que éste es un pueblo conservador y a veces da la impresión de un pueblo revolucionario. El otro día fui con un amigo a la Cámara de los Comunes. Había un señor con una enorme peluca rubia, pantalón corto y zapatos con hebillas. Me dijeron que era el *speaker*. El presidente del Congreso hablaba sin que nadie le escuchara, y unos cuantos diputados, con el sombrero puesto, estaban casi tendidos en los bancos, y uno de ellos apoyaba los pies en el pupitre.

—¿Y eso le sorprendió a usted? —me preguntó el inglés.

—Mucho. Yo creo que a cualquiera le hubiera sorprendido. Esta mezcla de tradicionalismo y de desahogo, indudablemente no es lógica.

—No. Eso es verdad, no es lógica. La cuestión está en saber si es buena o mala.

—Pero ¿usted cree que una cosa ilógica puede ser buena?—dije yo.

—Yo, sí—respondió él—. Es más: creo que la convivencia con la falta de lógica y con la contradicción es nuestra fuerza. En todo esto se ve aquí la inconsecuencia, es indudable. Si va usted a la abadía de Westminster verá usted que entre los hombres ilustres enterrados allá hay muchos que han vivido y han muerto fuera de la religión. Sin embargo, allá están. Darwin, por ejemplo, se halla enterrado en Westminster, y sus ideas y sus doctrinas, consideradas como agnósticas, están condenadas por la Iglesia oficial. ¿Quiere usted más inconsecuencia? Un cura español o un librepensador español no comprenderían esto, y serían lógicos; nosotros tampoco lo comprendemos, pero lo hacemos así y nos va bien.

—¿Y no le parece a usted eso un defecto de pensamiento, una impotencia para la generalización?

—Es posible, no digo que no; pero si es un defecto, nos beneficia extraordinariamente.

—¿Cree usted?

—Si el francés, el español o el italiano son razonadores y generalizadores, el inglés, no; puede vivir con una contradicción continua, y si le va bien así, sigue sin preocuparse de si es lógico o no lo que hace. Un español que obra contra su moral y que finge, es un hipócrita completo; pero el inglés que tiene esclavos en una colonia lejana y al venir a Londres forma parte de una sociedad filantrópica no es un hipócrita: es que no se para a contrastar el absurdo de sus dos funciones morales. Luego en Inglaterra, parte por utilidad, parte por falta de perspicacia, hay como un velo sobre todo que no permite ver las cosas descarnadas; así, por ejemplo, lo mismo llaman aquí *flirt* a una amistad tranquila entre hombre y mujer que a una pasión desenfrenada. Así que cuando dicen de una señora que tiene un *flirt*, no se sabe si tiene un amante o un amigo. Dígale usted a un inglés: «La señora de Tal tiene un *flirt* con Tal», y quedará satisfecho, como si supiera lo suficiente; en cambio, dígaselo usted a un meridional, y como las cosas oscuras no entran en su imaginación, querrá saber en seguida qué alcance tiene la palabra *flirt*, hasta qué punto compromete a la señora, para poder llegar a una conclusión y poder decir: «La señora de Tal es honrada, o la señora de Tal engaña a su marido.»

—Es extraño, y, sin embargo, es verdad—dije yo.

—Y, además de ser verdad, es útil, que es más extraño todavía. El inglés ha creado una montaña, en parte con ficción, en parte con verdad, y no quiere analizar los materiales que ha empleado, porque en el fondo teme que el análisis, la lógica, pueda echar todo su edificio por los suelos. En cambio, ustedes, los meridionales, están siempre midiendo, tasando, valorando, y, como consecuencia de sus tasaciones, terminan en el desdén, así como aquí nuestra falta de perspicacia nos inclina al respeto. Aquí todo se considera un valor: ser valiente, ser aristócrata, ser guapo o listo, o ágil, ser buen comerciante, buen abogado, buen jugador de cartas, tener buena letra, llevar bien la levita, montar a caballo, dirigir un automóvil, nacer rico, ser inglés, francés, español, chino, todo es un valor. Allí es todo lo contrario. Se trata de un hombre valiente, se dice: ¡Si es un animal! Es un comerciante rico, dicen todos: Claro, le dejó su padre mucho dinero. Es un hombre que ha hecho una fortuna, y ustedes comentan el hecho diciendo: No es más que un hombre de suerte. Hablan de un cantor o de un violinista, y ustedes exclaman: ¿Si creerá este idiota que por hacer gorgoritos o rascar el violín ya es una eminencia? Y tienen ustedes razón, son ustedes lógicos, pero echan abajo todo lo que hay vivo en su país.

—Sí; es posible que eso sea cierto —dije yo—; pero, en último caso, siempre resultará que aquí viven ustedes con una jerarquía que puede ser absurda. En cambio, allí el ambiente está más limpio y no hay hipocresía ni snobismo.

* * *

Después he pensado varias veces en esto. ¿Se puede vivir dentro de la contradicción, de la ilógica, de la falta de consecuencia? En Inglaterra, sí. En España creo que no.

En el fondo, nosotros, los españoles, somos latinos, no de raza latina, pero sí de ideas, de civilización. Somos como todos los pueblos que componen la gran nacionalidad grecolatina: iberos, semitas, griegos, cartagineses, romanos, galos, hunos, francos, vándalos, árabes, lombardos, gente de ideas claras, entusiastas de la forma y de la armonía.

Es cierto que en siglos de cristianismo nos hemos polarizado en otro sentido, y hemos amado la oscuridad y el misterio; pero la tendencia clásica, madre de la Roma antigua, de la claridad, de la razón, vuelve a nosotros.

La Revolución francesa nos trajo esa buena nueva; la Revolución francesa fue lógica y romana; toda su fuerza, todo su brío, todos sus ideales los extrajo de la historia de la República romana.

Y hoy, la tendencia clásica de la unidad, de la armonía, de la lógica, está en lucha en España con la tendencia medieval de la disgregación, de la fe, de la contradicción.

No creo que Francia sea un ejemplo para el arte, ni para la literatura, ni para nada individual; en cambio, creo que hay que seguirla en todo lo social, sobre todo en su política, que es la manifestación más grande del genio francés. Francia nos ha identificado a todos los latinos con el espíritu de la antigüedad. Es la obra más grande que ha podido realizar un país.

Francia nos ha acercado a la Roma gloriosa de la antigüedad, es decir, a la razón, a la lógica, y nos ha apartado para siempre de la contradicción y del misterio.

Podrá la fe haber llenado de glorias a España, podrán la razón y la lógica haberla llenado de ruinas. No importa. La razón debe estar por encima de todo. La lógica debe triunfar y triunfará. Y cuando triunfe, el español se podrá dar la mano a través de los siglos con el ciudadano de la Roma antigua y considerarse su hijo y su heredero.

DISCUSIONES DE ROMA

Roma se ha considerado siempre como el centro del mundo. Verdad que las demás ciudades italianas han hecho lo mismo.

Hay en Roma y en todas las grandes ciudades de Italia la tendencia ciudadana, más fuerte en el fondo aún que la idea nacional. Los pueblos del Mediterráneo no han comprendido nunca más que la ciudad; una idea más amplia de patria la han tenido que dar los pueblos del Norte.

Hacer de la comunidad de Roma algo así como la más alta e ilustre comunidad del mundo ha sido un pensamiento muy frecuente entre los liberales romanos.

La aspiración al dominio perdura en Roma entre los reaccionarios como entre los liberales.

Este sentimiento dominador viene de la Iglesia, de la Roma de los Papas, y ésta lo heredó de la Roma de los Césares.

Como dominadora, Roma es cosmopolita.

La Roma católica sigue creyendo, o fingiendo creer, que tiene la dirección espiritual del Universo, así como el socialismo romano vive también con una ilusión de cosmopolitismo.

Roma ha sido la casa de un déspota y de un avaro. Se ha apoderado de todo: obeliscos egipcios, estatuas griegas, cuadros, cosas, hombres. Y, a cambio de esto, nos ha hundido en la oscuridad.

Hoy Roma es un solar muy grande, con grandes vallas, grandes letreros; dentro no hay más que grandes tumbas, magníficas iglesias, que son lo mismo que si fueran tumbas, y unos cuantos monillos vestidos de negro y de rojo, que representan una comedia religiosa.

Dicen que los liberales romanos quieren echar al Papa. No lo creo. Esto todavía es lo que da importancia a Roma en el mundo. Si no hubiera Papa, Roma sería una ciudad de segundo orden. Los americanos tienen un interés por nuestro Santo Padre verdaderamente conmovedor.

El tocino yanqui ve en el agua bendita de Roma la purificadora ideal.

Esos mismos romanos anticatólicos, si pudiesen aumentar la influencia del Papado, lo harían. Como que el Papa es el que llena las fondas de Roma. Sin Papa se acababa el negocio.

En el hotel me he encontrado con un francés que se llama Beaufort. Hemos hablado y discutido. Yo he afirmado que Roma no da impresión alguna al lado de Florencia; Beaufort afirma lo contrario. Después me he permitido decir que Miguel Angel me parece inferior a Donatello.

—¿Ha estado usted en la Capilla Sixtina?—me preguntó él.

—No, todavía no.

—Pues vamos allá.

La capilla estaba llena de ingleses, de alemanes gordos de voz gutural y de franceses que exhibían sus sonidos nasales como si fueran una preciosidad fonética. Tenían todos ese aire de pedantería clásico de los que se creen investidos de cierta superioridad artística. Un francés calvo, con un gorro de seda, miraba al techo con unos gemelos y hablaba con un tono doctoral.

Nos quedamos contemplando el

gran fresco de Miguel Angel, y Beaufort me preguntó:

—¡Eh! ¿Qué le parece a usted?

—Pues no me gusta nada—dije yo.

—Pero si no lo ha visto usted todavía. Vamos a sentarnos.

Nos sentamos. Beaufort me explicó la composición del *Juicio final* y lo que significaban las figuras del techo, y para que viera la expresión de las caras me prestó sus gemelos.

—Sigue sin gustarme—dije yo, tercamente, después de mirar con atención—. Este gran fresco me parece pintado al añil y al *cioccolato*.

—Pero, hombre, es que el color ha perdido con el tiempo. Además, Miguel Angel no debió ser nunca un colorista.

—Entonces, ¿para qué pintaba? —pregunto yo, irrespetuosamente.

—Aquí hay que ver el vigor, la energía desesperada. Era un atleta este hombre. Sobre todo, al lado de Rafael forma ese contraste eterno del artista impetuoso con el artista refinado. Como dice Zola, es Corneille al lado de Racine, es...

—Hombre, yo no conozco a Corneille—le dije yo—; respecto a Racine, he leído solamente un parlamento suyo en un libro de traducciones, y me ha parecido insoportable.

—Usted es antifrancés—dijo Beaufort—; ponga usted en vez de Corneille a Shakespeare...

—No, no; lo que yo he leído de Shakespeare no me recuerda nada a esta pintura.

—¿No?

—No. Las obras de Shakespeare me parecen como un jardín que tiene un trazado artificial, pero en donde la fuerza de la vida y del pensamiento rompe ese trazado e invade los caminos de una manera alegre. En cambio, esto me parece como una naturaleza falsa, hecha artificialmente, sin

juventud y sin alegría, con una furia pedantesca y absurda. Me parece que entre el inglés y éste hay la diferencia que puede haber entre un hombre fuerte, que emplea su fuerza cuando la necesita, y un atleta viejo y cansado que hace ejercicios con bolas huecas. Hay también la diferencia que se ve entre una obra de la Naturaleza y una obra de un ingeniero.

—Cierto—dijo Beaufort—; hay algo aquí de ingeniería; pero ¡qué concepción más colosal, más grande!

—A mí no me gusta, la verdad.

—¿De manera que usted disiente del género humano?

—Sí. ¡Qué le voy a hacer! Yo, cuando pienso en estas cosas, pienso que la opinión de la mayoría está en un error, y me lo explico a mi modo. Han ensalzado—digo yo—lo menos espiritual, porque está más al alcance de todo el mundo. Yo creo que los tipos de pintores del Renacimiento son Botticelli, Mantegna, Fra Filippo Lippi y otros semejantes, y los tipos de escultores, el Donatello y Della Robbia. ¿Por qué han considerado como el más saliente a Rafael y a Miguel Angel? Parte, por la universalidad de Roma y de la Iglesia; parte, por ser artistas más aparatosos y de más forma. Unos calígrafos de hace algún tiempo hubieran tomado como tipo de letra la que tuviera más rasgos y más adornos.

—Pero ¿puede usted creer tal cosa?—me preguntó Beaufort.

—Sí; lo creo como se lo digo.

—¿Y cómo se explica usted la universalidad de esta impostura?

—Me la explico porque el número de pedantes es infinito, y este Miguel Angel es así como un representante de la pedantería genial.

—Pero Shakespeare, de quien usted hablaba antes, tiene también sus pedanterías.

—Sí, indudablemente; pero más que el autor, parece que la tienen sus personajes, y son, como pedanterías de expresión, superficiales, externas.

—Creo que es usted terco. No puede usted menos de encontrar que hay aquí grandeza.

—¡Si no digo que no! Esto me parece grandioso, pero desagradable. Me da la impresión de un ejercicio de Retórica, de esas cosas que recuerda uno vagamente del colegio; unos trozos de discursos enfáticos de los romanos. Además, yo considero esto desde el punto de vista moral.

—¡Hombre! ¿Desde el punto de vista moral?

—Sí. A Shakespeare yo le considero como un amigo alegre, lleno de brutalidad, de talento y de gracia, que no quiere enseñar ni hacer advertencias. En cambio, esto es una advertencia absurda de una religión, igualmente absurda. Me parece como el sermón de un predicador serio, feroz y pedante. Como Miguel Angel pintando debía de ser Savonarola hablando. En cambio, Shakespeare debía de ser como un César de la literatura.

—Algo de razón tiene usted, pero nada más que algo.

—Yo creo que mucha. Ahora, ustedes los franceses, como en el fondo son razonadores y académicos, les ha gustado desde el principio Miguel Angel, que es un razonador sombrío, y Rafael, que es un razonador elegante. La Iglesia y Francia han empujado estos nombres y los han ensalzado como las mayores sublimidades artísticas. Dante, Miguel Angel, Rafael, se ha dicho siempre; hoy se dice más Shakespeare y Velázquez; mañana vaya usted a saber qué se dirá.

—Usted tampoco cree que esto sea definitivo.

—No. ¡Ca! ¿Por qué no se han de perfeccionar los sentidos del hombre? Suponga usted que mañana el oído humano encuentre en la música elementos nuevos de timbre, de sonoridades hoy desconocidas, y desde ese momento Mozart o Beethoven pueden quedar como creadores de un arte primitivo y tosco.

—Sí, es posible, pero no muy probable. Lo que no comprendo bien son los motivos morales para preferir Velázquez o Shakespeare a Miguel Angel o a Dante.

—Los motivos morales son que ni en Shakespeare ni en Velázquez se nota la tendencia de moralizar. Son extrarreligiosos, extrapolíticos, como espejos de la Naturaleza que no someten las imágenes a ninguna idea anterior. Representan la vida casi con la misma indiferencia que el río refleja los árboles de la orilla.

—¿Y eso le parece a usted mérito?

—Sí.

—A mí me parece lo contrario. Además, creo que esto representa, igualmente, la vida.

—Claro. Quiere representarla, pero de una manera titánica, y yo, la verdad, no creo en lo titánico. En el hombre no hay más ni menos que el hombre. Más no es nada porque no podemos suponer algo más que nosotros; lo que es menos, está fuera del arte.

—No nos convencemos—dijo Beaufort—. Sin embargo, creo que se ha de rendir usted. Hoy iremos a ver el *Moisés* de Miguel Angel.

Fuimos a comer, y luego salimos a dar una vuelta.

—¿Usted habrá visto San Juan de Letrán?—me preguntó Beaufort.

—No.

—Usted es un criminal. Vamos ahora mismo.

—¿Para qué? Las iglesias no me gustan. Están muy frías.

—No entre usted más que un momento.

—Bueno; la veré desde fuera.

Salimos al Esquilino, y de allí, por una calle recta, a la plaza de San Juan de Letrán. Hacía una tarde sofocante. Junto a una tapia, varios hombres morenos y greñudos, tostados por el sol, estaban reunidos.

—¿Qué hacen estos hombres? ¿Riñen?—pregunté yo.

—No. Están jugando a la morra.

Entramos en la iglesia; me asomé; hacía frío.

—Yo le espero a usted en el atrio —dije, y salí fuera.

Me paseé por el atrio, que da hacia la puerta de San Juan. A la izquierda, en el fondo del atrio, se levantaba la estatua del emperador Constantino, este monarca asesino y parricida que la Iglesia acogió en su seno con tanto júbilo.

El sol caía como fuego en la gran explanada y brillaba en el empedrado de lápidas que forma el raso de la basílica. En la gran plaza, delante de la puerta de San Juan, algunos tranvías estaban parados. A la derecha, por encima de la muralla, se veían los montes Albanos; a la izquierda, un santuario con una media cúpula en mosaico, y cerca casas nuevas con huertos y palmeras y algunos restos ruinosos entre árboles. Enfrente, una torre vieja de ladrillo, tostada por el sol, mostraba el cuadrante de su reloj blanco, acabado de encalar.

Beaufort salió de la iglesia.

—Prefiere usted el sol—dijo—; es usted una especie de lagarto.

—Sí; soy animal de sangre fría.

Vimos, desde fuera, el palacio de San Juan de Letrán, que me pareció magnífico y de un color soberbio. Luego tomamos por la vía Laterana hacia el Coliseo. En una encrucijada de esta calle había una representación de payasos, y, cosa extraña, era de lo más triste que puede imaginarse.

—¡Pobre gente!—exclamó Beaufort.

—Sí, realmente; de sepultureros estarían más en carácter—dije yo.

Dejamos a los payasos, tomamos por una calle estrecha y salimos a una plaza en alto llamado de San Pedro Advíncula. La plaza, desierta, era muy tranquila. Desde el pórtico de la iglesia de San Pedro se veía enfrente una palmera al lado de una torre antigua, y en el fondo, las alturas del Janículo.

—¿Aquí es donde está el *Moisés?* —pregunté yo.

—Sí; aquí.

La iglesia era de columnas; a la derecha, cerca del altar, como hundida en el suelo, estaba la estatua del *Moisés* de Miguel Angel. Es una estatua que la conoce uno por reproducciones y fotografías.

—Qué, ¿tampoco le gusta a usted? —me preguntó, bruscamente, Beaufort.

—No; la verdad. Creo que tampoco me gusta.

Salimos de la iglesia a la plaza y bajamos a la calle Cavour por una escalera que pasa por debajo de un arco.

—No comprendo cómo no le puede gustar a usted—dijo Beaufort.

—Me da la impresión de una obra de ingeniería más que de arte. No hay la sensación de las cosas. Figúrese usted un hombre que no conociera la mitología cristiana. ¿Cree usted que le haría a uno gran efecto el *Juicio final?* Yo creo que ninguno.

—Pero entonces, según usted, no debe haber ninguna idea en las artes.

—Yo casi lo creo así. El arte creo

que debe ser más que nada sensación. Hace quinientos años no era eso. El arte tenía idea y sensación; pero hoy el elemento de idea se ha incorporado a la ciencia, y el elemento de violencia y de pasión ha quedado del dominio del arte, sobre todo de la música. A un Vinci o a un Miguel Angel, hoy, les gustaría más trabajar en un laboratorio que en un taller de pintor; les gustaría más hacer un aeroplano que no un muñeco de mármol.

—De manera que para usted el arte de hoy es una cosa baja, algo como beber vino o fumar opio.

—Sí; algo así.

Y Beaufort y yo nos despedimos.

PEQUEÑA HISTORIA DE VERA DEL BIDASOA

Desde la ventana de mi cuarto oigo el rumor de un arroyo, Shantellerreca, que se desliza a los pies de la casa, y contemplo el pueblo, que se extiende formando una curva.

Ahí, enfrente, se levanta la iglesia, con su torre de piedra cuadrada; las palomas blancas revolotean en derredor suyo, el cielo está azul, y la peña de Aya traza en el horizonte la línea de su cresta almenada. Todo el valle de Vera y sus montes próximos tienen, ordinariamente, un verdor profundo, mayor ahora; ha llovido mucho los días pasados; tras de las lluvias ha comenzado a reinar el viento Sur, y el cielo está puro, con alguna nube lánguida y blanca.

Doblando el valle por la parte del Mediodía y de Poniente, se ven los altos de Baldrun, Pompollegui, Escolamendi, Gatzatierra y Santa Bárbara.

Al ver enfrente el pueblo con su iglesia en la beatitud tranquila de la tarde, al oír el rumor del arroyo que corre a pocos pasos y el cacarear lejano de los gallos, pienso en la vida estática de los pueblos.

¡Cuántas cosas no han visto estas torres viejas de las iglesias!

¡Cuántas generaciones no las han contemplado!

¡Triste cosa esta de ver al hombre como una ola que pasa en el mar de las generaciones!

Por más que uno quiera ser antihistórico, antitradicionalista, el peso de las cosas que fueron obra sobre la conciencia. Ver el mundo como una novedad es imposible para un hombre de hoy.

* * *

Probablemente yo seré—a pesar de mi sentido antihistórico—el único de los que viven en Vera que ha querido conocer algo la historia de esos montes y de la iglesia que se yergue delante de mí.

Este pueblo no ha tenido nunca el tipo del aficionado a la Historia, a quien gusta narrar como acontecimientos importantes los sucesos menudos ocurridos en su villa natal. Vera no conserva vivos más recuerdos que los de la última guerra civil; lo demás ha desaparecido en la memoria de la gente.

Antiguamente, esta parte del Pirineo debía de estar cubierta de selva espesa e impenetrable. Los vascos vivían esparcidos en el campo sin formar pueblos, su religión tenía algo del sabeísmo; adoraban las fuerzas de la Naturaleza, el sol, la luna, el fuego. Se dice que una de las encar-

naciones de la divinidad era el caballo. Se dice que la sociedad primitiva vasca era teocrática.

La energía de las tradiciones y mitos vascos debía de ser grande, porque esta Vasconia fue el país de España que más tarde aceptó el cristianismo. Es un honor para nosotros. El
historiador y presbítero don Estanislao de Labayru lo reconoce así, y demuestra que son mistificaciones las
pruebas que se han dado para demostrar la antigüedad de la fe católica
en esta tierra. Por ejemplo: el santo
navarro San Fermín, obispo de Pamplona, no fue, según Labayru, ni navarro ni obispo de Pamplona.

En esta parte del Pirineo vasco debieron de tener gran predicamento las
brujas y las lamias. En Vera hay un
arroyo que se llama Lamiocingo-erreca (el arroyo de la sima de las lamias), un alto que se denomina La-
míaco, y a orillas del Bidasoa se encuentra un caserío que se llama La-
mi-arri (piedra de lamia).

No es raro que las brujas tuvieran
importancia estando el aquelarre a un
par de leguas de aquí.

Después de la predicación cristiana, cuando esta región pirenaica entró en la esfera del poder espiritual
de Roma, las costumbres debían ser
bárbaras. Un peregrino francés que
fue a Santiago de Compostela, pasando por Roncesvalles, cuenta que
los vascos se dedicaban a desvalijar
a los peregrinos y a matarlos.

En el libro del célebre banderizo
vizcaíno Lope García de Salazar, titulado *Historia de las buenas andanzas
y fortunas*, hay también un magnífico documento de las luchas de los linajes vascos.

Se ve que nuestros buenos antepasados eran de lo más feroces que
imaginarse cabe. Se asesinaban familias enteras con verdadero entusiasmo.

Lope García de Salazar cuenta luchas típicas, entre ellas una sostenida
a principios del siglo xv por un señor de Alzate contra mosén de Saint-
Pee, metidos los dos adversarios en
el río Bidasoa.

En los mapas antiguos, como en el
Atlas Mayor de Juan Blaen, Vera y
Alzate aparecen separados. Vera debió de ser una villa y Alzate un lugar,
del cual era patrón, en el siglo xv,
don Rodrigo de Alzate.

Estos Alzates debían ser una de las
familias más importantes del país.
Eran de los parientes mayores, tenían
el castillo de Urtubi, en Francia, y
varios terrenos y casas fuertes a orillas del Bidasoa. Su escudo era dos
lobos negros en campo de oro.

Mi tía Cesárea, que se llamaba Alzate de segundo apellido, decía que
descendía de este don Rodrigo del siglo xv y de otros Alzates, igualmente
esclarecidos, y que teníamos una porción de derechos en el pueblo.

Yo, antes, no lo creía ni lo dejaba
de creer; pero tanto me van abru-
mando mis amigos llamándome cariñosamente panadero, que voy a creer
esto y otra porción de tonterías.

Sigo adelante. En los siglos xv y
xvi, Vera aparece poco en la Historia. Su gran acontecimiento es el incendio del pueblo, en 1638, por las
tropas francesas del duque de San Simón, que estaban a las órdenes del
príncipe de Condé.

En el barrio de Alzate hay una casa con una viga tallada y escrita, donde se recuerda que la villa fue incen-
diada por fiel a Su Majestad.

Tras este acontecimiento trascendental del pueblo, la vida se desliza
años y años oscura, tranquila, sin dar
motivo para que se fijara en ella la
Historia.

La guerra de Sucesión no señala
hecho importante ocurrido aquí.

En 1794, Vera vuelve a ver su territorio invadido por los franceses. La república francesa ha declarado la guerra a Carlos IV; los republicanos se apoderan de Vera, del valle del Baztán y de Guipúzcoa. El general Harispe, navarro, de San Esteban de Baigorri, demuestra en esta guerra sus grandes condiciones militares.

Se hace la paz de Basilea, los franceses retornan a su país, y doce años después entran de nuevo con Napoleón.

La dominación de Bonaparte deja pocos recuerdos en la villa, únicamente algunos nombres: el portillo de Napoleón, que se le da a uno de los puertos de la frontera, y Casherna-gaña a una colina.

Casherna-gaña es un repecho en la falda de un monte denominado Santa Bárbara. En este alto había antes una casa de una familia de apellido Garmendia. Al entrar los franceses, en 1808, convirtieron la casa de Garmendia en cuartel, que ellos llamaban en francés Caserne, y la gente comenzó a llamar a esta casa la Casherna y al alto Casherna-gaña.

En todas las épocas de la dominación francesa, Vera tuvo su pequeña guarnición. En 1813, el vecindario presenció las luchas terribles de las tropas de Soult con las de Wellington. En el puente de San Miguel hubo una de las acciones más reñidas entre los dos ejércitos de la línea del Bidasoa. Setecientos soldados y setenta oficiales costó el paso del puente a los aliados. Algunos ingleses fueron enterrados fuera del muro de la iglesia, sin duda por ser protestantes.

Hoy, todavía, se conservan cerca de las mugas las trincheras hechas por los franceses y los aliados, y se encuentran en el suelo balas de plomo redondas de sus fusiles.

* * *

Diez años después de esta guerra comienza en toda España la era de las discordias civiles. Las partidas de don Santos Ladrón, de Juanito, de Quesada, recorren los valles pirenaicos; Torrijos, con sus nacionales, atraviesa esta zona; Leguía la recorre con sus voluntarios, y un año más tarde, en 1823, entran de nuevo los franceses con Angulema, precedidos por los realistas españoles.

El absolutismo de Calomarde, con su procedimiento de fusilar y colgar a todo bicho viviente, da a España una paz poco segura. En 1830, Vera presencia una de las expediciones más románticas en la historia liberal del siglo XIX: la expedición de Mina.

La revolución de 1830, en París, había entusiasmado a todos los liberales españoles emigrados en Francia. Se nombra una Junta en Bayona, y se deciden los constitucionales a entrar en España. Pero no hay unidad de acción, tienen celos unos de otros, y todos quieren ser cabezas.

Mina, el más prudente, pretende unificar el movimiento, pero los exaltados no le escuchan. Chapalangarra entra en Valcarlos, y es acribillado a tiros; Fermín Leguía pasa a Vera, y don Francisco Valdés, a Urdax.

El desorden es grande; cada cual hace lo que le parece. Mina y Jáuregui entran por Vera hacia Irún, y toman posiciones en San Marcial.

Valdés cruza de Urdax a Vera, y se queda en la Casherna con cuatrocientos o quinientos hombres. Una mañana de otoño nevada se encuentra el caudillo liberal rodeado de soldados realistas que llegan por todas partes. Valdés se defiende en el puen-

te de San Miguel, pero tiene que
retroceder hasta la Casherna, y allí
ve que le es imposible sostenerse, y
abandona también el viejo cuartel.
Ocho mil soldados de Llauder y los
voluntarios realistas de Eraso, Berástegui y Juanito los van cercando. Entonces Valdés deja la Casherna, y, al
pasar por delante del convento de capuchinos, los frailes, desde las ventanas, le hacen una descarga.

Valdés se retira a la plaza del pueblo, y se defiende allí, pero tiene que
ir abandonando casa por casa y ascendiendo hacia el Calvario del pueblo. Algunos viejos liberales de la
guerra de la Independencia, liberales
entusiastas que han formado una
compañía, llamada Legión Sagrada,
recuerdo de lord Byron y de los filo-
helenos de Grecia, al ver que los realistas fusilan a los prisioneros, se lanzan contra el enemigo gritando: «¡No
hay cuartel! ¡Libertad o muerte!»,
y acometen con tanta furia a los contrarios, que llegan a hacer prisioneros.

Esto permite a Valdés preparar la
retirada, y va escalonando a sus soldados, haciéndoles guarecerse en las
rocas, en los árboles, dirigiendo con
gran pericia los movimientos de su
gente.

Se van acercando los fugitivos a la
frontera, llegan a las mugas y se
creen salvos; pero los realistas siguen persiguiéndolos dentro del territorio francés y fusilando a los prisioneros, hasta que la Guardia Nacional de Urruña de Ciburu les salen
al paso a detenerlos. Cinco años después de esta expedición, en plena
guerra civil, el general Oraa fortifica
la antigua Caserne de los franceses
y la defiende contra las tropas del
carlista baztañés Sagastibelza, que se
acercan al puente de San Miguel por

las alturas de Baldrun y de Pompelle-
gui.

Pasan unas semanas, y Oraa abandona, por órdenes superiores, la línea del Bidasoa, y Vera queda en
poder de los carlistas, y la Casherna
vuelve a ser fortificada por ellos.

El año 1838, el general O'Donnell
entra en Vera y deshace a cañonazos la Casherna. Un grupo de carlistas, al retirarse a la plaza, se encuentra rodeado de liberales, y, no
teniendo por dónde escapar, suben
todos por la escalera exterior de la
torre de la iglesia y se atrincheran
allí. Son veintitrés carlistas con su
sargento, Martín Echebarren; pasan
un día y una noche en la torre, y el
segundo día se escapan descolgándose
por la cuerda de la campana. Un año
después de estas ocurrencias, el canónigo de Los Arcos, don Juan Echevarría, y el general carlista don Basilio se sublevan en Vera contra Maroto y los marotistas y se establecen
en Santa Bárbara y Casherna-gaña,
con el quinto batallón de Navarra.
Sus soldados, desmoralizados, se derraman por el pueblo y sus alrededores, y roban y asesinan a los carlistas, que huyen a Francia. Al mismo
tiempo matan a bayonetazos, en Urdax, al general González Moreno, al
que llamaban los liberales, por el fusilamiento de Torrijos, el verdugo de
Málaga.

* * *

En este período de la guerra de la
Independencia y de las luchas civiles
se destaca un hombre de Vera, soldado atrevido, valiente y audaz: Fermín Leguía.

Fermín Leguía y Fagoaga fue un
tipo admirable de esta primera época
del siglo XIX, tan mal conocida en
nuestro país; sus principios de gue-

rrillero, su hazaña de tomar el castillo de Fuenterrabía a los franceses con quince hombres, sus luchas, en 1823, al frente de una compañía francesa; su vida de conspirador liberal en París y en Londres, su expedición, en 1830, y su campaña carlista, le hacen uno de los hombres más extraordinarios y pintorescos de su tiempo.

* * *

Después de la primera guerra civil pasan treinta y tantos años de tranquilidad, años pacíficos de sembrar maíz y de recoger maíz, y, al cabo de ellos, viene la segunda guerra civil y el terrorismo del cura Santa Cruz. Vera y los montes de Arichulegui son las guaridas del cabecilla. Desde mi ventana veo la huerta donde se paseaba el famoso cura vigilado por su guardia negra; ahí, en el cementerio, están los veintitantos carabineros fusilados por él; en la plaza señalan el sitio donde mandó matar su lugarteniente Praschu a dos de sus mismos partidarios, y todavía en la memoria de los viejos vive el recuerdo de esa partida de carlistas, medio aventureros, medio bandidos, medio campesi-

nos; todos guipuzcoanos, todos buenos mozos. Praschu, Belcha y Chango, de Oyarzun; el *Corneta* y Egozcue, de San Sebastián; Gaperuchipi, de Zarauz; Ollarra, de Lezo; Lushia, de Hernani; Gaztelu, de Rentería; Errotari, Errecochiqui... y otros, igualmente jóvenes, igualmente guapos, alegres y sanguinarios, como hombres salvajes y primitivos.

* * *

¿Por qué produce melancolía recordar estas cosas que fueron? ¿Por qué hay en esa melancolía un extraño encanto?

¿Es mejor saber que esa torre o ese rincón tiene una historia, o es preferible contemplarlos como el campesino que vuelve de su trabajo? ¿Es mejor vivir entre cosas viejas, doradas por el sol de los recuerdos, o entre cosas recién nacidas que emergen de la nada? Realmente es difícil resolverlo. Más difícil ahora, en este momento, en que se acerca la noche, en que suenan las campanas del *Angelus*, murmura el arroyo con más fuerza y una estrella blanca comienza a brillar en el cielo...

LOS PUEBLOS DEL NUEVO TREN

Bidasoa-Irún.—La estación se encuentra en un alto. Desde ella se ve Fuenterrabía, en su promontorio, bajo Jaizkibal, sobre el mar, con la torre de la iglesia negra, los tejados rojos y una arboleda verde al pie. En una lengua de tierra de Francia, las casas de Ondarraitz se destacan muy perfiladas, como los paisajes dibujados por los chicos.

Suenan tres campanadas. Silba la locomotora. En marcha.

Behobia.—Hemos pasado por la orilla del río; hemos visto la isla de los Faisanes, donde la Monarquía española hizo la entrega de dos princesas de la Casa de Austria a dos reyes franceses. Esas casitas del camino, todas con sus nombres, son de Azquen Portu. Por ahí anduvieron los carbonarios de 1823, Fabvier, Caron, Armando Carrel, con sus banderas republicanas, tratando de impedir que los «cien mil hijos de San Luis» entraran en España a acabar con la libertad. ¡Gente admirable aquélla!

Biriatu.—Comenzamos a remontar el Bidasoa. El pueblo que aparece sobre una altura en la orilla francesa es Biriatu.

Biriatu guarda recuerdo de la campaña de 1793 entre españoles y franceses. La Tour d'Auvergne, ilustre como militar y como escritor, atacó varias veces esta aldea, ocupada por los españoles, y cuando éstos se refugiaron en la iglesia, La Tour d'Auvergne fue él solo a romper sus puertas con un hacha en la mano.

Frente a Biriatu, en orilla nuestra, está Lastaola, donde tenía su campamento Muñagorri, el escribano de Berástegui, que sintiéndose político levantó en la primera guerra civil la bandera de Paz y Fueros.

Endalarza.—El paisaje se va cerrando al acercarse a Navarra; el río tiene senos verdes y blancas espumas. Hemos pasado Lamiarri (piedra de la lamia). Se ve la muga de Francia, en el monte llamado Chapitelaco-Arria.

Estamos en Endalarza. Hay un puente, dos casas y el monumento a los carabineros fusilados por Santa Cruz.

Vera.—El río corre encauzado entre taludes de pedrizas por una cañada estrecha. Al ensancharse se ve el valle de Zalain y luego el de Vera: «the charming valley of Vera» (en encantador valle de Vera), dice la vieja guía Murray.

Desde la estación se divisa la iglesia con su grupo de casas que la rodean, la fábrica de hierro, negra, al lado del río, y los montes Larrun, Labiaga y Santa Bárbara, que forman una decoración completa.

Por esos montes hizo Mina, con *el Archaya,* Leguía y sus amigos, la romántica expedición de 1830; cerca de

la iglesia se batieron Valdés y López Baños con los realistas.

Oraa y O'Donnell, con su gente; Zumalacárregui y Sagastibelza, con la suya, recorrieron esos caminos.

Lesaca y Echalar.—Ni Lesaca ni Echalar se ven desde el tren, y es lástima, sobre todo por Lesaca, que es uno de los pueblos de aspecto más marcial del Bidasoa, con su castillo negro, su iglesia en alto y sus arroyos que cruzan las calles.

Yanci tampoco se ve. En su puente, las tropas españolas, mandadas por Longa y Bárcenas, se batieron con furia contra el general Soult en agosto de 1813.

Santesteban.—Se ha atravesado la pequeña república de las Cinco Villas, y se entra en el valle de Lerín, cuya cabeza es Santesteban.

El primer pueblo del valle que se encuentra es Sumbilla, lugar de casas esparcidas en el campo, sombreado por un monte grande: el Mendaur.

Santesteban es, por su aspecto, una pequeña ciudad del siglo XVI; tiene casas antiguas admirables, con arcos y galerías y un hermoso paseo frondoso y bien cuidado.

Bertizarana.—Dejando el valle de Lerín se entra en el de Bertizarana, formado por unos cuantos pueblos muy pequeños y muy bonitos: Narvarte, Oyeregui y Legasa. El escudo de este valle es una sirena con un peine y un espejo. Si se pregunta a los habitantes qué significa esto, darán una explicación de este blasón, que no es menos absurda que las demás explicaciones heráldicas.

El Baztán.—Después de Bertizarana, entre Narvete y Oronoz, viene el valle del Baztán.

Delicioso valle le llama la guía Murray, y añade que es un jardín, y es cierto.

El Baztán es un valle ancho, fértil, rico y bastante templado. Las casas son grandes en sus pueblecitos; muchas tienen el ajedrez en su escudo. Don Juan Goyeneche, en su *Nobleza del Baztán*, explica el origen de este escudo de una manera un tanto absurda, y que no vale la pena de referir.

De sus pueblos, la capital, Elizondo, es el más grande, más rico y más modernizado. Irurita tiene un carácter romántico y arcaico

Cerca de Elizondo está Lecaroz, en donde el general Mina tomó terrible venganza contra los viejos que no supieron decirle dónde estaban los cañones enterrados por los carlistas.

A poca distancia se encuentra también Arizcún, pueblo de grandes casas señoriales, y cerca está el barrio de Bozate, poblado por los agotes, raza despreciada hasta hace poco, a pesar de ser ellos, según parece, los más auténticos godos de la Península.

¡Oh ironía! Para un antropólogo germanista rabioso como Houston Stewart Chamberlain, de moda en Alemania, estos agotes, por ser arios, constituirían el único elemento étnico noble del País Vasco; los demás vascos seríamos para él anarios, es decir, morralla.

En Elizondo acaba el viaje. En el recorrido del nuevo tren abundan las bellezas, los hermosos paisajes, los pueblos pintorescos, las curiosidades étnicas e históricas.

OBRA DEL BIZKAITARRISMO

Es posible que fuera una ilusión, es posible que mi deseo no tuviera base alguna; pero con base o sin base, yo he creído durante mucho tiempo que en las provincias vascas había algo virtual, algo especial que permitiría con el tiempo cierta expansión generosa y noble.

Al iniciarse el bizkaitarrismo pensaba yo que quizá se descompondría y fuera produciendo poco a poco un producto mejor, más moderno y más vasco, más humano y más espiritual.

La descomposición no ha venido y el bizkaitarrismo sigue teniendo el mismo carácter castellano de sus primeros tiempos.

El bizkaitarrismo, por sus ideas, por sus procedimientos, es absolutamente castellano, completamente *maketo*. Es lo malo castellano con un barniz catalán.

El bizkaitarrismo, para un verdadero vascongado, es una farsa.

El bizkaitarra dice: «Los vascos no somos latinos», y al mismo tiempo afirma ser católico apostólico romano y considera que su rey está en Roma.

El bizkaitarrismo dice: «Somos independientes y libres», y todos ellos admiran a Felipe II y no quieren permitir que no sólo en su país, sino tampoco en el resto de España se autorice a las iglesias disidentes la pequeña libertad de poner un signo exterior.

El bizkaitarra dice: «Somos tradicionalistas y respetamos la tradición», y lo primero que hacen es falsificar la Historia y cambiar la ortografía del vascuence.

El bizkaitarra dice: «Nada nos importa por los castellanos ni por su lengua», y cuando escriben, escriben en castizo, imitando a los clásicos castellanos, y si le dicen que han cometido una falta de sintaxis lo consideran como un insulto.

El bizkaitarra dice: «Somos distintos al resto de los españoles», y se entusiasman con los toros y con la jota, con la Virgen del Pilar, con los pianos de manubrio, con los cantos flamencos y con los demás fetiches del país.

¿En dónde está la diferencia? Un catalán asegura que el vascongado es un alcaloide del castellano.

Sin embargo, si hay un tipo que se diferencia étnicamente del resto de los españoles es el vascongado. No considero esto como una ventaja ni como una desventaja, sino como un hecho.

Indudablemente, a esta diferencia étnica debía corresponder una diferencia psíquica.

Yo creo que esta diferencia existirá naturalmente.

El vasco en el campo, no del todo embrutecido por la tiranía católica, me ha parecido un hombre sincero, sencillo, tímido, sin ninguna gana de avasallar a nadie. Nunca he visto entre los campesinos nuestros que tengan esa religión del valor que en otras comarcas la tienen hasta los más cobardes, ni tampoco he podido comprobar en nuestra tierra esas ideas exageradas acerca del honor, la virtud o la patria que existen en el resto de España.

Es verdad que en las ciudades se desprecia y se aísla a la mujer soltera; pero en el campo todavía no, y esto depende de que la acción clerical es menor, de que los campesinos tienen una idea más humana de la mujer, a la que no consideran únicamente por su belleza y su doncellez, sino también por su carácter y sus condiciones para la vida. En cuanto aparece un predicador jesuita en un pueblo, esta benevolencia desaparece.

Si la raza vascongada, en vez de recibir en sus entrañas una doctrina ruinosa, caduca y muerta como la ca-

tolicismo, hubiera respirado un ambiente de libertad y de pensamiento, quizá hubiera dado frutos sazonados a la civilización.

El bizkaitarrismo y el carlismo, extendiendo la acción católica por el país, han matado al pueblo vasco. En las aldeas han acabado con la blandura natural de los campesinos, han secado su imaginación, los han llenado de malos instintos, han suprimido sus fiestas. En las ciudades les han llevado esas ambiciones antipáticas de ser aristócratas, de firmarse con *de*, de armarse caballeros y demás cursilerías; les han inoculado una tendencia tradicionalista y nacionalista que no había existido nunca entre los vascos, y han hecho que se forme una separación bárbara de clases, que las mujeres vivan separadas de los hombres; han acabado con todo lo que era simpático en el país.

Hoy el espíritu lacayuno y dulzón de los jesuitas manda en Vasconia. El padre Coloma, ese jerezano de tipo agitanado, unido a los demás Pérez del jesuitismo, dirigen la campaña bizkaitarra.

Estos, en compañía de los rastacueros de Bilbao y San Sebastián y de los navarros ribereños del Ebro, se han arrogado la representación de todos los vascos y nos pintan a los demás como son ellos: intolerantes, mezquinos, bajos y llenos de malas pasiones.

La región vasca es hoy un baluarte del ultramontanismo. El bizkaitarrismo no moviliza vascos contra castellanos, sino Pérez contra Pérez, Colomas contra Colomas, *maketos* contra *maketos*.

Para nosotros es triste, porque esta confabulación del jesuita y del carlista con el bizkaitarra ha acabado con el espíritu de un pueblo que quizá hubiera hecho algo bueno en el mundo.

LECOCHANDEGUI, EL JOVIAL

No creo que haya minero, ni cazador de palomas, ni pescador de salmones o de truchas que sea tan conocido en las márgenes del Bidasoa como Lecochandegui, el comisionista de la casa Echecopar y Compañía, de Pasajes e Irún.

A Lecochandegui le conocen los posaderos, los tenderos, los carabineros, los cadeneros, los barreneros... Todo el mundo le saluda, le llama familiarmente Leco, le dice algo al verle pasar en el automóvil público.

Lecochandegui es un hombre alto, serio, de nariz larga, los ojos algo tiernos, una boina muy pequeña en la cabeza y una corbata roja en el cuello.

Si se pone corbata negra le toman por un cura vestido de paisano, y esto le humilla, porque Leco se siente más republicano que Robespierre.

Lecochandegui es conocido en Vera desde hace algunos años. Su aparición en el pueblo fue notable.

El primer día de llegar, al hospedarse en la fonda, se le ocurrió lanzar un bramante negro por la ventana de su cuarto y atarlo a la aldaba de la posada. A medianoche agarró el bramante, tiró de él, y pam, pam, pam, dio con el llamador tres golpes sonoros en la puerta.

El amo de la posada, ex carabinero y castellano viejo, se levantó, vio que no había nadie, y, refunfuñando, se volvió a acostar.

Pasó un cuarto de hora, y al cabo de este tiempo, pam, pam, pam, Lecochandegui dio otros tres golpes.

Se abrió de nuevo la puerta, y el ex carabinero, al ver que seguía sin haber nadie, se incomodó, y saliendo a la carretera, y dirigiéndose a los cuatro puntos cardinales lanzó los más terribles insultos a los supuestos guasones y a sus respectivas madres.

Lecochandegui, mientras tanto, se reía silenciosamente.

A la tercera vez, el ex carabinero no cerró la puerta, pensando que en aquello había alguna trampa. Lecochandegui tiró el bramante a la calle y abandonó su ejercicio.

A la noche siguiente, Leco pensó acostarse muy temprano, porque tenía que salir en el automóvil por la madrugada.

Al ir a la cama vio en un rincón un montón de latas vacías de gasolina. Se durmió pensando en ellas, se levantó a las tres, hizo su maleta y se acordó entonces de las latas. Las cogió y fue amontonándolas delante de la puerta de un viajante rival suyo, hombre rubio y tan chato que no se le veía la nariz. Luego, tomando la jarra de su cuarto, empezó a echar agua por debajo de la puerta de la alcoba del comisionista. Hecho esto, se puso a gritar: «¡Fuego! ¡Fuego!», y bajó a la carretera con su maleta, donde tomó el automóvil.

El viajante rubio y chato, al oír aquella voz, se levantó despavorido, saltó de la cama, y al poner los pies desnudos en el mojado suelo, creyó que echaban agua para apagar el incendio; encendió la luz, empujó la puerta y las latas cayeron armando un gran estrépito.

El hombre estuvo a punto de desmayarse. Cuando se enteró de que todo ello era una farsa de Lecochandegui, decía:

—Esas no son bromas para darlas a un comisionista.

El pobre hombre sin nariz creía que un comisionista era un producto delicado y espiritual adonde no debían llegar las bromas.

Con estos antecedentes no era raro que Lecochandegui tuviese en Vera gran popularidad.

Yo le conocí un domingo en el estanco. Había allí gran reunión de aldeanos. Leco estaba esperando el correo. De pronto dijo en vascuence a unos cuantos caseros, con su habitual seriedad:

—También vosotros sois bien tontos para ir a misa a los escolapios.

—¿Por qué?—preguntó un campesino—. ¿No son curas como los otros?

—¡Los escolapios! ¡Qué van a ser curas! Todos son carabineros retirados—y después añadió—: ¡Parece mentira que el Gobierno dé esas atribuciones al Cuerpo de Carabineros!

Tras de esta exclamación política, Leco salió del estanco y se marchó carretera arriba.

Unos meses después, Lecochandegui vino a las fiestas del pueblo con unos cuantos de Irún. Al principio estuvo serio; pero al anochecer perdió los estribos, salió al balcón del casino con un paraguas en la mano y comenzó a echar un discurso incoherente y confuso.

En la cena en casa de Apeiztegui sacó, yo no sé de dónde, la teoría de que algunas personas, cuando están bebiendo con el vaso en los labios, oyen menos que de ordinario.

Se hicieron infinidad de pruebas, y a las cuatro de la mañana Leco y sus amigos volvieron a Irún cantando *La Marsellesa* y completamente trastornados.

Leco afirmó siempre con tesón, y poniendo en ello toda su alma, que eran las natillas las que le habían hecho daño aquella noche, y no el vino ni los licores.

* * *

Un día, al comenzar la guerra, encontramos a nuestro gran Lecochandegui cenando en las Ventas de Yanci. Estaba esperando el automóvil. Tenía un gran público de contratistas y capataces que trabajaban en un salto de agua próximo.

Leco estaba a sus anchas. La guerra le daba grandes motivos para sus fantasías; su tema favorito eran los inventos de los franceses y de los alemanes.

Había explicado a su público en qué consistían los polvos Turpin que se fabricaban en Tarbes y que dejaban los enemigos muertos y de pie, y la clase de máquinas misteriosas que se hacían en el Boucau.

Pero todo esto no era nada al lado de las cosas que estaban inventando los alemanes: cañones que andaban por el aire, polvos que le dejaban a uno desmayado, flechas con venenos... En aquel momento estaban construyendo unas trincheras para las nubes...

—¿Para las nubes?—dijo uno de los capataces—. Eso no puede ser.

—¿No?—exclamó Lecochandegui, sarcásticamente—. Pregúntelo usted a von Klück, ya verá. ¡No se van a poder poner trincheras en las nubes! Como en tierra o mejor aún.

—No sé donde se sujetarán.

—Usted, no; pero von Klück ya lo sabe desde hace tiempo. Se lo enseñó un turco o argelino, no sé qué demonio era.

Uno de los capataces—el *Catapás* le llamaban allí—dijo que los alemanes quizá tuvieran que capitular por hambre; pero Lecochandegui afirmó desdeñosamente que no. Estaban ya haciendo carne con madera y pan con paja. Todos los sombreros de paja de las temporadas anteriores los tenían decomisados para convertirlos en panecillos a su tiempo debido.

Se fantaseó un tanto acerca de estas novedades, cuando Lecochandegui, que no podía contenerse gran cosa en un punto de la conversación, exclamó de repente:

—Los que son terribles son esos animales que han traído los franceses para la guerra.

—¿Qué animales?

—Esos que están llevando a Hendaya a las peñas de Santa Ana.

—No sabíamos nada. ¿Qué son?

—Hay de todo. Hay *popótamos*.

—Hipopótamos—dije yo.

—No, no, *popótamos*; así los llaman ellos y así los llama *musiú* Martín, que los cuida. Hay también sirenas que cantan y unos vampiros grandes.

—Pero los vampiros son pequeños—saltó uno que había estado en América.

—¿Pequeños? Lo que es ésos no lo son. Vaya usted a verlos. Hay algunos de cinco metros de altura.

—Con las alas extendidas parecerán aeroplanos—exclamó el *Catapás*.

—Yo no les he visto las alas extendidas nunca—contestó Leco. Y añadió—: Las tenían envueltas en gasa fenicada.

—¿Para qué?

—Dicen que les salen una especie de sabañones en la membranas con las humedades de aquí.

—¿Y los alimentarán con sangre? —pregunté yo, riendo.

—Antes, en su país, sí—contestó Leco—. Les daban a cada uno dos o tres docenas de niños para que les chuparan la sangre; pero ahora les engañan con suero de leche de vaca, teñido con minio y un poco de bicarbonato de sosa.

—¡Vaya un pisto!—murmuró un riojano.

—¿Y de dónde vienen los vampiros?—pregunté yo.

—De Calcuta—dijo Leco—; los ha traído *musiú* Martín con unos indios con unas barbas grandes, blancas, y unos anteojos de plata.

—¿Y hay más bichos?

—Sí; hay unas serpientes de mar con unas escamas de acero galvanizado.

—¿Y para que las quieren?

—Para el correo marítimo—contestó Leco—. Sirven en el agua como las palomas mensajeras en el aire. Si tuviera dinero le compraría una a *musiú* Martín. Son mansas como perros... Es el automóvil. Bueno, señores. ¡Adiós! Y no dejen ustedes de ir a Hendaya a ver los vampiros y las serpientes. Pregunten ustedes por *musiú* Martín.

Y Lecochandegui se marchó con su seriedad habitual.

* * *

Unos meses después encontré a Leco en Irún y me invitó a comer en su casa. Acepté porque tenía curiosidad por saber qué actitud tomaría ante los suyos aquel perpetuo mixtificador.

Lecochandegui me presentó a su madre, a su mujer y a sus chicos, y nos sentamos a la mesa. Se puso el mantel, vino la muchacha, una navarra de las Cinco Villas, con la sopera; la dejó y, mirando al amo, murmuró en vascuence:

—No me atrevo, señor.

—No seas tonta — exclamó Lecochandegui—. Dilo.

La muchacha levantó la tapa de la sopera y dijo:

—Hoy, diecisiete Thermidor. Libertad, Igualdad, Fraternidad. ¡Viva la República!

Lecochandegui hizo un gesto de aprobación y su mujer se llevó la servilleta a la boca y se echó a reír.

—¡Qué tonto eres, Leco! ¡Pero qué tonto!—exclamó.

—Estas mujeres no entienden de cosas serias—exclamó Lecochandegui—. Estoy completando la educación de la muchacha; le he enseñado el calendario republicano, y mi mujer no me lo agradece.

Y Lecochandegui, el jovial, seguía al decir esto tan serio como siempre.

EL PRESTIGIO DEL LIBRO ESPAÑOL

En esta última época se han escrito varios artículos en los periódicos acerca de la producción del libro en España. Todos los articulistas se han preguntando el porqué de la escasa venta del libro español.

A juzgar por las estadísticas, el número de individuos que hablan castellano en el mundo se eleva a 90 millones, quizá a más. A pesar de esto, la venta del libro español es muy reducida y corresponde a una nación pequeña. ¿Esta deficiencia tiene un origen únicamente industrial? No lo creo. Hay que reconocer la realidad, y la realidad desagradable para nosotros es que el libro español no tiene prestigio.

¿De qué depende esto? No cabe duda de que hay infinitas causas que colaboran en ello, unas de carácter literario, otras políticas e industriales.

Veamos las causas literarias.

En casi todas partes, el consumo mayor de libros se hace a base de versos, novelas, crítica e historia; también en casi todos los países del mundo este consumo es. principalmente, de obras modernas que llevan a lo más cien años de vida. La literatura clásica tiene siempre un número de lectores reducido. Así, un país de pasado brillante y literatura moderna pobre tendrá una industria editorial poco fuerte, y al contrario.

Concretándose al caso de España, se ve que nuestra patria ha seguido su tradición literaria en los últimos cien años, sin conseguir la suerte de dar hombres extraordinarios que hayan renovado el prestigio antiguo de nuestras letras. Respecto a la poesía, la literatura española, comparada con la de los demás países de tradición de Europa, ha tenido en estos últimos cien años una gran pobreza lírica; no hemos producido más que dos poetas de temperamento y los dos malogrados: Espronceda y Bécquer.

El español aficionado a la poesía, el negociante que vive en las Pampas o que comercia en Filipinas o en la Patagonia, no tiene con estos dos poetas lo bastante para alimentar su efusión lírica. Si quiere extender sus lecturas por las obras de otros poetas contemporáneos, se encontrará con un fárrago de versos sin lirismo, algunos de forma rica, como los de Zorrilla; la mayoría, sin valor sentimental ni formal. Quizá entre estas gentes haya quien pueda saltar de la época y remontarse a lo antiguo; pero éstos serán muy pocos, porque por muy maravillosas que sean, y para mí lo son, las poesías de fray Luis, de San Juan de la Cruz o de Jorge Manrique, no es fácil que espontáneamente un hombre de vida moderna, comercial, sin preparación literaria, pueda gustarlas.

Respecto a los poetas actuales, yo quizá me engañe; pero no encuentro ninguno que tenga un espíritu lírico original y bien determinado; casi todos son «virtuosos» que hacen variaciones a la manera de los maestros.

El español romántico, la española

de temperamento poético no pueden reunir los seis o siete tomos de versos de autores modernos que le sirvan para soñar después del trabajo en el almacén, en la oficina o en la tienda de modas.

Otro punto importante para la producción editorial es la novela. La novela es actualmente el libro de batalla; bajo su pabellón se encubre todo: filosofía, crítica, pedagogía, sociología...

En la novela española de estos últimos años no se puede decir que haya escasez ni falta de condiciones. Novelistas de tipo concreto ha habido varios en el siglo XIX; lo que no ha habido ha sido ninguno que haya llegado a ser universal, ninguno que haya podido competir con los antiguos prestigios, no ya con el de Cervantes, que esto, prácticamente, es imposible, sino con el de escritores como Hurtado de Mendoza, Quevedo, Espinel, Vélez de Guevara, etc.

Las obras de estos viejos autores entraron en el mundo de lleno, preocuparon, se imitaron; las de los autores de hoy no han pasado al torrente universal, están condenadas a tener un carácter provincialista que el español emigrado y viajero, que es el que compra más libros, en trato siempre con extranjeros, nota mejor que nosotros.

Quizá si los escritores españoles hubiéramos tenido, como los pintores, un Goya que sirviera como lazo de unión del arte antiguo con el moderno, nos hubiéramos acogido a su sombra; pero los escritores no hemos tenido esta suerte, y la literatura española, que perdió su prestigio en Europa en el siglo XVIII, no lo ha vuelto a recobrar.

Cierto que esto ha dependido de una serie de causas históricas, políticas y económicas; pero el hecho es

que el prestigio no ha vuelto. No ya en países germánicos, ni aun en Francia ni en Italia se conoce la literatura española contemporáneas.

Algún francés de estos bien educados que quieren reconfortar a un español, suelen decirle:

—¡Oh, si nosotros conocemos muy bien la literatura española; leemos a Cervantes..., sabemos quiénes son Blasco Ibáñez y Gómez Carrillo!...

Muchas veces se nos ha dicho que en Inglaterra eran conocidos y hasta populares Galdós y Palacio Valdés. Es una piadosa ilusión.

Yo recuerdo que en Londres, con un amigo inglés que quería traducir unas Memorias al castellano, creo que de la reina Victoria, fui a ver a varios editores. Ninguno conocía ni de nombre a los autores españoles. Al llegar a casa de Heineman, que sabía que había publicado obras de Galdós y de Palacio Valdés, le pregunté si se vendían, y él me aseguró que no conocía a estos autores ni había publicado sus obras.

Insistí yo en que sí; él porfió en que no; le pedí un catálogo de su casa, y le demostré que lo que yo le decía era cierto.

¡El mismo editor de sus obras no recordaba ni el nombre de estos dos celebrados novelistas españoles!

Este espejismo de ser conocidos fuera de su país lo tienen en mayor intensidad los catalanes, a quienes pasa como a los castellanos: que, fuera de su tierra, no les conoce nadie.

Si España hubiese tenido éxitos políticos en lugar de fracasos durante el siglo XIX, nuestra literatura contemporánea parecería más importante que hoy. No es, sin duda alguna, lo que produce nuestro descrédito el que los escritores de aquí valgan menos que los de otras partes. Lo que ocurre es que no tienen pedestal. El mundo no se ocupa de lo que pasa en España. Si Paul Bourget, Marcel Prévost, Paul Adam o el mismo Barrès fueran españoles, los miraríamos por encima del hombro y empezaríamos a decir, *sotto voce*, que eran unos pobres hombres. Y es posible que tuviéramos razón.

El prestigio del libro de un país no depende sólo de un valor literario, sino de la importancia del país y del lugar que éste ocupe en el mundo. Si España acaba esta guerra haciendo un buen papel, como por ahora lo va haciendo, a medida que aumente su prestigio político aumentará también el literario.

Otra producción más secundaria que la novela, desde el punto de vista comercial, es el libro de crítica y de Historia. Y uno y otro apenas se cultivan en España. Falta entre nosotros el Sainte-Beuve, el Carlyle o el Taine que dé pasto a la afición crítica del lector, como falta el Renán o el Michelet que presente la Historia de una manera cálida y entusiasta.

En casi todos los ramos de la producción literaria nuestra literatura está llena... de vacíos. Es ella como un gran tronco con ramas gigantes y con otras atrofiadas.

Así sucede que, bajo su corpulencia y bajo su gloria, no se pueda acoger más que un libro raquítico y mezquino a quien viste como a un hospiciano el buen judío que hay dentro de un editor español.

EL TIPO PSICOLOGICO ESPAÑOL

Cuando el español marcha al extranjero, casi siempre tiene que soportar algún desdén, y, lo que es más desagradable, alguna explicación acerca de la psicología española.

Es, ciertamente, molesto oír a un francés o a un inglés culto en cuestiones generales que, sin saber nuestro idioma ni conocer nuestro país, nos describe como un naturalista puede describir un coleóptero, con todas sus particularidades; pero es todavía mucho más desagradable oír a un americanito, que apenas sabe firmar y que lleva las plumas en la maleta, definirnos con lugares comunes cogidos de un libro francés.

Yo, siempre que he hablado con extranjeros, he tratado de convencerles de que la psicología española, que pasa como verdadera e indudable, es un lugar común un tanto problemático.

El español, según la distribución de papeles que han hecho Fouillée y otros escritores, es hidalgo, fanático, puntilloso, imaginativo, etc.; lo ha sido siempre y lo sigue siendo.

¿Qué hay de cierto en todo esto? Yo creo que muy poca cosa.

Primeramente, no sabemos qué es lo permanente en España, y si desde un punto de vista espiritual hay una o varias Españas, uno o varios tipos de españoles.

Los que creen en la unidad se basan en la antropología, en la literatura y en la Historia; los que creen en la variedad se basan también en la antropología, en la literatura y en la Historia.

La antropología dice muy poco, por ahora: señala en la Península una gran variedad étnica, pero una variedad de tipos tan próximos que no se puede deducir de ella consecuencia alguna.

Se necesitará mucho tiempo para que la ciencia de las razas (la fantasía de las razas, según algunos) pueda obtener conclusiones, y es posible que cuando las obtenga no aclaren nada en la práctica; tal será con el tiempo la mezcla étnica en todos los pueblos.

La base de los que creen que hay una psicología única en el español, la encuentran en la literatura, y, sobre todo, en la literatura del siglo XVII.

Yo creo que, examinando esta tesis del tipo único del español, se advierte que no ofrece gran consistencia. La literatura española, como todas, tiene el sello de la cultura y de la ideología de la época; nuestra literatura toma de fuera y presta también afuera sus productos. Así, el poema del Cid se forma, al parecer de algunos eruditos, por influencia de la canción de Rolando; el Cid, tan español, tiene en su gestación, según estos investigadores, algo de francés, y después vuelve a tener una nueva personalidad francesa en Corneille. Estos préstamos son constantes en las literaturas. Molière imita a Alarcón y a Tirso; después Moratín imitará a Molière.

¿En qué literatura no pasará esto? ¿Cuál de ellas no estará hendida, atravesada por la influencia de las otras? Se podría decir que hay algo peculiar en cada literatura; quizá es cierto; pero ¿qué es lo peculiar en nuestra literatura? ¿Cuál es su característica? ¿Es el énfasis? ¿Es la exageración? Entonces Corneille y Víctor Hugo son más españoles que los españoles mismos. ¿Es el conceptismo? Hay conceptistas en todas partes.

El que busque razonamientos o datos en la Historia para orientarse y ver si hay unidad o variedad en el tipo español a través del tiempo, se encontrará con que la historia de España está por hacer. Se conoce, sí, una narración anecdótica de los reyes y de sus familias; pero la vida de los pueblos y de las comarcas está en la oscuridad.

No sólo los detalles, sino lo más fundamental queda sin aclaración. Así, por ejemplo, un proceso tan importante como el de la supuesta decadencia de España está sin resolver.

Corre desde hace tiempo como una verdad inconcusa que España, en tiempo de los Reyes Católicos, tenía 25 ó 30 millones de habitantes.

Esta afirmación, que se repite y parece cierta a fuerza de ser repetida, no está basada en nada. Confrontando datos de aquí y de allí, se llegaría a creer que España nunca tuvo en el siglo XVI una población superior a cinco o seis millones de habitantes.

Otra manifestación de la misma idea es la decadencia de la cultura. Se supone gratuitamente que España en los siglos XVI y XVII fue un gran centro de cultura, que decayó por completo. Para hacer destacar más esta idea, se ha intentado dar un aire de esplendor a los siglos XVI y XVII y hundir en la sombra el XVIII, cosa que no es la realidad, ni mucho menos. El siglo XVIII español no es un siglo vacío de cultura. Tiene, es cierto, una inferioridad artística con relación al anterior, pero nada más. España, probablemente, nunca ha sido un centro de cultura; nuestro país ha estado siempre en la frontera de la civilización. El fruto artístico y literario de España es un fruto periférico, de una zona donde la cultura se mezcla con la Naturaleza.

Los que quieren afirmar a España como foco de cultura en el siglo XVI suelen citar a Luis Vives, a Miguel Servet, a Loyola y a otros que no tenían de español más que el nacimiento. ¿Se explica que estos hombres hubiesen salido definitivamente de España si en su país hubiesen tenido un foco intenso de cultura? España no ha poseído nunca grandes medios materiales, no ha contado con emporios de civilización. Además de esto, su economía pobre fue perturbada por el descubrimiento de América. Han faltado en nuestro territorio las ciudades ricas, comerciales, populosas.

Hombres cumbres repletos de sentido pedagógico, como los del centro de Europa, no los ha tenido España, no por falta de genio, sino por falta de ambiente y de riqueza; así no ha habido entre nosotros humanistas del tipo de Erasmo, de Voltaire, de Diderot, de Goethe, como no hemos tenido sabios del estilo de Lavoisier o Herschel, ni pintores a lo Leonardo de Vinci.

Los grandes hombres de España parecen nacidos solos y desnudos en medio de la Naturaleza; así son Calderón, Velázquez, Goya. Son los tipos de la cultura periférica, como esos *pioneers* que edifican su granja en los últimos linderos del mundo civilizado.

La creencia de que España no ha entrado definitivamente todavía en la zona central de la civilización hace pensar en una posible transformación de España; hace pensar también en que el tipo del español, hoy oscuro para nosotros, llegue a aclararse, a decantarse y a verse en él de una manera precisa sus aptitudes.

Ha de llegar un día, relativamente próximo, en que la población de España se haga densa, en que las ciudades estén rebosando, en que la paz esté segura y no haya peligro de algaradas ni de motines.

Al mismo tiempo, el norte de Africa se habrá civilizado y la Península será un paso de un continente a otro.

Entonces España será una nación de cultura central, tendrá una política seria, sus estadísticas serán irreprochables, sus escuelas estarán perfectamente organizadas, producirá su ciencia en sus laboratorios y su arte en sus talleres.

Quizá entonces algún español recalcitrante se queje y diga: «¡Cuánto mejor se debía vivir en la España desorganizada de antes!» Pero esta queja podría repetirla un descontento en el paraíso de Mahoma o en el nirvana de Buda.

EL HEROE, EL SEÑOR Y YO

El héroe no es en este artículo más que una entelequia; el señor es un hombre cetrino, de aspecto desagradable, y yo soy el abajo firmante.

Este señor cetrino es un tarro de vinagre con una capa de crema encima para despistar al observador. Parece que escribió un drama social y se le quedó dentro como un cálculo en la vejiga, y esto, sin duda, le duele.

El hombre aceitunado cree que escribir un drama social es sacrificarse por los demás. Cuando habla de cómo ha resuelto el problema del artículo 147 del Código penal y cómo están en su obra los caracteres sostenidos, se emociona.

Yo, al oírle hablar de estos caracteres sostenidos, me lo figuro siempre en un hundimiento sosteniendo una pared que se cae.

Este señor, rampante y venenoso como el óxido de carbono, necesita acercarse a los que le molestan para ver de comunicarles un poco de su acritud, un poco del dolor de su cálculo vesical.

A mí me quiso convencer de que

debía leer en la biblioteca del Ateneo un libro mío, anotado con insultos por no sé qué ateneísta y profesor. Yo le dije varias veces: «¿Para qué?», y no le leí.

Este señor del cálculo supone que lo que hemos venido a escribir tras él y hemos podido expeler nuestras modestas concreciones al exterior con cierta tranquilidad, hemos destruido el mejor de los mundos. El mundo de las batallas y el de la lucha.

En su tiempo, todas eran batallas y lucha. La lucha del periodismo, la lucha del teatro, la lucha del Parlamento, la lucha de la casa de huéspedes. Era el gran tiempo en que el flatulento Núñez de Arce escribía versos y Campoamor hacía aleluyas con un ingenio de notario.

El hombre del cálculo cree que ya no hay caracteres; hoy todo está degenerado, únicamente existe Maura.

La idea del presidente de la Academia de que la sociedad se va a arreglar con luz y taquígrafos le seduce.

El señor del cálculo se ha acostumbrado de una manera tan a lo histriónico, que cree que es lo único en la vida. La batalla del teatro, la batalla del periodismo, la batalla de la oficina, la batalla de la casa de huéspedes...

Este hombre del cálculo doloroso me abordó el otro día con cierta afabilidad de pulpo, y me dijo:

—¿Va usted a publicar otro tomo de Aviraneta?

—Sí—contesté yo.

—¿Y qué serie de libros es ésta? —prosiguió, descubriendo el vinagre que llevaba debajo de la crema—. ¿Es un folletín? ¿Es un conjunto de anécdotas? ¿Quiere ser una historia pintoresca de España?

—¡Pchs! De todo un poco.

—No comprendo qué se propone usted. ¿Cuál es su idea? Usted no canta la democracia, el derecho, el respeto a la ley, las batallas de la vida moderna...

—¡Ah!, no; claro que no.

—No veo por qué.

—Para mí hay virtudes de ciudad y virtudes de campo...—empecé a decir.

—Y estas campesinas son las únicas por las que tiene usted entusiasmo.

—Eso es.

—¿Para usted Zumalacárregui o Zurbano son más grandes que Castelar y Salmerón?

—¡Ah!, claro; no tiene duda. Del siglo diecinueve español hemos olvidado los héroes, y no nos acordamos más que de los histriones de la mísera restauración.

—¿De manera que toda nuestra generación, con su preocupación de derecho y de democracia y de arte, para usted ha sido inútil?

—Completamente.

—¿Nuestras luchas no han servido para nada?

—Para nada.

—Todos esos jurisconsultos, grandes oradores, que a nosotros nos parecen nobles, ¿para usted son unos farsantes despreciables?

—Exacto.

—De manera que Cánovas, Ruiz Zorrilla, Martos, Moreno Nieto, Montero Ríos, Maura...

—A mí me parecen gente mediocre. Abogados, charlatanes. Grandes hombres para un pueblo ramplón y decaído. Hombres gesticuladores, buenos para tener estatuas de Querol y de Benlliure.

—¿Estos escultores también le parecen a usted malos?

—Malos, no; vulgares, sin espíritu.

—Y el teatro español del siglo diecinueve, ¿tampoco valdrá gran cosa?

—A mí no me interesa.

—¿Y el libro?

—El libro, poco más o menos, lo mismo que el teatro.

—¿Así que, según usted, aquí todo es pequeño, y únicamente los alborotadores, los sanguinarios, los turbulentos, los Aviranetas son los grandes?

—Eso es.

—¿De manera que el pensamiento para usted no es nada?

—Sí, hombre, mucho; cuando es pensamiento.

—¿De manera que la democracia para usted es una farsa?

—Sí; algo de eso.

—¿Y la justicia social, una mentira?

—Por hoy, creo que sí.

—¿Y la moral, una mixtificación?

—Algo por el estilo.

—¿Y qué queda entonces?

—Queda el hombre, el hombre, que está por encima de la religión, de la democracia, de la moral, de la luz y taquígrafos, de los versos de Núñez de Arce y de las aleluyas de Campoamor...; queda el hombre, es decir, el héroe, que, en medio de las tempestades, de los odios, de los recursos de la mediocridad, de la envidia de los hombres cetrinos con las vejigas calculosas, impone una norma difícil a los demás; sí, queda el hombre, el héroe...

¡Oh tú, joven lector! Si te sientes hombre, si te sientes héroe, si te sientes con fortaleza para serlo, no vaciles, no oigas a las sirenas de aspecto hepático que encuentres por las calles; no hagas caso de viejas momias ni de supersticiones cristianas; sacrifica tu dicha, sacrifica a tu prójimo, sacrifica todo lo sacrificable..., porque vale la pena.

ALREDEDOR DE LA GUERRA

¿CON EL LATINO O CON EL GERMANO?

Esta cuestión de la hermandad latina me parece una de las cuestiones capitales para España. Es un problema que los españoles debiéramos tener dilucidado y resuelto hace años. La unión de la raza latina ha sido durante largo tiempo un tópico para banquetes y fiestas con discursos, banderolas y fuegos artificiales.

El estudio de la Antropología echó abajo hace tiempo la leyenda de una raza latina. No existe raza latina. En las dos penínsulas occidentales del Mediterráneo y en Francia hay gentes de todas castas y procedencias; hay braquicéfalos y dolicocéfalos, arios y semitas, celtas y germanos, griegos y mongoloides.

El tipo nacional no ha sido formado por la raza originaria, sino por el país donde ha vivido: a los franceses les ha dado carácter su tierra llana, fértil y bien regada; a los italianos, su península estrecha, llena de entradas de mar; a los españoles, las altas planicies centrales, secas y de clima áspero.

Los países que se llaman latinos tienen cierta unidad de origen, pero no unidad de tipo. Tienen también unidad en el origen del idioma, pero no completa. En casi todas las antiguas provincias romanas se hablan lenguas neolatinas; sin embargo, hay dos zonas en estos países en donde el idioma no procede del mismo origen: Bretaña y Vasconia; Bretaña, que tiene un lenguaje céltico de origen indogermánico, y Vasconia, que posee un idioma que ni siquiera es ario.

Decirme a mí, vasco, que por latino debo ser hermano de un napolitano o de un marsellés, es un absurdo.

El Papado se podría considerar como una representación de la unión latina, como una continuación espiritual de la Roma antigua, hasta hace poco; pero precisamente en nuestros días, Francia se ha separado de la comunidad, rompiendo el lazo que le unía al Sacro Imperio Romano.

Ni la raza, ni el idioma, ni la religión une a estos pueblos que se llaman latinos. ¿Los une su carácter? Tampoco.

Francia es el pueblo armónico, razonador, completo; sus hombres han brillado en todos los ramos del saber; ha tenido constantemente sabios, artistas, militares, filósofos, siempre en su justo medio; Italia, país de grandes hombres en la antigüedad, ha contado con los dos polos del pensamiento: el polo europeo en Florencia y en el Norte, el polo africano oriental en Nápoles y en el Mediodía; España, intermedio entre Europa y Africa, ha sido el país dramático, exaltado, apasionado, un mundo aparte, diferente del mundo europeo y del mundo africano.

Ni en el concepto de la vida, ni en el sentido religioso, ni en la política, estos países se han asemejado ni se asemejan. Francia ha tenido siempre esa tendencia de constituirse en Estado de los grandes países europeos; Italia ha sentido más que nadie la ciudad. Italia es la representación civilizada del Mediterráneo, como Marruecos es la representación primitiva y biológica. Lo que es el cabilismo para Marruecos es ese régimen de ciudades para Italia. España hubiera orientado su vida en un sentido quizá parecido al de Italia a no haber interrumpido su marcha el descubrimiento de América, que indudablemente la perturbó y la aniquiló.

Todas las diferencias y separaciones étnicas y políticas no tendrían valor si hubiera un fondo de simpatía entre los que se llaman pueblos latinos; pero no pasa esto, ni mucho menos.

El francés de hoy siente admiración por la Italia antigua y desdén por la actual; mira como un escenario pintoresco a España e ignora lo que es Portugal; el italiano odia en el fondo a Francia, a quien considera la rival triunfante; mira con recelo a España por si pudiera encontrarse con ella en el porvenir, y siente antipatía por los españoles por los recuerdos que dejaron en Nápoles y en Milán; el español siente una mezcla de admiración y desdén por los franceses, no estima ni conoce la Italia de hoy y se burla de Portugal; respecto al portugués, tiene una admiración por Francia, estimación por Italia y odio por España.

¿Qué unión se puede basar en estos sentimientos contradictorios? Yo creo que ninguna. Para mí la hermandad latina es un trasto viejo mandado recoger. Si el sentimiento no induce al español a una alianza determinada, ¿qué debe hacer España?

¿Aislarse? Esto es demasiado fácil, demasiado propenso a la rutina, para ser conveniente. ¿Aliarse? ¿Con quién? Las alianzas con Francia y con Inglaterra han dado históricamente a España mal resultado. Nos queda la posibilidad de una alianza con Alemania; pero ésta me parece un poco lejana y problemática. De poderse realizar de una manera natural, creo que sería conveniente.

Hay un hecho muy significativo, y es que en casi todos los países, incluso los latinos, a mayor germanización corresponde mayor civilización.

En Italia, en Francia, en Suiza, en Bélgica, en Holanda, las zonas fronterizas más germanizadas son las más prósperas. Nosotros no tenemos, desgraciadamente, ninguna frontera con Alemania; si la tuviéramos, la influencia alemana se ejercería aquí de una manera natural, sin necesidad de alianzas. Desde este punto de vista, creo que para los españoles sería conveniente que Alemania llegara a ser dueña de Marruecos; esto haría que la civilización germánica llegara a España intensamente por el Sur.

Esta sería la forma mejor para que alemanes y españoles se conocieran. La alianza política hecha por los Gobiernos de España y Alemania, como la desean los reaccionarios, podrá traernos solamente la parte exterior de la Alemania actual, la parte de postura y de baladronada del kaiser, la parte de la Alemania de cuartel y de cuerpo de guardia, no la Alemania científica, organizadora, industrial, que es la que nosotros quisiéramos conocer e imitar. En este caso, la alianza, más que conveniente, sería perjudicial.

Los hombres de la España de hoy que conozcan bien el problema deben ir aportando datos para que el español vaya viendo si le conviene más, con el tiempo, aliarse con el latino o con el germano.

Agosto, 1911.

NUESTRA FRANCOFOBIA. NUESTRO ESPAÑOLISMO

Un amigo me envía un artículo de *Le Temps*, en el que su corresponsal en Madrid, M. J. F. Juge, se ocupa de la campaña actual de la mayoría de los periódicos españoles acerca de Francia, que califica de francófoba.

Monsieur Juge dedica un párrafo a criticar un artículo mío de *El Impar-* *cial* que no sentó bien a algunos de sus compatriotas.

Voy a contestar a lo que dice el corresponsal de *Le Temps* en bloque, y no punto por punto, intentando aclarar mi manera de ver personal. En toda cuestión se puede tener razón en los detalles y no tenerla en el fondo.

Monsieur Juge podrá fácilmente reunir en los periódicos madrileños un ramillete de artículos y recortes de carácter francófobo, como cualquier español podrá reunir otro de carácter hispanófobo en los diarios de París; pero si el periodista francés quiere atenerse más a las intenciones que a las palabras, y más aún a los hechos que a las intenciones; si intenta observar con sus propios ojos, verá que en España no sólo no hay tal francofobia, sino que en el fondo hay un entusiasmo muy grande por Francia.

Claro que los reaccionarios españoles han de hablar con odio del Gobierno francés, heredero de los que han separado la Iglesia y el Estado y han secularizado la enseñanza; pero este odio contra los radicales franceses va a ellos no por ser franceses, sino por ser radicales.

Respecto a los republicanos españoles, hay que reconocer que su admiración por Francia ha llegado a los límites de lo grotesco. Todas las campañas revolucionarias nuestras han sido calcadas en las francesas. ¿Que alguien tenía que denunciar una supuesta injusticia? Pues encabezaba su artículo diciendo: «Yo acuso.» ¿Que se trataba de un modesto chanchullo municipal? Se le llamaba en el periódico: «El *affaire* del Ayuntamiento.»

Durante muchos años la vida española ha sido una copia servil de la francesa en ideas, en nombres, en todo. En Valencia, hace años, se hablaba de Zola y se le llamaba don

Emilio, como si fuera algún concejal republicano de por allá y hubiese nacido en Mislata. Hace algún tiempo, en un juego de pelota de la calle de Tetuán, se encerraron unos cuantos, no sé por qué, y no quisieron abrir a la Policía, y un periódico, al comentar el caso, lo llamaba «el fort Chabrol de la calle de Tetuán».

Un poco más en nuestro galofilismo, y hubiéramos llegado a decir el bulevar de los Italianos de la calle de Alcalá, la plaza de la Opera de la Puerta del Sol y el Louvre de la plaza de Oriente.

El corresponsal de *Le Temps* dice que hay en los periódicos españoles una crónica, el «Artículo de París», en donde se habla sistemáticamente mal de la gran ciudad. Esto también no es más que una imitación. Los escritores franceses modernos, desde Balzac hasta Anatole France, han querido demostrar que París es la Babilonia moderna, el mayor antro de los vicios del mundo, y el cronista español, que afirma lo mismo, no hace más que repetir un lugar común francés. Seguramente cree que si pintara a París como una gran ciudad enormemente trabajadora, como es, la deshonraría.

El señor Juge supone que hay cierto número de escritores y de universitarios españoles que se manifiestan galófobos por afán de notoriedad. No lo creo. Es verdad que en España comienza a aparecer cierta tendencia antifrancesa; pero esa tendencia, hoy por hoy, es ligerísima.

Esta tendencia antifrancesa no está ni puede estar basada en considerar a Francia como una nación sin importancia. Sería absurdo. Nosotros creemos que Francia es una gran nación, quizá la primera nación del mundo; pero creemos también que no ha fecundado a España, que no la ha servido, que no la ha ayudado.

¿Es culpa suya o es culpa nuestra? Yo creo que es culpa suya.

Francia proyecta hacia nosotros una porción de cosas inútiles o perjudiciales: modas, libros pornográficos, literatura del bulevar, vinos, licores; en cambio, guarda todo lo que tiene de bueno: sabios, ingenieros, médicos, mecánicos...

Puede uno volverse a preguntar: ¿Es culpa suya o es culpa nuestra? Aunque fuera nuestra la culpa. Si nosotros tenemos una impotencia de mejorar y progresar con ideas francesas, debemos ir a buscarlas a otros puntos: a Inglaterra, a Alemania...

Nosotros debemos tener el pragmatismo de considerar como malo todo lo que ha fracasado en la vida nacional, y la tendencia francófila y latina ha fracasado aquí.

Nosotros tenemos que crear una ideología nacional moderna, saltar por encima de las ideas francesas que no nos convienen. Para esto hay que apoyarse en algo; en lo lejano, aunque hoy por hoy no se lo conozca bien.

Además de estos motivos espirituales, hay otros de índole política que abonan la francofobia naciente. ¿El que el partido colonial francés anima a los rifeños? ¿El que les da dinero y municiones? Nadie con sentido común cree en esto. El Rif es demasiado grande, demasiado salvaje, para seguir las inspiraciones de un grupo de negociantes, de bolsistas y de mineros.

¿Que habrá en Marruecos contrabandistas de armas francesas? Con seguridad. Y los habrá alemanes, y belgas, y, probablemente, españoles.

Ni esto ni esa parte exterior de caricaturas, de sátiras periodísticas, tiene importancia, a mi juicio. Para mí lo importante es que Francia, interesada o desinteresadamente, nos ha aconsejado casi siempre mal.

No ha sido un español, sino un político de importancia, Jaurès, el que ha dado a entender últimamente que Francia nos ha empujado a la campaña de Melilla. Supongamos que no nos impulsó, que dio únicamente su consejo, su permiso. Realmente, no debemos agradecer el favor. Gracias a este permiso, llevamos una campaña de miles de soldados muertos y cientos de millones de pesetas perdidos. En cambio, en Alcázar y Larache, Francia no sólo no dio su visto bueno, sino que se opuso, y se ocuparon estas dos últimas ciudades, a disgusto del Gobierno francés, sin disparar un tiro y sin matar a un hombre.

Hay que tener esto en cuenta. Se va a Melilla con la anuencia del francés, y Melilla es un desastre; se va a Alcázar y a Larache con la enemiga de Francia, y todo el Garb es una balsa de aceite.

La mayoría de los franceses que hablan de España, y entre ellos un señor que ha escrito hace poco un artículo absurdo en la *Revue*, suponen que esta francofobia proviene en parte de un españolismo agudo que padecemos.

En esto los franceses se engañan, como en todos sus juicios acerca de nosotros. Aquí no hay españolismo agudo. Hay, sí, una fraseología literaria y amanerada para hablar de España y cierta tendencia bullanguera que se exterioriza en homenajes, mojigangas, estatuas, cambios de nombre de las calles; pero nada más.

La mayoría de los españoles se figuran que con afirmar que el español es muy valiente y que el *Quijote* es el mejor libro del mundo, ya están en el vértice del españolismo.

Hay hombre muy orgulloso de ser español que, siempre que puede, va a París, viste con trajes ingleses, lee libros franceses y veranea en Biarritz.

Uno se pregunta: «¿Por qué este español, a quien todo lo español le parece malo, está orgulloso de ser español?» Es un misterio.

El mismo caso es el de este comerciante que le dice a uno en la tienda: «Esto no es género catalán, es género inglés», y se siente patriota.

Y es que aquí el patriotismo es una cosa teatral y completamente huera: una cuestión de palabras.

Aun en este patriotismo aparatoso es inferior el del español al del francés, al del italiano o al del inglés.

Hace unos días, en uno de los últimos números de la *Gaceta de la Asociación de Pintores y Escultores*, leía yo una alocución dirigida «A los escultores del mundo» por algunos miembros del Gobierno cubano para hacer un monumento al general Antonio Maceo.

Esta *Gaceta*, que se publica en Madrid, supuso que la alocución y las bases para la erección del monumento interesarían a los escultores españoles, y la estampó a la cabeza del número.

En otro país en iguales circunstancias la publicación de una alocución así sería un caso raro e insólito que produciría protestas; aquí, no; no sólo no ha chocado, sino que hay varios escultores españoles que están comenzando los bocetos para hacer el monumento a Maceo.

—¿Y por qué no?—me decía uno de ellos—. ¿No han ido nuestros escultores de más fama a glorificar la independencia de varias Repúblicas americanas contra España? ¿No han hecho estatuas y alegorías de los que lucharon contra nuestro país?

En parte tiene razón.

Nuestros escritores, en esto no tienen nada que envidiar a los escultores. Ahí ha andado Salvador Rueda soltando su chorro lírico en honor de los cubanos hasta que ha conseguido que le pongan en la cabeza el laurel necesario para el estofado de todas las cenas que ha de comer en su vida.

Blasco Ibáñez, igualmente, no se ha descuidado en dar jabón a los argentinos y en trabajar por la emigración. Para sincerarse, decía que el porvenir de España está en la Argentina, que es lo mismo que asegurar que el porvenir de Cádiz está en Bilbao y el de Santander en Cartagena. Además, según Bonafoux, Blasco pone debajo de su firma como un título: «Español-argentino.»

No hace mucho tiempo se celebró no sé qué mojiganga iberoamericana con motivo de una bandera entregada por Cuba a España, y hubo discursos líricos y fraternidad a todo pasto. Estos señores que andan en esas cosas no comprenden, sin duda, que hay todavía hombres cuyos hijos murieron en Cuba, y que a esos hombres no se les puede decir: «Ahora somos amigos de los cubanos; nos engañamos cuando hacíamos la guerra contra Cuba. Ellos tenían razón; nosotros, no.» Porque si se dijera eso, había que añadir: «Vuestros hijos murieron por una torpeza, por una equivocación, por una estupidez.»

Esa gente, con sus uniones, con sus fraternidades y sus cursilerías, hacen inconscientemente una propaganda anarquista; porque la gente del campo ha de discurrir y pensar cuando le lleven el hijo a Melilla:

«¿Quién sabe? Quizá mañana el Rif se haga independiente, y entonces una Sociedad iberoafricana reciba y agasaje a los rifeños; quizá algún escultor español haga un monumento a El Mizzián o al barranco del Lobo, y algún escritor firme: Fulano de Tal, español-rifeño.»

No; si los franceses y su Gobierno, por excepción, piensan hacer algo bueno para España, pueden tener la seguridad de que no somos francófobos ni somos patriotas exaltados e intratables.

Claro que yo no soy partidario de ese patriotismo alabancioso y petulante que consiste en glorificarse a sí mismo; me parece necio y ridículo.

Para mí la única forma de patriotismo simpático consiste en aceptar el país; primero, como un hecho biológico; después, en conocer sus males y querer remediarlos en competir con los demás pueblos en ciencia, en justicia, en humanidad.

Y si nosotros hoy sintiéramos este patriotismo activo, tendríamos necesariamente que ser mucho más francófobos de lo que somos. Más francófobos, mientras Francia sea, como hasta ahora, para los españoles, el país que no nos comprende, que no nos entiende, que nos pinta como una cosa absurda y arqueológica; el país que nos da el consejo del enemigo, en vez de la indicación del amigo.

CARTA DE UN GERMANÓFILO A UN SUIZO ALEMÁN

Yo soy uno de tantos escritores españoles que no pensaba exponer su opinión acerca de la guerra, por no poder aportar un dato nuevo y comprobado y no tener una versión clara de la totalidad del conflicto, por falta de cultura, principalmente.

Cierto que, además del dato verídico y de la opinión sistematizada y científica, hay el criterio personal, consecuencia del temperamento y de la cultura más o menos incompleta, y ése siempre puede uno tenerlo.

Este criterio personal no se me hubiera ocurrido puntualizarlo si no hubiese recibido hace unos días la carta de un amigo suizo, en que habla de la guerra.

Ya escrita la carta, la publicó. Mi amigo, el suizo, es un hombre de una timidez un poco patológica. Siempre que ha publicado artículos en los periódicos alemanes los ha firmado con seudónimos, o a lo más con iniciales. Parece que su nombre, estampado en letras de molde, le perturba. Contando con eso, sustituyó su apellido con su inicial. He aquí la carta mía, cuyo único interés es el referirse a puntos tratados por él en la suya:

«Querido amigo G.: He recibido su carta, y, a pesar de que usted la califica al final de pobre ensalada francoalemana, a mí me ha parecido interesantísima.

Se ve que los intelectuales, grandes y chicos, de Europa, comienzan a sentir una necesidad de comunicarse, de explorarse y de convencerse, en medio del estrépito de los obuses del 42 y de los Schneider. Yo espero que los sabios y los hombres ilustres lleguen poco a poco a entenderse y a influir en los políticos y militares para hacer la paz.

Acepto la felicitación, un tanto irónica, que me dirige usted por haber visto mi nombre citado con elogio en algunos periódicos alemanes, como el *Berliner Tageblatt* y la *Gaceta de Francfort.*

Ya sé que esto es circunstancial y que no tiene valor de permanencia; pero me parece bien que estos periódicos me califiquen de germanófilo, porque, en realidad, lo soy. Ante todo la probidad

Cierto que no quiero ser en nada solidario con los germanófilos españoles. Usted me preguntará por qué. La razón es sencilla. Los germanófilos de aquí son, en su mayoría, los legitimistas católicos, y los ultraconservadores son los que han abominado siempre de la cultura germánica, los

que creen que Lutero era un malvado, Kant un sectario, Schopenhauer un misántropo malintencionado y Nietzsche un loco. Son los que creen que Aparisi y Guijarro y Vázquez de Mella, el padre Ceferino y el padre Zacarías, han desmoronado por completo la filosofía alemana.

Estos clericales odian a Francia por haber separado la Iglesia del Estado, y no ven en Alemania más que militarismo y disciplina.

Yo no siento por estos clericales —fósiles de la fauna europea—ni estimación ni simpatía, y no quiero estar, ni pasajeramente, en su bando. Ellos admiran a Alemania por lo que a mí me parece abominable en Alemania y fuera de ella, y abominan de Alemania por lo que yo encuentro digno de admiración.

Usted quizá se pregunte por qué me siento germanófilo. Yo me siento germanófilo, naturalmente, más desde antes de la guerra que después de la guerra. Comprendo que la Alemania de hoy es la misma que la Alemania de ayer, que no hay dos Alemanias: una, de Kant, Fichte, Heine y Beethoven, y otra, de von Klück y de Moltke; comprendo que son la misma, aunque no tenga datos para afirmarlo rotundamente ni argumentos para razonarlo. No; yo no acepto ese subterfugio de los radicales de por aquí, de que hay dos Alemanias: la Alemania culta y la guerrera.

El espíritu de claridad, de precisión, de antidogmatismo de la crítica de la razón pura, preside el planeador de Otto Lilienthal, el precursor de la aviación, como el taube que ha bombardeado París; está, igualmente, en potencia en el tubo del microscopio de Roberto Koch como en el tubo del cañón del 42; informa de la misma manera la fundación de una Universidad como la organización de un ejército. Ciencia, precisión, técnica, eso es lo único grande en el mundo: es lo que ha creado toda la civilización moderna.

Las razones de mi germanofilia no son, ciertamente, fundamentales como las que tenga el que conozca bien Alemania. Son razones un tanto personales y ligeramente pragmáticas.

En el pequeño radio de acción de mi vida no puedo menos de confesarme a mí mismo que he encontrado una superioridad real en el intelectual alemán con relación a los intelectuales de los países latinos. Usted mismo, amigo G., fue una sorpresa cuando le conocí hace muchos años en Madrid. Problemas que yo me había planteado de una manera defectuosa y oscura, vi que entre los alemanes estaban ya expuestos de una manera clara y aun científica. Después he ido comprobando lo mismo, y cuando me he asomado, por la conversación y por el libro, al pensamiento germánico, me ha parecido salir de un pantano de rutinas y de fórmulas putrefactas—el pantano latino—a una atmósfera limpia y sutil.

En general, el pensador, francés o inglés, no hablemos del español y del italiano, que no existen en comparación con el alemán, parecen carretas pesadas y chirriantes al lado de un automóvil ligero y ágil.

Uno de los motivos que yo tengo de hostilidad contra Francia, mejor dicho, uno de los motivos de hostilidad contra la intelectualidad francesa, es el haber querido acordonar, aislar, sombrear el pensamiento alemán con detrimento de los otros pueblos de Europa que tienen necesidad de una cultura sólida.

Alemania ha aceptado todo lo grande y lo pequeño de Francia, desde Pasteur y Branly hasta las tonterías del cubismo y del tango argentino; en cambio, Francia siempre se ha cerrado a lo alemán, lo ha puesto en cuarentena, y cuando lo alemán ha llegado a abrirse camino y a dominar el mundo, ha sido a fuerza de genialidad. Es el caso de Kant, de Beethoven, de Wagner, de Nietzsche...

Este para mí ha sido el error de París. París, abriéndose a todas las tendencias universales, hubiera llegado a ser la capital intelectual de Europa, como en la Edad Media, como en tiempo de la Revolución francesa, cuando aceptaba como diputado de la Convención al prusiano Anacarsis Clootz. París no ha querido ser la ciudad europea, ha querido prescindir de Alemania, como si esto fuera posible, y ha ido contrayéndose sobre sí misma, aceptando por credo las ideas ridículas y mezquinas de los nacionalistas a lo Barrès.

Respecto a la guerra actual, no conozco sus causas íntimas ni su desarrollo; pero en principio, no creo que ningún país tenga razón. Ni Alemania, ni Francia, ni Austria, ni Inglaterra. Tampoco veo, como usted, esta guerra preñada de filosofía. No creo, porque no basta la afirmación del interesado para creerlo, que Francia, Inglaterra, Rusia, ayudadas por tropas mercenarias, como las de los Imperios de César, Carlos V y Napoleón, representan el Derecho, la civilización, la Humanidad, el progreso; tampoco veo qué necesidad había de que Alemania, en este momento, tuviera que imponer a cañonazos su cultura, aunque ésta sea superior a la de las demás naciones.

En el atropello a Bélgica, estoy con usted. No me parece excepcional. No hay derecho, ciertamente, para apoderarse de otro país. Pero si Francia e Inglaterra no hubieran sido capaces de sentir este impulso de injusticia, no serían dueñas de la India, de

Egipto, de la Cochinchina, de Argelia, de Marruecos, de Madagascar, de El Cabo, de Nueva Zelanda, etc.

Ante este derecho semidivino y un poco grotesco de los jurisconsultos, tan atropello es conquistar Marruecos como Bélgica; tan bárbaro bombardear la catedral de Reims como una mala barraca dedicada a un culto fetichista.

Cierto que las brutalidades del conquistador se pueden cubrir hipócritamente, como ha hecho Inglaterra, con el manto de la civilización, dando a las conquistas un carácter de necesidad económica; pero los franceses no se han cuidado de esto y han celebrado sus triunfos napoleónicos, sin disfraz alguno, con cándido cinismo.

En Londres no hay ningún monumento que explique ni que conmemore el hermoso sistema con que los ingleses exterminaron a todos los habitantes de la Tasmania, sin dejar uno. En cambio, los franceses, en el Arco de Triunfo de la Estrella, inscribieron como glorias los nombres de las ciudades españolas, italianas, alemanas, austríacas y rusas arrasadas, ametralladas y robadas, sin más motivo ni causa que el capricho de un ambicioso, apoyado en la fuerza de un ejército.

Si esto se hubiera olvidado en Francia, estaría en su derecho al abominar de la violencia; pero ¡si eso está viviendo todavía con estusiasmo! ¡Si está ansiando éxito, revancha, prepotencia militar, cascos con penacho y ruido de tambores!

No, a pesar de lo que usted dice, yo no veo en la guerra actual razón filosófica alguna.

Es una guerra de tribu contra tribu, de horda contra horda. Lo único que me parece extraordinario en ella es la fuerza de sugestión de los Gobiernos, que han llegado a inculcar en los ciudadanos la idea de que el individuo no es nada; que el Estado, la nación, lo es todo.

Esta idea trae a la imaginación el sistema de constitución política de las abejas. Con su disciplina y su terrible crueldad, este Estado prepotente y que dispone así de las vidas de los ciudadanos, tiene algo de divinidad africana, del Javeh o del Moloc de los semitas.

El poco jugo ideológico de esta guerra se advierte también en la pobreza y mediocridad de los alegatos de los sabios y de los escritores de uno y otro país. ¡Qué estepa la del pensamiento universal al hablar de la guerra! ¡Lástima que no viva Tolstoi! El hubiera dicho algo, quizá absurdo, pero algo cordial, hermoso y grande.

Al menos, en el setenta, Renán escribió una carta a Strauss en que demostraba que la ley de la inteligencia no se había borrado con el ruido de las espuelas de los militares, ni aun por el estrépito de los cañones.

Usted me dice que en la Alemania actual los hombres, cansados un poco de la vida práctica en Bancos, fábricas e industrias, entraban de nuevo en el intelectualismo crítico; me dice usted que se comenzaba a estudiar y a depurar de una manera sobria el contenido del liberalismo; que se reaccionaba contra la judaización, el americanismo y el snobismo de las grandes ciudades, que se quería luchar contra el industrialismo en la ciencia y en el arte contra el alcoholismo y la falsa filantropía.

Dice usted que se miraba como factible para un porvenir no lejano una mayor descentralización de los Estados y de los Municipios, una posible vuelta a la vida campestre, conservando en ella lo civilizado, uniendo lo ciudadano con lo rural.

Si esto es así, razón de más para

deplorar una guerra en que todo el mundo ha soltado el taparrabos y se muestra con una naturalidad repulsiva. Los alemanes intentan echar a los turcos a pelear con los rusos; Francia, un país casi socialista y defensor en principio de los derechos del hombre, paga a senegaleses y a argelinos para que mueran por ella, y a los socialistas de todos los países, enemigos de la explotación, les parece esto bien. Inglaterra trae a sus pobres esclavos de la India, a cuyos padres y abuelos mató a la boca de los cañones, a la línea de fuego, y el pueblo inglés, el país respetuoso con la Libertad y el Derecho, se apodera de la propiedad intelectual de los alemanes de una manera escandalosa.

El hombre violento y salvaje que todos llevamos dentro, el *pitecantropus,* el troglodita de Cromagnon o de Neanderthal, ha salido de su cueva en pleno siglo XX.

Adios, amigo G. Perdone usted que le envíe esta pobre olla podrida española a cambio de su ensalada francoalemana.

Recuerdos a su amigo, el filólogo que estuvo en Madrid.

Cuando acabe la guerra, si tengo algún dinero, aceptando la invitación de usted de ir a Basilea, haremos una excursión por esa Alemania que tantos quebraderos de cabeza nos da y tanto nos preocupa.

Es de usted amigo afectísimo,

Pío Baroja.»

DIVAGACIONES ACTUALES

Al hombre de hace unos años, mecido con ilusiones optimistas expresadas con el ceño amenazador y terrible de Nietzsche, con la genialidad huraña de Ibsen o con la gracia helénica de Tolstoi, le parecía imposible una guerra como la actual.

¡Cuántas fórmulas mágicas de grandeza, de independencia, de libertad, no se han expresado en estos últimos años!

Cada hombre será un astro con su órbita; a cada uno se le dará según sus necesidades; cada cual vivirá su vida libremente. No habrá Estado dominador, ni Iglesia absorbente, ni propiedad agresiva, ni herencia absurda, ni jueces, ni cárceles...

La guerra será imposible; quizá podrá durar unos días, pero la Internacional acabará pronto con ella...

Hermosas ilusiones que se han desvanecido. Hoy millones de hombres se lanzan a la lucha, y pasan días y meses, y los pueblos no se cansan de matar y de morir.

Hace unos años, algunos decían: «El hombre ha evolucionado mucho para ir a la guerra.» Los que decían esto se ha visto que se equivocaban.

Hoy, mirando sólo al momento, algunos aseguran: «El hombre no ha evolucionado, no ha m e j o r a d o.» ¿Aciertan éstos? Yo creo que no; creo que se engañan también.

En Villavieja había unos grandes muros sólidos, negros, que ahogaban una gran parte de la ciudad.

En estas ruinas tenían los curas una iglesia; los militares, un reducto; los jueces, una sala de audiencia, y la justicia, una cárcel y un verdugo.

En el pueblo había dos partidos: los murales y los antimurales.

Los murales decían que aquellas paredes negras representaban la noble tradición de Villavieja, las instituciones de los antepasados, la fe, la justicia, y defendían que había que guardarlas como una reliquia, y, a poder ser, restaurarlas.

Los antimurales encontraban que los viejos muros aquellos sombreaban la ciudad, la estorbaban e impedían su crecimiento.

Pensando en cómo quedaría el pueblo sin las pesadas murallas, se había inventado un sistema, una utopía halagüeña.

A este sistema unos le llamaban progresismo, otros evolucionismo, otros modernismo. Algunos, que creyeron que la cuestión era principalmente de nombre—idea muy latina—, inventaron otras palabras: futurismo, avancismo, adelantismo, novismo, forwardtismo, recentismo, porvenirismo, wardenismo, devenirismo, etc.

Todas estas palabras representaban la tendencia antimural.

Murales y antimurales luchaban y discutían con gran apasionamiento y encono, cuando, en medio de la lucha, se provocó una guerra entre Villacerca y Villalejos.

Villalejos era un pueblo bárbaro según los villacercanos y según los villaviejenses; pero era un pueblo antimural en su esencia.

Su táctica, su filosofía, su sistema de vida, se inspiraban en los principios del antimuralismo.

Parecía lo lógico que todos los antimurales de Villavieja se hicieran partidarios de Villalejos, pero no fue así; los modernistas, los futuristas, los adelantistas, los novistas, los forwardtistas, los recentistas, los porveniristas, los werdenistas y los deveniristas dijeron que sus simpatías estaban por Villacerca, y que tocar los viejos muros de sus ciudades, gloriosos y resplandecientes, era como ofender a su familia.

Desde esta guerra de Villalejos y Villacerca se vio que la filosofía de los antimurales de Villavieja era lo más mural, lo más fundamentalmente mural que podía darse en un pueblo tan esencialmente mural y tan esencialmente viejo como Villavieja.

El contraste de la vida de los militares de Villavieja era también una cosa ligeramente absurda.

En otros países, como el Japón, los oficiales y soldados llevaban una vida de cuartel; en Alemania se modelaba el espíritu del militar exclusivamente para la guerra; en Villavieja, no.

En Villavieja, un militar era un hombre que llevaba una vida parecida a un vecino pacífico; iba unas horas a su oficina, frecuentaba los cafés y los teatros, hablaba de cuestiones políticas, era muchas veces republicano o socialista. Este hombre, que no se distinguía de los demás más que por su uniforme, cuando lo usaba (en general, en Villavieja, llegando a capitán ya no lo llevan más que en las ceremonias); este hombre, de pronto, era arrancado de su medio ambiente y llevado a la guerra.

Inmediatamente su conducta tenía que variar y encontrar lícito y natural todo lo que antes le parecía bárbaro y odioso. Derribar casas, pegar fuego a los campos, abrir en canal a un enemigo, meterle una bala en el pulmón o en los intestinos, todo esto le debía parecer un deporte útil y conveniente...

Por muchas explicaciones que se quieran dar, este procedimiento de Villavieja me parece completamente absurdo.

Mejor que este sistema del oficial humano en la ciudad y salvaje en el campo, encuentro el del capitán Sánchez, de Madrid.

Este, al menos, era más lógico, más consecuente. Había descuartizado en el campo de batalla y descuartizaba con la misma perfección en su cuarto de la Escuela de Guerra.

Probablemente, el buen Sánchez debía encontrar extravagante que se le recriminara en Madrid por hacer lo que había hecho antes con aplauso en el campo.

Otra cosa absurda en las Villaviejas del mundo es la actitud de los poderes espirituales frente a la guerra. ¿Cómo armonizan las iglesias ese precepto bíblico de «No matarás» con la bendición de cañones, espadas, fusiles y banderas?

¿No sería ya el momento de que las iglesias que siguen los mandamientos de la ley de Dios cambiaran este procedimiento divino, diciendo: «No matarás... en tiempo de paz»?

Sería más veraz, de mayor probidad, añadir esa coletilla al precepto. A no ser que la Iglesia católica, la luterana, la calvinista, la ortodoxa, etcétera, se decidan y digan resueltamente a sus fieles: «No matarás ni en tiempo de paz ni en tiempo de guerra.»

Esta afirmación sería peligrosa para las iglesias; tendrían el peligro de que nadie les hiciera caso y de que los respectivos Estados las tomaran por agrupaciones anarquistas.

LA OPINIÓN DE LAS MUJERES ESPAÑOLAS SOBRE LA GUERRA

He escrito largo epígrafe; he mirado al techo, vacilando en la manera de empezar mi artículo, y en este mismo momento me han traído una carta. La he abierto. Es de un señor de Barcelona que critica mis escritos y afirma que las ideas que expongo en ellos son las que se estilaban hace quince o veinte años.

Al parecer, involuciono, como dicen los sociólogos.

Debe ser verdad, porque es el cuarto que me dice lo mismo. Además, este señor me recomienda con gran insistencia que no haga afirmaciones aventuradas. La afirmación aventurada es una cosa muy fea.

Voy a tratar de complacer a mi comunicante para que vea que si uno tiene ideas viejas, guarda también alguna cortesía todavía en buen uso.

Yo pensaba divagar acerca de la opinión de las mujeres españolas sobre la guerra con cierta insensatez nativa; pero tengo que variar de norma y marchar mirando a la brújula.

El punto de partida de mi divagación era este enunciado: si la guerra tiene el carácter que dicen que tiene, y las mujeres son como dicen que son, parecería lo más lógico que la mayoría de las mujeres fuesen francófilas.

No creo que esta afirmación, con sus dos condicionales, sea muy excesiva, ni para el señor de Barcelona. Será falsa quizá; pero excesiva, no.

Ahora bien: ¿el carácter de la guerra es el que se da como cierto? Yo no lo sé.

¿Las mujeres son como dicen que son? Tampoco lo sé, ni creo que nadie lo sepa exactamente. Lo único que sé, por mi pequeña experiencia—pequeñísima, insignificante, señor de Barcelona—, es que hay muchas mujeres españolas que son germanófilas.

Algún malicioso supondrá que yo afirmo que las mujeres españolas son germanófilas porque tengo el deseo de que lo sean; pero en esto el presunto malicioso se engaña. Con que hubiera dos o tres barojófilas convencidas me contentaba. Tampoco creo que es una aspiración insensata y ambiciosa, señor de Barcelona.

Respecto a la actitud de los países en lucha, no hay duda que a primera vista Francia ha tenido, al menos aparentemente, una actitud más sentimental, más romántica que Alemania.

Alemania se ha mostrado como el bárbaro fuerte y atrevido; Francia, como la dama elegante y aristocrática, un poco vieja, un poco amanerada, pero llena de distinción.

¿Por qué la mujer española (al menos la que yo conozco) se ha decidido más por el bárbaro fuerte y audaz, loco de acometividad, que por la dama fina y algo decadente?... Esa es la cuestión.

La causa de esto yo creo que se encuentra en las dos inclinaciones esenciales de la mujer: primera, el amor a la fuerza; segunda, el entusiasmo por el orden.

La mujer siente instintivamente la sugestión de la fuerza. Creer que ella ama las floridas decadencias es una pobre y ridícula ilusión de los estetas.

Cierto que la mujer ha aparecido en estos últimos años de snobismo como una compañera de extravagancia del hombre; pero muchas veces, casi siempre, la mujer veía en estos trotes una treta de la concurrencia sexual.

En toda la época pasada, en que ha reinado en literatura esa cómica psicología de los Paul Bourget, de los Prévost y demás compadres, la mujer ha fingido complicaciones espirituales para presentarse ante el hombre a la última moda.

Los curas, los jesuitas, que nunca han hecho mucho caso de «florituras» literarias, con cuatro o cinco ideas fundamentales han dominado siempre a las mujeres y las han tenido en un puño.

La poca consistencia de la mujer complicada, inventada por literatos—y por literatos mediocres—, se advierte cuando una guerra como ésta revuelve los posos sentimentales del espíritu colectivo.

No; seguramente no será el hombre lánguido, melenudo y delicuescente; no será el viejo Renán, con sus uñas sucias y su vientre abultado, el que preocupa a las damas; siempre será un tenientillo joven, fuerte, con un uniforme y dos ideas aproximadamente en la cabeza.

Respecto al entusiasmo por el orden, las mujeres lo llevan al reaccionarismo. A las mujeres, en general, no les gusta la política; les parece una diversión de hombres solos en que ellas no toman parte. Las mujeres españolas creen que Francia es un país muy político; en cambio, Alemania les parece el orden, el método, un país en donde se obedece al que manda sin protestar.

Además, Francia es, según ellas—y según los curas que las educan—, país de irreligión, de vicio, de *cocottes*, que pueden envolver en sus redes a los cándidos maridos, hijos o amantes.

Germanófilas, entusiastas del valor y de la guerra y al mismo tiempo—cosa algo paradójica—enemigas de la guerra, así me han parecido la mayoría de las mujeres españolas.

¿Lo son de verdad? ¿Lo son todas? ¿Lo son sólo algunas? Yo no lo sé, señor de Barcelona. No quiero hacer afirmaciones categóricas.

Schopenhauer es el autor de esa frase que se ha hecho vulgar: «La mujer tiene los cabellos largos y las ideas cortas.» ¡Bah! Tontería, ilustre filósofo.

Los cabellos largos los tendrían, igualmente, los hombres de buen pelo, si se lo dejaran, y las ideas cortas no parece cosa exclusiva de las mujeres.

No creo en las ideas cortas de las m u j e r e s. Idealismo, espiritualidad, sentido social, es posible que les falte; pero inteligencia aguda, creo que no.

En esta cuestión de la guerra sería curioso saber lo que piensan las españolas; sobre todo saber lo que piensan las no profesionales de la intelectualidad, porque estas otras tienen ya su pequeña postura para el público, como nosotros los pulmíferos, y su opinión nos sabe a jarabe simple y nos interesa poca cosa.

LOS GERMANÓFILOS

Al volver a leer, al cabo de unos meses de ausencia, los periódicos franceses y españoles, veo que barajan las mismas ideas, los mismos lugares comunes que al principio de la guerra.

Uno de los tópicos que se repiten aquí y allá es la afirmación de que la simpatía por Francia e Inglaterra significa liberalismo y progresismo; la inclinación por Alemania, tendencia conservadora y militarista.

Es el antiguo pleito de izquierdas y derechas, tan grato a la mentalidad española.

Hay que ver si la afirmación es cierta o no. Claro que un espíritu moderno dirá, y con motivo, que esta división de derechas e izquierdas, llevada al terreno de las ideas desde el hemiciclo parlamentario, no tiene en el fondo valor alguno: es una de estas clasificaciones simplistas inventadas por el espíritu latino, que parece que lo abarcan todo y que, sin embargo, no engloban más que ideas muy superficiales.

En cierta época, y en Francia, la clasificación pareció exacta; así, por ejemplo, al principio del siglo XIX, derecha era Chateaubriand; izquierda, Courier; después, derecha era Maistre y Luis Veuillot; izquierda, Víctor Hugo y Proudhon, Luis Blanc y Michelet. Más tarde, en esta tercera República, la división de izquierdas y derechas se ha podido seguir en los escritores. Zola, Mirbeau y France eran la izquierda; Barrès, Lemaître y Coppée, la derecha.

Este modo de medir, al parecer exacto, entre los franceses y los demás latinos, no sirvió de nada al querer aplicarlo a los grandes pensadores del Norte que aparecieron o se dieron a conocer en la segunda mitad del siglo XIX. En ellos, la clasificación de derechas e izquierdas no rige. ¿Qué es Carlyle? ¿Qué son Schopenhauer, Nietzsche, Ibsen, Dostoyewski, Tolstoi? ¿Pertenecen a la izquierda o a la derecha? Para aclarar el tipo espiritual de estos hombres, esa pequeña trampa de claridad latina de izquierdas y derechas no sirve de nada.

Pero aceptemos graciosamente la división de izquierda y derecha y veamos si es cierta la proposición de colocar a los germanófilos siempre en la derecha y a los francófilos a la izquierda.

En España, como en todos los demás países de Europa, las posiciones espirituales que se han tomado con relación a la guerra han sido posiciones que de antemano estaban concebidas. Creer que la invasión de Bélgica o las supuestas crueldades de los alemanes han sido motivos nuevos de otras actitudes es una hipocresía. Todas las campañas de Prensa, todos los argumentos, todo el dinero empleado por los unos y por los otros no han servido de nada, no han podido desviar la aguja de un espíritu en su cuadrante una milésima de milímetro.

Durante algún tiempo se habló entre nosotros de la guerra, que interesaba por su parte dramática; pasado este interés, la lucha exterior fue olvidándose y agudizándose la interior, de tal manera, que ahora la cuestión de la guerra ha llegado a ser secundaria. El germanófilo español no es ya un entusiasta de Alemania, como parecía al principio, sino un nacionalista conservador y militarista. Todos los escritores germanófilos de nombradía han ido evolucionando más o menos rápidamente hacia el tradicionalismo. Así se ha visto a Benavente hacer una apología de Felipe II y a Salaverría coincidir en el elogio con el sombrío Austria, y llegar a exaltar las corridas de toros como una fiesta bella y culta.

Salaverría ha ido a parar a un nacionalismo agresivo, suponiendo al mismo tiempo que el espíritu de glorificación por el propio país es un fenómeno nuevo, cosa que a mí me parece muy vieja, pues todos los hombres de todos los pueblos del mundo están naturalmente dispuestos a alabar su propia tierra, que es una manera de alabarse a sí mismos.

Ya, como digo, los germanófilos apenas lo son; si desean que triunfe Alemania, no es porque crean que tenga alguna virtualidad en sus principios y en sus métodos, sino por las consecuencias de índole política y militar que suponen ocasionaría el triunfo suyo en España.

Así como estos germanófilos comienzan a exaltar el pasado lejano de nuestro país, los francófilos representan el pasado próximo; aquéllos son los tradicionalistas de hace cuatrocientos años; éstos son los tradicionalistas de hace cuarenta.

La civilización para los francófilos es un problema esencialmente político; para ellos el progreso no es el objeto de una función social, sino el procedimiento de esa función.

Yo creo que un país que produzca una gran suma de ciencia, de arte, de libertad, de bienestar general, será siempre un país de alta civilización, se dé este resultado con la República o con el Imperio, con la democracia o con la aristocracia, con una corte de archiduques o con una asamblea de tribunos del pueblo. Para el francófilo español no es así; nada de la civilización tiene valor si no viene acompañado con los procedimientos que le son gratos. En esto se parece al médico de Molière, que dice es mejor morirse siguiendo los preceptos de Hipócrates que curarse sin seguirlos.

El espíritu aliadófilo en España es el puente de los asnos, es la forma de la vulgaridad general, rutinaria e infecunda; es la oratoria de Castelar, la literatura de Picón, la dramaturgia de Echegaray, la ciencia del doctor Simarro, el periodismo de Cavia. En las avanzadas de la francofilia no hay más que retórica. En esto se parecen germanófilos y francófilos; porque si es retórica, y retórica manida, la de Ricardo León al cantar a Germania, también es retórica de la misma clase la de Gabriel Alomar al exaltar a Francia. Es el mismo Mediterráneo, la misma ola hueca, el mismo viento, aquí con acento malagueño y allí con acento catalán.

La afirmación de que germanofilia es sinónimo de militarismo, tradicionalismo y tendencia conservadora, sería cierta en España si no hubiera una porción de gente desparramada por el país que son germanófilos y tienen una orientación innovadora y radical. Esta gente está formada por el médico que ha encontrado en un libro alemán algo nuevo que no sabía, por el ingeniero, por el industrial, por el viajante de comercio. Son los que han visto que en las fábricas de Tolosa no se podían hacer los miles de boinas que había encargado el Gobierno francés para sus alpinos, porque no había agujas, y estas agujas, que no sabían hacer ni los franceses ni los españoles, se fundían únicamente en Alemania; son los que ven que no se pueden teñir bien las telas porque faltan los tintes, que venían de Alemania; son los que saben las grandes dificultades que ha habido en las fábricas de acero por falta de productos alemanes; son los que no encuentran en el comercio una porción de cosas necesarias para la vida, desde los medicamentos de la Casa Bayer hasta los corchetes de presión para los trajes de las mujeres.

Esta gente, esparcida aquí y allá, unos que notan la superioridad industrial de Alemania, otros su superioridad científica, hacen su comentario y son germanófilos, no por reaccionarismo, no por tradicionalismo ni por entusiasmo por Felipe II, sino, sencillamente, por admiración, por el deseo de tener contacto con el pueblo que les parece el más sabio y el más trabajador de Europa.

Cierto que muchos de estos germanófilos, casi su totalidad, ni escriben ni hablan en público, pero influyen con sus opiniones y con sus actos.

¿En qué nos deferenciamos ellos y yo del gran núcleo de germanófilos conservadores? En lo más esencial. Ellos, los conservadores, ven en la germanofilia una cuestión puramente política; nosotros, un problema de cultura y de organización industrial; ellos tienen un gran odio contra Inglaterra; nosotros sentimos una gran admiración por Inglaterra, que ha sido hasta hace años la nación maestra; ellos creen que la política tradicional española ha sido necesaria y buena; nosotros creemos que ha sido desastrosa y mala; ellos afirman que debemos ser optimistas con relación a España; nosotros afirmamos que mientras haya en nuestro país una extensión de páramos casi tan grande como toda Andalucía, no tenemos derecho a dormirnos al arrullo de una retórica ridículamente optimista; ellos creen que España está hecha y consolidada; nosotros creemos que hay que hacerla; ellos suponen que basta conservar las viejas posiciones y abroquelarse en el pasado; nosotros deseamos reunir todas nuestras fuerzas y lanzarnos al porvenir...

Cuentan que Salvador Rosa preguntaba al gran Velázquez si no creía que Rafael era el mejor pintor del mundo, a lo que don Diego contestó diciendo que la verdad estaba en Venecia, y que el Ticiano llevaba la bandera.

Así como la verdad del arte entonces estaba en Venecia, hoy la verdad en la ciencia, en la industria, en la organización, está en Alemania. Los países que no lo querían reconocer, que están con ella en guerra, no han hecho más que copiarla en sus procedimientos militares y civiles.

Hace unos días, un hombre de tanta claridad intelectual como Gustavo Hervé afirmaba en su periódico que desde el principio de la guerra los aliados no han hecho más que imitar a Alemania, y que es conveniente que sigan imitándola.

En nuestro país, la influencia germánica, la adopción de los procedimientos alemanes científicos, técnicos y mercantiles, sería el único modo de penetrar de lleno en el ciclo industrial, de acabar con todo dogmatismo, de limpiar el pensamiento español de las viejas rutinas, de la elocuencia de leguleyos, de nuestras fórmulas de retórica putrefacta.

NUESTRA GUERRA CIVIL

Desde que comenzó el conflicto europeo, el pueblo español, como la mayoría de los pueblos neutrales, está en plena guerra civil. La división de aliadófilos y germanófilos se hace por momentos más grande y profunda, y llega, no ya a las ideas, sino a las prácticas de la vida social.

Al principio de la guerra, francófilos y germanófilos se buscaban y discutían; hoy, convencidos de que no pueden convencerse, se huyen; y cada cual se reúne con los suyos en sus tertulias y en sus cenáculos familiares.

El que no está con nosotros está contra nosotros, dicen, o, por lo menos, lo piensan los que militan en uno y otro bando, y la intransigencia práctica aumenta. No hemos hecho en España listas negras; pero virtualmente las hay. Hace unos días estaba yo en Barcelona con dos amigos aliadófilos. Un señor dijo a uno de ellos: «Les hubiera invitado a ustedes a ver una casa artística de aquí cerca; pero como han venido ustedes con Baroja, y Baroja es germanófilo, no los invito.»

Normalmente no tiene nada que ver el ser germanófilo o francófilo para visitar una casa artística; pero hoy tiene que ver, sin duda, mucho.

Otro caso de intransigencia lo ha dado mi amigo *Azorín* hace días. Había venido a mi casa un profesor de Kiel a indicarme que un editor de Berlín deseaba publicar en alemán algunas obras de autores españoles modernos. «¿Qué dificultades habrá?», me preguntó el profesor. Yo le dije: «La idea es de fácil realización y de poco coste. Los escritores españoles, sólo por el hecho de serlo, somos escritores de segundo orden; lo más que se puede pagar por el derecho de traducción de una obra de cualquiera de nosotros es trescientas o cuatrocientas pesetas. No cobran mucho más escritores de fama mundial, como Kipling o Wells, por sus traducciones. Lo difícil en este punto—seguí diciendo—es elegir una docena de obras españolas que se sostengan traducidas a otro idioma. Para orientarse en esta cuestión debía usted consulta a *Azorín*, a Gómez de Baquero y algún otro.»

El profesor de Kiel fue a visitar a *Azorín. Azorín,* muy amablemente, le dijo que era aliadófilo, y que, por tanto, no le podía dar informaciones ni dato alguno.

Yo le decía a *Azorín* al saberlo que este me parecía absurdo, anticultural y hasta antihumano. ¿Es que vamos ya para hablarnos a exigirnos los documentos, la cédula y hasta el árbol genealógico?

¿Es que nuestro ideal será practicar el *shibolet* de los judíos?

La intransigencia inicial se está haciendo a medida que pasa el tiempo más práctica y menos ideológica. Si seguimos así, llegaremos, no a la tertulia de partido, sino a la barbería y a la tienda de ultramarinos germanófila y aliadófila.

La razón de esta tendencia al grupo es que cada clase y cada individuo engrana sus ideas sobre la guerra con sus intereses políticos y particulares; el cura cree que si ganan los alemanes habrá más culto; el militar, más ejército; el aristócrata, más aristocratismo; el maurista, que vendrá Maura, y el jaimista, don Jaime; por el contrario, entre los aliadófilos, el republicano supone que si vencen los aliados vendrá la República, y el orador, el periodista, el artista francófilo, piensan que el triunfo de los suyos les traerá la simpatía y la devoción de Inglaterra y de Francia, y, sobre todo, el prestigio de París, el tan anhelado prestigio de París.

Este engranaje de los intereses individuales y locales con la cuestión general se ha verificado en Cataluña de un modo extraño. Para muchos catalanes, la francofilia es una extensión del catalanismo. El triunfo de Francia, con Joffre a la cabeza, traerá, según ellos, aparejada la independencia de Cataluña. En Barcelona se ha dicho, no sé con qué fundamento, que Cambó ha estado en París a ofrecer la Cataluña autónoma a la supuesta Francia triunfante de mañana.

Las dos tendencias que hoy dividen a Europa en España, y, probablemente, en todas partes, son espiritualmente dictatoriales.

En uno y en otro partido, los hechos se afirman de una manera dogmática, como si fueran indiscutibles. No se quiere volver sobre ellos. No se acepta la crítica. Y es natural. El criticismo es siempre demoledor, como el pragmatismo es siempre conservador. La crítica no puede ensalzar ni abominar; solamente razona y analiza, y el razonamiento y el análisis son odiosos para el fanático.

Algunos escritores franceses y muchos españoles consideran que el español que no acepta la pragmática aliadófila es casi un traidor. ¿Por qué? Yo le decía al escritor francés Luis Bertrand, que estuvo en mi casa, en Vera: «Comprendo que ustedes hayan creado una moral para la guerra (Francia: el Derecho, la justicia, la civilización; Alemania, siempre agresiva: el alemán bruto, cobarde, violador de mujeres, asesino de niños); comprendo esto, porque ustedes tienen que batirse, tienen que matar y tienen que morir; pero nosotros, que no nos batimos, ¿por qué hemos de aceptar esa pragmática?»

Ciertamente que la guerra hispanoyanqui no tenía la importancia que la actual; pero, aunque la hubiera tenido, ¿hubiéramos nosotros considerado como un hombre absurdo o enemigo nuestro al francés que hubiera seguido creyendo que el norteamericano era un pueblo culto y no una turbamulta de tocineros, como estúpidamente decían algunos? Una nación neutral puede y debe discurrir con claridad y sin apasionamiento. Los españoles tenemos tiempo para esperar, y nuestra posición natural debe ser agnóstica mientras no conozcamos exactamente los términos del problema.

Hoy se siente una gran repulsión por el que cree que puede haber algo bueno y aprovechable en la moral y en el espíritu de los dos grupos de pueblos que están en guerra.

Hay que suponer, sin embargo, que por mucho que se quiera ahondar, por muy profundo que se haga el surco entre unas naciones y otras, más tarde o más temprano habrá que llenarlo. Los aliadófilos nos dicen que España, por su geografía y por su historia, tiene naturalmente que ir a girar en la órbita de Inglaterra y de Francia, venzan o sean vencidas estas naciones. La aserción parece exacta, y todo hace creer que la política y la economía nos arrastrarán a un concierto más inmediato con los países de la Europa occidental. Pero, aunque así sea, ¿por qué hay que cerrar la puerta de Alemania? ¿Quién sabe lo que nos puede venir de ahí? ¿Quién sabe si algunas originalidades españolas dormidas esperan la influencia germana para despertarse?

Nuestra guerra civil podría ser un bien si una gran parte de los españoles se colocara en una actitud de expectación y de duda, suponiendo que podían tener razón y podían no tenerla. Creyendo cada cual que posee la verdad, toda la verdad, la verdad entera, nuestra guerra civil no puede tener eficacia para la cultura; ha de ser estéril, perfectamente estéril.

COSAS DEL MOMENTO

Según mi amigo el señor Duval, Francia es el país que lo ha descubierto todo: la navegación aérea, la submarina, la telegrafía sin hilos, el arte gótico.

Francia es la cuna del arte, de la

ciencia, y el país que ha dado la libertad a los demás.

España, según el señor Duval, no ha descubierto nada—y yo no digo que el señor Duval no tenga razón—, ni en física, ni en química, ni en matemáticas, y solamente en las artes ha tenido algunos hombres espontáneos y apreciables.

A pesar de esto, el señor Duval quiere que él y yo seamos amigos. ¿Cómo? El es una estrella de luz fija; yo soy un pequeño gusano, ni siquiera un gusano de luz.

Monsieur Duval, usted, como francés, está muy alto; yo, como español, estoy muy bajo para que nuestras manos se acerquen.

Monsieur Duval, no podemos ser amigos.

Blasco Ibáñez ha pronunciado un discurso en la fiesta latina de la Sorbona.

Blasco ha asegurado, según dicen los periódicos, que en España los descendientes de los moros son los partidarios de los germanos.

Esta afirmación pintoresca la ha basado en un juego de palabras, equiparando a los moros (*maures* en francés) con los *mauristas* (partidarios de Maura).

Yo siempre he creído que en la *maurería* española hay un fondo de morería y de judería. El viejo Mediterráneo tiene un gran sedimento de semitismo, y de él procede Maura, y de él procede también Blasco.

El autor de *La barraca*, impulsado a seguir su comparación, ha llamado al kaiser el «kalifa» de Berlín.

El símil no me parece completamente afortunado.

Blasco confunde en este caso el dátil con la salchicha, los productos nitrogenados con los hidrocarbonados.

Podemos, sin duda, representarnos al kaiser de dependiente de comercio de una magnífica tienda, rodeado de jamones, embutidos, salchichones y otras *Delicatessen* abominables para un buen semita; pero envuelto en un albornoz, rezando el rosario en un bosque de palmeras, imposible.

El País supone que yo he dicho que el triunfo de los alemanes produciría la revolución. No. Yo no he afirmado más sino que la ideología alemana sería para nosotros más útil, más renovadora que la francesa, y, en general, la latina.

A pesar de que se dice por ahí que en Alemania se ha parado todo movimiento filosófico, yo, por lo poco que he podido enterarme a través de retazos y de malas traducciones, creo que en Alemania existen ahora pensadores de mucha más originalidad que en Francia, a excepción, quizá, de Bergson, que es un judío de origen alemán u holandés, pariente de los Simmel y de los Cohen.

Ahora mismo, el que quiera tener una idea de los motivos espirituales de la guerra tendrá que leer a Treitschke, a Chamberlain, a Bernhard, donde encontrará el pro o el contra de sus opiniones y de sus ideas; en cambio, en los párrafos de Paul Bourget o de Barrès no encontrará más que la eterna bazofia del *drapeau*, del *honneur*, de la *patrie*, de la *bravoure*, etcétera.

Yo creo firmemente que todos los republicanos, todos los liberales, todos los revolucionarios españoles germanófobos están en un error. Es decir, no lo están, porque la mayoría no tiene en la cabeza más que palabrería huera.

Yo creo que si hay algún país que pueda aplastar a la Iglesia católica definitivamente es Alemania.

Si hay algún país que pueda arrinconar para siempre al viejo Jehová, con su séquito de profetas de nariz ganchuda y de grandes barbas de farsantes, con sus descendientes los frailucos puercos y ordinarios y los curitas pedantuelos y mentecatos, es Alemania.

Si hay algún país que pueda des-

acreditar esta camama del parlamentarismo, es Alemania.

Si hay algún país que pueda acabar con la vieja retórica, con el viejo tradicionalismo español, soez y grosero, con toda la sarna semítica y latina, es Alemana.

Si hay algún país que pueda sustituir los mitos de la religión, de la democracia, de la farsa de la caridad cristiana por la ciencia, por el orden y por la técnica, es Alemania.

FIN DE «NUEVO TABLADO DE ARLEQUÍN»

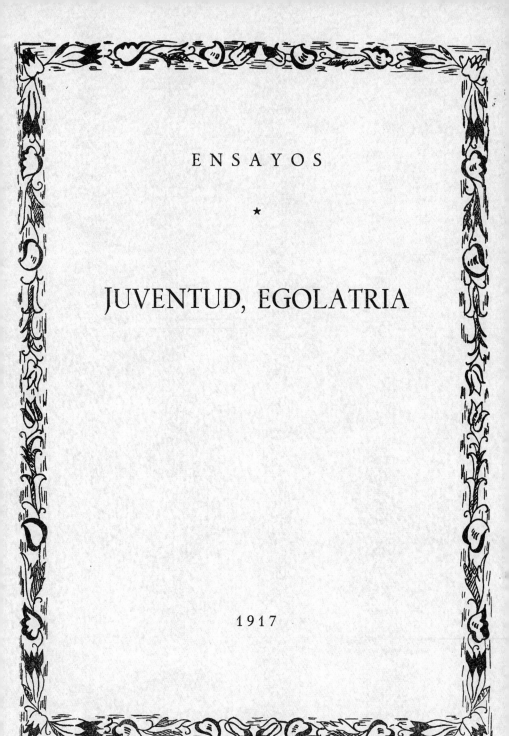

ENSAYOS

*

JUVENTUD, EGOLATRIA

1917

ENSAYOS

*

JUVENTUD, EGOLATRÍA

1917

PROLOGO

LA GUERRA Y LOS LITERATOS

ARA muchos hombres preocupados exclusivamente de la guerra, es un error en estos graves tiempos de conflagración universal el ocuparse de literatura o de crítica. Según ellos, los escritores de los países beligerantes, y hasta los de los neutrales, deben pasar la vida pensando en las posiciones estratégicas, en los cañones, en las ametralladoras, en los aeroplanos y submarinos.

—Ya, después de esta guerra, no se leerán libros de literatura—me decía un periodista, convencido.

Quizá, más que con tristeza, hablaba con esperanza. Puede desechar esa esperanza; los libros de literatura se leerán igual que antes. Es más extraordinario que el hombre haya inventado la *Odisea*, el *Don Quijote* o el *Hamlet* que no el que sepa producir millones de heridos, de muertos y de prisioneros.

«Aun cuando cada minuto me hace recordar que estamos en guerra y en tierra enemiga, continúo fiel a la convicción de que la tercera antinomia kantiana es más importante que toda la guerra mundial», decía un estudiante de Filosofía alemán en una carta que copió la revista *Logos*.

Para mí tiene razón este estudiante-filósofo. Matanzas de miles y de cientos de miles de hombres las ha habido siempre; pero la *Crítica de la razón pura* no se ha escrito más que una vez.

AMOR INTELECTUAL

El escritor tiene derecho a zafarse de este ruido monótono de los cañones y de los sables; podemos impunemente tejer telas de araña con las ideas y los sueños en nuestras buhardillas y en nuestros mechinales, porque esas telas de araña son a veces algo, y el ruido de los cañones no es nunca nada. Sólo lo que pasa a ser intelectual tiene valor para la conciencia. Dediquémonos, pues, sin remordimiento, a pensar en los motivos eternos de la vida y del arte, y escribamos sobre ellos.

Yo cultivo con cariño este amor intelectual e inactual y esta sordera de lo presente. Escribo como si el mundo viviera en paz. Voy vaciando el espíritu en los eternos moldes, sin esperar nada de ello. En general, escribo novelas.

Esta vez, en lugar de salirme una novela, me han salido unos comentarios acerca de mi vida.

Como casi todos mis libros, éste me ha aparecido entre las manos sin pensarlo y sin quererlo. Me habían encargado escribir mi autobiografía de diez o quince páginas. Diez o quince páginas me parecieron muchas para llenarlas con datos personales de una vida insignificante como la mía y pocas para el comentario No sabía cómo empezar. Para buscar el hilo, comencé a hacer rayas y arabescos; mis cuartillas han aumentado y han engordado, como el perro de Fausto, y han dado origen a esta obra.

Quizá al lector le parezca impropia la petulancia del autor en algunos pasajes; quizá en todos encuentre al autor impertinente y ridículo. He querido lucir y sacar al aire mi vanidad y mi egotismo para que no me vaya ahogando la tendencia ascética.

Para mí es ésta una obra de higiene.

EGOTISMO

Con el egotismo sucede un poco como con las bebidas frías en verano, que cuanto más se bebe se tiene más sed; pasa también como con los ojos hidrópicos de que habla Calderón en *La vida es sueño*.

El escritor tiene siempre delante de sí como un teclado con una serie de *yoes*. El lírico y el satírico teclean sobre la octava puramente humana; el crítico, sobre una octava de lector; el historiador, sobre la octava de los investigadores. Cuando un escritor habla de sí mismo, tiene que insistir en su *yo*, que no es puramente un *yo* de hombre sentimental ni de investiga-

dor curioso, sino que, a veces, es un *yo* un tanto desvergonzado, un *yo* con nombre y apellido, un *yo* de bando de capitán general o de gobernador civil.

Siempre he tenido un poco de reparo en hablar de mí mismo, así que el impulso para escribir estas páginas me ha tenido que venir de fuera.

Como no me suele interesar que un señor me comunique sus inclinaciones o sus veleidades, me parece que al señor le debe pasar algo idéntico si yo le comunico las mías. Ahora, que ha llegado un momento en que no me importa lo que piense el señor de mí.

En estas cuestiones de molestarse uno a otro debía existir una fórmula como la de Robespierre: la libertad de molestar de uno empieza donde acaba la libertad de molestar de otro.

Se explica que haya hombres que crean en la ejemplaridad de su vida y que tengan cierto ardor para contarla; yo, en este respecto, no he tenido una vida ejemplar; no he llevado una vida pedagógica que sirva de modelo ni una vida antipedagógica que sirva de contramodelo; tampoco tengo un puñado de verdades en el hueco de la mano para esparcirlas a todos los vientos. Entonces, ¿para qué hablo? ¿Para qué escribo sobre mí mismo? Seguramente para nada útil.

Muchas veces, al dueño de una casa se le suele preguntar:

—En este cuartucho cerrado, ¿tiene usted algo?

—No; nada más que trastos viejos—contesta él.

Un día, el amo de la casa entra en el cuartucho y se encuentra con una porción de cosas inesperadas, cubiertas de polvo, que va sacando fuera y que generalmente no sirven para nada. Es lo que he hecho yo.

Estas cuartillas son como una exudación espontánea. ¿Sinceras? ¿Absolutamente sinceras? No es muy probable. Instintivamente, cuando se pone uno delante de un fotógrafo, finge y compone el rostro; cuando habla uno de sí mismo, finge también.

En un trabajo así, corto, el autor puede jugar con la máscara y con la expresión. En toda la obra entera, que cuando vale algo es una autobiografía larga, el disimulo es imposible, porque allí donde menos lo ha querido el hombre que escribe, se ha revelado.

I
LAS NOCIONES CENTRALES

EL HOMBRE MALO DE ITZEA

Cuando yo vine a vivir a esta casa de Vera del Bidasoa, los chicos del barrio se habían apoderado del portal, de la huerta, y hacían de las suyas. Hubo que irlos ahuyentando poco a poco, hasta que se marcharon como una bandada de gorriones.

Para los chicos, mi familia y yo debíamos ser gente absurda, y un día, al verme a mí un chiquillo, se escondió en el portal de su casa y dijo:

—¡Que viene el hombre malo de Itzea!

El hombre malo de Ittzea era yo.

Quizá este chico había oído a su hermana, y la hermana había oído a su madre, y su madre a la sacristana, y la sacristana al cura, que los hombres de poca religión son muy malos; quizá la opinión no había partido del cura, sino de la presidenta de las Hijas de María o de la secretaria de la Entronización del Sagrado Corazón de Jesús; quizá alguno había leído un librito del padre Ladrón de Guevara, titulado *Novelistas buenos y malos*, que se repartió en el pueblo el mismo día que yo llegué a él y que dice que yo soy impío, clerófobo y deshonesto. Viniera de un conducto o de otro, el caso, para mí importante, fue que en Itzea había un hombre malo, y ese hombre malo era yo.

Estudiar y poner en claro los instintos, el orgullo, las vanidades del hombre malo de Itzea, es el objeto de este trabajo.

HUMILDE Y ERRANTE

Hace unos años, no sé cuántos, hará doce o catorce, en época en que llevaba o creía llevar una vida trashumante, estando en San Sebastián, fuí con el pintor Regoyos a visitar el Museo. Después de verlo todo, el director, Soraluce, me indicó que firmara en un álbum, y después de firmar, me dijo:

—Ponga usted sus títulos.

—¡Títulos! — exclamé yo—. No tengo ninguno.

—Ponga lo que usted sea. Vea usted, los demás lo han hecho también.

Miré el libro. Efectivamente: debajo de una firma ponía «Fulano de Tal, jefe de Administración de tercera clase y caballero de Carlos III»; en otra, «Zutano de Cual, comandante del batallón de Isabel la Católica, con la cruz de María Cristina».

Entonces, yo, quizá un poco molestado por no tener títulos y honores (el rencor anarquista y cristiano, que diría Nietzsche), escribí unas palabras impertinentes debajo de mi firma:

«Pío Baroja, hombre humilde y errante.»

Leyó Regoyos y se echó a reír.

—¡Pero, hombre, qué ocurrencia! —exclamó el director del Museo, cerrando el álbum.

Y allí quedé yo como hombre humilde y errante, aplastado por jefes de Administración de todas las clases, por comandantes de todas las Armas, por caballeros de todas las cruces, por indianos, banqueros, etc.

¿Es que yo soy un hombre humilde y errante? ¡No, ca! En esta frase hay, más que verdad, fantasía literaria. Yo de humilde no tengo ni he tenido más que rachas un poco budistas; de errante, tampoco, porque hacer unos viajecillos de poca monta no autorizan a llamarse uno a sí mismo errante.

Lo mismo que puse hombre humilde y errante podría poner hoy hombre orgulloso y sedentario. Quizá las dos cosas tendrían algo de verdad, quizá no serían ciertas ninguna de las dos.

Cuando el hombre se mira mucho a sí mismo, llega a no saber cuál es su cara y cuál su careta.

DOGMATOFAGIA

A mí, cuando me preguntan qué ideas religiosas tengo, digo que soy agnóstico—me gusta ser un poco pedante con los filisteos—; ahora voy a añadir que, además, soy dogmatófago.

Mi primer movimiento en presencia de un dogma, sea religioso, político o moral, es ver la manera de masticarlo y de digerirlo.

El peligro de este apetito desorde-nado de dogma es gastar demasiado jugo gástrico y quedarse dispépsico para toda la vida.

En esto mi inclinación es más grande que mi prudencia. Tengo una dogmatofagia incurable.

IGNORAMUS, IGNORABIMUS

Así dijo el psicólogo Duboys-Reymond en un célebre discurso. Esta posición agnóstica es la más decente que puede tomar una persona. Ya no sólo las ideas religiosas están descompuestas, sino que lo está lo más sólido y lo más indivisible. ¿Ya quién cree en el átomo? ¿Quién cree en el alma como mónada? ¿Quién cree en la certidumbre de los sentidos?

El átomo, la unidad del alma y de la conciencia, la certidumbre de conocer, todo es sospechoso hoy. *Ignoramus, ignorabimus.*

SIN EMBARGO, NOS DECIMOS MATERIALISTAS

Sin embargo, nos decimos materialistas. Sí. No porque creamos que la materia exista tal como la vemos, sino porque es la manera de negar las estúpidas fantasías, los misterios que empiezan con mucho recato y acaban por sacarnos el dinero del bolsillo.

El materialismo, como ha dicho Lange, ha sido la doctrina más fecunda para la ciencia. Este mismo criterio ha defendido, con relación a la Física y a la Química modernas, Guillermo Ostwald en su *Victoria del materialismo científico.*

Actualmente hay algunos frailecitos que, dejando sus libracos viejos, leen algún manual de vulgarización científica y van a asombrar a los papanatas dando conferencias.

El caballo de batalla de todos ellos es la idea actual de los físicos acerca de la materia, concepto que tiene tanto de sustancia como de fuerza.

—Si la materia apenas tiene realidad, ¿qué valor puede tener el materialismo?—gritan los frailucos con entusiasmo.

Este argumento es un argumento de seminario que no tiene valor alguno.

El materialismo es más que un sistema filosófico: es un procedimiento científico que no acepta fantasía ni caprichos.

La alegría de estos frailecitos, al pensar que puede no existir la materia, va también contra sus teorías. Porque, si no existiera la materia, ¿qué habría creado Dios?

LA DEFENSA DE LA RELIGION

La gran defensa de la religión está en la mentira. La mentira es lo más vital que tiene el hombre. Con la mentira vive la religión, como viven las sociedades con sus sacerdotes y sus militares, tan útiles, sin embargo, los unos como los otros. Esta gran *Maia* de la ficción sostiene todas las bambalinas de la vida, y cuando caen unas levanta otras.

Si hubiese un disolvente para la mentira, ¡qué sorpresas no tendríamos los hombres! Casi todos los que ahora vemos derechos, rígidos, con el pecho abombado, los veríamos fláccidos, caídos y tristes.

La mentira es mucho más excitante que la verdad, casi siempre más tónica y hasta más sana. Yo lo he comprendido tarde. Por utilitarismo, por practicismo, debíamos buscar la mentira, la arbitrariedad, la limitación. Y, sin embargo, no la buscamos. ¿Tendremos, sin saber, algo de héroes?

ARCHIEUROPEO

Soy un vasco, no por los cuatro costados, sino por tres costados y medio. El medio costado que me resta, extravasco, es lombardo.

De mis ocho apellidos, cuatro son guipuzcoanos, dos navarros, uno alavés y el otro italiano.

Yo supongo que cada apellido representa la tierra donde han vivido los ascendientes de uno, y supongo, además, que todos tiran con fuerza y que cada fuerza de éstas obra en el individuo con parecida intensidad. Suponiéndolo así, la resultante de las fuerzas ancestrales que obran sobre mí hacen que yo tenga mi paralelo geográfico entre los Alpes y los Pirineos. Yo, a veces, creo que los Alpes y los Pirineos son lo único europeo que hay en Europa. Por encima de ellos me parece ver el Asia; por abajo, el Africa.

En el navarro ribereño, como en el catalán y como en el genovés, se empieza a notar el africano; en el galo del centro de Francia, como en el austríaco, comienza a aparecer el chino.

Yo, agarrado a los Pirineos y con un injerto de los Alpes, me siento archieuropeo.

¿DIONISIACO O APOLINEO?

Antes, cuando me creía hombre humilde y errante, estaba convencido de que era un dionisíaco. Me sentía impulsado a la turbulencia, al dinamismo, al drama. Naturalmente, era anarquista. ¿Ahora lo soy? Creo que también. Entonces tenía entusiasmo por el porvenir y odiaba el pasado.

Poco a poco la turbulencia se ha ido calmando; quizá nunca fue grande; poco a poco he visto que si el culto de Dionysos hace moverse a saltos la voluntad, el culto de Apolo hace reposar la inteligencia sobre la armonía de las líneas eternas. Y en lo uno y en lo otro hay un gran atractivo.

EPICURI DE GREGE PORCUM

Yo también soy un puerco de la piara de Epicuro; yo también tengo entusiasmo por el viejo filósofo, que conversaba con sus discípulos en su huerto. La misma invectiva de Horacio, al alejarse de los epicúreos *(Epicuri de grege porcum)*, está llena de gracia.

Todos los nobles espíritus han cantado al viejo Epicuro. «¡Oh Epicuro, honor de la Grecia!», dice Lucrecio en el libro tercero de su poema.

«Yo he querido vengar a Epicuro, a este filósofo verdaderamente sagrado, a este genio divino...», afirma Luciano en su *Alejandro o el falso profeta*.

Lange, en su *Historia del materialismo*, pone a Epicuro como un discípulo y un imitador de Demócrito.

No soy yo hombre de bastante cultura clásica para tener una idea exacta del valor de Epicuro en la filosofía. Todos mis conocimientos acerca de éste y de los antiguos filósofos vienen del libro de Diógenes Laercio.

De Epicuro he leído el magnífico artículo de Bayle en su *Diccionario histórico-crítico* y el libro de Gassendi *De vita et moribus Epicuri*. Con este bagaje soy de los discípulos del maestro.

Podrán decirme los sabios que yo no tengo derecho a llamarme discípulo de Epicuro; pero cuando pienso en mí me viene espontáneamente a la imaginación el título grotesco que Horacio dio a los epicúreos en sus epístolas, título grotesco que a mí casi me parece un honor: cerdo de la piara

de Epicuro. *(Epicuri de grege porcum.)*

LA MALDAD HUMANA Y EL CHINO DE ROUSSEAU

Yo no creo en la gran maldad humana; tampoco creo en la gran bondad, ni en que podamos colocar las cuestiones de la vida más allá del bien y del mal. Sobrepasaremos, ya hemos sobrepasado, la idea del pecado; la idea del bien y del mal no la sobrepasaremos nunca; esto equivaldría a saltar en la geografía de los puntos cardinales. Nietzsche, alto poeta y psicólogo extraordinario, creía que podríamos dar este salto marchando sobre su trampolín del más allá del bien y del mal.

Ni con este trampolín ni con ningún otro escaparemos de ese norte-sur de nuestra vida moral.

Nietzsche, salido del pesimismo más fiero, es en el fondo un hombre bueno; en esto es el polo opuesto de Rousseau, quien, a pesar de hablar siempre de la virtud, de los corazones sensibles, de la sublimidad del espíritu, resulta un ser bajo y vil.

El filántropo de Ginebra, de cuando en cuando, descubre la oreja: «Si bastara—dice—para llegar a ser el rico heredero de un hombre a quien no se hubiera visto jamás, de quien no se hubiera oído hablar jamás y que habitara el rincón más lejano de la China, el apretar un botón para hacerle morir, ¿quién de nosotros no apretaría ese botón?»

Rousseau cree que todos apretaríamos el botón, y se engaña, porque la mayoría de los hombres verdaderamente civilizados no lo haríamos. Esto no quiere decir, para mí, que el hombre sea bueno; quiere decir que Rousseau, en su entusiasmo como en su hostilidad por el hombre, tiene poca puntería. La maldad del hombre no es esa maldad activa, teatral e interesada, sino la maldad pasiva, torpe, que nace del fondo del animal humano, una maldad que casi no es maldad.

LA RAIZ DE LA MALDAD DESINTERESADA

Decid a un hombre que su amigo íntimo ha tenido una gran desgracia. Su primer movimiento es de alegría. El mismo no lo nota claramente, él mismo no lo sabe; sin embargo, el fondo es de satisfacción. Ese hombre podrá poner al servicio de su amigo su fortuna, si la tiene, y su vida; todo esto no impedirá que su primer movimiento de conciencia, al saber la desgracia de una persona querida, haya sido un movimiento turbio, muy próximo al placer.

Este sentimiento de maldad desinteresada se observa en las relaciones de los padres con los hijos, de los maridos con sus mujeres. A veces no es sólo desinteresada, sino contrainteresada.

El que este fondo de maldad, que existe, no tenga denominación, depende de que la psicología no está hecha a base del fenómeno tanto como a base del idioma.

Para la moral corriente, esto no tiene valor ni contrastación; naturalmente, para el juez, valen únicamente los actos; para la religión, que penetra más hondo, valen las intenciones; para el psicólogo, que intenta entrar más adentro aún, valen los procesos germinativos de las intenciones.

¿De dónde nace este fondo de maldad desinteresada que tiene el hombre? Probablemente, es un residuo ancestral. El hombre es un lobo para el hombre, como dijo Plauto y repetía Hobbes.

En la literatura apenas se ha podido dar este fondo humano de la maldad desinteresada y pasiva, porque sólo lo consciente es literario. Shakespeare, en *Otelo*—drama que siempre me ha parecido falso y absurdo—, señala la maldad desinteresada de Yago y le presta un carácter de actividad y de acción que no es del hombre normal, y para legitimarlo ante el público, le da, además, un motivo: le hace enamorado de Desdémona.

Víctor Hugo, en *El hombre que ríe*, quiso acusar un tipo por el estilo de Yago, e inventó a Barkilpedro, que es la maldad desinteresada y activa, la maldad del traidor de melodrama.

La otra maldad sin objeto de los posos turbios de la personalidad, esa maldad inactiva, incapaz no ya de esgrimir un puñal, sino ni aun siquiera de escribir un anónimo. Dostoyewski solamente ha podido revelarla, al mismo tiempo que la bondad inerte, que queda adherida al alma y que no sirve de base para nada.

LA MUSICA COMO CALMANTE

La música, que es el arte más social y el de mayor porvenir, tiene grandes ventajas para los buenos burgueses. En primer término, no hay necesidad de discurrir; con ella no hay necesidad de saber si el vecino es creyente o incrédulo, materialista o espiritualista; no hay, por tanto, discusión posible con él acerca de los conceptos trascendentales de la vida. No hay guerra, hay paz. El filarmónico discute, pero con conceptos que están dentro de la música y que no tienen relación ninguna fuera de ella con la filosofía ni con la política. Tiene una pequeña guerra, que no hace sangre. Un wagnerista puede ser librepensador o católico, anarquista o conservador. La misma pintura, que es un arte de concepciones filosóficas míseras, no está tan lejos de lo intelectual como la música. Así se explica que el pueblo griego pudiera llegar tan alto en filosofía y quedar tan bajo en música.

Otra ventaja grande tiene la música, y es que adormece ese fondo de maldad desinteresada y turbia del espíritu.

Así como la mayoría de los aficionados a la pintura y escultura son chamarileros y judíos disfrazados, los aficionados a la música son, en su mayoría, gente un poco vil, envidiosos, amargados y sometidos.

SOBRE WAGNER

Yo soy un hombre que no entiende de música, pero no soy completamente insensible a ella. Esto no es obstáculo para que tenga gran antipatía por los filarmónicos, sobre todo por los wagneristas.

Nietzsche, que debía de ser un temperamento musical al oponer Bizet a Wagner, se mostraba un sistemático vengativo. «Hay que mediterranizar la música», decía el psicólogo alemán. ¡Esto es absurdo! La música debe tener el paralelo geográfico donde nace, debe ser mediterránea, báltica, alpina y siberiana; tampoco me parece exacta la idea de que la melancolía debe tener siempre un compás acusado, porque, si así fuera, no podría existir más que la música bailable. Seguramente, en su comienzo, la música apareció unida al baile, pero han pasado bastantes miles de años para que cada una de estas artes se haga independiente.

Respecto a la hostilidad que Nietzs-che siente por la teatrocracia de Wagner, la comparto. Eso de sustituir la Iglesia por el Teatro y enseñar filosofía cantando, me parece una ridiculez. También me disgustan los dragones de madera, los cisnes, las llamas y las tempestades de teatro.

Parece paradójico, pero es lo cierto, que la decoración estorba. He visto *El rey Lear*, en París, en el teatro Antoine, con unas decoraciones muy perfectas. En el tercer acto, cuando van el rey y el bufón por el campo, entre rayos y truenos, todo el mundo miraba las nubes de las bambalinas, los relámpagos, los silbidos, y nadie hacía caso de lo que decían los personajes.

LOS MUSICOS UNIVERSALES

Lo más universal en música es, sin duda, la música alemana, sobre todo Mozart y Beethoven. Parece que la obra de estos dos maestros es la que lleva menos adheridas las partículas espirituales del suelo en donde nacen. Esto hace pensar en el internacionalismo cultural de Alemania.

Mozart recoge toda la gracia del siglo XVIII; es fino, alegre, sereno, galante, malicioso. Es un cortesano de cualquier patria. Yo, algunas veces que oigo su música, pienso: «¿Por qué esto, que debe ser de origen alemán, parece de todo el mundo y para todo el mundo?»

Beethoven, como Mozart, tampoco tiene patria. Como el uno maneja sus ritmos alegres, serenos y dulces, el otro se agita como en el fondo de una mina y tiene unas explicaciones oscuras y unos lamentos patéticos y desgarradores.

Es un Segismundo que se queja contra los dioses o contra el Destino en una lengua que no tiene acento nacional. Llegará un día en que a los negros de Tombuctú que oigan la música de Mozart y de Beethoven les parezca tan suya como a los ciudadanos de Munich o de Viena.

LA CANCION POPULAR

La canción popular es el polo opuesto de la música universal, es la que lleva más sabor de la tierra en que se produce. Claro, siempre es inteligible para todos, por lo mismo que la música no es un arte intelectual; mueve ritmos, no ideas, pero dentro de ser inteligible, es distintamente amada por los unos y por los otros. La canción popular lleva como el olor del país en que uno ha nacido; recuerda el aire y la temperatura que se ha respirado; es todos los antepasados que se le presentan a uno de pronto. Yo comprendo que la predilección es un poco bárbara, pero si no pudiera haber más música que una u otra, la universal o la local, yo preferiría ésta: la popular.

EL OPTIMISMO DE LOS EUNUCOS

En un libro de consejos a los investigadores de Ramón y Cajal, libro de una tartufería desagradable, este histólogo, que, como pensador, siempre ha sido de una mediocridad absoluta, habla de cómo debe ser el joven sabio, lo mismo que la Constitución de 1812 hablaba de cómo debía ser el ciudadano español.

Sabemos cómo debe ser el joven sabio: sereno, optimista, tranquilo...

Me han dicho algunos amigos que en la Institución Libre de Enseñanza, de Madrid, donde se intenta dar una orientación artística a los alumnos, se hace tácitamente una clasificación de la importancia de las artes; primero, la pintura; después, la música, y, por último, la literatura.

Fijándose en la intención que puede tener este orden, se ve que su objeto no es dar al estudiante motivos de pesimismo. Claro, no es contemplando telas viejas pintadas con aceite de linaza, ni con el chim... bum... bum de la música como saldrán descontentos; pero ¡qué sé yo! En un país como España, creo que vale más que haya descontentos que no señoritos correctísimos que vayan al laboratorio con una blusa muy limpia, hablen del *Greco* y de Cézanne y de la *Novena sinfonía,* y no protesten, porque detras de esta corrección se adivina el optimismo de los eunucos.

II
YO, ESCRITOR

PARA EL LECTOR DE DENTRO DE TREINTA AÑOS

Hay entre mis libros dos clases distintas: unos los he escrito con más trabajo que gusto; otros los he escrito con más gusto que trabajo.

Esto, que yo creo que se nota, veo que los lectores no lo notan. ¿Será que los sentimientos verdaderos no significan nada en una obra literaria, como han pensado algunos decadentes? ¿Será que no se traslucen en las páginas de un libro el entusiasmo, la cólera, el cansancio, la fatiga y el aburrimiento? Indudablemente, no se transparenta ninguna de estas cosas si no se ha entrado de lleno en el libro. Y en mis libros, el lector, en general, no entra. Yo tengo una esperanza, quizá una esperanza cómica y quimérica: la de que el lector español de dentro de treinta o cuarenta años que tenga una sensibilidad menos amanerada que el de hoy, y que lea mis libros, me apreciará más y me desdeñará más.

OBRAS DE JUVENTUD

Cuando hojeo los libros míos, ya viejos, me da la impresión de que muchas veces, como un somnámbulo en completa inconsciencia, he andado por la cornisa de un tejado a riesgo de caerme, y otras me he metido por caminos llenos de zarzas, en donde me he arañado la piel.

Esto lo he hecho casi siempre con torpeza; a veces, con cierta gracia.

Todas mis obras son de juventud, de turbulencia, quizá de una juventud sin vigor, sin fuerza, pero obras de juventud.

Hay en mi alma, entre zarzales y malezas, una pequeña fuente de Juvencio. Diréis que el agua es amarga y salitrosa, que no es limpia y cristalina. Cierto. Pero corre, salta, tiene rumores y espumas. Eso me basta. No la quiero conservar; que corra, que se pierda. Siempre he tenido entusiasmo por lo que huye.

LOS DOS TERMINOS DEL VIAJE

Yo me creí un hombre joven, protoplasmático, poco entusiasta de las formas, hasta que hablé con gente rusa. Desde entonces, me sentí más per-

filado, más latino, más viejo de lo que yo me suponía.

—Me parece usted un hombre del *ancien régime*—me decía una señora francesa en Roma.

—Yo; imposible.

—Sí—afirmaba ella—. Un hombre de conversación. No un abate elegante y peripuesto, pero sí un abate un poco cínico y malhumorado, que le gusta sentirse selvático en el ambiente confortable de un salón.

Esta frase de la señora francesa me hizo pensar.

¿Andaré yo bordeando los alrededores del templo de Apolo sin pensarlo?

Mi vida literaria, quizá, no es más que un viaje desde el valle de Dionysios hasta el templo de Apolo. Alguno pensará que ahí, en la primera grada del tempo de Apolo, empieza el artista. Cierto. Ahí, en la primera grada, acabo yo.

EL SENTIDO CRITICO Y LA MADUREZ

Cuando se me exacerba el sentido crítico, suelo pensar: «Si ahora tuviera que hacer estos libros, ahora que veo sus defectos, no los haría.» Sin embargo, sigo haciendo otros con las mismas faltas antiguas. ¿Llegaré alguna vez a esa madurez espiritual en que perdura la intensidad de las sensaciones y se puede perfeccionar la expresión? Creo que no. Probablemente, cuando llegue a querer alambicar la expresión, no tendré nada que decir, y callaré.

LA SENSIBILIDAD

En mis libros, como en casi todos los libros modernos, se nota un vaho de rencor contra la vida y contra la sociedad.

El rencor contra la vida es más viejo que el rencor contra la sociedad.

El primero ha sido siempre el lugar común de los filósofos.

La vida es absurda, la vida es difícil de dirigir, la vida es como una enfermedad, han dicho la mayoría de los filósofos.

Cuando el rencor humano se dirigió contra la sociedad, entonces hubo el interés de exaltar la vida. La vida es buena; el hombre es, naturalmente, magnánimo—se dijo—. La sociedad es la que le hace malo.

Yo estoy convencido de que la vida no es buena ni mala: es como la Naturaleza: necesaria. La misma sociedad no es tampoco buena ni mala. Es mala para el hombre que tiene una sensibilidad excesiva para su tiempo; es buena para el que se encuentra en armonía con el ambiente.

Un negro puede ir desnudo por una selva en donde cada gota de agua esté impregnada de millones de gérmenes palúdicos, en donde haya insectos cuya picadura levante abscesos y en donde la temperatura se eleve a más de cincuenta grados a la sombra.

Un europeo, acostumbrado a la vida protegida de la ciudad, ante una Naturaleza como la tropical, sin medios de defensa, moriría.

El hombre debe tener la sensibilidad que necesita para su época y para su ambiente; si tiene menos, vivirá como un menor de edad; si tiene la necesaria, vivirá como un hombre adulto; si tiene más, será un enfermo.

LOS COMEDORES DE SU DIOS

Dicen que el filósofo Averroes solía exclamar: «¡Qué secta la de los cristianos, que se comen a su Dios!» Parece que esta alimentación divi-

na debía hacer a los hombres también divinos. Nada de eso: estos teófagos son humanos, demasiado humanos, como diría Nietzsche.

No cabe duda que las razas del mediodía de Europa son las más vivaces, las más enérgicas, las más duras del mundo. De ellas han salido todos los grandes conquistadores. El cristianismo, al tener que dominarlas, les inoculó el virus semítico; pero este virus no sólo no las debilitó, sino que las hizo más fuertes. Tomaron de la mentalidad asiática lo que les convino e hicieron de su religión un arma de combate. Estas razas levantiscas y crueles, gracias únicamente a la penetración germánica, van suavizándose, y acabarán de suavizarse cuando venga a Europa el predominio eslavo. Mientras tanto, en nuestros países siguen mandando.

—Son inofensivas—dicen algunos.

—¡Bah! Ahora quemarían a Giordano Bruno, como antes.

Hay todavía mucho fuego en el corazón de estos teófagos.

ANARQUISMO

En un artículo publicado en *Hermes*, revista de Bilbao, Salaverría supone que yo, curado de mi anarquismo, sigo en la postura anarquizante y negativa para conservar la clientela literaria, lo cual no es cierto. Primeramente, yo apenas tengo clientela; después, una pequeña clientela conservadora es mucho más productiva que una grande anarquista. Cierto que me voy alejando de las fiestas pánicas y del culto de Dionysios; pero no es para sustituirlo, ni exterior ni interiormente, por el culto de Javeh ni por el de Moloc. No tengo entusiasmo por las tradiciones semíticas, no, no. No puedo sentir admiración, como Salaverría, por la gente rica, sólo porque es rica, y por el que ocupa un puesto alto, porque lo ocupa.

Salaverría supone que yo tengo un amor oculto por la sociedad brillante, por los generales, por los magistrados, por los indianos, por los argentinos, que dicen: «Qué esperanza.» Siento por ellos el mismo cariño que por las vacas que pasan por la carretera por delante de mi casa. No sería el Fouquier-Tinville de los unos ni el matarife de las otras; a eso llega todo mi cariño. Aun en presencia de las cosas dignas de admiración, me inclino a lo pequeño; prefiero los jardines de Bóboli a los de Versalles, la historia de Venecia o de Florencia a la de la India.

Los grandes Estados, los grandes capitanes, los grandes reyes, los grandes dioses, me dejan frío. Ellos son para las gentes de las llanuras, cruzadas por ríos caudalosos, para los egipcios, para los chinos, para los indios, para los alemanes y para los franceses...

Nosotros, europeos pirenaicos y alpinos, amamos los pequeños Estados, los pequeños ríos, los pequeños dioses a quien podemos hablar de tú.

También Salaverría se engaña al decir que yo tengo miedo a cambiar. No tengo ninguno. El cambio está en mi naturaleza. Estoy dispuesto a evolucionar, a ir de aquí para allá, a dar vuelta a mi posición literaria y política si mis instintos o mis ideas cambian. No rehuiré ninguna lectura, más que las aburridas; no dejaré ningún espectáculo, más que los tontos; no tengo el menor entusiasmo ni por la austeridad ni por la consecuencia. Es más, me produce un poco de vergüenza, y daría algo por sentir el gusto de hacer una evolución, sólo para demostrarme que soy capaz de un cambio de postura sincero.

LOS NUEVOS CAMINOS

Hace unos meses, en una librería de viejo de la vieja calle del Olivo, nos encontramos tres amigos: un literato, un impresor y yo.

—Los tres éramos anarquistas hace quince años—dijo el impresor.

—Hoy, ¿qué somos?—pregunté yo.

—Nosotros s o m o s conservadores —contestó el literato—. ¿Y usted?

—Yo creo que tengo las mismas ideas que entonces.

—Es que usted no ha evolucionado—replicó el escritor, con cierta sorna.

A mí me gustaría evolucionar, pero ¿adónde? ¿Cómo? ¿En dónde se va a encontrar una dirección?

Cuando se queda uno al lado de la chimenea, con los pies al fuego, mirando las llamas, supone uno muchas veces que hay nuevos caminos que recorrer en la comarca; pero cuando se mira después el mapa, se ve que en todos los aledaños no queda nada nuevo.

Se dirá que se puede evolucionar por ambición. Yo, no. Ortega y Gasset dice de mí que estoy constituido por un fondo insobornable; yo no diré tanto, pero sí que no me siento hombre capaz de dejarme sobornar en frío por cosas exteriores. Si Mefistófeles tuviera que comprar mi alma, no la compraría con una condecoración ni con un título; pero si tuviera una promesa de simpatía, de efusión, de algo sentimental, creo que entonces se la llevaría muy fácilmente.

ASPIRACION DE CAMBIAR

Así como los políticos tienen la aspiración de aparecer constantes y consecuentes, los literatos y los artistas tenemos la aspiración de cambiar.

Ojalá esta segunda aspiración fuera tan fácil de conseguir como la primera.

¡Cambiar! ¡Evolucionar! ¡Tener una segunda personalidad distinta de la anterior! Eso sólo les es dado a los genios y a los santos. Así, César, Lutero, San Ignacio, tienen dos vidas distintas o, quizá mejor, una vida con un anverso y un reverso.

Entre los artistas se da también algo este caso; la evolución pictórica del *Greco* es de las que dan la vuelta a todo el concepto del arte.

En literatura antigua y moderna no hay ejemplo de una transformación así. Se dice de Goethe, pero yo no veo en ese autor más que un período corto de exaltación sentimental, seguido de una larga vida dominada por la inteligencia y por el estudio.

En los demás escritores no hay siquiera una ficción de cambio; Shakespeare es igual en todas sus obras; a Calderón y a Cervantes les ocurre lo propio, y algo idéntico les pasa a los escritores modernos. La primera página de Dickens, de Tolstoi o de Zola se podría intercalar entre las últimas sin que nadie lo conociese.

Los mismos poetas sabios y retóricos, los Víctor Hugo, los Gautier, los Zorrilla, en España no pudieron sobrepasar su retórica.

«BAROJA, NO SERAS NUNCA NADA»

(CANCIÓN)

«Baroja no es nada, y presumo que no sea nunca nada», ha dicho Ortega y Gasset en el número primero de *El Espectador*.

Yo también tengo la sospecha de que no voy a ser nunca nada. Todos los que me han conocido han creído lo mismo.

Cuando fui por primera vez a la escuela, en San Sebastián, yo tenía cuatro años—ya ha llovido desde entonces—; el maestro, don León Sánchez y Calleja, que tenía la costumbre de pegarnos con un puntero muy duro (las venerandas tradiciones de nuestros antepasados), me miró y dijo:

—Este chico va a ser tan cazurro como su hermano. Nunca será nada.

Estudiaba en Pamplona, en el Instituto, con don Gregorio Pano, que nos enseñaba Matemáticas, y este anciano, que parecía el comendador del *Tenorio* por su cara helada y su perilla blanca, me decía con voz sepulcral:

—No será usted ingeniero, como su padre. Usted no será nunca nada.

Al cursar Terapéutica con don Benito Hernando, en San Carlos, don Benito se plantó delante de mí y me decía:

—Esa sonrisita..., esa sonrisita... es una impertinencia. A mí no me viene usted con sonrisas satíricas. Usted no será nunca nada más que un negador inútil.

Yo me encogía de hombros.

Las mujeres que he conocido me han asegurado:

—Tú no serás nunca nada.

Y un amigo que se marchaba al Nuevo Mundo, indicaba:

—Cuando vuelva, dentro de veinte o treinta años, encontraré a todos los conocidos en distinta posición; uno se habrá enriquecido, el otro se habrá arruinado, éste habrá llegado a ministro, aquél habrá desaparecido en una aldea; tú seguirás como ahora, vivirás igual y tendrás dos pesetas en el bolsillo. No pasarás de ahí.

La idea de que no seré nunca nada está ya muy arraigada en mi espíritu. Está visto: no seré diputado, ni académico, ni caballero de Isabel la Católica, ni caballero de industria, ni concejal, ni chanchullero, ni tendré una buena ropa negra... Y, sin embargo, cuando se pasan los cuarenta años, cuando el vientre empieza a hincharse de tejido adiposo y de ambición, el hombre quiere ser algo, tener un título, llevar un cintajo, vestirse con una levita negra y un chaleco blanco; pero a mí me están vedadas estas ambiciones. Los profesores de la infancia y de la juventud se levantan ante mis ojos como la sombra de Banquo, y me dicen: «Baroja, tú no serás nunca nada.»

Cuando voy a la orilla del mar, las olas que se agitan a mis pies murmuran: «Baroja, tú no serás nunca nada.» La lechuza sabia, que por las noches suele venir al tejado de Itzea, me dice: «Baroja, tú no serás nunca nada.» Y hasta los cuervos que cruzan desde el cielo suelen gritarme, desde arriba: «Baroja, tú no serás nunca nada...» Y yo estoy convencido de que no seré nunca nada.

EL PATRIOTISMO DE DESEAR

Yo parezco poco patriota; sin embargo, lo soy. Yo no puedo hacer que mi calidad de español o de vasco sean las únicas categorías para mirar el mundo, y si creo que un concepto nuevo se puede adquirir colocándose en una actitud internacionalista, no tengo inconveniente en dejar momentáneamente de sentirme español y vasco.

A pesar de esto, tengo normalmente la preocupación de desear el mayor bien para mi país, pero no el patriotismo de mentir.

Yo quisiera que España fuera el mejor rincón del mundo, y el País Vasco, el mejor rincón de España.

Es éste un sentimiento tan natural y tan general, que no vale la pena de explicarlo.

El clima de la Turena y de la Toscana, los lagos de Suiza, el Rin con sus castillos, todo lo mejor de Europa, lo llevaría por mi voluntad entre los Pirineos y el Estrecho. Al mismo tiempo, desnacionalizaría a Shakespeare y a Dickens, a Tolstoi y a Dostoyewski, para hacerlos españoles; desearía que rigieran en nuestra tierra las mejores leyes y las mejores costumbres. Mas al lado del patriotismo de desear está la realidad. ¿Qué se puede adelantar con ocultarla? Yo creo que nada.

Para muchos, el patriotismo único es el patriotismo de mentir, lo que para mí es, más que un sentimiento, una retórica.

Estos patriotas falsificadores suelen contender con frecuencia con unos internacionalistas falsificadores.

—Sólo lo nuestro es bueno—dicen los primeros.

—Sólo lo de los demás es bueno —dicen los segundos.

La verdad nacional calentada por el deseo del bien y por la simpatía, creo yo que debe ser el patriotismo.

Alguno me dirá: «Este patriotismo de usted no es más que una irradiación del egoísmo y de la utilidad.» ¡Claro que sí! ¿Es que puede haber otro patriotismo?

MIS PATRIAS REGIONALES

Tengo dos pequeñas patrias regionales: Vasconia y Castilla, considerando Castilla, Castilla la Vieja. Tengo, además, dos balcones para mirar el mundo: uno de casa, en el Atlántico; otro, de cerca de casa, en el Mediterráneo.

Todas mis inspiraciones literarias proceden de Vasconia o de Castilla. Yo no podría escribir una novela gallega o catalana.

Entre vascos y castellanos es donde me gustaría tener mis lectores.

Los demás españoles me interesan menos; los españoles de América y los americanos no me interesan nada.

LA ESTUPIDEZ Y LA CRUELDAD

En un artículo de *Azorín* sobre un libro mío, dice que para mí existen dos absurdos enormes, intolerables: la estupidez y la crueldad.

El hombre civilizado tiene que odiar estas dos manifestaciones de una vida primitiva y oscura.

Aún podemos pasar por la estupidez y la incomprensión, cuando son sencillas y naturales; pero ¿qué decir de la incomprensión adornada y retórica? ¿Hay nada más desagradable?

Cuando vemos a una mosca que se lanza con fruición a devorar los polvos del piretro que le van a matar, pensamos que ni la mosca ni el hombre tienen sabiduría innata; ahora, cuando oímos a un orador tradicionalista defender con fuegos retóricos la vida pasada, entonces comprendemos lo odioso de la estupidez adornada.

Respecto a la crueldad, pasa lo mismo. Las costumbres del *sphex* nos producen sorpresa; las corridas de toros nos producen asco. La crueldad, como la estupidez, cuanto más adornadas, son más odiosaa.

LA IMAGEN ANTERIOR

Yo he escrito un artículo titulado «El español no se entera», que no diré que esté bien, pero sí que la idea defendida en él tiene alguna exactitud. Cierto que no se puede decir que esta condición de no enterarse sea patrimonio exclusivo del español; es una condición humana más acentuada en los pueblos de una cultura retrasada y de un gran sentido vital.

El español, como el niño, tiene una imagen anterior a la experiencia inmediata, a la que somete sus percepciones. Así, el niño ve en un monigote un hombre o un caballo mucho mejor que en una figura de Rafael o de Leonardo de Vinci, porque la figura del monigote se adapta mejor a la imagen anterior que él tiene en la conciencia.

Al español le pasa lo mismo. Este es uno de los motivos de incomprensión. El hombre rechaza lo que no cuadra en el esquema interior que tiene de las cosas.

Marchaba yo a Valencia con dos curas bastante ilustrados. Uno de ellos había estado cuatro años en Azpeitia, en el convento de Loyola. Hablamos de nuestros respectivos países: ellos elogiaron la huerta de Valencia, yo les dije que a mí me gustaban los montes, y al pasar por delante de unos cerros pelados, desnudos, que hay hacia Chinchilla, uno de ellos, el que había vivido en Loyola, me dijo:

—Esto le recordará a usted su tierra.

Yo me quedé asombrado. ¿Cómo comparar estas rocas, secas, carcomidas, claras, con el paisaje vasco, húmedo, verde y sombrío de Azpeitia? Se veía que ante la imagen anterior del campo del cura aquel, la idea monte era única, y para él no había la separación, tan trascendental para mí, del monte verde, con césped y con árboles, y el monte árido, con piedras secas.

Hay una hipótesis acerca de la formación de las representaciones visuales, que Wundt llama la hipótesis de la proyección. Consiste en atribuir a la retina la facultad innata de transferir hacia fuera sus impresiones, en la dirección de líneas rectas determinadas.

Para Müller, que ha defendido esta hipótesis, no sólo sentimos directamente bajo forma de espacio nuestra propia retina, sino que la grandeza de la imagen retiniana es la unidad primitiva de medida que tenemos para los objetos exteriores.

El español, como el niño, si quiere ser algo tiene que ampliar su imagen retiniana; ampliarla y quizá también complicarla.

LA TRAGICOMEDIA SEXUAL

La cuestión sexual es muy difícil abordarla y hablar de ella de una manera limpia y digna. Y, sin embargo, ¿qué duda cabe que lleva en sus entrañas la resolución de una porción de enigmas y de oscuridades de la psicología?

¿Qué duda cabe que la sexualidad es una de las bases del temperamento?

Todavía se puede poner la cuestión en términos científicos y muy generales, como lo ha hecho el profesor Freud; lo que no se puede es llevarla al terreno de la práctica y de lo concreto.

Yo estoy convencido de la repercusión de la vida sexual en todos los fenómenos de la conciencia.

Para Freud, un deseo que queda no satisfecho produce una serie de movimientos oscuros en la conciencia, que se van almacenando como la electricidad en un acumulador. Esta acumulación de energía psíquica tiene que producir un desequilibrio en el sistema nervioso.

Este desequilibrio nervioso, de origen sexual, producido por la estrangulación de los deseos, da una forma a la mentalidad.

¿Cuál ha de ser la conducta del hombre en esa época crítica, desde los catorce hasta los veintitrés años? «Será casto—dirá un cura, cerrando los ojos con aire hipócrita—, y después se casará para ser padre.»

El hombre que pueda ser casto, sin dolor, desde los catorce a los veintitrés años, es que es un temperamento especial. Este no es el caso corriente. Lo corriente es que el hombre joven no sea casto, no pueda serlo.

La sociedad, bien percatada de ello, deja un portillo abierto para la sexualidad que no tiene interés social: el portillo de la prostitución.

Como las colmenas tienen las abejas obreras, la sociedad tiene las prostitutas.

Después de unos años de vida sexual extramuros, en los fosos de la prostitución, el hombre normal está preparado para el matrimonio, con el vasallaje a las normas sociales y a las categorías más absurdas.

No hay posibilidad de escaparse de este dilema que plantea la sociedad: o sumisión o desequilibrio.

Tratándose del hombre acomodado, con dinero, la sumisión no es muy dura: basta con el acatamiento de fórmula. La prostitución alta no ofende la vista, no tiene las lacras de la prostitución pobre. El matrimonio es también cómodo para el rico. Para el pobre, la sumisión tiene que ir unida con la vergüenza.

Frecuentar la prostitución baja es codearse, convivir con lo más vil de la sociedad; casarse después sin medios es tener que caer diariamente en el envilecimiento continuo, es no poder sustentar una convicción, es tener que adular a un superior en categoría, en España más que en ninguna parte, en donde todo se consigue aún por acción personal.

¿Y si uno no se somete? Si uno no

se somete, está perdido. Está irremisiblemente condenado al desequilibrio, a la enfermedad, a la histeria.

Es el andar rondando el otro sexo como un lobo famélico, es el vivir obsesionado con ideas lúbricas, es pensar en la estafa y en el robo para resolver la existencia, es ser la oveja sarnosa que el pastor separa.

Yo, desde la juventud, vi claramente el dilema, y siempre dije: «No; antes la enfermedad, antes la histeria que la sumisión.»

La enfermedad y la histeria han venido a posarse en el fondo de mi conciencia.

Si yo hubiera podido seguir mis instintos libremente en esa edad trascendental de los quince a los veinticinco años, hubiera sido un hombre tranquilo, quizá un poco sensual, quizá un poco cínico, pero seguramente nunca un hombre rabioso.

La moral de nuestra sociedad me ha perturbado y desequilibrado.

Por eso la odio cordialmente y le devuelvo cuanto puedo todo el veneno de que dispongo. Ahora, que a veces me gusta dar a ese veneno una envoltura artística.

LOS VELOS DE LA VIDA SEXUAL

Yo no siento espontáneamente ese entusiasmo que ha cantado Zola por la fecundidad; es más, me parece una superstición; quizá sea yo un tipo de final de raza, es posible. Entre esa devoción del sentido de la especie de los repobladores y la preocupación puramente individual de los maltusianos, estoy con los últimos. En esta cuestión sexual yo no veo más que el individuo, el individuo que queda perturbado por la moral sexual.

Con el tiempo, esta cuestión habrá que aclararla, habrá que mirarla sin misterios, sin velos y sin engaños.

Como se estudia la higiene alimenticia a la luz del día, se estudiará también la higiene sexual.

Actualmente caen sobre la vida sexual: primero, la idea del pecado; después, la idea del honor; luego, el temor a la sífilis y a las otras enfermedades sexuales, y todo esto se baraja con ficciones místicas y literarias.

Claro que casi siempre la moral sexual intensa no es más que un disfraz de la economía. Veamos claro en todo. No es cosa de ir pasando la vida y perdiéndola por una tontería. Hay que ver en lo que es, como decía Stendhal. Alguno dirá: «¡Estas envolturas, estos tapujos de la vida sexual, son vitales!» Para la sociedad, lo son sin duda; para el individuo, no lo son. Muchos dicen que el interés del individuo y los de la sociedad son comunes. Nosotros, los del individuo contra el Estado, no lo creemos así.

EN LA CONVERSACION

Yo.—Yo, que casi me hubiera alegrado de ser impotente...

LOS QUE ME OYEN.—¡Qué barbaridad! ¿Cómo puede usted decir eso?

Yo.—¡Qué quiere usted! Para mí, como para la mayoría de los que viven y han vivido sin medios económicos dentro de nuestra civilización, el sexo no es más que una fuente de miserias, de vergüenzas y de pequeñas canalladas. Por eso digo que yo casi me hubiera alegrado de ser impotente...

SOBRE LA SUPUESTA MORALIDAD DEL MATRIMONIO

Se dice que la soltería es cínica e infame. Inmoral, por lo menos, lo es. ¿Y el matrimonio? ¿Es tan moral como nos lo pintan?

Yo, por lo menos, lo dudo.

Acerca del matrimonio, como acerca de todas las instituciones sociales de importancia, hay una serie de lugares comunes que convendría aclarar.

El matrimonio tiene su parte pomposa y solemne y su parte de museo secreto.

El matrimonio se quiere dar como una fórmula armónica en que colaboran la religión, la sociedad y la Naturaleza.

¿Lo es así? Es un poco dudoso. Si el matrimonio no tuviera más fin que el hijo, el hombre debía cohabitar con la mujer hasta que ésta quedara embarazada. Desde este momento no debía tocarla. Viene la segunda parte: la madre tiene un niño y el niño debe alimentarse con la lactancia materna. El hombre no debe cohabitar con la mujer en este período, a trueque de quitar al niño su alimentación natural.

La consecuencia de esto es que el hombre tiene que cohabitar con su mujer de dos en dos años, o que tiene que haber fraude en el matrimonio.

¿Qué hacer? ¿Cuál es lo moral? Hay que tener en cuenta que sobre la pareja humana pesan tres factores: uno, el más trascendental hoy, el económico; otro, también importantísimo, el social; el tercero, que va perdiendo importancia por momentos, pero que aún influye mucho, el religioso. Estos tres factores quieren moldear la Naturaleza a su gusto.

La presión económica, la carestía de la vida, impulsa al fraude.

—¿Cómo vamos a tener muchos hijos?—dicen los matrimonios—. ¿Cómo los vamos a alimentar y a educar?

La presión social empuja a lo mismo. La moral religiosa se aferra sobre su idea del pecado, aunque ve por días que la eficacia de su sanción disminuye.

Si la Naturaleza tuviera voto en este asunto, seguramente optaría por la poligamia. El hombre es sexual constantemente y de igual manera hasta la decrepitud. La mujer tiene etapas: la de la fecundación, la del embarazo y la de la lactancia

Con arreglo a la Naturaleza, no cabe duda que el sistema de unión sexual más conveniente, más lógico y más moral, sería la poligamia.

Contra la Naturaleza está la economía. ¿Quién va a tener cinco mujeres, cuando no se puede alimentar una?

La sociedad ha hecho del hombre un producto exclusivamente social, alejado de la Naturaleza.

¿Qué debe hacer la pareja humana, y, sobre todo, la pareja pobre? ¿Llenarse de hijos y entregarlos a la miseria y al abandono porque se los ha dado Dios, o limitar su número?

A mí, si alguien me pidiera mi opinión, aconsejaría esto último, lo artificial, lo inmoral.

En el matrimonio hay ese dilema: o el acochinamiento sucio del obrero pobre, del carabinero que vive en un cuchitril lleno de hijos, o la vida limpia del matrimonio francés, que limita la prole.

Hoy toda la burguesía empieza a aceptar este último punto de vista. El matrimonio deja su moralidad en las zarzas..., y hace bien.

LA SOBERANA MASA

El hombre fuerte ante la soberana masa no puede tener más que dos movimientos: uno, el dominarla y sujetarla, como a una bestia bruta, con sus manos; el otro, el inspirarle con sus ideas y pensamientos otra forma de dominio.

Yo, que no soy hombre fuerte para ninguna de estas dos acciones, me alejo de la soberana masa para no sentir de cerca su brutalidad colectiva ni su mala índole.

EL REMEDIO

Como todos los que se creen un poco médicos preconizan un remedio, yo también he preconizado un remedio para el mal de vivir: la acción. Es un remedio viejo como el mundo, tan útil a veces como cualquier otro y tan inútil como todos los demás. Es decir, que no es un remedio.

La fuente de la acción está dentro de nosotros mismos, en la vitalidad que hemos heredado de nuestros padres. El que la tiene la emplea siempre que quiere; el que no la tiene, por mucho que la busque, no la encuentra.

III

EL EXTRARRADIO

Supongo yo que el extrarradio de un escritor son sus manifestaciones y sus inclinaciones literarias. Quiero mirar la célula literaria desde el núcleo, no desde la cubierta.

Esta comparación histológica, pedantesca, que me ha salido, me recuerda mis tiempos de estudiante.

RETORICA Y ANTIRRETORICA

Si yo tuviera que expresar la idea que tengo de la retórica, diría: «La retórica de todo el mundo es la mala; la retórica de cada uno es la buena.»

Hay en la literatura un almacén de adornos del común, casi todos empleados y conocidos.

Cuando un escritor usa uno de estos adornos de una manera espontánea, lo hace suyo, brota la flor conocida como en la Naturaleza. Cuando el escritor no marcha desde dentro a fuera, sino de fuera a adentro, es cuando es un mal retórico.

Yo soy de los escritores que emplean el mínimo de retórica comunal posible. Las razones de mi antirretoricismo son varias: primeramente, no creo que las páginas de un escritor incorrecto se puedan mejorar siguiendo unas reglas generales, y si mejoran en un concepto, pierden en otro.

Esta es una razón; hay otras.

En los idiomas existe una tendencia al molde antiguo. Así, el español tiende a ser castellanista. ¿Por qué yo, que soy vasco, que no oigo hablar el castellano con los giros de Avila o de Toledo, he de emplearlos? ¿Por qué he de dejar de ser vasco para ser castellano, si no lo soy? No es que yo tenga orgullo regional, no; es que cada cual debe ser lo que es, y si puede estar contento con lo que es, mejor que mejor.

Esta es una de las razones que me impulsan a mí a rechazar, cuando me doy cuenta, el giro idiomático demasiado castellano que me viene a la imaginación. Así, si se me ocurre espontáneamente decir *le puso como no digan dueñas*, busco una vuelta para expresarme de otro modo más lógico y que no recuerde la literatura antigua.

En cambio, a los retoricistas castizos, a los Mariano de Cavia, a los Ricardo León, si se les ocurre decir algo de una manera sencilla, lógica y moderna, buscan una vuelta para decirlo de una manera complicada y antigua.

EL TIEMPO DEL ESTILO

Muchos suponen que yo no sé las tres o cuatro reglas de buen sentido para escribir, que las aprende cualquiera; otros afirman que me falta sintaxis; el señor Bonilla y San Martín, buscando faltas concretas en mis libros, encontró que en una parte ponía: los niños no deben *de* hacer esto; en otra, *le* dijo a Fulano, y en otra escribía la palabra *misticidad*. Respecto a las dos primeras faltas, no me costaría ningún trabajo encontrarlas repetidas en los autores clásicos; respecto a la palabra *misticidad*, está puesta en mi libro en boca de un extranjero. Las faltas encontradas por el señor Bonilla no eran muy graves, y, sin embargo...

Un amigo inteligente me dijo una vez: «No sé qué le falta a su idioma; lo encuentro agrio.» Es lo que me ha parecido más exacto de lo que me han dicho.

Lo que me falta principalmente para escribir el castellano no es la corrección gramatical pura, ni es la sintaxis. Es el tiempo, el compás del estilo. Es lo que choca al que lee mis libros por primera vez: nota algo que no le suena, y es que hay una manera de respirar que no es la tradicional.

Insistiría en esto; pero hay tal cantidad de lugares comunes sobre la idea del estilo, que tendría uno que contrastar el significado de las palabras, y al último, quizá, no nos habríamos de entender. La gente cree que piensa cuando emplea el mecanismo aprendido del lenguaje, y cuando oye que otro hace crujir las articulaciones del idioma, dice: «No lo sabe emplear.» Sí, lo puede saber emplear. Para decir vulgaridades, lo sabe emplear cualquiera. Lo que sucede es que el escritor independiente quiere hacer del idioma una capa que se adapte a su cuerpo, y, en cambio, los castizos quieren modificar su cuerpo para que se adapte a la capa.

LA RETORICA DEL TONO MENOR

Algunos lectores, que no rechazan en absoluto mi forma literaria, me preguntan:

—¿Por qué emplea usted ese período corto, que quita elocuencia y rotundidad a la frase?

—Es que yo no busco la rotundidad ni la elocuencia de la frase—les digo—; es más, huyo de ellas. Para la mayoría de los casticistas españoles no hay más retórica posible que la retórica en tono mayor. Esta retórica es, por ejemplo, la de Castelar, la de Costa; la que emplean hoy Ricardo León y Salvador Rueda es la retórica heredada de los romanos, que intenta dar solemnidad a todo, a lo que ya lo tiene de por sí y a lo que no lo tiene. Esta retórica en tono mayor marcha con un paso ceremonioso y académico. En un momento histórico puede estar bien; a la larga, y repetida a cada instante, es de lo más aburrido de la literatura; destruye el matiz, da una uniformidad de plana de pendolista a todo lo escrito.

En cambio, la retórica del tono menor, que a primera vista parece pobre, luego resulta más atractiva, tiene un ritmo más vivo, más vital, menos ampuloso. Es en el fondo esta retórica continencia y economía de gestos; es como una persona ágil, vestida con una túnica ligera y sutil.

Yo huyo siempre, todo lo que puedo, de la retórica en tono mayor, que se le aparece a uno como indispensable y única desde el momento que se empieza a escribir en castellano; quisiera, sí, manejar el registro de lo solemne alguna que otra vez, pero en muy contadas ocasiones.

—¿Entonces, usted, lo que busca —me dirán—es el estilo familiar del tipo de Mesonero Romanos, de Trueba, de Pereda?

—No, no; tampoco.

El estilo familiar y un poco chabacano me da la impresión del buen matrimonio burgués que se sienta a la mesa: él, en mangas de camisa; ella, despeinada y sucia; los chicos, desastrados...

Yo supongo que se puede ser sencillo y sincero, sin afectación y sin chabacanería, un poco gris, para que se destaquen los matices tenues; que se puede emplear un ritmo que vaya en consonancia con la vida actual, ligera y varia y sin aspiración de solemnidad.

Esta forma de retórica del tono menor hay un poeta moderno que la ha llevado, en mi sentir, a la perfección.

Este poeta ha sido Paul Verlaine.

Una lengua así, como la de Verlaine, disociada, macerada, suelta, sería indispensable para realizar la retórica del tono menor que yo siempre he acariciado como un ideal literario.

EL VALOR DE MIS CONCEPTOS

Alguna vez mi amigo *Azorín* ha intentado someter mis afirmaciones al análisis. Yo no pretendo estar en el fiel de la balanza; esta pretensión sería una locura. Como el piloto del barco de vela aprovecha el buen viento, y si no lo tiene, el viento contrario, así soy yo. El meteorólogo en su observatorio dirá, mirando a sus aparatos, con exactitud matemática, el viento que reina, la presión atmósferica y el grado higrométrico. Yo digo como el piloto: voy allá, y marcho como puedo.

LA ADMIRACION Y EL GENIO

No creo en esa idea de los lombrosianos (Lombroso parece una cosa tan vieja como el miriñaque), de que el genio es pariente de la locura, y ni tampoco que el genio sea la paciencia.

La idea del genio me parece semejante a la del milagro. Si me dicen que una caña se convirtió en un reptil por milagro, es natural, no lo creeré; pero si me preguntan si en la existencia de una caña y de un reptil no hay algo milagroso, no tendré más remedio que reconocerlo.

Cuando leo las vidas de los filósofos en Diógenes Laercio, me figuro que Epicuro, Zenón, Diógenes, Protágoras y los demás eran hombres sólo de buen sentido. Claro que, como corolario lógico, tengo que pensar que estas gentes que encontramos en las calles con un hábito, con un uniforme o con una blusa son pobres bestias con figura humana.

Contra la idea de suponer que estos grandes hombres de la antigüedad eran hombres corrientes y normales, está la rareza y la serie de condiciones y de necesidades que ha tenido que haber en el mundo para que exista una Grecia, y en esa Grecia, una Atenas, y en esa Atenas, un hombre como Platón.

Relacionado con esta idea acerca del genio, tengo el concepto de la admiración. ¿Se admira lo que se comprende, o lo que no se comprende?

Hay dos formas de admiración: una es la corriente, la de quedarse maravillado ante un hecho cuya causa en bloque uno no se explica; la otra es la admiración unida a la comprensión.

Edgar Poe ha escrito varias historias. *El escarabajo de oro*, por ejemplo, presentando primero el enigma impenetrable resuelto como por un talismán, y dando después una lección de criptografía, en que desaparece el talismán y le sustituyen las facultades conjeturales de un espíritu de un razonamiento fuerte.

Algo parecido ha hecho en el poema *El cuervo*, obra literaria a la que sigue un análisis de su gestación, titulado *La génesis de un poema*. ¿Qué sería más maravilloso: escribir *El cuervo* por inspiración o escribirlo por técnica? ¿Encontrar el tesoro con el talismán de *El escarabajo de oro* o con las facultades analíticas del protagonista del cuento de Poe?

Pensando bien, llegaríamos a la conclusión de que una cosa y otra son, igualmente, maravillosas.

Se puede decir que en la Naturaleza no hay milagro, pero también se puede decir que todo es milagro.

MIS INCLINACIONES LITERARIAS Y ARTISTICAS

En general, los libros antiguos no los comprendo bien, ni me gustan; sólo Shakespeare y algún otro autor he podido leer con el mismo interés que un escritor moderno.

La ilegibilidad de los autores antiguos me pareció que debía constituir para mí un sistema, así que luego he tenido algunas sorpresas.

Una de ellas fue poder leer la *Odisea* con gusto.

«¿Seré yo un farsante?», me decía a mí mismo.

En pintura ya no tengo la misma incompatibilidad que en literatura para los autores antiguos. Al revés, me ocurre lo contrario. Prefiero con mucho un cuadro de Botticelli, de Mantegna, del *Greco* o de Velázquez a un cuadro moderno.

El único pintor ilustre de la antigüedad que me parecía antipático era Rafael, y cuando estuve en Roma y vi los frescos del Vaticano, tuve que preguntarme si sería un farsante, porque me parecieron admirables.

Yo no pretendo ser hombre de buen gusto, sino hombre sincero; tampoco quiero ser consecuente; la consecuencia me tiene sin cuidado.

No hay más consecuencia que la consecuencia de fuera a adentro, que procede del miedo a la opinión pública, y que a mí me parece despreciable.

No cambiar por temor a los demás es una de las formas más bajas de la esclavitud.

Cambiemos todo lo que podamos. Mi ideal sería cambiar constantemente de vida, de casa, de alimentación y hasta de piel.

MI BIBLIOTECA

Una de las cosas de estudiante que me ha faltado ha sido tener una biblioteca pequeña. Si la hubiese tenido, creo que me hubiera detenido más en las cosas y en los libros; pero no la tuve.

En la época que a mí me parece más trascendental para la formación del espíritu, de los doce a los veinte años, viví alternativamente en seis o siete pueblos; no era posible andar de un lado a otro con libros, y llegué a no guardar ninguno.

El no haber tenido libros me ha hecho el no repetir las lecturas, el no haberlos saboreado y el no haberlos anotado.

Casi todos los escritores que tienen su pequeña biblioteca, con los libros ordenados, con anotaciones, casi todos hacen su camino en la vida.

No hablo de esa anotación estólida e insultante con que ensucian los libros los pollos del Ateneo, porque eso no denota más que una incultura y una brutalidad cabileñas.

El no haber formado una biblioteca en la juventud me ha impedido el tener esos libros favoritos que se llevan en el bolsillo al campo y que se leen hasta aprenderlos de memoria.

He pasado por los libros como un viajero por las fondas, sin detenerme mucho ni en ésta ni en la otra. Ahora lo siento, pero ya no hay remedio.

EL SEÑORITISMO

Mirando desde fuera, para unos he sido un hombre tosco y burdo, con un escaso mérito; para otros soy un escritor enfermizo y decadente. *Azorín* ha hablado de mí algunas veces como de un aristócrata de la literatura y como de un espíritu fino y comprensivo.

Yo me acogería muy a gusto a la opinión de *Azorín*; pero en literatura, la personalidad tiene que estar muy batida para que deje su escoria. Como esas bolas de metal fundido que se sacan del horno y se llevan debajo del martillo, yo llevaría también mis obras a que fueran golpeadas por todos los martillos.

Si quedaba algo, lo miraría con amor; si no quedaba nada, todavía quedaría un pedazo de vida.

Yo sigo siempre con curiosidad la opinión de las gentes no literarias sobre mis libros. Uno de los que me decían su parecer sin embages era mi primo Justo Goñi. Solía llevarse mis libros cuando aparecían, y, al cabo de mucho tiempo, me daba su parecer.

De *Camino de perfección* me dijo:

—Está bien, sí; está bien, pero es muy aburrido.

Me pareció que el juicio tenía algo de exacto.

Cuando leyó las tres novelas que les puse el título general de *La lucha por la vida*, me paró en la calle de Alcalá, y me dijo:

—No me has convencido.

—¿Pues?

—Tu personaje es un hombre de pueblo, falsificado. Es como tú, que no puedes ser más que un señorito. Hagas lo que quieras, te vistas de anarquista, de socialista o de golfo, no eres más que un señorito.

El señoritismo que me reprochaba mi primo, exacto, sin duda alguna, es un carácter común a casi todos los escritores españoles. No ha habido, ni hay, escritores españoles de alma, de efusión popular. El mismo Dicenta no lo era. Su *Juan José* no es un obrero, es un señorito. No tiene de obrero más que la vitola, la ropa y los accesorios.

Galdós, por ejemplo, sabe hacer hablar a la gente del pueblo; *Azorín* sabe describir las aldeas de Castilla en sus collados áridos sobre los cielos azules; Blasco Ibáñez pinta con unos colores fuertes y una facundia un poco vulgar la vida de los valencianos, pero el alma popular no la acoge nadie. Tendría que haber un poeta grande, y no lo hay.

LOS IMPROPERIOS

Yo tengo alguna fama de hombre agresivo, pero es lo cierto que no he atacado personalmente a casi nadie. A una opinión radical, muchos llaman improperio.

Ortega y Gasset, en un artículo de *La Lectura*, como para hacer recalcar ni tendencia al improperio, cuenta que una tarde, al salir los dos del Ateneo, encontramos en la calle del Prado a un ciego que cantaba la jota, y dije yo: «Qué canto más repugnante.»

Bien. El hecho es cierto, pero yo no veo aquí un improperio. Es una forma violenta de decir: «Eso no me gusta, no me es simpático», etc.

A mí me ha sucedido muchas veces dar una opinión sobre algo y ver después con sorpresa que, en réplica de lo que yo decía, me insultaban con acritud.

Al principio de mi vida literaria, compartía con *Azorín* la animosidad de la gente.

Cuando hicimos Maeztu, *Azorín*, Carlos del Río y yo un periodiquito que se llamaba *Juventud*, nos insultaban, principalmente a los dos. Luego, cuando estuvimos en *El Globo*, nos pasaba lo mismo.

Azorín era quizá más combatido y más insultado; luego quedé yo como campeón.

Hace unos años publiqué un artículito en el *Nuevo Mundo*, hablando de Vázquez de Mella, de su refutación de la filosofía de Kant y de la diecisiete prueba matemática de la existencia de Dios. Claro que en broma. Un periódico tradicionalista la emprendió conmigo, y me llamó ateo, plagiario, borracho y jumento. Eso de ateo, yo no lo consideré como un insulto, sino más bien como un honor.

Otro día escribí un artículo sobre las mujeres españolas, y, especialmente, sobre las vascongadas, diciendo que sacrifican todo lo que sea bondad, piedad, etc., a la idea del honor y a la religión, y me contestaron las Hijas de María de San Sebastián diciéndome que yo era un hijo degenerado de la ciudad y que negaba su honor, lo que era todo lo contrario. De paso pedían al director del *Nuevo Mundo* que yo no volviera a escribir en el periódico.

Hablé una vez de Maceo y de Cuba, y salió de allí un escritor a decirme que soy un grosero buey vasco.

Los catalanistas también me han regalado los oídos con algunos amenos insultos, que me han hecho gracia. Cuando leí una conferencia en Barcelona, en la Casa del Pueblo, *La Veu de Catalunya* quiso dar la impresión de ella, y me pintó a mí diciendo lugares comunes, en medio de los profesionales de la bomba de dinamita y de la pistola *browning*.

Aquello me gustó.

Ultimamente, en la revista *España* ocurría el mismo fenómeno que en los periodiquitos en donde colaboraba hace quince años. Algunos señores, sobre todo de provincias, escribían al director, Ortega y Gasset, diciéndole que yo no debía colaborar en una revista seria, que era un error el que yo escribiera, y que por mí se dejaba de vender el semanario.

Pensaban estas buenas almas, estos excelentes cristianos, que quizá yo necesitaba de la colaboración de la revista para vivir, y ellos, piadosamente, hacían todo lo posible para que me suprimieran mis medios de alimentación. ¡Oh nobles gentes! ¡Oh corazones magnánimos! Yo os saludo desde aquí y os deseo el más incómodo de los catres en la más desagradable sala de tiñosos de cualquier hospital.

COMO SE DESEA LA GLORIA

La gloria, el éxito, la popularidad, el espejismo de ser conocido, estimado y admirado, se presenta de distinta manera a los ojos de los escritores; para Salvador Rueda, es entrar en Tegucigalpa triunfante, ser llevado al Casino español y coronado con una corona auténtica de laurel; para Unamuno, es pensar que dentro de mil años se van a ocupar de él; para otros no hay más gloria que la que buscaba un escritor francés, Rabbe, que se ocupó de España, *de la gloire argent comptant.* Unos necesitan un escenario grande, estandartes, banderolas, cañonazos; otros, un escenario pequeño.

Ortega y Gasset dice que para mí la gloria se presenta reducida a las proporciones de una grata sobremesa.

Es verdad. Es una de las formas simpáticas de la gloria el ser aceptado entre gente amable, inteligente y cordial.

Una sobremesa un poco animada es algo que seduce y atrae. Un comedor de una casa particular, lujoso; ocho o diez convidados, tres o cuatro mujeres bonitas, alguna de ellas extranjera; otros tantos hombres, que ninguno sea aristócrata—porque los aristócratas son muy poco amenos en general—ni sea tampoco artista—porque son de la misma casta que los aristócratas—; tener de vecino a algún banquero o algún judío de perfil aguileño, y hablar de la vida, de la política, estar un poco galante con las señoras, dejar que cada uno tenga un momento de lucimiento, es, sin duda alguna, cosa muy agradable.

También me parece atrayente el poder pasar una tarde hablando con unas señoras en un gabinete confortable, con una buena temperatura. Todas las formas del halago que pueda producir la gloria las veo siempre bajo techado. A mí, lo que no sea íntimo, no me llega a entusiasmar.

Muchas veces he visto a Guimerá, en Barcelona, en un café de la Rambla, tomando café en una mesa, solo, triste, entre viajantes y dependientes de comercio.

—¿Este es Guimerá?—le pregunté una vez a un periodista catalán.

—Sí.

Y me contó que meses antes le habían hecho un homenaje enorme, al que habían acudido no sé cuántos cientos de sociedades con sus banderas.

Yo no tengo una idea clara de lo que ha hecho Guimerá, porque hace muchos años no voy al teatro; pero sé que en Cataluña es una gloria del país.

Yo no quisiera una apoteosis así, para tener que tomar café triste y solo entre dependientes de comercio.

No sé si alguna vez escribiré alguna obra despampanante, supongo que no; pero si la escribiera, y a mi pueblo se le ocurriera un homenaje de éstos, con banderas, estandartes, orfeones, podía no contar conmigo. No me encontraría ni con la ayuda de Sherlock Holmes.

Cuando sea ya del todo viejo, espero tener un sitio donde tomar el café entre gente amable, en un palacio o en una portería; el homenaje de las banderas, comisiones y estandartes no lo espero ni lo deseo.

Ni el laurel ni la percalina me seducen.

LAS ANTIPATIAS ELECTIVAS

Así como yo he dicho lo que me parecen los demás escritores, y he escrito con acritud y con antipatía acerca de ellos, otros han hablado de mí

de parecida manera. Es lógico y natural; más tratándose de un escritor
como yo, que cree que la simpatía y
la antipatía son casi lo esencial en el
arte.

La diferencia entre mis antagonis-
tas y yo está en que yo soy más cínico y descubro mis motivos personales con más ingenuidad, y mis an-
tagonistas, no.

Yo tengo la teoría de que hay dos
morales: la moral del trabajo y la
moral del juego. La moral del trabajo es una moral inmoralista, le enseña a uno a aprovecharse de las circunstancias y a mentir; la moral del
juego, por lo mismo que se ocupa de
una futilidad, es más limpia y más
caballeresca.

Yo creo que la moral de la literatura, y de todas las artes liberales, debe ser la moral del juego; mis anta-
gonistas son casi todos de los que
creen que la moral de la literatura
debe ser la del trabajo. En mis ideas
literarias, nunca, al menos conscientemente, he seguido una política; mis
ideas han sido, y son, caprichosas,
quizá malas, pero sin objeto práctico
alguno.

Esta falta de practicismo mía, unida quizá también a sobra de insensatez, me ha puesto enfrente de dos
antagonismos: uno, el estético; otro,
el social.

El antagonista estético me dice:

—Usted no ha perfeccionado el
lenguaje; no ha perfeccionado la técnica de la novela. Usted apenas es literato.

Yo me encojo de hombros, y digo:

—¿Quién sabe?

El antagonista social me reprocha
mi tendencia negativa y roedora. Yo
no sé construir nada, yo no puedo

sentir entusiasmo, cantar la vida, etcétera.

También me parece lógica esta enemistad con relación a mí, si es sincera, si es sentida, y la tengo en cuenta
y no me molesta.

Pero así como entre los que toman
la actitud estética y que le dicen a
uno: «Usted no es artista ni escritor»,
hay algunos que no sólo no tienen un
convencimiento profundo, sino más
bien sienten cierto temor de que uno
sea artista y de que haya alguien que
lo crea, así como entre los que toman
la actitud de defensores de la sociedad
hay gentes que lo hacen con un fin
utilitario.

Estos son como los criados de una
finca, que insultan al vagabundo que,
al pasar, ha cogido una flor del jardín o una manzana del huerto, y levantan la voz para que se note su ofi-
ciosidad.

Gritan alto con el objeto de que el
amo los oiga: «¿Cómo se atreve ese
vagabundo a coger flores en la finca?
¿Cómo se atreve a burlarse de nosotros y de nuestros señores? ¿Es que
un desharrapado, un hombre sin respetabilidad social va a decir impunemente que nuestros prestigios no son
prestigios, que nuestros honores no
son honores y que somos unos pobres
badulaques?»

Sí, lo diré; lo diré mientras lo crea
así.

Podéis gritar, robustos jayanes de
vistosa librea; podéis ladrar, perri-
llos falderos; podéis guardar vuestros puestos avanzados, aduaneros y
carabineros; yo contemplaré vuestra
finca, que es también la mía; cogeré
en ella lo que pueda y diré de ella lo
que me parezca.

A UN MIEMBRO DE VARIAS ACADEMIAS

Por motivos también sociales, y que quieren ser literarios, un escritor donostiarra, miembro de varias academias y delegado regio de Enseñanza, el señor De Loyarte, me ataca con cierta violencia en un librito que ha publicado.

En general, el señor De Loyarte suele ser un tanto opiáceo, pero en este pequeño ataque suyo contra mí está más ameno que de ordinario. La mala intención le hace ser casi inteligente.

La personalidad literaria de este señor De Loyarte—¿por qué no ha de tener personalidad literaria el señor De Loyarte?—me recuerda a esos niños gruesos, blancos y sin músculos que salen en los colegios de frailes, de entre las faldas de un padre jesuita.

El señor De Loyarte, con el aire de un angelito mofletudo y alado de un techo de sacristía, me lanza su pequeña flecha y su pequeño apóstrofe.

El señor De Loyarte dice que soy un hombre cadavérico, plagiario, ateo, antirreligioso, antipatriota, etc.

No digo que no. Todo esto puede ser verdad. También es verdad que el señor De Loyarte se ha ganado esta vez una amable palmadita, y quizá no en el hombro, de los padres ignacianos, y una sonrisa de los buenos conservadores, defensores del orden. Es un mérito más para que al señor De Loyarte le hagan miembro de alguna otra academia. Ya el señor De Loyarte es miembro correspondiente de la Academia Española o de la de Historia, no sé de cuál, pero es lo mismo. ¡Quién dice parénquima...!

El sino del señor De Loyarte es ser miembro, miembro de varias academias, toda la vida.

IV

ADMIRACIONES E INCOMPATIBILIDADES

Cuenta Diógenes Laercio que cuando Zenón consultó el oráculo acerca de lo que debía practicar para conseguir una vida feliz, le respondió la deidad se asemejase a los muertos en el color; lo cual entendido, se entregó todo al estudio de los libros antiguos.

Así dice Laercio, traducido por don José Ortiz y Sanz. Yo confieso que no hubiera entendido el oráculo. Sin oír a ninguno, yo también hace tiempo me puse a leer libros antiguos y modernos, por curiosidad y por saber algo de la vida.

CERVANTES, SHAKESPEARE, MOLIERE

Yo he tenido durante una época larga la idea de que Shakespeare era un escritor único y distinto a los otros. Me parecía que entre él y los demás no había diferencias de cantidad, sino de calidad. Creía que Shakespeare era como un hombre de humanidad distinta; hoy no lo creo. Ni Shakespeare es la única esencia de la literatura del mundo, ni Platón ni Kant son la única esencia de la filosofía universal. Antes admiraba los pensamientos y los tipos del autor del *Hamlet*; hoy lo que más me maravilla cuando lo leo es su retórica y, sobre todo, su alegría.

Cervantes es para mí un espíritu poco simpático; tiene la perfidia del que ha pactado con el enemigo (la Iglesia, la aristocracia, el poder) y lo disimula; filosóficamente, a pesar de su amor por el Renacimiento, me parece vulgar y pedestre; pero está sobre todos sus contemporáneos por el acierto de una invención, la de Don Quijote y Sancho, que es en literatura lo que el descubrimiento de Newton es en Física.

Respecto a Molière, es un triste, no llega nunca a la exuberancia de Shakespeare ni a la invención que inmortaliza a Cervantes; pero tiene más gusto que Shakespeare y es más social, más moderno que Cervantes. El medio siglo o poco más que separa la obra de Cervantes de la de Molière no basta cronológicamente para explicar esta modernidad. Se ve que entre la España del *Quijote* y la Francia de *Le bourgeois gentilhomme* hay algo más que tiempo. Por Francia han pasado Descartes y Gassendi; en cambio, en la España de Cervantes germina la semilla de San Ignacio de Loyola.

LOS ENCICLOPEDISTAS

Un periodista francés que este verano solía venir a mi casa, me decía:

—En la Revolución francesa son grandes las ideas y no los hombres.

Yo le contestaba:

—Para mí, en la Revolución francesa son grandes los hombres, no las ideas.

De todas las obras trascendentales de la época prerrevolucionaria, ¿cuáles se leen? ¿Cuáles tienen influencia? En Francia se leen en las escuelas tro-

zos de Montesquieu, de Diderot y de Rousseau; fuera de Francia, no se leen en ninguna parte.

Tendría uno que tener el cerebro muy extrañamente constituido para ir a un balneario con *El espíritu de las leyes*, de Montesquieu, o con el *Emilio*, de Juan Jacobo Rousseau, en la maleta. Montesquieu es una prueba de que las obras no viven exclusivamente por la corrección del estilo.

De todos los escritores que tanta fama tuvieron en el siglo XVIII, el único que resiste la lectura hoy es Voltaire, el Voltaire del *Diccionario filosófico* y de las novelas.

Diderot, a quien los franceses consideran como un grande hombre, no tiene interés ninguno para un espíritu moderno, al menos para el que no sea francés. Es casi tan aburrido como Rousseau. *La religiosa* es un librito perfectamente falso. Hace años se lo presté a una señorita que había salido de un convento: «Yo no he visto nada semejante—me dijo—. Es una fantasía que no se parece nada a la verdad.» Es lo que yo pensaba. Jacques, el fatalista, es aburrido; respecto al *Sobrino de Rameau*, al principio da la impresión de que va a ser algo, algo fuerte como el *Satiricón*, de Petronio, o el *Buscón*, de Quevedo; pero acaba y no es nada.

Del período prerrevolucionario hay un escritor que hoy se lee con gusto, quizá porque no construye: es Chamfort. Sus caracteres y anécdotas tienen la sal y la pimienta necesaria para desafiar la acción del tiempo.

LOS ROMANTICOS

GOETHE.

Si en el Parnaso hacen una milicia de genios, Goethe tendrá que ser el tambor mayor. Tan grande, tan majestuoso, tan sereno, tan lleno de talentos, tan lleno de virtudes y, sin embargo, tan antipático.

CHATEAUBRIAND.

Es el odre de *Lacryma Christi* que se ha avinagrado. A veces el sublime y apolillado vizconde pone melaza en su odre para borrar el gusto del vinagre, a veces pone más acritud para quitar dulzor.

VÍCTOR HUGO.

O la más genial de las retóricas; Víctor Hugo, o la más exquisita de las vulgaridades; Víctor Hugo, o el buen sentido disimulado por el arte.

STENDHAL.

El inventor del autómata psicológico movido por máquina de relojería.

BALZAC.

La pesadilla, el sueño de una noche de indigestión, la frialdad, la penetración, la estupidez, el delirio de grandezas, la quincalla, la estafa, el mal gusto. Por su fealdad, por su genio, por su inmortalidad, es el Dantón de la tinta de imprenta.

POE.

La esfinge misteriosa que hace temblar con sus ojos de lince; el orfebre de maravillas mágicas.

DICKENS.

Es el payaso místico y triste, San Vicente de Paul de la cuerda floja, San Francisco de Asís de los rincones londineses. En él todas son gesticulaciones, y gesticulaciones ambi-

guas. Cuando parece que va a llorar, ríe; cuando parece que va a reír, llora. Hombre admirable que quiere hacerse pequeño y que, sin embargo, es tan grande.

LARRA.

Es un tigrecillo amaestrado, encerrado en una jaula pequeña. Hace las gracias de los gatos, maúlla como ellos, se deja pasar la mano por el lomo, pero en ocasiones el instinto le sale a los ojos y se observa que piensa: «¡Con qué gusto os devoraría!»

LOS NATURALISTAS

FLAUBERT.

Flaubert es animal de pata pesada. Se ve que es normando. Toda su obra tiene mucho peso específico; a mí me fastidia. Uno de los hallazgos de Flaubert es el haber ideado el tipo de Homais, el boticario de *Madame Bovary*. Yo no veo que Homais sea más estúpido que Flaubert, tal vez sea menos.

LOS GIGANTES.

El buen Zola, atleta sudoroso y pesado, llamaba a sus contemporáneos los novelistas naturalistas franceses los gigantes. ¡Qué ilusión! Estos gigantes eran los Goncourt, de una insignificancia que a veces llega a la imbecilidad, y Alfonso Daudet, con su vitola de comiquillo y sus obras mediocres, comida francesa, endeble, aunque bien condimentada. Estos pobres gigantes de que hablaba Zola se han puesto tan fláccidos con el tiempo y se han encogido tanto, que ya nadie los distingue ni siquiera como enanos.

LOS REALISTAS ESPAÑOLES

Los realistas españoles de la misma época son para mí el colmo de lo desagradable. El más antipático de todos ellos es Pereda. Leerlo me parece ir sobre una mula caprichosa y resabiada que marcha con un trotecillo incómodo y hace cabriolas amaneradas a estilo de caballo de circo.

LOS RUSOS

DOSTOYEWSKI.

Dentro de cien años se hablará de la aparición de Dostoyewski en la literatura como de uno de los acontecimientos más extraordinarios del siglo XIX. En la fama espiritual europea, será algo como el *Diplodocus*.

TOLSTOI.

Hace algunos años solía ir yo al Ateneo y discutía con aquella gente que, en general, tienen obliterado el conducto por donde los demás hombres reciben las ideas.

—Para mí, Tolstoi es un griego —decía yo una vez—: es sereno, claro, sus personajes parecen dioses; no se ocupan más que de sus amores, de sus pasiones; no tienen ese problema agudo de vivir, para nosotros primordial.

—¡Qué disparate! Tolstoi no tiene nada de griego—afirmaban ellos. Unos años después, en un homenaje que hicieron a Tolstoi, Anatole France decía: «Tolstoi es un griego.» Oyéndoselo a Anatole France, quizá la cerrazón de este conducto por donde los demás reciben las ideas cesó momentáneamente en aquellos ateneístas y pensaron que bien pudiera ser que Tolstoi tuviera algo de griego.

LOS CRITICOS

SAINTE-BEUVE.

Sainte-Beuve escribe como si dijera la última palabra, sobre todo como si estuviera en el fiel de la balanza. A mí me parece que este escritor no es tan comprensivo como él se figura. Su interés está en sus anécdotas, en su intención malévola, en su alcahuetería. Por lo demás, descubre los mismos Mediterráneos que cualquiera.

TAINE.

Hipólito Taine es también de estos hombres que creen comprenderlo todo. A mí me parece que, a veces, no comprende nada. La historia de la literatura inglesa, que quiere ser amplia y generosa, es de lo más estrecho y de lo más mezquino del mundo. Sus artículos sobre Shakespeare, Walter Scott y Dickens son de un profesor francés; es decir, de uno de los productos universitarios más estólidos de Europa.

RUSKIN.

Me parece el príncipe de los rastacueros; suntuoso, seboso; un general de una Salvation Armay artística o un hermano de una doctrina estética formada por turistas.

CROCE.

La estética de Croce ha sido para mí una de tantas desilusiones. Más que una estética, es un estudio de las teorías estéticas. Como en casi todas las obras de autores latinos, no se debate en ella el fondo de la cuestión, sino el método para estudiar esta cuestión.

«CLARÍN.»

De *Clarín*, de quien algunos amigos míos hablan con entusiasmo, yo tengo mala opinión. Como hombre, me parece que debió de ser un envidioso; como novelista, lo encuentro pesado y triste, y como crítico, no sé que tuviera un acierto.

V

LOS FILOSOFOS

El deseo de asomarme al mundo filosófico me produjo, siendo estudiante, la lectura del libro *Patología*, del doctor Letamendi; con este objeto compré, en una edición económica que dirigía Zozaya, los libros de Kant, Fichte y Schopenhauer. Leí primero *La ciencia del conocimiento*, de Fichte, y no entendí nada. Esto me produjo una verdadera indignación contra el autor y contra el traductor. ¿Sería la filosofía una mistificación, como creen los artistas y los dependientes de comercio?

El leer el libro *Parerga y Paraliponema* me reconcilió con la filosofía. Después compré, en francés, *La crítica de la razón pura*, *El mundo como voluntad y como representación* y algunas otras obras.

¿Por qué yo, que soy hombre de poca tenacidad, he llegado a tener perseverancia bastante para leer unos libros difíciles, para los cuales no tenía preparación? No sé; el caso es que los he leído. Años después de mi iniciación filosófica comencé a leer las obras de Nietzsche, que me hicieron un gran efecto.

Luego he ido picando aquí, picando allá, viendo si podía renovar un poco mi cultura filosófica; pero no lo he conseguido. Algunos libros y autores se me han atragantado; con otros no me he atrevido. He tenido durante algún tiempo un tomo con la *Lógica*, de Hegel, en la mesa; lo miraba, lo olfateaba, pero no me atrevía.

Sin embargo, la metafísica es lo que más me atrae; la filosofía política, la sociología y la práctica, la que menos. Hobbes, Locke, Bentham, Comte, Spencer, no me han gustado nunca nada. Sus mismas utopías, que parece que han de ser divertidas, me han aburrido profundamente, desde la *República*, de Platón, hasta *La conquista del pan*, de Kropotkin, y la *Utopía moderna*, de Wells. Tampoco la seudofilosofía anarquista me ha hecho gracia ninguna, y uno de los libros que más me ha fastidiado ha sido *El Unico y su propiedad*, de Max Stirner.

Una de las ciencias que me gustaría conocer es la psicología. Con este fin he leído a saltos el libro clásico de Wundt y el de Ziehen. Después de leerlos he comprendido que la psicología que yo busco, hoy por hoy, no está en los tratados. Está más en los libros de Nietzsche y en las novelas de Dostoyewski; quizá con el tiempo llegue a entrar en los dominios de la ciencia.

VI

LOS HISTORIADORES

Miss Blimber, la profesora de un colegio que describe Dickens en *Dombey e Hijo*, hubiera sido feliz conociendo a Cicerón y muriendo después. Yo no sentiría, aunque fuera posible, gran necesidad de conocer a Cicerón; pero, en cambio, me gustaría oír una plática de Zenón en el pórtico de Pecil, en Atenas, y unas reflexiones de Epicuro en su jardín.

Dentro de ser ignorante en cuestiones históricas, nunca he sido entusiasta de Grecia, aunque ahora me va saliendo, de una manera vergonzante, como un brote de curiosidad y de simpatía por el arte clásico. Es posible que si fuera joven y estuviera desocupado, empezara a estudiar el griego.

Por ahora, para mí hay como dos Grecias: una, la de las estatuas y de los templos, que siempre me ha parecido académica y un poco fría; otra, la de los filósofos y de los trágicos, que me da más impresión de vida y de humanidad.

Fuera de la literatura griega, que conozco muy fragmentariamente, por las demás literaturas antiguas no siento grandes admiraciones. El *Antiguo Testamento* nunca me ha entusiasmado; quitando el *Eclesiastés* y alguno que otro libro corto, lo demás me parece de una crueldad y de una antipatía repulsivas.

De los autores griegos, he leído con gusto a Homero en la *Odisea*, Aristófanes en sus comedias. También he leído a Herodoto, Plutarco y Diógenes Laercio. No soy yo partidario de los libros académicos y bien compuestos; así, me gusta más Diógenes Laercio que Plutarco. Plutarco me da la impresión que compone y arregla sus narraciones; Diógenes Laercio, no; Plutarco hace resaltar la moral de sus personajes; Diógenes da los detalles buenos y malos de ellos; Plutarco es sólido y sistemático; Diógenes es ligero y sin sistema. Prefiero Diógenes Laercio a Plutarco, y si tuviera un interés especial histórico por cualquiera de estos hombres ilustres antiguos de que hablan los dos, preferiría, si las hubiera, unas cartas, unas cuentas del tendero o de la lavandera, de uno de ellos, a las vidas de Diógenes Laercio y de Plutarco.

LOS HISTORIADORES ROMANOS

Cuando empecé a escribir novelas históricas, quise ver si había algo sistematizado sobre el método histórico. Leí la *Manera de escribir la Historia*, de Luciano; un opúsculo, de un título igual o parecido, del abate Mably; los *Ensayos*, de Simmel, y el libro del profesor alemán Ernesto Bernheim *El método de las ciencias históricas*.

Después leí y releí los historiadores romanos Julio César, Tácito, Salustio y Suetonio.

SALUSTIO.

Todos estos historiadores romanos son sin duda, gente admirable, pero dan una impresión sospechosa; se siente al leerlos que no siempre dicen la verdad entera; leyendo a Salustio, a mí me queda la idea de que miente, de que ha compuesto su narración como una novela.

En el *Memorial de Santa Elena* se cuenta que el 26 de marzo de 1816 Napoleón leyó en la *Historia* romana la conjuración de Catilina. El emperador dijo que no podía comprender su finalidad, y que por muy bandido que fuera Catilina, debía de tener un objeto, un fin social.

Esta observación de un genio político se le ocurre a todo el que lee el libro de Salustio. ¿Cómo es posible que Catilina arrastrara a los hombres más brillantes de la sociedad romana, entre ellos a Julio César, sin más objeto ni más plan que el de incendiar Roma y robar? Esto no es lógico. Se ve que Salustio miente, como un escritor gubernamental miente hoy en España hablando de Lerroux o de Ferrer; como los republicanos de Thiers mienten en 1871 hablando de los comunistas de París.

TÁCITO.

Otro gran historiador romano teatral, melodramático, solemne, lleno de grandes gestos, es Tácito; también da una impresión sospechosa, de poca veracidad. Tácito tiene algo de inquisidor, de un fanático de la virtud. Es un hombre de una postura austera y moral, una de esas posturas que con frecuencia sabe tomar un perfecto canalla.

La tendencia de Tácito en pueblos teatrales como Italia, España y el mediodía de Francia tiene que ser fatal. De ahí sale ese tipo de político siciliano, calabrés o andaluz, gran abogado, hombre elocuente que perora en el Foro y se entiende luego con los bandidos y con los matones.

SUETONIO.

Suetonio, que no tiene la pompa de Tácito ni su importancia, no quiere construir, no quiere dar tantas lecciones de moral, y cuenta lo que sabe con sencillez. Su libro *Los doce Césares* es la acumulación de horrores más grande de la Historia. Se sale de él con la imaginación turbada y mirándose uno a sí mismo con curiosidad, pensando en si será no un cerdo o una fiera. Suetonio hace más la historia de los hombres que la historia de la política de los emperadores, cosa para mí más interesante y verdadera. Yo creo más en las anécdotas de un tipo histórico que en sus decretos.

Polibio es una mezcla de escepticismo y de buen sentido. Es lo que siglos más tarde serán Bayle, Montesquieu y Voltaire.

Respecto a los *Comentarios*, de César, y a pesar de que seguramente están amañados, es uno de los libros más completos, más sabrosos que se puedan leer.

LOS HISTORIADORES MODERNOS Y CONTEMPORANEOS

He leído pocos libros de los historiadores del Renacimiento hasta la Revolución francesa. Quitando los cronistas de hechos particulares, como López de Ayala, Brantôme, etc., los demás tienen muy poco carácter y son falsos romanos y falsos griegos. El mismo Maquiavelo tiene una parte personal de italiano acre, burlón e incisivo, que es lo que vale en él, y otra de suntuoso y de falso romano, bastante fastidiosa.

En general, los libros históricos, cuanto más preparados y adobados, son más aburridos, y cuanta más visión personal tengan, más amenos. Hoy, por ejemplo, la mayoría lee con más gusto la *Verdadera historia de la conquista de la Nueva España*, de Bernal Díaz del Castillo, que la *Historia de la conquista de Méjico*, de Solís. El uno es un libro de un soldado que asistió a los hechos y se le ve con sus preocupaciones y sus vanidades y sus jactancias; el otro es un erudito atento a dar una impresión antigua y a la música monótona de los párrafos.

Los historiadores posteriores a la Revolución francesa casi todos tienen carácter; algunos demasiado, como Carlyle, que convierten el tema de que tratan en un asunto de fantasía, de literatura y hasta de familia.

La pedantería moral de Macaulay, el cretinismo frío y repulsivo de Thiers, la efusión melodramática y gesticulante de Michelet, son formas muy características.

A un lado, y en un escalón más bajo, están esos bazares de historia a lo César Cantú, que son algo como las exposiciones universales del siglo XIX, extensas, varias y aburridas.

Respecto a los historiadores alemanes, no están traducidos y no los conozco. Sólo he leído algunos ensayos de Simmel, de una gran agudeza, y el libro de Stewart Chamberlain, sobre los fundamentos del siglo XIX, en el cual, sustituyendo la palabra «Alemania» por la de «Francia», se podía creer que estaba escrito por algún nacionalista de la *Action Française*.

VII

MI FAMILIA

LA MITOLOGIA FAMILIAR

El célebre vizconde de Chateaubriand, en sus *Memorias de ultratumba*, después de lucir su parentela de príncipes y de reyes, dice que no da importancia a estas miserias.

Yo voy a hacer como él: sacaré a relucir todo el charol que encuentre en la familia en lo mítico y en lo histórico, y después diré que no doy importancia a estas miserias. Y, además, será verdad.

El investigar la vida de Aviraneta me ha echado últimamente un tanto hacia el campo de la genealogía, y he estudiado mi familia, lo cual es transigir con la tradición y casi con la reacción.

En mi familia he descubierto tres mitos: el mito Goñi, el mito Zornoza y el mito Alzate.

El mito Goñi, sustentado por una tía mía, muerta en San Sebastián a los noventa y tantos años, consistía en defender la tesis de que ella era parienta de don Teodosio de Goñi, caballero navarro, del tiempo de Witiza, que, después de matar a su padre y a su madre, por inspiración del demonio, se echó al monte Aralar con una argolla al cuello y una cadena a hacer penitencia. Un día de tempestad se le presentó un terrible dragón.

Don Teodosio elevó su alma a Dios, y en este trance se le apareció el arcángel San Miguel, que le rompió las cadenas. En conmemoración, don Teodosio mandó hacer la ermita de San Miguel in Excelsis, en el monte Aralar.

Algunos trataron de convencer a mi tía de que en tiempo del supuesto don Teodosio (principios del siglo VIII) no había apellidos, ni tampoco cristianos en el país vasco, que don Teodosio era un mito solar; pero mi tía no se convenció. Ella había visto la ermita de San Miguel en Aralar, y el agujero donde se metió el dragón, y un documento en el cual Carlos V otorgó a Juan de Goñi el derecho de llamar palacio de San Miguel a su casa y añadir a sus armas un dragón, una cruz en campo rojo y una cadena *rompida*.

El mito Zornoza era de mi abuela paterna, que se apellidaba así.

A esta señora yo recuerdo haberla oído decir de chico que su familia procedía en línea recta del canciller Pero López de Ayala, y, por no sé qué callejón transversal, de San Francisco Javier.

Mi abuela aseguraba que su padre había vendido los documentos y pergaminos que hablaban de esto a un título venido de Madrid.

Estos Zornozas tenían un escudo con una faja, unos lobos y una leyenda que no recuerdo lo que dice.

En los escudos que me han enseñado de la familia, más o menos auténticos, de Baroja, de Alzate, de Zornoza, en todos hay lobos: lobos que pasan, lobos que rampan, lobos que muerden. En el escudo de los Goñis hay corazones. Si yo llegara a ser rico, cosa que no espero, mandaría pintar toda esta lobería y esta corazonería en la portezuela de mi automóvil coruscante, lo cual no sería obstáculo para que me riera de ella.

Respecto al mito Alzate, está fundado también en su antigüedad y en sus luchas con otras familias rivales

de Navarra y del Labourt. Los Alzates fueron señores de Vera desde el siglo XIV.

La leyenda de estos Alzates, en Vera de Navarra, es que un don Rodrigo, patrono del pueblo en el siglo XV, se enamoró de una hija de la casa de Urtubi, en Francia, cerca de Urruña, y se casó con ella. Don Rodrigo fue a vivir a Urtubi, y se afrancesó de tal modo, que no quiso volver a España, y entonces los de Vera se reunieron, lo desposeyeron de sus honores y de sus preeminencias y le embargaron las tierras.

A principios del siglo XIX, mi bisabuelo, Sebastián Ignacio de Alzate, fue de los que se reunieron en Zubieta, en 1813, para reconstruir San Sebastián, y este bisabuelo era tío de don Eugenio de Aviraneta, mi buen pariente y protagonista de mis últimos libros.

San Francisco Javier, don Teodosio de Goñi, Pero López de Ayala, Aviraneta..., un santo, un venerable, un historiador, un conspirador...

Ahora yo voy a decir, como Chateaubriand: «No es que yo dé importancia a estas miserias...»

LA HISTORIA

Baroja es una aldea de la provincia de Alava, de la jurisdicción de Peñacerrada. Según Fernández Guerra, es nombre ibérico de la Iberia asiática; creo que he leído en Campión que Baroja es palabra mixta del céltico *Bar*, monte, y del vasco *Otza*, Ocha, frío. Monte frío.

Baroja y la jurisdicción de Peñacerrada es tierra adusta, con montes intrincados de árboles y carrascas.

Hay por allí mucho azor. Zúñiga, en su tratado de cetrería, habla del *Falcón Bahari*, que se criaba principalmente en los montes de Peñacerrada.

Mis antepasados se llamaban primitivamente Martínez de Baroja. Un Martín tuvo un hijo que se llamó Martínez. Este Martínez (hijo de Martín) salió, sin duda, de su pueblo, y como había otros Martínez (hijos de Martín), le llamaron a él Martínez el de Baroja o Martínez de Baroja.

Estos Martínez de Baroja vivieron años y años en el país; eran hidalgos, cristianos viejos; todavía hay una familia que se llama así en Peñacerrada.

Uno de estos Martínez de Baroja, llamado Juan, que vivía en el lugar de Samiano, ofendido porque le querían hacer pagar contribuciones al conde de Salinas, ofensa muy natural, reclamó, en 1616, contra el fiscal de Su Majestad, alcaldes y regidores del condado de Treviño, y la Sala de Hijosdalgo de Valladolid le amparó y dio la razón en juicio del 8 de agosto de 1619.

El hijodalgo Juan Martínez de Baroja guardaba este juicio, según dice una ejecutorio posterior, el cual se halla escrito en cuarenta y cinco *fojas* de pergamino, con un sello de plomo pendiente de un cordón de seda, y a su continuación se hallan los requerimientos hechos al Ayuntamiento y estado general de la villa y condado de Treviño y su aldea de Samiano.

Estos Martínez de Baroja, a pesar de ser de país de halcones y azores, debía de ser gente oscura, aborregada y tosca; pertenecían a la cofradía de San Martín de Peñacerrada, que, al parecer, allí debía de ser una gran cosa, y eran regidores y alcaldes de la Santa Hermandad.

En el siglo XVIII, uno de ellos, Rafael, mi bisabuelo, sin duda con más

iniciativa, más azor que los otros, cansado de destripar terrones, salió de la aldea, se hizo farmacéutico y fue a establecerse en 1803 en Oyarzun, en Guipúzcoa. Este Rafael había acortado el apellido y firmaba Rafael de Baroja.

Don Rafael, que debía de ser hombre de gustos modernos, compró una prensa y tipos y comenzó a imprimir folletos y alguno que otro libro.

Don Rafael debía de ser hombre de ideas radicales, porque de 1822 al 23 publicó en San Sebastián un periódico, *El Liberal Guipuzcoano*, del cual no he visto más que un ejemplar en la Biblioteca Nacional.

El pensar que el periódico éste era liberalísimo, se debe a haber visto trozos copiados de él en *El Espectador*, el periódico masón que se publicaba en la misma época en Madrid. Don Rafael tuvo relaciones con los constitucionales y con los afrancesados. En la familia debía de haber antecedentes liberales, porque un tío de don Rafael, don Juan José de Baroja, cura primero de Pipaón y después de Vitoria, había sido de la Sociedad Económica Vascongada.

Don Rafael tuvo dos hijos: Ignacio Ramón y Pío. Los dos se establecieron en San Sebastián, de impresores. Pío fue mi abuelo.

Mi segundo apellido, Nessi, procede, como he dicho antes, de la Lombardía, de la ciudad de Como.

Estos Nessi, de Como, vinieron huyendo de la dominicación austríaca y llegaron a España probablemente vendiendo ratoneras y *santi boniti barati*.

Uno de los Nessi, que vivió hasta hace poco, decía que allí, en Lombardía, estaba bien, y que uno de sus parientes había sido un médico, Giuseppe Nessi, que fue profesor de la Universidad de Pavía en el siglo XVIII y mayor del ejército austríaco.

En mi casa quedan de la familia italiana unas vistas del lago de Como, una imagen tosca de un Cristo de la Annunziatta, estampada en tela, y un tomo de un libro de *Arte quirúrgica*, de Nessi, con el permiso para publicarlo de la Inquisición de Venecia.

VIII

RECUERDOS DE LA INFANCIA

SAN SEBASTIAN

He nacido en San Sebastián el 28 de diciembre de 1872. Soy guipuzcoano y donostiarra; lo primero me gusta; lo segundo, poca cosa.

Hubiera preferido nacer en un pueblo entre montes o en una pequeña villa costeña, que no en una ciudad de forasteros y de fondistas.

El convencional Garat, que era de Bayona, solía decir siempre que era de Ustáriz; yo podía decir que era de Vera de Bidasoa; pero no me engañaría a mí mismo.

No me es simpático San Sebastián por muchas razones:

Primeramente, el pueblo no es bonito, pudiendo haberlo sido; tiene unas calles rectas que son todas iguales y dos o tres monumentos que son horribles. La construcción es mísera, raquítica. Habiendo en el país una piedra admirable, no han sabido hacer nada serio y noble; por todos lados se ven hotelitos ramplones, pobretones y pretenciosos. Allí donde los donostiarras, en colaboración con los madrileños, ponen la mano, se levanta una casa fea; ya han afeado el monte Igueldo; ahora están afeando el castillo; mañana llegarán a afear el mar, el cielo y el aire.

Respecto al espíritu de la ciudad, es lamentable. Allí no interesa la ciencia, ni el arte, ni la literatura, ni la historia, ni la política, ni nada. Unicamente interesa el rey, la reina regente, los balandros, las corridas de toros y la forma de los pantalones.

San Sebastián está formado por advenedizos y por rastacueros que han venido de Pamplona, de Zaragoza, de Valladolid, de Chile y de Chuquisaca, y tienen el ansia de brillar. Se brilla marchando al lado del rey, o tomando café con un torero célebre, o saludando a un aristócrata. Los señoritos de San Sebastián son de lo más ramploncillo que hay en España. Yo siempre los he tenido por *infra-gente*.

Respecto a las señoras, que algunas el verano parecen unas princesas, tienen el invierno tertulias que son dignas de una portería, en donde juegan al julepe. ¡Al julepe! A madame Récamier le daría un ataque oyendo este nombre de botica.

Cuando estos rastacueros quieren asombrarle a uno con sus glorias, yo muchas veces pienso: «Nos vienen con cosas del primer año del bachillerato. Desgraciadamente, uno acabó el doctorado hace tiempo.»

Como leer, en San Sebastián no lee nadie. Se leen los «ecos de sociedad» y se deja el periódico de miedo de secarse el cerebro.

Este pueblo, que se cree refinado, y que es un pueblo que empieza, está movido por unos padres ignacianos, que, como la mayoría de los actuales hijos de Loyola, son gente zafia, bestia y sin ningún talento.

El jesuita maneja a las mujeres —cosa que no es difícil teniendo en la mano los hilos de la vida sexual—y dirige a los hombres.

A los jovencitos de posición, de familia distinguida, les facilita la buena boda; a los muchachos pobres les permite todo: las comilonas, la borrachera, todo menos la lectura. Estos pobres dependientes de comercio, tímidos y torpes, se creen emancipados cuando se emborrachan. No comprenden que son como los pieles rojas, a quienes envenenaban los yanquis con el alcohol para someterlos.

Hace unos años me enseñaron una sociedad recreativa en una casa del pueblo viejo.

En una puerta había un letrero que decía: «Biblioteca». La abrieron y me mostraron, riendo, un cuarto lleno de botellas.

—Si esto lo ve un jesuita, quedará entusiasmado—exclamé yo—. ¡Sustituir los libros por los vinos y licores! No es poca ventaja para los hijos de San Ignacio.

A pesar de todo el rastacuerismo, de toda la quincalla, de todo el jesuitismo y de todo el mal gusto que tiene, San Sebastián ha de llegar a ser, dentro de unos años, un pueblo importante y serio. Entonces el escritor que nazca allá no querrá ser mejor de un pueblo perdido entre montes que de la capital de Guipúzcoa. Yo sí lo prefiero. Yo no tengo ciudad. Hoy por hoy me considero extraurbano.

MIS PADRES

Mi padre se llamaba Serafín Baroja y Zornoza, era ingeniero de Minas, había escrito en castellano y en vas-

cuence y era de San Sebastián; mi madre se llama Carmen Nessi y Goñi, y es de Madrid.

Yo debía ser un hombre bueno. Mi padre lo era con una bondad un poco caprichosa y arbitraria; mi madre lo es con una bondad más firme y más enérgica. Sin embargo, yo tengo cierta fama de atravesado, y quizá lo sea.

No sé por qué me figuraba que había nacido yo en San Sebastián, en la calle del Puyuelo, donde he vivido, calle interior del pueblo viejo, verdaderamente fea y triste, lo cual me desagradaba.

Al decirle a mi madre que no era un rincón bonito donde había nacido, me confesó que no, que había nacido en una hermosa casa de la Zurriola, en la calle de Oquendo, casa que era de mi abuela y que estaba enfrente del mar, y que ahora no lo está porque han hecho un teatro delante. El haber nacido junto al mar me gusta; me parece como un augurio de libertad y de cambio.

Mi abuela paterna, doña Concepción Zornoza, era una mujer decidida y un poco extraña. Yo la conocí cuando era ya vieja. Había hipotecado dos o tres casas que tenía en el pueblo para construir esta otra de la Zurriola.

Había pensado después amueblarla y alquilarla al rey Amadeo. Antes de que pudiera venir Amadeo a San Sebastián comenzó la guerra carlista; el rey de la casa de Saboya tuvo que abdicar, y mi abuela tuvo que abandonar sus proyectos.

El recuerdo más antiguo de mi vida es el intento de bombardeo de San Sebastián por los carlistas. Este recuerdo es muy borroso, y lo poco visto se mezcla con lo oído. También tengo una idea confusa de la vuelta de unos soldados en camillas y de haber mirado por encima de una tapia un cementerio pequeño, próximo al pueblo, en donde había muertos sin enterrar.

Mi padre, como he dicho, era ingeniero de Minas, y en esta época de la guerra explicaba, no sé por qué contingencias, Historia Natural en el Instituto; era también de los voluntarios liberales.

Tengo una idea vaga de que una noche me cogieron de la cama en una manta y me llevaron a un chalet de la Concha, que era propiedad de Errazu, un señor algo pariente de mi madre.

Fuimos a vivir al sótano del chalet.

En este hotel cayeron tres granadas de aquellas que llamaban pepinillos, rompieron los techos e hicieron un agujero en la tapia que separaba nuestro jardín del próximo.

MONSEÑOR, EL GATO

Monseñor era un hermoso gato rubio que teníamos cuando vivíamos en el sótano del chalet de Errazu.

Por lo que me han dicho, su nombre procedía de la fama que tenía por aquella época monsieur Simeoni.

Monseñor, el gato rubio, era inteligente. En la parte alta del castillo de la Mota, de San Sebastián, había una campana con un vigía. Cuando éste veía el fogonazo del cañón carlista tocaba la campana, y la gente del pueblo tenía tiempo para meterse en los portales y en los sótanos.

Monseñor había notado la relación entre la campana y el cañonazo, y cuando sonaba la primera, entraba en casa, y a veces se metía debajo de la cama.

Algunos amigos de mi padre vinieron al sótano donde vivíamos a ver las maniobras del gato.

DOS LOCOS

Cuando yo era chico, después de la guerra, mis hermanos y yo íbamos con mi madre los domingos a pasear al castillo de la Mota, un paseo bonito de verdad, que dentro de poco acabarán de estropear definitivamente los donostiarras. En el castillo mirábamos al mar y solíamos hablar con el atalayero. También solíamos encontrarnos con un loco, a quien acompañaba un criado. Cuando veía a los chicos el loco, se ponía muy alegre; en cambio, si se le acercaba alguna señora, huía, se arrimaba a una pared y comenzaba a pegar patadas y a decir: «¡El perro ciego! ¡El perro ciego!»

En un caserío, adonde solíamos ir alguna vez en Loyola, recuerdo haber visto una señorita loca, que hacía gestos y miraba a un pozo muy profundo, en donde se veía muy abajo una media luna de agua muy negra. Estos dos locos, el del castillo y la del caserío, me perturbaban algo en la infancia.

EL GAVILAN

El último recuerdo que tengo de San Sebastián es el de un gavilán que llevamos a nuestra casa del castillo.

Este gavilán nos lo dieron los soldados cuando era muy chiquito, y creció y se acostumbró a estar en casa. Le solíamos llevar caracoles, que se los comía como si fueran bombones.

Al hacerse grande, se escapaba al patio y atacaba a las gallinas y a los gatos de la vecindad. Los días de tormenta se metía debajo de las camas.

Cuando nos marchamos de San Sebastián hubo que dejarlo. Lo llevamos un día al castillo, lo soltamos y se marchó.

EN MADRID

De San Sebastián fuimos a Madrid. Mi padre estaba destinado al Instituto Geográfico y Estadístico. Vivíamos en la calle Real, más allá de la glorieta de Bilbao, calle que es hoy prolongación de la de Fuencarral.

Enfrente de nuestra casa había un campo alto, no desmontado aún, que se llamaba la era del Mico. Tenía una serie de columpios y tiovivos.

Las diversiones de la era del Mico, las calesas y calesines que existían aún y los coches fúnebres que pasaban por la calle, eran nuestro entretenimiento desde los balcones de la casa.

Con un intervalo muy corto, hubo entonces dos ejecuciones: la del regicida Otero y la de Oliva, y oímos vender en la calle la *Salve* que cantan los presos al reo que está en capilla.

EN PAMPLONA

De Madrid nos marchamos a Pamplona. Pamplona era entonces un pueblo extraño; se vivía en él como en tiempo de guerra; de noche se levantaban los puentes levadizos y quedaban no sé si uno o dos portales abiertos.

Pamplona era un pueblo divertidísimo para un chico. La muralla, con sus glacis, sus garitas y sus cañones; las puertas, el río, la catedral y sus alrededores, todo esto tenía para nosotros grandes atractivos.

Estudiábamos en el Instituto y hacíamos travesuras como todos los estudiantes; poníamos petardos en las casas de los canónigos y tirábamos piedras al palacio del obispo, que tenía unas ventanas abiertas y rotas.

También hicimos fantásticas excursiones por el tejado de nuestra casa y por el de las casas de los alrededores,

registrando los desvanes y asomándonos a los patios.

Una vez sacamos un águila muerta que tenía guardada un vecino, la llevamos a la buhardilla, la sacamos por el tragaluz al tejado y la echamos a la calle, produciendo un verdadero pánico en algunos pacíficos transeúntes que vieron caer aquel enorme pajarraco a sus pies.

Una de las impresiones más grandes que recibí en Pamplona fue la que me hizo ver pasar un reo, que iban a ejecutar vestido con hopalanda amarilla y un gorro redondo, por delante de casa.

Es uno de los espectáculos que más me han impresionado. Luego, por la tarde, lleno de curiosidad, sabiendo que el agarrotado estaba todavía en el patíbulo, fui solo a verle y estuve de cerca contemplándole; pero al volver de noche a casa no pude dormir con la impresión.

DON TIRSO LAREQUI

Otras muchas emociones intensas y graves tengo de Pamplona. Recuerdo un chico de nuestra edad, que murió tirándose de la muralla, y nuestras aventuras en el río.

Otra impresión, para mí terrible, fue una que recibí en la catedral. Yo estudiaba el primer curso de latín y tenía nueve años.

Habíamos salido del Instituto y habíamos estado presenciando unos funerales. Después entramos tres o cuatro chicos, entre ellos mi hermano Ricardo, en la catedral. A mí me había quedado el sonsonete de los responsos en el oído e iba tarareándolo.

De pronto salió una sombra negra por detrás del confesionario, se abalanzó sobre mí y me agarró con las manos por el cuello, hasta estrujarme.

Yo quedé paralizado de espanto. Era un canónigo gordo y seboso, que se llamaba don Tirso Larequi.

—¿Cómo te llamas?—me dijo, zarandeándome.

Yo no podía contestar de terror.

—¿Cómo se llama?—preguntó el canónigo a los otros dos.

—Se llama Antonio García—dijo mi hermano Ricardo, fríamente.

—¿Dónde vive?

—En la calle de Curia, número catorce.

No había tal casa, claro es.

—Ahora voy a ver a tu padre—gritó, y, como un toro, salió corriendo de la catedral.

Mi hermano y yo escapamos por el claustro.

Ese canónigo sanguíneo, gordo y fiero, que se lanza a acogotar a un chico de nueve años, es para mí el símbolo de la religión católica.

Aquella escena fue para mí, de chico, uno de los motivos de mi anticlericalismo. Recuerdo a don Tirso Larequi con odio, y si viviera, no sé si vive, no tendría inconveniente en ir por las noches oscuras al tejado de su casa y gritarle por la chimenea con voz cavernosa: «Don Tirso, eres una mala bestia.»

BRUTO Y VISIONARIO

De chico, yo era un tanto bruto y reñidor. Esto me debía parecer una gran cosa. El primer día que fui a un colegio en Pamplona salí desafiado con un muchacho de mi edad y nos pegamos en la calle, hasta que un zapatero nos separó a correazos y a puntapiés. Luego, más tarde, era bastante torpe para desafiarme y pegarme si me azuzaban los demás. En las pedreas que teníamos en los alrededores del pueblo era acometedor e incansable.

Siendo yo estudiante de Medicina, noté que había perdido por completo esta agresividad. Un día que había reñido con otro estudiante en los claustros de San Carlos, me desafié con él. Al salir a la calle, me pareció tan estúpido que me diera un puñetazo en un ojo o en la nariz, que me escabullí y me marché a casa. Aquel día perdí la moral del bravucón. Al mismo tiempo que reñidor, había sido yo en la infancia un poco visionario, condiciones que parece que concuerdan mal una con otra.

De chico vi un cromo reproducción de *La muerte de los comuneros*, de Gisbert, y durante largo tiempo, de noche, me parecía tener delante el cuadro en las paredes con sus colores; cuando vi el cadáver del ajusticiado en los alrededores de Pamplona, en meses y meses, al asomarme a un cuarto oscuro, se me aparecía su imagen con todos sus detalles. Otra temporada tuve también con sueños desagradables, y cuando me despertaba, tardaba en saber dónde estaba, lo que me daba mucho miedo.

SARASATE

Entonces y después, una de las cosas que me parecieron ridículas fueron las fiestas de Pamplona.

En Pamplona había una mezcla de brutalidad y de refinamiento verdaderamente absurda. Durante unos días se iba a las corridas, y después, un anochecer, se recibía con luces de bengala a Sarasate.

Un pueblo rudo y fanático olvidaba una fiesta de sangre para aclamar a un violinista. ¡Y qué violinista! Uno de los hombres más amadamados y grotescos del mundo. Lo estoy viendo pasear, con sus melenas, su trasero redondo y unos zapatos con unos taconcitos de a cuarta, que le daban el aire de una cocinera gorda, de esas que se disfrazan de hombre en Carnaval.

Sarasate dejó al morir unas cuantas chucherías que le habían regalado en su vida artística: fosforeras, petacas, etcétera, que el Ayuntamiento de Pamplona las exhibe en vitrinas y que debía venderlas en pública subasta.

EL «ROBINSON» Y «LA ISLA MISTERIOSA»

En esta época de la vida en Pamplona, mi hermano Ricardo me comunicó su entusiasmo por dos novelas: el *Robinsón* y *La isla misteriosa*, de Julio Verne; mejor dicho, *La isla misteriosa* y *Robinsón*, porque la novela de Julio Verne nos gustaba mucho más que la de Defoe.

Soñábamos con islas desiertas, con hacer pilas eléctricas, como el ingenioso Ciro Smith, y como no estábamos muy seguros de encontrar una «casa de granito», Ricardo dibujaba y dibujaba planos y croquis de las casas que construíamos en los los países lejanos y salvajes.

Al mismo tiempo pintaba barcos con sus aparejos.

Las dos variantes del sueño eran la casa entre la nieve con las aventuras subsiguientes de ataques nocturnos de osos, lobos, etc., y el viaje por mar.

Mucho tiempo me resistí a creer que tendría que vivir como todo el mundo; al último, no hubo más remedio que transigir.

IX

DE ESTUDIANTE

Como estudiante, yo he sido siempre medianillo, más bien tirando a malo que a otra cosa. No tenía gran afición a estudiar; es verdad que no comprendía bien lo que estudiaba.

Yo, por ejemplo, no he sabido lo que quería decir pretérito hasta años después de acabar la carrera; así he repetido varias veces que el pretérito perfecto era así, y el imperfecto de este otro modo, sin comprender que aquella palabra «pretérito» quería decir pasado, muy pasado en un caso y menos pasado en otros.

Atravesar por dos años de gramática latina, dos de francesa y uno de alemana, sin enterarme de lo que significa pretérito, tiene que indicar dos cosas: o una gran estupidez o un sistema de instrucción deplorable. Claro que yo me inclino a esta segunda solución.

En el doctorado, estudiando Análisis químico, oí a un alumno, ya médico, decir que el cinc era un metal que contenía mucho hidrógeno. Cuando el profesor quiso sacarlo del aprieto, se vio que el futuro doctor no tenía idea de lo que es un cuerpo simple. Este compañero, que, sin duda, sentía tan poco afición por la Química como yo por la Gramática, no había podido coger en su carrera el concepto de un cuerpo simple, como yo no había llegado a saber lo que era pretérito.

Respecto a mí, y creo que a todos les pasará lo mismo, nunca he podido aprender aquellas cosas por las cuales no he sentido afición.

Es probable también que yo haya sido hombre de un desarrollo espiritual lento.

Como memoria, he tenido siempre poca. Afición al estudio, ninguna; la Historia Sagrada y las demás historias, el latín, el francés, la retórica y la Historia Natural, no me gustaron nada. Unicamente me gustaron un poco la Geometría y la Física.

El bachillerato me dejó dos o tres ideas en la cabeza, y me lancé a estudiar una carrera como quien toma una pócima amarga.

En mi novela *El árbol de la ciencia* he pintado una contrafigura mía, dejando la parte psicológica y cambiando el medio ambiente del protagonista, la familia y alguna que otra cosa.

Además de los defectos que he pintado en mi tipo, tenía yo un instinto de pigricia y de haraganería que no me cabía en el cuerpo.

Algunos me decían: «Ahora es el momento de estudiar; luego será el de divertirse, y después vendrá el de ganar dinero.»

Yo necesitaba estos tres tiempos y otros trescientos que hubiera tenido para no hacer nada.

LOS PROFESORES

Yo no he sido afortunado con los profesores. Se me dirá que, siendo pigre y holgazán, no podía aprovechar sus lecciones. Aun así creo yo que, si hubieran sido buenos, al cabo de tantos años, reconocería sus méritos.

Yo no recuerdo de ningún profesor que supiera enseñar, que llegara a comunicar afición a lo que enseñaba y que tuviera alguna comprensión del espíritu del estudiante. En la Facultad, en mi tiempo, ni se aprendía a discurrir, ni se aprendía a ser un técnico, ni se aprendía a ser un practicón. Es decir, no se aprendía nada.

Los profesores de Medicina tenían un criterio tan estúpido que no cabe más. En las dos Universidades donde yo cursé, las asignaturas se estudiaban a medias. Cosa ridícula en cualquier profesión, pero más ridícula aún en Medicina. Una tanda de médicos había estudiado en Patología médica las infecciones; otra tanda, las enfermedades nerviosas; otra, sólo las enfermedades del aparato respiratorio. No se explica más que en un profesor español, que generalmente es la quinta esencia de vacuidad, el hacer esto.

Que sepan o que no sepan, ¿qué importa?, parece que se dice cada profesor español.

¿No dice Unamuno, pensando en que los españoles no hemos inventado nada: «Que inventen ellos»; es decir, que construyan la ciencia los extranjeros, que nosotros nos aprovecharemos de ella?

Entre los profesores, uno que se creía un pedagogo, y un pedagogo genial, era Letamendi. En el libro citado, *El árbol de la ciencia*, he dicho lo que me parecía de tal profesor, que tenía cierto talento de orador y de literato. Era éste un escritor *rococó*, como muchos catalanes. A veces hablaba en clase de arte y de pintura, pero siempre con un criterio absurdo. Recuerdo una vez que decía que pintar un ratón y un libro no podía ser asunto para un cuadro, pero que si en el libro se escribía el título «Obras de Aristóteles» y al ratón se le ponía royéndolo, ya, lo que no era nada, se convertía en asunto pictórico. ¡Buen asunto pictórico para un cuadro de bazar!

Esta manera de ser nimia y de una

ingeniosidad pueril, representaba a Letamendi. A Letamendi le pasaba como a casi todos los españoles de su tiempo, aun a los más célebres, como Castelar, Echegaray, Valera.

Habían leído, poseían una gran memoria, pero creo que profundamente no habían comprendido nada. No tenía ninguno de ellos ese sentimiento trágico de la cultura y de sus obligaciones que han tenido, sobre todo, los alemanes. Casi todos ellos miraban la ciencia como puede mirarla un señorito andaluz, ingenioso y malicioso.

Hay una carta, publicada en los *Prolegómenos*, de Kant, y escrita por un crítico, Garve, que conmueve.

Garve escribió un estudio sobre *La crítica de la razón pura*, lo envió a un periódico de Gotinga, y el director del periódico lo varió con malicia y animosidad contra Kant y lo publicó sin firma.

Kant invitó al crítico de su obra a que diera su nombre, y Garve escribió una carta a Kant explicándole lo ocurrido, y Kant le contestó.

Es difícil que haya nada tan noble como estas dos cartas cruzadas entre un espíritu comprensivo como Garve, y uno de los genios más portentosos del mundo, como Kant.

Parecen dos viajeros enfrente de una Naturaleza llena de misterios. Un sentimiento así, trágico, de la cultura, no lo pueden tener estos fríos, estos amanerados saltimbanquis latinos.

ANTIMILITARISMO

Yo soy un antimilitarista de abolengo. Los vascos nunca han sido soldados en el ejército regular. Probablemente mi bisabuelo Nessi vendría de Italia como desertor. Yo siempre he tenido un asco profundo por el cuartel, por el rancho y por los oficiales.

Estudiaba yo Terapéutica con don Benito Hernando, cuando un día mi hermano entreabrió la puerta de la clase y me hizo seña de que saliera.

Salí, y por cierto que esto me costó una riña furiosa con don Benito, que rompió de ira dos o tres tubos de ensayo.

El motivo de la llamada de mi hermano era que avisaban de la Tenencia de Alcaldía del Centro, diciéndome que si no me presentaba a las quintas me declararían prófugo. Yo había llevado a la Alcaldía una copia de un real decreto en que yo aparecía como uno de los mozos libres de quintas por haber sido mi padre voluntario liberal en la guerra y haber nacido yo en el país vasco; yo creía la cuestión resuelta. Había en la Alcaldía un secretario de estos malhumorados y despóticos, y se empeñó en decirme que la exención mía valía únicamente en las provincias vascongadas, pero no en Madrid, y, efectivamente, como si no valiera, y, a pesar de mis protestas continuas, tuve que ir a tallarme, y casi estuve a punto de ir al cuartel.

«Yo no soy soldado—me había dicho a mí mismo—. Si se empeñan, me escaparé.»

Fui de aquí allá, de la Alcaldía al Ministerio; visité, porque me lo dijo mi padre, a un político guipuzcoano, mastodonte, lleno de pretensiones políticas, y que en otra parte no podría ser más que cargador del muelle, y que no hizo nada; y, al último, se me ocurrió ir a ver al conde de Romanones, que acababa de ser nombrado teniente de alcalde del distrito del Centro.

Cuando entré en su despacho, Romanones estaba muy sonriente, con una flor en el ojal, acompañado de dos personas, entre ellas el secretario de la Alcaldía, mi enemigo.

Conté a Romanones vivamente lo que me pasaba. El secretario me replicó.

—Este joven tiene razón—dijo el conde—. Que traigan la lista de los quintos.

Trajeron la lista de los quintos. Romanones cogió la pluma y borró completamente mi nombre. Luego, sonriendo, me dijo:

—¿No quiere usted ser soldado?

—No, señor.

—¿Qué es usted, estudiante?

—Sí, señor.

—¿De qué?

—De Medicina.

—Bueno, bueno. Está bien. Váyase usted.

Yo estaba dispuesto a todo menos a ser soldado de cuartel, de rancho y de procesiones.

EN VALENCIA

El cuarto año de carrera salí mal en junio y en septiembre; cuestión de suerte, porque no había estudiado ni más ni menos que los otros años.

Mi padre había sido trasladado a Valencia, donde yo debía seguir la carrera.

Me presenté en enero a nuevo examen en Patología general, en Valencia, y volvía salir suspenso.

Entonces empecé a pensar en dejar la carrera.

Había perdido la poca afición que tenía por ella. Como no conocía a nadie, no salía de casa, ni iba a ninguna parte; me pasaba los días tendido en el terrado y leyendo. Después de pensar mucho lo que podía hacer, viendo que no tenía delante camino alguno que seguir, me decidí a concluir la carrera, estudiando de una manera mecánica los programas. Desde que tomé el procedimiento, no me falló ni una vez.

Unicamente en la licenciatura me quisieron poner los profesores algunos obstáculos que no me llegaron a detener.

Ya de médico, fui a Madrid a estudiar el doctorado.

Mis condiscípulos antiguos, al ver que salía bien, me preguntaban:

—Cómo has cambiado. Ahora sales bien en los exámenes.

—Es que esto de examinarse es una martingala—les decía yo—, y la he aprendido.

X
DE MEDICO DE PUEBLO

Ya de doctor, me volví a Burjasot, un pueblo próximo a Valencia, donde vivía mi familia. Teníamos una casa muy pequeña, con un jardín con perales, albérchigos y granados.

Pasé allí una temporada muy agradable.

Mi padre escribía en *La Voz de Guipúzcoa*, de San Sebastián, y le enviaban este periódico. Un día leí yo, o leyó alguno de mi familia, que estaba vacante la plaza de médico titular de Cestona.

Decidí solicitarla y mandé una carta y una copia del título. Resultó que yo fuí el único que se presentó a solicitar la plaza, y me la dieron.

Salí para Madrid, dormí allá, llegué a San Sebastián, y aquí recibí una carta de mi padre, en donde me decía que había en Cestona otro médico que tenía más sueldo que el que me ofrecían a mí, y que quizá fuera lo mejor no ir en seguida hasta no enterarse.

Vacilé.

«De todas maneras voy a ver cómo es el pueblo. Si me gusta, me quedaré, y si no, me volveré a Burjasot.»

Tomé la diligencia «La Vascongada», e hice el viaje de San Sebastián a Cestona, que resultaba bastante largo, pues se tardaban cinco o seis horas. Me detuve en la posada de Alcorta, y me dieron de comer. Comí opíparamente; bebí fuerte, y, animado por la buena comida, decidí quedarme en el pueblo. Hablé con el otro médico y el alcalde, y arreglé todo lo que había que arreglar.

Al anochecer, el párroco y el médico me dijeron que debía ir de huésped a casa de la sacristana, que tenía un cuarto que había sido de un escribano.

DOLORES, LA «SACRISTANA»

Dolores, la *Sacristana*, mi patrona, era una mujer simpática, muy enérgica, muy trabajadora y tradicionalista. Pocas mujeres he conocido de tan buen fondo como ella. A pesar de que supo pronto que yo no era religioso, no me tomó ninguna antipatía, ni yo tampoco a ella.

Yo muchas veces le leía el *Añalejo*, que en las provincias del Norte llaman *Gallofa*, y le ayudaba a hacer hostias en el fuego, en algunas vísperas de fiesta en que había mucho trabajo.

En Cestona realicé yo mis aspiraciones de chico de lector del *Robinsón* y de *La isla misteriosa:* tener una casa solitaria y un perro.

Tenía también un caballo viejo, que me prestó un cochero de San Sebastián que se llamaba Juanillo, pero nunca he tenido afición a los caballos.

El caballo me ha parecido un animal militarista y antipático. Ni Robinsón ni Ciro Smith andaban a caballo.

Como médico de pueblo no hice ningún disparate; tenía ya mucha experiencia y cierto escepticismo para hacer disparates.

En Cestona empecé yo a sentirme vasco, y recogí este hilo de la raza, que ya para mí estaba perdido.

XI

DE PANADERO

Algunos me han preguntado: «¿Cómo demonios se hizo usted panadero?» Pues verá usted. La historia es un poco larga de contar.

Mi madre tenía una tía, hermana de su padre, que se llamaba Juana Nessi. Esta señora, cuando era señorita, parece que era bastante guapa, y se casó con un indiano rico que se llamaba don Matías Lacasa.

Este señor don Matías, que se creía un águila y era una gallinácea *vulgaris*, al instalarse en Madrid emprendió una serie de negocios que, con una unanimidad verdaderamente extraordinara, le salieron mal. Hacia

1870, un médico valenciano, que se llamaba Martí y había estado en Viena, le habló del pan que se elaboraba allí, de la levadura que se empleaba y del negocio que se podía hacer con esto.

Don Matías se convenció, y por instigación de Martí compró una casa vieja que estaba contigua a la iglesia de las Descalzas, en una calle que no tenía más que un número, el número 2. La calle se llamaba, y creo que se llama, calle de la Misericordia.

Arregló Martí los hornos en el caserón viejo contiguo a la iglesia de las Descalzas, y el negocio comenzó a dar dinero fabulosamente. Martí, que era un juerguista, murió a los tres o cuatro años de instalar su industria, y don Matías siguió con sus vuelos gallináceos; se arruinó, empeñó lo que tenía y se quedó con la panadería para ir viviendo.

La tenía ya arruinada y entrampada cuando murió. Entonces mi tía le escribió a mi madre para que fuera a Madrid mi hermano Ricardo.

Mi hermano estuvo algún tiempo en Madrid, hasta que se cansó y lo dejó; despues marché yo, y luego estuvimos los dos y fuimos sacando adelante el negocio. Los tiempos eran malos; no había manera de salir adelante, y en ninguna parte se podía decir tan bien el refrán de que «donde no hay harina todo es mohína», y allí no había harina.

Cuando ya comenzaba a marchar la tahona, el conde de Romanones, que era entonces el amo de la casa, nos comunicó que iba a derribarla.

Aquí vinieron nuestros apuros. Había que trasladarse a otro sitio, hacer obras; era indispensable algún dinero, y no teníamos apenas nada. En este callejón sin salida, nos lanzamos a especular en la Bolsa, y la Bolsa fue para nosotros maternal; fue sosteniéndonos hasta que nos puso a flote, y cuando estábamos ya seguros e instalados en otra parte, comenzamos a perder y nos retiramos.

No tiene nada de raro que una Bolsa me parezca un edificio filantrópico, y, en cambio, una iglesia se me figure un sitio sombrío, en donde detrás del confesonario salta un canónigo negro a agarrarle a uno del cuello y a estrangularle.

LAS DESILUSIONES DE MI PADRE

Mi padre tenía el fervor romántico de los hombres de su época; creía mucho en la amistad y, sobre todo, en sus amigos de San Sebastián.

Al vernos en el apuro, antes de echarnos en los amorosos brazos de la Bolsa, mi padre habló a dos amigos íntimos de San Sebastián. Me citaron a mí en el café Suizo. Yo les expliqué cómo estaba el asunto, y después de mi explicación me hicieron ellos sus proposiciones, unas proposiciones tan usurarias, tan bárbaramente judías, que yo me quedé espantado. Querían prestar el dinero necesario, con cincuenta por ciento de beneficios, pagando nosotros, con el cincuenta por ciento que nos correspondiera, la vivienda, y no cobrando nada por el trabajo que representaba atender el negocio.

Yo me quedé atónito, y, como es natural, no acepté. Mi padre se llevó un gran disgusto. Yo, después, veía con frecuencia a uno de los amigos y no le saludaba. El se quedaba asombrado. Alguna vez estuve tentado de acercarme y decirle: «No le saludo a usted porque le considero como un miserable.»

Si vivieran uno y otro, pondría sus nombres; pero ya muertos, ¿para qué?

LA INDUSTRIA
Y LA DEMOCRACIA

La panadería ha servido de motivo literario contra mí.

Cuando empecé a escribir, oí que decían: «Baroja tiene mucha miga; ya se conoce que es panadero.»

Un bizarro y dramaturgo académico de los que hacían en sus tiempos con éxito magníficas quintillas y cuartetas de las que suenan a hoja de lata, añadía: «Eso del modernismo se ha cocido en el horno de Baroja.»

Hasta los mismos catalanes, a pesar de ser ellos fabricantes, la primera cosa que me lanzaron a la cara fue el ser panadero. Yo no sé si el *calicot* estará por encima de la harina, o la harina por encima del *calicot*. Es un tema *a discutir*, como diría Maeztu.

En esta cuestión soy ecléctico; a la hora de comer prefiero la harina en forma de pan, y a la hora de lucir, el *calicot*.

Cuando me presenté concejal salió una hoja anónima con el título *Fuera caretas*, y en la parte que hablaba de mí, comenzaba diciendo «Pío Baroja, que es literato y tiene una panadería...»

Hace poco, en un periódico de América, escribió un crítico de Madrid que yo tenía dos personalidades: la de escritor y la de panadero... Luego me decía particularmente que esto lo escribía sin mala intención. Si yo le dijera a él: «Fulano, que es escritor y que conoce muy bien las telas, porque su padre tuvo un comercio de paños...», le parecería molesto.

Otro periodista, en *El Parlamentario*, según me dicen, me atacaba hace unos meses como fabricante de panecillos, tirano y bebedor de sangre de los obreros.

En nuestra sociedad literaria y en la no literaria es más denigrante tener una fabriquita o una tiendecilla que cobrar del fondo de reptiles de Gobernación o de una Embajada.

Así que, a mí, cuando me hablan de la democracia, me entra una risa tal, que temo que me pase como a aquel filósofo griego de que habla Diógenes Laercio, que murió a carcajadas al ver un burro comiendo higos.

VEJACIONES
DE PEQUEÑO INDUSTRIAL

Todo el mundo ha hablado de las luchas, de las miserias de la vida literaria, de sus odios y de sus envidias. Yo no he visto tal cosa; lo único que he encontrado en ella es que circula muy poco dinero, lo que hace la existencia del escritor muy miserable y muy precaria.

Nada es comparable en vejaciones con la vida del pequeño industrial, sobre todo si este pequeño industrial es panadero. Yo algunas veces he contado a mis amigos la serie de tropelías que uno ha tenido que sufrir, sobre todo de la autoridad municipal, a veces por mala intención, aunque principalmente por sencilla brutalidad.

Al trasladarnos mi hermano y yo a la nueva casa se hizo un plano y se envió al Ayuntamiento. El empleado encontró que en el plano faltaba la cuadra para la mula que amasa en la tahona, y lo dio por malo. Al ver que el expediente estaba parado, se preguntó la causa, y se le explicó al empleado que no había cuadra para la mula porque no había mula y se movía la amasadora con un motor eléctrico.

—No importa, no importa—decía el empleado, con la seriedad y la brutalidad de un burócrata—. Aquí dice que tiene que haber una cuadra.

Otro ejemplo de los mil de barbarie gubernativa se dio siendo alcalde Sánchez de Toca. Este señor, hermano siamés de Maura en confesión y en garrulería, había decidido suprimir el oficio de repartidor de pan a domicilio y no dejar más que los repartidores de las tahonas. En sí, la disposición era arbitraria, pero hubo que ver la manera de llevarla a cabo. Se dijo que en el Ayuntamiento se darían unas chapas con un número a los repartidores de las tahonas. Se fue al Ayuntamiento. Se preguntaba al empleado:

—¿Dónde se dan esos números?

—Aquí no han traído números.

—Y mañana si salen los repartidores, ¿qué va a pasar?

—¡Yo qué sé!

Efectivamente, al día siguiente salían los repartidores, y un municipal les preguntaba:

—¿Tiene usted chapa con número?

—No, señor, porque no las dan.

—Bueno, bueno, a la Delegación. Y el pan se perdía.

Cosas por el estilo hacía el caíd de Mechuar en Marruecos hace unos años; pero siquiera a aquél, un día, los moros le atropellaron y le dejaron moribundo sobre un montón de fiemo; en cambio, Sánchez de Toca sigue diciendo tonterías por ahí, y hasta es una esperanza de la patria.

Cosas de éstas, de arbitrariedad en el mando, podría contar muchas; casi otras tantas podría contar de canalladas de los obreros. Ya, ¿para qué? No quiere uno revolverse la bilis. Ya ha pasado uno su avatar de panadero, de pequeño industrial. Yo no soy un patrono explotador del obrero; no creo haberlo hecho nunca; si he sido explotador por el hecho de ser patrono, hace tiempo que he dejado de serlo. Ahora, con la literatura, puedo vivir; verdad es que puedo vivir con muy poca cosa.

XII

DE ESCRITOR

Mi período de vida preliteraria ha tenido tres épocas: ocho años de estudiante, dos de médico de pueblo y seis de panadero.

Al cabo de estos años, ya en las proximidades de los treinta, comencé a ser escritor.

Fue para mí una buena decisión. Era lo mejor que podía haber hecho; cualquiera otra cosa me hubiera dado más molestias y menos alegrías. Yo me he entretenido mucho escribiendo y he ganado algún dinero; poco, pero lo suficiente para hacer algunos via-jes, que de otra manera no los hubiera hecho nunca.

La primera cantidad que cobré un poco fuerte fue al publicar mi novela *El mayorazgo de Labraz*. La casa Henrich, de Barcelona, me dio por ella dos mil pesetas.

Estas dos mil pesetas las metí en una combinación bursátil, y a los quince días de haberlas empleado habían desaparecido.

El dinero que cobré por otros libros lo aproveché mejor.

LA BOHEMIA

Nunca he sido practicante de ese mito ridículo que se llama la bohemia. Vivir alegre y desordenadamente en Madrid o en otro cualquier pueblo de España, sin pensar en el día de mañana, es tan ilusorio que no cabe más. En París y en Londres, esta bohemia es falsa; en España, en donde la vida es tan dura, es mucho más falsa aún.

No sólo es falsa la bohemia, sino que es vil. Es como una pequeña secta cristiana de menor cuantía hecha para uso de desharrapados de café.

Enrique Murger era el hijo de una portera.

Esto hubiera sido lo de menos si no hubiera tenido, además, un sentimiento de la vida digno del hijo de la portera.

NUESTRA GENERACION

En general, el aprendiz de literato suele avanzar al través de una sociedad literaria que tiene sus grados y sus jerarquías respetadas por él.

No nos pasó a nosotros, a los de mi tiempo, lo mismo. En el período de 1898 a 1900 nos encontramos de pronto reunidos en Madrid una porción de gentes que tenían como norma pensar que el pasado reciente no existía para ellos.

Cualquiera hubiera dicho que ese tropel de escritores y de artistas había sido congregado por alguien y para algo; pero el que hubiera pensado esto se hubiera equivocado.

Era la casualidad la que nos reunió por un momento a todos, un momento muy corto, que terminó en una desbandada general. Hubo días en que nos reunimos treinta o cuarenta aprendices de literato en las mesas del antiguo café de Madrid.

Este aflujo de gente nueva, que sin méritos y sin tradición quiere intervenir e influir en una esfera de la sociedad, debe ser, más en grande, un fenómeno corriente en las revoluciones.

Como nosotros no teníamos ni podíamos tener una obra común que realizar, nos fuimos pronto dividiendo en pequeños grupos, y concluimos por disolvernos.

AZORIN

Unos días después de publicar mi primer libro, *Vidas sombrías*, Miguel Poveda, que se había encargado de imprimirlo, envió un ejemplar a Martínez Ruiz, que por entonces estaba en Monóvar.

A vuelta de correo, Martínez Ruiz le escribió una larga carta hablándole del libro; al día siguiente le envió otra.

Poveda me dio a leer estas cartas, que me produjeron una gran sorpresa y una gran alegría. Unas semanas después, en Recoletos, volviendo de la Biblioteca, se me acercó Martínez Ruiz, a quien yo conocía de vista.

—¿Usted es Baroja?—me dijo.

—Sí.

—Yo soy Martínez Ruiz.

Nos dimos la mano y nos hicimos amigos.

Por entonces emprendimos viajes juntos, colaboramos en los mismos periódicos, atacamos las mismas ideas y a los mismos hombres.

Luego *Azorín* se hizo partidario entusiasta de Maura, cosa que a mí me pareció absurda, porque nunca he visto en Maura más que un comediante de grandes gestos y de pocas ideas; después se ha hecho partidario de La Cierva, cosa que me parece tan mal como ser maurista; y no sé si pensará hacer alguna otra evolución.

Hágala o no la haga, para mí *Azorín* siempre será un maestro del lenguaje y un excelente amigo, que tiene la debilidad de creer grandes hombres a todos los que hablan fuerte y enseñan con pompa los puños de la camisa en una tribuna.

PAUL SCHMITZ

Otra amistad para mí muy fecunda fue la de Paul Schmitz, suizo, de Basilea, que vino a Madrid a restablecerse de una enfermedad del pecho y que pasó tres años entre nosotros. Schmitz había estudiado en Suiza y en Alemania y había vivido mucho tiempo en el norte de Rusia.

Tenía el conocimiento de los dos países para mí más interesantes de Europa.

Paul Schmitz era un hombre tímido, inquieto, había llevado una juventud agitada. Con Schmitz hice yo algunos viajes; estuve en Toledo, en El Paular, en las fuentes del Urbión; años más tarde hicimos los dos algunas excursiones en Suiza.

Schmitz fue para mí como una ventana abierta a un mundo no conocido. Tuve con él largas conversaciones acerca de la vida, de la literatura, de la filosofía, del arte.

Recuerdo una vez que le llevé un domingo por la tarde a casa de don Juan Valera.

Cuando llegamos Schmitz y yo, Valera se disponía a pasar la tarde oyendo la lectura de una de las últimas novelas de Zola, que le leía su hija.

Valera, Schmitz y yo estuvimos charlando unas cuatro o cinco horas. Ninguno de los tres podíamos ponernos de acuerdo. Tan pronto estábamos Valera y yo contra el suizo, como el suizo y Valera contra mí, o el suizo y yo contra Valera, como cada cual marchaba por su lado.

Valera, que vio que el suizo y yo éramos anarquistas, dijo que no comprendía cómo se soñaba en el bienestar general.

—Pero ¿usted cree—me decía a mí—que ha de llegar un día en que todos los hombres tengan en la mesa una fuente de ostras de Arcachón, una botella de champaña de buena marca para el postre y una mujer a su lado con un traje hecho por el modisto Worth?

—No, no, don Juan—le replicaba yo—; es que para nosotros, las ostras, el champaña y Worth son supersticiones, mitos sin importancia; no nos preocupan las ostras ni nos parece un néctar el champaña. Lo único que quisiéramos es vivir bien y que a nuestro alrededor se viviera bien.

No nos convencíamos, y ya de noche salimos de casa de Valera, y estuvimos hablando Schmitz y yo de su talento y de sus limitaciones.

ORTEGA Y GASSET

Ortega y Gasset es para mí el viajero que ha hecho el viaje por las tierras de la cultura. Es un escalón más alto, al que es difícil llegar, y más difícil aún, afianzarse en él.

Quizá Ortega no tiene gran simpatía por mi manera de ser, insumisa; quizá yo veo con desagrado su tendencia ambiciosa y autoritaria; pero es un maestro que trae buenas nuevas, aquí desconocidas.

Contaba el doctor San Martín que una vez en el Retiro estaba leyendo sentado en un banco.

—¿Lee usted alguna novelita?—le preguntó un señor que se puso a su lado.

—No. Estaba estudiando.

—¿Qué? ¿A su edad estudiando? —le preguntó el señor, asombrado.

Lo mismo podían decirme a mí:

«¿A su edad con maestro?» Para mí, todo el que sabe más que yo es mi maestro.

Ya sé yo que para muchos médicos de estos que recogen su ciencia en las revistas extranjeras y que no añaden nada a lo que leen, para muchos ingenieros españoles que saben hacer hoy, y bastante mal, lo que hicieron en Inglaterra y Alemania hace treinta años bien, y para muchos boticarios, la filosofía y la metafísica no son nada. Para estas gentes sólo existe lo práctico. ¡Como si se supiera lo que es lo práctico!

Mirando la cuestión como cosa práctica, no hay duda que donde ha habido grandes metafísicos ha habido gran civilización. Al lado de los filósofos han surgido los inventores, y unos y otros son el honor de la Humanidad. Unamuno desdeña a los inventores. Peor para él.

Es más fácil a una nación sin tradición de cultura improvisar un histólogo o un físico que un filósofo o un pensador.

Ortega y Gasset, única posibilidad de filósofo que he conocido, es para mí de los pocos españoles a quienes escucho con interés.

UN SEUDOPROTECTOR

Aunque uno no haya sido nunca nada, y, probablemente, seguirá uno siendo lo mismo, es decir, nada, hay quien se ha vanagloriado de haberle lanzado a uno al mundo, de haberle dado a conocer. El señor Ruiz Contreras es el que ha hecho esta afirmación absurda. Según Ruiz Contreras, él me dio a conocer a mí en una revista que publicó en 1899, titulada *Revista Nueva*. Según Ruiz Contreras, yo soy conocido ¡desde hace dieciocho años! Aunque una tontería no valga la pena de ponerla en claro,

quiero aclarar ésta para mis biógrafos del porvenir. ¿Por qué no he de tener yo esta absurda esperanza?

El año 1899, la historia es lejana, Ruiz Contreras me invitó a tomar parte en una revista semanal como socio y como redactor. Yo, al principio, rehusé; él insistió, y quedamos de acuerdo en que yo escribiera y costeara el periódico, en compañía de Ruiz Contreras, Reparaz, Lasalle y el novelista Mathéu.

Pagué dos o tres plazos, y llevé unos muebles y unos grabados a la redacción, hasta que me pareció una primada demasiado fuerte el tener que pagar para publicar artículos, pudiendo publicarlos en otro lado.

Al no pagar más, Ruiz Contreras me dijo que algunos socios, entre ellos el señor Icaza, que había sustituido al señor Reparaz, le había dicho que, si yo había cesado de pagar, no debía seguir escribiendo en la revista.

—Está bien; no escribiré—y dejé de escribir.

Antes de colaborar en la *Revista Nueva*, yo había escrito artículos en *El Liberal*, en *El País*, en *El Globo*, en *La Justicia*, en *La Voz de Guipúzcoa* y en otros periódicos.

Un año después de escribir en la *Revista Nueva*, publiqué *Vidas sombrías*, que apenas se vendieron cien ejemplares, y poco después, *La casa de Aizgorri*, cuya venta no llegó a cincuenta volúmenes.

Por esta época, Martínez Ruiz publicó una comedia, *La fuerza del amor*, a la que yo puse prólogo, y el editor Rodríguez Serra fue corriendo el libro por algunas librerías en mi compañía. En una de la plaza de Santa Ana, Rodríguez Serra preguntó con malicia al librero:

—¿Qué le parece a usted este libro?

—Estaría muy bien—contestó el librero, que no me conocía a mí—si se supiera quién es Martínez Ruiz y quién es Pío Baroja.

El señor Ruiz Contreras dice que me dio a conocer, y por entonces no me conocía nadie; el señor Ruiz Contreras cree que me hizo un gran favor por publicarme unos cuantos artículos, que me vinieron a salir a dos o tres duros cada uno (de menos).

Si esto es proteger, yo me voy a sentir protector de medio planeta.

Respecto a influencia literaria, el señor Ruiz Contreras no ejerció ninguna en mí. El era lector de Arsène Houssaye, de Paul Bourget y de otros novelistas de aire mundano que a mí nunca me han gustado. El tenía la preocupación del teatro, cosa que no he tenido yo; él era entusiasta del poeta Zorrilla, entusiasmo que no compartía ni comparto, y, por último, él era, en política de tendencia, reaccionario, y yo, de tendencia radical.

XIII

TEMPORADAS EN PARÍS

Desde hace veinte años he solido ir a pasar temporadas a París, no para conocer la ciudad, que viéndola una vez basta, ni para visitar a los escritores franceses, que, en general, se consideran tan por encima de los españoles, que no hay manera decorosa de abordarlos, sino para conocer la España emigrada, que tiene tipos interesantes.

De ellos recuerdo historias y anécdotas, que algunas he ido poniendo en mis libros.

ESTEVÁNEZ

Don Nicolás Estevánez era un buen amigo mío. En las temporadas que iba a París solía verle todas las tardes en el café de Flora, del bulevard Saint-Germain.

Cuando escribí *Los últimos románticos* y *Las tragedias grotescas*, Estevánez me daba indicaciones y datos de la vida de París durante el segundo Imperio.

La última época que le vi, el otoño de 1913, solía ir al café con un papel con notas, para recordar anécdotas que quería contarme.

Lo estoy viendo en el café de Flora, con sus ojos azules, su perilla larga y blanca y sus mejillas todavía sonrosadas, siempre tranquilo y flemático.

Una vez le vi exaltado; fue un día en que Javier Bueno y yo le encontramos en un café de la avenida de Orleáns, próximo al León de Belfort. Bueno le preguntó acerca del atentado de Morral, y Estevánez se descompuso. Luego un anarquista me dijo que la bomba que lanzó Morral en Madrid la había llevado Estevánez desde París a Barcelona, en donde se embarcó para Cuba, con el permiso del duque de Bivona.

Supongo que esto sea una fantasía, pero yo tengo la seguridad de que Estevánez sabía de antemano, antes del atentado, que éste se iba a cometer.

MI VERSATILIDAD, SEGUN BONAFOUX

Pensando en Estévanez, me viene a la imaginación Bonafoux, a quien veía también con frecuencia, y que, según me dijo el pintor González de la Peña, me reprochaba mi versatilidad.

—Bonafoux—me dijo Peña—le tiene a usted por hombre un poco versátil.

—Pues, ¿por qué?

—Un día parece que se presentó usted en el bar y le dijo usted a Bonafoux que había que dar un banquete cordial a Estévanez, y habló usted de ello con entusiasmo. Bonafoux le dijo: «Haga usted los preparativos, e iremos.» Unas noches después, al verle entrar en el café, Bonafoux le preguntó: «¿Qué hay del banquete?» «¿De qué banquete?», dijo usted. Ya se había olvidado de la cosa. ¿Es verdad esto?—me preguntó Peña.

—Sí. Es verdad. Somos todos un poco Tartarines. Se habla, se habla, y luego no se acuerda uno de lo que dice.

Otros tipos de París me vienen a la imaginación al recordar la época: un periodista cubano bastante sucio, de quien decía Bonafoux que con un plato de sopa comía y se lavaba la cara; un tocador de guitarra catalán, unas madrileñas funámbulas, a quienes convidábamos de cuando en cuando a café, y otras muchas gentes, todas un poco rotas, desquiciadas y pintorescas.

XIV

ENEMISTADES LITERARIAS

Como nosotros, los de nuestra generación, vinimos al mundo literario negando a derecha e izquierda, los escritores más antiguos nos recibieron enseñándonos los dientes. Claro que no fueron los antiguos sólo, sino también los contemporáneos y los más modernos.

LA ENEMISTAD DE DICENTA

Uno de los que tenían por mí una enemistad oscura era Dicenta. Era una enemistad ideológica y que luego se acentuó con un artículo que yo escribí en El Globo sobre su drama Aurora, en el que decía que Dicenta no era un hombre de ideas nuevas y libres, sino un hombre lleno de preocupaciones viejas acerca del honor y la honra.

Dicenta, una noche—y esto, que yo lo sabía, me lo contó años después él mismo—, estando en el café de Fornos, interpeló a un joven que se encontraba en una mesa cenando y le provocó a discutir, creyendo que era yo. El joven, asustado, estaba sin chistar.

—Aquí—le gritaba Dicenta—vamos a discutir eso.

—Yo no tengo que discutir con usted—dijo el joven.

—Sí, señor; porque usted ha afirmado en un artículo que yo no tengo ideas revolucionarias.

—Yo no he afirmado eso nunca.

—¿Cómo que no?

—No, señor.

—¿Usted no es Pío Baroja?

—Yo, no, señor.

Dicenta dio media vuelta y se volvió a su sitio.

Después, Dicenta se hizo amigo mío; nunca mucho, porque creía que yo no le reconocía todo su mérito. Y era verdad.

LA ENEMISTAD POSTUMA DE SAWA

A Alejandro Sawa le conocí una noche en el café de Fornos, estando yo con un viejo amigo.

La verdad es que no había leído nada suyo, pero me impuso su aspecto. Un día fui tras de él, dispuesto a hablarle, pero luego no me atreví. Unos meses después le encontré una tarde de verano en Recoletos, con el francés Cornuty. Cornuty y Sawa fueron hablando, recitando versos, y me llevaron a una taberna de la plaza de Herradores. Bebieron ellos unas copas, pagué yo, y Sawa me pidió tres pesetas. Yo no las tenía, y se lo dije.

—¿Vive usted muy lejos?—me preguntó Alejandro, con su aire orgulloso.

—No; bastante cerca.

—Bueno, pues vaya usted a su casa y tráigame usted ese dinero.

Me lo indicó con tal convicción, que yo fui a mi casa y se lo llevé. El salió a la puerta de la taberna, tomó el dinero y dijo:

—Puede usted marcharse.

Era la manera de tratar a los pequeños burgueses admiradores, en la escuela de Baudelaire y Verlaine.

Después, cuando publiqué *Vidas sombrías*, algunas veces, a las altas horas de la noche, le solía ver a Sawa con sus melenas y su perro. Me daba la mano con tal fuerza, que me hacía daño, y me decía en tono trágico:

—Sé orgulloso. Has escrito *Vidas sombrías*.

Yo lo tomaba a broma.

Un día, Alejandro me escribió para que fuera a su casa. Vivía en la cuesta de Santo Domingo. Fui allá, y me hizo una proposición un poco absurda. Me dio cinco o seis artículos suyos, ya publicados, y unas notas, y me dijo que, añadiendo yo otras cosas, podíamos hacer un libro de «Impresiones de París», que firmaríamos los dos.

Leí los artículos y no me gustaron. Cuando fui a devolvérselos, me preguntó:

—¿Qué ha hecho usted?

—Nada. Creo que va a ser difícil que colaboremos los dos. No hay soldadura posible entre lo que escribimos.

—¿Por qué?

—Porque usted es un escritor elocuente, y yo, no.

La frase le pareció muy mal.

Otro motivo de enemistad de Alejandro contra mí fue una opinión de mi hermano Ricardo.

Ricardo quería hacer un retrato al óleo de Manuel Sawa, que tenía, cuando llevaba barba, un gran carácter.

—Y yo—dijo Alejandro—, ¿no tengo más tipo para un retrato?

—No, no—dijimos todos (esto pasaba en el café de Lisboa)—. Manuel tiene más carácter.

Alejandro no dijo nada; pero unos momentos más tarde se levantó, se contempló en el espejo, se arregló la melena, y después, mirándonos de arriba abajo, y pronunciando bien las frases, dijo:

—M...

Luego se marchó del café.

Pasado algún tiempo, le dijeron a Alejandro que yo le había pintado en una novela, y me tomó cierto odio. A pesar de esto, de cuando en cuando nos veíamos y hablábamos afectuosamente.

Un día me llamó para que fuera a verle. Vivía en la calle del Conde-Duque.

Estaba en la cama, ciego. Tenía el mismo espíritu y la misma preocupación por las cosas literarias de siempre. Su hermano Miguel, que estaba delante, dijo en la conversación que el sombrero que yo tenía, un sombrero que había comprado en París hacía unos días, tenía las alas más planas que de ordinario. Alejandro lo pidió, y estuvo tocando las alas del sombrero.

—Estos sombreros se llevan con el pelo largo—decía con entusiasmo.

Luego, meses después de su muerte, se publicó un libro suyo, titulado *Iluminaciones en la sombra*, en donde Alejandro habla mal de mí y bien de *Vidas sombrías*.

Me llama aldeano, hombre de esqueleto torcido, y dice que la gloria no puede ir al cuerpo de un tuberculoso.

Pobre Alejandro. Era, en el fondo, un hombre sano, un mediterráneo elocuente, nacido para perorar en un país de sol, y se había empeñado en ser un producto podrido del Norte.

LA SEMIENEMISTAD DE *SILVERIO LANZA*

Yo le conocí a *Silverio Lanza* por un amigo suyo y mío, que se llamaba Antonio Gil Campos.

Silverio Lanza era un hombre de una gran originalidad y que tenía un fondo enorme de ambición fracasada y de vanidad, cosa muy lógica, porque, siendo un escritor notabilísimo, no había tenido, no ya el éxito, ni siquiera la consideración que hemos disfrutado otros.

Yo recuerdo la primera vez que le

vi a *Lanza*, al decirle que me gustaban sus libros, cómo le brillaban los ojos de emoción. En aquella época no había nadie que se ocupara de él.

Silverio Lanza era hombre raro, a veces parecía hombre bueno, a veces parecía de muy malas intenciones.

Tenía unas ideas sobre literatura verdaderamente absurdas; cuando yo le mandé *Vidas sombrías*, me escribió una carta larguísima para convencerme de que debajo de cada cuento debía poner la consecuencia o moraleja. Si no la quería poner yo, la pondría él.

Silverio quería que la literatura se hiciese, no como decía Quintiliano, de la Historia, *ad narrandum*, sino *ad probandum*.

Cuando le envié *La casa de Aizgorri*, le indignó el final optimista de la obra, y me recomendó que lo cambiase. Según su teoría, si el hijo de la familia de Aizgorri acababa mal, la hija debía también acabar mal.

Silverio Lanza, como era hombre un poco fantástico, tenía extraños proyectos políticos. Yo no las tenía.

Me acuerdo que una de las cosas que se le ocurrió fue que le mandásemos una tarjeta de felicitación al rey el día de su mayoría de edad.

—Es lo más revolucionario que se puede hacer en este momento—aseguraba *Lanza*, al parecer convencido.

—Yo no comprendo por qué—decía yo.

Azorín y yo estuvimos de acuerdo en que era una fantasía absurda que no venía a cuento.

Otro de los tópicos de *Lanza* era una misoginia agresiva.

—Amigo Baroja—me decía—. En sus novelas es usted muy galante y respetuoso con las damas. A las mujeres y a las leyes hay que violarlas.

Yo me reía.

Un día, iba con el amigo Gil Campos y con mi primo Goñi, cuando le encontramos a *Silverio Lanza*, que nos llevó al café de San Sebastián, a la parte que da a la plazuela del Angel. Fue una reunión aquella bastante curiosa.

Volvió *Silverio* con la historia de que había que tratar a las mujeres a la baqueta. Gil se reía, y, como hombre irónico, hacía observaciones burlonas. Yo, ya cansado, le dije a *Lanza:*

—Mire usted, don Juan (se llamaba Juan Bautista Amorós), todo eso es literatura, y literatura manida. Ni usted ni yo podemos violar las leyes y las mujeres a nuestro capricho. Eso se queda para los César, para los Napoleón, para los Borgia. Usted es un buen burgués, que vive en su casita de Getafe con su mujer, y yo soy otro pobre hombre que se las arregla como puede para vivir. Usted, como yo, tiembla si tiene que transgredir no una ley, sino las Ordenanzas municipales, y, respecto a las mujeres,

tomaremos algo de ellas, si ellas nos quieren dar algo, que me temo que no nos darán gran cosa ni a usted ni a mí, y eso—añadí, en broma—que somos dos de los cerebros más privilegiados de Europa.

Mi primo Goñi dijo a esto, con la gracia rara que le caracterizaba, que dentro de la mezquindad de la realidad palpable, yo tenía razón; pero que *Lanza* se colocaba en un plano más alto, más romántico, más ideal. Después dijo que *Lanza* y él eran bereberes, violentos, apasionados, y yo, un ario; pero un ario vulgar, de ideas corrientes, como las de todo el mundo.

A *Lanza* no le hicieron gracia las explicaciones de mi primo, y se separó con marcada frialdad.

Desde entonces, *Silverio* tenía por mí una semiamistad y una semienemistad, y, aunque en uno de sus últimos libros, *La redención de Santiago*, me llamaba mi gran amigo y mayor literato, yo sospecho que no me quería.

XV

LA PRENSA

NUESTROS PERIODICOS

Yo siempre he tenido una gran afición por los periódicos y por todo cuanto se refiere a la imprenta. No en balde mi padre, mi abuelo y mi bisabuelo fueron impresores y fundaron pequeños periódicos en una capital de provincia.

Por lo mismo que tengo entusiasmo por los periódicos, siento que la Prensa española sea tan enteca, tan mísera, tan anquilosada.

En estos últimos tiempos, a la par que los periódicos extranjeros crecían

y se ensanchaban, los nuestros estaban estacionarios.

Hay una razón económica, claro es, para legitimar nuestra miseria; pero esta razón explica la cantidad más que la calidad.

Comparando nuestra prensa con la del resto del mundo, se podría hacer un rosario de conclusiones negativas de este orden:

Nuestra prensa no tiene interés por lo universal.

Nuestra prensa no tiene interés por lo nacional.

A nuestra prensa no le interesa la literatura.

A nuestra prensa no le interesa la filosofía.

Y así hasta el infinito.

Me ha contado *Corpus Barga* que, cuando su pariente el señor Groizard fue embajador del Vaticano, León XIII le preguntaba en chapurreado italoespañol, delante de su secretario, el cardenal Rampolla:

—*El señor ambasciatore, ¿no parla el italiano?*

—No; el italiano, no; lo entiendo un poco.

—*El señor ambasciatore, ¿parla el inglese?*

—El inglés, no; no lo hablo—dijo Groizard.

—*El señor ambasciatore, ¿parla in tedesco?*

—El tudesco, el alemán, no, no.

—*El señor ambasciatore, sin dubbio, ¿parla el francese?*

—¿El francés? No. Lo traduzco un poco, pero no lo hablo.

—*Allora, ¿qué parla el señor ambasciatore?* — preguntó, sonriendo, León XIII, con su sonrisa volteriana, a su secretario.

—El señor ambasciatore parla un estúpido dialecto que se llama el extremeño—contestó Rampolla del Tíndaro, inclinándose al oído de Su Santidad.

La prensa española está también empeñada en no parlar, desde hace tiempo, más que un estúpido dialecto que se llama el extremeño.

NUESTROS PERIODISTAS

Nuestros periódicos dan la medida de nuestros periodistas. Cuando los máximos prestigios son Miguel Moya, Romeo, Rocamora, *Don Pío*, ¿cómo serán los mínimos?

El periodista español, en general, no tiene afición más que a la política, al teatro y a los toros; lo demás no le interesa.

Ni siquiera lo folletinesco le llama la atención. Encuentra mucho más sugestiva una de esas frases estólidas y amaneradas de Maura que la relación de un suceso sensacional.

El periodista español es de una falta de imaginación y de curiosidad extraordinaria.

Yo recuerdo haber dado a leer a un amigo periodista un libro corto de Nietzsche, y me lo devolvió diciendo que no había podido con él, que era una tabarra insoportable. El mismo juicio o parecido he oído expresar acerca de Ibsen, de Schopenhauer, de Dostoyewski, de Stendhal, acerca de los hombres más sugestivos de Europa.

Aquel desdichado Saint-Aubin, desdichado como crítico, se burlaba de Tolstoi y de la enfermedad que le produjo la muerte, diciendo que era un reclamo. La plebeyez más sandia reina en nuestra prensa.

Esta plebeyez va acompañada a veces de una ignorancia tal, que sorprende.

Recuerdo una tarde que fui con Regoyos a un café de la calle de Alcalá, la Maison Dorée. Se sentaron en nuestra mesa el novelista Felipe Trigo y un amigo suyo, periodista, que venía, creo, que de América. Yo no era amigo de Trigo; no me interesaba ni el hombre ni su obra, de un erotismo pesado, industrial, y, en absoluto, falto de gracia.

Regoyos, como hombre efusivo, comenzó a charlar con ellos, y llevó la conversación a sus preocupaciones de arte y a sus viajes por el extranjero.

Trigo metió baza, y dijo una porción de cosas absurdas; habló de un barco que había desembarcado en Milán, y cuando Regoyos le hizo observar que Milán no es puerto de mar, contestó: «Sería en otro lado, es lo mismo.» Luego añadió una serie de disparates geográficos y antropológicos, secundados por el periodista, que Regoyos y yo quedamos asombrados.

Al salir del café, Regoyos me preguntó:

—¿Hablarían en broma?

—No. ¡Ca! Es que creen que eso no tienen importancia. Piensan que son detalles buenos para un mozo de estación. Trigo se figura ser un mago que conoce la psicología femenina.

—¿Y la conoce?—me preguntó, con su natural ingenuidad, Regoyos.

—¡Qué va a conocer! Es un pobre hombre. Está en lo demás a la altura de su geografía.

A la ignorancia de escritores y periodistas va unida, naturalmente, la incomprensión. Hace unos años estuvo en mi casa un joven rico, que quería fundar una revista. En la conversación me indicó que era murciano, abogado y partidario de Maura.

Luego, al exponer sus ideas literarias, me dijo que creía que Ricardo León, que había publicado entonces su primera novela, llegaría a ser el primer novelista de Europa. Me aseguró también que encontraba el humorismo de Dickens completamente ramplón, vulgar y fuera de moda.

—A mí no me choca que crea usted eso—le dijo yo—. Es usted murciano, abogado y maurista... Es natural que le guste Ricardo León, y es natural también que no le guste Dickens.

Con esta gente, que supone que lo mismo da que Milán sea puerto de mar o no lo sea, que cree que Nietzsche es una tabarra, y que afirma que Dickens es ramplón, con estos señoritos abogados, entusiastas de Maura, se hacen nuestros periodistas. ¿Cómo la prensa española va a ser otra cosa de lo que es?

LOS AMERICANOS

Indudablemente, nosotros, los españoles, tenemos mucho de la cerrazón, de la estrechez de miras, de los hombres que viven un tanto apartados de la corriente general.

Somos, queriendo o sin querer, con relación a los ingleses, alemanes y franceses, un tanto provincianos, provincianos con más o menos talento; pero provincianos al fin.

Por esto, un italiano, un ruso o un sueco leerá con más gusto la obra de un escritor mediocre de París, como Marcel Prévost, que el libro de un hombre de talento como Galdós; por esto también los cuadros de un pintor de segundo orden, como un David, un Géricault o un Ingres, tendrán tanto valor o más en el mercado universal que las obras de un pintor de genio como Goya.

La provincia tiene sus virtudes y sus defectos. Se dan a veces casos en donde se reúnen todos los valores universales con los provincianos en una obra maestra; éste es el caso del *Quijote,* de los aguafuertes de Goya, de los dramas de Ibsen.

Paralelamente sucede que, a veces, en un pueblo nuevo se reúne toda la torpeza provinciana con la estupidez mundial, la sequedad y la incomprensión del terruño con los detritos de la moda y de las majaderías de las cinco partes del mundo. Entonces brota un tipo petulante, huero, sin una virtud, sin una condición fuerte. Este es el tipo del americano. América es por excelencia el continente estúpido.

El americano no ha pasado de ser un mono que imita.

Yo no tengo motivo particular de odio contra los americanos; la hostilidad que siento contra ellos es por no haber conocido a uno que tuviera un aire de persona, un aire de hombre.

Muchas veces, en el interior de España, en un poblado cualquiera, se encuentra un señor que habla de tal modo, que le da a uno la impresión de que es un hombre fundido con la esencia más humana y más noble. En un momento de éstos se reconcilia uno con su país, con sus charlatanes y con sus chanchulleros.

Esta impresión de hombre sereno, tranquilo, es la que no dan los americanos nunca; el uno se nos aparece como un impulsivo atacado de furia sanguinaria, el otro con una vanidad de bailarina, el tercero con una soberbia ridícula.

La misma falta de simpatía que siento por los hispanoamericanos experimento por sus obras literarias. Todo lo que he leído de los americanos, a pesar de las adulaciones interesadas de Unamuno, lo he encontrado mísero y sin consistencia.

Comenzando por ese libro de Sarmiento, *Facundo*, que a mí me ha parecido pesado, vulgar y sin interés, hasta los últimos libros de Ingenieros, de Manuel Ugarte, de Ricardo Rojas, de Contreras. ¡Qué oleada de vulgaridad, de snobismo, de chabacanería, nos ha venido de América!

Muchos afirman que nosotros, los españoles, por política, debemos elogiar a los americanos. Es una de tantas recomendaciones que salen de esos antros de hombres de sombrero de copa y con un discurso dentro que llaman sociedades iberoamericanas.

No creo que esa política tenga eficacia alguna.

Todavía las gentes de los pueblos viejos y civilizados son sensibles al halago y al cumplimiento; pero ¿qué se le va a decir a un argentino, que, porque allí hay mucho trigo y muchos *vacunos*, cree que la Argentina es un país más importante que Inglaterra o Alemania?

Unamuno, que paralelamente desprecia en sus escritos a Kant, a Schopenhauer y a Nietzsche y elogia al gran general Aníbal Pérez y al gran poeta Diocleciano Sánchez, de las Pampas, no les parecerá bastante. El mismo Rueda se les figurará poco efusivo a esos rastacueros.

XVI

LA POLITICA

Yo he sido siempre un liberal radical, individualista y anarquista. Primero, enemigo de la Iglesia; después, del Estado; mientras estos dos grandes poderes estén en lucha, partidario del Estado contra la Iglesia; el día que el Estado prepondere, enemigo del Estado.

En la Revolución francesa hubiera sido de los internacionalistas de Anacarsis Clootz; en el período de las luchas del liberalismo, hubiera sido carbonario.

Todo lo que tiene el liberalismo de destructor del pasado me sugestiona: la lucha contra los prejuicios religiosos y nobiliarios, la expropiación de las comunidades, los impuestos contra la herencia, todo lo que sea pulverizar la sociedad pasada, me produce una gran alegría; en cambio, lo que el liberalismo tiene de constructor, el sufragio universal, la democracia, el parlamentarismo, me parece ridículo y sin eficacia.

Aun hoy encuentro valor en el liberalismo en los sitios en donde tiene que ser agresivo; en los lugares en donde se le acepta como un hecho consumado, ni me interesa ni me entusiasma.

EL VOTO Y EL APLAUSO

En la democracia actual no hay más que dos sanciones: el voto y el aplauso.

No hay más que esto, lo que ha hecho que, así como antes los hombres cometían una serie de vilezas para satisfacer a los reyes, ahora cometen otras parecidas para contentar a la plebe.

Esto lo han reconocido desde Aristóteles hasta Burke.

La democracia concluye en el histrionismo.

Un hombre que se levanta a hablar ante una multitud es, necesariamente, un histrión.

A veces he pensado si yo tendría ciertas condiciones histriónicas; pero, puesto a prueba, he visto que no tenía bastantes.

He perorado durante mi efímera vida de político seis o siete veces.

En Valencia hablé en el juego de pelota, y en Barcelona di una conferencia en la Casa del Pueblo, y en ambos sitios me aplaudieron mucho. Sin embargo, los aplausos no me embriagaron, no me produjeron sugestión alguna.

Todo aquello me pareció ruido, ruido de manos que no tenía nada que ver con mi espíritu.

Soy demasiado poco histrión para ser político.

LOS POLITICOS

No he tenido ningún entusiasmo por los políticos españoles. Se habla de Cánovas. A mí me ha parecido Cánovas igualmente malo como orador que como escritor. Yo leí *La campana de Huesca* sin poder contenerme, a carcajadas. Respecto a los discursos, que también he leído algunos, son pesadísimos, machacones, difusos, sin ninguna gracia. Dicen que Cánovas, como historiador, está bien. Yo, en ese sentido, no lo conozco.

Castelar era, indudablemente, un hombre nacido con unas condiciones extraordinarias para ser escritor; pero las desaprovechó, las derrochó. Le faltaba lo que ha faltado a la mayoría de los españoles del siglo XIX: decoro.

A Echegaray le hicieron, cuando ya era viejo, ministro de Hacienda. Un periodista fue a verle al Ministerio, y Echegaray le contestó que no estaba al tanto de lo que había que hacer. El periodista, al despedirse del dramaturgo, le dijo: «Don José, aquí no estará usted muy a gusto, porque este edificio es muy fresco.» Y Echegaray contestó: «Para fresco, yo.»

Esta frase, cínica y populachera, ha podido repetirla la mayoría de los políticos españoles.

Al lado de los hombres-bailarinas, casi todos los de la revolución de septiembre, ha habido algunos austeros: Salmerón, Pi y Margall, Costa. Salmerón era un histrión inimitable, el histrión que está convencido de su papel. Era el orador más maravilloso que se ha podido oír.

Como filósofo no era nada, como político era una calamidad.

Pi y Margall, a quien conocí una vez en su casa, yendo en compañía de *Azorín*, no era tampoco un político ni un filósofo; era un periodista, un vulgarizador, de un estilo claro, limpio y conciso. Pi y Margall era hombre sincero, que amaba las ideas y pensaba poco en sí mismo.

Respecto a Costa, confieso que siempre le tuve antipatía. Era como Nakens, de estos hombres que viven de la opinión que se tiene de ellos y que hacen como que no les importa. Aguirre Metaca me ha hablado de que cuando estaba en un periódico de Zaragoza le pidió una interviú a Costa, y éste la hizo él mismo, llamándose de cuando en cuando el león de Craus.

Yo no creo que Costa tuviera un espíritu europeo moderno. Era un hombre para haber figurado en las Cortes de Cádiz; solemne, pomposo, retórico y engolado; era de estos tipos de histrión que se dan en los países meridionales, que se van a la tumba sin sospechar jamás si su vida entera habrá sido una función de teatro.

LOS REVOLUCIONARIOS

Los revolucionarios españoles siempre me han dado la impresión de guardarropía, tanto los políticos como los escritores, sobre todo éstos. Durante años y años, Zozaya, Morote, Dicenta, han pasado por unos hombres terribles, demoledores e innovadores. ¡Qué risa!

Tanto Zozaya como Dicenta han amasado el lugar común, no dándole ligereza y frescura, como Valera o Anatole France, sino haciéndolo más indigesto, más plúmbeo.

Respecto a Luis Morote, de quien, como hombre, no tengo nada que decir, era para mí una obsesión; la obsesión de la pesadez, de la vulgaridad, de la falta de gracia y de interés.

Para mi gusto, nada tan desdichado como estos artículos de Morote.

—«¡Qué talento tiene! ¡Qué hombre más revolucionario es!», me decían en Valencia. Y un conserje del Casino añadía: «Y pensar que yo lo he conocido así.» Y ponía la mano a la altura de un metro.

En España nunca ha habido revolucionarios. Don Nicolás Estévanez, que se creía anarquista, se indignaba cuando en un artículo veía un galicismo.

—Deje usted los galicismos—le decía yo—. Qué importa eso.

—Sí; en España nunca ha habido revolucionarios. Es decir, no, ha habido uno: Ferrer.

Ciertamente, no era un gran intelectual. Discurriendo, estaba a la misma altura que Morote o que Zozaya, es decir, a la altura de cualquiera, pero en la acción era algo, y algo formidable.

LERROUX

La única vez que he intervenido en política ha sido con Lerroux.

Un domingo, al salir de casa, hace siete u ocho años, y al pasar por la plaza de San Marcial, vi un grupo grande de gente.

—¿Qué pasa?—pregunté.

—Que viene Lerroux—me dijeron.

Esperé un momeno, y vi entre la gente al maestro Villar. Charlamos de Lerroux, de lo que podía hacer; se formó una manifestación, y, siguiéndola, llegaron a la Redacción de *El País*.

—¿Entramos?—me dijo Villar—. ¿No conoce usted a Lerroux?

Yo conocía a Lerroux del tiempo de *El Progreso*, de haber ido una vez a verle con Maeztu a la Redacción; luego le vi en Barcelona, en un gran barracón que creo se llama La Fraternidad Republicana, yendo yo con *Azorín* y con Junoy.

Subimos Villar y yo a *El País*, y saludamos a Lerroux.

—Estévanez me ha hablado de usted—me dijo.

—¿Está bien?

—Sí; muy bien.

Unos días después, Lerroux me convidó a comer en el café Inglés. Comimos Lerroux, Fuente y yo, y hablamos; me invitó Lerroux a entrar en su partido, y yo dije las condiciones que me faltaban para ser político. Poco después me nombraron candidato a concejal, y hablé en algunos mítines, siempre muy fríamente y a baja presión.

Mientras estuve con Lerroux no tuve de él más que atenciones.

¿Por qué dejé su partido? Lo dejé, principalmente, por una cuestión ideológica y de táctica. Lerroux quería hacer de su partido un partido de orden, capacitado para gobernar, amigo del ejército. Yo creía que debía ser un partido revolucionario, no para levantar barricadas, sino para fiscalizar; para intranquilizar, para protestar contra las injusticias. Lerroux quería un partido de oradores para hablar en reuniones públicas, un partido de concejales, diputados provinciales, etc.; yo creía, y creo, que la única arma eficaz revolucionaria es el papel impreso. Lerroux quería aristocratizar y castellanizar el partido radical; yo pensaba que había que dejarle su carácter catalán, de blusa y alpargata.

Por esto, y por la frialdad de Lerroux ante el fusilamiento del fogonero del *Numancia*, me retiré de su partido.

Unos meses después le vi en la carrera de San Jerónimo, y me dijo:

—He visto sus *latigazos*.

—No, a usted, no; a su política. De

usted yo no hablaré nunca mal, porque no tengo motivo.

—Sí; ya sé que, en el fondo, es usted un amigo.

UNA PROPOSICION

Hace unos años, estando los conservadores en el Poder y siendo Dato presidente del Consejo, me dijo *Azorín* que el ministro de la Gobernación, Sánchez Guerra, quería verme y hablarme y buscar la manera de que yo fuera diputado. Fui por la tarde al Ministerio con *Azorín* y vimos al ministro. Este me dijo que le gustaría que yo fuese al Congreso.

—Sí, a mí también—le contesté yo—; pero me parece la cosa muy difícil.

—¿No tiene usted algún pueblo donde le conozcan, donde tenga usted alguna influencia?

—No; ninguno.

—¿Y no quiere usted ser diputado para el Gobierno?

—¿Apareciendo como adicto?

—Sí.

—¿Como conservador?

—Sí.

Yo pensé un momento, y dije:

—No; yo no puedo ser conservador, aunque me conviniera serlo; aunque quisiera serlo, no lo podría conseguir.

—Pues otra manera no hay de que sea usted diputado.

—¡Qué se va hacer! Se resignará uno a no ser nada.

Y dándole las gracias al ministro por haberse acordado de mí, salí con *Azorín* de la sala del Ministerio de la Gobernación.

LOS SOCIALISTAS

Con los socialistas nunca he querido nada. Una de las cosas que me ha

repugnado en ellos, más que su pedantería, más que su charlatanismo,
más que su hipocresía, es el instinto
inquisitorial de averiguar las vidas
ajenas. El que Pablo Iglesias viaje
en primera o en tercera ha sido uno
de los motivos más serios de discusión
entre los socialistas y sus enemigos.

Recuerdo que hace quince años estuve en Tánger, enviado por *El Globo*, y al volver, un periodista de ideas
socialistas me dijo:

—Usted habla mucho del obrero;
pero ha estado usted viviendo en el
mejor hotel de Tánger.

Yo le contesté:

—Primeramente, yo no he hablado
nunca del obrero con efusión; después, yo no me siento, como usted,
tan siervo para no atreverme a tomar
de la vida lo que se me presente. Yo
cojo todo lo que me parece bueno, y
de esto, lo que no cojo es porque no
puedo.

LA EFUSION OBRERA

La efusión obrera es uno de los lugares comunes de nuestro tiempo,
perfectamente falso e hipócrita. Como en el siglo XVIII se hablaba del ciudadano de corazón sencillo, hoy se
habla del obrero. La palabra «obrero»
no será nunca más que un común denominador gramatical. Entre los obreros, como entre los burgueses, hay de
todo. Es verdad que hay ciertas condiciones, ciertos defectos, que se exageran con una clase especial de medio y de cultura. En las ciudades españolas, la diferencia espiritual entre
el obrero y el burgués no es muy grande; así se ve muchas veces el caso del
obrero que salta a burgués y se desarrolla como la más completa flor del
chanchullo, de la usura y de las malas artes.

En el interior del alma de nuestros

revolucionarios no creo que haya ningún entusiasmo por los obreros. Recuerdo haberle oído a Blasco Ibáñez,
con el fondo de ordinariez que le caracteriza, decir, riendo ostentosamen-
te, en casa de Fe, cuando esta librería
estaba en la carrera de San Jerónimo, que la República en España sería el reinado de los zapateros y de
la gentuza.

EL CONVENCIONAL BARRIOBERO

Barriobero, que es un convencional, según Grandmontagne — ¡poco
olfato el de este americano!—, estaba en compañía de otros muchos en
la inauguración de un Casino radical
de la calle del Príncipe. Se bebía
champaña. Lerroux, como muchos revolucionarios y rastacueros, tiene la
superstición del champaña.

—¡Eh! Si nos vieran beber champaña los obreros—dijo uno.

—¿Y qué?—dijo otro.

—Yo quisiera—añadió, sentimen-
talmente, Barriobero—que los obreros supieran beber champaña.

—¡Saber beberlo!—salté yo—. No
creo que eso tenga ninguna dificultad.
Sabrán beber champaña como cualquiera otra cosa.

—No, porque dejan *cortinas*—afirmó, gravemente el convencional Barriobero.

No creo que esta frase vaya a parar a ningún Plutarco del porvenir,
pero casi valdría la pena de que fuera, porque expresa muy bien el salto
que hay para nuestros revolucionarios entre el obrero y el señorito.

LOS ANARQUISTAS

Entre los anarquistas he tenido algunos conocimientos. De ellos, unos
han muerto; otros, la mayoría, han
cambiado de ideas. Hoy se ve clara-

mente que el anarquismo a lo Reclus y Kropotkin es una cosa vieja y
que ha pasado. Esta tendencia aparecerá, claro es, con otra forma y con
otros aspectos. De los anarquistas, he
conocido a Eliseo Reclus en la Redacción de una revista titulada *Humanité
Nouvelle,* que se hacía en París, en la
rue de Saints-Pères; he conocido a Sebastián Faure en una manifestación
que se celebró con motivo de un tal
Guérin, que se encerró en una casa de
la calle de Chabrol, hace unos dieciocho o veinte años, y he tratado en
Londres a Malatesta y a Tarrida del
Mármol. Por cierto, que estos dos
anarquistas me acompañaron una tarde desde Islington, donde vivía Malatesta, hasta la puerta del Saint-Ja-
mes Club, uno de los círculos más
aristocráticos de Londres, donde me
había citado un diplomático.

De anarquistas de acción, he conocido alguno que otro, y a dos o tres
dinamiteros.

LA MORALIDAD DE LOS POLITI-
COS TURNANTES

Entre la moralidad liberal y la moralidad conservadora no hay más diferencia que la del taparrabos. Entre
los conservadores, esta prenda pudo-
rosa tiene un poco más de tela, pero
no mucho más.

La avidez de los unos y la de los
otros es por el estilo. No hay más diferencia que los conservadores se llevan mucho de una vez, y los liberales se llevan poco en muchas veces.

En esto se cumple esa ley mecánica de que lo que se gana en fuerza
se pierde en velocidad, lo que se gana en intensidad se pierde en extensión. Después de todo, la moral en
los políticos es quizá lo de menos.

Los hombres probos, honrados, que
no piensen más que en su conciencia,
no pueden prosperar en la política, ni
son útiles, ni sirven para nada.

Es necesaria una cierta cantidad de
desaprensión, de ambición, de deseo
de gloria para triunfar. Esto es lo
menos malo que se necesita.

EL CUMPLIR LA LEY

Creo que se podrían afirmar estos
postulados sin miedo. Primero, cumplir la ley no es realizar la justicia;
segundo, no hay país en el mundo en
donde se pueda cumplir estrictamente, íntegramente, la ley.

Que cumplir la ley no es realizar
la justicia, es indudable, y menos en
la política, en donde se puede dar el
caso de un sublevado como Martínez
Campos, elevado a la categoría de
grande hombre, honrado con una estatua a su muerte, y un sublevado como Sánchez Moya, fusilado.

Entre uno y otro no hay más diferencia que el éxito.

De ahí la torpeza, la inconsciencia,
la falta absoluta de sentido humano y
de sentido revolucionario de Lerroux
al aceptar como bueno el fusilamiento
del fogonero del *Numancia.*

Si la justicia es la ley, y cumplir
la ley siempre es realizar la justicia,
entonces, ¿en qué se diferencia el conservador del progresista? El revolucionario no tiene más remedio que
creer que la justicia no es la ley; por
eso tiene también necesariamente que
ser partidario de la benevolencia en
todo delito de carácter altruista, social, en sentido reaccionario o anarquista.

El segundo postulado, es decir, que
en ningún pueblo del mundo se pue-

de cumplir íntegramente la ley, también es evidente. Hay una clase de delitos comunes: robos, estafas, asesinatos, que en todos los países civilizados tienen una sanción automática, a pesar de las excepciones producidas por las recomendaciones del caciquismo, etc. Pero en los demás casos no hay tal automatismo. Las penas y los indultos son completamente oportunistas.

Hablaba yo un día con Emiliano Iglesias, en la Redacción de *El Radical*, de Zurdo Olivares, y le preguntaba:

—¿Cómo Zurdo Olivares, que tomó una parte tan activa en la semana trágica de Barcelona, pudo salvarse?

—La salvación de Zurdo se debió indirectamente a mí—me dijo Iglesias.

—¡Hombre!

—Sí.

—¿Y por qué?

—Verá usted. Estaban desglosados nuestros tres procesos: el de Ferrer, el de Zurdo y el mío. Alguien, con bastante influencia para ello, por simpatía hacia mí, consiguió que mi proceso no se desglosase, y como era un poco descarado hacer esto sólo conmigo, se hizo también lo mismo con Zurdo Olivares, y, gracias a la maniobra, se salvó de ser fusilado.

—¿De manera que si usted no llega a tener un paisano influyente en el Consejo de Ministros, ustedes dos hubieran quedado en los fosos de Montjuich?

—Con seguridad

Esto pasaba en plena dominación conservadora.

LA LEY, INCONMOVIBLE

Hay hombres que creen que los esfuerzos de la Humanidad han tenido por fin el producir el estado social presente. Según ellos, este estado no puede mejorar, y consideran su organización tan perfecta. que sus leyes, sus fórmulas, su disciplina, son para ellos sagradas e inmutables. Entre estos hombres están Maura y los conservadores, y, al parecer, también Lerroux, que tanto respeto tiene por la disciplina.

Hay otros, en cambio, que consideran que todo el articulado legal es un andamiaje modificable, que lo que hoy se llama justicia mañana se puede considerar barbarie, y que, más que mirar a la regla del presente, hay que poner la vista en la claridad de lo por venir.

Puesto que no se puede llevar a la práctica el automatismo legal, y menos en delitos políticos, puesto que las posibilidades de indulto están en las manos de los hombres públicos, vale más pecar por piedad que por severidad; vale más faltar a la sanción legal indultando a una bestia repulsiva y sanguinaria, como el *Chato de Cuqueta*, que fusilando a un perturbado como Clemente García o a un iluso como Sánchez Moya, cuyas manos estaban limpias de sangre.

Ya hace tiempo que se dijo que las leyes son como las telas de araña, que detienen a las moscas pequeñas y dejan pasar a los moscardones.

Nuestros políticos, muy severos, muy rígidos para las moscas pequeñas, son muy amables con los moscardones.

XVII

EL PRESTIGIO DE LOS MILITARES

Ciertamente, yo no tengo puesta mi voluntad en esta cuestión de la guerra. Si se supiese qué era lo mejor para Europa, desearía aquello; ahora yo no lo sé, por eso no deseo nada. Las consecuencias que puede tener la guerra en España me preocupan. Algunos creen que aumentará el militarismo. Yo lo dudo.

Muchos suponen que con el estallido de la guerra actual, el prestigio del militar va a subir como la espuma; que dentro de poco en todos los países no va a haber más que uniformes y ruido de espuelas y que las únicas conversaciones posibles serán acerca de fusiles, morteros, baterías, etcétera.

Creo que los que suponen esto se engañan. La lucha actual no aumentará el prestigio de la guerra.

Quizá no lo disminuya por completo. Es posible que el hombre necesite matar, incendiar, atropellar, y que la brutalidad constituya un síntoma de salud colectiva.

Aunque así sea, se puede asegurar que el brillo militar se eclipsa.

Comenzó a declinar desde que los ejércitos profesionales se convirtieron en milicias armadas, desde el momento en que se ve que el paisano se improvisa militar con una rapidez maravillosa.

EL MILITAR ANTIGUO

Antiguamente, el militar era un hombre atrevido y aventurero, valiente y audaz, que prefería la vida irregular a las estrechas férulas de la existencia ciudadana.

El militar antiguo, sin escrúpulos y sin miedo, confiaba en su estrella, y como el jugador cree dominar la casualidad, él creía dominar la suerte.

Las bases de su vida eran el valor, la audacia, cierta facundia para discursear, cierta necesidad de mando; sus alicientes, la paga, el botín, el uniforme vistoso, el caballo soberbio. El militar fácilmente tenía aventuras, conquistaba riquezas, conquistaba mujeres, veía países diversos.

Se puede decir que, hasta hace pocos años, el hombre de guerra ha sido así: valiente, inculto y aventurero.

Esta manera de ser del guerrero acaba a mediados del siglo XIX en toda Europa; en España termina al final de la segunda guerra civil.

A partir de esta época cambia profundamente el aspecto de la guerra y el del militar.

La guerra toma mayores proporciones; el militar se hace más culto, y, sin embargo, la lucha y el hombre de lucha pierden su prestigio legendario.

DISMINUCION DEL PRESTIGIO

Las causas de esta disminución de prestigio son de varios órdenes: unas, de orden moral, el más valor de la vida humana, el desaprecio que se siente por las cualidades agresivas y crueles; otras, quizá más importantes para la gente, son de índole estética.

Por una serie de circunstancias, la guerra moderna, más trágica aún que la antigua, más mortífera, ha perdido su visualidad.

La comprensión estética admirativa tiene un límite: nadie puede suponer una batalla de dos millones de hombres; únicamente se la puede uno explicar en una serie de batallas parciales.

En una de estas batallas modernas, casi todos los elementos tradicionales que conservamos en el recuerdo han desaparecido. El caballo, tan importante en la idea que guardamos de una batalla, apenas tiene importancia; los automóviles, bicicletas y motocicletas lo han sustituido en muchos casos. Estos artefactos y útiles hablan poco a la imaginación de las gentes.

LA CIENCIA Y LO PINTORESCO

La ciencia, al presidir la guerra, le quita todo carácter pintoresco. Ya el general en jefe no caracolea sobre su caballo, ni sonríe mientras silban las balas en medio de un Estado Mayor decorativo y lleno de cintajos, de medallas y de toda clase de hojalatería monárquica o republicana.

Hoy este general está en una habitación, rodeado de teléfonos y de telégrafos; si se sonríe, es delante de un objetivo de una máquina fotográfica.

El oficial apenas hace uso de la espada, ni va adornado con todas sus cruces y medallas, ni usa el traje lujoso de antes; por el contrario, emplea un uniforme feo, de color de tierra, y no lleva insignias.

Este oficial no tiene iniciativa, está sometido a un plan general férreo. Las sorpresas por un lado y por otro son casi imposibles

El plan de la batalla es fuerte y de-

tallado; no permite originalidad ni que se destaque el carácter de los generales, de los oficiales ni de los soldados. La individualidad desaparece ante la fuerza colectiva. No hay tipos; no tiene nadie esa personalidad tan señalada de los generales antiguos.

Al mismo tiempo, el valor individual, no acompañado de otras condiciones, representa cada vez menos. Hoy el joven atrevido y aventurero, el que hace años sería la larva de un Murat, de un Massena, de un Espartero o de un Prim, será desdeñado ante el mecánico que sabe manejar un aparato, ante el aviador, ante el ingeniero que, en un momento dado, puede resolver una grave dificultad.

Aun en el campo de batalla, el prestigio del militar está hoy por debajo del prestigio del hombre de ciencia...

LO QUE SE NECESITA

Algunos románticos suponen que en la sociedad los únicos dignos directores del pueblo son: el militar, que defiende la tierra; el sacerdote, que aplaca las cóleras divinas e inculca la moral, y el poeta, que canta las glorias de la comunidad.

El hombre actual no quiere ya directores. Ha visto que porque un hombre lleve unos pantalones rojos o una sotana negra o escriba frases en renglones cortos no vale más que él, ni es más valiente que él, ni más moral que él, ni más sentimental que él.

El hombre de hoy no quiere magos, ni hierofantes, ni misterios. El puede ser, cuando le conviene, cura, militar o guerrero. No necesita especialistas en valor, en moral ni en sentimentalidad. Lo único que necesita son hombres sabios y hombres buenos.

NUESTRO EJERCITO

Al explicar alguien el militarismo prusiano, ha dicho que éste se ha producido al ir comprobando los beneficios que ha traído la guerra a Prusia. Realmente, éste no puede ser el origen de todos los militarismos. En España, al menos, ni las guerras ni el ejército han traído beneficio alguno al país.

Si tomamos el período que se llama de historia contemporánea, desde la Revolución francesa acá, veremos que no hemos tenido mucha fortuna.

La República francesa, en 1793, nos declara la guerra. Se hace una campaña de pericia, de táctica en las fronteras, a veces con éxito, hasta que el ejército francés va robusteciéndose y nos arrolla y pasa el Ebro.

En 1805 tenemos la batalla de Trafalgar. España deja un gesto noble, esforzado, con los Gravina, los Churruca y los Alava, pero la batalla es un desastre.

El año 1808 comienza la guerra de la Independencia, también espectáculo hermoso de viveza del pueblo. En esa guerra, el ejército organizado es el que menos hace. El tono lo dan los guerrilleros y los pueblos. La campaña la dirigen los ingleses. El ejército español tiene más fracasos que victorias, su gestión administrativa y técnica es deplorable. En 1823 viene la intervención de Angulema. El ejército está formado por oficiales liberales y no tiene tropas; así que no hace más que retirarse ante el enemigo, más numeroso y más potente.

En América, los españoles tienen la causa perdida; el país es enorme, las tropas escasas y formadas en gran parte por indios. Lo que no pudieron hacer los ingleses en su esplendor, no iban a hacerlo los españoles en su decadencia. La guerra civil primera, feroz, terrible, sin cuartel, produce un ejército liberal valiente y militares de fibra como Espartero, Zurbano y Narváez; pero organiza al mismo tiempo un ejército carlista fortísimo, con hombres de genio militar como Zumalacárregui y Cabrera. No se puede vencer, y la guerra acaba en un Convenio.

La segunda guerra civil termina también con arreglos y componendas más secretos que el Convenio de Vergara. La guerra de Cuba y Filipinas, y después la de los Estados Unidos, son un desastre, y la campaña actual de Marruecos no tiene un momento de éxito.

Desde la guerra de la Revolución francesa hasta hoy, únicamente la guerra de Africa ha sido un pequeño éxito para nuestras tropas.

Y, sin embargo, nuestros militares aspiran a tener en el país la prepotencia de los soldados franceses después de Jena, y de los alemanes después de Sedán.

UNAS PALABRAS DEL JAPONES KUROKI

«Yo, señores—dijo el general Kuroki en un banquete que le dieron en Nueva York, con éstas o parecidas palabras—, no puedo aspirar al aprecio del mundo; no he creado nada, no he inventada nada. No soy más que militar.»

Lo que había comprendido este mogol, victorioso, de cabeza cuadrada, no lo han comprendido todavía ni el dolicocéfalo rubio de Germania, el tipo superior de Europa, según los antropólogos alemanes, ni el braquicéfalo moreno de las Galias, ni el latino, ni el eslavo.

¿Lo comprenderá alguna vez? Es posible que no.

EPILOGO

Al comenzar a escribir estas cuartillas, un poco a la ventura, pensé hacer una autobiografía con comentarios; después, el mirar a la derecha y a la izquierda me desviaron del camino, e hice este libro.

No he intentado corregirlo ni aliñarlo. Van todos los años tantos libros adobados y aliñados al foso para no ocuparse jamás de ellos, que no he querido aliñar éste. No tengo entusiasmo por el *maquillaje* para la muerte.

Ahora unas palabras para hablar del asunto de este libro, que soy yo.

Si yo viviera por lo menos doscientos años, quizá pudiera realizar poco a poco el programa máximo de mi vida. Como no parece posible que un hombre pueda llegar a esa edad, sólo alcanzada por los loros, me tengo que limitar a una parte prologal de mi programa mínimo; pero, en fin, me contento con ello.

Después de algunas fatigas y de afanes, he conseguido con mis cortos medios tener un retiro agradable, una casa y una huerta en mi país, cosa que me basta. He reunido en esa casa una pequeña biblioteca que pienso ir aumentando, algunos papeles y algunas estampas curiosas. No creo que he hecho daño a nadie de una manera deliberada y no me remuerde la conciencia. Si mis ideas son malas, oscuras e incompletas, yo he intentado que fueran buenas, claras y completas. La culpa no es mía.

Económicamente, me he liberado.

Por ahora puedo vivir y hasta hacer algún pequeño viaje con el producto de la literatura.

Un editor ruso y otro editor alemán van a publicar mis libros, pagándome las traducciones. Estoy satisfecho. Tengo en Madrid y en el País Vasco amigos y amigas que me parecen viejos porque les voy tomando afecto. Siento la impresión, al asomarme a la vejez, de que toco con el pie un suelo más firme que en la juventud.

Ahora ya dentro de poco comenzará en el cerebro de uno la involución, como decían los sociólogos de hace años; se irán petrificando las fontanelas craneanas y vendrá la limitación automática del horizonte mental.

Acepto con gusto la involución, la petrificación de las fontanelas y la limitación. No he protestado nunca contra la lógica, ni contra la Naturaleza, ni contra el rayo, ni contra las tormentas. Está uno en lo alto de la cuesta de la vida, cuando se empieza a bajar aceleradamente; sabe uno mucho, tanto que sabe uno que no hay nadie que sepa nada; está uno un poco melancólico y un poco reumático. Es el momento de tomar salicilato y de cultivar el jardín. Es el momento de los comentarios y de las reflexiones. Es el momento de mirar las llamas en el hogar de la chimenea.

Yo me entrego al acaso. La noche está negra. La puerta de mi casa está abierta de par en par. Que entre quien quiera, sea la vida, sea la muerte.

PALINODIA Y NUEVA COLERA

Hace unos días, con este paquete de cuartillas en la mano, al que he puesto por título JUVENTUD, EGOLATRÍA, salí de mi casa a dejarlo en el correo.

La mañana de septiembre era una mañana romántica, de niebla espesa y blanca. Las casas oscuras de un barrio próximo echaban todas una humareda azul, tenue, que se desvanecia en el aire; los pájaros cantaban y el arroyo cercano murmuraba en el silencio.

Contagiado por el aire humilde y apacible del campo, mi espíritu fue achicándose y suavizándose, y me pareció que llevaba en la mano, en el paquete de cuartillas de mi libro, un conjunto de insensateces y de brutalidades.

Esa voz de la prudencia y al mismo tiempo de la cobardía me indicaba:

«¿A qué vas a publicar esto? ¿Te va a dar gloria? No. ¿Te va a dar algún provecho? Probablemente tampoco. ¿Para qué indisponerse con éste y con el otro por decir cosas que, después de todo, a nadie le importan nada?»

A esta voz de la prudencia contestaba el espíritu de todos los días:

«¿No es sincero lo que has escrito aquí? Si lo es, ¿qué te importan los comentarios?»

Y la voz de la prudencia replicaba:

«Mira todo, ¡qué tranquilo! ¡Qué pacífico! Esa es la vida; lo demás es locura, afanes, vanidades ridículas.»

Hubo un momento en que hubiera tirado mis papeles al aire si hubiera sabido que se habían de volatilizar inmediatamente, o al río, si las aguas los hubieran arrastrado en seguida al mar . . . .

. . . .

Esta tarde he ido a San Sebastián a comprar papel y, lo que es más triste, salicilato de sosa. A la ida, en el tranvía de la frontera, iban unos policías en grupo. Hablaban del *Gallo*, de Belmonte, y luego, de las revueltas de los días pasados.

—¡Lástima que no estén Maura y Cierva en el Poder!—decía un policía murciano, enseñando al sonreír los dientes podridos—. Esos hubieran acabado en seguida.

—Esos los reservan para el final —replicó otro policía con aire grave de chulo viejo.

A la vuelta de San Sebastián, en el mismo tranvía, iba una familia madrileña: el padre, un señor flaco, cetrino y avinagrado; la madre, una mujer morena, de ojos negros, gorda, llena de joyas y con un color blanco brillante, como el de las bujías esteáricas; una hija de quince a veinte años, bonita, con un novio teniente, y otra de doce a catorce, flaca, avispada como la estampa de la golosina.

El padre, que leía un periódico, dijo de pronto:

—No va a haber castigos serios. Lo estoy viendo. Ya se empiezan a pedir indultos para los revolucionarios. Ya está el Gobierno dispuesto a no hacer nada.

—Debían matarlos a todos—saltó la novia del teniente—. ¡Disparar contra la tropa! ¡Qué bandidos!

—¡Y luego teniendo un rey como el que tenemos!—exclamó la señora gorda, la del color de la parafina de las bujías, con aire lastimero—. ¡Nos han reventado el veraneo! Sí, yo creo que debían matarlos a todos.

—Y no sólo a ellos—saltó el padre—, sino a los que los dirigen; a los que escriben, a los que tiran la piedra y esconden la mano...

Al llegar a mi casa he encontrado las últimas pruebas de imprenta de mi libro y he comenzado a leerlas.

Todavía sonaban en mis oídos las frases de la familia madrileña: «Debían matarlos a todos.»

«Quiera uno o no lo quiera—pensé—, es uno enemigo de esa gente,

como esa gente es enemiga de uno.
No hay duda.»

Ahora, al leer las pruebas de mi
libro, me parece poco estridente y me
gustaría que fuera más violento, más
antiburgués.

Ya no oigo la voz de la prudencia,
que hace días iba siguiéndome, una
palinodia en complicidad con la mañana romántica de niebla.

Vuelve un poco en mí el deseo de
lucha y aventura. El puerto me parece triste. La tranquilidad y la seguridad, despreciables.

—¡Eh, grumete! ¡Larga la vela!
¡Pon en el mástil de nuestro pequeño
falucho la bandera roja revolucionaria y vamos a lanzarnos al mar!...

Itzea, septiembre 1917.

FIN DE «JUVENTUD, EGOLATRÍA»

ENSAYOS

★

LAS HORAS SOLITARIAS

(NOTAS DE UN APRENDIZ DE PSICOLOGO)

1918

ENSAYOS

*

LAS HORAS SOLITARIAS

(NOTAS DE UN APRENDIZ DE PSICÓLOGO)

1918

PROLOGO

o no soy de los hombres que saben especializarse y permanecen tranquilos en la casilla que les corresponde. Desde hace algún tiempo me he metido en el campo de la novela histórica, pero no estoy completamente a mi gusto en él y tengo que salir para hacer mis escarceos y ocuparme de las cosas del día.

Tampoco soy de la clase de escritores que llevan cuatro años defendiendo a Francia o a Alemania con una pesadez y una incomprensión triste, golpeando con su martillo sobre el clavo, sin sospechar que a éste le falta la punta.

Yo me siento un poco voltario; no tengo el reposo de los grandes espíritus, ni la inmovilidad y la anquilosis de las gentes torpes; no puedo dedicarme de lleno a una cosa sin sentir curiosidad por las otras; así, mientras escribo una novela que pasa en el año 1833, necesito hablar de lo que ocurre en el presente.

Estas dos líneas que trazan ante mí lo novelesco inactual y la actualidad son dos paralelas, los carriles por donde marcho en este momento.

La paralela de la actualidad se reducía antes para el campo visual mío a un par de artículos que jalonaban mi camino. Ahora, un poco corrompido por el relativo éxito que ha tenido *Juventud, egolatría*, pretendo que la paralela de la actualidad sea completa y forme un libro.

El que vaya leyendo las páginas de LAS HORAS SOLITARIAS verá que al hablar de la actualidad no me refiero precisamente a la actualidad política ni a la internacional, sino a la actualidad de una persona en un tiempo; es decir, a la representación de la vida ambiente en mi conciencia en el momento que pasa. Un libro que comienza con este propósito no puede tener un plan arquitectónico, y éste no lo tiene. He ido escribiendo sin orden lo que me ha ido pasando por la imaginación y me han sugerido los acontecimientos.

LAS HORAS SOLITARIAS es un libro como los de juventud, en que el autor habla demasiado de sí mismo; pero esto no importa. ¿Por qué no va uno a tener un brote de juventud cuando uno va siendo viejo?

....

En un periódico de Barcelona y en un periódico de Buenos Aires me reprochan mi afición a la vida solitaria.

Yo no sé si es que nadie se conoce o es que a nadie le conocen; pero es lo cierto que yo no soy hombre aficionado a la vida solitaria. Me gusta la soledad una pequeña parte del día, pero me gusta y me parece necesaria la vida social.

Alguno me dirá: «¿Cómo deja usted entonces la ciudad y se va usted a vivir al campo?» Me marcho al campo precisamente por eso, porque no hay vida social en la ciudad española.

Hemos sustituido la vida antigua por la moderna, hemos perdido nuestra fe y nuestras costumbres y no hemos podido sostener prestigio alguno. Así es que el dinero se muestra omnipotente. Hoy, en Madrid, en Barcelona o en Bilbao, el que no tiene dinero no es nada.

Claro que lo mismo pasa, en parte, en París, en Londres o en Berlín; pero en estas ciudades hay, además del dinero, otros valores cotizables, y en España no hay nada cotizable más que el dinero. En Italia sucede lo mismo. La influencia americana acabará por afear definitivamente nuestra vida.

En una sociedad así, plutocrática, ¿qué puede hacer un hombre que no sea rico? No tiene más remedio que retirarse. En nuestra sociedad, este señor se ocupa de botánica, pero a nadie le importa nada la botánica; el otro hace versos, y todo el mundo cree que los versos son una lata; el de más allá se dedica a investigaciones históricas... La opinión general es que las investigaciones históricas son una ridiculez. Y así todo. De aquí resulta un tremendo materialismo práctico. El que no es millonario, ni tiene un título decorativo, ni es diputado u hombre joven y guapo, no es nada y no se le acepta ni siquiera de comparsa. Somos todos como jugadores a quienes no interesa más que la ganancia.

Claro que quedan otras formas pobres de satisfacción del instinto social: ir a un café a reunirse con otros que tampoco sirven para comparsas o entrar en un teatro o en un cinematógrafo y sentir al prójimo en que respira y suda.

Yo, de joven, he tenido la preocupación de la vida de sociedad. Recuerdo que un verano fuí, siendo estudiante, a San Sebastián y hablé con algunas muchachas que había conocido en la infancia, esforzándome por parecer amable. Ellas me contestaban: «Sí...» «No...» Me miraban, sin duda, como un pedante aburrido. Si yo hubiese leído entonces *Le Rouge et le Noir*, de Stendhal, me hubiera encontrado pariente de Julián Sorel, un Julián Sorel sin éxito. Probablemente Stendhal fue también un Sorel sin éxito, porque de tener los éxitos de su personaje no hubiera conservado amargura.

Luego, más tarde, andando el tiempo, fue para mí una grata sorpresa, encontrándome fuera de España, el sentar plaza de hombre ameno y sociable.

¿Cómo yo, que pasaba por aburrido en mi pueblo, he sido en pequeños círculos de París, de Londres y de Roma hombre de conversación? Creo que esto depende de que en España hay muy pequeña capacidad de interesarse generosamente por las cosas y por las personas.

Madame de Tencin solía repetir que las personas de ingenio cometen muchas faltas en su conducta, porque nunca creen al mundo bastante tonto, todo lo tonto que es.

Sólo cuando se ve a un personaje grosero y vulgar, que hace las delicias de gente que se cree distinguida, es cuando se impone esta idea de la ramplonería general.

No podemos hacer que los hombres, en bloque, sean amables e interesantes y que las mujeres, sin excepción, sean graciosas y espirituales; pero está bien el ensayarlo, y aquí no lo ensayamos.

En todas partes hay la vida inmediata: el hombre joven que busca el destino, la mujer o la dote; la muchacha que busca el novio; el político que quiere prosperar; el hombre de Bolsa que espera la ocasión propicia de una jugada; pero, además, alrededor de estas gentes, hay otras de menos voluntad, de menos apetitos, que ponen el comentario.

En España, toda la vida social no es más que un reflejo de la vida inmediata, individual e instintiva. De lo colectivo ya no se cuida nadie. ¿Quién va a sentir esta obligación, que antes era como el deber de la aristocracia? Nadie. De aquí procede esta forma de sociabilidad a la americana, tan fea: bailes en los hoteles y en los casinos, etc.

En una vida social así, ¿qué podemos hacer los que no tenemos dinero ni juventud y nos gusta fantasear sobre las cosas y sobre las ideas? No podemos hacer más que retirarnos. Por eso yo me retiro, no porque tenga afición a la soledad, sino porque no encuentro una vida social aceptable.

....

Alguno me dirá: «Tiene usted menos vida social en la aldea.» Comparativamente, no. La aldea, al menos la aldea vasca que yo conozco, tiene en proporción, como aldea, mucha más vida social que Madrid, Barcelona o Bilbao, como ciudades. Además, que a la estampa no se le puede pedir el color del cuadro.

Entre una aldea vasca y una aldea bretona o inglesa no hay mucha diferencia; en cambio, entre San Sebastián o Bilbao y una ciudad francesa o inglesa hay mucha distancia.

....

No soy yo, pues, un solitario de méritos propios. No dejaría como el príncipe Sakyamuni mi palacio y mis mujeres para ir como un mendigo a peregrinar por el mundo; pero, en fin, aunque sin méritos, soy un tanto solitario..., a pesar mío.

El hombre que puede ser solitario de buen grado tiene que tener una gran dosis de indiferencia y de sensibilidad y bastarse a sí mismo.

Así era Pirron, según dice Diógenes Laercio. Posidonio cuenta de él que como en una navegación estuviesen todos amenazados de una borrasca, él estaba tranquilo de ánimo, y, mostrando un lechoncito que allí estaba comiendo, dijo: «Conviene que el sabio permanezca en tal sosiego.»

Fontenelle dicen que era también así, y Helvetius considera esta insensibilidad como una virtud.

La mayoría de los que no vivimos en sociedad no es porque nos bastemos a nosotros mismos, sino porque nos parece que las cosas están bastante tontamente dispuestas para no dejar un pequeño resquicio para la gracia, la bondad y la simpatía.

Chamfort dice: «On dit quelquefois d'un homme qui vit seul: Il n'aime pas la sociète. C'est souvent comme si l'on disait d'un homme qu'il n'aime pas la promenade, sous le prétexte qu'il ne se promène pas colontiers le soir dans la forê de Bondy.»

El bosque de Bondy tenía en Francia, en otro tiempo, fama de ser refugio de bandidos.

No tiene, a mi modo de ver, completa razón Chamfort en esta frase; no son los bandidos los que hacen desagradable la sociedad, sino la incomprensión, la estupidez y el fanatismo. Por eso no nos produce la sociedad odio, sino impaciencia. En ese teatro del mundo nos parece que las cosas andan trastornadas, que la tiple no tiene voz, que el tenor debía ser barítono, que los coros debían agruparse de otro modo.

La no conformidad con los demás nos hace muchas veces la soledad agradable.

La soledad, indudablemente, tiene sus ventajas; inclina a inventar un comentario acerca de cosas corrientes que de otra manera pasan inadvertidas.

Los hombres completamente negados, los que no han encontrado dentro de ellos la más ligera sombra de espiritualidad, se aburren en la soledad, pero es que llevan el aburrimiento dentro.

Otros piensan que la soledad del campo produce el reposo del espíritu. No creo que sea cierto.

El reposo también lo lleva uno dentro, y puede uno sentirse tranquilo en medio de una multitud bulliciosa e inquieto en la calma de la Naturaleza.

Lo que sí hace la soledad es producir la digestión completa de los recuerdos y de las ideas. Esto, naturalmente, cambia la perspectiva de las cosas. ¿Cómo son éstas? ¿Cómo son en el momento que pasan o cómo se recuerdan? Difícil será decirlo.

En general, el suceso, cuando se recuerda, se ve más completo y más pequeño que en el momento en que ocurre, pero se comprende que es necesario, que es imprescindible ver las cosas muy simplificadas y deformadas para intervenir en ellas con energía. El ideal sería tener un alcohol que produjera el entusiasmo, la fiebre y la acción y después abandonarlo y marchar a la soledad y crear el comentario.

Como yo no he encontrado para mí ese excitante para la acción y sí la soledad en donde germina fácilmente el comentario, en estte libro habrá más comentario que acción. Este comentario será directo sobre las cosas, quizá sea el único mérito que tenga.

....

Hay dos maneras de escribir principales: una es la clásica, la académica, que consiste en componer los libros y escribirlos a base de la lectura de los antiguos, siguiendo ciertas reglas; la otra es la anárquica, la romántica, que estriba en imitar la Naturaleza, sin preocupación de regla alguna.

La manera de escribir anárquica no tiene reglas: se limita a copiar y a interpretar la vida a su capricho. La académica mueve su rueda con el agua que ha movido otros molinos; la anárquica tiene un pequeño salto de agua para su uso.

No hay para qué decir que yo no tengo nada de académico; soy individualista y dionisíaco. Nietzsche, que en cuestiones literarias me parece un tanto *philistin*, se lamenta de que en el siglo XIX no se haya seguido a Racine y a Voltaire.

A mí me parece bien que existan escritores académicos; yo no los leeré, probablemente, pero me parece bien. Al mismo tiempo, debe haber escritores anárquicos Unos y otros se completan.

La obra de arte anárquica, como hecha de la Naturaleza, que, aunque nazca conforme a ciertas reglas, nace sin tenerlas en cuenta, no tiene tampoco fácil sanción.

¿Este paisaje es hermoso o es feo? ¿Es extraordinario o es vulgar? Yo no lo sé. A mí me gusta, al otro no le gusta; éste lo encuentra raro; el otro, chabacano.

No creo en la exactitud de la crítica ni en que haya un valor estético como un valor romántico.

«Excepción hecha de Homero—escribió en un artículo Bernard Shaw—, no hay ningún gran poeta, ni siquiera Walter Scott, a quien yo desprecie tan profundamente como a Shakespeare.»

¡Bah! ¡Paradoja! ¡Mistificación! ¡Ganas de asombrar!, dirán los tontos. ¿Por qué? Yo creo que en literatura y en arte todo es posible para el hombre sincero.

Es posible que este libro sea íntegramente bueno o íntegramente malo, que tenga algo que esté bien y algo que esté mal, que sea mediocre en su totalidad... Como digo, para mí, en arte y en literatura todo es posible.

LIBRO PRIMERO

VIDA DE INVIERNO

I

LOS LIBROS VIEJOS

La vida que llevo en Madrid es bastante sosa. Por la mañana leo o escribo, por la tarde salgo, compro libros viejos y voy a charlar a la Redacción de *España*, y por la noche vuelvo a leer.

No tengo que escribir cartas, parte porque me escribe poca gente y parte porque no contesto a nadie.

A veces ttengo que salir por las mañanas, cosa que no me gusta. Las mañanas de Madrid, de invierno, de cielo claro y hermoso, andando por las calles, me dan mucha tristeza. Los carros, las verduras, las criadas que van al mercado, los dependientes que limpian las tiendas, el olor a café tostado..., todo esto me recuerda la época de estudiante en que iba al Instituto de San Isidro y en que me sentía tan desvalido y tan tímido. En aquella época, a fuerza de timidez, hubiera sido capaz de hacer algo de una gran bravura.

Es curioso que habiendo tenido una infancia insignificante, toda la vida me la paso pensando en ella. El resto de la existencia me parece gris y poco animado.

De chico ya compraba libros viejos, folletines y novelones, que devoraba en casa. En conocimientos sobre literatura folletinesca soy una especialidad.

Cuando comenzaba a estudiar Medicina conocía el plano de las librerías de viejo de Madrid con detalles. De entonces acá ha cambiado la geografía y el personal de esas librerías de lance. Yo solía charlar mucho con un viejo que tenía su puesto en la calle de Capellanes, en un esquinazo que hacía esta calle, que ahora se llama de Doña María Pineda, cuando era un callejón estrecho.

En las covachuelas de la iglesia del Carmen había también un librero de viejo, un hombrecillo flaco, de lentes, con unas barbuchas medio rubias, medio blancas. Era éste un volteriano y tenía un gran entusiasmo por el autor de *Cándido* y por Pigault-Lebrum. Había también puestos de libros en la iglesia de Santo Tomás y en la de San Luis. El amo de este último se encuentra hoy en un puestecillo en la plaza de la Bolsa. Este librero y un manco de la travesía del Arenal, ahora empleado en casa de Molina, siguen impertérritos desde mis tiempos de estudiante, como si no hubieran pasado más de treinta años sobre ellos.

También solía ir a una librería de la calle de Jacometrezo, de un masón, y a otra de la calle de Preciados, de un tal Vicuña, en un sótano, donde había al mismo tiempo un horno y olía a bollos. El tal Vicuña era un viejo gordo y blanco.

Hoy ha cambiado un tanto la geografía de los libreros madrileños de lance. El más fuerte de todos y el que tiene quizá más libros es García Rico, de la calle del Desengaño. Al frente del establecimiento está Ontañón, que es un burgalés del valle de Mena, que tiene una memoria y unos conocimientos bibliográficos tremendos.

La librería de García Rico ha sustituido a la de Vindel desde que se retiró éste. Vindel era un mozo de cuerda del Rastro, que no sabía leer, y, a fuerza de paciencia y de suerte, se hizo rico. El caso suyo parece que es el modelo ideal de los libreros de viejo.

Ontañón es hoy el primero en cuestiones de libros antiguos, y se dice que hace envíos de treinta y cuarenta mil duros a América.

Después de Ontañón están los libreros que no tienen tantos vuelos. En la calle Ancha hay varios: Melchor García, que antes era dueño de un bar que está al lado de su barraca; Julio, que tiene otro tinglado; la Viuda, y ahora Manuel Juncosa a quien algunos llaman *el Albañil*, porque antes tuvo este oficio.

En la calle de la Abada había este invierno pasado cinco o seis librerías, que se han debido cerrar por los derribos de la Gran Vía; en la de Mesonero Romanos hay dos: una, la de Fe, y otra, la de los hermanos Rodríguez.

La calle del Horno de la Mata era antes calle de muchas librerías, que se han ido cerrando, y en la esquina de esta calle con la de Mesonero Romanos hay una barraca bastante sucia de un catalán que parece que se llama Gayo y a quién llaman, confundiendo el sonido de la *ll* y de la *y* como hacen los madrileños, *el Gallo*. Este librero suele hacer en el fondo de su barraca una especie de tienda de campaña con cuatro lonas, y allí suele estar escondido a las miradas del público, en invierno, al lado del brasero, donde quema tablas que echan un humo irrespirable.

En la calle de la Paz hay dos librerías, una de ellas de Dafauce, al lado de un bar estrepitoso, con un orquestón que toca a todas horas, y la otra, cerca de la calle de la Bolsa.

Después de estos libreros, que tienen tiendas importantes, vienen otros de menor cuantía.

En general, el librero ve el libro sólo como cosa vendible; en este sentido, los que han dado más solidez al negocio han sido unos cuantos que han venido de Levante. El Atila de la librería de viejo es *el Valenciano*, un hombre de pelo rojo y de gafas que tiene un barracón en la calle de Atocha, y que se dedica a estropear los libros, cortándoles con la guillotina los márgenes para vender después éstos como papel.

La esfera del libro viejo se extiende por calles y plazas, y llega también al Rastro, en donde están, como representantes de la cultura, Elías *el Chanela* y alguno que otro que no sabe leer.

Alrededor de los libros, de correrlos, de cambiarlos, vive bastante gente, claro que la mayoría mal.

Entre los bibliófilos hay los ricos, que compran libros para formar colecciones, y muchas veces para venderlas al extranjero, y los eruditos y los escritores, que buscan datos o padecen la bibliomanía, que es una enfermedad incurable.

....

Azorín me manda un periódico francés con un artículo titulado *Le bouquin cher*, en el cual se asegura que los libros que se veían en los cajones de los muelles del Sena van escaseando y subiendo de precio.

Ya parece que no se encuentra nada por allí. ¡Oh tiempos de don José Segundo Flores, de Román Salamero, de Cervigón y de otros rebuscadores que recorrían diariamente los muelles del Sena mezclados con bibliófilos de todos los países del mundo!

Yo también he inspeccionado en estos cajones de los muelles parisienses y he mirado una por una todas las estampas.

Había vendedores sabios; recuerdo un viejecito vestido de negro, con melenas, que tenía el puesto entre el Instituto y el puente Nuevo, a quien compré una litografía *Embuscade espagnole*, de Horacio Vernet, y que me habló de retratos de políticos y cabecillas españoles con grandes conocimientos.

Yo solía mirar estos cajones con cuidado. Mi amigo el doctor Larumbe, que vivía en el mismo hotel que yo y que casi siempre solía acompañarme en la busca, se impacientaba

a veces, a pesar de su buena pasta, con mis largas paradas.

Además de los muelles recorría las estamperías de la calle Mazarino y de sus inmediaciones y de la calle del Sena.

Aquí, cerca del Instituto, en una tienda, de una mujer roja, alguna vez, mientras yo estaba mirando estampas, apareció Anatole France, y se sentó a mi lado. Yo nunca le hablé, porque me dijeron que era hombre a quien no gustaba la conversación con desconocidos, y menos con extranjeros.

II

AGNOSTICISMO Y TELEOLOGIA

Suelo discutir con frecuencia en la Redacción de *España* con francófilos que creen como en un dogma que Francia, Inglaterra y los aliados representan íntegramente la Justicia, el Derecho y la Civilización, y los alemanes y austríacos, la brutalidad, la rapiña y el militarismo.

Yo tengo una actitud que se podría llamar agnóstica, y creo que mientras no se conozcan, se compulsen y se comprueben los datos de la derecha y de la izquierda no se vendrá a saber con exactitud la cantidad de responsabilidad en el comienzo y de brutalidad en el curso de la guerra que haya en unos y en otros. Claro que cuando estos datos estén reunidos será dentro de bastante tiempo, y entonces habrá otras actualidades que interesarán más.

En esta cuestión, como en casi todas, hay dos posiciones preliminares: una, el agnoticismo; otra, la teleología.

Para cierta plebe beocia, toda palabra un poco rara es un camelo y una pedantería; yo he oído a gente, al parecer ilustrada, reírse de los nombres que se emplean en Medicina, creyendo que son un capricho de los médicos para darse importancia. Claro que a mí no me importa nada la opinión de la beocia cerril que va a los toros y oye misa con devoción.

Hecho este pequeño inciso, sigo adelante.

Para mí hay, pues, dos posiciones: una, el agnosticismo, o sea la afirmación de la ignorancia de fines en el Universo y en la Humanidad; la otra, la teleología, o la creencia en fines y en intenciones de la Humanidad y del Universo.

El agnosticismo produce el cristicismo, el cientifismo, el determinismo, la noción puramente mecánica del mundo.

La teleología lleva el misticismo religioso o humano. El hombre ha venido al mundo para sufrir y ganar el cielo (teleología religiosa). El hombre ha venido al mundo para realizar el progreso (teleología humana).

El agnosticismo afirma que el hombre no ha venido al mundo, sino que está en el mundo, y que no se advierte que tenga objeto determinado, que puede ser lo principal del Universo, y que puede tener la misma importancia de un zoofito o de un liquen.

El agnoticismo, como doctrina de un escepticismo no sistemático, marcha en política al pragmatismo, al oportunismo.

La teleología conduce al absolutismo y a la teocracia por un extremo, al socialismo y al anarquismo por otro.

Del agnosticismo saldrán Maquiavelo y Bismark; de la teleología, Robespierre y Torquemada.

La degeneración del tipo agnóstico produce el cínico: Talleyrand, Fouché. El tipo teleológico creyente en los fines últimos no necesita degenerar para ser un fanático.

Indudablemente, las dos tendencias, la de afirmar y la de dudar, son lógicas y humanas; el afirmar es más biológico; el dudar, más intelectual.

Desde un punto de vista crítico, toda teleología es una ilusión humana. ¿Dónde están los fieles de la Naturaleza, ni aun siquiera de la Humanidad?

Hablar de la Providencia al estilo de Bossuet es una niñería insustancial. ¿Vamos a creer, como dice Víctor Hugo en *Los miserables*, que Napoleón perdió la batalla de Waterloo porque incomodaba a Dios? La cosa parece un poco cándida. La teleología no es capaz de señalar dónde apuntan las intenciones divinas ni trascendentales. Lo único que hace es disfrazar las intenciones humanas y prestárselas artificialmente a la Naturaleza.

III

CORDOBA

Como no tengo gran cosa que hacer y me sobran muchos kilómetros de un billete kilométrico, decido hacer un viaje por Andalucía.

He pensado primero detenerme en Córdoba. Hace ya años que estuve aquí con el pintor Regoyos. Como yo he escrito una novela que pasa en Córdoba, con algún cariño, me parece que tengo cierta relación con esta ciudad ilustre.

Séneca, Lucano, Averroes, Góngora..., son nombres luminosos hasta para los que somos antihistóricos.

He ido como la otra vez a Córdoba a un hotel del Gran Capitán, y he andado paseando por las calles estrechas. El pueblo está bastante cambiado; han tirado muchas casas, han ensanchado algunas calles, y la ciudad romántica tiene bastante menos carácter que antes.

Uno de los anchurones producido por un derribo, en medio de unas calles estrechas y tortuosas, basta para quitar a todo un barrio el misterio y el encanto.

Yo no la encuentro a esta ciudad tan árabe como dicen. Me parece bastante castellana y hasta un tanto romana, no sólo en su tradición, sino en su actualidad.

La Mezquita, que a todos asombra, es lo que a mí menos me gusta. Recuerdo que Gautier, en su *Viaje por España*, habla con entusiasmo de ella, y, en cambio, dice algo con desdén de la torre de la catedral, que a mí se me figura muy hermosa.

Yo, la verdad, no he comprendido nunca el arte árabe. Me parece insustancialidad, baratija. La única sugestión simpática que me produce la civilización árabe es la figura de Averroes, y aunque no haya dato ninguno para creerlo, yo me figuro que Averroes no era un moro. Su familia vivía hacía tiempo en España; es probable que estuviera mezclada con elementos ibéricos o góticos. El moro puro nunca ha sido hereje ni librepensador, y Averroes era librepensador y hereje...

He estado en el Círculo de la Amistad a preguntar por el bibliotecario que yo conocí. Me dicen que murió. Después voy al museo del Potro y pregunto por Enrique Romero de Torres; no está.

Por la tarde, después de comer, marcho al paseo de la Victoria y contemplo la campiña, limitada por la muralla negruzca de Sierra Morena. Todos los campos andaluces me parecen tristes. Voy bajando por el paseo, bastante descuidado, hacia el río; contemplo las murallas, y entro en el patio de la catedral. Tristeza, abandono, melancolía. Todo parece que se deshace en polvo.

Pobre Córdoba. Luego salgo cerca del puente Romano, y voy por la orilla del Guadalquivir. Esta parte de la ribera está muy cambiada desde que la vi; la encuentro muy polvorienta y con muchos derribos. Me meto por una callejuela y salgo cerca de San Pedro, y de allí bajo a la calle del Sol. En uno de estos viejos palacios puse yo la acción de una novela mía: *La feria de los discretos*. Al ver ahora el caserón me parece que yo mismo he vivido parte de mi vida allí. Me produce cierta melancolía pensar que quizá ninguno en Córdoba haya leído mi novela...

Es ya el anochecer; un jinete montado en un potro va galleando por una callejuela. Las herraduras suenan en los pedruscos y a veces saltan miles de chispas.

Me marcho al hotel un poco cabizbajo, ceno y me meto en la cama a leer...

IV

KIERKEGAARD

Leer a Kierkegaard en Córdoba es un poco absurdo. El libro que leo es una obra no completa; es una colección de trozos traducidos al castellano por el escritor uruguayo Alvaro Armando Vasseur.

Soren Kierkegaard es un pastor evangélico dinamarqués de quien ha hablado exclusivamente y con mucha frecuencia Unamuno, y que murió hace más de setenta años.

El tal Kierkegaard es un dionisíaco, pero un dionisíaco religioso y protestante.

Cuando cierro este libro siento que el que lo ha escrito es un hombre de gran talento, pero no me atrae absolutamente nada su espíritu. Desear la angustia y la desesperación casi por sistema me parece una extraña anomalía. Desear la vida intensa con alternativas de alegría y de pena es, sin duda, natural; pero buscar sólo la contricción es aberrante.

Todavía se explica el ir tras los dolores y los martirios con un fin religioso, como los santos. En ellos hay un espejismo de vida ultraterrena; pero este Kierkegaard no parece que esté muy convencido de la existencia de Dios, aunque hable de Dios a cada paso.

Se me figura, por los trozos que acabo de leer de él, que al teólogo protestante le queda toda la armazón de la Teología sin la idea madre; es decir, sin Dios.

Es una forma de pensamiento ésta que existe entre los protestantes y que no se puede dar entre los que tenemos la tradición católica y latina.

Recuerdo que en París, en casa de un escritor, conocí a un estudiante de Teología sueco, y en el curso de la conversación le pregunté:

—Si fuera posible demostrar que en el Universo no hay más que lo natural, la Teología desaparecería, ¿verdad?

Y él me contestó, mirándome con su cara fría de ojos claros:

—No. ¿Por qué?

Estas cosas la cabeza de un meridional no se las explica. Yo no entiendo cómo puede existir una Teología sin Dios; pero parece que hay algunos que lo comprenden.

Kierkegaard, como todos los pastores protestantes, está, sin duda, muy inspirado en la Biblia. Le gustan los personajes bíblicos porque pecan y se arrepienten.

En esto yo no estoy conforme. En general, los personajes bíblicos me parecen unos perfectos miserables. Además, los que no creemos en el pecado, ¿por qué nos hemos de entusiasmar con los pecadores, se arrepientan o no se arrepientan?

Kierkegaard da la impresión de un hombre enfermo, arbitrario y sombrío, que no sólo no quiere curarse, sino que se recrea en sus propios dolores.

Parece que algunos de sus libros los firmaba con el seudónimo de *Frater Taciturnus*. ¡Buen seudónimo para un hombre tan desesperado y tan desgarrado como este teólogo!

Cuando se acerca uno a espíritus de esta clase es cuando nota uno todo lo pagano que es sin proponérselo.

No hace mucho leía yo un estudio de Federico Loliée acerca de Talleyrand, y después una biografía, llena de anécdotas, del célebre obispo y diplomático.

Talleyrand es el polo opuesto de Kierkegaard: el uno, todo vida interior; el otro, todo vida exterior, vida de aparato, de placer, de ambición y de ostentación.

Seguramente Talleyrand no hubiera cambiado su vida por la de Kierkegaard; pero, probablemente, Kierkegaard tampoco hubiera cambiado su vida por la de Talleyrand.

Lo que demuestra, a mi manera de ver, que no hay un tipo de vida, sino muchos, y que cada cual elige, si puede, el que mejor le cuadra.

Yo, pudiendo elegir mi tipo de vida, no hubiera sido ni Kierkegaard ni Talleyrand. La existencia del uno me entristece; la del otro me repugna.

La acción por la ambición y el placer me parece poca cosa. A mí me gustaría la acción, la gimnasia del espíritu, la superación de mí mismo, pero no por el placer, sino por un sentimiento de orgullo.

El amor por lo difícil lo he tenido

siempre. Yo no seguiría al poeta latino en aquello de *Carpe diem*. Yo no creo que valga la flor del día si no tiene algo de único y de raro.

Pero la rareza y la dificultad me gustarían unidas al esfuerzo. Muchas veces me he despertado yo soñando que tenía que hacer algo, algo extraordinario.

«¡Vamos! ¡Vamos!», me decía.

Al despertar comprendía que no tenía nada que hacer.

Lo mismo que en el sueño, me pasa siempre en la vida.

V

MALAGA

La lectura de Kierkegaard me ha producido un profundo sueño. Me he levantado, he dado un paseo al sol, y al mediodía he tomado el tren para Málaga. El viaje, que dicen que es muy bonito, no me ha parecido nada extraordinario.

Dos jóvenes malagueños han entablado conversación conmigo. Hemos hablado de los paisajes de España, y uno de ellos, educado en un colegio del Norte, decía:

—Cuando me llevaron por primera vez al colegio, nos detuvimos un momento en Alsasua. Cuando me encontré entre aquellos montes y miré al cielo y vi que había árboles hasta arriba quedé horrorizado.

Este *horrorisao*, como dice él, me lleva a pensar en el concepto distinto de la belleza del paisaje que tenemos los hombres. De cincuenta en cincuenta leguas en dirección del meridiano, el concepto de la belleza de la Naturaleza cambia. Llegamos a Málaga con tres horas de retraso. Entro yo en un coche; tiene un cartel con el rótulo «Hotel Hernán Cortés». El coche

se llena y nos acercamos al pueblo. Llegamos a un hotel de una calle muy iluminada, la calle de Larios, y bajan todos los viajeros.

—Pero yo quería ir al hotel Hernán Cortés—le digo al mozo.

—Ahora vamos.

Dejamos la calle iluminada y vamos por un parque hasta detenernos delante de una casa pequeña y blanca.

El encargado del hotel, un hombre que me recuerda un antiguo amigo mío, me conduce a un cuarto grande que da a la carretera. Se oyen los timbres de los tranvías.

—¿No tiene usted algún cuarto más silencioso hacia el otro lado?—le pregunto.

—Sí, pero es muy pequeño.

—No importa.

Voy al cuarto pequeño, que da a un jardín, y después bajo con el encargado a escribir mi filiación.

Este encargado es, *rara avis*, entre los encargados de hotel, un hombre amable; tiene una cara arrugada y comprensiva y una risa que sólo se observa en las gentes que pertenecen a razas viejas de cultura antigua.

El encargado lee mi nombre, sabe que yo soy escritor, aunque no ha leído nada mío. Hablamos.

—Tenemos muy mala fama en Madrid los andaluces, ¿verdad?—me dice.

—No.

—Sí, no diga usted que no. Como no damos más que toreros y jugadores...

Quedamos de acuerdo en que hay algo de verdad en esa fama, y voy al comedor a cenar.

Parece que en este hotel se lleva una vida de balneario. Después de cenar, la gente se reúne en el vestíbulo a charlar.

En esta tertulia oigo una frase a una señora granadina, que me hace mucha gracia. Habla de que en Andalucía los hombres son muy tumbones.

—En Granada—dice—mi marido y sus amigotes se pasan la vida en el Círculo, echados en un sillón con los pies en alto. Yo le digo a mi marido: «Ya que no hacéis *na*, ¿por qué no os dedicáis a hacer media?»

El encargado de hotel se ríe desde su mesa, poniéndose la mano en la boca.

Antes de marchar a mi cuarto, voy con el chico a una terraza a ver el mar de noche. Hay un poco de luna, el agua está tranquila, cerca brilla la luz roja de un faro.

Por mi gusto me quedaría allí toda la noche, arrullado por el ruido de las olas.

Desecho este proyecto poco conveniente para un artrítico, y me voy a la cama.

Desde el balcón de mi cuarto se sigue oyendo el ruido del mar.

Al día siguiente me levanto y vuelvo a la terraza del hotel. El cielo está radiante, el mar azul añil, lleno de velas latinas. A la derecha se yergue la torre blanca y gallarda del faro.

Veo que otros cogen un sillón de mimbre y se ponen al sol. Yo hago lo mismo.

No tengo curiosidades que satisfacer en Málaga. Aviraneta estuvo aquí en julio de 1836, en un movimiento revolucionario, en que perdieron la vida el general Saint-Jut y el conde de Donadío; pero no parece que él tomara parte muy activa en el movimiento.

Le pregunto al encargado del hotel hacia dónde desembarcó Torrijos con sus compañeros; pero me dice que la playa aquella ha variado mucho. Le pregunto después por el café de la Loba. Me dice que se cerró. Agotados mis conocimientos malagueños, no pregunto más.

He pasado unos días desvariando al sol.

....

Muchas veces, al llegar a un pueblo, sin motivo ninguno especial, siento como el deseo de no entrar en él, de no ocuparme de lo que pasa en sus calles y en sus plazas.

¿De dónde le puede venir a uno este desamor por las cosas y por los hombres? ¿Cuál es la raíz de este resentimiento? ¿Qué hubiera uno exigido de la vida para mirarla de una manera mansa, apacible y tranquila? ¿Quizá el dominio? ¿Quizá el placer? ¿Quizá la belleza? Extraña soberbia. Uno no le reprocha al Destino ser injusto; lo que uno le reprocha es no haber sido injusto a favor de uno, no haberle dado suerte, es decir, no haberle otorgado lo caprichoso, lo arbitrario.

Segismundo, en *La vida es sueño*, razona los motivos que tiene para pedir más libertad que los brutos y las aves. Los hombres no necesitamos, en general, razonar sobre esos puntos, porque no queremos lo que merecemos, sino lo que no merecemos. Conseguir esto es lo que nos enorgullece, lo que llena nuestra soberbia.

En política, en literatura, en el trabajo, pedir el favor es una vergüenza; en cambio, en el amor, en la religión, en las cosas que nos parecen más serias, no pedimos justicia, sino favor; es decir, la suerte casual y sin merecimientos.

....

Pensar en el pasado es siempre tristeza, melancolía; pensar en lo por venir es casi siempre esperanza. Haré, ¡qué ilusión! No haré nada. Y si hago algo no me ilusionará.

En un libro de Séneca hay una frase curiosa sobre los hombres; dice «que como las hormigas suben por los árboles, y después de haber llegado a la cima bajan vacías al tronco». En ese mismo libro, que creo que se titula *De la tranquilidad del ánimo*, se copia una frase de Lucrecio, en donde, hablando del cansancio de los desocupados, dice: «Volvamos a la ciudad, porque hace ya mucho tiempo que nuestros oídos carecen del estruendo y del aplauso, y tenemos gusto de ver en los espectáculos derramar sangre humana.»

Otra comparación recuerdo de Séneca; es aquella en que, al referirse a los hombres amigos de las locas empresas, dice que son como los niños que quieren saltar por encima de su sombra.

Tenía hace tiempo un tomo con los siete libros de Séneca, traducidos al castellano por el licenciado Navarrete en una edición antigua. Ya no lo conservo. Una noche, bajando del pico de Urbión, hacía tanto frío, que tuve que quemar a Séneca para hacer arder unas matas y calentarnos. Yo me resistía; pero los dos amigos que iban conmigo me convencieron de que era una ridiculez sacrificar nuestros cuerpos por un libro viejo.

Esta permanencia al sol me hace divagar y pensar confusamente en muchas cosas. He fantaseado durante algún tiempo en la posibilidad de hacer versos.

Yo concibo una poesía a base de una sensación fuerte y de un ritmo paralelo que le sirva de complemento.

Después de la sensación y del ritmo vendrían las palabras y las ideas.

Para mí la poesía está en un extremo de lo intelectual, casi en los confines de la música; por eso yo comprendo la poesía sin conceptos; lo que no comprendo es la poesía sin compás. El concepto me parece que en poesía casi siempre sobra.

Al fin he salido y he ido a ver Málaga. La verdad, no me ha gustado gran cosa. Su parte moderna tiene, como en todas las ciudades actuales, el prurito de lo grande. Lo *kolossal* no es manía sólo alemana, sino del mundo entero. El parque me parece demasiado grande para la ciudad. La Alameda, no; la Alameda tiene proporciones bonitas.

No hay muchos edificios hermosos en Málaga; la catedral es espléndida, todo lo espléndida que puede ser una catedral que no es gótica; la Aduana también tiene gran aspecto. Lo que me ha parecido que falta en Málaga es la calle, la calle con carácter típico.

Si yo tuviera algún recuerdo, alguna evocación de Málaga, quizá me gustara más; pero no tengo engranaje ninguno con esta ciudad.

De Andalucía, las primeras ciudades que visité fueron Córdoba, Sevilla y Cádiz, y de las tres guardo un recuerdo romántico. Córdoba tiene mucho de castellana, de hidalguesca; Sevilla es una ciudad armónica, completa, y en Cádiz hay, para un vascongado, la relación del mismo mar. Todavía quedan nombres vascos en las calles y en las muestras de los almacenes gaditanos.

En Málaga, no; Málaga se corresponde con Valencia, con Barcelona, con el Mediterráneo.

Me he detenido en una callejuela en donde he sentido un olor de espliego o de cosa parecida que me ha llevado la memoria sensitiva al recuerdo de los olores. He pensado en lo que me sugieren los olores.

El olor del nardo me recuerda las

calles de Madrid de cuando era estudiante, y me da la impresión de algo femenino y muy sensual; el olor del azafrán, unas calles estrechas de Valencia; el olor del espliego, las callejuelas de Madrid y el brasero de las porterías; el olor del tabaco egipcio me trae a la imaginación Oxford Street y Bon Street, de Londres, con sus damas y sus caballeros elegantes; el olor de las naranjas no me recuerda Valencia, sino Madrid, los Cuatro Caminos, la Bombilla, soldados y criadas de domingo; el olor de arena húmeda y caliente me trae a la imaginación el metropolitano de París; el olor de azahar me recuerda Burjasot; el olor de la jara de las panaderías, una mañana de un pueblo de la Vera de Plasencia. Mi infancia está unida al olor de alquitrán, y siempre que siento este olor recuerdo el pequeño puerto de mi pueblo.

No hay apenas librerías de viejo en Málaga y ninguna tienda importante de antigüedades; solamente en el camino de la Caleta, a mano izquierda, enfrente de una casa grande de oficinas de los Ferrocarriles Andaluces, a la que llaman la Casa de la Tinta, he visto dos tiendecillas pequeñas con aire mixto de prenderías y tiendas de antigüedades.

Entro en una de ellas. El dueño es un hombre moreno con cierto aire de gitano; sus hijas, unas muchachas muy sonrientes. En Málaga me ha parecido ver que la gente del pueblo es mucho más amable que la gente rica. Cierto que en toda España empieza a pasar lo mismo.

Pregunto al dueño de la tienda si tiene algunos grabados o estampas.

—Aquí tengo—me dice—unas estampas de la Revolución francesa.

—Hombre, a ver.

Me enseña unas estampas de la guerra de la Independencia.

—No son de la Revolución francesa—le advierto yo.

—¿Cómo que no? ¿No es esto una revolución? ¿No es del tiempo de los franceses?

—Sí, sí; en parte tiene usted razón. ¿Cuánto valen?

Me pide un duro, se lo doy, y me enseña los trastos que tiene en la casa.

Por la noche, en el tranvía de la Caleta, he visto dos mujeres verdaderamente sugestivas y las dos de tipo completamente distinto. Iban al teatro, a la última función de la compañía de la Guerrero.

Una de ellas, la que más me ha llamado la atención, era alta, morena, de más de treinta años. Tenía una cabeza clásica, de una arquitectura romana, el color pálido y los ojos y el pelo muy negros. Sobre estos rasgos de belleza comunes tenía una expresión endiablada al hablar. Los ojos, la boca, todos los músculos de la cara se movían, se iluminaban, con una expresión tan acusada de risa, de alegría o de sorpresa, que era un espectáculo contemplarla. Quizá iba un poco *maquillada*. Una que iba con ella le indicó la atención con que yo la contemplaba, y ella me miró con su mirada penetrante y burlona. Me debió de tomar por un extranjero. La otra mujer era también guapa, un tipo germánico, una rubia un tanto tostada por el sol.

Todas estas señoras pararon cerca de la Aduana, y fueron por unas callejuelas hacia el teatro. Al llegar a la parte de calle iluminada por las luces del teatro vi que la dama morena me miraba con cierta sorna. Yo me decidí a entrar. Fui a la taquilla; no había localidades. Era el beneficio de la Guerrero.

«Bueno. Sin duda, mi sino no es ser un Don Juan—me dije—. No lo he sido de joven, no lo voy a ser de viejo.» Y me volví al hotel.

VI

OTRA VEZ CORDOBA

He decidido marcharme de Málaga; el sol y la temperatura tibia han exacerbado mi artritismo de mala manera; además, no he vuelto a ver a esa dama morena tan sugestiva.

Tomo un coche y voy a la estación. Me meto en un vagón donde no hay nadie. Saco un libro de la maleta; es el *Reisebilder (Los cuadros de viaje)*, de Enrique Heine, traducido al francés. Es un autor Heine que no conozco apenas. Me pongo a leer el libro, y no me gusta todo lo que creí que me iba a gustar. Indudablemente, hay un talento grande en el autor, pero hay también mucha petulancia. Parece una mujer guapa que hace monerías sabiendo que es guapa y confundiendo la gracia natural con el amaneramiento. Esa constante alusión al judaísmo y a los judíos, como si éstos fueran algo esencial de la vida de todos los pueblos, me llega a fastidiar.

No me parece una obra fundamental, ni mucho menos, este *Reisebilder*. Debe de ser el primer libro de Heine, y se ve que el autor se esfuerza en demostrar su ingenio a todo trance.

En los *Fundamentos del siglo XIX*, de Houston Stewart Chamberlain, se compara, si mal no recuerdo, a Heine con Luciano de Samosata.

La comparación no es nada exacta. La obra de Luciano, como crítica satírica, es mucho más fuerte, más densa que la de Heine.

Se puede decir que Heine no está de cuerpo entero en sus libros de viajes, sino en sus poesías.

Esta forma del heinismo, este mariposeo aparatoso sobre las ideas, no me llega a entusiasmar. Es una ligereza y una frivolidad más que de espíritu de manera, una ligereza que no es completamente espontánea, sino forzada.

Heine ha tenido imitadores en todas partes; en España los tiene también. El heinismo sin Heine me parece odioso. Esa suficiencia, eso de considerarse al final de todo es un poco ridículo.

Este libro, que creía me iba a encantar, no me encanta. El viaje por las montañas de Harz y la isla de Nordernay no me parece gran cosa. La historia del tambor Legrand, con su aire imperialista y francesista, en parte la encuentro bien; la admiración por Napoleón se me figura un poco ridícula, y las notas hostiles sobre Inglaterra las hallo muy vulgares y muy banales...

Al llegar al final de la primera parte no tengo ánimo para seguir leyendo más. Voy solo, cierro las cortinillas y me tiendo todo a lo largo en el vagón.

El tren se detiene y me asomo a la ventanilla a ver lo que pasa. Estamos enfrente de un pueblo, que es Casariche. El sol ha bajado en el horizonte y alumbra con su luz roja unos cerros cercanos. Veo enfrente las calles de casas bajas, las lámparas eléctricas que apenas brillan en la luz dorada del crepúsculo. Recuas y más recuas llegan al pueblo y alguna columna de humo tenue sale de las chimeneas.

En esta calle, que se alarga en línea recta delante de mí, hay unas mujeres que charlan en los portales, un perro que ladra, un burro que marcha con la cabeza baja.

Por fin el tren arranca.

En una estación entra un señor de barba. Charlamos un rato, y al llegar a Córdoba nos saludamos.

—El conde de Casa Padilla—me dice él.

Yo le digo mi nombre.

....

Son las diez de la noche, y en vez de ir al hotel del Gran Capitán, voy al hotel Suizo. No sé por qué he supuesto que éste ha de ser un hotel silencioso, pero no acierto.

Ceno, me acuesto y no oigo más que sonar de timbres, ruido de pasos, voces, conversaciones.

Me levanto impaciente y le digo al del escritorio:

—Yo quisiera que me trasladara usted a otro cuarto, aunque sea a una buhardilla, donde no se oiga ruido, porque aquí no puedo dormir.

—Dentro de un cuarto de hora no se oirá nada—me contesta.

Efectivamente, se hace el silencio en el hotel y duermo.

Al día siguiente es domingo. Casa Padilla me ha dicho que vaya al café Suizo por la tarde, donde se reúnen algunos amigos, y voy. Me presenta a varias personas, entre ellas a varios jóvenes republicanos y regionalistas que escriben el semanario *Córdoba.*

—Estos son nuestros Kerenskuys —dice Casa Padilla.

También me presenta a un señor apellidado Cabrera.

Cabrera da la nota de la exageración y de la hipérbole grave del cordobés, cosa que suele ser divertida. Hablamos de bandidos y de caballistas con un interés infantil.

Cabrera cuenta historias de bandidos en este tono:

—Luego el pobrecito, que era un muchacho bueno, de gran corazón... (El pobrecito es el *Pernales* o el *Niño del Arahal* u otro bandolero.)

En estas historias la Guardia Civil hace, naturalmente, muy mal papel.

A la media hora de estar allí, ya me parece que conozco a todos y que los contertulios del café me conocen a mí también.

Los jóvenes de la tertulia han leído mi novela *La feria de los discretos,* lo que me halaga.

Uno de ellos afirma que se ve que conozco bien Córdoba.

Cabrera dice:

—A mí Sánchez Guerra me preguntó: «Oiga usted, ¿Pío Baroja ha estado en Córdoba?» «¡No ha de estar! ¡Y se ha tomado unas copas con el marqués de Benamejí!»

Con este motivo Cabrera me invita a ir a beber un vaso de montilla, y vamos los dos por callejuelas extraviadas a sentarnos en el patio de una taberna.

De allí marchamos a dos o tres casas de anticuarios, y como se pasa la tarde pronto, yo me voy a cenar.

Después de la cena vuelvo al café a reunirme con los amigos que acabo de conocer.

—Usted debía quedarse aquí—me dice Cabrera—; podía usted hacer un libro muy interesante con la vida de esos pueblos de bandidos. Iríamos a Estepa, a Casariche, a Benamejí, a Roda...

—No he hecho preparativos para estar mucho tiempo.

—¿Qué importa?

—A mí lo que me gustaría—indico yo—es hacer la ruta de los bandidos a caballo, desde la venta de Cárdenas y de Almuradiel a Sevilla.

—Pues nada, la prepararemos.

Llega la hora y yo me despido, porque voy a coger el coche para ir a la estación a tomar el expreso. Al poco veo a Casa Padilla, a Cabrera y a los demás, que vienen a charlar un rato conmigo en el andén. Gente amable esta gente cordobesa.

VII

EL CURA SANTA CRUZ Y EL MO- NOTEISMO DE LOS VASCOS

He publicado un folleto acerca del cura Santa Cruz y su partida. El cura ha muerto en Pasto (Colombia), aunque me han asegurado después que la noticia es inexacta.

Algunos se han ocupado de mi folleto, entre ellos Díez-Canedo, en *El Sol*, y don Julio de Urquijo, filólogo, dedicado principalmente al estudio del vascuence, en *El Pueblo Vasco*, de San Sebastián.

Urquijo ha escrito varios artículos. Yo no he leído estos artículos, porque cuando me he enterado de que se habían publicado no los he podido encontrar; así que tengo que hablar de ellos por lo que me han dicho.

Parece que el señor Urquijo defiende varios puntos de vista contrarios a los míos. Los míos, principalmente, son éstos:

El bizkaitarrismo y el euskarismo son hechuras de Loyola.

Los vascófilos—yo no digo todos— han inventado desde hace tiempo una porción de mentiras.

La palabra *Jaungoicoa* no es una forma primitiva de denominar a Dios, y debe ser una adaptación de la idea católica y latina de la divinidad.

Por último, que todo hace creer que es falso el deísmo de los antiguos vascos y que, por tanto, no existía entre los primitivos euskaldunas un monoteísmo claro como en los pueblos semíticos.

Yo no podría desarrollar estas afirmaciones rápidamente y con documentos. Además, no creo en la polémica.

La cosa sería demasiado larga y muy complicada. Habría que comprobar los datos, ir a buscar los textos en las mismas fuentes, cotejarlos, cosa para lo cual yo no tengo preparación. Esto no quita para que, leyendo lo que está al alcance de un curioso y procediendo con serenidad, los hechos salten a la vista.

Sobre el punto concreto de la idea de Dios, el que lea los datos que han dado Menéndez y Pelayo, Campión, el libro del peregrino francés Aymeric Picaud, la crónica del Gerundense, adquiere la convicción de la falsedad del monoteísmo vasco.

La cosa es lógica y natural. El vasco, como todos los pueblos de Europa, excepto Grecia y Roma, pasó de la magia y de las religiones primitivas al cristianismo, y seguramente el vascongado hizo esta evolución más tarde que los demás pueblos españoles.

El dato de la crónica del Gerundense es de gran valor.

Este obispo comenta un párrafo de Estrabón en el cual el geógrafo griego afirma que los gallegos de España y los vizcaínos no tenían Dios, y añade, por su parte, que en ese tiempo (siglo XV) los vizcaínos nada veneraban y llamaban a los cristianos *cultores*, considerándolos como gente extraña.

Mientras los investigadores vascongados quieran hacer política con la ciencia, ésta será siempre de mala ley; únicamente cuando intenten construir la ciencia pensando en ella misma y no en el Sagrado Corazón de Jesús, quizá lleguen a hacer algo respetable.

VIII

UNA REUNION

He ido a una reunión de una señora amiga. Había unas cuantas damas y varios extranjeros. Hemos tomado té.

Cuando estamos reunidos varios hombres o mujeres me da la impresión de que todos nos reprochamos algo los unos a los otros. Parece que uno encuentra siempre al prójimo deficiente.

«Si esta mujer tuviera un poco de imaginación...», piensa uno de nosotros.

«¡Si este hombre fuera más cariñoso o más amable, más joven o más rico!...», piensa la mujer.

Todos suponemos que a los demás les falta algo. Naturalmente, lo que nos falta a nosotros o lo que nos sobra no lo notamos.

....

Se siente a veces el deseo de averiguar cómo se representa uno ante los demás.

No cabe duda que un hombre en presencia de otro se modifica y, a su vez, modifica también él. Hay una autosugestión que hace que uno sea como la gente que le rodea quiere que sea.

A veces la autosugestión obra por antítesis en sentido contrario e impulsa a colocarse en una actitud negativa. Pero las más de las veces es uno, o intenta ser, gracioso donde le creen a uno gracioso, triste donde le creen a uno triste, malhumorado donde le tienen por malhumorado.

Parece que allí donde uno va tiene su careta preparada, que se la pone al llegar. Cuando uno está solo supone que ya aquella cara es su cara, pero muchas veces parece también una máscara y que es uno farsante consigo mismo.

....

He hablado con una señora de los escritores españoles. La verdad es que éstos no tienen gran éxito con las mujeres. Falta el prestigio El único escritor actual que ha tenido verdadero prestigio entre ellas es el que ha sentido menos inclinación por el bello sexo; así que no se ha formado la tradición de que las mujeres se inclinen hacia los escritores. En general, el prestigio del escritor español no llega a ser nunca tan grande que deslumbre a las mujeres; las españolas, por su parte, son mujeres de una seriedad y de una fuerza admirables desde el punto de vista moral, aunque fastidiosas desde un punto de vista literario.

Nuestras mujeres son principalmente instintivas, y todo lo que sea alejamiento de su función les parece inútil y peligroso. Por eso son tan reaccionarias y conservadoras. Su ideal es hacer un nido, y para eso se necesita una rama firme. Una sociedad insegura y revuelta es para ellas poco simpática, ¿y qué puede haber tan inseguro y tan revuelto como el pensamiento? Prefieren con mucho la rutina.

A las mujeres españolas no les gusta leer, y mientras tengan esa moral —admirable para el señor obispo y aburrida para el escritor—no se acercarán a la literatura.

Esto indica, indiscutiblemente, una conformidad con la vida tal cual es, que, según desde el punto de vista que se mire, se puede elogiar o despreciar.

Nuestras mujeres, en su mayoría, consideran que el mundo, la sociedad, el papel que ellas tienen en la vida, está todo muy bien. Sólo algunas pocas empiezan a creer que podrían tener una esfera de actividad más extensa.

Este sentimiento de conformidad proviene de su falta de sentido literario y filosófico.

El sexo está indudablemente privado de eso. Yo creo que la misma doña Emilia Pardo Bazán, que escribe muy bien, según dicen, no tiene sentido literario y filosófico alguno.

A esto dirán esos pobres conquistadores que no han conquistado nunca nada:

—A las mujeres no hay que hablarles de cosas serias, sino decirles cosas bonitas.

¡Qué ilusión creer que un cualquiera va a decir cosas bonitas! ¡Así como así se dicen cosas bonitas!

La receta para que las mujeres hagan caso a un hombre es sencillísima; consiste en ser joven, fuerte, guapo y bien plantado. Lo demás, hablar o no hablar, galantear o no galantear, es accesorio.

....

Fantasear, charlar sin objeto determinado, es cosa que a la mujer no le entusiasma.

Una señora de Londres solía decir:

—No me gustan los escritores. No tiene interés hablar con ellos.

—¿Por qué no?

—Son como limones exprimidos.

Y otra, que sin duda había conocido a varios literatos, aseguraba:

—Ustedes son un poco como el agua que corre: ruido, espumas, nada.

....

—¿Y usted por qué no se ha casado?—me pregunta una señora de la reunión.

—Nunca he ganado bastante dinero para vivir medianamente—le contesto yo.

—¿Nada más que por eso?

—Y también porque no he encontrado una mujer que me gustara exclusivamente hablar con ella y a ella le gustara hablar conmigo.

—¿Nada más que hablar?

—Nada más que hablar. Cada cual tiene sus valores. Ustedes dicen de un hombre: «Es un hombre bueno, es un hombre serio, es un hombre de posición.» Los hombres dicen de las mujeres: «Es una muchacha guapa, es una muchacha lista, es una muchacha trabajadora.» Para mí lo principal en una mujer es que tenga encanto su charla. Lo demás casi no me importa. El diálogo, eso me parece lo trascendental.

—Eso es quitar toda posibilidad de lucimiento a la mujer.

—¿Cree usted?

—Claro. Si usted piensa que tener la casa bien arreglada, criar bien los hijos..., eso no vale, pues quita usted a la mujer toda posibilidad de éxito. Es como si una mujer dijera: «Para mí, el mérito de un hombre no es que sea un buen abogado o un buen médico, sino que sepa cuidar de la casa y de los hijos.» La idea de usted es demasiado egoísta, demasiado de hombre.

—Egoísta, ¿por qué? Cada cual concibe una manera de vivir bien.

—¿Y usted no ha pensado nunca en la idea de la familia, de los hijos?

—Sí; he pensado, pero con disgusto.

—No diga usted eso.

—Sí, con disgusto. ¡Tener un chico malhumorado, descontento, que se pareciera a mí! ¡Qué cosa más desagradable! Esa vida de las familias en la ciudad, llena de pequeños cuidados y miserias, me repugna. Me hubiera gustado tener una gran familia viviendo en una granja en América o en Australia, con una vida amplia, fácil. Pero ¡aquí! ¡En esta estrechez! ¡En esta mezquindad! De empleadito, de mediquito, no, no.

—¡Qué hombre es usted! No me gustaría vivir con usted.

—Lo creo.

—Iba usted a contestarme que a usted tampoco le gustaría vivir conmigo.

—No, señora, no. Sería un sustituto de su marido con verdadero entusiasmo.

—¡Bah! Si fuera usted mi marido, un día se marcharía usted de casa porque había dicho una palabra mal o había escrito vino con be.

—¡Jamás! ¡Jamás! Por eso, jamás. No sabe usted hasta qué punto desprecio la ortografía.

IX

A PAN Y AGUA

Porque he cobrado por un cuento doscientas pesetas, se ha hablado entre algunos escritores y periodistas como de una cosa inaudita.

—Es mucho—me decían todos.

—No creo que sea mucho—replicaba yo—. Por mi parte, yo no soy capaz de escribir un cuento medianamente divertido todas las semanas. Si lo fuera y publicase uno cada ocho días, cobrando doscientas pesetas, ganaría diez mil doscientas pesetas al año, es decir, mucho menos de lo que cobra una porción de generales inútiles, de ministros inútiles, de subsecretarios inútiles, de profesores inútiles, de abogados mediocres y de médicos mediocres.

—Pero, hombre, ¿usted se quiere comparar...?

—¿Por qué no?

—Es un orgullo satánico.

—Hay que ver lo difícil, lo extraordinario que es escribir algo divertido y ameno. La gente no quiere creerlo así. Supone que es mucho más serio lo que le aburre que lo que le divierte; considera mucho más lógico que un señor gane cuatro mil duros por dormirse unas horas en un sillón que por escribir algo. Si a la mayoría le enseñan un mamotreto de abogado ilegible y le dicen: «Por esto se han cobrado diez mil duros», le parecerá muy natural; pero si le mostraran una novela de cien páginas de Turguéniev o un sainete de Molière y le dijeran: «Por esto se han cobrado diez mil duros», le parecería un absurdo.

La literatura y el arte cada vez se pagarán más y se cotizarán más alto.

¿Qué no daría Inglaterra por tener un nuevo Shakespeare, un nuevo Dickens? Podría dar la India y el Canadá, y saldría ganando. ¿Qué no daría Francia por un Balzac? ¿Qué no daríamos nosotros por un Cervantes? En menores proporciones, los pequeños Dickens, los pequeños Balzac, los pequeños Cervantes, representan mucho más para la vida que todos los jefes de Administración de todas las clases. Estos, como útiles, no son casi nunca; lo más que se les puede pedir es que no sean perjudiciales.

Mucha gente cree lo mismo; pero sigue pensando que los inútiles deben tener la compensación de los buenos sueldos. Se piensa también que un poco de miseria es cosa buena para el escritor y que el régimen de pan y agua aviva el cerebro y aligera la vista.

¿No es la tradición literaria que el literato se muera de hambre?

En esto, como en todo lo demás, yo soy antitradicionalista.

La mayoría cree que es una prueba de mal gusto persistir en la lucha por las ideas y que hay un momento en que se debe ceder.

Hay una frase de Voltaire, que no la he leído en el original, sino copiada en *Parerga y Paralipomena*, de Schopenhauer. Dice así: «On ne réussit dans ce monde qu'à la pointe de l'épée et on meurt les armes à la main.»

Otro francés, Montesquieu, escribió esta sentencia, también muy exacta: «Pour réussir dans le monde, il faut avoir l'air fou et être sage.»

Estas dos frases deben pertenecer al evangelio de los ambiciosos.

X

BILBAO

En la Redacción de *España*, Gutiérrez Abascal *(Juan de la Encina)* dice un día:

—Tengo ganas de pasar una temporada en Bilbao.

—¡Hombre! Yo también.

—Pues si usted quiere, vamos.

—Bueno; vamos cuando a usted le parezca.

Tomamos el tren y nos marchamos a Bilbao.

Llegamos con unas horas de retraso. Yo me voy a hospedar al hotel Antonia, y *Juan de la Encina* va a casa de un conocido.

Por la tarde nos encontramos en el café con algunos amigos: Maeztu, Mourlane Michelena y Arteta. Por la noche vamos a cenar a la Sociedad Bilbaína con Jesús de Sarria y otros señores que hacen la revista *Hermes*.

Los días se pasan rápidamente. Juan Echevarría, que es una excepción entre los artistas, porque es rico

y un mirlo blanco entre los artistas ricos, porque es espléndido, nos lleva de aquí para allá en automóvil.

Bilbao es un pueblo que cada vez se va haciendo más denso y más interesante. La ría es una de las cosas más sugestivas de España. Yo no creo que haya en la Península nada que dé una impresión de fuerza, de trabajo y de energía como esos catorce o quince kilómetros de vía fluvial. Lo que me parece es que la gente de Bilbao no está todavía a la altura de su ciudad, al menos a la altura de su río.

Al cuarto o quinto día me dice *Juan de la Encina* que la Sociedad de Artistas Vascos ha pensado en darme un banquete íntimo.

—Pero ¿sin discursos?—digo yo.

—Hombre, alguna cosa tendrá usted que decir.

—¿Y sobre qué voy a hablar?

—Diga usted algo sobre Bilbao.

—¿Algo encomiástico?

—No, no; lo que se le ocurra a usted.

—Bueno, ya escribiré unas cuartillas.

El banquete se va a celebrar en el casino de Archanda el domingo.

Juan Echevarría nos ha convidado a ir a Bermeo en automóvil a *Juan de la Encina*, al pintor Barrueta y a mí. Por la mañana pasamos algún tiempo buscando a Barrueta, y al fin lo encontramos. Comemos en la isla de Chacharramendi y pasamos la tarde en Bermeo.

Volvemos a Bilbao, y Echevarría y yo vamos a la Sociedad Bilbaína. Allí le leo yo a Echevarría las cuartillas que he escrito, y él pone una cara un poco triste y resignada. Vamos a Archanda, subimos en el funicular; la sala está fría, y yo me quedo con el gabán y con el sombrero puestos.

A los postres, Gustavo de Maeztu se levanta y lee unas cuartillas. Yo me levanto después y leo las mías, que son éstas:

«Señores: Yo quería únicamente daros las gracias por vuestra amabilidad y por vuestra cortesía, sin necesidad de leer mis frases, escritas en unas cuartillas.

Antes, en época ya lejana, haciendo un esfuerzo, pude llegar a hablar en público con relativa facilidad; pero he perdido el impulso, y ahora no sabría coordinar medianamente y con espontaneidad mis ideas. Como la mayoría de los vascongados, soy por naturaleza alalo. No en balde parece que nosotros descendemos de la raza de Cro Mangnon, pariente próxima del *pithecantropus*, que, como se sabe, o se supone, era hombre de acción y de pocas palabras. Los antecesores de la raza de los oradores parece que hay que buscarlos entre los chimpancés.

Algún amigo me ha dicho que no basta que yo diga solamente: «¡Gracias!», sino que es necesario que añada unas cuantas divagaciones, más o menos exactas y más o menos discretas.

—¿Acerca de qué?—le he preguntado yo.

—Acerca de Bilbao.

No sé qué podré decir. Poca cosa, seguramente. Yo he venido aquí a pasar unos días y a gastar un kilométrico; no traigo ningún objeto ni fin trascendental; soy, como decía Dickens en uno de sus artículos de viaje, un comisionista que no tiene comercio. Además de esta condición de hombre sin plan, tengo la de ser un poco lento en mis comentarios, y muchas veces, al cabo de meses o de años, se me ocurre pensar en una cosa pasada y juzgarla a mi modo. Así, pues, la impresión que tengo de Bilbao es todavía muy somera y poco profunda. Indudablemente y a primera vista, éste parece un pueblo que marcha. Si hay que fijarse en las chimeneas, en los humos, en las máquinas, este pueblo avanza a pasos agigantados; en cambio, si se fija uno en los hombres y en los hombres de empresa, ya no parece que marcha tanto; es más, se llega a sospechar, a veces, si las gentes de España, las del Norte como las del Sur, las del Este como las del Oeste, seremos todas de la misma casta ininteligente e insignificante.

La verdad es que por ahora los vascos asombramos un poco a los palurdos del interior con nuestras novedades mecánicas; pero esos palurdos nos podrían decir, si lo supieran, que ellos hicieron antes algo muy original, y que nosotros no hacemos ahora más que repetir lo que se hace fuera de España. También se deslumbra a la gente de fuera con el dinero. Es cosa ésta que no me produce ningún fervor ni ningún respeto. En Bilbao, como en todo el País Vasco, echan más chispas las chimeneas que el espíritu de los hombres. No inventamos, no podemos inventar. ¡Inventar! ¡Esta es la gloria de la Humanidad!

La invención, como las grandes concepciones de la Filosofía, nos están, por ahora al menos, veladas. Llevamos mucho lastre inútil para ser ligeros, ágiles e inventores; llevamos el peso de todos los mitos semíticos, de esos mitos que, como dice Nietzsche, ni son europeos ni nobles; llevamos el peso de todas las viejas, de todas las muertas fórmulas latinas.

Cuando se ve a un moro que tiene en un libro toda la verdad, se comprende que su raza no podrá dar nunca un Kant o un Newton. La mayoría de los españoles, y la casi totalidad de los vascos, son moros, que, en vez de llevar el Corán, llevan en el espíritu la doctrina del padre Astete.

Pero perdonad si mi divagación toma un giro agrio, político y lamentable. Yo no sé decir más que lo que pienso, aunque lo que piense sea malo.

... Y ahora, una esperanza, quizá quimérica, quizá lejana: hay la esperanza que estas sociedades plutocráticas se espiritualicen con el tiempo, se compliquen, se exalten y den entonces productos refinados a la civilización. Si esto llega a ser alguna vez, a vosotros, escritores, pintores, artistas, que habéis hecho vuestros nidos frágiles a la sombra de las negras chimeneas y de los sombríos talleres, se deberá la gloria y el honor; vosotros seréis los guías, seréis como mineros que llevan la luz del espíritu a las oscuras entrañas de la vida inconsciente, mecanizada y brutal. Nunca para mí ocasión tan propicia de insistir en la solidaridad del arte y del espíritu como en los pueblos en donde se tiende a no creer más que en el dinero.»

Después de leer estas cuartillas, un redactor de *El Liberal* me las pidió, se las di, y, concluida la fiesta, tomamos de nuevo el funicular y nos volvimos a Bilbao.

Me despedí de Echevarría, que por la mañana se marchaba a San Sebastián, y me fui a dormir.

Al día siguiente tenía que ir a comer a casa de un amigo de Vera y luego tomar el tren.

En el camino compré *El Liberal*, y vi que traía una caricatura mía, hecha por Bagaría, y mis cuartillas. En éstas había una errata: ponía «sensitivos» por «semíticos».

—Voy a irritar un poco los sentimientos religiosos del pueblo—le dije a mi amigo—. Voy a escribir una carta.

—Ahí tiene usted tintero y pluma.

En una tarjeta postal escribí esto:

«A don Francisco Villanueva, director de *El Liberal*, de Bilbao.—Bilbao, 16 diciembre 1917.—Mi querido amigo: En las «Cuartillas de un alalo», que publica *El Liberal*, hay una errata, para mí importante, de decir «mitos sensitivos» donde yo puse «mitos semíticos». Si hubiera mitos sensitivos, no sería yo ciertamente enemigo de ello. De los semíticos, y principalmente del cristiano, soy poco partidario. De ése dijo Nietzsche—y su frase me produce una gran satisfacción interior—que no era europeo ni noble. Cuando pienso en el cristianismo, me vienen a la imaginación los *ghettos*, la escrófula, la sarna y los frailes. Es de usted afectísimo amigo y pagano.—*Pío Baroja*.»

Comí en compañía de mi amigo, de su señora y de una señorita; después cogí mi maleta y me fui a la estación.

Unos días después me enviaron de Bilbao unos cuantos periódicos, entre ellos varios números de *Euzkadi*, donde me insultaban con el repertorio clásico de toda la hueste sacritanesca, sea carlista o bizkaitarra.

Es curiosa esta gente que está tan cerca de Dios, según ellos. Creen que sus tonterías son las únicas respetables. *Euzkadi* estuvo diciendo necedades, a las que yo, naturalmente, no contesté.

El Liberal, de Bilbao, me defendió, dándome en la defensa un carácter antivasco, que yo no tengo. ¿Por qué he de ser antivasco? Cierto que no tengo ese entusiasmo místico por la raza que tienen los bizkaitarras. Yo, que me llamo Baroja y Nessi, y que soy mixto de vasco y de italiano del

Norte, no voy a cantar las excelencias de los individuos de razas puras. Puede uno, como me pasa a mí, no leer *Euzkadi* ni tener el menor aprecio por ese periódico y ser vascongado y estar tranquilo con serlo. Yo soy tan vasco como pueden serlo los de *Euzkadi*, ahora que no me parece indispensable para ello llevar escapulario, ni ser de los luises...

Si el mítico padre Aitor renaciera de sus cenizas, es posible que dijera, mirando las cabezas piriformes de los redactores de *Euzkadi:*

—Por Urtzi y por Azaos (divinidades de los antiguos vascos), ¿quiénes son estos cretinos apostólicos y romanizados que se consideran mis representantes? ¿Qué clase de país es ese que ahora llaman *Euzkadi?*

Un mes después del banquete, un curita vascófilo de estos que sirven de moscas carnarias del vascuence, don Resurrección María del Azkue, dijo en una conferencia, ante el aplauso de un público bizkaitarra, que yo era un botarate y que me debían expulsar del País Vasco. Yo no sé si este señor, don Resurrección, es un botarate o no; es cosa que no me interesa. Lo que siempre es de alabar es este sentimiento de delicadeza, de finura y de cortesía que muestra siempre la gente de Iglesia.

Estos ganapanes eclesiásticos en lo primero que piensan es en expulsar. Consideran al enemigo como a la solitaria. No se les ocurre procedimientos de persuasión, sino en seguida la expulsión.

No harán, seguramente, como San Francisco de Asís, cuando, en Agubio, fue a ver al terrible lobo que asolaba al país, y le dijo:

—Hermano lobo, estás haciendo mucho daño en estos contornos; yo quiero, hermano lobo, que haya paz entre los hombres y tú, y que no los ofendas más.

A estos ganapanes no les entusiasma la persuasión; ellos quieren la expulsión.

Más que el papel de santo, prefieren el papel de santonina.

Bagaría me suele decir:

—El porvenir de usted es el aeroplano. Tendrá usted que andar por el aire preguntándose para bajar a tierra: «¿Dónde habrá un sitio por ahí del que yo no haya hablado mal?»

XI

SOBRE LA MANERA DE ESCRIBIR NOVELAS

He publicado un tomo de *Páginas escogidas* por encargo de la Casa Calleja.

A la mayoría de los amigos les ha parecido bien el texto y las notas.

Ortega y Gasset me dice que quizá debía haberme extendido más en la parte que trata de la técnica de la novela.

También hace otras observaciones:

—En el prólogo de las *Páginas escogidas*—dice—da usted la impresión de que usted escribe sus novelas así como de primera intención, sin trabajo preliminar. ¿Es cierto esto? ¿No toma usted antes notas?

—Yo siempre tomo notas, aunque no en el mismo momento. Cuando me ha impresionado un lugar, un sitio o un pueblo, al cabo de algún tiempo escribo la impresión, y si ésta me deja el deseo de seguir, le voy añadiendo y quitando, pensando en los tipos que me sugieren aquellos lugares.

Yo creo que todo el mundo que escriba obras de imaginación hará algo parecido. La única diferencia que yo tengo con los naturalistas en que éstos toman las notas inmediatamente y yo las tomo después, recordando las cosas.

De pensar en los mismos lugares y acontecimientos, salen los personajes y las ideas. Los nombres de los personajes suelo tomarlos muchas veces de las muestras de las tiendas.

Creo que es muy difícil que un autor invente de golpe un asunto con sus derivaciones; supongo que la mayoría, como yo, va escribiendo e inventando. Sin embargo, yo recuerdo haber inventado varias obras de teatro completas, que luego no he podido escribir; me parecía, al comenzarlas, que ya estaban escritas.

Para mí, y creo que para la mayoría de los escritores, tiene que haber un aliciente, una pequeña sorpresa en su misma obra.

A mí, por ejemplo, se me ocurrió primero hacer con Aviraneta un capítulo para una novela; después, un tomo, y luego, una porción de tomos.

Cuando yo tengo un conjunto de impresiones reunidas y de tipos ideados, pienso si todo este conjunto tendrá para mí algún sentido, y entonces comienzo a forjar un plan. A veces tomo deliberadamente una dirección falsa, y entonces tengo la idea algo parecida a la del nadador, que ha de calcular que en la diagonal de la dirección que lleva con la fuerza de la corriente está su verdadero camino.

Muchas veces he pensado si se podrían idear planes de novelas echando mano de la Geometría y del Algebra, pero no he dado con solución alguna.

Cuando encuentro algo aproximado a un plan para escribir un libro, empiezo a la buena de Dios. Después, mi preocupación es hacer la novela poco aburrida, para lo cual dejo los capítulos breves y los párrafos cortos.

Lo que no hago nunca es poner notas melodramáticas de las que le gustan al público, ni voy tampoco por el camino que la gente cree que uno debe ir.

Cuando publiqué *La dama errante*, un escritor me decía:

—El libro interesa, pero a todo el mundo le parece absurdo que haya usted escamoteado de su libro la escena más sensacional del drama de la calle Mayor: la de la explosión de la bomba. Blasco Ibáñez hubiera hecho treinta o cuarenta páginas con ello.

—¡Ah! ¡Claro! Es que Blasco Ibáñez es un novelista público, y yo soy un novelista privado.

La verdad es que en el arte de hacer novelas, como en casi todas las demás artes, se aprende muy poco. La cuestión es tener vida, fibra, energía, o romanticismo, o sentimiento, o algo que hay que tener, porque no se adquiere.

Si no fuera por la vida que tienen, novelas como *Le Rouge et le Noir* o *Crimen y castigo* serían muy poca cosa. Lo que salva al novelista y al poeta es lo que pone y no se puede aprender. Los motivos que cada escritor tiene para dedicarse a escribir serían interesantes si se pudieran conocer bien.

Indudablemente, hay mucho de imitación. Si yo no le hubiera visto escribir artículos y versos a mi padre, quizá no se me hubiera ocurrido escribir.

¿Por qué no me lancé yo también a hacer versos? Creo que para esto ha sido un obstáculo mi falta de memoria. Yo recuerdo bien las cosas vistas; en cambio, las palabras y lo escrito no lo recuerdo bien.

Las mismas impresiones visuales no

las conservo con fidelidad y las transformo, sin querer, a mi modo.

Si yo recordara tan bien como lo que he visto lo que he leído, quizá no pudiera escribir; pero no me pasa esto, sino todo lo contrario: se me confunden las ideas y llega un momento en que no sé la génesis de mis pensamientos, que me parecen completamente originales.

XII
UNA CARTA Y ALGUNAS DIVAGACIONES

Un periódico de Barcelona, *La Publicidad*, publica un artículo sobre mi libro *Juventud, egolatría,* y entre varias cosas equivocadas, dice que la posición mía con relación a la guerra actual es idéntica a la de Romain Rolland. Como no creo que sea cierto, yo escribo esta carta:

«Señor director de *La Publicidad*.

Muy señor mío: He leído un artículo de Carlos Costa en *La Publicidad,* sobre mi libro *Juventud, egolatría,* y voy a rebatir, no sus juicios literarios, cosa que yo no rebato nunca, sino su crítica acerca de mi actitud indiferente y agnóstica ante la guerra.

No hay paridad ninguna entre el caso de Romain Rolland, ni tampoco entre el estudiante filósofo de Alemania y el caso mío. Romain Rolland es un escritor francés, de raza francesa, que ha tenido grandes éxitos en París, que debe parte de lo que es a Francia. Yo no sé lo que dice Rolland en su libro *Au dessus de la mêlée,* porque no lo he leído; lo que sí sé es que una actitud serena e indiferente en un francés con respecto al conflicto actual es absurda y falsa. Lo mismo digo del estudiante alemán kantiano

que se bate. Su inteligencia le puede decir que lo que hace es horrible, pero sus instintos le impulsan a ello.

Pero yo, español, ¿qué tengo que ver con la *mêlée?* Yo no soy francés, ni alemán, ni debo nada a Francia ni a Alemania, ni tengo obligaciones de ninguna clase para una nación ni para otra. Ya sé yo que hay una palabrería místicorreligiosa como hay otra místicorrevolucionaria, y con la primera me quieren convencer de que Jesucristo murió por mí y con la segunda me dicen que soy libre por obra y gracia de la Revolución francesa. Yo me permito no creer en estas mistificaciones piadosas.

Poniendo ejemplos ilustres, se puede reprochar a un Goethe y a un Hegel que, mientras los franceses bombardean los campos de Jena, el uno estuviese escribiendo tranquilamente en la ciudad sitiada la segunda parte del *Fausto,* y el otro estuviera terminando la *Fenomenología de la moral;* pero no se les podrá reprochar a Hegel ni a Goethe que escribieran sus obras mientras los franceses cañoneaban Zaragoza o los ingleses peleaban en Arapiles.

Cuando atacan el país de uno, lo instintivo, lo natural, lo biológico, es defenderlo. Yo creo que lo haría si lo viera invadido por el enemigo.

A esto dirá la turbamulta de aliadófilos con su fraseología ridícula que unos combatientes representan el derecho y la justicia y los otros la barbarie. Yo, como no lo creo, no puedo estar dentro de la *mêlée* peiodística; otros dicen que debemos estar al lado de los unos y no de los otros, porque los unos son hermanos nuestros de raza.

Yo no creo en esta hermandad de la raza. No sé si, como vasco, soy latino o no; si lo soy, no tengo ningún entusiasmo por serlo.

Como ve usted, no siendo beligerante, no creyendo que unos tengan razón y otros no, no sintiendo como no siento ninguna efusión latina, tengo el derecho de mirar desde mi rincón el conflicto casual, en su aspecto político, de una manera fría e indiferente, aunque en su aspecto humano me parezca algo horrible, como una calamidad cósmica. Es de usted atento, s. s., q. b. s. m.,

Pío Baroja.»

A esta carta, *La Publicidad* pone un comentario desprovisto de sentido.

Dice que yo me preocuparé de las extravagancias del hombre boa o de un sopista mendrugo, y no de las cuestiones de derecho que origina la guerra. Naturalmente. Hay en esto una cuestión de oficio. Yo tengo el oficio de ser novelista, y me preocupan las cosas de mi oficio, como al médico las suyas y al arquitecto las suyas. Tendría gracia que al director de *La Publicidad* le dijeran: «La impresión se ha empastelado, la máquina se ha roto», y él contestará: «¿Qué importa? La cuestión es ver cómo se resuelve esto de los Balcanes.»

Me reprocha el periódico catalán de nacionalista porque digo defendería el país si lo atacaran. No hay tal nacionalismo. Yo no sólo soy enemigo del nacionalismo, sino de la misma idea de la patria. «El mundo, para todos los hombres», ése sería mi lema, y si éste pareciese demasiado amplio, me contentaría con este otro: «Europa, para los europeos.»

Pero en el estado actual, si el país de uno fuera atacado, ¿qué iba a hacer el habitante? Naturalmente, contestar a la agresión.

Otros pequeños absurdos dice el periódico barcelonés, que no vale la pena de comentar; por ejemplo: que yo tengo desprecio por Francia. ¡Qué

he de tener desprecio por Francia! Sería un imbécil si lo tuviera. Al revés; siento envidia, cuando voy a Francia, al ver un país tan fértil, tan bien cuidado, con ríos tan hermosos, con ciudades tan espléndidas, y en el cual no tiene uno el derecho de ciudadano.

Ya he dicho varias veces que para mí Francia es el primer pueblo, el mejor situado, el que tiene un clima de Europa más propicio; por tanto, aquel que pueda tener condiciones de alimentación, de vida y de cultura general más completas. De eso a que sea indiscutible, a que tenga razón en su soberbia, en su vanidad, a que quiera ser el árbitro de todo, hay una gran diferencia.

Por muy grandes que sean Francia, Inglaterra y Alemania, no deben imponerse a ningún país, ni al más miserable.

¿Desprecio? ¡Qué tontería! Siempre he creído que el francés es el pueblo de más genio político y de más condiciones militares. En lo que no creo es en ese monopolio del ingenio, de la gracia y de la simpatía, que se adjudican ellos. Tampoco creo que sean los primeros en exaltación individual.

Todos los pueblos de Europa, incluso España, han dado una cima en la vida, en el arte o en la ciencia, más alta, más fuerte, más característica que Francia. Se trata de heréticos, no hay ninguna en Francia tan grande como Lutero; se trata de sabios, tampoco hay ninguno como Copérnico o como Newton; entre los escritores, no hay un Shakespeare; entre los músicos, no hay un Beethoven; entre los filósofos, no hay un Kant; entre los pintores idealistas, no hay un Rafael o un Botticelli; entre los realistas, no hay un Velázquez o un Goya; entre los escultores, no hay un Donatello o un Miguel Angel; entre los hombres de acción, no hay un Hernán Cortés o un Pizarro.

En todas las esferas del pensamiento y de la acción, no es casi nunca lo más alto un francés.

La excepción, indudablemente, es la política, en donde el francés está por encima de todos. Algo como Mirabeau, como Danton, como Robespierre, no ha habido en el resto de Europa.

Lo más bello que ha hecho Francia en arte, lo gótico, que yo no creo que sea exclusivamente francés, es una obra colectiva y anónima.

....

Puesto que me ha venido a la imaginación el arte gótico, tengo que hacer una ligera divagación acerca de él.

Desde hace tiempo es un lugar común de los críticos de arte el decir que el arte gótico no debía llamarse así; que este nombre, puesto por primera vez por Vasari, es inexacto. Según esos señores, el arte gótico es exclusivamente francés. La afirmación de los tales críticos se basa en que los primeros edificios góticos aparecieron en Normandía, en la Champaña y, principalmente, en la isla de Francia, y en que no había godos en Francia en el siglo XIII. Creen que estos argumentos son definitivos, y no lo son. Naturalmente, todo arte de construcción rico y suntuoso aparece en los países ricos, lo cual no basta para que sea exclusivamente de ellos.

El arte gótico es una derivación científica, técnica, de elementos existentes en las artes anteriores. La historia de la ojiva no está aún bien documentada, aunque parece que va encontrándose en el arte románico; respecto al contrafuerte, elemento indispensable para poder elevar la bóveda, cosa esencial del arte gótico, fue empleado en las iglesias de Lombardía, tierra impregnada de germanismo.

El arte ojival no tiene de nuevo, probablemente, más que su espíritu. Es este arte al románico lo que el cristianismo al judaísmo.

Jesucristo, según afirma la crítica de los rabinos, no dijo nada específicamente nuevo que no hubiesen dicho los profetas judíos, pero lo dijo con más fuerza, con más pasión.

Este espíritu nuevo del arte gótico, ¿de dónde puede provenir? Si hay una relación en el espíritu de las obras de un país, no cabe duda que no la hay entre lo que se llama hoy el espíritu francés, galorromano, y el arte gótico, y que lo hay entre este arte y el espíritu germánico.

Aunque el arte ojival no tuviera precedentes y hubiera nacido espontáneamente en la isla de Francia y en Normandía, sería siempre más germánico que galo.

En Francia ha habido tres grandes núcleos de población: el galo (céltico, velche, etc.), el latino (ibérico, mediterráneo, liguro, etc.) y el franco (gótico, germánico). Que el arte gótico ha nacido en los lugares ocupados por los pueblos francos, germanizados, góticos, no cabe duda; que se extendió igualmente por las zonas germanizadas de Europa, Francia, Alemania, Inglaterra, Italia y España, es también indudable; por último, que su espíritu se encuentra más dentro de la corriente germánica que de la gala o de la romana, tampoco se puede negar.

No estaba, pues, tan descaminado Vasari cuando llamó a este arte, arte gótico. Es, en el fondo, un arte de espíritu germánico.

....

La primera impresión que un español obtiene al asomarse a la cultura es que todo es francés; la segunda es que muy pocas cosas son originariamente francesas. Cierto que esto mismo ocurre con todos los países desde la antigua Grecia hasta los Estados Unidos. La cultura francesa, como algo muy bien organizado, tiene la ventaja de servir de nodriza a gentes de cierta mediocridad, como nuestros ateneístas, los sociólogos hispanoamericanos, etc., etc. Vale más que éstos sepan algo, aunque sea superficialmente, que no que no sepan nada.

Con los franceses en grande me pasa como con los sevillanos en pequeño.

Un sevillano me decía:

—Aquí somos gente indolente, vivimos con la imaginación, no se trabaja mucho, pero hay ingenio y gracia.

Yo le contesté:

—Hombre, yo no veo eso como usted. Yo encuentro que los sevillanos son muy trabajadores, sobre todo teniendo en cuenta este clima cálido y enervante; me parece que es gente seria, honrada y de palabra, de quien se puede uno fiar a cierra ojos... Ahora, gracia no, yo no les encuentro ninguna.

Lo mismo me pasa con los franceses: yo creo que es gente inteligente, fuerte, valiente, honrada. Pero ¿gracia? ¿Espiritualidad? ¿Simpatía? Yo no la encuentro más que en los demás países, quizá menos que en los hombres de la Europa excéntrica.

El tipo del centro de Europa es, indudablemente, fuerte, pero siempre un tanto pesado.

Fouillée, en su libro sobre los pueblos europeos, en el que dice cosas bastante absurdas, cree, naturalmente, como buen francés, que las características de sus compatriotas son el ingenio, la gracia, la simpatía, etc.

No es posible que nos pongamos todos de acuerdo acerca del sentido de estas palabras. Respecto al ingenio, suponiendo que se sobreentiende con esta palabra el ingenio fácil, yo creo que estas razas meridionales, incluyendo la española, han sido más ingeniosas que la francesa. Yo lo digo sin ningún entusiasmo, porque no creo que tenga gran valor el ingenio fácil.

«El ibero es de ingenio mediocre», dice el señor Fouillée, con una seguridad un poco cómica. Ni el señor Fouillée ni yo sabemos lo que era el ibero, ni si ha existido alguna vez; pero si con el ibero se quiere dar a entender el español de antes de la colonización griega y romana, no se puede decir que fuera de ingenio mediocre.

Por el contrario, inmediatamente que el español fue aleccionado por el romano y aprendió el latín, lo que demostró en seguida fue ingenio: Séneca, Lucano, Marcial, Quintiliano, son gentes principalmente de ingenio. Después de la época cristiana, nuestros ortodoxos y nuestros heterodoxos son más que nada gentes de ingenio; Averroes y Raimundo Lulio, Vilanova y Miguel Servet, San Ignacio de Loyola y Santa Teresa, son también principalmente ingeniosos.

Toda la casuística de los jesuitas españoles, toda la poesía, toda la novela y todo el teatro nuestros están hechos a base de ingenio. ¿Qué son Lope de Vega, Quevedo, Góngora, sino *el summum* del ingenio? Lo que falta a la producción intelectual española no es ingenio, sino profundidad, simpatía, humanidad. Mientras no se trató más que de probar ingenio, el español hizo un buen papel en la Europa culta; cuando ya no bastó esto, sino que se necesitó precisión, técnica, organización científica, capacidad de abstracción, entonces fue cuando el español se desacreditó por completo. La edad de la oratoria, la edad de la retórica han pasado, y el español no se ha dado cuenta. De aquí que para el mundo los españoles tengamos aire de fósiles, de viejas momias acartonadas.

Volviendo de nuevo al libro de Fouillée, se ve que el francés, desde el momento que echa la mirada fuera de su país, no entiende nada; todo lo ve en francés. Este francesismo inconsciente le lleva a Fouillée a extremos graciosímos; por ejemplo, a decir que en España la mayoría de la población es dolicocéfala, cosa cierta, y que hay una pequeña cantidad de braquicéfalos entre... la aristocracia.

Si se analizara esta opinión, se vería claramente que Fouillée supone que en España la aristocracia—es decir, lo mejor para un francés demócrata — es braquicéfala, porque los franceses son braquicéfalos. Naturalmente, según él, la población superior de España debe de ser algo parecido a lo que es la población de Francia. El francés tiene una miopía extraordinaria para todo lo que no sea Francia.

XIII

XENOFOBIA

—Pero usted, que es un hombre independiente, ¿cómo puede usted tener simpatía por la disciplina alemana?

—Yo no tengo ninguna, ni por la alemana ni por la francesa. En último término, acepto como más posible la primera que la segunda, porque me parece más lógico que intenten conmigo la intimidación que la persuasión.

Si a un lado me ponen la obediencia y al otro la muerte, obedeceré, ¡claro es! Pero ¡que me persuadan! No, no. Esto me parecería demasiado débil y demasiado vil. Que el Estado me diga: «Toma esta arma y vete adelante; si no, te matamos»; yo tomaré el arma y marcharé. Pero que el Estado me quiera convencer que mi deber, mi honor, etc., es el de servirle, no, no. Hay gentes que han nacido para ser ladrillos de estas torres que se hacen, como la de Tamerlán, con cadáveres humanos; yo no tengo vocación de ladrillo.

Para mí, el militarismo francés y el alemán son por el estilo. Yo siento por los dos el mismo asco; ahora el francés me parece aún más grotesco.

Respecto al militarismo alemán, al menos hay la esperanza de que cuando caiga el Imperio con sus Hohenzollern, desaparecerá de allí la peste militar; en cambio, Francia ya se sabe que con el Imperio, República o Monarquía, será siempre un país militarista y patriotero.

El otro día me contaba un señor, en Irún, que un amigo suyo de Bayona, persona respetable, en el curso de una conversación sobre la guerra, dijo: «Y, al menos, si no perdiéramos más que la Alsacia y la Lorena...» Acababa de decir esto, cuando sintió la mano de un policía en el hombro... y ¡a la cárcel! Dos meses de prisión por hacer campaña derrotista. ¡Y esto en nombre de la libertad!

Todo el mundo tiene la posibilidad de ser eunuco; pero de ser eunuco por la fuerza a ser eunuco por afición, hay un abismo.

Esta guerra me ha producido a mí una verdadera xenofobia y un gran contento de ser de un país neutral.

Siento por franceses, alemanes e ingleses cada vez menos simpatía y un deseo mayor de no enterarme de lo que hacen. Sobre todo, estos agentes franceses y alemanes que andan por España catequizando a unos y a otros me son repulsivos. Comprendo que hacen una obra patriótica para su país; pero yo no quiero nada con espías, y menos con los que los secundan.

Tampoco quiero mezclarse en cuestiones extranacionales.

Me han propuesto dos veces ir a Alemania, una vez por *El Imparcial* y otra por el Gobierno alemán, pero no he aceptado; no iría a Francia tampoco en tiempo de guerra, ni atado. El escribir para adular a los Gobiernos y al ejército no está en mi temperamento.

Además se encuentra uno harto de leer necedades. Hace pocos días, rompiendo mi plan de no enterarme de la guerra, leí con un fin de negocio editorial un libro de ese pobre hombre vulgar, Marcel Prévost, titulado *D'un poste de conmandemet*, y me pareció de una ridiculez tan completa, que voy a seguir con mi método de ir quemando todos los folletos y libros que me envíen sobre la guerra sin leerlos.

Al principio leí algunos escritos, y me dio la impresión de que el momento actual es un momento de estupidez en el mundo, sin precedente. Cuando se dijo que Melquíades Alvarez y Vázquez de Mella habían apostado una cena a quién ganaba la guerra, me pareció una chabacanería digna de políticos españoles; ahora nada me parece tan necio como la misma guerra.

Algunos periódicos dicen estúpidamente que Francia está pagando con su heroísmo las locuras pasadas. Las locuras, sin duda, son haber echado los frailes y haber implantado el divorcio.

Para mí la locura es ésta. Yo creo que franceses y alemanes luchan actualmente por rutina y aun por cobardía, al menos por cobardía moral; yo creo que están dominados por una organización terrorista y que no son capaces de oponerse a ella.

XIV

LOS ESPAÑOLES DE AMERICA

Unos españoles de la Argentina, los señores Corchón, Rodero y Bernáldez, me envían una carta y un artículo de un periódico, *La Crítica*. Estos señores me dicen que yo he servido de motivo para que un periódico argentino hable mal de España, y que debo, por tanto, defender la obra de España en América.

Pocos días después me envían dos artículos más del mismo periódico y una caricatura mía.

Los artículos de *La Crítica* son una cosa grosera y soez, una serie de insultos contra mí y contra los españoles. Dicen que yo soy *gayego* y no vasco; que he sido mozo de tahona; que hablo mal de la Argentina porque cuando estuve en Buenos Aires pedí un destino en una casa de comercio y no me lo dieron; que he vivido de *maquereau* en París, y cosas igualmente inexactas.

Lo que dice el periódico en contra de los españoles es por el estilo de necio, pero más banal. Yo no voy a contestar al periódico *La Crítica*, porque no vale la pena. Los que me conocen ya saben cómo soy; los que no me conocen es lo mismo que piensen lo que quieran; los que saben que yo no he pasado el Atlántico no van a creer que porque no me dieron un empleo en Buenos Aires he hablado con rudeza de los americanos.

Como digo, no voy a contestar a *La Crítica*, pero sí a la pretensión de estos españoles que quieren que yo haga un ejercicio retórico cantando la obra de España en América. Para estos españoles de América que se las echan de patriotas España no tiene más valor que un telón que les sirve para destacarse y para vender los géneros de su tienda.

Nosotros, los que vivimos en la Península, no debemos intentar mejorar nuestra situación denunciando los males e intentando hacerlos desaparecer.

Si hay miseria, si hay emigración, si hay ignorancia, si hay caciquismo e injusticia, debemos callarlo para que los españoles que viven en América puedan tener crédito y vender el bacalao, las latas de pimientos o el tabaco, en sus tiendas, con toda felicidad.

Es verdaderamente notable la pretensión de esos españoles que se van de su país porque les conviene (y están en su derecho, nadie lo niega), de creerse más patriotas que los que quedamos aquí y que tenemos que padecer los males de la patria y reaccionar con ellos.

Para esos españoles de América, el español debe ser un canario que se dedique a lanzar trinos al aire, aunque sea sobre ruinas y sobre páramos.

No; nos importa muy poco la opinión que se tenga en América de España. Lo que queremos es que España mejore, que se robustezca, que llegue a ser una nación seria e inteligente, que realice la justicia en el mayor grado posible, que tenga una cultura vasta original y múltiple.

Si nuestra bandera no les sirve a los comerciantes españoles de América para vender tachuelas o latas de conservas, que las vendan con cualquier otra.

—¡Ah! ¿Y el dinero que viene de allí?

—Yo no creo en el dinero, sino en la inteligencia y en la fuerza.

Los españoles hemos notado que mientras hemos vivido con la carga de América, hemos ido de mal en peor. Al soltarla es cuando ha comenzado a normalizarse la vida en España. Tarde o temprano, el pequeño lazo que nos une con América se ha de romper. Cuanto más pronto se rompa, mejor.

....

En un libro titulado *Cinq-Mars*, de Alfredo de Vigny, poeta que me parece bastante cómico, hay un capítulo titulado «La tempestad», que transcurre en los Pirineos, entre contrabandistas vascos. Estos contrabandistas cantan:

Ai, ai, ai. Jaleo! Jaleo! Jeunes filles, jeunes filles! Qui veut m'acheter du fil noir?

Y luego el autor, para demostrar sus grandes conocimientos vasco-pirenaicos-contrabandistas, pone una nota a «jaleo» así: «*Jaleo: Exclamation et jurement habituel et intraduisible.*»

Algunos americanos, a quienes ha parecido mal lo que he dicho de ellos en *Juventud, egolatría*, me contestan como invitándome a una polémica.

Yo ya he dicho que no creo en las polémicas. Tampoco creo que lo que he dicho acerca de los americanos sea estrictamente justo, no. Los hombres son iguales en todas partes, en Europa, en América y en Oceanía. Lo que a mí me irrita de los hispanoamericanos es lo mal que legitiman su modernidad. No son capaces de crear una Universidad especializada ni de tener grandes industrias, grandes inventores o grandes ingenieros, ni de lanzar una utopía al mundo; son negociantes en pequeño, y cuando quieren hacer algo espiritual, hacen versos o escriben una sociología traducida del francés. Están a la altura de lo peor que hay entre nosotros: del señorito.

Los escritores americanos ven que España se les va, se les escapa, que irá haciéndose cada vez más europea, más desligada de América.

La época de la *floritura* de los Castelar, de los Labra, pasó a la Historia; pronto pasará la época de los Salvador Rueda, de los Cavestany, de los López Muñoz...

Los loros y las cotorras no se verán, dentro de poco, más que en los jardines zoológicos. Y entonces se acabó; España se irá haciendo un país áspero, serio, industrial y minero, y todos los poetas americanos que vengan aquí tendrán que quedarse con sus versos en el estómago.

«Ai, ai, ai. ¡Jaleo! ¡Jaleo!» Esto es lo que sienten los americanos que se vaya. Discursos, Comisiones, banquetes, kilómetros de percalina...

«Ai, ai ai. ¡Jaleo! ¡Jaleo!» Odas a la Argentina, salutaciones a Chile, Fiestas de la Raza, elogios a Colón y a su señora madre...

«Ai, ai, ai. ¡Jaleo! ¡Jaleo!» Castelar, Labra, Salvador Rueda, Cavestany, Zamacois, Villaespesa...

Nosotros, no sé si somos muchos, pero al menos algunos, que creemos tener una idea aproximada de lo que es España ante la cultura universal y de lo que podía haber sido, quisiéramos hacer la experiencia de la raza libre de dos factores que han sido su ruina: el catolicismo y América.

A estos americanillos les asombra y les molesta que en España pueda haber gentes de pensamiento audaz, capaces de sobrepasar sus ideas. Ellos creen que con la República y la democracia y cuatro o cinco cantatas latinociudadanas, con las que nos están aburriendo desde hace muchos años, han llegado al término de todas las posibilidades. Y en esto se engañan. Nosotros, los españoles, podemos ser ignorantes y viejos, pero muchos estamos dispuestos a dar un salto hacia el porvenir con todas nuestras fuerzas.

Si pudiéramos, haríamos toda clase de experiencias, desde la dictadura a la anarquía, y desterraríamos para siempre ese «Ai, ai, ai. ¡Jaleo! ¡Jaleo!», que en tiempo de *Cinq-Mars*, según Alfredo de Vigny, era exclusivo de los contrabandistas vascos y hoy es tan del gusto de los americanos.

XV

DE PINTURA

Juan Echevarría, el pintor bilbaíno, se ha puesto a hacer un retrato mío en un cuarto de la Redacción de *España*.

Sentado en un sillón, sobre una tarima, me paso las horas muertas charlando. Según dice Echevarría, con la charla cambio demasiado de expresión, y mis cejas suben y bajan y no hay manera de inmovilizarlas.

Solemos tener muchas discusiones, sobre todo, y en particular, sobre pintura.

Lo mismo Echevarría, que Bagaría, que *Juan de la Encina*, tienen la tendencia de afirmar que no hay en la pintura más que un elemento sensorial y que hay que prescindir en ella de todo lo intelectual. Sorolla es también de los que creen que el que pinta un pimiento bien es un pintor. Yo no lo creo. No creo que pintar un pimiento bien sea como pintar una cabeza bien; como decir en el teatro «¡Buenas noches!» bien no es lo mismo que representar *La vida es sueño* bien. Yo no sé si la pintura tiene que tener necesariamente una intención histórica o anecdótica, supongo que no; pero tampoco se puede afirmar que la pintura que tenga esas intenciones sea por necesidad mala.

Indudablemente, un cuadro no gana nada porque sus personajes sean los Apóstoles, Moisés, Jesucristo, Buda o Napoleón. Como cuadro, lo mismo da que la escena pase entre dioses que entre carboneros. Cierto.

Esto no impide para que la concepción de una obra pictórica tenga valor, ¡y un gran valor!; lo que pasa es que este valor no es idéntico al valor del mismo asunto en literatura o en Historia.

Concebir un asunto como cosa pictórica tiene que ser difícil, porque se ve que la mayoría de los pintores actuales no sólo no dominan su arte, sino que conciben defectuosamente.

Para exculparse, nuestros pintores dicen que la pintura con asunto es una cosa anecdótica, y que la pintura de Historia tiene mucho de guardarropía.

Claro que se han hecho errores en esta clase de pintura que se podía llamar intelectual, pero otros y no menos grandes absurdos se hacen en la pintura sensualista.

La palabra «anecdótico» no significa nada. Anecdótico serían los frescos de Rafael y los cuadros de Tintoretto; el *Entierro del conde de Orgaz*, del *Greco*; la *Carga de los mamelucos* y los *Fusilamientos de la Moncloa*, de Goya.

Un tipo de cuadro nada anecdótico sería *El buey desollado*, de Rembrandt, que está en el Museo del Louvre; pero si toda la pintura fuera así, yo, al menos, no iría a verla jamás.

La mayoría de los pintores actuales quieren huir de la literatura y de la poesía; pero, en general, no tienen necesidad de huir: son la poesía y la literatura las que huyen de ellos.

Nuestros neoimpresionistas tienen una estética bastante confusa; en los colores, lo principal es la física, los complementarios, la armonía, etcétera; en cambio, en la perspectiva ya la física no es trascendental, y se ve un bodegón en donde la botella está torcida y la taza no guarda el equilibrio, y dicen: «Eso no importa.»

Para unas cosas la Naturaleza y la física son respetabilísimas; para otras no tienen importancia.

Yo supongo que el valor de un cuadro debe ser múltiple, porque si dependiera sólo de una armonía de color, su mérito sería pasajero, una ligera combinación química de los rojos y de los azules acabaría con él. Y no cabe duda que hay cuadros que se defienden de las ligeras combinaciones químicas.

Ni aun siquiera la exactitud debe ser esencial. En estos últimos tiempos del impresionismo se hablaba de que un cuadro debía dar la sensación de la hora exacta en que ocurría; sin embargo, se ve que esto no debe de ser lo más importante, puesto que hay cuadros realistas, como la célebre *Ronda de la noche*, de Rembrandt, en que unos aseguran que es de noche y otros que es de día, y todos lo consideran como una gran obra.

LIBRO SEGUNDO
UNA EXCURSION ELECTORAL

I

VILADRICH

Miguel Viladrich es un pintor a quien conocí hace años, en tiempo en que se celebraba una Exposición de pinturas.

Viladrich presentó un cuadro bastante extraño que se titulaba *Mis funerales*, y que tenía algo de tabla de primitivo y algo de broma actual y macabra. Por entonces, Viladrich era un joven menudito, afeitado y con una gran melena rubia.

En la calle producía la expectación del público.

Perdimos de vista a Viladrich, oímos algún tiempo después rumores de que el pintor catalán había hecho grandes extravagancias en París, y al cabo de siete u ocho años le hemos visto de nuevo en la redacción de *España*, en compañía del escultor Julio Antonio.

El Viladrich de hoy es un nuevo Viladrich: lleva el pelo al rape, viste en buen burgués y usa corbata blanca.

Al pintor se le podría deducir una canción que cantaban los ciegos de Madrid cuando yo era estudiante del bachillerato:

> *Este no es mi Juan,*
> *que me lo han cambiao;*
> *aquél tenía pelo,*
> *y éste está pelao.*

El nuevo Viladrich tiene también un lenguaje nuevo; nos habla de su vida retirada de Fraga, de cómo vive en un castillo antiguo que le ha cedido el pueblo, y nos expresa sus entusiasmos de campesino y de regenerador.

Viladrich aparece con frecuencia en la redacción, habla, discute, y Bagaría le hace una caricatura.

Comienza el período electoral y se empieza a hablar en la redacción de elecciones. Núñez de Arenas, que toma estas cuestiones con calor, lleva el alza y la baja de los candidatos, hace que proclamen candidato a Araquistáin por Eibar y me dice a mí, medio en serio, medio en broma, que debía encontrar un distrito donde presentarme.

—¿Le gustaría a usted?—me pregunta García Bilbao.

—A mí, sí. Ahora he cobrado la segunda mitad de lo que me ha pagado la Casa Calleja por las *Páginas escogidas*, es decir, dos mil quinientas pesetas, y puedo cobrar otras dos mil quinientas de otras casas editoriales. No tengo inconveniente en emplear estas cinco mil pesetas en salir derrotado.

—¡Ah!, pero ¿usted quiere presentarse diputado?—me pregunta Viladrich, al enterarse de esta conversación.

—Sí, ¿por qué no?

—Pues preséntese usted por Fraga.

—No me aceptarán como candidato.

—Sí, hombre, con los brazos abiertos. Basta que se lo indique yo.

—Bueno. Entonces usted escriba allá a sus amigos, y si hay algún elemento que quiera presentarme a mí, yo voy.

—¡Qué escribir! Pondremos ahora mismo un telegrama.

—Sí, sí—dicen en la redacción—; eso hay que llevarlo a la carrera, porque si no, no hay tiempo.

Se redacta el telegrama y se envía. En la redacción de *España* hay mucha gente y se habla y se discute de política.

Bagaría dice que en cuanto llegue a Fraga debo prometer a mis electores que en el Congreso pediré inmediatamente que se sustituya el caramelo vulgar, anodino, insípido, por el riquísimo higo de Fraga; y pregunta a Viladrich si la célebre maza de este pueblo sirve para aplastar los higos.

Me marcho de la redacción porque es mi hora, y alguien grita con voz de mitin: «¡Viva el diputado por Fraga!» «¡Viva!», repite otro.

A los cuatro o cinco días se presenta Viladrich con una carta de uno de sus amigos de Fraga, en la que no dice gran cosa. Yo creo que no está legitimado el que me presente candidato, y que no encontraré diputados a Cortes o diputados provinciales del distrito que me dan a mí poderes.

Viladrich afirma que sí.

—Hoy mismo voy a ver a Miguel Moya—dice—. Si Moya le da poderes a usted, ¿usted se presenta?

—Sí; pero no los dará.

—Bueno. Yo voy a verle esta noche. Mañana por la mañana iré a casa de usted y le diré lo que haya ocurrido.

Al día siguiente Viladrich se presenta en mi casa.

—Moya ha rehusado finamente, pero ha rehusado—me dice Viladrich.

—Es natural—le digo yo—. Moya es un señor de los más adaptados a este ambiente político de componendas. No le puede hacer gracia un tipo como yo, que tengo fama de estridente y de agresivo. El es un hombre de justo medio, que se cree que tiene mucha fuerza, y la tiene de verdad, pero yo no le he pedido nunca nada ni pienso pedirle.

Nos despedimos Viladrich y yo.

—¿Así que renunciamos al proyecto?—me pregunta él.

—Renunciamos—le digo yo.

Viladrich se marcha a Fraga, y yo me quedo en Madrid.

Al día siguiente por la tarde, después de comer, voy a dar un vistazo por una librería de viejo en la calle de Atocha, y a la vuelta entro en la redacción de *España*. En la redacción está mi hermano Ricardo con un telegrama de Viladrich. El telegrama dice que hay buenas impresiones acerca de mi candidatura, que vaya a una conferencia telefónica a las cinco y veinte y que prepare el viaje para Zaragoza.

Como uno no sabe nada de esto y cree que puede delegar en otro para que le represente como candidato en la proclamación, vamos García Bilbao, *Juan de la Encina* y yo a casa de un notario de la calle de Cedaceros, pero el pasante nos dice que para hacer un poder es necesario, por lo menos, un día.

Salgo de casa del notario, tomo un coche, voy a casa, cojo un maletín y me dispongo a salir.

—¡Qué tontería!—me dice mi madre—. Parece mentira que hagas un viaje por una tontería así.

—¡Pchs! Nos dejaremos llevar por la suerte.

A mi madre no le hace ninguna gracia el proyecto. Más bien creo que le asusta la posibilidad del éxito que la derrota.

Tomo un coche, y voy a Teléfonos.

La conferencia se retrasa. Dan las cinco y media, las seis menos cuarto. Si tarda mucho, ya no tengo tiempo de tomar el tren, que sale a las seis y media.

Por fin habla Viladrich. Dice que se ha visto con personas, en Zaragoza, que le indican que me debía presentar, y como no hay tiempo de mandar poderes, lo mejor es que vaya yo.

—Bueno, ahora voy—le digo.

Salgo de Teléfonos, tomo el coche y a la estación del Mediodía.

El tren está lleno; en un departamento encuentro al pintor López Mezquita. Le saludo y le digo:

—¿No habrá un asiento vacío?

—Sí, el mío. Yo me quedo aquí.

—¡Hombre! Muchas gracias.

Mezquita me presenta a dos señoras, una casada y otra soltera, que van a Barcelona. Estas señoras son muy amables y muy inteligentes y hablamos de arte, de literatura, de la vida. El viaje me resulta rapidísimo.

Llego a Zaragoza, bajo en la estación y veo a Viladrich con dos amigos suyos; los dos, escritores zaragozanos: el uno, Felipe Aláiz; el otro, Rafael Sánchez Ventura.

Tomamos el coche del Hotel Palace y vamos charlando. Son las tres de la mañana.

—Tenemos que salir a las siete—dice Viladrich—. ¿Qué le parece a usted mejor, acostarse o quedarse en pie?

—Hombre, yo creo que es mejor acostarse. Aunque no se duerma uno, por lo menos estará uno caliente.

—Bueno, pues entonces a las siete estamos aquí.

Nos despedimos, y yo subo a mi cuarto.

II

EL DIA SIGUIENTE

Subo las escaleras del hotel, precedido de un mozo, y con un viajante de comercio. Me meto en el cuarto. A pesar de que hay un radiador de calefacción, el cuarto está helado.

Como siempre se olvida uno de algo, esta vez me he olvidado del jabón.

—¿No hay jabón?—le pregunto al mozo.

—No; jabón, no.

—¿No podrían buscarlo?

—No, no lo hay.

El mozo parece decirme: «Pida usted la vida de alguien, pero no pida usted un imposible.»

Casi en ninguno de los hoteles españoles suele haber jabón. No parece sino que es una de las cosas más raras que se le puede ocurrir pedir a un viajero.

Me meto en la cama, y oigo al poco tiempo las campanas de un reloj, creo que del Ayuntamiento.

«Esto me va a despertar», pienso.

Yo, desde hace tiempo, tengo la costumbre, cuando salgo de casa y voy a algún hotel, de taparme los oídos con algodón, porque si no, entre los timbres, las campanas, los pasos y las conversaciones, no hay manera de dormir.

Encuentro un poco de algodón en un tubo de aspirina, lo saco y me lo pongo en los oídos. Precaución inútil. El comisionista, que ha entrado en el cuarto de al lado, parece que tiene la misión de despertar a la gente: da portazos, gargajea...

«¿Cuándo se cansará este animal de meter ruido?», pienso yo.

El comisionista no se cansa. Y se pone a pasearse por el suelo de mármol, dando taconazos.

«¿Qué demonio hará este tío a las cuatro de la mañana?»

Y sigue tac tac..., tac tac. Estoy por insultarle. Al poco tiempo, bum..., bum..., la campana del reloj.

Me levanto; son las cinco en la gran esfera del reloj de enfrente. Me visto, y escribo algunas cartas.

Cuando bajo al portal del hotel están Viladrich y sus amigos.

—Bueno, vamos a la estación.

Viladrich está pintoresco con vendas de turista en las pantorrillas y una gran capa antigua con broches de plata.

Desayunamos en el restaurante de la estación y tomamos el tren, que viene con retraso.

Vamos en el tren charlando de pintura, de literatura, de todo menos de política. Miro alguna que otra vez por la ventanilla. El campo me parece árido y monótono.

—La verdad es que presentar por un pueblo de Aragón a un hombre que ha hablado mal de la jota y de Costa, es una verdadera fantasía—dice Aláiz.

—Sí, creo que estamos en plena fantasía—le contesto yo.

Llegamos a Huesca y tomamos por una calle ancha, en cuesta, que va a dar a una plaza de abastos. A un lado, cerca de una iglesia románica restaurada, está la fonda, que se llama Petit Fornos. ¡Qué nombres más ridículos encuentra esta gente para sus cosas!

En el Petit Fornos nos metemos en un cuarto en que entra el sol, y luego vamos al comedor. Es una fonda española clásica, que está bien; donde la gente se saluda de una mesa a otra con familiaridad y en donde hay unos curas altos y grandes, que dicen que son canónigos de la catedral, que después de comer fuman y beben una copa de coñac.

Uno de ellos, que me ve a mí con boina, al pasar me saluda. Debe de pensar: «Éste es de los míos.»

Por la tarde, Viladrich, Aláiz y Sánchez Ventura comienzan sus gestiones. Ninguna sale bien. Nadie quiere apadrinar a un forastero, desconocido; cosa muy natural.

Vamos a casa del señor Bescós *(Silvio Kosti)*, que me reprocha un poco melodramáticamente el haber atacado a Costa, y allí conozco a un joven periodista de Huesca, Salvador Goñi, muchacho muy simpático y de un espíritu entusiasta.

Prosiguen las idas y venidas de los amigos, cenamos en el Petit Fornos, y después de cenar vamos a un bar, de aire modernista, que hay debajo de unos soportales.

—Amigo Viladrich—le digo yo—. Esto no marcha. No conseguimos que me proclamen candidato, y lo mejor, indudablemente, es dejarlo.

Estamos en el café viendo unas fotografías de monumentos del Alto Aragón, en donde hay cosas admirables; ya estamos dispuestos a marcharnos a la cama, cuando aparece un amigo mío de San Sebastián, Bustinduy.

—Ya sé que te presentas candidato por Fraga—me dice.

—Lo voy a dejar—le contesto—. No se va a lograr que me proclamen candidato.

—Yo tengo poderes de dos ex diputados provinciales que pueden servirte. Conque se encuentre uno más, ya basta.

—Ese más no se va a encontrar.

—Mira: vete a la redacción de *El Porvenir*. Allí estaremos nosotros, y encontraremos otro ex diputado.

Le digo a Viladrich lo que pasa, y nuevo brote de entusiasmo de mi amigo.

Vamos a la redacción de *El Porvenir*. Es la una de la noche.

Llego a la redacción, se habla de quién podría darme poderes, y se queda de acuerdo en que el único que podría hacer esto sería un señor Alvarez.

—Vamos a verle—me dice el director, Pérez Barón, un joven simpático.

—¿Ahora?—le digo yo.

—Sí.

—Ese señor nos va a desear la muerte instantánea.

—¡Ah! Seguramente.

Marchamos por el Coso, y, cortando a la derecha, nos detenemos en una plaza que continúa luego por una calle hacia la catedral.

Pérez Barón da en la puerta de una casa unos aldabonazos, dignos del comendador del *Tenorio*, y charlamos.

—Ahí, en esa casa de enfrente—me dice—, hay un cura que le lee a usted.

—¿A mí? ¡Qué extraño! ¿Y le gusta lo que yo hago?

—Parece que sí, aunque supongo que no estará muy conforme con sus ideas.

¡Pam!... ¡Pam!... ¡Pam!... Nuevos aldabonazos terribles.

Otro rato de charla entre el director y yo acerca de literatura, acerca de periodismo...

¡Pam!... ¡Pam!... ¡Pam!...

Ahora el director me habla de Vera del Bidasoa, en donde ha estado por fiestas, y se ríe recordando que la gente de allí baila en todas partes: sobre la hierba, sobre los cantos y sobre todo.

Por fin sale una criada al balcón, y luego el señor Alvarez.

—Despertarle a usted a esta hora es para matarnos—dice el director de *El Porvenir*.

—Sí, es verdad—replica el señor Alvarez, sin ningún acento de cólera.

El señor Alvarez habla claro: dice que está comprometido con uno de los candidatos y que no puede patrocinar a otro.

Salimos de su casa, y yo me voy a la cama.

Momento trágico. «¿Qué pasará aquí?—me pregunto—. ¿Habrá campanas? ¿Gritará el sereno? ¿Habrá algún vecino loco que recite versos?»

Me meto en la cama, y noto que el obstáculo es la mesilla de noche, que huele que apesta. El ácido úrico de veinte generaciones de canónigos se ha corrompido allí. Cojo la mesilla de noche y la quito de la cabecera de la cama y me duermo.

III

EL DOMINGO

Por la mañana oigo que dan golpes a la puerta. No hago caso, pero vuelven a repetir los golpes, y tengo que levantarme y abrir. Es Salvador Goñi.

—¿Va usted a ir a la Audiencia a la proclamación de candidatos?—me pregunta Goñi.

—No. ¿Para qué?

—¿Irá Aláiz?

—No sé.

—Voy a verle.

—Bueno. Yo me vuelvo a la cama.

A las once me levanto y me acerco a la Audiencia, que se encuentra en la plaza de la catedral. Está Aláiz en un grupo charlando, me reúno a él, damos unos paseos por la plaza, y al poco tiempo baja Sánchez Ventura.

—Ha estado Viladrich a punto de reñir con uno en la sala. Ahora está discutiendo con Medina, uno de los candidatos por Fraga. Quiere convencerle de que debe retirarse y dejarle a usted el puesto.

—Y Medina, naturalmente, no se convencerá.

—¡Ca!

—¿Vamos a verle?—dice Aláiz.

—Vamos.

Subimos al piso principal y entramos en un salón en donde todo el mundo está con el sombrero puesto. Sigue la discusión Viladrich-Medina. Medina protesta.

—No hay tiempo—dice—; si no, yo mismo hubiera sido el patrocinador de la candidatura de Baroja; pero ahora, no, no, no puede ser.

Medina se acerca a mí y me dice que me llevan para hacer el juego a los reaccionarios. Yo le digo que no, que es una ocurrencia de Viladrich, pero que no hay reaccionarios de por medio.

Salimos del salón y bajamos al portal de la Audiencia. Se me acerca el presidente del censo de Tamarite y me pregunta si yo soy Pío Baroja y qué planes son los míos.

Yo le digo que Viladrich y sus amigos pretenden que yo he de tener votos en Fraga, que yo no lo puedo saber y que me enteraré.

—Nosotros, los republicanos, no le podemos votar a usted, al menos sin consultar a Madrid.

—¡Ah! Claro. Aquí Viladrich dice que le convencerá a Medina para que se retire. Si se retira, me presentaré yo; y si no, no me presentaré.

—¡Ah! Pues tenga usted la seguridad de que no se retirará.

—Lo creo. No es cosa que me preocupe.

—¡Si hubiera sido antes!—dice el republicano—, porque este Medina nos va a poner en ridículo.

Vuelve el presidente del censo a la sala.

—Ya que estamos aquí, vamos a ver la catedral—digo yo.

Entramos, vemos el magnífico reta-blo de Forment, y en esto aparece Viladrich y nos lleva detrás del facistol del coro.

—He roto con Medina—dice—. Es un pobre hombre. Le he indicado que aunque él no se retire se presentará usted. Me han dicho que ha venido un maestro de escuela de un pueblo de los Monegros, un tal Borruel, y que si éste recomienda su candidatura, ya se tendrá la partida ganada.

Salimos de detrás del facistol como conspiradores de ópera y vamos al Petit Fornos a comer.

De aquí al bar modernista, en donde uno nos cuenta los discursos que ha echado Medina en la Audiencia sobre su participación en la revolución de Portugal.

Salimos del bar, y vamos a la casa de El Porvenir, y entramos en una sala como de espectáculos, con unos letreros: La vida es sueño. El alcalde de Zalamea.

En medio del cuarto hay una cama baja y grande, y en la cama el señor Borruel. El señor Borruel me parece un hombre basto, un tipo pedante que se las quiere echar cómicamente de personaje. Viladrich le dice lo que se desea de él, y él contesta de una manera ambigua, diciendo que escribirá unas cartas, recomendando a sus amigos, pero que no las escribirá de su puño y letra y que las dará al caer de la tarde.

Se me figuran demasiados misterios para tan poca cosa.

El señor Borruel me ha parecido ese tipo que se da entre los socialistas, gente de cabeza estrecha e inflados de vanidad. Por lo que me dicen, es un maestro de escuela que quiere imitar a Marcelino Domingo. De El Porvenir vamos a un café grande, en donde Viladrich se dedica febrilmente a escribir cartas y a lanzar telegramas. El amo del café, un lerrouxista, está muy amable y no quiere cobrarnos nada.

En esto, se presenta Medina con dos amigos; va rojo, inyectado. Se viene hacia mí, me da la mano y entabla de nuevo un diálogo violento con Viladrich. Yo no sé qué hacer, porque, la verdad, sea un Sócrates o no lo sea, este Medina ha trabajado su distrito, y tiene algún derecho a él, y yo no tengo ninguno.

—Tenga usted cuidado—me dice de nuevo—, le quieren hacer a usted cómplice de maniobras reaccionarias.

Viladrich y Medina se enzarzan en un diálogo vivo, en el cual Viladrich lleva la nota pintoresca y zumbona y Medina la melodramática.

Medina pone en duda mi republicanismo, y Viladrich afirma radicalmente que yo soy el único republicano de España, cosa que nos hace reír a carcajadas.

A esto, el buen Medina contesta con un aluvión de palabras, y concluye diciendo:

—Nada me importa. Yo estoy empleado en mi República

—¿Qué quiere decir con esto? —pregunto yo.

—Que es empleado de la República de Portugal.

Se va Medina, y Viladrich y los demás discutimos el plan que tenemos que seguir. Aláiz, Goñi y yo iremos, por los Monegros, a parar a Fraga y llevaremos las cartas del señor Borruel; Viladrich y Sánchez Ventura irán directamente a Fraga y hablarán con la gente influyente de allí.

Queda la cosa decidida, y salimos del café.

—Yo voy a ver a Borruel—me dice Viladrich—. Usted vaya a visitar al gobernador y a pedirle permiso para dar reuniones y mítines en los pueblos.

—Bueno.

Vamos al Gobierno civil Aláiz, Sánchez Ventura y yo; entramos en un viejo caserón y preguntamos a un criado por el gobernador. Al poco rato nos dicen.

—Pasen ustedes.

Pasamos.

El gobernador está en pie, detrás de una mesa, con cierto aire que quiere ser solemne.

Yo le digo, quizá de una manera un poco insustancial, lo que pretendo.

El gobernador lo toma en un tono enfático.

—¿Cómo le voy a dar un permiso —me dice—, si no sé en qué lugares, en qué pueblos, a qué hora quiere usted celebrar sus reuniones? ¿Cómo voy...?, etc.

Yo, que no he pensado en nada de esto y que no he hecho más que dejarme llevar por lo que me ha indicado Viladrich, pregunto:

—Pero ¿los demás candidatos no han pedido este permiso?

—No, señor.

—Entonces, nada. Perdone usted.

—Porque, ¿cómo se va a dar un permiso si no se sabe en qué condiciones?...

—Sí, lo comprendo. Perdone usted —y me despido y salgo.

—No nos ha recibido muy bien —me dice Aláiz.

—No.

—No le conoce a usted como escritor.

—¡Ah! ¡Claro!

Al salir del Gobierno civil contemplamos la estatua de Camo, el cacique de Huesca, hecha por Julio Antonio, y Aláiz cuenta algunas cosas chuscas de la estatua mientras estaba en el taller del escultor.

IV

DE HUESCA A SARIÑENA

Nos reunimos con Viladrich, que ha recogido las cartas de Borruel; cenamos, vamos al café y del café a la estación. Tenemos que ir Aláiz, Goñi, Ventura, Viladrich y yo juntos hasta Sariñena.

El tren, que es de mercancías, tiene sólo un vagón de viajeros, con un pequeño compartimiento de primera, otro de segunda y otro de tercera.

Como Medina y dos amigos suyos han entrado en el compartimiento de primera, nosotros pasamos al de segunda, ya que hemos roto nuestras relaciones con mi rival.

De los ventanillos de cristales que suele haber entre compartimiento y compartimiento, miramos al próximo, y vemos a Medina en un rincón con un aire muy fosco.

El tren echa a andar.

Vamos charlando, cuando la luz del vagón se nos apaga.

Viladrich, al llegar a una estación, grita que no tenemos luz, y un empleado nos trae una linterna de las que usan los vigilantes de las vías.

Ponemos la linterna en el banco, y alguien dice:

—Parece una linterna mágica.

—¿Saben ustedes lo que debíamos hacer?—añado yo.

—¿Qué?

—Poner un papel en la linterna que dijera: «¡Medina, no serás diputado!», y proyectar el letrero por una de estas ventanillas al departamento próximo. Será una especie de *Mane, Thecel, Fares* para mi rival.

La idea parece divertida, pero no se puede realizar por completo.

Viladrich se contenta con poner el papel con el letrero sobre el cristal de la linterna y asomarla por el ventanillo, golpeando el tabique; pero el ciudadano Medina, que está enfrente, no oye, ni ve; duerme como un bendito.

Llegamos a la estación de Tardienta, donde hay cambio de tren. Allá está otra vez Medina, un poco molesto con nuestra presencia.

—¿No podrían hacernos chocolate? —le digo yo al del mostrador.

—No es hora de hacer chocolate —me contesta de una manera dogmática.

—Bueno. ¿Se podrán tomar unos bollos y un poco de vino? ¿O tampoco es hora?

—Sí, eso se puede tomar.

Tomamos los bollos, y como estamos en guerra, no le ofrecemos ni a Medina ni a sus acompañantes.

Después de un rato, nos dicen que van a cerrar la fonda.

—Vayan ustedes a la sala de espera.

—Nos vamos a helar.

—No, no; hay una estufa.

Salimos al andén, en donde hace mucho frío, y entramos en una cuadra oscura, malamente iluminada por una lámpara mortecina. Tiene aquello un aire de aguafuerte, un poco siniestro. Hace frío; lo que no es obstáculo para que se sienta un tufo de carbón de piedra asfixiante. Hay gente en los bancos: unos sentados, otros tendidos, pero no se los ve bien. En medio hay un banco, y en él tres o cuatro hombres, uno de ellos con un pan en la mano.

Este hombre del pan charla por los codos. Es madrileño, tipógrafo, y tiene esa voz de canario flauta que suele oírse con frecuencia entre la gente pobre de Madrid, una voz de caña, en que las palabras salen recortadas como en un troquel, con todas las letras claramente pronunciadas.

El madrileño cuenta su vida con una mezcla de candor y de petulancia; dice dónde ha trabajado y lo que sabe hacer. Muestra un documento, que leen unos cuantos campesinos de manta que le escuchan.

—Si ustedes supieran lo que es una linotipia...

El madrileño, después de hablar por los codos y mostrar su superioridad, se pone a cantar la canción del día:

Tadeo, como es muy chulo,
se lava con Carabaña,
y se riza los bigotes
con un palillo de caña.

Y repite el estrillo:

Tadeo, Tadeo,
no te quites el bigote,
que estás feo.

Un muchacho que está tendido en un banco lejano se pone a vomitar en un rincón.

—¡Mala corambre!—dice uno.

El madrileño se arranca a cantar cosas tristes:

Cuando yo estaba en prisiones...

Después de tantas pruebas de madrileñismo y de superioridad, el tipógrafo se tiende en el banco, pone el pan debajo de la cabeza greñuda y comienza a roncar.

Llega el tren, lo tomamos, y al poco rato bajamos en la estación de Sariñena Aláiz, Goñi y yo. Viladrich y Ventura siguen adelante.

La estación está a tres o cuatro kilómetros del pueblo. No hay nadie, y echamos a andar a la luz de las estrellas.

El tren que hemos dejado parece un topo luminoso a lo lejos, al pasar por entre unos bosquecillos.

Charlamos de política y de literatura, marchamos por la carretera.

Este campo tiene un aire español castizo; algunos gallos cantan a lo lejos. Recuerdo aquel romance del conde Claros:

Medianoche era por filo;
los gallos querían cantar;
conde Claros, por amores,
no podía reposar.

Antes de llegar a Sariñena vemos a un aldeano y Aláiz le pregunta dónde está la posada Nos muestra, a manos derecha, un caserón grande y amarillo. Entramos, llamamos, y yo doy unas palmadas. Sale un hombre del fondo de una escalera que baja a la cuadra, con un pañuelo en la cabeza y aire de pocos amigos, y llama a la moza. Sale también el amo de la casa, un hombre rechoncho y bajito, en camiseta y con los pantalones desabrochados.

La moza, que se ha levantado, viene a hacer nuestras camas.

Entro en el cuarto que me han destinado; Goñi me acaba de contar que cuando estuvo en la cárcel de Huesca, por un proceso de imprenta, los primeros días lo que menos podía soportar era el mal olor de los colchones.

Con esta idea, miro el colchón de mi cama y lo veo negro. Las sábanas están limpias, y me meto en la cama; pero al moverme en ella, el colchón echa un olor infecto.

No sé qué hacer; por un lado, en el cuarto hace un frío terrible; por otro, la cama huele mal. No puedo dormir.

Me levanto a las seis. Al poco tiempo se levantan Aláiz y Goñi, y almorzamos un huevo frito y pan. El vino clarete es muy bueno.

Salimos de la posada en busca de

un carricoche. El pueblo es bastante grande, con calles anchas; las casas son pequeñas, bajas, amarillentas, hechas de adobes. No se ve apenas una con escudo en la fachada. No hay tartana particular; únicamente puede utilizarse la del correo, que va tirada por un burro grande.

Nos acercamos a ésta.

—¿Van ustedes a Castejón de Monegros?—nos pregunta el tartanero.

—Sí.

—Pues suban ustedes.

Subimos y nos acomodamos los tres.

—Pues es extraño que les haya aceptado yo en la tartana—salta, de pronto, el tartanero.

—Pues ¿por qué?

—Porque al que para en esa posada donde han estado ustedes, yo no le acepto en mi coche.

—¿Están ustedes reñidos?

—Sí. Yo soy pariente del amo de la posada, y me llamo Blas.

Sin embargo, al pasar por delante de una taberna, Blas se detiene a echar una copa, y, al montar, una vieja le dice:

—¡Adiós, *Petiforro*!

¿Nuestro tartanero se llama *Petiforro* o se llama Blas? Se llama Blas, pero tiene por apodo *Petiforro*.

V

PETIFORRO, O EL TROGLODITA

Como Unamuno ha hecho un uso tan continuado de esta palabra, troglodita, apenas se atreve uno a emplearla, considerándola de propiedad del ex rector salamanquino; pero como yo la he empleado antes de la guerra y a raíz de la guerra, creo que tengo algún derecho a seguir empleándola.

Petiforro, nuestro tartanero, es un hombre de unos treinta y cuatro años. Se llama Blas Casañola. Tiene pómulos salientes y puntiagudos, aire mogoloide, los ojos como de cristal azul, la nariz corta y el pelo tirando a rubio.

Petiforro es un hombre que tiene un rosario de imprecaciones y de blasfemias pintorescas, con las cuales va, digámoslo así, amenizando el viaje.

Todo esto y más se lo dirige al burro que lleva la tartana, mientras le harta de palos.

Petiforro se franquea con nosotros. Este troglodita es una mezcla de barbarie y de deseo de civilización un poco extraño.

Quiere que sus hijos sepan leer y escribir, y si pudiera les daría carrera. El ya no puede saber de letras.

—Pero usted todavía puede aprender a leer y a escribir—le decimos.

—No. Porque con la gana que tengo de *aprendel*, se me va la cabeza, y *paice* que me va *a dal* un soponcio.

Petiforro explica su iracundia, por qué fue poco querido por su padre.

—Mi padre, de chico, me colgó de los pies—exclama—. Así tengo yo tan mala leche.

Petiforro nos cuenta que estuvo, a los dieciséis años, en la cárcel por haber pegado a uno una cuchillada. *Petiforro* habla de su época de cárcel como de la edad de oro de su vida.

—Si no fuera por mis hijos, ya estaría yo en presidio.

Sin duda, para *Petiforro* el presidio es como el doctorado de la vida.

En un momento de la charla, *Petiforro* hace una extraña confesión.

—Porque, ¡qué sé yo!—dice—. Quizá tiro yo más a cobarde que a valiente.

¡Admirable *Petiforro*; extraordinario troglodita, que tienes un momento de introspección curiosa!

Mientras *Petiforro* nos cuenta sus cuitas, vamos entrando por los Monegros, zona árida, entre arcillosa y caliza, sin árboles, únicamente con matorrales de romero grandes como arbustos.

Los Monegros es una región que está entre el Alcanadre, el Ebro y el Cinca.

Es un terreno de margas, que en otro tiempo, probablemente, sería un gran lago. Cruzamos el Alcanadre y pasamos por Pallaruelos de Monegros; la línea de colinas que se ve en el fondo es de la sierra de Alcubierre.

Hay poco que contemplar y charlamos con *Petiforro*.

Petiforro tiene la gracia de gritar al conocido por él cuando le ve: «¡Desgarrado!», que él pronuncia «¡Desgarráu!», con un final de ladrido.

Llegamos a Castejón de Monegros. La tartana para en una calle. *Petiforro* nos dice que esperará si tardamos poco.

Vamos a ver al primer agrario para entregarle la carta del señor Borruel. Se pregunta por este ciudadano en su casa y nos dicen que está en el Ayuntamiento. Vamos al Ayuntamiento y encontramos al supuesto agrario en el portal. Es un hombre moreno, de traza torva y sombría.

Aláiz le entrega la carta de Borruel.

—Suban ustedes.

Entramos en la sala del Ayuntamiento, donde hay treinta o cuarenta hombres con gorra puesta.

Yo tampoco me quito el sombrero.

Nos sentamos en un banco y el agrario lee la carta

—¿Quién es Pío Baroja?

—Yo.

—¿Es usted del distrito?

—No.

—¿Aragonés?

—Tampoco.

—¿Esta carta es del señor Borruel?

—Creo que sí. Yo no le he visto escribirla.

—No es su letra, y podía ser falsa.

Yo me encojo de hombros.

—El señor Borruel—dice después—no tiene ninguna influencia aquí. Si se presentara él, quizá tuviera algunos votos; no viniendo él, ninguno.

Aláiz y Goñi intentan explicar que yo no tengo interés particular en presentarme, lo que hace sonreír de una manera maliciosa y cazurra a los aldeanos.

—No perdamos más tiempo—les digo yo a los amigos—, la recomendación del señor Borruel es una filfa. ¡Vámonos!

Salimos del Ayuntamiento, tomamos la tartana, y ¡hala!, de nuevo, guiados por *Petiforro*, el troglodita, por la carretera. Hay un nuevo viajero, una vieja que marcha a Bujaraloz. Es una vieja de una cara muy fina y muy inteligente. Nos cuenta que tiene un hijo, que se ha marchado a Francia, y una hija en el pueblo, con la que vive.

La vieja escucha las barbaridades que dice *Petiforro* con cierta complacencia.

Llegamos a la Almolda, que está a una legua de Castejón, y entramos en una hermosa posada, donde encargamos la comida.

Vamos a un corral que está lleno de ramas secas de sabinas, que se cortan en el monte y se queman como leña.

Estamos en este corral al sol. La gente habla castellano, y, sin embargo, de lejos da la impresión de que está hablando catalán.

Nos ponen la mesa en un comedor muy oscuro, que tiene una ventana pequeña tapada con una cortina roja. Comemos allá bastante bien Aláiz, Goñi, *Petiforro* y yo.

Al salir de la posada, la vieja, que está sentada en el suelo con la falda por encima de la cabeza, sube en la tartana; entramos los demás; pasamos por Bujaraloz, se queda allí la vieja y seguimos hasta Peñalva.

—¿Tardarán ustedes mucho aquí? —nos dice *Petiforro*.

—No sabemos.

—Si no tardan ustedes mucho, les esperaré.

Vamos a casa del segundo recomendado de Borruel. No está. Le dejamos la carta y seguimos dispuestos a llegar al otro pueblo. Dejamos atrás Peñalva, después de cruzar una calle, y a unos cuatrocientos metros del pueblo, Goñi se acerca a un joven que está arando con dos mulas. Para este mozo está destinada la carta de Borruel. El joven dice que allí Borruel no tiene ningún voto, y que todos votarán al candidato monárquico, porque les ha llevado abonos y máquinas agrícolas.

—¿Así que no hay ninguna probabilidad?—le pregunto yo.

—Ninguna. Pero quédense ustedes.

—¿Para qué?

—Se puede reunir el pueblo en el Ayuntamiento y se le puede explicar...

—Pero ¿no dice usted que están decididos a votar al otro candidato?

—Sí, completamente decididos.

—Entonces no hay más que seguir adelante.

Nos alcanza la tartana de *Petiforro*, y marchamos hacia Candasnos. El burro de la tartana ha tomado un trotecillo, con el que va tragándose el camino.

Petiforro ameniza el viaje contando el crimen de un tal Alarcón, de Candasnos, que asesinó a su padre y a su madre; el padre, ciego y de más de setenta años; la madre, también anciana e impedida. *Petiforro* cuenta cómo el asesino echó un nudo corredizo al cuello de su padre y lo llevó al montante de una puerta y lo ahorcó; luego cómo bajó a la cueva en donde la madre estaba haciendo leña y de dos hachazos la mató.

Petiforro hubiese querido un castigo rápido y brutal. *Petiforro* tiene el temor de que al parricida lo van a salvar del garrote.

Aláiz trata de convencerle de que un bruto no es completamente responsable de su brutalidad; pero *Petiforro* no se convence.

—¿No lo ha hecho? Pues que lo pague. ¡Qué hostia!

VI

CANDASNOS

Llegamos a Candasnos al anochecer. Un galgo gris nos precede. *Petiforro* mete su tartana en un cobertizo enorme, que servía antes para las diligencias que iban de Madrid a Barcelona y pasaban por este pueblo.

Entramos en la cocina, una cocina negra, en donde arden ramas de romero. Unas cuantas mujeres entran y salen, y se presenta el patrón. Este es un hombre de facha agria; un tipo del español que describieron y dibujaron un poco en caricatura los franceses del tiempo de nuestra guerra de la Independencia. Lleva zorongo alto en la cabeza, un traje de pana, la barba de quince días y la mirada siniestra.

Se reúnen el patrón, *Petiforro*, un gorrinero catalán, alto, esbelto, muy moreno, que viene de Lérida con un carro lleno de crías de cerdo, y un arriero de Tamarite, y se van a cenar.

A cada paso se les oye jurar y blasfemar a *Petiforro* y el amo de la casa.

Todo el mundo oye estas necedades, impertérrito.

La dueña de la posada y el ama nueva (llaman así a la mujer del hijo de la casa) no prestan atención a sus gritos.

La dueña es una vieja con aire de abadesa, muy pálida, con una mirada suspicaz y una verruga en la barba. Lleva una toca negra que le da un aire monjil.

La joven viste también de luto, tiene unos ojos de azabache brillantes y una boca pequeña, con los dientes muy blancos. Lleva un pañuelo negro en la cabeza y otro pañuelo en el pecho.

El ama joven prepara nuestra cena y echa al fuego grandes matas de romero, que despiden un olor perfumado. Después coge las tenazas y mueve las trébedes y las sartenes.

—Ese *Petiforro*, ¿es tan terrible? —le preguntamos.

—¡Ca! Si es una gallina—contesta ella, con una tónica muy aguda—. Siempre está comiéndose los hígados de todo el mundo y luego es un blanco.

—Y al patrón, ¿qué le pasa?

—¿A mi suegro? Nada. Que tiene mal humor. Siempre está así, pero no hay que hacerle caso.

—¿Usted es el ama joven?

—Sí.

—¿No tiene usted hijos?

—No. Mi marido se conoce que no sirve. Habrá que cambiar de semilla —dice la mujer, riendo y enseñando los dientes blancos.

Nosotros nos miramos un poco extrañados. Viene el marido del campo, que es un hombre joven, guapo, de barba rubia, corta, de una cara seria y desdeñosa.

Le preguntamos acerca de lo que pasará en las elecciones.

—Aquí hacemos puchero—dice el hombre.

—¿Y eso en qué consiste?

—Pues, nada; se reúne el secretario y el alcalde y meten en el puchero tantas papeletas como vecinos hay.

—¿Así que no vota nadie?

—Nadie. No, señor.

—¿Y todos los votos son para el candidato monárquico?

—Según. Si éste viene aquí y va primero de visita a casa de un rico del pueblo que se llama Fortón, tendrá todo el censo; pero si no va, no tendrá todo el censo.

Yo le pregunto qué secreto hay en tal alternativa; pero el hombre hace un gesto como indicando que no quiere hablar más.

El ama nueva nos dice que tenemos la mesa puesta.

Cenamos y nos vamos a la cama.

El cuarto que me destinan a mí es el del médico del pueblo, que en este momento está fuera. Es un gabinete con dos balcones a la calle y una alcoba, todo limpio y blanqueado.

Duermo muy bien. Por la mañana me levanto. Salvador Goñi está en la cocina.

—No tienen ustedes tartana; tendrán ustedes que ir en carro—dice el ama joven.

—Bueno. Es igual.

—¿A qué hora comerán ustedes?

—A las once.

—¿Qué, vamos a ver la iglesia?—le pregunto a Goñi.

—Vamos.

Echamos a andar por la carretera, polvorienta. No se ven casas a un lado ni a otro; no se ve ni un árbol, ni nada verde.

—Hace trescientos o cuatrocientos años esto estaría igual—digo yo—, un poco menos ruinoso.

—Sí; pero si traen el agua, esto cambiará—contesta Goñi, que es un patriota.

—¡La verdad es que tenemos un país malo!—exclamo yo—. Quitando el contorno de la Península y algunas cuencas interiores de bastante fertilidad, lo demás no vale nada.

A lo lejos se divisa un carromato destartalado que viene bamboleándose, tirado por un mulo escuálido y un borriquillo. Van a pie, cerca del carro, un muchachito moreno y un hombre de calzones y sombrero ancho, con los ojos inflamados, sin duda, del sol y del polvo.

El hombre se me acerca al pasar. Yo le digo: «¡Adiós!», creyendo que me ha saludado.

—Digo que está muy bueno el *orache*—grita él.

—¡Ah!; sí, sí.

Volvemos a reunirnos con Aláiz. Comemos muy bien, y después de comer vamos al antiguo patio de las diligencias y montamos en un carro, que conduce el hijo de la casa.

La marcha es más lenta que con *Petiforro*. Vamos cruzando por campos yermos, en donde cae el sol sin encontrar apenas una mata.

A media tarde llegamos a la Venta del Rey, un parador del tiempo de las diligencias; un grupo de cuatro o cinco casas rojas, imponente por su soledad y por el aire trágico y desierto de los alrededores.

Nos paramos y subimos a la venta. La casa principal es grande, de ladrillo; tiene una alberca enfrente. Entramos y subimos una escalera ancha, como de casa de Ayuntamiento, con dos tramos. En el primer descanso una puerta grande de cuarterones abierta. Encima un letrero, que dice: «Temor de Dios.» El cuarto es grande, desnudo, con los balcones abiertos. Las paredes tienen restos de una

pintura con pastorcitas y guirnaldas de estilo isabelino; hay, además, unas láminas de *El Motín* pegadas.

En una mesa larga está la ventera, flaca y triste; y en la mesa hay un plato con higos y tres vasos, una botella de aguardiente y un botijo.

Comemos unos higos, bebemos un poco de agua y pasamos por la ancha estancia, que suena a hueco. Esto, que es tan desolado y tan triste, en la época de las diligencias estaría, probablemente, animado, y habría sus conversaciones y sus amores entre los viajeros y viajeras, y hablaría el canónigo gordo y el lechuguino de bigote y perilla con la dama de miriñaque y pamela.

Me asomo al balcón. En la carretera no se ve a nadie; en el campo, tampoco. Hay una desolación trágica en el sol, que cae de plano sobre esta llanura. No hay un árbol, ni un regato; piedras, estepas...

Salimos de la venta y montamos de nuevo en el carro.

La luz fuerte y la marcha lenta y monótona dan ganas de quedarse dormido. Para no hacerlo, entablo conversación con el carretero y le pido noticias de Fraga y de sus alrededores. Habla el hombre con un tono seco y desdeñoso.

Dice que por esta tierra hay muy poca gente que sepa leer y escribir. El supone que de cada veinte mozos que vayan al servicio habrá uno que sepa de letras. Me choca esto, porque Viladrich habla de Fraga como de un pueblo bastante culto.

El carretero añade que, en general, por estos pueblos nadie se acuesta en cama hasta que se casa. Los mozos duermen en el pajar. Dice también que las mujeres de Fraga son bastante libres, y cuenta anécdotas de lo que hizo ésta y de lo que dijo la otra.

Presumo que este hombre de los

Monegros tiene cierta antipatía por la ciudad, que, sin duda, le parece corrompida.

Al caer de la tarde comienza la carretera a hacerse sinuosa y se empieza a bajar trazando curvas.

Al terminar la cuesta se presenta a lo lejos Fraga en un cerro, de casas apiñadas y sobre una faja de verde.

Al acercarse al pueblo se entra en una larga alameda. Se ven hombres que vienen de trabajar del campo, con carros, con burros, con azadas al hombro.

Pasamos el puente sobre el Cinca y nos dirigimos a la plaza. En una calle en cuesta vemos grupos de mozas con corpiños claros, faldas cortas y moños altos, que van con el cántaro a la fuerte. Parecen, por el tipo y hasta por el hablar, valencianas de la huerta.

Al poco rato vemos a Viladrich y a Sánchez Ventura. Les contamos las impresiones de los Monegros, que son malas, y, por el aspecto de Viladrich, suponemos que las de allí no son tampoco muy buenas.

Viladrich me enseña un telegrama de mi hermano, en el que dice que sale para Fraga en compañía de Bagaría y de Julio Antonio. Parece que van a venir también unos jóvenes oradores de Barcelona y de Lérida.

—¡Nos vamos a lucir!—exclamamos.

Ahora que la cosa se pone mala, hacerles que vengan hasta aquí para tener que volverse, va a ser una plancha morrocotuda.

VII

EN FRAGA

—¿Qué hacemos ahora?—me pregunta Viladrich, un poco tristemente.

—Vamos a ver el castillo donde usted vive—digo yo.

Es de noche. Dejamos la plaza del pueblo, que se llama del Sigoñet, y subimos por una callejuela estrecha y en cuesta.

Como Viladrich vacila en si será mejor subir por un lado o por otro, y los que le seguimos vacilamos, una mujer dice en catalán:

—Estos hombres ni siquiera saben adónde van.

Ya le comunico a Aláiz la observación de la mujer.

—¡Qué verdad dice esta mujer! No cabe duda que no sabemos adónde vamos.

Subimos al castillo, al que Viladrich llama, supongo que en broma, el castillo de Urganda *la Desconocida*. Viladrich se inclina junto a una puerta para coger una llave, pero no la alcanza, tiene que echarse en el suelo y, al fin, da con ella. Abre la puerta y pasamos a una nave de una iglesia gótica, alta, vacía y oscura. Estamos un poco sorprendidos y amedrentados. Viladrich viene con un velón y nos enseña una escalera de caracol llena de calaveras.

—Son calaveras muy bonitas—dice, cogiendo una en la mano y acariciándola.

—Y esta escalera, ¿adónde va?—le preguntamos.

—Es la escalera de Urganda *la Desconocida*. Yo creo que esa dama viene aquí todas las noches.

Salimos de la iglesia, que a esta hora y sin luz está tétrica, y vamos a una galería que tiene el castillo. La vista desde allí es fantástica. Hay luna, y se ven todos los tejados negros del pueblo apiñados; luego una sábana de agua, que brilla como un espejo: el Cinca, y más lejos, el campo.

Viladrich muestra los árboles que ha plantado y nos lleva a su estudio. La conversación se aleja de la política, cuando se presenta un joven escritor y orador de Lérida, Maurín, a quien ha avisado Viladrich para que venga. Me presentan a él, charlamos y quedamos de acuerdo en ver al confitero y boticario Martínez, persona influyente en el pueblo, en hablar con él y decidir inmediatamente la cuestión de la retirada de mi candidatura.

Bajamos del castillo y nos acercamos a la tienda del confitero boticario.

—Aquí está él y aquí está Medina —dice Viladrich, mirando al interior.

—Vamos adentro.

Entramos. Somos ocho o diez, todos, menos yo, jóvenes.

Yo le digo a Medina que he visto esos pueblos de los Monegros, y que allí el candidato monárquico tiene todos los votos, que supongo que él no querrá retirarse y que me retiraré yo.

Medina, que como la mayoría de los republicanos españoles tiene la manía de la oratoria, se pone a hablar confusamente y de una manera melodramática.

El confitero boticario, que parece hombre inteligente, le ataja y le dice:

—Mire usted, Medina: todo eso que dice usted sobra. El señor Baroja ha hablado con perfecta claridad. Ha dicho que aquí si se presentan dos candidatos radicales, la derrota es segura. Que si usted no se quiere retirar, se retirará él. ¿No es eso lo que ha dicho usted, señor Baroja?

—Eso mismo.

—Bueno. Pues Medina no se quiere retirar.

—Muy bien. Entonces, vámonos.

Medina no se contenta con esto; dice que para él es un compromiso de honor, etc.

Salimos de la confitería y nos vamos a la fonda.

—¿Usted qué va a hacer? —me pregunta Viladrich.

—Me iré mañana a Lérida a esperar a mi hermano, a Bagaría y a Julio Antonio.

—Sí, es lo mejor.

—Nunca mejor que ahora le pueden decir a usted: «Baroja, no serás nunca nada» —me dice Aláiz.

—Sí, es verdad.

Después de cenar vamos al casino, pasamos una hora allá y volvemos a la fonda.

En el zaguán hay un magnífico automóvil, que espera a Medina y a sus amigos. Mi contrincante lleva dos autos estupendos.

—Parece que le costea la elección Echevarrieta, el de Bilbao —dice uno.

—Si se tratara de Disraeli o de Cavour, probablemente no le protegería —digo yo—. ¡Estos bilbaínos, siempre tan acertados!

Baja Medina, y Aláiz y Viladrich, que le toman a broma, se ponen a discutir con él acerca de la revolución de Portugal.

Yo me voy a mi cuarto y me meto en la cama, porque hay que levantarse a las cuatro, hora en que sale el coche.

Estoy en el momento de irme a dormir, cuando oigo la bocina de un auto y aplausos y gritos de «¡Viva Medina!»

Deben ser mis amigos, porque luego oigo conversaciones y carcajadas.

Duermo un par de horas, me levanto y salgo del cuarto. Los demás se han ido también levantando. Viladrich está a la puerta, y vamos todos a la plaza de Sigoñet, de donde sale la tartana. Paseamos por la plaza, iluminada por cansadas lámparas eléctricas. Aláiz y Goñi van a Monzón; Sánchez Ventura, Maurín y yo, a Lérida.

Nos despedimos de ellos y tomamos la tartana, que sale de un zaguán. Hace mucho frío. El coche está abierto por delante. Comenzamos a subir una cuesta del pueblo y van cinco o seis hombres, embozados en mantas, detrás, andando. Al terminar la cuesta, los hombres suben a la tartana y el tartanero se sienta en la limonera.

Comienza a amanecer y nos empezamos a ver las caras. Hay dos mujeres en el carricoche, una de ellas vieja, que está enferma de los ojos, y va a verse con un oculista de Lérida. De cuando en cuando le da un arrechucho de dolor y se dobla hasta acercar la cabeza a las rodillas.

Subimos un puerto y vemos a lo lejos unas luces.

—¿Es un pueblo?—pregunto yo.

—No. Es la central de La Canadiense—me dice Maurín.

Empieza a salir el sol; se ve el campo y los árboles cubiertos de escarcha. Se divisa desde la tartana una gran llanura.

Llegamos a Alcaraz y nos detenemos. Entramos en el portal de una venta y encargamos que nos den huevos fritos.

La gente está reunida alrededor de una hoguera hecha en el mismo portal.

Nos traen los huevos, y el vino en el porrón.

—¿Quiere usted un vaso?—me dice Maurín.

—No. ¿Para qué?

Me choca que uno de estos hombres bebe echando el chorro del porrón en el labio de arriba, y Maurín me habla de cómo unos beben echando el chorro del vino en la lengua, otros sobre los dientes, otros sobre el labio y algunos debajo del ojo.

—Habrá que escribir un libro sobre las diferentes maneras de beber en el porrón—le digo yo.

Un catalán de aquellos se encara con nosotros a decirnos que beber en porrón es más limpio que beber en vaso, y que si nos reímos del porrón, no sabemos lo que nos hacemos.

—Está usted equivocado—le digo yo secamente—. Aquí nadie se burla de nada.

El catalán me mira durante todo el viaje con suspicacia; escucha lo que hablo, y cuando me pregunta Maurín qué pueblo más importante tiene cerca Vera, donde yo vivo, y le digo que Irún, el catalán suspicaz le dice a su compañero:

—Irún. Es *provisies vascongades*.

¡Qué extraña suspicacia y qué afán de comparación la de estos catalanes! Los demás españoles no tenemos esta vidriosidad; también es cierto que no tenemos esa curiosidad. Eso indica, indudablemente, algo mejor y algo peor. Si en vez de ser catalanes los del coche hubieran sido vascongados, ninguno hubiera llegado a interesarse en la conversación de unos forasteros: hubieran hablado entre ellos de sus cosas; si hubieran sido castellanos o andaluces, hubieran intervenido en la conversación. Estos catalanes oían y oían con suspicacia.

VIII

EN LERIDA

Llegamos a Lérida y vamos a parar a un hotel de la calle Mayor.

—¿Qué hacemos? ¿Damos una vuelta por la capital?

—Sí, vamos.

Salimos y paseamos por la calle Mayor y por la plaza.

—¿Arriba, en lo alto, está la catedral?—le pregunto a Maurín.

—Sí. La catedral antigua y el castillo. Ahora es cuartel. ¿Subimos?

—¿Dejan entrar?

—Sí; pidiendo permiso dejan entrar.

Subimos a la fortaleza, que es muy hermosa; pedimos permiso en un cuerpo de guardia y nos dejan pasar, y nos dan como guía un soldado riojano.

La catedral vieja es hermosa de verdad; tiene unos capiteles bizantinos complicados llenos de figuras y de quimeras, puertas góticas y, en ciertos sitios, adornos que parecen de algún edificio árabe.

La estancia de los soldados le da al viejo templo un aire pintoresco y curioso, más bonito, probablemente, que si estuviera en manos de arqueólogos.

El soldado que nos acompaña nos invita a subir a la torre, y subimos un poco fatigados hasta la azotea donde está el pararrayos. Desde allí, el panorama es espléndido. Se ve el pueblo amplio, la llanura grande cruzada por el Segre, el canal de La Canadiense y los montes a lo lejos. En esta rápida ojeada a vista de pájaro se siente la filiación mediterránea y romana de la ciudad. La disposición del caserío, la forma de los tejados, el color de las tejas, todo nos recuerda a Roma más o menos vagamente.

En el Campo de Marte están haciendo el ejercicio los soldados, y otros en la muralla juegan a la pelota.

—En eso mis paisanos los vascongados serán los primeros, ¿eh?—le pregunto al soldado.

—Sí, ha habido aquí un guipuzcoano y un vizcaíno que jugaban muy bien.

—¿Usted de dónde es?

—Yo, de la Rioja. De Briones.

—He estado allí.

—También he trabajado en Tolosa, en una fábrica.

—¿Y se está bien aquí?

—La comida es mala.

—¿Esto será muy sano?

—Hace mucho frío dentro.

—Esta tierra se parece a la Rioja; el paisaje, más ancho todavía—le digo yo.

—Sí, se parece, sí.

Bajamos del castillo, y como Sánchez Ventura tiene curiosidad de ir al museo, vamos al museo, y de aquí a comer al hotel. Después de comer nos encaminamos a la estación. El tren de Zaragoza viene con algún retraso. Esperamos, y llega el tren. Bajan Ricardo, Bagaría y Julio Antonio, los tres con cara de haber dormido mal; parece que han tenido que pasarse la noche en claro en Zaragoza, porque el tren de Madrid no llegó a empalmar con el de Barcelona.

—Pues no hay nada de las elecciones—les digo yo—. Me he tenido que retirar y tenemos que volvernos.

—¿Eh?

—Sí.

Y les cuento lo que ha pasado. Salimos de la estación y vamos al hotel. Según Ricardo, Bagaría ha pensado en el camino un magnífico discurso para espetárselo a los ciudadanos de Fraga.

—¡Es una broma que ese Viladrich nos haya llamado!—murmura Julio Antonio, y añade después—: ¡Tengo más mala baba!

Llegamos al hotel, comen los viajeros y salimos de casa a pasear, a hacer tiempo. Entramos en un bar, en donde hay un muchacho que habla el catalán de una manera tan afeminada, que el oírlo produce una risa tal a Bagaría, que se ríe como si se le fueran a escapar los ojos y los dientes de la cabeza.

Su risa parece que nos quita a todos la murria y nos sentimos animados.

Salimos del bar, pasamos el puente y vamos a pasear por el parque del pueblo. De allí volvemos de nuevo, y Maurín nos lleva a un casino.

Bagaría y Maurín juegan al billar; Ricardo y Julio Antonio se sientan en un diván y se quedan dormidos; Sánchez Ventura y yo salimos.

Al anochecer salimos a pasear por la calle Mayor, que está animada. Se nos reúnen algunos amigos de Julio Antonio y de Maurín y formamos un grupo un tanto exótico de gente de chambergo, pipa, etc.

—¡Quina colecsio!—dice una chica, mirándonos y riéndose.

—¿Dónde vamos a cenar? ¿En el mismo hotel?—pregunto yo.

—No, no—dice Bagaría—. Mejor es una posada o taberna.

—Vamos por aquí—indica Julio Antonio, y se dirige hacia el puente.

Hace un viento frío que corta, y Julio Antonio ha tenido la ocurrencia de venir de verano, sin gabán, y por todo abrigo, como dice Bagaría, con un bastón muy gordo.

Le vemos a Julio Antonio que se encorva, luchando con las ráfagas heladas, y llegamos a la otra orilla del río y entramos en la puerta de una posada. Es el hostal del *Roch* (escrito en catalán, el *Roig)*.

La posada es grande; pasamos una sala con mesas, en donde hay mucha gente, y entramos en un cuarto más pequeño que tiene un ventanal que da a la cocina.

Las chicas que sirven son unas leridanas vestidas de blanco, muy ásperas en el hablar y de un aire muy meridional. Contestan de una manera irónica y desgarrada a lo que les dicen Julio Antonio y Bagaría en catalán.

La que nos sirve la mesa pone rápidamente el mantel, los platos y el porrón con el vino.

Bagaría comienza a recitar versos.

—¡En Borrás!—dice la chica irónicamente, aunque lo que pronuncia, para mis oídos, es: ¡An Burrás!

—Amigo Bagaría—le digo yo—, le tratan a usted mal, a pesar de ser catalán.

—Este señor no es catalán—replica la muchacha—, es un castellano de Barcelona *(un castellá de Barselona)*.

Bagaría se dedica a la facecia y a hacer chistes con el porrón en la mano.

Comemos muy bien en el hostal del *Roch*. La chica, que con nosotros está áspera, se ha sentado en una mesa próxima, al lado de un mozo moreno, afeitado, serio, que debe de ser su novio, y que apenas le hace caso. Me da la impresión de una escena de *Carmen la Cigarrera*.

Concluimos de cenar y nos vamos. Mi hermano se detiene a contemplar un cuadro colgado en la pared.

—¿Qué? ¿No está bien?—le pregunta la muchacha con cierta ironía, dándole en la manga.

—Sí, sí...

—Es que el hostal del *Roch* es un hotel, y un buen hotel.

La chica parece que se humaniza al final y nos despide amablemente y hasta nos da la mano.

Otra vez cruzamos el puente, otra vez vemos a Julio Antonio capeando el temporal con su bastón, y vamos a La Fraternidad Republicana. En la misma mesa donde estamos nosotros se sientan varias personas de importancia y el alcalde de Lérida.

Se habla de política, y Bagaría, yo no sé si por influencia del porrón del hostal o solamente *ex abundancia cordis*, habla mal de los políticos monárquicos; de Rodés, que parece que es el hombre de Lérida, y de los regionalistas.

Dice que está viendo dibujarse sobre la cabeza de su amada Cataluña el tricornio del alabardero, y que va a llegar el día en que los únicos defensores del rey de España van a ser los catalanes. Los demás hacemos lo posible para que el *spech* de nuestro amigo y caricaturista no tome tonos agrios, y a eso de las doce nos dirigimos a la estación.

Cuando entra Julio Antonio en la fonda de la estación creemos que le va a dar algo. Se inclina sobre la mesa en una actitud de acabamiento. Se pide que le den un té, lo toma y esperamos que venga el tren. Llega, por fin, con tres horas de retraso, y nos instalamos en un vagón y nos decidimos a dormir.

Bagaría se ha metido unos trozos de algodón con mentol en las narices, porque está constipado. Al amanecer, dormido y algo inyectado, parece que se le ha reventado el cerebro dentro y que le sale por las narices.

Por la mañana llegamos a Zaragoza y nos dirigimos a la otra estación.

Yo creo que debemos tener aire de gente de circo, porque los chicos nos miran con mucha curiosidad. Nos cruzamos con tropa que baja hacia el puente. Llegamos a la otra estación; tomamos café con leche y entramos en el otro tren.

Comemos en Calatayud y charlamos de muchas cosas, entre otras, de arte y de la guerra. Al llegar a Guadalajara hablamos de política.

—Usted se debía presentar diputado por un distrito de Tarragona en las próximas elecciones—me dice Julio Antonio.

—No, no—le digo yo.

—Allí saldría usted, de seguro.

—No, no, no.

De noche llegamos a Madrid y cada cual se larga a su casa.

Siento una gran tranquilidad de ánimo al meterme en la cama, y me parece que vale la pena de rodar unos días por posadas, aunque no sea más que por el gusto de volver a casa.

....

Unos días después me encuentro a *Azorín*.

—¿Sabe usted? El gobernador de Huesca me telefoneó diciéndome que había usted ido a verle, y me preguntó: «Ese Baroja, ¿qué es? ¿Es algún periodista?» ¡Haga usted treinta tomos para que no le conozcan ni siquiera de nombre!—termina diciendo *Azorín* con melancolía.

—Habrá que decir: «Nuestro reino no es de este mundo»; por lo menos no es del mundo de los gobernadores—digo yo.

Una semana más tarde veo en la calle a J. Ortega y Gasset y le cuento mi excursión.

—¡Y luego nos quieren hablar del valor de la democracia y del sufragio!—dice él—. ¡Cómo si en todas partes y en todas épocas no hubiera sido una pequeña minoría la que ha hecho todo, la que ha organizado todo.

....

Si uno tomara las cuestiones del régimen parlamentario en serio, esta experiencia sería una nota más que serviría para demostrar el artificio y la mistificación de las elecciones; pero como yo creo hace tiempo que el sufragio, en la práctica, es una farsa, este relato no puede tener más que el pequeño valor de una anécdota pintoresca.

LIBRO TERCERO

PRIMAVERA

I

LLEGADA AL PUEBLO

La primera impresión de la llegada al pueblo es para mí una sorpresa. Siempre me choca el color tan verde del campo, la estrechez del valle, la proximidad de los montes, el color oscuro de las casas y el cielo menos luminoso, pero más azul allí donde las nubes dejan mostrarse. Se ve cómo la memoria física no acompaña siempre a la memoria intelectual. Intelectualmente sabe uno que en estos valles estrechos hay menos luz que en Madrid, que la vegetación es más verde, y, sin embargo, la realidad produce una sorpresa.

Otra impresión también constante del primer día es encontrar al acostarse las sábanas húmedas; en cambio, cuando desde cualquier pueblo de la costa se va a Madrid, las sábanas dan la impresión de algo seco, y parece como si estuviera uno envuelto en papel de fumar.

Casi todos los años que he venido al pueblo en primavera estaba lloviendo. Este año, no; hacía buen tiempo y viento Sur. Hemos pasado la tarde del día de la llegada arreglando nuestras cosas.

A la mañana me levanto temprano y salgo a la huerta. Sigue el viento Sur. El angelito de la veleta de mi casa señala hacia un monte que se llama Santa Bárbara; el cielo está muy azul, con grandes nubarrones blancos y espesos; el campo, de un verde sonriente.

Hace una temperatura templada; los gallos del corral cacarean y les contestan de lejos, de acá y de allá.

Todo está retrasado en la huerta; sin duda, esta huerta es bastante fría; hay algunas florecitas en los perales y en los manzanos; los prados están verdes, con algunos botones amarillos y blancos; los chopos van tomando entre sus ramas desnudas un tono gris verdoso de las hojas que comienzan a brotar.

Me asomo al borde de la tapia que da a un camino. El arroyo próximo tiene un color agrio, como de un verde gelatinoso. Por la carretera que va a Francia no pasa nadie. Mi hermano anda por la orilla del arroyo pescando.

Suenan campanas.

He salido de nuestra huerta a un campo con el objeto de coger puerros silvestres. El año pasado también los cogíamos y los comíamos.

La gente los desprecia. Un vecino me ha dicho que no se deben comer esos puerros, porque adelgazan la sangre. No se comprende qué ventaja puede haber en tener la sangre espesa.

He cogido los puerros y los he llevado a mi casa. Después me he metido en la biblioteca a leer. Estos primeros días del pueblo, como siempre, me parecen largos; siente uno que le sobra tiempo para todo.

Aún los encantos del campo, que para mí no tiene duda que existen, no me han llegado a prender.

II

DIAS DE LLUVIA

Ha cambiado la decoración, y a los días templados de viento Sur les han sustituido días de invierno, con lluvia, frío y nieves en las cumbres.

El paisaje parece distinto: lo que antes se veía como próximo, ahora se ve lejano; la torre de la iglesia se envuelve en la bruma.

Van viniendo las nubes y las nieblas por el boquete del Bidasoa, sin parar, a llenar el valle; el pueblo está negro por la humedad. La perspectiva panorámica varía; los montes, que con el viento Sur y el cielo limpio de nubes aparecen todos en el mismo plano, se separan ahora y se ve que entre ellos hay valles y barrancos. El campo, envuelto en esta lluvia fría, está como más en su elemento; cuando deja de llover un instante aparecen las cumbres nevadas sobre las faldas de los montes, que tienen todavía tonos de cobre.

En medio de esta gravedad huraña de la Naturaleza, algún albaricoquero, algún peral florido, muestra sus racimillos de colores como una sonrisa, los robledales van tomando un ligero matiz verde y las retamas lanzan sus flores de amarillo brillante. Hay que meterse dentro de casa y esperar. El tiempo no convida a andar por esas carreteras Las habitaciones grandes están frías. Nos reunimos mi madre, mi hermano y yo delante de la chimenea del comedor. Aquí, en el hogar, hemos quemado gran parte del maderamen de la antigua casa, tablas viejas apolilladas de nogal y de castaño, zapatas de roble corroídas del alero, todo ha ido al fuego y ha salido en humo por la chimenea.

Ahora quemamos, al mismo tiempo que maderas viejas, leña fresca. Este olor de la leña quemada me gusta mucho. Me parece que me recuerda un período anterior de mi vida de salvaje.

El olor del fuego me encanta. En esta excursión electoral que hice por el distrito de Fraga, lo que me dejó un recuerdo admirable fue el olor de romero que se notaba al entrar en algunos pueblos.

También la higuera deja al quemarse un olor muy agradable. Ahora estamos quemando una cuyos troncos, todavía verdes, al arder, hacen un ruido como si se estuvieran friendo...

....

Esta vida del campo no es tan aburrida como le parece al ciudadano. El mismo tiempo, tan variable, es ya un entretenimiento; ahora lluvia, ahora viento, ahora granizo.

Al principio de llegar aquí, yo al menos, siento cierta somnolencia y languidez. Parece que la vida de la ciudad, con sus pequeñas excitaciones, mantiene el tono, y al desaparecer éstas hay como una caída; luego la somnolencia y la languidez desaparecen, hay días en que se siente un bienestar como de nirvana y después se experimentan deseos de hacer algo y de moverse.

No cabe duda que la lluvia y el mal tiempo predisponen al aburrimiento, pero es al aburrimiento melancólico. Es muy diferente el aburrimiento de la lluvia, al aburrimiento del sol.

El aburrimiento de la lluvia es un

estado soñoliento y un poco lánguido de disminución de la energía; en
cambio, el aburrimiento del sol es para mí algo exasperado y enervante.
Tampoco es igual el aburrimiento del
campo que el de la ciudad. El aburrimiento en el campo no tiene punta:
toca, pero no pincha.

Hay sitios, en cambio, en donde el
aburrimiento enfurece; por ejemplo,
en un gran hotel o en una estación
del ferrocarril. Parece que, en medio
de gentes que emplean una actividad
mecánica intensa, el estar quieto es
una molestia. Yo, al menos, en las
estaciones, en los cafés y en los casinos es donde más me he aburrido.

En cambio, en una casa de campo
el aburrimiento es algo dulce. Se mira por una ventana, se sube y se baja
la escalera, se enciende el fuego...

La juventud es también más propicia al aburrimiento. Pasando los treinta años, el aburrimiento ya no produce angustia. En la adolescencia y en
la juventud, sí. Sin duda, es la tristeza de las fuerzas no empleadas.

III

LA BIBLIOTECA

Me he decidido a encender fuego
en la chimenea de la biblioteca y ver
de arreglar un poco los libros comprados por mí este invierno. He hecho grandes hogueras con virutas, tablas y papeles. He salido a la carretera para ver cómo escapaba el humo
de la chimenea. La casa parecía esos
dibujos que hacen los chicos.

Este cuarto de la biblioteca es grande, bajo de techo, con tres ventanas
y un balcón corrido.

He ido reuniendo cosas de aquí y
de allí; tengo una estatuita que me

regaló *Azorín*, una o dos tablas antiguas, un modelo de barco, algunos
mapas, algunos grabados y dos o tres
mil libros.

La estatuita regalada por *Azorín*
está muy bien. Es un bajorrelieve:
una plañidera de un sepulcro gótico,
de una simplicidad y de una expresión dolorida, admirable.

Las tablas no valen gran cosa; los
mapas, tampoco, pero hay alguno que
otro curioso.

Si fuera rico, me gustaría tener una
colección de mapas antiguos; también
me gustaría una habitación como alguna del museo de los Uffizi, de Florencia, en la que hay pintados en las
paredes mapas en relieve, con el mar
azul, por el que van las carabelas, y
en cuyas olas se sumergen los tritones, y que tienen en un extremo una
roca de los vientos en relieve, pintada
y dorada.

De libros, no tengo nada extraordinario más que alguna que otra edición antigua; no he sentido nunca la
afición del libro sólo por su aspecto;
antes compraba los libros para leerlos, y luego los prestaba y los perdía;
hoy los compro para utilizarlos y leerlos, cosa que parece lógica, pero que
para un bibliófilo es casi una blasfemia.

Únicamente de libros raros, tengo
el original de un nobiliario navarro
de Azcárraga, de relativo valor. Entre los folletos hay alguno curioso, y
entre los papeles tengo notas y cartas de Aviraneta, Zurbano, Maroto,
etcétera, y una correspondencia de
don José de Somoza, el hereje de Piedrahita, a quien *Azorín* dedica una
semblanza muy simpática en su libro
Al margen de los clásicos. Esta correspondencia de Somoza va dirigida
a la mujer del protestante madrileño
Luis Usoz del Río. También tengo
un diario inédito, de éste, en que

cuenta sus impresiones de un viaje que hizo en 1841 por Inglaterra, Portugal y España.

El buen cuáquero se muestra a cada paso indignado con el abandono y la suciedad de los portugueses y de los españoles y con la influencia de los frailes.

Hay también en la biblioteca un modelo de galeón construido por mi hermano y un violonchelo que tocaba mi padre.

Estampas guardo muchas, pero pocas son de valor artístico. La estampa la he buscado, más que por su arte, como documento histórico.

En París es donde se pueden encontrar todavía muchas estampas de asuntos españoles. Allí he encontrado un retrato, en litografía, de Aviraneta y de otros jefes y cabecillas de la época constitucional y de la guerra carlista. En Madrid se veían algunas estampas hace años, pero ya han desaparecido.

Todavía los grabados se conservan, pero como a la litografía no se le ha dado valor en general, se ha perdido. En las capitales de provincia y en los pueblos no se encuentra una estampa ni por casualidad.

Otra cosa que tengo en la biblioteca es una caja de música que toca algunas canciones viejas, entre ellas el *Carnaval de Venecia*

Cuando está mi sobrino, hay que tocarla a menudo. La quiere ver por dentro, y si se le dejara, la rompería en seguida.

....

Los gatos de la casa, que no aparecían por la biblioteca cuando estaba fría y sin fuego, han hecho su presentación.

Antes había cuatro: dos grises y dos negros. Uno de los grises, que ya era viejo, se ha muerto el invierno pasado. A estos gatos grises, de reflejo azulado, he oído que los llaman en Madrid gatos malteses; pero en un libro de Zoología he visto que los denominan gatos de los Cartujos.

El gato es un animal independiente y divertido. Parece que a cada paso está diciendo: «No, no hay que extralimitarse conmigo. Cada uno que tenga su esfera de acción. Yo estoy aquí para cazar ratones: tengo derecho a la comida y a una buena alfombra o a un buen sillón cerca del fuego.» Todos éstos son derechos inalienables, como dicen los abogados.

A los perros se les tiene más cariño; a los gatos, yo al menos sí, más estimación. El perro parece un animal de una época cristiana; el gato, en cambio, es completamente pagano. El perro es un animal un poco histérico, parece que quisiera querer más de lo que quiere, entregar su alma a su amo; el gato supone que un momento de sentimentalismo es una concesión vergonzosa. El gato realiza el ideal de Robespierre de la libertad. Como bonito, no hay otro animal doméstico que se le asemeje. Tiene, además, su casta una fijeza y una inmovilidad completamente aristocráticas; en cambio, el perro es una masa blanda con lo que se hace lo que se quiere.

Los gatos más tontos son esos blancos con los ojos azules, de los cuales dicen los naturalistas que son sordos, cosa inexplicable, pero que parece cierta.

En esta biblioteca no hay nada personal, ni retrato mío ni de mis amigos. Este cuarto lo mismo podría ser de un hombre de hoy como de un hombre de ayer. Las fotografías me fastidian, no tengo ningún retrato mío de joven y me alegro; me molestaría verme cómo era hace treinta años.

IV

PEQUEÑO VIAJE

Ha cesado la lluvia, ha salido un poco de sol y me he decidido a marcharme a San Sebastián. Se cansa uno de ser un hombre fantasma, que se pasa la vida entre la biblioteca y la huerta. Ya saliendo de casa cambio. Soy el señor de cierta edad que intenta a veces ser amable y se las echa de razonador. En San Sebastián voy a encargar unas plantas y a comprar sulfato de hierro y sublimado para los rosales, que enferman del *oidium*.

Me he levantado a las seis y media, y he marchado por un sendero que hay entre campos a salir a la carretera. La mañana es de invierno, brumosa y fría.

Están haciendo un puente delante de la estación, a unos cien metros del viejo, el de San Miguel, que es un puente negro y muy bonito. Por este puente pasaron los generales Longa y Girón en 1813, y por él solía venir Santa Cruz con su tambor batiente en la última guerra.

Llega el tren y lo tomo. Hace un tiempo variable. A veces sale un poco de sol, otras se oculta entre nubes. El trayecto de Vera a Irún es de quince kilómetros. El tren marcha al lado del río Bidasoa, que tiene pequeñas rápidas y remansos tranquilos y poéticos.

Este tren es un tren de parque, como de juguete. Siempre que paso al lado de una casa derruida del camino, cubierta de hiedras, con una bajada al río, recuerdo la impresión que me hizo este rincón romántico hace treinta años, pasando por primera vez con mi padre por la carretera.

Se ven a mitad de camino los fuertes abandonados de Endarlaza; después Biriatu, en un alto, y se entra en el valle ancho de Irún.

La estación de Irún-Ciudad está al lado de la del tranvía de la frontera, al que llaman el *topo*, porque va siempre bajo tierra. Pasamos a la estación del tranvía y esperamos.

Se ha abierto la frontera. En uno de los andenes, esperando el tranvía que va a Hendaya, hay un grupo de franceses flacos, con largos bigotes. Llevan todos ellos panes debajo del brazo, algunos tienen redes llenas de provisiones.

En el andén de los que van a España hay obreros españoles que vuelven de Francia, unos hombres débiles, amarillos, que parecen decolorados por el sol de la meseta central.

Entre estos tipos hay una porción de viejas siniestras con aire de brujas, cubiertas de mantos de paño pardo.

A estas mujeres las llaman trapicheras, y contrabandean de aquí para allá y de allá para aquí.

Tomo el tranvía de la frontera, y en el vagón entran las trapicheras. Todas son, por el acento, castellanas, aunque deben vivir en San Sebastián, porque tienen alguno que otro giro donostiarra. El grupo trapichero forma un verdadero aquelarre. Hay una vieja flaca, de cara larga, amarilla, que enseña una boca desdentada, con el labio bigotudo, del más puro Goya; hay otras dos o tres gordas rojizas con un aire brutal.

Mientras el *topo* corre en dirección de San Sebastián, las trapicheras hablan, diciendo de cuando en cuando alguna que otra barbaridad.

Llego a San Sebastián y voy a casa del doctor Larrumbe.

—¿Qué tiene usted que hacer?—me pregunta.

Especifico las compras que tengo que hacer; vamos juntos; comemos en un restaurante, y después de comer tomo de nuevo el tranvía de la frontera y vuelvo a Irún.

El cielo se ha nublado definitivamente y hace frío.

Voy a casa del doctor Juaristi. Está él, su amable señora, su hija, el doctor Bergareche y algunas personas más.

La casa de Juaristi tiene un ambiente de sencillez, de comprensión y de benevolencia. El doctor y su mujer forman una pareja perfecta. Sientan a su mesa al amigo que llega, sin preguntar demasiado qué hace o qué va a hacer.

El doctor Bergareche, íntimo de la casa, dice con ironía amistosa que Juaristi tiene inclinaciones parecidas a las de aquel don Lorenzo de Florencia, de la familia de los Médicis.

—¿Merendará usted aquí?—me dice madama Juaristi.

—No tendré tiempo. Sale el tren a las cinco y minutos.

—Quédese usted. Avisaremos a su casa.

—Bueno; me quedo.

—Además, tenemos un pequeño espectáculo—me dice madama Juaristi.

—¿Pues?

—Van a venir dos cupletistas que trabajan en el cine de al lado y van a cantar aquí.

Con el aliciente de oír a las cupletistas, llegan unas muchachitas jóvenes, amigas de la hija del doctor. La que más tiene dieciocho años. Hablan y ríen todas ellas constantemente.

Aparecen las dos cupletistas, las saludamos, y cantan y tocan el piano.

Para que las chicas puedan dedicarse al baile, se empuja la mesa del comedor a un rincón y bailan las muchachitas unas con otras. A veces el doctor Bergareche, que es el único soltero joven de la reunión, saca a alguna a bailar; pero como el doctor es alto, corpulento y rasurado, yo le digo que danza de una manera un tanto sacerdotal.

Estas chicas jóvenes, que muestran en el brillo de los ojos y en la sonrisa la alegría de vivir, antes, hace unos años, me hubieran producido un sentimiento de tristeza; ahora, no, ahora me comunican algo de su animación.

Bailan y ríen todas de una manera loca, hasta la hora de cenar.

Cenamos, y, después de charlar largo rato, voy a dormir a una habitación de la clínica, que ahora está vacía; en el cuarto hay un calorífero eléctrico y en la cama una botella de agua caliente.

Cuando uno ha pasado los cuarenta años, estas cosas le regocijan el corazón.

Al día siguiente me levanto. Está lloviendo a chaparrón. Bajo al comedor de casa de Juaristi. Desde una de las ventanas de guillotina se ve un jardín delante con un lilo que empieza a estar en flor, luego se enfila la nueva avenida que va a Francia, y se ven entre la bruma las casas del arenal de Hendaya y el mar.

El viento trae en ráfagas la lluvia, que golpea los cristales.

Estamos todo el día de charla, y al anochecer vamos al cine, que está en la misma calle.

La sala se encuentra muy animada y brillante. Irún es un pueblo alegre, de chicas bonitas que ríen mucho. Quizá depende esto de la vida que se hace, quizá de la frontera o de la poca influencia clerical.

El caso es que, a medida que se va metiendo uno hacia Navarra, la gente es más triste, las muchachas no ríen tanto y la influencia del cura es mayor.

Vemos unas cuantas películas, y volvemos a cenar. Después de la cena, un hermano del doctor Bergareche, que vive en París, nos cuenta la impresión de los *raids* de los aeroplanos alemanes.

El lunes por la tarde voy a la estación en compañía de Juaristi y de Bergareche. Hace frío, los montes están llenos de nieve. Entro en mi coche.

Veo las luces de la carretera de Irún, Fuenterrabía sobre el mar, luego la oscuridad se echa encima...; después brilla una luz en la estación de Endarlaza, más tarde otra en una Electra que se refleja en el río...

Bajo en Vera y marcho, corriendo, hacia casa, luchando con las ráfagas de viento. En el comedor de mi casa, mi madre está charlando con unas señoras delante del fuego. En la estancia, grande y con vigas en el techo, estas figuras, todas de negro, hacen una impresión de algo conventual.

V

MAS DIAS DE LLUVIA

Ha nevado varios días y hace frío; la primavera se ha retirado rápidamente y ha aparecido de nuevo el invierno. Los montes están blancos, y el aire viene helado. Ha habido que encender el fuego en las chimeneas.

La Naturaleza tiene en este tiempo algo de fruta agria y verde; todos los árboles ostentan colores vivos y claros. El arroyo próximo a casa comienza a crecer, a murmurar, a marchar con una velocidad vertiginosa, y sus aguas amarillas se hacen amenazadoras.

El año pasado creció tanto, que se apoderó del camino y casi nos rodeó la casa, dejándola como una isla.

Este arroyo, Shantell-erreca, según unos; Elzaurdy-erreca, según otros, viene de unos barrancos de la raya de Francia, que forman dos regatos principales: el de la izquierda, Iturriaundico-erreca, y el de la derecha, Anquetaco-erreca, pasa por delante de dos o tres caseríos, se reúne en el pueblo con otro arroyo y, formando uno bastante crecido, desemboca en el Bidasoa.

Este Shantell-erreca siempre lleva agua, aunque poca en el rigor del verano. Antes, delante de la ventana de mi cuarto, había en medio dos piedras colocadas de tal manera, que el agua producía en ellas un ruido que de noche parecía una conversación. Se quitaron las piedras, y ahora Shantell-erreca no habla. En sus aguas suele haber pececillos y a veces truchas gruesas y anguilas.

Estos días nuestro arroyo ha crecido y lleva en sus amarillas linfas, entre pequeñas olas y blancas espumas, grandes troncos de árbol, que van nadando como monstruos negruzcos que sacaran la cabeza para respirar.

¡Qué cantidad de arcilla y de materia orgánica habrá llevado un arroyo así desde que existe! ¡Y desde cuándo existirá este arroyo sin nombre registrado! Miles de años, probablemente cientos de miles de años llevará echando sus aguas al mar. Habrá arrastrado montones enormes de arcilla y de materia orgánica. Cuando miro este arroyo insignificante se me ocurre pensar en lo eterno de las cosas ante la vida nuestra. Es extraño que la conciencia más alta que hay en el mundo conocido, que es la del hombre, sea tan rápida y tan pasajera.

Cierto que este arroyo milenario, en realidad no es cosa única. El agua que pasa es siempre distinta. Es verdad que en todo ocurre lo mismo, todo es múltiple y uno al mismo tiempo, lo vivo como lo muerto; sólo en lo vivo la conciencia se siente una.

En estos días tan lluviosos cuando escampa un momento, salgo envuelto en el abrigo a la huerta.

Todo parece aletargado: los manzanos no dan sus flores, a los perales se les han caído los frutos pequeños que tenían con el granizo, los rosales no abren sus capullos...

....

El campo es como un fondo al que hay que ir animando con las representaciones propias. El que tiene una vida interior intensa puede vivir en el campo; el que no la tiene ni la necesita, también se acomoda a gusto; en cambio, el que tiene una semivida espiritual es el que se encontrará peor en la soledad del campo. Este tipo banal de la ciudad que se cree inteligente porque repite los conceptos del artículo del periódico y se cree chistoso porque sabe los chistes del sainete de moda, ése se encuentra sin apoyo en medio de la Naturaleza.

A medida que uno vive en el campo se le acercan los objetos y se acortan las distancias, lo contrario de lo que pasa en las grandes ciudades. Dos curiosos que se codean mirando un escaparate en una gran ciudad están mucho más lejos espiritualmente uno de otro que dos campesinos que se contemplan de un monte a otro. En estos curiosos de gran ciudad, el uno puede ser un sabio, el otro un calavera; el uno un rabino judío, el otro un cura protestante; el uno un millonario, el otro un pordiosero. En cambio, en el campo los dos hombres que se miran de lejos son iguales, saben mutuamente lo que hacen, y cuando uno de ellos hace un movimiento, el otro sabe por qué lo hace y para qué lo hace.

El hombre modifica ante sí mismo el ambiente y lo alarga o lo acorta, según sus necesidades.

....

Otra de las cosas que saltan a la vista cuando se vive en el campo es la indiferencia de la Naturaleza. La Naturaleza no es teleológica, no tiene fines ni intenciones últimas; lo mismo crece en ella la simiente buena que la mala, lo mismo encuentra albergue en su seno el sapo que el cisne, la cizaña que el trigo.

Esta gran constructora, esta gran pródiga, es también enormemente destructora. Una helada mata millones de gérmenes que son, a su manera, perfectos; como un terremoto derrumba pueblos artísticos.

Todo en la Naturaleza es perfecto porque es necesario; tan perfecto es el cerebro de Platón como el de un mosquito, tan perfectos la Venus más hermosa o el Adonis más guapo como el bacilo de la tuberculosis.

La indiferencia de la Naturaleza nos llega a veces a escandalizar, a nosotros, que no podemos prescindir de los fines humanos. Cuando se ve un árbol corpulento, con un magnífico follaje, y se le ve carcomido por mil parásitos que van a acabar con él, dan ganas de mirar a derecha e izquierda y gritar: «¡Eh, señora Naturaleza! Tenga usted cuidado. Lo está usted haciendo muy mal.»

....

Socialmente, el campo es lo que de be ser; no pasa de ahí. Cuando Rousseau habla en el *Emilio* de cómo le gusta el campo y cómo quisiera que fuese su casa, se ve que habla el hombre que ha vivido en parques y en jardines, hombre para quien la Naturaleza se parece a una pintura de Boucher o de Fragonard.

Rousseau habla de un campo con convidados alegres que canten, de damas a quienes gusten los juegos locos, de los invitados que vayan a buscar los postres en los mismos árboles.

El campo no es ni puede ser así, ni natural ni socialmente. La idea de la sanidad del campo es falsa. Cada especie botánica tiene un sinnúmero de enfermedades, de parásitos, de roñas.

El hombre que vive en el campo no es tampoco sano, ni de espíritu ni de cuerpo. Tiene muchas enfermedades, no tantas como las del ciudadano, pero tiene otras.

Desde el punto de vista moral, la gente del campo es, naturalmente, fanática, de espíritu estrecho y sin benevolencia. El campesino ni tiene ni puede tener una moral suave y dulce; por el contrario, es hombre de inquinas profundas, amigo del chisme y de la murmuración.

Es esto una necesidad dinámica. Si el campesino no tuviera una miopía que le hace ver los objetos abultados, se desesperaría y dejaría el campo o iría a parar a una especie de quietismo como el del padre Molinos. La gimnasia de su espíritu le exige darle a todo importancia.

Creer en la bondad de la gente del campo es un lugar común, como creer que no existen en las aldeas las malas pasiones de la ciudades.

Esta tendencia bucólica y de idilio rústico la puso últimamente a la moda el siglo XVIII.

Suponer que el campesino puede ser amable, generoso, espiritual, es una cándida ilusión. El campesino es casi siempre egoísta, roñoso, malo y fanático.

Para encontrar gente sencilla, amable y espiritual, hay que ir a las cla-

ses colocadas en altas regiones, que han podido medir la distancia que hay entre su altura y el suelo, y la que hay entre su elevación y el infinito.

La altura es la que tiene que dar la impresión de la pequeñez de las cosas. Al que vive en el valle estrecho, cualquier cosa le parece grande; al que se encuentra sobre una cumbre, todo le parece pequeño.

Por eso es más fácil que un Marco Aurelio, dueño del mundo, o un príncipe como Sakyamuni, sean sencillos y humildes, que no que lo sea un indiano enriquecido o un dependiente de comercio.

El campesino es también, naturalmente, reaccionario. No puede acercarse al punto de vista científico. Para el campesino, la superstición es siempre una cosa más grata que la ciencia. Su cerebro responde mejor a la magia que a la lógica. Si a un campesino le dicen que para que su campo prospere más que ninguno hay que hacer una cruz o una señal diabólica, quedará inclinado a creerlo; solamente a fuerza de ver que ni la cruz ni la señal diabólica tienen influencia, empezará a dudar. En cambio, indicadle un procedimiento científico, y lo primero que hará es oponerse a él.

¿Cuántos siglos llevará viendo que la luna no tiene influencia en las cosechas? Sin embargo, sigue creyendo en la luna.

Se nota en Medicina lo mismo. Cualquier cosa absurda empleará el aldeano con más fe y con más gusto que lo que le indica el médico.

Y es que el aldeano cree, como el hombre de hace mil años, que en la Naturaleza hay intenciones humanas; es decir, cree en la Teleología.

VI

IMPRESIONES DE UN MAL LECTOR

La lluvia le impulsa a uno a la lectura. Hay el lector bueno y el lector malo. El lector bueno es ese tranquilo que va recogiendo pausadamente las impresiones que le da el autor, sin impaciencia ni prisa; el lector malo es el que se impacienta en seguida, le aburren los pasajes sin interés, y, en cambio, le excitan los interesantes de tal manera, que salta páginas para saber los resultados.

Yo soy de los lectores malos. Palabra por palabra, no hay apenas libro que haya leído y mucho menos pronunciándolas mentalmente. Hay libros que he leído una porción de veces, pero siempre saltando algo que me aburre o que me impacienta.

Yo siento no ser un buen lector. No puedo leer mucho; no tengo las condiciones de leyente y de crítico del padre Ladrón de Guevara, que, para componer su librito Novelistas buenos y malos, leyó dos o tres mil autores y supo, además, resumir un juicio acerca de cada uno de ellos en dos o tres palabras. Verdad es que para eso se necesita estar asistido por la divina Gracia y ser de la Compañía de Jesús, de esa Compañía ilustre que tiene hombres tan insignes como el padre Rodríguez, el padre López, el padre Iturrigoitia, el padre Iturribeitia y otros, que, como se sabe, han puesto las bases de las ciencias modernas que honran a Europa.

Yo, como digo, no pretendo colocarme a la altura del padre Ladrón de Guevara; tengo pocas facultades de lector, leo tres o cuatro libros al mes, y no siempre.

Nunca he conseguido ser un buen lector. Los libros nuevos no me atraen gran cosa, y casi todos los escritores que me gustaban en mi juventud me han ido cansando.

Uno de los pocos por el que sigo teniendo afición es Dickens. A veces, de tarde en tarde, cojo un tomo de este autor y lo leo, empezando por cualquier parte, y me sigue gustando. Comprendo que tiene muchos defectos, muchas pesadeces, notas sentimentales y grotescas exageradas, y, a veces, trivialidades; pero aun así, me gusta mucho.

Este año pasado he releído el gran libro de Schopenhauer El mundo como voluntad y como representación, y no me ha producido el asombro que me produjo hace años.

En cambio, he leído el teatro de Goethe y un tomo de su Correspondencia, y me ha dado una impresión de superioridad intelectual enorme.

La lucidez y la continuidad de la inteligencia en este hombre son maravillosas. Ni en su inteligencia ni en su voluntad hay eclipses ni confusiones. Siempre parece ecuánime, siempre curioso por todo, siempre capaz de comprender las cosas más diversas.

Tanto como su inteligencia y sus obras, se puede admirar en el poeta su vida. Goethe convivió con los hombres más ilustres de su tiempo, y no sólo convivió con ellos, sino que los comprendió.

Esto es lo que más envidia me causa. ¡No vivir entre brutos! ¡Qué pocos tendrán esa dicha!

Leyendo esta Correspondencia, me he interpelado a mí mismo y me he dicho:

«¿No es absurdo en uno, que quiere ser intelectual, no tener admiración y hasta un culto por este grande hombre?»

Pensando en esto, he visto que para mí Goethe no tiene motivos de efusión sentimental. Me apartan de él, primero, su ecuanimidad; después, su punto de vista conservador, y, principalmente, su tendencia antimetafísica.

Goethe decía que no le gustaba como a sus compatriotas habitar las noches cimerianas de la especulación.

Por muy confusas y oscuras que sean estas noches, en sus sombras se encuentra lo más grande que ha creado el hombre. El arte al lado de la filosofía siempre parece un juego de niños.

VII

CUATRO LIBROS: «LA HISTORIA DE LA CREACION NATURAL», DE ERNESTO HAECKEL

Yo soy un hombre que lee lo que va comprando al azar. Los libros grandes, serios, que exigen un poco de detenimiento, los dejo para Vera, y muchas veces no encuentro tiempo para hojearlos. Quizá sea un procedimiento absurdo, pero yo no tengo otro.

Así he simultaneado en Madrid la lectura de un libro de Chesterton con la amena *Psicología*, de William James, y con los *Diálogos*, de Luis Vives.

En este mes de lluvia he leído, con bastante calma, cuatro libros trascendentales, alguno de ellos que no conocía y otros que conocía fragmentariamente. Estos libros han sido la *Historia de la creación natural*, de Haeckel; el *Ensayo sobre los datos inmediatos de la conciencia*, de Bergson; la *Esencia del cristianismo*, de Feuerbach, y la *Historia de los heterodoxos españoles*, de Menéndez y Pelayo.

Voy a hablar de estos cuatro libros.

Cómo yo soy un hombre que casi todo lo que sé lo he aprendido por mí mismo, no tengo procedimientos de escuela. No uso el sistema de las notas y de las papeletas, y me sucede muchas veces que, inmediatamente después de leer un libro, no recuerdo con exactitud lo que he leído; así que mis comentarios críticos quizá vayan alrededor de la obra más que a su fondo.

Hablar de la *Historia de la creación natural*, de Haeckel, a los cincuenta años de ser publicada, no es ninguna novedad. Para mí lo es, porque yo, hasta ahora, no la había leído. Hay en estos últimos años un prejuicio adverso sobre Haeckel por su teoría del monismo. Se le considera por muchos como un naturalista que ha hecho estudios serios en la primera parte de su vida, pero que después se ha dedicado a escribir libros de filosofía revolucionaria un poco banal.

Recuerdo haber oído en París a un profesor, que manifestaba un gran desdén por Haeckel, negarle por completo. Al mismo señor le oí la afirmación categórica de que Kant era incomprensible y Niezsche absurdo. En cambio, hacía grandes elogios de Augusto Comte. Respecto de las teorías de Haeckel, opinaba que a lo más podían tener un valor popular.

Siguiendo la orientación de este profesor, comencé a leer el primer tomo de la *Filosofía positiva*, de Comte. El libro me pareció de una lectura difícil y pesada, páginas y páginas farragosas, con conceptos que quizá en su tiempo eran de una gran novedad, pero que hoy están incorporados a la ideología corriente.

En vista de que no me atraía, corté la amarra con este Comte aburrido y volví a mis ideas antiguas.

Hace unos días he comenzado a leer la *Historia de la creación natural*, de

Haeckel, y, aunque saltando algo, la he concluido.

Para un hombre actual es difícil encontrar un libro tan a base de hechos demostrados como este de Haeckel. No sabemos qué le parecerá al lector de dentro de doscientos años.

Como no está uno bien enterado de la marcha científica del mundo, yo no sé si respecto a la teoría de la evolución habrá hoy algún libro sintético del valor del de Haeckel, en donde entren los nuevos descubrimientos hechos desde entonces acá.

La *Historia de la creación natural* la componen unas cuantas conferencias que dio Haeckel en la Universidad de Jena, donde es todavía profesor.

El punto de vista filosófico del naturalista alemán no me parece del todo firme. Considera como sistemas antagónicos el mecanismo y el vitalismo; al primero lo tiene como un sistema causal; al segundo, como una concepción teleológica, es decir, de fines o de intenciones lejanas.

No creo yo que este punto de vista sea completamente exacto; el vitalismo, como el mecanicismo, ambos convertidos en sistema, son teleológicos. Lo mismo es un concepto metafísico el espíritu que la materia, la sustancia como la fuerza; tan lejos están uno y otro de ser una realidad inmediata.

El espíritu y la materia no son más que posibilidades; los sistemas basados en esos conceptos son como escuadrones formados por jinetes fantasmas.

Haeckel no ha querido ser en su libro un naturalista sólo: ha querido ser un filósofo (¿ha hecho bien?, ¿ha hecho mal?) y ha fundado el monismo.

El principio de Schelling: «Todo es uno y lo mismo», se une en el sistema haeckeliano con el principio materialista: «Todo es materia.» Si a mí me dieran a elegir entre los dos principios, elegiría el primero como más próximo a la razón; pero ninguno de los dos puede darse como científico.

La ciencia no puede cerrar el círculo de los conocimientos más que dando hipótesis en calidad de hipótesis; cuando lo cierra deja de ser ciencia y se convierte en un sistema teleológico.

La ciencia no puede hacer más que alejar el eterno enigma. Al lado de un hecho nuevo que se descubre aparecen varios desconocidos, y así se sigue siempre en la misma progresión, cada vez con más número de datos y cada vez con más número de incógnitas.

Heckel abandona pronto el punto de vista filosófico, actitud lógica para un naturalista. Un filósofo debe hacer siempre la salvedad de la insuficiencia de nuestros medios de conocer y dejar siempre sentada la afirmación expresada por nadie mejor que por Kant de que *el espíritu humano prescribe las leyes a la Naturaleza.*

Esta frase, leyéndola por primera vez, se puede tomar en dos acepciones: la primera, falsa, retórica, que consistirá en suponer que el espíritu humano puede modificar las leyes de la Naturaleza, idea de taumaturgo o de prestidigitador; la segunda, la que le dio Kant, la de afirmar que aunque las leyes de la Naturaleza existan fuera del hombre, cosa que no sabemos, han tenido que pasar por la inteligencia humana para existir en tanto que leyes. De aquí que la forma popular de la filosofía de Kant sea la schopenhaueriana: «El mundo es mi representación.» Y no hay posibilida de encontrar otra cosa.

La Naturaleza es un monstruo confuso e informe, al cual el hombre hace saltar por los aros de papel que le va presentando.

Indudablemente, las leyes del espíritu son las leyes de la Naturaleza; el mundo no es más que nuestro reflejo.

Cuando se piensa en esto se asombra uno de la audacia del hombre y se recuerda a Kant, un buen señor de Koenigsberg, metódico y de aspecto vulgar, que levanta el velo de la esfinge sin que tiemble la mano. El y Copérnico son dos de los hombres que más admiración producen, quizá más Copérnico, porque su descubrimiento es más evidente. Tener la audacia de cambiar el sistema del mundo y dejar las estrellas fijas y hacer que la Tierra vaya dando vueltas alrededor del Sol es de lo más maravilloso que ha producido la inteligencia del hombre. Si no es tan ostensible el descubrimiento de Kant, no es por eso menos grande. La Naturaleza no tiene leyes mientras el hombre no las descubre; es decir, que la ley es un concepto sensible, humano, emanado del espíritu, que para un no humano, para un posible habitante de otro sistema planetario, podría ser otra cosa o sencillamente no ser.

Esto, que expresó Kant con el máximo de clarividencia, lo había comprendido el filósofo griego Protágoras cuando dijo: «El hombre es la medida de todas las cosas: de las que existen, como existentes; de las que no existen, como no existentes.»

Haeckel, como indicábamos, no se coloca en una posición exclusivamente filosófica más que al principio de su obra; después la abandona, va dirigido por la Filosofía, pero de lejos.

Haeckel expone las hipótesis de la creación del mundo, las sobrenaturales y las naturales, y se detiene en la teoría kantiana de la evolución del Universo o teoría cosmológica de los gases, que también se llama de Kant-Laplace.

Después de la exposición de esta teoría, el naturalista insiste en la unidad de la materia orgánica y de la inorgánica, y afirma la generación espontánea, lo que, como actual hecho, es demasiado afirmar. Puede haber existido la generación espontánea o cosa parecida y hoy no existir.

Claro que dentro de la lógica humana hay que sacar las cosas de donde hay algo. No hay otra solución al problema: o se admite que la vida ha salido de la materia cósmica o hay que admitir el milagro.

Una cosa por otra, no cabe duda que es más lógico suponer que de una sustancia que no sabemos lo que es salga la vida, que tampoco sabemos lo que es, que no suponer una escena teatral de un Dios que se pasea entre bambalinas y dice: «Hágase esto. Hágase lo otro.»

Esta ridícula taumaturgia no puede servir más que para los bosquimanos, los hotentotes y los católicos, que son en su mayoría hotentotes honorarios.

Creyendo como lo único posible que la vida ha brotado de la sustancia que forma nuestro planteta, ¿de dónde ha podido salir? Todo hace pensar que de los mares.

Así lo cree Haeckel, y así lo han creído Huxley y otros naturalistas.

René Quinton ha sacado deducciones de esta posibilidad.

Así como la primera célula animal —viene a decir este investigador— vivió en el mar, es decir, en un líquido salino que estaba entonces en una temperatura superior a los cuarenta grados, nuestras células actuales viven bañadas en la sangre, que es un líquido salino a una temperatura elevada.

Esta semejanza del agua del mar con nuestra sangre se ha llevado a la terapéutica, y parece que el agua del mar en inyecciones intravenosas puede reemplazar la parte de sangre que falte en un herido.

Huxley, abundando en las ideas de Haeckel, creyó encontrar en el fondo del mar una materia protoplasmática viva, a la que llamó *Bathybius Haeckeli*. Luego, examinando mejor la sustancia, vio que no estaba viva, y así lo reconoció, como un noble investigador que era.

Con relación al punto concreto de los orígenes de la vida, no se conoce caso actual de cambio de materia inerte en materia viva. Se sabe, sí, que la materia inorgánica se puede convertir artificialmente en orgánica. Es ya un paso. En cambio, milagro no se ha comprobado todavía científicamente ninguno.

Otra hipótesis del origen de la vida que imaginó el físico inglés Thomson fue la de suponer que los primeros gérmenes de la vida en nuestro planeta pudieron venir en los meteoritos, que son fragmentos de mundos hechos chos pedazos y en otros tiempos poblados, hipotéticamente, de seres vivos.

Se ha discutido esta hipótesis, y no parece que sea tan absurda como algunos han querido indicar.

Dejando esta cuestión de los orígenes de la materia viva, veamos las evoluciones de la primera célula viviente o monera.

Esta, según Haeckel, aparece en el período de la formación laurentina y se perfecciona en el período cámbrico y siluriano.

Haeckel, en este punto, tuvo un raro éxito. Recuerdo haber leído el caso, hace ya mucho tiempo, en un libro de Embriología, y no sé si lo relataré con exactitud.

Parece que Haeckel, estudiando y comparando el embrión humano con el de algunos animales invertebrados, vio que la forma llamada por él gástrula era tan esencial y tan permanente en la evolución del óvulo, que supuso por inducción que en la Naturaleza debía existir una forma parecida en un período primitivo, y, efectivamente, se encontró.

Haeckel estudia el árbol genealógico de los distintos animales y, por último, el del hombre. Seguramente habrá en sus hipótesis mil faltas y omisiones, pero la arquitectura del plan evolucionista subsiste.

¿Cuánto tiempo se habrá necesitado para tanta transformación? Seguramente el mundo nuestro, la Tierra, tiene millones de años.

Respecto a la antigüedad del hombre, ya hecho hombre en el planeta, todo hace creer que los cuatro mil y tantos años del padre Petavio hay que convertirlos en cuatrocientos mil, quizá en un millón.

¡Y qué perspectivas extrañas y fantásticas abre la ciencia sobre la historia de los seres! ¡Qué diferencia de esto a esa creación mosaica de guardarropía, con su paraíso de bambalinas y sus fieras de cartón!

Edgard Quinet, en su libro *La Creación,* ha escrito un capítulo elocuente sobre el primer ojo que apareció en la Naturaleza: el trilobites. Este trilobites es ya un animal complicado y diferenciado, y su ojo es el precursor de los ojos de los grandes animales del período paleozoico.

Haeckel, dentro del terreno de la hipótesis probable, estudia la genealogía del hombre desde la monera, pasando por distintas especies que tienen hoy su representación en los *amphioxus*, en los monotremas, en los *lori*, los *maki* y los gorilas.

Hecho el árbol genealógico del hombre, estudia el punto de su aparición. Entre la India y la isla de la Sonda, Madagascar y el Africa Sudoriental, existía, según Slater, un continente: la Lemuria. Este continente desapareció, según algunos, con el levantamiento del Himalaya, dejando el océano Indico lleno de islas. En esta Lemuria apareció el mono ya transformado en hombre, según Haeckel.

De esta manera, Haeckel se afilió a los que se llaman monogenistas, que creen que el hombre se formó en un solo punto geográfico, que la especie humana es una y que hubo grandes emigraciones. Los poligenistas, como Broca y otros muchos, suponían que los hombres nacieron en varios puntos, que las razas son verdaderas especies distintas y que los pueblos viejos son autóctonos.

Broca y Quatrefages discutieron este punto hace tiempo, sin llegar, naturalmente, a dilucidarlo.

A mí me parece más lógico el poligenismo, y creo que la mayoría de las razas antiguas han nacido en el país donde viven.

Respecto a las leyes del darvinismo o teoría de la selección, Haeckel comenta a Darwin, sin añadir, a mi modo de ver, gran cosa.

Desde que se publicó la obra del naturalista alemán hay nuevos hechos que han modificado, en parte, las ideas evolucionistas, y entre ellos están los observados por el botánico holandés Hugo de Vries.

La exposición de la lucha por la vida nos recuerda los trabajos de algunos escritores modernos que se han preocupado de lo que se llama darvinismo social.

Ciertos escritores, Novicow, Loria, Kropotkin, llevados de un optimismo revolucionario, han querido demostrar que el principio de la lucha por la vi-da no rige en muchas sociedades animales, ni tampoco en la humana.

Se sabía hace tiempo, desde Darwin, que existía la asociación para la lucha. Los casos que citan estos escritores no tienen gran novedad.

Se dice que en los campos de América viven asociados ratones, búhos y serpientes en las mismas cuevas, buscando la utilidad común.

Aun fuera del principio de utilidad, se citan relaciones románticas y desinteresadas, y se cuenta del cangrejo paguro que alimenta a una estrella de mar y la cuida sin ventaja egoísta alguna.

Respecto a la extensión del concepto de la lucha por la vida a la cuestión social, todavía no es científica. Las teorías de los Novicow, Loria y Kropotkin no llegan a ser más que literatura humanitaria.

VIII

«LA ESENCIA DEL CRISTIANIS-MO», POR LUIS FEUERBACH

Había oído hablar de este escritor alemán, pero no había caído en mis manos ninguno de sus libros. Este, traducido al francés por Joseph Roy, es el primero que leo.

Ya el prólogo me ha producido sorpresa por el tono de violencia, de furia y de energía llena de amargura.

Feuerbach es un radical, ateo y materialista. Estas tres tendencias reunidas existieron en los escritores franceses del siglo XVIII: Diderot, Holbach, Helvetius, y en los filósofos sensualistas ingleses; pero Feuerbach no se parece nada a ellos. El materialismo de los ingleses y franceses es sensual, alegre y un poco vulgar; de ellos salen en literatura el *Tom Jones,* de Fielding, y *La locura española,* de Pigault-Lebrun; el materialismo de Feuerbach es un materialismo desgarrador y trágico, como la religión de Kierkegaard.

Los incrédulos ingleses y franceses del siglo XVIII tienen el ateísmo del caballero de la buena sociedad; Feuerbach, no; siente el drama religioso y el heroísmo patético del que no puede esperar socorro.

En el libro *De Alemania,* de madama Staël, está traducida *La visión,* de Juan Pablo Richter, que pinta la desesperación de las almas al saber que el mundo es huérfano.

Los muertos resucitados buscan a Dios y no lo encuentran, y se dirigen a Jesucristo y le preguntan si hay Dios, y Cristo les responde:

«No lo hay. He corrido los mundos, me he elevado por encima de los soles, y allí no está Dios; he descendido hasta los últimos límites del Universo, he mirado en el abismo y he gritado: ¡Padre! ¿Dónde estás? Y no he oído más que la lluvia que caía gota a gota en el abismo, y la eterna tempestad, que ningún orden rige, me ha respondido solamente.»

De un fondo así de desesperación, de amargura, como el de la visión de este Cristo de Richter, que dice, encontrando el cielo vacío, a los niños que le siguen: «Hijos míos, Dios no existe; ni vosotros ni yo tenemos padre...», parece nacer la irreligiosidad de Feuerbach.

Feuerbach comprueba con dolor el carácter fabuloso de los mitos cristianos. El es un cristiano retardado. Renan, tan artista, tan exquisito, en su admirable libro *El porvenir de la ciencia,* cita a Feuerbach con simpatía.

Se podría encontrar cierta semejanza en los conceptos de Feuerbach y de Augusto Comte, que escribieron sus obras por la misma época; pero ningún parecido se hallará en el tono ni en el espíritu de ambos escritores.

Los dos tienen un concepto mecánico del mundo, los dos son enemigos de las religiones y los dos partidarios de una vaga religiosidad humanitaria; los dos tienen la tendencia de ir en contra de la metafísica cósmica, que considera, naturalmente, a la tierra como un planeta sin importancia, de un sol de segundo orden; los dos quieren que se haga caso omiso de las ideas de espacio infinito y de materia infinita y se limite el horizonte cósmico y se acerque todo al hombre; los dos pretenden ser realistas y sólo realistas. Mas, como digo, no se parecen ni en el espíritu ni en el tono. Comte se acerca al sensualismo francés e inglés, y es siempre un político; Feuerbach, al misticismo alemán, y es un poeta.

A Feuerbach, él lo dice en el prólogo de su libro, probablemente por su especialidad religiosa (religión y antirreligión tienen muchos puntos de contacto), se le cita en unión de Bruno Bauer y de Strauss.

Bauer, cuya obra no conozco, parece que tomó como objeto de su crítica la teología bíblica; Strauss, la vida de Jesús; Feuerbach estudia el cristianismo en general.

Feuerbach cree que Dios es la revelación del hombre interior. Para él, el secreto de la teología no es otro que la antropología; así, cuando el hombre adora a Dios, no hace más que adorarse a sí mismo en su imagen amplificada y embellecida.

Las derivaciones de esta tesis las expone con un gran fuego y una gran elocuencia. Feuerbach no es un lógico de estos fríos y ceñidos; es más bien un poeta exuberante, y, a veces, extravagante.

Si los apellidos indicaran, como los motes, las condiciones actuales de una persona, el apellido Feuerbach sería para el que lo llevó de los más propios. Feuerbach quiere decir, en alemán, arroyo de fuego.

Para Feuerbach, las religiones, y el cristianismo con ellas, que no son más que antropolatría, tienen un período fuerte, clásico, y otro de decadencia y de rutina, en el que estamos.

Por la semejanza de conceptos y por la manera de buscar la explicación a los mitos religiosos, se podía encontrar cierto parecido de este libro, *La esencia del cristianismo*, con otro célebre por su mala fama entre los católicos, que se publicó a fines del siglo XVIII; me refiero al *Origen de todos los cultos*, de Dupois. Dupois, en su explicación de los mitos por la astronomía, sigue la tendencia del sensualismo francés y es hombre un poco *terre à terre*; en cambio, Feuerbach es siempre místico y metafísico y siempre vuela alto.

La explicación naturalista de los misterios cristianos que da el autor alemán, basándose en ejemplos históricos y siguiendo su teoría antropológica, no es fácil de comprobar, pero siempre es audaz, atrevida y genial.

Feuerbach, lo dice él mismo, es un hombre que ha violado las leyes de la etiqueta y del buen tono. Es un hombre rudo y exaltado, que dice las cosas por sus nombres, que tiene el tono y la clarividencia de un apóstol.

Al parecer, en su tiempo, todo el mundo se puso contra él y su insolencia impía.

Feuerbach, negador de la inmortalidad del alma y de la existencia de Dios, fue desautorizado por sus antiguos amigos los hegelianos y combatido por sus enemigos.

He visto un retrato de Luis Feuerbach; tiene una cabeza fuerte de alemán y de revolucionario.

IX

«ENSAYO SOBRE LOS DATOS INMEDIATOS DE LA CONCIENCIA», POR ENRIQUE BERGSON

Corre en Francia y en los países latinos, como un axioma, la idea de que los escritores franceses tienen el talento de hacer fácil y claro lo que otros han pensado, expresándose de un modo difícil y oscuro. Es una pretensión absurda. En francés, como en cualquier otro idioma, la filosofía y la matemática son abstrusas.

Aquí está el caso de Bergson, filósofo a la moda estos últimos años, hombre que tiene fama de orador fácil, amable y galante. Se ha dicho que la filosofía de Bergson estaba al alcance de todo el mundo, pero esto se ha dicho, no cabe duda, por los que no la habían saludado ni desde lejos. Se ha dado una fama a Bergson de escritor fácil y ameno; según la opinión general, William James y él han conseguido hacer de la psicología una cosa tan divertida como una novela.

De este primer libro del filósofo francés, *Ensayo sobre los datos inmediatos de la conciencia*, no se puede decir que sea ameno ni fácil de entender. A mí, al menos, la coordinación de las ideas del autor se me ha escapado algunas veces. Tendría que leer el libro de nuevo y con gran atención para comprenderlo íntegramente. No creo que esta obra sea más asequible que la de cualquier otra de un filósofo alemán que se tenga por oscura y complicada.

¿Por qué se llama este libro *Los datos inmediatos de la conciencia?* Indudablemente, esto quiere decir que el autor se ha colocado, o ha tratado de colocarse, en una actitud de independencia con relación a las ideas establecidas; en una actitud sin prejuicio, que hoy se llamaría fenomenológica. ¿Está legitimada esta pretensión? ¿Está conseguida? Yo creo que no.

En primer término, es imposible que el filósofo escuche a su conciencia con la ingenuidad de un niño que oye por primera vez el sonido de una flauta; después, también es imposible que el filósofo no tenga una intención anterior a los datos que adquiera, y este filósofo la tiene.

A medida que se lee el libro de Bergson se pregunta uno: «¿Cuál es la intención de su obra?» A mi entender, la intención del autor es abrir una brecha en el concepto del determinismo para dejar que penetre en el campo de la metafísica y tome lugar con amplitud la idea de la libertad.

Quizá la intención del filósofo no es completamente científica, pero la ciencia no puede tener amigos ni enemigos. Los enemigos para ella son también amigos. La ciencia se fecunda lo mismo con el adicto que con el contrario. Es una de tantas cosas en que se diferencia de las demás instituciones humanas, sobre todo de la religión.

La religión siempre ha guardado rencor para el que ha intentado renovar el problema de los orígenes. La ciencia, no; la ciencia se ha enriquecido con los que han abordado la crítica de los orígenes.

En la ciencia no hay herejes.

Un Copérnico, un Newton, un Galileo, un Darwin, si hubieran dirigido sus investigaciones a los esudios religiosos, serían herejes. En la ciencia no pueden ser santos ni apóstoles, son investigadores.

El libro de Bergson, como toda obra filosófica que quiere ser fundamental, aborda un problema de orígenes y tiene el carácter de una nueva revisión de valores metafísicos.

A juzgar por la fecha de su publicación, Bergson concibe su obra en un momento en que el mundo intelectual está harto de positivismo en filosofía y de realismo en arte.

Parece que Bergson rechaza las explicaciones sumarias del positivismo, y pone como ejemplo de ligereza y de falsedad en la interpretación la de Spencer, que considera la gracia únicamente como una economía de esfuerzo.

En el fondo de toda la metafísica de Bergson se ve que su galería subterránea marcha directamente a buscar la afirmación de la libertad humana.

El camino que sigue el autor—y no estoy seguro de haberlo seguido bien en sus curvas y zigzag—es éste:

El punto de vista de Kant, de considerar las tres categorías que tenemos para abarcar el mundo exterior —Espacio, Tiempo y Causalidad—como productos del espíritu, como formas de nuestra intuición sensible, más que como realidades que están fuera de nosotros, es un punto de vista inatacable.

El tal concepto, puramente subjetivo, tiene su representación en la fisiología y en la psicología experimental.

Estas nociones, principalmente la del Espacio y la del Tiempo, son como proyecciones de la conciencia, que tienen un signo diferente, pero que en su creencia deben ser idénticas. Aquí se nota la inclinación que hay de aplicar al tiempo nociones espaciales, y al espacio, nociones temporales. Se dice, por ejemplo, corrientemente: «Entre los iberos y los celtas hay un largo espacio de tiempo», y se dice también: «Entre Madrid y Alcalá hay seis horas de camino.»

Kant, después de haber asentado de una manera clara y definitiva sus premisas subjetivistas en *La crítica de la razón pura*, llegó al momento, en *La crítica de la razón práctica*, en que tuvo que afirmar la moral, y, por tanto, la libertad.

Al poner frente a frente dos principios contradictorios, como la libertad y la causalidad, el uno exigido por la conciencia, el otro afirmado, *a priori*, por la razón, supuso que el trascendental era el principio exigido por la conciencia.

Es decir, de los tres principios—Espacio, Tiempo y Casualidad—, Kant intentó demoler el postulado de la Causalidad. Bergson, con el mismo objeto, intenta destruir el principio del Tiempo como concepto puro y homogéneo.

....

No voy a pretender definir el Espacio, el Tiempo y la Causalidad.

Las definiciones clásicas son casi siempre inútiles. La definición puede tener alguna utilidad cuando se trata de cosas particulares, artificiales y concretas, creadas con un fin humano; pero cuando se trata de cosas o de hechos generales, naturales o abstractos, no sirve para n ada.

Se pueden definir muy bien unos alicates, un martillo, un participio, un triángulo; pero definir la causa, el efecto, un caballo o un monte, es imposible.

La definición de cosas generales puede valer algo cuando reúne una serie de sinónimos que aclaran el sentido de la palabra, pero nada más.

Respecto a las cosas naturales: un árbol, un caballo, una lombriz, no se pueden definir; lo único que se puede hacer es describir. Esas definiciones clásicas, teológicas, con que todavía se entretiene en los institutos y universidades, son juegos sin ningún valor.

Decir «el hombre es un animal racional», es no decir nada; habría que definir en seguida qué es un animal y qué es ser racional.

Cuando se trata de ideas tan extensas como las del Espacio, el Tiempo y la Causalidad, la definición sirve lo mismo que un paraguas para cubrir la catedral de Toledo.

Las definiciones que se dan de ideas tan extensas no son más que un circunloquio, lo que se llama en lógica tautología; es decir, un artificio, en donde se mete más o menos disimuladamente el definido en la definición.

Muchos de los axiomas no son más que tautologías. No hay efecto sin causa. ¡Naturalmente! Efecto presupone causa. Una cosa no puede ser y no ser al mismo tiempo. ¡Claro! Cosa, presupone ser.

Otra tautología es la de los que nos dicen que dos y dos serán cuatro en la tierra como en Sirio, siempre que en Sirio exista la idea de unidad. No se puede dudar de esto, pero es porque en la unidad están comprendidos todos los números.

Otro lugar común por el estilo, dice Voltaire, ejerciendo de deísta cuando afirma: «Que es preciso estar loco para sostener que un reloj no supone un relojero.»

Lo que había que demostrar no es que un reloj supone un relojero, cosa que no tiene duda, sino que un reloj y el Universo son cosas similares.

No intentaremos, pues, definir lo que es indefinible.

....

De las tres categorías que tenemos para asir el mundo exterior, la primera, el Espacio, es la más simple de todas, la más pura, la más homogénea, según Bergson.

Indudablemente, parece que el Espacio se puede concebir en reposo y sin necesidad de que intervenga el tiempo; en cambio, el Tiempo no se puede concebir fuera del Espacio.

Suponemos Espacio y no tenemos necesidad de pensar el tiempo que dura, porque la idea del Espacio puede ser actual; en cambio, no suponemos momentos, sino en alguna parte.

Cierto que podemos suponer el Tiempo como algo más interior que el Espacio, pero no de una manera neta.

El Tiempo, sin fenómenos que se intercalen en él, no es fácil de concebir con claridad. Concebimos un momento y después otro momento, pero no concebimos una serie de momentos seguidos como una unidad; los momentos anteriores los vemos distintos, condensados, comprimidos, como en proyección sobre el presente, porque la conciencia de lo pasado no es más que un hecho de conciencia actual.

Siguiendo la terminología de los pragmatistas, se puede decir que la idea del Tiempo es una idea cómoda, una idea de utilidad práctica.

¿Podemos afirmar que el momento anterior y este momento que le sigue son idénticos en su esencia? En ab-

soluto, no. En un mundo en que todo evoluciona perpetuamente, en que todo cambia y nada es, porque todo tiende a ser, cabe la posibilidad de que el Tiempo se transforme constantemente y vaya también a un devenir.

Desde este punto de vista, las cosas, en conjunto, en el momento que las vemos, son eternamente nuevas, y para lo que es eternamente nuevo no hay tiempo.

No serían, pues, las horas como tiras de un cañonazo en que vamos bordando acontecimientos más o menos ramplones, sino que cada hora, cada trozo de cañamazo, sería nuevo y distinto.

«Nadie se baña en el mismo río dos veces—dijo Heráclito—, porque todo cambia incesantemente en el río y en el que se baña.»

....

Las deducciones que a mí se me ocurren después de la lectura de este libro, y que no sé si serán igualmente ciertas para los demás, son éstas:

Que la más simple de las tres categorías, Espacio, Tiempo y Causalidad, la más homogénea, como dice Bergson, es el Espacio.

Que el Espacio se puede concebir en reposo (es decir, homogéneamente en su pureza) o en movimiento (es decir, en combinación con el Tiempo).

Que el Tiempo, siendo una sucesión de existencia de cosas—este circunloquio parece que aclara algo—, no es, indudablemente, un concepto tan simple como el del Espacio en reposo.

Por último, que el concepto de Causalidad no es más que una variante del concepto del Tiempo, pues así como el Tiempo relaciona la existencia de dos estados de una misma cosa, la Causalidad relaciona la existencia de dos cosas diferentes.

Esta última categoría, concepto que brota del espíritu y que se traduce en el axioma tautológico «No hay efecto sin causa», produce la necesidad de afirmar el determinismo y de negar la libertad humana desde un punto de vista metafísico.

Así como Kant encontró falible el principio de Causalidad, Bergson quiere ir más lejos y encontrar falibilidad en el Tiempo.

En esto, como decíamos antes, no hace más que exponer la trayectoria de Heráclito.

Explicar cómo de la no homogeneidad del Tiempo, de la no trascendencia, de la no pureza de este principio saca Bergson un posible indeterminismo científico, sería para mí un poco largo y difícil. Ciertamente, también lo es para él, y el filósofo tiene que hacer grandes equilibrios sobre la cuerda floja, llevando la libertad en la espalda, y aun así no nos convence siempre de que su juego sea del todo limpio.

X

«HISTORIA DE LOS HETERODO-XOS ESPAÑOLES», POR MENENDEZ Y PELAYO

De esta obra, célebre en España, conocía, hasta hace poco, algunos capítulos del tomo tercero. Estos días la he leído completa. ¿Qué clase de hombre era este Menéndez y Pelayo? Sus panegiristas le han llamado genio portentoso, han dicho que era un león y han abusado de la hipérbole, de la manera clásica, a la que son tan aficionados los españoles. Generalmente, para nosotros, entusiasmo es sinónimo de retórica. El entusiasmo produce retórica, como el hígado produce bilis

y la parótida saliva. Entusiasmo sin retórica, entre nosotros, no se concibe; retórica sin entusiasmo, se concibe muy bien.

¿Cómo se presenta Menéndez y Pelayo a un lector moderno? Leyendo *Los heterodoxos*, lo que se advierte a las pocas páginas es que el autor es un católico a macha martillo, un tradicionalista rabioso y un patriota intransigente.

Menéndez y Pelayo tiene la feliz idea de exponer en una obra la vida y las ideas de los pensadores españoles que se han separado de la Iglesia católica desde los tiempos remotos hasta nuestros días.

El autor de esta obra es un gran investigador y un gran clasificador; busca el origen de las ideas, las expone con claridad, les encuentra su filiación. Además de ser erudito e investigador, ¿es algo más? ¿Es un espíritu noble? ¿Tiene intuiciones profundas? ¿Sabe elevarse a buscar las leyes de las cosas? Yo creo que no. Yo no he encontrado en este libro nada fundamental, ninguna intuición nueva o profunda sobre las ideas o sobre los hombres.

Después de un trabajo así, grande, como el de Menéndez y Pelayo, de aporte de datos, ¡qué de cosas no hubieran dicho sobre ellos un Herder, un Carlyle o un Renan!

Por encima de la documentación y de la erudición se cierne en el autor español un espíritu localista limitado, un ímpetu plebeyo, que es como la expresión literaria del «¡Vivan las *caenas!*», de 1823.

Algunos han comparado a Menéndez y Pelayo con Taine; hay en uno y en otro, indudablemente, la misma mezquindad, la misma miopía, el mismo sentimiento de patriotismo llevado al absurdo. Taine es más seco, más duro en el fondo determinista; Menéndez y Pelayo es más jugoso, más erudito a la antigua.

Alguno de los panegiristas de Menéndez ha hablado del valor del autor montañés al publicar un libro como *Los heterodoxos* en la época que se publicó; es decir, en plena Restauración.

Así se comprenden las cosas en España. En un país católico como el nuestro, en donde el rey y la corte, y el ejército, y la magistratura, y la burguesía, y la aristocracia, y el pueblo, son católicos fanáticos, el hacer la apología de la tradición católica indica valor. ¡Qué ridiculez! El terrible enemigo de nuestra tradición, y, por tanto, de Menéndez y Pelayo, en el tiempo que publicó sus *Heterodoxos*, era un grupito de krausistas del Ateneo, insignificantes por todo.

El valor de Menéndez y Pelayo no pasará a la Historia en unión del canciller Morus o de Giordano Bruno.

Menéndez y Pelayo, como erudito español, siente una gran simpatía por lo general y por lo germánico, que es la quinta esencia de lo general. Menéndez y Pelayo hubiera deseado que no hubiese más pensamiento que el latino y el católico; lo demás, para él, sobraba.

Estos escritores alemanes, Nietzsche, Feuerbach, Schopenhauer, cada cual en su esfera del pensamiento, como antes Kant, Herder. Goethe, tienen el sentido humano sin localismo alguno. En un Taine, en un Sainte-Beuve, ya esto se restringe, ya sus ojos no son sólo de hombre, sino de francés; en Menéndez y Pelayo, la restricción aún es mayor: es un español el que habla y un español tradicionalista.

A Menéndez y Pelayo se ve que le molesta la preponderancia que en su tiempo había tomado ya el pensamiento alemán, y quiere negarlo y hasta pasando por su catolicismo quisiera que los herejes españoles de su época se inspiraran en los antiguos herejes nuestros mejor que en los filósofos alemanes.

La pretensión es absurda. ¿Qué nos va a interesar la herejía teológica de un pensador del siglo XVI? Absolutamente nada. Aunque las ideas de uno de estos hombres tuvieran algo aprovechable hoy, el pensar que es necesario ir a buscarlas es una muestra de un historicismo cándido. Es como querer que el que marcha en automóvil sepa cómo se viajaba antes por la carretera por donde va. ¿Para qué? Una de las primeras condiciones de la vida es el olvido.

Por otra parte, hay que suponer que todo lo fundamental, todo lo útil que haya pensado un escritor de hace doscientos o trescientos años ha sido pasado por mil cedazos y se ha depurado y analizado.

Los que creen que la ciencia es algo como un juego, como don Juan Valera, afirman que casi todos los descubrimientos modernos estaban indicados por los antiguos; así, por ejemplo, Valera dice que las doctrinas del darvinismo están en el libro *El ente dilucidado*, del padre Fuente de la Peña. También en este mismo libro del padre Fuente se asegura que se podrá volar; pero de decir eso a inventar el aeroplano, como lo hicieron Lilienthal y los Wright, hay una diferencia considerable.

Para ponernos a tono con Valera en estas cuestiones, contaremos una anécdota sevillana.

Un señor que había estado en Egipto contaba en Sevilla lo que había visto en el país de los Faraones.

—Y en un sótano de una tumba egipcia — decía — se encontró un manojo de alambre, lo que hace sospechar que los antiguos egipcios conocían la telegrafía.

—Pues aquí, en Sevilla—le replicó uno que le oía—, en un sótano de una casa muy vieja no se encontró nada, lo que hace sospechar que los sevillanos antiguos conocían la telegrafía sin hilos.

Esta anécdota es tan seria como lo que afirma Valera.

Valera tiene también el tupé de hablar al mismo tiempo del darvinismo y del espiritismo, queriendo dar la misma importancia a una superstición ridícula que a la doctrina más profunda y más documentada que ha producido en Biología el siglo XIX.

Esto, en el fondo, no es más que una de tantas manifestaciones de petulancia y de aldeanismo español. Casos parecidos se podrían citar muchos en nuestra literatura actual. Así, Pérez Galdós, en *Doña Perfecta*, dice de su personaje, un ingienierito español, que no creía en las locuras de Darwin y Haeckel. ¡Así son la mayoría de los ingenieros españoles! No creerán en Darwin; pero, en cambio, creerán en Maura.

Campoamor afirmó que las doctrinas de Darwin eran de un mozo de mulas. Este buen hombre, el autor de las *Doloras*, creía que sus aleluyas y sus versitos de pastelería eran de mucha más trascendencia que el transformismo.

Aquel otro vacuo e infatuado Cánovas, cuando estuvo de moda el naturalismo, dijo que entre los escritores realistas la Pardo Bazán era superior a Zola, porque tenía mejor gusto, etc. No comprendía el *monstruo*, como le llamaban sus amigos, que en la obra de Zola hay un valor universal, histórico, que abarca una época, y que en la obra de la Pardo Bazán no hay más que un relativo valor regional.

Esta falta de medida es en nosotros constante. Unamuno también es de la misma escuela; intentará demostrar al mismo tiempo que cualquier escritor portugués o sudamericano es una gran cosa, y que, en cambio, Kant, Schopenhauer, Goethe o Nietzsche no son nada. Es el eterno aldeanismo, rebozado con una punta de envidia.

España, como país de cultura periférica, ha tendido casi siempre a burlarse y a negar las ideas de la cultura de la Europa central. A veces ha acertado, como en el *Quijote;* en cambio, todo lo que ha hecho después en este sentido, desde el *Fray Gerundio* hasta Menéndez y Pelayo, Valera, Pereda u Ortí y Lara, no ha tenido el menor valor universal. El localismo, el aldeanismo natural del español se intensifica en Menéndez y Pelayo por su tendencia ultramontana y le hace llegar al absurdo.

En los dos primeros tomos, el autor guarda un poco de serenidad. No tiene nunca, claro es, la contemplación poética de Renan. Para Renan, los sistemas filosóficos son como grandes construcciones, dignos de admiración y de estudio, y la misma verdad que puedan encerrar no le preocupa; para Menéndez y Pelayo los sistemas filosóficos son como andamiajes del demonio.

De algunos filósofos heréticos da Menéndez y Pelayo datos nuevos y poco conocidos; en el estudio de otros no añade nada original. De Averroes, por ejemplo, que parece el hombre más interesante de los pensadores nacidos en España, no dice más que vulgaridades.

En el segundo tomo, los capítulos dedicados a los dos Valdés y a Servet son más completos y tienen cierta generosidad.

Si en estos dos primeros tomos de *Los heterodoxos* el autor conserva el decoro, en el último ya se vuelve loco de furor. Es un seminarista atacado de hidrofobia.

Voltaire, según él, es un hombre bajo y ruin, que vivió de pensiones y hasta del tráfico de negros. Es un lacayo, un miserable, un entendimiento mediano, incapaz de enlazar ideas o de tejer sistemas.

A esto no se puede contestar más que encogiéndose de hombros misericordiosamente.

Todos los que colaboraron con Voltaire en la *Enciclopedia* son vulgares y tabernarios. El ser ateo es una brutalidad sin chiste, propia de gente soez y de licenciados de presidio... El darvinismo es cosa tan baja, que no cabe más. Hay que volver a encogerse de hombros. Para este señor, Demócrito y Epicuro, Protágoras y Lucrecio, Hobbes y Spinoza, Kant y Laplace, Lamark y Lalande, eran licenciados de presidio.

¡Cuánta más exacta y más profunda la manera de Nietzsche cuando habla de los pálidos ateos y los recrimina, no por su anticristianismo, sino por considerarlos demasiado cristianos!

Alguno supondrá que esto es una paradoja, pero no lo es. ¡Qué duda cabe que hay más sentido cristiano en el anarquista ateo y materialista, capaz de sacrificar su vida por una locura, que en el cardenal del Renacimiento, amigo de pompas y de esplendores!

Sólo a los hombres de un espíritu mezquino y sacritanesco se les ocurre pensar que el ateísmo o el materialismo o cualquier otro sistema, deducido, mejor o peor, de una idea científica, puede ser de gente soez o tabernaria y responder al objeto de olvidar con el pensamiento el castigo ultraterreno.

Hay gentes que tienen un concepto tan vil de los demás, que quieren creer que no se puede hacer nada en la vida más que por un egoísmo práctico; así, para éstos, el hombre que pide la abolición de la pena de muerte es porque teme que le quieran matar a él; si trabaja por la mejora de las cárceles o de los manicomios, es porque piensa parar en una cárcel o en un manicomio...

Esta es la manera de discurrir de la mayoría de los clericales españoles, y ésta, en parte, es la manera de pensar de Menéndez y Pelayo.

Para él, las turbas no quieren creer en Dios para entregarse a todos los excesos. Así, claro es, todos los liberales son gentes satánicas, gárrulas, vulgares... En cambio, los ultramontanos son para Menéndez gente superior.

Además de lo que ataca Menéndez y Pelayo con pasión, habla de cosas para él indiferentes, demostrando que no las leyó o que no las comprendió.

Decir, por ejemplo, que Jorge Borrow, el autor de la *Biblia en España*, demuestra una sandia simplicidad y una escasa cultura, es un absurdo.

Un erudito me decía no hace mucho que había comprobado que Menéndez y Pelayo hablaba de libros que no había leído, aprovechándose de resúmenes y de noticias, sobre todo alemanes.

En donde el autor de *Los heterodoxos* mezcla la saña con la sátira es al hablar de los krausistas españoles. No cabe duda de que Sanz del Río no tuvo gran acierto al importar de Alemania la filosofía de Krause, que, además de no tener prestigio en Europa, se prestaba a la charlatanería; tampoco cabe duda de que Sanz del

Río era un escritor confuso; pero aun así, un crítico noble hubiera reconocido en esa especie de secta del krausismo un sentido de humanidad y de universalidad importante.

También Menéndez y Pelayo obra de mala fe, confundiendo a Pi y Margall, que es un escritor limpio y claro y que dice siempre lo que se propone, con los oradores y escritores krausistas que se dedicaban al logogrifo.

Valera hizo algo parecido, atacando a Pi y Margall de mala fe por un motivo de política.

Menéndez y Pelayo, ya viejo, reconoció la acritud y la virulencia de su libro, y dijo para legitimarse que había peleado por una idea.

A mí no me parecen mal la acritud ni la virulencia; pasaría por ellas con facilidad y pasaría también por la negación de las ideas que yo creo buenas si en esta *Historia de los heterodoxos* hubiera algún punto de vista nuevo; pero ni en este libro ni en otro que he leído del mismo autor, *La historia de las ideas estéticas,* hay para mí más que una sabia compilación.

Menéndez y Pelayo ha servido de modelo para la mayoría de nuestros eruditos provincianos. El tipo del historiador y del arqueólogo se han vaciado en su molde, porque antes él se había vaciado en el molde del erudito español: clásico, reaccionario, tradicionalista, un poco frailuno...

Muchos de los discípulos se lamentan de que los libros de Menéndez y Pelayo no se lean por la gente. ¿Quién los va leer?

El español de la calle, el médico, el industrial, el ingeniero, a quienes gusta leer, probablemente, se encontrarán más cerca de un Nietzsche, de un Tolstoi, de un Bernard Shaw, a pesar de ser estos hombres de países leja-

nos, que no de un historiador tradicionalista de gentes de su raza.

Menéndez y Pelayo me da la impresión de un escritor que marcha entre dos corrientes; una, la más limpia, es la del humanista que puede llegar a saborear el gusto pagano de una obra latina o griega; la otra, la más turbia, es la del tradicionalismo español exclusivista, limitado y pobre.

¡Y fuera de esas dos corrientes hay todavía tantas cosas en el mundo!...

XI

EL BUEN GUSTO

Tras la larga temporada de lluvias, otra vez viene el buen tiempo. Los campos están al sol y los campesinos comienzan a preparar las heredades para sembrar el maíz.

Ellos saben lo que buscan y por qué se afanan; los que contemplamos el paisaje, ¿qué buscamos?

Cada uno exige del campo una cosa distinta: el uno quiere monte y terreno quebrado; al otro le gusta la llanura que se pierde de vista; a éste le atrae el mar; al otro, el río caudaloso.

A mí me basta con que en el campo haya verde; no exijo grandes paisajes, ni castillos en los montes, ni riscos, ni cataratas; una mancha de verde donde descansar la vista me parece bastante.

El agua también me parece indispensable en el paisaje.

El agua distrae mucho Yo, con frecuencia, paso el tiempo mirando desde un puente el arroyo próximo a casa, con sus pececillos, que allí llaman chispas, y los hidrometras, que marchan por el agua sin mojarse. El agua corriente me atrae; cuando está inmóvil, me impone. Esos estanques tranquilos, quietos, a mí no me agradan; y si en ellos hay, como en Versalles y en La Granja, figuras de bronce en la superficie, entonces no sé a punto fijo por qué me producen una impresión desagradable.

¡Qué misterio tiene el agua para el hombre! ¡Y qué variedad! Esa agua espumosa que corre clara entre piedras, ¡qué distinta parece al agua oscura y misteriosa de los estanques y de los pantanos!

Un campo que tenga algo de agua, algo de verde, me basta.

Sorolla me decía una vez:

—Aquel verde-reuma que hay en su país no me entusiasma.

A mí, sí.

Cierto que hay una divergencia entre lo que me atrae y lo que me conviene. El clima alto, seco, de poca vegetación, me da más tono; pero en la cabeza y en los ojos tengo el amor por el clima húmedo y los prados verdes.

Los prados de los valles vascos son pequeños, pero en primavera están muy bonitos. Cuando nuestro campo se afea es en verano, con el maíz; el maíz tiene todo el aire de una planta americana, su hoja es grande, dura, y su color es de un verde negruzco.

Con este tiempo hermoso estoy a cada paso en la huerta. No hago nada de provecho; si me propongo trabajar con la azada, me canso en seguida.

La huerta de la casa es bastante grande; la arreglamos y la ensanchamos hace tres años. En uno de sus lados, que tiene una tapia hacia un camino, al cavar con profundidad, comenzaron a aparecer huesos humanos, largos fémures y mandíbulas con los dientes completos, todo lo cual demostraba que la gente enterrada allí era joven y fuerte. Estos esqueletos se encontraban los unos paralelos a los otros y con la cabeza hacia la tapia. Recordando lo que se dice, que la casa sirvió de hospital durante la guerra de la Independencia, he supuesto que estos huesos son de los ingleses del ejército de Wellington. Resultado de un crimen no es probable que sean, porque de un crimen en donde murieron diez o doce—y aún deben quedar más restos a lo largo de la tapia—quedaría memoria. De ser muertos en las guerras carlistas, estarían enterrados en el cementerio y alguno que otro en el campo.

Indudablemente, éstos deben de ser huesos de ingleses muertos en la casa cuando era hospital, y, como protestantes, no enterrados en el cementerio. El sistema dentario y la longitud de los huesos abonan esta hipótesis.

¡Qué pronto aparece la Historia en los países viejos! Y eso que el País Vasco ha sido uno de los menos aficionados a la Historia que puede haber en el mundo.

Le hablaba a un amigo francés de este camino que pasa al borde de casa, y le decía que la gente del pueblo lo suponía hecho por Napoleón.

—Naturalmente, es mucho más viejo—le decía yo.

—Yo creo que es una calzada romana—afirmó él.

Aun en estos lugares, que parece que permanecieron aislados de la civilización romana, se encuentran vestigios de ella. Hace un par de años, en la orilla del Bidasoa, al hacer un canal de un salto de agua, se encontraron una porción de monedas romanas de distintas épocas, quizá de algún tendero que tendría su establecimien-

to al comienzo del barranco del río,
que entonces sería selvático y tenebroso.

Toda esta parte vasca o, por lo menos, la mayoría, debía de estar llena
de selvas y debía de habitarla una población escasísima, porque es extraño
que no se encuentren rastros de la vida pasada. Cavernas que hayan servido de vivienda al hombre apenas hay
en el País Vasco; monumentos megalíticos se encuentran solamente en el
monte Aralar. A veces se pregunta
uno si esto de la antigüedad de los
vascos será una mistificación que hemos inventado para darnos tono; tonta mistificación, porque a mí, al menos, la vejez nunca me ha parecido
una gloria.

....

Mientras ando curioseando por la
huerta, hay un chiquillo que cuida de
un rebaño de ovejas que pasta en un
campo vecino. Este chiquillo canta
una canción popular y repite claramente dos estrofas de la canción.

Es curioso en estas canciones vascongadas, que tienen a veces una melodía y un ritmo muy poéticos, lo pro-
saico y lo torpe de la letra.

Esta canción del chiquillo que cuida del rebaño no es, por su melodía,
de las más bonitas; pero sí es, por su
letra, de las más pedestres y realistas.
Dice así:

Andre Madalen, Andre Madalen.
Laurden erdi bat oliyo.
Aita jornalac irabastia,
ama pagatuco diyo.

(Señora Magdalena, señora Magdalena. Un medio cuartillo de aceite.
Cuando el padre haya ganado el jornal, la madre se lo pagará.)

La segunda estrofa es ésta:

Andre Madalen errotacua,
iriqui nazu atia,
zure senarra datorrelaco
arduaz ondo betia.

(Señora Magdalena del molino,
ábrame usted la puerta, porque su
marido viene completamente lleno de
vino.)

Yo me figuro que la mayoría de estas canciones ha degenerado; debieron tener una letra noble y otra avi-
llanada; aquélla se perdió, y ésta es
la que perdura. En muchas cosas han
debido hacer lo mismo los vascongados, perdiendo la tradición noble y
quedándose únicamente con la villana.

Sigo mi paseo por la huerta; miro
cómo marchan los rosales y las enredaderas, los manzanos y los perales,
las habas y los guisantes. Todo está
un tanto atrasado. Las últimas heladas han matado los brotes. Muchas
plantas que apenas habían comenzado
a echar hojas ya están enfermas, algunos rosales se hallan atacados por
el *oidium*, los manzanos tienen el pulgón, los tilos aparecen con las hojas
carcomidas

¿Qué es esto? ¿Es que la tierra y el
aire están infectados? No cabe duda
que desde hace tiempo ha debido de
haber una serie de epidemias en los
árboles que han venido de Francia.
Han muerto todos los castaños y robles de una gran zona. Otra causa de
la debilidad de las plantas es que se
traen especies y variedades exóticas
que, sin duda, no están aclimatadas al
país.

¡Cuántos enemigos tienen los árboles y las plantas! ¡Qué labor de destrucción más completa! Mirad, por

ejemplo, el pulgón del manzano: llega, yo no sé de dónde, y se planta en el revés de la hoja; allí se dedica a hacer una operación que consiste en cortar fibras aquí y allá, y, a consecuencia de esta operación, que un médico llamaría tenotomía, abarquilla la hoja, y cuando ya tiene un hueco, comienza dentro su nido.

Las orugas de las coles hacen también una obra terrible de destrucción. Un día de primavera empiezan a aparecer mariposas blancas, grandes, muy hermosas. Quizá si tenéis una superstición literaria creeréis que es un presagio de buena suerte. Las mariposas se detienen en vuestras coles, ponen sus huevos, y, al cabo de un mes, empiezan a aparecer orugas como pequeños agremanes, que en poco tiempo dejan las hojas de la berza como una criba. Desgraciadamente para estas orugas y afortunadamente para los hortelanos, hay otro insecto parásito, de la familia de los icneumones, el *Mierogaster glomeratus*, que se dedica a comerse las ninfas de las orugas.

De estas relaciones, no sólo de primer grado, sino de segundo y de tercero, hay muchas en la Naturaleza. Una de las más curiosas, observada por Darwin en Inglaterra, es la que hay entre las praderas del trébol rojo y los gatos. Donde hay muchos gatos hay mucho trébol rojo. ¿Por qué? La razón es esta: la fructificación del trébol rojo depende de una clase de avispas que, al libar en la flor, ponen el polen en contacto con el estigma. Darwin ha comprobado que el trébol rojo, protegido de los avispones, no produce semilla. Ahora, el número de avispones depende de unas ratas de campo del género arvícola, que son sus enemigos, y, a su vez, el número de arvícolas, de los gatos. He aquí por qué donde hay muchos gatos hay mucho trébol.

Carlos Vogt, alargando las consecuencias, ha deducido que donde hay muchos gatos hay pocas arvícolas, donde hay pocas arvícolas hay muchos avispones, donde hay muchos avispones hay buen trébol rojo, donde hay trébol rojo hay buen ganado, y donde hay buen ganado la gente se alimenta bien, y, por tanto, discurre bien.

He aquí la inteligencia inglesa de los Bentham y de los Stuart Mill, deducida del número de gatos.

En general, siempre hay algo bueno en lo malo, y al contrario.

El mérito del filósofo es darse cuenta de ello.

Grandes daños suelen hacer también en las huertas las babosas y los caracoles, que tienen un apetito insaciable.

Un insecto voraz es el grillo talpa, que aquí llaman *lugarza*. Este grillo, cavador, es un animal feo y feroz, que vive de insectos y de raíces. La hembra suele excavar un agujero oval en la tierra, con galerías en diversos sentidos, y en ellas deposita sus huevos.

Otro sitio que mirar en la huerta es el gallinero. ¡Qué crueldad! ¡Qué ferocidad la de las gallinas! Es difícil ver un animal, entre los domésticos, tan bárbaro como éste. Si hay alguna débil o que tenga una herida, las demás se lanzan contra ella, y si pueden, la matan. He visto cómo a una gallina joven, que tenía un prolapso de la cloaca, se echaron las demás sobre ella, le arrancaron las entrañas a picotazos y la dejaron muerta.

El odio al enfermo y al débil es normal en la Naturaleza; tiene razón Nietzsche; pero había que hacer lo posible para que no fuera lo mismo en el hombre.

La huerta tiene como un pequeño mirador, desde donde se ve la carretera que va a Francia. Es una carretera ésta bonita, que sube trazando curvas hasta el puerto de Biandiz.

Desde el alto se divisa San Juan de Luz, Bayona y la llanura de Francia, hasta donde alcanza la vista.

La carretera tiene también su aspecto dramático, porque es un punto de cita de contrabandistas. Estos hacen ahora contrabando de pan y de comestibles a Francia, y, a veces, se ven carabineros que vuelven cargados con cajas y sacos que han aprehendido.

Cada contrabandista se saca un jornal de veinticinco y treinta pesetas por la noche.

En este camino hay un abrevadero en donde un naturista del pueblo se suele bañar de noche, y una vez dio un terrible susto a una mujer de un caserío, que, al ver salir un cuerpo desnudo del abrevadero, lo tomó por un fantasma.

Por la tarde, el sol aprieta un poco, no mucho; la gente de aquí, que parece que tiene mucho miedo a Febo, se pone sombreros y pañuelos en la cabeza.

El final de la tarde es melancólico; el aire parece más azul; las golondrinas, que ya han aparecido, trazan un laberinto de rectas y de curvas por encima del suelo.

En nuestra casa no anidan las golondrinas; sin duda es fría. Como nos hubiera gustado que estos simpáticos pájaros hicieran el nido en Itzea, pusimos debajo del alero una caja de puros. Una pareja de golondrinas la adoptó, aunque de mala gana; sin duda, le desagradaba el aire poco natural de la caja o el olor a tabaco; el caso es que al poco tiempo abandonaron la caja y no volvieron más.

En San Sebastián, cuando yo era chico, había enfrente de casa un señor que se llamaba don Fernando y que decían que era protestante.

Este señor salía al balcón a leer un libro y echaba migas de pan a las golondrinas, que tenían un rosario de nidos en el alero. Cuando se marchó don Fernando, el amo de la casa fue con un palo y quitó todos los nidos. Así que en el diccionario de la infancia yo tenía estos sinónimos: «Protestante: hombre que lee un libro y le gustan los nidos de las golondrinas. Católico: hombre que no lee nada y tira los nidos de las golondrinas.»

....

Viene la hora triste en que la gente vuelve a sus casas, se oyen las esquilas de los rebaños y las campanas de la oración...

XII

SALPICADURAS DE LA GUERRA

La guerra hace que periódicamente se presenten desertores en Vera. Los ha habido de casi todas las nacionalidades del grupo de los aliados; algunos muy pintorescos, como un oficial yanqui, que luego resultó ser gallego; un oficial servio, varios rusos, varios belgas. Lo extraño es que casi todos ellos pasaron la frontera vestidos de uniforme y recorrieron grandes distancias, andando de noche y durmiendo de día.

El mayor número de desertores ha sido de vascofranceses de las aldeas próximas. La gente de aquí, del pueblo, los trata bien, y encuentran muy lógico que se escapen. Cosa extraña. Los franceses trataban mal a los desertores españoles que se escapaban por no ir a la guerra de Cuba o de Marruecos.

Hay siempre en el francés esa ridícula petulancia patriótica y esa falta de humanidad que no les ha permitido nunca tener héroes naturales. *Qu'il mourut!* Esta frase de Corneille es la quinta esencia de la majadería francesa. ¡Cuándo un romano de verdad iba a decir esta tontería!

....

Se está produciendo una gran hostilidad entre los vascos de aquí y los de allá. Los vascofranceses, durante mucho tiempo, se han acostumbrado a mirar por encima del hombro a los vascoespañoles. Ellos pertenecían a una *grande nation* en donde no había agitaciones ni disturbios; podían llegar a esa suprema gloria de los parisienses de pronunciar la *r* como *g* y a esa no menos sublime belleza de poder lanzar sonidos nasales por sus hermosas narices vascas como cualquier galo chato y braquicéfalo. Además, su dinero valía más.

Ahora, aunque sea momentáneamente, ocurre lo contrario: hay calma en España y agitación en Francia; nosotros hemos tenido el cinismo de no ir a la guerra y el dinero español vale más, cosas ambas que a estos franceses de la frontera los irrita.

—*Diru ciquiñ ori* (ese sucio dinero)—dicen por el español.

No hay duda: el dinero español es una cosa sucia; no lo es menos el francés. Con uno y otro se han hecho muchas bellaquerías; más, naturalmente, con el francés, porque hay más.

Esta mayor o menor suciedad del dinero no nos debe dividir. Todos los dineros son una porquería.

....

He estado hablando con un muchacho que lleva pan a Francia. Le pagan una peseta por kilogramo de pan que deja en la raya, y lleva de noche veinticinco o treinta kilogramos. El kilogramo cuesta aquí 75 céntimos y en la frontera lo pagan a 2,50 francos, o sea, en moneda española, de 1,50 a 1,60.

—Y estos cincuenta o sesenta céntimos de más, ¿quién se los queda? —le pregunto al muchacho.

—El contratista—me dice él.

—Pero vosotros, ¿qué necesidad tenéis de contratista?—le pregunto yo.

El muchacho supone que el contratista paga a los carabineros para que dejen pasar el pan.

Aquí hay alguna dificultad para el paso de comestibles; en cambio, en Irún no ha habido ninguna hasta este momento. Ahora sí, parece que hay gran cantidad de judías y de lentejas detenidas.

Una muchacha de Irún me decía que todo el sótano de su casa estaba convertido en almacén de lentejas. Añadía que las lentejas deben de dar mucha sed a las ratas, porque cuando dejaban en el patio una cazuela con agua, inmediatamente iban las ratas por docenas a beber...

....

El cambio de hora decretado por el Gobierno quizá sirva de algo en las grandes ciudades. En los pueblos pequeños no sirve para nada. Eso sí, nos dará unas tardes de verano inacabables.

Con relación a la hora, va uno a vivir esta temporada en plena confusión. El reloj de casa no siempre marcha bien con el de la parroquia. Este adelanta, según unos, por el capricho del sacristán; según otros, porque le falta un diente (al reloj), y todavía hay otros que atribuyen las variaciones a los cambios de temperatura.

El reloj de la parroquia no siempre va de acuerdo con el de la estación, y ahora, gracias al decreto del ministro, ni el de mi casa, ni el de la parroquia, ni el de la estación, van con el sol.

No sé quién habrá inventado una historia absurda de una mujer que se le ha aparecido a un carretero y le ha dicho que la guerra se acabará en dos meses.

La historia estaba aderezada con todas las de la ley. Algunos han supuesto que sería Nicasio, el estanquero del pueblo, que es hombre guasón; pero él ha asegurado que no.

Sea por lo que fuere, la historia no ha cuajado.

XIII

LOS AGOTES

Dos amigos de Irún, Figueredo y el doctor Juaristi, han venido el día del Corpus en automóvil a buscarme. Vamos a ir a Arizcun a ver el pueblo de los agotes. El día está fresco, gris; al pasar por Sumbilla vemos la procesión, que cruza el puente. Yo he escrito este artículo, que se ha publicado en El Bidasoa:

«LA LIMPIEZA DE SANGRE»

Al comparar el autor de Zaratustra el cristianismo con el budismo, hace una de sus observaciones, siempre llenas de su gran penetración psicológica. El budismo, según él, se desarrolló en una raza excesivamente elaborada, de una sensibilidad hiperestésica; raza tardía y vieja que se había vuelto buena, dulce y espiritual. Al cristianismo no le pasó lo propio;

salido del subterráneo, como dice Nietzsche, del antro de los subyugados y de las razas consideradas como viles, tenía que hacerse dueño de las hordas bárbaras de la Europa central; tenía que dominarlas, y al inculcar en la sociedad del tiempo el fanatismo morboso del semita, su crueldad y su materialismo, tuvo que aceptar del bárbaro gótico el orgullo de la casta, la brutalidad y la insensibilidad.

Ciertamente, en todas las razas han existido separaciones, pero en ninguna tan fuerte como en las arias. El sentimiento de la aristocracia, el culto de la limpieza de sangre, son ambos ariocristianos.

El feudalismo, condición de esa manera de sentir, ha dominado únicamente los países poblados por las hordas centroeuropeas convertidas al cristianismo. La exaltación de unas gentes por una noción tan fantástica como la limpieza de la sangre tenía que traer, naturalmente, el desprecio por otras gentes. Así, mientras el mundo cristiano medieval se llenaba de condes, de barones, de caballeros y de hidalgos, iba formándose al margen la capa de los detritos con las razas despreciadas: los moriscos, los gitanos, los agotes, los chuletas, los marranos, los collibert, los vaqueros.

El mundo brillante y el mundo hórrido procedían los dos del mismo mito ariocristiano: de la limpieza de la sangre.

LA HUMILLACIÓN ANCESTRAL

Los agotes aparecieron en las dos vertientes del Pirineo a principios del siglo XIII.

¿De dónde venían? No se sabe a punto fijo. Lo único que se sabe es que la población vasca y gascona los recibió de tal manera que formó entre ellos y los recién llegados una barrera infranqueable.

Durante siglos y siglos, estos agotes han vivido separados de los vascos, a quienes ellos llamaban *perlutas*; durante siglos y siglos, la Iglesia, en Francia, ha puesto en el registro de los matrimonios, detrás del nombre de los casados, un paréntesis (agotes), y en España, en Arizcun, otro paréntesis (de Bozate). El mismo paréntesis ignominioso aparecía al lado de los bautizados. La Revolución francesa acabó en Francia con el *inri* de los agotes; en España, hasta hace poco tiempo, se ha seguido poniendo en Arizcun la nota «de Bozate». Los apellidos de los agotes son los mismos que los de los demás vascongados. Hay entre ellos Echeverri, Salaverri, Echegaray, Amorena, Bidegain, Aguerre, Gaztelu, Zamacois...

La Iglesia, como la sociedad civil, se constituyó en enemiga de los agotes. En casi todas las parroquias donde había poblados de agotes, como en la de Luz, había una entrada aparte; en algunas, entrada y sitio aparte; en todas ellas tenían éstos pilas de agua bendita especiales, y no podían mojar los dedos en la de los demás parroquianos.

En la iglesia de Arizcun, los hombres del barrio de Bozate, los agotes, se ponían separados; hoy las mujeres de ese barrio se colocan las últimas. Los agotes no podían ser curas ni frailes. En Arizcun iban en las procesiones los primeros y no podían sentarse en los bancos del cementerio a esperar la misa. Su inferioridad civil era también grande. En plena Edad Media tenían que presentar siete testigos para contrarrestar el testimonio de un *perluta* (vasco). No podían ir por el camino sin zapatos para no contaminar su peste, y llevaban un pedazo de paño rojo en forma de pata de

ganso, en la ropa, para distinguirlos desde lejos; se les acusaba de vanidosos, de petulantes y de lascivos. Hoy mismo, en el Baztán no son concejales los del barrio de Bozate, y apenas les dejan bailar la *carrica-dantza* a las muchachas bozatenses en la plaza de Arizcun.

IMPRESIÓN DE BOZATE

Bozate es un barrio pobre, erguido en un altozano, con unas cincuenta a sesenta casas bastante míseras y descuidadas. Tiene, como vigilándole, apartado de él, una vieja torre solar, la de Ursúa, la antigua dueña de las casas de Bozate, que cobraba los pechos. Al lado de la carretera hay un palacio grande: Lamiarrieta.

Al entrar en Bozate se nota que no hay ninguna casa solariega, ningún escudo, ningún adorno, pocas flores; se siente un ambiente de tristeza, de suspicacia y de humillación. Es la miseria ancestral, la injusticia y el odio que, al pesar sobre los habitantes, los ha empequeñecido.

Si se fija uno en los hombres, en las mujeres y en los chicos, se ve que debajo de la máscara común de tristeza y de sospecha hay un tipo de raza especial.

Es un tipo de cara ancha y juanetuda, esqueleto fuerte y pómulos salientes; distancia bizigomática grande, ojos azules o verdes, claros, algo oblicuos; cráneo braquicéfalo, tez blanca pálida y pelo castaño y rubio.

Este tipo, que no se parece en nada al vasco clásico, es un tipo de la Europa del Centro y del Norte. Este tipo existe, aunque no con tal abundancia como en Bozate, en toda la comarca, y se extiende hasta Santesteban, por lo menos. Hay viejas en Bozate que parecen retratos de Alberto

Durero, de aire completamente germánico. Al mismo tiempo que este
tipo de cara cuadrada y ojos claros,
se ve en Bozate otro de facies más
alargada y de tez más oscura, que recuerda al gitano.

Así como las aristocracias se buscan, lo mismo pasa con las gentes hu-
milladas y caídas; los agotes han en-
troncado con los gitanos; los casca-
rotes de Ziburo (cas-agotes) son seguramente producto de una de estas
mezclas.

Los agotes de Bozate, como los de
fuera de Bozate, son molineros, carpinteros, canteros y tejedores; hay
entre ellos muchos pescadores y también tuntuneros y tamborileros.

Algunos agotes ricos intentaron después rehabilitar legalmente a los suyos y borrar las diferencias con los
otros vascos ante la Iglesia y la sociedad civil; pero, prácticamente, no lo
consiguieron. El mito de la limpieza
de sangre siguió separando unos hombres de otros.

Un antiguo poeta, agote del Bearn,
dejó unos versos que comienzan así:

Encuer que cagots siam,
nou nom dam;
touts sem hills deu pai Adam.

(Aunque somos agotes, poco nos
importan las palabras; todos somos
hijos del padre Adán.)

No, querido poeta agote; no es el
parentesco con el padre Adán, muy
problemático para los antropólogos,
el que conseguirá que la división de
los agotes y los perlutas desaparezca. Son la civilización y la cultura las
que van haciendo que todos los hombres seamos iguales y las que impulsan a que no haya entre nosotros más
distinción que la que produce el trabajo y la inteligencia.

LA RAZÓN DEL ODIO

Se han ideado muchas causas para
explicar la separación y el odio a que
han sometido los vascos a los agotes.
Las tres versiones principales son éstas: primera, la que supone que los
agotes son de una raza distinta; segunda, la que supone que son de una
secta religiosa herética, y tercera, la
que supone son descendientes de le-
prosos.

Respecto a la primera hipótesis, mi
opinión es que existe en ellos un elemento de raza distinta a la vasca. Los
agotes no deben ser del mismo origen étnico que los vascos.

¿Son restos de los visigodos vencidos por la espada de Clodoveo en la
llanura de Vouillé? ¿Son moros des-
baratados por Carlos Martel? Todo
hace pensar que han de ser más próximos a los primeros que a los segundos; más bien arios que semitas.

Esta misma diferencia de raza, si
existe en otras partes, ha producido
la esclavitud, pero no el odio.

La versión de la diferencia de raza
no legitima, pues, el aislamiento.

La segunda hipótesis, la de que los
agotes proceden de una secta cristiana distinta a la católica, tiene mucha base.

En algunas partes del Bearn se los
ha llamado *crestiás* (cristianos), dando a entender con esto que eran cristianos nuevos. Probablemente los agotes son reliquias de los albigenses de
la comarca de Tolosa. Esto explicaría
más que nada la enemistad sañuda de
los vascos por ellos. Sólo un fanatismo religioso puede alcanzar tan gran
violencia.

Una vieja de Arizcun, para legitimar la animosidad contra los agotes,
decía que éstos habían dado informes
falsos a la Virgen, y que cuando Ella

preguntó por el camino de Errazu, le indicaron el de Maya.

La tercera hipótesis, la de haber padecido los agotes la lepra, acaso sea cierta; pero hay datos para creer que esta enfermedad no fue en ellos continua. Los agotes eran tejedores y molineros. ¿Cómo el *perluta*, si abrigaba temor de contaminarse, podía tomar la harina y el paño para vestirse de un trabajador leproso?

Además, lepra ha habido en casi todas las regiones de la Europa meridional, y no se ha promovido en todas ellas una casta aislada y odiada.

Por estos datos, lo lógico es concluir que ha sido el fanatismo religioso el que ha aislado a los agotes.

EL PORVENIR DE LOS AGOTES

¿Durará todavía mucho tiempo este poblado de Bozate aislado en medio del País Vasco? Todo hace creer que no. Ya en pleno siglo XVIII, un Goyeneche, conde de Saceda, y nacido en Arizcun, quiso sustraer a los habitantes de Bozate al desprecio con que se veían tratados por los vecinos, y los trasladó y les dio tierras en la provincia de Madrid, en el partido de Alcalá de Henares, y fundó el pueblo Nuevo Baztán; pero los bozatenses echaron de menos su país y sus montes, y volvieron a Bozate.

....

Aquí la gente empieza a dejar de ser crédula. Todavía hay supersticiones en el país, pero no muchas; es más, parece que las supersticiones que hay no son originales.

Esto, para el etnólogo y para el filólogo, constituye un desencanto, porque de las supersticiones actuales hubieran podido inducirse los mitos antiguos. Se ve que el vascongado no es

tan tradicionalista en sus ideas como se cree. Es el aislamiento el que le ha hecho así. Desaparecido éste, desaparecerá aquél.

....

En el puesto avanzado de la frontera, en el alto de Biaudiz, hay tres casuchas: una, de los carabineros, y las otras dos, en donde se vende vino. Ahora, los domingos por la tarde, suelen subir una porción de franceses y de francesas al puesto avanzado a merendar.

Las dos barracas suelen estar llenas los domingos; pero una de ellas, que tiene más espacio, es la que sirve de salón de baile cuando llueve.

El público está formado, principalmente, por desertores vascofranceses, mozos con bigote, de aire de gallo, y por algunas chicas de Urruña y de Oleta, que vienen a España de su país, en donde hoy apenas se ven hombres jóvenes y se encuentran en la *muga* en minoría, cada una solicitada por cinco o seis muchachos.

Cuando no llueve suelen salir de la barraca a un prado a bailar. El del acordeón se sienta en la hierba, las parejas se van acercando a él.

—Andad, no seáis primos—les dice un carabinero andaluz a los mozos—; agarradlas del *bullarengue*, que ellas lo agradecen.

Españoles y franceses fraternizamos en la misma raya de la frontera. Ha habido domingos en que hemos visto un capitán francés con su familia comiendo chorizo de Pamplona rodeado de desertores. El otro día hubo una cuchipanda de carabineros españoles y de gendarmes franceses.

Los gendarmes creían que el vino de Alicante que se vende por aquí es igual que el de Francia, y sufrieron los efectos del alcohol, de tal manera, que el sargento y uno de sus números tuvieron que echarse en la hierba y pasar la tarde dormidos, recibiendo chaparrones uno tras otro. Fraternizamos.»

XIV

LOS VECINOS

Delante de la fachada de Itzea hay dos casas viejas; una tiene dos pisos, la otra debía ser más alta y quedó desmochada, probablemente por algún incendio.

El amo de una de ellas, *Pachi*, es un hombre de más de sesenta años, trabajador, regañón, hombre que no quiere que se cambie nada. Para él, todo debe estar como antes; ése es el gran mérito.

Pachi ha debido considerarnos a nosotros como gente bastante absurda por nuestro afán de cambiar y modificar en la casa. Sin embargo, hay algo que le ha parecido bien: ha sido el poner una veleta en el tejado.

Pachi mira constantemente a nuestra veleta, y de sus cambios saca el pronóstico para el tiempo.

Pachi, como digo, es tradicionalista, y no cree que se puede hacer gran cosa leyendo libros. Hace unos años, a mi hermano se le ocurrió hacer sidra y se agenció un tratado para estudiar cómo se hacía.

—¿Con lo que dicen los libros quiere usted hacer sidra? No, no le saldrá a usted—aseguró *Pachi*.

Sin embargo, salió; pero no creo que esto haya modificado el tradicionalismo de nuestro vecino.

Al lado contrario de la fachada de nuestra casa, hacia el Norte, hay en un alto un caserío y en la parte baja un molino.

En ese pequeño molino vivían hasta hace poco una francesa rubia y un gitano, que tenían un chico y una chica de cinco o seis años y un niño de pecho.

El gitano y la francesa habían venido al comienzo de la guerra. No debían estar casados, porque la chica, *Mari*, decía que tenía el apellido de la madre.

Mari, que era la mayor, y el chico, Michel, correteaban todo el día por los alrededores del molino y cogían caracoles.

La pequeña *Mari* era de la piel del diablo; llevando al chiquillo en brazos y seguida de Michel, correteaba con los pies desnudos y se metía en el arroyo. Algunos de la vecindad aseguraban que se llevaba a casa calabazas y otras cosas de las huertas.

En poco tiempo *Mari* aprendió el castellano, aunque lo hablaba chapurreado de vascuence y de francés.

Un día, al pasar por el molino, vi seis o siete chicos que la habían cercado a *Mari* y le tiraban piedras. Ella había cerrado la puerta de la casa y salía a la ventana a tirar también cascotes.

—¿Por qué le tiráis piedras?—les pregunté a los chicos.

—Porque n o s insulta—dijeron ellos.

—¿Qué os dice?

—Nos dice: «*Tête de boche!* Español come garbanzón y españolic cap de burric.»

—Y vosotros, ¿no le decís nada?

—Este le dice: «Francesa, mala *cabesa*.»

Al día siguiente vi a *Mari* seguida de Michel, que llevaba una blusa larga y una boina de hombre que le tapaba la cara.

—¿Para qué insultas a los chicos? —le dije yo.

—Ellos también *me hasen miserias* —me contestó.

La francesa y el gitano desaparecieron con *Mari* y Michel, y ahora el molino está abandonado.

Un poco más lejos del molino hay un caserío, Trunqueneco-borda. Desde hace poco vive en él un muchacho joven del pueblo, que ha venido de América del Norte, de un pueblo de Nevada, en donde estaba de minero. Este muchacho cuenta cosas curiosas de aquella gente y de la vida de los europeos, de los indios y de los chinos.

Un poco más arriba de Trunquenecoborda hay otro caserío, Larun-choco, que también es de un americano; pero éste ha venido de la Argentina, donde era carpintero. El mismo día que llegaba al pueblo venía yo en el mismo tren, y él hablaba con un cura en vascuence y le decía que en América había gentes de todas castas y religiones, pero que no se molestaban unos a otros porque había entre ellos respeto humano. Estas dos palabras, *respeto humano*, metidas en la conversación en vascuence, se destacaban de una manera rara.

El americano del respeto humano es un gran trabajador. Cuando paso por la carretera de Francia le veo siempre trabajando solitario, en su casa también solitaria.

XV

UNAS RUINAS

La primavera va tomando vuelos; los robles de un robledal que está en un monte que se ve desde casa se han puesto en pocos días completamente verdes; las golondrinas pasan raudas; van estallando los capullos de las rosas y ha comenzado a cantar el cuco.

Según los aldeanos, ésta es la más auténtica señal de buen tiempo.

El cuco es un pájaro de quien se cuentan muchas historias y que ha dado origen a un sinfín de supersticiones; sin duda, su aparición en la primavera contribuye a ello. La superstición más corriente con relación al cuco consiste en asegurar que si se le oye cantar y en aquel momento se tiene dinero en el bolsillo, durante todo el año se tendrá dinero; por el contrario, si no se tiene un cuarto al oírlo, todo el año será de miseria.

Animado por el buen tiempo, he salido de casa y he ido por un barrio que se llama de Illecueta, hacia la falda del monte Larrún.

En este camino hundido, sobre el que pasa un puentecillo, hay una casa antigua con unas ventanas góticas, en donde nació el guerrillero del país Fermín Leguía, y una ermita con su altar y unas imágenes un poco cómicas, pero que hacen su efecto. La ermita tiene unas rejas de madera, y en el dintel de la puerta, unos versos en vascuence acerca de la muerte.

A la vuelta del paseo me he detenido en una fábrica de hierro en ruinas que se llama Olaundia y que la están destruyendo ahora con cartuchos de dinamita para aprovechar las piedras y las grapas de hierro. Cerca hay una grúa de madera que sirve para levantar los troncos.

Esta fábrica arruinada tiene un aire imponente; queda de ella un gran patio con columnas y sin tejado, que hace un efecto fantástico.

Hacia el arroyo (Lamiocingo-erreca), presenta el aspecto de un viejo castillo, y hay una plazoleta que parece el fondo de una de *Las tentaciones de San Antonio*, de Teniers, que está en el Museo del Prado. Las clemátides, las parietarias, las sanguinarias y los solimanes crecen con tal ímpetu, que ocultan las piedras.

He estado parado contemplando estas ruinas, que parece que se están rejuveneciendo al ser destruidas.

El lugar común al contemplar unas ruinas es evocar el pasado. Parece que el único valor literario que pueden tener unas ruinas es este de la evocación. Aquí ocurrió tal cosa. Allí pasó tal otra...

En la literatura castellana tenemos como caso típico la poesía A Itálica, Las césares, el anfiteatro, la púrpura, etcétera.

Aquí, en estas ruinas de una fundición de hierro del siglo XIX, no hay manera de hacer ninguna evocación histórica, y, sin embargo, estas ruinas hacen su efecto.

¿Qué hay tan melancólico como los acueductos rotos de la campiña romana? Tampoco acerca de ellos se pueden hacer grandes evocaciones históricas, y, sin embargo, para mí es una de las cosas que me han parecido más tristes.

Esto demuestra que en las ruinas hay para nuestro espíritu algo más que evocación histórica: hay un factor humano más próximo y más fuerte.

Un temperamento anarquista, dionisíaco, contemplador de la Naturaleza, tendrá amor por las ruinas. En el origen de este amor late, quizá, un fondo de odio contra la obra del hombre.

Hay en nuestro corazón como dos fuerzas impulsivas: una constructora, clara, apolínea, que intenta crear una obra separándola de la Naturaleza. Esta fuerza nos impulsa hacia la ciencia, hacia el arte; nos lleva a poner marco a las cosas para separarlas del cosmos ciego y dominado por la fatalidad.

La otra fuerza es la tendencia dionisíaca, pánica, que ansia fundir las cosas en el Gran Todo, romper los marcos y deshacer lo artificial para volverlo a naturalizar.

El Baco que llevamos dentro no gusta que su campo se acote, como no les gustaría, si pudieran opinar, esta limitación de la Naturaleza al jabalí o al oso.

Apolo puede desear la complicación, el arte, la limitación y la medida; Pan, el gran Pan, la esencia de las fuerzas de la Naturaleza; el Gran Todo tiene que buscar la simplicidad, la extensión, la unidad...

Quizá en este instinto panteísta y báquico esté la razón de la impresión honda que nos producen las ruinas, aunque no nos sugieran el pasado ni vayan acompañadas de evocaciones históricas.

XVI

LA SOTANA EN EL HORIZONTE

—Pero usted en todo ve la sotana —me dice uno del pueblo.

—Y aquí, en nuestro país, ¿en dónde no se ve la sotana?—pregunto yo.

A pesar de lo que creen algunos de mí, yo no soy de los anticlericales furiosos. Si a mí no me molestan, yo tampoco molesto. Yo no tengo acerca de los curas una idea estilo El Motín; no creo que sean viciosos, mujeriegos, etc. Al menos, en el País Vasco no lo son. Serán hipócritas, toscos, farsantes, amigos del mando; pero crapulosos, no. Sus defectos son los defectos del país y de los dogmas que defienden.

El cura va viendo que los dogmas religiosos cristianos están heridos de muerte y se encuentra rodeado de enemigos. El cura coge el hisopo, y rodeado de sus fieles tiene que formar el cuadro. Todo lo moderno es enemigo suyo: el libro, el periódico, el tren, el telégrafo, el cinematógrafo; todo, al fin, según ellos, va contra la Iglesia, y tienen razón.

La ciencia ha desmoronado a las religiones. Si se pudiera explicar claramente en los pueblos y en las aldeas el sistema de Copérnico, la teoría de la evolución, la teoría parasitaria, la mitad de los creyentes dejarían de serlo. ¿Qué no daría la Iglesia por que el sistema de Copérnico fuera falso?

Un libro ya tan viejo como el de Fontenelle acerca de la pluralidad de los mundos, sería, vulgarizado, mucho más revolucionario que todos los tópicos anticlericales, únicamente por tener una explicación amena del sistema de Copérnico. La idea de la pequeñez de la Tierra, de su rotación alrededor del Sol, de lo que son los eclipses, no ha llegado aún a la gente.

Para la mayoría de los aldeanos, el cielo está arriba; el infierno, abajo; para la mayoría de ellos, Dios ejerce unas funciones de vigilante y de policía. Nuestros aldeanos de hoy tienen la misma idea monoteísta que los judíos de hace tres mil años y que los mahometanos.

Yo he oído discutir en el pueblo a dos mujeres acerca de las vigilias últimamente suprimidas por el Papa, y una de ellas decía que no debía ser verdad, porque las vigilias las había mandado Dios. Luego se pusieron a hablar de lo que obligaba y de lo que no obligaba la religión, como un recluta de la ordenanza.

Cuando la gente adquiera un ligero conocimiento de Astronomía no será posible que tenga estas ideas que responden a la época de la Edad de Piedra.

Como disciplina moral, no creo en el catolicismo. Yo, prácticamente, no me fío más en el católico fervoroso que en el hombre de poca religión.

El vicario que estaba en Cestona cuando yo era médico allí, me decía:

—Yo siento decirlo, pero voy notando desde hace tiempo que ni las ideas políticas, ni siquiera las religiosas, hacen buenos o malos a los hombres. Conozco—añadía—en San Sebastián una familia de judíos excelente, conozco carlistas muy buenos, republicanos muy buenos, carlistas muy malos y republicanos muy malos... No creo en las ideas.

Tenía razón el buen vicario. Ni la religión ni la irreligión llevan por sí bondad, ni amor, ni benevolencia por las gentes.

....

Los pragmatistas conservadores actuales, que son incrédulos y que admiten que la *élite* de un país no tenga creencias, afirman que es conveniente que las tenga el pueblo.

Para ellos las creencias son un lazo de unión entre las generaciones pasadas y las venideras. En el sentir pragmatista, lo importante no es la verdad de una teoría o de unos sentimientos, sino la comunidad de ellos. Naturalmente, esto da unión y consistencia.

La cohesión en un momento de peligro puede ser útil, pero nada más. Se puede asegurar que si España no hubiera sido íntegramente católica y fanática no se hubiera podido defender de Napoleón, es cierto; pero también se puede asegurar que si no hubiera sido tan católica y tan fanática no hubiera decaído como decayó de una manera tan profunda.

....

Desde un punto de vista cultural, el catolicismo es una fatalidad, porque el catolicismo español, y sobre todo el vasco, no es el catolicismo yanqui, ni el alemán, ni el francés, ni el romano: es el catolicismo exasperado que forma el cuadro. Los pueblos vascos viven en plena teocracia, el cura interviene en todo. La gente cree que el párroco puede mandar, y como los alcaldes en general son pobres diablos, manda de hecho.

En Madrid, un amigo que no ha vivido en este país suele decirme:

—A usted le pasa como a los realistas de la Restauración en tiempos de Luis Dieciocho y Carlos Diez, que creían que todo lo malo que ocurría en Francia era la culpa de Rousseau y de Voltaire:

C'est la faute à Voltaire,
c'est la faute à Rousseau.

Usted cree que de todo tiene la culpa el cristianismo.

Y es cierto. Si no hay escuelas y la gente no sabe leer es porque el cura les convence que la verdad está en rezar y no en leer; si las alcantarillas están sucias y hay enfermedades es porque el cura les ha convencido que sólo Dios da y quita los males; si la gente no es capaz de dar un céntimo para cosas del Municipio es porque todos sus ahorros los gasta en la iglesia en escuchar el latín de cocina de los clérigos.

Cuando alguna vez las luces eléctricas del pueblo se apagan, yo siempre lo achaco al catolicismo. Los que me oyen creen que hablo en broma; pero no, lo creo así. En un pueblo de dos o tres mil almas debía haber, por lo menos, quince, veinte, treinta personas que leyeran de noche y otras tantas que estuvieran en un casino, y todas ellas tendrían interés grande en que no se apagara la luz.

Si se piensa por qué no hay esas personas que les gusta leer, se verá que una de las causas principales, la principal quizá, es el catolicismo, que proscribe todos los libros.

....

Cuando veíamos a lo lejos cómo pasaba la procesión del Corpus por el puente de Sumbilla, yo pensaba en la imposibilidad que habrá en el porvenir de sustituir tales fiestas.

Estas procesiones de pueblo me sugieren la idea de la fuerza de organización del catolicismo. Como todo lo que ha nacido en Roma, la Iglesia ha tenido una técnica, un talento para organizar asombroso.

Probablemente, la sociedad no volverá nunca a ser tan homogénea como en el momento cumbre del catolicismo. Esa disciplina, ese acompañamiento del hombre desde que nace hasta que muere, las fiestas, los cultos, nada de eso se podrá volver a crear a base de ideas filosóficas ni de dogmas ciudadanos.

De esta idea ha nacido, seguramente, la tendencia del nacionalismo francés de última hora; pero esta tesis pragmatista que lleva a defender una religión, más que por su verdad por sus resultados sociales de conservación de un país, no puede durar.

Probablemente, Juliano *el Apóstata* veía también el paganismo de una manera pragmatista; veía la religión que había dado la gloria al Imperio romano, y, sin embargo, la religión gloriosa tuvo que morir ante otra oscura, desarrollada en una raza despreciada y vil como la judía.

....

El doctor Achúcarro era un vasco joven, nieto de noruegos, que tenía un gran entusiasmo por la ciencia; probablemente era su abolengo germánico el que le había dado este gran amor por la investigación.

Achúcarro estaba haciendo traba-jos importantes; escribía en revistas alemanas; había sido llamado, hace unos años, para dar un curso de His-tología del sistema nervioso en un la-boratorio de los Estados Unidos.

Achúcarro estaba enfermo y ha muerto. Ni un periódico de la región se ha ocupado de él ni ha dado la no-ticia de su muerte. Si se hubiera tra-tado de una zarzuela de Usandizaga, de un orfeón, de un torero, de un cantante o un pelotari, nos hubieran estado aburriendo días y días con ello.

Este amor por el brillo es una de las manifestaciones más desagradables de la plebeyez actual. Tiene, induda-blemente, este entusiasmo la misma raíz que el gusto de los negros por las baratijas y los collares de cristal.

En general, nuestros pueblos no han pasado de esa admiración primaria por lo que brilla. Claro que no se pue-de admirar más que lo que se conoce en parte. Los habitantes de la Tierra del Fuego, según cuenta Darwin, ad-miraban las chalupas de los viajeros y no hacían caso del barco grande. Ellos no pensaban en la posibilidad de ha-cer un gran barco, y sí en la de ha-cer una lancha. Los habitantes de es-tos pueblos piensan en la lancha, y, a poder ser, en la lancha de día de fiesta con banderas y percalinas. Siempre hay alguno que aspira a ser un Gayarre, un Sarasate o un *Gue-rrita*. Es lo fácil. Aspirar a ser un Virchow, un Pasteur o un Roberto Koch, eso es más difícil.

XVII

NOCHE DE SAN JUAN

En término de Yanci, que es una aldea de las Cinco Villas de Navarra, hay una pequeña cueva convertida en ermita y dedicada a San Juan, con una fuente próxima. Esta fuente es milagrosa; el que se lava con su agua se cura inmediatamente, y la toalla con que se seca debe tirarla a las zar-zas.

La especialidad del agua de la er-mita de San Juan es curar las enfer-medades de la piel.

En general, los romeros marchan a la ermita a medianoche, con lo cual hay su jaleo correspondiente, porque en Yanci, como en todas partes, no to-do el monte es orégano. Esta romería, en el solsticio de verano, se ve que es un recuerdo del culto al Sol.

El agua de la fuente de San Juan cura, según la superstición popular, erupciones, inflamaciones de la piel, que, probablemente, se considerarían antes producidas por el sol. Así, la ablución era una forma de aplacar a la divinidad.

Se ve cómo cambian los mitos, y, sin embargo, cómo persisten. Muchos de los milagros que cuenta Herodoto hace cerca de dos mil quinientos años, se cuentan ahora de la Virgen de Lour-des; curaciones como hace la fuente de San Juan, de Yanci, las hacía ha-ce siglos la fuente de la Verdad, de Patrás, en Grecia, que, en vez de te-ner en su ermita una imagen de San Juan tenía una estatua de la diosa del lugar y otra de la Tierra.

Se asegura por los romeros que van enfermos que en las toallas que echan a las zarzas después de lavarse queda su enfermedad; pero los gitanos no deben creer esto, porque el día de San Juan van a la ermita y recogen una buena cosecha de pañuelos, toallas y servilletas. Parece que los tales im-píos bribones no se contentan con esto, sino que muchas veces fuerzan el cepillo que hay debajo del santo y se llevan los cuartos.

El año pasado, por alguna imprudencia del guardián, se incendió el santo, que estaba ya bastante negro y chamuscado, y este verano se ha sustituido por otro.

No he ido a Yanci este año; pero, por lo que han dicho, la romería ha estado muy concurrida.

....

Al anochecer, en la carretera, delante de casa, unos chiquillos han encendido una hoguera con ramas y han estado saltando por encima de ella. Esto, que parece tan natural y espontáneo, es también resto de una antigua ceremonia de purificación.

....

He salido de casa después de cenar y he ido marchando por la carretera. El cielo está entoldado. A veces se ve el resplandor de la luna, que luego cubren grandes nubarrones. Se oye por todas partes el chirriar de los grillos. La noche está templada. Al subir por la carretera se comienza a oír a lo lejos el ulular de un búho.

De pronto, en un descampado, aparece una hoguera. Me quedo contemplándola, absorto; en la oscuridad del monte resplandece, inmóvil y misteriosa; corazón encendido en llama, cuyo vértice mira a las estrellas.

A veces una ráfaga de aire agita este ardiente y sereno corazón de la montaña, y, al conmoverlo, brotan de él corvas lenguas de fuego.

Me he acercado a la hoguera, que ya se va apagando. La luna ha aparecido en el cielo. Grandes masas turbias de humo rojizo salen de la hoguera y van arrastrándose pesadamente por el suelo hasta elevarse en el aire.

LIBRO CUARTO
EL VERANO

I

DIVAGACIONES

Este mes de junio, que ha tenido días de verdadero verano, vuelve a ser primaveral.

Mi casa está ahora muy bonita. Parece una pequeña isla rodeada de flores. Hay rosas blancas y rojas sobre las paredes y las tapias.

Las flores toman un gran valor al anochecer. Yo estoy convencido de que es la luz fuerte lo que afea todo. Cuando la luz fuerte desaparece, los colores son más vivos, más puros. Hay dos cosas en el campo que me fastidian: la luz fuerte y el viento Sur.

Yo prefiero, con mucho, los días grises, frescos, aunque sean lluviosos. Cuenta Chamfort que un M. Ximénez de su época, probablemente algún español, prefería la lluvia al buen tiempo, y cuando oía cantar a un ruiseñor decía: «¡Ah!, maldito animal.»

Yo, en la cuestión del tiempo, soy un poco parecido a este Ximénez.

Todos pensamos ser hombres muy razonables, aun los más insensatos, y creemos marchar impulsados por la gran sindéresis, como dice Gracián, y, sin embargo, hacemos proyectos suponiendo que vamos a encontrar horas de placidez, de calma y de encanto en aquellos lugares en donde, en circunstancias parecidas, no hemos encontrado más que aburrimiento y molestias.

Un pesimista trascendental dirá que la vida es como un telón con bambalinas, que no tiene de real más que la última perspectiva, que es la muerte.

Pero ¿qué importa la realidad o no de las cosas, si obran como reales?

Yo, al menos, soy de los que se contentan con lo relativo en la vida.

Lo absoluto no entra para nada en mis proyectos, lo que no es obstáculo para que éstos me salgan mal la mayoría de las veces.

....

Hoy ha venido un fraile a mi casa con un señor a quien no conozco. Este fraile, profesor de Matemáticas, ha charlado conmigo, y en todo lo que hemos hablado estábamos conformes. No sé si cedía yo o cedía él, pero yo no he creído ceder en nada.

Ha visto mis libros, y me ha preguntado:

—¿No tiene usted nada de matemáticas?

—No.

—¿No conoce usted la *Geometría* de Lobatchewsky?

—No.

—¿Ha oído usted hablar de ella?

—Sí, pero ni siquiera comprendo el enunciado de esa Geometría no euclidiana. He leído una explicación de las teorías de Lobatchewsky sobre el espacio esférico y la cuarta dimensión en un libro acerca de los trabajos de Henri Poincaré, y no saqué una idea clara. Me pareció o un juego o nada.

—Si insistiera usted, corregiría usted su idea—me aseguraba el fraile.

—No sé, creo que no. De la lectura de aquel libro no saqué más que

dos consecuencias: una, que los axiomas de la Geometría no son más que definiciones disfrazadas, en lo cual yo, como hombre de inclinaciones kantianas, estoy de acuerdo; la segunda, que las Matemáticas están tan avanzadas, que desde los cursos superiores que se estudian en las facultades hasta donde empiezan los trabajos de Poincaré y sus colegas hay aún una gran distancia, lo que hace que el número de personas que puedan comprender bien el trabajo de estos sabios sea pequeñísimo.

—Y a usted, ¿qué le parece mejor —me dice el fraile—: este aristocratismo de la cultura o la vulgarización?

—¿Qué sé yo? Indudablemente, generalizar la alta ciencia es imposible. Lo más que se podrá llegar es a generalizar la enseñanza primaria.

—Enseñar lo necesario para la vida; pero más, ¿para qué?

—Sí, claro.

—La ciencia, el arte, la moral, todo lo refinado estará siempre en una pequeña minoría.

Yo he asentido a lo que él decía, pero había una ligera diferencia en nuestro asentimiento, y era que él afirmaba con cierta satisfacción y yo asentía con cierto pesar. A mí no me gustaría ser un príncipe en medio de esclavos, ni un sabio en medio de idiotas, sino un príncipe en medio de príncipes y un sabio en medio de sabios.

....

Se ha celebrado en la Academia Española la recepción de don Javier Ugarte.

«La docta Corporación—dice el *A B C*—celebró, para recibir al señor Ugarte, solemne sesión pública, que presidió el señor Maura, a quien acompañaban en la mesa el nuncio de Su Santidad, los obispos de Sión y

San Luis de Potosí, el general marqués de Tenerife y los señores Cotarelo y Commelerán.»

Realmente, es difícil reunir gentes tan pintorescas, tan de guardarropía y de tan poco prestigio literario.

El discurso de Ugarte es una de esas cosas ramplonas, vulgares, llenas de lugares comunes, en donde marcha todo pesadamente, sin una idea original, sin una expresión nueva.

Según el *A B C*, el señor Cortázar, en su breve discurso, hizo una primorosa apología del señor Ugarte en sus múltiples aspectos de jurista, político, poeta, parlamentario y sociólogo.

De lo que no habló el señor Cortázar es de la personalidad del señor Ugarte como acusador de Ferrer. El señor Ugarte tuvo una participación en el fusilamiento de Ferrer; una participación un tanto fea y siniestra, que trae a la imaginación las bellaquerías del tiempo de Fernando VII y de Calomarde.

El señor Ugarte es posible que crea que le honran sus procedimientos en el asunto Ferrer, como a su compañero de Academia, Cotarelo, le honra también el haber denunciado a los Humbert.

Si sigue así la Academia, que antes, al menos, tenía la defensa de ser inútil, se va a convertir en una Delegación de Policía.

II

FIESTAS EN IRUN

He pasado dos días en Irún, en las fiestas de San Marcial. Estaba cerrada la frontera y no había apenas franceses.

—Es lástima—le decía al doctor Juaristi—, si hubiera estado abierta la frontera, esto se hubiera llenado con nuestros vecinos.

—No crea usted. Viene, relativamente, muy poca gente.

—¿No han aumentado con la guerra las relaciones entre Hendaya e Irún?

—Muy poco. Estando tan cerca, siendo los dos pueblos vascos, hablando los de un lado y otro el vascuence, no hay más que un trato muy superficial. Ahora, con la guerra, la gente de Hendaya viene a comprar aquí, pero nada más.

Se ve que el internacionalismo, prácticamente, no es nada. En pequeño se observa que Hendaya se hace cada vez más francés, e Irún, cada vez más español. Yo me figuro que en casi todas las fronteras pasará lo mismo. El único internacionalismo verdadero es el de la cultura, y ése era más profundo y más arraigado en el tiempo del Renacimiento y de la Reforma que en esta época de estúpido nacionalismo en que vivimos.

....

Hemos ido de noche a presenciar el correcalles Juaristi, su mujer y yo. Estábamos aguardando a que pasara la avalancha de chiquillos y de mozos y mozas por el paseo de Colón, cuando un sapo ha comenzado a cruzar la calle.

«Es un sapo suicida», he pensado yo, y le he ido espantando para que cruzara pronto el paseo; pero el animalito se paraba. Sin duda, su instinto de conservación no le decía lo que le esperaba.

La avalancha se le ha echado encima, y la sustancia del sapo habrá servido para lubricar las alpargatas de los correcalleros.

....

Esta fiesta del correcalles tiene gracia. Es un espectáculo completamente báquico. En algunos pueblos se hace en forma de cadena, que es lo clásico; en otros, como Irún, que son ya grandes, y en los que vienen muchos forasteros y no puede hacerse la cadena, va la gente, chicos y chicas, agarrados del brazo o de la cintura, en filas, al compás de los tambores y de la música, corriendo y saltando.

La fiesta parece que es antiquísima; los griegos ya la tenían: la fiesta de la grulla, inventada por Teseo, era una especie de correcalles. Ha debido de existir siempre en el mediodía de Francia y en el Pirineo.

En vascuence se le llama *calegira* y *carrica-dantza;* en otros lados se le llama ronda. En castellano, la palabra para designar esta fiesta debía ser «farándula», pero esta palabra, con el tiempo, ha cambiado de sentido, y hoy significa la vida y los hábitos de los cómicos pobres.

Modernamente, donde esta fiesta se practicó más fue en el mediodía de Francia, en la Provenza, en donde se llamaba la *farandole.*

En la reacción de a principios del siglo XIX, en tiempo de Luis XVIII, en algunas ciudades francesas monárquicas, las *farandoles* se convertían en movimientos populares en que se asesinaba a los bonapartistas y republicanos.

Se comprende que este barullo en una fiesta así, de noche, sin luz, tumultuosa, podría ser muy propicio para una venganza popular.

III

EL TRANVIA DE LA FRONTERA

El tranvía de San Sebastián a Hendaya es, en verano, cuando está abierta la frontera, lo más internacional que hay en España.

Cuando deja uno el tren del Bida-soa, en el que vamos casi todos aldeanos, vestidos de negro, y tomamos este tranvía, se nota el cambio de lo rural a lo internacional. Muchos franceses, algunos alemanes, una porción de joyeros judíos, rumanos, búlgaros, turcos. Más cambiante, claro, es la gente masculina que la femenina. Entre las mujeres se ven francesas, inglesas y españolas de todas las regiones.

Como el trayecto es corto y no es bastante para que invite a la charla y se adquiera confianza, hay, en general, una tendencia al recogimiento tácito.

«¿Quién será esta mujer?», se pregunta el hombre.

«¿Quién será este hombre?», se pregunta la mujer.

A veces hay una comprensión inmediata de la personalidad de la mujer o del hombre que se tiene delante.

Cuando la persona va sola y no habla, ya es más difícil. El que no habla, o la que no habla, va a la defensiva, como si el mundo que le rodeara fuera su enemigo.

Esta posición defensiva, como es muy general, da un carácter confuso a la persona a quien se observa; mas comienza a hablar y el enigma se resuelve; la que habíamos pensado que era una gran dama, es una institutriz; el que habíamos supuesto si sería un diplomático, es un tonto, y el que parecía un criminal, es un pobre señor.

Lo que no marra casi nunca es la risa. La persona que ríe se descubre. Reírse es como quitarse la careta.

¿En qué puede consistir que los rasgos de una figura repercutan en nosotros, produciendo una simpatía o una antipatía? Indudablemente, cada cara es una promesa o un peligro. Ese conjunto de rasgos agradables o desagradables tiene una conciencia, es una fuerza que en una circunstancia dada puede obrar a favor o en contra de nosotros. Esa figura representa una fuerza que puede ayudarnos o, por el contrario, estorbarnos en nuestras inclinaciones y en nuestros afectos.

Muchas veces en el tranvía no se ve a una persona; pero, en cambio, se oye su voz.

La voz parece menos enigmática que la figura, y que nos da de pronto el fondo del temperamento, pero de una manera tan clara, que nos sorprende.

En una época en que yo quise aprender inglés, y que no lo aprendí porque no llegué a la quinta lección, en un libro de trozos escogidos había esta frase de William Cooper, que me chocó:

«Hay en las almas simpatía por los sonidos.»

La frase ésta, dicha de una manera mística y poética, encierra la verdad de que se siente predilección por ciertos sonidos y que la voz es uno de los mayores vehículos de la simpatía.

Muchas veces, la voz no está en consonancia con el rostro; y entonces cabe el pensar qué será la verdad, si lo que expresa la voz o lo que indica la fisonomía.

Parece que la voz da la verdad del momento; en cambio, la cara da la verdad de siempre. Por eso es más fácil engañar con la voz que con la cara.

Esto depende de que la voz responda mejor a la voluntad que otros órganos de expresión. Un hombre, profundamente emocionado, puede llegar a hablar con una voz tranquila; pero le será imposible si se le dilatan las pupilas contraerlas, o si se le saltan las lágrimas impedirlo, porque el funcionamiento de la retina o de la glándula lacrimal es inconsciente. Como decimos, la cara indica más al hombre que la voz.

La cara tiene siempre una serie de datos históricos que se prestan a la interpretación y al análisis; en cambio, la voz no tiene historia, da una síntesis momentánea. Así, pensamos: «¿Quién será ese hombre tan antipático que habla ahí?. ¿Quién será esa mujer que tiene una voz tan suave?»

IV

DECEPCIONES
DE SAN SEBASTIAN

Cuando ya estoy un poco harto de soledad y de silencio, voy a San Sebastián, que es un pueblo que me cansa en seguida y que me parece aburrido. Así, ando huyendo de la tristeza de la aldea y del aburrimiento de la ciudad, sin saber en dónde quedarme.

Hoy he ido a San Sebastián con la lista de unas cuantas cosas que necesitaba, y de las cuales no he encontrado ninguna. Para mí, San Sebastián es un escaparate en donde no hay nada de lo que busco.

En cambio, de lo que no busco hay mucho; por ejemplo, curas, frailes y demás gentecilla.

En el tren de Irún he ido con unos frailes de Lecaroz; después, en el tranvía de la frontera, con unos frailes franceses, que, por lo que han hablado, han venido de Oriente; en el restaurante he comido cerca de unos curas de la provincia, que han charlado y han bebido de lo lindo.

San Sebastián es una pequeña Roma de veraneo; hay dos o tres monseñores casi constantemente, y se ven curas, frailes y monjas a todas horas y por todas partes.

Quince días después vuelvo a San Sebastián, con el objeto de pasar la tarde yendo y viniendo.

En el tranvía me encuentro un amigo con su señora y su hija.

Llegamos a San Sebastián, y, mientras la señora y su hija hacen sus encargos, el amigo y yo entramos en una librería y después en una tienda de flores. Quisiera comprar dos rododendros para el jardín de mi casa; pero no los hay en ninguna parte.

—¿Y por qué no los hay?—pregunto yo a la señorita del mostrador.

—Es que se traían de Bélgica, como las camelias y las palmeras.

—¿Y aquí no saben cultivar esas plantas?

—No, sin duda.

Es un absurdo que me pone de mal humor.

Este es un país donde no se conoce más que el cultivo del cura.

....

Nos encontramos de nuevo con la familia de mi amigo, y como su hija dice que le gustaría ver el nuevo paseo del Castillo, vamos hacia él. El sol da de lleno en aquel momento, y las señoras renuncian a la idea de recorrer el paseo.

Estamos delante de una casita próxima al rompeolas. Sobre la puerta se lee un letrero: «Museo Naval Oceanográfico.»

—Vamos a entrar en ese museo —indica la señora de mi amigo.

Entramos; en el vestíbulo hay varias vistas y unas pieles de cocodrilo. ¿Tiene algo que ver el cocodrilo con el océano? A nosotros nos parece que no.

Nos encontramos en la escalera con un miquelete y un soldado de Marina, que nos dan unos billetes, y subimos a una sala, en donde hay una porción de modelos de casas antiguas de marinos de Guipúzcoa y de retratos.

Cuando empezamos a mirar los retratos, nos encontramos sorprendidos al ver figuras del *Greco* convertidas en almirantes y capitanes vascos. Allí están don Rodrigo Vázquez, don Diego de Covarrubias con su sobrepelliz y otros tipos del *Greco* y de Velázquez, copiados y bautizados de nuevo. El amigo, que es hombre de cultura artística, dice:

—¿Qué es esto? Estos retratos los he visto yo.

—Sí, no cabe duda que los hemos visto.

—Nos están dando la castaña de mala manera.

Es una falta de sentido el hacer mistificaciones tan burdas. La gente que haya visitado los museos se ha de reír al ver esto.

El miquelete que nos acompaña no comprende bien qué criticamos, y se esfuerza en ser un cicerone amable.

Nos enseña una cocina de marinero vasco, que esta bien, aunque no es una cosa completamente de museo.

Después nos pregunta si queremos ver el *acuarium*. Bajamos al sótano, y nos enseña un *acuarium* pequeño, de esos que se llaman de salón, con unos cuantos cajoncitos de cristal de un metro de ancho, en el que cabrán cincuenta u ochenta litros de agua en cada uno.

—*Peses* no tenemos—nos dice el miquelete con un aire infantil y bonachón.

Este «*peses* no tenemos» nos produce cierto cosquilleo, que se traduce en risa al salir a la calle.

—No parece que haya aquí gran cosa—dice la señora de mi amigo.

—No hay nada serio; pero, en cambio, hay muchas mistificaciones —digo yo.

Es una falta de respeto para todo

lo que sea cultura la que hay en este pueblo, que verdaderamente indigna.

En San Sebastián no se han convencido aún de que las cosas no se improvisan, sino que se hacen con esfuerzo y con tiempo. Así es que todo cuanto se refiere a cultura es una farsa burda.

V

NUEVAS DECEPCIONES DE SAN SEBASTIAN

Tomar como laboratorio una ciudad, y una pequeña ciudad, tiene sus inconvenientes teóricos y prácticos; también tiene sus ventajas.

San Sebastián es una ciudad síntesis de la vida española actual, de la burguesía. No tiene el espejismo engañoso de lo pintoresco que tienen Sevilla o Granada; no tiene el elemento obrero de Barcelona o de Bilbao, que da estas ciudades un aire serio y grave; no tiene tampoco el ambiente de intriga política y el afán de arrivismo que se nota en Madrid. San Sebastián es como un barrio de Madrid, en donde se reúne la gente que por un momento o por toda la vida no siente el aguijón de la necesidad.

Este aluvión de burguesía madrileña cae sobre un pueblo que parece que no tiene ningún carácter, y que, sin embargo, lo tiene.

....

Una de las cosas que caracteriza al donostiarra es el amor a la ciudad y el odio a lo individual El donostiarra acepta como un mal el tener que vivir del forastero, pero lo acepta por que beneficia a la ciudad.

Todo lo que no tiene que ver con la ciudad le molesta.

Se ha hecho el donostiarra una moral que tiene algo de veneciana y de jesuítica. Esa cosa anónima de la ciudad es lo único que le mueve. Todo lo que no esté inspirado en ese sentimiento le parece un estorbo.

Así, por ejemplo, Zuloaga, hombre de fama universal, parecería lógico que, siendo este pintor guipuzcoano, San Sebastián tuviera intentos de atraerlo. Pues no hay nada de eso. La fama de Zuloaga no está relacionada con San Sebastián; por tanto, no es una fama grata. Esta desaparición del hombre en la ciudad ha producido una democracia cerril. Parece que el mérito de un donostiarra para otro es no ser nada. Todo el que quiera ser algo es ya un enemigo.

—Cuando vi que quería usted ser diputado—me decía un donostiarra—, pensé: «¡Bah! Ese también es como todos. ¡Un ambicioso!»

—¿Y por qué no? Yo quisiera ser diputado, y ministro, y presidente de la República, y archipámpano. ¿Por qué no? Lo que no quiero serlo es de una manera vil.

Esto no se acepta. Es decir, que uno quiera distinguirse. No ser como los demás. ¿Vivir sin sumisión? ¿Ser político sin adulaciones? No. Esto no lo puede consentir un donostiarra.

Claro que el donostiarra no odia lo distinguido en él; odia lo distinguido en los demás. Hay actualmente aquí una verdadera pasión de honores, de riquezas, de darse tono. Todo el mundo aspira a dominar, a lucir; quiere la igualdad para los otros y ser como una rosa en medio del desierto. San Sebastián es un conglomerado de familias trepadoras. De aquí la imposibilidad, cada vez más creciente, de admirar o de estimar a alguien; de aquí el descanso de poner las efusiones en una cosa anónima como la ciudad.

Amar lo distinguido en los demás puede llevar hasta la vileza, hasta la esclavitud; pero, en cambio, odiar lo distinguido en los demás conduce a una beocia cerril y antipática.

Entre tener el culto por el hombre ilustre o tener el culto por la ciudad, prefiero tener el culto por el hombre ilustre. No quiero cosas anónimas.

Hoy, entre las ciudades españolas, prefiero Madrid, que no tiene sentido municipal ninguno, a Barcelona, a Bilbao o a San Sebastián, que son, esencialmente, municipales. Entre que haya grandes hombres o grandes ciudades, para mí es más grato que haya grandes hombres. Para el donostiarra, no; lo primero es la ciudad.

Se ve aquí cómo el vascongado, mezclado con el castellano, ha hecho la Compañía de Jesús.

San Sebastián siente la compañía anónima de la ciudad como pocos pueblos.

....

En los monumentos de San Sebastián se ve que la inspiración ha partido de contratistas, de maestros de obras y de concejales.

Hay una mezquindad y una insolencia en las gentes que viven en estos pueblos modernos, que la comunican a todos los objetos del exterior. Así, las calles, las tiendas, las casas, todo responde a su manera de ser, seca y aparatosa; todo es feo, mezquino y triste.

La fealdad de la construcción, más que un fenómeno local, es un fenómeno general. En España quizá se pueda decir que en el mundo no hay arquitectos. Y no hay arquitectos porque quieren ser individualistas, y la arquitectura debe ser un arte colectivo. La casa de hoy debe tener el carácter de hoy, y no debe ser ni gótica, ni del Renacimiento, ni estilo Luis XIV; debe ser de hoy, y nada más.

En nuestro país se le está dando muchas vueltas a la casa de estilo vasco, estilo que no existe ni ha existido nunca. La casa vascongada es la casa centroeuropea de la zona lluviosa: casa rectangular o cuadrada, sin patio. El señor Lampérez la llama la casa céltica, oponiéndola a la casa romana con patio. Yo no creo en la exactitud ni en la justeza de estas denominaciones. Me figuro que sería exacto clasificar las casas por los climas; así, se podría decir la casa de la nieve, la casa de la lluvia y la casa del sol.

La casa de la nieve, con los tejados muy apuntados y las ventanas pequeñas; la casa de la lluvia, con los tejados más planos y aleros salientes, y la casa del sol, con patio y tendencia a sustituir el tejado, parcial o totalmente, por la azotea, y a edificar sobre ésta una especie de torre o minarete.

Estas tres clases de casas están producidas por el clima; pero actualmente nuestros arquitectos hacen un chalé suizo en Málaga y una casa árabe en Fuenterrabía; así resulta ello.

....

En San Sebastián se nota cómo no hay apenas vida social en España. Hemos llegado a ponernos como plan, si no de una manera expresa, de una manera tácita, el no ocuparnos del vecino para nada. Es decir, que entre los españoles se da como un mérito el no pensar en los demás; cosa bárbara y estúpida, que demuestra, no un refinamiento de las costumbres, sino todo lo contrario, una regresión. Se explica la tendencia solitaria, individual, del tipo raro, pero el robinsonismo de la familia normal y vulgar es una de las cosas más absurdas que se pueden dar.

A esta falta de sentido social contribuye, indudablemente, mucho la manera de ser del español, que casado es celoso y soltero toma un aire de tenorio, un tanto cómico, ante cualquier mujer que no sea fea ni vieja.

Se nota en España la inferioridad cultural en que la clase rica es menos civilizada, en el fondo, que la clase pobre. Cualquiera que viaja unas veces en coches de tercera y otras en vagones de lujo, notará el ambiente de simpatía, de cordialidad y de gracia que se desarrolla, a veces, en un coche de tercera, cosa que jamás sucede en los vagones de los expresos, en donde hay un desdén mutuo verdaderamente ridículo y poco aristocrático; además, porque siempre parece que va uno en compañía de criados de casa grande, de comisionistas catalanes y, a lo más, de algún teniente coronel.

En San Sebastián se nota mucho este tonto desdén de unos para otros y esta falta de organización y de efusión social.

La gente no tiene idea de lo que es la conversación, la sociedad. A la mayoría le divierte mucho más ir en un tranvía o estar en un cinematógrafo que hablar.

Por un lado, la Prensa ha quitado atractivo al placer de contarse hechos; por otro, la religión llena de peligros y de pecados la charla.

Otra de las cosas que contribuye a la poca espiritualidad de nuestras costumbres es el elemento que viene de fuera. El americano rico es, casi siempre, de lo menos intelectual que puede darse. Hasta los mismos franceses, que en Francia leen bastante, aquí no leen. En cualquier jardín de París se ven hombres y mujeres dedicados a la lectura; aquí, en San Sebastián, ni los mismos franceses leen: parece que los traen expresamente de algún sitio cerril donde no se sabe leer.

Algunos dicen:

—Eso de leer libros de entretenimiento es perjudicial. Vale más vivir; leyendo se hace uno sedentario.

Afirmación falsa; Inglaterra y los Estados Unidos son los países que consumen más libros de entretenimiento, y, sin embargo, no han perdido sus energías de acción.

Sólo de Dickens parece que circulan por el mundo más de treinta millones de volúmenes.

....

En Pasajes había antes en la casa antigua donde vivió Víctor Hugo un pequeño museo, que no tenía nada de interesante, instaurado por Déroulède, que, como se sabe, era un fantasmón; pero, en fin, el museo tenía el nombre y el recuerdo.

El Ayuntamiento de Pasajes no contaba con consignación para sostener un mozo que le pasara el plumero al busto del gran poeta francés, y pidió al de San Sebastián una ayuda; el de San Sebastián dijo que no tenía nada que ver con ello, y el pequeño museo de Víctor Hugo se cerró.

El Ayuntamiento de San Sebastián no supo tener en cuenta que Víctor Hugo ha sido un gran poeta, de fama universal, que ha hablado repetidas veces con simpatía de los vascos, que ha hecho que el nombre de un pueblo de la provincia de Guipúzcoa, Hernani, corra por el mundo entero.

Un poeta es poca cosa para un concejal donostiarra. ¡Si al menos hubiese sido gentilhombre de cámara! ¡Si hubiera estado siquiera rociado por el agua lustral de una sacristía!

....

La vida en San Sebastián en pleno verano es tan mecanizada, que parece que hombres y mujeres son monigotes que hacen un papel sin poner en ello ni gracia ni entusiasmo.

Hay algo dogmático en el español, por lo menos poco plácido, que no permite el ambiente laxo de las ciudades de moda y de diversiones del extranjero. Todo el mundo conserva aquí el engolamiento y la tirantez; la moral es rígida y el deporte no gusta.

Hay que tener ese fondo de candidez, de seriedad y de alegría que tienen los ingleses para tomar el deporte como una cosa seria, importante y divertida.

VI

LA VIDA ACOTADA

En la juventud, la vida española me daba una impresión de acotamiento; me parecía que todo estaba vallado, reservado. Ahora me vuelve a parecer lo mismo.

Se piensa en los medios de ganar, y se ve que están acotados de tal manera, que no dejan apenas margen a los que están fuera del coto; se echa una mirada a la política, sucede igual: es un coto redondo con una puerta herméticamente cerrada, en donde no hay manera de meter los dedos; todo lo que produce algún dinero está rodeado de vallas, zarzas y de cercas con pedazos de cristales.

Unicamente la literatura y el periodismo han estado, gracias a los escritores de nuestra generación, un poco abiertos durante algún tiempo, quizá porque no producen a la mayoría más que disgustos.

La sociedad española parece los alrededores de estos pueblos en donde no se puede andar por ningún lado, porque no hay terrenos comunales.

Esta es la característica de los pueblos viejos y pobres. Lo mismo, aunque en menor grado, ocurre en Italia.

La vida en San Sebastián y en casi todas las ciudades de España me recuerda a los bailes de máscaras de Madrid en mi época: la Alhambra y la Zarzuela.

A estos bailes había que ir con la pareja contratada, casi con un contrato en regla, porque si no no se encontraba a nadie, más que algún monstruo sin figura femenina, con quien bailar y convidar a cosas delicadas, como una ración de callos o un pedazo de bacalao.

Este acotamiento de todo quita a la vida lo imprevisto, que podría ser lo más agradable y lo más sugestivo.

En la sociedad española no hay nada flotante, todo está remachado, atornillado; es como una cadena sólida.

Esta cadena, por mucho que se la agite y se la arrastre, sigue siendo igual. Los eslabones no cambiarán de sitio.

En todas partes, la sociedad da una impresión parecida; en donde creo que el hombre debe tener una sensación de hondura es en Londres. El inglés audaz que viva en Londres tiene que encontrarse allí con grandes profundidades y con grandes posibilidades.

Los que vivimos en estos viejos pueblos latinos vivimos como peces en estanques de poco fondo. Antes todavía, cuando las aguas eran turbias, se podía pensar en la inmensidad de las aguas que le rodeaban a uno; ahora ya es imposible, se ve el fondo del estanque con claridad y se conocen con exactitud sus dimensiones. Cosa triste.

VII

SOBRE LA BELLEZA DE LAS MUJERES

Sobre la belleza en general se ha dicho mucho y muy vago. Stendhal asegura que es una promesa de felicidad, pensando, sin duda alguna, en una felicidad sexual. En cambio, Leonardo de Vinci y Schopenhauer han hablado de la belleza como si fuera un narcótico del instinto sexual, cosa que no me parece nada cierta.

Acerca de este punto, creo que es necesario hacer una distinción. Hay, indudablemente, una belleza que no tiene nada que ver con la felicidad. Es la belleza panorámica del mar, del cielo, etc.

Esta belleza es, sin duda, indiferente, generosa, no produce la apetencia de la posesión; puede, sí, impulsar a un vago panteísmo y a un deseo de fusión con la Naturaleza, pero nada más; no se puede decir que en ella haya un deseo de apoderamiento ni una promesa de felicidad.

Respecto a la otra belleza, a la belleza humana, no cabe duda que va acompañada siempre de un deseo de posesión y de una promesa de felicidad.

En el cerebro del macho, la belleza femenina produce un efecto que tiene un reflejo poderoso en las vesículas seminales; en cambio, en el cerebro de la hembra, el reflejo va a obrar en el ovario.

Se puede decir que el hombre mira a la mujer tanto con los ojos como con las vesículas seminales, y que la mujer contempla al hombre más con el ovario que con los ojos. Creo que en el amor místico pasa igual, y que Santa Teresa pensaba en Cristo, más que con el cerebro, con el ovario.

Desde el punto de vista de la belleza humana, Stendhal tiene razón; la belleza es una promesa de felicidad; es decir, de placer.

Podrá haber una belleza poco sexual, es indudable; pero una belleza asexual es imposible. Estas figuras de sexo indefinido, como las que pintó Leonardo de Vinci, fueron, probablemente, creadas desde un punto de vista homosexual; producen un efecto de confusión. «¿Esto qué es?», se pregunta uno; como en los hoteles, cuando le dan a uno un plato raro, que no sabe uno si es carne, pescado o verdura. Indudablemente, la primera impresión que produce la belleza es el deseo de apoderarse de ella.

Así, la historia mítica de los hombres está llena de raptos; el de Elena, el de Proserpina, el de Europa, el de Devanira... Y para los que miran con entusiasmo los efebos griegos y las figuras de sexo indeciso de Leonardo, hay también como símbolo el rapto de Ganimedes, por Hércules.

De todas maneras, dentro de lo normal o de lo anormal, el efecto inmediato de la belleza es el deseo de posesión.

....

Hay mujeres a quienes se quisiera dominar y mujeres a quienes se quisiera únicamente hablar; hay mujeres que hablan sólo a las glándulas seminales, y otras que tienen un atractivo menos exclusivamente sexual. Hay mujeres que parece que llevan una atmósfera de cantárida. En ellas, el movimiento, la sonrisa, todo es sexual. En España hay una palabra poco distinguida para señalar a estas mujeres. Los franceses, que tienen palabras más literarias y menos desgarradas, las llaman *allumeuses*.

Esta aura sexual que tienen algunas mujeres no es más que una irradiación de la función del ovario; existe también en las hembras de los animales. Estas mujeres uterinas suelen tener la conciencia de su fuerza y les gusta soliviantar al otro sexo.

En nuestra sociedad, como el cristianismo ha considerado la sensualidad como pecado, los hombres han identificado la mujer de malos instintos con la mujer erótica. Naturalmente, cuando se hace una depresión en la playa, el agua la tiene que llenar.

La mujer erótica pobre va a parar a la prostitución, en donde se reúnen la abyección, el vicio y el crimen.

Por sugestión de las ideas del ambiente, una mujer erótica, aunque sea de buenos instintos, se cree mala, y acaba siéndolo.

¿Qué pensarían nuestros católicos si les dijeran: «¿Ve usted esta criatura que usted considera mala por su erotismo? Pues sin confesiones ni rezos ni otras monsergas, vamos a aplacar su erotismo con baños o con bromuro, o con lo que sea»?

Pecados que se curan con higiene, con gimnasia o con medicinas. ¡Cuántos hay! Cada vez más.

Todo lo que se refiere a la cuestión sexual, en nuestra sociedad está perfectamente mal organizado.

El cristianismo condena el amor físico en bloque. El instinto sexual es, según él, lujuria y siempre pecado. Para el cristiano, el ovario y la glándula seminal son como bombas de dinamita que estallan produciendo pecados. No sabemos si los cristianos del porvenir encontrarán que la función de las parótidas y de las cápsulas suprarrenales son muy pecaminosas.

El cristianismo no se ha preocupado nunca del punto de vista que ahora se llama eugénico; no le importa si en la pareja que se casa los dos están sanos o no lo están, si se quieren o no se quieren, si es posible que tengan hijos fuertes o no. El cristianismo necesita un telón para cubrir el apetito sexual, e inventa el matrimonio, que es, como se sabe, un sacramento.

Desde el momento que el cura echa la bendición a los casados, el espermatozoo se adecenta, deja de ser un golfo, y va con levita, corbata blanca y sombrero de copa a fecundar el óvulo de una manera respetable.

En todo cuanto se refiere a la vida sexual, las ideas son bárbaras y contradictorias.

La castidad es una gran virtud; pero todo el mundo se ríe de las solteronas, y se reiría de los solterones si no se tuviera la conciencia de que para un hombre es fácil saltar por encima de muchas cosas sin detrimento de su fama.

VIII

EVOLUCION DE LA IDEA DEL AMOR Y DE LA AMISTAD

La amistad la cantaron los griegos de una manera excesiva. En cambio, el amor lo consideraron como un sentimiento privado y de poca belleza. Ese culto de la amistad llegó a producir el homosexualismo. El homosexualismo entre los griegos debió de ser una aberración de origen casi intelectual. El homosexualismo entre los modernos es una aberración de orden sensorial. Para un griego, la mujer era una semipersona, no tenía para ella la efusión que nosotros sentimos; tampoco tenía el culto a la Naturaleza, que en los modernos es una religión. El homosexualismo de hoy tiene un impulso más claramente anormal que el antiguo, pues necesita vencer el culto a la Naturaleza y la irrisión de la gente.

Dejando a un lado este aspecto triste y feo de la cuestión, no cabe duda que los griegos llegaron a divinizar la amistad.

Cástor y Pólux, Harmodio y Aristogitón..., los ejemplos de los grandes amigos y de los grandes ciudadanos son constantes en la mitología y en la historia de Grecia.

En la Edad Media, el culto de la amistad y el de la ciudadanía bajan y los sustituye el culto del amor y de las virtudes familiares. El caballero medieval es, principalmente, cristiano y enamorado. «Por su Dios y por su dama», es su lema.

No se dan casos de amistades célebres; en cambio, de amores célebres los hay en todos los países. Los caballeros tienen algo de Amadís, y Don Quijote, aunque es su caricatura, los representa aún mejor que su retrato.

En la Edad Moderna, en las sociedades que se van haciendo prácticas, la amistad y el amor van poco a poco tomando tierra y haciéndose naturales; es decir, perdiendo su exaltación.

En pleno siglo XVIII se nota que el amor toma un carácter fisiológico y la amistad baja.

El romanticismo se encarga de aupar el amor y de darle un carácter refulgente y sombrío.

La vida sin el amor es algo bajo y negro para los románticos; no hay más que las grandes pasiones que valgan la pena de vivir.

La gente, contagiada y sugestionada, tiene amores como Werther, y se desespera como René; pero cae el romanticismo, y vuelven el amor y la amistad a tomar un aire fisiológico y naturalista.

En esta cuestión del amor hay siempre un equívoco. Los naturalistas dicen: «El amor en los animales.» El místico dice: «El amor de Dios.» El ciudadano: «El amor de la patria.» Una cosa se refiere exclusivamente a la unión sexual y la otra no puede referirse a eso, de manera que la palabra es, indudablemente, demasiado extensa.

Limitándose al amor humano, la tendencia actual parece poco romántica y literaria. Se va hacia el realismo y se intenta casi siempre acoplar los intereses sociales y económicos con la inclinación fisiológica y sexual. No puede ser éste un momento literario de grandes amores; las pasiones románticas tienen que ser una excepción.

Para el hombre, las dos inclinaciones fuertes son comer y tener resuelta la vida sexual. Si se llama amor a la función sexual, el amor tiene una gran parte en la vida del hombre joven; ahora, si sólo se llama amor a la pasión, a lo novelesco, entonces hay que reconocer que el amor tiene muy poca importancia en la vida del hombre en general.

El amor, la mujer en general, y más la española, lo ve en forma de matrimonio. Para la mujer de la clase media y rica, el matrimonio tiene, naturalmente, grandes ventajas. El instinto sexual, que es pecado fuera del matrimonio, dentro de él se santifica, según los cristianos. Para la Naturaleza será un poco cómico; pero para la religión parece que no lo es.

Se explica que la mujer vaya a la caza del hombre joven y rico con todas sus trampas. En el caso de conseguir su objeto, resuelve de golpe todo: la vida material, la cuestión sexual, el gusto de divertirse, la posición en la sociedad, etc.

Fuera del matrimonio, en las mujeres españolas, el amor toma, o un aspecto místico e idealista, o un aire puramente sensual y trágico.

Respecto de la amistad, ocurre lo

propio. No hay amistades heroicas; se tienen amigos para pasar el rato.

IX

ELEMENTOS DE TRANSFORMACION

(LA MODA, EL LUJO Y EL CINEMATÓGRAFO)

Los clásicos elementos de transformación y de cultura: el libro, la prensa y la escuela, no cambian gran cosa a estos pueblos modernos.

Aquí, en San Sebastián, es difícil que la gente experimente la influencia del libro, porque apenas lee; el teatro tampoco es un gran agente de evolución, y el periódico, si obra, es muy a la larga. Además, el periódico español está siempre en un período de estancamiento y no sabe o no puede avanzar con rapidez.

Lo que influye de una manera preponderante en estas ciudades es la moda, el lujo, y, como diversión, el cinematrógrafo.

La moda es un producto del instinto de imitación que tenemos todos los hombres; su fuerza es extraordinaria; pero por lo mismo que es pasajera y su radio de acción se limita hoy al vestuario y el mobiliario, no obra profundamente en las ideas.

Hace ya mucho tiempo que no hay modas intelectuales, lo cual es un perjuicio; toda la acción de la moda se reduce en nuestros días a variar la forma de sombreros y de las faldas y la altura de los tacones de los zapatos.

Antiguamente hubo modas de pensamiento. Así, por ejemplo, en el siglo XVIII hubo la moda bucólica, después la moda de la filosofía; luego, en el siglo XIX, la gran moda del romanticismo.

Que estas modas tenían un valor intelectual, lo demuestra el hecho de que nuestras abuelas leían más que las señoritas de hoy. Yo, al menos, he conocido señoras viejas que en su tiempo habían leído los libros de Chateaubriand, de Dumas y de Eugenio Sue. Hoy, las bisnietas de aquellas señoras no leen nada. Van vestidas a la moda, pero sólo por fuera, como puede ir con cintajos un caballo o un mono.

No se nota, y es cosa triste, que la mujer española evolucione hacia la cultura.

Parece que no tiene condiciones para ello. La mujer se va desprendiendo de fórmulas antiguas de cortesía y de política y tomando un aire más suelto; pero no sustituye lo que deja con algo nuevo.

Es extraordinario el tipo de la señorita de buena posición que se ha creado desde hace poco tiempo acá. Obligaciones, ninguna; conocimientos, ídem; vanidad y deseo de divertirse, ilimitado.

Alguno me dirá:

—¿Usted no es partidario de que todo el mundo tenga libertad de hacer lo que quiera?

—Sí, libertad, pero con vida interior, con deberes morales, con deberes intelectuales.

Entonces, la libertad es interesante, porque hay posibilidad de conflictos; la libertad de una vaca o de un caballo no le interesa a uno. Y la mujer actual elegante no tiene vida interior ninguna. Parece que el poco cerebro que tenía se le ha evaporado. Lo único que le queda fuerte es la religión, pero con una ramificación del egoísmo. Como la mayoría creen que después de la muerte se va a volver a vivir, se quieren preparar un sitio confortable para más allá; lo mismo que se piensa en invierno en la villa que se va a alquilar en verano.

....

Yo, en Madrid, de joven, miraba como tipo de la mujer inútil, haragana, embustera, erótica y ansiosa a una señorita de la vecindad que se llamaba Lola. Lola era una mujer morena, verdosa, con la cara llena de polvos de arroz; inmediatamente que veía a algún joven y hablaba con él se derretía, perdía el decoro; siempre estaba en el balcón, mandando una carta a uno y a otro. A su padre y a su madre los trataba mal, con una aspereza y un desdén tales que sublevaban; con las criadas tenía unas amistades estrechísimas, alternadas con riñas feroces. No creo que hubiese leído nunca nada más que algunos ecos de sociedad. Tenía un entusiasmo por los ricos que llegaba a la vileza.

En la calle todo era mirar aquí y mirar allá y sonreír al que la seguía; si yendo con la madre las convidaba algún pollo, Lola se mostraba como el espíritu del ansia y de la gorronería.

Esta mujer acabó no trágicamente, pero sí mal. Se casó con un empleadito; y yo, por un azar del ejercicio de la Medicina, supe que Lola había tenido amantes, y que su marido, el pobre diablo, lo sabía. El hombre, que, mientras vivió, fue un calzonazos tranquilo, cuando enfermó gravemente adquirió una extraña energía, y, al acercarse su mujer a la cama, desviaba la mirada de ella con repugnancia. Lola quedó viuda, y antes de perderla yo de vista tenía una casa de huéspedes.

Yo creía entonces que este tipo de Lola era una excepción del género femenino; después creía que era una variedad; hoy creo que es casi el género entero, con algunas excepciones. La fuerza del sexo nivela a todas

las mujeres. Esa precisión del ovario y de la matriz es tan fuerte, que no les permite diferenciarse bien.

Recuerdo que cuando fui por primera vez a París, hace veinte años, me hice amigo de un joven periodista de Burdeos que se llamaba Damery-Cantenac, que vivía en plena miseria en un chiscón de detrás del cementerio de Montparnasse.

Damery era hombre guapo, conquistador y sarcástico; venía de Argelia de cumplir el servicio militar; tenía la cara tostada por el sol de Africa. Una noche íbamos dos españoles y él por los bulevares, y, al pasar por delante del teatro de Variétés, vimos una señora tan guapa, tan decorativa, que nos quedamos mirándola, quizá con demasiada curiosidad, y hasta hicimos alguna exclamación de asombro.

Un caballero ya viejo que iba con ella se acercó a nosotros con viveza. Damery se plantó desdeñosamente al oír la reclamación de aquel señor. El caballero, entre otras cosas, dijo, con altivez, que aprendiéramos a distinguir una señora del gran mundo de una *cocotte*.

A esto Damery contestó con tono sarcástico:

—Para mí, señor, entre una *cocotte* y una mujer del mundo no hay más diferencia que ésta: que cuando se acuesta uno con una *cocotte,* paga, y cuando se acuesta uno con una mujer del mundo no paga.

—Es usted un impertinente—gritó el señor con voz de falsete.

—Me llamo Damery-Cantenac. Vivo en la calle de Gassendi, detrás del cementerio Montparnasse, en un hotel, por cierto bastante miserable, que se llama hotel Gassendi. A su disposición. Buenas noches, caballero.

Y Damery hizo un saludo militar. Muchas veces recuerdo la frase de

Damery, que me pareció desvergonzada y cínica. Hoy no me lo hubiera parecido tanto.

Ciertamente, no es raro que las mujeres casadas que tengan amantes se puedan identificar con las cortesanas; tampoco es extraño que nuestras señoritas se diferencien tan poco de las cocineras; lo que sí es raro es que las vírgenes locas de una burguesía gazmoña como la nuestra sean espiritualmente iguales a las mujeres de los burdeles.

....

Después de escribir esto, pienso que mis reflexiones son absurdas. Sin embargo, los hechos son ciertos. Las mujeres de por aquí van tomando, con relación a la vida sexual, una soltura, una audacia, que antes no tenían.

En estos pueblos se nota más la evolución porque no va acompañada de otra evolución intelectual clara que le sea paralela. La emancipación se refiere únicamente a las relaciones de los sexos. Las mujeres parece que quieren afirmar que esta cuestión de los noviazgos, de la coquetería, de los adornos, etc., no es cosa de segundo término y para estar relegada a un rincón, sino que es algo serio y trascendental y que tiene derecho a la luz del sol.

Al mismo tiempo, las mujeres van rápidamente echando por la borda todo lo que les estorba en este sentido, en la moral sexual, y afirmando como nunca en la realidad la importancia de la vida genésica. Es posible que ellas, siguiendo esta tendencia, en cierto sentido emancipadora, transformen, a la larga, la vida de estos pueblos.

Claro, a nosotros, viejos intelectualistas encenagados en la rutina de pensar, gente para quienes el mundo exterior no es más que una realidad problemática; para nosotros, que creemos que lo trascendental es comprender las cosas y que lo demás no tiene importancia, no nos puede entusiasmar estar evolución de las mujeres hacia su emancipación, que tiene, hoy por hoy, como base, la función de la matriz y del ovario más que la función del cerebro.

....

Otro elemento de cambio en una sociedad es el lujo. Hablar de lujo se ve que produce un gran entusiasmo en estos pueblos nuevos.

—Hay un lujo...—dicen a todas horas las señoras.

Al decir esto, parece que el lujo las molesta, pero la verdad es que las encanta; las telas ricas, las joyas, los diamantes, todo eso las entusiasma.

Este amor por lo fastuoso y lo superfluo, que indica el lujo, no sólo no se ha refinado, sino que se ha vulgarizado. Antes la joya no era sólo dinero, sino que era arte. Hoy parece que se tiende a que no sea más que dinero.

He pasado por los escaparates de las siete u ocho joyerías que hay en el bulevar. No hay una joya trabajada, artística, con rubíes, esmeraldas o turquesas, que incite al que tenga cierta sensualidad por los colores; la mayoría son diamantes, brillantes, perlas, todo sin color y ostentoso. He visto una sortija para hombre con un brillante de quince mil pesetas. Me ha producido risa. Me he estado riendo solo, pensando que si me la dieran por diez céntimos, con la obligación de no venderla ni regalarla, no la tomaría.

No son estas joyas para magnates ni para damas refinadas; son para rastacueros americanos, para jugadores gananciosos y para gente de la misma calaña.

....

Estas ciudades modernas, que visten a la moda y que tienen la adoración por el lujo, han encontrado la diversión más a propósito para sus gustos: el cinematógrafo.

El cinematógrafo impresiona la vista, pero no el espíritu; no hay necesidad de razonar, ni discurrir; con él todo es cortical.

A pesar de esto, tal es la cantidad de modernidad que llevan algunas invenciones, que el cinematógrafo será con el tiempo uno de los elementos mayores de divulgación y de cultura.

X

LA MORAL DEL MAQUILLAJE

En San Sebastián no hay una armonía entre las costumbres y las ideas de los hombres ni de las mujeres.

Los hombres, en general, son insignificantes. En todas las ciudades de España, el hombre produce una sensación de insignificancia extraordinaria, insignificancia que no está del todo en la raza, porque en el campo el español tiene carácter, a veces demasiado carácter.

La mujer en estas ciudades está a la altura del hombre. En general, da la impresión de un animal lascivo y religioso que hace cabriolas bajo el látigo del confesor.

Sobre todo las mujeres de la burguesía, que no leen nada ni quieren enterarse de nada, ni creen en nada más que en lo que les dice el cura, tienen algunas un aspecto de actrices o de cocotas extraño. Usan las modas más excitantes, practican el maquillaje.

Por poco que uno haya viajado, ha visto en hoteles del extranjero mujeres que se entretienen en encender los deseos de los hombres; pero, generalmente, son mujeres de cierta moral laxa, un poco pervertidas por la literatura, neuróticas, que buscan sensaciones.

Lo que indudablemente es absurdo es ver muchachas que se pintan y muestran sus atractivos y toman una actitud extravagante con el objeto de casarse y de ser después presidentas de una asociación piadosa. «Maquillaje *ad majorem Dei gloriam*.»

Es lástima que estemos en la época de los jesuitas estólicos y cerriles, porque si estuviéramos en el tiempo de los Molina, de los Escobar, de los Sánchez y de los demás maestros de la moral laxa de que habla Pascal en sus *Provinciales*, hubieran hecho un entretenido estudio sobre el maquillaje, definiendo cuándo se puede pintar una mujer los ojos, cuándo los labios, cuándo está legitimado ponerse un lunar, y este estudio, que estaría lleno de distingos y de reservas mentales, nos hubiera divertido.

Prácticamente, el maquillaje, con fines matrimoniales, parece de poco resultado, porque el señorito español no es, generalmente, un romántico que se lance al matrimonio con una muchacha extravagante, sino que pesa el pro y el contra y hasta se entera de la cuenta corriente, si es que la tiene la familia.

Entre las modistas y las chicas de taller se ven también algunas muy peripuestas y algo maquilladas; pero si alguien les dice alguna galantería, no sonríen, como sonríe una francesa, con alegría y con gracia, sino que se muestran desdeñosas o contestan de una manera áspera y desagradable.

Se ve que el aire de modernidad y

de suavidad de las chicas de este pueblo es aparente.

En estos jóvenes donostiarras, como
en las muchachas, laten la timidez y la
torpeza ancestral de una raza que ha
vivido aislada.

La seriedad española no nos permite dar a las cosas de la moda su
verdadero valor; las hacemos en seguida trascendentales y serias. Y es
que, debajo del español, aparece siempre el cura.

El maquillaje debe tener su moral.
Practicarlo con otros fines de los naturalmente suyos parece un poco absurdo.

XI

LAS CLASES

Una de las palabras que se emplean
mucho en San Sebastián es la palabra
clase. «No es de su clase.» «Sí es
de su clase.» Se ve cómo el sentido
aristocrático se desarrolla en los pueblos nuevos.

Este sentido aristocrático es en San
Sebastián especial, a la americana.

En San Sebastián apenas quedan
familias antiguas, tradicionales. Pueblo que se quemó casi por completo
en 1813 y que hoy tiene sesenta mil
habitantes, ha ido creciendo con elemento advenedizo.

El donostiarra considera que la clase elevada se forma con el dinero y
los padres. En los abuelos ya nadie
se fija; pero, a pesar de esta facilidad de ser aristócrata, no por eso el
aristocratismo es laxo, al revés.

Este brote de aristocratismo es general en todos los pueblos que crecen. Larra, en su tiempo, se lamentaba
de que en España, en Madrid, no se
sintiesen las clases sociales. Larra, en
esta cuestión, era un tanto cursi, como

decimos ahora; se puede tener talento y ser, en ciertas cosas, un pobre
hombre. El caso de Balzac, empeñado
en ser aristócrata, es de los más característicos.

Yo no soy demócrata de estos del
voto y del sufragio; pero me parece
muy bien que no haya clases sociales
mientras las clases sociales no ofrezcan alguna ventaja. Una clase debe
poder defenderse por algo. Somos los
magos que estamos estudiando las formas en que se manifiesta la divinidad.
Somos los adivinos o somos las vestales. Somos la familia de los Hipócrates que estudia la Medicina en la
isla de Cos. Muy bien. Estas agrupaciones tenían un objeto y podían pedir un privilegio. Pero ¿qué objeto
pueden tener unos cuantos aristócratas o seudoaristócratas reunidos en un
gran hotel, en compañía de unos americanos ricos, de unos cuantos políticos chanchulleros de Madrid y de algunos navieros bilbaínos? ¿Por qué
va a tener privilegios esta gente?
¿Qué utilidad nos presta a los demás?

Ni siquiera son capaces de dar el
tono de las modas o de las costumbres. Esto sólo bastaría ya para tener
por ellos consideración, pero no están a la altura de las circunstancias.
No tienen tampoco sentido social,
instinto de dirigir; gastan su dinero
roñosamente, y miran con temor y con
suspicacia a las gentes que no tienen
medios.

Desde la familia real, con su aire
burgués, hasta el marqués pontificio,
la aristocracia española es fundamentalmente ramplona.

La verdad es que, a pesar de lo que
se habla, los aristócratas cada vez tienen menos prerrogativas, y llegarán a
no tener ninguna.

La desigualdad de la Naturaleza es
la que va ganando terreno. La juventud, la belleza, la inteligencia, la fuer-

za, eso es lo único que ya puede tener privilegios, y eso no es exclusivo de ninguna clase.

XII

LA VIDA ELEGANTE

Una señora medio francesa, madama X, me ha dicho varias veces que debía escribir algo de la vida elegante, aristocrática.

Esto de la vida elegante y aristocrática no es una cosa muy clara. Que hay elegantes, no cabe duda; gente, en general, desocupada, rica, que se viste bien, va perfumada, etcétera; que hay aristócratas, tampoco cabe duda, pues sabe uno que este señor se llama el conde de Tal y esta señora la marquesa de Cual; pero como todos ellos no viven de la misma manera, hay que saber en qué consiste la vida elegante y aristocrática.

Indudablemente, uno de los caracteres del elegante, como del aristócrata, es contar con el tiempo. Para esto es necesario disponer de alguna fortuna.

Encontramos la primera condición del elegante: ser rico.

Entre los ricos hay personas que tienen aficiones exclusivas: los hay políticos, los hay coleccionistas, los hay bibliófilos. El hombre que tiene tales aficiones ya en grado fuerte, empieza a estar muy ocupado y deja de ser elegante.

Segunda condición del elegante: ser desocupado.

Entre los ricos desocupados hay algunos capaces de pasiones fuertes, violentas, que los alejan de la vida social. Estos tampoco pueden ser elegantes.

Tercera condición del elegante: no ser apasionado.

Entre los ricos desocupados y fríos puede haber—lo da esa clase de vida—hombres inteligentes, de una visión clara, un poco irónica, de las cosas; pero éstos se hallarán siempre fuera del lugar y desagradarán a los demás.

Cuarta condición del elegante: no ser inteligente.

Entre los ricos desocupados, no apasionados y no inteligentes, puede haber gente cándida, de buena fe; pero como estas condiciones han de producir risa, el elegante deriva hacia la malevolencia.

Quinta condición del elegante: no ser bondadoso ni cándido.

Ahora, mi querida madama X, ¿creerá usted que cuando veo un conjunto de personas ricas, desocupadas, no apasionadas, no inteligentes, y que tienen malevolencia en vez de candidez y buena fe, no se me ocurre acercarme a ellos? ¿Creerá usted que la única palabra que me viene a la boca es la palabra de Cambronne?

Usted dirá que soy un salvaje. Cierto. Que soy un hombre incivil. Es probable. Lo que no cabe duda es que no soy el hombre más a propósito para ser un escritor de la vida elegante.

XIII

EL CALOR

Ni en junio ni en la primera quincena de julio ha hecho calor.

Ahora, al entrar la canícula, parece que el verano quiere resarcirse de su timidez pasada, y el sol viene armado de punta en blanco lanzando rayos de fuego. Todo brilla de una manera terrible, todo se enciende y rezuma. Al salir de casa, ese primer momento de una bocanada de calor fuerte casi me gusta; pero pronto la temperatura alta me fastidia y me exaspera.

Estos días, en la biblioteca de Itzea, que se halla orientada al Norte y al Oeste, con las maderas entornadas se está bien. No pasa la temperatura de 21 a 22 grados. Algún día de gran bochorno se acerca a los 23; pero al anochecer refresca mucho y las noches son casi frías.

La tarde me suele impacientar por su longitud. Esta hora de más con que nos ha obsequiado el Gobierno es una hora exasperante y aburrida.

Muchas tardes, al salir a la huerta, contemplo en una tapia el espectáculo extraordinario de la caza de moscas por unas cuantas arañas.

Esta tapia, que suele estar al sol y a medias cubierta con una enredadera, es un nido de arañas. Unas son de las que hacen telas, otras de esas pequeñas vagabundas que se llaman vulgarmente alguacilillos. El alguacilillo es un verdadero monstruo, con sus tres filas de ojos, su agilidad, sus saltos. Un bicho así del tamaño de un perro sería algo horroroso.

El alguacilillo, como la araña tejedora y sedentaria, que son tan terribles para las moscas, se baten en retirada cuando aparece volando una especie de mosquita larga y estrecha: el pompilo. Inmediatamente que la distinguen se ve a las arañas, azaradas, que se esconden y buscan un agujero; pero el pompilo es implacable: las persigue, las coge, les da un lancetazo que las paraliza, las mete en un agujero de la pared, pone sus huevos y cierra.

La caza de la mosca es una de las cosas más interesantes y más dramáticas que se puedan ver. Los dos procedimientos de caza, el de la telaraña y el de la persecución, son terribles; más traidor, claro es, el de la tela. ¡Qué ejercicios gimnásticos hacen las arañas sobre sus cuerdas! No hay marinero que las iguale. Cuando tienen su presa, la agarrotan con su hilo en un momento y les sorben los jugos.

El alguacilillo, más noble en su caza, es como un tigre o un león; tiene unos movimientos rápidos, unos saltos terribles y unas emboscadas traidoras.

Nos están sacando una porción de árboles de los montes. Sin duda el Ayuntamiento los ha vendido. Diariamente pasan por la carretera grandes troncos cortados. Una arboleda que había cerca del puente de Lesaca, en un sitio que se llamaba Bazar-lecu, lugar de aire misterioso y romántico, ha desaparecido. ¡Qué lástima! Nos van a dejar sin un árbol.

El otro día bajaban unas mulas arrastrando un gran tronco. El carretero, un chato torpe para dirigir el ganado, para lo único que se mostraba hábil era para decir bestialidades y para pegar de una manera cruel al macho de delante.

—Ese carretero debe de ser de la Ribera de Navarra—le dije a una muchacha.

—Sí, así es.

—Ya se conoce.

Lo único que nos puede consolar de que se nos lleven los árboles es que no nos hacen falta. El español no aprecia el vivir en paisajes suaves con árboles. Es gente de desierto, de aduar. Es, por tanto, lógico que los Ayuntamientos vendan los árboles y que un carretero chato de la cafrería o de la Ribera de Navarra se los lleve entre gritos, brutalidades y palos a las mulas.

Ahora nos estropean los montes; en el Baztán han tirado en poco tiempo árboles por valor de cuatrocientos mil duros; antes, en los años anteriores, nos han estropeado el río.

El Bidasoa ya no es un río, sino una serie de presas y de canales a cuál más antipáticos.

Hablaba hoy de este afeamiento sistemático del país con un señor en el tranvía de la frontera.

—Sí, es verdad—decía él—; pero eso da dinero.

—¿Y qué ventajas reporta ese dinero?—decía yo—. Yo no veo ninguna. Si se notara con la industrialización del país un aumento de cultura, me parecería bien; pero yo no advierto eso. Lo único que veo es que cada vez hay más fábricas y cada vez más gente de ésa.

Y mostraba un lego con un aire de patán que iba rascándose las barbas.

La verdad es que cortar árboles y estropear ríos para dar como producto espiritual a los frailes, no es, desde un punto de vista de la cultura, un buen negocio.

....

Al anochecer suelo regar el jardín, aunque no lo bastante, pues queda siempre seco.

En la huerta es curioso el aire decorativo y estilizado que toman algunas plantas forrajeras; así, por ejemplo, las lechugas florecidas parecen los remates de un edificio gótico, se ve cómo este arte se inspiró en las formas de los vegetales más humildes; las cebollas tienen las flores redondas, formando grandes cabezas, de un color gris azulado precioso; las acelgas, al segundo año, crecen y toman un aspecto semejante al de las plantas crasas del período carbonífero.

En el jardín es ahora el período de las dalias de todos colores, de las pomposas hortensias y de las coralinas salvias. Este período espléndido decae cuando comienzan a brillar las estrellas amarillas de los *helianthus* y acaba con las constelaciones de los crisantemos.

....

Algunos días que está muy seco subo a un alto próximo y me suelo sentar o tender en la hierba.

Los mirlos y las malvises pasan volando rápidamente; cantan los jilgueros y los pinzones en los setos; juguetean los petirrojos, pican en las flores silvestres y se alejan, con su vuelo bajo, para colocarse sobre una rama alta y mostrar los colores de su pecho.

Las palomas de casa suelen hacer evoluciones por el aire, trazando grandes curvas, acercándose a la iglesia, bajando en vuelos planeados al arroyo.

....

Cuando se echa uno en el campo y se mira, en una postura no acostumbrada, se pierde la noción de la medida de las cosas. Al poco rato, un moscardón o una mariposa próximos se le presentan a uno como un monstruo; en cambio, un águila en el horizonte lejano se confunde con un mosquito.

Un fisiólogo ha dibujado el campo sensorial del *yo* como un espacio cómico de la Naturaleza, con el vértice en el ojo y sombreado por la ceja. No cabe duda que la idea del espacio ha sido creada por los sentidos, principalmente por el ojo. En los bastoncitos y conos de la retina tiene que estar gran parte del secreto de la idea del espacio.

....

Algunas noches, muy pocas, suelo ir al pueblo; vuelvo por la calle desierta y tomo después por un camino de losas.

En las noches oscuras no se ve nada en esta senda, y tengo que ir tanteando para no dar un traspié.

Enfrente suele brillar en mi casa la luz de mi ventana. Cuando la noche está clara, las estrellas alumbran vagamente el suelo, y encima de un cerro suele brillar la Osa Mayor.

Las noches de luna tiene el campo un aire fantástico, e Itzea, un aspecto de casa misteriosa. En el pequeño jardín que hay delante parece que se ha de ver algún embozado que luego huya por la carretera, que brilla como una lámina de plata y se esconde entre grandes árboles. Estas noches de luna ladran más los perros y cantan más los grillos.

Muchas veces suelo salir a la huerta de noche a fumar. Los domingos se suele oír el sonido de algún acordeón y gritos de jóvenes que pasan saltando por la carretera.

Algunas noches se ven en la carretera luces que deben de ser de contrabandistas que hacen alguna seña, y no es raro oír tiros que disparan los carabineros contra algún desdichado que lleva unos cuantos panes a Francia.

Rara vez también suele poner su campamento cerca de la carretera algún gitano o algún paragüero ambulante que va con su mujer y sus hijos, y a primera hora de la noche se ve la llama de la hoguera que brilla en medio de la oscuridad.

Suelo avanzar por la carretera de Francia, y a veces por un camino estrecho próximo al arroyo.

En estas noches templadas de verano domina el canto del búho, que en la oscuridad y en la soledad es algo triste. Parece un alarido débil, como el de una criatura que se asesina. Muchas veces, delante de un grupo de árboles en donde entra la luna, o delante de un tronco en la oscuridad, se siente uno turbado y asustado. Es el miedo a lo maravilloso.

Hablando de esto, me decía un señor el año pasado que este temor a lo maravilloso era una prueba de la condición espiritual del hombre, porque los animales no lo tienen.

—¡Oh! El hombre es un animal religioso y lo será siempre—afirmaba.

Leyendo a William James, he visto que este miedo a lo maravilloso no es exclusivo del hombre. Cuenta este autor en su *Psicología* que un amigo suyo, el profesor Brooks, hizo con un perro inteligente la experiencia de ponerle un hueso atado por un hilo invisible y arrastrarlo de un lado a otro. El perro cayó enfermo de un ataque de epilepsia, de miedo.

Es indudable que a los perros les asusta todo lo que no tenga aire natural. Si ven a una persona con la cabeza tapada con un trapo, ladran furiosos. Lo mismo sucede si ven a un hombre encorvado que los mira por entre las piernas.

Se advierte que el miedo a lo maravilloso es un fenómeno no sólo humano, sino animal, algo muy fuertemente instintivo. Cuando el hombre llega a un alto estado de cultura y de gran dominio sobre sí mismo, entonces lo llega a perder.

El miedo a lo sobrenatural tiene para mí dos aspectos distintos, que corresponden, aunque no con exactitud, a dos clases de espíritus religiosos: el uno es el temor de Dios de los pueblos semitas y semitizados por el cristianismo; el otro es el temor vago a la Naturaleza de los pueblos primitivos. En la Europa meridional y occidental se puede llamar a una de estas formas espirituales semítica o cristiana; a la otra, céltica.

El temor de Dios de los cristianos (como en los judíos y mahometanos) es un sentimiento de dependencia con la divinidad. Dios fiscaliza y pide cuentas de todos los actos del hombre, hasta de los más pequeños. El temor sobrenatural céltico es la sospecha de fuerzas misteriosas adversarias del hombre.

El tipo cristiano cree que un accidente o una desgracia puede ser una advertencia o un castigo de Dios, que le vigila paternalmente; el tipo céltico no cree esto. Supone cierta mala intención misteriosa a las cosas naturales.

Entre estas dos ideas, la Naturaleza paternal dirigida por Dios y la Naturaleza hostil, yo encuentro más exacta esta segunda. Claro que no es que yo suponga que la Naturaleza sea hostil para el hombre como un designio, no, esto es absurdo; pero su indiferencia con relación a nosotros nos parece hostilidad.

Una serie de enemigos nos acecha en la oscuridad: el bacilo de la tuberculosis, que está en todas partes; el hemameba, que viene de los mosquitos anofeles; el bacilo del carbunco, que lo trasmiten las moscas, y una porción de gérmenes que ahora se cree se transforman unos en otros y que bailan a nuestro alrededor la más terrible de las zarabandas.

Para el hombre moderno, los espíritus malignos se han convertido en microbios.

Se explica que estas dos tendencias, la semítica y la céltica, hayan nacido la una en el desierto, la otra en las selvas. El pastor de las llanuras concibe la unidad, el paisaje para él es uno, las horas de todos los días son iguales. Esta unidad tiene que tener un jefe único, que pasa pronto a ser

Dios. El hombre de la selva tiene en el alma la variedad, el mundo se le presenta en trozos innumerables, el tiempo es cambiante, los fenómenos de la Naturaleza tienen inmensa diversidad, hay en el paisaje bosques, cavernas, ríos, lagos...

El pastor del desierto, que tiende a la unidad, al afirmar ésta, al darse un jefe absoluto y despótico, se hace humilde e inventa la religión. El hombre de la selva, que cree encontrarse entre fuerzas divergentes y enemigas, inventa la magia. Así el semita balbucea humilde ante los altares de su Dios, mientras el celta emplea orgullosamente sus fórmulas fantásticas para forzar a la Naturaleza como un químico moderno o un experimentador.

....

Yo no siento, no he sentido nunca ni remotamente esa dependencia mística con la divinidad, ni ese placer de llamarse esclavo, como los cristianos. Aunque llegara a creer en lo sobrenatural, no podría sentir la responsabilidad; por tanto, no podría sentir la justicia del castigo o del premio. Así como no me alcanza esa aura semítica y cristiana, me llega todavía un ramalazo del sentimentalismo de los pueblos primitivos de Europa: el temor de las cuevas, del pantano inmóvil y negro, de las arboledas, de las fuentes de agua limpia y misteriosa...

XIV

FIESTAS DEL PUEBLO

Las fiestas son en casi todos los pueblos el momento supremo del verano. Para esa época se blanquean las casas, se matan cerdos y patos, se guardan huevos. Todo se hace para las fiestas.

Luego resulta, cosa muy natural, que de las fiestas lo menos divertido son las fiestas mismas.

Estas consisten en comer, en bailar, en ver partidos de pelota y fuegos artificiales.

Como este pueblo donde vivo tiene dos barrios y las fiestas son tres días, se dividen día y medio en el barrio de Vera y día y medio en el de Alzate.

Nuestro barrio, el de Alzate, tiene cierta fama de inmoralidad: se dice que las parejas se abrazan en los maizales o en los callejones. Yo no sé si es verdad o no, pero creo que no es cosa de asustarse.

Un amigo nuestro, a quien se le conocía por el mote poco distinguido de *Bacalao sin tripas*, decía:

—En Vera hay un veinticinco por ciento de diversión; en Alzate, un setenta y cinco por ciento.

La fiesta de noche en el barrio de Alzate tiene un aspecto de baile de suburbio parisiense: ponen un túnel de lámparas eléctricas, que ya están un poco cansadas, y la gente pasea y baila debajo. Al final de la calle hay un juego de pelota y una capilla moderna con un Cristo comprado en Bayona y que lo pasaron de contrabando. Algunos guasones dicen que, cuando lo pasaban, los carabineros dieron a los contrabandistas el alto, de noche.

—¿Quién va?—les dijeron.

—¡Cristo!—murmuró uno de los contrabandistas, y dejó la imagen entre las zarzas para recogerla al día siguiente.

Este año en las fiestas ha hecho buen tiempo y ha habido mucha gente de Irún, de San Sebastián, de los pueblos del Bidasoa y, sobre todo, muchos franceses.

En estas fiestas siempre me acuerdo de la poesía de Víctor Hugo *Gastibelza, o el loco de Toledo*, y que empieza así:

Chantez, dansez, villageois!...

Verdaderamente, es extraordinario que en un mundo en donde hay tantas cosas horribles como en el nuestro, los curas lo más tremendo que encuentran para corregir es el que alguna muchacha lleve un escote pronunciado o que dos novios se hayan besado en un maizal.

Además, debían pensar que la predicación es bastante inútil, puesto que de los tiempos del pitecántropo acá no parece que haya variado mucho el procedimiento de nacer los hombres.

De todos los festejos de los pueblos, los que más me gustan son los fuegos artificiales. Es una cosa infantil, pero que tiene su interés siempre. Algunos sabios de las ciudades, cuando van a las fiestas de los pueblos, se encogen de hombros al ver los fuegos artificiales. Son pobres diablos que creen que hay categorías en los juegos. Como si no fuera lo mismo jugar al aro que al billar, a los botones como a la ruleta.

A mí me gustan mucho los fuegos artificiales. La serpiente que persigue a la mariposa, la rueda que gira, la fuente de chispas de oro y de plata, el castillo y luego esos grandes lagrimones rojos, azules, blancos, de color violeta, que bajan despacio en el aire oscuro de la noche, mientras todo el público hace involuntariamente: «¡Ah!... ¡Ah!...»

Es cosa muy divertida.

....

El tercer día de fiesta se han presentado en Vera los *boy-scouts*, o ex-

ploradores. Han hecho no sé qué mojiganga patrióticomilitar en el Ayuntamiento, que yo no he presenciado.
Lo que sí he visto es que han dado
a la calle del barrio de Alzate una
gran animación.

Entre estos boy-scouts había unos
jóvenes de sombrero ancho, estilo mejicano o yanqui, y otros con una go-
rrita de cuartel. Los trajes también
eran distintos y abigarrados. Esta nube de jovencitos, entre los cuales había algunos muchachos, ha dado un
aire pintoresco a la calle y ha proporcionado buenos bailarines a las
chicas.

A veces creíamos que estábamos en
un pueblo del frente viendo tres o
cuatro mozos, ya talluditos, con sus
gorras de cuartel; a veces pensábamos que estábamos en una zarzuela.

Claro que esta historia de los boy-
scouts tiene más de zarzuela que de
otra cosa, sobre todo tomándola en
serio; pero sea que estos boy-scouts
que han venido a Vera no lo han tomado en trágico o que yo los he visto
después de la mojiganga, el caso es
que me han parecido bien. Han bailado con las francesas y españolas polcas, pasodobles y jotas. Se han divertido ellos y nos han divertido un poco a nosotros.

Chantez, dansez, boy-scouts!

....

He estado a la puerta de una taberna oyendo cantar. Era una verdadera
batahola: unos cantaban una cosa,
otros otra, cada cual iba por su lado.
De cuando en cuando dominaba el tumulto la voz aguda de un navarro de
la Ribera que cantaba una jota. Parecía que quería decir: «Ahora callad
todos, porque ésta es la verdadera
canción.»

Claro que nadie callaba; cuando

concluía sus jotas petulantes, otro na-
varrito jiboso, con un pañuelo rojo
en el cuello, se levantaba y cantaba,
bailando y castañeteando los dedos:

Que tanto que sabes coser,
que tanto que sabes bordar,
y me has hecho unos pantalones
con la bragueta p'atrás.

Esta letra grotesca, después de la
jota arrogante, la ridiculizaba hasta
tal punto, que he estado riendo a carcajadas de los productos musicales del
padre Ebro.

XV

LA «ROULOTTE» ELEGANTE Y LOS HUNGAROS

Casi siempre en época de fiestas
pasa por la carretera un carro de saltimbanquis, una *roulotte*.

Va, generalmente, muy cerrado,
arrastrado por un caballo, y lleva
atrás, colgando, un cubo.

A pie suele ir un hombre de cincuenta a sesenta años, con el bigote
gris, y un perro. El hombre va vestido con traje azul ancho, de aire trans-
pirenaico. Sin duda es algún titiritero
francés que hace un pequeño recorrido por España entrando por la parte
de Añoa y Urdax y saliendo por aquí.

No se ve nunca quién va dentro del
carro: probablemente algunas mujeres.

El carro suele subir la cuesta de la
carretera despacio hasta que se pierde en lo alto.

....

Este año ha habido una *roulotte*
con saltimbanquis que se ha detenido
en el pueblo: una *roulotte* elegante.
Los titiriteros, que eran seis o siete,

han dado una representación en la plaza el último día de fiestas. Llevaban un caballito amaestrado y un mastín muy hermoso. Unos parecían franceses y otros gitanos. Al día siguiente de la fiesta se fueron por la mañana y volvieron de noche.

Por lo que dijeron en el pueblo el mastín de los titiriteros mató en el camino varias ovejas, y los *artistas*, reclamados por el juez, tuvieron que pagarlas, y las pagaron sin replicar.

....

Unos días después, al pasar por la carretera que hay entre Vera y el barrio de Alzate, he visto unos húngaros. Llevaban un oso, un perro y una mona.

Eran un hombre de unos veintitrés o veinticuatro años, barbudo, greñudo, con los ojos grandes y tristes y un sombrero hecho jirones; una mujer alta, rubia, con la cara lánguida y suave, con un niño en la espalda y dos chiquillos rubios, descalzos y harapientos.

Al llegar al barrio nuestro, mientras la mujer iba de puerta en puerta, diciendo con voz lastimosa: «*Siñorina*, una perrita», el hombre ha comenzado a tocar el pandero y a cantar y a hacer bailar al oso.

La chiquillería del barrio ha formado círculo alrededor. El húngaro llamaba al oso *Mariano* y a la mona le decía *Popinari*.

Mariano ha bailado con el palo pasado por encima de los hombros, se ha echado al suelo y se ha arrodillado; pero los chicos no han celebrado sus habilidades, y hasta le han tirado piedras. En cambio, la mona *Popinari*, cínica y desvergonzada, ha tenido un gran éxito.

El húngaro me ha preguntado si había alguna dificultad para pasar a Francia, le he dicho que no sabía, y me ha enseñado un pasaporte suyo con un nombre que me ha parecido ruso.

—Somos de un pueblo de los Balcanes..., cristianos—me ha dicho con su voz quejumbrosa.

Mientras el hombre hablaba, el oso me miraba con sus ojos pequeños y brillantes, de una expresión casi humana.

Unas horas después han pasado por delante de mi casa. Yo estaba en la carretera, y los chicos que jugaban por allí, entre ellos mi sobrino, un poco asustados al ver al oso, se han acercado a mi alrededor.

—¡Pobres!—he dicho yo.

—¿Por qué son pobres?—me ha preguntado mi sobrino.

—Porque no tienen casa... ni buena comida.

—¿Y quién es más pobre de todos?

—El oso.

—¿Y por qué?

—Porque los demás van contentos; el hombre y la mujer se han guardado los cuartos, el perro va libre y satisfecho, la mona también; en cambio, el oso va preso, con su anillo en la nariz, que le hace daño, sin poder correr.

—¿Y si se escapa?

—¿Adónde va a ir? ¿No ves que están quitando todos los árboles de los montes? Los osos sin montes no pueden vivir. Ahora, ya dentro de poco, no habrá árboles aquí.

—Pues ¿qué habrá?

—No habrá más que postes de telégrafo, y en vez de hierba habrá periódicos manchados con grasa y algún que otro tornillo. El mundo de hoy no es para los osos. Es para las monas.

—¿Y para los sapos que tienen veneno?

—Para los sapos que tiene veneno, también.

....

El ver a estos pobres desharrapados que iban por la carretera de Francia arriba con sus chiquillos harapientos, me ha recordado la estampa de los *Bohemios*, de Callot.

Ces pauvres gueux pleins de bonadventune portent rien que des choses futures. [res

Me han recordado la estampa por la idea nada más, porque los *Bohemios*, de Callot, como vistos por un francés, no tienen realidad, son amanerados y académicos (Callot se parece a Goya como un perro de lanas a un león). Los húngaros han comenzado a subir la cuesta; los chiquillos, descalzos, se han acercado a los caseríos pidiendo limosna, y, por último, se han ocultado entre los árboles de la carretera.

LIBRO QUINTO

CREPUSCULOS DE OTOÑO

I

ALEGORIA AL ESTILO ANTIGUO

El otoño es para mí la época más agradable en el campo y en la ciudad. Después de ese ardor pesado y enervante de los días de agosto, las primeras frescuras otoñales son una delicia. La lluvia benéfica va cayendo suavemente sobre la tierra y parece que es una voluptuosidad nueva mirar el paisaje y respirar.

¡El otoño, qué admirable estación!

....

Otoño es una dama aventurera saciada de amores y de frutos; en el Mediodía, en las tierras del vino, muestra la carnación abundante de una Venus de Rubens: es barroca, espléndida, tiene el color dorado del sol y en el cabello el adorno de los pámpanos y de las hojas de viña; en los países del Norte, menos opulenta y más discreta, es una ninfa pálida, en

galanada con flores, que marcha por prados entre las altas hierbas humedecidas por los jirones flotantes de bruma.

Otoño es ver las mañanas que brotan, radiantes, por entre la gasa blanca de niebla que envuelve el valle; recibir la caricia del sol, ya enfermizo, que tiene un calor dulce al mediodía, y respirar al anochecer el aire fresco y perfumado de los montes. Otoño es el olor del heno, la sazón de los prados. Otoño es ver caer la lluvia menuda en un día gris luminoso y plácido a través de los cristales de la ventana, oír el rumor del viento en el follaje, marchar por la carretera haciendo crujir bajo los pies las hojas amarillas de los árboles, oír las campanadas de la oración desde lejos, entre el ramaje desnudo del bosque, y encender al lado del camino una hoguera de ramas secas.

Otoño es pasear bajo la bóveda celeste en la noche limpia y profunda, recoger en el fondo del alma el ritmo del Universo en el parpadeo confidencial de las estrellas y presenciar las fantasmagorías de la dama errante de la noche, que juega a los misterios con su luz espectral en las rocas y en los arroyos, en los estanques y en los troncos viejos de los árboles.

Otoño es ver pasar por encima de nuestra cabeza los pintados pájaros de otros climas y contemplar las bandadas de aves, que vuelan en lo alto formando un triángulo y van lanzando gritos estridentes. Otoño es amontonar en los desvanes el grano dorado, las calabazas ventrudas y diformes y guardar en los armarios de nogal las gruesas manzanas olorosas.

Otoño es pararse, de noche, en la plaza del pueblo ante un balcón iluminado a oír una lección de Czerny que escapa del piano confusa y temblorosa. Otoño es mirar ensimismado los cipreses agudos del cementerio y sentir cómo van hiriendo en nuestro corazón las horas una a una. Otoño es acompañar a una mujer lánguida del brazo, al anochecer, y hablar con ella de la vida, de las ilusiones pasadas, mientras los gusanos de luz brillan misteriosos entre las hierbas.

¡Admirable y romántica estación!

Al principio, el otoño tiene el recuerdo del sabor del verano; pero pronto llega octubre con su aire frío y sus colores calientes y nos va dorando con sus purpurinas las faldas de los montes, y nos pinta de rojo los árboles y nos platea las hojas caídas en el camino.

Por las noches hay que encender el fuego en el hogar, lo que produce siempre una gran sorpresa, como si fuera una novedad ver la llama.

....

En vascuence, el otoño se llama «verano último», es decir, no tiene nombre original. Probablemente, en la antigüedad no señalaban los vascos más que dos estaciones: verano e invierno. Parece que en muchos pueblos septentrionales de Europa pasaba lo mismo, y que en la formación del otoño influyó bastante el cultivo de la viña.

Indudablemente, en los países meridionales el otoño está estrechamente unido a la vendimia. El grano de uva que se va dorando o amoratando en el racimo marca el final de la fuerza del sol. La recolección, con sus fiestas báquicas, coincide con la época equinoccial.

En el País Vasco, donde apenas hay vino, el otoño no tiene aire báquico; es un verano lánguido, suave y tardío.

II

EL CASTILLO DE SAN TELMO

A orillas del mar, esta estación otoñal ofrece verdadero encanto; los días claros son admirables; ya la arena de la playa no ciega con su blancura y el mar no tiene esos reflejos centelleantes que hieren la retina. No hay tampoco esa monotonía del agua azul y del cielo azul; en otoño, la masa de agua y la masa de aire cambian con frecuencia y producen una inmensa variedad de efectos.

....

El mar me parece un amigo a quien no quiero tener siempre delante. Así, de tarde en tarde, cuando oigo de lejos su canción y pienso «Ahí está», siento una gran alegría.

Acostumbrándose a la estrechez del

valle, es un gran placer sentarse una tarde, al comienzo del crepúsculo, a la orilla del mar y llenar la pupila con sus colores cambiantes y ver la puesta del sol, los volcanes, los dragones del cielo, las islas y palacios de nubes que se derrumban, los ríos incandescentes.

....

En la punta del cabo Higuer, que es el final del monte Jaizquibel, a orillas del mar, en la desembocadura del Bidasoa, hay un castillo viejo y arruinado. Todavía quedan en él algunas garitas y se adivinan salas y mazmorras.

Este castillo se hizo en tiempo de Felipe II para reprimir los latrocinios de los piratas.

A la puerta del castillo queda aún un magnífico escudo de los Austrias con una inscripción en latín que dice lo siguiente:

PHILIPUS II HISPANIARUM, INDIARUMQUE REX,

AD REPRIMENDA PIRATORUM LATROCINIA

HOC SANTERMI CASTELLUM EXTRUERE MANDAVIT

ANNO D. O. M. MDXCVIII

SIENDO DON JUAN VELASQUES

CAPITAN GENERAL DE ESTA PROVINCIA

He estado largo rato en este castillo, hoy convertido en humilde vivienda. El colono, sin duda, estaba paseando o trabajando en sus campos.

El panorama desde el castillo es soberbio. Se ve el mar, una gran extensión del golfo de Gascuña. En la desembocadura del Bidasoa, las dos peñas de Hendaya que llaman las Tumbas y también las dos Hermanas, del castillo de Abbadie; luego, los acantilados de Bidart, Biarritz, Bayona, y después una línea blanca de la costa francesa lejana...

En el mar, casi debajo del castillo de San Telmo, hay un malecón que forma un puerto de refugio. Veo salir de aquí una lancha cargada, que se dirige a dar la vuelta al cabo Higuer.

Pienso en lo azarosa que sería la vida de aquellos marinos antepasados nuestros que iban, en épocas remotas, a la pesca de la ballena y al banco de Terranova. ¡Quién sabe si su vida, a pesar de la barbarie del tiempo, sería más bella y hasta más agradable que la nuestra! Esta desconfianza en la civilización nos queda siempre a los vascos. No es uno un tipo social, y late confusamente dentro de nuestro espíritu el instinto de las razas viejas individualistas y aventureras.

Un poco más lejos del castillo arruinado está el faro del cabo Higuer, y al lado, un cuartel de carabineros. En la punta del cabo hay un islote, el islote Amuco.

Por el otro lado del Jaizquibel se ve la costa brava. He estado sentado en la hierba. No es fácil comprender por qué la contemplación de la Naturaleza salvaje le llega a uno tan dentro, al alma. Hay, indudablemente, en esto un residuo de algo instintivo y lejano.

Me he asomado a una peña y me he tenido que retirar inmediatamente, perturbado por el vértigo.

III

DISQUISICION CIENTIFICA SOBRE EL VERTIGO

Esta impresión de vértigo que he tenido en Jaizquibel me ha hecho leer en casa los libros que pueden hablar de ese fenómeno.

Wundt, en su *Psicología fisiológica*, ya clásica, habla como de una hipótesis, aún no demostrada, del papel de los canales semicirculares del laberinto del oído interno en la producción del vértigo y en la sensación del espacio. Desde entonces acá parece que la hipótesis se ha comprobado.

Estos canales semicirculares, en número de seis, que están llenos de un líquido, endolinfa, son como niveles que hacen percibir los movimientos de la cabeza y del cuerpo.

En este líquido o endolinfa que llena esos canales penetra el nervio auditivo, que supone que tiene filetes que no contribuyen a la audición. Estos filetes terminan en unas células erizadas de filamentos que se bañan en la endolinfa. A su vez, en la endolinfa hay flotando una masa de cristales calcáreos, los otolitos, que al moverse y desplazarse con el líquido excitan los filamentos nerviosos.

Cada otolito de éstos debe de ser como el dedo que toca en un timbre. Después el cerebelo parece que es el órgano encargado de comunicar al cerebro la impresión del vértigo que le dan los canales semicirculares.

Estos canales semicirculares del oído interno deben de servir al mismo tiempo de estabilizador, de barómetro y de brújula en el hombre y en los animales.

Luego, como contraste de la realidad, viene la vista, que hace como de palo de ciego para tantear en las cosas.

Así como estudiando la mecánica del vuelo de las aves se ha llegado a la aviación, ¿quién sabe si en el mecanismo del oído interno no se encontrará el sistema de dar estabilidad al aeroplano?

IV

LA SALA DE JUEGO

Voy a pasar unos días a San Sebastián a casa de mi amigo el doctor Larumbe.

Esta época de otoño es la más agradable de la playa de moda.

Hay en el pueblo menos gentes, pero hay la necesaria para que se halle todo animado. No se habla de toros, ya esto para mí es algo simpático y agradable, y tiene el final de temporada un carácter plácido y tranquilo.

Alguna que otra vez voy al Casino, a la sala de juego, que está en el primer piso. Yo no he jugado más que muy pocas veces; no me ha producido sugestión ninguna el juego.

La primera impresión de esta sala es espléndida. Hay mucha gente conocida y muchas cocotas elegantes. Entre los hombres se da el hombre de carrera de caballos y ese tipo, nuevo en España, de judío turco, búlgaro y rumano, corredor de alhajas.

La impresión segunda, la del crítico, es que San Sebastián no tiene el público de Niza, de Montecarlo ni aun el de Biarritz.

Se ve que este mundo del juego, del *turf* y de la galantería no está aquí como en su propia casa.

Algunos dicen que cuando se acabe la guerra se marchará. No es cosa que yo lo sepa.

San Sebastián no es ciudad para esa clase de gente; ese mundo elegante e *interlope* no le gusta ni al donostiarra ni al madrileño. Al donostiarra, porque ofende su mojigatería; al madrileño, porque le humilla con su dinero.

El donostiarra no facilitará la llegada de colonias yanquis o rusas, permitiendo que se levanten capillas protestantes u ortodoxas en el pueblo, como han hecho en Biarritz; al madrileño no le gusta tampoco encontrarse con gente que puede gastar en un día lo que él gasta en un mes o en un año.

San Sebastián se encuentra ahora entre dos períodos: uno es el San Sebastián de la reina Doña Cristina, un pueblo ñoño, moral, jesuítico, de burguesía madrileña; el otro, el San Sebastián que quiere ser cosmopolita, un pueblo de jugadores ricos y de carreras con caballos de Vanderbilt.

La guerra impulsa a este San Sebastián cosmopolita; pero el donostiarra y la colonia veraniega nacional tienen la tendencia a volver al San Sebastián de la reina madre, un poco cursi, un poco jesuita, esencialmente español.

Para el que no juega, porque no tiene dinero ni afición, como me pasa a mí, es entretenido observar a los jugadores; se obtiene el resultado de que todos son supersticiosos. Indudablemente, no hay jugador de raza que no crea en la suerte y un tanto en la *jettatura*.

Delante de un tapete verde siempre es curioso ver la actitud de los jugadores, los gestos de satisfacción unas veces y de inquietud disimulada otras. Algunos hay que pierden y ganan sin pestañear; pero a la mayoría se les conoce.

Muchos se burlan del que lleva un amuleto para jugar, y piensan, en cambio, que las cuentas y combinaciones que hacen sobre un cartón son de valor.

El jugador, en general, no cree en el determinismo absoluto, que consideramos como lógico la mayoría de los hombres razonables.

Para el jugador hay otro determinismo inventado por él: ha salido tres veces el negro, pues ahora hay más probabilidades de que salga el blanco.

No; hay las mismas.

Si fuera posible una explicación científica de lo que se llama casualidad, el jugador sería el mayor enemigo de esa explicación.

El jugador no quiere nada con la lógica corriente, y cree haber encontrado por su experiencia leyes a la suerte; es decir, quiere encontrar leyes a lo que se llama así, precisamente porque no obedece a las leyes.

—¿Cómo que no tiene leyes la suerte?—preguntará alguno, y contará mil casos que demostrarán que hay sus leyes.

Desde un punto de vista metafísico, la suerte no existe, no es más que un nombre para una cosa que no es nada; pero desde un punto de vista humano, esta cosa que no es nada influye como una realidad.

Aquí la frase de Protágoras: «El hombre es la medida de todas las cosas, de las que existen como existentes, de las que no existen como no existentes.» Es decir, que las cosas que no existen, si parece que existen, existen también para el hombre, para el hombre que cree en ellas.

¿Cómo se puede explicar este dualismo, al parecer contradictorio? En la vida, la suerte actúa muchas veces como si existiera.

Schopenhauer cita en español este adagio de verdadera fuerza: «Da ventura a tu hijo y échalo al mar.»

La palabra que parece que dice más

desde este punto de vista fatalista es esa «ventura». Más que suerte, más que fortuna, más que sino, indica esa palabra: «ventura».

....

Distraído con mis reflexiones, me encuentro con un señor que me saluda efusivamente; es un antiguo conocido de Madrid a quien yo siempre he oído que le llamaban el marqués. Yo no sé si posee este título o no.

El marqués es hombre delgado, esbelto, que ha tenido muy buena presencia. Tiene ahora una palidez de cera y unos ojos amarillos. Cuenta ya sus cincuenta años, pero está muy bien entre gente joven. Es una figura tan fina, que da la impresión de que no pesa. Parece que ha nacido para acompañar a dos señoras en un salón.

Es este amigo un hombre crapuloso, con un cinismo tan absoluto, que sorprende y divierte. El marqués, en su juventud, ha tenido grandes éxitos entre las mujeres. El no se preocupa de si hay virtud o no en ellas. Cada mujer le parece un logogrifo. ¿Se puede resolver?, muy bien; ¿no se puede resolver?, pues se deja. Lo demás no le preocupa.

Dentro de su especialidad de las mujeres, es hombre inteligente, ameno y cínico. Sacándole de ella, es un tonto y un tonto agresivo. Se indigna hablando de Besteiro y de Marcelino Domingo, y quisiera fusilarlos.

Si a mí no me hubiera conocido hace años, me tendría odio; pero como hemos andado los dos en nuestro tiempo en los Jardines del Retiro detrás de unas coristas italianas, cree que yo soy un ¡viva la virgen!, como dice él, y esto le da confianza y simpatía por mí y hasta por los libros que he escrito.

....

El marqués me presenta siempre como hombre de gran penetración. El motivo de este juicio halagüeño para mí es un pequeño éxito de inducción que tuve con él. Hará de esto diez o doce años. Existían aún los Jardines del Retiro. Yo solía ir casi todas las noches de verano a pasar unas horas allí y a oír ópera barata.

Al principio de la temporada solía estar aquello bien; luego quedaba lánguido y triste, con un aire provinciano, y nos conocíamos todos los concurrentes. En las pequeñas tertulias se murmuraba y se contaba la vida y milagros de la gente. En el grupo a donde iba yo había algunos conquistadores, grandes paseantes, que iban allí a *trabajar*, como decían ellos, y dos o tres gandules, entre los que me contaba.

Había hablado yo un día entre mis amigos de las deducciones del policía aficionado Dupín, de *La carta robada*, y de algunos otros cuentos de Edgar Poe y de la posibilidad de que, por lógica, se llegara a obtener un resultado de averiguación.

Días después, un domingo ya de final de agosto, estábamos sentados alrededor de la pista el marqués, un amigo estudiante de Arquitectura, gallego, enamorado perpetuo de una tiple, y yo, cuando entraron en los Jardines un señor de aire amable, de barba cana, con dos muchachas bonitas vestidas de claro. Eran, sin duda, padre e hijas. El señor tenía buen aspecto, las hijas parecían modestitas.

—¿Quién demonio es esta gente? —dijo uno de nosotros—. No han venido nunca aquí.

—¿Serán forasteros?

—¡Forasteros en agosto en Madrid!

—Quizá de algún pueblo de al lado.

El señor y sus hijas no parecían conocer a nadie.

—A ver esa lógica—me dijo, en broma, el marqués—. A ver si deduce usted quiénes son ese papá y sus niñas por el sistema del señor Dupin.

«Va uno a quedar mal», pensé yo. No encontraba indicio alguno que pudiera darme la menor luz.

Representaban *La somnámbula*. Estuvimos al lado del padre y de las niñas y les oímos hablar. Acabó el segundo acto de la ópera, y de pronto dije, triunfante, a mis amigos:

—Ya sé quienes son el padre y las hijas.

—¿Quiénes son?

—Pues son unos ferreteros alaveses que viven en la calle de Toledo o de los Estudios, gente de buena posición, que se llaman Zárate, Bengoa, Zúñiga o algo parecido.

Se rieron mis amigos, y dijeron:

—Vamos a seguirlos cuando salgan.

El marqués consideraba que no tenía que *trabajar* aquella noche.

Efectivamente, salieron padre e hijas, y salimos nosotros detrás. Las chicas creían que íbamos tras ellas con intenciones amorosas, y se hablaban y se reían.

—Conque alaveses..., ferreteros..., de la calle de los Estudios..., y Zárates—repetía el marqués, con sorna.

—Y que no me vuelvo atrás—decía yo.

Recorrimos la calle de Alcalá, cruzamos la Puerta del Sol, tomamos por la calle Mayor; luego, por la plaza del mismo nombre, entramos en la calle de Toledo, luego en la de los Estudios, y se detuvieron el padre y las dos hijas delante de una casa con una tienda.

Hubo un momento de asombro entre mis dos compañeros, del que participé yo.

En el rótulo ponía: «Ferretería de Ortiz de Zárate.»

—¿Estas señoritas viven aquí? —preguntó el marqués, con su desparpajo habitual, al sereno.

—Sí, señor; aquí viven.

—¿Son de la ferretería?

—Sí, señor.

Nos volvimos al centro.

—Vamos, que nos ha tomado usted el pelo—me dijo el marqués—. Usted conocía a las chicas.

—No las conocía.

—¡Bah!

—De verdad.

—Pues ¿cómo ha averiguado usted quiénes eran? ¿Se lo han dicho a usted?

—Ya ha visto usted que no he hablado con nadie.

—Pues ¿cómo ha sido?

—Por inducción. No se ría usted, es verdad. Yo he estado pensando, como ustedes, si estas muchachas serían madrileñas o serían forasteras, y cuando las he oído hablar me he confirmado en la idea de que eran madrileñas ellas, pero el padre no. La voz del padre me pareció de riojano o de navarro. «¿Madrileñas y con este aire modestito y encogido?», me pregunté. Y se me ocurrió si serían chicas de familia comerciante de un barrio apartado. Estaba en este momento de formación de mi juicio sobre ellas, cuando he visto que las saludaba muy afectuosamente, desde lejos, don Ricardo Becerro de Bengoa, que ha sido profesor mío en el Instituto de San Isidro. Este Instituto está, como saben ustedes, en la calle de Toledo. Ya tenía estos datos, medio seguros, medio hipotéticos: chicas modestitas, de familia comerciante de un barrio apartado, amigas de Becerro de Bengoa, que es alavés y profesor de San Isidro. De aquí deduje: el padre no es riojano ni navarro, sino alavés. ¿Qué comercio tienen, preferentemente, los alaveses? La ferretería. ¿Hacía qué barrios? Hacia la calle de Toledo. Becerro de Bengoa probablemente conoce a esta familia por ser alavesa y la trata porque tendrán su comercio cerca de San Isidro, donde él da clase. Con estas suposiciones, como ven ustedes, bastante fundadas, me he lanzado a hacer mi afirmación.

El marqués y mi amigo el estudiante me felicitaron por mi pequeño éxito, que no lo he podido repetir muchas veces.

De aquí que el marqués crea que yo soy hombre de gran penetración.

V

PERFILES DE CORTESANAS

El marqués se brinda a servirme de cicerone, y me presenta a varias cocotas que bullen por allá.

La mayoría son inteligentes como mulas, tienen una mirada puramente animal, sonríen porque su oficio es sonreír; pero se ve que, fuera de ganar dinero, de comer, de beber y de dormir, no tienen ningún otro deseo. ¿Cómo se va a poder sostener una ligera sombra de personalidad llevando la vida absurda que llevan? El pequeño espíritu que puede tener una mujer así ha tenido que ir ahogándose en la fatiga sexual y en la fatiga de beber, de gritar, de hacer mil cosas estúpidas por sistema, sin afición, sin alegría.

¡La verdad es que el mundo del vicio es ridículo! Si no fuera por la religión, que ha puesto encantos al vicio, éste estaría tan desacreditado, que todo el mundo se reiría de él.

Le hago observar al marqués que el nivel estético de esta cocotería cosmopolita es inferior al de los años anteriores. Mi cicerone lo reconoce. La causa, según él, es la entrada de los americanos en la guerra y el prestigio de su dinero, que hace de bomba aspirante con todos los artículos de comer, beber y arder, incluyendo en este último las cocotas.

Mi amigo el marqués me presenta a una mujer inteligente: la señorita Dahlmann. Como me interesa su conversación, la invito a entrar en el bar. Está lleno.

Hay una mujer muy elegante con un viejo. Es una judía rumana, según dice la Dahlmann. Tiene un perfil aguileño y los ojos verdosos, tristes. En la boca, sobre todo, se nota la semita, la africana.

Una francesa, con unos labios gruesos y una cara cuadrada, ríe a carcajadas.

—¡Aj! ¡Qué alegres son estas francesas!—dice la alemana.

Le invitamos a tomar algo, y la Dahlmann bebe cerveza y pide bocadillos.

—¡Aj! Siempre tengo hambre y sed —dice.

Voy haciendo la identificación de la Dahlmann. Marta Dahlmann es de la Prusia oriental, mixta de rusa; es alta, gruesa. Tiene la piel muy blanca, el pelo rubio, la cara ancha y los ojos azules, algo oblicuos. Ha vivido en Viena y en Berlín; la guerra le cogió en París, donde pasaba por polaca.

Es mujer muy leída, sabe cinco idiomas. Tiene un cinismo sentimental, extraño. Habla de su padre y de su familia con un acento grande de verdad.

Dice que no le divierte mentir; debe de ser verdad. Cuenta sus amores, y dos abortos provocados, con una sangre fría terrible. Sabe de memoria algunas poesías de Goethe. Ideas religiosas, ninguna. Es perfectamente materialista. Me dice que quiso ir en Berlín a las conferencias filosóficas de Simmel.

—¿Usted ha oído alguna vez explicaciones sobre los varios conceptos de la palabra *werden?*—le pregunto yo.

—¡Oh, sí! ¡Werden! ¡Qué hermosa palabra! *Aj!* ¡Werden! Los franceses no tienen esa palabra. Dicen *devenir.* Es una mala traducción de la nuestra. ¡Werden! *Aj!* Ya lo creo.

La Dahlmann está deseando que derroten a los alemanes. Es entusiasta de Francia y de París, lo cual no es obstáculo para que no le gusten los franceses como tipos. Todavía cree que puede vivir idílicamente con un hombre.

«¿Después de los abortos provocados, después de la crápula, el idilio?», estoy por preguntarle.

No hago la pregunta. Cada cual tiene el derecho de concebir su vida a su modo.

La alemana habla por los codos. Tiene muy mala idea de los españoles; en cambio, le gustan las españolas, habla de ellas sonriendo. Esas mujeres pequeñitas, de ojos negros, que van a la iglesia con su mantilla, le parecen muy bien.

Este gran *papillon* nocturno, a pesar de su cabeza inteligente y fuerte, tiene una inconsciencia de gitana. Le gusta dejarse llevar por la corriente, y su espíritu de contradicción y de complicación le permite marchar espiritualmente en todas direcciones.

Tal mujer no tiene idea del pudor, lo que me parece muy bien, dada su situación. Habla de que ha tenido enfermedades y del cultivo del gonococo.

Mi amigo el marqués no puede con ella, sus bromas no tienen valor; ante una mujer que acepta todo, como

un tratado de Medicina legal, el ser pillín es una ridiculez.

La Dahlmann no considera que su vida ha terminado: supone que todavía puede desarrollarse; quiere llegar a su *développement,* como dice ella. Este *werden* es, sin duda, algo esencialmente alemán. Por otra parte, a la alemana no le importa el día de mañana; si marcharan mal las cosas, se suicidaría.

....

Estamos hablando los tres, y se presenta una francesa.

—La estaba buscando a usted—le dice a la Dahlmann.

—Aquí estoy.

—Siéntate, Fifine — le indica mi amigo.

Fifine tiene aire de gran dama, parece una avispa. Es de cerca de Angulema, según ha dicho la Dahlmann. Ella cree que del campo. No es bonita, tiene la cara cuadrada y huesuda, pero sí muy distinguida. Viste bien, sin exageración. Su preocupación es el juego. Parece que todas las noches se pasa haciendo combinaciones en un cartón para jugar después.

Habla de una manera tan redicha y tan remilgada, que parece que debía ser abadesa. Esta heroína de Racine ha sido institutriz. Es patriota, aunque dice que ha conocido alemanes que eran muy *chic.* Es la discreción personificada; tiene una de circunloquios elegantes para decirlo todo, que a mí me impacientan.

No dirá nunca el querido o la querida, sino el amigo de la Tal, la amiga de Cual. Fulana recibe sus amistades en este sitio, lo que quiere decir que esta prostituta va a esta o a la otra casa de trato.

Una palabra que emplea mucho es

la palabra *sensualité,* que pronuncia con un aire de satisfacción y de regodeo: *sansualité.*

Es ésta la palabra más atrevida de su vocabulario; de aquí no pasa. A todo lo que sean brotes de la realidad, de la realidad horrible de su vida de prostitución, opone un aire de candidez y de sorpresa. «¡Ah, no!», dice a cuanto sea truculento. Cualquiera diría que la vida de la buscona es algo así como un curso en el Sacré-Coeur.

Habla Fifine de no sé quién que tiene una combinación, una martingala, para ganar en el juego.

—¡Qué estupidez!—digo yo.

—¿Cómo estupidez, señor?—pregunta, con aire fino y afectado.

—No hay combinación ninguna para ganar—contesto yo, secamente—. La única combinación posible sería la dobla si no hubiera puertas o ceros y la postura no estuviera limitada.

La Fifine al poco rato se levanta y se va.

—Se marcha descontenta—dice la alemana.

—Pues ¿por qué?

—Porque ella cree en las combinaciones del juego y se pasa la vida pensando en eso.

Según dicen la alemana y el marqués, Fifine, no habla, ni en confianza, de su vida, y tiene para toda pregunta directa una evasiva.

La alemana dice que Fifine es muy enamorada, y siempre tiene algún *amant de coeur,* que suele ser algún francés de estos desertores que pululan por aquí, medio chulos, medio apaches, medio chóferes.

A la alemana no le atrae nada de esto. Ella se siente más intelectual, y el tipo del hombre joven golfo no le llama la atención. A ella le gustaría viajar, ir a la India, a la América, con un explorador o con un gran negociante.

....

Mientras hablamos, entra en el bar y se acerca a la mesa una muchacha española: Blanca.

Blanca es de un pueblo del Ebro, entre Navarra y Aragón. Es una muchacha preciosa: pequeña de cuerpo y morena, con una corrección de líneas y un aire virginal. Cara de Dolorosa, raza iberosemítica, producto de algún resto de judaizantes, que abundan en la orilla del Ebro.

Blanca viste bien; pero, fijándose en ella, se ve que su elegancia es algo postizo.

Está muy pálida. Tiene una manera de hablar de carretero: iracunda y violenta. Se la invita a sentarse, y se sienta.

Esta Blanca es también, a su manera, locuaz y confidencial. Su familia es pobre; su padre es peón en el campo. Ella ha estado trabajando en una fábrica de conservas. Cansada de esta vida, se fue con uno que tenía un cinematógrafo; no porque estuviera enamorada, no. Ella no se ha enamorado nunca. Hace dos años y medio que se escapó del pueblo, y ha reunido muchos miles de duros, que tiene en papel del Estado.

—El mejor día se enamora de un chulapón peinado *pa alante*—le dice mi amigo el marqués a la alemana.

—¿Yo?— y Blanca suelta unas cuantas exclamaciones de carretero—. ¡Nunca me enamoraré!

—Esta pequeña—dice la Dahlmann en francés, en voz muy baja — es avara.

—Claro, ahora estás muy solicitada—dice el marqués—; pero más tarde, ¿quién sabe? Figúrese usted que hace conquistas hasta en las mujeres. Hay una señora, que llaman madama

Safo, que le quiere dar cien duros a ésta, no sé por qué—agrega, riendo.

—¡Qué se los dé a su madre!—dice la pequeña, con su irritación habitual.

—¡El homosexualismo!—exclama la alemana, con indiferencia, como diciendo: «Esto pertenece al capítulo tercero del libro cuarto.»

Le pregunto a Blanca el porqué de su aire malhumorado. ¿Es que echa de menos su vida pasada? No, dice, es que está mala del estómago. La vida de noche no le prueba. Le da asco toda la gente. Quisiera que se murieran todos los que están allí.

—Les daría usted la muerte dulce, la eutanasia—le digo yo.

—Por mí, aunque murieran como perros rabiosos, me daría lo mismo.

—Eso ya está mal.

—¿Por qué no vas a vivir al campo?—le pregunta el marqués.

—Quiero tener más dinero—contesta ella, con un aire de terquedad.

Le pregunto si en su pueblo la gente va mucho a la iglesia. Dice que sí. Le digo si ella se confiesa con frecuencia; me mira y no contesta. Sin duda, esto la intranquiliza.

Blanca quiere sujetar a Fifine, por quien tiene una amistad celosa, y de tarde en tarde, a pesar de su avaricia, le da algún dinero para jugar; Fifine admira a la alemana y la tiene como a una sabia; en cambio, la Dahlmann mira a la española como una de las mujeres más divertidas y extraordinarias que puede haber.

Las tres, según dice mi cicerone, viven en la misma casa. Esta asociación me recuerda la de los ratones, búhos y serpientes de las cuevas de América, de que habla Darwin.

....

«¿Qué opinión tienen de su estado, profesión o como quiera llamársele estas tres mujeres?», pienso al ir a casa. La alemana tiene un cinismo cándido, supone que ejerce una función social, como la de un barbero o la de un callista, y como, además, cree que marcha a su *développement*, no parece que la idea de la deshonra le preocupa; la francesa tiene una idea literaria de su vida, se considera algo así como una aventurera romántica; la española se encuentra aplastada por la deshonra.

VI

NUESTRA INMORALIDAD

Quince días después vuelvo a San Sebastián; me quedo de noche y voy a la sala de juego. Está la sala mucho más despejada que hace días.

Mi cicerone, el marqués, se ha debido de marchar ya, porque no le veo.

En la cocotería elegante hay grandes bajas. Entre las que bullen veo una rusa que hace cinco años andaba por el Barrio Latino de París, una mujer estúpida, pero que tiene algún éxito.

Me siento aburrido. Se acerca a mí un señorito donostiarra a quien conozco. Me dice que hay algunos jóvenes del pueblo que viven con estas cocotas explotándolas; esto me lo dice como si fuera un timbre de gloria para el pueblo.

Se acerca también una manicura medio alcahueta y un señor a quien apenas he hablado dos veces y por el cual no siento gran simpatía.

No sé quién es este señor ni sé su apellido. Lo suelo ver en Madrid en el Círculo de Bellas Artes, pero no he tenido nunca curiosidad de saber quién es. Supongo que será un jugador, quizá algún estafador. Me parece que debe ser un hombre insignificante.

Nos sentamos en una banqueta.

Un *croupier*, amigo del señor del Círculo de Bellas Artes, nos habla, indignado, de los puntos que juegan y de las señoras que, según él, tratan de levantar muertos siempre que pueden.

La manicura está enterada de las damas que tienen líos, de las entretenidas, de las citas en la playa y de las mujeres y los hombres que se tiñen la cara y el pecho con tintura de yodo para parecer morenos, cosa que más que una inmoralidad me parece una tontería.

Alguien pregunta por una virago, una mujer muy conocida, un marimacho que ha dado mucho que hablar. Este año no ha venido

Se cuentan anécdotas de ella. Los españoles somos un poco cándidos y provincianos en esta cuestión de la inmoralidad; cualquier cosa nos parece una montaña.

He aquí las anécdotas que cuentan de la ausente:

Una vez estaba en un palco del Real esta virago con una amiga que tenía un amante. Esta vio que el marido de su amiga venía con otros varios, y dijo: «Ya empieza la función, ya vienen los mansos.» Y la amiga le dijo: «No, todavía no ha venido tu padre.»

El padre de la virago tenía fama de gran cornúpeta.

El viejo del Círculo de Bellas Artes, que tiene también un gran honor en conocer a la gente de la aristocracia, nos explica una reunión que había en no sé qué café de San Sebastián, hace años, en donde Albareda solía decir a la madre de esta virago: «La verdad es que usted y yo hemos sido muy p...»

El joven cuenta que un día, entrando en Novelty, un café que había en el bulevar, el marido de esta virago, al verla a ella y a su hermana, decía: «Ahí están esas zorras, ¿por qué no las llevarían a la cárcel?»

—¡Como está la aristocracia!—exclama el viejo.

—¡Bah!—digo yo—. La abuela de esta mujer vendía sardinas en San Sebastián.

—¡Ca! Imposible.

—No sé; a mí no es cosa que me preocupa; yo se lo he oído decir a un hombre que conocía muchas historias antiguas.

El joven donostiarra asegura que no puede ser. El acepta todo menos lo de las sardinas.

—¡Qué diablo!—dice—. Al fin y al cabo, es algo parienta mía.

VII

UN SEÑOR PESADO

Como la sala de juego no tiene público ni interés más que para los que juegan, salimos del Casino.

El joven se marcha y el viejo y yo entramos en un bar, en donde espero a un amigo. Este señor, que yo supongo que es un jugador o un estafador, tiene una manera de hablar insinuante y quiere convencerme de que yo debo tener sus gustos y no los míos.

—Usted tiene una visión unilateral—me dice.

—No conozco a nadie que la tenga bilateral.

—¿No se pueden comprender al mismo tiempo los dos términos de una cuestión?

—Sí. Lo que no se puede es querer dos cosas que se niegan una a la otra. Yo dudo de los que se las echan de muy comprensivos. Yo considero imposible en un aficionado a las artes que tenga un entusiasmo semejante por Racine y por Shakespeare, por Chanteaubriand y por Dickens, por Anatole France y por Ibsen, por D'Annunzio y por Dostoyevski, por Poussin y por Goya. Cada obra de arte es una serie de afirmaciones y de negaciones que engranan o no con las que hace uno interiormente.

—Usted habla de afirmaciones y de negaciones sociales...

—No hay arte sin intenciones sociales.

Este señor me reprocha con tono agridulce el que haya hablado con poco entusiasmo de la literatura española actual.

—Usted afirma eso por singularizarse—dice él.

—Lo mismo podía decir yo de usted.

—Es que yo tengo la opinión general.

—Habría que demostrar que la opinión general es siempre la mejor.

—¿De verdad no le gusta a usted nuestra novela del siglo XIX?

—A mí, muy poco o nada.

—¿Y nuestro teatro?

—El teatro no me interesa mucho en ningún lado.

—Así que usted no encuentra los libros de Pereda bonitos, simpáticos?

—Yo, no.

—¿Qué defectos les encuentra usted?

—El principal: que no me interesan. Dirá usted que este libro está bien construido, que los personajes hablan bien. Quizá sea verdad, pero nada de eso se intercala en mi vida. En cambio, los libros de Dostoyevski, de Stendhal, de Nietzsche y otros muchos se han convertido dentro de mí en acontecimientos. Lo mismo me pasa en pintura con algunos cuadros del *Greco* y de Goya; me parecen sucesos que han ocurrido dentro de mí.

Esto es lo que yo reprocho a la literatura española actual, que no me impresiona fuertemente.

La discusión entre el señor y yo sigue con cierta acritud mal disfrazada de su parte y un tono de brutalidad por la mía.

—Lo que veo en último término —dice él—es que usted tiene una gran hostilidad por la vida española.

—No cabe duda, y cuanto más católica sea, más.

—Así que usted de España no puede amar más que la tierra y, a lo más, la gente poco culta.

—Eso es—digo yo con sorna—: la que tenga menos tradición católica y menos tradición latina.

—¿Así que el mundo elegante, el mundo literario, la buena sociedad, para usted no son nada?

—Nada. Lo más, una mistificación.

VIII

UN PERIODISTA

En esto llega mi amigo con un periodista, y el señor del Círculo de Bellas Artes se marcha.

—Siempre disputando—me dice el amigo.

—El caso es que yo no busco las disputas—exclamo yo—. Al revés, las rehuyo. Lo que me sucede es que me encuentro con gente que tiene antipatía por mí, por mi manera de ser, y quiere manifestármela. En un artículo que ha publicado *Azorín* acerca de mi última novela, *La veleta de Gastizar*, dice que mis libros producen en el lector un sentimiento de rencor por ser yo un espíritu antitradicionalista. Esto debe de ser cierto, porque he encontrado gentes que tenían una antipatía marcada por mí, producida por haber leído algún libro mío. Yo encuentro esto muy natural y lógico. Por mi parte, siento muchas más antipatías que simpatías literarias por los vivos; pero no voy a buscar al que me produce antipatía para decírselo más o menos disimuladamente.

—Usted lo escribe.

—Que lo escriban ellos también. Yo me reía el otro día leyendo un artículo de *La Lectura Dominical* en que me atacaban a mí porque he dicho que los revolucionarios españoles han sido siempre de camama, y me reía más viendo que este artículo es igual a otro que publicó Samblancat en *El Diluvio*, de Barcelona, contra mí, por los mismos motivos.

—Se reía usted, pero le molestaba —dice el periodista.

—Créalo usted así si quiere. Me es igual. A mí me parece muy bien el ser atacado por motivos ideológicos. Encuentro bien que el francófilo exaltado crea que yo no tengo sentido, como es lógico que yo crea que el que no tiene sentido es él; me parece muy justificado que el admirador de D'Annunzio no tenga devoción por Dostoyevski o por Tchekoff, como yo no tengo entusiasmo por D'Annunzio.

—¿Así que no le gusta a usted D'Annunzio?

—Me aburre. Cuando he leído algo suyo he sospechado que debe haber cosas que están bien en sus libros, pero me aburre.

—¿Y Anatole France?

—Tampoco me gusta. Me parece su obra cosa vieja, retocada. Claro que esto es lo que produce el entusiasmo del público. Pasa en la literatura como en la música, que, en general, hasta que no se recuerda la melodía no gusta. Todo lo que sea recapitulación tiene siempre éxito, porque encuentra el ambiente hecho. Esto ha pasado con France, con Rostand, con Sienkiewicz; entre nosotros, con los escritores de más éxito. Toda obra literaria es en su esencia una recapitulación. En literatura, como en todas las artes, se cumple la ley que Fritz Müller expresó así: «La ontogenia es una recapitulación de la filogenia.» En estas recapitulaciones hay a veces un elemento nuevo; pero al público le gusta la recapitulación cuanto menos nuevo haya en ella.

He debido de decir algo molesto para el periodista, porque éste pregunta en tono agrio:

—Y en este momento, ¿qué es lo que le parece original?

—Lo que es original en este momento se verá probablemente mañana mejor que hoy

—¿Y hoy, no?

—Hoy no tan claramente. Hoy se sospechará. Yo creo que la obra original no parece bella hasta que pierde su modernidad, hasta que comienza a ser un lugar común.

—Usted no tiene objeto ninguno más que negar, destruir—me dice el periodista con un tono agresivo.

—Negar y destruir lo que me parece malo, para dejar el paso franco a lo que me parece bueno.

—¿Y qué sería bueno para usted?

—En la literatura, lo fuerte, lo original, cosa que es indudablemente difícil de señalar. Respecto a la vida, para mí sería lo bueno organizarla de una manera natural y científica. Es decir, aprovecharla.

—Yo también estoy con usted—dice mi amigo.

—Quizá esta organización científica natural de la vida—añado yo—produjera, en vez de una elevación de la sociedad, un descenso, una especie de Beocia triste y mansa, la *entropía* que los físicos han supuesto que existe en el Universo; pero aunque fuera así, aunque haya quimeras vitales, especie de alcoholes de la conciencia colectiva, no sabríamos deliberadamente inventarlos.

—Bueno, bueno—dice el periodista, echándoselas de sarcástico—; les dejo a ustedes entregados a esas confusiones. Que les aprovechen.

—Este también se va incomodado con usted—me dice el amigo.

—¡Que se vaya!

—No sé cómo es usted. Siempre ha de estar riñendo con unos o con otros —me dice el amigo—. Vale más que se quede usted en Vera.

—El caso es que yo no busco las disputas.

—¡Claro, usted nunca tiene la culpa!

—Y es verdad. En general, no tengo la culpa. Crea usted que si mañana veo a ese señor o a este periodista, no los buscaré para hablar con ellos. No los quiero convencer, ni menos persuadir. Me parece bien que haya diversidad de opiniones. ¿Para qué vamos a estar de acuerdo estos señores y yo? ¿Qué importa que nos entendamos? Que ellos sigan creyendo en sus cosas; yo seguiré creyendo en las mías. Ellos tienen su paisaje; yo tengo el mío. Los montes no dan siempre el mismo contorno desde todos los puntos desde donde se los mire. Que cada cual los vea a su manera.

—Es que ese desdén para la opinión ajena es ofensivo.

—¿Cómo ofensivo? ¿Es decir, que uno no tiene derecho a mirar con sus propios ojos? Pues estaría uno divertido.

—Es que usted no acepta nada más que lo suyo. Es mucha intransigencia.

—Pero reconozca usted que yo no quiero imponer a nadie mis opiniones. Esta sería la intransigencia.

—Bueno, dejemos esta cuestión.

—Vamos a dar una vuelta por el puerto—le propongo a mi amigo.

Vamos al puerto, avanzamos por el muelle y estamos contemplando el mar. Se oye el golpe rítmico de la ola en la escalera de piedra y brilla la espuma fosforescente en la oscuridad. Un vapor de pesca sale y toca la sirena.

IX

LOS VALSES

Estoy sentado contemplando el mar. La orquesta toca un vals tziganesco, y mientras tanto anochece; hay un reflejo de púrpura sobre las olas suaves y en la bruma fina que se va apoderando del aire.

Allí, a lo lejos, el cabo de Machichaco avanza como una niebla gris sobre el mar plomizo. La bahía ha tomado un aire helado, triste y romántico como un *fiord* del Norte. El viento está tibio y trae un olor fuerte y sensual de marisco y algunas gotas de agua.

Cuando oigo como ahora uno de estos valses de tzíganos, la imaginación se me va hacia la vida fastuosa y espléndida.

Los valses tienen siempre para mí gran sugestión. A pesar de estar ya tan usados, tan gastados, tan manoseados, siguen haciéndome efecto.

Este vals tziganesco que tocan ahora me recuerda los casinos, las playas, Niza, Monte Carlo, pero de una manera irreal, falsa, con una luz de teatro. Mujeres pintadas y extravagantes pasan por delante de mis ojos con indumentarias fantásticas. Oigo el rumor del mar y me parece también una orquesta que toca algo alegre y dionisíaco.

De la música sensual, ninguna me hace tanta impresión como los valses. Es, indudablemente, el ritmo más apasionado y el que ha respondido mejor a la manera de ser romántica.

Los valses de Weber me dan una impresión de nostalgia, son algo admirable, por lo ardientes, por lo voluptuosos; parecen como una carrera desenfrenada hacia lo desconocido. Me hubiera gustado saber bailar y no marearme, como me mareo en seguida, para poder bailar alguna vez la *Invitación al vals*, de Weber.

Los valses de Chopin los encuentro excesivamente lacrimosos y melodramáticos. Chopin es la medida de lo sublime para el buen burgués. Para mi gusto es demasiado gesticulador. Más lánguido aún que Weber, de una sensualidad erótica mayor, me parece Strauss en sus valses *El hermoso Danubio Azul, Las hojas de la mañana*... Cuando oigo estos valses, me figuro un salón de la Corte de Viena; mujeres rubias, opulentas, de ojos azules, que bailan con oficiales y chambelanes; por todas partes gasas, armiños, plumas; todo esto girando vertiginosamente debajo de torrentes de luz.

Un parecido carácter nostálgico tiene para mí la música de Offenbach, y en mucha menor escala la de las operetas vienesas actuales.

No comprendo por qué la música alegre y brillante me produce como una amargura, como un dolor interior. Seguramente es algo que no depende de la música misma, sino de los callejones enrevesados del espíritu.

....

Han concluido el vals, y ahora tocan algo de Wagner, muy solemne, muy *kolossal*.

El anochecer de septiembre está plácido, sereno. El cielo empieza a mostrar estrellas. De la superficie del mar se ha retirado el resplandor del crepúsculo y comienzan a brillar luces alrededor de la bahía.

X

SENSACIONES CAMPESTRES

Durante el otoño, el campo comienza a ofrecer nuevo interés. Es necesario recoger los frutos, echar abono, arrancar plantas parásitas y quemar las ramas y las hierbas secas.

El hacer hogueras tiene su encanto y el contemplarlas también.

Este humo espeso que brota por entre las hierbas, unas veces negro, otras rojizo; el viento, que tan pronto lo echa a uno a la cara como lo aleja y parece escamotearlo en el aire; los tallos verdes que crepitan en las llamas, todo esto tiene su interés siempre renovado. De lejos, la hoguera, en el crepúsculo de la tarde, es algo religioso y solemne.

....

Este otoño apenas salgo de casa y me dedico a andar por la huerta; así estoy saturado de crepúsculos. El anochecer dura mucho. El sol se oculta en una altura próxima y deja la huerta en sombra. La claridad solar se va retirando del valle y escalando luego los montes de un lado.

El viento cesa. Es la hora tranquila. Cuando nos hemos olvidado del sol, lo encontramos que todavía brilla sobre el follaje de un robledal en una cima lejana.

....

Mi madre y una señorita amiga de casa, Maximina, cuidan y arreglan los crisantemos. Dentro de unos días harán con ellos guirnaldas para llevarlas al cementerio el día de Todos los Santos. Son flores bonitas las del crisantemo, parecen estrellas; su olor es agradable, pero un poco triste.

—Yo no encuentro que haya olores tristes—me dice mi madre, riendo, cuando le digo esto.

—¿No? Pues yo creo que sí. No se le ocurriría a nadie llamar triste al olor de la canela o de la naranja, pero a éste sí.

Mi madre se encoge de hombros, y dice:

—Yo creo que los crisantemos parecen tristes porque son plantas de otoño y se llevan sus flores al cementerio el día de Todos los Santos.

—Sí. Es una razón intelectual—digo yo—; yo creo que hay otra razón sensorial.

—¿Y es?

—Que estas flores tienen un olor algo parecido al de la manzanilla, que, naturalmente, se toma cuando se tiene el estómago malo. De aquí esta relación de cosa triste.

Mi madre mueve la cabeza como diciendo que no vale la pena pensar en tales cosas.

....

Por las tardes, con frecuencia, quedamos solos en el jardín mi madre y yo. Mi madre, que tiene más actividad que yo, corta las flores marchitas, riega algunas plantas y echa granos de arroz a las palomas. También solemos charlar de cosas actuales y de cosas pasadas.

Conozco muchas personas que no tienen una comunicación afectuosa con su madre y que apenas hablan con ella.

Es más frecuente, y, sin dudar, más natural, la hostilidad clara o velada por el padre.

Recuerdo un condiscípulo mío que estaba constantemente riñendo con su padre.

—Quiere imponerme su tiempo—me decía—como el más trascendental de la Historia: los acontecimientos que él ha presenciado son únicos, sus amigos han sido todos valientes, generosos e intrépidos; al mismo tiempo,

quiere denigrar nuestra época y nuestras ideas, cosa que yo no acepto.

Estas hostilidades entre padre e hijo tienen remotamente un motivo sexual: es el gallo viejo contra el gallo joven.

Así sucede que las hijas, en las que no hay esta rivalidad velada, tienen un cariño más fácil por los padres que los hijos.

Desde este punto de vista del afecto por uno o por otro de los ascendientes, se podrían dividir los hombres en paternales y maternales.

Yo creo que he sido siempre más maternal que paternal.

....

Este hombre decrépito se sienta en su huerta al caer de la tarde y está con las manos en las rodillas, mirando vagamente el campo. Me recuerda esos viejos de café que hay en Madrid, que suelen pasarse la vida sentados en su mesa y ensimismados.

¿Quién será más feliz? ¿El viejo de la huerta del pueblo o el viejo del café de la ciudad? Probablemente, una vida y otra tendrán sus compensaciones.

....

A veces se despierta uno al amanecer y oye el sonido lejano de la campana de la iglesia que toca la oración. Es una campana rota que tiene un tañido triste y lamentable. A pesar de su son quejumbroso, no llega a conmoverme. Me parece algo como un «¡Hermano, morir tenemos!», de los trapenses, al cual se encuentra uno acostumbrado.

El hombre está organizado de manera que no le hacen mella los peligros más que cuando están muy cerca. Decirle morir tenemos al que está, por el momento, sano, es como decirle al gastrónomo que se halla en funciones de engullir que existe la gota, la apoplejía y el catarro gástrico.

Tenemos la bella inconsciencia de no asustarnos de las desdichas más que cuando las tenemos encima. Si no fuera por eso, la vida sería insoportable. Al menos a mí, el «¡Hermano, morir tenemos!», que creo oír en el tañido de la campana, me deja sonriente y tranquilo; en cambio, el «¡Hermano, sufrir tenemos!», ése me alborota y me pone tembloroso.

XI

LAMENTACION PEDANTESCA ACERCA DE LA ATARAXIA

Al llegar aquí y poner fin a este libro no tengo más que una idea muy confusa de lo que he dicho en él. Si mi descanso fuera plácido y alegre, me quedaría a descansar un año o toda la vida, pero mi descanso es inquieto y poco apacible; así que tengo que ponerme a escribir de nuevo, no por entusiasmo ni porque sienta ninguna esperanza, sino por lo poco gratas que son para mí las ideas del reposo.

Me pasa como a esos caballos de que habla un cochero humorista de Dickens, que tienen que ir siempre tirando del carricoche porque están tan cansados, que si los desenganchan se caen.

¡Ataraxia! ¡Ataraxia! ¡Serenidad! ¡Serenidad! ¿Qué diablo haces que no vienes a mi espíritu?

Ya es hora de llegar. Ya empieza uno a tener las sienes blancas y a romper las botas por la punta, como los carcamales.

¿Qué más condiciones se exigen para entrar en el salón de madama Eufrosina? ¿No he mirado siempre con desdén a la baja canalla semítica, adoradora de la sangre y de los milagros? ¿No he puesto siempre por delante la duda agnóstica y filosófica? ¿He ansiado alguna vez cruces, medallas, placas o cualquier otra baratija de honorífica quincallería? ¿He predicado los mitos aduladores de la democracia, como los galos, o el culto bárbaro del ejército y de la patria, como esos chinos tenaces del centro de Europa? No. Y, sin embargo, esa ataraxia no llega.

¿Es que los discípulos de Pirrón y de Epicuro vamos a tener que encender velas en el altar de Santa Eufrosina? ¿O es que esa ataraxia no se consigue más que con la salud completa, y entonces no depende de uno, sino de las fuerzas ciegas del Destino?

¡Ataraxia! ¡Ataraxia! ¿Serás también tú un mito? ¡Serenidad! ¡Serenidad! Si existes, ¿por qué te olvidas así de mí?

Itzea, otoño de 1918.

FIN DE «LAS HORAS SOLITARIAS»

ENSAYOS

★

«MOMENTUM CATASTROPHICUM»

Discurso dirigido por el bachiller Juan de Itzea a los chapelaundis del Bidasoa en el solemne acto de inaugurar la Academia Científico, Literaria y Chapelaundiense de Cherribuztango-erreca.

1919

ENSAYOS

*

«MOMENTUM CATASTROPHICUM»

Discurso dirigido por el bachiller Juan
de Lires a los chapelgorris del Bidasoa
en el solemne acto de inaugurar la Academia Creativo, Literaria y Chapelaundi ansa de Choribusiana-erreca.

1919

L día 28 de diciembre de 1918, los amplios salones de la Academia Científico, Literaria y Chapelaundiense de Cherribuztango-erreca estaban atestados de gente. Las más bellas damas de la región del Bidasoa se habían congregado en el salón de sesiones.

A las diez de la noche, el presidente, Lecochandegui, P. A. C. L. Ch. Ch., abrió la sesión con estas palabras:

«Amigos y compañeros: En estos momentos graves, en estos momentos solemnes en que vivimos, era necesario, era imprescindible que se constituyera en nuestro país, en el cantón del Bidasoa, un organismo intelectual capaz de comentarlos y de aquilatarlos.

De esta necesidad ha nacido la Academia Científico, Literaria y Chapelaundiense de Cherribuztango-erreca; de esta necesidad ha brotado este discurso de nuestro secretario, Juan de Itzea, S. A. C. L. Ch. Ch., discurso al que he titulado yo *Momentum catastrophicum*.

Alguno me dirá que no sé latín y que esta frase no es puramente latina, ni mucho menos. Es igual. Los chapelaundis no nos ocupamos de minucias.

Para nosotros, que vamos al fondo de las cosas, esta frase, inventada por mí, representa el momento de la confusión, del caos y de la catástrofe. Sea ciceroniana o gerundiana esa frase, yo, como presidente de la Sociedad chapelaundiense, la prohijo y la acepto. Ahora, cedo la palabra al honorable chapelaundi y secretario de la Sociedad, Juan de Itzea, S. A. C. L. Ch. Ch.»

Dichas estas palabras, el digno presidente, Lecochandegui, P. A. C. L. Ch. Ch., se sentó, y el secretario de la Sociedad, Juan Itzea, S. A. C. L. Ch. Ch., subió a la tribuna, y comenzó así:

«Chapelaundis: Yo soy hombre que nunca ha tenido gran deseo de dirigirme directamente al público. He hablado durante toda mi vida cuatro o cinco veces, y siempre por compromiso.

Esta es una de las pocas ocasiones que me lanzo a exponer mis ideas ante una colectividad por impulso propio. Mi patriotismo de chapelaundi exige que os diga algunas verdades. No soy un político, ni un sociólogo.

Soy un *dilettanti* en problemas filosóficos y sociales. No siento tampoco la necesidad de ser un definidor ni un dogmatizador; para eso hay que tener cierta voluntad de dominio, como diría Nietzsche, y cierta ambición, cosas ambas de las cuales yo carezco. Un chapelaundi es un filósofo. No pretendo persuadir, y mucho menos arrastrar; no quiero más que exponer.

Es posible que para mucha gente que no tiene simpatía por las preocupaciones intelectuales todo esto que voy a decir no parezca más que pura extravagancia y deseo de exhibición; pero se me crea o no, yo no he tenido nunca afán de exhibición; quizá sea un espíritu de contradicción, un espíritu negativo, quizá tenga un poco de manía razonadora; pero puedo asegurar que nada de carácter personal práctico me ha movido a dirigiros la palabra.

Mi propósito es hablar de las ideas filosóficas y sociales de nuestro tiempo, del pragmatismo y del nacionalismo, de sus caracteres y de las transformaciones que han podido producirse en estas ideas después de la guerra. Al mismo tiempo quiero examinar el valor absoluto y de oportunidad que puedan tener.

¿Ha influido la guerra en nuestras ideas, en nuestros sistemas sociales, amigos chapelaundis?

Yo creo que muy poco. Las ideas estaban vivas antes de la guerra; quizá algunos accidentes de esta conmoción mundial hayan contribuido a un mayor o menor desarrollo práctico de ciertos sistemas sociales; pero, en conjunto, yo sospecho que de la guerra no ha brotado todavía nada nuevo en el campo de las ideas.

Y no es que suponga que en un período de guerra no se puedan crear nuevas ideas; es que me inclino a pensar que esta guerra no las ha creado.

Hay una teoría relativamente moderna en Biología, que es la de la mutación brusca, teoría que ha sido formulada por el botánico holandés Hugo de Vries y por el sueco Nilsson. Estos hombres de ciencia demostraron que en los vegetales se forman especies nuevas por mutaciones bruscas, especies que quedan después definitivamente constituidas.

La mutación brusca ha constituido el neodarvinismo, y Bergson ha sacado de ella un argumento para defender su teoría del impulso vital que crea constantemente; *l'élan vital*, que dice el filósofo francés.

Este *élan vital es*, en el fondo, un nombre nuevo para una idea vieja; pero el hecho es que existe algo parecido a esa creación constante, y que se puede dar en la vida humana una mutación brusca, y que de una familia de clericales y sacristanes puede salir un chapelaundi, y de un fondo de bandidos, un héroe o un santo.

Aceptando la posibilidad de la mutación brusca, hay que reconocer que, al menos en este tiempo, la mutación brusca no se ha presentado.

Ideológicamente, no hemos añadido un matiz más al conjunto de sistemas filosóficos y sociales que teníamos antes de la guerra.

Estamos hoy como al comenzar la lucha europea; si hay una lección en ella, todavía no la hemos visto; si hay una enseñanza, no la hemos comprendido aún. Políticamente, vivimos dentro del mismo maquiavelismo de siempre.

Es indudable, amigos, que todos los sistemas filosóficos tienen una representación, si no completa, al menos fragmentaria en la política. Así, el misticismo religioso ha alimentado el partido ultramontano; el individualismo y el libre examen han nutrido el liberalismo; el panteísmo de Hegel y el materialismo histórico de Karl Marx han formado el socialismo. Lecochandegui y sus amigos hemos creado el chapelaundismo.

¿El valor, la eficacia de los sistemas filosóficos y de sus derivaciones en la política dependen de su verdad?

Hay que dudarlo. Por lo menos, dentro de la Historia, no se ve que las ideas más ciertas hayan sido las más eficaces.

Desde un punto de vista social, tiene a veces la mentira más valor que la verdad. Los mitos viven tanto y valen tanto en la práctica como las realidades.

Todos los hombres somos hermanos, han dicho las religiones. Sin embargo, ¿cuándo los hombres se han comportado fraternalmente? Nunca, jamás.

La Revolución francesa puso como lema estas palabras: Igualdad, Libertad, Fraternidad, y no pudo realizar en la práctica ninguno de sus tres lemas.

El valor del prejuicio es terrible. Así, el picardo Calvino mandó quemar vivo al navarro Miguel Servet, porque Servet llamaba a Jesucristo Cristo, Hijo de Dios Eterno, y Calvino exigía que díjese Cristo, Hijo Eterno de Dios Eterno.

Si queremos comprobar la eficacia del mito en nuestro país, pensemos en el carlismo. Los primeros carlistas no aceptaron una pragmática sanción de Fernando VII, por la cual este rey nombraba heredera en el trono a su hija Isabel II y desposeía a su hermano Don Carlos.

Los carlistas, vuestros antepasados, consideraban que el derecho verdadero, el derecho natural, el derecho divino y tradicional correspondía a Carlos V, que éste era el rey español por excelencia. ¡Qué cosa más ilusoria!

El llamado Carlos V descendía oficialmente de los Borbones, una familia francesa, y de una italiana, María Luisa de Parma. Pero ¿ésta era la realidad? Aquella dama era *mutilzalia* (1), y por ciertas declaraciones que ella misma hizo en Roma, cuando vivía allí en buena armonía con su marido y con Godoy, su amante, se puede sospechar que si sus hijos tenían algo de Borbones era por la línea materna y no por la paterna.

Esto no fue obstáculo para que toda España se llenara de sangre, por si el hermano tenía más derecho que la hija. Aquí, como entre Calvino y Servet, unos decían que Cristo era el Hijo de Dios Eterno y los otros que era el Hijo Eterno de Dios Eterno.

Estas mentiras con apariencia de verdad caen a veces sobre un país y lo aplastan. Así, por ejemplo, España tiene el sambenito del fanatismo y de la intolerancia religiosa en la Historia, que hasta cierto punto no son exclusivos suyos.

Los representantes de la España más negra son Carlos I, el emperador de Alemania, que era un gantés, hijo de un flamenco y de una española; Felipe II, hijo de un flamenco y de una portuguesa, y Carlos II, *el Hechizado*, que tenía más de austríaco que de español, y que estaba dirigido por un jesuita alemán como el padre Nithard.

Ahora los periódicos ingleses pintan al ex kaiser Guillermo como el tipo del déspota alemán y como un criminal. Yo no sé si el destronado emperador es más criminal o no que los demás reyes y emperadores; lo que sí sé es que es hijo de un alemán y de una inglesa, y sabido es que, en general, en los hijos varones la herencia materna influye más que la paterna. Guillermo es casi tan inglés

---

(1) Aficionada a los mozos.

como alemán, pero no les gusta decirlo a los aliados. Los datos que molestan se escamotean cuando no conviene exponerlos.

Yo reconozco que estos chapelchiquis de españoles han dado, en el siglo XIX, en el carlismo, los más violentos ejemplos de fanatismo y de crueldad; pero hay que señalar también la colaboración en este carlismo de la gente de fuera. Así, el representante más genuino del terrorismo reaccionario en el siglo XIX es un francés: el conde de España, y la única mujer amazona, realista en las contiendas civiles, una irlandesa: Josefina Commerford. Insisto en esta cuestión de la verdad y de la mentira, amigos chapelaundis, porque es la cuestión capital, la cuestión magna del sistema filosófico que se llama pragmatismo.

El pragmatismo es un sistema ecléctico que ha querido resolver el antagonismo que existe desde tiempo inmemorial entre las verdades científicas y las necesidades morales. No cabe duda que, hoy por hoy, no se ve que la ciencia pueda producir una moral social.

La ciencia lleva el camino de consumir al hombre, de quitarle todas sus ilusiones y sus defensas sentimentales; el hombre, para defenderse de ella, ha comenzado a negar la ciencia, a limitarla. El positivismo fue ya un comienzo de negación y de limitación. Augusto Comte, su fundador, era un metafísico sin fantasía que quiso encontrar en todo utilidad para el hombre. ¿Qué utilidad puede producir al hombre el conocer la geografía y la composición de la estrella Sirio o de la Vía Láctea? Todo hace creer que ninguna. Comte, pensando así, era partidario de no ocuparse de la astronomía sideral y ocuparse únicamente de la solar.

Después de influir en el positivismo, la tendencia a la limitación, a lo utilitario, ha triunfado en el pragmatismo.

La tesis central de este sistema se puede expresar, según William James, así: «Una aserción es verdadera porque es útil, y es útil porque es verdadera.»

Examinando esta tesis, no se ve que sea cierta. ¿Dónde está la utilidad de la teoría indiscutible de Copérnico? No se advierte por ninguna parte esta utilidad; se ve su exactitud, pero nada más. Este sistema, ideado por un alemán nacido por un azar en Polonia, un verdadero chapelaundi de la ciencia, le ha quitado tanta importancia al hombre, que, de ser el rey de la Creación, le ha convertido en un insignificante autómata de un planeta igualmente insignificante. Se dirá quizá que al desaparecer el antropocentrismo se adquiere una noción más justa de la Naturaleza. ¡Bah! Esa aserción es dudosa. Si el hombre pudiera elegir, elegiría seguramente mejor ser el rey de la Creación que habitante de un pequeño planeta que rueda por los espacios.

El pragmatismo, desde un punto de vista político, es una doctrina ambigua para los países hipócritas. Es un escudo para los apetitos inconfesables. Así, un país pragmatista puede ser imperialista para fuera y liberal para dentro, monárquico en unas cosas y republicano en otras, religioso oficialmente e incrédulo en la vida privada. El pragmatismo se ha injertado en una doctrina política: en el nacionalismo.

El nacionalismo tiene dos caras: una es la cara antigua: campesina, dogmática y reaccionaria; otra, la cara moderna: progresiva y ciudadana.

A pesar de esta divergencia de las

dos ramas nacionalistas, hay en una y en otra los mismos o parecidos dogmas.

El primero de los dogmas nacionalistas es la raza. La raza, indudablemente, es algo; pero, como muchos de los conceptos biológicos, cuando se le quiere encerrar bien en límites claros y precisos se escapa.

El conde de Gobineau, un diplomático francés, un gascón, en su libro sobre la desigualdad de las razas humanas, fue el primero que quiso fundar una psicología y una jerarquía a base de la raza.

Desde entonces acá ha habido un continuo barajar de nombres étnicos. Iberos, celtas, germanos, semitas, vascos, han aparecido con su etiqueta correspondiente, que se ha tenido que cambiar al poco tiempo.

En esta última época ha habido tal zaranbanda étnicolingüística, que no ha dejado nada en pie. Todo ha desaparecido, pero los chapelaundis quedan.

Algunos investigadores de estos treinta o cuarenta años últimos han querido llegar a conclusiones rápidas y hasta fundar una ciencia, la Antroposociología; pero estos investigadores (Vacher de Lapouge, Ammon, Houston Stewart Chamberlain) han hecho, más que ciencia, literatura, algo por el estilo de la criminología de Lombroso.

Es muy lógico, claro es, tender a simplificar los hechos e intentar ver una razón en el caos.

Estos intentos no son desdeñables, pero tampooc tienen un valor científico.

Hoy en la raza como dirección fija, manifiesta, apenas se cree. Ese elemento misterioso y fatal, que parecía una divinidad antigua, ha perdido casi toda su garantía, y, naturalmente, la psicología basada en ese concepto se ha venido abajo. No hay razas puras entre los hombres, todas están mezcladas, no se sabe siquiera cuál es el tipo étnico de cada raza, mucho menos cuál es su tipo espiritual. Así, un judío de origen español como Espinosa se nos aparece como el fundador del panteísmo alemán, que luego han de desarrollar Hegel, Schelling y Schopenhauer; así, otro judío como Heine es uno de los representantes más significados del humorismo germánico.

Hoy no se puede asegurar que existan tipos iberos, celtas, germanos, semitas o vascos. Hablar de razas islas es un absurdo. Mucho menos se puede adscribir a cada tipo una psicología especial.

La influencia de la cultura y del ambiente es cada día mayor. Sólo aquellos pueblos en donde una relativa pureza étnica se une con una forma especial de religión y de cultura, como el pueblo judío, pueden luchar con las influencias espirituales exteriores y no dejarse asimilar.

Los demás se asimilan inmediatamente. Los eslavos de la zona próxima a Berlín son tan alemanes como los de Colonia; los germanos de Francia son tan franceses como los antiguos galos; los colonos alemanes de La Carolina, venidos en tiempo de Carlos III, son tan españoles como los andaluces de los pueblos próximos.

La idea de la raza pura reaccionando de una manera especial, instintiva, biológica, contra la cultura y el ambiente, es una fábula.

Respecto a la lengua, se puede asegurar que un pueblo no corresponde siempre a una lengua y una lengua tampoco corresponde siempre a un pueblo.

Veamos un pueblo como el eslavo. Los eslavos de las proximidades de Berlín hablan alemán; los eslavos de

Rusia hablan ruso; los de Grecia, griego moderno, y hay otros diversos grupos de eslavos que hablan varios idiomas: polaco, checo, croata, búlgaro, etc.

Veamos un idioma, el español mismo. El español lo hablan iberos, celtas, germanos, semitas, berberiscos, indios de América, negros de Africa, tagalos, chinos.

Como decimos, ni el idioma induce la raza y el pueblo, ni el pueblo y la raza inducen el idioma.

El mismo vasco, un idioma tan restringido que parece una lengua fundida con un pueblo, seguramente no lo está. Hay tres tipos étnicos entre los vascongados que se podrían llamar tipo iberoide, tipo celtoide y tipo germanoide; seguramente el vascuence corresponde a uno de ellos y no a los otros dos, pero puede muy bien no corresponder a ninguno de ellos y ser un idioma prestado por otra raza u otro pueblo desaparecido. ¿Qué nos importa todo esto? Los chapelaundis estamos por encima de la etnografía y de la lingüística.

Sobre la idea de la pureza de la raza y su correspondencia con el idioma, no se puede basar nada que tenga valor.

El nacionalismo vasco quiere basarse sobre la idea de la raza; así es de endeble y de raquítico. Es una teoría de chapelchiquis.

El que no tiene los cuatro apellidos vascos no es vascongado, según nuestros nacionalistas.

Ya podemos los que no estamos en ese caso preparar la maleta para el momento en que triunfen los bizkaitarras. Lo extraño es que uno de los primeros que tendrán que largarse del país será uno de los jefes bizkaitarras: el señor Sota.

Los nacionalistas catalanes, más enterados que los vascongados y más

cucos, no han hecho hincapié en esta idea de la raza; aquellos datos de los índices cefálicos del doctor Robert los abandonaron como una fantasía sin valor, y han ido a afirmar la nación a la manera que la afirmaba Renan, como un todo espiritual, con una idea, con un lenguaje y con una dirección.

Otros sostenes, además de la raza, tiene el nacionalismo: la religión, el idioma, la cultura, la historia, la simpatía y la antipatía y, por último, el interés.

Hablaré de todo ello de una manera rápida, no desde un punto de vista político y práctico, sino desde un punto de vista espiritual literario chapelaundiano.

De todos estos factores del nacionalismo, para mí en el catalanismo y en el vasquismo influyen más que nada la vanidad, la antipatía y el interés.

El catalán tiene una vanidad vidriosa y le molesta y le irrita ser de un país como España, que no figura hoy en el mundo. Ahí está el caso de la guerra actual. España no ha figurado, no ha tomado parte en el conflicto; los catalanes no podrán estar entre los aliados entre músicas, banderas y colgaduras. Esto le entristece al catalán, y ha llegado a creer que el resto de los españoles tiene la culpa porque se acomodan a vivir sin brillo y sin fanfarria.

El catalán quiere ser interesante a toda costa. Así ha dicho Cambó: «Cataluña es el país más idealista y más romántico del mundo.» Mañana dirá: «Cataluña es el país más realista y menos romántico del mundo», y se quedará tan tranquilo. Los hombres del *Debe* y *Haber* son así. Al comenzar esta guerra se ha dicho por algunos catalanes: «Si el resto de España es germanófila, nosotros seremos francófilos; si es francófila, nosotros seremos germanófilos».

En el fondo, es la vanidad, que yo no digo que no tenga sus cosas buenas.

Enfrente de esta vanidad, de este deseo de figurar, está el español pasivo, perezoso, sin deseo, que no siente la gran necesidad de figurar en el mundo.

Ante esta tranquilidad, el catalán se irrita. Los demás españoles dicen: «No se puede hacer eso hoy; ya lo haremos mañana; o si no, no lo haremos.» Nosotros, los chapelaundis, decimos: «Esto se hace», y lo hacemos.

Por un extraño contraste, el catalán, que tiene más apetito de gloria que el castellano, no tiene una tradición tan gloriosa como éste, sobre todo para el resto del mundo.

Para el extranjero, España es el Cid, es Don Juan, es el *Quijote,* es *La vida es sueño,* son los cuadros de Velázquez y de Goya, es la conquista de América, son los chapelaundis del Bidasoa. Y en todo esto los catalanes han colaborado poco. Es decir, que la representación de la España gloriosa está principalmente en Castilla.

Castilla y las provincias unidas a ella tuvieron la suerte en el pasado de producir sus hombres más ilustres y de realizar sus más altas empresas en el momento en que la luz del mundo se dirigía muy principalmente a ellas.

Después vino la penumbra de España, cosa natural, porque la Península no tiene la pasta mineral catalana necesaria para ser una gran nación, y su esplendor tenía que ser un esplendor pasajero. ¿Cómo luchar desde la modestia de nuestros medios económicos actuales con ese momento brillante que dejó en el mundo la impresión de algo definitivo?

La cosa es difícil y tiene que desanimar al que la emprenda.

De aquí la acritud, la amargura de los catalanes al verse excluidos de unos hechos históricos definitivos e irremediables y al comprobar que esos hechos deslucen los intentos modernos.

Esta es para mí la razón principal de que los catalanes no tengan amor por España. Se me dirá que la mayoría de los españoles tampoco tienen amor por Cataluña. Cierto. Esperar que unas regiones se amen a otras, que unos individuos tengan cariño por otros, es una utopía para todo el que no sea un chapelaundi; pero al menos podíamos contentarnos con que el «Amaos los unos a los otros» fuese en la práctica: «Soportaos los unos a los otros.»

Tampoco, sin duda, esto es posible ni en los individuos ni en las regiones.

El carácter hispánico tiene un fondo cabileño, inquieto, anárquico; este fondo se ha creado y exagerado por la geografía de la Península, que aísla las regiones unas de otras.

Julio César, que conocía muy bien a los pueblos, dijo a los españoles unas palabras muy severas después de la batalla de Munda:

«Habéis aborrecido siempre la paz de tal manera, que nunca pudo el pueblo romano dejar de tener entre vosotros sus legiones. Los beneficios recibís como injurias y estimáis por favores los agravios. Así, jamás habéis podido conservar ni la concordia en la paz ni el valor en la guerra.»

Aun descontando la irritación de César, yo me temo que en estas palabras severas haya un gran fondo de verdad.

Por lo menos, la concordia en la paz bien claramente se ve que no la sabemos conservar.

Si se llega a establecer la autonomía de Cataluña a disgusto de los demás españoles, es de temer que éstos vayan hasta la ruina con tal de perjudicar a los catalanes, y los catalanes, a pesar de ser comerciantes y prácticos, hagan cualquier absurdo para mortificar a los castellanos.

Es así la raza: fácil para la saña, para la venganza, como es fácil también para el entusiasmo y la cordialidad.

¡Qué obra la de los catalanistas y bizkaitarras! ¡Excitar el odio interregional, fomentar el cabilismo español, ya dormido! ¡Qué pobreza! ¡Qué miseria moral! ¡Qué fondo de plebeyez se necesita para emprender esa obra!

Esas gentes que llevan barretina, que es como un calcetín puesto en la cabeza, o esos vascongados de Bilbao, que gastan una boina tan pequeña que parece un solideo, no pueden discurrir como nosotros. Son chapelchiquis.

Hay que tener en cuenta que el insultarse no es necesario ni aun para la separación. Los noruegos no necesitaron insultar a los suecos para separarse de ellos; pero éstos eran chapelaundis.

Cierto que un escritor como Maragall reaccionó contra esta tendencia y ensalzó a todas las regiones de España; pero en sus versos laudatorios se notaba en el fondo la política.

Un problema parecido al nuestro se les presentó a los italianos al crear su unidad; también allí las provincias del Norte tenían incompatibilidades de humor con las del Mediodía, pobladas de gente infantil e irritable; también allí había intereses encontrados entre unos y otros; pero allí la Lombardía y el Piamonte eran países cultos, centroeuropeos, países arios, como se hubiera dicho hace años, con serenidad, con frialdad; y que ejerciendo la hegemonía lograron armonizar el interés de todos y el sentimentalismo particular de cada uno.

¡Qué contraste con lo que aquí ocurre!

Aquí cualquier motivo basta para irritar la vanidad catalana, o la castellana, o la vasca.

La vanidad vasca, quizá sería más propio decir la vanidad bilbaína, no tiene un carácter tan general como la catalana; es una vanidad inadivinual de advenedizo, de nuevo rico.

El desdén del bilbaíno no se dirige al pueblo que se duerme; es el desdén por el hombre pobre de Castilla, de Asturias o de León que va a Bilbao a buscar trabajo. De ahí ese mote despreciativo de maqueto. El maqueto es un García o un López, pero un García o un López pobre y desastrado, porque si este García o este López es rico y tiene un título, entonces ya no es un maqueto, y el naviero rico o el comerciante bilbaíno le dará su hija para que sea la señora marquesa o la señora condesa y brille en Madrid. Este desdén se parece al que siente el americano por el italiano o por el español que va a América a buscar trabajo; es el desdén del chapelchiqui.

Al lado de este sentimiento, que nos parece un tanto cómico a los chapelaundis, hay otro sentimiento más recio y más fuerte: es el del vasco reaccionario y ultramontano. Este vascongado no ama el idioma castellano, porque el castellano ha sido para él el vehículo de las ideas revolucionarias; no ama tampoco a la Patria ni espera nada del Estado, porque para él la única patria es la Iglesia católica, y todo lo que no sea ella es una usurpación. Roma es la verdadera capital para el ultramontano, y el Padre Santo, el único rey, y si España se separa de esa unidad y de ese monarca, abominará de ella.

Pasando a otro punto, no podemos tener los chapelaundis un desacuerdo cultural con la España castellana, porque hemos evolucionado con ella.

Así, Guipúzcoa, la provincia más pequeña de España, ha producido sus grandes hombres con un paralelismo perfecto con las regiones del centro. En la época de las luchas religiosas, nuestro país da a San Ignacio de Loyola; después va produciendo sus conquistadores, sus marinos, sus Elcano, sus Legazpi, sus Urdaneta; tiene Guipúzcoa sus almirantes al servicio de España: sus Oquendo, sus Blas de Lezo; tiene un historiador puramente español en Garibay. En el siglo XVIII, la *élite* de los guipuzcoanos es enciclopedista, volteriana; llega la batalla de Trafalgar, y la figura más noble, más bella de esta lucha naval es la de un guipuzcoano: la de Churruca. En la guerra de la Independencia, nuestro guerrillero don Gaspar de Jáuregui *(Archaya)* no tiene la prestancia de un Mina o de un *Empecinado*, pero es un hombre esforzado, valiente y sonriente. En la guerra carlista, nuestro hombre es Zumalacárregui, la única figura genial de su partido, un verdadero chapelaundi.

Acaban las guerras y viene un período de política ciudadana un tanto mediocre; pero hoy se nota que los guipuzcoanos se preparan para el arte, para la literatura, y el nombre de uno de ellos, el del pintor Zuloaga, es universal.

En ninguno de estos períodos el guipuzcoano ha sido regionalista, localista; no se ha contentado con menos que con influir en la Península. cuando no ha podido influir en el mundo. «Estamos oprimidos por Castilla», dicen los nacionalistas. ¡Qué necedad! ¿Dónde está la opresión? Hasta se puede preguntar: «¿Dónde está Castilla?» Porque Castilla tiene menos realidad que cualquier otra región española.

El guipuzcoano no ha sentido nunca opresión alguna; al revés, el guipuzcoano ha visto que era uno de los privilegiados de España, lo que le ha dado una posición aristocrática dentro del Estado español.

Respecto a la cuestión del idioma, hay muchas preocupaciones que no tienen ningún valor. Ni en Cataluña ni en el País Vasco se ha opuesto nunca nadie a que se hable y se escriba el idioma regional. Sin embargo, los nacionalistas catalanes y vascos creen que tienen grandes agravios que vengar, y uno de ellos es que los españoles llamen a sus idiomas dialectos.

La cosa no tiene importancia ninguna, y en esto no se debate más que una cuestión de palabras. El dialecto, desde un punto de vista filológico, es la forma popular y especial de un idioma que no varía esencialmente la Gramática.

Históricamente, un dialecto, cuando se desarrolla, y, sobre todo, cuando muere su progenitor, se convierte en un idioma. Así sucedió a la lengua romana rústica, que dio origen, al desaparecer, a las lenguas neolatinas.

Pero muchos creen que dialecto es una lengua que no es nacional, y por eso suponen que el catalán, el gallego y hasta el vasco son dialectos.

Estos bizantinos de jerarquía y de palabras creo que no tienen en sí importancia alguna. Respecto al posible empleo de los idiomas regionales en la vida moderna, no cabe duda que el más impropio para las necesidades actuales es el vascuence. Los demás, catalán, el valenciano, el gallego, el bable, el caló mismo, como idiomas de sintaxis latina, sirven como el castellano o como el francés. El vascuence, no, porque representa una mentalidad tan arcaica, que es imposible amoldarla a la vida actual. Por eso retrocede, no porque nadie le haga la guerra, sino porque no sirve para la vida moderna.

Esto no creo que debía entristecernos a los chapelaundis; tampoco el hacha de piedra del período paleolítico sirve como un cuchillo de cocina. El hacha de piedra se guarda en el museo, el cuchillo de cocina se emplea en los usos domésticos.

Otra de las raíces del nacionalismo es la tradición y la Historia. Estos dos conceptos parecen claros; pero, examinándolos de cerca, son como fantasmas, que al mirarlos detenidamente se desvanecen.

¿En dónde empieza la tradición? ¿Hay una sola tradición en un país? En el siglo XIX se quemaban los fueros en las plazas de nuestras ciudades. Eso no es lo tradicional; eso es la influencia extranjera, dicen los tradicionalistas. En el siglo XVIII, lo mejor de la sociedad guipuzcoana era enciclopedista: Peñaflorida, Eguía, Altuna, el marqués de Narros, lo eran. Eso tampoco es tradicional. Es también extranjero, asegurarán nuestros tradicionalistas.

Según Estrabón, en su tiempo los vascongados no tenían Dios, y un obispo del siglo XV, el Gerundense, afirma que en su época los vascongados no eran todavía cristianos.

¡Ah!, eso tampoco es la tradición, nos dirán los tradicionalistas. Pues entonces, ¿qué es la tradición? ¿A qué andar buscando en el guardarropa, si en el fondo lo que buscáis es el roquete del sacristán?

Aunque existiera la tradición única, no tendría un valor absoluto. Las cosas no son buenas porque sean viejas; las leyes tampoco son mejores porque sean antiguas.

Con las leyes viejas le pasa a la gente lo contrario de lo que le pasa con los muebles viejos.

Algunas veces, cuando va algún chapelaundi a un pueblo de la orilla del Bidasoa y elogia uno la casa de un baserritarra, suele decir la echecoandria: «Muebles viejos sólo tenemos.»

Yo suelo argüir que el que los muebles sean viejos no quiere decir que sean malos; como el que las leyes sean viejas tampoco quiere decir que sean buenas.

Hay muebles viejos buenos y malos; como hay leyes viejas buenas y malas. La antigüedad por sí sola ni es un mérito ni un defecto.

Hacer de las palabras fetiches y adorarlas, nunca ha entusiasmado a los chapelaundis. Los tradicionalistas vascos creen, como todos los reaccionarios, que el mundo va del más al menos; por eso pueden entusiasmarse con las leyes viejas sólo porque son viejas. Nosotros, los progresistas, los evolucionistas, los verdaderos chapelaundis, creemos que el hombre ha venido muy de abajo, que va en una marcha ascendente y no podemos entusiasmarnos con lo antiguo sólo porque es antiguo.

Hoy un nacionalista vasco dirá que quiere los fueros porque son leyes viejas (leguezarrac); pero no tendrá más remedio que suponer que en el tiempo que se promulgaron eran leyes nuevas. Es decir, que el tradicionalista de hoy pide lo que quería el modernista de ayer.

Yo no sé el valor de actualidad y de eficacia que pueden tener los fueros. Estas cuestiones de derecho y de legislación no me han atraído nunca. Para mí el tipo del abogado y del leguleyo es una calamidad nacional.

Don Ramón de Belausteguigoitia, en su folleto *Las bases de un Gobierno nacional vasco,* afirma en un capítulo que las leyes vascas (los fueros) no son arcaicas ni inservibles, lo que no es obstáculo para que en el capítulo siguiente reconozca que la representación electoral en la forma foral antigua es tan inadecuada para las necesidades modernas que habría que variarla.

El señor Belausteguigoitia asegura también que las federales de Suiza y de Norteamérica han recibido inspiraciones de la Constitución vasca. Quizá sea cierto, pero no lo vemos afirmado en ninguna parte.

Se habla en los libros con relación a la antigüedad de las Constituciones de Atenas, de Esparta y de Roma; en lo moderno, de las de Inglaterra, Francia y los Estados Unidos, y yo no he visto que se tome como modelo la Constitución vasca; se habla de las leyes de Moisés, de Licurgo, de Minos y de Dracón, y yo no sé que los vascos hayamos tenido ningún gran legislador, y yo, por mi parte, no lo echo de menos.

No me parece lógico que los vascos, habiendo vivido una vida esencialmente rural y sin haber tenido grandes ciudades, hayan inventado formas de vivir ciudadanas.

Nuestro amigo el doctor Madinaveitia, de Eibar, en una conferencia que ha dado en el Centro Obrero de San Sebastián acerca del nacionalismo, cae en esta paradoja.

Madinaveitia dice que los vascos somos humildes, muy humildes, hijos de aldeanos, y que, sin embargo, nuestra antigua legislación es tan admirable, que la han imitado los demás países. La cosa me parece un contrasentido. Aldeanos humildes que hacen legislaciones tan maravillosas dejan de ser aldeanos humildes.

Yo no creo que los vascos sean más humildes ni menos humildes que los demás pobladores primitivos de Europa, ni que su legislación sea tan admirable.

Tenemos todos una tendencia a considerarnos como tipos de excepción, como ejemplares de vitrina de un museo arqueológico, tendencia que me parece absurda y fatal.

Respecto a lo que llaman tradición, están nuestros nacionalistas dentro de una actividad mistificadora. Se inventan tradiciones como antes se inventaban reyes de Navarra, de Castilla y decretales de pontífices.

Nuestros nacionalistas vascos tienen, como se sabe, gran inquina al castellano y al latín, cosa extraña, considerando como consideran a este último idioma como un idioma sagrado. Ellos pueden decir en la iglesia: «Santa María, *ora pro nobis*»; pero María dicho en la calle es algo terrible para un bizkaitarra, y para libertarse de tal abominación han ido a buscar el original de este nombre en la lengua de los ropavejeros y los prestamistas, o sea en la lengua judía, y han encontrado que es Myrian, y ahora el diminutivo de María en vasco no es Marichu, sino Mirentchu. Es una forma que se ha inventado ayer, pero no importa. Es ya tradicional.

Respecto a la Historia, tendría un valor no absoluto, sino muy relativo, si estuviera depurada y comprobada. Pero ¿en qué región de España se encuentra la Historia en ese estado? La Historia de España está por hacer. La actual no es más que una novela pesada y sin ningún valor.

El criterio historicista es un criterio infantil que no se preocupa más que de bagatelas. Así hay navarro que se lamenta de que en el escudo de Guipúzcoa haya los cañones cogidos por los guipuzcoanos a los navarros, lo que considera como una ofensa a la fraternidad vasca.

A mí, al menos, me parece esto tan poca cosa, que, como guipuzcoano y como chapelaundi, estoy dispuesto a ceder la parte alícuota que me corresponda de esos cañones sin ningún inconveniente.

Otro motivo del nacionalismo espiritual es la cuestión de la cultura. ¿Existen focos de cultura especial en España? Ojalá los hubiera; pero hay que reconocer que no los hay. España está rasa de cultura organizada. Si cada región de España o cada nación, por el nombre no es cosa de reñir, fuera una como el Atica, la otra como la Beocia, la Arcaida o la Esparta, esta misma diferencia produciría una armonía; pero por ahora todas nuestras regiones son una misma Beocia sin originalidad y sin bríos.

Al par que esta cultura deficiente, hay en las regiones de España un paralelismo en los instintos que hace que para un extranjero toda la Península sea idéntica.

Se quiere defender con la política nacionalista el espíritu regional, provincial, pero ¿dónde se encuentra éste? ¿Qué carácter tiene? ¿En qué consiste?

Yo, al menos, no lo sé. Yo veo que el carlista catalán, el castellano y el vascongado no se diferencian en nada ideológico; que el socialista y el republicano de las distintas regiones se confunden.

¿Así que no hay diferencia regional ninguna? me preguntarán. Sí, sí, la hay; pero es una diferencia que apenas puede trascender a la política. Hay, no cabe duda, un matiz sentimental especial en cada región; pero este matiz se encuentra vagamente expresado en la poesía y en la música populares, en las costumbres; puede servir para informar una clase de literatura o de arte, pero no bastará para hacer leyes distintas.

Así, un político catalán, castellano o vasco no se diferenciarán en nada, usarán todos las mismas ideas y los mismos lugares comunes; en cambio, un escritor y un músico se distinguirán.

Yo, por ejemplo, no siento hostilidad alguna para la gente del Mediterráneo, aunque me han acusado de esto los catalanes; pero tampoco tengo con sus escritores y artistas una hermandad espiritual.

A mí, en general, los escritores catalanes y todos los del Mediterráneo me aburren; me aburre Blasco Ibáñez, me aburre Salvador Rueda, me aburre también Ricardo León. Su obra entera me parece caligrafía pura.

Un pintor catalán me decía hace dos años en un café de Barcelona: «Cuando veo un tiempo como el de hoy, oscuro, lluvioso y triste, me acuerdo de los libros de usted.»

Y yo, que encontraba muy lógico lo que me decía, le contestaba: «Yo, cuando leo a los escritores catalanes, me parece que estoy en el gabinete de un dentista.»

Hoy por hoy no hay espíritu regional, apenas hay espíritu español moderno. La mayoría de nuestras capitales traducen y traducen exclusivamente el francés. Así se ha visto toda la mediocridad aliadófila repitiendo los lugares comunes franceses. Vivimos arrastrados más que nunca por la influencia de París. Ya en Bilbao para proyectar un jardín han llamado a un jardinero de París. ¡Y luego supondrán que tienen una cultura original esos chapelchiquis! Porque yo comprendo que se llame a un técnico para que planee una estación, o un almacén de bacalao, o una fábrica de quesos; pero ¡para hacer un jardín!, ¡para una cosa tan íntima! Me parece lo mismo que si un joven le dijera a su maestro: «Dígame usted qué tipo de mujer me va a gustar.»

Caer en la influencia omnímoda de París es ir a la anulación espiritual. Se nos darán las ideas hechas, las consignas acordadas, como ahora se nos han dado con la guerra, y los españoles se las irán tragando como pavos que se engordan con nueces.

Creer que con la cultura catalana, retórica, de juegos florales, y con la exigua, casi nula, cultura vasca van a poder defenderse de la asimilación de la cultura francesa es una ilusión.

Si Cataluña se separa de España, antes de cincuenta años será espiritualmente francesa.

A Vasconia le pasará lo mismo, si es que los ingleses no pretenden tener aquí una gran influencia.

Y no será porque lo quiera Francia ni porque lo quiera Inglaterra: será la fuerza de los hechos la que producirá esa asimilación.

Alguno dirá: «Si nos asimilan, mejor.»

Está bien. No seremos los chapelaundis los que rechazaremos ninguna posibilidad. Si los franceses o los ingleses quieren traernos ciencia, industria, técnica, sean bien venidos; ahora, si no quieren más que regalarnos un saldo de política democrática y de literatura de bulevar, se pueden quedar en casa.

A un país de tendencia regionalista lo que le conviene es una capital como Madrid o como Roma, pueblos decorativos sin fuerza, sin gran industria ni comercio; el uno, Roma, con una gran tradición histórica universal; el otro, Madrid, con una tradición literaria y artística nacional.

Porque Madrid ha cumplido su misión de capital, ha conservado hasta ahora, a pesar de haber sido durante mucho tiempo materialmente un villorrio, su cultura y su internacionalismo. Así, Cervantes, Lope, Calderón, Velázquez, Goya, Espronceda, Larra, son Madrid. Madrid ha tenido la altura, y sin un río serio, sin un campo fértil, ha sido algo. *O altitudo!*, se puede decir, como el apóstol, pensando en el pasado de la capital de España.

Respecto a la supuesta religiosidad de los vascos, mayor que la del resto de los españoles, según opinión general, yo no la veo por ningún lado. El vasco no tiene inquietud religiosa alguna. Al aceptar la teocracia, no hace más que aceptar una norma fácil, una disciplina cómoda para la vida.

Con relación al interés, parece lógico y práctico a primera vista que las regiones ricas se quieran separar de las pobres. Es un sentimiento egoísta, mezquino, pero muy natural. Quizá, a la larga, no sea tan práctica como parece. Séalo o no lo sea, lo que no comprendo es que se odie a la región pobre y sus habitantes por pobres. Esto será siempre una aberración, un sentimiento despreciable para un verdadero chapelaundi.

Aquello que se contaba de Arana y Goiri que cuando veía a un pobre castellano le decía: «Vaya usted a que le socorra el cónsul de su nación», es ridículo y bajo, más ridículo aún cuando se cree en esa máxima cristiana de que ¡todos somos hermanos, máxima que ninguno, y menos los que se llaman muy cristianos, llevan a la práctica.

Alguna persona con sentido crítico me dirá: «Estas razones que usted aduce pueden ser buenas o, por lo menos, discutibles; pero ¿qué valor tendrán si el sufragio general se decide por una fórmula nacionalista?» Yo, aun así, pienso que una razón puede ser razón, aunque no le acepte nadie.

Nunca he creído en el valor absoluto de la democracia y del número.

El número, la mayoría de las veces, no es más que la barbarie.

La democracia, a mi modo de ver, no es más que el solar que ha producido el derrumbamiento del antiguo edificio social; pero yo creo que esto no quiere decir que no se haya de formar con el tiempo otro edificio con sus pisos y sus categorías.

Nos es necesaria una jerarquía, pero una jerarquía nacional. Ya estamos cansados de tener en la cumbre de la sociedad aristócratas entecos, advenedizos ricos y comerciantes de bacalao.

Entre las masas obreras ha comenzado ya una forma de organización extrademocrática: el sindicalismo, que es más técnico, más inteligente y más eficaz que las formas de asociación del siglo XIX.

Todas estas vagas razones, la mayoría muy oscuras, se traducen en que los vascongados quieren fueros y autonomía.

Para mí no vale la pena de que un pueblo sea autónomo si no tiene que mostrar al mundo algo que le enseñe, que le interese o que le conmueva.

A mí no me importa nada que exista o que no exista la República de Andorra.

Todo lo que no sea en algún sentido universal no tiene razón de ser.

Queremos fueros, dicen los nacionalistas vascos, leyes diferentes al resto de España. ¿Para qué? ¿Qué tenéis que defender? ¿Qué dirección espiritual teméis que se vaya a malograr?

Yo no veo más sino que queréis que haya más intolerancia religiosa, más frailes, más procesiones, más entronizaciones y más faramalla clerical de aire judaico.

Yo no veo en las provincias vascongadas —y lo siento— un espíritu distinto al mal espíritu español. En San Sebastián como en Bilbao, en Vitoria como en Pamplona, se celebran las frases churriguerescas de Maura, los malos chistes de Romanones y los gorgoritos de don Melquíades; aquí como allá se discuten en los cafés las estocadas del *Gallo* y de Belmonte, y en esto no veo que nos diferenciemos en nada de Sevilla, de Cuenca o de Guadalajara. Las gracias que se repiten en toda España salen de los teatros de Madrid, y el cuplé, generalmente estólido de la Imperio y de *la Chelito*, llegan a Port-Bou y al puente de Behobia.

Alguno dirá: «¿Y eso qué importa para la política?» ¡No ha de importar! Para la política verdadera eso es todo.

Suponed que con el estado actual del País Vasco se otorgan los fueros, ¿y qué pasará? Pues, sencillamente, na pasará nada. Unicamente habrá una ceremonia más. El rey irá a Guernica o a donde sea, acompañado de un séquito de grandes capitalistas, de militares y de cuatro o cinco obispos. Se echarán discursos; una nube de fotógrafos harán fotografías, y al día siguiente se vivirá lo mismo y no habrá más diferencia que se instituirá en el País Vasco una procesión más, una adoración nocturna más y una entronización más.

Yo no siento ningún entusiasmo por una autonomía que no ha de resolver nada. Si se quisiera hacer de Vasconia una Florencia del tiempo de los Médicis, o una Weimar del tiempo de Goethe, nosotros, los chapelaundis, pondríamos nuestro entusiasmo y nuestras fuerzas; ahora, si se quiere hacer de nuestro país un Paraguay del tiempo de los jesuitas o una Andorra, todos lucharemos contra ese oprobio como podamos...

Pero no quiero insistir más en lo negativo. He expuesto de una manera un tanto desordenada la parte crítica de mi trabajo, y voy a pasar a una parte de más afirmación.

Yo, como he dicho antes, no veo que haya una modalidad vasca peculiar característica; pero puede haber una oscura aspiración de que exista.

Si se quiere que esta aspiración aumente, la primera condición es descubrir esa modalidad, crearla, constituirla, organizarla y convertirla en ideal. Hay que expandir el chapelaundismo por el mundo entero. Hacer chapelaundis. ¡Chapelaundis, for ever!

Para esto hay que estudiar profundamente el país, desentrañar el cáracter de los habitantes, conseguir para el arte y para la literatura el paralelo estético y moral y trabajar en él. Hay que apoyarse en nuestro parentesco con Castilla, como ha hecho Zuloaga, y buscar elementos ideológicos en los pueblos unidos por el mismo mar, Francia, Inglaterra, Irlanda y también Alemania, país que, con la Grecia antigua, más ha contribuido a la emancipación del espíritu humano.

Si realmente se llegara a crear un espíritu vasco, un ideal vasco, y este espíritu y este ideal pudieran fracasar o perderse por la influencia de una presión central, aún no encontraría legitimado el cortar las relaciones con Castilla; pero si se llegase a formar esta nación vasca, le pondríamos los chapelanudis, yo al menos sí, una condición fundamental imprescindible, que sería la autonomía individual con la libertad absoluta de conciencia para vascos y para no vascos que viviesen en el país. Sin ella, le haríamos la guerra constante. Otra condición importante sería la de la autonomía de las ciudades y de las villas.

No queremos nada con esos pequeños estados de las Diputaciones, que no son más que organismos, reaccionarios y solapados, que van contra toda idea moderna y a favor de los conceptos viejos.

Si fuera posible, que no creo que lo sea, y hubiera alguna vez una campaña de cultura intensa, una especie de Kultur-Kampf, en el país vascongado, nosotros la consideraríamos como la única salvadora.

Pero no lo creo posible. El catolicismo es la concreción del espíritu latino, y el pueblo vasco es esencialmente católico, y a base de latinismo y de catolicismo hoy no puede haber gran cultura.

El desligarse de Roma y del espíritu latino traería la posibilidad de hacer algo original en el pueblo vasco. Yo confieso que para los chapelaundis sería hermoso como ensayo hacer de la zona del Bidasoa, española y francesa, un pequeño país limpio, agradable, sin moscas, sin frailes y sin carabineros.

Pero esto es un sueño. Hay una intolerancia demasiado fiera en nuestras provincias para que brote una flor espiritual, y no hay espiritualidad que pueda soportar el yugo abrumador de la teocracia. Comprendemos que pensar en la nación del Bidasoa, tolerante, libre y amable, es cosa bella para un chapelaundi, pero es perfectamente utópica.

Si ésta no es variable, yo, al menos, no deseo la nación autónoma vasca que nos ofrecen los bizkaitarras. Mejor que esa nación teocrática, preferimos el estado actual, que permite al País Vasco y al Bidasoa cierta libertad de movimiento.

La nación vasca obligaría a todos a ser políticos, y por ahora al menos los vascongados no hemos demostrado grandes condiciones para la política. Todo eso de los mítines, de las reuniones al aire libre, toda esa mandanga de la política está bien para los pueblos del Mediterráneo, para los pueblos histriónicos que tienen la tradición del ágora griega y del *fem de brut* tarraconense; para nosotros, no; nosotros debemos ser más íntimos, menos callejeros.

El otro día en el *batzarre* de Lesaca me decía un amigo: «Esto es muy antipático.»

Durante el siglo XIX, el español se ha pasado la vida pensando en formas huecas de la política; si tiene que haber una cámara o dos, si debe haber reino o República.

Yo creo que ya es hora de relegar a segundo término esas cuestiones formales.

Primero, vivir; después, filosofar, decían los antiguos, y se podría añadir y, en último término, politiquear.

Yo creo que los chapelaundis no debemos entrar de lleno en esa lucha basta y trivial de la política. Con ella no se conseguirá más que hacer perder la ingenuidad al hombre del campo y llevar al histrionismo más desvergonzado al hombre de la ciudad.

En todos los pueblos del mundo, la política produce un elemento ambicioso, arrivista, bajo e inmoral. Político y chanchullero son sinónimos. Si en los países pequeños, en donde hay pocos hombres que se distinguen, se dedican éstos a la política y abandonan las artes y la industria, las profesiones científicas y literarias, esto será una merienda de negros, y después de un período de Beocia reaccionaria tendremos un período de Beocia política.

Ya tenemos nuestros abogadetes que están pensando en echar discursos y en enseñar los puños brillantes de la camisa imitando a Maura o a don Melquíades desde la tribuna del Congreso de Navarra o de Vizcaya.

Algunos creen que la política general española es distinta de la política local catalana o vizcaína. Es igual. No hay más diferencia que la políti-

ca general española es una política íntegra de logreros, y la política local es mixta de logreros y de fanáticos.

Yo creo que la única orientación buena, simpática, civilizadora, en nuestras provincias fue la de la Sociedad Económica Vascongada. Aquellos hidalgos abuelos nuestros, aquellos caballeritos de Azcoitia, verdaderos chapelaundis, comprendieron lo que necesitaba nuestro pueblo.

Se llamaron Amigos del País. ¡Cuánta más cultura, cuánta más humanidad representa ese nombre sólo que no ese cerril y oscuro bizkaitarrismo!

Desgraciadamente, aquella tendencia culta y humana se interrumpió con la demagogia negra que produjeron la guerra de la Independencia y la guerra carlista.

Yo creo que, si hay que seguir alguna tradición en nuestra tierra, es esta de los amigos del País. Seguirla significaría estudiar las ideas, las costumbres, los oficios, las artes; pensar en la vida de sociedad, en el embellecimiento de los pueblos, en el cuidado de los paisajes... Seguirla significaría intentar una vida nueva, bella, amable... Seguirla sería, en resumen, hacer de cada vascongado un chapelaundi del Bidasoa y de los otros Bidasoas del país.

Dice Kant, en una nota de su *Antropología*, que los turcos, que tienen gran serenidad y condiciones de observación negativa, si viajaran por la Europa civilizada, a la que denominan Frankestan, llamarían a Francia el país de la moda, a Inglaterra el del capricho, a España el de los antepasados...

Cuando yo pienso en esto me entristezco. Es hora, amigos míos, de que los españoles y los vascos no seamos sólo de un país de antepasados, sino que pretendamos también ser de un país de presente y de porvenir.

Es hora de que seamos verdaderos chapelaundis, de que tengamos amplitud bastante para despreciar la vida defensiva y para no pedir la casilla estrecha y segura.

Y si las gentes mezquinas que necesitan que España se disgregue están en mayoría, que se disgregue, que se separen las regiones unas de otras y se vaya cada cual por su lado, pero hagamos la despedida general más bien con una sonrisa que con una amenaza. Al fin y al cabo, por esto no se ha de hundir el mundo ni la tierra de España ha de desaparecer en los mares.

Si las patrias y los templos se derrumbaran, no lloremos sobre ellos. Pensemos que se levantarán otros mejores, que, al fin y al cabo, la patria del hombre es el mundo, y el mejor templo, la Naturaleza.

Si hacemos esta disociación sin muerte, asolamientos ni otros disparates, y el hacerlo es un error más de los españoles, al menos si tenemos que reunirnos mañana de nuevo y no hay sangre de por medio, no habrá tampoco un obstáculo grave para la unión.

Esto es, amigos y compañeros, lo que tenía que deciros al celebrar este acto el secretario de la Academia Científico, Literaria y Chapelaundiense de Cherribuztango-erreca.

Ahora, señores, basta de preocupaciones serias. ¡Vengan los líquidos espirituosos! Establézcase una corriente de alegría y de facecia, y si el mundo tiene que dar el trueno gordo, que lo dé sin molestarnos demasiado. Cuenta con nuestro permiso. Buenas noches.» *(Aplausos. La orquesta toca el himno «Beti Chapelaundiyac»—«Siempre Chapelaundis»—y «Gora Bidasoadi» —«Arriba el país del Bidasoa»—.)*

LOS MITOS DE LOS ALIADÓFILOS

(NOTAS PARA UN ENSAYO DE PIRRONISMO SOBRE LAS IDEAS ACTUALES)

La guerra ha demostrado que el depósito de brutalidad que tiene nuestra especie está intacto.

No somos tan sabios como Platón o como Aristóteles; pero tan brutos como en cualquier otro período, sí lo somos.

Todo hace creer que no hay progreso en el mundo; el hombre de hoy es más sabio, más técnico que el de ayer, y vive en una sociedad más perfecta. Lo que no se advierte es que sea mejor.

No vamos a defender la teoría del retorno de los sucesos ni la de los círculos que rejuveneció en su tiempo Vico, tomándola de los antiguos filósofos griegos.

Se puede sospechar que la afirmación o la negación del progreso no sea más que una manifestación de la filosofía individual. Los hombres sanos, enfáticos, optimistas, un poco vacuos: los Víctor Hugo, los Michelet, los Castelar, son creyentes en el progreso; los hombres malhumorados, pesimistas, y los de sentido crítico agudo: los Buckle, los Schopenhauer, los Renan, dudan de esa evolución teleológica hacia lo mejor.

Esta forma distinta de concepción se advierte también en la manera de escribir la Historia; los grandes inventores de síntesis: los Herder, los Schlegel, los Hegel, tienen la tendencia a no comprobar los datos, a aceptarlos, a dar a los hombres y a los acontecimientos un carácter mítico de símbolo; los historiadores de detalle tienen, en general, la actitud agnóstica de duda.

Si la guerra ha demostrado que el hombre que lucha es hoy tan fiero como en tiempo de la raza de Cromagnon, nos ha indicado también que tiene el mismo dogmatismo fanático que en la Edad Media. Germanófilos y francófilos, en un país neutral, como España, se odian con el mismo fervor que antiguamente se odiaban moros y cristianos, judíos y católicos, güelfos y gibelinos.

Si hubiera todavía Inquisición o Tribunal revolucionario; si existiera en España un Torquemada o un Fouquier-Tinville, con atribuciones, todos los días habría una ejecución o un auto de fe.

Si no se prende o no se mata, es porque no se puede.

Estamos en ese momento en que el gran mérito de un partido es ser exaltado; de aquí la glorificación de los periodistas políticos, monos aulladores, que hacen, además, de tambor mayor, colocándose al frente de la plebe que marcha.

En la España contemporánea no ha habido nunca valores intelectuales directores y eficaces; pero ha habido siempre cierta frialdad, cierta serenidad que ha permitido la crítica. Hoy esta serenidad se ha turbado, por el apasionamiento despertado por la guerra. Unida como está España a los países aliados, nuestro pequeño mundo intelectual, que es casi en bloque aliadófilo, ha aceptado la consigna de la Europa occidental con una humildad un poco ridícula, y ha considerado sus mitos como verdades incuestionables.

Yo me he resistido a la aceptación íntegra de ésta consigna; primero, porque no creo en la infalibilidad de los aliados; segundo, porque no tengo gran admiración por nuestros escritores aliadófilos para que puedan arrastrarme. Llevado, pues, por cierto pirronismo de temperamento, he dudado de las consignas de París y de Londres, como de las de Berlín y de Viena.

El primer mito puesto en circulación por los aliadófilos es el de la crueldad y barbarie exclusivas de los alemanes.

¿Se puede creer que un alemán es capaz de sacar los ojos a un prisionero o de cortar las manos a un niño, y un francés o un inglés, no?

La cosa es un tanto dudosa. No hay razón para que existan diferencias tan trascendentales en países de raza idéntica, de historia parecida y de cultura similar.

Los antecedentes tampoco abonan esta posibilidad. Ingleses y franceses han hecho, como todos los pueblos conquistadores del mundo, horrores en sus colonias; estos belgas, que se consideran hoy tan pacíficos, tan bondadosos, se comportaron como una de las gentes más interesadas, más fríamente crueles, en el Congo.

¿Se puede creer que los búlgaros sean unos salvajes, y los servios, de la misma raza y de la misma historia, no lo sean?

¿Se puede pensar que los italianos han estado suponiendo que alemanes y austríacos eran buenas gentes, hasta que se han convencido, al año de la guerra, de que eran unos bandoleros?

La afirmación parece absurda.

Si Alemania fuera un país como lo quieren pintar, tendría siempre una criminalidad especial, aun en tiempo de paz; serían los alemanes algo como los *thugs* de la India, y no parece que sean así.

Otro mito como el de la crueldad

exclusiva de los alemanes es el del militarismo exclusivo germánico. No parece sino que en Francia no hay monumentos dedicados a los militares y a los guerreros.

Siguiendo la mitología aliadófila, se ha inventado una psicología especial para la guerra.

Según nuestros aliadófilos, los aliados hacen una guerra humana y sonriente. Cada soldado es una ninfa pálida y espiritual, o un niño lleno de inocencia y de candor. Entre estos «bebés», los peludos viejos, con sus pipas, representan el buen humor, la bondad...

Estamos en plena novela del vizconde de Arlincourt o de Pérez Escrich. En cambio, los alemanes son siempre rastreros y cobardes y cuando han avanzado, según ha descubierto ese *gran genio francés* que se llama Marcel Prévost, han avanzado llenos de miedo; a un lado de la frontera no hay más que ignominia, brutalidad, insania; al otro lado, todo es idilio.

Los alemanes son de una inferioridad manifiesta en todo Según nuestros periodistas, los alemanes no pueden comprender las cosas más sencillas.

He oído asegurar seriamente al doctor Simarro que un alemán no puede comprender la ironía de *El Príncipe*, de Maquiavelo.

Una raza que ha producido nombres de un ingenio irónico, tal como Hoffmann, como Juan Pablo Richter, como Goethe, como Heine, como Nietzsche, no entiende lo que entiende el doctor Simarro.

Es una afirmación de una fuerza cómica extraordinaria. Claro que ninguno de esos hombres entenderían la ironía de *El Príncipe*, de Maquiavelo, porque, sencillamente, no la tiene.

Otro de los mitos, considerado como verdad indiscutible, es el del espíritu íntegramente francesista de Alsacia y Lorena. Los que hemos conocido a alsacianos pangermanistas no podemos creer en tal afirmación.

Los franceses inteligentes reconocen que Alsacia y Lorena son pueblos germánicos por su raza, por su lengua nativa, por la toponimia del país, por su historia y por sus tradiciones; pero alegan que desde que Alsacia y Lorena pertenecieron a la nación francesa—es decir, desde Luis XIV hasta la caída de Napoleón III—, se asimilaron a Francia. No negaremos el hecho; no tenemos datos para afirmarlo ni para negarlo; pero si Francia pudo asimilarse un país germánico en el período desde Luis XIV a Napoleón III, ¿por qué Alemania no ha podido hacer lo mismo desde la guerra del 70 acá con un territorio de raza más similar a la suya?

Por otro lado, si Francia se asimiló a los alsacianos-loreneses y tiene derecho a ellos, Alemania se ha asimilado a los polacos mucho más todavía, pues parece que en la Polonia alemana apenas sabe ya nadie el polaco.

Si el criterio ha de ser el de la asimilación, este criterio debe ser general.

La prueba de la asimilación alemana en Alsacia y Lorena es que Francia no acepta la consulta al país. Sabe que en un plebiscito saldría, probablemente, perdiendo. A esto dicen los francesistas que las familias que huyeron después de la guerra del 70 de Alsacia y Lorena son alsacianos y loreneses; y que, en cambio, no lo son los hijos de alemanes nacidos en esos países. Es decir, que el alsaciano de Estrasburgo, hijo de padres germánicos, que vive en un país primitivamente germánico, no es alsaciano. Con este criterio, ¿quién va a definir quiénes son alsacianos y lorenenses y quiénes no?

Se ve en esto cómo esas soluciones de la democracia—el sufragio, el *referendum*—, que parecen tan evidentes, no son en la práctica nada. Si se hiciera la consulta al pueblo en Alsacia y Lorena con toda clase de garantías, y si resultase, como resultaría, que parte de la población estaba por Francia y parte por Alemania, ¿cuál de estas naciones tendría mejor derecho? ¿La que tuviese la mitad de los votos más uno? La cosa sería tan absurda y tan necia, que produciría risa.

Esta misma disparidad de criterio, que se ha puesto en evidencia en Irlanda, aparecería en Trieste, en Malta, en Gibraltar, en todos los pueblos en litigio, si se los consultara.

Se nota cómo el tan decantado derecho, llevado a la práctica, no es más que una superchería ridícula para uso de profesores pedantes.

Otro de los mitos que se han desarrollado durante la guerra, pero que procedía de antes de ella, ha sido el de la influencia omnímoda del kaiser. Según nuestros aliadófilos, Alemania no era más que un reflejo de la mentalidad del kaiser. El kaiser lo hacía todo, daba las ideas científicas, artísticas y literarias a su país.

No había Alemania, no había más que kaiser.

Yo siempre he defendido que esto debía de ser perfectamente falso, y que el kaiser no hacía más que de banderola en su país. Su actuación en la guerra, mediocre, puramente retórica, ha comprobado lo que yo pensaba. La facilidad con que los alemanes prescinden de su emperador, desde el momento que se ha iniciado su desastre, prueba lo mismo.

Otro último mito aliadófilo, que desde hace días llena el mundo, es el mito Wilson. Wilson nos aparece con una túnica blanca, limpio de todos los pecados humanos, lleno de unción evangélica.

¿Podemos creer tan en bloque en la pureza, en la bondad, en el altruismo, etcétera, de este hombre? Este Marco Aurelio de la gran República de los *trust* y de las máquinas de coser es de un país en donde se ha exterminado y se extermina metódicamente a los indios, de un país donde se lincha a los hombres porque el uno es negro y el otro amarillo; país de enormes chanchulleros, de terribles inmoralidades públicas; país en donde se conquista Puerto Rico o Filipinas cuando pertenecen a una nación débil; país, en fin, que tiene relaciones amistosas y protectoras con hombres de una moral tan alta como Pancho Villa y demás bandidos mejicanos.

Wilson, el único, el árbitro de la política, la flor del arrivismo, es un apóstol; el príncipe de Baden, que personalmente no puede ganar nada con su cargo de canciller, es un personaje sospechoso. Así nos lo aseguran los aliadófilos.

Hay, claro, siempre gente interesada en demostrar que, desde este monte o desde este mar para allá, los hombres tienen más de tigres o de cerdos que de personas, y que desde esos límites para acá los hombres son angelicales. Yo, como no creo en estas fronteras de moral, supongo que el hombre no es muy diferente aquí o allá.

¿Ignoran esto los políticos? ¡Ca! Seguramente lo saben, pero les conviene lanzar los mitos y hacer que el buen pueblo se trague grandes píldoras.

La hipocresía reina en la política aliadófila, desde arriba hasta abajo; así como la germanófila ha sido política de militar torpe y bárbara, la aliadófila es política de comerciante y de cuco.

Así estamos viendo ahora a una porción de políticos y de periodistas, reaccionarios en España, aduladores de la corte y del ejército, limpiabotas del rey, entusiasmarse con la revolución en Hungría o en Dalmacia.

Revolución, y no por mi casa, dicen ellos. ¡Claro! Si viniera la revolución, los barrería.

Ciertamente, este momento no es el más a propósito, desde un punto de vista personal y práctico, para hablar de los mitos aliadófilos.

El éxito de los aliados en la guerra es evidente, y sus representantes de España cantan victoria, y si pudieran tomarían represalias. El ser germanófilo basta hoy para ser un tipo absurdo y odioso. Se acabó Alemania. Se acabaron todos sus grandes hombres, desde Lutero hasta Nietzsche. Ya no existen ni Kant, ni Herder, ni Goethe, ni Schopenhauer, ni Beethoven, ni Mozart. Hoy hay que gritar: «¡Viva Romanones! ¡Viva Romeo! ¡Viva Antón del Olmet! ¡Viva Melquíades!»

Para los que no dependemos del público, ni nos importa el ambiente periodístico, la opinión general no nos intranquiliza. Hay que andar contra corriente; eso es todo.

Ahora la marea aliadófila sube con el éxito, nos ha de cubrir a los pocos no conformistas, sobre todo a los que no tienen, como yo, asidero ninguno en las gentes de la derecha; pero cuando la guerra acabe volverán las aguas a sus cauces normales. Entonces, cuando pueda darse el hecho comprobado por todos los conductos,

aceptaremos lo que nos parezca verdad y rechazaremos lo que nos parezca mentira, aunque nuestra opinión pugne con la del grave y pedantesco sanedrín aliadófilo.

Y aunque no hubiera esta posibilidad de revisión, a mí no me preocuparía. Yo creo que la consecuencia, o, si se quiere, la constancia en la inconsecuencia habitual, no es un mérito que alegar de una manera lacrimosa y triste, a estilo de los federales españoles; la consecuencia o el derecho a la inconsecuencia habitual es un lujo, y, por tanto, algo alegre y magnífico; por ella se puede arrostrar con gusto el aislamiento y la mala voluntad de las gentes.

Vuelvan o no vuelvan las ideas a sus cauces normales, perjudique o no perjudique socialmente el ser germanófilo, yo, al menos, defenderé mis ideas contra el avance del rebaño de los monos aulladores, halagados por el éxito, con una relativa constancia alegre, ligera y jovial.

Noviembre, 1918.

★

Me han dicho que algunos periódicos a sueldo de las Embajadas aliadas contestaron a este artículo, insultándome personalmente. No es cosa que me importe. Ni siquiera he leído esos insultos. No todo el mundo puede vivir de la adulación. El oficio de criado es cómodo, pero tiene sus fealdades; el ser hombre independiente es a veces incómodo, pero tiene sus satisfacciones. Yo he elegido el ser hombre independiente, y los insultos de los criados no me hacen mucha mella.

ENSAYOS

★

LA CAVERNA
DEL HUMORISMO

1919

ENSAYOS

*

LA CAVERNA
DEL HUMORISMO

1919

DEDICATORIAS

A UNA JOVEN LECTORA

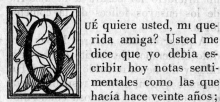UÉ quiere usted, mi querida amiga? Usted me dice que yo debía escribir hoy notas sentimentales como las que hacía hace veinte años; pero si las escribiera ahora, quizá le parecerían inferiores a las de antes. Repetirse es siempre peligroso. Usted no repetiría una *toilette*; yo tampoco una página. Sólo se puede repetir cuando uno se sobrepasa, ¡y eso es tan difícil! Para ello hay que tener confianza y audacia, y uno las va perdiendo. ¡Qué remedio queda! Se ha hecho uno viejo, se ha hecho uno un tanto hipocondríaco.

La esperanza está en que el espíritu no se detiene y cambia, y cuando el escritor es completamente viejo, le nace un optimismo un poco ñoño, y el malhumorado, si no ve en su mal humor una postura y un negocio, se dedica a componer baladas naturalmente ramplonas.

Mientras vea usted en mis libros —usted dice que los lee—un ceño adusto, un gesto de rabia, el puño levantado en el aire con cierta furia, piense usted que todavía me queda alguna juventud; cuando me vea usted entrar de lleno en la balada, rece usted por mí el *De profundis*, si esto se reza, que yo estoy muy poco enterado de esas cosas.

En tanto, permita usted, encantadora amiga, que la obsequie con este licor, elaborado por mí con manzanas agrias y otros frutos ácidos de mi huerta. Yo no puedo ofrecerle el Falerno ni el Cécubo guardado en cántaros sabinos ni el vino fuerte de los países cálidos, sino esta bebida fantasista, más agria que dulce y con más espuma que alcohol.

Ya sabe usted, amable sirena, que, aunque pagano, es de usted muy devoto,

El Autor.

A UN JOVEN LITERATO

Amigo, ¿qué quiere usted? Todos los escritores tenemos un ciclo parecido, y vamos, tarde o temprano, a pasar por el mismo signo del Zodíaco. Yo ya he pasado por el de la novela, el del cuento, el de la crónica y el de la autobiografía. Ahora estoy en el de las teorías estéticas. Yo no siento pasar por las mismas o parecidas fases de los que me han precedido; lo que siento es pasar por ellas mal.

Me hubiera gustado hacer este libro con un verdadero rigor científico, con el rigor científico de un sabio alemán; pero me temo no haberlo conseguido y haberlo hecho con la gárrula palabrería de un político español, y no digo de un vendedor de específicos, porque éstos me parecen más respetables que aquéllos.

Usted cree que no debía haber escrito este libro, sino otro. ¿Qué quiere usted? Yo quizá piense lo mismo; pero hay que conformarse con el Destino, que ahora me marca el momento de las teorías estéticas.

El Autor.

A UN COMETOLOGO INFLUYENTE

Como la crítica severa no permite siempre a los fabricantes de cometas que sus pequeños artefactos suban por el aire si no están construidos conforme a las reglas de la cometología, es muy posible que a ésta, que yo intento elevar con el título de LA CAVERNA DEL HUMORISMO, ustedes los cometólogos conspicuos no le den su sanción ni su beneplácito. Argüirán, quizá, que esta cometa es de papel corriente y de cañas y que debía ser de telas y de palos; añadirán también que es romboidal y que debía ser hexagonal; y, por último, harán hincapié en que el título es de mal gusto y en que lo mismo que se llama LA CAVERNA DEL HUMORISMO podría llamarse la *Enciclopedia de los malos humores.*

Yo acepto de antemano estos reparos; pero creo que, defectuosa y todo, mi cometa subirá en el aire, si hay viento; ahora, si no hay viento, no se levantará ni un palmo del suelo, y mi artefacto no pasará a la historia de los ensayos felices de la cometología.

A pesar de esto, no creo haber perdido el tiempo. He escrito estas cuartillas y me he entretenido bastante. He pensado que mi cometa resplandecería en el aire con su hermosa cola. Ahora, para eso será preciso que ustedes no nos acaparen el viento y que no encierren a los tempestuosos hijos de Eolo en el antiguo odre de donde una vez salieron.

Ya que ustedes prefieren el aire de las Academias y de las Universidades, ¿por qué no dejarnos a los demás el aire libre de la calle?

El Autor.

PROLOGO

I

Algunos lectores quizá recuerden que unas semanas antes de la guerra hubo una expedición de turismo científico al cabo Norte en el *Pez Volador (Flyn Fish)* y que a la vuelta, al tocar en Inglaterra, parte de la expedición fue detenida por sospechosa de espionaje e internada en un campo de concentración próximo a la costa, en donde estuvo dos años y un día.

La caravana turista se detuvo algún tiempo en el promontorio de Humour-point a visitar una gruta-museo que se pensaba inaugurar, y que, a consecuencia de los sucesos de la guerra, no se ha inaugurado.

El doctor Guezurtegui, profesor agregado a la Universidad de Lezo, comenzó a escribir por entonces una relación de su viaje a la caverna-museo y fue enviando sus cuartillas a la Universidad, pues tenía el compromiso de hacer una Memoria o relación de su viaje.

El doctor Guezurtegui era hombre poco respetuoso, y en vez de mandar sus comunicaciones en un buen papel de barba, las enviaba en los respaldos de las facturas del hotel, en los prospectos de las sombrererías o de los *music-halls*.

El rector hizo algunas advertencias al doctor Guezurtegui, el cual no se dignó contestar. Había terminado sus apuntes y no tenía nada que decir. Guezurtegui estuvo unos días en la Universidad de Lezo y se le vio pasear constantemente con el joven pintor Videgaín. Después, hay quien supone que se embarcó y que el barco fue torpedeado por un submarino alemán; hay quien dice que el doctor huyó a América porque tenía deudas y llevaba una vida disipada, frecuentando los numerosos círculos de recreo de Lezo. Los amigos afirman que Guezurtegui vive y tiene un colegio; otros dicen que un bar, y otros, que una funeraria.

¿Qué clase de hombre era el doctor Guezurtegui? Lo ignoramos. Hemos oído muchas versiones acerca de él. Su amigo el paisajista Videgaín asegura que era un hombre ocurrente y jovial, amable y bueno; otros, en cambio, lo pintan como un tipo antipático y solemne. Su padre parece que afirma que nunca creyó que su hijo valiera nada, porque no iba a la iglesia y decía que los carlistas son unos pobres diablos; y un modernista con melenas nos dijo que consideraba a Guezurtegui como un farsante, porque llevaba barba y anteojos, y, según él, todo hombre de barba y anteojos es, naturalmente, un farsante. La afirmación nos pareció un tanto radical. Si hubiera dicho que todo hombre de barba es un barbante, le hubiéramos creído con más facilidad. Para nosotros, el doctor Guezurtegui era de estos hombres a quienes gustan la oscuridad y la mina, hombres de espíritu subterráneo y subversivo que esconden su intención. Suponemos que en su Memoria hay varias mistificaciones y que ese doctor a quien hace hablar con frecuencia en sus apuntes, el doctor Illumbe, no existe, y es una entelequia que le sirve de cabeza de turco.

Dejando esta cuestión, es el caso que la Memoria del doctor Guezurtegui quedó en la biblioteca de la Universidad de Lezo, y que el Claustro no quiso publicarla. Hoy, gracias a la diligencia del director de la Sociedad Editorial para la impresión de los trabajos científicos y literarios perfectamente inútiles, y ayudados por el joven artista Videgaín, podemos dar al público un resumen del interesante (es la palabra que sirve para todo) trabajo del doctor Guezurtegui. Podríamos señalar fácilmente algunos errores, omisiones e inexactitudes que abundan en esta Memoria, pero preferimos dejar ese entretenimiento al lector.

Respecto al título, tenemos que señalar que el doctor Guezurtegui había llamado primero a su libro *La gruta-museo de Humour-point*; después, *In humorismo veritas*; más tarde, *La espelunca del humor*, y, por último, *La caverna del humorismo*.

Nosotros hemos aceptado este último título porque nos ha parecido el menos extravagante y el más platoniano.

El doctor Guezurtegui, escéptico trascendental, nos diría que no habíamos hecho más que seguir el consejo encerrado en la frase de retórica mística: los últimos serán los primeros, pero no, ciertamente; en este caso, el último título nos ha parecido el mejor.

Hechas estas aclaraciones, dejamos la palabra y la responsabilidad de sus ideas al catedrático agregado a la Universidad de Lezo.

II

Aunque no tenga una gran importancia—dice el doctor Guezurtegui en su Memoria—, voy a señalar los individuos que vinieron conmigo en la expedición al cabo Norte, hecha por el *Pez Volador*. Los indicaré a medida que los vaya recordando.

A) Ignacio Illumbe. Illumbe es un médico de un manicomio de Pamplona, nacionalista vasco y aficionado a la Antropología. Está reuniendo desde hace tiempo datos para una *Crania vascónica*. Es hombre moreno, de barba negra, de unos treinta y cinco a cuarenta años. Se ha educado en un colegio de frailes y es providencialista.

B) Hans Nissen. Joven escandinavo, hijo de un rico pescador que tiene una flotilla. El joven Hans ha viajado por todo el mundo, ha estado en la Groenlandia y en el golfo de Guinea, en Alaska y en la Patagonia. Viaja ahora con su novia, la señorita Anken, que es una mujer estúpida, fea, de pelo rojo y de mal humor.

—¿Cómo se ha enamorado usted de ese pajarraco?—le pregunto yo.

—La belleza pasa pronto—dice Hans, como quien recita una lección.

Hans tiene para todas las cosas una facilidad extraordinaria. Canta bien, baila bien, sabe diez o doce idiomas, y todo esto lo hace con algo que no debe de ser la inteligencia.

C) Savage, el misántropo. Un escocés que viaja por hiponcondría. Tiene un genio áspero y desabrido y un mal humor constante. Recuerda a los tipos de Dostoyevski por su espíritu subterráneo.

D) Paco Luna, madrileño. Hombre joven de sesenta y tantos años, con el bigote pintado. Es pálido como un muerto, toma morfina y viste muy elegante. Ha sido varias veces diputado y gobernador y ha llegado a subsecretario de la Presidencia. Nos cuenta anécdotas del jugador García, de la Patti, de Cánovas, de Castelar, etc.

E) La señora Brickmann y sus hijas, alemanas, todas sonrosadas, redondas y con aire bien alimentado. A la señora Brickmann le gustaría desviar al joven Hans de la señorita Anken en beneficio de alguna de sus hijas.

F) La señorita Mitgefühl, alemana inteligente y resuelta, que mira a Hans como una presa agradable.

G) Lady Bashfulness y su hija Mary. La madre, muy majestuosa, con el cabello blanco y ojos azules. La hija, un hada, una espuma, una mezcla de crema y de *chantilly*. A pesar de su vaporosidad come como un buitre y tiene una fuerza terrible.

H) La señora Werden, alemana rubia, que flirtea con el profesor Papalini.

I) El abate de Briscous, ilustre por sus estudios de arte cavernario en la gruta de la Mujer Pecosa.

J) El doctor Karakovski.

K) El profesor Werden, de Heidelberg.

L) Lork Gracon, de la Universidad de Oxford.

Ll) El doctor Schadenfrende, de Viena, y la vieja madama Weltschmerz, agria y malhumorada.

INTRODUCCION

Es el anochecer. El mar, sombreado por una gran nube de plomo, se extiende con un color pálido y triste, y las olas se levantan enormes, grises, y revientan llenas de espuma. La lancha va entrando por una hendidura entre dos piedras basálticas. En el bote van el doctor Illumbe, el joven Hans Nissen, Savage el misántropo y el doctor Guezurtegui. El doctor Illumbe está en pie; Hans, Savage y Guezurtegui van sentados, remando; un marinero de la cueva de Humourpoint lleva el timón y silba.

A medida que entran, la caverna se ensancha y el mar queda inmóvil. Se ven enormes galerías, llenas de estalactitas, y grandes salas misteriosas en una vaga penumbra. El bote se acerca a una playa de arena llena de perlas y caracolas y saltan todos los viajeros a tierra.

Savage el misántropo mira a derecha e izquierda, inquieto y sombrío; el doctor Illumbe se limpia los lentes; Hans sonríe, y Guezurtegui se sienta en una roca. La lancha desaparece.

—Tendremos que hacer el conjuro—dice Guezurtegui.

—Bueno—contesta Savage—. ¿Cómo se hace?

—Ahí en la guía debe de estar el modelo—indica Hans.

(El doctor Guezurtegui abre su guía de pasta roja y se pone a leer en voz alta. Se oye el rumor de una tormenta lejana, saltan las chispas eléctricas y suena el retumbar de los truenos; brotan de acá y allá resplando-

De los viejos viajeros que tomaron parte en el viaje del *Pez Volador*, de la mayoría ya no me acuerdo.

res sulfúreos, danzan los fuegos fatuos y aparece una figura delgadita vestida de frac y corbata blanca. Es Chip el cicerone.)

CHIP.—Soy el cicerone de la caverna-museo de Humour-point.

SAVAGE.—Muy bien.

CHIP.—Me llamo Chip, y soy un poco gnomo y un poco diablo. Soy de origen vasco y mi nombre verdadero es Chipi, que algunos dicen Chiqui. Uno de mis antepasados estuvo empleado en la cueva de Zugarramurdi hace cuatrocientos años, cuando aún se creía en la brujería.

ILLUMBE.—¿Habla usted sólo inglés?

CHIP.—No, hablo todos los idiomas. Soy cosmopolita. ¿Qué quiere usted que les hable?

ILLUMBE.—Háblenos usted a nosotros en castellano.

GUEZURTEGUI.—Los españoles somos muy torpes para los idiomas.

ILLUMBE.—Yo no soy español. Soy vasco.

GUEZURTEGUI.—¡Crania vascónica! Kabilismo ibérico.

CHIP.—Muy bien, mis queridos señores. Hablaré con ustedes el castellano y con estos otros el inglés. Mi castellano será un tanto de Zugarramurdi; pero creo que se me entenderá. Ustedes quizá ignoren que hay una espeleología natural y una espeleología espiritual. Ustedes me permitirán que sea un poco pedante.

ILLUMBE y HANS.—Sí, sí, se lo permitimos.

CHIP.—En la espeleología natural se han descrito las cuevas más conocidas y más ilustres: la del Pentélico, la del Posipilo, la del Fingal, la de Antiparos, la del Diablo; en la espeleología espiritual están comprendidos los abismos, las espeluncas misteriosas, el antro de Trophonius, el antro de Caco, la caverna de Humour-point, la de Platón, y permitidme, señores, citar entre ellas la cueva de Zugarramurdi. Esta caverna de Humour-point no está consagrada a la materia, ni al sol, ni a la luna; no es tan alta como el antro sagrado de los Floridianos; no es rústica, ni húmeda, ni malsana; es una caverna confortable, con calefacción central; es una caverna convertida en museo del humorismo. Es la última perfección de la ciencia y de la industria humana. ¿No les parece a ustedes?

HANS.—Sí, sí, seguramente.

SAVAGE.—No la conozco aún.

CHIP.—Poseemos todos los recursos. Asómense ustedes a la ventana.

(Se asoman los cuatro. Se ve el Mediterráneo azul con sus meandros de plata, iluminado por el sol. Se oye a lo lejos el canto de unos marineros.)

HANS.—¡Qué hermoso! Aquí me gustaría vivir.

SAVAGE. — Amaneramiento, barcarola.

CHIP.—Ahora vuelvan ustedes a asomarse.

(Miran de nuevo. Es una costa del Atlántico; las olas baten furiosas sobre los acantilados y los promontorios, bañándolos en espuma. Savage suspira.)

SAVAGE.—Esta lucha eterna, esta contradicción de los elementos me consuela.

CHIP.—Aquí está la escalera que lleva al observatorio, desde donde pueden ustedes contemplar las estrellas.

Le llamamos Stellberg, en recuerdo del belvedere de Tico-Brahe.

HANS.—¡Qué serenidad! ¡Qué paz! Aquí me gustaría vivir siempre, absorbiendo la esencia de esos mundos infinitos.

SAVAGE.—Mundos muertos, por lo menos para nosotros.

CHIP.—Vamos, avancemos. Tenemos aquí todas las decoraciones. Miren ustedes: Venecia, el puente de los Suspiros a la luz de la luna, el gondolero que canta; ahí tienen ustedes el Coliseo de Roma, el bulevar de París y el Strand de Londres. Si quieren ustedes, nos detendremos aquí en el Strand un momento, veremos estas gentes que pasan, dependientes, obreros, petimetres, y oiremos sus conversaciones. ¿Quieren ustedes que nos acerquemos a Whitechapel? Vamos, detengámonos en ese bar. Ese debe de ser Jack *el Destripador,* que merodea entre estas gentes harapientas, vestidas con los despojos de la antigua Rag Fair (la feria del andrajo) de Rosemary Lane. Entremos, si ustedes quieren, en la taberna del puerto, donde cantan los marineros del brickbarca... ¿Prefieren ustedes la casa aristocrática? Ahí está el salón elegante, las damas voluptuosas, el vals de Chopin y de Strauss, la chimenea donde apoya el codo el *dandy* Jorge Brummell, el inventor de los guantes amarillos, y el rincón donde sueña sus grandezas el joven Disraeli, descendiente de unos Laras judíos de España. ¿Prefieren ustedes París a Londres? Ahí tienen ustedes la posada del Caballo Blanco, donde entra Manón Lescaut; ahí está el farol donde se ahorcó Gerardo de Nerval; ahí está la pensión de madama Vauquer, microcosmos balzaciano donde tienen una conversación misteriosa un viejo bandido, Vautrin, y un joven estudiante de Derecho, Rastignac; ahí está la buhardilla de Jenny, la obrera, que no quiere la pobrecita ser rica, sino vivir de su trabajo. ¿Pasamos?

SAVAGE.—Sí, pasemos. Esas figuras manoseadas me cansan.

CHIP.—Ahí tienen ustedes el palacio encantado, los subterráneos del castillo de Udolfo, las salas misteriosas donde suenan los violines de Hoffmann, la taberna donde los estudiantes alemanes cantan el *Gaudeamus igitur*... Si no les entretienen estos espectáculos literarios, asómense ustedes de nuevo a la ventana.

(Ahora es un sitio siniestro y solitario, con un bosque y un río pantanoso; un cementerio pequeño destaca las puntas de los cipreses en el cielo oscuro. El viento agita los árboles y les arranca un rumor de marea.)

HANS.—¡Qué tétrico! ¡Qué siniestro!

SAVAGE.—¡Esta soledad! ¡Qué calma! ¡Qué reposo!

CHIP.—No hay que mirar demasiado los paisajes. Pierden un veinticinco por ciento. Vean ustedes ahora el mismo campo al amanecer, las rosas que escapan por encima de las tapias del cementerio, los pájaros que cantan en las ramas y los bueyes que descansan rumiando ... Todavía tenemos más vistas y más espectáculos. ¿Quieren ustedes una escena entre bandidos italianos de la Calabria? ¿Prefieren ustedes Sierra Morena, con José María *el Tempranillo?* ¡Y a la paz de Dios, señores! ¿O avanzamos en nuestro paseo?

ILLUMBE.—Avancemos.

CHIP.—Aquí, en el centro de la caverna, está la sala de la Gran Locura Humana. En ella todo es confuso, absurdo y sin sentido lógico. La luna que alumbra su cielo tiene cara de persona, y las nubes, forma de balle-

nas, de leones, de cocodrilos. Por todas partes andan diablillos, duendes burlones y de mala sombra, aparecidos en forma de liebre, brujas con escobas, que luego se convierten en gatos, lamias y trasgos. Por ese río de sombras, los muertos van navegando en sus ataúdes, mientras vuelan por encima las mariposas blancas y negras, que son sus almas. El campo está aquí formado por árboles y plantas extravagantes: tréboles de cuatro hojas, eléboros trastornadores, mandrágoras que tienen dos sexos y figura humana y que hay que arrancarlas atándolas a la cola de un perro, porque si no el que las arranca muere; estramonios, suguebelarras (hierbas de serpiente) y sorguin-belarras (hierbas de bruja).

Los espectros, los enanos, las hadas, los espíritus del agua del desierto y de la montaña, los demonios de la Medicina, de la brujería y de las plantas bailan en este aquelarre. En las vitrinas se ve la serie terrible y grotesca de los ídolos y de los fetiches, desde Apolo y Venus hasta el Mumbo-Jumbo de los negros vestidos con los harapos de los marineros ingleses.

En este campo bullen las hierbas, los perros devoradores de los difuntos, los cocodrilos adivinadores, los lobos guardadores de tesoros, los caballos que saben multiplicar y extraer raíces, los lagartos que sirven de espías al dios Gateh, las salamandras frioleras, los asnos que saben curar la tos merina, las abejas que oyen lo que se habla, para írselo después a contar al amo de la casa, y los sapos que tienen en la cabeza esa piedra misteriosa que se llama crapodina. En el estanque que hay en esa sala juegan las sirenas, las ondinas y los tritones.

Al lado de la Naturaleza absurda están los hombres absurdos, los iluminados, los adivinadores, los inventores de fantasías y de naderías, los que encuentran una nueva solución para la cuadratura del círculo y el movimiento continuo; ahí hay un gran departamento de artefactos que no funcionan y otros que funcionan poco, pero que son tan útiles como el órgano de los gatos, inventado por el padre Kircher...

SAVAGE.—¿Y no hay un sitio en este museo donde se ría uno a carcajadas?

CHIP.—No, no lo hay. Yo, al menos, no lo conozco. Detrás de estas salas hay otras donde el cicerone es un sabio, y aquél quizá lo sepa.

ILLUMBE.—Hay que dudar de los sabios.

CHIP.—Claro, es usted vasco. Creerá usted más en los curas. Señores, es mi hora. ¡Buenas noches!

PRIMERA PARTE

LAS CONFERENCIAS EN EL MUSEO DE HUMOUR-POINT

I

CUESTIONES DE ESCUELA

Los expedicionarios han dejado al pequeño Chip y pasan a la sección intelectual del museo de Humourpoint, donde los recibe el doctor Werden, vestido de profesor, que en España es casi lo mismo que ir disfrazado de asno.

Como Savage es terco como una mula, le pregunta al doctor Werden de nuevo si no hay algún sitio donde se aprenda a reír.

—No, eso no lo hay—contesta Werden—; la risa no se aprende, viene de lo alto. La Naturaleza hace los hombres a su capricho gelastos y agelastos. Los hay también hipergelastos.

—Palabras, p a l a b r a s, palabras —murmura Savage, como Hamlet.

—Aquí pueden ustedes oír las diversas conferencias que damos acerca del humorismo—ha dicho el doctor Werden—. Ahora mismo está hablando el doctor Schadenfrende, de Viena.

Han entrado y se han sentado en un banco. El profesor comenzaba su conferencia.

«Generalmente, nosotros, los alemanes, y Nietzsche con ellos—decía—, hemos dado mucha importancia en la historia de los conceptos a la etimología de las palabras que los señalan. Yo no creo gran cosa en el valor etimológico de las palabras con relación a los conceptos actuales; pero siguiendo la costumbre, haremos, como todo el mundo, una pequeña digresión filológica.

»Hombre viene, como se sabe, de hómo, y homo y humour tienen, al parecer, la misma raíz etimológica de humus, tierra, cieno. Hombría y humildad, humanidad y humorismo proceden en el lenguaje del mismo origen cenagoso y terrestre. Si fuera verdad esta aproximación, puramente nominal, se podría decir que, como los pájaros actuales, tenemos antepasados reptiles.

»Otra cuestión de escuela, que podría ser de un programa de Instituto o de Universidad, es la cuestión de la mayor o menor antigüedad del humorismo.

»Parece más natural, más lógico, que el humorismo sea viejo, como todo lo humano.

»En las religiones más antiguas, al lado del rito severo se encuentra la nota bufonesca, y hay quien afirma que en los dibujos rupestres se advierten ya rasgos humorísticos.

»En las religiones modernas hay también motivos de humor.

»El catolicismo actual se presta maravillosamente a la broma. Sus cristos que sudan y mueven los ojos, sus santos fetiches a los que se les piden recomendaciones para tener una novia rica y para que le toque a uno la lotería, dan pasto abundante a la risa.

»Los pueblos religiosos han tenido mayor tendencia al humorismo que los pueblos filósofos. El temor predispone a la risa, y el temor unido a la risa pueden crear el humor. Dionisios es, a ratos, humorista; Apolo, siempre filósofo.

»Grecia ha sido país de poco humor. A pesar de esto, entre los antiguos griegos hay escritores que tienen rasgos de humorismo; uno de ellos, Herodoto.

»Herodoto, en medio de su placidez y de su ingenuidad, tiene golpes de malicia y de humor, atribuye un efecto grande a una causa pequeña y cuenta con la misma calma los infortunios conyugales de un rey que una gran batalla. Este carácter ingenuo y malicioso le acerca al humorismo.

»En la vida de Sócrates hay también frases de humor, de un cómico serio y trascendental.

»No se puede decir que el humorismo sea una manifestación nueva, ni un producto exclusivamente sajón o

anglosajón, como ha dicho Taine; al humorismo le ha pasado como a la música; fue marchando por el campo del arte como un arroyo tortuoso, formando curvas, dividiéndose, subdividiéndose, hasta que en el siglo XIX se remansó y se precipitó en una hermosa catarata.»

II

EGOTISMUS, IDEALISMUS

«Después de cumplir el requisito filológico e histórico—ha dicho el doctor Schadenfrente—, vamos a formularnos esta pregunta: ¿Es todo egotismo en el arte? Yo creo que sí. En el arte y en gran parte de la ciencia, la base es el egotismo, el individualismo.»

Para mí no hay nada absolutamente objetivo más que algunos métodos de la ciencia, como, por ejemplo, la estadística. En la filología y en el arte no hay objetividad posible; todos sus obreros son individualistas, personalistas; los creadores, como los interpretadores, todos somos egotistas, sistemáticos o no; unos, de una manera velada y suave; otros, de un modo violento y cínico.

Así como se puede decir que el mundo es una representación de nuestra conciencia y ésta, a su vez, una creación de los sentidos, se puede asegurar que nuestra obra es la proyección de nuestro espíritu hacia afuera, y nuestro espíritu, una creación de nuestra voluntad. Un problema intermedio. Si no hay un espacio y un tiempo fuera de nosotros, como sospechó Kant, ¿en dónde tienen su existencia las cosas? ¿Qué hay fuera de nosotros? ¿La cosa en sí no será más que un *substratum*, un pretexto para dar impresiones? Entonces la materia, que parece tan evidente, sería el más sutil de los fantasmas.

No creo yo, ciertamente, que las cosas no existan mientras no las percibamos, como pensaba el obispo Berkeley; tampoco creo que existan tal como las percibimos.

Yo me figuro que hay movimientos, agitaciones fuera del hombre, que pasan por nuestro molde espiritual y quedan fabricados como letras de imprenta, letras que luego se van combinando. ¿Qué valor tienen estos tipos ante lo absoluto? Para el hombre, un valor completo; para el no hombre, si pudiera existir, ningún valor. En absoluto, ningún valor. Creer que si hubiera seres vivos en Sirio tendrían una matemática y que ésta sería idéntica a la de los hombres me parece una tontería. Hombrismo y egotismo; de aquí no podemos salir. El hombre es la medida de todas las cosas. Los datos de nuestra conciencia son tan subjetivos como nuestras proyecciones.

En el mundo exterior no hay colores, ni tamaños, ni temperaturas, como no hay medidas ni leyes.

Lo externo, al reflejarse en la conciencia, lo hace con un cierto orden, que es la resultante de leyes que rigen para el cosmos; de los sentidos y del temperamento, para el sujeto; nosotros tomamos ese orden, lo descomponemos, lo cambiamos, lo acomodamos a nuestro horizonte y lo transformamos en otro.

No encontrando el mundo hecho a nuestro gusto, lo descomponemos y lo rehacemos a nuestra imagen y semejanza.

Aun antes de esta operación, hemos hecho una elección sobre el trozo de cosmos que nos conviene ver. Echamos con nuestro reflector un cono de luz sobre las cosas, los hombres o los períodos históricos que atraen nuestra curiosidad. Mientras no hacemos eso, el cosmos aparece oscuro y negro.

Luego, tenemos el poder de aislar las cosas unas de otras, de separar los acontecimientos y de colocarlos en el punto donde nos conviene.

Cada uno ve en el sitio donde está lo que le interesa y sólo lo que le interesa. Si una familia va a un pueblo nuevo, al poco tiempo, la abuela, si es beata, sabrá cómo son las iglesias; el abuelo, quiénes frecuentan los paseos; el padre, si se gana poco o mucho; la madre, si el pueblo es caro o barato; el jovencito, quiénes son las mujeres más guapas y dónde están los billares; la muchacha, quiénes son los señoritos más elegantes, y el chico, dónde se juega al marro o a la pelota más a gusto.

Esta limitación, esto de ver el mundo con orejeras, como los caballos enganchados, es general.

Chamfort cuenta que, durante las revueltas del Terror, un cómico fue a ver a un diputado de la Asamblea Nacional a exponer motivos de queja contra un literato.

—Pero ¿usted cree que aquí no nos ocupamos más que de representación de comedias?—le preguntó el diputado.

—No, ya sé que también se ocupan ustedes de su impresión—contestó el cómico.

Se le contaba a un niño la leyenda de Guillermo Tell, la exigencia del tirano Gessler de que el cazador montañés disparase su ballesta sobre una manzana colocada encima de la cabeza de su hijo menor.

Se quería hacer resaltar ante el niño la arbitrariedad y la crueldad del tirano. El niño escuchó atentamente, y luego preguntó:

—¿Y la manzana? ¿Quién se la comió?

Chicos y grandes no vemos en todo más que lo que nos interesa. ¡Egotismo! ¡Egotismo! En último término, todo arte, toda filosofía, todo impulso, aun los que nos parecen más objetivos y serenos, son egotismos, narcisismos. Botticelli c o m o Velázquez, San Francisco de Asís como Atila, Protágoras como Wundt.

Egotismo y sistema. Este me parece el fondo de toda obra humana. Cuando no se tiene un sistema, es decir, un conjunto armónico de medidas, es que no se ha podido construirlo. La tendencia humana innata es construir. El hombre es como el castor, como la hormiga, como la golondrina: animal de instintos constructores. También es destructor. No se puede construir sin destruir.

Cuando el hombre intenta romper con su tendencia egotista y sistematizadora, acaba, si es fuerte, construyendo otro sistema. En todo, en grande o en pequeño, es lo mismo; es igual para el que inventa o descubre, como para el que lee, contempla, interpreta o aplica. No hay diferencia en el fondo; todos son igualmente interpretadores, y la interpretación es una creación más o menos subalterna. El hombre del público que aclama a sus héroes, a sus poetas, a sus artistas, se aclama en parte a sí mismo; el técnico que sabe aplicar un invento, se identifica con el inventor. El político que ve un ideal en Robespierre o en Bismarck; el pintor que mira su maestro en el Ticiano o en Goya; el literato que tiene una admiración entusiasta por Shakespeare, por Goethe o por Tolstoi, todos ellos ven en sus modelos una proyección mejorada de sí mismos y son creadores mientras los interpretan. Cierto que únicamente a una clase de artistas interpretadores, como cómicos, músicos y cantantes, los aprecia el público como tales interpretadores; pero esto depende de que la interpretación hecha por un individuo de esta clase puede convertirse en espectáculo.

«En verdad—ha terminado diciendo el doctor Schadenfrende—, yo siento cierta repugnancia por el sistema de egotismo desvergonzado de algunas gentes. A veces, siento cierta antipatía y odio por la vida; pero el odio por la vida es también vida, y el odio por el sistema es también sistema.»

El doctor Schadenfrende ha seguido desarrollando este punto; pero no ha dicho después, a mi entender, nada nuevo.

III

NOS FALTA EL SISTEMA

A pesar de la conferencia del doctor Schandenfrende—dice en su fantástica Memoria el doctor Guezurtegui—, no se nos ha aclarado absolutamente nada la idea del humor. Nos falta el sistema. No tenemos ni el instrumento de observación ni el de caza. Usar una escopeta Winchester o una carabina sistema Browning no tiene objeto para nosotros, porque no quisiéramos tener encerrada y muerta la idea del humorismo, sino examinarla viva y libre. Las cañas de pescar no nos sirven tampoco, ni los microscopios Zeiss, porque queremos apreciar tanto lo que se ve como lo que no se ve.

A falta de un sistema de medidas e x a c t o, rechazaremos los aparatos complicados, los metros, los micrómetros y hasta las varas; calcularemos las distancias, las anchuras y los espesores a ojo. El procedimiento es primitivo, como el de un bosquimano; pero no hay otro.

Lo primero que causa extrañeza cuando uno se fija en un fenómeno como el humorismo, tan extenso, tan antiguo, tan conocido, es el que no haya estudiado ni descrito con la exactitud con que se ha descrito un radiolario.

Parece mentira que se sepan tantas cosas de Astronomía, que son lejanas, y no sepamos qué es el humorismo; es raro también que se hayan llegado a registrar cientos de miles de especies zoológicas y botánicas y no sepamos lo que es la risa, el sueño o el bostezo.

Muchas razones puede tener esto; una, el que los fenómenos psicológicos sean más difíciles de penetrar, más complicados que los biológicos; otra, el desdén y el apartamiento que nuestra época de ciencia positiva ha tenido por los hechos psicológicos. Es muy posible que, en la segunda mitad del siglo XIX y en el XX, los espíritus más distinguidos hayan ido a cultivar las ciencias naturales, dejando la psicología y las especulaciones filosóficas a gentes audaces y superficiales.

Yo, por más que me lo he propuesto, no he encontrado cosa de enjundia acerca del humorismo; un amigo me tradujo un capítulo de Lipps, que no entendí bien, y después he visto lo que dice Juan Pablo Ritcher sobre este asunto, que, como todo lo escrito por el autor de *Titán*, tiene un aire ingenioso, nebuloso y polar que da la impresión de una escena en la Groenlandia entre osos blancos que quisieran hacer cabriolas.

Si no he encontrado algo bien documentado y sistemático sobre el humorismo, he leído, por buscar una aproximación, *La risa*, de Bergson. El filósofo francés da su libro como un perfecto y acabado artefacto. Por lo que he visto en uno de sus biógrafos, Bergson comenzó a escribir este libro y, descontento de él, lo dejó dormir durante mucho tiempo en el cajón de la mesa, y veinte años después lo sacó para rehacerlo. A pesar de que el autor lo da como cosa definitiva, yo creo que este libro está lleno de fallas y que no resiste a una crítica detenida; lo que le defiende sin disputa es que es un libro ameno.

Bergson pretende dar un origen psicológico constante a la risa, suponiendo que ésta proviene siempre de una sustitución en nuestras acciones, pensamientos y palabras, del juego libre del cuerpo o del espíritu por el automatismo y la rigidez de la máquina fisiológica.

Otras teorías hay más complicadas para explicar la risa, como la teoría de Lipps, que es una variante de la de Kant, y que se podría llamar explicación intelectual.

Para Kant, la risa procede de la rápida reducción a la nada de una expectación intensa. Para él, el parto de los montes seria el mayor motivo de risa. El paso del plano de la seriedad a lo fútil, el derrumbamiento de una armazón trascendental, a primera vista sólida, produciría el cosquilleo precursor de la risa.

Indudablemente, la mecánica kantiana se puede aplicar a ciertos casos de la risa del hombre, como a otros se puede aplicar la mecánica bergsoniana; pero ni una sola ni las dos juntas encierran todas las formas de la risa.

No hay manera de encontrar una norma científica en los alrededores del humorismo que sirva, por extensión, para aclarar este concepto; no hay manera de encerrar la idea del humor en límites definidos y bien marcados.

Hay que marchar, pues, a la casualidad, tomar la idea del humorismo en bloque y llevarla a la derecha y a la izquierda, empujándola, y ver si, a medida que se avanza en esta tarea, van apareciendo puntos de vista nuevos.

Este procedimiento de investigación es indudablemente primitivo, malo, oratorio; así saltan las comparaciones, las antítesis, los contrastes, que a veces parecen aclarar algo, pero que en general no son más que pirotecnia retórica.

El método éste tiene poco valor; pero, a falta de otro, no hay más remedio que emplearlo.

La primera oposición que me sale al paso es la del humorismo con la retórica.

Colocaremos estos dos conceptos uno junto a otro, aunque sea de una manera caprichosa y arbitraria, y los haremos marchar. Es como quien coge dos caballos, los ata a su carro y se va con ellos a correr por esos mundos. En su marcha, sean parecidos, sean muy diferentes los dos corceles, algo indicarán de sus inclinaciones, de su naturaleza; los llevaremos adrede por caminos anchos y claros y por otros extraviados y tortuosos para ver cómo responden.

Madama la Ciencia dirá que sería mejor un método más ceñido, más experimental; pero no debe haberlo, porque los sabios del museo de Humour-point, que tienen el oficio de saberlo, no lo saben.

Con permiso de madama la Ciencia, hay que entregarse, pues, al impresionismo.

IV

PRIMERA, SEGUNDA, TERCERA

Estamos colocados enfrente del humorismo, queremos encontrar sus características y vamos a ir lanzando proposiciones que tengan una mayor o menor aproximación a la verdad. No sabemos afirmar con energía más que cuando estamos iracundos, y no lo estamos en este momento. Lanzaremos nuestras proposiciones con relativa timidez:

A) Hay tantas formas de humor como humoristas han existido.

B) Esto no quita para que el humorista tenga rasgos comunes que le dan un carácter inconfundible.

La proposición de que hay tantas formas de humor como humoristas han existido parece una proposición cierta. Humorismo quiere indicar algo orgánico, personalísimo, inaprendible, que oscila entre lo psicológico y lo patológico. El humorismo no es ortobiótico, que diríamos los sabios.

Hay una relación estrecha entre la antigua idea del humorismo médico, predominio de ciertos humores, y el humorismo literario.

En los dos conceptos se supone una cualidad psicológica o patológica que matiza el organismo y le hace tomar un carácter *sui generis*. El humorismo, más que ninguna otra forma literaria, da una impresión de algo temperamental.

Un poeta épico o un trágico se parecerán más a otro poeta épico o a otro trágico que un humorista a otro humorista.

En la literatura, cada humorista es una isla. Hay la isla de Shakespeare, la isla de Cervantes, la isla de Rabelais, la isla de Juan Pablo y la isla de Dickens.

Hasta en los escritores humoristas que se han influido unos a otros no hay semejanza.

El humorismo de Juan Pablo Richter no se parece por completo al de Carlyle. Los dos tienen una escenografía fantasmagórica; pero Richter, el *maelstron* del mundo del humor, según Carlyle, es más filosófico, más cósmico, y tiene una sensiblería de mal gusto, y el autor de *Sartor Re-*

sartus es más político, más patético y más predicador.

El humorismo satírico y rencoroso de Swift no es de la misma clase que el humorismo petulante y ligero de Sterne; éste no se asemeja al sermón moralista y pesado de Thackeray, y ninguno de ellos tiene un parentesco estrecho con el humorismo sentimental, lleno de lágrimas y de sonrisas, de Dickens.

Cada uno de estos humoristas tiene un método y un estilo propio, cada uno de ellos acusa firmemente su personalidad y su deseo de no parecerse a los demás.

A pesar de esto, como decimos en la segunda proposición, con el permiso de madama la Ciencia, el humorismo tiene algo de común.

¿Qué tiene de común el humorismo? Como no es posible que podamos decirlo por orden, primero, segundo, tercero; como no nos sentimos categóricos, porque, como hemos dicho antes, sólo la ira nos hacer ser categóricos, y no estamos iracundos, iremos por aproximaciones.

Indudablemente, el humorismo es algo complicado. Hay en él seriedad y comicidad, sentimentalismo y frialdad, excentricidad y vulgaridad.

Esta condición heterogénea le hace ser principalmente un arte de contrastes. A tal afirmación se puede oponer el que todas las artes son de contrastes; pero no en grado tan exagerado como el humorismo.

A la cualidad de ser un arte de contrastes violentos se puede añadir que es un arte subversivo de los valores humanos.

Es indudable que allí donde hay un plano de seriedad, de respetabilidad, hay otro plano de risa y de burla. Lo trágico, lo épico, se alojan en el primer plano; lo cómico, en el segundo. El humorista salta constante-

mente de uno a otro y llega a confundir a los dos; de aquí que el humorismo pueda definirse como lo cómico, serio, lo trivial trascendental, la risa triste filosófica y cómica.

Esta mezcla cómicorromántica, cómicopatética, cómicotrágica, da un gusto agridulce, que es el sabor de las obras de humor.

En el terreno del humorismo se anastomosan lo cómico y lo serio. El humorista va entrelazando las fibras cómicas y trágicas y su obra nos sorprende y nos divierte.

Cuando nos acostumbramos a ello, nos gusta encontrar lo que queda de fuerza en la debilidad, de debilidad en la fuerza, la superstición trivial de un espíritu fuerte y lógico y el lado noble de un alma vulgar.

El inconveniente de esta tendencia disociadora es el perder la facultad de gustar la esencia pura de un género sin mezcla. El que toma la posición intermedia y ambigua entre lo trágico y lo cómico ya no podrá guardar un respeto completo por las cosas respetables, ni reírse de todo corazón de las risibles.

El pensamiento de la desarmonía le asaltará a cada paso; verá muecas cómicas en lo serio y sombras graves en lo grotesco; lo que bulle en el segundo plano se le proyectará en el primero, y lo que se agita en el primero se le manifestará en el segundo.

El hombre de humor promiscuirá siempre, y esta promiscuidad hará que no haya géneros literarios para él; en un momento, todos le parecerán buenos; en otro, todos los encontrará viejos y marchitos.

Muchos inconvenientes tiene el humorismo para la literatura; uno de ellos, invencible, porque está en su misma esencia, es el no poder emplear en bloque en una obra el tono mayor. El humorista puede usar casi exclusivamente el tono menor, como Dickens, Sterne, etc.; puede alternar el tono mayor y el menor, como Shakespeare; pero usar sólo el tono mayor, como los trágicos griegos o sus imitadores franceses, no lo puede hacer. El buen gusto por el buen gusto le está vedado.

Cuando el humorismo quiere convertirse en género, con su marchamo oficial y su receta, pierde todas sus condiciones y todo su encanto. El humorista funcionario debe ir al salón de madama la Retórica.

En el humorismo es indispensable la frescura y la innovación.

V

CUARTA, QUINTA, SEXTA

El humorismo tiende a dudar de la cantidad de ciencia y de técnica que heredamos de nuestros ascendientes. Madama la Retórica no acepta esta duda; madama la Ciencia, sí, porque es muy joven y tiene para ella reservado el porvenir, y la revisión de valores no le estorba para sus fines.

La duda y la innovación siempre llevan algo como una intención humorística. En la ciencia, Newton y Darwin, Paracelso y Stephenson, en su tiempo, se presentaron a los ojos de sus contemporáneos como humoristas, como ilusos; *el Greco* y Goya lo parecieron también, y hoy todavía Lobachefski y Riemann dan la impresión de chuscos al lado de los matemáticos clásicos.

El hombre de la calle, vulgar, tradicionalista, rutinario, dice, pensando en los innovadores que inventan algo nuevo y no discurren con las normas vulgares:

—Esos nos están tomando el pelo.

El humorista que lanza una teoría o un sistema no puede ser mirado con simpatía por el hombre aferrado a otras teorías o sistemas ya sancionados por el tiempo.

El humorista es hombre de valor. El espíritu que se encoge par saltar en el vacío sin saber dónde va a caer, es un espíritu valiente, y si al mismo tiempo concibe la posibilidad del fracaso y esta posibilidad no le impide el impulso, entonces es un gran humorista.

Casi todos los humoristas ríen del fracaso propio; algunos, más intelectuales, ríen de las supuestas intenciones de la Providencia, como cuando Espinosa reía viendo las arañas cazar a las moscas.

La necesidad de la innovación hace que el humorismo intente introducir en la esfera del arte lo que aún es oscuro e inconsciente, lo que es nuevo. Esta ambición la puede realizar el autor haciendo que el paño nuevo se corte de una manera clásica o de una manera nueva. La primera manera tendrá algo de humor, la segunda será íntegramente humorista.

El humorismo necesita siempre el paño nuevo; con el viejo se podrán hacer obras maestras, pero no obras maestras de humor.

Otra condición indispensable del humorismo me parece la veracidad. El humorismo tiene una luz que no permite la ficción, como la luz del sol no permite el maquillaje.

VI

BILATERALIS

He escuchado la conferencia que nos ha dado el doctor Werden, de Heidelberg, acerca del humorismo, dice el doctor Guezurtegui.

El doctor Werden se ha dedicado a la fantasía.

Este profesor es grueso, rubio, vestido de claro; tiene unos anteojos de lentes muy convexos, que centellean cuando mueve la cabeza. Según el doctor Werden, la contemplación del mundo bilateral, binocular, es lo que nos lleva al humor. El doctor Werden ha planteado la tesis, la antítesis y la síntesis. La tesis, según él, está en el clasicismo; la antítesis, en el romanticismo; la síntesis, en el humorismo.

El espíritu humano camina hacia su devenir, haciéndose cada vez más heterogéneo y complejo, y el momento literario actual, en su dirección al devenir, es el humor; pero el humor tiene todavía zonas que no son más que la idea, lo que no ha llegado a ser.

Esto, según Werden, no lo pueden comprender los espíritus limitados, los espíritus miopes que han quedado sujetos a un maniqueísmo primitivo. Para ellos, a un lado está el ser; al otro, la nada; a un lado, el espíritu; al otro, la materia; a un lado, la risa; al otro, la pena; a un lado, la solemnidad; al otro, la farsa; a un lado, lo feo; al otro, lo bello.

¡Candidez! ¡Candidez! ¡E incomprensión!

Para sentirse hondamente humorista, según el profesor de Heidelberg, hay que sentirse hondamente panteísta y haber bañado el espíritu en el éter de la sustancia única.

El humor es una síntesis, y toda síntesis es optimista. Las impertinencias de Voltaire no significan nada contra Leibniz. Este mundo es el mejor de todos los mundos..., desde el punto de vista del humorismo.

¿Que hay deformidades? Mejor que mejor. ¿Que hay vicios morales? Magnífico. ¿Que hay infracciones de los grandes principios? Encantador. ¿Que hay guerras y pestes? Sublime. ¿Que hay pequeñas molestias? ¿El sombrero que se lo lleva el viento? ¿El dedo que se coge uno en una puerta? Optimo. ¿Que hay obscenidades? Superior. ¿Que hay locos en la calle y cuerdos en los manicomios? Sublime. Todo esto, queridos amigos, ha dicho el doctor Werden, hace que exista el humorismo. Si no fuera por él, ¡qué mundo más solemne, más plúmbeo, más raciano, más chateaubrandesco sería el nuestro!

Gracias a esas pequeñas oscuridades y manchas, el mundo puede ser shakespeariano, cervantino, dickensiano; gracias a esas pequeñas molestias, los hombres ríen y aun aquellos agelásticos, aquellos de los que dice Shakespeare que no muestran sus dientes en una sonrisa, aunque el propio Néstor jure que la broma ha sido buena, tienen que hacer: «¡Ah!... Ja..., ja...», contrayendo el diafragma, a pesar de su amor por lo sublime.

¡Lo artificial! ¡Lo injusto! ¡Qué admirable escuela de humor! Dadme un pueblo con pelucas, con togas, con miriñaques, con injusticias, con absurdos, y os traeré al momento el humor; pero con gentes que quieren sólo ser estúpidamente naturales o naturalmente estúpidas, ¿qué demonio se va a hacer?

El humorismo tiene de bueno y de malo—ha dicho Werden—; si fuera bueno sólo, sería inferior a lo que es. Ya en lo que se llama sublime, entra la levadura de elementos de disgusto, que no existen en lo puramente bello. Lo puramente bello es como el pan ácimo; en cambio, el humorismo es pan literario, porque es lo humano sintético. Como Merlín, el encantador, fue engendrado por una religiosa y un diablo, el humorismo tiene en su origen lo bueno y lo malo.

En el humorismo se mezclan también elementos racionales e irracionales, Apolo y Dionisios, el color y el dibujo, lo claro y lo oscuro, lo apasionado y lo comprensivo, lo musical y lo intelectual.

En el humorismo vamos a lo general por lo individual, a lo claro por lo oscuro, al optimismo por el pesimismo.

El humorista no quiere llegar a la luz huyendo de las sombras del camino, sino que quiere llegar a la luz arrastrando consigo mismo las sombras y aclarándolas.

VII

TEORIAS

Después de estas frases, por las cuales hemos sospechado que el profesor de Heidelberg es un hegeliano, el doctor Werden, con cierto énfasis germánico, ha descrito a los humoristas, a quienes ha llamado francotiradores de la nube y del humo, cazadores de vilanos y de pompas de jabón y escopeteros del ideal.

Luego nuestro doctor ha pasado a exponer las teorías del humorismo.

Las ha dividido en tres grupos: teorías basadas en la degradación, teorías basadas en el contraste y teorías basadas en la superación.

Ls diversas teorías hechas a base de la degradación suponen que el humorismo nace de un sentimiento de rencor contra lo noble, de una tendencia a rebajar la dignidad, la respetabilidad y la nobleza humanas.

Para los que defienden esta tesis, el humor es un impulso parecido al del chico cuando tira una piedra a un cristal de un escaparate o cuando escupe en un plato de dulce que no va a comer él.

Para los que ven un ímpetu de rebajamiento ajeno en el humorismo, la risa del humorista es un eco de la risa del salvaje cuando hunde el cuchillo en el corazón del enemigo.

A la tesis de la degradación, el doctor Werden ha puesto varios reparos.

Primeramente, según él, en el humorismo no es necesario el rencor; después, el objeto rebajado por el humorista puede muy bien no ser un hombre, sino una institución.

Respecto a que la risa del humorista sea un eco de la risa del salvaje, es cosa que para el doctor Werden no tiene importancia. Preocuparse de ello es como preocuparse de si las raíces de este rosal que nos encanta con el color y con el aroma de sus flores están cerca de los gusanos que andan por la tierra.

Que el humorismo proceda del rencor, es posible, nos ha dicho el doctor Werden; que el humorismo de hoy sea rencor, eso no lo aceptamos.

Si en el humorismo no es indispensable el rencor, según el profesor Werden, es, en cambio, indispensable la simpatía, y la simpatía esteriliza el rencor. La risa sin desprecio nada nos molesta. Hay amigo que nos pone en solfa, se ríe de nuestra manera de ser y de pensar, se ríe de nuestras obras; pero se ríe sin desprecio, y no nos ofende. En cambio, otro nos dice una frase vulgar, con exasperado desprecio, y nos levanta y nos indigna. Por este motivo, la teoría de la degradación es incompleta y mezquina para el doctor Werden..

La segunda clase de teorías son las que tienen por base el contraste.

El humorismo, según ellas, proviene del choque de una sentimentalidad elevada con lo heterogéneo, inarmónico y a veces absurdo de la realidad.

El doctor Werden no acepta esta tesis porque supone que esas inarmonías no sólo no son malas, sino que son deseables; son necesidades que sirven, no de fundamento del humorismo, sino de pretexto para él.

La última teoría y la defendida por el doctor es la teoría de la superación. El humorismo, según Werden, es la síntesis donde se funde lo, al parecer, infusible, es la penetración recíproca de lo finito con lo infinito, es el crisol donde se efectúa la transmutación de los valores y en donde todo al mismo tiempo es grande y pequeño.

En este horno de turba del humorismo aprovechamos el mineral rico y las escorias, el metal nuevo y la chatarra.

—¡Humorismo! Risa del espíritu serio, reflexión de la jovialidad, visión binocular del cosmos...

—Como se ve, el doctor Werden es un hiperbólico.

VIII

COMENTARIOS A UNAS OBSERVACIONES

Hablando de la conferencia del doctor Werden, Paco Luna ha sacado de su maleta un artículo de J. Ortega y Gasset, titulado «Observaciones de un lector», y publicado en *La Lectura* en diciembre de 1915, y se lo ha llevado a Guezurtegui.

En este artículo se halla, en parte, sintetizada la tesis de la degradación y el rencor como productos de la novela picaresca.

Se ha comentado este artículo, porque la novela picaresca tiene relaciones con el humorismo.

—Ortega y Gasset es uno de sus escritores predilectos, ¿verdad?—ha dicho Illumbe.

—Sí. ¿Y de usted no?—ha contestado Guezurtegui.

—No, no. Paso por Ortega; pero por Gasset, no ¡Gasset! ¡Qué sonido mediterráneo!... No, no.

—Bueno. Lea usted, amigo Luna.

Paco Luna ha tomado el número de *La Lectura* y ha leído:

«Durante los últimos tiempos de la Edad Media coexisten dos literaturas en Europa que no tienen apenas intercomunicación: la de los nobles y la de los plebeyos. Aquélla suscita los Minnesingers, los trovadores; las gestas y ecos de guerra y de pasión. Es una literatura irrealista, que, alimentándose, no de lo que se ve y se palpa, sino de las condensaciones míticas, de las leyendas genealógicas, construye un mundo de realidades levantadas, estilizadas en bellas y fuertes formas. En esta producción convergen todas las emociones trascendentes, lo mismo las sutiles aspiraciones hacia un trasmundo donde todo es lindo y conceptuoso, que aquellas pasiones del hombre, rudas tal vez y bárbaras, pero afirmativas y creadoras. Lo esencial es que el poeta noble crea, sobre las cosas y personas terrenas, una vivencia original de seres y relaciones ideales, un cosmos novísimo, interesante, nacido del arte. Esta literatura aumenta el Universo, crea.

»Paralela a ella, pero reptando sobre la tierra, se desenvuelve la literatura del pueblo ínfimo. Son las consejas, son las burlas y farsas, son los motes, fábulas y cuentos equívocos. Muy típicas son las danzas de la muerte. La muerte, la amiga de Sancho, es la vengadora de los pequeños simples y mal dotados: la demócrata. Y el cantor villano, harto de angustias, dolido de muchas farsas, socarrón y maligno, conduce a la muerte a las altas clases sociales.»

—¿Qué le parece a usted?—ha preguntado Luna.

—Encuentro todo eso de un aristo-cratismo rabioso y pueril—ha dicho Guezurtegui—. Aceptamos graciosa-mente que haya habido una literatura de nobles y plebeyos; pero no acep-tamos que la literatura de los nobles (como clase social) sea noble tam-bién en el sentido ético ni que la de los plebeyos sea plebeya en el sentido de abyección y bajeza.

—Es usted un romántico, Guezur-tegui—ha dicho Luna.

—No. Es que, si esto fuera así, el almanaque de Gotha sería el índice de las calidades espirituales del mundo. No me parece que se puede afirmar que la división de criados y señores, de nobles y plebeyos, sea la norma para la literatura y, sobre todo, para la moral. ¿Usted cree que sí?

—Hombre, yo no tengo una opi-nión sobre eso. Lo que no veo tan claro como Ortega y Gasset es por qué en la literatura noble puede ha-ber creación y en la plebeya no.

—Yo encuentro ésa una opinión arbitraria—ha replicado Guezur-gui—; se puede defender lo contra-rio, con la misma razón. La literatu-ra de caballeros, lo más fuerte, lo más vivo que ha dejado, a mi modo de ver, es una caricatura: Don Quijote, y, en cambio, de los tipos populares, ha quedado una serie, fuerte y rego-cijada: el Lazarillo, el Buscón, San-cho, Panurgo, Calibán, Sganarelle... ¿Habrá alguien hoy, que no sea pro-fesor, que se ocupe con interés de los amores de Angélica y Medoro, de Amadís de Gaula y de la bella Oria-na, de Lanzarote del Lago y de la reina Ginebra? Nadie absolutamente. Todos estos personajes, al transcurrir los tiempos, toman otros nombres en las novelas de folletín y se hacen mo-dernos. Ortega y Gasset dice que el autor villano conduce a la muerte a las al-tas clases sociales. A las altas y a las bajas. Pues ¿qué quería Ortega y Gas-set, que a las altas clases sociales se las dispensara de la muerte? Eso se-ría llevar al almanaquegothismo de-masiado lejos.

—Sigamos leyendo a Ortega y Gas-set—dice Luna.

«Ante la muerte se patentizan as-querosas las lacras, gangrenas y po-dres de todo lo que en la sociedad de los vivos parece robusto, granado y brillante.

»La misma intención anima las «ro-manzas de la zorra». La sociedad de los hombres es en ella sometida a la perspectiva psicológica de una socie-dad de animales. Porque, ciertamente, el animal habita el piso bajo del hom-bre; pero los ojuelos torvos y mali-ciosos del cantor villano sólo alcan-zan a ver este primer piso.»

—¿Qué le parece a usted, Guezur-tegui?

—No veo esos pisos. Me parece el argumento del aristocratismo, del al-manaquegothismo. Cuando la hija del usurero o del fabricante de jabón jue-ga al tenis o se pasea en automó-vil, cree que ejercita un derecho y que tiene una superioridad especial que no procede de su dinero; cree que es-tá en el piso alto. Es lo que piensa, probablemente, Maura cuando se es-tira los puños y dice cuatro vacieda-des.

—Demagogo.

—No. Casi todos los demagogos y radicales son almanaquegothistas; no hay más que rascar un poco en ellos para que parezca un ilustre Pérez con ambiciones de prócer.

«El cantor villano — sigue dicien-do Ortega y Gasset—ve al hombre con pupilas de ayuda de cámara.»

—Hombre, no; a mí me parece más ayuda de camára el cantor noble. Entre un lacayo contento y otro descontento, ¿no es más lacayo el que está contento?

—Espere usted, déjeme usted seguir.

«No crea un mundo; ¿de dónde va a sacar él, sin vacilar, cercado de hambre y de angustias, el destripaterrones, el hambriento, el deshonrado, de ijares jadeosos, de alma roída, el esfuerzo superabundante para crear existencias, formas de la nada? Copia la realidad, que ante sí tiene, con fiero ojo de cazador furtivo: no olvida un pelo, una mácula, una costrica. un lunar. La copia es crítica. Y ésta es su intención: no crear, criticar. Le mueve el rencor.»

—Yo creo que una cierta intención crítica nos anima a todos. Ver, comprender, saber qué cantidad de eternidad o de perduración puede tener cada obra, es una preocupación muy humana. ¿No es eso?

—Sí.

—Tampoco se puede creer en la identificación del tema humilde con el cantor villano y del tema altisonante y noble con el cantor de la misma clase.

No parece que el autor del poema del Cid fuera aristócrata ni hidalgo. Más bien, ese Per Abbat, verdadero o supuesto, suena a judío o a morisco.

¿No hizo serranillas plebeyas el marqués de Santillana? Teniers vivía como un príncipe, y no pintaba más que escenas populares. ¿En dónde está la identificación de la vida del autor con el asunto de su arte?

—No sé. Yo no entiendo gran cosa de esto—ha dicho Illumbe.

—Respecto a creación, no se advierte que haya sido superior la de la musa noble a la de la villana. En España, el arcipreste de Hita o Fernando de Rojas son mucho más creadores que Herrera o que Valbuena; en Francia, el pícaro Villon vive más que Ronsard, y modernamente, un poeta triste, hambriento y borracho, un pingajo humano, Verlaine, es probablemente, el mayor poeta del tiempo. Respecto a la opinión de que a la crítica le mueve el rencor, está también dentro del almanaquegothismo.

La ciencia, y, sobre todo, la Historia, estarían basadas en el rencor. Sin la crítica, y sólo con el respeto, el mundo sería como un gran templo lleno de fetiches intangibles e incontemplables, porque comtemplarlos y darse cuenta de ellos sería comenzar a criticarlos. Respecto al rencor literario, ¿dónde está el rencor del que cuenta las aventuras del Lazarillo sin odio y sin saña, sólo por el gusto de contar, como el Bosco o Brueghel pintan sus aldeanos por el placer de pintar?

—¿Sigo?—pregunta Luna.

—Siga, amigo Luna. Siga usted.

«En los siglos XV, XVI y XVII estas dos literaturas, la amante y la rencorosa, dan proporciones clásicas a su interpretación de la novela, parcial en ambas. El tema de amor e imaginación se enciende como un espléndido fuego de artificio en el libro de caballerías. El tema del rencor y la crítica madurece en la novela picaresca. La primera novela integral que se escribe, en mi entender, la novela, es el *Quijote*, y en ella se dan un abrazo momentáneo, en la tregua de Dios que el corazón de un genio les ofrece, amor y rencor, el mundo imaginario e ingrávido de las formas y el gravitante, áspero, de la materia. Cervantes es el hombre; ni lacayo ni señor.»

—¿Qué le parece a usted la salvedad que hace Ortega y Gasset a beneficio de Cervantes?—pregunta Paco Luna.

—Me parece un caso de favoritismo. Si fuera verdad la tesis expuesta en párrafos anteriores, el que estaría más dentro de la novela rencorosa sería Cervantes. Cervantes se encuentra por su *Quijote*, no sólo fuera de la literatura noble, sino en contra de ella; no es el autor del *Lazarillo*, que cuenta por entretenimiento las aventuras de un muchacho atrevido, sino es el ingenio que se burla de todas las invenciones que Ortega y Gasset tiene por nobles y levantadas y ridiculiza todos los mitos de la literatura amante. No se presenta aquí desapasionado nuestro amigo Ortega.

—Es que usted no es un cervantino, Guezurtegui—interrumpe Illumbe—. Cosa que me parece bien.

—¿Por qué?

—Porque Cervantes hace que Don Quijote venza solamente a Sancho de Azpeitia, a quien llama vizcaíno, debiendo llamarle guipuzcoano.

—¡Crania vascónica! ¡Siempre Crania vascónica! Pues yo soy cervantino a mi manera. Lo que no creo es que Cervantes fuera una excepción, ni en su espíritu ni en su dignidad.

Se habla mucho de Velázquez y de que fué criado, y se llamó criado del rey; primeramente, era la época, y después Velázquez no veía en el mundo más que líneas y colores; criado o señor, dentro de su arte era siempre un señor, un príncipe. A Cervantes llegan las malas pasiones; a Velázquez, no.

—¿Así que es usted más velazquista que cervantino?

—Mucho más.

—Bien, volvamos a Ortega—ha dicho Luna—. Sigue hablando de la novela picaresca.

«La novela picaresca echa mano de un figurón nacido en las capas inferiores de la sociedad, un gusarapo humano fermentado en el cieno y presto a curar al sol sobre un estiércol. Y le hace mozo de muchos amos: va pasando, de servir a un clérigo, a adobar los tiros de un capitán, de un magistrado, de una dama, de un truhán viento en popa. Este personaje mira la sociedad de abajo arriba ridículamente escorzada, y, una tras otra, las categorías sociales, los ministerios, los oficios, se van desmoronando, y vamos viendo que por dentro no eran más que miseria, farsa, vanidad, empaque e intriga.»

—¿Qué contestarían ustedes a esto los demagogos?—pregunta Illumbe.

—Los demagogos contestaríamos que con el mismo derecho, y quizá con un poco más, se le puede llamar figurón al tipo de los Minnesingers, trovadores, gesta y ecos de guerra y pasión, porque, en general, tienen menos vida y menos carácter que el tipo de la novela picaresca. Respecto a que se vayan desmoronando categorías sociales, ministerios y oficios, al contemplarlos de una manera irónica, es natural y necesario, cuando su prestigio está basado en la mentira.

La superioridad que nace de la verdad no se desmorona nunca, como no se desmorona el sistema de Copérnico, y, en cambio, se hundieron los anteriores. Respecto a la grandeza de las figuras, lo da la casualidad. Cuando un figurón, que quiere ser olímpico, como Luis Quince, aparece en la Historia con una fístula en el ano, nos da risa; en cambio, la pobreza y la tuberculosis de Espinosa nos producen melancolía y dolor.

—Parece que tiene usted objeciones a todo, amigo Guezurtegui.

—Sí, estoy en desacuerdo esta vez con Ortega.

—Bien, sigamos leyendo.

«La novela picaresca es, en su forma extrema, una literatura corrosiva, compuesta con puras negaciones, empujada por un pesimismo preconcebido, que hace inventario escrupuloso de los males, por la tierra esparcidos, sin órganos para apercibir armonía ni optimidades. Es un arte, y aquí hallo su mayor defecto, que no tiene independencia estética; necesita de la realidad fuera de ella, de la cual es ella crítica, de la que vive como carcoma de la madera. La novela picaresca no puede ser sino realista en el sentido menos grato de la palabra; lo que posee de valor estético consiste justamente en que, al leer el libro, levantamos a cada momento los ojos de la plana y miramos la vida real y la contrastamos con la del libro, y nos gozamos en la confirmación de su exactitud. Es arte de copia.»

—«La copia es crítica y no creación», dice Ortega y Gasset; yo no lo creo. No creo que se pueda copiar simplemente en el arte, sin poner algo. Si Holbein, Durero, el Ticiano y el *Greco* vivieran, podrían copiar los cuatro la misma figura, esforzarse en hacer un retrato parecido, y, sin embargo, cada uno le daría un carácter irremisiblemente suyo. ¿No lo creen ustedes así?

—Sí, eso parece—ha dicho Luna.

—Respecto a la cuestión de la independencia estética de la novela picaresca, ¿por qué afirma Ortega que no la tiene? Yo creo que tiene toda la necesaria, toda la posible. En la tesis de Ortega y Gasset está ese dualismo, tan español, de lo real y de lo irreal, de lo material y de lo espiritual, de lo noble y de lo plebeyo. Si fuera verdad lo que afirma Ortega, pintar un mendigo sería arte bajo y pintar un caballero arte noble. Yo no lo creo así; para la pintura todo es noble. «Nosotros somos más idealistas que ustedes los médicos», me decía un abogado. «No sé por qué—le contestaba yo—. Para mí no hay diferencia alguna entre estudiar una institución antigua, estudiar un insecto, o el intestino, o el bazo de un hombre. No hay más diferencia que el insecto, el bazo o el intestino son más permanentes en su existencia que una institución, que puede desaparecer, olvidarse y perderse.»

—Hombre, sin embargo...

—Que los fisiólogos sean plebeyos y los abogados nobles, es posible que lo crean todos los picapleitos del mundo, pero nosotros no lo aceptamos.

—Se apasiona usted.

—No, nada de eso. Por otra parte, si la literatura llamada noble fuera la creadora y la inventora, hoy, más que los héroes de Balzac, de Stendhal o de Dostoyevski, hundidos en preocupaciones materiales, nos interesarían Matilde y Malek Adel, de madama Cottin, los personajes de la señorita Scudery, Eudoro y Cimodocea de Chateaubriand y otros héroes del perfecto amor y de la perfecta caballerosidad, y si esos tipos nos parecieran viejos, nos entusiasmarían los fantoches irreprochables de D'Annunzio. En el arte, David, Canova y Thorwaldsen nos impresionarían mucho más que Goya; lo que, en general, no ocurre.

—Puesto que está usted tan locuaz, amigo Guezurtegui, agotaremos la materia. ¿Qué le parece a usted lo que dice Ortega y Gasset del realismo?

—Considerar el realismo como copia servil, me parece una noción completamente falsa.

—Como demagogo, es usted realista.

—Hombre, yo no sé si puedo llamarme realista o no. En un sentido filosófico, no, porque no sé lo que es la realidad; en un sentido artístico y literario, me parece el realismo tan fecundo como el idealismo.

—Demagogo y realista... No es usted un hombre distinguido, amigo Guezurtegui—dice Illumbe.

—Efectivamente, en Pamplona no sería distinguido. ¿Qué quiere usted? No creo en la distinción callejera. No he conocido todavía un hombre distinguido que merezca tener un criado que le cepille las botas. En una sociedad bien organizada, Pasteur, o Koch, o Virchow, tendrían gentes al lado que les evitarían hacer trabajos penosos, porque su labor es útil a la Humanidad; pero Don Jaime de Borbón, el duque de Alba o el conde de Romanones se cepillarían sus botas con su cepillito y su salivita, porque su tiempo no tiene importancia para nosotros. Respecto a esos chulitos de la aristocracia española y a esas estúpidas vacas grasientas que los acompañan en su automóvil, y que no sirven más que para hacer estiércol, si fuera un tirano, a los unos, les mandaría a picar piedra en la carretera, y a las otras, al lavadero.

—Guezurtegui —ha gritado Illumbe—, le voy a decir a usted lo que le dijo a un socialista un abogado de Pamplona.

—¿Qué le dijo?

—Le llamó demótico.

—¿Demótico? No. Pedantería por pedantería y helenismo por helenismo, prefiero que me llamen eleuterómano (apasionado por la libertad).

—¡De la libertad! Y sueña usted con ser tirano—dice Illumbe.

—¿Y quién no sueña con mandar? En lo que no sueño ni pienso es en vuestro demos. Ni Crania vascónica,

ni Crania ibérica, ni Crania de ninguna parte. Terrestre, y eso porque no puede ser uno sideral.

—¿Y no ha pensado que, con arreglo a su teoría de no tener criados usted, también tendría que limpiarse sus botas?—preguntó Luna.

—Yo, no.

—¿Cómo que no?

—No, porque yo andaría con las botas sucias.

—Eso retrata su natural cínico. En resumen: ¿cuáles son sus conclusiones sobre el artículo de Ortega y Gasset?

—Nuestras conclusiones son: Primera, que no sabemos si Ortega y Gasset tiene razón o no en su tesis aristocrática, que creemos que no. Segunda, que, aunque la tuviera, nos parecería poco filosófica y de un carácter demasiado dogmático su enemistad contra la literatura que él llama plebeya, porque todas las cosas pueden ser necesarias en la Naturaleza y en el arte. Tercera, que no creemos que sólo en la literatura distinguida haya creación. Cuarta, que no aceptamos la excepción de Cervantes en la novela rencorosa y demótica (como diría el abogado de Pamplona); y quinta, que nos parece el realismo una copia servil...

—Ese plural, ¿qué quiere decir, Guezurtegui?

—Ese plural se refiere a mí solo, que somos a veces muchos. ¿Ustedes no están conformes conmigo?

—Yo, ante todo, soy vasco, y las opiniones de los yavanas no me interesan—dice Illumbe.

—Cracia vascónica. ¡Clericarina! ¡Clericarina!—ha gritado Guezurtegui.

Y ha añadido después.

—Bueno. Vamos a cenar.

IX

HUMORISMO Y RETORICA

—Yo divido las teorías—dice el doctor Guezurtegui—, de una manera práctica, en dos clases: unas, las que tienen porvenir, es decir, las que permiten que se pueda seguir pensando con su ayuda; otras, las que no tienen porvenir y cierran las posibilidades de nuevos pensamientos. Estas, en el terreno de la filosofía, si no son absolutamente exactas, son perjudiciales.

Las teorías del doctor Werden me parecen, en parte, de las últimas; por eso no las acepto en bloque.

He dicho antes que para mí dos términos antitéticos son el humorismo y la retórica. Desgranaremos esta antítesis general en varias antítesis parciales. El humorismo es improvisación; la retórica es tradición. Una fórmula retórica repetida es no sólo aceptable, sino agradable; una fórmula de humor repetida se convierte en antipática y fastidiosa.

El humorismo es invención, intento de afirmación de valores nuevos; la retórica es consecución, afirmación tradicional de valores viejos. El humor es dionisíaco; la retórica, apolínea; el humor guarda más intuiciones de porvenir; la retórica, más recuerdos del pasado.

El humorismo es el surco nuevo y tiene el encanto de lo imprevisto; la retórica es el surco viejo y tierno; el encanto de la repetición necesaria para el ritmo.

El humor necesita inventar, la retórica se contenta con repetir. El humor tiene el sentido místico de lo nuevo; la retórica, el sentido respetuoso de lo viejo. Se puede decir: «Todo es nuevo», como Heráclito, y se tiene razón, pensando en la sustancia, que cambia constantemente. Esta será una afirmación grata para el humorismo. Se puede decir: «Todo es viejo, no hay nada nuevo bajo el sol», pensando en las formas. También se puede tener razón, y este aserto será grato para los retóricos.

La tesis «Todo es viejo» inclina a pensar que las grandes concepciones filosóficas y artísticas están realizadas, lo que desde cierto punto de vista es verdad.

La tesis «Todo es nuevo, nada está hecho, todo fluye y cambia constantemente», hace pensar en la posibilidad de nuevos sistemas.

Hay en la ciencia y en el arte, sobre todo en el arte, una a manera de geografía limitada de un planeta, y cuando se ha descubierto el Himalaya y el Chimborazo, el Nilo y el Amazonas (lo que en ciencia sería la teoría de Copérnico y la de Newton, en literatura la creación de Don Quijote o de Hamlet), parece que ya no se puede volver a descubrirlos; pero para el discípulo de Heráclito, para el que cree que todo fluye y todo cambia en un constante devenir—ideas, conceptos, sentimientos y cosas—, el Nilo de hoy y el Amazonas de hoy no son los de ayer, ni siquiera el Himalaya de hoy es el de ayer. Mucho menos son idénticas a las de ayer las figuras literarias y artísticas de hoy. Ríos, montes y personajes literarios pueden ser, hasta con los mismos nombres de ayer, hechos completamente nuevos.

El humorismo, que tiene el sentido místico de lo nuevo, se basa en la intuición, en el instinto; la retórica, en el razonamiento, en la lógica. El humorismo acierta y yerra; la retórica acierta tanto y yerra menos.

La tendencia retórica, unida a sistemas que se consideran espiritualistas, acaba en un mecanismo. Algo parecido les pasa a las religiones, que terminan en una mecánica de rezos. Para los espiritualistas retóricos y maniqueos, las ideas y los sentimientos tienen ya su forma tradicional; el retórico supone que el escritor no debe hacer más que barajar estas formas.

Es como quien busca en el guardarropa un buen disfraz ya cosido y, a lo más, se permite añadirle un lazo o una cinta.

Bueno y fácil procedimiento para vestir con elegancia, pero que no nos entusiasma. Aunque alguien nos demuestre que estos bazares de trajes hechos de la retórica son el lógico e imprescindible resultado de una evolución que comenzó en el primer bípedo y sigue hasta nuestros días, miraremos con cierta repulsión estos grandes almacenes de adornos y de fórmulas y de otros bienes mostrencos.

X

ESPECIOSO

El retórico tenderá a creer en la inmutabilidad de las especies zoológicas y botánicas; el humorista será, consciente o inconscientemente, darviniano o goethiano, partidario de la evolución eterna.

Para el retórico seguirán existiendo, como moldes de hierro, los cinco predicables de la lógica aristotélica: el género, la especie, la diferencia, la propiedad y el accidente; para el humorista, género y especie, *conceptus summus* y *conceptus infimus*, que aparecen como topes en la lógica kantiana, no serán más que apariencias.

El retórico será absolutista; el humorista, relativista. Para el primero, el mundo tendrá una disciplina estre-

cha; para el segundo, ni géneros ni especies; caos y fantasmas en el dominio de los fenómenos y una incógnita más allá de los fenómenos. Las únicas conquistas posibles serán las de las palabras *flatus vocis*, que decían los nominalistas. Para el hombre de humor, en el mundo que se está haciendo y deshaciendo constantemente, hay siempre lugar para formas nuevas, materia con que crearlas e inventarlas.

¿Es que las crean los humoristas? ¿Es que las inventan siempre? No, seguramente no; la invención será siempre escasa, pero es más fácil que la realice alguna vez el que cree en ella, que no el que no cree en ella.

La retórica, próxima a la teoría de la inmutabilidad de las especies, salida de la Biblia y embellecida por Platón, tendrá el criterio moral, estrecho. Para la retórica, la fauna del mundo será la que se puede encontrar en una casa de fieras modesta. En cada jaula habrá su letrero, en que dirá: «Bueno» o «Malo». La fauna del humorismo evolucionista aceptará todos los ejemplares de la Biología, los característicos y los vulgares, desde el tigre y el camello hasta el protozoario, sin olvidar esos animales absurdos, como el ornitorrinco y los equidnas, que son mamíferos y ovíparos, y los bichos raros que vivieron, como los pterodáctilos y los arqueopterix, pajarracos que tenían al mismo tiempo pico y dientes, plumas y cola de lagarto. El humorismo tirará al viento las antiguas etiquetas y mirará de nuevo a sus bichos.

La retórica no acepta más fauna que la bíblica, la posdiluviana; el humorismo acepta la antediluviana, la posdiluviana y la del porvenir.

La retórica defenderá ese casillero estrecho de las especies y ese pequeño simbolismo tradicional que pone a cada animal su etiqueta. La corneja será siempre agorera, y la paloma, siempre cándida. Para la retórica, las especies estarán separadas unas de otras por límites férreos.

El humorismo será partidario, no sólo de la evolución darviniana, lenta y constante, sino de la evolución casi milagrosa de Hugo de Vries, de un milagro racional y sin ningún carácter supernaturalista. La mutación brusca encontrada por Vries es una forma de humorismo de la Naturaleza.

A pesar de esto, no es lógico creer que el humorismo sea una actitud literaria que haya de vencer a la forma retórica y clásica, no; la literatura siempre oscilará según las ideas del tiempo, de una manera a otra, del humor a la retórica. Siendo una ciencia casi exacta la Física, oscila entre los dos conceptos de continuidad y de discontinuidad de la materia y no acabará nunca su oscilación; no tiene nada de extraño que la literatura, más movible, cambie, empujada por varias tendencias.

XI

TROPIEZOS DE NUESTRA TESIS

La obra del retórico es una obra cepillada, lustrosa y sin poros; la obra del humorista es informe, incompleta y porosa. La una está en un tiesto esmaltado que la aísla del ambiente; la otra, en un tiesto de barro penetrado por las corrientes osmóticas de dentro y de fuera. La del retórico comienza y acaba a su tiempo; la del humorista ni concluye ni empieza. La una parece un producto más de cultura; la otra, un producto más de Naturaleza; la una es un poco la melodía de la música clásica; la otra es melodía infinita que quiso implantar Wagner,

y que, siendo una cosa buscada, nos parece una manifestación.

La tendencia retórica es una fuerza centrípeta; con su preocupación de técnica va poco a poco cerrando el horizonte mental del escritor; la tendencia humorista es una fuerza centrífuga, echa al escritor fuera de la literatura, al campo de la filosofía, de la ciencia, de la política o de la nimiedad. El ¡Viva la bagatela!, del abate Swift, es muy sintomático del amor final de los humoristas por la futilidad.

La retórica tiene que basarse en un espíritu de autoridades; por eso se vale de la fuerza de los prestigios históricos; de aquí que la retórica tienda al dogmatismo y a la pedantería. El método retórico tiene el inconveniente de que lo estrecha todo y lo hace mecánico; la falta de método del humorismo es una teoría peligrosa, como todo anarquismo, porque lleva a la exaltación, a la extravagancia y al caos. Para emplear este método de no tener método, hay que confiar en sí mismo y no temer el fracaso.

La retórica, que es como un arte de ornamentación, necesita masas y líneas fijas, necesita sustancias duras, envejecidas por el tiempo; el humorismo, no. El humorismo es la fantasmagoría de los líquidos y de los gases espirituales. La retórica descansa sobre lo que parece más seguro y respetable; el humorismo, en lo que se considera más movedizo y pasajero. La retórica tiende a forzar la armonía de las cosas y a inmovilizar, por tanto, el mundo espiritual; el humorismo tiende a relajar, a dar a todo flexibilidad y blandura.

La retórica quiere remacharlo todo, apretar los tornillos; el humorismo intenta soltar los tornillos; la una aspira al orden por la sujeción; el otro, al orden por la anarquía; el uno es un arte de armonías violentas; el otro, arte de antinomias.

Un retórico se comparará muchas veces con un orfebre; a un humorista del tipo de Richter o de Carlyle habría que compararlo con un salto de agua, con una solfatara o con una nube.

A pesar de esto, cuando el humorismo acierta, marca las líneas claramente, y cuando la retórica desacierta, se pierden las líneas. El conceptismo en literatura, el barroquismo en artes plásticas, a fuerza de adornar, llegan a una especie de humorismo.

Con arreglo a su tendencia, cada arte ilumina sus obras; la luz de la retórica es una luz lejana y clara, con la cual se dibujan las formas de una manera hábil y artificial, esa luz falsa que les gusta a los pintores para sus cuadros; la luz del humorismo es como la luz de la antorcha, que tan pronto esclarece fuertemente los objetos como los llena de humo.

La retórica es lo fijo, el humorismo lo cambiante; la retórica tiene fórmulas, el humorismo no las tiene.

El humorismo no puede tener una fórmula; una fórmula de humor sería una cosa desagradable y repulsiva; además, cuando una fórmula permite su repetición, penetra en el dominio de la retórica; cuanto más permite su repetición automática es más retórica.

XII

DISTINGUIMOS

El humor es como el ave fénix, que renace constantemente de sus cenizas; es un extraöo pajarraco mal definido, que tan pronto parece gris como lleno de plumas brillantes y de colores; a veces se quiere creer que no existe y que es pariente de las sirenas, de los dragones, de los gnomos y de otros seres de una fauna irreal y mitológica; a veces tiene una objetividad tan manifiesta como las jirafas, los dromedarios y los camellos.

No es fácil siempre separar el humorismo de las especies literarias algo afines; el humorista, se confunde muchas veces con el cómico, con el satírico, con el bufón y con el payaso. Como el camaleón, cambia constantemente de color, y estos cambios de color no le confunden, sino que le caracterizan.

Entre el cómico antiguo y el cómico humorista moderno quizá no haya más diferencia que los nervios, la sensibilidad. Los antiguos tenían los nervios más duros que los hombres de hoy. Un Quevedo de nuestros días no mortificaría a su don Pablos con tan constante saña y un Cervantes actual no haría que a su Don Quijote le golpearan tanto. Desde la época en que se escribieron estos libros a acá, nuestra sensibilidad se ha afinado.

Los estúpidos dicen que eso es sentimentalismo. Si existiera esta palabra entre los bárbaros, lo mismo diría el bárbaro viendo que el civilizado no corta la cabeza al enemigo muerto: «Le mata y no le corta la cabeza. ¡Qué mentecato! ¡Qué sentimental!» Y el antropófago diría lo mismo del bárbaro, incapaz de comerse al enemigo: «Este hombre corta la cabeza del enemigo y no se aprovecha luego para hacer un frito con sus sesos ni para comerle un riñón. ¡Qué estúpido sentimentalismo!»

No es fácil, seguramente, separar el tipo cómico clásico del humorista; tampoco lo es distinguir cierto tipo de humorista del satírico. Hay varias clases de humoristas. Hay el humorista de cepa amarga estilo Swift y el humorista de cepa predicadora estilo Thackeray, la cepa agridulce de

Sterne y el malvasía de Dickens. Los primeros, de cepas agrias, se confunden con los satíricos; indudablemente, entre ellos no puede haber más que ligeros matices que los separen.

Parece que el satírico juzga el mundo y los hechos teniendo como norma exclusiva la virtud, y que el humorista no tiene una norma tan definida y tan clara; el punto de vista del satírico es un punto de vista moral; el del hombre de humor es un punto de vista filosófico. Podría añadirse que el satírico tiene un ideal, que aunque no esté convertido en máximas o sentencias, no sería difícil convertirlo, y que el humorista, si tiene ideal, debe de ser un ideal un tanto vago y subjetivo. El satírico tiende a la corrección y al látigo; el humorista, a la interpretación y al bálsamo.

Esto haría suponer que el satírico es hombre de espíritu lógico y el humorista es más bien un sentimental. El uno, hombre de cabeza; el otro, hombre de corazón.

El punto de partida de ambos no es tampoco idéntico.

El satírico parte de una irritación agresiva, ataca y tiende a hacer reír; el humorista siente una excitación no agresiva, y tiende a hacer reflexionar. Respecto al tono, el satírico emplea un tono más elocuente y más retórico. No en balde la sátira es casi una invención de la Roma antigua.

El satírico es un ser razonable que cree en la razón; el humorista es un individuo razonable que duda de la razón y a veces es un vesánico que dice cosas razonables. El satírico, desde el banco de los buenos, señala a los malos y a los locos; para el humorista, el mundo tiene por todas partes algo de jardín, de hospital y de manicomio.

El humorista no puede tener la risa rencorosa de las gentes de mentalidad simplista del tipo de Julio Vallès o de Luis Veuillot.

Respecto a la cosa representada, hombres, sociedad, etc., el satírico tiende a dividir el mundo en buenos y malos o en gente de época buena y de época mala; el humorista, menos aficionado a divisiones históricas y morales, tiende a encontrar bueno y malo, todo revuelto, en todos los hombres y en todos los países.

¿No somos la mayoría de los hombres así, mitad buenos, mitad malos, medio cristianos, medio paganos, mitad hombres, mitad bestias, como los centauros?

El humorista no crearía a Ariel todo espíritu y a Calibán todo barbarie; haría un Ariel-Calibán mixto de ambos.

Que la sátira no es el humorismo, se comprueba con casos; por ejemplo, el de Voltaire, que siendo el mayor satírico de los tiempos modernos, no tuvo rasgos de humor. En él había demasiado ingenio para que se notase la naturaleza.

El ingenio y la ironía no se pueden identificar con el humorismo; la ironía es objetiva, más social, puede tener técnica; el humorismo es más subjetivo, más ideal, más rebelde a la técnica. La ironía tiene un carácter retórico, elocuente; el humorismo se inclina a tomar un carácter analítico y científico.

XIII

EJEMPLOS

Estas distinciones no bastarán, seguramente, para señalar qué autores son humoristas y cuáles no. Pongamos unos cuantos ejemplos al azar: Dickens, Heine, Larra.

Taine, con cierta incomprensión, al hablar de Dickens cita a Hogarth.

Dickens no se parece a Hogarth más que en ser inglés. Dickens es el tipo del humorista sentimental, alegre y triste, con rápidas alternativas. Hogarth, en cambio, es constantemente sombrío y monótono; es un predicador amargo, pesado, de una intención moralista y de un color pobre, triste y feo. Dickens es el prototipo del escritor humorista, es la estrella Polar del humorismo.

Taine, al hablar de él, hace una crítica de los conflictos y de los personajes del novelista inglés desde el punto de vista de la lógica y la verosimilitud.

Es como si un ama de llaves prudente hiciera la crítica de la vida de una santa o de una aventurera.

El compadre Taine, muy sabio y muy listo, no comprende que la lógica es la peor pauta para una obra de sentimiento.

Respecto a Heine, es un satírico, pero no creo que sea un humorista. Hay algo en Heine que le aleja del humorismo; para mí la causa principal de esto es que Heine era judío.

Marco Aurelio dijo que hay que vivir sobre una montaña. Indudablemente, el humorista vive sobre una montaña. Es lógico que en el fondo del valle se luche a favor o en contra de una idea o de una persona; pero desde lo alto del monte se es un poco espectador.

¿Cómo un judío va a tener la impresión de elevación sabiendo que su raza ha sido despreciada durante siglos y siglos? Un judío podrá ser un filósofo como Espinosa, podrá ser un orgulloso que crea que su nación es la más santa y las más ilustre; nunca será un humorista. Un judío tiene ya bastantes motivos de inferioridad social para inventarse otros de nivelación con los hombres.

El judío, pues, que salta del plano del respeto y de la seriedad al plano de la burla y de lo grotesco, lo hace principalmente por rencor, por un sentido de venganza contra las gentes de una casta privilegiada, no por filosofía ni por alegría. El judío ha sido siempre comediante y ceremonioso, y si odia las comedias y las ceremonias en los demás es por no poder participar de ellas.

No es el mismo caso de los humoristas europeos. Pasa en esto algo parecido a lo que ocurre con el anarquismo. El anarquista de casta europea puede abominar del Gobierno de su país y desear su ruina, pero en el fondo ama a su patria; el anarquista judío no sólo abomina del Gobierno, sino también del país; así se ha dado el espectáculo de la canalla judía de Alemania erguirse con júbilo al ver la ruina de su patria y acusarla con entusiasmo.

Heine no da impresión del humorista; es un genio brillante, en el que hay rencor, perfidia y poesía; frase satírica, ingeniosa e incisiva, pero no humorismo.

Respecto a Larra, le pasa un tanto como a Heine; claro que sin la expansión, ni la poesía, ni el cosmopolitismo del judío alemán. Larra es un talento fuerte, amargo, descontento, que tiende a la sátira ingeniosa más que al humor. Larra, como Heine, se siente hundido en una sociedad en la que se considera postergado, y lucha contra ella.

El humorismo no puede resultar del que mira el mundo de abajo arriba. Quizá mejor pueda producirse en el que mira el mundo de arriba abajo, pero la posición verdadera del humorista será estar a nivel de los demás, encontrarse, respecto a ellos, como la mujer de que habla Shakespeare en una de sus comedias, con relación al hombre: ni más arriba ni más abajo: a la altura de su corazón.

En esta altura se puede cambiar constantemente de punto de vista.

¿A quién no le gustaría variar el horizonte de la vida?

¿A quién no le agradará un poco de Naturaleza después del artificio y un poco de artificio después de la Naturaleza?

¿A quién no le gustará, tras de los minués y las gavotas elegantes, oír la flauta tumultuosa y desgarrada del dios Pan?

XIV

BELLEZA Y SERIEDAD DE LA VIDA

—Sería difícil decidir si la vida en sí puede ser bella—me decía lord Cracon, con su gravedad británica—. Indudablemente, la vida, por espléndida que sea, no puede tener la belleza de la vida ya representada por el arte. Las cosas, en la Naturaleza, se confunden, se compenetran, no tienen marco. Cuando se copia algo, primero se le aísla, luego se le interpela; es decir, se modifica, y se modifica siempre en el sentido de dar estilo.

—Así que, en la Naturaleza, lo que falta es el estilo... y los marcos—ha dicho Guezurtegui.

—Eso es. Por esto la vida en el arte es más perfecta, más lógica que la vida real de la Naturaleza. La vida en sí es algo amorfo y sin límites; el arte tiene estilo y límites. Nadie puede dudar de que el mar produce una gran impresión, pero no es solamente estética.

—A mí no me importan los nombres—ha replicado Guezurtegui, sospechando, sin duda, que el lord tiene un estetismo ruskiniano que fastidia al profesor de Lezo.

—A mí, sí—ha dicho él—. La exageración de los dos principios, estilo y naturaleza, lleva a un punto en que las posibilidades artísticas se pierden, en el uno por estrechez, en el otro por expansión. Cuanto más dominio del estilo, de la retórica, de la seriedad, hay en un plano de la vida, más posibilidades de humorismo hay en el otro. En Nápoles, en Sevilla o en Valencia no ha habido humorismo; en cambio, lo ha habido en Londres, y es que la vida inglesa es, de todas las vidas europeas, la más sólida, la más tradicional y la más solemne. Por eso Inglaterra es el país de los grandes humoristas. La tradición, la solemnidad, producen un sentimiento de respeto; el humorismo produce un sentimiento de rebelión y de burla.

—¿Y para usted es mejor el respeto?

—Indudablemente, a primera vista el respeto parece mejor; pero si este sentimiento lleva, como a los cortesanos de Luis Catorce, a las mayores bajezas, su sentimiento es malo. Lo contrario se debe decir de la rebelión, que, indudablemente, puede nacer del rencor, cosa mala, y puede nacer de la reflexión o de la intuición. La rebelión y el respeto podrán terminar en algo bueno o en algo malo. «Por eso los psicólogos no se fijarán tanto en las frutas del árbol como en el árbol mismo», decía en su conferencia el doctor Werden, con buen juicio. El bien y el mal andan muy cerca en el corazón humano.

Guezurtegui ha saludado a lord Cracon y se ha quedado solo reflexionando.

—El respeto oficial, acompañado de fausto y de pompa—dice el profesor—, hoy, a la mayoría no nos hace efecto. Podríamos ver a Luis Catorce en Versalles, con su gran peluca y sus tacones de a cuarta, y no nos conmoveríamos. El zar y el kaiser, en sus buenos tiempos, tampoco nos harían efecto. En cambio, quizá nos impresionase Tolstoi en su escuela, o Pasteur en su laboratorio, o Nietzsche en su casa de salud.

Algún autor griego ha dicho que la mayor satisfacción de la vida es tener carácter. Nosotros respetamos el carácter.

En un sentido moral, el humorismo defiende en el arte los extremos; la retórica, en medio. Yo, en este respecto, me encuentro más próximo a los dos extremos que al medio.

Puede uno concebir la literatura y la ciencia como una religión, como un misticismo a lo Carlyle y a lo Renan; se conciben también la literatura y el arte como un entretenimiento; lo que menos concibo es el arte y la literatura como ideales estéticos puros. Resolver la vida me parece un problema muy serio; distraer la vida me parece también muy bien; pero sacar el arte como una bandera o como el Sagrado Corazón de Jesús, y adorarle, me parece una cosa sin sentido y sin razón de ser.

A mí un esteta se me figura un personaje absurdo. Se pone como modelo de estupidez a un boticario de una novela de Flaubert, porque siendo un ignorante cree en la ciencia.

A mí esto no me parece tan gran estupidez, quizá porque me pasa lo mismo. Yo ignoro, en detalles, cómo funciona la telegrafía sin hilos, y, sin embargo, creo en ella; ignoro cómo se resuelven ecuaciones de segundo grado, y creo que hay quien sabe resolverlas.

Como digo, me parece tan ridículo el hombre que cree en la ciencia y no la conoce, como el que cree en la religión y no la conoce, o como el que cree en el arte y no lo siente. Es decir, ni unos ni otros me parecen ridículos.

El estetismo es lo que encuentro peor de todo esto. Cuando leo que Ruskin, en una época de luchas sociales, de agitaciones violentas, se puso a aconsejar a las señoritas inglesas que tejieran una tela como la de la figura de la *Primavera*, de Botticelli, me parece este criterio de arte el que bate el *record* de la tontería y de la incomprensión.

XV

LO CÓMICO Y LA MENTIRA

Indudablemente, lo cómico empieza muy bajo en el borracho, en el loco, en el bufón. El tipo cómico es el que dice en voz alta lo que está en el alma de muchos y que por pudor no pueden decir. El tipo cómico es el divertidor de las muchedumbres y tiene su utilidad social. Sirve para demostrar que las grandezas no son siempre grandezas; que el rey, la reina, los príncipes, los generales y obispos tienen el mismo fondo humano que todos. El tipo cómico es casi siempre un personaje antisocial y sin clase. No respeta lo establecido ni respeta los prestigios. De este fondo de plebeyez y de rencor igualitario nace el sentido cómico, como de un fondo de afectación y de mentira nace la idea noble y aristocrática.

El hombre que se inventa una parentela ilustre y llega a pasarla como tal, es un aristócrata; toda la aristocracia ha empezado así, por un instinto de separación y de mentira.

La mentira es una de las almohadas más blandas del instinto vital.

El rey de armas que hizo el escudo de los Pérez de la Pirindola y de los Sánchez de la Trapatiesta sabía que su alcurnia andaba muy cerca de ser una broma, que Pirindolus nunca había sido senador romano, ni Pirindoli había sido obispo de Calahorra en el siglo IV, ni García Pirindólez descendía de los reyes de Navarra; sabía también que Trapatiesta no quería decir Puerta del Castillo de Trieste (de *trappe*, antiguo alemán que vale tanto como puerta; *tiesta*, que no puede ser más que Trieste, y castillo, que se suple), pero lo afirmó así.

Respecto a los Pérez, el rey de armas aceptó que este apellido es el más antiguo del mundo, porque lo constituyó el mismo Dios cuando le dijo a Adán: «No comas de la fruta del árbol prohibido, porque si no, Pérez serás.» Y fue Pérez y siguió siendo Pérez por los siglos de los siglos.

Gracias a estas leyendas sobre los Pérez, los Pirindolas y los Trapatiestas, y a su confianza en sí mismos, los Pirindolas y los Trapatiestas se han lucido y han tenido el honor de poner el trasero en magníficos sillones de terciopelo rojo.

Esta previsión de los Pérez de la Trapatiesta y de los Sánchez de la Pirindola no la tuvieron los Guezurteguis, que vivieron inadvertidos, dedicándose únicamente a la borona familiar.

El aristocratismo ha tenido como contraste lo cómico. Si bastara levantar la cabeza, los labios y hacer un ademán de superioridad, el mundo parecería una jaula de micos y, además, no habría superioridades.

Contra la construcción del amor propio sopla el viento de lo cómico y arrastra todo lo que no es fuerte. Sin lo cómico, el mundo moral sería como un desierto con montoncitos de arena. Lo cómico, como el simún, barre estos montones de arena y los nivela, pero se estrella en los montes altos, y si los deshace es a fuerza de siglos.

El instinto cómico muerde en todo lo que sea o parezca afectación y falsedad. Así, Aristófanes quiere pintar como comediantes a Sócrates y a sus amigos. Aquí el satírico, que se considera representante de la verdad, no puede permitir que el filósofo tome aires de nobleza y de virtud. El cómico quiere demostrar que esas apariencias son falsas.

No puede un hombre de sentido ponerse incondicionalmente del lado del respeto o del lado de la burla; no puede sólo admirar ni sólo reír.

Hay que ser también modestamente actual y no preocuparse mucho del valor absoluto de las obras y de los hombres.

Las gentes respetuosas, el mismo Nietzsche, se preocupan demasiado de ser justos o no en la admiración. A mí, la verdad, no me importa esto gran cosa. El ser injusto con un hombre de talento o de genio no me quita el sueño. No se ha de saber todo nunca. ¿Qué importa que uno no sepa si este teólogo era verdaderamente grande o no lo era, si este poeta era genial o no, si este matemático era más importante que este otro?

No creo, la verdad, que se deba tener una actitud sistemáticamente admirativa, ni tampoco una actitud de negación, una actitud literaria ni una antiliteraria. Todas pueden ser buenas en un momento.

He leído hace poco un libro de un escritor italiano, Papini, contra los filósofos modernos; me ha parecido muy poca cosa. Se puede estar contra los filósofos y sus sistemas de dos maneras: una, cuando se niegan sus sistemas y no se opone a ellos nada; otra, cuando se niegan sus sistemas y se inventa enfrente otro sistema. Esta manera es indudablemente la más fuerte...

La capacidad de admiración del

público, la avidez de ser admirados de los escritores, artistas y hombres públicos, ha producido ciertas posturas o actitudes inventadas para ganar el aplauso.

Según los países, así han sido estas actitudes. En Inglaterra, país de preocupaciones morales y de hipocresía, se ha inventado el *cant;* en Francia, en donde tal tono lo dan los escritores y los artistas, se ha inventado la *pose;* nosotros, los españoles, que tenemos una vida callejera y poco social, de gestos y de ademanes jacarandosos, hemos inventado el *postín.*

Naturalmente, de las tres actitudes, la más interesante es la *pose,* porque es una creación de la vida social y de la vida artística de un pueblo.

La *pose* es una clase de afectación que ha salido de los salones y de los talleres de pintores franceses del siglo XIX. En ello ha tenido que influir el romanticismo. Indudablemente, antes de la Revolución, la moda única era ser elegante, sabio, discreto. El no elegante, el no sabio, era un hombre incompleto. Después de la Revolución, y sobre todo en pleno romanticismo, hubo muchas maneras de ser interesante; podía serlo el *dandy,* el bohemio, el monárquico, el republicano, el sansimoniano: de aquí nació la *pose.*

Al mismo tiempo que se cultivaba la *pose* en Francia, se cultivaba la excentricidad en Inglaterra.

Este fraccionamiento de un tipo ideal y social, de una postura única, en muchos tiempos sociales y naturales, tuvo que producir al principio gran interés; luego este interés se ha ido amortiguando a medida que se han ido repitiendo los tipos y los repertorios.

Ya un hombre que obre y hable siempre conforme a un papel, nos da una impresión de cosa monótona y aburrida. El *poseur* y el excéntrico nos fastidian.

La gracia es lo contrario de esto; es la sorpresa de un movimiento inesperado y que es lógico en una persona.

Naturalmente, el humorismo, que es como una contradicción literaria, no puede mirar con simpatía la *pose* y la excentricidad, que son, en el fondo, un sacerdocio y un homenaje a una forma especial. El humorismo, que es una tendencia proteica, anarquista, informe, tira contra estas formas amaneradas de sentir y de vivir.

Un arte de *pose* vive, naturalmente, de exclusión, de artificio y de solemnidad. En el mundo de Chateaubriand o de Barbey d'Aurevilly no pueden entrar los personajes de Dickens; pero, en cambio, en el mundo de Dickens entran los personajes de Chateaubriand y de Barbey, ahora que son caricaturas.

XVI

MOTIVOS Y RESONANCIAS DE LA RISA

Hacer de la risa siempre un mecanismo puramente intelectual, a lo Kant, no parece absolutamente exacto; hacer de la risa una manifestación de crítica social, a lo Bergson, es, sin duda, restringir la esfera de la risa y prestarle unas intenciones que no tiene más que en algunos casos.

Hay muchas clases de risa. La forma más pura e ingenua de la risa, la del niño, la de la muchacha, no procede ni de un brusco contraste de la razón ni puede ser un gesto social. Es una risa de contento fisiológico, un síntoma de salud, de fuerza.

El niño ríe por alegría; es el primer escalón. El humorista ríe con tristeza; es el último escalón. Aurora y crepúsculo.

Se puede encontrar que hay varias clases de risa: una risa de contento y una risa de protesta, una risa sin objeto y una risa con objeto. Cuando la risa es de protesta y tiene objeto, éste casi siempre es un objeto social, como asegura Bergson, aunque puede serlo filosófico y hasta cómico.

En lo cómico hay siempre, indudablemente, una contradicción, un argumento contra algo. Esta contradicción, esta réplica, se puede referir a las representaciones que intervienen en una idea general y el modo y hasta el tono de expresarla.

Entre las risas de protesta con objeto, hay la sátira, el humorismo, la ironía, etc.; unas producen una resonancia psicológica triste; otras, amarga; otras, simpática.

Bergson dice que entre almas siempre sensibles, concertadas al unísono, en las que todo acontecimiento produjese una resonancia sentimental, no se conocería la risa.

Bergson cree que para que haga todo su efecto lo cómico, exige como una anestesia momentánea del corazón. Se ve aquí cómo un judío francés no puede comprender el humorismo. Nadie que haya leído a Dickens con gusto afirmará lo que afirma Bergson.

Para Bergson, como para la mayoría de los franceses, la risa es siempre negadora y castigadora, es la risa del ridículo, la que señala y reprime una distracción de los hombres con relación a las ideas generales de la sociedad. Los franceses y la mayoría de los latinos no admiten que pueda haber una risa benévola y simpática, una risa que podría existir entre los ángeles, si los hubiera.

Para el hombre del Mediodía, en general petulante, la risa es un terrible insulto; no puede comprender que sea vehículo de benevolencia; por eso no siente el humorismo.

Hace algún tiempo, en una biblioteca popular de Madrid, se publicó una traducción de *Pickwick*, de Dickens. Al ver el libro y hojearlo, me sorprendió; el traductor, a quien, sin duda, la novela de Dickens no había hecho la menor gracia, había cortado las conversaciones de Pickwick y sus discípulos (la parte chistosa y divertida del libro) y había dejado, en cambio, los cuentos sombríos y desagradables intercalados en el texto.

Esto es, dejando a un lado las jerarquías literarias, cosa que no me importa, como si alguien publicara el *Quijote* y quitara las aventuras de Don Quijote y Sancho, y dejara la historia del Cautivo, la del Curioso Impertinente y otros cuentos por el estilo.

XVII

EL HUMORISMO, LAS MUJERES Y LOS JUDIOS

Las mujeres no sienten el humorismo. En esto les pasa como a los meridionales y a los judíos: tienen mucha fisiología, mucha pasión para ver el espectáculo del mundo desde lo alto de la montaña. Ellas no se contentan nunca con ser espectadoras, quieren la intervención.

Lo femenino es siempre serio. ¡Qué seriedad en cuanto se relaciona con el amor, con la religión, hasta con la moda! Para las mujeres no hay nada cómico, ni siquiera las rivales, porque a éstas las encuentran odiosas.

El judío y la mujer son los representantes más esclarecidos de la sensualidad y de la seriedad.

Si los europeos hubieran escrito la

Biblia, de cuando en cuando hubieran tenido una broma para Jehová o para Elohin, en vista de sus absurdidades; el judío permaneció siempre serio ante sus mitos. Probablemente, el afianzamiento del cristianismo en los meridionales y en las mujeres se debió a su base de seriedad y de judaísmo.

Todo cuanto se relaciona fuertemente con las mujeres es cosa seria; las mujeres rechazan la risa y, sobre todo, el humor. Así, por ejemplo, Don Juan, que es el tipo inventado en vista de las mujeres, es completamente antihumorista.

Don Juan es un comediante serio, un hombre de una seriedad fundamental; hubiera podido muy bien ser el jefe de un partido conservador, nacionalista y católico. Don Juan es un hombre que busca la felicidad y tiene miedo al infierno, ansia y temor que a un filósofo hacen sonreír. A éste la felicidad y el infierno le parecen cosas triviales y sin interés.

Las mujeres comprenden muy bien a Don Juan, porque sienten como él.

Realmente, Don Juan es un majadero que no tiene más valor que el que le da la teología.

Así como Don Juan no puede ser un humorista, tampoco lo pueden ser las mujeres ni los hombres femeninos; un Chateaubriand, un Lamartine, un Barbey d'Aurevilly no se pueden reír. Se necesita la altura, el aire puro de la montaña, para poder reír mirando al cielo; se necesita la sencillez, la humildad de corazón, para reír con el fondo del valle. Sin una cosa ni otra, se hacen gestos, pero no se ríe. Se necesita también la vejez. Y la mujer y el judío, espiritualmente, no envejecen. Es su grandeza y su pequeñez.

SEGUNDA PARTE

GRANDEZA Y MISERIA

I

CONVERSACION CON MISS BASHFULNESS

—En el hotel de Humour-point, lady Bashfulness me ha invitado a tomar el té en sus habitaciones particulares—dice Guezurtegui—. Desde el gran ventanal vemos a lo lejos el mar, de un color de plata y de acero, que se agita bajo un cielo gris.

Lady Bashfulness charla con el doctor Karakovski del arte rupestre y del hombre terciario, y frau Werden flirtea con el joven profesor Papalini.

Miss Bashfulness, que mariposea entre unos jóvenes elegantes, se ha sentado un momento a mi lado.

—Está usted triste, doctor—me ha dicho.

—Sí.

—Este tiempo horroroso, sin duda, le entristece.

—¡Oh, no! Me gusta este tiempo.

—No diga usted eso, doctor. En su país hará ahora un tiempo espléndido.

—No crea usted.

—¿Hay palmeras en su ciudad?

—¿En Lezo? Sí, en algún tiesto.

—¿Y *harems*? ¿Tienen ustedes *harems* los españoles?

—¿*Harems*?... ¿Esos almacenes de mujeres?... No, no; allí hay mucha moralina. Los curas son los que tienen *harems*—ha añadido Guezurtegui, viendo que les oía el doctor Illumbe.

—¿Cómo los curas?

—Sí. Los curas tienen unos *harems*... místicos.

—¿Así que entre ustedes las mujeres no tienen libertad?

—Sí, sí; tienen libertad a su manera.

—¿Qué le parece a usted frau Werden?

—Bien, bien; un poco pálida.

—¿Y el profesor Papalini?

—Me parece un tanto ridículo con sus melenas negras y su aire de violinista.

—Sí, es verdad; pero de esos hombres, las mujeres comenzamos por reírnos y acabamos por enamorarnos.

—¿Usted también?

—Sí, yo también. Y usted, ¿no interviene en la pequeña comedia de la vida?

—Poca cosa.

—¿Y por qué?

—¡Qué quiere usted! Es uno viejo. Mientras he tenido algunas esperanzas de ser un hombre de mundo, un hombre de acción, he esperado un tanto al margen de la sociedad a que llegara un momento de hacer un esfuerzo, momento que, ciertamente, no ha venido. Cuando he visto que por culpa del medio o por culpa mía no he podido dar un mal golpe a la pelota, que unas veces anda por los aires y otras por el suelo, me he lanzado, mejor dicho, me he sentado sobre la erudición...

—Cosa triste.

—Muy triste; yo espero todavía encontrar una ocasión propicia de levantarme, y entonces daré a la pelota con todas mis fuerzas, aunque se me descoyunten las mohosas articulaciones.

—¿Tiene usted aún esperanza?

—Sí, tengo todavía una oscura aspiración al heroísmo.

—¿De verdad?

—Sí, la gente me cree un hombre quieto y dormido; pero no lo soy completamente.

—¿Y piensa usted escribir algo de esto?

—Quizá. ¿Lo leerá usted?

—Según el idioma en que lo escriba usted.

—Bueno. Si usted lo lee no me catalogue usted entre los eruditos, ¡todavía no! Aún espero...

Miss Bashfulness me dice, sonriendo:

—¡Adiós, doctor! No le choque a usted que me marche; hoy por hoy no hago caso más que de los hombres que a las dos palabras se postran a mis pies.

—Pero yo estoy dispuesto a postrarme a sus pies.

—No, no. Eso sería forzado. ¿Qué le parezco a usted, doctor?

—Me parece usted la gran serpiente de mar, llena de encantos y de perfidias. Creo que debe usted tener un antro donde martiriza a los pobres náufragos que lleva engañados con su voz de sirena.

—Muchas gracias por su opinión.

Y miss Bashfulness ha sonreído de una manera graciosa y se ha marchado.

En vista de esto y de que la perspectiva de estar al lado del doctor Illumbe, hablando de la Crania vascónica, no me entusiasma, he subido a mi cuarto y me he puesto a leer.

El doctor Guezurtegui no nos dice cuál ha sido su lectura.

II

LA PROCESION DE LOS HUMO-RISTAS

—¿A quién se le ocurre una ridiculez semejante?—me decía el doctor Illumbe—. ¡Hacer una mascarada de humorista! ¡Qué ridiculez!

—Pero, en fin, es una mascarada en cinematógrafo. Es un pequeño viaje al Parnaso del humor. Figúrese usted que le toca estar cerca de una de estas rubias damas tan interesantes..., desde el punto de vista de la craneometría.

Illumbe ha hecho un gesto de desdén. A él no le interesa más que la Crania vascónica. Nos hemos sentado delante de la pantalla, y un señor grueso, con aire de profesor y de pedante, se ha encargado de las explicaciones. La función ha comenzado con una vista de una escuela de Atenas...

—Aquí tienen ustedes a los más ilustres humoristas griegos—nos ha dicho el voceador—. Aquí está Aristófanes con sus personajes, Menandro con los suyos y Luciano de Samosata satirizando a todo el mundo. Vean ustedes al satírico griego que se burla de los dioses y de los filósofos, veánle ustedes desacreditando a todas las sectas, ridiculizando a los sacerdotes en Alejandro o el falso profeta, a los cristianos en la muerte de Peregrinus y al sirio de la Palestina hacedor de milagros en el Mentiroso.

Este taller de Luciano es la almoneda del viejo mundo, la filosofía del Martillo para los filósofos, las cortesanas, los magos, los parásitos y los descontentos.

....

Esta es una calle de la Ciudad Eterna. Aquí vienen los romanos; los tipos de las comedias de Plauto y de Terencio y de las novelas de Petronio y de Apuleyo. Este humo es de los garbanzos torrados que esperan comer los dueños del mundo.

....

Aquí llegan los italianos con sus compañías, en donde figuran Arlequín y Pantalón. Representarán la *Mandrágora,* de Maquiavelo; leerán cuentos de Boccaccio y fantasías de Ariosto y de Gozzi. Es la alegría, el ingenio; pero no llega a ser todavía el humor.

....

Aquí están los españoles, en los que ya se inicia el humorismo. Aquí está el arcipreste de Hita con sus frailucos sensuales, sus hombres llenos de apetitos y de amor al dinero, sus alcahuetas, sus estudiantes nocherniegos y sus mendigos. Para el viejo arcipreste, el mundo es perfecto por lo interesante.

Este que viene aquí embozado es el autor de *El lazarillo de Tormes.* Algunos suponen que es don Diego Hurtado de Mendoza. ¡Qué tipos los que le acompañan! ¡Qué bien dibujados! El ciego, el cura de Maqueda, el hidalgo noble y hambriento...

Aquí están los personajes de Cervantes, Don Quijote en su *Rocinante* y Sancho en su burro. Son dos líneas paralelas lanzadas hacia el futuro humano, imborrables.

Este que viene después es Quevedo, con sus mendigos, sus verdugos, sus hidalgos piojosos y desastrados. No tiene la gracia comprensiva y pérfida de Cervantes. Es un teólogo metido a chusco y un ingenio conceptuoso, amanerado y retorcido.

....

Ahora vienen los franceses con sus milagros medievales y sus novelas de la zorra.

Este es Rabelais, cura, fraile, médico, filósofo y naturalista, bufón en la obra, hombre serio en la vida, inventor de figuras sin aire humano, imaginación medieval con conceptos griegos. Tiene el ex fraile la risa alegre y brutal; es hombre de mal gusto, cínico y amigo de porquerías. Quiere lo natural en una época que todavía el cuerpo es algo sucio que se intenta escamotear como si fuera una impertinencia.

La risa que resuena aquí no es la risa fina, sino la risa bárbara y alegre del hombre que ha despertado después de un gran sueño.

Este hombre de las melenas es Molière; la gracia, la melancolía, la sociedad, la serenidad, la quinta esencia de lo bueno del espíritu francés. Es un ingenio que agota la limitación de ser francés, hasta tal punto, que hace sus gracias universales.

Este otro es Voltaire. En él no hay que buscar el humorismo; todo su ser está formado a fuerza de ingenio, de buen sentido, de amor a la verdad y a la vida social.

Saltando medio siglo, y como hombre de otra fauna, está Stendhal, humorista a pesar suyo. Su química sentimental y su teoría de la cristalización del amor son concepciones de humorista; también lo es su esfuerzo para dar originalidad a los caracteres y a los acontecimientos a fuerza de detalles, su conceptismo y la crítica severa de los paisajes como si acabaran de ser construidos momentos antes.

....

Estos son los ingleses: Shakespeare, gran poeta, el más imaginativo poeta de la tierra, jardín que tiene la flora del Norte y la del trópico: flores, ríos, lagos, cataratas y acantilados; islas encantadas por donde vuela Ariel y se rebela Calibán; tabernas donde come y bebe el grueso Falstaff y cementerios en el que ergotizan los sepultureros de Hamlet.

Esa especie de cura, de rostro lleno, con sus melenas y su babero, es el canónigo Swift, hombre rencoroso y violento como un jabalí que cruza la selva. En su risa se mezclan los gritos de rabia y de triunfo con las carcajadas de un salvaje.

Este que sigue es Sterne, que viene acompañado de petimetres, damiselas y tipos de estampa afectados y excéntricos, que ríen y lloran al mismo tiempo.

Tras de él llega Fielding, con sus hidalgos coléricos y bebedores, sus mozas de posada y sus damas enamoradizas. Estos son los ingleses modernos. Aquí está Poe, con sus misterios matemáticos y sus oscuridades lógicas, con su Dupin, el observador metódico, su momia negadora del progreso, el doctor Alquitrán y el profesor Pluma.

Ahí aparece Carlyle, sus paisajes de luz y de sombra, sus apóstrofes patéticos. En su mundo se oyen risas y llantos; cantos de ángeles e imprecaciones de diablos, turbas que pasan gritando, pidiendo una cabeza; magos que estudian en sus observatorios y pedantes que lanzan discursos complicados.

Este otro es Thackeray, inglés britanizante. Su arte es como esas estampas inglesas saturadas de realidad, de mediocridad y de antipatía. Es un poco el género Hogarth en literatura, por el mal gusto y por el sermón moral.

Aquí vienen los más modernos: Kipling, con su humorismo de *bull-dog* y su talento claro y fuerte; Bernard Shaw, con su gracia un tanto simia, llena de conceptos rebuscados, de arlequinadas y de ergotismos.

Este es Breet-Harte, el de los buscadores de oro, y su obra llena de simpatía. Este es otro americano, Mark Twain, con sus yanquis bárbaramente chuscos y sus actitudes de piel roja; este último es Wells, gran talento, desagradable, sin gracia, con unas intenciones de enano.

El que llega el último, como resumen de los antiguos y de los modernos, es Dickens. Ahí viene con su cortejo de cocheros de nariz colorada que llevan las diligencias al vuelo, por entre paisajes envueltos en bruma; con sus niños abandonados en el arroyo, sus brujas y sus damiselas angélicas. Aquí está Pickwick charlando con sus discípulos o marchando en coche con su criado Sam en persecución de Jingle el aventurero; ahí está el niño Dombey hablando con su amigo Toots, cuya humildad tiene que ser absurda para un meridional petulante; ahí está la tienda del tío Sol y su pequeño guardia marina de muestra, que mira por un anteojo mientras charla el capitán Cuttle; ahí está Pecksniff, el hipócrita, inventando largas parrafadas sentimentales, y el bueno de Tomás Pinch tocando el órgano en la iglesia de su pueblo.

Estos que vienen después son los alemanes; no tiene ya ninguno de ellos la grosería antigua y popular de Tyll Eulenspiegel; quieren más bien ser herederos del ático escritor de Rotterdam, enfermizo, prudente y grave, que retrató Holbein con una amplia gorra medieval.

Este es Juan Pablo Richter, hombre de fantasmagoría, en donle los paisajes cambian de forma constantemente y saltan las pesadas ideas alemanas como paquidermos amaestrados o como ballenatos grasientos y sentimentales. A veces, uno de estos ballenatos comienza a llorar y se convierte en una nube, a veces le salen alas o se transforma en una sílfide.

Ese otro que llega es Hoffmann, con sus palacios, sus castillos misteriosos, sus sabios, sus princesas, sus talleres de alquimia, sus somnámbulos, sus magnetizadores, sus monstruos, sus violines, sus delirios y sus elixires.

Estos son los rusos: ahí está Gogol, con sus propietarios de fincas enormes y mal administradas, sus generales ignorantes y sus mujiks sentimentales y llorones; aquí se presenta Turgueniev, con sus héroes hamletianos vacilantes y dominados por las mujeres, sus nihilistas charlatanes y sus cazadores intrépidos; ahí aparece Dostoyevski con su galería de tipos cómicos, doloridos y absurdos, hombres llagados que se contradicen, van y vienen inconscientemente agitados por el espíritu subterráneo.

Entre los españoles, aquí tienen ustedes a Larra, con sus castellanos viejos y sus lechuguinos del año 1835, sus damiselas que toman vinagre para estar pálidas y sus carlistas bravíos.

Ahora han pasado unos años, y viene Galdós con sus hogares madrileños burgueses, sus tertulias, las salas con cómodas pesadas, con un Niño Jesús encima y cuadros dibujados con pelo. Es el amor por la vida un poco mediocre y trivial, el entusiasmo por los giros de las conversaciones kilométricas, las genuflexiones de los empleados de Palacio o de los Pósitos, los donjuanes de las tiendas de telas, el discurso del frailecito amigo de la casa y el regalo del tarro de dulce de la monjita de la familia...

Después son los humoristas poco conocidos del gran público: Chesterton, Barrie, Zangwill, Jerome, Amstey y Bennett, que empieza a ser uno de los dioses mayores de la literatura inglesa.

—Nos hemos cansado un poco de esta exhibición cinematográfica de humoristas—dice Guezurtegui—, y no hemos sacado de ella ni una idea más ni un sentimiento.

—En todo esto no hay ya nada nuevo en la superficie—me ha dicho Savage, el misántropo—; el que quiera saber algo más tiene que meterse en la mina.

III

PARA DENTRO O PARA FUERA

Todos los escritores han escrito, mirando alternativamente a su conciencia y a su público, para dentro y para fuera, ha dicho en su conferencia días pasados el doctor Papalini. Algunos han dado más importancia al testigo interior, otros han dado más importancia al público. Los primeros se han hecho místicos, individualistas, humoristas; los segundos, retóricos, oradores y peroradores.

La Naturaleza y el clima han influido en esto. En donde el ambiente físico es templado, las gentes, para hablar, abren mucho la boca, dejando que el aire penetre hasta la garganta; donde el aire es siempre frío, apenas se abre la boca para hablar. Al mismo tiempo, en los climas benignos la temperatura permite a la gente agruparse al aire libre y nacen espontáneamente los oradores; donde las inclemencias son grandes, el hombre se encierra en casa y de aquí va al taller o a la iglesia, a trabajar o a rezar.

El tipo del Mediodía es perezoso y amigo de la oratoria adornada y elegante; el tipo del Norte es más trabajador, y, si usa la oratoria, es más que por sí misma como vehículo, sobre todo cuando tiende a ser explicativa y práctica.

En el Mediodía, el sentimiento se expande, se hipertrofia y pierde así su contorno; en el Norte se concentra, se encuentra como comprimido y llega a una gran presión cuando no fermenta y se transforma.

De esta presión, de esta fermentación, nace el humorismo.

El humorismo se puede dar por más y por menos, en la expansión y en la concentración.

Lo mismo pasa en el mundo físico a consecuencia de la magia de la luz. El dibujo tradicional de las cosas se borra en la penumbra del cabo Norte, como se borra en el desierto de Sáhara, en un lado por menos luz, en el otro por más luz.

....

—Pensaba en la conferencia del doctor Papalini, que, ciertamente, no nos ha dicho nada nuevo—añade Guezurtegui—, cuando se ha presentado Savage el misántropo con un aire lastimoso: venía con un impermeable muy mojado y con un perro.

—¿Qué le pasa a usted?—le he dicho.

—Hay espectáculos que se pagan con una onza de carne, sacada del corazón—ha contestado de una manera patética—. De éstos conozco algunos; hay otros espectáculos que se pagan con dinero, de éstos conoce uno pocos; hay otros, por último, que se pagan con monedas de la buena suerte, y de éstos no conoce uno ninguno.

—Cuando se siente así, hay que ir al yermo—le he dicho yo.

—Ya no hay yermo—me ha contestado él.

—Entonces, hágase usted también

humorista. Convierta usted en risa sus motivos de queja. A usted, como a todo el mundo, le aceptaremos todo menos el ser aburrido.

IV

RETORICA DE ULTIMA HORA

Como no tenemos un acuerdo definitivo para el uso de las palabras ni un diccionario de conceptos exactos y bien determinados, todas nuestras nociones son mixtas y confusas.

Así comienza este capítulo Guezurtegui. Después se burla de la acepción que da a las palabras un profesor de la Universidad de Lezo, al que no conocemos, por lo cual suprimimos sus alusiones.

—Sería una cosa admirable—sigue diciendo después—que cada cincuenta años se hiciese un vocabulario con la definición y la descripción fenomenológica de cada concepto, indicando sus cambios y los nuevos matices que hubiera tomado con el tiempo.

Se puede decir que hay varias retóricas, o, por lo menos, se puede asegurar que nosotros empleamos la palabra en varias acepciones; una comprende el estudio objetivo hecho a posteriori de las obras literarias importantes de la Humanidad; otra es el conjunto de reglas sacado de esas obras importantes y que se quieren considerar como normas necesarias para la producción de otras obras. Una última acepción de la palabra retórica expresa el instinto nativo de adorno que tiene en mayor o menor grado todo el que habla o escribe.

La retórica, en su primera acepción, indica una labor científica, forma parte de la crítica y estudia una novela o un drama como un naturalista una especie nueva, explicando cómo es y sin preocuparse de cómo debía ser.

De la retórica dogmática, de reglas, de preceptos, ya casi nadie hace caso. Respecto a la retórica como sentido instintivo, de ornamentación verbal, relacionada con la cuestión del estilo, las ideas sobre ella han variado mucho. Se ha constituido una retórica de última hora, que aunque no tiene un Quintiliano completo, tiene sus Quintilianillos.

Desde hace algún tiempo se ha hablado mucho en literatura de la técnica. Se ha llegado a asegurar que la técnica es el fondo del arte. A mí al menos, la observación de alrededor no me inclina a creer esto. Generalmente, la técnica de los artistas mata al espíritu; sólo cuando se posee una gran fuerza se puede tener una técnica complicada que no achique y ahogue.

Así se ve una pianista, una muchacha joven que tocando el piano llega a hacerlo con cierta gracia y cierta emoción. Estudia en el Conservatorio, y al cabo de años toca cosas complicadas como una máquina.

A los pintores y a los escritores jóvenes les pasa lo mismo. Aprenden una técnica y se estancan en ella.

Los que se escapan a esta presión de la técnica son los grandes artistas que dominan el oficio de una manera desembarazada y son capaces siempre de asimilar algo nuevo. Este no es el caso corriente; el mismo Renan, hombre de gran estilo, pensaba que la preocupación de la forma perjudica muchas veces al fondo.

A ello contestan los partidarios de la retórica de última hora diciendo que no hay fondo y forma y que la forma modifica el fondo. Realmente, esta proposición es difícil de aclarar. En el sentido de modificación intelectual, la forma no puede apenas modificar el concepto; en el sentido sentimental, sí. Una proposición de Kant, expresada con las mismas o con diferentes palabras, será siempre idéntica; en cambio, una canción de Goethe con distintas palabras, aunque exprese lo mismo, puede convertirse de poética en vulgar.

El lenguaje no es una envoltura exterior del pensamiento; es parte del pensamiento, aunque no todo el pensamiento. El lenguaje es, quizá, como la corteza de un fruto, que no se puede cambiar. Se podrá quitar la corteza a un fruto y barnizarlo después con almíbar, pero el fruto así no será un fruto natural. Esta diferencia entre el fruto natural y el fruto en mermelada o en compota es parecida a la que existe entre el humorismo y la retórica.

Respecto a la técnica, yo creo que ésta es una preocupación fecunda en el escritor formal y técnico; lo es mucho menos, casi no es importante, en el escritor intelectual y lógico.

Cuando Stendhal publicó *La cartuja de Parma*, algunos escritores, entre ellos Balzac. le aconsejaron que corrigiese el estilo. «¿Qué será eso?», se debió de preguntar Stendhal, y se puso a corregir, y como él no sentía más que las ideas y los sentimientos y no le preocupaba la retórica, ni le hacía efecto musical el lenguaje, corrigió, por corregir algo, los datos, y donde había escrito que una mujer tenía treinta y cuatros años, escribía treinta y dos, y donde decía que un palacio estaba en Venecia lo ponía en Parma. Stendhal corregía mirando las cosas inventadas por él como si existieran fuera de su libro.

¿Hubieran mejorado las obras de Stendhal con pasar por las manos de un profesor de Gramática y de Retórica que hubiera suprimido las repeticiones y asonancias? Probablemente, no. En Stendhal se busca la idea, los tipos, la penetración psicológica. Una obra de Stendhal podría haber mejorado si hubieran podido hacer observaciones sobre ella Maquiavelo, San Ignacio, Chamfort, Benjamín Constant, Dostoyevski o Nietzsche. Como Stendhal no hubiera ganado gran cosa con la retórica de un profesor, tampoco hubieran subido en categoría intelectual esos escritores que tuvieron el sentido del color: los Gautier, los Banville, los Zorrilla, los Rubén Darío, si hubiesen tenido más profundidad. Por mucha filosofía que hubiesen injerido como pensadores, no hubieran pasado de mediocres.

Nada sentimental se puede adquirir por técnica. Una de las raíces literarias más importantes del sentimiento está en el ritmo, y el ritmo no se inventa, se nace con uno o con otro; claro que se puede llegar a imitarlo de un extraño; pero esta imitación, si no arranca de alguna base fisiológica, no tendrá ningún valor.

V

LAS PALABRAS COMO MUSICA

Respecto a la palabra, yo creo que en su esencia es un signo intelectual, un recipiente que se impregna de la sustancia que ha contenido. Quizá no es sólo eso, quizá es algo más. Probablemente, ni el pensamiento es todo el espíritu, ni la palabra es todo el pensamiento. ¿Podemos negar el balbuceo como medio de expresión con el pretexto de que el balbuceo no es una forma intelectual y lógica? No. Ciertamente, la inteligencia tiene un lenguaje conocido y relativamente claro; el instinto no lo tiene; pero, a pesar de esto, los apasionados se entienden gritando o mugiendo, pero se entienden. No sólo en la palabra, sino también en los sonidos hay como depósitos de pensamientos unidos no sabemos por qué misteriosas fibras. La piedra que ha formado parte de la iglesia tiene sus marcas especiales y huele a incienso; las piedras que han formado parte de un hospital o de un cuartel tienen otros signos y otro olor.

El vocablo como música pura, uno de los tópicos de la retórica de última hora, me parece una cosa muy pobre. Es esto de la musicalidad de los idiomas hay mucha mistificación. El mejor músico no será capaz de decir en un idioma que no conozca si una página es musical o no. A lo más que se llega es a comprobar la exactitud de una onomatopeya.

La palabra, indudablemente, se impregna de una esencia emocional, cómica o patética, delicada o grosera. Así, por ejemplo, a un español culto la palabra *tizona* le sugiere en seguida la idea del Cid, del heroísmo, de las luchas con los moros, del monasterio de Cardeña... En cambio, la palabra *tisana*, que en boca de un andaluz y de un catalán suena casi igual que tizona, nos recuerda las flores cordiales, el ligero catarro, algo soso e insípido. No es la diferencia de sonido la que hace que una sugiera ideas románticas y la otra ideas vulgares; el sonido influyen en esto muy poco o nada.

La palabra *werden*, que tanto les encanta a los alemanes, ¿qué valor tiene por su sonido? A un español o a un italiano que no sepa alemán, el sonido *werden* no le parece nada sublime. El valor de esta palabra está en las combinaciones anteriores que se han hecho con ella, en el panteísmo, en Hegel, en Schelling, etc.

Lo mismo sucede con la voz *Sehnsucht,* que algunos traductores de Goethe dicen que es intraducible por lo

que expresa de languidez y de vaga nostalgia; pero expresa eso dentro del alemán; fuera, no.

El sonido de un vocablo no tiene relación sentimental con una idea más que dadas ciertas premisas. Un español, un francés y un italiano podrán discutir si es más expresivo decir hombre, *homme* o *uomo,* porque tienen los tres idiomas una inmensidad de voces comunes que sirven de contraste. Esto les puede llevar a un acuerdo; pero discutir si *man,* como dice un inglés, es voz más expresiva que hombre, como dice un español, es una tontería.

VI

LA HISTORIA DE CADA PALABRA

Hay gente que se engaña porque atribuye al sonido de un vocablo lo que está en su significación y en su historia.

Así, por ejemplo, hay quien cree que *nuance* es término más expresivo que matiz. No. Lo que ocurre es que el sentido que se da actualmente a la palabra *matiz* en la literatura española no es más que una adaptación de la palabra francesa *nuance.*

Naturalmente, esta palabra tiene más raíces en el francés, más historia, más tradición que la palabra *matiz* en el mismo sentido en castellano; por tanto, aquélla es mejor para los franceses que nuestro matiz para nosotros.

Cuando el francés lee *nuance,* en esta *nuance* le vienen una porción de sugestiones literarias que no le llegan al español cuando lee *matiz.*

Mucha gente no se puede convencer de que no hay relación ninguna absoluta entre las ideas y las palabras. Hace tiempo, uno que se las echaba de poeta y de inteligente, y que a mí no me parecía ni lo uno ni lo otro, me decía que los nombres de los ríos debían ser femeninos, como en francés, y que debía decirse en español la Sena, la Garona, etc. Es gana de encontrar sexo a una corriente de agua. Esta cosa tan sencilla de que ni el río, ni el agua, ni el árbol tienen sexo más que por una convención gramatical, la mayoría de la gente no lo comprende.

Se podrá decir que si el vocablo no expresa por su sonido ideas, puede expresar sentimientos. Tampoco. La palabra, para expresar sentimientos, tiene que ser comprendida y tiene que estar asociada. Así, por ejemplo, esta canción, conocida, de Verlaine:

Les sanglots longs des violons.

En estos versos el valor no está en las palabras aisladas, ni aun en las ideas, que son vulgares, sino en la imitación del ruido de las campanas y del viento.

VII

ARMONIA Y RITMO

La poesía moderna ha querido completarse apoderándose de ciertos elementos de sugestión que tiene la música.

En todas las impresiones auditivas se pueden encontrar dos elementos principales: una, la dirección a base de la armonía; otra, el ritmo a base de la medida.

La dirección armónica está caractees como la orientación general de un camino; el ritmo, la forma, los accidentes de ese camino.

La dirección armónica está caracterizada por el tono, que tiene un acorde mayor y un acorde menor.

El ritmo está formado por la su-

cesión de las impresiones, que puede ser rápida, lenta, interrumpida, etc.

La dirección en música se consigue por la armonía predominante. En poesía, esta dirección la da la idea general. En la poesía de Verlaine que citaba antes, las palabras son como la letra de una romanza. Así, el que quisiera traducir esta poesía debía traducir no los conceptos, que no tienen más que un valor de dirección, sino principalmente el ritmo.

Claro que para hacer esto se necesita también ser poeta.

Traducir los conceptos de una poesía, es posible; adaptar el ritmo, lo es también; ahora, llevar a un idioma extraño el ritmo y al mismo tiempo el concepto, tiene que ser muy difícil.

En la prosa es más posible la adaptación simultánea a otro idioma del concepto y del ritmo.

VIII

NOTA CORROBORANTE

—En mis andanzas industriales—dice el doctor Guezurtegui—hubo una época en que estuve trabajando en compañía de un andaluz y de varios gallegos. El andaluz era uno de los hombres más zonzos que yo he conocido. Por ser andaluz se creía gracioso, y era la pesadez hecha carne; de esos hombres que se pisan la asadura, como dicen los chulos y los flamencos.

Entre los gallegos había algunos inteligentes, y uno de ellos, maestro en el oficio, era notable por su prudencia. Lo característico en él era las precauciones que tomaba para hablar; medía las palabras con micrómetro, y las cosas más insignificantes las decía con cautela.

El andaluz era uno de los hombres que más me exasperaban; tenía la manía de alargar todas las frases, hasta a los refranes les adicionaba un pequeño suplemento de palabras. Así, por ejemplo, para decir: «No es tan fiero el león como le pintan», decía: «No es tan fiero el león como *la gente le suele* pintar.» Cualquiera hubiese creído que ganaba algo por cada palabra de más que pronunciaba.

A mí aquel hombre me ponía frenético. Alguna vez le indiqué que no alargara las vulgaridades ni empleara tanto circunloquio, y él me contestó:

—Le voy a decir lo que Periquito Martínez le dijo a Frasquito García una vez en el paseo de Baza.

Después de un preámbulo insulso, el hombre habló y habló sin decir nada, y concluyó diciendo: «Porque con eso del hablar pasa como con el comer y el rascar, que ya se sabe que el comer y el rascar todo es *hasta ponerse a empezar*.»

Yo, si hubiera tenido poder, le hubiera llevado a aquel hombre a un *in pace* o le hubiera tapado la boca con una piedra; pero como no tenía poder para esto, y necesariamente había de convivir con él, me dedicaba a hablarle telegráficamente y a darle instrucciones en un papel.

El gallego, maestro en su oficio, me hacía gracia; era un hombre tan cuco, tan marrullero, y había llegado a expresarse con tales distingos, que no afirmaba nunca nada de una manera concreta. Tenía que trabajar, decía: «Vamos a enredar un poco por ahí»; tenía que comer: «Vamos a hacer que comemos.»

Un día le estaba hablando a un paisano suyo del hijo de éste, que había resultado un tanto calavera, y le decía, con su acento cerrado:

—Porque tu hiju es comu si fuera de Madriz, y lus hijus de Madriz son un tantu a modu de golfus, si bien se quiere.

Había que ver las salvedades que había en la frase. Primero había que hacer el distingo de que los hijos de Madrid no son golfos, sino a modo de golfos; después, de que no son a modo de golfos, sino un tanto solo a modo de golfos; luego, que esta opinión se puede tener si se quiere, mejor dicho, si bien se quiere, y, por último, que el hijo de su paisano era como si fuese uno de estos hijos de Madrid, que son un tanto a modo de golfos, si uno tiene la voluntad de creerlo así.

No se podía llevar la prudencia a mayor extremo. Así como al andaluz yo no le podía soportar porque era la charla sempiterna y sin objeto, el gallego éste, en quien la prudencia iba hasta la exageración, me resultaba muy divertido.

Lo mismo me ocurre con el estilo —termina diciendo el doctor Guezurtegui—; yo no puedo soportar que un escritor me alargue las frases, como el andaluz los refranes, para nada; ahora, si el distingo es algo que viene de dentro, entonces me interesa y me parece natural.

IX

BUEN GUSTO Y MAL GUSTO

En toda obra de cualquier género, si tiene un valor, hay una semilla que tarde o temprano fructifica. Muchas obras han quedado dormitando durante siglos, hasta que han encontrado el momento oportuno para desarrollarse y crecer. El arte gótico, por ejemplo, pasó durante mucho tiempo por una forma bárbara y despreciable, hasta que los románticos lo rehabilitaron; Botticelli y los prerrafaelistas parecieron pintores que sólo tenían un valor histórico antes que Rosetti, Ruskin y sus amigos pusieran a flor de tierra no sólo su valor histórico, sino su valor real.

En España, y en nuestro tiempo, hemos asistido y hemos colaborado en la resurrección del Greco, de Zurbarán y del arte churrigueresco; hemos influido también en el gusto del paisaje y de la montaña, al menos en Madrid.

¿Por qué nosotros teníamos condiciones para gustar del Greco, de Zurbarán y del paisaje castellano y no la tenían nuestros padres? Difícil es saberlo con exactitud. Es lo cierto que hay una temperatura, un clima espiritual en cada época que hace desarrollar o no cierta clase de semillas.

Nuestros padres vivían en un mal clima, y vivían en un mal clima sin notarlo. Nosotros hemos vivido en un mal clima sabiéndolo, reconociéndolo, encontrándolo quizá peor de lo que era en realidad.

Cuando se vive en una mala época y se sabe que es mala, todos los valores tradicionales y las pautas académicas llegan debilitados. Es posible que esas pautas sean las verdaderas, las fuertes; pero el que no las lleva dentro ni las respira en el ambiente es el que está mejor preparado para encontrar la belleza y el atractivo de lo extraño de un Cristo con pelo, de una estatua gótica pintada y dorada, de una portada churrigueresca o de una página fuerte defectuosamente construida.

Es el gusto anárquico y hasta el mal gusto el que hace descubrimientos en arte; el buen gusto generalmente se limita a alabar lo ya alabado y a reconocer lo ya reconocido.

Un Voltaire, un Montesquieu, son hombres de buen gusto; sin embargo, ninguno de los dos tiene condiciones para hacer descubrimientos en el arte. A Voltaire le indignan las expresiones cínicas y alegres de los personajes de Shakespeare. Las frases del diálogo de un general con el príncipe de Gales, en el Enrique IV, le parecen groserías infames. En tiempo de Voltaire, a un escritor, por liberal y revolucionario que fuera, le parecía que los reyes y los generales debían hablar siempre de una manera elegante y académica, al menos en el teatro.

Montesquieu dice del arte gótico, en su Ensayo sobre el gusto: «Un edificio gótico es una especie de enigma para el ojo que lo ve y el alma está embarazada como cuando se le presenta un poema oscuro.»

Hoy nadie diría esto. El arte gótico nos parece tan claro como el arte griego, y, además, está mucho más cerca de nosotros.

El buen gusto lleva con frecuencia a la acomodación y al sacrificio del estilo propio y personal, al estilo general.

El procedimiento del buen gusto tiene que ser casi siempre la eliminación y la selección. Si Shakespeare hubiera tenido buen gusto, hubiera tenido que eliminar muchas cosas de sus dramas. No sabemos si éstos hubieran ganado o hubieran perdido.

Actualmente lo que buscamos es, principalmente, al hombre debajo de la obra, y el que el artista de gran espíritu no tenga un gran discernimiento y diga cosas mediocres al lado de cosas admirables no nos estorba.

A mí, aunque parezca absurdo, hay notas de mal gusto que me parecen muy bien. Me parecen el fermento, la levadura necesaria para que el pan no esté soso.

El temor al mal gusto lleva a veces al arte (el del siglo XVIII francés), arte de lógica, de medida, de razón, a un resultado de ñoñería, de poca emoción y de poca vida.

El humorismo y el buen gusto no

es fácil que estén bien armonizados. El humorismo no es tampoco distinguido. El humorismo no tiene predilección por las flores extrañas: herboriza en los montes como en los tiestos de las buhardillas; no irá a buscar las flores del mal de Baudelaire, ni el *myosotis* azul de la balada; no pensará en las damiselas místicas de Rosetti ni en las chapucerías supernaturalistas de Maeterlinck.

X

IDEAL LITERARIO

Para mí, el *summum* del arte literario es llegar a un paralelismo absoluto entre el movimiento psíquico de ideas, sentimientos y emociones y el movimiento del estilo. Cuanto más exacta sea esta relación, mejor. Yo creo que aquí debe pasar como en un retrato: que es mejor como retrato (no como obra artística) cuanto más se parezca al retratado, no cuanto más bonito esté.

Así, el hombre sencillo, humilde y descuidado, tendrá su perfección en el estilo sencillo, humilde y descuidado, y el hombre retórico, altisonante y gongorino, en el estilo retórico, altisonante y gongorino. El hombre alto que parezca alto; el flaco, flaco, y el jorobado, jorobado. Así debe ser. Las transformaciones de los chatos en narigudos están bien para los institutos de belleza y otros lugares de farsa estética y popular, pero no para el estilo.

Yo creo que escribir es como andar; un movimiento que está condicionado por el ritmo interior. Claro que cuando ese ritmo tenga más cadencia, nos gustará más.

Esa cadencia, ese ritmo, tiene una determinación interior que nace de lo más hondo de la personalidad. Cierto que para revelarse necesita el intermedio de signos exteriores aprendidos.

Es indudable que la contemplación vaga, un estado caótico, musical, del espíritu, no llegan a poder manifestarse claramente; para esto es necesario que haya una organización, una articulación de conceptos ya definidos, envueltos en palabras que forman como un lenguaje interior, que luego se convierte en hablado o en escrito.

Por eso, el solitario místico se habla a sí mismo. El que sienta dentro el lenguaje interior que se le revela con fuerza más tarde o más pronto, llegará a expresarlo. Si tiene un ritmo grato, una simetría atractiva, este ritmo y esta simetría saldrán a la superficie más pronto o más tarde, y agradarán.

Indudablemente, una de las primeras atracciones que nos ofrece la Naturaleza es la simetría y la cadencia, que es su representación musical. Un círculo, un polígono de muchos lados nos atrae más que una figura irregular; pero llega un momento en que la simetría nos cansa, y vamos buscando formas cada vez más alejadas de la simetría geométrica, y una mano bien dibujada nos produce más admiración que todas las formas geométricas.

El amor a la recta como a la curva tiene su razón interior, y también lo tiene el amor al brillo y a la lentejuela.

Para tipos como Gautier o como Zorrilla, cuanto más se destaquen las palabras en una página de prosa, será mejor; otros buscan la sonoridad; otros, lo gráfico.

Para mí, el ideal sería escribir con palabras esmeriladas y silenciosas, que no brillasen ni metiesen ruido al pronunciarlas.

XI

EL ESTILO Y EL HOMBRE

La frase «El estilo es el hombre», atribuida a Buffon, y que parece que no la escribió así, se me figura completamente inexacta. Lo que se podría decir es que cada hombre tiene un estilo, no en el sentido gramatical y retórico, sino en el sentido de que cada hombre tiene una manera de representarse el mundo y una manera de intervenir en él. Los animales tienen también un estilo.

Restringiendo la cuestión del estilo, que es, en principio, la del ritmo, a la prosa literaria, se ve que tiene dos modos principales: el período largo y el período corto. El período largo es de oradores; una frase larga siempre tiene sabor a discurso. El período corto es de gente impresionable y más débil.

La frase larga ha debido de nacer en pueblos discurseadores, de climas suaves; la frase corta es de gente de país más frío y más reconcentrado.

¿Por qué muchos lectores modernos no podemos aguantar la frase larga? Indudablemente, es nuestra nerviosidad la que nos lo impide soportarla. Leer la primera parte de la frase, suponer lo que viene después, y, sin embargo, ir en un *ritardando* lento hasta llegar al final, nos parece casi un suplicio. Yo no he podido pasar nunca de la cuarta o quinta página de la *Historia de la conquista de Méjico,* de Solís, ni he podido leer los períodos de Castelar. Esa frase siempre cortada de la misma manera, en la que se amontona una porción de incisos y que siempre acaba de una manera efectista, me abruma.

Para mí, el ideal de un autor sería que su estilo fuera siempre inesperado; un estilo que no se pudiera imitar a fuerza de personal. No cabe duda que esto sería admirable. Admirable y también imposible.

XII

VALOR DE LAS OPINIONES DEL DOCTOR CRITICUS

Queriendo o sin querer, nuestra posición es completamente subjetiva. Sólo la ciencia puede ser objetiva, y objetiva en una zona limitada de su esfera. En literatura y en arte, dudamos de la objetividad, no sólo en la producción, sino en la crítica.

Para criticar hay que sentir, y sentir una obra es vivir en ella, impregnarse de ella, ver el mundo a través de ella, mover la voluntad a su contacto, tanto o más que la inteligencia. Creer que el doctor Criticus va a poder inflar y desinflar su personalidad para acomodarse a cada autor, es una ilusión. Así se ve a Tame, que si en sus *Orígenes de la Francia contemporánea* sabe por dónde anda, en su *Historia de la literatura inglesa* no llega a enterarse profundamente de nada. Tenemos una limitación los hombres extraordinaria, y no sentimos fuertemente más que aquello que nos es similar. Stendhal, en Roma, no comprendía que el retrato del Papa Inocencio, de Velázquez, estuviera entre obras maestras italianas en la Galería Doria. Podrían multiplicarse ejemplos de incomprensión hasta el infinito. La incomprensión del hombre es inconmensurable.

El Mediterráneo no comprende más que el Mediterráneo; el Atlántico, el Atlántico. Parece, es verdad, que hay escritores exóticos que han dado impresiones de tierras lejanas; pero ésos, generalmente, no hacen más que reflejar un aspecto exterior de las cosas, sin penetrar nunca en lo hondo, y pintar su mismo estado de ánimo y su monotonía por el mundo entero. Es el caso de Pierre Loti.

Una lectura es una interpretación y, en parte, una creación. El que lea y recoja los movimientos espirituales de un autor se identifica con él, porque tiene, sin duda, algo de común con él. El que sea capaz de abarcar toda la lectura de Cervantes y pesar todos sus valores, será cervantino; el que lea a Rabelais y comprenda y guste sus alusiones, será rabelesiano, y el que haya leído todo Tolstoi o todo Dickens, recogiendo sus más pequeños matices, será tolstoiano o dickensiano.

Ahora, creer que el cervantino puede ser al mismo tiempo tolstoiano y flaubertiano y verlainiano es un error. La capacidad de admiración del hombre es muy limitada. Sin embargo, el doctor Criticus habla de muchos autores. Claro que sí; pero creer que ese crítico va a leer y a interpretar un autor como el que se entusiasma con la obra de este autor, es una ilusión.

¿Qué puede obtener ese profesional de la crítica más que un resultado aproximado? Sacará el valor de una obra con relación al punto en que se coloca él, a no ser que quiera dar la impresión media de las opiniones de otros, con lo cual llegará a un porcentaje literario que no tiene valor para nada.

Es en vano que nos la echemos de comprensivos y objetivos. El que está acostumbrado a la iglesia, lleva en los ojos el brillo de los altares, en los oídos rumores de órgano y voces de coro, y hasta en la ropa el olor del incienso; el que vive en los salones lleva en el olfato olores penetrantes, y en el cerebro, voluptuosidad.

El hombre de la fábrica, el del café y el del hospital llevan su impreg-nación en el cuerpo y en el espíritu. Todas son limitaciones: el ruso no entiende al alemán, ni el alemán al ruso; el francés y el inglés no se comprenden, ni el español y el italiano. Aun dentro de cada nación hay barreras espirituales entre las regiones; lo que le entusiasma a un catalán o a un valenciano, no le gusta a un asturiano o a un vasco. Estamos llenos de muros espirituales.

El doctor Criticus, hombre objetivo, que cree que puede pasar de la iglesia al taller y del salón al hospital, de la Groenlandia al Trópico y de la montaña al mar, es un reportero que parece que se entera de todo; pero, probablemente, no se entera de nada.

XIII

GRANDEZA DE LOS PEQUEÑOS Y PEQUEÑEZ DE LOS GRANDES

La idea de la grandeza nos viene a los europeos de Roma. Estos tipos de grandeza clásica, Catón, Lucrecia, los Horacios y los Curiacios, tienen siempre algo de aparato y de énfasis. La figura humana, la costumbre romana son las que han quedado para la representación del fausto; Racine, Corneille, Chateaubriand, en literatura; David, Gros, Ingres, en pintura, y con ellos todo el clasicismo francés, es de imitación romana. A mí este estilo que se llama noble no me da ninguna impresión de nobleza íntima. Me parece una nobleza de teatro, llena de afectación, de rigidez y de énfasis. La tendencia a la rigidez y al énfasis depende, en parte, de limitación espiritual. Si Chateaubriand, que era un gran escritor, hubiera sido, además, un gran hombre o hubiera tenido el concepto amplio del mundo de

Goethe y sus curiosidades científicas, no hubiera sido tan vanidoso. Ciertas posiciones orgullosas dependen de una anquilosis espiritual. Ahora se dirá, y con razón, que una anquilosis así puede dar una rigidez de aspecto heroico. Es verdad. A mí no me parecen mal ni las actitudes estudiadas estéticas a lo Chateaubriand, Baudelaire, D'Annunzio, etc., ni las posiciones políticas o religiosas, rígidas o hieráticas; yo lo que encuentro es que las actitudes nobles, como no tienen un fundamento biológico, acaban pronto por ser aburridas: primero, porque no tienen consistencia; después, porque, como dependen de una mecánica, son monótonas y no tienen porvenir. Todos los estetas, un poco vanidosos, como los políticos austeros, parecen gentes que andan subiéndose a los guardacantones y preparándose un monumento para la eternidad.

El apetito de la grandeza no me parece siempre de gente grande. Hay mucha gente pequeña con megalomanía; en cambio, hay gente grande sin ningún afán de grandeza: Marco Aurelio, San Francisco de Asís, Espinosa, San Juan de la Cruz, etc.

Cierto que el aristocratismo no es el amor por lo espiritualmente noble, sino más bien por las formas nobles. El aristocratismo es como la retórica de la vida. La etiqueta social y la corrección del estilo se corresponden.

El humorismo, poco preocupado de las formas, no es aristocrático; se le puede reprochar con visos de verdad cierta plebeyez.

El almanaquegothismo exige empaque, inmovilidad. El humorismo es todo dinamismo y cambio. Del clima de Londres dicen algunos que no llega a ser clima porque varía constantemente. Lo mismo pueden decir los retóricos del humorismo. El humoris-

mo para ellos es la falta de estilo; pero esta falta de estilo es un estilo también.

Las dos tendencias divergentes: a la nobleza aparatosa por un lado, a la sencillez por otro, a la etiqueta retórica por un camino y a la familiaridad humorista por otro, se reflejan lo mismo en la vida que en la literatura.

No somos sistemáticamente demóticos, como decía el abogado de Pamplona amigo de Illumbe; pero nos parece que el almanaquegothismo no ha hecho en los príncipes gentes más interesantes que los demás hombres. Al revés: los príncipes más inteligentes y más sugestivos, Marco Aurelio, Juliano, Federico de Prusia, son los que parecen menos príncipes y más hombres; naturalmente, el príncipe perpetuo tiene que ser producto de protocolo, de retórica, de etiqueta, no de humorismo.

Goethe tenía un entusiasmo fervoroso por ese mundo de bambalinas doradas, el mundo de los príncipes, y de hecho pertenecía a él, aunque de una manera subalterna; sin embargo, había dentro de este hombre una idiosincrasia tan natural, que, a pesar de su cortesanismo y de su adulación, se escapaba sin querer del teatro académico y de gracias afectadas para convertirse, cuando escribía, en un fauno cínico y dionisíaco.

Muy principalmente, el mundo de la retórica y el del humorismo no se diferencian más que en la luz. La luz de la retórica es constante, velada, para que lo artificioso no se descubra; es una luz seria y solemne; la luz del humorismo es cambiante: fuerte y débil, blanca y roja, tan pronto de frente como de lado, con lo que quita toda seriedad y toda solemnidad; pero esta luz cambiante es la que se adapta mejor al espíritu moderno.

Hoy la solemnidad nos cansa. No

podemos soportar lo solemne. Nos parece monótono y ridículo.

XIV

DOS ANECDOTAS ANTIALMANA- QUEGOTHISTAS

Nuestro amigo Guezurtegui intercala este capítulo, formado por dos anécdotas bastante banales.

—Hoy por la mañana — dice —, Paco Luna, el joven madrileño de sesenta y tantos años, con el bigote pintado, nos contaba esto:

«—Hace tiempo conocí en París a un ex cónsul español, hombre fino, muy elegante, alto, rasurado, vestido de gris, con el pelo muy blanco. Era rabiosamente aristocrático, un verdadero almanaquegothista, como diría usted. Le solía encontrar en el café de Madrid, de los grandes bulevares. Un día le vi entristecido.

—¿Qué le pasa a usted?—le pregunté.

—Esta tarde—me dijo—he ido a pasear a pie por la avenida de los campos Elíseos. De pronto me he parado, porque he visto en un entresuelo una mujer envuelta en una bata blanca, a quien he creído conocer. La mujer, al notar mi curiosidad, me ha sacado la lengua de una manera desvergonzada, y, no contenta con esto, me ha hecho un corte de mangas.

—¿Y conocía usted a esa mujer?

—Era la duquesa de la T.—me dijo el ex cónsul, con melancolía.»

¡Oh dolor del almanaquegothista!

* * *

—Esta anécdota de Paco Luna, de una aristócrata española en el extranjero, me recuerda la actitud de una dama inglesa en España—dice Guezurtegui—. Esta dama era una solterona aristocrática, pintora bastante mala, que se le ocurrió ir a Sevilla a pintar toreros y picadores. Pasó ocho o diez años allí entre gitanos, monosabios, cantaores y gente por el estilo, y se casó con un criado. La aristocráca dama había tomado todas las costumbres y frases de la sociedad que frecuentaba. Un día de verano, paseándome con el pintor Regoyos en San Sebastián, encontramos a la inglesa y a su marido, el ex criado. A la dama se le ocurrió comprar cacahuetes a un pobre viejo con melenas y gorro rojo que andaba con una cesta, y le hizo no sé qué pregunta, y, sin duda, le molestó la contestación, porque le oímos a la inglesa que gritaba:

—¡So lipendi! ¡Ezo no e verdá! ¡Ar corral! ¡Ar corral!

* * *

Balzac, que era un almanaquegothista teórico, quiso señalar varias veces los signos de la raza aristocrática. Para él tan pronto era el pelo, la piel, la distinción, la estupidez, los que señalaban la raza noble.

El novelista, con todo su talento, no pudo conseguir su fin. El *shibolet* aristocrático se le escapó. ¡Qué se va a hacer! No hay signo alguno específico. Ni siquiera el hacer cortes de mangas ni el decir «¡Ar corral!» es señal clara del aristocratismo de las viejas damas.

XV

EL LUJO Y EL BOLCHEVIQUISMO

Estamos hablando en la reunión de lady Bashfulness de las consecuencias posibles del bolcheviquismo. Es la conversación de todas partes. El doctor Karakovski y yo afirmamos que la implantación de una dictadura socialista acabará rápidamente con muchos cosas, entre ellas con el lujo y quizá con el arte.

Lady Bashfulness y su hija Mary y la señorita Mitgefuhl afirman que no.

—¿Por qué ha de pasar esto?—preguntan con cierta mal disimulada cólera.

—Porque, naturalmente, con una dictadura así, acabará todo motivo de distinción que no sea natural. No habrá la distinción del título, del apellido, del dinero; no habrá la distinción de tener objetos de arte, ni de tener un palacio con un gran parque...

—Pero ¿tendremos casas? — dice lady Bashfulness.

—Naturalmente, iguales o casi iguales a las demás.

—¿Y quién nos impedirá hacer de la casa pequeña que nos corresponda un lugar de distinción y de elegancia?—ha preguntado miss Mary, con altivez—. ¿Quién nos impedirá con una tela barata hacer un traje bonito?

—Nadie. Mas esto será difícil. Hoy no, porque hoy llevan ustedes la distinción adquirida y heredada consigo mismas, llevan la costumbre de ser distinguidas, y aunque las encerraran en una choza, lo serían.

—Siempre pasará lo mismo.

—No.

—Hay condiciones naturales que no pueden desaparecer—ha dicho la señorita Mitgefuhl—. La belleza, el talento, la fuerza.

—Es que a base de esas condiciones naturales no se crea el lujo.

—¿No? ¿Por qué?

—Porque el lujo es una convención social, es un producto de excepción. Cuantos menos participen de él, más lujo puede existir.

—Sin embargo, hoy hay más lujo que hace doscientos años.

—No.

—Yo creo que sí.

—Lo que hay es una comodidad general más grande; pero más lujo, no. El lujo es lo superfluo y lo distinguido. Si las cosas de que disfrutan los ricos y los aristócratas estuvieran al alcance de la generalidad, no habría la idea del lujo. Si llega un momento en que el tren o el medio de comunicación que se emplee sea bueno para todo el mundo, y lo mismo sea el restaurante y la escuela y el jardín, no existirá distinción más que esa de la bondad, de la fuerza, del talento, que no podrá producir una sociedad distinguida, y, por tanto, el lujo. El lujo no se crea más que por la excepción, por la separación.

—¿Así que para usted el lujo y la distinción están en el monopolio?—ha preguntado miss Mary.

—Sí.

—Es usted un hombre pasado de moda. Es usted un hombre antiguo.

—Quizá. Yo así lo veo.

—¿Así que usted supone que la vida se va a afear?

—Se afeará para algunos, para los privilegiados; se embellecerá para otros.

—¿Y por qué no se ha de embellecer para todos?

—Me parece muy difícil.

—Pero eso es lo que hay que pretender.

—Sí; la cuestión es que se pueda realizar.

—Es que usted es un hombre egoísta, señor Guezurtegui.

—¿Por qué me dice usted eso, miss Mary?

—Porque usted piensa que el participar con los demás de los bienes de la tierra y del arte ya es degradarlos.

—Y usted también, y todos. Las cosas, cuando se generalizan, pierden de valor para uno. Ahí tiene usted en cualquier museo cientos de cuadros, miles de cuadros que mira con indiferencia; lleve usted uno de ellos a su casa, y aquello que le parecía casi indiferente, siendo común, le empieza usted a encontrar bellezas y singularidades desde el momento que es suyo. Usted oye en una Academia una conferencia científica a un sabio; pero si ese sabio le habla en su casa, lo que le dice le parece más interesante...

—Lo que no comprendo cuando se piensa así es por qué se tiene simpatía por el bolcheviquismo—ha dicho Illumbe con cólera.

—Es que usted no comprende el heroísmo—le ha contestado Guezurtegui con un poco de desdén.

TERCERA PARTE
DE LAS N. RAICES DEL HUMORISMO

I

INNOVACION Y EXPERIENCIA

—Es muy difícil no pretender ser innovador en aquellas cosas que se conocen y por las que se tiene afición —dice nuestro amigo el profesor de Lezo—. El hombre que estudia algo y no siente instintos de innovación es un cretino; el que siente la innovación y trabaja por ella es un revolucionario; el que siente la innovación, trabaja por ella y duda de ella es un humorista.

Todo hombre que aprende algo, ve algo o sufre algo, concluye por encontrar nociones nuevas o matices nuevos en lo que ve, sufre o aprende.

Una de las raíces del humorismo es este constante descubrimiento. El humorismo hace experiencias y ensayos parecidos a los que hacen los químicos; el humorismo trata los hechos de la vida por los reactivos más extraños.

Para algunos, esta curiosidad, este análisis es algo malsano; pero para el humorismo, lo malsano no puede ser un inconveniente, porque el humorismo no está dentro de la ortobiosis, oscila entre la fisiología y la patología, como la vida entre la enfermedad y la salud.

El humorista es, en parte, un experimentador de sí mismo, y, por tanto, del hombre. Cambia el ritmo de las cosas, suspende la música para ver qué efectos hace el baile sin ella.

Desde el punto de vista, Poe, Dostoyevski y Nietzsche son humoristas; Poe y Dostoyevski muy señaladamente. Claro que el tono de Nietzsche no es el del humor; el creador del aparatoso Zaratustra más bien parece un guerrero de Gengis Kan o de Atila que un hombre de humor; pero cuando intenta explicar la piedad por el rencor, es un humorista sin proponérselo. Nietzsche tiene el humorismo de defender lo clásico, con argumentos de romántico, así como un diablo del infierno cristiano podría defender el Evangelio.

Todo impulso nuevo en el arte tiene una palpitación de humor. La novedad y el humor mezclan con frecuencia sus fibras.

El Greco también, nuevo en su tiempo y nuevo aún, tiene algo de humorista por sus ensayos.

II

EL COTIDIANO ABSURDO

En la naturaleza y en la vida hay una cantidad de absurdo imponderable.

En la primavera pasada, los perales de la huerta de la Universidad de Lezo echaron mucha flor, que se convirtió en fruta. Cuando ésta iba engrosando, vino una granizada y tiró todos los pequeños frutos al suelo.

—¡Qué absurdo!—decía yo.

—No—me contestaba una monjita de la Facultad de Medicina—. Esto lo hace Dios porque somos malos, para castigarnos.

—A mí al menos, que creo que soy el peor de aquí, no me castiga. No me gusta esa fruta, la encuentro poco dulce. Puede usted creer, hermana—le decía yo—, que la granizada tiene tan poco objeto como todo lo demás.

III

NUESTRO TUBO DIGESTIVO

En la constitución del hombre reina lo mismo el absurdo que en la Naturaleza. Metchnikoff ha señalado muchas de las desarmonías de la fisiología humana. Esa tan descartada sabiduría de nuestro cuerpo no aparece por ningún lado. El intestino grueso, íntegro, según Metchnikoff, no sólo es inútil, sino perjudicial; el apéndice vermiforme del ciego no sirve más que para producir la apendicitis. El animal humano, como la Naturaleza, están llenos de imperfecciones y de desarmonías.

El tubo digestivo del hombre, si estuviera pensado de una vez, como el sistema de alcantarillado de un proyecto de un arquitecto, sería una obra de insensatez. La única explicación de su extravagante y de su defectuosa construcción es que es un resultado de evoluciones larvadas, incompletas, de una serie de arrepentimientos, como se dice en pintura, que han dejado cada uno su huella.

Otras mil cosas inútiles, mal construidas y peligrosas hay en nuestro organismo.

Se ha necesitado la ignorancia y el instinto de fantasmagoría y de petulancia que tiene el hombre para encontrar armonías y bellezas en su organización.

El absurdo de nuestra fisiología es constante. En el hombre se encuentran vestigios de órganos sexuales de la mujer, rudimentos de útero y de las trompas de Falopio, y, a su vez, en la mujer, hay vestigios de órganos sexuales masculinos. El embrión humano, como se sabe, tiene épocas de hermafroditismo.

El sexo es un arreglo hecho de prisa y a última hora.

IV

APOSTILLA SOBRE LOS SEXOS

—Hablaba yo una vez con un andaluz de los gustos complicados de los andaluces—dice Guezurtegui—, y él, incomodado sin motivo porque yo ni pensaba ni pienso que esto signifique afeminamiento, me dijo:

—¡Me va usted a querer convencer de que todos los andaluces tienen un poquito de matriz!

Claro que tienen un poco de matriz espiritual y materialmente, como todos los demás hombres.

¡Qué indignación le hubiera producido a Dicenta el afirmar esto! El, que cuando peroraba en los cafés decía que la cuestión era ser hombre, y creía que el hombre estaba a mil codos por encima de la mujer (idea que, en el fondo, es una idea de mujer).

Todo esto de creer que el hombre y la mujer son antípodas es pura retórica. La retórica nos ha dicho: el hombre: la fuerza, la nobleza, el trabajo; la mujer: la gracia, la debilidad, el sentimiento, y ha seguido así su repartición; pero ha venido la anatomía y la fisiología y el hecho.

El hecho cruel y vengativo,
brutal engendro de la ciencia atea,

como decía el hueco y enfático Núñez de Arce, y no ha resultado nada de eso. No hay armonía entre los sexos, ni hay separación completa en sus aptitudes, ni en sus condiciones. La mujer es muchas veces más fuerte y casi siempre más resistente que el hombre; el estesiómetro demuestra que la sensibilidad de la mujer, sobre todo para el dolor, está menos aguzada que la del hombre. De la contemplación de la inarmonía de la Naturaleza y de la sociedad nace muchas veces el humorismo. También nace el descontento, un descontento intelectual más que real, porque hay que reconocer que todos los argumentos que se emplean para deprimir al hombre, o todos los que se usan para ensalzarlo, no influyen en la vida individual la milésima parte de un dolor de muelas.

V

DONDE ESTA EL VALOR

—Siendo yo estudiante de Medicina—sigue diciendo el doctor Guezurtegui—, fuí a una novillada en la plaza de toros de Tetuán, en donde había señoritas toreras.

La matadora, rival de otra más célebre que se llamaba *la Fragosa*, cuando le llegó el momento, cogió la espada y la muleta y marchó hacia el toro y lo mató de una estocada.

—*Na*—dijo un espectador, entusiasmado con la pedantería clásica de un aficionado madrileño—, que esa mujer se ha *tirao* a matar con muchísimos riñones.

Y otro espectador, más grave y más psicológico, le corrigió, diciendo:

—Lo que se ha *tirao* a matar es con muchísima matriz.

Realmente, no sabemos si es el elemento masculino o el femenino el que hace tirarse a matar con valor.

VI

LAS NUBES

Savage, el doctor Illumbe y yo estamos sentados en un monte que domina el promontorio de Humourpoint, mirando el mar. Las olas trazan una curva blanca en la playa, y sobre un grupo de rocas chocan levantando nubes de espuma y dejan el agua azulada llena de adornos de plata.

El sol se oculta entre nubes y dibuja las sombras que hay entre uno y otro acantilado, hasta que la costa se pierde en la niebla.

—Con el mar no hay humorismo posible—digo yo.

—No—replica Savage—; el mar está muy por encima de nosotros.

—¡Qué bien describiría esto Pereda!—dice Illumbe.

Yo me echo a reír.

—¿Por qué se ríe usted?—me pregunta Illumbe.

—Por nada—le contesto yo.

¿Para qué decirle que a mí Pereda me parece un señor ramplón y vulgar? Estamos indecisos un momento, y, dejando la vista del mar, nos sentamos en el tronco de un árbol.

Yo quiero demostrar que el cielo es más propicio para el humorismo que el mar, y digo:

—Ahí tienen ustedes dos nubes que van navegando por el aire. De cerca tendrán un color gris de plomo; de lejos parecen ballenas, elefantes o camellos. Estas dos gigantas tienen la vejiga llena, y la van a vaciar. ¿En dónde la vaciarán? Allá lejos hay países secos que ansían un poco de humedad; los caminos están llenos de polvo; los campos, agostados. Aquí, cerca, el monte y el valle rebosan agua y las plantas no crecen porque les falta el sol.

Las dos nubes hidrópicas se consultan, sonrientes. ¿Irán un poco más lejos, donde las ansían, donde las desean? No, no. ¿Para qué? Y como dos viejas gordas aficionadas al aguardiente se ponen despatarradas en un callejón, estas dos nubes panzudas y grises bajan a tierra e inundan más los campos inundados, sin hacer caso de los que necesitan agua.

—¿Y qué valor puede tener eso para un creyente?—ha dicho Illumbe, abriendo un paraguas.

—Ninguno, ninguno—he contestado yo, riendo, poniéndome el impermeable.

Savage ha dicho que quizá lo más prudente que podríamos hacer los tres sería tirarnos al mar en el sitio donde hubiese más fondo.

—¿Para qué?—he dicho yo—. Esperemos el final—y hemos vuelto hacia el pueblo.

VII

LOS MICROBIOS

Estamos en el jardín del hotel de Humour-point. Ha llovido, y la tierra mojada echa un olor de musgo y de humedad. De los árboles frondosos caen, a veces, cuando los mueve el viento, grandes gotas de agua. Los bancos, las piedras, los jarrones están cubiertos de líquenes verdes. En la plazoleta hay un estanque redondo, y en medio de él, un niño de mármol agarrado a un cisne de cuya boca sale un surtidor que cae haciendo un ruido argentino.

Nos hemos quedado contemplando un árbol lleno de roñas, que se muere quizá de vejez.

De las enfermedades de las plantas hemos pasado a hablar de las de los hombres.

—La verdad es que es difícil, desde un punto de vista teológico y providencial, comprender la utilidad de los microbios—le decía yo al doctor Illumbe—. Aun se pueden explicar los tumores por una distracción de la Naturaleza; al fin y al cabo los tumores están constituidos por células, en su origen sanas, que, por su reunión equivocada, forman un organismo parásito dentro del organismo general. Entre un cáncer y un dedo de más hay cierto paralelismo, los dos son como errores de la Naturaleza: aquí se amontonan células de tejido epitelial inútil, allá se ha hecho una obra compleja e inútil con varios tejidos. La cosa es explicable, dentro de las teorías finalistas, como un error de administración o de caja; pero en el microbio ya no hay posible equivocación; el microbio tiene un objeto, y sólo uno: producir la enfermedad. Estas bolitas, estas comas, estos bastoncitos están cargados de veneno. A un partidario de Siva, el dios destructor, con sus dos hipóstasis de Kali y de Durga, le parecía el microbio un personaje de mayor respeto. A ustedes los providencialistas les desconcierta.

—No—ha dicho Illumbe.

—Sí, no creo que tengan ustedes una explicación teológica medianamente racional para explicar los microbios. La verdad es que la Naturaleza hace con ellos como el que dejara confites envenenados en un colegio.

—No veo la exactitud de la comparación.

—Sería curioso oír a los viejos teólogos, si hubieran conocido la existencia de los microbios, qué explicación daban de ella. Atribuirlos al diablo sería un poco cómico, porque el diablo tiene siempre un carácter moral. Tampoco se los puede considerar en una teología humana como un agente de depuración, porque el microbio no se ceba sólo en el débil, sino indistintamente en el débil y en el fuerte.

—Guezurtegui — me ha dicho Illumbe.

—¿Qué?

—Lo que me indigna es que, en el fondo, usted se alegra.

—¡Qué quiere usted! Yo no soy un hombre morenito con instintos de adoración como usted. Yo soy un buen europeo, poco devoto de los Mumbo Jumbos semíticos.

Illumbe se ha callado, y Savage me ha dicho:

—Le envidio a usted. Es usted un pesimista jovial.

—Es la gota—le he contestado yo.

—¿Bebe usted?

—No. La gota en las articulaciones.

VIII

ESCAMOTEOS

—El maestro Teufelsdrocki, en su filosofía de los trajes—afirma Gezurtegui—, no se fijó gran cosa en los disfraces que los hombres dan a las ideas. A pesar de ser este sabio divagador por excelencia, no quiso abandonar para nada el traje real de tela y cortado por un sastre, no quiso lanzarse en los dominios de las vestiduras de las ideas.

¡Qué extrañas vestiduras y qué no menos extraños disfraces! Es asombrosa la cantidad de transformaciones líricas que ha realizado el hombre. Ha hecho, de unos, animales sagrados; de otros, impuros; de otros, inmundos; siendo tan impuros, tan inmundos y tan sagrados los unos como los otros.

Hemos desacreditado a unos animales en beneficio de otros. Al búho, que es un pobre pajarraco, buen padre de familia, lo tenemos por un ave de mal agüero; a los sapos, que no hacen daño, los hemos hecho venenosos sin motivo alguno; el murciélago nos parece alevoso y pérfido; el erizo, lleno de malicia, cuando es un pobre infeliz, y al ibis sagrado le hemos hecho inventor de las lavativas.

En cambio, cuando nos ha convencido el elogio, hemos agotado la hipérbole. A la paloma, al caballo y al ciervo les vemos envueltos en nubes de retórica. Hasta lo más feo hemos intentado transformarlo por arte de magia. ¡Pensar que una operación ridícula como la circuncisión se ha convertido en algo místico y sublime! ¿Hay algo más extraordinario que hacer de la membrana himen uno de los soportes de la religión?

Esta transformación de esa membrana en un símbolo de pureza no depende de un sentimiento general humano. Metchnikoff dice que en China las madres suprimen el himen a sus hijas en la niñez, considerando esta membrana como una imperfección, casi como una enfermedad.

Los semitas, que fueron los que dieron más importancia al himen, sin duda, fue por su carácter materialista. Luego, los cristianos han seguido la tradición. En el fondo de todo esto hay el deseo del hombre de ser interesante a toda costa.

IX

SOBRE LA CIRCUNCISION

Estos dogmas a base de fisiología, la virginidad, la circuncisión, etc., se explican muy bien en los judíos, raza sensual, materialista, de una mentalidad baja; lo que no se explica tanto en los europeos.

Entre los judíos se habla de la circuncisión, y se sabe, naturalmente, lo que es y no repugna; pero entre los católicos, en su inmensa mayoría, a pesar de que hay una fiesta de la Circuncisión, nadie sabe lo que es esto.

Todos hemos visto alguna lámina de la Circuncisión, donde hay un Niño Jesús que está echando un chorrillo de sangre de la ingle a una copa.

Es la técnica católica de llevar la mentira no sólo fuera, sino dentro de su institución. La tesis católica es que se puede hablar de la circuncisión, pero no se puede saber lo que es.

Yo, de estudiante, sabía que esta operación era algo no muy limpio; pero hasta estudiar operaciones no supe a punto fijo en qué consistía.

Un médico amigo mío me contaba que en un pueblo vascongado, en una comida de bodas donde había varias señoras, al cura se le ocurrió preguntarle a él:

—Oiga usted, doctor, ¿qué operación es la circuncisión?

El médico amigo hizo como que no le oía; pero como el cura insistía tanto, le dijo:

—No quiero dar detalles desagradables en la mesa; se lo voy a poner en un papel.

El médico escribió en una agenda lo que era la circuncisión; arrancó la hoja y se la pasó al cura. Este la leyó y se quedó atónito, se turbó, carraspeó y ya no volvió a hablar, y, probablemente, se le quitaron las ganas de preguntar lo que es la circuncisión ante el público.

X

HUMOR, RENCOR Y COMPAÑIA

La persona que encaja perfectamente en la casilla que le corresponde en el medio social no es fácil que tenga un sentido humorista. El humor viene, en parte, de la desarmonía y de la inadaptación.

Una mujer, joven, bonita, rica, no muy inteligente, no es fácil que se sienta inadaptada en la sociedad; tampoco es fácil que le nazca una tendencia humorista al guapo sevillano, al tenorio madrileño o al elegante parisiense. La estupidez satisfecha es, naturalmente, antihumorista.

Que una de las raíces del humorismo se alimente del rencor, no es cosa que nos pueda molestar. También en el ascetismo y en la moral cristiana hay un fondo de rencor, no todo, como ha asegurado Nietzsche, pero sí algo. Eso no quita para la belleza de sus frutos. ¿Qué nos importa de dónde vienen los jugos de una hermosa flor? ¿Qué más da que alrededor de sus raíces haya gusanos? Tampoco deben preocuparnos exclusivamente las intenciones primeras. La alquimia descubrió la química buscando la piedra filosofal, y Cervantes escribió un gran libro romántico queriendo hacer la caricatura del romanticismo. El punto de partida no es en gran parte indiferente.

El humorismo busca principalmente valores nuevos, y los busca empleando todos los recursos que puede; en la mina como en el montón de estiércol.

En general, tiene que haber un fondo de humanidad y de benevolencia para que brote el humorismo. El ingenio acre y rencoroso no lo produce. El caso de Chamfort lo demuestra. La acritud de Chamfort nunca tiene benevolencia y siempre es exclusivamente social. Si el rencor es una de las raíces de la planta del humorismo, la simpatía y la benevolencia son dos de sus tutores.

El cinismo puede también nacer del rencor, pero no se parece en sus frutos al humorismo.

Diógenes *el Cínico* es un chusco que trabaja para la galería. Sin público, Diógenes no hubiera sido Diógenes. Otro Diógenes (Laercio) cuenta que una vez al *Cínico*, en una calle de Atenas, le daba un chorro de agua de un canal sobre la espalda desnuda, y como muchos se compadecieran, Platón, que también estaba presente, dijo: «Si queréis molestarlo de veras, idos»; con lo cual quería significar el gran deseo de exhibición y de gloria del *Cínico*.

XI

HUMOR Y FANTASIA

—«Mi corazón arde en mucha llama.» Así he visto escrita en español esta frase en el escudo de una iglesia de Roma—ha dicho Savage—. Ojalá —ha añadido después—pudiera uno aplicarse tal lema. El corazón de uno es como leña verde, arde mal y le sofoca a uno con el humo. A veces se alegraría uno de que se apagara del todo; pero cuando uno lo cree ya apagado, la imaginación, con una bocanada sutil, reanima el fuego lo bastante para que siga ardiendo, no lo necesario para que arda bien.

La imaginación nos gasta y nos consume a los hombres más que la vida. La imaginación es mala cabalgadura para un hombre sensato; nos hace tristes, descontentos y románticos.

La imaginación produce una temperatura espiritual exagerada que lleva a la melancolía. El febricitante siente escalofríos con una temperatura normal; lo mismo el hombre imaginativo se encuentra constantemente con sorpresas desagradables que le llevan a la melancolía. Comprender e imaginar son cosas bellas, pero tristes; por eso Alberto Durero hizo esa hermosa estampa en que se unen la ciencia y la melancolía.

Savage, el misántropo, ha seguido fantaseando sobre este motivo, mirando al mar y con los pies puestos sobre una mesa.

—Mientras tanto, yo—dice Guezurtegui—me he dedicado a repensar lo dicho por Savage.

La imaginación y la melancolía son raíces profundas del humorismo. El humor es producto de gentes un poco febriles; la retórica es de tipos fríos y retardatarios.

Creen algunos naturalistas que las células animales vivían en épocas primitivas en el mar, que era más caliente que ahora, y que el mar lo llevan hoy los animales en la sangre. El humorismo parece que tiene un recuerdo lejano de épocas remotas en que el hombre vivió con más calor que el actual.

El humorista no es un espíritu joven, es un espíritu infantil. A medida que va pasando el tiempo, el niño se hace viejo sin pasar por el estado adulto.

XII

PSIQUIS JUGANDO AL ESCONDITE

Otra de las raíces del humorismo es un comienzo de desdoblamiento psicológico que existe en todos los hombres. El que la conciencia pueda tener transformaciones súbitas en sus estados, y el que lo que parece grave e importantísimo en el momento actual pueda ser considerado al poco tiempo o instantáneamente como cosa de trascendencia, es un motivo constante de humor.

Así, Hamlet, el hombre, es humorista por su versatilidad, y lo es *Don Quijote*, la obra, por la intervención casi simultánea de lo serio y de lo cómico.

El semidesdoblamiento psicológico es inexplicable suponiendo la unidad absoluta de la conciencia. Que esta unidad no es completa, parece indudable. A dos funciones psíquicas simultáneas tienen que corresponder dos psiquis más o menos desarrolladas, y en parte se corresponden. Muchos pueden llegar a recitar una poesía en voz alta y a leer mientras tanto otra.

Si en el mismo momento la unidad de la conciencia puede partirse, dentro del tiempo esta unidad se pierde aún más.

Ningún estado de conciencia presente es idéntico a un estado de conciencia pasado. Casi siempre las cosas actuales nos parecen distintas a las pretéritas, y, aunque nos parezcan iguales, la resonancia que tienen en nuestro espíritu al cabo de los años es distinta. ¿Es uno el mismo que ayer? ¿Es uno distinto que ayer? Las dos proposiciones pueden afirmarse y reforzarse con argumentos. ¿Cuál es la más exacta? Lo ignoramos.

La unidad de la conciencia es muy relativa. Esta unidad se fracciona en algunos enfermos y se acusa en los hombres fuertes. Las mentalidades dispersas son frecuentes; lo son menos las mentalidades tónicas e intensas. Los casos de tipos históricos salientes son creaciones individuales. César, Alejandro, Aníbal, Felipe II, Robespierre, son figuras inventadas por ellos mismos en vista de una obra que hacer.

Indudablemente, tenemos todos los hombres una lista de yoes que elegir, y elegimos uno y lo cultivamos como un músico puede elegir un instrumento que tocar.

Ya elegido, músico e instrumento, hombre y su yo predilecto se identifican y se compenetran. La elección de ese yo hace que éste se desarrolle y se amplifique y que los demás se vayan atrofiando. Es una candidez suponer que Robespierre era un farsante en su juventud cuando se manifestaba sentimental y enemigo de la pena de muerte. Seguramente entonces lo era; pero el yo dogmático y lógico hipertrofiado acabó con su sentimentalismo.

Generalmente, el yo elegido es un yo social proyectado hacia fuera.

El hombre, dejado tal como es, no

acuciado por el deseo apremiante de ejecutar una obra, no presenta este carácter de bloque, sino que es ondulante y contradictorio, a veces sentimental, a veces duro, a veces egoísta, a veces generoso, en ocasiones susceptible como una sensitiva y otras impenetrable como el caparazón de una tortuga.

Esto en cuanto se refiere al estado normal; en el patológico, la unidad del espíritu se descompone aún más y se produce el desdoblamiento de la conciencia: la esquizofrenia, frecuente en la demencia precoz. Dostoyevski es el que ha llevado a la literatura con más fuerza esta clase de tipos de conciencia rota y de espíritu subterráneo.

Es sabido que el alcohol, la morfina y demás venenos pueden producir una nueva personalidad en un individuo. Así vemos hombres serenos y discretos convertidos por el alcohol en tipos procaces y cínicos.

Esto se explica, en general, por la acción de dos actividades, una consciente y otra inconsciente, que se suponen en el hombre. Yo no creo en esto. No me parece completamente lógico el que unas zonas del cerebro trabajen siempre en la oscuridad y otras siempre en la luz; yo presumo que el cerebro es como una serie de baterías eléctricas que se encienden o se apagan según leyes desconocidas.

Estos venenos, como el alcohol y la morfina, encienden luces que están con frecuencia apagadas y apagan las que constantemente están encendidas, y, naturalmente, la luz varía y la luz aquí es la personalidad. Pero creer que hay una esfera cerebral siempre consciente y otra siempre inconsciente me parece falso.

Dentro del terreno de la psicología hay casos de desdoblamiento psicológico completo, enfermos que viven dos vidas aparte, como los personajes de algunos cuentos de Hoffman.

—Hace algún tiempo—añade el doctor Guezurtegui—hicimos una operación a un amigo médico aficionado a cuestiones de psicología. Al darle el cloroformo, le dijimos:

«Cuente usted y fíjese usted en qué número se duerme.»

El amigo, al despertar de su sueño, nos dijo:

—He empezado a contar uno..., dos..., tres... Al llegar a los veinte noté que las ráfagas del anestésico pasaban como por debajo de mi conciencia. Esta me pareció que subía hacia lo alto y quedaba en el techo como un globo de juguete. Yo la tenía bien cogida a mi conciencia y contaba un número y otro y seguía agarrándola. Al llegar al treinta y siete..., treinta y ocho..., treinta y nueve..., se me escapó la conciencia y me hundí en la oscuridad.

El amigo a quien operábamos, que no recordaba haber llegado más que al número treinta y tantos, contó claramente hasta ciento veinte. ¿Quién había contado después de él? Verdaderamente, que para los que han sido educados en colegios de frailes, estos juegos al escondite que hace Psiquis les deben preocupar.

—¿Y a usted no?—me ha dicho Illumbe.

—A mí, no; para mí todo es apariencia.

XIII

LAS NEURONAS

La conciencia—y habla uno de la conciencia en el sentido empleado por la psicología moderna, que es el que introdujo por primera vez Leibniz, según dice Wundt—debe de ser la resultante de todas las actividades psíquicas, una última síntesis de las representaciones y de las sensaciones que se esquematizan y se estilizan. Todo hace creer que esa suma de representaciones que es la esencia de la personalidad, este sentido interior del cuerpo, está siempre en un equilibrio inestable, y que únicamente en aquellos individuos de una vida muy vegetativa, y al mismo tiempo muy sana, puede conseguirse la estabilidad.

Yo creo que el sentido del cuerpo es el que produce la conciencia. En los hombres cuya vida sea exageradamente intelectual y que no tengan una gran salud, la inestabilidad psíquica aumentará.

La multiplicidad de acciones de conciencia en un mismo momento se podría explicar por las localizaciones cerebrales, centros de especialización que trabajarían con relativa independencia unos de otros y también por la teoría de las neuronas.

—La teoría de las neuronas está en entredicho—me ha objetado Illumbe—. La neurona es casi un mito.

—Sin embargo, la neurona existe. Es el elemento histológico del sistema nervioso, que se compone de una célula con cubierta y núcleo y dos clases de prolongaciones: una, como una cabellera, cuyas ramificaciones se llaman dendritas, y otra opuesta, el cilindro-eje, que acaba en un ramo terminal y tiene una gran longitud.

—Está usted muy enterado.

—Un poco. No tanto como usted de la Crania vascónica.

—¿Y usted cree que la función del sistema nervioso se resuelve en las funciones independientes de las neuronas autónomas?

—Hombre, yo no creo nada. Esta es una hipótesis, una teoría que tiene su pro y su contra, y que a mí me gusta porque es anatómica.

—Es decir, porque es materialista.

—Eso. No hay más ciencia que la ciencia de medir y de pesar. Ciencia sobre materia. La teoría de las neuronas como unidades funcionales se ha utilizado para explicar el sueño y la hipnosis, suponiendo que en estos momentos se produce una separación transitoria de los contactos interneuronales, que se desencajan y se aíslan. Con relación al sueño, no estoy muy de acuerdo. Si el sueño viniera del desencajamiento de los ramos terminales de las neuronas, el insomnio se caracterizaría, no sólo por el estado de vigilia, sino también por la ideación continua. Ahora yo puedo decir, con relación a mí, que suelo padecer con frecuencia insomnios, que el insomnio no se caracteriza por un flujo de ideas, sino más bien por una fuga de ideas, por una carencia de ideas.

Habría que creer que en el insomnio hay comunicación entre las neuronas, pero no la misma que en estado normal.

Muchos psicólogos no aceptan esta teoría de las neuronas, que hace del cerebro un archipiélago de islas unidas por hilos de telégrafo. Los partidarios de la unidad de la conciencia tienden a demostrar que el sistema nervioso no es como una red telegráfica con su central, sino más bien como un sistema de vasos comunicantes.

—Me parece esto mucho más exacto.

—Pero ¿es al investigador o al providencialista, que ansia otra vida y quiere que haya un alma, al que le parece esto mejor?

Illumbe se ha callado.

La función psíquica, probablemente, no se aclarará por completo nunca. Yo no creo lo que dice Bergson: que el pensamiento, en parte, pueda ser independiente del cerebro y que el espíritu desborde del cerebro por todas partes. Suponiendo que haya espíritu independiente del cuerpo, esa parte de espíritu que desborda, ¿qué hace? Yo no comprendo que exista una fuerza sin función y sin órgano. La cosa me parece completamente absurda; tampoco me parece que se pueda afirmar a raja tabla, como Carlos Vogt, que el cerebro segrega el pensamiento, como el hígado la bilis y el riñón la orina. ¿Quién sabe lo que influye en el pensamiento? Quizá el cerebelo, quizá la medula. Es posible que influya el ojo, la próstata, el bazo, el cuerpo tiroides; puede, además, haber acciones catalíticas, físicas, químicas, orgánicas, intelectuales, que hoy no se conocen. Dejando esta cuestión a un lado, que actualmente nadie la puede resolver, no cabe duda que la teoría de las neuronas facilitaría la explicación de los desequilibrios psicológicos. Estas neuronas podrían tener, como las masas políticas, manifestaciones y contramanifestaciones, y esto explicaría esos estados psicológicos, mixtos de afirmación y de duda, de placer y de dolor, de valor y de miedo, que desde un punto de vista de la unidad de la conciencia no se explican fácilmente. No le he podido convencer a Illumbe de que, si no una teoría exacta, es, al menos, una hipótesis plausible la de las neuronas. Estas neuronas le molestan, y para atacarlas emplea todos los argumentos, todas las argucias y todos los sofismas.

Al último le he tenido que decir:

—Cómo se conoce que se ha educado usted en un colegio de frailes.

El me ha contestado que yo soy un librepensador vulgar y un hombre pasado de moda.

XIV

LA VOLUNTAD

Suponiendo que la teoría de las neuronas sea cierta, indudablemente este flujo y reflujo de la acción nerviosa influirá en la voluntad. Si las fuerzas de unas células son predominantes sobre otras, vencerán; si no iguales y contrarias a las de otras, vendrá la indecisión momentánea o duradera. El caso literario de Hamlet es un reflejo de la paralización de la voluntad por la neutralización de los motivos. Hay también tipos de voluntades débiles, flojas, inseguras, por falta de energía cerebral (la hebefrenia).

La dificultad de tomar resoluciones podría venir de la divergencia en la dirección de la energía nerviosa de las neuronas. En este caso, la conciencia no tendría la posibilidad de hacer la síntesis de la fuerza de todas las neuronas y vendría la irresolución.

Estando en París, recuerdo haber leído en un periódico el caso de un joven oficial de marina ruso que fue con licencia a la capital desde un puerto del Norte. El joven entró en los almacenes del Louvre y se encontró con una dama arrogante que le sorprendió. Habló con ella, y ella le dijo de pronto: «¿Qué dinero ha traído usted?» «Tres mil francos.» «Démelos usted.» El oficial se los dio y la dama se marchó con ellos.

Hay mujeres, como la Tarnowska y madama Steinheil, que tienen por instinto la comprensión de esta clase de tipos, a los que dominan y llegan a esclavizar.

En la literatura se han cultivado mucho modernamente estos caracteres. Los hombres de los libros de Turgueniev son todos así.

En el *Titán*, de Juan Pablo Richter,

Schoppe, meditando sobre sí mismo, se mira las manos y se dice: «He aquí un personaje sentado, de carne y hueso; yo estoy en él; pero ¿quién es él?»

El no reconocerse a sí mismo es frecuente en el hombre de pensamiento; en cambio, el hombre de voluntad se encuentra siempre consecuente, cuando se mira en sus acciones o cuando se mira en un espejo. De una manera o de otra, se dice: «Así soy yo, no puedo ser de otro modo.»

—En cambio, los hombres de poca voluntad nos negamos a nosotros mismos física y moralmente—dice el doctor Guezurtegui—. Yo, cuando, por casualidad, me encuentro reflejado en un espejo, me suelo decir a veces: «¡Ah canalla; tienes cara de hombre honrado, y, sin embargo, eres un farsante!»

Esto se lo creeríamos al doctor Guezurtegui si a veces no dijera lo contrario.

XV

HUMOR Y ANTROPOLOGIA

—El doctor Illumbe vive entregado a los trabajos de su *Crania vascónica.* Savage está más hipocondríaco que nunca—dice Guezurtegui.

Yo sigo escribiendo mi Memoria en mis ratos perdidos. Noto que, a medida que avanzo en ella, la materia que intento encerrar bien se me escapa.

Veo que Taine, en su *Historia de la literatura inglesa,* quiere dar a entender que el humorismo es un producto germánico y un género de talento que gusta exclusivamente a los países del Norte.

¿El humorismo es sólo germánico, como afirma Taine? La cosa es un poco oscura. Lo que sí se puede de-cir es que la forma germánica, sobre todo la inglesa, del humorismo, es la más sobresaliente, la más significativa en la época moderna. Ahora, asegurar que el humorismo es exclusivo de los germanos, me parece una generalización falsa.

Yo creo que el humorismo no es privativo de ninguna raza; es más bien una característica individual que se da entre gentes de sensibilidad aguzada y en medios de cultura avanzados.

Unicamente podría creerse que el humorismo es germánico haciendo extender Germania por toda Europa, como algunos antropólogos alemanes de antes de la guerra.

El humorismo, individualmente, es universal, aunque tiene su manifestación más acabada y completa en Inglaterra; quizá se podría decir que es principalmente atlántico, por lo fácilmente que ha brotado en la América inglesa, aunque con un carácter más torpe que en Europa.

Cierto que hay humorismo alemán y que Carlyle ha trasplantado a su país algo de la forma de Juan Pablo Richter; pero en Alemania no hay el tipo del humorista como en Inglaterra. Sterne en pequeño, Dickens en grande, no tienen similar en Alemania, sin contar los grandes escritores, como Shakespeare, Swift, Fielding, etcétera. La capital del humorismo es Londres, como la capital de la retórica es Roma.

En Alemania, el humorismo es demasiado intelectual y no ha tenido grandes aciertos. Richter es pesado; Hoffmann es fantástico hasta la locura; Heine es seco, acre y brillante.

Los escritores alemanes, a pesar del enorme talento de algunos, parecen más inclinados a tomar posturas retóricas, como los franceses, que al humorismo inglés.

No creemos que todavía podamos asignar el humorismo como una condición particular de los dolicocéfalos o de los braquicéfalos, de los rubios o de los morenos, de los platirrinos o de los leptorrinos. Ya veremos si con el tiempo podemos hacer una identificación por el estilo.

XVI

HUMOR Y ETNOGRAFIA

Indudablemente, los pueblos que han dado productos más altos de humorismo han sido Inglaterra y España, y, modernamente, Rusia. España ha dejado una novela que ha sido el modelo del género; Inglaterra ha continuado la tradición con una serie de obras, que ha amplificado el dominio del humor.

Rusia lo ha completado con una nueva faceta trágica. Algún parecido más o menos lejano debe haber entre ingleses, españoles y rusos, cuando sus literaturas respectivas se corresponden. Hay en estos pueblos un arranque para la acción individual mucho mejor dirigido, claro es, en Inglaterra que en Rusia y en España. Los aventureros ingleses se parecen a los españoles, y el espíritu insular se corresponde con el peninsular. Por qué se parece la estepa rusa a la ínsula y a la península, no lo sospechamos. De este arranque para la acción individual, ya decaído entre los españoles y transformado en sentido colectivo en Inglaterra, nace, en parte, el humorismo.

La acción individual que se malogra fermenta de una manera cómica. No pasa lo mismo cuando se trata de acciones colectivas, en que el emprendedor derrotado se ve envuelto con otros derrotados como él; entonces el espíritu puede reaccionar; pero cuando el hombre se ve fracasado y solo ante la Naturaleza indiferente, su dolor se hace cómico.

Indudablemente, en toda Europa no hay hombres menos sociales, mejores para estar solos, que los ingleses y los españoles.

El hombre solo no es el más fuerte, como ha dicho Ibsen, sino el más débil. El hombre solo es místico, y le pasa como a los enfermos; ve en la vida sólo la realidad, y como la vida tiene tan poca realidad, llega a no ver nada.

El individualista no es fácilmente mezquino. Se acostumbra a vivir con poco. ¿Que el trabajo de un año se pierde en un día? Bueno, que se pierda. ¿Que el amigo ha reñido con nosotros? Que riña. ¿Que hablan mal de nosotros y nos desacreditan? Que hablen. Pero llega un día en que en el hombre solo nace una decisión violenta, y este hombre se lanza a ella, y como no la ha calculado bien, porque por el pensamiento no puede calcular los incidentes de la casualidad, fracasa y, al volver a su rincón, se ríe amargamente.

Enfrente de este tipo, abundante en Inglaterra y en España, está el hombre social, prudente, que vive con menos dolor y sin molestia entre las dificultades de la vida, que quizá siente menos la profundidad de la existencia; pero que comprende mejor su extensión. Es el tipo centroeuropeo de los franceses, alemanes, italianos del Norte, suizos, etc. Con la manera pedantesca de nuestros sociólogos, se podría decir que unos, los ingleses, españoles y rusos, practican el intensismo; los otros, los centroeuropeos, el totalismo; los unos buscan la profundidad; los otros, la extensión. Así como nosotros, los intensistas, damos a los totalistas una impresión de angustia y de horror, ellos nos dan a nosotros una sensación de ansia y de mezquindad.

XVII

LA CIUDAD Y EXTRAMUROS

Yo me inclino a creer que Europa, como muchas antiguas ciudades y como Londres, tiene su City y sus arrabales. Esta City es el centro del continente, y se halla formada por Francia, Alemania, Bélgica, Holanda, Suiza, Italia y, en parte, por el Mediterráneo. Los arrabales los constituyen Inglaterra, España, Noruega, Rusia.

El centro de esa City europea es lo más urbanizado, lo más municipalizado, lo más totalista.

Entre los arrabales del extrarradio hay el barrio suntuoso y rico, como Inglaterra; el barrio pintoresco y ruinoso, como España, y el barrio nuevo de las razas del porvenir, como Rusia.

En la City europea ha estado siempre lo ordenado, lo científico, lo claro; en los arrabales periféricos ha brotado lo más fuerte, lo más intenso en la vida y en el arte, porque allí el arte ha tenido más naturaleza.

El hombre centroeuropeo es la ciencia; el hombre del arrabal europeo es el ímpetu. El germano que inventó el arbotante era un sabio; el español a quien se le ocurrió poner el coro de una catedral en el centro de ella era un apasionado.

Los hombres de la Europa periférica semejan búfalos lanzados por en medio de la selva virgen, llevados por el instinto: parecen faunos de una edad pánica. Así son Séneca, Hernán Cortés, San Ignacio, Goya; así son Gogol y Dostoyevski. Los hombres de la Europa central son la medida, la claridad, el ritmo acompasado. Estos pueden tener el amor por la estatuaria griega; aquéllos sienten el entusiasmo por los santos sangrientos, por las estatuas coloreadas, por el arte retorcido y barroco.

Para mí, en los centroeuropeos hay un elemento antipático: la superstición de la ley y del derecho, y otro adorable: la idea de la relatividad de las cosas humanas; en los europeos periféricos hay un elemento abominable: el absolutismo, y otro magnífico: la intensidad.

XVIII

INTENSISTAS Y TOTALISTAS

Si tuviéramos que encontrar un tipo literario del intensismo de los arrabales europeos, recurriríamos a Don Quijote, al príncipe Hamlet o a Raskolnikof; en cambio, para el totalismo, iríamos a buscar a la Atalia, de Racine, o a Wilhelm Meister, de Goethe.

Intensistas y totalistas tienen en la vida caracteres distintos. Del intensismo nace el humorismo; del totalismo, la literatura del orden y de la medida.

El intensismo en la vida es absurdo, desproporcionado y gesticulante; el totalismo es discreto y, a la larga, mezquino.

Los intensistas franceses, alemanes e italianos tienen en la vida una cierta mezquindad que nos asombra. Muchas veces se ve a un francés elegante regateando una cosa de un precio mísero. Para el totalista, todo tiene valor.

Lo mismo con relación al dinero que a cualquiera otra ventaja, el francés es regateador; si le quitan un centímetro de sitio en el ómnibus, reclamará; si el tren tarda, reclamará; si en el teatro han anunciado que iba a haber baile y no hay baile, reclamará. Luego este hombre cominero y regateador va a morir por la patria con un valor heroico. Esto parece absurdo, y no lo es. Es el totalismo. El totalista no puede ser humorista, es hombre para sainete o para epopeya.

Lo mismo que al francés le pasa al italiano, con ser menos intelectual y quizá más inteligente.

El italiano es totalista fisiológico; para él en la vida hay una inmensidad de solicitaciones que quiere satisfacer, y, fuera de la fisiología, tiene por herencia o por sugestión el instinto de la decoración amplia. Así, la vida italiana es complicada y mezquina en su intimidad y tiene exteriormente una aspiración a lo grande.

Antes de la guerra, un joven italiano, con doscientas cincuenta liras al mes, hacía cosas que no puede soñar en hacer un español o un inglés, y mucho menos un ruso: comía bien, andaba en coche, iba al teatro, galanteaba a una dama, naturalmente todo a fuerza de mundología y de *studiate* la matemática, como diría Stendhal.

Naturalmente, mucha gente así en un medio social hace que se apuren las cosas hasta la sordidez. Lo mismo pasa en los demás pueblos del Mediterráneo.

El hombre no puede prescindir de nada de cuanto le gusta, y, naturalmente, no tiene ninguna generosidad. A esto se añade el ver las cosas muy de cerca. En Valencia, por ejemplo, no se dice de una persona acomodada: «Tiene tantos miles de pesetas al año», sino que se dice: «Tiene veinte duros al día; tiene treinta duros al día.» Así se ve el dinero de cerca, como si se le tuviera que distribuir para la compra: tanto para esto, tanto para lo otro.

Con este sentido totalista no es posible el humorismo. El hombre del Mediterráneo es como un pulpo, que se agarra a las cosas y no las suelta.

Un comerciante de la City de Londres me decía:

—Con los catalanes y los valencianos no nos entendemos bien.

—¿Pues? ¿Por qué?

—Porque llevan sus negocios al céntimo y no dejan margen para nada. En cambio, con los vascongados nos gusta negociar, dejan agujeros en sus planes, son fantásticos y suele haber en ellos posibilidad de ganancia.

Es el intensismo al lado del totalismo.

En todos estos pueblos mediterráneos, sobre todo en el italiano, como contraste a esa vida complicada, pequeña y detallista, hay el amor a lo grandioso, a lo formidable. Egipto, Grecia, Roma, Cartago, debieron de ser así también, debieron tener la vida en lo pequeño y el amor a lo grande. Hoy por hoy, esos pueblos mediterráneos e Italia, que es el primero, no realizan la grandeza.

No ha habido grandeza en la guerra que termina, no la tienen en su vida, no la tienen en su arte ni en su literatura contemporánea. Los Lombroso y los Ferrero, los Loria y los D'Annunzio, los Marinetti y los Papini, los Mascagni y los Puccini, todo esto tiene mucho aire de quincalla. Yo creo que Italia es el pueblo de Europa que espiritualmente ha decaído más.

¡Qué ensayo de imperialismo el de la guerra última más pequeño, más mísero! ¡Qué falta de energía, de violencia y de brutalidad!

¡Qué mala literatura d'annunziana ha habido en todo ello! ¡Qué *cabotinage*, como diría un francés!

El taliano de hoy es un comerciante sin gallardía, falsificador de todo.

En el cinematógrafo se nota perfectamente su falsificación. Es curioso cómo un comediante continuo en la vida puede ser un mal cómico en el teatro. Es difícil hacer nada más ramplón, más estólido y de una intención más bajamente mercantilista que un *film* italiano.

El italiano de hoy no sabe ser el maquiavélico de antes, ni puede competir en fiereza con galos, eslavos y germanos. Es un maquiavélico vergonzante.

Un amigo nuestro publicó hace tiempo una traducción de una novela suya con el título de *La scuola di furbi* («La escuela de los pillos»). *La scuola di furbi* está, como siempre, en Italia; pero en vez de los *furbi* graciosos e inteligentes de otras épocas, los de hoy son *furbi* lacrimosos, desgraciados y con cierto aire de pastores protestantes...

Respecto a los alemanes, se ve que su humorismo es ideológico y un poco docente. La aventura alemana no es un escape a la acción, sino a la quimera.

Su humorismo tiene olor a universidad. Así, Mefistófeles, de *Fausto*, es el símbolo del humorismo alemán, y Juan Pablo Richter, especie de paquidermo cabriolero y científico, es su primer sacerdote.

Yo creo que en la esfera del pensamiento puro Alemania ha sido y seguirá siendo el primer país del mundo; pero su vida, que no conozco, no me produce ninguna sugestión. Se me figura que estos buenos alemanes son de los totalistas, de los más ramplones y de los más mediocres.

Son, como los italianos, totalistas, mezquinos, con manía de grandezas. El vagnerismo, el *kolossalismo*, Hauptmann, Sudermann..., todo esto me hace un efecto repugnante.

Es un acero hecho de hoja de lata, con unas piedras preciosas de cristal. El mismo *Zaratustra*, de Nietzsche, me parece de quincallería. Esta afectación de grandeza alemana puede competir con el estilo noble de los franceses y con las florituras de D'Annunzio.

Para mí, en Alemania hay dos familias importantes y respetables: una, la de Kant y sus hijos espirituales, incluyendo en ella la rama de los Helmoltz, los Virchow y los Koch; otra, la del fabricante de objetos baratos y falsificados, trabajador infatigable y original. Respecto a los Lohengrines germánicos, incluyendo el kaiser y su descendencia, me parecen cómicos de barraca de feria, personajes para andar con casaca y llenos de cadenas en un casino de rastacueros, sostenido por franceses o por belgas, frecuentado por portugueses amulatados, judíos con nariz de loro y americanos del Sur, de esos que, aunque no lo lleven, debían llevar un papagayo en el hombro...

Hubiera sido conveniente que Diógenes Teufelsdrocki, en su filosofía de los trajes, nos hubiera indicado qué cantidad de tejido vestuario entregó el Destino a cada pueblo y qué uso habían hecho de él.

Para mí no me cabe duda que al inglés le tocó en suerte mucho tejido vestuario, y con él se hizo unos pantalones anchos y un gabán; el español, probablemente menos rico en tejido vestuario, se hizo una capa con vuelo y se paseó contento con ella; el francés, el alemán y el italiano no se contentaron con tener unos pantalones y un gabán como el inglés, ni una capa con vuelo como el español: quisieron tener muchas prendas, un vestuario completo: unos pantalones, un chaleco, una chaqueta, una levita, un bolsillo aquí, un bolsillo allá, unas polainas, un sombrero de tela, y, a fuerza de cortar el tejido vestuario, llegaron a tener un guardarropa completo, lo que no impide que a veces estén perfectamente ridículos. Es el inconveniente del totalismo.

XIX

LA ALTURA

El totalismo y el intensismo, cada uno es un producto del clima, de la riqueza, de la altitud. Esta influye poderosamente. Los pueblos ricos de clima medio y bajos de altitud son, en general, totalistas; los pueblos pobres, de clima extremado, muy alto y muy seco, muy húmedo o muy frío, son intensistas.

La altitud sola impulsa a cierta tendencia al intensismo, inclina a la filosofía y a la contemplación. El pastor es más filósofo que el agricultor.

En los pueblos altos, la gente trabaja poco y es aristócrata, mística y contemplativa.

Hace algún tiempo yo solía pasear en Madrid por los alrededores del Canalillo, frente a la Moncloa. Varias veces vi a cesantes, a retirados, a gentes desocupadas, hablar de cosas serias, barajando datos leídos en un periódico. Una voz oí hablar del *radium*, de una manera fantástica, a uno que afirmaba categóricamente que los egipcios antiguos lo habían conocido. Otra vez un viejecillo, tipo oficinista retirado, le decía a un compañero, tan raído como él:

—Desengáñase usted: sin la afirmación del libre albedrío no es posible el orden social.

Al principio me dio risa la frase, pero luego miré al viejecillo con respeto. En los alrededores de los pueblos bajos, aunque sean más civilizados, en París, en Liverpool o en Ham-

burgo, no se oye hablar de estas cosas.

XX

OTRAS FUENTES DEL HUMOR

Algunos suponen que el humorismo es una manifestación literaria de pueblos dominados y vencidos; no parece esto muy cierto, porque Inglaterra, país de humoristas por excelencia, ha sido el pueblo de los éxitos nacionales. Más aproximado sería decir que el humorista aparece en un momento de crisis en que las energías de acción se pierden y comienza la reflexión. Así apareció el *Quijote*, cuando España no daba ya conquistadores y la fiebre de acción iba remitiendo y venían los desengaños.

Otra causa de humorismo, aunque mal conocida, sería la enfermedad. Es indudable que las enfermedades tienen una influencia predominante en el espíritu. Después de una larga enfermedad se mira la vida de una manera distinta a como se la ve en plena salud, y parece que cambian sus valores. Hay enfermedades que no producen apenas depresión en el ánimo; por ejemplo, las del pecho; otras, en cambio, las del aparato digestivo, son muy deprimentes. Algunas obran mucho en la psiquis, como las enfermedades de la nutrición, las diátesis, que tienen un origen oscuro, y sobre todo, lo que se llama el artritismo.

Este artritismo, de origen nervioso, produce una intoxicación que a su vez influye en los nervios.

Del artritismo a la neurosis y a la neurastenia no hay más que un paso.

El artrítico tiene un cuerpo incómodo. Sin estar enfermo, no está tampoco sano. En él la excitabilidad de los vasomotores es grande y es tímido y ruboroso no porque sea tímido en sí, sino porque por cualquier motivo se pone rojo, y se sabe que la timidez es más bien un fenómeno vascular que intelectual. Con frecuencia tiene dolores de cabeza, granos que le preocupan y excitaciones sexuales constantes.

La obsesión erótica, que puede ser una resultante del artritismo, es también una contribución al *humour*. Esta obsesión deja, indudablemente, una serie de gérmenes de antipatía y de odio, que se van convirtiendo con el tiempo en frases ingeniosas, que no son más que venganzas disimuladas contra el enemigo (hombres, mujeres, medio social), a los cuales se culpa más o menos justamente de los males propios.

El artrítico comienza su vida por la timidez, la melancolía y el dolor de cabeza; sigue luego siendo violento, brutal, de mal humor, hipocondríaco, y con frecuencia en medio del mal humor aparece el humorismo.

Muchas relaciones hay entre el *humour* y el artritismo. La intoxicación artrítica debe de ser un excitante siempre que no sea muy poderosa. Si se pudiera hacer una estadística, creo que se encontraría que hay más calvos chuscos que hombres de buen pelo. La calvicie es una manifestación artrítica. Los griegos solían pintar con mucha frecuencia, en sus ánforas y en sus platos, calvos a sus faunos y a sus sátiros.

Shakespeare era calvo y melenudo a juzgar por su retrato; Dickens debía de serlo también.

La influencia de la gota es predominante en el humorismo. Inglaterra, país de humoristas, es el país clásico de los gotosos.

El artritismo puede influir mucho en el humorismo por lo cambiante que es. La alegría y la tristeza son fáciles en el artrítico.

También el artritismo podría explicar el ansia neurótica, el anhelo de cambiar de vida, la inquietud. Estas neurosis ansiosas y estas inquietudes, que proceden probablemente de intoxicaciones úricas, toman a veces un aire de misticismo y de sentimiento poético.

En ocasiones, a los cristales de ácido úrico les nacen alas como a los angelitos, aunque generalmente predisponen a la filosofía pesimista y al estado gruñón.

Yo, durante mucho tiempo, estuve inventando teorías para explicar por qué cuando me acostaba tarde en Madrid sentía así como un remordimiento. Luego pude comprender que no era más que un comienzo de hiperclorhidria.

Otros desórdenes orgánicos influyen también en el humorismo. Parece que es síntoma frecuente en los tumores cerebrales del lóbulo frontal el humorismo de ínfima categoría, o por lo menos el deseo de hacer chistes y retruécanos, en individuos que antes no eran nada chistosos. *(Vitzelsucht* o busca de chistes, dicen los alemanes.)

En ciertas psicosis (sífilis cerebral) y en tipos de mentalidades rotas dispersas, que tienen su representación literaria en los héroes de Dostoyevski, se observa el humorismo transitorio.

Esta tendencia a hacer chistes y retruécanos de los degenerados y de los enfermos demuestra que esa condición no acompaña siempre a la inteligencia. Así se puede dar el caso de los saineteros españoles, la mayoría negados y de una absoluta falta de espiritualidad, haciendo constantemente chistes.

Otras causas más o menos indirectas obran en el humorismo, que están en los dominios de la religión, de la política y del arte.

La religión y el misticismo tienen

relaciones subterráneas con el humor, así como el fanatismo dogmático tiene una relación de formas con la retórica.

La intimidad y el misticismo pueden derivar hacia el humor, como el fanatismo puede derivar a la grandilocuencia y la oratoria.

En el Olimpo, San Francisco de Asís congeniará con Dickens; Bossuet se entenderá con Flaubert.

La religión contribuye en gran parte al humorismo. Esos vuelos de la imaginación por el espacio azul del sueño, cuando no se sostienen, tienden al humorismo. En cambio, la Filosofía no deja un sedimento de humorismo, cosa natural, porque sus desencantos son intelectuales y no sentimentales.

El humorismo tiene en sus venas sangre cristiana. El cristianismo hizo fermentar el alma de los hombres. La ironía de Aristófanes y de los griegos no tiene sabor de humorismo. Ha sido necesario pasar por la Edad Media para que se desarrolle el humor.

Si el hombre hubiera sido un completo pagano, tranquilo, sereno, ecuánime, no hubiera sentido el misticismo, ni la intimidad, ni la piedad. La conciencia moderna aguda y sensible se formó por el dolor y por la tristeza, traídas por el cristianismo.

El pesimismo sistemático ha podido influir en el humor. La cuestión del pesimismo sistemático me parece una cuestión mal planteada. La vida, en lo absoluto, no puede ser medida. Pensar qué hubiera valido más, haber nacido o no, es una tontería; son dos proposiciones éstas que no se pueden poner una frente a otra. El valor de los hechos de la vida está dentro de la relatividad y de la limitación de ella.

El pesimismo no absoluto y sistemático, sino relativo y parcial acerca de diferentes actividades de la vida, es en general un signo de vitalidad, un afán de crítica y una manifestación de juventud. Es natural que el pesimismo influya en el humor.

XXI

CONTENTO Y DESCONTENTO

He encontrado al joven Hans paseando por la terraza del hotel con la señorita Anken. Esta señorita, que es fea, antipática y desagradable, le trata a Hans de mala manera. Le *hace muchas miserias,* como dice en francés la señorita Mitgefuhl.

—Pero, hombre—le he dicho a Hans cuando se ha separado de su novia—, ¿cómo puede usted soportar a esta mujer, que le trata tan mal?

—Es muy buena.

—A mí no me lo parece. Además, no tiene nada de guapa.

—La belleza es cosa pasajera—ha dicho Hans, como quien recita una lección.

—Yo creo que cuando se case usted le va a arañar.

—¿Usted cree?

—Sí.

—La pobre no tiene la culpa. Está un poco mala del estómago.

—Pero ¿para qué sigue usted con ella? Usted tiene tanto partido entre las mujeres. La señorita Mitgefuhl le echa unas miradas incendiarias; miss Bashfulness le llama con su voz de flauta mi querido Hans. Es usted un afortunado y usted echa su suerte y se dedica a una mujer fea y de mal humor.

—¿Qué quiere usted, querido amigo? Soy demasiado feliz. Todo me sale bien. Usted dice que mi futura me arañará y me reñirá. No importa. Mejor. Quiero luchar contra los acontecimientos y contra las personas. He recorrido los *fiords* de Noruega y las bahías de la Groenlandia y no he pasado una mala tempestad ni he tenido frío; he estado en los países del golfo de Guinea cómodamente. No puedo tener enemigos, y todo el mundo se ocupa de mí.

He dejado a este hombre afortunado, y al subir a mi cuarto he encontrado a Savage, pálido como un muerto.

—¿Qué le pasa a usted?—le he preguntado.

Pasa que no ha recibido una carta que esperaba. Esta carta era trascendental. Se refería a una cuenta de dos pesetas cincuenta que le ha enviado un librero de Glasgow equivocadamente en vez de los diez.

Con ese motivo, Savage el misántropo se ha manifestado desesperado. Todo le sale mal, todo es difícil; en su país no se puede vivir, en los demás sitios tampoco. No se sabe nada de nada, no hay técnica científica para las cosas más rudimentarias de la vida. Los hombres son unos imbéciles; las mujeres son más imbéciles que los hombres. El cree firmemente que la religión es una mala farsa; pero afirma que la ciencia es tan farsa como la religión.

—¡Humorismo! ¡Humorismo!—le he dicho yo—. Todo eso se arregla con un poco de humorismo.

CUARTA PARTE

ACOTACIONES Y DISQUISICIONES

I

INSPIRACION E INTUICION

Todo lo que nos maravilla y no lo comprendemos nos parece hecho de golpe y por inspiración. Indudablemente, esta inclinación nuestra a creer que lo admirable es lo que menos trabajo ha costado es una explicación rápida, sumaria y antiintelectual. Lo lógico sería pensar al contemplar una maravilla: «Lo que habrá tenido que discurrir el autor para esto»; sin embargo, el primer pensamiento intuitivo es el contrario. «Esto lo habrá hecho el autor sin trabajo ninguno, jugando.»

Hay un fondo de realidad en este juicio de intuición. Indudablemente, cuando en una zona de la gran incógnita del mundo no penetra el intelecto puro, puede entrar la inteligencia en su forma intuitiva o instintiva. Si las medidas exactas no existen, el hombre medirá a ojo.

Yo no creo que esto indique que la inteligencia y el instinto sean dos cosas diferentes radicalmente. A mí al menos me parecen formas de una misma energía.

Naturalmente, la manera espontánea y rápida de la intuición produce mayor sorpresa y más asombro que la manera lenta de la inteligencia.

Algunos suponen que la inclinación a creer lo admirable fácil es una consecuencia de nuestro culto a lo maravilloso. Hay quien piensa que esta manera de discurrir sirve para legitimar nuestra pereza, pues suponiendo en algunos aptitudes tan marcadas y tan salientes, parece que ya nos sinceramos de nuestra inutilidad.

Ultimamente, la idea de la intuición como fuerza creadora ha sido lanzada por Bergson y defendida por sus discípulos.

Algunos han acogido con mucho entusiasmo esta entrada en escena de la intuición; otros la han negado, diciendo que es un concepto viejo.

¿Qué resolvemos con sacar de nuevo estos nombres gastados de intuición, inspiración, genialidad?, preguntan algunos. ¿Para qué rejuvenecer estas ideas viejas? ¿Qué es el *élan vital* sino un nombre más al lado del verbo, de lo inconsciente, del espíritu del progreso, del espíritu de la evolución y de otras palabras que indican tendencias finalistas y teológicas?

Los pragmatistas dicen que estas palabras indican que lo que se esconde debajo de ellas es algo oscuro y mal conocido, y que es preferible el uso de vocablos que den una impresión de inseguridad que no el empleo de términos científicos, que parece que encierran siempre una idea clara e inconcusa y muchas veces no tienen de claro más que el nombre.

En este sentido puede parecer sensata la tesis pragmatista; nada repugna más que esa terminología que se emplea en sociología y en criminología, que muchas veces da un nombre claro y bien definido y debajo no pone nada. Estos sociólogos y criminólogos hacen como el droguero que pinta un letrero en un cajón de su tienda, esperando que algún día lo llenará con una droga y que no lo llena nunca.

Si cuando se habla de inspiración, de intuición, de genialidad, se quiere decir que estas palabras esconden actos milagrosos, hay que rechazar esta idea; si lo que se quiere decir es sencillamente que su mecanismo escapa a nuestros análisis, entonces está bien.

Cuando se habla de la suerte, tampoco se quiere indicar algo que no está determinado, sino algo cuya manera de determinarse se ignora.

Suponer que la intuición es una operación mental independiente de la razón, me parece absurdo; yo creo que intuición y juicio están relacionados íntimamente, aunque no se vea la unión, como un barco está sujeto al muelle, aunque no se vea la cadena porque parte de ella esté sumergida.

Si con la palabra *intuición* se quiere indicar milagro, genio, entonces hay que abandonar este término como desprovisto de realidad.

Prácticamente, se podría definir la intuición diciendo que es un juicio rápido acompañado por el éxito. Veamos formas primarias de la intuición. Un guerrillero, en época en que faltan medios de información, ve pasar fuerzas enemigas. Van, al parecer, en dirección de un pueblo; sin embargo, el guerrillero dice: «Estos se dirigen a tal parte» (que no está en aquella dirección), y acierta. El guerrillero se ha colocado en el lugar del enemigo. Ha pensado con su cerebro y ha llegado a discurrir como él.

Otro caso: un policía sigue a un ladrón y éste entra en una casa. El ladrón desaparece. «Este hombre no vive aquí», se dice el policía, y espera horas y horas, y el ladrón sale y lo coge.

Un marido ve a su mujer que se adorna para ir a la iglesia, y de pronto se dice. «Esta mujer va a una cita», y la sigue y ve que es cierto.

En los tres casos la intuición es un juicio rápido que no tiene base suficiente y que se funda sobre un indicio.

Lo mismo ocurre en el pronóstico de los enfermos. Hay personas, enfermeras, hermanas de la Caridad que tienen una verdadera penetración para los pronósticos, y es que ponen toda su atención en unos cuantos signos y llegan a verlos mejor que el médico, aunque éste sea buen observador, porque el médico desparrama su atención en muchos síntomas.

II

INTUICION Y METODO

En el cerebro del hombre hay, sin duda alguna, un trabajo inconsciente. En muchas cosas prácticas, la actividad inconsciente es más propicia que la consciente. Cuando un hombre monta por primera vez en una bicicleta e intenta dirigirla de una manera consciente, se cae o choca contra un árbol; cuando el movimiento es inconsciente es cuando marcha bien. Lo mismo le pasa a una mujer que aprende a coser a máquina; mientras piensa en lo que hace le sale mal; cuando ya mueve los pies sin pensar en ello, maquinalmente, es cuando lo hace bien.

¿Qué aportación lleva el trabajo inconsciente al espíritu?

No lo sabemos. Sabemos que existe la aportación, no sabemos en cuánto. Los ejemplos del trabajo oscuro del cerebro que de pronto se exterioriza son muchos.

Indudablemente, toda obra literaria es un resultado de la intuición y no del método. Cuando a Cervantes se le ocurrieron sus dos tipos, Don Quijote y Sancho, obró por intuición. Si no hubiera publicado de su obra más que el primer tomo, la invención suya sería igualmente completa que habiendo publicado los dos. La creación de estos símbolos humanos es lo que hace de Cervantes un escritor superior a los mejores.

En la misma ciencia, en donde parece que las ideas están más enlazadas y donde se puede seguir una línea de hechos como los nervios de la hoja de un árbol, se ve que el valor de la intuición es grande.

Poincaré, en su libro *Ciencia y método,* nos cuenta cómo la resolución de problemas que no podía resolver haciendo combinaciones deliberadas le llegaba un día de insomnio, o en un viaje, o paseando por la calle.

La intuición está en todo lo que es descubrimiento e invención.

Yo no creo que entre la intuición y la reflexión haya ningún abismo. Para mí, la intuición no es más que un juicio rápido en que parte del trabajo del cerebro se sumerge en lo inconsciente. En este juicio rápido sabemos que han funcionado asociaciones oscuras, que hay una cadena; pero no conservamos en la memoria el recuerdo ni el orden de los eslabones.

Muchas veces se está pensando en una cosa, y de repente la imaginación marcha a algo muy lejano. A veces se dice uno: «¿Por qué he ido a parar a esto?» Y en ocasiones se reconstituye muy bien la cadena y en otras no, lo que no obsta para que en los dos casos exista.

Ni en la literatura, ni en el arte, ni en la ciencia puede haber ni reglas ni métodos para una cosa tan íntima y tan subjetiva como la creación. Y no es que creamos en los genios como monstruos separados del común de los mortales, sino que nos parece que toda creación, la más pequeña y modesta, tiene un carácter de intimidad y de misterio.

En la ciencia ocurre lo mismo. La creación no se consigue por métodos claros y lógicos, sino que viene al azar, por caprichos psicológicos y con ideas preconcebidas. La idea preconcebida es imposible rechazarla.

«Se dice a menudo que es preciso experimentar sin idea preconcebida —observa H. Poincaré en la *Ciencia y método*—. Eso no es posible; no sólo sería estéril hacer toda experiencia, sino que, aunque se quisiera, no se podría. Cada uno lleva en sí su concepción del mundo, a la que no puede tan fácilmente sustraerse. Es preciso, por ejemplo, que nos sirvamos del lenguaje, y nuestro lenguaje está repleto de ideas preconcebidas, sin que pueda ser de otra manera; sólo que son ideas preconcebidas inconscientes, mil veces más perjudiciales que las otras.»

Para la mayoría de la gente, la intuición y la creación pueden existir en la literatura y en el arte, pero no en la ciencia.

Hay gente que tiene una admiración por la improvisación un poco ridícula, cree que hay más genialidad en un orador que repite lugares comunes que en un hombre como Darwin o como Liebig. En esto se engañan en absoluto y se dejan deslumbrar por el brillo de los oropeles.

Creer que las experiencias de Darwin, de Mendel o de Hugo de Vries, siempre nuevas, no demuestran imaginación, y que lo demuestra, en cambio, la charlatanería aparatosa de un político que, en general, no hace más que repetirse, o la crónica rimbombante de un escritor retórico, es señal de no ver el fondo de las cosas.

La gente admira la improvisación, aunque lo improvisado sea una tontería. En una exposición que se celebró en Madrid, no sé con qué motivo, había un boceto de una figura hecho por Carolus Durán, y debajo decía: «Pintado en veinticuatro horas.» ¿Qué nos importa eso? Había que haberle dicho al señor Carolus: «Usted pinte *La Gioconda* en veinticuatro horas o en veinticuatro años. Píntela usted con aceite de linaza o con aceite de almendras dulces. Nada de eso nos importa nada. La cuestión es que lo que pinte usted esté bien.»

III

ILUSTRACION AL CAPITULO ANTERIOR

(HISTORIA DE DOS PATOS INTUITIVOS)

La *Roshari*, una mujer de aire céltico, braquicéfala y algo platirrina, que trabaja en la huerta de mi casa, dijo varias veces que tenía que sacar huevos de pato. Los patos suelen limpiar, según dicen, de babosas y de caracoles las huertas. También contribuyen a este resultado los sapos; pero la *Roshari* odia a los sapos como a enemigos personales, y afirma, en contra de todos los libros de Zoología, que estos batracios cortan las plantas nuevas por el tallo.

Se decidió que la *Roshari* añadiera dos huevos de pato a los trece de gallina que se pusieron a una clueca. Al cabo de tres semanas salieron los polluelos, que en el país se llaman chitas, y con ellos los patos.

Como las gallinas con sus crías son destructoras, se las echaba a un camino, y, cuando fueron un poco mayores, se separaron los dos patos, para dejarlos en la huerta.

A los patos no les gustaba mucho la alimentación a base de limácidos, y no limpiaban gran cosa la huerta, pero eran bastante sociables y sentimentales: no querían quedarse solos, nos seguían a todos y se nos quedaban mirando, torciendo la cabeza, con un ojo redondo como un botón de pantalón, o rascándose la cabeza con una de sus patas membranosas, con cierto aire indeciso.

A los dos se les ponía un barreño con agua, que la ensuciaban en seguida metiéndose dentro y la bebían después, procedimiento que los hombres emplean con frecuencia en sus asuntos sentimentales.

Al parecer, los patos estaban contentos, no sentían la menor nostalgia y no salían por el agujero de la cuadra al camino.

Un día entró un perro grande en la cuadra, se puso a perseguir a la gallina con sus pollitos y a los dos patos, con unos ladridos y unos saltos completamente absurdos. Los patos, azarados, se metieron con torpeza por el agujero de la cuadra y salieron al camino. En aquel momento pasaban unas vacas, que los asustaron, y los dos corrieron al borde del arroyo.

«Caramba, ¡qué ruido más interesante!», se dijeron.

Esta palabra *interesante,* a fuerza de ser repetida por los tontos, había llegado hasta ellos.

Los dos patos se acercaron al arroyo, se asomaron por entre las hierbas y se tiraron al agua. Se los cogió cerca del Bidasoa, y se aficionaron tanto al arroyo y se marchaban tan lejos, que antes de las fiestas hubo que llevarlos a la cazuela.

Ellos tuvieron la intuición del agua y nosotros la de que se nos iban a escapar; ellos nadaron y nosotros los comimos. Fueron dos intuiciones iguales y contrarias.

QUINTA PARTE
BASTIDORES DEL HUMORISMO

I
PROCEDIMIENTOS

El humorismo tiene también sus procedimientos y su técnica. Esta parte es su parte muerta. El humorismo es más verdadero cuanto más innato, cuanto menos fórmulas emplea. Sin embargo, en todos los humoristas se advierte un procedimiento. El procedimiento de los humoristas es muy heterogéneo. Generalmente emplean todos los tonos alternativamente, lo que aumenta los contrastes. Uno de los que producen más efecto es el más frío, el más científico, el más indiferente. El escritor esconde así sus intenciones y cuando salta el contraste brusco es más detonante. Este fue el sistema de Sterne, que luego han empleado todos los humoristas.

Mark Twain ha exagerado esta manera mecánica y automática del humor, dándole un aire de brutalidad muy en consonancia con su literatura.

La exactitud en el detalle sin ulterior plan ya tiene un fondo de humorismo. Esta forma de humorismo, de anotación minuciosa del detalle, sin darle mayor trascendencia, la desarrolló *Azorín* en cierta época de su vida literaria. La anotación, muy escrupulosa, de lo pequeño, desconcierta la idea tradicional de las cosas, y, en cambio, la retórica afirma el lugar común.

Si varios turistas van a contemplar las Pirámides y hay un naturalista que se fija en si la piedra es caliza o no, todo el mundo quedará un tanto extrañado, si alguien no se echa a reír. La divergencia con el sentir general producirá risa.

En todo lo que sea famoso o ceremonioso ocurrirá lo mismo. Se va a celebrar un acto de gran solemnidad. El que vaya señalando todos los detalles de vida corriente, automáticos, de los que intervienen en el acto, producirá una impresión cómica, y más si el que los señala lo hace con ingenuidad y sin mala intención. Así, el niño que en una ceremonia solemne nos dice: «¡Cómo se seca la calva ese señor! ¡Cómo se ha sonado ese otro! ¿Para qué se estira los puños aquél?», nos produce risa, porque el niño está fuera de la convención social y mira de una manera natural lo que nosotros consideramos de una manera artificiosa.

La imitación de este mecanismo: convertir en natural lo que es social, será un procedimiento de humorismo que tendrá éxito o no, según la ingenuidad del escritor.

Otros humoristas que sienten la necesidad de expresar lo inefable, se pierden amontonando metáforas viejas y nuevas, y a veces logran conseguir lo que se proponen; es decir, sugerir lo que no pueden claramente señalar.

Otro procedimiento de humorismo más relacionado con la ironía clásica es elogiar desmesuradamente algo que es francamente necio y ramplón.

Supongamos que un orador diga con entusiasmo que la unión es la fuerza u otro tópico vulgar semejante. El escritor que actúa como humorista medio satírico podrá hacer un elogio exagerado de la vulgaridad dicha y dar una nota de humor un tanto mecánica. Generalmente, esta clase de humor la emplean los escrittores políticos para zaherir y rebajar a algún personaje; también es frecuente el procedimiento contrario, hablar con desdén fingido de lo bueno para que se destaque mejor y se vean las condiciones que tiene.

Estos dos procedimientos muy exagerados, y que pertenecen al dominio de la sátira, pueden estar dentro del campo del humorismo, siendo más tenues y siendo, principalmente, cambios de tono. El emplear un tono nuevo en un asunto viejo es una originalidad. Poe ha hecho así cosas extraordinarias en lo maravilloso, y Breet-Harte, cuentos muy bonitos dentro de lo real.

Yo creo que gran parte de la originalidad del *Greco* fue ésta: el cambio de tono. *El Greco* pintó de una manera realista los asuntos místicos. Quizá en él no había nada de creyente. Es muy posible que no fuera un espíritu religioso y que las cuestiones de fe le tuvieran sin cuidado.

II

EL CONTRASTE

El humorismo puede ser amanerado, de receta, y entonces es cuando menos efecto hace, porque es una simulación, y la simulación, a la larga, se nota. Una de las necesidades del humorismo es la intimidad y la gracia. Un humorismo que no tiene cierto pudor se convierte en una nota cómica vulgar.

El humorismo constante llega a

cansar, da la impresión de inhumanidad y de *¡Viva la bagatela!* No sin razón escriben los grandes hombres disertaciones sobre las narices largas. Esta frase de Sterne, que cita Juan Pablo como una frase selecta de humorismo, a mí me parece una bufonada que no tiene más que gesto.

El humorista quiere tener billete de libre circulación entre el cielo y el infierno, entre el Ecuador y el Polo; quiere ver todos los climas y respirar todos los ambientes; quiere embriagarse con todos los vinos y licores conocidos.

El humorista, como un mono, salta de un objeto a otro, y en su obra, museo de todas las cosas, pondrá las tibias de un santo sobre el seno de una Venus pagana.

Si no hubiera este juego de luces y de sombras del contraste, no habría arte patético. El mismo Beethoven, dentro de su tristeza profunda, tiene que poner iniciaciones de alegría; de pronto, un pájaro va a levantar su vuelo, va a salir el sol, luego vuelve la negrura de la noche a oscurecerlo todo y se pierde uno entre las sombras.

Dickens ha manejado muy bien muchas formas de contraste. El contraste de la sensibilidad exquisita con el embotamiento y la barbarie es frecuentísimo en sus libros. A veces ha exagerado las dos notas.

También el autor de *David Copperfield* ha encontrado con mucho acierto el automatismo de un oficio frente a un dolor profundo, lo que produce un comienzo de risa que queda paralizada, helada, ante la tristeza.

Un ejemplo de Dickens: Jonás Chuzzlewit ha envenenado a su padre, y para despistar a sus parientes y dar una impresión de dolor filial, ha encargado a un empresario de pompas fúnebres, míster Mould, un entierro suntuoso. La ceremonia va a ser solemne; todos los del cortejo son indiferentes, excepto un pobre viejo empleado, Chuffey, que tenía un gran cariño por el padre de Jonás.

El empresario, Mould y su empleado, Tacker, velan por que las cosas estén en su punto; pero Chuffey se conduce de una manera incongruente: se limpia las lágrimas con el revés de las manos, gime y hace una porción de inconveniencias que Mould y Tacker contemplan con desagrado, mirando en el viejo oficinista un perturbador que les estropea los efectos fúnebres, hasta que Tacker, indignado, le dice a Chuffey, con sequedad:

—Usted no es bueno más que para los entierros de a pie.

El contraste violento es una condición de todas las artes románticas: el contraste de los humoristas tiene un matiz distinto al de los románticos. El de éstos es en bloque. Víctor Hugo reconocía que la creación de sus figuras era mecánica: Triboulet, muy bueno y noble con un cuerpo deforme y una posición vil; Lucrecia Borgia, muy bella, en una posición preeminente y con un alma infame. El contraste en los humoristas es más complicado y más filosófico.

III

EL HUMOR Y LA MUSICA

Nuestro amigo Hans se ha sentado en el piano de cola del hotel de Humour-point y ha comenzado a tocar Beethoven, Mozart y Schumann. Estaba con el *Carnaval* de este autor, cuando yo le he preguntado al doctor Werden:

—¿Hay humorismo en la música?

—Lo que podría usted preguntarme —ha contestado él— es si hay música sin humorismo. Dionisismo, dinamismo, humorismo, música, todo igual.

Por mucho que yo admire al doctor Werden, no veo esto claro.

Parece que, fuera de las artes inspiradas por la lógica, es decir fuera de un arte que mueva conceptos, no puede haber humorismo. Sin embargo, se debe reconocer que hay cierta impresión de humorismo en la música. Hay páginas de Mozart y de Schumann que parecen de humor y de ironía. La explicación del porqué puede haber humorismo en la música no la veo clara. Yo me figuro que estas impresiones no dependen de la música misma, sino de relaciones que tiene la música con la literatura y la poesía. Para el filarmónico puro, la música parece que no da más que una impresión sensorial unida a una sensación de construcción. Verdad es que, en general, los filarmónicos son los menos inteligentes de todos los aficionados a las artes y no se puede hacer mucho caso de ellos.

Muchos melómanos rechazan la idea de encontrar nostalgias, placer, dolor, alegría, en la música. Esta opinión no me convence del todo. Para mí no cabe duda que hay ritmos que sugieren estados de alegría, de tristeza, de nostalgia y de humorismo.

Hay psicólogos que hablan de la música como un arte que pinta o que describe las pasiones. Las palabras *pintar* o *describir* están aquí sacadas de su campo natural, que es el visual, y llevadas al musical de una manera arbitraria.

Decir que la música pinta o describe las pasiones es hablar de una manera confusa y oscura.

Yo no veo que la música *pinte* las pasiones, mas se podría decir que las mueve, que las excita. El intelectualismo de la música me parece una de tantas frases sin sentido que se repiten hoy.

IV

EL HUMOR Y LAS ARTES

—Y en la pintura, ¿hay humor? —ha preguntado Illumbe.

—Sí. Claro que sí—ha dicho Paco Luna—. A todas las formas literarias se les encontraría su paralelismo en las artes gráficas. El humorismo del arcipreste de Hita o de Rabelais tendría su representación en la pintura del Bosco, de Brueghel o de Patinir; al humorismo de Cervantes habría que buscarle su semejante en *el Greco,* y el más parecido al de Shakespeare sería el de Goya.

El doctor Werden ha aprovechado la cuestión para presentarnos en cinematógrafo los cuadros de los más famosos pintores que pueden tener alguna relación con el humorismo.

Hemos visto reproducciones del Bosco, escenas fantásticas, irónicas, casas con aire de personas, demonios cómicos que vagan por un campo lleno de monstruos; luego hemos contemplado a Durero, el genio germánico, la imaginación creadora y constructora, el castor filosófico del arte; más tarde ha aparecido Brueghel con su *Triunfo de la Muerte,* poblado de esqueletos que cantan, bailan, se matan y tocan la viola de manubrio; hemos presenciado fiestas aldeanas con gaiteros, juegos de niños y la disputa del Carnaval y de la Cuaresma.

Al aparecer las *Tentaciones de San Antonio,* de Patinir, hemos pedido a Werden que nos dejara contemplar con detención el cuadro. ¡Qué paisaje más admirable! ¡Qué río! ¡Qué campo! ¡Qué montes! ¡Qué castillos! ¡Qué lago encantado, donde se bañan unas mujeres a la sombra de unos árboles!

—Para nosotros, las tentaciones no son tan agradables—ha dicho Savage el misántropo.

—Y no sabemos si debemos alegrarnos o entristecernos con ello—le he dicho yo.

Después de Patinir, nos hemos sobrecogido con los santos demacrados del *Greco,* y hemos contemplado las escenas populares un poco mediocres de Teniers.

Como una obra francamente humorista, nos ha presentado Werden las varias series de Hogarth: *La carrera de la cortesana,* el *Matrimonio a la moda,* etc. A un meridional, acostumbrado a los colores vivos, no le puede hacer gracia este pintor. Es un predicador feroz y sombrío, es un juez severo, de una crueldad y de una saña terribles. Es pesado, sin amabilidad, sin ligereza, torpe en su oficio.

Luego de esta obra plúmbea, Werden nos ha mostrado a Goya y hemos sonreído ante su gracia y su alegría, ante sus fantasmas, sus brujas, sus frases sin sentido y sus chuscadas.

—¡Qué magnífico ejemplar de la petulancia ibérica!—ha dicho Savage.

Illumbe se incomoda.

—¿Qué es eso de petulancia ibérica?—pregunta.

Savage ha asegurado que la frase es de Stendhal y que no la decía como reproche.

Este hombre de la Crania vascónica es muy susceptible.

Después de la exhibición de obras pictóricas hemos discutido acerca de la posibilidad de que haya humorismo en la escultura.

Indicábamos algunos que nos parecía un arte poco propicio para el humor; pero el doctor Schadenfrende ha dicho:

—Y la gárgola gótica, ¿no es humorista?

—Yo la consideraría más bien dentro del arte decorativo—ha replicado el doctor Werden.

—Entonces, hay que reconocer el humorismo en la arquitectura—he interrumpido yo.

—Ciertamente. ¿Por qué no? En el goticismo, en el barroquismo, hay un sabor humorista. Aun dentro de la arquitectura moderna, el doctor Lipps ha señalado cómo una casa en una calle o en una plaza en relación con otras puede tener un aspecto divertido y grotesco, y los arquitectos modernos han hecho, indudablemente, casas joviales.

Luego Werden nos ha mostrado reproducciones de las obras de los caricaturistas más célebres.

La exhibición nos ha cansado pronto. La caricatura es un arte que aburre tomado a grandes dosis. Realmente, no hay obras maestras de caricatura. Goya no es un caricaturista.

Hemos visto estampas terribles de Hogarth, como la calle de la Cerveza y la del Aguardiente, en que el pintor inglés se muestra implacable; después, las caricaturas rencorosas de Gilray y las típicas de Jorge Cruiksbank, la colección de Roberto Macaire, de Daumier, que cuando tiene gracia la tiene en la leyenda, y las láminas de Garvani, amaneradas y antipáticas.

Después hemos visto la balumba de las caricaturas modernas, y hemos lamentado que no desaparezca el novecientos noventa y nueve por mil para que se puedan ver con descanso y con gusto las que queden.

V

EL HUMOR, LA CIENCIA
Y LA HISTORIA

Otro punto curioso que se ha tocado en nuestras conferencias es si hay humorismo en la ciencia.

Indudablemente, la ciencia ya constituida no tiene carácter humorístico; pero en sus ensayos sí los tiene.

El humor puede ser precientífico más que poscientífico; estará más en la vanguardia que en la retaguardia de la ciencia.

El hombre de investigación, de la avanzada, es, con frecuencia, humorista.

Hay sabios no ya sólo biólogos y psicólogos, sino matemáticos, como H. Poincaré, que tienen sus salidas de humor. Así como Renan, en su libro *El porvenir de la ciencia*, le da a ésta un aire patético y melodramático, Poincaré y los pragmatistas le quieren dar un aire más jovial.

La historia se presta también al humorismo. No hay gran diferencia entre la historia y la novela, y así como un Chateaubriand o un Flaubert han podido convertir la novela en una obra seria de construcción y de técnica, Carlyle ha podido hacer de la historia una novela fantástica y caprichosa.

Todos los destructores de leyendas tienen, queriendo o sin querer, algo de humoristas; lo tiene Bayle en su *Diccionario*, lo tiene Feijoo en su *Teatro crítico* y lo tiene don Secondo Lancellotti en su libro *Farfalloni degli antichi historici*, traducido al francés con el título *Les impostures de l'Histoire*.

No se puede dudar que en la historia puede haber humorismo; la asociación de ciertas ideas es la que lo produce.

Hay varias clases de historiadores y de historia. Hay las concepciones extensas de la historia, que son las que les encantan a los profesores y a los especialistas, y hay la historia particular del no profesional, que se siente historiador por afición. Las grandes causas, la Providencia, el progreso, la concepción materialista de la Historia, son los motores que arrastran los pesados armatostes históricos de fabricación universitaria.

La Historia universal es el campo de las maniobras de estas tendencias teleológicas. El derecho es para esta gente el *sancta sanctorum* de su ciencia. Todos los hombres tenemos los mismos derechos. Muy bien; pero, por si acaso, vale más ser inglés o yanqui que no bosquimano o mandingo. ¿Por qué el derecho será el amado redil de todos los animales de ganado universitario?

Para los magister de derecho, la sociedad es un organismo verdadero, y ellos, con su ciencia, ayudados por los socialistas prudentes, van llevando a este organismo social a su devenir. El mundo así se convertirá en un rebaño o en una cátedra de Universidad.

Para estos historiadores sociólogos y jurisconsultos, el detalle es cosa que no vale, no tiene importancia. La cuestión es hacer síntesis, divisiones y subdivisiones y poner nombres.

Esta clase de historiadores pueden ser ridículos, pero no pueden ser humoristas.

Hay otra historia que quiere ser integral, en la que se mezclan la cultura, la economía, la religión, el arte, la literatura, las ciencias, las costumbres. Esto suele ser un bazar con un aire industrial bastante desagradable.

Por último, hay la historia de hechos particulares, escrita por el no profesional, y aquí suelen aparecer el humor, los contrastes, las causas pequeñas, sirviendo de motivo a hechos trascendentales.

Herodoto es el primero en atribuir acontecimientos importantes a causas de un carácter baladí; Polibio, y luego los escépticos, le siguen. El criterio de estos historiadores es completamente contrario al de la Biblia. Para el historiador bíblico, todo es castigo o todo es premio; para los escépticos, todo es casualidad. La nariz de Cleopatra, la vejiga de Felipe II, el cálculo en el uréter de Cromwell, la fístula de Luis XIV, la próstata enferma de Napoleón, todo eso, unido a mil incidencias casuales, influye en la marcha del mundo. Hay que reconocer que, por más que los partidarios de las grandes causas como motores únicos, los sintéticos, los rabadanes de oficio, quieran dar como cantidades sin valor los pequeños hechos, éstos han existido, existen y existirán como causas ocasionales.

La introducción de elementos oscuros, personales, caprichosos, y la de la casualidad, bastan ya para darle a la historia un carácter de humor.

VI

EL HUMOR Y LOS POLITICOS

En la política no se ha dado con frecuencia el humorismo, cosa natural, porque la política tiene siempre mucho de comedia y los grandes políticos son grandes comediantes.

El comediante no puede sentirse humorista sin negarse a sí mismo; ni Napoleón, ni Robespierre, ni Talleyrand, ni Disraeli, fueron humoristas; los unos fueron brutales, los otros cínicos, todos comediantes. Bismarck tuvo algunos rasgos de humor un po-

co bárbaro, como cuando dijo, en 1878, al suscitarse una de tantas veces la cuestión de Oriente, la misma que se debate ahora, y al saber que Inglaterra se agitaba, esta frase: «Yo no he visto nunca que un pez haga la guerra a un caballo.» Si hubiera vivido hasta ahora, hubiese visto que el pez ha podido hacer la guerra al caballo con procedimientos de caballo, y el caballo ha hecho la guerra al pez con procedimientos de pez. Y, al último, el pez auténtico, Inglaterra, ha vencido, porque, a la larga, el mar tiene más recursos que la tierra.

En general, en la política de cada país son casi siempre los extranjeros o semiextranjeros los que dan la nota de originalidad y de humor. En el ambiente feroz de la Revolución francesa, los extranjeros son los que cultivan el humorismo y la extravagancia, que lleva a veces un fermento de porvenir mayor que la sensatez.

Anacarsis Cloots, *el orador del género humano*, cuando se presenta a la Asamblea Constituyente con sus treinta y seis extranjeros, entre los cuales está don Pablo Olavide, como representante de los pueblos oprimidos, hace un acto de humorismo genial.

Guzmán, grande de España, abdicando de su grandeza para ser el ciudadano Guzmán, de la Sección de las Picas, y Marchena, abate católico, inventando en la cárcel de la Conserjería una religión nueva, son también humoristas.

En el terreno de la furia, lo más pintoresco y lo más humorístico de la Revolución lo hacen dos semiextranjeros. El uno, el viejo convencional Ruhl, alsaciano y luterano, es decir, más alemán que francés, que coge la Sagrada Ampolla de la catedral de Reims, con la que se ungían los reyes de Francia, y la estrella contra el suelo, como si se tratara de un cacharro

cualquiera; el otro, el vasco Darti-
goyte, especie de fauno brutal, que, en
su entusiamo por predicar el libertinaje, después de una arenga frenética, se pone desnudo ante el público.

En los demás países sucede casi
siempre lo mismo. Es el extranjero o
el semiextranjero más desarraigado el
que da las notas de humor, del alto
como del bajo.

De los militares y políticos del siglo XIX en nuestro país, los más humoristas fueron el conde de España y
Narváez. España era un loco impulsivo con golpes de gracia. A su hija
la solía tener haciendo centinela con
una escoba en el balcón; cuando hacía algo mal, metía el caballo en las
habitaciones al entrar en las aldeas
enemigas y le daba de comer cebada
sobre una mesa, y para denigrar a la
gente de Vich, porque los consideraba
traidores, entró en el pueblo con los
tambores, que tocaban *Las habas verdes* en vez de una marcha seria.

Narváez tuvo también arranques de
exasperación y humor bastante graciosos.

VII

ATISOCIAL, ANTICIENTIFICO, ANTIARTISTICO

El humorismo sin una fe y sin un
método no lleva a las rigideces dogmáticas de las demás teorías literarias. Con relación a la moral, el
humorismo tiene un fondo de tolerancia. El hombre para él no es
completamente bueno ni es completamente malo; en todo personaje perverso hay una pequeña partícula de
bondad, y en todo hombre bueno hay
alguna pequeña mancha, si no de
maldad, al menos de extravagancia.
La locura rige los destinos huma-

nos. El absurdo y la tontería no son
individuales, sino universales. Con
una tesis por el estilo, para el humorista no habrá tipos completamente
odiosos que no tengan desde cierto
punto de vista una justificación. Shakespeare es el que comienza primero
a construir sus tipos con dos pastas;
antes que él, los fabricantes de muñecos literarios los hacen sólo con una
pasta, con la blanca o con la negra;
después de Shakespeare se mezclan
las dos en fabricación. Los humoristas le siguen. Así, sus tipos no son
completamente odiosos, ni tampoco
completamente perfectos.

Dickens, a pesar de su posición
sentimental y popular, hace lo mismo, y aunque a veces quiere dar una
odiosidad íntegra a un tipo de un hipócrita, lo construye tan divertido,
que se olvida la odiosidad.

Otro es el procedimiento de los lógicos y de los retóricos. Estos son
como maniqueos, que creen que a un
lado está todo el mal, al otro todo el
bien; a un lado toda la sombra, al
otro toda la luz, y que no se mezclan
jamás.

Un arte así puede ser un arte popular que se lleve al teatro, porque el
pueblo es de concepciones miseras y
rutinarias. El arte dramático francés,
exceptuando el de Moliére, es de esta
clase; el teatro contemporáneo, desde
Dumas acá, es vengativo y colérico,
para ponerse a tono con la multitud.

El humorismo es individualista, y
no puede pasar nunca al teatro; no
es amigo de la justicia aparatosa, que
le gusta a la plebe rica o a la plebe
pobre. Es demasiado heterogéneo y
complejo para ser justiciero. La justicia es una cencepción plebeya e ingenua.

El humorismo es antisocial, porque
encuentra que el problema primero
del hombre es el problema individual,

y que, teniendo toda la importancia que se quiera las relaciones con la sociedad, lo primero es el individuo. En esto, el humorismo tiene una raíz religiosomística, no porque se ocupe de otra posible vida, sino porque encuentra secundario el socialismo, la política y la moral al lado de la vida del yo. El humorismo es pariente del anarquismo.

Es también antisocial el humorismo, porque, siendo individualista, no acepta las categorías de la sociedad, y de reconocer categorías, reconocería otras inventadas por él.

El humorismo, como todo sistema de moral, aunque semiinconsciente y sin reglas, intenta sustituir unos vínculos sociales con otros.

Hay un fondo de inmoralidad en el humorismo, porque tiene el amor por el momento y una despreocupación por lo que viene después.

«Vivamos este minuto, regocijémonos ahora; luego ya veremos qué pasa», se dice el humorista.

Es una forma ésta de dominar pasajeramente el tiempo no pensando en él. En este momento, la cinta cinematográfica de la vida nos da una impresión alegre, pues supongamos que no acabará; ahora nos da una impresión triste, pues lloremos.

Con este sistema, el humorista no produce más que cuadros, escenas, y no puede pasar de ahí. Lo que se llama el gran arte, que puede muy bien no ser más que el arte retórico, no cabe en este sistema impresionista.

El humorismo da verdad, brillo, movilidad, a la representación de la vida; es cambiante como un día de primavera, pero no es consecuente, porque más que en la línea completa de la vida se fija en cada momento de ella.

La actitudes clásicas le parecen estudiadas y hasta ridículas. ¿Cómo hacer con un sistema impresionista de pintura una gran alegoría decorativa para un muro? Es imposible. Cada teoría artística inventa su técnica. El humorismo no puede dar líneas grandes; su arte es para una vida como la vida actual, rápida, complicada. Tampoco el arquitecto moderno puede levantar coliseos ni termas de Caracalla, y se tiene que contentar con hacer fantasías en un pequeño espacio.

El punto de partida del humorismo para formar sus categorías es el sentimiento. Así, para Dickens, los héroes centrales de sus libros no son nunca lores ni ladies, sino muchachos pobres, marineros, cocheros. Estos ocupan en su mundo el primer lugar.

La política no tiene tampoco simpatía a los ojos de los humoristas. Un humorista a lo Dickens no aceptará la posibilidad de la emancipación de los trabajadores por un sistema político o social. Estos sistemas, basados en el razonamiento y en la lógica, le parecerán fríos, orgullosos y sin efusión cordial.

Tampoco la ciencia y el laboratorio le merecerán simpatía. Para un Tolstoi, como para el mismo Dickens, ni los políticos ni los sabios pueden hacer mejorar el mundo. Ellos consideran que sólo el sentimentalismo, las lágrimas, son eficaces. Así son muchos anticientíficos, antiviviseccionistas. La ciencia es orgullosa y mala.

De cette science assassin de l'oraison, el du chaut et de l'art...,

dice el pobre Verlaine, en cuyo cerebro vaporoso la ciencia debía de parecer demasiado seca y complicada.

Al escritor no le gusta poner la ciencia en el lugar preeminente, como no le gusta al cura. Es quitarse el sacerdocio para entregárselo a otro.

Intelectuales y sentimentales no se entienden bien en el terreno de las ideas. Artistas y sabios se desprecian mutuamente.

Platón, a pesar de ser tan poeta como filósofo, no quería poetas en su República. Es que actuaba entonces de filósofo; si hubiera actuado sólo de poeta, es posible que hubiese renegado de los filósofos.

Realmente, la ciencia no tiene adeptos. El hombre se agarra demasiado a su personalidad y a su *yo* para entusiasmarse con una cosa fría como la ciencia. Si el hombre no tiene gran fuerza filisófica, es creyente; si la tiene, se refugia en la poesía, en la literatura. Respecto a las masas, odian toda superioridad y se entusiasman con más ardor de un carrerista, un torero o un cantante que de un poeta, un filósofo o un sabio. Sobre todo de un filósofo o de un sabio, no se entusiasmará la multitud nunca. A pesar de la poca efusión que tiene la sociedad por los científicos, éstos trabajan cada vez más y la ciencia va avanzando con una fuerza vertiginosa. La razón de este fervor no se debe sólo a los resultados prácticos, sino al afán de saber. La ciencia parece una conciencia superior de la humanidad, que sabe su fin. Sin embargo, cuando nos acercamos a ella, vemos que está tan ignorante de los fines últimos como todas las demás instituciones humanas. Si la ciencia avanza en una progresión aritmética, el misterio crece en progresión geométrica. Más conocimiento, más misterios.

La incógnita de la vida humana no se resuelve nunca; pero el hombre de ciencia, aunque sepa esto, marcha siempre adelante. Es el héroe de la tragedia moderna.

VIII

EL HUMORISMO MACABRO

Naturalmente, el humorismo no se ha podido parar con respeto ante la muerte; por el contrario, ha encontrado en ella una serie de motivos de bufonadas y de risa.

La idea de hacer danzantes a los pobres Macabeos ha dado origen a la danza macabra. El buen Macabeo, levantando su pierna esquelética en el aire, es un motivo de risa. Un esqueleto es siempre algo grotesco, y a veces también un muerto reciente.

De aquí que Shakespeare hiciera tan ergotistas y tan cómicos a los sepultureros de *Hamlet*. Indudablemente, es un oficio que, por contraste, inclina a la jovialidad y a la filosofía. La muerte siempre tiene su atracción. Antes, cuando era pública la Morgue de París, los novios que pasaban por allí decían: «Vamos a ver a los Macabeos», y entraban en el depósito de cadáveres.

En Madrid, cuando mataron a Canalejas, vi a un señor muy indignado porque un vendedor de periódicos decía a otro: «¡Eh, tú, *ninchi!* ¿Han sacado el *fiambre?*» Y la gente se reía. Es posible que este señor estuviera en expectación de destino.

El crimen ha dado origen también al humor; todas las germanías y las jergas de los bandidos tienen un carácter marcadamente humorista.

En literatura hay la obra muy conocida de Tomás de Quincey *El asesinato, considerado como una de las bellas artes,* que tiene, indudablemente, gracia. En la realidad, el crimen va unido muchas veces al humor.

El asesino Lacenaire le decía al juez que le quería hacer confesar que había cometido una falsificación:

—Me hace usted el efecto, señor

juez, de un cirujano que, teniendo una pierna que cortar, se entretuviera primero en extirpar los callos de los pies.

Otro criminal le replicaba al juez que le reprochaba que, después de haber matado a un hombre, le había descuartizado para hacerle desaparecer.

—¿Pues qué quería usted que hubiera hecho con él, señor juez? ¿Que me lo hubiera comido?

Cuando Pranzini, un asesino italiano, preso en París, estaba para ser ejecutado, un guardián de la cárcel escribió con lápiz en la pared de su celda:

«Mi pobre Pranzini: Ya no comerás más *macarroni*.» Y cuando lo ejecutaron, un jefe de la Policía secreta mandó sacar al cadáver un gran trozo de piel, del pecho y de la espalda, lo hizo curtir y hacer unas cuantas petacas y tarjeteros para regalar a los amigos.

Un estudiante de Medicina de París, llamado Lebiez, que, en compañía de otro joven, asesinó a una vieja para robarla, el mismo día del crimen dio una conferencia sobre la lucha por la vida en una sala de la calle de Arras, y, tras la conferencia, marchó a un café del Barrio Latino, donde llamó la atención por la alegría y por sus chistes macabros. Un amigo de Estévanez, ex oficial carlista, era contertulio de este Lebiez.

Ha habido muchos escritores que han cultivado el humorismo macabro. Poe, en su *Peste roja*, y en su barrica del amontillado; Quincey, con sus asesinos; Baudelaire, con sus carroñas y sus gusanos; Julio Laforgue, en sus poesías a los hipertróficos cardíacos.

Hace veinte años se cantaba en París *Les croquemorts*, e Ivette Guilbert, una cupletista entonces de mucha fama, recitaba una canción de los últimos momentos de un reo a quien van a guillotinar.

Estas cosas entonces se llamaban *fin de siècle*, con una tontería y una petulancia grandes, porque los siglos no son más corrompidos al final que al principio.

Entre los anarquistas de acción, que son tipos intermedios de escritores y de criminales, se dan muchos casos de humorismo.

Ravachol, el saltatumbas, era un bruto humorista; también lo era otro anarquista, Pini, una rata sabia que hacía limosnas con el producto de sus estafas.

Cuando estalló la bomba del Liceo de Barcelona, parece que los sesos de algún muerto fueron a parar hasta la araña del techo. Un anarquista satírico, al contarme esto, decía con sorna:

—No había más que aquellos sesos en todo el teatro.

La extravagancia de los anarquistas da muchas notas pintorescas.

Un anarquista español que vivía en París, amigo de don Nicolás Estévanez y mío, nos decía una vez en el café de Flora, del bulevar Saint-Germain:

—Yo soy más anarquista que Dios. A mí me van a venir a hablar de preeminencias esos aristócratas. ¡A mí, que desciendo de Iñigo Arista!

En un mitin ácrata de Barcelona, una ciudadana gritaba: «Los hombres ya no son hombres, son eunucos», y al decir esto mostraba un vientre abultado, porque estaba embarazada de ocho meses.

Entre los vagabundos se dan también casos de humorismo. A un español muerto de hambre en París, que no tenía ni ropa para salir a la calle, se le ocurrió saltar de la cama y poner con tiza en la puerta del cuarto miserable del hotel: «Entrada, un franco.» Un vecino curioso, un buen francés, empujó la puerta, entró, preguntó al español metido en la cama en su chiribitil qué había allí que ver, y cuando le dijo que todo el espectáculo se reducía a verle a él muerto de hambre, el francés pagó la peseta de la entrada y se marchó tan contento.

Casos así de miseria resignada y a veces alegre hay muchos, como de extravagancia macabra.

Una muchacha que andaba por los cafés de Madrid hace tiempo, y que se envenenó con fósforos, guardaba, según decía, la calavera de un niño, que había tenido en la mesilla de noche, y no se acostaba sin besarla.

Carlos Luis de Gálvez cuenta a todo el que le quiere oír cómo llevó a enterrar a un hijo suyo muerto, metido en una caja de pasas, y las cosas que le ocurrieron.

En Madrid había hace tiempo un sablista que tenía muchas mujeres y muchos hijos, y cuando se le moría alguno, lo cogía debajo de la capa, y al primer conocido le decía: «Mire usted lo que me pasa. Se me ha muerto el hijo; no tengo para enterrarlo», y enseñaba el chiquillo muerto.

Manuel Sawa, bohemio que anduvo mucho por Madrid hasta que se murió en un rincón, tenía el gusto de lo macabro.

Cuando se murió la reina Victoria, estábamos tres o cuatro amigos en el Circo de Parish, y, acercándose a nosotros, Sawa gritó, medio tartamudeando, como él hablaba:

—Parece... que ese besugo podrido de la reina Victoria... no ha concluido todavía... de agusanarse.

Sawa hablaba mucho de Teobaldo Nieva, el autor de la *Química de la cuestión social*, un libro absurdo y ridículo. Este Nieva, según me dijo don Nicolás Estévanez, se jactaba de haber puesto una vez unos cirios con dinamita en la iglesia de San Luis, de Madrid; cirios que estallaron y mataron a muchas personas.

Sawa hablaba de Nieva, y decía:

—Ese es un verdadero anarquista. Cuando tiene dinero, le invita a uno a comer a su casa y después le dice: «Ahora, si quieres, puedes acostarte con mi mujer.»

Otros anarquistas y criminales pintorescos han andado por ahí barajando el crimen con la broma, el robo con la jovialidad y la acracia con la macabrería.

IX

LA BRÚJULA DEL HUMORISTA

Cada escritor, sobre todo cuando no es un retórico consumado, tiene su brújula en su instinto, en su sentimiento. El escritor retórico navega en un mar conocido y emplea sus viejos planos.

El humorista se basa en el instinto. Cierto que este instinto, este sentimiento, le lleva en ocasiones a perderse en las rutas sabidas; pero, en cambio, le impulsa alguna vez que otra a acertar y a hacer descubrimientos.

El escritor retórico en tierra firme va con la gente; ésta le sigue y le oye; si se extravía, se extravía en unión de muchos, y él mismo no nota que se ha extraviado. Sólo cuando pasa el tiempo y se encuentra solo ve que ha errado el camino.

El humorista en tierra firme marcha por los caminos de través, buscando los claros del bosque y los sitios de sombra donde no hay gente.

En el mar, el que no posee más que su brújula tiene que tener mucha fe y una cohesión espiritual grande para lanzarse al acaso. Al mismo tiempo, necesita ser veraz, porque el primer paso en el camino de la mentira y de la convención le ha de ser tan peligroso, que difícilmente se salvará. El humorista puede encontrar una fe más fuerte y agarrarse a ella; lo que no puede fácilmente es utilizar su brújula de humorista en alcanzar un objeto práctico.

La confianza del humorista se advierte en Sterne. Sterne es el cómico que, en medio de un papel lacrimoso y sensible, dice de pronto: «Bueno, señores; ahora voy a fumar un cigarrillo y a charlar con ustedes de esta comedia un poco tonta que estoy representando.» Hay que reconocer que para esto se necesita cierta audacia y lo que la gente llamaría tupé.

La brújula del humorista no le impide la mayoría de las veces un mal final.

Goethe, que era adversario del humorismo, decía en una carta a Zelter:

«Nadie quiere comprender que el fin supremo y único de la Naturaleza y del arte es crear la forma, y, en la forma, lo particular, a fin de que cada creación llegue a ser y quede convertida en un ser que se distinga de los demás. No es difícil dejar la brida sobre el cuello, según la inspiración de su humor, de su comodidad y de su capricho; sale siempre alguna cosa, como de la semilla de Vulcano, esparcida a la casualidad, salió un monstruo. Lo que hay de nefasto en esta concepción artística es que el humor que no lleva método, ni fe en sí, degenera pronto o tarde en melancolía y en mal humor.»

El que sea fácil o difícil ser humorista, no nos importa; es tan difícil dejar la rienda suelta sobre el cuello del caballo, como recoger las bridas.

El escritor no retórico en cada libro nuevo se encuentra perplejo, no sabe cómo ni por dónde empezar, no sabe si tiene talento o es un tonto, no tiene direcciones fijas, pero empieza y sigue adelante; confía en su brújula, que unas veces le dirige bien y otras le lleva por precipicios y barrancos.

Hay un médico de una célebre comedia que cree que vale más morirse siguiendo los preceptos de Hipócrates que salvarse sin seguirlos; otros pensamos que casi vale más errar andando solo por selvas laberínticas que acertar yendo mal acompañado.

De esta clase son los humoristas, los bárbaros, los cazadores de humorismo, los francotiradores de la anarquía y del ideal.

Respecto al final triste de los humoristas de que habla Goethe, es muy posible que sea cierto, porque el humorista es casi siempre un hombre perdido en senderos extraviados y tortuosos; además, es un sentimental, y en un mundo en donde lógicamente todo toma caracteres de fijeza y de dureza tener un espíritu infantil es, sin duda, peligroso.

X

RETORNO

—El doctor Illumbe y yo hemos vuelto de Inglaterra a España—cuenta Guezurtegui—, y hemos estado a punto de que un submarino alemán nos echara a pique. Desembarcamos en Bilbao. El doctor Illumbe me invita a pasar unos días con él en Pamplona. Quiere leerme algunos capítulos de su libro Crania vascónica.

—Pamplona ya no está como antes—me ha dicho—. Puede usted venir.

—Iré con usted—le he dicho—; luego ya veré si me quedo más tiempo o no.

Hemos llegado a Pamplona y nos hemos alojado en una fonda de la plaza, he comido y he ido al claustro de la catedral a pasear y a hacer la digestión.

Había en el jardín un profundo silencio, interrumpido por el piar de los pájaros. En el patio, el guardián, con un paquete de llaves en una mano, escogía no sé qué clase de hierbas con cuidado.

Ha empezado a sonar una campana; salido el guardián del patio, ha cerrado la puerta de hierro y ha comenzado a ir de aquí a allá, abriendo y cerrando puertas, haciendo un ruido terrible al descorrer los cerrojos.

Han pasado canónigos gordos, rojos, inyectados, con su muceta morada. Algunos fumando, todos con una mirada dominadora. Me miraban como diciendo: «¿Quién es este extranjero?» Han comenzado las Vísperas.

Ese canto de las Vísperas, seguido del rumor del órgano, tiene grandeza, indudablemente, pero a mí no me produce sensación íntima.

No tengo en la memoria recuerdo ninguno que me inspire respeto o simpatía por estas ceremonias. Creo que para mí esto es tan extraño como lo sería una fiesta budista.

No sé cómo he podido expulsar toda la clericalina heredada de los antepasados.

En mi familia hay gran entusiasmo por el Santo Cristo de Lezo, pero yo perdí la fe en ese Cristo hace mucho tiempo.

Fue cuando estudiaba en el Instituto. Mi abuelo me había dicho: «Si sales bien, iremos al Santo Cristo de Lezo y te compraré una balandra grande.» Yo salía mal; pero, ávido de balandra, dije que había salido bien, y fui a besar una lámina de plata que tiene el Cristo en los riñones, en

prueba de agradecimiento. Desde entonces comencé a dudar.

He dado unas cuantas vueltas al magnífico claustro de la catedral, fumando un cigarro.

He saludado a los caballeros venerables que duermen su sueño de oscuridad y de piedra, y a los vencejos y golondrinas que viven su vida de luz y de aire.

En medio del patio de la catedral he visto que hay un pozo, y sobre el arco de hierro del pozo, donde cuelga la polea, hay una veleta.

«¿A qué herrero se le pudo ocurrir esta idea?—me he preguntado—. ¿No comprendió la ironía de poner una veleta en medio de cuatro paredes? Esa veleta roñosa me parece el símbolo de la libertad espiritual que dan las religiones.»

«Sé libre aquí encerrado», dicen.

Ha venido Illumbe y me ha dicho:

—¿Qué piensa usted hacer?

—Me voy a marchar—le he contestado.

Yo no quiero ser, ni por unos días, como esa veleta encerrada entre cuatro paredes, sino estar expuesto a todos los vientos.

XI

UN POBRE HOMBRE

«He estado unos días en San Sebastián — escribe Guezurtegui a su amigo Videgaín—. Hoy, al salir con intención de pasar un rato en el Casino, me ha venido a saludar un infeliz llamado Iturrigoitia, que me ha contado sus pequeñas miserias.»

Su padre era un hombre muy honrado, muy íntegro, que pudo hacer dinero y no lo hizo. No dejó a sus hijos más que un nombre sin mancha (es la frase sacramental), cosa que no se puede equiparar, por mucha buena intención que se tenga, a una cuenta corriente en el Banco de España ni a una finca bien saneada. Iturrigotia sigue las tradiciones paternales, trabaja y suda, y como la vida está cara, no puede salir de apuros. Su mujer no tiene criada, los hijos no van a una escuela decente.

Iturrigoitia, como buen donostiarra, no tiene cultura literaria alguna, no le divierte leer ni a Platón ni a Carolina Invernizzio, y, como a la mayoría de la gente mediocre, le gusta sólo la música, y, naturalmente, para oírla tiene que mezclarse con la gente. Iturrigoitia no es bastante fuerte para vivir sin compararse con los demás. Es un pobre hombre, que lleva debajo de su capa de austeridad una llaga abierta de envidia.

Iturrigoitia y yo hemos pasado por una calle llena de automóviles. Los chóferes, con esa insolencia mixta de aprendices y de lacayos, se pavoneaban dentro de sus gabanes blancos y grises, elegantísimos.

—¡Cómo está San Sebastián!—me ha dicho Iturrigoitia, con entusiasmo.

—Sí, para los ricos debe de estar bien; ahora, para vosotros debe de andar medianillo,

—De todas maneras, el pueblo gana.

Voy al Casino. Iturrigoitia me acompaña. Al llegar a la puerta, de un automóvil charolado baja un matrimonio joven y un señor canoso.

Iturrigoitia me habla de este señor, que estuvo hace años a las órdenes de su padre. Me dice de él que es un chanchullero, enredador, granuja, que, con procedimientos sucios, en veinte años se ha hecho millonario. El hombre, a quien antes llamaban *el Rata*, está veraneando en San Sebastián, y a nadie se le ocurre recordar su apodo ni sus malas artes.

El dinero suyo se ha desinfectado, y ahora es tan aséptico y tan apetecible como si viniera de un pariente de América negrero o de un tío cura.

La hija del *Rata* se ha casado con un pollo elegante y de familia aristocrática, y llama la atención con sus trajes, sus alhajas y su automóvil.

—Ya ve usted—me dice el pobre ganso de Iturrigoitia—, qué contraste entre mi padre y ese hombre.

—Bien; yo voy a entrar aquí—le advierto.

—Yo, no—me dice él—; yo oigo la música desde fuera; no me permito el lujo de gastarme una peseta.

Abandono a Iturrigoitia, entro en la terraza del Casino y me siento cerca de unos conocidos.

He hablado de este pesado de Iturrigoitia y de la eterna y aburrida cantilena de la honradez de su padre y de la suya propia.

Un señor muy donostiarra—nacido en Valladolid o Zamora—, un poco rastacuero y trepador, me dice con cierto énfasis:

—Sí, Iturrigoitia era un hombre muy honrado, muy probo. El hijo también es persona muy trabajadora, muy modesta, que no le gusta salir de su posición.

¿A qué llamará salir de su posición este señor, que creo que ha tenido una casa de huéspedes? Seguramente, este hombre divide a las gentes como la verja de la terraza del Casino: fuera, la morralla; dentro, lo distinguido.

De pronto, el señor muy donostiarra y ex hospedero se ha levantado y ha ido a saludar con entusiasmo al *Rata* y a sus hijos, que han pasado por la terraza pomposos.

El Rata iba de negro y chaleco blanco; el maridito, muy *chic*; ella, la hija, hecha un brazo de mar.

Cualquiera hubiese dicho que sus antepasados, como los de los personajes de Javier de Montepin y de Ponson du Terrail, habían estado en las Cruzadas.

¡Quién pensaría que su abuelo había sido un minero y su madre una tabernera y su padre había estado a punto de ser licenciado de presidio!

¡Bah! La vida no se entera de esas cosas. Cerca de la hija del *Rata*, una duquesa auténtica parecía una cocinera.

—¡Qué guapa está!—decían a mi lado.

—Sí, es cierto. ¿Y ésta es la hija de ese señor a quien llamaban *el Rata?*—he preguntado yo.

Me han mirado como diciendo: «¡Qué inoportunidad! ¿A qué viene ese recuerdo?»

«La verdad es que es una estupidez el ser honrado—he pensado yo—. Iturrigoitia padre e Iturrigoitia hijo, sois un par de imbéciles.» Un buen padre debe estar obligado a ser un poco ladrón para que sus hijos vivan bien. Lo demás es defraudarlos. Don Francisco Silvela, hombre de cierto espíritu agudo, aunque no precisamente ático ni florentino, había concretado en una frase el ideal de un joven de buena familia y de buenas intenciones; era éste: casarse con la hija honrada de un padre ladrón.

XII

LA BALADA DE LOS BUENOS BURGUESES

Tocaba la orquesta algo que los filarmónicos, con su fraseología convenida, llaman interesante, y mis conocidos se han levantado y se han marchado. Yo he echado un vistazo por la sala de juego; he visto a un político charlatán con cierto aire de hombre no comprendido, a un profesor estúpido hasta el paroxismo y a un ex concejal de Madrid que juega fuerte y no se sabe de qué vive. También he visto a una marquesa fea, vieja y mal vestida que tiene enormes posesiones en Andalucía, y a una porción de cocotas, que en cualquier otro lado estarían en la segunda reserva y que aquí parece que siguen en el servicio activo.

Me he metido en el salón de lectura, he leído en un periódico los preparativos que se hacen para aplastar el bolcheviquismo, y he tropezado en la *Ilustración Francesa* con un artículo, un tanto estólido, de Paul Bourget acerca del gran naturalista alemán Haeckel, que acaba de morir. Irritado quizá por ello, he cogido un pliego de papel de cartas y he escrito esta balada en prosa, en estilo pasado de moda, estilo de principios del siglo XIX. Me ha resultado un poco larga:

«LOS BUENOS BURGUESES

BALADA

»¡Viva el lujo! ¡Viva la alegría! Gozad, gozad, buenos burgueses; todavía no viene el bolcheviquismo.

»Gozad, disfrutad. Que vuestras hijas vayan bellas y elegantes, y parezcan descender de los caballeros de las Cruzadas; que vuestras mujeres lleven pieles y joyas; que vuestros hijos se luzcan en el automóvil y en el teatro.

»¡Viva el lujo! ¡Viva la alegría! Gozad, gozad, buenos burgueses; todavía no viene el bolcheviquismo.

»Gozad; tenéis motivo. Nuestro país es una balsa de aceite. Nuestra

Santa Madre Iglesia tiene días de gloria; las peregrinaciones abundan, los robustos frailes y los amenos jesuitas brotan como la hierba; Su Majestad el rey muestra su belfo austríaco en las carreras y en las regatas más que en las bibliotecas y laboratorios.

»Estáis seguros. Aquí no hay huelguistas, ni sindicalistas, ni hambrientos. Por lo menos no se los ve. Os guarda la Policía y la Guardia Civil, los miqueletes y los celadores. Estáis como un gusano dentro de un queso.

»¡Viva el lujo! ¡Viva la alegría! Gozad, gozad, buenos burgueses; todavía no viene el bolcheviquismo.

»Gozad, amigos del abultado abdomen. Hay que satisfacer vuestras ansias de plebeyos sanos, vuestras ansias de comer, de figurar y de lucir. Ya habéis cumplido el precepto del sabio Guizot de enriqueceros a toda costa. Ahora hay que divertirse. No hay miedo de perder el prestigio ni la respetabilidad. La respetabilidad es tener dinero.

»¡Viva el lujo! ¡Viva la alegría! Gozad, gozad, buenos burgueses; todavía no viene el bolcheviquismo.

»Gozad, porque vosotros cumplís como pocos vuestra misión; vosotros ornamentáis la vida de los pueblos de moda; vosotros sois divertidos, insolentes y pintorescos. Cada uno de vosotros es un Calibán bien vestido.

»Si en vosotros se nota aún la bajeza y la impulcritud de vuestros antiguos menesteres, en vuestros hijos, no; éstos son *gentlemen* completos, y vuestras hijas aplastan con su belleza y con sus galas a esas señoritas de la rancia aristocracia, feas, negras, escuchimizadas y con bigote.

»¡Viva el lujo! ¡Viva la alegría! Gozad, gozad, buenos burgueses; todavía no viene el bolcheviquismo.

»Vosotros no tenéis nada de la proverbial tontería majestuosa de los burgueses de sainete, de los M. Jourdain, o de los M. Prudhomme, o de los M. Perrichon; vosotros sois avispados, listos, cínicos. Vosotros sabéis que en nuestro mundo todo se compra y todo se vende, y esperáis hacer un buen negocio en el capítulo del placer, de las distinciones o de los honores con poco dinero.

»¡Viva el lujo! ¡Viva la alegría! Gozad, gozad, buenos burgueses; todavía no viene el bolcheviquismo.

»Vuestro trabajo os ha costado la fortuna.

»Vosotros, políticos del centro y de la periferia, de la derecha y de la izquierda, habréis tenido que ordeñar la vaca de los grandes empréstitos, de las compañías, de los monopolios y de la Bolsa. Quizá alguno diga que habéis contribuido a embrutecer al país y no habéis hecho nada para levantarlo. ¡Bah! Palabras.

»Vosotros, comerciantes, habréis tenido que maniobrar con los carbones y las harinas, los garbanzos y las piritas, las patatas y el bacalao, los caballos y los cerdos. Habéis tenido que dar grandes sumas para hacer el contrabando. Hoy la morralla no puede vivir; pero vosotros os habéis enriquecido.

»¡Viva el lujo! ¡Viva la alegría! Gozad, gozad, buenos burgueses; todavía no viene el bolcheviquismo.

»Vosotros, los abogados, tenéis cansados los ojos y las manos de manejar el Código como un trabuco; los periodistas os habéis calentado la cabeza exprimiendo y poniendo a contribución la industria y la política, el gran círculo de recreo y el humilde garito; los toreros y los cantantes, la subvención de las empresas industriales y lo que se llama, con una retórica pomposa, escupiendo en el plato para dar asco a los demás compadres, el fondo de reptiles.

»¡Viva el lujo! ¡Viva la alegría! Gozad, gozad, buenos burgueses; todavía no viene el bolcheviquismo.

»Vosotros, concejales de gran ciudad y diputados provinciales, habéis tenido que hacer esfuerzos para tragar kilómetros de adoquinado, de alcantarillas, de carreteras, de mobiliario de escuela, de arbolado, y habéis tenido que recurrir hasta a la leche de las amas de cría de la Inclusa, lo menos suculento en cuestión de alimentación. Vuestro apetito habrá dejado sin comer a millares de incluseros escuálidos y con la tripa abultada, que habrán ido al camposanto a dedicarse a la cría del gusano con sus carnes fofas. Habían de vivir mal. Allí nos esperen muchos años.

»¡Viva el lujo! ¡Viva la alegría! Gozad, gozad, buenos burgueses; todavía no viene el bolcheviquismo.

»No vendrá, no, porque vosotros sois españoles, y con esto está dicho todo; vosotros tenéis la fe que salva y el Santo Cristo de Limpias, que mueve los ojos y bailará el tango argentino, si le conviene a los curas; vosotros sabréis defender la propiedad que es sagrada, y que tanto trabajo y tanto ingenio os ha costado conseguir. Vosotros, y con vosotros los grandes burgueses de París, de Londres y de Nueva York, que tienen dinero y bayonetas, nos defenderéis de las hordas de Lenin y de los soviets como de las acometidas de Satanás, apagando la fatídica tea de la anarquía y encadenando al diablo; vosotros nos daréis la calma y nos permitiréis decir a voz en grito:

»¡Viva el lujo! ¡Viva la alegría! ¡Viva el oro, que nunca se corrompe! Gozad, gozad, buenos burgueses; todavía no viene el bolcheviquismo.»

E N V Í O

Y tú, oscuro Iturrigoitia, pobre hombre, tímido y cobardón, que oyes la música del Casino desde fuera de la verja y crees que el que te digan que tu padre era honrado y que tú lo eres es para ti un gran mérito, aprende a ver un poco el mundo; deja tu pestífera modestia, salpimentada de envidia, y abandona para siempre tus conciertos gratis.

Aprende que el ser honrado por capricho, por *sport*, es una cosa digna porque es un juego; pero que el ser honrado pensando en los demás es una estupidez. Desde mañana, si puedes, defrauda; defrauda un poco, pobre hombre; todos te lo pasaremos si defraudas bien; chanchullea para que tu mujer tenga una criada y salga alguna vez de casa, para que tus hijos vayan a un colegio decente y tú puedas oír la música del Casino desde dentro de la verja, ya que éste es el pequeño ideal de tu pequeño espíritu. Sí, defrauda un poco, Iturrigoitia: no sabes tú qué cosa más triste, más lamentable, es ver a un pobre hombre honrado consecuente y quejumbroso. Evoluciona, Iturrigoitia, hay que evolucionar. Hay que dar el salto y agarrarse, aunque sea con las uñas, a la carroza triunfal de los victoriosos. Hay que gritar:

¡Viva el lujo! ¡Viva la alegría! Gozad, gozad, buenos burgueses; todavía no viene el bolcheviquismo.

Después de la balada de nuestro autor, escrita en un pliego de papel de cartas, hay una cuartilla adherida con este comentario, que suponemos está escrito por Videgaín, aunque no podemos afirmarlo. Dice así:

«¡Bien, bien, maestro Guezurtegui! ¡No te inquietes más con tus pérfidas amenazas! ¡No nos vengas con la canción conocida de la inmoralidad de políticos, comerciantes y periodistas! Todos sabemos que es así; pero todos sabemos que la cosa no tiene remedio.

»Alegrémonos, Guezurtegui. ¡Fuera perspectivas catastróficas y revolucionarias! Vete, querido maestro, con la hidra de la revolución a otra parte.

»Hace mucho tiempo que el mundo va de cabeza y está enfermo. ¿Cuán-

do ha ido en sus pies y ha estado sano? Probablemente nunca. Aun así, no morirá, al menos en nuestros días. Déjalo, déjalo que marche febril, borracho, desquiciado, colérico, loco. Ya llegará a algún lado, al cielo o al infierno, al solio o a un montón de fiemo. Ya llegará, no tengas cuidado, puedes dejarlo en paz y puedes dejarnos tranquilos a nosotros los buenos burgueses con nuestras martingalas y nuestras trampas.»

EPILOGO

Guezurtegui ha llegado a Lezo, ha contemplado su huerta, ha mirado los perales, los manzanos, las berzas, las alcachofas y los guisantes; ha reñido varias veces con su padre, porque nuestro doctor habla con un profundo desprecio de la hipocresía, y se dispone a marcharse de nuevo.

—No tiene fundamento—dice Guezurtegui padre, refiriéndose a su hijo—. Todo cree que lo sabe él; los demás no saben nada. Que los curas son unos bestias, suele decir. Atrevido, más que atrevido.

Guezurtegui ha decidido marcharse. Un amigo suyo, el joven paisajista Videgaín, imbuido en los principios guezurteguianos, trata de convencerle de que debe quedarse en el pueblo, de que hay una obra que hacer en Lezo, perentoria, importante. Cuando salen de paseo le dice Videgaín:

—No se debía usted marchar, Guezurtegui.

—¿Por qué?

—Aquí había que transformar esto, y usted sería el más indicado.

—Son muy cerriles todavía nuestros paisanos, amigo Videgaín—contesta Guezurtegui.

—Cerriles como toda la gente inculta.

—¿Le parece a usted poco?

—Me parece mucho; mas eso, ¿qué importa? Hay que tener algún amor por el país para influir en él.

—Yo le tengo; pero ¿qué va usted a hacer si el terreno no está preparado aún?

—Trabajar. Usted sospecha cuál ha de ser su momento?

—Sí. Allá hacia el mil novecientos ochenta me apreciarán a mí, cuando ya no viva el recuerdo de esta sucia morralla, que ocupa, sin nuestro permiso, el País Vasco. Adoradores nocturnos..., Luises..., Kotskas..., indianos con alma de rumiante..., bizkaitarras, ¡qué ridículo espectáculo! ¡Qué bajeza de ambiente! Es imponderable la cantidad de miseria moral, de hipocresía que hay en estos pueblos dominados por beatas y clérigos.

—Pero ¿cree usted que más bajeza que en los demás pueblos de España?

—Más, mucho más. Más dominados por la sotana.

—Pero, hombre, no.

—Sí, sí; aquí se odia, se envidia,

se escriben anónimos; no es fácil comprobar la cantidad de basura que hay en estos pueblos infiltrados de clericalismo.

—¿Así que usted cree que aquí no hay nada bueno?

Guezurtegui ha pensado un momento, y ha dicho, sonriendo:

—Lo mejor de aquí, indudablemente, es la lluvia..., la tierra..., el mar...

Videgaín trata de convencer a su amigo para que se quede; pero Guezurtegui se jacta de tener una voluntad firme, y una noche sale para embarcarse en un velero que va a América, al Canadá, desde el puerto de Pasajes.

Videgaín le espera y le acompaña.

—Guezurtegui—le dice—, no tiene usted plan.

—¿Que no tengo plan yo? Vamos, hombre.

—No, no tiene usted plan. La obra de usted está aquí, en luchar contra esta gente, en inculcarles un ideal humano. Va usted al otro lado del mar. ¿Y qué? Detrás de ese mar oscuro vivirá usted la misma vida rutinaria y cotidiana. Se va usted a aburrir.

—Sí; pero hay el camino.

—El camino es monótono.

—Hay lo imprevisto.

—No hay imprevisto ya.

—Sí..., pero no—dice Guezurtegui, y sigue marchando frío, tranquilo, hacia el puerto con un maletín en la mano—. Claro, el ideal sería vivir en línea—añade—, no llegar nunca al fin.

—¿Qué va usted a hacer allá en el extranjero? Hacerse rico. Usted, como todo espíritu noble, desprecia la riqueza. Hay que vivir con pasión, Guezurtegui, querer y odiar...

—Pero en la vida no se llega nunca al fin.

Guezurtegui se acerca a una lancha y entra en ella.

—Aún es tiempo de volver, Guezurtegui—dice Videgaín.

—¡Adiós, joven Videgaín! ¡Adiós!

—¡Guezurtegui! ¡Guezurtegui!... —grita Videgaín.

—¡Oh soledad! Eterna soledad espiritual—murmura Guezurtegui, casi sollozando—. ¡Oh soledad! Nuestra miseria, nuestra grandeza.

—¡Guezurtegui! ¡Guezurtegui!... —vuelve a gritar Videgaín.

Pero Guezurtegui ha desaparecido en la sombra.

Itzea, septiembre de 1919.

FIN DE «LA CAVERNA DEL HUMORISMO»

ENSAYOS

*

DIVAGACIONES
APASIONADAS

1924

ENSAYOS

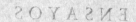

*

DIVAGACIONES
APASIONADAS

1924

DIVAGACIONES DE AUTOCRITICA

EÑORAS y señores:

Al invitarme vuestro profesor de español a leer unas cuartillas en su clase de la Sorbona, me pone en un grave aprieto. Yo quisiera corresponder al honor que me ha hecho eligiendo como libro de lectura, durante este curso, mi novela *Zalacaín el aventurero*, de alguna forma, pero no sé cómo.

No tengo el hábito de hablar ni de leer en público, y como ahora vivo casi siempre en una aldea y no asisto a ninguna clase de fiestas, mi amabilidad y mi instinto social, si es que los hay en mí, se van quedando inéditos.

Yo no soy un erudito; no me interesan las cuestiones filológicas y gramaticales, ni las conozco siquiera. Me interesa mi vida, la vida de la gente que me rodea, y el arte como reflejo de la vida.

Ahora hay mucha tendencia a suponer que esta preocupación exclusiva de la vida no es precisamente artística; pero, en fin, que lo sea o que no lo sea, no me preocupa.

Para algunos, el arte es el *tabú* más importante y acreditado de la sociedad moderna. Yo no soy *tabuista* en este sentido.

Como el motivo inicial de presentarme ante vosotros es *Zalacaín*, esta pequeña novela mía de costumbres vascas, que estáis leyendo y comentando, hablaré de mi obra y de mí mismo, seguramente sin modestia, creo que también sin forjarme ilusiones.

No es que yo suponga que este libro mío sea importante, ni tampoco los otros que he escrito; pero es indudable que es lo único de lo que puedo yo hablar con conocimientos.

No me permitiría el lujo de dirigiros la palabra si no fuera por encontrarme gratamente sorprendido al ver que hay estudiantes de español de la Sorbona que han leído con simpatía y con benevolencia alguno de mis libros.

Estas cuartillas mías tienen, pues, un objeto de esclarecimiento, de explicación. Intentaré aclarar mis ideas y sincerarme, porque todos los que escribimos necesitamos, por una cosa o por otra, que nos absuelvan.

Me gustaría saber definirme y caracterizarme con justeza, como quien define una especie botánica o zoológica, y ofreceros la definición; pero indudablemente es difícil ser el Linneo de sí mismo.

LOS ESPAÑOLES DE MI ÉPOCA

Yo soy uno de tantos españoles que, nacidos en el último tercio del siglo XIX, han vivido en un momento malo, confuso y de transición; en una época en que las pragmáticas de nuestros abuelos se acababan de descomponer, y en la que, al mismo tiempo, el intento de ordenar y modernizar España fracasaba en la restauración borbónica, establecida en 1876, en el reinado de Alfonso XII, y continuada después por la Regencia.

El fracaso de la Restauración culminó en 1898, época en que finalizaron nuestras guerras coloniales en América y en Oceanía con la lucha contra los Estados Unidos.

RECUERDOS DE UN MUNDO VIEJO

Yo me siento un hombre cuya vida está partida en varios períodos radicalmente distintos. El primer período de mi infancia y adolescencia pertenece a un mundo viejo, no sólo por ser de época lejana, sino por ser aquella época diferente a la actual, pues se conservaban en ella todavía con vigor las costumbres y las ideas tradicionales.

Yo recuerdo, de niño, algo del bombardeo de mi pueblo por los carlistas y un cementerio próximo a mi casa en el que se echaban en montón los cadáveres de los soldados.

Después viví, de chico, en Pamplona, pueblo amurallado, cuyos puentes levadizos se alzaban al anochecer; pueblo con costumbres de antigua plaza fuerte. Yo he visto pasar por delante de mi casa un reo de muerte, con una hopa amarilla, pintada de llamas rojas, y una coroza en la cabeza; le he visto marchar en un carro al patíbulo, abrazado por varios curas, entre dos largas filas de disciplinantes, con sus cirios amarillos en la mano, cantando responsos; mientras, el verdugo marchaba a pie detrás del carro y tocaban a muerto las campanas de todas las iglesias de la ciudad.

En este ambiente arcaico, con notas medievales, fui yo educado en colegios donde los maestros nos zurraban con frecuencia y donde los chicos nos pegábamos unos a otros como verdaderos salvajes.

El segundo período de mi vida, ya en plena juventud, se deslizó en Madrid, donde uno pudo observar cómo toda la vida española se iba desmoronando por incuria, por torpeza y por inmoralidad. Este período, que coincidía con el fin del siglo XIX y con el principio del XX, fue una época de verdadera corrupción, de grandes fracasos y de algunas ilusiones; de muchas cosas malas y de algunas buenas. España, como otros pueblos de Europa, parecía entonces una mujer vieja y febril que se pinta y hace una mueca de alegría. Por debajo de su actitud se iba viendo cómo subía la marea del escepticismo.

El tercer período de mi vida está dentro de nuestra época. Este tiempo, posterior a la guerra, tiene un aire de frialdad y de tristeza horribles. El mundo parece un campo de ceniza mientras arde esa llama siniestra de la Revolución rusa, llama que no calienta, y que, en vez de dejar en la Historia un drama sangriento y humano, como el de la Revolución francesa, no deja al descubierto, en medio de sus inauditos horrores, más que disputas doctrinarias de pedantes del marxismo, una crueldad fría de aire chino y la avidez rencorosa de los judíos, que hacen de gusanos de las naciones muertas.

Si hemos decaído en entusiasmos políticos y sociales, no hemos decaído menos en fervor literario y artístico.

Dentro de la literatura, en estos últimos años, ¡qué cambio en el sentido de frialdad y de falta de entusiasmo!

Zola, France, Ibsen, Nietzsche, Tolstoi... Las obras de esos grandes escritores, que tanto nos entusiasmaban hace veinticinco años, se han enfriado y parecen algo viejo y cansado. Lo único que se conserva joven, quizá como una monstruosidad admirable, es la literatura de Dostoyevski.

En este ambiente de frialdad y de inseguridad se comprenden muy bien estas audacias de taller, un poco estólidas, por muy disparatadas, insulsas y absurdas que sean.

Es incalculable la cantidad de tonterías que nuestra época va aceptando graciosamente. No hay superchería que no acoja: espiritismo y teosofía, metapsíquica y antroposofía, cubismo y dadaísmo, magia y psicoanálisis freudiano; todo pasa. Nuestro tiempo es un avestruz que se traga todo lo que le echen; claro que no lo puede digerir, porque no se digieren las piedras, pero las traga.

Ante la impotencia de crear un ideal, o por lo menos una utopía, nuestra época se repliega en sí misma y quiere dar como una norma apetecible lo que es resultado de su infecundidad.

Así se la ve tender a la desvalorización de todos los ideales humanos: al desdén por la cultura general, a la tendencia a la especialidad, al deporte y a la intensificación del mecanicismo de la vida, hasta tal punto, que parece que las cosas ellas mismas tienden a sustituir las inqui-

tudes espirituales por el puro movimiento automático y mecánico. La ciencia, que es hoy por hoy lo único con aire religioso que nos queda, nos aplasta con su frialdad.

Viviendo como yo he vivido en épocas de carácter tan distinto, se puede dar el caso, como me ocurre a mí, de pasar de niño a viejo sin haber sido nunca adulto.

Yo de chico y de joven, hace treinta años, cuando tenía veinte, era para mis conocidos un revolucionario; en cambio, hoy, para los jovencitos antirrománticos que cultivan la elegancia o el fútbol, no paso de ser un iluso, un viejo *pompier*.

DESORIENTACIÓN

En este segundo período de mi vida, en Madrid, para mí, naturalmente, el más trascendental, porque era aquel en que tenía más energías y más inquietud, yo me encontré, como la mayoría de los jóvenes de mi tiempo, con que todos los grandes caminos abiertos por los españoles de antaño estaban cerrados.

En las antiguas colonias de América, de Oceanía y de Africa se nos odiaba, con razón o sin ella. En las ciudades de Europa se nos miraba con desdén. Eramos, para la mayoría, una excepción desagradable en la civilización europea.

En las esferas oficiales de España reinaba por entonces la cuquería más refinada.

Había una oligarquía de políticos, oligarquía de apetitos, de petulancia y, sobre todo, de vanidad, que miraba el Estado como una finca.

Esta oligarquía, entronizada por la Restauración y la Regencia, favorecida probablemente en las altas esferas, cantada por periodistas mediocres que

se creían geniales, trabajó constantemente en hacer una selección a la inversa. Si no se establecieron escuelas
de toreo en nuestras ciudades, como
en tiempo de Fernando VII, no fue
por falta de ganas.

Durante este tiempo, las mercedes
del Poder se reservaron siempre para
los yernos, para los amigos, para los
tertulianos y criados de los políticos
y de los palaciegos. Es decir, para
criados de criados.

Esa oligarquía ha caído hace poco
tiempo ante el sable de unos generales que han prometido mucho, aunque
no sabemos a punto fijo lo que hacen,
porque en España vivimos en un régimen de no publicidad, y en un régimen así no hay informaciones completas.

Es de temer que la dictadura militar no nos empuje a una cosa nueva y
buena, sino que nos lleve otra vez a
la vieja oligarquía política, que vuelve al escenario de nuestra vida nacional a explotar su granja.

Enfrente de la inmoralidad, de la
chabacanería y de la ramplonería de
los políticos, no había en la España
de la Regencia nada organizado. El
republicanismo nuestro era un amaneramiento, una retórica vieja con la
matriz estéril; el socialismo obrerista
odiaba a los intelectuales, y hasta a la
inteligencia; el anarquismo se manifestaba místico, vagaroso y utópico, y
los dos separatismos aparecidos en
aquella época, el catalán y el vasco,
por su egoísmo y su mezquindad, no
tenían atractivo más que para gente
un poco baja. Además, en el uno había una pedantería y un superhom-
brismo ridículo; en el otro se veía
demasiado el solideo del cura.

Un hombre un poco digno no podía ser en este tiempo más que un solitario.

EL CONCEPTO DE INTELECTUAL EN ESPAÑA

Por este tiempo, en España se empezó a propagar un concepto que vino
de fuera y que ha promovido siempre
gran irritación entre nuestra burguesía: el concepto expresado con la palabra *intelectual*. A la gente de buen
tono le pareció esta palabra de una
petulancia terrible y que indicaba una
idea de superioridad intolerable.

La burguesía de las capitales, y con
ella los periodistas y saineteros, aduladores del prejuicio, no comprendieron el sentido de la palabra *intelectual*, y creyeron que el que se llamaba
así se consideraba ya, sólo por esto,
inteligente y talentudo.

Esta necia equivocación subsistió y
subsiste en nuestros días.

El trabajo intelectual no presupone,
sin duda alguna, inteligencia extraordinaria, como el trabajo manual no
presupone estupidez.

Un economista, un historiador, un
filólogo, un crítico, son intelectuales;
pero esto no quiere decir que sean
sólo por esto talentudos ni de una inteligencia superior. Un carpintero o
un herrero son trabajadores manuales, lo que no quiere decir que sean
estúpidos.

¡Qué duda cabe que hay obreros
manuales, industriales y gentes de negocios que son mucho más inteligentes que los intelectuales!

Esto no quitará su calidad de ser intelectual al intelectual, porque esta
calidad no se la da su clase de inteligencia, sino su clase de trabajo.

Entre nosotros no se consideró así,
sino que se creyó que llamarse intelectual era una petulancia.

No se pensó que, de ponerse a encontrar petulancia, lo mismo se puede
encontrar petulancia en que una per-

sona diga: «Yo soy médico, o diplomático, o militar, o artista», porque el suspicaz podrá decir: «Este, al llamarse médico, se considera un buen clínico; este otro, al decirse diplomático, se mira como un hombre lleno de perspicacia y de finura; el tercero, al afirmar que es militar, se tiene por un valiente, y el último, al decirse artista, se cree un hombre genial.» Y no cabe duda que se puede ser médico malo, diplomático tonto, militar tímido y sin valor y artista que no tenga ninguna genialidad.

El trabajo intelectual es una clase de trabajo, y el que se dedica a él es un trabajador intelectual, quiéranlo o no lo quieran nuestras clases pudientes.

Esta es una idea que no cabe en la burguesía española y que procede de un fondo de odio a la distinción, un tanto bajo y plebeyo.

Eso de que alguien quiera separarse del rebaño y formar su vida a su modo es algo que produce gran cólera entre nuestra burguesía. La pretensión se considera como una ofensa.

De aquí ha venido que entre el vulgo burgués se quiera considerar intelectual como sinónimo de pedante y de que hace unos años un estólido sainetero madrileño quisiera hacer sinónimas la palabra *esteta* y la de *invertido*.

He hablado de este concepto de intelectual en nuestra burguesía para que se vea cómo ella ha estado siempre muy al unísono con la política española y con la mentalidad de nuestros políticos.

LA DIFICULTAD DE LA VIDA

En este mundo estrecho y sin salidas yo tuve el atrevimiento, como otros muchos jóvenes, de querer abrir-

me camino libremente y de vivir con independencia. Era una locura.

Primero fui médico de aldea. La vida era difícil en el campo. Se ganaba demasiado poco; además, yo no tenía bastante energía física para andar constantemente por los caminos, de noche y de día, resistiendo lluvias y nieves. Estuve muchas veces reumático. Luego, por un azar de la suerte, fui a Madrid; me hice panadero; después ensayé el ser negociante y periodista, y, por último, ya resignado, comprendiendo que por el esfuerzo propio no se llegaba a ninguna parte, comencé a ser novelista para emplear mi actividad en algo, aunque sin esperanza de éxito ni de eficacia.

Ganando poco, reduciendo la vida al mínimo, sin intentar nada activo ni tener relaciones en la vida social, he ido marchando mal que bien.

Inadaptado al ambiente, he vivido un poco solitario, lo que quizá ha exacerbado mi descontento. No es raro, pues, que yo haya hablado mal de todo lo próximo a mí y bien de lo más lejano; no es raro que haya sido anticatólico, antimonárquico y antilatino por haber vivido en un país latino, monárquico y católico que se descomponía y en donde las viejas pragmáticas de la vida, a base de latinismo y de sentido monárquico y católico, no servían más que de elemento decorativo.

No es raro que haya sido abominador de la oratoria y de la retórica en un pueblo como el español, sobresaturado de retórica y oratoria, que no le permite ver la realidad.

Tomar las frases retóricas como hechos consumados es condición muy meridional. Hay español a quien no molesta que le digan en el extranjero que su patria ha sido cruel e inhumana; que no le sorprende que afirmen que no produce cultura científica y filosófica, y que se satisface al leer en un discurso diplomático que llaman a España la noble nación.

A mí, en cambio, esto me fastidia, porque creo que no se llama nunca a una nación noble nación, o a un hombre caballeresco, más que cuando una u otro no sirven para nada. A Roma, en su esplendor antiguo, o a Inglaterra en el siglo XIX, no se las calificó nunca de nobles naciones; por el contrario, se las motejó de pérfidas y de egoístas. A Darwin o a Pasteur no se le ha ocurrido a nadie llamarlos caballerescos.

LA CONTINUIDAD DE LA RAZA

En el pueblecillo vasco donde estuve yo de médico y comencé a tener dolores reumáticos, comprendí, observándome a mí mismo, que había dentro de mi espíritu, como dormido, un elemento de raza que no había despertado aún.

Durante mi infancia viví, hasta los siete u ocho años, en el País Vasco; pero luego, al comenzar la juventud, fui a Madrid, después a Valencia, y mis recuerdos de la primera edad, referentes a la tierra natal, se esfumaron y desaparecieron.

Al volver, ya de hombre, al pueblo guipuzcoano donde comencé a ejercer de médico, sentí cómo el ambiente físico de mi país, y algo también del moral, me iba envolviendo, y cómo recogía, poco a poco, este rastro perdido de la raza.

En esa época de médico de pueblo, en que viví solitario y tuve que andar de día y de noche por los caminos, pensé vagamente en escribir sobre mi país y hablar de sus paisajes y de sus hombres.

LA SUPUESTA GENERACIÓN DE 1898

Quizá algunos de vosotros, como estudiantes de literatura española, habréis leído que en la época actual hay en España una generación de escritores, la generación de 1898, y que yo pertenezco a ella.

Existe siempre un afán de reunir, de dar aire de grupo y de escuela a lo que, naturalmente, no lo tiene de por sí.

Además, en España nunca ha habido escuelas bien definidas; en parte, por no haber tenido ciudades densas; en parte, por individualismo y por vivir también en la periferia de la gran civilización del occidente europeo.

Yo no creo que haya habido, ni que haya, una generación de 1898. Si la hay, yo no pertenezco a ella.

En 1898 yo no había publicado apenas nada, ni era conocido, ni tenía el más pequeño nombre. Mi primer libro, *Vidas sombrías*, apareció en 1900.

No me ha parecido nunca uno de los aciertos de *Azorín*, el bautizador y casi el inventor de esta generación, el de asociar los nombres de unos cuantos escritores a una fecha de derrota del país, en la cual ellos no tuvieron la menor parte.

Con 1898, época del desastre colonial español, yo no me encuentro tener relación alguna.

Ni yo colaboré en ella, ni tuve influencia en ella, ni cobré ningún sueldo de los Gobiernos de aquel tiempo, ni de los que les han sucedido.

La verdadera gente de 1898 fueron los políticos Sagasta, Montero Ríos, Moret, Maura, Romanones, García Prieto y los escritores y artistas Galdós, Castelar, Echegaray, Valera, Núñez de Arce, Letamendi, el doctor Simarro, el pintor Pradilla, los dramaturgos Sellés y Cano, los actores Calvo y Vico, y hasta los toreros *Lagartijo* y *Frascuelo*... Nosotros, no.

Toda aquella gente, la mayoría de una vanidad morbosa, de una megalomanía patológica, se declaró inmortal a sí mismo, y España está llena de estatuas de hombres ilustres, de calles dedicadas a ellos, algunos de los cuales ya ni se los conoce ni se sabe quiénes fueron. Así, en Córdoba, en donde no hay una estatua de Séneca, de Lucano ni de Averroes, la hay del señor Barroso.

Alguno de voostros quizá preguntará: «¿Qué hizo el señor Barroso para tener una estatua en Córdoba?» Hizo lo mismo que pudo hacer el conde de Romanones en Guadalajara; Montero Ríos, en Santiago de Galicia; Moret, en Cádiz; Sagasta, en Logroño; Cánovas, en Madrid; Calbetón, en Deva, y un boticario llamado Camo, en Huesca, que, al parecer, era gran cacique y muñidor electoral, y quizá un buen fabricante de ungüentos y de sinapismos.

En estos últimos años, España, que, desgraciadamente para nosotros, ha tenido más fracasos que éxitos, se ha llenado de estatuas de políticos de la época de su decadencia. Un fracaso más, una tontería más, significan en nuestro país una serie de estatuas detestables más.

Los escritores que hicimos algunas campañas de prensa a principios del siglo XX en España nos pusimos casi todos en una actitud contraria a los hombres de la Restauración, abominando de su espíritu y de sus procedimientos.

Entre los que comenzamos por entonces había hombres de todas las tendencias. Unos, la mayoría, cultivaban lo que se llamaba, y creo que se sigue llamando, el modernismo; otros se inclinaban a la política o a la sociología; pero como no había entre nosotros un ideal común, cada uno marchaba por su lado.

Benavente se inspiraba en Shakespeare, en Musset y en los dramaturgos franceses de su tiempo; Valle-Inclán, en Barbey d'Aurevilly, D'Annunzio y el Caballero de Casanova; Unamuno, en Carlyle y Kierkegaard; Maeztu, en Nietzsche y luego en los sociólogos ingleses; *Azorín*, en Taine, en Flaubert y después en Francis Jammes; yo dividía mis entusiasmos entre Dickens y Dostoyevski. Respecto a Blasco Ibáñez, también de nuestro tiempo, a quien no sé por qué no se le ha incluido en la supuesta generación de 1898, fue un imitador acérrimo de Zola. Por un capricho de la suerte, o quizá por sus condiciones, Blasco Ibáñez ha sido en el extranjero el escritor más representativo de la España actual. A mí, particularmente, Blasco Ibáñez no me interesa absolutamente nada; pero el hecho de su éxito es indudable.

Ni por las tendencias políticas o literarias ni por el concepto de la vida y del arte, ni aun siquiera por la edad, hubo entre nosotros carácter de grupo. La única cosa común fue la protesta contra los políticos y los literatos de la Restauración.

Una generación que no tiene puntos de vista comunes, ni aspiraciones iguales, ni solidaridad espiritual, ni siquiera el nexo de la edad, no es generación; por eso la llamada generación de 1898 tiene más carácter de invento que de hecho real.

Cada uno de los que comenzamos a escribir entonces siguió su camino, mejor o peor, sin solidaridad con los demás, solidaridad que no podía traer más que una unidad de ideales, que no había, y yo seguí el mío, atento a la vida que me preocupaba, desentendiéndome por completo de las escuelas literarias y sin enterarme gran cosa, la mayoría de las veces, de lo que hacían los demás.

Yo no sé, en verdad, si este individualismo es bueno o malo. Siempre lo he tenido, siempre he sido igualmente individualista e igualmente versátil. Antes, como muchos, me sentí universalista y aspiré a ser ciudadano del mundo; luego me he ido replegando sobre mí mismo, y hoy me parece demasiado extenso ser español, y hasta ser vasco, y mi ideal es ya fundar la República del Bidasoa con este lema: «Sin moscas, sin frailes y sin carabineros.»

Este programa, expuesto por mí en un folleto, no tuvo éxito, y, sin embargo, no creo que sea más estúpido que los programas de las otras Repúblicas o Monarquías.

Un pueblo sin moscas quiere decir que es un pueblo limpio; un pueblo sin frailes revela que tiene buen sentido, y un pueblo sin carabineros indica que su Estado no tiene fuerza; cosas todas que me parecen excelentes.

PÉREZ GALDÓS Y LA NOVELA HISTÓRICA ESPAÑOLA

Así como uno de estos críticos aficionados a divisiones y subdivisiones me mete en el saco de la generación de 1898, otro me considera, por haber escrito novelas históricas, como un seguidor e imitador de Pérez Galdós.

No hay tal cosa. Yo, aunque conocí a Pérez Galdós, no tuve gran entusiasmo ni por el escritor ni por la persona. Era, indudablemente, un novelista hábil y fecundo; pero no un gran hombre. No había en él la más ligera posibilidad de heroísmo. Nadie tiene la culpa de eso: ni los demás ni él.

La verdad es que la gran geniali-

dad española acabó en Goya. Después no hemos tenido más que hombres de segunda fila.

Algunos esperan un refuerzo de la prolongación de España en América; es decir, de gran parte de la América latina. Yo no lo espero. A pesar de las adulaciones interesadas de algunos escritores de aquí y de allá, creo que, con relación a la cultura, la América latina actual no es nada, y que si llega a ser algo con el tiempo, cosa que no lo parece, su aportación, probablemente, no tendrá nada que ver con España ni con los demás países latinos de Europa.

Pero no quiero perderme en digresiones, y sigo refiriéndome a Galdós.

En España se habla de Pérez Galdós como si hubiera hecho una innovación al escribir la novela histórica contemporánea.

No hay tal innovación. Antes que él habían escrito novelas históricas Espronceda, Larra, Patricio de la Escosura, Cánovas, Trueba, Navarro Villoslada, Bécquer y otros muchos a la manera de Walter Scott. Cierto que casi todos estos autores habían escrito relaciones de tiempos remotos; pero se habían hecho también novelas históricas contemporáneas de las guerras carlistas y de las conspiraciones liberales, por Ayguals de Izco, Villergas y por otros muchos autores de escasa importancia, hoy desconocidos por la generalidad, que tomaron como personajes de sus novelas a Cabrera, a Zurbano, a María Cristina, al conde de España, a sor Patrocinio, y hasta a mi pariente Aviraneta, a quien yo he intentado sacar del olvido en mis últimos libros.

Yo no fuí lector asiduo de Galdós. Su manera literaria no me entusiasmaba ni me produjo deseo de imitarla.

En mis novelas, y en ésta, *Zalacaín*

el aventurero, que tenéis vosotros como libro de lectura de castellano moderno, seguramente no se nota su influencia.

En cambio, se nota, sí, la de las novelas de aventuras, porque yo he sido en mi juventud gran lector de folletines de evasiones célebres, de relatos de viajeros y espectador de melodramas truculentos.

Condiciones de la novela histórica

La novela histórica ha tenido siempre relación íntima con la novela romántica. Una y otra aparecieron arrimadas al seno de las tradiciones de la Edad Media. Gran parte del romanticismo ha tenido su base en la Historia.

La tendencia clásica también se ha inspirado en hechos históricos, generalmente anteriores, de una antigüedad más remota; pero ha pretendido al mismo tiempo ser antigua y actual. Así, en el personaje de una tragedia el autor parece que quiere demostrar que, a pesar de ser su héroe griego, judío o romano, discurre como un hombre del día. El arte clásico pretende hacer creer que el hombre no cambia. Por eso prescinde deliberadamente del carácter, de los accesorios, de lo pintoresco, para dar una impresión de continuidad.

En cambio, el romanticismo se basa en todas las diferencias, afirmando la incomprensión de un hombre de una época por el de otra, de un hombre de una nación por el de otra; lo que yo creo en el fondo más verdadero.

Un crítico y académico español, que no creo que se haya distinguido por su penetración, el señor Casares, ha dicho que yo tengo la tendencia de hacer novela histórica de una época, como la del principio del siglo xix en España, que no ofrece, según él, ni brillantez ni grandeza.

El señor Casares no ha comprendido que al escribir yo novelas del siglo xix no lo he hecho por buscar con intención una época sin brillantez y sin grandeza, sino por colocar las figuras en un ambiente próximo comprensible y explicable.

No me choca, la verdad, que el señor Casares no haya entendido mi intención, porque miembros de una Academia como la Española, presididos por el señor Maura, que redacta sus cartas (su único bagaje literario) de una manera más enmarañada y más confusa que cualquier escribiente de Juzgado, no pueden tener el tanto de claridad espiritual necesario para darse cuenta de las cosas.

Yo encuentro que en una época cercana se puede suponer, imaginar o inventar la manera de ser psicológica de los hombres que vivieron en ella. En cambio, el modo de ser de los hombres de hace doscientos, quinientos o más años, a mí, al menos, se me escapa.

No me bastarían todos los documentos que pudiera reunir para darme cuenta aproximada de cómo era un hombre de lejanas centurias.

En mi espíritu, un romano antiguo, un italiano del Renacimiento, un conquistador español o un cortesano de Luis XIV se me representan como siluetas tan amaneradas, tan estilizadas, tan terminadas, que se me figura que no se les puede añadir ni quitar nada.

De ahí que, para mí, libros como *Salambó*, de Flaubert, o los *Mártires*, de Chateaubriand, o el *Quo Vadis?*, de Sienkiewicz, son por esencia errores fundamentales. En cambio, no lo son algunas de las novelas de Walter Scott, ni *La cartuja de Parma*, de Stendhal, ni otras muchas obras de

Balzac y de Dickens, de carácter histórico próximo al tiempo en que ellos vivieron.

Tampoco es un error, sino, por el contrario, un gran acierto, *La guerra y la paz,* de Tolstoi, porque Tolstoi pudo comprender a los rusos de la campaña de Napoleón casi por impresión directa, sin tener que recurrir a versiones amaneradas y manoseadas, convertidas en lugares comunes por largos años de retórica de los más perfilados pendolistas literarios...

Dispensad que, para hablar de pequeños ensayos míos, aduzca y traiga a colación tan grandes ejemplos; pero yo no pretendo compararme con estos célebres maestros que he citado. Tampoco intento valorar lo que he escrito. Lo único que pretendo es aclarar mis intenciones y, en parte, también, sinceramente.

«RAMUNTCHO», DE LOTI

Un escritor, al hablar con simpatía en un artículo de mi libro *Zalacaín el aventurero,* citaba varias veces *Ramuntcho,* de Pierre Loti.

Esta novela la leí hace tiempo con gran delectación. No sé si influyó en mí o no; pero nunca tuve el pensamiento de imitarla.

Yo he sentido gran admiración por *Ramuntcho,* de Loti, pero una admiración más externa que interna.

Ramuntcho, desde ciertos puntos de vista, es una maravilla. Nunca se ha pintado el País Vasco con un prestigio tan sugestivo como en este libro. El aire, el clima, los días de viento Sur, los caseríos, las pequeñas villas al pie del monte Larrun, la ensenada del Bidasoa, toda la escenografía de *Ramuntcho* es admirable; pero lo interno, el alma de los vascos de este libro, flaquea; estas criaturas de Loti son algo femenino, turbio y sensual, que no corresponden con exactitud a nuestros vascos.

No pensé en *Ramuntcho,* de Loti, al escribir *Zalacaín.* Si hubiera pensado en él, hubiera sido para mí el modelo de lo que yo no podía pretender ni tampoco debía hacer.

SOBRE LOS VASCOS

A pesar de ser un pueblo pequeño, ha habido bastantes definiciones del pueblo vasco y del tipo vasco. Voltaire lo consideró como un pueblo saltarín que baila sobre los Pirineos; otros vieron su fanatismo; otros, su concentración, y otros, su orgullo.

Tampoco está mal la frase que se atribuye al cardenal Richelieu. Cuenta el jesuita Rapin, en su *Historia del Jansenismo,* y lo acoge Sainte-Beuve en su *Port-Royal,* que, hablando un día el cardenal del célebre abate de Saint-Cyran, que era Etcheverry de apellido, con el padre Joseph y el abate de Prières, el cardenal aprobó lo que decía el abate de Prières; pero pretendió que no iba hasta el fondo. «Os diré—añadió—lo que pienso: Saint-Cyran es vasco; así tiene las entrañas calientes por temperamento; este ardor excesivo le envía a la cabeza vapores en los cuales se forman estas imaginaciones melancólicas, que él toma por reflexiones especulativas y por inspiraciones del Espíritu Santo.»

Aquí hay una adivinación del vasco muy curiosa.

Esta explicación de Richelieu podría servir muy bien para otros vascos, antiguos y modernos.

Respecto a nuestra petulancia, el abate Iharce de Bidassouet, en su fantástica *Historia de los cántabros,* publicada hacia 1820, cuenta esta anécdota, que luego ha corrido por otros libros:

Un príncipe de Rohan, que estaba restaurando un castillo, pidió a un vecino vasco unas piedras que había en la propiedad de éste. El vasco se las negó; discutieron, y en la discusión el Rohan dijo:

—Sabed que los Rohan datamos del siglo once.

Y el vasco contestó:

—Nosotros, los vascos, no datamos.

RECUERDOS Y DETALLES HISTÓRICOS

En esta novela mía, *Zalacaín el aventurero*, el personaje principal está inventado, porque esta obligación de inventar el héroe existe desde que se han escrito novelas.

Los detalles históricos no están tomados de libros, sino de viva voz. Algunos los oí de labios de mi padre, que estuvo en la guerra carlista de voluntario liberal; otros los escuché de sus amigos. Los tipos, paisajes y costumbres están vistos en la realidad durante mis caminatas y paseos por el País Vasco y en el pueblo guipuzcoano en donde estuve de médico.

Sin embargo, y esto parece una negación de mi aserto, un crítico francés, M. Peseux Richard, que escribió hace años un artículo acerca de mis libros en la *Revue Hispanique*, afirmaba que en *Zalacaín* había anécdotas que aparecen en un fabulario de los siglos XIII o XIV. Al leerlo entonces quedé un poco asombrado; hoy no me asombraría, porque he visto las mismas anécdotas atribuidas en un pueblo a una persona y en otro a otra, y hasta a mí mismo me ha pasado el caso de inventar la historia de un comisionista chusco que hacía varias modificaciones, y después oír contar anécdotas de este comisionista inventado por mí como si fueran ciertas.

EL COLOR EN EL ARTE OCCIDENTAL

Hablar del dibujo y del color de una obra literaria no es una transposición exagerada de los conceptos de un arte a otro; por eso, el uso de estas palabras en literatura es corriente; ahora, defender la tesis, como lo hace Spengler en la *Decadencia de Occidente*, que la música está dentro de las artes plásticas, ésta ya es una afirmación un tanto barroca, más propia para un orador elocuente de Nápoles, de Tarascón o de Barcelona, que para un alemán sesudo y metódico.

Este mismo Splenger, refiriéndose a la pintura de la Europa de Occidente, habla de que, después de los tonos azules y verdes de los primitivos flamencos, vino el empleo de un pardo de taller, que es un tono irreal, intelectual y de aire protestante.

Pensando en el paisaje, en la literatura y en el arte de los países del oeste de Europa, a mí me dan la impresión de que tienen poco color y de que están dominados por el gris.

Cuando pasa uno una temporada en Londres, se encuentra que el ambiente es gris oscuro; si de Londres se va a París, el tono grisáceo oscuro se hace azulado; si de París se va a Madrid, el gris toma un tono de plata.

Pensando en la literatura, a mí, al menos, me da una impresión parecida.

Shakespeare, Dickens, Balzac, Cervantes, todos los occidentales, dan una impresión gris, elegante, con las líneas claras y fuertes. El dibujo en ellos es más intenso que el color. En cambio, Dostoyevski y Tolstoi, a mí, al menos, se me pintan con más color, me dan impresión de orientales.

En pintura creo que ocurre lo propio. La pintura flamenca, desde Rembrandt, la francesa y la inglesa son grises.

Se piensa intelectualmente en los pintores españoles, cuando no se los conoce, como algo arrebatado, apasionado, luminoso, y se encuentra el fondo de plata y rosa de Velázquez, el pardo de Zurbarán y los tonos grises de Goya.

Creo que se podría defender la tesis de que el gris es el menor color de todos, el más subjetivo, el menos realista, el más intelectual, porque es, en último término, la entonación que da la retina al cerebro cuando se cierran los ojos.

Dicen, yo no lo sé, que los griegos solían pintar las estatuas de azul y de rojo. Ahora no lo podríamos resistir.

Cuando Verlaine pedía no el color, sino el matiz, no veía que esta petición suya no era un ideal, sino la medida de nuestra impotencia, porque el hombre del Occidente europeo, cuando cree dar un color pleno, no hace más que llegar al matiz.

Yo, antes, en mis primeros años de escritor, tenía la pretensión de ser un colorista; ahora, cuando pienso en mis libros, los veo grises y cenicientos y con el dibujo inseguro e incorrecto.

VINDICACIÓN Y SALUDO

Alguno pensará quizá que doy demasiada importancia a mis pequeñas cosas literarias y a mis desilusiones y fracasos. No, no se las doy. Es decir, se las doy, como da uno importancia a sus dolores y a su vida, aunque sepa bien que no influyen nada en la marcha del mundo.

Un tanto cansado y desilusionado, como un tirador al blanco que no da nunca en el blanco, me presento ante vosotros, estudiantes de español de la Sorbona, a daros las gracias porque habéis tenido simpatía por un libro mío, que, aunque no esté bien escrito, es ingenuo y sincero.

También extiendo mi agradecimiento a mi amigo el profesor Viñas, que ha tenido la atención de invitarme a mí, oscuro vasco, hombre de calle más que de academia, a ocupar un momento la cátedra de una Universidad tan ilustre y gloriosa como ésta.

DIVAGACIONES SOBRE LA CULTURA

ACLARACION

Había pensado publicar esta conferencia con notas, dándole así un aparato científico, no muy extenso ni profundo, porque mis conocimientos no tienen gran extensión ni profundidad; pero al intentarlo he visto que mis notas no añadían nada al texto. También había pensado en aprovechar este escrito y refundirlo, quitándole, sobre todo, el aire oratorio, repulsi-

vo, para mi gusto, que tiene una conferencia; pero esto hubiera sido hacer un nuevo trabajo, al que no le hubiera podido añadir nada fundamental.

Me he decidido por dejarlo como lo escribí para leerlo en público. Mi deseo sería que la crítica pusiera mis Divagaciones como una criba a fuerza de observaciones y argumentos en

*contra, pues esto aclararía mis ideas
sobre muchos puntos que me parecen interesantes.*

P. B.

Señoras y señores:

Dispensadme que haya aceptado la
invitación hecha por la Junta de Cultura Vasca para dar aquí una conferencia. Esta aceptación parece significar que el conferenciante tiene alguna
idea nueva y sugestiva que exponer
sobre un asunto dado. No; yo no
pretendo decir algo nuevo o interesante acerca del vasto y complejo tema que he elegido para mi discurso.
Me contentaría con hallar una orientación cara, definida y concreta en
el horizonte complicado y confuso
que se presenta ante mi vista. A pesar de ello, me lanzo a escribir estas
cuartillas con la idea de leerlas entre
vosotros.

Negarse a presentarse constantemente ante el público revela suspicacia y algo de hipocondría, y yo, aunque padezco tales achaques, tengo
también la veleidad de combatirlos y
dominarlos.

Como mi conferencia tendrá varios
capítulos, al entrar en cada uno de
ellos leeré de antemano su epígrafe.

ASUNTO AMPLIO

El asunto elegido por mí para esta
conferencia es amplio, demasiado amplio; pero ¿cómo encontrar otro de
proporciones más abarcables y de límites más circunscritos? Para ello sería indispensable cultivar una especialidad, poseer un secreto de una
técnica, dominar el arte de la conferencia, cosas todas desconocidas
por mí.

Estos asuntos amplios, como el de

la cultura, seducen a primera vista,
parecen grandes y claros, tienen dibujo y profundidad. Al asomarse a ellos,
se figura uno ver la silueta de una
montaña formidable, delineada con
claridad en el cielo. La silueta se nos
presenta completamente definida, la
altura se nos antoja abordable; pero
al acercarse a ella van apareciendo lomas, barrancos intermedios in-
esperados, desfiladeros estrechos. El
terreno, que creíamos sólido y firme,
es un terreno pantanoso y movedizo,
y nos vamos poco a poco internando
en una selva espesa, cruzada por múltiples senderos, pero sin ningún camino seguro.

Si la voluntad nos impulsa a seguir nuestra marcha por la vía que
hemos elegido, si podemos salir de
los matorrales enmarañados y de las
cerradas espesuras, vemos con asombro que a cada paso, en nuestra ruta,
va variando la silueta de la montaña,
sus líneas, sus colores, su aspecto, y,
cuando llegamos más adelante, vemos
que ni su nombre es seguro e inmutable; pues si en esta vertiente tiene uno, en la otra se le conoce por
una denominación distinta.

Cierto que hay una técnica para
el especialista en tales cuestiones, un
método para abordarlas, para empezar y para seguir; pero yo confieso
que soy un *dilettante*, un curioso de
la cultura, como de otras cosas, y no
pienso inmovilizarme en las disciplinas especiales de una clase de investigación. No pretendo dar estas divagaciones como un trabajo serio y
científico, sino como un ensayo, como un boceto sin mayor trascendencia, de un carácter ligero, impresionista y arbitrario.

Para no hacer la labor de una manera completamente caprichosa y llevar una apariencia de orden al desorden, dividiré mis divagaciones en

dos partes: en la primera trataré de la cultura general; en la segunda, del problema de la cultura con relación a España y de las conclusiones que yo intento sentar, más o menos lógicamente.

Vamos, pues, a la primera parte, que, como digo, versará sobre la cultura en general.

HISTORIA DE LA PALABRA

Al colocarse enfrente del concepto de cultura conviene, siguiendo la táctica empleada por varios autores, el intentar un estudio histórico de la palabra.

Cultura es, como se sabe, una palabra latina. Durante mucho tiempo se empleó en varias acepciones: como sinónima de cultivo del campo, como sinónima de elegancia de estilo, de finura, de urbanidad y, alguna rara vez, como vocablo relacionado con el culto.

Según veo en el libro de Rodolfo Eucken *Las grandes corrientes del pensamiento contemporáneo,* la palabra cultura no tomó hasta Bacon un sentido bien determinado. Desde Bacon se usó asociada a otras palabras; así se dijo, por ejemplo, cultura del espíritu, cultura estética, cultura de costumbres.

En el siglo XVIII, Herder, generalizador entusiasta, la aisló de sus adjetivos y habló sólo de cultura. Hoy se emplea la palabra a todas horas en este sentido genérico, lo cual no es obstáculo para que tengamos del vocablo una idea vaga y confusa y no sepamos de ningún libro que pueda considerarse autorizadamente como un tratado de la filosofía de la cultura.

¿Cuál ha sido el origen del éxito de la palabra cultura? ¿Qué encierra esta voz de atractivo para todos los hombres civilizados?

La razón, a mi modo de ver, es ésta: en nuestro tiempo, por obra, sobre todo, de los pensadores germánicos, se ha destacado la idea de la cultura como un valor máximo. La intención de este culturalismo es bastante clara: se trata de oponer a la concepción teológica del mundo, engendrada en la Edad Media, una concepción natural e intelectual que siga las tradiciones de la filosofía griega. Según la concepción teológica, hay que buscar el sentido y la razón de la vida fuera de ella; según el concepto cultural, la vida tiene su razón y su sentido dentro de sí mismo. Es decir, es inmanente.

Esta idea de inmanencia, que hace creer que una cosa tiene su principio y su fin en sí misma, se encuentra de antemano en el arte. El valor de un cuadro de Velázquez se halla en sí mismo, no en sus consecuencias, que no las tiene. Lo mismo la vida para el filósofo, el valor de la vida está en sí misma, no en unas problemáticas consecuencias extravitales.

CULTURA Y CIVILIZACIÓN

Hay una palabra de sentido muy semejante a la de cultura, la palabra civilización, que nos conviene examinar.

Esta palabra data, según Eucken, de Turgot; aparece por primera vez en uno de los *Discursos sobre los progresos sucesivos del espíritu humano,* escritos por el célebre economista.

La palabra civilización es la palabra de un francés; la palabra cultura es la palabra de un alemán.

No nos parece extraño, sino muy lógico y muy explicable, que sea así.

¿Hay para nosotros cierto matiz

diferencial entre la idea de la civilización y la de la cultura? Para mí, al menos, lo hay; y diría con más facilidad que el pueblo francés es esencialmente civilizado, y el pueblo alemán, esencialmente culto, que no a la inversa.

No sé si este matiz tiene un valor general o no lo tiene; lo indudable es que estas dos ideas de civilización y cultura, hoy, al parecer, tan arraigadas, tan tradicionales, que se figura uno que han existido en todos los tiempos, no se encuentran en los autores griegos ni romanos, ni siquiera entre los humanistas de los siglos XVII y XVIII.

Parece extraño, y es verdad. Repasad los libros de Bayle, de Montesquieu, de Voltaire, de Rousseau, en los cuales se encuentran en germen todos los tópicos políticos de nuestra época, y no hallaréis en ellos, ni una vez por casualidad, las palabras civilización o cultura. Dan la impresión de que las han escamoteado. Cuando se ve revolotear en las páginas de Fontenelle la idea del progreso indefinido de la especie humana, se cree que de un momento a otro va a presentarse una de las dos palabras: cultura o civilización; pero al final se advierte que ninguna de las dos se presenta.

En España, las palabras civilización y cultura se emplearon escasamente al final del siglo XVIII y principios del XIX. Entre nosotros, y en esta época, gustaban más hablar de adelanto y de ilustración, dos ideas, sin duda, más superficiales, menos profundas y complejas. El adelanto, para el español de entonces, se refería principalmente al aspecto mecánico de la civilización; la ilustración era un adorno social, conseguido sin gran esfuerzo con los viajes y con la práctica de un idioma extranjero. Hoy,

los conceptos de cultura y civilización se han intensificado, representan la síntesis de todos los problemas intelectuales y morales, son la demostración de que para el hombre no hay posibilidad de quedar indiferente ante los enigmas del Universo, y de que esos enigmas deben ser explicados de alguna manera, y su explicación debe dar normas de vida.

La cultura ha tenido históricamente varias formas y diversos nombres. En una época se llama aticismo; en otra, filosofía; en otra, humanismo; en otra, reforma; en otra, enciclopedia.

Como decimos, suponemos un cierto matiz diferencial entre el concepto de cultura y el de civilización. La cultura se refiere más al conocimiento puro; la civilización se relaciona más con el conocimiento práctico.

La cultura es el contenido de la ciencia en su valor intelectual; la civilización es la misma cultura, más penetrada en la esfera ética, artística y en la vida social.

CONTENIDO DE LA CULTURA

Ya hemos visto la modernidad de la idea y de la palabra cultura. Veamos si es posible aclarar su contenido. ¿Qué es la cultura? ¿En qué consiste?

La cultura del campo, o cultivo, significa el conjunto de labores a que se someten las energías fisicoquímicas para producir en el ser vivo, animal o planta, ciertas funciones, o cierta intensidad en las funciones que el hombre considera valiosas. Es, pues, una reflexiva reacción de la inteligencia sobre lo espontáneo de la Naturaleza viva. No otra cosa significa, por lo pronto, la cultura humana. Es el cultivo o fomento de ciertas funciones del hombre que se consideran de máximo valor.

En rigor, esto sólo debía llamarse cultura; pero es el caso que, de significar esto: fomento, educación, técnica, para lograr un resultado, ha pasado a significar las funciones mismas. De técnica, para conseguir, se ha convertido en conjunto de cosas conseguidas. ¿Qué es lo esencial del concepto de cultura?

El concepto de cultura es un concepto de valorización. Es indudable que para el hombre hay un rango en las actividades humanas, y las más altas, las más óptimas pertenecen a la cultura.

Haremos un pequeño escarceo sobre las opiniones que se han emitido acerca de la cultura.

Para Kant, la cultura tiene como exclusivo fin producir un alto grado moral, individual y colectivo, que lleve a la plena libertad del espíritu.

Fichte, el discípulo del gran filósofo de Koenigsberg, considera el objeto de la cultura un objeto esencialmente ético y político.

Herder extiende el fin de la cultura a la Humanidad. La cultura, según él, debe tender al desarrollo completo y a la armonía de todas las fuerzas universales, integradas por un ideal en el que se unan estrechamente la vida y la belleza.

Wolf, el célebre filólogo, identifica el concepto de cultura con el de Europa, identificación con la cual no se aclara gran cosa la idea de cultura, y que, hoy por hoy, no da tampoco una noción geográfica exacta, por haber traspasado la cultura universal los límites del viejo continente.

Si perseguimos otras nociones acerca de la cultura dadas por los autores, veremos a unos encontrarla en relaciones estrechas con la moral, y, por tanto, con la libertad, con las costumbres y con las funciones del Estado; a otros, considerarla más re-

lacionada con la ciencia; a otros, con la superioridad de las razas, como el conde Gobineau; a otros, por último, como Guillermo Ostwald, mirarla como una aspiración al mejor aprovechamiento de la energía humana, a fin de que ésta dé su mayor rendimiento. Para el químico alemán habrá más cultura en un pueblo cuanto menos fuerzas espirituales y materiales queden desaprovechadas. Esta es la misma filosofía que Ibsen pone en boca de su héroe Juan Gabriel Borkman.

Guillermo Ostwald ha expuesto en dos de sus obras más sugestivas, en los *Fundamentos energéticos de la civilización* y en el *Monismo como fin de la civilización*, un ideal de cultura fundado sobre el trabajo.

Para Ostwald, la cultura antigua no es aprovechable. La verdadera cultura, según él, está en la utilización de todas las energías de la tierra y del hombre, haciendo que la pérdida de la energía se reduzca al mínimo. Es un concepto éste utilitario, parecido al del ingeniero que quiere obtener del carbón la mayor cantidad de calorías posible.

Es indudable que este concepto de cultura materialista, monista, es, desde cierto punto, más generoso que el ideal de la cultura antigua, que es un beneficio para unos pocos privilegiados.

Ostwald aspira al desarrollo de una nueva civilización que tenga una unidad perfecta. No sería difícil encontrar una relación entre el sentido monista de Ostwald y las teorías de Karl Marx y de los modernos sindicalistas. Para el historiador alemán Chamberlain, enfático y pomposo como cantor de la Alemania imperial y kaiseriana, la cultura es, principalmente, creación y arte; en cambio, la civilización evoca, según él, una vida social de hormiguero. Para este escritor, Atenas es cultura; Roma, civilización.

Como no vemos, ni creemos que pueda existir una completa definición de la cultura, lanzaremos unas cuantas proposiciones para limitar, según nuestro criterio, el concepto.

Desde un punto de vista intelectual, la cultura es un intento de explicación del Universo. Es una facultad de visión de conjunto de ideas científicas, éticas y estéticas.

Desde un punto de vista práctico, la cultura consiste en formarse una idea general de la ciencia, de la moral y del arte, que sirva de orientación y de guía en el mundo de las posibilidades. Es el ensanchamiento sistemático del horizonte mental.

La cultura supone una gimnasia de las facultades y un desarrollo de un sentido de la medida y del equilibrio que impulsa a colocar lo absoluto dentro de lo absoluto y lo relativo dentro de lo relativo.

La cultura es, pues, algo organizado y protector del esfuerzo. Es la formación de un ser intelectual y moral sobre una conciencia primitiva y embrionaria. Los pragmatistas han dicho: «Toda verdad es útil»; tesis que, aislada, es un tanto problemática. Nosotros podemos decir: «Toda cultura es fecunda.»

Como vemos, no ha habido un criterio único de medida para la cultura. «¿Qué es lo que hay que saber en nuestro pobre mundo?», se ha preguntado el hombre. El filósofo griego y el filósofo germano, Platón y Kant, han respondido: «El ser de las cosas.» Buda ha contestado: «El remedio contra el dolor de vivir.» Los positivistas modernos, y Augusto Comte a su cabeza, dirán: «No hay que saber lo que son las cosas, sino lo que de ellas nos importa para obrar.»

Tenemos, pues, tres formas puras de saber primario: la teoría, la salvación y el pragmatismo, y eliminando la salvación como principio teológico, no científico, es decir, no comprobable, no nos quedan más que la teoría o especulación y el pragmatismo.

FORMAS DE CULTURA

Aunque la idea de cultura es única, podemos contemplarla en varios y distintos aspectos prácticos, en innumerables facetas. Los aspectos más importantes son el científico, el ético, el artístico y, podríamos añadir un ultimo aspecto, el dinámico, lo que vulgarmente se llama el adelanto.

En el lenguaje corriente, la cultura se refiere, principalmente, a la ciencia, al saber; la civilización, a la ética, y el buen gusto, a la estética.

Supongamos una capital en donde existe de antiguo una Universidad y una pléyade de profesores ilustres que han aumentado el acervo común de los conocimientos humanos.

En este pueblo de sabios, la vida no es de una gran pureza; es, quizá, inmoral y relajada; pero, a pesar de esto, se dice de él: «Es un pueblo culto.»

Esta otra urbe no cuenta con un claustro universitario ilustre, ni sus profesores han puesto su nombre en las cimas de la ciencia, pero es un pueblo suave, amable, filantrópico, con una gran perfección en las leyes y en las costumbres, y se dice de él: «Es muy civilizado.»

El tercer pueblo no se distingue por su ciencia, como el primero, ni por su moral, como el segundo; pero posee un sentido estético fino, sabe respetar la estatua bella y el monumento antiguo, cuida con arte de un jardín, y para calificar a este pueblo se afirma de él que tiene buen gusto.

Por último, hay la ciudad, generalmente moderna, que no tiene alta ciencia, ni gran moral, ni refinado gusto; pero en ella hay medios rápidos de locomoción, trenes, tranvías, metropolitanos, grandes hoteles, rapidez y facilidad en todo. A este pueblo se le llama un pueblo adelantado.

He aquí varias formas de cultura que pueden darse en una colectividad y también en un individuo, no porque sean exclusivas y el poseer una de ellas implique la negación de las demás, sino porque predominen unas sobre otras.

De estas cuatro formas principales de cultura, algunas, indudablemente, permiten mayor desarrollo que otras.

La cultura intelectual o científica aumenta por momentos. Cada año que pasa da nuevas riquezas que ordenar y clasificar. No ocurre así con la cultura ética. Las verdades morales, si éstas, en realidad, existen como tales verdades, son pocas en número y muy limitadas.

Tampoco aumenta el número de las verdades artísticas, y el arte queda en gran parte como un fenómeno histórico que ha realizado casi por completo su evolución.

Respecto a la cultura dinámica, es una consecuencia de la científica y aumenta a la par de ella.

El mayor o menor porvenir de estas varias clases de cultura impulsa, naturalmente, a los investigadores a dirigirse con más fervor a aquellas formas culturales de más intensidad, de más profundidad y de mayor horizonte. Así vemos en nuestro tiempo cómo aumenta el número de trabajadores científicos, y cómo el tipo del moralista y del utopista desaparecen.

Mirando la cuestión de la cultura desde un punto de vista individual, y descartando las intenciones teológicas, que no nos interesan y están fuera de nuestro asunto, se podrían encontrar tres posiciones ante la cultura. Primera, la de los que consideran la cultura como una organización reflexiva para la felicidad del hombre; segunda, los que tienen el principio de la cultura por la cultura; tercera, los que consideran que la cultura tiene como fin principal intensificar la vida.

En los primeros, en los partidarios de la cultura para la felicidad, incluiríamos a todos los pensadores de índole utilitaria; en los segundos, en los partidarios de la cultura por la cultura, entrarían casi todos los filósofos alemanes modernos; los terceros, los que pretenden la intensificación de la vida por la cultura, estarían presididos por Nietzsche.

¿Cuál es nuestro punto de vista ante el problema?

De las tres posiciones, para nosotros la que estriba en la busca de la felicidad es la más pobre. Respecto al ideal de la cultura por la cultura, comprendemos que este puro intelectualismo es antivital, ascético, que no da fuerza ni profundidad a la vida, y, sin embargo, nos conmueve, porque es heroico. Es el que representa la tragedia de la cultura de que habla Simmel.

Respecto al ideal vitalista de Nietzsche, que considera que la ciencia, la moral y el arte, sin perder su esencia, tienen que estar mediatizados por la vida, este ideal, a pesar de parecer francamente antiintelectualista, es la poseía de lo intelectual.

MÁS Y MENOS DE LA CULTURA

Dejando estos puntos de vista un tanto resbaladizos, trataremos de las ventajas e inconvenientes de la cultura. Algunos creen, y en nuestro país se da mucho esta creencia, que es mejor insistir en el conocimiento de un punto especial que no intentar poseer una cultura amplia. El desentenderse de las nociones generales se considera práctico.

En la España actual se da mucho el caso del médico que supone no le conviene más que saber Medicina, y, a poder ser, sólo su especialidad; del arquitecto que quiere saber sólo arquitectura, y del abogado que pretende conocer sólo la práctica de la abogacía. Así tiende a desaparecer la cultura general; así ocurre que en España, a pesar de llevar cerca de un siglo en modernizar facultades y escuelas, no hemos tenido ni un historiador ni un filósofo en el siglo XIX, lo que ha contribuido al desprestigio de la metrópoli en los países que hablan español.

La especialidad produce la miopía espiritual. La extensión de la ciencia hace que se divida y se subdivida la materia hasta el infinito, y un histólogo hoy ya no sabe Zoología, ni un geólogo Botánica, ni un historiador conoce bien más que ciertos períodos de la Historia.

Todavía el especialista teórico de la ciencia conserva curiosidad en su limitación; pero el especialista práctico se hace intransigente, fanático, y llega a no saber bien ni su especialidad.

El paleógrafo, que descifra y copia manuscritos antiguos y no tiene cultura filosófica e histórica, puede muy bien, por falta de buena orientación, hacer una obra perfectamente inútil. Lo mismo le puede ocurrir al microbiólogo y al químico.

La especialidad perfecciona una función parcial a costa de la función total; progresan las labores extrínsecas, pero el hombre interior queda inculto; se hipertrofia la corteza del espíritu a costa de su centro y de su articulación. Así se ve al hombre actual sin solidez, insignificante, sin solidaridad consigo mismo, sin vigor psíquico, sintiéndose como un tornillo o una polea que no tiene valor ni eficacia más que dentro de una maquinaria complicada.

Es un error querer prescindir de la cultura general. Claro que no se puede pretender hoy poseer los conocimientos universales de los griegos, ni siquiera ser un enciclopedista como en tiempo de Diderot; las ciencias se han ensanchado tanto, que los trabajadores científicos necesitan ser especialistas en su labor, pero les conviene elevarse hasta tener una visión de conjunto sobre su ciencia y sobre la cultura general.

No hacerlo es perderse en el detalle y perder la orientación y el criterio.

Así vemos a gentes de clínica y laboratorio burlarse y despreciar la Filosofía y la Metafísica, como si fueran un juego de locos. Para algunos de ellos, Kant y Schopenhauer son hombres que escriben oscuro lo que cualquiera dice de una manera clara. A los que opinan así les excusa el que no han leído a esos autores y que quizá de leerlos no los hubieran comprendido. A uno de estos negadores de la Filosofía le decía yo: «¿Cómo puede usted creer que la Filosofía sea una mistificación tan burda? ¿Cómo pensar que los hombres más ilustres hayan caído en ella?»

Si pudieran probarnos estas gentes que sólo los bosquimanos y los mandingos han tenido filósofos y metafísicos, no nos convencerían de la inutilidad de estas actividades; pero habiendo sucedido, como ha sucedido, que sólo los grandes pueblos inventores han sido pueblos de filósofos y de metafísicos, tienen que reconocer que invención y filosofía han marchado siempre unidas.

Decía Platón que toda ciencia, en el fondo, es una reminiscencia; y cuando se piensa en ello se ve la gran verdad de esta frase, porque todo descubrimiento está ya de antemano en el espíritu del que lo descubre, y toda invención duerme en el alma del inventor.

Así, el pueblo cultivador de la ciencia o del arte es pueblo de reminiscencias, y estas reminiscencias han integrado antes su filosofía o su cosmogonía. El inconveniente opuesto a la incultura y a la miopía del especialista es la confusión y la dispersión espiritual del *dilettante*. El *dilettantismo* no puede ser bueno y puede ser malo. El *dilettantismo* bueno, la curiosidad exagerada por todo, el único peligro que tiene es la infecundidad. El *dilettantismo* malo es una apariencia de cultura: es como follaje de un árbol cortado y sin tronco que simula estar vivo.

Se llega a este *dilettantismo* cuando el conjunto de conocimientos de todo orden de una persona no tiene organización, sino apariencia de organización. Este hombre rico que va a Bayreuth, y a Egipto, y a Grecia, y entiende un poco de cuadros, y otro poco de música, y otro poco de porcelanas, y visita ciudades sin gran objeto, llega a ser un *snob*, casi un tonto, porque siempre ignora la razón fundamental de sus conocimientos.

LA ALTA CULTURA

Un punto que nos sale al paso es el del aristocratismo o de la democratización de la cultura.

La cultura, ¿debe ser privilegio de unos pocos, o debe ponerse al alcance de todo el mundo?

Por lo que veo en el libro de Burckhardt acerca de la *Civilización en Italia durante el Renacimiento*, este punto fue ya debatido en aquella época. Savonarola creía que sólo un pequeño número de gentes debía cultivar la ciencia, a fin de que ésta no pereciera y de que hubiera—decía él—algunos atletas prestos a combatir los sofismas; los demás debían limitarse al estudio de la Gramática, de la moral y de la instrucción religiosa.

Tendencia parecida ha sido muy general entre los reaccionarios. Los progresistas han pretendido la democratización de la cultura; pero hay que reconocer que ésta no es fácil y quizá no es posible.

La alta cultura es inabordable para el tipo del hombre medio de conocimientos. La Física, la Química, las Matemáticas, la Biología, se han alejado de nosotros. Los Poincaré, los Hertz, los Roentgen, los Maxwell, los Lorenz, los Branly, se nos van a regiones tan lejanas y a cuestiones tan abstrusas, que apenas y con gran esfuerzo los podemos entender, no ya en sus trabajos especiales, sino cuando quieren ser claros y generalizadores.

Para el proletariado ha de ser difícil llegar a la cultura media, e imposible alcanzar la alta cultura. ¿Cómo va a tener el obrero el reposo y el vagar necesario para ello? ¿Cómo le va a nacer el deseo de saber?

Aquí se podría intercalar un punto de política del porvenir.

¿A qué debe atender el Estado futuro con más fervor? ¿A la producción de la alta cultura o a la difusión de la cultura media?

«Se podría concebir un estado de instrucción primaria muy perfeccionado—dice Renan—sin que la alta ciencia hiciera grandes adquisiciones.»

Y añade después:

«La luz, la moralidad y el arte serán siempre representados en la Humanidad por un magisterio, por una minoría, guardando la tradición de la verdad, del bien y de lo bello.»

El culto de la cultura es aristocrático. Es una consecuencia quizá poco simpática, pero es real, y es que el artistas y el sabio, aunque parezcan revolucionarios, son, por su instinto, conservadores.

«Desde mi juventud, la anarquía me ha perturbado más que la muerte», dice Goethe.

Ostwald, en uno de los libros citados, quisiera hacer de la cultura un instrumento de los Estados y de la Humanidad en beneficio del hombre actual, es decir, quisiera socializar la cultura, que es lo que pretenden ahora los bolcheviques rusos; pero mientras haya que guardar la ciencia antigua, aunque sea sólo por lo que tenga de útil para nosotros, y mientras la ciencia moderna tenga zonas teóricas inabordables y difíciles, se producirá la alta cultura.

PORVENIR DE LA CULTURA

Otro punto relacionado con el anterior es el del porvenir de la cultura. Desde el siglo XVIII tenemos en el mundo la creencia de un progreso indefinido de la Humanidad. Antes, esta idea no existía; Vico, como los antiguos griegos, creía que la Historia se repite, y que los acontecimientos trazan un círculo cerrado; Goethe habló de un progreso en espiral; pero la mayoría de los hombres aceptó la idea de un progreso indefinido.

Herder dio, en las *Cartas sobre los progresos de la Humanidad*, un sistema de evolución progresiva y mística de las sociedades.

Esta idea del progreso indefinido se injertó en el optimismo cósmico de Hegel, Feuerbach y Augusto Comte, y en la evolución darviniana. Examinada fríamente esta idea del optimismo cósmico y del progreso indefinido y fatal, se ve que es la creencia del siglo XIX; una fe, un dogma, pero no una verdad demostrada.

¿Se repite o no se repite la Historia? No lo sabemos. «Nada es nuevo bajo el sol», se dice en el *Eclesiastés*. «Todo es nuevo, todo fluye», dice Heráclito.

Nos movemos, es indudable; si progresamos o no, lo ignoramos.

Bergson supone que en la vida hay un impulso constante, un plan anterior, que él llama el *élan vital*. Este concepto es una resurrección del verbo de la filosofía platónica y del concepto de idea de Hegel. La tesis de Bergson no constituye una explicación de la vida, sino una quiebra a la explicación.

Un escamoteo parecido de pura prestidigitación hacía el doctor Letamendi, dándose aire de definir la vida, diciendo que era una ecuación entre la energía individual y el cosmos. Pero ¿qué es la energía individual? Esto es precisamente lo que se quiere saber cuando se quiere saber lo que es la vida, no la noción vulgarísima de que para vivir se necesita cosmos; es decir, alimentos, aire, etc.

Esta ecuación de Letamendi vale tanto como si alguien nos definiera el hombre diciendo que es el producto de su cuerpo y de su traje.

Abandonaremos este punto afirmando de paso que no nos resuelve el problema Bergson con su *élan vital*.

Renan, refiriéndose a que él, como Hegel, había atribuido en su juventud, demasiado dogmáticamente, un papel central a la Humanidad en el Universo, dice: «Puede ser que todo el desarrollo humano no tenga más consecuencia que el musgo o el liquen que cubre toda superficie humedecida.»

Modernamente ha aparecido una tesis peligrosa para el optimismo cósmico y para el progreso indefinido, y, por tanto, para el porvenir de la cultura. Me refiero a la entropía o muerte calorífica del mundo, formulada por Clausius. Arrhenius, tratando de esta hipótesis, supone que la entropía no es universal. Muchos sabios aceptan la tesis del enfriamiento del globo, y se acercan a considerar la próxima decadencia de los hombres, que vagarán por el planeta frío en una triste manada, si es que no tienen de nuevo que guarecerse en las cavernas. El novelista Wells ha hecho una novela a base de estas ideas desconsoladoras, y, últimamente, el físico francés Branly nos ha sorprendido con manifestaciones pesimistas de este mismo orden.

La entropía iría a ayudar en el hombre la decadencia que Gobineau llamaba la era de la unidad. Para Gobineau, la decadencia humana vendría del mestizaje completo. Al llegar a tal estado, los hombres, según él, serán todos semejantes y vivirán como rebaños en una pesada somnolencia, dominados por su nulidad, como los búfalos en las lagunas Pontinas. A pesar de tales predicaciones pesimistas, la entropía y la era de la unidad, si son ciertas, están bastante lejos de nosotros para que podamos quedar tranquilos.

TIPOS DE CULTURA

Sería difícil elegir el tipo supremo de la cultura en la historia de la Humanidad. Un pensador elegirá, probablemente, Platón; un poeta, Shakespeare; un novelista, Cervantes;

un escritor, Goethe, y un hombre de acción, Napoleón o César; pero a todos estos hombres, y a más que se eligieran, se les encontraría su flaco. A Platón, Nietzsche le acusará de ser cobarde ante la realidad; a Shakespeare, le reprochará Tolstoi su palabrería retórica, y otros, sus plagios; a Cervantes, su pérfida actitud ante el héroe; a Goethe se le motejará por su egoísmo frío; a César, por su depravación, y a Napoleón, por su brutalidad inhumana.

Otros grandes hombres que se podrían citar se les vería también con la llaga en el flanco. Espinosa y Kant son grandes filósofos, pero su vida es completamente pobre y mísera. Leonardo de Vinci es un gran artista, pero su moralidad parece sospechosa; casi todos los hombres tienen aire de monstruos.

Algunos hay, sin embargo, cuya vida es completa: no son, seguramente, los más afamados ni los más admirados, porque el mundo ama lo extraordinario y lo teratológico, pero quizá son los que debían servir de ejemplo.

En el libro de Burckhardt sobre la *Historia del Renacimiento*, habla este autor de un artista y escritor italiano a quien sus contemporáneos llamaron el hombre enciclopédico, y que podría servir de modelo de cultura. Este escritor, este artista, es León Bautista Alberti.

Desde su infancia, Alberti brilla en todo lo que los hombres aplauden. Se cuentan de él actos de fuerza y de audacia increíbles; se dice que saltaba a pies juntos por encima de los hombros de los demás; que en el Duomo lanzaba una moneda de plata hasta la bóveda; que hacía temblar y estremecerse bajo él a los caballos más fogosos; que quiso llegar a la perfección como andarín, como jinete y como orador. Alberti aprende la música sin maestro, lo cual no impide que sus composiciones sean admiradas por gentes del oficio. Bajo el imperio de la necesidad, estudia el Derecho durante largos años, hasta caer enfermo de agotamiento; cuando, a la edad de veinticinco años, comprueba que su memoria flaquea y desciende, pero que su inteligencia para los conocimientos exactos queda íntegra, se dedica al estudio de la Física y de las Matemáticas, sin perjuicio de adquirir las nociones prácticas más diversas. Constantemente interroga a los artistas, a los sabios y artesanos sobre sus secretos y sobre sus experiencias. Además, se ocupa de pintar y de modelar, y hace hasta de memoria retratos y bustos de maravilloso parecido. Lo que produce, sobre todo, la admiración de sus contemporáneos es la misteriosa cámara oscura, en la cual hace aparecer, ora los astros y la luna, levantándose por encima de las montañas, ora el mar, que se pierde a lo lejos en la bruma.

A esto hay que añadir una gran actividad y múltiples escritos en italiano y en latín. Alberti es un hombre humano y generoso. Todo lo que él tiene, todo lo que él sabe, lo pone graciosamente a la disposición de los demás; en cuanto a sus más grandes invenciones, las abandona al público, sin pretender ninguna remuneración. Le interesa todo, experimenta por todas las cosas una simpatía profunda. La vista de los árboles hermosos, de una campiña rica, le arranca lágrimas; admira la belleza humana, y, más de una vez, la vista de una hermosa comarca le cura de un padecimiento.

A esto une una gran fuerza de voluntad, y tiene como divisa la frase de que, para el hombre, querer es poder.

Este grande hombre del Renacimiento, sin ser de los genios más señalados de la Historia, es un tipo perfecto de cultura.

CULTURA Y NACIÓN

Por si acaso me extiendo demasiado en mis digresiones, pasaré de prisa a otro asunto.

¿La cultura debe ser general, internacional, o debe tener algún carácter nacional?

He aquí un punto difícil de resolver. No cabe duda que hay ciencias que apenas permiten un ligero matiz nacional; por ejemplo, las Matemáticas, la Física; en cambio, hay otras impregnadas de espíritu nacional: la Filosofía, la Historia, etc. Cuanto más abstracto sea el objeto de una actividad humana, hay menos vaho de nacionalidad en ella.

A pesar de esto y de que el producto científico es, sin duda alguna, internacional, su producción no lo es. Cuando los discípulos de Descartes discutían de Matemáticas y de Física con Newton y Leibniz, tras unos y otros estaban Francia, Inglaterra y Alemania; lo mismo ocurría en las misiones francesas y alemanas que fueron a Egipto, en 1881, a estudiar el cólera, y cuando los físicos franceses atacaron las teorías de Maxwell. Esto demuestra que debajo de lo general está lo particular, y que la unidad indiscutible de la verdad científica no implica la unidad de medios y procedimientos para llegar a ella.

Ya producida la cultura, se podría decir, aceptando dos términos gratos para Nietzsche, que todo lo apolíneo, lo sereno, debe ser general, internacional, y todo lo dionisíaco, lo vehemente, lo apasionado, nacional. Lo apolínico vivirá en el reino de las ideas; lo dionisíaco, en el mundo de los deseos y de los ímpetus.

Así, pues, para nosotros, la universalidad estará bien en la ciencia, en las leyes generales, en aquello que sea ampliamente humano; la particularidad, en el canto, en el arte, en el baile. Todo lo puramente lógico puede ser internacional; todo lo sentimental, lo efusivo, nacional o regional.

La obra científica o filosófica es, pues, por su carácter, universal, y no puede suponérsela, después de creada, nacional o regional; en cambio, la obra artística es siempre nacional, aunque puede llegar por su intensidad o por su belleza a universalizarse.

Al considerarlo así, no se hace, creo yo, más que seguir las indicaciones de la ciencia, el arte y la Historia.

El crítico puede determinar el tanto étnico o nacional existente en héroes como el Cid, como Rolando o como César, y en artistas como Rafael, Velázquez o Reynolds; pero ¿quién será el que pueda señalar claramente el tanto étnico que haya en los teoremas de Arquímedes, de Galileo o de Newton? Esto no sólo no es posible, sino que ni siquiera está en los linderos de la suposición. Si en las ciencias exactas y en las fisicomatemáticas no se determina fácilmente, aunque exista, un carácter de raza o de nación, en las demás ramas del saber, sí; en la Historia, en la filología, en la literatura y en el arte, la raza rezuma, se siente el impulso étnico de una manera clara y precisa.

LA CULTURA Y LA RAZA

Otro punto que se nos presenta muy sugestivo, aunque muy oscuro, es el de la relación de la cultura con la raza.

Para el conde de Gobineau, como para otros autores que le han seguido, la civilización ha sido el privilegio, la aptitud de una raza superior, de la raza aria o indogermánica.

Según Gobineau, la cuestión étnica domina los demás problemas de la cultura: esta cuestión es la clave de la Historia. La desigualdad de las diversas razas humanas, cuyo concurso forma una nación, basta, a su modo de ver, para explicar todo el encadenamiento de los destinos de los pueblos.

Para él no ha habido más que un pueblo energético, el pueblo ario, que tiene su representación más fiel en los germanos.

Ese pueblo es y ha sido —según nuestro autor— una especie de *radium* que ha ido animando todas las civilizaciones antiguas, hasta que hoy va decayendo por el mestizaje. Las siete civilizaciones mundiales que Gobineau señala en la Historia están integradas por ramas indogermánicas hasta la civilización alemana, esencialmente aria, según él.

Gobineau asegura que ni el clima, ni el gobierno, ni las costumbres, ni la religión, bastan para elevar una civilización: mientras no haya elemento indogermánico, un pueblo no se elevará.

Gobineau tiene puntos de vista atrevidos, pintorescos y, algunos, profundos; su sistema le permite cambios de frente y evoluciones muy originales; así, por ejemplo, considerando, como considera, el arte como una manifestación trascendental de la vida, no lo cree un producto genuino de la raza indogermánica, para él superior, sino que, por el contrario, supone que los pueblos son más artistas cuanto más mezclados están con sangre negra. Impulsado por esta teoría, hace una escala de pueblos artistas que, comenzando en los asirios y en los egipcios, pasa por los griegos, los italianos, los españoles y los franceses. A mayor pureza aria que el pueblo francés, ya, según Gobineau, no se da el arte.

Gobineau afirma que la decadencia de la civilización germánica viene del predominio de la influencia romana, que es una etapa avanzada en la era de la unidad. Para nuestro antropólogo, cuando las naciones europeas pierdan por completo su predominio germánico y se romanicen, les llegará la decadencia. Ya Gobineau ve en perspectiva la posible romanización de Inglaterra, que, indudablemente, la guerra actual ha acelerado.

Gobineau considera que, en su tiempo, el mundo ario, el mundo para él superior, el de la supremacía de la vida, se encontraba luchando contra el triunfo infalible de la confusión romana, en la serie de territorios que abarca un contorno ideal, que, partiendo de Tornea, encerrando Dinamarca y Hannover, desciende por el Rin, a una corta distancia de su orilla derecha, hasta Basilea; envuelve la Alsacia y la Alta Lorena, corre el curso del Sena, le sigue hasta su desembocadura, se prolonga hasta la Gran Bretaña y se une al Oeste con Islandia. Este era para Gobineau el baluarte del germanismo. Como se ve, el germanismo de Gobineau es más bien escandinavo.

El baluarte germánico de Gobineau resistirá poco, según él. Tras su ruina vendrá el triunfo de la confusión romana, de lo que ha llamado después el historiador Chamberlain el caos étnico.

A los trabajos de Gobineau siguen los de sus discípulos Vacher de Lapauge y Ammon, que intentan fortalecer las teorías del maestro.

Estos las llevan a la antropometría,

y hacen observaciones muy curiosas; por ejemplo, esa de que los habitantes de las ciudades tienen siempre la cabeza más larga, es decir, son más dolicocéfalos que los habitantes de los campos.

Vacher de Lapouge considera que el hombre rubio y de cabeza alargada, el *Homo europæus,* es el elemento superior en los países del viejo continente, y llega a hacer una estadística un tanto arbitraria de lo que resta en los pueblos de Europa de este elemento. A España no le queda, según él, más que medio millón de *Homo europæus.*

El *Homo europæus* de Vacher de Lapouge es el hombre audaz, genial, individualista, alejado del Estado, atrevido, protestante en religión; el *Homo alpinus,* el braquicéfalo moreno, es el hombre vulgar, rutinario, burócrata, oficinista, de concepciones mezquinas y de religión católica.

El historiador alemán Chamberlain desarrolla una teoría parecida, dándole extensiones a la cultura más que a la antropología.

Leyendo las obras de estos autores, se ve que, dentro de ciertas posibilidades, hay mucha arbitrariedad y fantasía.

Primeramente los antropólogos han demostrado que no hay razas completamente puras; que los pueblos de Europa están casi todos mezclados, y que la expresión arios, si significa algo concreto en sentido lingüístico, no significa más que algo muy vago en sentido étnico; pero esto, a mi manera de ver, no demuestra que no haya razas diferentes, sino que no se conocen aún bien sus características.

Otro punto podría tratarse aquí: el de la persistencia o no persistencia de los caracteres intelectuales y morales de una raza.

Todo hace creer que no hay una

persistencia absoluta. Hemos visto, por las experiencias del botánico holandés Hugo de Vries, que lo que parecía más estable en el mundo vivo, las especies, cambian a veces bruscamente, sin necesidad de una evolución lenta; ¿cómo no va a cambiar una cosa tan movible y tan impresionable como la mentalidad del hombre?

Un historiador de Derecho, Ihering, afirma, según veo en el libro de Chamberlain, que el ario trasladado a Mesopotamia sería un semita, y al contrario. Yo no creo en esto. Creo que perdura algo en las razas, aunque por hoy no se sepa fijar bien lo que perdura.

En último término, la cuestión es si todas las razas son iguales, o no, para la cultura.

La idea afirmativa de la igualdad de las razas, como la idea del progreso indefinido, es una fe, un dogma del siglo XIX, pero no tiene comprobación.

Que no ha señalado la ciencia con claridad las diversas aptitudes de unas razas y de otras, es indudable; pero esto no quiere decir que no existan; lógicamente deben existir.

Quizá Gobineau se haya engañado en sus detalles; pero la esencia de su tesis, la desigualdad de las razas humanas, a mi modo de ver, queda intacta.

CULTURA GERMÁNICA Y LATINA

Dejando esta cuestión de las razas, muy amena y sugestiva, pero que no termina por hoy en nada claro, tocaremos otros puntos.

¿Hay señaladamente una cultura germánica y una cultura latina?

Nuestro querido amigo y maestro José Ortega y Gasset dice, en sus *Meditaciones del «Quijote»*, con cierta sorna, que cuando era muchacho leía con entusiasmo los libros de Menéndez y Pelayo, y, al ver que el autor hablaba de las nieblas germánicas, le nacía una compasión grande por los pobres hombres del Norte, que tenían que vivir entre brumas y oscuridades espirituales.

Suspirillos germánicos llamaba también Núñez de Arce a cierta clase de poesía lírica, creyendo, sin duda alguna, que sus versos, de sólida carpintería, eran superiores a los de Goethe y a los de Heine.

Las nieblas, la oscuridad, la confusión, se han atribuido exclusivamente a los pensadores germánicos, como la claridad, la tersura y la elegancia, a los latinos.

¿Esto es siempre cierto? Y si es cierto, ¿es siempre conveniente? Renan dice en *El porvenir de la ciencia*: «El francés no quiere expresar más que cosas claras, y las leyes más importantes, las que presiden las transformaciones de la vida, no son claras: se las ve en una especie de penumbra.»

Ortega y Gasset no cree que haya tal oscuridad en una cultura y tal claridad en la otra.

«No hay tales nieblas germánicas, ni mucho menos tal claridad latina —dice—. Hay sólo dos palabras que, si significan algo concreto, significan un interesado error. Existe —añade— una diferencia esencial entre la cultura germánica y la latina; aquélla es la cultura de las realidades profundas, y ésta es la cultura de las superficies.»

No se puede demarcar, indudablemente, dónde empieza la cultura germánica y dónde la latina; no sabemos separar qué es lo que se debe al pensamiento mediterráneo y qué al germánico; pero, sin pretender hacer separaciones, es indudable que hoy, a pesar de nuestro idioma latino, sentimos tanta efusión por lo vagamente germánico como por lo vagamente latino.

¿Qué hombres, qué ciudades se pueden llamar íntegramente germánicas? ¿Qué otros hombres, qué otras ciudades se pueden llamar íntegramente latinas? La mayoría de las ciudades europeas cultas, París o Ginebra, Florencia o Venecia, Milán o Viena, se encuentran en la encrucijada de las dos civilizaciones.

Quizá únicamente se pueda decir de Roma que es latina, no por su raza, sino por su significación; y Roma ha sido uno de los pueblos más fuertes y de menos espiritualidad del Universo.

Todos los autores modernos hacen resaltar la diferencia de la cultura brillante de Grecia con la organización poderosa de Roma. Hoy a Roma no la consideran hija de Atenas, sino hermana de Cartago. Más que esparcir la luz griega, Roma fue una pantalla para las claridades helénicas. La Roma pagana y la Roma semítica han tenido casi exclusivamente el amor del poder.

Así han dejado a su alrededor pueblos neuróticos que han vivido sugestionados únicamente por la idea del mando.

No creemos que la germanización de los pueblos haya sido tan absolutista como la romanización.

Los pueblos no germánicos que han vivido al margen de la cultura germánica han conservado gran parte de su carácter y de su originalidad; no así los pueblos latinizados, porque el espíritu de Roma no se ha contentado con mandar en los cuerpos, sino que ha querido y quiere mandar en las almas.

Yo no afirmaría el total de las proposiciones étnicas de Gobineau; pero creo, sí, que la presión latina restó mucho de la originalidad natural de Francia, de España y de Italia del Norte.

De una manera general, y no pretendiendo llegar más que a un juicio de aproximación, se puede decir que la cultura latina busca la unidad; la cultura germánica, la diversidad. La cultura latina ha defendido siempre el dogma, la autoridad; la cultura germánica, el libre examen; la una ha amado el cuartel, la plazuela y el foro; la otra ha amado el taller, el interior, en donde cada hombre es una conciencia libre; la una es cultura de leguleyos, de oradores y de soldados; la otra es cultura de trabajadores y de artistas; la una tiene el sentido psicológico de lo humano, de lo demasiado humano; la otra, el amor de la Naturaleza y de las cosas. No es petulancia ni deseo de singularizarse; pero para mí la segunda, la cultura germánica, es más simpática. En la vida de nuestros países meridionales, los hombres tropezamos unos con otros demasiado: nos odiamos, nos envidiamos, y es grato refrescar nuestro furor de lucha en el amor por las cosas, en el panteísmo germánico, sumergiéndose en el éter puro de la sustancia única, que decía Hegel.

He acabado la primera parte de mi conferencia, dejando, naturalmente, de decir muchas cosas, porque en un asunto tan vasto hay que reducirse al mínimo. Temo haberos cansado, e intentaré ahora marchar lo más rápidamente posible.

Me voy a lanzar a la confrontación de las ideas de cultura, al caso particular de España. Dispensad lo arbitrario que pueda haber en ello, lo impracticable y lo romántico.

VALOR DE LA CULTURA ESPAÑOLA

Hace ya más de siglo y medio, al publicarse la *Enciclopedia*, en Francia, en el tomo «Geografía» apareció un artículo, titulado «España», en que se decía: «¿Qué se debe a España; de dos, de cuatro, de diez siglos a esta parte, qué ha hecho por Europa?» El autor de este estudio, Masson de Morvilliers, se decidía por negar el concurso de España a la civilización. Tal artículo, en su tiempo, hizo mucho ruido. El abate Cavanilles contestó con unas observaciones; el abate italiano Denina pronunció un discurso-respuesta, en francés, en la Academia de Berlín; don Antonio Ponz habló del trabajo de Masson en su *Viaje fuera de España*, y don Juan Pablo Forner hizo una oración apologética acerca de la cultura española.

Para mí, estos apologistas tenían razón en parte, pero no en todo. Así como Masson no quería ver lo positivo de la civilización española, los apologistas no querían ver sus deficiencias.

Ciertamente, España no ha tenido esas minorías selectas de cultura media de los países centroeuropeos. España nunca ha sido foco, sino periferia. Algunos hombres extraordinarios, y luego, plebe. Ese es nuestro haber. Cuando hemos pretendido formar centros de cultura, como el Aranjuez del siglo XVIII, o el Madrid de Alfonso XII, hemos llegado a muy poco; en cambio, la plebe, cuando se ha lanzado a su obra, a pelear con el moro, a colonizar América, a luchar con el francés o a inventar sus héroes, ha hecho algo grande.

Será incompleta nuestra cultura, pero negar su concurso a la civilización universal me parece absurdo. Con esencia española se han creado gran parte de los héroes de la literatura universal; de aquí han salido el Cid, Don Juan y Don Quijote, que han hecho soñar a las imaginaciones del mundo; con esencia española se han formado los tipos de los conquistadores y de los guerrilleros, de los causuistas audaces y de los moralistas alambicados; con esencia española se ha formado el tipo triste y pensativo del caballero retratado por *el Greco;* de esencia española es la dama sabia, estilo Teresa de Cepeda, y de esencia española es la obra de Calderón, de Velázquez y de Goya.

¿Por qué el extranjero puede exigir más a un país? Nosotros, sí; nosotros podemos pedirle más al nuestro, porque vemos que España, grande en algunas actividades, ha sido muy pequeña en otras.

España ha quedado rezagada en un momento de la Historia y tiene mucha obra muerta que hay que arrojar al mar y mucha obra viva que realizar.

El siglo XVIII fue para nosotros de aletargamiento, y el XIX, época de constantes agitaciones, no siempre fecundas. Quitando algunas personalidades de brío y algún hombre de genio, como Goya, estos dos siglos no han construido un edificio sólido de cultura. La Restauración, que quiso ser un renacimiento, no fue más que una falsificación ética, literaria y política. Tras de esta época, hemos comenzado a notar que no tenemos una ciencia española, ni una gran literatura moderna, ni un gran arte contemporáneo, ni una cultura general, ni tenemos historiadores. La Restauración nos mistificó todo y dio una apariencia de España europea que se vino abajo con estruendo.

La obra antigua de España es hermosa; pero hay que coronarla, y no está coronada.

IDEAL DE ESPAÑA

¿Qué quisiéramos que fuera España? ¿Qué quisiéramos que fuera el País Vasco dentro de España?

Quizá los españoles contestáramos cada cual de distinto modo a esta pregunta. Yo quisiera que España fuera muy moderna, persistiendo en su línea antigua; yo quisiera que fuera un foco de cultura amplio, extenso, un país que reuniera el estoicismo de Séneca y la serenidad de Velázquez, la prestancia del Cid y el brío de Loyola. En ese foco de civilización hispánica, en que hubiera la reintegración de todos los sentimientos y de los principios étnicos que han constituido la Península, me gustaría ver el País Vasco como un núcleo no latino, como una fuente de energía, de pensamiento y de acción, que representara los instintos de la vieja y oscura raza nuestra antes de ser saturada de latinidad y de espíritu semítico.

Herder dice en uno de sus libros: «La perfección de una cosa consiste en que sea todo lo que ella deba y pueda ser.» Es lo que, después de Herder, entrará de lleno en la filosofía de Hegel con el nombre de «Werden» y será el devenir o llegar a ser en los idiomas latinos.

El devenir de España estará en la fructificación y en el desarrollo de todos sus elementos étnicos, como el devenir del País Vasco sería no borrarse del todo en la latinidad, sino dar a su cultura un carácter propio peculiar no latino.

No es extraño que, pensando así, yo haya tenido la aspiración de dar un matiz no latino, poco retórico y poco elocuente, de precisión y de sequedad, dentro de la literatura española.

Claro que yo creo que este comienzo de cultura vasca hay que intentarlo a base del castellano, no a base del vascuence.

Esa tesis que ha sostenido don Julio de Urquijo, afirmando la posibilidad de que el éuscaro sea lengua de civilización, me parece una fantasía de filólogo, pero no una realidad.

Hay que aceptar el hecho consumado, y el hecho consumado es que nuestro idioma de cultura es el castellano, que poco a poco empieza a dejar de ser castellano para ser español.

LA GRAN CIUDAD

Para realizar este ideal de cultura a que uno aspira como español y como vasco, se necesitaría una gran capital en España y una ciudad importante en Vasconia.

Madrid no lo es aún; quizá llegue a serlo. España no tiene todavía la gran capital; los españoles no contamos con la gran fragua donde se puedan fundir los ideales; no podemos ser troqueladores de las ideas generales, como los franceses. Ellos cuentan con la provincia, como nosotros; con la genialidad nativa que guardan en su seno todas las provincias, y, además, tienen el troquel de París para las ideas suyas y para las ajenas.

Esta falta de gran capital nos da siempre un aire provinciano. Hay que resignarse a ello. Por ahora es un mal irremediable.

Si la aspiración a la gran capital que uno tiene como español no se puede satisfacer cumplidamente, es más fácil llegar a realizar la aspiración de tener en el País Vasco una ciudad grande, una ciudad importante, que pueda ir elaborando una cultura especial, que, utilizando todos los elementos aprovechables, tenga cierto carácter vasco.

Los vascongados no hemos contado con ciudades importantes hasta ahora, y la civilización y la cultura son productos genuinos de las ciudades.

No creo que ninguna ciudad vasca

haya tenido fuertes anhelos de cultura. El carácter de todas ellas ha sido,
hasta aquí al menos, puramente dinámico, cosa necesaria en los pueblos
nuevos. Respecto al ideal particularista, localista, que han engendrado, es
un ideal defensivo, que a mí me parece un error de perspectiva, que ni
siquiera es autóctono y original, porque procede del lado del Mediterráneo.

Vivir a la defensiva es un ideal bien
pobre. Hacer de cada región un lugar sin peligros, sin aventuras, sin luchas y, por tanto, sin triunfos, sería
hacer de las naciones y del mundo un
organismo tranquilo y razonable, que
pesaría sobre nosotros como una losa
de plomo.

No creo que un pueblo fuerte acepte a la larga un ideal puramente defensivo; toda fuerza tiende a extra-
vasarse y a influir; una ciudad con
vida tenderá a influir en las comarcas próximas. Esta influencia puede
ser principalmente dinámica; pero toda dinámica necesita una explicación
y, por tanto, una cultura.

CRÍTICA Y VERDAD

Para fundar esta cultura se necesita, creo yo, un fondo de austeridad y
de verdad y una crítica severa y que
no permita ilusiones ni errores, porque, como dice Carlyle, el primero de
todos los Evangelios es éste: que la
mentira no pueda durar siempre.

Nada nos importa que la mentira
y el error hayan vivido miles de años,
y que los pragmatistas nos digan que
el error, cuando tiene una forma sensitiva y halagüeña, constituye una semiverdad.

Hay errores fecundos, sin duda alguna; pero son fecundos en tanto se
los considera como verdaderos.

Si el héroe de Homero creía que en
un momento Marte, Venus o Minerva podían ayudarle, su creencia le era
útil; pero la invocación de esas personalidades míticas, ¿qué utilidad le
dará al soldado moderno, que no cree
en ellas?

Renan pensaba que, a base de la
verdad, no se podrá dar a las sociedades futuras el tono que tuvieron las
antiguas. Nietzsche dice también que
la filosofía debía dar a la vida y a la
acción no la verdad, sino la mayor
energía posible y la mayor profundidad. Lo ilógico es necesario, afirmaba en *Humano, demasiado humano*.

Esta actitud antiintelectual, a primera vista práctica, es completamente ilusoria. El hombre de ayer, que
obraba con energía impulsado por una
mentira vital, la creía verdadera. ¿Cómo el hombre de hoy obraría lo mismo por un motivo creyéndolo falso?

CULTURA Y CARÁCTER

Naturalmente, no es fácil que la
Ciencia y la cultura, al quitar un prejuicio, no arrastren algo de lo pintoresco de un país. Pero ¿qué valor
tiene en el fondo esta nota pintoresca? Para mí, muy poco, casi nada.

Los ingleses han sabido adquirir
ideas nuevas y quedarse con costumbres viejas; pero estas costumbres,
cuando pierden su ambiente natural,
nos parecen extravagancias sin valor.
Ver en la Audiencia de Londres abogados con peluca no nos produce el
menor entusiasmo ni el menor respeto.

Bien está el instinto de conservación cuando se guarda el Partenón o
las Pirámides; pero cuando se guarda una peluca o unos calzones, la cosa no vale la pena.

En el conflicto posible de la cultura con lo pintoresco, con lo externo,
éste debe ceder el paso.

LA INVENCIÓN COMO HONOR

Unamuno ha estampado una frase que a mí me parece una torpeza y un desacierto. Es esa de decir, refiriéndose a los pueblos inventores: «Que inventen ellos», o, lo que es lo mismo, que construyan la ciencia los extranjeros. Nada encuentro más anticultural, más antieuropeo, que ese pensamiento. Es una frase de seminario o de sacristía. Puede ponerse al lado de la exposición de la Universidad frailuna de Cervera, en 1817, en la que se decía: «Lejos de nosotros la peligrosa novedad de discurrir», frase que se ha transformado y se ha popularizado en «Lejos de nosotros la funesta manía de pensar». Pensar, discurrir e inventar son actividades paralelas.

Sin invención, el hombre hubiera sido un animal; pero lo que caracteriza al hombre superior, al artista, al genio, es inventar sin necesidad.

Decir: «No queremos ser inventores», es como decir: «No queremos ser pensadores; nos contentamos con pertenecer a la parte baja de la Humanidad.»

Hoy, la invención para un pueblo no es utilidad, es honor. Cualquier invención o descubrimiento corre en seguida por el mundo y beneficia a todos.

Que un Roentgen invente los rayos X; que un Hertz descubra las ondas hertzianas y Branly el colector para dirigirlas; que un Pasteur o un Roux elaboren sus vacunas, e inmediatamente los países todos se aprovecharán del descubrimiento.

Hasta en literatura pasa lo mismo. Bréal dice en su *Ensayo de semántica* que hay un intercambio tan continuo, aunque no se traduzca por préstamos visibles, entre las lenguas de Europa, que el progreso obtenido en un punto se convierte en seguida en bien común de todos.

Es posible que no lo crean así las momias que forman parte de las Academias de *Limpia, fija y da esplendor*, pero el hecho comprobado es ése.

Como indicamos, la invención no es utilidad, es honor. Decir que inventen ellos es renunciar al honor de la Humanidad culta. Es como el soldado poltrón que gritara: «Que avancen los demás.»

CULTURA COMO FIN Y CULTURA CON OTROS FINES

La cultura puede ser sólo una antorcha que ilumine un país, y puede ser un instrumento y un arma de dominación.

La cultura parece que debe encontrar su verdadero fin en sí misma; pero si alumbra y esclarece, y lo que esclarece y alumbra es apetecible, ¿cómo la voluntad no intentará apoderarse de ello?

La cultura no debería tener fines extraintelectuales, al menos de una manera permanente; pero si éstos aparecen en el camino, lógicamente se beneficiará de ellos. El desarrollo teórico de ciertas facultades produce siempre, a la larga o a la corta, una aptitud práctica para los hechos.

Así, en los países de gran cultura, el industrial y el hombre de negocios marchan al lado del ingeniero, del químico, y lo que descubre el técnico de la inteligencia lo realiza el técnico de la acción.

LA CREACIÓN DEL SABIO

No creo que la tendencia puramente económica de lucha de clases haya de predominar constantemente.

Esto pasará, por lo menos tendrá sus treguas. Lo que no pasará es la necesidad del Arte y de la Ciencia.

Indudablemente, la Literatura y el Arte, como valores humanos puros, se pueden crear libremente; no así la Ciencia, que necesita una organización interior.

Las condiciones y circunstancias en que se crean los sabios y los inventores son siempre especiales y muy restringidas. Guillermo Ostwald ha estudiado el tipo de varios sabios, principalmente alemanes, y De Candolle, en su *Historia de las Ciencias,* ha seguido las circunstancias de familia austera, cerrada, tradicional, que han producido la mayoría de los sabios del mundo. Pero por encima de todas estas condiciones, lo que necesita el científico son armas apropiadas; es decir, un material vasto y complejo. He aquí palabras de Pasteur a este respecto:

«Laboratorios y descubrimientos son términos correlativos. Suprimid los laboratorios, y las ciencias físicas se convertirán en la imagen de la esterilidad y de la muerte; no serán más que ciencias de enseñanza, limitadas e impotentes, y no ciencias de progreso y de porvenir. Dadles laboratorios, y con ellos reaparecerá la vida, la fecundidad, el poder. Fuera de sus laboratorios, el físico y el químico son soldados sin armas en el campo de batalla.»

Pensando en estas palabras, ¿cómo se va a extrañar nadie de que en España no haya Ciencia? Hay que poner una semilla en la tierra para que brote una planta. Mientras la nación, o la región, o el Municipio, no siembren, no habrá cosecha.

TÉCNICA, JERARQUÍA Y DISCIPLINA

Crear el laboratorio, crear la técnica, sería formar el sabio. Formando el sabio, habría que darle una jerarquía, la jerarquía máxima en la sociedad. Necesitamos una jerarquía de capacidades; las jerarquías tradicionales ya no nos sirven. Necesitamos jefes, jefes indiscutibles. En lo que parece más vago y menos práctico, en el mundo intelectual, los hemos tenido y los tenemos. Esta técnica y esta jerarquía constituirán una disciplina colectiva. Hay que aproximarse al ideal de que la colectividad exista para el hombre y el hombre se preocupe de la colectividad.

Hay que organizar una sociedad, si no nueva, al menos un poco más justa y mejor. «Organizar significa—dice Guillermo Ostwald—establecer una conexión tal que con cantidades de energía dadas se pueda producir la mayor suma y la mejor cantidad de trabajo.»

En una sociedad así, cada individuo se encontraría más encajado en su puesto, estaría más contento y produciría más.

Hay que inventar un plan social, formar las inteligencias por la educación, hacerlas aptas para la adquisición y la organización de los conocimientos, darles capacidad de trabajo y de aplicación, formar los caracteres, darles vigor, resistencia, una disciplina fuerte que sirva para la lucha por la vida, y formar también los sentimientos que, siendo enérgicos, se desprendan de la crueldad y de las pasiones bajas. Hay que crear una solidaridad social que dé siempre una impresión de fuerza y de unión, y esta solidaridad no se puede constituir más que a base de ideal, de jerarquía y de disciplina.

LAS POSIBILIDADES

¿Podemos intentar una obra así en España?

No es fácil saberlo.

Por ahora estamos anquilosados con fórmulas viejas, con lugares comunes, retóricos. No tenemos todavía los españoles agilidad mental; no tenemos en nuestra cultura más que una disyuntiva: o Roma o París. No somos capaces de mirar más lejos, ni tampoco somos capaces de inventar algo nuevo para nosotros.

Claro que los vascos no podemos oponer a la cultura latina, que está arraigada aquí por la Religión, el Derecho y la Lengua, más que un idioma moribundo, pobre y anquilosado; pero, al menos, podríamos tener la voluntad de no dejarnos arrastrar y la voluntad del comienzo.

Si tuviéramos esa aspiración habría que determinarla, organizarla, convertirla en ideal. Aunque seamos latinos por nuestra lengua de cultura, creo que actualmente sería más conveniente buscar elementos ideológicos en los pueblos que se relacionan con nosotros por el mismo mar, Francia, Inglaterra y Alemania, que no ir a tomar orientaciones en los viejos tópicos de la latinidad.

Hoy lo rápido para un país es la Ciencia. Crear laboratorios, crear una Universidad libre, sin hacer mucho caso del Estado y de sus fábricas de doctores, sería de un gran avance.

La Ciencia es lo más inmediato para un país que quiera ser algo en el mundo; es lo que da el prestigio más rápido. Los hombres de ciencia interesan más que los literatos o los artistas, que son más nacionales.

En estos últimos años, fuera de España, en París y en otras ciudades europeas, no hemos visto más que el retrato de un español contemporáneo nuestro: el de Ramón y Cajal, y no porque se le considere el único ni el primero, sino porque los sabios forman la hermandad más ilustre y más querida de Europa.

La literatura y el arte seguirán en España, aunque no los protejan: es el instinto de la raza. La mayoría de los escritores y artistas españoles no hemos tenido la menor protección; muchos no hemos ganado con nuestras obras ni lo que gana un peón de albañil, y, sin embargo seguimos trabajando, claro que sin esperanza de éxito ni de premio, lo que no nos da mucha efusión por la burguesía de nuestro país.

ESFUERZO Y PELIGRO

Crear una cultura científica e industrial, inventarla y propagarla por España, sería para un pueblo fuerte un arma de expansión y de dominio.

Este es buen momento para España y un buen momento para el norte de la Península. El entusiasmo meridionalista que existía en el país hace años ha pasado. Era necesario que así sucediera, pues por el camino que llevábamos hubiéramos llegado a tener un dogma: que el flamenquismo y la gitanería, y hasta los negros de Cuba, eran lo mejor de España. Todavía en Madrid, cuando yo era chico, el ser madrileño o andaluz era una gracia; en cambio, el ser vascongado, catalán o gallego, era casi siempre impertinencia. Hoy no se cree lo mismo.

Una región como la cantábrica, que va avanzando en su industrialización, puede tener dos ideales distintos: uno, de defensa, que me parece pequeño y mezquino dentro de una España que tiende a la pereza y a la languidez; otro, al de la expansión y el de la intervención, que se me figura grande y noble.

Para esto hay que forjar las herramientas de la España del porvenir, hay que crear un ser moral, un hombre de acción, lleno de eficacia, que sepa, no dogmatizar, sino, como dice Carlyle, tragarse las fórmulas, para hacer. Hay que vitalizar la cultura y armarla hasta los dientes.

El tiempo apremia. La forma social actual ha de durar poco. Las formas sociales, como los seres vivos, tienen limitado su crecimiento y su expansión.

Estas formas se inician, crecen, se ensanchan, se amplifican, y cuando llegan a un punto en que no pueden desarrollarse más, se atrofian se secan o mueren de un estallido.

La influencia del trabajador, del obrero, va a irrumpir en la vida del Estado. El trabajador, hoy por hoy, tiene la tendencia natural de considerar el único problema, el problema de su bienestar, unido al de la lucha de clases.

El trabajador tardará en considerar la cultura como la flor más selecta de la Humanidad, y puede venir, por su influencia, un período de beocia que, después de la beocia burguesa de nuestros días, sería lamentable.

El tiempo apremia, y el que quiera triunfar tiene que aprovecharlo. Vivir a la defensiva me parece un error; querer fundar naciones que hoy un aeroplano puede cruzar en quince minutos, es absurdo.

Aislarse es señal de impotencia. Hay que atacar para triunfar en la vida. Toda la existencia es lucha, desde respirar hasta pensar. Seamos duros, hermanos, como dice Nietzsche; duros para la labor; más parecidos al diamante que al carbón de cocina.

Los pueblos fuertes, pletóricos, deben intervenir enérgicamente a su alrededor, con procedimientos nuevos, con ideales nuevos.

Los que sean capaces de dirigir a los pueblos vigorosos y activos deben crear cuanto antes el arma de la cultura y afilarla, como quien afila un estoque; deben marchar por su camino, sin pensar en si hay fracasos, siguiendo la mágica recomendación del autor de *Zaratustra*, que nos aconseja vivir en peligro.

Los españoles hemos sido grandes en otra época, amamantados por la guerra, por el peligro y por la acción; hoy no lo somos. Mientras no tengamos más ideal que el de una pobre tranquilidad burguesa, seremos insignificantes y mezquinos. Hay que atraer el rayo, si el rayo purifica; hay que atraer la guerra, el peligro, la acción, y llevarlos a la cultura y a la vida moderna.

(Conferencia leída en Bilbao en febrero de 1920.)

DIVAGACIONES ACERCA DE BARCELONA

Señores:

No sé si tenéis alguna opinión, buena o mala, acerca del que escribe estas líneas; si la tenéis, no intentaré yo modificarla; si no la tenéis, os diré que yo soy un hombre ingenuo y sincero, poco social, poco político y un tanto vago. Me dijo en un artículo Pompeyo Gener que yo era un ogro finés injerto en un godo degenerado; yo no me siento ni tan degenerado, ni tan finés, ni tan ogro; por ahora no me he comido ningún niño crudo, y me figuro que no llegaré a adquirir estas raras aficiones gastronómicas.

Yo me había opuesto a dar una conferencia aquí, porque, realmente, no tengo grandes cosas que decir, y, además, porque poseo un sentido pedagógico tan pequeño, tan poco confiado, que me impulsa a sospechar si todo el mundo tendrá razón, aunque todo el mundo defienda cosas distintas.

Estaba, pues, en la situación expectante y tranquila de un curioso; había convencido a mis amigos de que mi oratoria es, como dice *La Publicidad* de ayer, con gran exactitud, ni brillante ni original, sino llena de lugares comunes, de tópicos de mitin y de vulgares frases efectistas, cuando apareció un artículo en *El Poble Català* pidiendo que hable en el Ateneo y ejerza de ogro, diciendo desde allí cosas fuertes, si es que me atrevo a decirlas.

Volvieron mis amigos a la carga y a reprocharme mi pereza. Yo decía: «¡Pero si mi oratoria no es brillante ni original!» Si no empleo más que lugares comunes, y he llegado a la gran vergüenza de decir: «Yo entiendo, señores, como los diputados de la mayoría. ¿Para qué voy a hablar? ¿Llevo yo dentro de mi cabeza algún sermón de la Montaña, como Cristo? ¿Soy yo un Séneca o un Pedro Corominas, un Gladstone o un Bertrand y Musitu?» No; por eso no quería hablar. Pero me han pedido tantas veces que dijera algo, que, al último, he tenido que ceder para no parecer terco, y en el salón del hotel me he puesto a escribir estas cuartillas y a hilvanar unas cuantas vulgaridades acerca de Barcelona.

Yo lo siento por vosotros, porque os vais a encontrar defraudados, os vais a aburrir; pero acordaos de que hoy es día de Viernes Santo, día de ayuno y de abstinencia de carne, y que no está mal el mortificarse un poco. Tomad, pues, mis palabras escritas por una vigilia, por algo así como espinacas intelectuales, y consideradlas como una pequeña mortificación propia de Semana Santa.

No tengo embotellado nada para soltarlo entre vosotros, no tengo ningún libro en mi maleta; no puedo consultar nada: ni apuntes, ni periódicos, ni revistas; todo mi equipaje se reduce a unos cuantos cuellos y puños postizos, ya usados, y a un reloj de bolsillo, que tiene el minutero torcido y que me daría mucho que hacer para averiguar la hora si mi reloj tuviese la humorada de andar. Afortunadamente, no anda. Se me cayó hace un año en la plaza de San Pedro, de Roma, y desde entonces está parado, con una consecuencia extraordinaria. Así que, más que para saber la hora, lo llevo de lastre. Como digo, todo mi equipaje es éste y unas cuantas ideas, más o menos arbitrarias, que tengo en la cabeza. No voy a poder entreteneros hablándoos de la Grecia, ni de la Macedonia, ni de la China; ni de Antropología, ni de Geología, ni de nada; os tengo que hablar de mis cuellos postizos, del catalanismo, del nacionalismo, de literatura y de otras cosas, igualmente vulgares y sin importancia.

COMPROMISOS Y CONTRASTES

El señor Aguilar, que es el que me ha dedicado un artículo en *El Poble Català*, me ha invitado, o, mejor dicho, retado a que hable en el Ateneo de Barcelona, para que reproduzca allí mis ataques y mis negaciones. Mis amigos me han hecho observar que, siendo yo radical, es más lógico que estas cuartillas se lean en la casa del partido, en la Casa del Pueblo. Ciertamente, yo sabía que, aunque dijera cosas duras, los ateneístas habían de ser amables conmigo.

Ahora me encuentro en un compromiso: si hablo de una manera galante y amable, dirán mis contrincantes: «Es cobarde; ese hombre no tiene valor de repetir en Barcelona lo que ha dicho fuera de ella.» Si hablo de una manera agresiva, dirán que en este archivo de la cortesía yo soy el único representante de la mala educación, y esto me duele.

En esta duda, diré buenamente lo que crea, sea amable o no lo sea, y hablaré de Barcelona y de los catalanes como si estuviera hablando de Milán, de París o de Babilonia y sus habitantes.

Esta situación especial de hombre retado a decir cosas duras me obliga a no manifestar mi entusiasmo que, en el fondo, siento por esta ciudad, esplendorosa y magnífica.

Hablaré, pues, entreverado; ya que no puedo ser pájaro, ni quiero ser rata, me dedicaré a ser un poco murciélago.

Yo, ciertamente, no he negado a Cataluña nunca, y menos a Barcelona; lo que sí he negado en su mayor parte ha sido la intelectualidad de Barcelona.

Yo veo aquí una porción de mentiras, acumuladas con intenciones más o menos piadosas, acerca de Cataluña en sí misma y de Cataluña con relación al resto de España.

Yo no veo aquí la acomodación espiritual entre lo que es Cataluña en sí y lo que es Cataluña representada por su docena y media de escritores y periodistas.

A mí, Cataluña me da una impresión de ser casi más española que las demás regiones españolas.

Los catalanistas, en cambio, aseguran que no, que Cataluña casi no tiene nada que ver con España, que es un país con otra raza, con otras ideas, con otras preocupaciones, con otra constitución espiritual.

Por diferenciarse, encuentran los catalanistas una porción de contrastes étnicos, psicológicos y morales entre catalanes y castellanos. Son los castellanos individualistas; los catalanes son colectivistas; son los castellanos fanáticos; los catalanes, tolerantes; son los castellanos místicos y arrebatados; los catalanes son prácticos. Yo nunca he visto estas oposiciones ni estos contrastes, y no digo esto como patriota, sino como un hombre más o menos observador.

INTELECTUALIDAD CATALANISTA

Barcelona me parece una ciudad exuberante, en la cual, a pesar del cosmopolitanismo que producen los puertos concurridos como el suyo, se mantiene íntimamente hispánica, extraordinariamente española.

En cambio, la producción intelectual barcelonesa, ¿qué impresión da? Hay drama en catalán que parece escrito en Noruega; versos que parecen confeccionados en el bulevar de Montmartre; comedias lacrimosas, como las de Rusiñol, en las cuales uno se encuentra como disuelto en un mar de merengue internacional; hay de todo: sueco, noruego, dinamarqués y hasta tártaro; lo que no se ve es que haya nada catalán; por lo menos, nada alto, nada fuerte, nada digno del país.

Todos los productos de la intelectualidad catalanista actual me parecen híbridos, sin el sello de la raza. Me dan la impresión de esas comidas de hotel y de *sleeping-car,* que todas se componen de una tortilla a la francesa y de un pollo desabrido envuelto en ensalada.

Aquí, en las cocinas de esos primates del intelectualismo catalanista, se huele a Emerson y a Carlyle, a Nietzsche y a Ruskin; lo que no aparece por ningún lado es el olor de la tierra.

Alguien me dirá que yo no puedo juzgar de esto; que yo no conozco ni el idioma, ni la tierra, ni las costumbres. Cierto. Hace algunos años, cuando se llegaba a Barcelona y se encontraba uno con aquellos intelectuales que entonces se distinguían por la melena y por la pipa, lo primero que decían era: «¡Ah! Usted no conoce el problema.»

Es verdad; yo no conozco el problema. Además, es muy posible que no haya problema, y que todo el problema catalán sea como el problema español: una cuestión solamente de libertad y de cultura.

Como digo, no veo relación entre los intelectuales catalanes y Cataluña; no encuentro que los libros y los periódicos catalanistas, que son los que se consideran la expresión viva del país, manifiesten la manera de ser pintoresca, moral e intelectual de la tierra.

Yo, la primera vez que llegué a Barcelona, vine desde Valencia, y al ver una Naturaleza tan espléndida, al pasar por delante del Mediterráneo, tan azul, tan lleno de meandros de plata, formados por la espuma de las olas, pensaba yo: «¿Cómo es posible? ¿Cómo pueden ser tan incomprensivos muchos de esos artistas catalanes? ¿Cómo pueden pintar siempre, o casi siempre, asuntos tristes, si esto es claro, luminoso y potente?»

En muchos de estos hombres, que han hecho un arte gris y triste en un país claro y lleno de alegría, se da el caso contrario de algunos grandes dramaturgos castellanos del siglo XVII, que hacían desarrollar las escenas de sus comedias en jardines frondosos, en jardines espléndidos, imaginando que los tenían delante, cerrando los ojos para no ver la tierra parda y de color de sayal de las llanuras de Castilla.

Yo lo digo porque lo creo así; para mí, vuestros intelectuales y vuestros políticos no han estado a vuestra altura; ni os han descubierto, ni os han estudiado, ni os han dado beligerancia ante el mundo. Yo lo decía con indignación de los catalanistas. Cataluña y Barcelona se conocen en el mundo, más que nada, por sus revueltas románticas, por el ansia de ideal de su población proletaria.

En cambio, los demás españoles no tenemos en el mundo más representación que las bailadoras y los toreros. Es triste, sobre todo para nosotros, pero así es.

Cualquiera que venga de fuera, sobre todo de fuera de España, se asombrará sinceramente en Barcelona, se asombrará de la grandeza de vuestra ciudad, de su fuerza industrial, de su inmensidad, vista desde el Tibidabo; se asombrará también de la cultura obrera, de su espíritu social, de su instinto de renovación; pero yo me temo mucho que si presentáis a Cambó como uno de los grandes productos de la espiritualidad catalana, no se asombre gran cosa ni se quede maravillado.

Barcelona, que, por su aspecto, por su sentido colectivo y por su población obrera, es una gran ciudad, es, por sus intelectuales, por sus genios catalanistas, de una mezquindad bastante grande, de una cursilería bastante pintoresca.

Yo no los odio, ni mucho menos; aunque creo que si fuera catalán los odiaría; pero ¿cómo tomar en serio estas pedanterías pesadas de mi amigo Corominas, de este gran hombre cuyos pensamientos están como nadando en grasa, ni considerar como definitivas las brillantes flatulencias de Gabriel Alomar, ni dar importancia al snobismo sin gracia ni ligereza del *Xenius* de *La Veu de Catalunya*? Yo, como digo, no los odio; pero me parecen insignificantes, más insignificantes todavía que nosotros, los del resto de España; porque allí, al menos, el pueblo no nos oye ni nos hace caso; pero aquí, sí; aquí está atento, aquí no se puede desviar sin tener una grande responsabilidad. Allí los que escribimos somos como oficiales honorarios, que no tenemos soldados; aquí, no; aquí son como oficiales poltrones de un ejército admirable. Aquí el pueblo es culto, aquí el pueblo tiene un fondo social que no tiene el resto de España.

¿CONTRADICCIÓN?

Si estas palabras las oye un redactor de *La Publicidad*, dirá, como decía ayer, que yo no tengo ni memoria ni lógica, y no tengo ninguna de estas dos cosas importantes porque antes hablé del semitismo de los catalanes y el otro día dije que Barcelona es la forja en donde se funden los ideales colectivos de la España del porvenir.

Yo no veo aquí la falta de lógica. Yo dije que en Cataluña había espíritu judío, y es verdad; yo lo sigo creyendo; este espíritu judío está en muchos comerciantes ricos catalanes, está en muchos de esos hombres que han empujado a España a una guerra imbécil en Melilla; está en los que, después de explotar a rincones desgraciados de nuestro país, han tenido la estupidez de desear que España desaparezca y de gritar muera España, como si se pudiera desear la muerte de un país noble y desgraciado.

Yo no he hablado nunca mal del pueblo de Barcelona; he hablado mal, principalmente, de sus magnates, de esos señores que han despedido a los soldados con un escapulario y una cajetilla; he hablado de sus intelectuales, que me han parecido pedantes, afectados, mezquinos, y he dicho que tienen espíritu judío; lo he dicho y creo que lo seguiré diciendo, si así me lo parece.

Que yo he afirmado en una novela mía que Prim se parecía a un bandolero y ahora alabo a Prim, dice *La Publicidad*. No; asegurarlo así es de mala fe.

En una novela mía un personaje lo dice; yo, no. Pero, aunque lo dijera yo, yo no tengo inconveniente en admirar a un bandido. Entre un bandido y un gran comerciante, yo casi prefiero al bandido. El uno roba en el camino real y el otro roba con el libro de cuentas.

Yo no intentaría convencer de esto a Romanones, ni a Güell, ni al señor Prat de la Riba; pero tampoco me convencerán a mí de lo contrario.

Claro que el libro Mayor, y el Menor, y el Diario, son más seguros para el robo que el trabuco; pero no siempre más decentes.

Como digo, pues, contestando a *La Publicidad*, no he sido yo ni ilógico ni inconsecuente; y si lo hubiera sido, diría que en el fondo no me importan nada ni la lógica ni la consecuencia.

LA ARQUITECTURA

Como yo he sido invitado a hablar un poco en calidad de ogro, seguiré haciendo una crítica a mi manera de las cosas de Cataluña, y, sobre todo, de Barcelona.

Esta ciudad está orgullosa de sus artes suntuarias y se considera bien ornamentada. Yo os diré que la arquitectura barcelonesa me parece aparatosa y petulante. Yo creo que la arquitectura es un arte puramente social, un arte en el cual no influyen de buena manera ni los caprichos de los arquitectos, ni el afán de deslumbrar de los burgueses.

Entre nosotros, los arquitectos, con un sentido que me parece bárbaro, quieren ser individualistas; así, cada cual se va por los cerros de Ubeda; así hay casa en Barcelona que parece una caverna, otras que tienen el aire de un animal vivo, de un cangrejo puesto en pie o de una montaña de caracoles.

Yo no quisiera vivir en una de esas casas que tienen las puertas parabólicas y los balcones torcidos y las ventanas irregulares; me parecería que me había vuelto loco o que me encontraba preso de los ensueños de una digestión difícil.

Decía el poeta José Carner, cuando yo abominaba de estas puertas parabólicas, que mi enemiga contra ellas era de salvaje. Yo creo que no, que es de civilizado. Esta forma de puertas repugna al sentimiento del equilibrio y de armonía que llevamos dentro.

No soy partidario de lo que se considera aquí como arquitectura artística; primero, porque no representa nuestra época; después, porque estas casas no son absolutamente higiénicas.

El adorno, tal como lo entienden estos arquitectos, es absurdo. Hace muchos años, el adorno era una espiritualidad; hoy, no; hoy un adorno inútil es un depósito de polvo; por tanto, de microbios. El arte antiguo y la ciencia moderna no están, por ahora, en armonía.

Un lienzo de pared grande con unas ventanas pequeñas y ornamentadas como las de los edificios del Renacimiento, produce seguramente una impresión de grandeza y de majestad, pero no de higiene; hoy una ventana pequeña indica falta de aire, elemento indispensable para la vida, y falta de luz, que es el agente más purificador de todos. Yo no creo que la arquitectura deba ser la ciencia moderna, fundida, mal o bien, con el aire antiguo; creo que la arquitectura debe ser la ciencia moderna que busca la armonía en sí misma y que puede llegar a crear un arte nuevo.

Aun desde el punto de vista puramente artístico, vuestros edificios modernos no tienen carácter. Comparad la Sagrada Familia con la catedral, y esa apreciable familia os parecerá completamente grotesca; comparad cualquiera de los palacios nuevos con la Audiencia o con la torre que hay en esa plaza, que creo que se llama de Santa Ana, tan sencilla, tan esbelta, tan armónica.

Y lo mismo digo de vuestras calles; son calles nuevas, hermosas, pero que no tienen eso que los artistas llaman carácter. Esos paseos suntuosos de Barcelona, esas grandes avenidas, lo mismo podrían ser de Génova, de Montevideo o de Manchester; lo único que les da nacionalidad es el cielo.

En cambio, comparadlas con las ramblas. Estas, no; éstas tienen carácter y bien definido; tienen tipos, tienen una personalidad imborrable e inconfundible; son animadas, bulliciosas, alegres, mediterráneas. Son de Barcelona; no pueden ser de otro pueblo.

LA INDUSTRIA

Respecto a la industria catalana, tampoco me parece todo lo seria que debía ser. Y citaré un caso, no sacado de libros, sino un caso mío.

Hace unos dos años, un editor de Barcelona me pidió una novela corta, y me dijo que se la enviara rápidamente. Era verano, y yo le contesté que no la podía entregar hasta el invierno. El editor me preguntó: «¿En qué mes?» «En febrero.» Y, efectivamente, en febrero pasé por aquí y le entregué el manuscrito. El editor me dijo: «Tiene usted palabra de banquero». «No—le repliqué yo—, sino que, sencillamente, sé lo que puedo y lo que debo hacer.»

El editor me pagó inmediatamente. Me dijo que me mandaría las pruebas en seguida, y no me las envió hasta un año después, cosa que no tiene nada de particular; pero lo absurdo, lo verdaderamente absurdo, es que me mandara las pruebas, las corrigiera yo y que el libro se vaya a publicar sin hacer caso de la mayoría de las correcciones señaladas por mí.

Yo no creo que mi libro tenga importancia, no; es una novelucha como otra cualquiera; pero pienso que si los editores no tienen amor a esos vehículos de cultura que se llaman libros, ¿quién lo va a tener?

Los editores están aquí perdiendo un negocio que podrían hacer grande exportando libros a América, y lo están perdiendo por sordidez, por afán de lucro. Hay editor que no tiene inconveniente en convertir un libro, que en el original es de tres tomos, en un tomito pequeño, cortando lo que le parece, sin ningún respeto a la producción literaria.

Así se da el caso de que París, Nueva York y Leipzig exporten a la América latina una cantidad extraordinaria de millones de libros en español, y, en cambio, nosotros nos vamos dejando arrebatar la industria que podría darnos, además de dinero, una gran importancia en América.

El capital en Cataluña, como el capital en toda España, no cumple la misión que debiera cumplir en una sociedad que está entregada a él; el capital no sirve más que para hacer rodar lujosos automóviles y para lucir alhajas y vestidos.

CIENCIA Y FILOSOFÍA

Respecto a la ciencia y a la filosofía, ¿quién puede hablar en España? ¿Qué región, qué ciudad puede tener la petulancia de creer que colabora en el movimiento científico del mundo?

En España no tenemos más experimentador científico que Ramón y Cajal, y éste, que no es mejor ni más grande que los extranjeros, como con una vanidad ridícula empezamos a decir en periódicos y revistas, tiene sobre los extranjeros el enorme mérito de haber trabajado sin ayuda de nadie y sin la protección del Gobierno.

Cataluña, por ejemplo, ha producido ilustres médicos; pero los dos modernos más notables, Letamendi y don Pedro Mata, los dos eran oradores, eran escritores y escritores retóricos.

Letamendi, a quien he conocido, jugaba con las palabras; era, como Unamuno, un juglar de la frase, un hombre de genio verbalista, como son los poetas meridionales.

Y, sin embargo, en Cataluña se dice, y yo lo he oído decir a un amigo mío radical el otro día, que la oratoria era aquí un producto de importación castellana.

Así se falsea la verdad, así se llega a decir que los catalanes, que son, naturalmente, oradores, como todos los mediterráneos, deben su facultad, que cuando se quiere se considera como un defecto, a la influencia castellana.

LA FURIA CASTELLANA

Otra de las cosas que he solido leer en los periódicos catalanistas, que durante algún tiempo han tenido la especialidad de partir un pelo por la mitad, ha sido la afirmación de que el castellano, y al decir castellano quieren decir todo español que no sea catalán, es un violento, y el catalán, no.

Yo recuerdo que en un número de *El Poble Catalá*, refiriéndose a un hombre furioso que en Madrid había matado a una mujer y luego se había suicidado, decía que este tipo era como un símbolo de Madrid y de Castilla. ¡Qué error! ¡Qué falta de perspicacia más completa!

¡Los castellanos, violentos! La gente de la tierra llana y pobre, que vive mal, que vive resignada, violenta. No. ¡Si resulta lo contrario! El castellano es casi el más apagado de España. Algunas provincias de Castilla la Vieja y de Vasconia son las que tienen menos criminalidad. Burgos, León y Alava son las provincias en donde hay menos analfabetos de toda la Península.

Si se dijera que los castellanos están en su mayor parte dormidos, ateridos por la miseria; que no tienen fuerza para levantarse, se diría la verdad. ¡Pero decir que son violentos! Es absurdo. Dentro de su pobreza, se ve en los castellanos un deseo de levantarse, de civilizarse.

Soria, por ejemplo, que es una provincia mísera, ha llegado a organizar una Escuela de Comercio para los emigrantes.

A mí me ha sucedido en Soria, en un pueblo que se llama Vinuesa, haber estado en una posada horrible y haberla descrito burlonamente en un artículo de *El Imparcial*. Pues bien: cuatro o cinco personas de Vinuesa, mortificadas por mi artículo, se reunieron, e instalaron un hotel para forasteros.

No; ni individual ni colectivamente son los castellanos enemigos del forastero ni violentos. Su furia es a veces desesperación y hambre; pero, en general, tienden más a la resignación que a la pelea.

Mejor sería para ellos que tuvieran el instinto de lucha que tenéis vosotros, pero no lo tienen. Ese instinto guerrero es lo que os hace a vosotros fuertes y grandes. Tenéis la exaltación, llegáis a la violencia, y eso es vuestra salvación.

No hay en España ciudad que pueda exaltarse como ésta; no hay región que pueda llegar a la furia como esta; no hay, seguramente, en España pueblo como éste, que pueda echarse a la calle y hacer una hermosa barbaridad, como lo ha hecho Barcelona en el mes de julio.

Yo me temo que estas divagaciones, las cuales no voy a tener tiempo de releer siquiera, os vayan sumiendo en un aburrimiento profundo.

Me es imposible darles una ordenación mejor o peor; así que tienen que seguir el curso de mi pensamiento, oscilante y en zigzag.

LA CUESTIÓN DEL IDIOMA

Así, como decía antes, que era muy posible que no hubiese problema catalán, creo también muy posible que no haya dentro de ese problema, si lo hay, cuestión de rivalidad de lenguas.

La cuestión del predominio del idioma se ha de resolver por el tiempo. El castellano se ha convertido en español y hasta en hispanoamericano; es una lengua tan nuestra como de los demás españoles, tan del catalán como del gallego o del vascongado.

Lo estúpido, lo absurdo, es que haya criterios aún que defiendan que el castellano debe ser exclusivamente castellano: el castellano hoy debe ser el español, y hay que romperlo y descuartizarlo, y convertirlo en un idioma lo más perfecto posible, que sirva para la literatura, para la filosofía, para la industria y para toda clase de actividad humana.

Y al desear yo que el castellano se nacionalice y se internacionalice, no es porque me parezca un idioma en sí superior al catalán; es, sencillamente, porque es más general; ha invadido ya toda España, y, además, tiene el porvenir de que casi toda la inmensidad de la América del Sur y gran parte de la del Norte lo aceptan.

Hace unos días se decía que los yanquis querían proponer el español como un idioma universal. ¿Y no sería estúpido hacer perder la extensión de una lengua, que es también de uno, por un prurito de amor propio? Dar a entender, como lo hacen los catalanes, que el castellano se conserva en Cataluña por la presión oficial, es un absurdo. Aquí, en Barcelona, se han hecho en estos últimos tres o cuatro años grandes enciclopedias; pero se han hecho en español, y es natural, porque es la única manera de tener la venta en América, porque el interés de todas las regiones españolas es hacer del español una lengua expansiva.

Ante los hechos, es ridículo afirmar el despotismo central en la cuestión del idioma. Es naturalísimo que de los cuatro o cinco idiomas nacionales haya preponderado uno, y esto ha pasado en Francia y en otros países, y esto pasa en España; pero el Estado no ha hecho presión aquí, y si la ha hecho, no ha sido tan enérgica como la han hecho en Francia, en Alemania y en Inglaterra, con sus idiomas regionales.

LA RAZA

Respecto a las cuestiones de raza, creo que no se debe hablar; no se sabe nada, absolutamente nada, de la etnología española; es más, no se cree que exista una raza pura; lo más que se llega a suponer es que hay tipos que, un poco arbitrariamente, se clasifican y se señalan con un nombre. Ni hay raza catalana, ni hay raza castellana, ni raza gallega, ni raza vasca, y podemos decir que no hay tampoco raza española. Lo que hay, sí, es una forma espiritual en cada país y en cada región, y esta forma espiritual tiende a fragmentarse, tiende a romperse cuando el Estado se hunde; tiende a fortificarse cuando el país se levanta y florece.

Todos los pueblos que caen quieren regiones más o menos separatistas, porque el separatismo es el egoísmo, es el sálvese el que pueda de las ciudades, de las provincias o de las regiones.

Ya sé que no se puede hablar hoy de separatismo, porque los nacionalistas, aún los más absolutos, no quieren llamarse así. Pero ¿ésta es una cordialidad que debemos agradecer, o es el reconocimiento de que no se puede vivir separados? ¿Es un mérito, o es el convencimiento de que no se pueden cortar los lazos con que nos une, a los españoles sobre todo, la Geografía?

EL NACIONALISMO

Yo no creo que haya nada útil, nada aprovechable en el nacionalismo; no me parece, ni mucho menos, el régimen del porvenir. Si ya a los hombres nos empieza a pesar el ser nacionales; si ya comenzamos a querer ser sólo humanos, sólo terrestres, ¿cómo vamos a permitir que nos subdividan más, y el uno sea catalán, y el otro castellano, y el otro gallego, como una obligación?

Porque ahora lo somos todos, claro, según nuestro nacimiento; pero yo, vascongado, voy a vivir a Madrid y soy un madrileño, sin necesidad de exigirme expediente, y el aragonés, o el valenciano, o el gallego que viene a vivir a Barcelona es un catalán como el que haya nacido en Reus o en Gerona.

Además, ¡qué serie de trastornos inútiles se produciría en el país con el nacionalismo! Yo no conozco Cataluña, pero conozco las provincias vascongadas, en donde hay también nacionalismo, y veo lo grotesca que sería su implantación. Sería un verdadero ciempiés, porque allí pasa que en la región vasconavarra hay una parte que es en su espíritu aragonesa, otra riojana, otra castellana y otra puramente vasca.

¿Y por qué obligar al que se siente castellano o aragonés, que es una tierra de trigo, de viñas y de olivos, a identificarse con el vasco verdadero, de una tierra de maíz y de manzanos? No, yo no veo el nacionalismo como un régimen del porvenir; podrá ser un camino en países constituidos por razas distintas: en Austria, por ejemplo, en donde los checos luchan contra los sajones; en Rusia, donde los polacos luchan contra los eslavos; en los Balcanes, en Finlandia, en Irlanda; pero ¡aquí!, aquí no tiene razón de ser, y creo que, en el fondo, no tiene tampoco raíz; creo que, en el fondo, no se sostiene más que por rivalidades personales, por celos de unos personajes contra otros, por ver el modo de quitarse la parroquia mutuamente.

EL ELEMENTO HISTÓRICO

Además, el nacionalismo lleva un cargamento histórico que la masa popular, con un gran sentido de la realidad, mira con un desdén absoluto. La masa popular es radical, es antitradicionalista, es antihistórica, y tiene razón. Su instinto le hace comprender que en la tradición está su enemigo. El hombre que vive en el pasado no ama el presente, y quiere vaciar casi siempre el porvenir en el molde de lo pretérito. Nosotros, no; nosotros no queremos ocuparnos del pasado, no queremos saber las fases que han servido de etapas al martirologio del pueblo. La Humanidad ha levantado dos grandes construcciones: la Historia y la Ciencia. La Historia es como un río, tan pronto claro, tan pronto turbio, que viene de la oscuridad de las edades lejanas; la ciencia, no; la ciencia es sólo luz; la ciencia es la construcción sólida de la Humanidad, la única bienhechora; ella, poco a poco, a medida que avanza, nos va dando el pan del cuerpo y del espíritu y va alejando de nuestro lado las enfermedades y la muerte.

LA SAGRADA CIENCIA

Un padre, Zacarías, que la semana pasada estaba dando en Madrid unas conferencias en la iglesia de San Ginés, decía, con una inconsciencia de... fraile, que los Estados debían suprimir las subvenciones que se dan a los laboratorios. Y yo, que fui a oírle, recordaba, mientras escuchaba estas enormidades, una escena presenciada por mí como médico hace ya tiempo, cuando vi por primera vez dar a un niño una inyección del suero para la difteria, del doctor Roux. La madre había traído en un coche a la criaturita, envuelta en un mantón, hasta la clínica; el niño no podía ya respirar por la asfixia, estaba azul; la madre lloraba desesperada; se le dio la inyección al chiquillo, se fue la mujer, y al día siguiente volvió transfigurada. El niño estaba ya salvado, y aquella mujer miraba los instrumentos del despacho del médico arrobada, pensando, sin duda, que si Dios está en alguna parte, está, sobre todo, en los laboratorios.

Sí, la Ciencia es sagrada; podremos comprenderla o no; podrá estar por encima de nosotros, pero no importa, es nuestra protectora, es nuestra madre. La Historia, no; la Historia es traidora, la Historia es reaccionaria, la Historia trata de escarmentarnos con el ejemplo; pero, afortunadamente, los pueblos no tienen memoria y olvidan a los tiranos y olvidan a sus verdugos. Es la manera mejor de vengarse de ellos.

LOS GRANDES MUNICIPIOS

Como decía, el nacionalismo lleva un gran peso histórico y una falta bastante grande de espíritu moderno, de sentido científico.

Mucho más lógico, mucho más dentro de la vida actual, de la vida sin historia, sería el régimen de grandes municipalidades, de enormes Ayuntamientos, formados por otros Municipios, que se unieran y se desunieran a voluntad suya.

Yo no encuentro bien que si, por ejemplo, Tortosa—y no sé lo que pasa en esta ciudad—tuviera sentimientos poco catalanes, se le obligara a ser catalana; en cambio, me parecería muy lógico que si un Municipio de Aragón o Valencia tuviera su centro de contratación en Barcelona, se uniera a esta ciudad y formara parte de su gran municipalidad mientras quisiera.

Peor aún que la doctrina nacionalista me parece el procedimiento de los catalanistas. ¿En dónde, en qué está legitimada la campaña antiespañola que ha hecho durante muchos años el catalanismo? Yo he visto en periódicos extranjeros cómo se insultaba a los españoles estúpidamente, y sabía de dónde salían esos artículos publicados en periódicos italianos y franceses; he visto disfrazar la Historia de la Antropología, y todo con móviles mezquinos y bajos.

ASPIRACIÓN DEL RADICALISMO

El nacionalismo, liberal o no, es la Historia; el radicalismo debe aspirar a ser la ciencia.

La Historia en la política es traidora; la ciencia, no; la ciencia es honrada, humana, internacional. La ciencia nos une a todos los hombres; la Historia nos quiere separar por castas, por categorías rancias. Hay que dejar la Historia; hay que dejar, como se dice en los Evangelios, que los muertos entierren a los muertos; hay que marchar a la ciencia lo más rápidamente posible.

Hoy, al lado del sabio, no está el sacerdote ni el guerrero; hoy, al lado del sabio, marcha junto a él, muchas veces delante de él, el revolucionario. Alguno preguntará: «¿Qué consecuencia se puede deducir de sus palabras?» La consecuencia que yo obtengo es ésta: Cataluña es, hoy por hoy, un pueblo grande, un pueblo culto, que no ha encontrado los directores espirituales que necesita; que no ha encontrado sus escritores ni sus artistas, porque una nube de ambiciosos y petulantes, más petulantes y ambiciosos que los que padecemos en Madrid, han venido a encaramarse sobre el tablado de la política y de la literatura y a pretender dirigir el país.

Estos geniecillos pedantescos, estos Lloyd Georges de guardarropía, son los que necesitan cerrar la puerta de su región y de su ciudad a los forasteros; son los que necesitan un pequeño escalafón cerrado, en donde se ascienda pronto y no haya miedo a los intrusos; son los que quieren reservarse un trozo de tierra, hoy que nosotros creemos que la tierra debe ser de todos. «¿Y el remedio?», preguntará el que esté conforme conmigo. El remedio es uno: destruir, destruir siempre en la esfera del pensamiento. No hay que aceptar nada sin examen; todo hay que someterlo a la crítica: prestigios, intenciones, facultades, famas...

El procedimiento para llegar a tener los hombres necesarios consiste únicamente en tenerlos siempre a prueba, en no permitir que nada quede sancionado por la rutina o por la pereza, que todo sea contrastado en todos los momentos.

En la esfera religiosa, en la esfera moral, en la social, todo puede ser mentira; nuestras verdades filosóficas y éticas pueden ser imaginaciones de una humanidad de cerebro enloquecido. La única verdad, la única seguridad, es la de la ciencia, y a ésa tenemos que ir con una fe de ojos abiertos.

CIENCIA Y REVOLUCIÓN

La ciencia en política es la revolución. No tiene otro contenido la revolución más que éste: la ciencia.

En España, con respecto a la idea revolucionaria, nos encontramos mal, nos encontramos pobremente vestidos de harapos. No hemos tenido una filosofía original de la revolución, porque no hemos tenido ciencia. Realmente, la única filosofía revolucionaria actual entre las masas es la filosofía anarquista; pero ésa es una filosofía instintiva, sentimental, que toma el carácter de un dogma religioso, que es una cosa absurda e infantil.

Nos encontramos, como decía, vestidos de harapos. La Reforma, que fue el lado religioso del Renacimiento, pasó por delante de nuestros ojos sin rozarnos; los Pirineos fueron para ella una barrera infranqueable; los casos de herejía que se dieron en España fueron estirpados por el hierro y por el fuego, por la barbarie de los reyes de la Casa de Austria; la Revolución francesa, la consecuencia política del Renacimiento, nos llegó en espumas más que en oleadas; sólo la tendencia social moderna de la Internacional va infiltrándose y va penetrando en España.

POSIBILIDAD CIENTÍFICA DE LA REVOLUCIÓN

Alguno preguntará: «Pero ¿es posible la revolución científicamente considerada? ¿Es posible un cambio absoluto y completo?» Hace algunos años, los darvinistas, los evolucionistas, nos aseguraban que no. Nos decían: «En la Naturaleza, las cosas cambian con lentitud por la acción del medio ambiente. Así, por ejemplo, el leopardo llegó a transformarse en jirafa a fuer-za de vivir durante miles de años en países en donde no tenía más alimen-to que el fruto de las palmeras. La elevación en que se encontraba el fru-to hacía que en esta especie de ani-males no pudiesen subsistir más que los individuos de cuello muy largo y se fuese formando de este modo una especie nueva.» Así nos decían. El hombre hace ya miles de años que no mueve las orejas—aunque hay algu-nos que parece que las mueven—; el hombre que no mueve las orejas tie-ne todavía, aunque atrofiados, los músculos para moverlas. Y nos pre-guntaban los evolucionistas: «Si el proceso de la Naturaleza es tan len-to que para que se verifique el más pequeño cambio, la más insignifican-te transformación, se necesitan miles de años, ¿cómo esperáis vosotros que en la sociedad humana, que es un me-dio biológico como otro cualquiera, se puedan verificar cambios casi mi-lagrosos? ¿Cómo podéis creer en el milagro revolucionario, cuando la Na-turaleza no hace milagros?»

Realmente, el argumento era de una gran fuerza. Si todo en la Naturaleza es lento, si las menores transforma-ciones necesitan para su desarrollo el concurso de muchos y muchos años, el único procedimiento social es el evolutivo, lo único que se puede ha-cer es esperar. El resultado de la cien-cia era, en este concepto, desilusiona-dor.

Pero se han producido nuevos he-chos más tranquilizadores.

Hace ya varios años trabajaba en La Haya un botánico holandés llama-do Hugo de Vries. Este botánico se encontraba estudiando una planta lla-mada la *Ænotheria lamarckiana*. Sem-bró el botánico en el jardín de acli-matación diez o doce semillas de es-ta planta; cuando crecieron, se des-arrollaron y multiplicaron, recogió la cosecha, y esta cosecha volvió a plan-tarla, y le dio, tras el tiempo necesa-rio, diez o doce mil semillas.

El sabio holandés fue reconocién-dolas al microscopio, una por una, y encontró, con una extraordinaria sorpresa, que entre las diez o doce mil semillas había una docena de granos diferentes a los demás, y que esta do-cena de semillas diferentes tampoco te-nían el mismo carácter, sino que for-maban dos grupos. Hugo de Vries se-paró las diez o doce semillas distintas, las plantó, y pudo ver que se produ-cían dos especies nuevas, sin parecido a la *Ænotheria lamarckiana* primitiva, con caracteres definidos, que se per-petuaban con ellas de una en otra ge-neración.

Aquello no era que la planta enfer-mase; aquello era que la planta cam-biaba; que en la Naturleza existía la mutación brusca, como la llamó Hu-go de Vries; aquello demostraba que la evolución, lenta y pausada, no es el único proceso de la vida; aquello demostraba que en la Naturaleza se hacen también revoluciones. Ya, des-pués de las experiencias de Vries y otros muchos, la revolución en el te-rreno puramente científico no es un acto de brujería en el cual no se pue-de creer; ya la revolución no es un milagro para engañar a los incautos y seducir a las masas; ya la revolu-ción es un hecho que tiene su repre-sentación en la Naturaleza y en la vi-da, en la mutación brusca señalada por el botánico Hugo de Vries. Y si esto es así, si puede haber mutacio-nes bruscas en una cosa tan definida, tan fija, como la forma fisiológica, ¿qué no será en una cosa tan muda-ble y tan cambiante como la manera de pensar?

Sí; la revolución es una posibilidad científica, una posibilidad que podemos, en determinados momentos, convertir en un hecho. No todas las semillas de *Ænotheria lamarckiana* se transforman, es claro, en nueva especie; no todos los hombres pueden sufrir un avatar parecido. Es claro también, pero eso no importa para que la transformación sea posible rápidamente, radicalmente.

FINAL

Voy a concluir, porque estoy cansado de tener la pluma entre los dedos. No pretendo ser exacto; sé que soy arbitrario, pero me basta con ser sincero. Yo no llamo revolución a herir o matar; yo llamo revolución a transformar. Y para eso hay que declarar la guerra a todo lo existente. La lucha por la vida y la guerra son los principios que conservan en el hombre las cualidades viriles y nobles. Luchar, guerrear; ésta debe ser lo política nuestra.

Aunque no tenga autoridad para ello, permitid que os diga: «Trabajad por la expansión del espíritu revolucionario, que es el espíritu científico; difundidlo, ensanchadlo, propagadlo.

»Negad y afirmad apasionadamente. Destruid y cread a la vez. La semilla, para fructificar, tiene que caer en una tierra removida por el arado. Que nuestra inteligencia sea como la reja que destroza la dura corteza del suelo. Que nuestro sentimiento crítico sea como el ojo del labrador que sabe distinguir la cizaña del trigo. Destruid y cread alternativamente, y el porvenir de España y el porvenir de Cataluña será nuestro.»

(Conferencia leída en la Casa del Pueblo, de Barcelona, 25 de marzo de 1910.)

EL CURA SANTA CRUZ Y SU PARTIDA

La muerte del cura Santa Cruz en un convento de Pasto, ciudad de Colombia, ha producido dos o tres artículos ligeros y brillantes en nuestra Prensa.

No se han tomado los cronistas el trabajo de copiar de cualquier Diccionario o de la *Historia de la guerra civil*, de Pirala, los datos de la vida de este cabecilla.

LA VIDA OFICIAL DE SANTA CRUZ

Manuel Santa Cruz era de Elduayen, Guipúzcoa. Los guipuzcoanos hemos tenido el sino de dar lo mejor y lo peor del País Vasco. Santa Cruz nació en 1842, de padres humildes; fue educado por un tío suyo; estudió en el Seminario de Pamplona; le hicieron cura párroco de Hernialde; allí conspiró abiertamente a favor del carlismo, se escapó de la iglesia cuando le iban a coger y fue a Francia y, al cabo de poco tiempo, entró en España y se puso al frente de una partida.

Como cabecilla, como técnico de la guerra, fue malo; no tuvo el sentido instintivo y genial de los antiguos guerrilleros españoles. Unicamente se distinguió por su crueldad y su fanatismo; mandó emplumar y apalear a mujeres; fusiló a una mujer embarazada en Arechavaleta; apaleó a oficiales carlistas, como al comandante Amilivia; mató a tenientes suyos de quien estaba celoso; fusiló a veinti- trés carabineros y a su teniente en Endarlaza, a pesar de haberles ofre- cido cuartel, y quemó y robó la esta- ción de Beasaín. Sus disensiones con el general carlista Lizárraga y con Valdespina estuvieron a punto de pro- ducir una escisión del carlismo.

Antes de terminar la guerra, y per- seguido por los mismos carlistas tan- to como por los liberales, se retiró a Francia; ingresó en Lila en el con- vento de jesuitas y, aunque no profe- só, hizo ejercicios espirituales, obtu- vo el perdón del Papa y marchó a América. Estos son los hechos oficia- les de la vida de Santa Cruz, los co- nocidos por todos. Esta es su perso- nalidad pública; veamos ahora la pri- vada.

EL TIPO DE SANTA CRUZ

¿Cómo era Santa Cruz? Quedan to- davía en el País Vasco muchos super- vivientes de la época del cura cabe- cilla, muchos que fueron soldados su- yos. Aunque en general los informes particulares no suelen coincidir (re- cuérdese que hace tiempo se discutió en París el color de la perilla de Na- poleón III, y no se vino a un acuerdo), hay siempre afirmaciones ocmunes. Santa Cruz era alto, corpulento, an- cho de hombros Vestía pantalón cla- ro, chaquetón negro, polainas, pañue- lo en el cuello y boina azul. No llevaba armas, y únicamente usaba un palo alto, que casi le llegaba al pecho.

Del tipo del cabecilla se puede juz- gar por sus fotografías. Santa Cruz se retrató distintas veces solo y en grupo con sus gentes. Varias de estas fotografías las hizo un fotógrafo de San Juan de Luz, cuya casa aún sub- siste, Ladislao Kornacevski. Yo fui a ver a este polaco hace unos años y

pregunté si guardaba los clisés de las fotografías de los carlistas, pero no los tenía.

Entre los retratos hay uno de Kor- nacevski, que ha publicado hace días un semanario, en que el cabecilla está solo; otro en que se encuentra en compañía del vicario de Tolosa y de otro cura que creo que es el de Orio. En estos dos retratos está el cabecilla ya en funciones, con traje de faena y larga barba. Hay otro retrato, que pu- blicó la *Ilustración Francesa* en 1873, en que aparece Santa Cruz afeitado y en hábito eclesiástico.

De las dos fotografías en grupo, una es de Santa Cruz con su guardia negra, y está hecha en una huerta de Vera del Bidasoa; la otra, en que se halla rodeado de sus principales ca- becillas, está sacada en San Juan de Luz, en casa de Kornacevski.

Por estas fotografías se ve que San- ta Cruz tenía un aire sombrío. A pe- sar de que los rasgos de su cara son correctos, tiene indicios de animali- dad: los pómulos son muy anchos; los maxilares, fuertes; la frente, es- trecha; la barba, negra, cerrada; las orejas, un tanto separadas del cráneo; hay algo de prognatismo de la man- díbula inferior. Tiene un rasgo que todos los que le conocieron lo recuer- dan: es la mirada baja. Quizá es el hábito de hipocresía adquirido en el Seminario. Sea por lo que sea, este rasgo le caracteriza. En su vida el ca- becilla tampoco mira de frente. Antes que nada es cura.

Un escritor, el señor Cruz Ochoa, que estuvo en la partida de Santa Cruz, trató de demostrar en un escrito que el cura cabecilla era el tipo más acabado y perfecto del jefe carlista. En esto no le faltaba razón. Santa Cruz era el prototipo del carlista, sobre todo el prototipo del cura carlista.

LA TRADICIÓN DE LOS VASCOS

Desde hace mucho tiempo, por conveniencia de los clericales vascongados, y por indiferencia y cobardía de los liberales de la misma región, los vascos somos como los representantes netos del absolutismo español y casi europeo. Los clericales han querido dar como inconcusa esta ecuación: vasco = reaccionario; vasco = católico intransigente. Pero ¿esto es así? Se puede dudar de ello. En todos los países, aun en los más pequeños, como el vasco, se da al lado de una tendencia la contraria. Siempre existe esta bifurcación. Cierto que ha habido desde antiguo entre los vascos una gran opinión reaccionaria; pero también la ha habido liberal, y no se puede decir que los unos sean vascos representativos y los otros no.

Tan vascos eran Loyola y Francisco Javier, primeros espadas de la Compañía de Jesús, como Saint-Cyran, el jansenista, enemigo de los jesuitas; tan vascos Altuna, Eguía, Peñaflorida y los enciclopedistas guipuzcoanos de Azcoitia, como Alpizcueta y el padre Astete; tan vasco el general republicano Harispe, como Zumalacárregui; tan vasco Michelena, que, cuando fue alcalde de San Sebastián, en 1749, pactó con los convencionales de la Revolución y permitió levantar la guillotina en la plaza nueva del pueblo, como Eguía *(Coletilla)*, que dirigía desde una pastelería de Bayona el Ejército de la Fe, que iba a entrar en España con los franceses de Angulema a acabar con la libertad de nuestro país. El convencional Garat no era menos vasco que el absolutista don Juan Bautista Erro; ni Aviraneta lo era menos que el canónigo Manterola; ni los caudillos liberales Mina, Jáuregui, Leguía, Oraa y Chapalangarra eran menos castizos que Elío, Uranga y Sagastibelza.

Ha habido vascos de los dos bandos, tan típicos los unos como los otros.

No tenemos, pues, los vascos una tradición exclusivamente reaccionaria. Hay que afirmarlo, aunque la tesis desagrade a los carlistas y a esa nueva secta de entronizadores de vísceras, secta sacristanescocatalana, que se llama bizkaitarra.

La afirmación de esas gentes no tiene valor. El bizkaitarrismo y el euskarismo más antiguo siempre han sido hechuras de Loyola. El euskarismo tiene vicios de los que no puede curarse; uno ha sido ése, el estar inspirado por clericales; el otro, el no tener respeto a la verdad. El euskarófilo miente con una buena fe jesuítica; ha lanzado una serie de infundios que se van a venir abajo cuando el vascuence y el País Vasco se estudien con seriedad. ¿Quién va a creer que el Dios antiguo de los vascos se llamaba Jaungoicoa (señor de arriba)? Es un nombre éste que suena tan a falso, tan a inventado; tiene tal aire de palabra de Juegos florales, que se puede asegurar a cierra ojos que es una adaptación de la idea católica y latina de Dios. También se puede asegurar que, si los vascos anteriores al Cristianismo creían en Dios (cosa problemática), no le llamaban Jaungoicoa. Ante estos éuskaros, propagadores del infundio y defensores de la tradición única de los vascos, podemos nosotros afirmar sin miedo la tradición doble, la rama liberal junto a la clerical.

EL GUERRILLERISMO VASCO

No sabemos si hay un tipo completo del guerrillero vasco diferente de los demás guerrilleros españoles.

Supongamos que lo hay, sumando sus características.

El guerrillero vasco tiene un pragmatismo dinámico y poco intelectual propio de un país ruralista de escasa cultura.

El guerrillero de nuestras provincias necesita encontrar resuelta la afirmación del credo de su partido para no pensar en ello. Ya teniendo la norma, el dogma, no quiere examinarlos ni discutirlos. La cuestión para él es organizar, dirigir, mandar.

Así son Zumalacárregui, Elío, Eguía, Urbistondo, Sagastibelza, Iturbe...; no se les ocurre defender su causa con argumentos ni con retórica. No peroran, por ejemplo, como Cabrera en sus cartas a los generales de Isabel II.

Así, muchos de estos guerrilleros vascos, al ocurrir el Convenio de Vergara, pasan al campo isabelino y siguen siendo buenos militares, fieles a su nueva bandera.

Santa Cruz no tiene ningún carácter vasco, ni en lo físico ni en lo moral. Su tipo no lo es. Su apellido, tampoco.

Por las fotografías, a mí me recuerda esos hombres que andaban antes por los pueblos comprando galones y oro viejo; tipos siniestros, muchas veces cómplices de crímenes.

Su tipo moral no tenía tampoco nada de vasco. En general, el cabecilla vascongado es valiente, campechano y no muy cruel; trata a sus soldados como a chicos. La frase clásica suya es: ¡*Aurrera, mutillac!* (¡Adelante, muchachos!), y les deja ir a ver a sus mujeres y a sus novias. Santa Cruz no se parece a este tipo. El es más bien cobarde, sombrío, poco comunicativo, severo y de una crueldad que llega al sadismo.

Santa Cruz manda apalear a las mujeres y presencia él las palizas; a otras les embetuna el pelo y se lo pega a la espalda. He oído decir a uno de sus soldados que despreciaba el sentimentalismo de tal modo, que observaba quién daba muestras de enternecimiento ante una brutalidad, para castigarle y avergonzarle.

En general, el cabecilla vascongado es sano, como hombre que vive en plena Naturaleza. Santa Cruz es un perturbado, tiene algo de santón. A pesar de su fuerza y de su cuerpo robusto ha echado sangre por la boca. Está siempre inquieto, y su miedo no le deja dormir. Teme hasta de su sombra.

Santa Cruz es un cabecilla de sacristía; constantemente está rezando el rosario y haciéndolo rezar a sus soldados. Santa Cruz nunca se lanza a primera línea ni coge un arma; no tiene la embriaguez de la lucha, no le gustan las batallas. Su mando también es sacristanesco; no tiene corneta de órdenes y sus disposiciones las da con un pañuelo.

La música de su partida consiste en un tambor y un pito, que tocan al entrar en los pueblos la *Marcha de Oriamendi,* que muchos llaman la *Marcha de Santa Cruz.*

El carácter común de cura y de cabecilla le hace a Santa Cruz parecido a don Jerónimo Merino; pero Merino es más campesino, más equilibrado y también más militar. Santa Cruz no es un estratégico: le falta el genio. Llega a tener cañones, pero no le sirven de nada. Llega a reunir dieciocho compañías a sus órdenes, y no sabe qué hacer con ellas. En pequeño, el cura se parece al conde de España; tiene, como él, sus taras de loco, y de loco sádico. Hay algunos que afirman que su honradez y su pureza de costumbres son sospechosas; que cuando el incendio y el saqueo de la estación de Beasaín muchas recuas de mulas fueron hasta Vera cargadas con géneros de toda clase a casa de los amigos de Santa Cruz; otros dicen que el cura tuvo queridas. No creo ni una cosa ni otra. Santa Cruz era un santón, un fanático, y tenía, como era natural, las condiciones y los defectos de su tipo psicológico.

Después de la guerra, la aspiración de Santa Cruz es entrar en la Compañía de Jesús. La Compañía no le acepta; comprende que sería un descrédito para ella, y únicamente le concede que al morir le pongan un hábito de jesuita.

Santa Cruz tiene algo de los Roghis de Marruecos, de los Mizzian, de los Madhi. Es un poco bíblico. Quiere ganar la inmortalidad y defendiendo con las armas la ley de Dios. No es un ario, es un semita.

LAS IDEAS DE SANTA CRUZ

Las bases fundamentales del carlismo han sido la legitimidad y la religión. El pleito de la legitimidad ha ido poco a poco perdiendo su fuerza; a la muerte de Fernando VII, este punto era el más apasionador de todos. Hoy ya no tiene importancia. Restaurada la Monarquía borbónica por el golpe de Estado de Sagunto, la cuestión de derecho ha pasado a segundo término.

La Monarquía actual es una Monarquía nueva, llegada después de la Revolución por un hecho de fuerza. Como se entronizaban los Borbones, podía haber subido al trono de España otra familia real cualquiera de las que adornan con su blasón y con sus numerosos hijos el *Almanaque de Gotha*.

La cuestión de la religión tiene hoy el mismo valor que ayer, y lo tendrá siempre. A un lado están, y lo estarán siempre, los que creen que la Iglesia es la verdad y que la verdad debe tener la fuerza; al otro estaremos los que creemos que la verdad es casi inasequible y los que pensamos que aunque fuera asequible no debería tener nunca fuerza.

La verdad con fuerza ejecutiva es el ideal de los fanáticos. Eso quisieron ser la Inquisición y la Convención, Torquemada y Robespierre. Nosotros, los liberales, amamos y amaremos siempre a los heterodoxos, sea el dogma que sea, viejo o nuevo, religioso o democrático. Aunque estuviera demostrada de una manera racional y científica la existencia de Dios y del diablo, aunque ambos tuviesen una exactitud objetiva, no le daríamos siempre todos nuestros votos a Dios, no le entregaríamos toda la fuerza; algún cuerpo de ejército se lo reservaríamos al diablo. No fuera a ocurrir que por casualidad tuviera razón y se le atropellase.

Dejad hacer, dejar pasar. Esta ha sido la divisa del verdadero liberalismo. Hay que dejar pasar no sólo a los dioses, sino también a los diablos.

Santa Cruz no era un legitimista; era casi únicamente un religioso. De las tres palabras que forman el lema carlista: Dios, Patria y Rey, probablemente Santa Cruz no pensaba más que en la primera.

La patria para él era poca cosa; el rey era un monigote que se movía en manos de sus rivales; sólo Dios era Dios.

Teocracia, teocracia, teocracia. Este era su ideal.

LA PARTIDA

Ahora, pasemos del jefe a su tropa, del cabecilla a la partida.

La partida de Santa Cruz aparece

ante la historia de la segunda guerra civil como un todo único; para los antiguos soldados santacrucistas no lo es. Cada uno de ellos da una versión distinta de lo que fue esta tropa. La partida de Santa Cruz tiene, desde que nace hasta que se extingue, distintos jefes técnicos; primero es Soroeta, hombre intrépido, de talento; después, Juan Egozcue, *el Jabonero*; por último, son Praschcu y *el Corneta de Lasala*.

El secretario de Santa Cruz es Rafael Caperuchipi, de Zarauz, hombre guapo, mujeriego y conquistador.

En la partida figuran varios pequeños cabecillas. Estos son: Luschía de Hernani, el maestro de Ibarra, *el Organista*, *el Estudiante de Lazcano*, *el Tuerto de Aya*, Ollarra *el Gallo*, *el Lechuguino de Vera*, Belcha, Errotari, Errotachiqui, el cura Portueche y otros. Algunos de ellos son hombres honrados, otros son unos perfectos bandidos. Santa Cruz no está tranquilo nunca; teme, primero, a su gente; después, a los carlistas de Lizárraga; por último, a los alfonsinos. Para defenderse de ellos se ha rodeado de una guardia segura, la *guardia negra*, que le vigila constantemente con la bayoneta calada. Los muchachos que la forman son: Boliquín, Arroschco, Mártolo, *Shavalls*, Arruabarrena, Chango, hasta doce o catorce más.

A todas horas, la guardia negra está preparada.

Como el cura no tiene simpatía ni condiciones para arrastrar a la gente, le es necesario pactar con sus capitanes. Al mismo tiempo, está celoso de ellos. Un momento, Soroeta se levanta sobre todos; el cura le prepara una celada para acabar con él. El general Loma encuentra a la partida de Soroeta y la ataca. Soroeta espera la ayuda del cura; pero Santa Cruz no le ayuda, y Soroeta queda muerto en

los montes, entre Lesaca y Oyarzun. Después, Juan Egozcue, *el Jabonero*, comienza a tener importancia. Egozcue ha sido guardia civil; es inteligente, cuenta con incondicionales. Egozcue suele ir de vanguardia con los suyos al frente de la partida. Un día de marcha corre la voz entre la tropa:

—A Egozcue, que se quede atrás. Don Manuel tiene que hablarle.

Y la voz pasa de unos a otros, y Egozcue se detiene, separándose de los suyos. La guardia negra cae sobre él, y Santa Cruz manda fusilarle en el acto.

Después viene el auge de Praschcu y del *Corneta*.

Estos dos son unos bandidos, unos salvajes. Se han hecho fuertes en los caseríos de Arichulegui, y desde allí ponen la ley; roban, secuestran, sacan raciones y contribuciones y fusilan a todas horas. En Vera se recuerda el fusilamiento de dos muchachos en la plaza, delante del muro de la iglesia.

El padre de uno de ellos pidió gracia para su hijo, que iban a fusilar herido en una silla, y Praschcu contestó al padre dándole un puntapié.

El cura, al ver que Praschcu y *el Corneta* le minan el terreno, huye a Francia.

LA OPINIÓN DE LA GENTE SOBRE SANTA CRUZ

¿Qué opinión dejó Santa Cruz en los pueblos por donde anduvo? ¿Qué juicio formaron de él?

La gente acomodada que le conoció, que se sabe que estuvo en tratos con el cura, se calla; ya sabe que las aguas no corren en esa dirección, y enmudece. La gente de los caseríos, los viejos, han oído hablar mal de Santa

Cruz, y están inclinados a creer que abusó de su fuerza; los jóvenes le tienen por un asesino.

Yo he interrogado en Vera a varios guerrilleros de su partida.

Uno de ellos, a Shaguit. Shaguit es un viejo que vive en la plaza, muy encorvado, con los cabellos blancos. Es de Oyarzun.

Shaguit reconoce que mientras estuvo en la partida de Santa Cruz tuvo mucho miedo. A cada paso, si se hacía algo mal, ya se sabía, el cabecilla mandaba: *Oni bizcarrac berotu* («A éste calentarle las espaldas»), y palo.

Las opiniones de Shaguit, que no habla más que vascuence, no son muy complicadas.

—¿Ha conocido usted a Ollarra, a Praschcu o al *Corneta?*—le pregunto yo.

—Sí.

—¿Qué clase de hombre era éste?

Shaguit me mira como si aún le quedara el terror de entonces, y me dice, invariablemente:

—*Guizon aundiya zan* («Era un hombre muy grande»).

Otras veces dice:

—*Guizon errespetuco-andicua zan* («Era hombre de mucho respeto»).

No sé si quiere indicar al decir esto: «Era un hombre muy grande», que sólo era muy alto; probablemente quiere indicar que era alto, fuerte y valiente.

—Y el cura, ¿qué le parece a usted? ¿Era hombre bueno o malo?

—Indudablemente, era malo—dice Shaguit.

—¿Y usted no cree lo mismo?—le pregunto a otro santacrucista que nos oye.

—Yo, no. El defendía su bandera..., la religión..., el rey.

—Pero, para defender eso, ¿tenía necesidad de fusilar, de apalear, de matar mujeres? Porque él mataba mujeres.

—Sí; pero él se legitimó..., habló mucho.

Es curioso el creer que porque un hombre hable mucho tenga mucha razón.

Además de Shaguit, que es sincero, hay otros ex cabecillas de los petulantes, de los que inventan, de los que no han tenido nunca miedo (así lo dicen ellos), y éstos llegan a hacer la apología del cura: dicen que el fusilamiento de Endarlaza fue en castigo a la deslealtad de los carabineros, e intentan disculpar los desmanes de la partida.

Estos afirman que, en medio de la pelea de carlistas y carabineros, uno de éstos, que se encontraba en el fuerte de Endarlaza, hizo ondear una bandera blanca de parlamento; que, al verlo los carlistas, avanzaron hacia la pequeña fortaleza confiados, y que, al llegar a pocos pasos, los carabineros los recibieron con una descarga cerrada.

EL FINAL DE LOS CABECILLAS DE SANTA CRUZ

El final de los cabecillas de Santa Cruz es de lo más diverso y de lo más extraño.

Soroeta muere abandonado por el cura; Egozcue es fusilado por Santa Cruz; Praschcu y *el Corneta de Lasala* caen presos, y el cabecilla Montserrat los lleva a los dos, con otro santacrucista, a Ormaiztegui.

—¿Qué hago con ellos?—pregunta Montserrat al general carlista Lizárraga.

Este le envía en un pliego la orden de fusilar a los tres sobre la marcha.

Montserrat fusila a Praschcu y al *Corneta,* sin confesión. El primero está cínico, valiente y desafiador; el segundo se muestra impávido. Montserrat no fusila al tercer carlista, porque éste se le arrodilla y le dice que es inocente. Montserrat se aleja de Ormaiztegui, dejando los cadáveres de Praschcu y del *Corneta* sobre la vía del tren.

Ollarra, *el Gallo*, tan criminal como estos dos, acaba de distinta manera. Ollarra es osado, violento, amigo de orgías y de francachelas. Ha fusilado a varios, entre ellos a los hermanos Arruti. Se dice que ha matado a un señor para robarle.

Después de fusilar a los carabineros de Endarlaza, al entrar en Vera, dice a la gente con bárbaro cinismo:

—El que quiera carne fresca, que vaya a Endarlaza.

Ollarra escapa a Francia, y poco tiempo después vuelve entre las tropas que ha organizado Cabrera a favor de Alfonso XII. Al terminar la guerra, le hacen mozo de la Aduana de Irún, y vive hasta hace unos años. En este tiempo, si le hablan de la guerra, no contesta.

—Esas son tonterías—dice.

Su muerte, según la gente, fue agitada por los remordimientos.

Belcha (Francisco María de Arambaru), ex carabinero, que había producido el descarrilamiento de Isasondo y fusilado al maquinista francés Drau y al jefe de la estación, Echevarría, desaparece.

Garmendia, *el Estudiante de Lazcano*, que tenía la especialidad de quemar los libros del Registro Civil, y fue el que acabó de incendiar la estación de Beasaín, exigiendo el petróleo al alcalde, vivió oscuramente en Francia.

Garmendia había sido estudiante de cura, y tenía el odio del seminarista para cuanto representase supremacía del Gobierno sobre la Iglesia.

Al lado de unos santacrucistas de sino adverso, hay los otros que acaban tranquilamente sus días.

El cura, el jefe, muere hace unas semanas en un convento de Pasto, en Colombia; otro cura de la partida, Portueche, emigra a Francia, se instala en París, y, valido de las simpatías de los legitimista franceses por los carlistas, es capellán de una de las mejores iglesias, y hace vida de gran mundo en el *faubourg* Saint-Germain; Rafael Caperuchipi, el secretario de Santa Cruz, que en tiempo de la guerra es una fiera que quiere fusilar a todo sospechoso de favorecer a los liberales, marcha a la Argentina, y vive allí tranquilo, con sus hijos, de pastor y de estanciero; Arroshco se hace jugador de pelota; *el Lechuguino* cultiva sus tierras en Vera hasta morir muy viejo.

De otros muchos santacrucistas no se conoce su paradero; unos viven aún, viejos, arrinconados; la mayoría han muerto...

MÁS TARDE LAS CONTAREMOS

Algunas historias románticas, nacidas al margen de la partida de Santa Cruz, podría yo contar, pero no quiero todavía. Hay que esperar. Hay dramas, hay novelas en el fondo de algunas almas que parecen tranquilas y dormidas. No se pueden remover las aguas, porque queda aún légamo en el fondo. Hay todavía muchos supervivientes y hay heridas que, al cabo de tantos años, están, gota a gota, sangrando.

Madrid, febrero de 1918.

NOTA.—Después de escrito este artículo supe que la noticia de la muerte del cura Santa Cruz era falsa y que el antiguo cabecilla seguía viviendo en Colombia. También vive en la Argentina su lugarteniente, Rafael Caperuchipi. Por lo que me han dicho, Caperuchipi, al leer mi relato, escribió una refutación que se la envió al marqués de Valdespina.

Con el tiempo pienso publicar una pequeña historia anecdótica de la partida de Santa Cruz.

CRITICA ARBITRARIA

PALABRAS DE *AZORIN*

En octubre de 1902 se encargó de redactar El Globo un grupo de escritores jóvenes e independientes. Había sido El Globo el más literario de los periódicos madrileños diarios. En la nueva Redacción reinaba gran entusiasmo. Los compañeros de Baroja —que formábamos parte de la Redacción— quisimos que el escritor vasco se encargase de la crítica de teatros. Conocíamos la independencia inflexible de Baroja, y deseábamos que en la crítica de teatros —tan sumisa frecuentemente a diversas influencias— se ejercitase el libre criterio de nuestro compañero. Cedió Baroja a nuestras instancias; pero fue muy breve la duración de su gestión crítica en El Globo. El primer artículo lo publicó Baroja el 29 de octubre, con motivo del estreno de una refundición clásica: Reinar después de morir, de Vélez de Guevara; la última crítica apareció el 3 de diciembre, al día siguiente de la primera representación de una comedia de Benavente: Alma triunfante. En el número del 14 del mes citado, a la cabeza de un artículo de Marquina, en que se da cuenta de un estreno de Sellés —La mujer de Loth—, se lee la siguiente nota: «Pío Baroja, nuestro muy querido amigo, se sintió anoche ligeramente enfermo. Eduardo Marquina le sustituye esta vez en sus tareas. Baroja recobrará la salud en breve, y esperamos que desde el próximo estreno tornen a aparecer en El Globo sus hermosas críticas.» No; no debían aparecer más; no aparecieron más. Baroja desdeñaba su misión con gran repugnancia; no le placía trasnochar; no se avenía a escribir, atropelladamente, a las dos de la madrugada, un artículo de crítica literaria. Además, cada día, su independencia suscitaba mayores dificultades y conflictos. Este artículo de Baroja, tan original, tan libre, en medio de la general mediocridad, era un motivo de escándalo en la Prensa. «¿Esto es crítica?», se preguntaba el mundillo de los teatros. «Pero ¡este hombre es un bárbaro!» Y, generalmente, se convenía en que tales artículos no debían continuar. Baroja no podía hacer crítica de teatros durante mucho tiempo; al fin, se puso enfermo... Por excepción, meses más tarde, hizo la crítica de La escalinata de un trono, de Echegaray.

Es corta la labor de Baroja como crítico de teatro; pero reputamos por esencial esta labor. La reputamos esencial para el estudio del teatro español moderno. Hay entre estos artículos, breves, pero originalísimos y definitivos, estudios sobre la dramaturgia de Echegaray, de Benavente, de los Quinteros. Debiera algún editor inteligente recoger en un volumen estos *artículos de Baroja; consultados habrán de ser por los críticos y los historiadores de nuestra literatura.*

«REINAR DESPUES DE MORIR»

Indudablemente, soy un hombre que no sirve para crítico de teatros. He salido del Español, y maldito si se me ocurre decir nada que valga cuatro cuartos.

Es la segunda o tercera vez que he visto representar una comedia de nuestros clásicos, y esta vez me pregunto, como en las otras, a mí mismo: «¿Seré yo tan imbécil para no comprender las bellezas de esta obra?»

Miro al público, y lo veo escuchar atentamente. Sin duda, le gusta, le interesa. A mí no es que no me guste ni que no me interese; pero no me entusiasma.

El primer acto resulta agradable. La Guerrero está bien; más que su manera de declamar, que me parece algo monótona, con un tonillo quejumbroso, me gusta su figura, el ademán y el gesto. Su cara tiene una expresión de espiritualidad grande. Díaz de Mendoza no se distingue en este acto, y el que hace de rey de Portugal está feliz en el desempeño de su papel.

En el entreacto dicen a mi lado:
—¡Mire usted que atreverse a refundir una comedia de Vélez de Guevara! Es una profanación.

Yo afirmo que esto de la profanación es una martingala de los que no les gusta el teatro clásico. Es como si a mí me quisieran leer en el café una novela de Pereda o un drama de Sellés, es lo primero que yo diría:
—¡Aquí, en el café! ¡Delante de ese mozo! ¡Ca, hombre! Es una profanación.

Pasa el segundo acto; pasa el tercero; en la escena en que arrebatan los hijos a Inés de Castro, una señora se desmaya. Concluye la comedia, y el público aplaude y llama a *Zeda* repetidas veces.

Indudablemente, el señor Villegas, que ha hecho la refundición de la obra de Vélez de Guevara, la ha debido de aligerar de una porción de parlamentos larguísimos y pesados, porque yo recuerdo haber leído *Reinar después de morir* hace mucho tiempo, y que me pareció de un aburrimiento estupefaciente.

La *mise en scène,* muy buena. He oído decir a uno a mi lado que los muebles, trajes y armas están copiados de tallas y relieves del siglo XIV. A mí, con perdón de los que saben más que yo de cosas tales, me parece esto una puerilidad. Probablemente, para un arqueólogo, lo que se haga en un teatro no llegará a tener la fidelidad necesaria; para la mayoría de los espectadores, que no tenemos una idea muy clara de qué clase de muebles usaban entonces, no nos produce esta fidelidad impresión alguna.

Además, probablemente, el autor de la comedia *Reinar después de morir* y las demás de su época tendría una idea tan justa de la vida del siglo XIV como nosotros.

Si el drama en sí es bueno, yo creo que no necesita de nada, ni aun siquiera de decoraciones. Una compañía de actores excelentes, representando *Hamlet* en camiseta, creo que haría estremecer al público.

Y no se me ocurre más. La comedia de Vélez de Guevara no me ha parecido una maravilla; la refundición la creo excelente; el trabajo de los actores, bueno.

Otra cosa que me pareció muy bien fue que no reprodujesen en el último acto la escena que representa el cuadro de Martínez Cubells, porque el tal cuadrito es de lo más desagradable que hay en el Museo de Arte Moderno.

El sainete *El viejo celoso*, del inmortal manco de Lepanto, es una quisicosa que nos parecería muy mediana si la firmase un sainetero moderno.

Indudablemente, yo no sirvo para crítico de teatros.

(29 de octubre de 1902.)

★

Aurora, de don Joaquín Dicenta. Cuando llego representan el sainete. El teatro no está lleno.

Comienza el primer acto; no sé si ir contando el argumento de la obra, porque ésta se halla ya impresa, y se vende el libreto en la puerta del teatro Moderno. Para el que no lo conozca, lo contaré:

Aurora es una muchacha obrera, a quien ha seducido y abandonado después el patrón de la fábrica donde trabaja. Enferma, y rechazada por sus padres, ha ido a dar en la cama de un hospital, donde ha conocido a Manuel, un practicante de Medicina que le ha enseñado a leer, a escribir y a ser buena. Esta Aurora se hallaba recogida por unas monjas, cuando, por la influencia de un señor, don Homobono, amigo y agente de ellas, entró a servir en casa de Matilde.

Matilde es una niña prometida de su primo, un médico joven que viaja por el extranjero y que se llama Manuel.

El matrimonio proyectado no es sólo de inclinación, sino de interés, porque un general, tío de Matilde y de Manuel, les lega a éstos su herencia a condición de que se casen uno con otro.

Aurora averigua por la criada de la casa que Matilde no guarda la fe jurada a su prometido, que le engaña con Enrique. Llega el novio, y Aurora ve que es el practicante de Medicina, su Manuel.

En el segundo acto, Manuel aparece como primo hermano del Máximo, de *Electra*, dedicándose a la ciencia y descubriendo microbios. Don Homobono ha cambiado de opinión, y mejor que casar a Manuel con Matilde, le parece que el dinero del general quede en manos de las monjas, de las cuales es agente.

Aurora, que sabe que Matilde no es honrada, amenaza a ésta con que va a dar a Manuel noticias del lío que tiene con Enrique; y Matilde le dice que, como no tiene pruebas, Manuel no la creerá.

Pero la prueba viene en seguida; Matilde envía a su criada con una carta para Enrique, y la criada entrega esta carta a Aurora. Aquí esta la prueba; y entonces Aurora le cuenta a Manuel la traición de Matilde, y le dice que su novia y Enrique están citados a la noche en un quiosco del jardín.

En el tercer acto, Manuel va al punto de cita de Matilde y de Enrique, y sorprende a su prometida cuando va a entrar en el quiosco; rompe con ella y se une con Aurora.

Este es, como se puede contar de prisa, a las dos de la mañana, y por uno que no sabe contar, el argumento de *Aurora*, la obra de don Joaquín Dicenta.

Hay dramaturgos en cuyas obras nace el conflicto de la intensa comprensión de la vida de los personajes, como Shakespeare e Ibsen; hay otros que forjan su trama y después acoplan los personajes a la trama forjada. De esta última clase son casi todos los autores españoles, antiguos y modernos, y entre ellos don Joaquín Dicenta.

Y no sólo en esto es español el autor de *Juan José*, sino que se ven en él las mismas preocupaciones calderonianas acerca del honor y la honra... y otras entidades metafísicas, de las cuales no se cuidan los hombres nuevos, o, si se cuidan, no es de la misma forma arcaica que lo hacen los personajes de *Aurora*.

Este método esquemático de formación del drama hace que todos los personajes sean también esquemáticos.

Aurora, la protagonista, tiene muy poco carácter; es una de tantas perlas de fango que puso en boga Eugenio Sue en su Chouette de *Los misterios de París*. La seduce el patrón. Es posible; pero no es lo corriente. Generalmente, el que seduce a la obrera es el obrero o el golfo. En Madrid y en París, el señorito hace casi siempre con las modistas, corseteras y muchachas que viven del trabajo, el primo. En Madrid, lo sé por observaciones particulares; en París, esto que digo se puede leer en las *Memorias de Goron*. El jefe de Policía cuenta que los obreros parisienses dicen señalando a las *cocottes*: «Los burgueses se llevan nuestras sobras.»

Don Homobono, el agente de negocios de las monjas, es una especie de Pantoja; sólo que como Galdós tiene sangre de reaccionario, hizo de Pantoja un tipo bonito, y el autor de *Aurora* ha hecho un tipo odioso.

El de Matilde es, naturalmente, falso: la niña egoísta de nuestra clase media, la que busca un marido rico, no es, desgraciadamente, tan cándida ni tan enamorada para entregarse a su novio antes de casarse. En tal caso, lo hace después.

Los demás tienen poco relieve: el doctor Ramírez parece un personaje de Leopoldo Cano; la madre de Matilde recuerda a la tía de Electra.

En la representación me pareció observar una disparidad absoluta entre los espectadores de butacas y los de paraíso.

—¿Me tuteas?—dice Matilde en el segundo acto.

—¿No me tuteas a mí tú?—contesta Aurora.

Todo el paraíso rompió en aplausos y todo el patio de butacas quedó en silencio.

En otras frases de índole parecida sucedió lo mismo.

En el tercer acto se oye con frecuencia a Manuel la palabra «caballero», la frase «manchar mi honra», etcétera, y otras que a mí no me parece que se armonizan bien en boca de hombres nuevos, dispuestos a formar humanidades nuevas.

En la ejecución se distinguieron el señor Juárez, en su papel de don Homobono, y García Ortega, en el de Manuel.

Al fin de los actos, y a mitad del tercero, fue llamado a escena y aplaudido el señor Dicenta.

(4 de noviembre de 1902.)

★

La dicha ajena, de los señores Alvarez Quintero.

No tengo, la verdad, gran simpatía por la obra, ya extensa, de los señores Alvarez Quintero.

Esta falta de simpatía procede, más que nada, del pensamiento que integran en general las obras de estos aplaudidos autores. Hay siempre en sus comedias y sainetes un fondo de moralidad burguesa, un vuelo de la fantasía tan corto, que molesta.

Así como la corriente íntima que anima las obras de los señores Quintero me parece pobre y sin alientos, así también la parte exterior, la pintoresca, me resulta muy agradable y entretenida.

La dicha ajena, estrenada en la Comedia con aplauso, es no un estudio, pero sí una acción entre dramática y entre cómica, basada en la mala pasión de la envidia.

Comienza la obra con un prólogo: una escena entre dos médicos; el uno, José Ramón, fracasado en la vida y en su carrera; el otro, lleno de esperanzas y de ilusiones.

Desde que terminaron sus estudios no se han vuelto a ver hasta pasados cinco años, en que vuelven a encontrarse en Guadalema, pueblo donde vive Gonzalo Vega, hijo de un herrero.

Tras la conversación comienza el primer acto.

Se encuentran en el Casino de Guadalema unos cuantos señores, la mayoría muy maldicientes, y se ponen de manifiesto las antipatías y las envidias que provocan los éxitos médicos de Gonzalo Vega, muchacho humilde, el hijo del herrero, que va prosperando. Estas conversaciones maldicientes escucha José Ramón, el condiscípulo de Gonzalo, que defiende con poca energía a su amigo.

En esto llega Gonzalo y expone su proyecto de un Asilo para niños pobres.

El acto es bonito, muy movido; yo no sé si estará sacado de la realidad, como decían por allí; pero, aunque no lo esté, es muy entretenido y agradable; un poco sainetesco resulta de cuando en cuando, un tanto Lara, pero de Lara bueno.

No creo que se pueda pedir más. No va uno a exigir a los Quinteros lo que se les puede exigir a Donnay o a Benavente.

Entre los tipos que se mueven en la sala del Casino, para mi gusto, los más reales son el del periodista y el del catedrático. El hombre que guarda todos los periódicos que encuentra y se incomoda si alguien le pide uno; los que juegan al billar, y otros que aparecen, son caricaturescos y de brocha gorda.

Al comienzo del segundo acto hay varias escenas bien hechas y muy bien representadas por Vallés, y, sobre todo, por Matilde Rodríguez. Se inicia la oposición del pueblo a la idea de Gonzalo de fundar el Asilo. Sólo Gracia Latorre y su padre y algunos amigos colaborarán en la obra del médico. Desde este momento la comedia se hace lánguida; el motivo de la oposición y de las dificultades que se oponen al proyecto se repiten hasta cansar. El acto termina con los amores de Gonzalo y de Gracia, y ésta, que ve que es imposible la realización de la obra de Gonzalo por el pueblo entero, se decide a llevarla a cabo con su fortuna, pidiendo a su novio que la ayude.

Todo el mundo notó en el asunto de este acto cierta semejanza con la idea fundamental de la obra de Ibsen *Un enemigo del pueblo.* Un crítico decía: «Esto es *Un enemigo del pueblo* en género chico.»

En este acto también hay una nota acerca de la envidia española, que, más que por lo antipatriótica, me pareció repulsiva por lo personal. Cuando dice allí un personaje que en España agrada levantar una figura para tener el gusto después de hacerla caer, me pareció que por boca de ese personaje hablaban los Quinteros. La personificación de esta envidia en la bandera española es absurda, lo digan los autores o lo diga Ayala; la envidia es universal y *enciclopédica.*

Otra de las cosas que en este acto se nota es la impotencia de los autores para sostener la tensión dramática.

En ningún momento llegan a arrebatar al público por el fuego de la pasión, por la galanura del pensamiento o por la belleza de las imágenes, como lo consiguen siempre con la nota cómica.

En el tercer acto, el proyecto de la novia de Gonzalo comienza a realizarse; van llegando espectadores de la fiesta celebrada para comenzar las obras del Asilo.

Vuelve Gracia y una amiga suya, que cuentan algunos detalles graciosos del acto verificado. Se acerca Gonzalo; éste queda solo con su novia; hablan de José Ramón, que ha desaparecido, y Gonzalo cuenta cómo ha salvado de la muerte a la hija de su condiscípulo y la extraña actitud de éste, que le induce a sospechar en su amigo una ruin pasión.

Llega éste, y solo con Gonzalo, le confiesa que la envidia le roe, y que, llevado por ella, hizo fracasar el proyecto altruista de fundación del Asilo.

Gonzalo le perdona. El padre de Gracia concede la mano de su hija al modesto hijo del herrero, y la comedia termina.

La confesión del envidioso en el tercer acto aleja el pensamiento de la idea, iniciada en el segundo acto, de que el fracaso del proyecto depende de la mala voluntad del pueblo entero, pues se ve claramente que todo ha sido obra de un amigo desleal.

En Guadalema, el pueblo donde la obra se desarrolla, ha habido un solo envidioso del bien ajeno; los demás han sido sólo indiferentes y apáticos.

La obra, como casi todas las de los Quinteros, se resiente de una gran debilidad de pensamiento; todos los actos están defendidos por incidentes secundarios, de género siempre cómico.

En la ejecución se distinguieron Matilde Rodríguez, que estuvo admirable en algunos momentos; Vallés, Rubio, Tallaví y Mora.

(5 de noviembre de 1902.)

★

Zarzuela.—*Début* de la Bartet y de Le Bargy.

Al ir al teatro pensaba:

«Es posible que esto no sea tan bueno como dicen. París tiene una gran ventaja sobre todos los demás pueblos del mundo: es un pedestal. Habrá en todas partes actores tan notables como la Bartet y Le Bargy—me decía—; pero como éstos están sobre el pedestal, se los ve mejor desde lejos.»

París impone sus ideas, sus costumbres, al resto del mundo, al menos al mundo latino; unas veces estas cosas son buenas; otras, medianas. La Bartet y Le Bargy son de lo más excelente que desde hace años nos ha impuesto París.

Para su *début*, los dos *sociétaires* de la Comedia Francesa escogieron la obra de Dumas hijo *L'étrangère*.

La obra es ya conocida por el público madrileño; ha sido, según he oído decir, traducida al castellano, y representada en el teatro de la Princesa; además, la Duse y alguna otra artista italiana la han puesto en escena varias veces.

Esto me evita la tarea de contar el argumento, tarea bastante desagradable, y que casi siempre se hace mal, no sé por qué.

La obra resulta ya algo vieja, como casi todas las de Dumas hijo. A mí, no sólo me parece vieja, sino mezquina. Todo lo de Dumas me produce un buen efecto mientras lo veo representar; cuando pienso en ello, ahora, por ejemplo, mientras escribo, se me antoja estrecho, ahogado.

Este Dumas hijo, hombre de un ingenio agudísimo, maestro consumado en el arte de preparar las situaciones, maestro también en salvarlas en el instante en que van a hacerse demasiados escabrosas para el público; maestro también en sacar partido de las cuestiones palpitantes; este hombre, que parece bueno, que parece ingenuo en sus obras, no sé por qué me da la sensación de un reverendísimo egoísta, de un hombre sin corazón.

La extranjera, como casi todas las comedias de Dumas hijo, está hecha con una habilidad prodigiosa; todo se halla admirablemente ajustado, como en un plano; pero resulta intelectual, fríamente intelectual. No sale el drama espontáneamente de la vida; el drama se desarrolla matemáticamente, inexorable.

Sólo una ejecución como la de hoy por la compañía Bartet y Le Bargy puede hacer interesante este juego de *bibelots,* llenos de gracia y de ingenio.

Señalóse la Bartet como una actriz eminente; pero para mí lo más notable, lo más primoroso, fue el trabajo de Le Bargy. No estamos acostumbrados a ver actores parecidos. ¡Cómo hizo el papel del duque! Era el aristócrata, grande, cínico, valiente; cierto que le acompaña la figura. Su tipo es de una elegancia exquisita; tiene un dominio absoluto de la escena; ni una vez se destruye la armonía de sus gestos y de sus ademanes. La voz es fuerte, varonil; da la impresión de un hombre refinado y enérgico. Se comprende que este actor tenga tantos entusiastas en la alta sociedad de París, que haya podido eclipsar a veces al ilustre *smart,* príncipe de Sagan.

La Bartet es un tipo ideal, delgada, esbelta, rubia; la voz dulce, melodiosa, que a veces se hace dura y fuerte. Su modo de moverse y de sentarse tienen una elegancia encantadora. La dicción suya es para nuestros oídos algo más clara que la de Le Bargy.

En la escena del cuarto acto, en que el duque ofrece a su mujer la carta que ella ha escrito a Gérard, estuvieron los dos, la Bartet y Le Bargy, a una altura colosal.

El poeta, el razonador tranquilo que siempre aparece en las obras de Dumas hijo, y que va poniendo los puntos sobre las íes a los términos del problema, y que representó M. Duroy, estuvo muy bien. Mlle. Silviac tuvo momentos muy felices, como Mlle. Marie Laura.

Los demás contribuyeron a la armonía del conjunto.

El público, muy selecto; pero tosiendo de tal manera, que a veces aquello, más que teatro, parecía un hospital.

(7 de noviembre de 1902.)

★

Zarzuela.—*Francillon. — Gringoire.*
En la casa de un comerciante de Tours ha ido a alojarse el rey Luis XI de Francia, aquel hombre extraño y pensativo, supersticioso y cruel, cuya figura siniestra nos ha legado la leyenda.

Mientras está en la mesa, oye desde las ventanas estrépito en la plaza. Es Gringoire, el pobre poeta famélico que canta la balada de los *Ahorcados,* una balada que él ha compuesto, en donde alude al jardín del rey Luis, poblado de árboles, de cuyas ramas cuelgan racimos de hombres.

El rey manda llevarlo a su presencia; Oliver le Dain le insta para que cante la balada de los *Ahorcados,* y Luis XI, al oírla, condena al poeta a ser colgado; pero después le perdona, con la condición de que llegue a enamorar a Loyse, la hija del comerciante en cuya casa se aloja el rey.

Quedan solos el poeta miserable y Loyse, y el poeta canta con entusiasmo la poesía y canta a los desvalidos y a los miserables. Loyse se enternece, pide al rey el perdón de Gringoire, y el rey le perdona.

Yo no he sentido hace mucho tiempo una impresión tan honda como viendo a Le Bargy en el papel de Gringoire, declamando los versos impecables de Teodoro de Banville. Era el poeta pobre, abandonado, triste, humilde, hambriento, con el alma llena de sueños; a veces tristemente cómico, a veces trágicamente terrible. Ante aquel soplo de poesía, ante aquella balada tan tierna de los desgraciados, de los parias, de los humildes, se borró en mi espíritu el recuerdo de *Francillon*, la comedia antes representada, con todas sus gracias y alardes de ingenio.

Tengo que hacer un esfuerzo para recordarla. *Francillon* todo el mundo la conoce; es un cuento amable, falso, que se desarrolla en el ambiente artificioso de todas las obras de Dumas hijo. A veces la comedia tiene un carácter completo de *vaudeville;* a veces se levanta; la intriga está llevada siempre con una habilidad extraordinaria.

La Bartet, en el papel de Francillon, estuvo encantadora; vehemente, enamorada, llena de travesura, de ingenuidad, al principio, cuando sólo sospecha la traición de su marido; después, desesperada, cuando quiere convencer a todos tercamente de que si su marido la ha engañado a ella, ella también ha engañado a su marido.

Tuvo la actriz momentos admirables de gracia, de pasión, actitudes llenas de armonía, movimientos de un ritmo espléndido. Demostró una vez más la ductilidad de su gran talento.

Le Bargy en *Francillon* estuvo notabilísimo por su naturalidad, por los matices que dio a su papel.

Los demás actores que representaron en *Francillon* ayudaron al conjunto artístico de la obra. En *Francillon* y en *Gringoire* se distinguió *la ingenua* de la compañía, señorita Nicove, que en *Francillon* hizo de hermana de Limen de Riverolles, y en *Gringoire*, de Loyse.

(8 de noviembre de 1902.)

★

Zarzuela.—*La paix du ménage.*

Ciertamente, no hay clase que tenga tanta tolerancia, tanto espíritu de *jemenfichisme*, que dicen los franceses, como nuestra aristocracia. Otro público cualquiera que hubiese asistido a la representación de *La paix du ménage*, de Guy de Maupassant, hubiera protestado de los atrevimientos, de las frases cínicas y brutales de la obra; el público selecto de la Zarzuela no se escandalizó; al revés, oyó con verdadera complacencia la comedia.

Esto a mí me parece un signo de superioridad. Creo que inmoralizar es un trabajo beneficioso, un trabajo meritorio, y más en sociedades como la nuestra, llenas de prejuicios rancios y de preocupaciones arcaicas.

La amoralidad es la forma más alta de la intelectualidad; esta amoralidad, unida a la expresión sincera del pensamiento, hace de un hombre algo superior a su raza y hasta a su especie.

Ahora, que yo creo que para inmoralizar hay que hacerlo con gracia, y *La paix de ménage* no la tiene. Es la comedia ésta un cuento de Maupassant llevado al teatro, en donde un marido filósofo que no cree en las supersticiones del honor, y que acepta de buen gusto al amante de su mujer, se halla enamorado de su esposa, y la quiere hacer su querida; y viendo que ella no acepta tan noble misión, ofrece dinero y más dinero; es una obra donde hay un regateo entre el esposo y la esposa no muy edificante.

Esta obra, además de ser irreal, tiene un dejo amargo, sin idealidad alguna; la mayoría de las veces es grosera, es triste, es cínica; parece escrita por un irreconciliable enemigo de las mujeres.

Y el hombre amoral no debe ser triste; la tristeza es cristiana; debe ser tranquilo, alegre, sereno y fuerte; como un hijo de Apolo.

Sólo a fuerza de gracia en la ejecución se puede hacer pasar esta comedia, y la ejecución fue primorosa. La Bartet estuvo admirable en su papel de madame Salus, una mujer cansada de la villanía de los hombres; Le Bargy, muy bien como amante fiel.

Después, para suavizar la aspereza de Le paix du ménage, se representó L'étincelle, ese amable cuento de Pailleron que parece escrito por uno de los espirituales narradores del siglo XVIII para ser representado en un salón a lo Pompadour, entre un minué y una pavana.

La mujer sin ilusiones, hastiada de la bestialidad de los hombres, se transformó en L'étincelle, por obra y gracia de la Bartet, en una amable dama coqueta y desenvuelta; el amante cínico, en amante apasionado. Hicieron entre los dos grandes actores y la señorita Nicove una labor de encaje, fina y delicada.

Después del cuento amargo y del cuento espiritual, vino el folletín, el Enigma, de Paul Hervieu, y allí pudimos descubrir en el anciano marqués de Nestle al amante de La paix du ménage y el amante de L'étincelle.

La velada fue muy agradable, sobre todo muy edificante. Obras como esta de La paix du ménage, pero más ingeniosas, son las que nos convienen para deshelar un poco esta vida fría y dura que padecemos todos por respetar unos cuantos convencionalismos y unas cuantas tonterías que no nos sirven más que para amargarnos la existencia.

(9 de noviembre de 1902.)

★

Zarzuela.—El marqués de Priola.

Tras de la Visita de bodas, una comedia de Dumas hijo, que el público tomó por sainete y que es una obra muy leída, comenzó la representación de El marqués de Priola.

—Es un Don Juan a la moderna —oigo decir a unos y a otros, y no parece sino que la frase la han aprendido en viernes, porque todos dicen lo mismo.

Se levanta el telón. El marqués de Priola es hijo de un italiano y de una inglesa, aristócrata guapo, desdeñoso, que ha llegado a los cincuenta años sembrando ruinas en derredor. Corazones rotos, pericardios sangrientos; una sala de disección.

A pesar de su indiferencia, el marqués ha recogido a un muchacho, Pedro Morain, hijo de su querida. El padre legal de Pedro se suicidó, y la madre se murió de pena. Pedro Morain estudia Medicina. Yo tiemblo; un joven que estudia Medicina y que aparece en un drama no tiene más objeto que decir cosas desagradables.

Mientras se entera uno de todo esto, nos hallamos en un salón de la

Embajada de Italia. El señor marqués discretea con madame Villeroy, una dama muy coqueta, y la invita a ir a su casa a contemplar unas colecciones de almanaques galantes que tiene Priola y que se han hecho célebres en París. La dama acepta, y le asegura el marqués que no le teme; que le considera como a un pobre pingüino.

Tras de este desafío orgulloso, el señor marqués se encuentra con su antigua mujer, divorciada y casada con un sabio, el señor De Chesne. El terrible seductor, con la más infernal de sus sonrisas, se entretiene en reavivar el amor en el pecho de su antigua mujer, y aquí termina el primer acto.

Al día siguiente, en el segundo acto, estamos en casa de Priola. Madame Villeroy va a ver los famosos almanaques y a demostrarle al marqués que es un presumido. Priola le enseña los almanaques, y la dama, cuyo propósito de resistencia no debía de ser muy grande, pierde los estribos y está a punto de dispararse como una pistola, cuando Priola, irónico, con la más mefistofélica de sus sonrisas, concibe una idea humillante: le aconseja a la dama que siga por el camino de la virtud, y la acompaña a la puerta. Ella se marcha, suponiendo que éste la sigue.

El estudiante de Medicina, Morain, se indigna con la conducta de su protector, y Priola monta en cólera y le dice una porción de cosas desagradables.

En el tercer acto, Priola va a la cita que le ha dado su antigua mujer en casa de una amiga, Mme. Savières, una señora muy severa, que quiere demostrar a Mme. Le Chesne la inconstancia de Priola. Esta señora oculta a Mme. Le Chesne tras de una cortina, y comienza a coquetear con

Priola. Este pierde ahora los estribos, y abraza a la Savières. Cuando la dama siente los brazos del conquistador ceñidos a ella, grita:

—¡Juana!

Y Juana, la ex marquesa de Priola, aparece detrás de la cortina.

El marqués reconoce haber caído en un lazo.

En esto llega Morain con Savières. Quedan Priola y su hijo. El hijo predice a su padre la parálisis, y, en efecto, al poco rato el marqués, después de hacer un alarde de sus teorías, cae con un acceso. El hijo asegura que le cuidará, y termina el drama.

La obra ésta me ha producido una impresión desagradable y repulsiva. Como representación fiel de la realidad, creo que no lo es; idealidad, no tiene ninguna. Si no hubiera relampagueo de ingenio en algunas escenas, si no fuera representada con tanta perfección, yo aseguraría que esta obra era vulgar y sin gracia.

Yo creo que el teatro francés de ahora, dentro de veinte años, se considerará con menos aprecio que se considera hoy a Dumas hijo y a Sardou.

El desarrollo de la acción dramática en *El marqués de Priola* está llevado con un acierto grande en los dos primeros actos; en el último es demasiado rápido.

La encarnación del tipo no me parece cosa genial. Priola es un sátiro, un baudelariano, no del arte, sino de la vida, pero un satánico pequeño, mezquino, que no recuerda, a pesar de sus alardes. ninguna de esas grandes figuras del mal que aparecen en las literaturas; si recuerdan algo, es al héroe de Feuillet, el conde Luis de Camors, y al Esseintes de Huysmans, en su novela *A rebours.*

Tampoco este Priola es un superhombre; generalmente, la crueldad no aparece más que en los débiles.

El hombre fuerte aplasta al que se opone a su paso; pero no lo mortifica. ¿Para qué?

En toda esta obra se siente el cansancio de una sociedad *fatiguée*, al que va unido una gran lujuria cerebral.

La comedia está escrita para lucimiento de un gran actor. Le Bargy estuvo notable, elegante, en el primer acto; después ya tragicó más; recordó a Zacconi, cosa para mí desagradable.

La Bartet, en su corto papel, llena de gracia y de naturalidad.

El teatro, brillante.

(11 de noviembre de 1902.)

★

Español.—*Los tres galanes de Estrella*, por don Juan Antonio Cavestany.

Parece que don Juan Antonio Cavestany no tiene grandes simpatías entre los señores del público, y menos aún entre los señores de la crítica.

Los tres galanes de Estrella se comparaba por algunos de los citados señores con obras del género chico; yo, por mi parte, no la he encontrado ni mejor ni peor que la mayoría de las cosas que he visto en la temporada.

Hay algo simpático en esta comedia, y es que el autor no trata de resolver ningún problema, ni de exponer llaga social en su obra. Su objeto es entretener al público con lances de amor, intrigas y desafíos, y esto lo consigue el señor Cavestany.

Se dice en el cartel que esta obra es imitación de las de nuestro teatro antiguo; a mí me parece mejor que aquéllas.

En el primer acto hay un madrigal

muy bonito, que lo dijo con suma perfección don Fernando Díaz de Mendoza, y en las otras jornadas, trozos de poesía muy lucidos.

En conjunto, la comedia del señor Cavestany me pareció amable y discreta. La representación fue muy esmerada, y la *mise en scène*, soberbia.

El tiempo en que el señor Cavestany pone los personajes de su comedia es bien conocido, y por esto se presta a que la fidelidad de trajes y mobiliario pueda ser apreciada. En el tercer acto, la decoración del parque del Buen Retiro, de noche, fue de un gran efecto.

Al final del cuarto acto, el público llamó a escena al autor; pero el señor Cavestany no estaba en el teatro.

(14 de noviembre de 1902.)

★

Español.—*Malas herencias*, de don José Echegaray.

Figúrense ustedes el estado de un salvaje ante el cual un prestidigitador hace sus juegos de manos, traga cintas, que luego las escupe ardiendo, saca una pecera de un sombrero de copa, y otra porción de diabluras. Pues un estado parecido al de ese modesto salvaje es el mío, después de haber presenciado el estreno de *Malas herencias*, de don José Echegaray.

Yo, ahora, lo confieso, tengo los nervios de punta, como si hubiera oído chirridos desagradables, gritos de mujeres histéricas y otra serie de cosas por el estilo; pero no encuentro en mí mismo una impresión del alma, ni el cerebro asombrado por la idea grande, ni el corazón conmovido por un sentimiento hondo de ternura, de dolor o de pena.

Yo creo que cuando don José Echegaray tiene la fama que tiene, debe merecerla; y como mi voto no ha de achicar ni de agrandar su fama por esto, y además porque, como crítico, apenas me llamo Pedro, me permito opinar y me aventuro a decir que si, en general, el teatro de Echegaray me disgusta, en particular *Malas herencias* me revienta.

La obra fue estrenada en América y en La Coruña; el argumento es posible que se haya contado en algún periódico; pero, a pesar de esto, lo diré rápidamente, si mis nervios me lo permiten.

Blanca es una muchacha que frecuenta la casa de un señor que a punto fijo no sé si se llama don Prudencio o don Basilio.

Supongamos que es don Basilio. Blanca tiene amores con Víctor. En el primer acto, un amigo de don Basilio da la noticia de que el padre de Blanca, el señor Ibarrola, al morir, ha dado su apellido y una fortuna considerable a la muchacha, y que su hermano Roberto viene a Madrid en busca de Blanca. Víctor vive con su tío don Marcial Buitrago. Los padres de Víctor y de Blanca eran enemigos acérrimos, y, al llegar Roberto a la casa donde está su hermana, se encuentra con el tío de Víctor; se reconocen ambos como enemigos, y concluye el acto.

En el segundo, Roberto manda a su hermana que deje a Víctor, y el tío de éste ordena a su sobrino que abandone a Blanca.

El tercer acto se desarrolla en casa de Víctor; se va a realizar un desafío entre éste y Roberto. Víctor promete a su novia que no se batirá con Roberto; llegan los padrinos de Víctor y persiste él en no batirse. Entonces, su tío don Marcial, con el pretexto de dar una explicación a los padrinos del enemigo de su sobrino, sale y se bate con Roberto. Víctor

sospecha lo que pasa, sale, se encuentra con su tío atravesado por Roberto, se bate con éste y lo mata, y Blanca se va con su amante.

Yo no sé por qué esto se llama *Malas herencias;* mejor podría decirse Fatalidad y Tontería, o algo por el estilo.

La obra tiene, como casi todas las de Echegaray, un aspecto de problema entre geométrico, algebraico y logarítmico. ¡Problemas! Pero ¿hay problemas de esa clase en el mundo? Yo creo que no.

En *Malas herencias,* la sociedad, como el *coro de las tragedias griegas* —es frase del autor—, se encarga de envenenar todas las cuestiones. No creo que la sociedad sea precisamente buena; pero tampoco se me figura que sea mala. Cuando ofende, cuando mata, no es por maldad; es por egoísmo implacable, por ese frío del que se queja Ibsen en su *Juan Gabriel Borkman.*

La casa de don Basilio, en donde se desarrollan los dos primeros actos de *Malas herencias.* es como casi todas las de las comedias de Echegaray, de esas casas en que todo el mundo, amigos y extraños, entra y sale cuando le parece.

Los tipos de la obra son de cartón, sin matices; unos, muy buenos, muy buenos; otros, muy vengativos, muy vengativos, y otros, muy tontos, muy tontos.

Esta obra, como las demás de Echegaray, me parece escrita por un hombre de talento que no ve la vida más que por un agujero muy pequeño; la lente de su cámara oscura —hablaremos, si no en sabio, en fotógrafo—tiene desigualdades, y se reflejan en el interior las cosas de un modo absurdo y a veces monstruoso.

Hay aquello que tanto se ha ensalzado, de los caracteres sostenidos, regla teatral que obliga a un hombre a salir ceñudo en el primer acto y a permanecer ceñudo hasta el último. Todo es aquí seco, sin jugo; no hay nada curvo, multiforme, ondulante como la vida; todo es anguloso como una figura de Geometría.

Al público le siguen gustando y entusiasmando las obras de Echegaray. El nervio tosco necesita impresiones toscas. Creo que es una frase.

Es muy posible, dada la influencia de la crítica, a mi parecer perjudicial, porque quita la espontaneidad del público, es muy posible que si la crítica se muestra adversa a la obra y forma respecto a ella un ambiente hostil, el público mañana no se entusiasme tanto como se ha entusiasmado hoy; pero eso no impedirá que dramas como *Malas herencias* sean los pastos intelectuales que aquél desea.

Díaz de Mendoza y la Guerrero estuvieron muy bien; ésta, especialmente, en el tercer acto.

Una noticia que corría por el saloncillo: se decía que don Tomás Luceño preparaba la refundición de *Malas herencias* para el año que viene. La consideraba ya como obra clásica.

(21 de noviembre de 1902.)

★

Comedia.—*Alma triunfante,* por Jacinto Benavente.

No soy entusiasta de Benavente; lo confieso para que el que me lea pueda poner sobre mi criterio, que es el criterio de uno que casi no lo tiene, sus simpatías o sus antipatías por el escritor.

Decía yo a un conocido que toda la obra de Benavente me parecía sepulcral.

—¿A usted?—me dijo, asombrado.

—Sí, a mí.

Muchas veces, al ver otras obras de Benavente, ligeras, de gracia, me han producido la misma impresión fúnebre, de desmayo, de aniquilamiento, que me ha hecho hoy *Alma triunfante.*

Hay mucha diferencia entre la tristeza activa, que protesta y se irrita contra las cosas y los hombres, y la tristeza pasiva, que se resigna y acepta todo. La de Benavente es esta tristeza pasiva; sus hombres y sus mujeres son figuritas resignadas, que sufren en un infierno de hielo bajo un horizonte de plomo. A veces, estas figuritas quieren ser hombres y mujeres; gritan y se quejan, y sus gritos y sus quejidos tienen un tono falso.

Yo contaría el asunto de *Alma triunfante.* ¿Para qué? El asunto es lo de menos. Esto de que haya o no haya drama, cuestión que les gusta discutir a los críticos, me parece una cosa de poca importancia.

Lo interesante es descubrir el temperamento del escritor entre las frases de sus personajes, y el temperamento de Benavente, en ésta como en las demás obras suyas, me parece el de un hombre tétrico, que disimula el aniquilamiento moral de su espíritu en *Alma triunfante,* con la profundidad de su inteligencia en *Amor de amar* o en *La comida de las fieras,* con el brillo de su ingenio.

Pero por dentro anda la procesión; el irónico, el ingenioso, guarda en las interioridades de su espíritu un fondo de místico, de defectuoso moral, que no es bastante iluminado para poner su vista en el cielo, ni es bastante fuerte para querer vivir la vida. *Alma triunfante,* como obra teatral, creo que está bien hecha; como manifestación de un espíritu, es débil.

Es un drama gris, triste, verdaderamente deprimente. Todas estas vidas se quejan, se lamentan, no sirven para realizar nada, no tienen energía para resolver nada, y, además, se cierne sobre ellas la idea religiosa como una sombra negra.

Este drama, *Alma triunfante*, me recuerda esa triste flora de cementerio; hay alguna poesía aquí, pero es como esas corolas que nacen de los detritus, y en que cada punto blanco es glóbulo de pus caído en la madre tierra.

Benavente, como Rusiñol—los dos espíritus muy elevados—, tienen la misma impotencia sentimental de creación; parece que en los dos los instintos están debilitados y la voluntad muerta.

Los dramas de Benavente son como esos niños encanijados que nacen para llenar los osarios y que tienen la desdicha, después de morir, de no dejar un esqueleto bien constituido.

Que en toda la obra se ve el reflejo de un talento; que las palabras que envuelven las ideas son propias y acertadas; que la constitución es ingeniosa, ¿para qué decirlo?

A mí me entusiasma la mina, la galería subterránea, cuando, después de recorrerla, se ve el agujero por donde entra a torrentes el gran sol, padre de la vida; me entristece el hueco sin luz.

A mí, que no voy con los viejos y que no quiero continuamente el tono mayor y la charanga estrepitosa a cada momento, me parece también mal esta representación gris de la vida, sin grandeza y sin fuerza.

Toda esta obra respira misticismo; a cada paso se habla de resignación y de Dios. La vida cristiana origina el conflicto. Si entre todos los personajes hubiera una verdadera alma triunfante, el conflicto se resolvería en seguida.

De los tipos, ninguno llega a impresionar más que la retina. Se siente la tristeza de todos ellos; no se siente el dolor.

No creo que en *Alma triunfante* encontrará nadie reminiscencias de obras extranjeras.

De los actores, se distinguió, a mi modo de ver, la señorita Bremón en el segundo acto, que es el más sugestivo de la obra.

(3 de diciembre de 1902.)

★

Español.—*La escalinata de un trono*, por don José Echegaray.

Desde las últimas crónicas—o lo que sean—que escribí en *El Globo* me han sucedido cosas que, para una vida humilde y monótona como la mía, son acontecimientos: he cumplido treinta años; he andado sobre un caballo, más o menos árabe, en las llanuras africanas, y he comprado un gorro de dormir.

Lo primero es grave, gravísimo; pero lo último es todavía más. El frío, la calvicie, una porción de cosas tristes...

Todas las noches, cuando me acuesto, murmuro a manera de rezo:

—¡Abominemos de la civilización! La civilización ha inventado el gorro de dormir.

Y digo todo esto para señalar al amable lector el estado psicológico habitual de este revistero de teatros, que es, poco más o menos, el mismo en que me encontraba al entrar esta noche en el Español para asistir al estreno de *La escalinata de un trono*.

★

Venecia, una noche de Carnaval, la plaza de San Marcos. En el fondo se ve la iglesia bizantina; a los lados, casas iluminadas, como es natural, a la veneciana. Teodora sale con su dueña; un mago le asegura que subirá la escalinata de un trono, pero no con su amante Roger. Ella dice que si no es con su novio, no quiere la corona.

Entonces, las máscaras tratan de ver a una mujer que desprecia el trono por el hombre a quien quiere, e importunan a Teodora, hasta que Roger sale en su defensa.

Roger no conoce a sus padres, y espera unos papeles que le darán a conocer su origen. Su criado se los trae, y añade al entregárselos a Roger que en Pisa le podrán dar más detalles de su nacimiento. Roger lee los papeles, y, loco por lo que descubre en ellos, se decide a ir a Pisa.

En el segundo acto estamos en el interior de la torre del Hambre, así llamada porque allí murió, con sus hijos, el conde Ugolino, encerrado por el padre de Roger, el arzobispo Moaldini. En la torre se reúnen Teodora, Roger, Stéfano, el tirano de Pisa, esbirros y carceleros. Roger escucha y oye la relación de los crímenes de su padre y de las liviandades de su madre. Rechaza a su novia como hombre deshonrado, y cuando el tirano sale de la prisión con sus esbirros, que arrastran a Teodora, queda en el calabozo solo Roger.

El tercer acto es una logia del palacio de Stéfano; en el fondo se ven torres y remates de monumentos. En esta sala se desarrolla el desenlace de la obra, en que Roger muere y Teodora asesina al tirano de Pisa.

★

La obra no gustó. El público no sintió el estremecimiento que le producen las obras de Echegaray. Las escenas pasaron y pasaron ante la indiferencia de la gente, que no llegó a conmoverse ni siquiera un momento. Todo aquello es frío, muerto; no tiene alma, ni vigor, ni sangre.

Hay una escena, la del cementerio, que podría ser trágica y es completamente grotesca. Roger, ejerciendo de Hamlet, no dice más que ñoñerías, y cuando su razón vacila y ve las cabezas de las brujas que aparecen entre el follaje de los sepulcros, el público sintió claramente ese paso tan corto que hay entre lo sublime y lo que no lo es.

En este drama, los personajes son más acartonados que lo son en los demás dramas de Echegaray; tienen todavía menos humanidad. En el diálogo en verso hay frases enérgicas, pero hay también una barbaridad de ripios y de cosas de mal gusto.

★

El otro día leía en un periódico francés un artículo de un periodista que escribía desde Noruega. Contaba que había visto a Ibsen, achacoso, rodeado de sus amigos, y decía que el autor de *Brand*, de cuando en cuando, enviaba a los periódicos poemas ñoños, que «los amigos se apresuraban a impedir que se publicasen».

Echegaray no está en un período de decadencia tan marcado como el gran autor noruego; tampoco ha puesto tanto meollo en sus obras como aquél; pero ha decaído mucho su vigor dramático.

Yo, si fuera jefe de Estado, a Echegaray, como a hombre que ha removido ideas, que ha tenido grandes alientos, que ha derrochado generosamente un talento superior en obras medianas, le declararía gloria nacional y le daría la jubilación forzosa.

Era muy difícil que en la representación de este drama se distinguiera alguno, y así fue...

(20 de febrero de 1903.)

CON MOTIVO DE UN ESTRENO

La pequeña escena dramática titulada *Adiós a la bohemia*, que se va a estrenar en el teatro Cervantes, no tiene nada esotérico, y no se presta, por su parvedad de materia, como dirían los antiguos, a un comentario.

A mí, como a la mayoría de los escritores de libros, se me ha venido a la imaginación muchas veces la idea de escribir para el teatro, naturalmente atraído por la posibilidad del dinero y del éxito.

No le he hecho por varias razones. Primeramente, las tres unidades clásicas me estorbaban para imaginar algo con fuerza; luego, me estorba también el tono de la retórica actual en el teatro. Yo, cuando he intentado escribir para la escena, lo he hecho en un tono gris o en un tono conceptuoso y altisonante. Los dos extremos de la expresión los siento, mejor o peor; el término medio, no.

La retórica, un poco casera, vulgar y al mismo tiempo falsamente natural, la que la gente de teatro considera el lenguaje típico de las pasiones, la que se encuentra en la fraseología de Galdós, de Dicenta, de Benavente y de Martínez Sierra, yo no la puedo soportar.

Además de las seducciones del dinero y del éxito, podía existir, al pensar en hacer algo para el teatro, la ilusión de crear una cosa nueva, por pequeña que fuera, o también la ilusión de ser moralista y pedagogo al estilo de Dumas hijo.

El crear algo nuevo en el teatro me parece imposible. Todo lo que se ha dado como nuevo en estos últimos cincuenta años, desde los poemas de Ibsen hasta las chapucerías espiritistas de Maeterlinck, han quedado como al lado del teatro, sin conseguir entrar dentro ni tener una vida lozana.

El teatro, como arte puro, igual que la pintura, la escultura, la arquitectura, y quizá también la música, es un arte cerrado, amurallado, completo, que ha agotado su materia; un arte que ha pasado del período de la cultura al de la civilización, como dirían Houston Stewart Chamberlain y el moderno autor de la decadencia de los pueblos occidentales. El teatro, desde hace mucho tiempo, ha dejado de inventar para repetirse.

En estas artes, la fórmula pomposa de D'Annunzio: «O renovarse, o morir», es pura retórica. ¡Qué ilusa renovación la de este elocuente repetidor de los más viejos lugares comunes! ¡Renovarse! Nos podríamos contentar con que el hombre se hubiese renovado algo desde la época del reno hasta aquí. En la mayoría de las artes y en la del teatro, la fórmula no puede ser más que ésta: o repetir, o morir. Un gran espíritu innovador, un Dostoyevski, en el teatro no se puede imaginar. Yo creo que actualmente en la literatura la única originalidad posible está en los detalles. En esto está la fuerza de Marcel Proust. En el teatro no puede haber detalles; todo tiene que ser brochazo y chafarrinón.

Para moralizar en el teatro hay que sentir un entusiasmo proselitista, y al mismo tiempo tener el conocimiento de las sacaliñas de los bastidores, cosas ambas que yo no poseo. A pesar de esto, no es la idea de las tres unidades férreas, ni la represión por la retórica vulgar y falsamente natural, ni la seguridad sentida de antemano de no poder inventar nada nuevo, ni la falta de entusiasmo proselitista, la que me ha impedido a mí escribir para la escena.

En principio, lo que me ha estorbado más para hacer una obra de teatro ha sido la idea del público. Las novelas que yo he escrito las he hecho sin pensar gran cosa en el público. Lo mismo me pasa cuando suelo trabajar en el jardín de mi casa: trabajo por dejarlo lo más agradable que puedo, pero no busco la aprobación de nadie, ni me pongo a comparar este pequeño jardín con otros grandes y maravillosos.

Cierto, ya sé que, al escribir un libro, con el tiempo, algunas personas lo leerán, y hasta quizá me den su opinión; pero estas personas son para mí tan vagas, tan problemáticas, tan lejanas, tienen tan poca realidad, que no me preocupan. Así, por ejemplo, de mi penúltimo libro, *La leyenda de Juan de Alzate*, que yo creo que es entre lo que he escrito lo mejor, me habrán hablado tres o cuatro personas, a lo más. Esto me da una impresión de libertad, de irresponsabilidad; me hace pensar que un libro es como una carta escrita a la familia. Al pensar en una comedia o en un drama, esas personas fantásticas que yo veo de ordinario en una perspectiva lejana se me acercan tanto en la imaginación, que se apoderan de ella, y se hacen tan reales, toman tal aire de Aristarcos, imponen tal número de condi-

ciones y de exigencias, observan lo que hago, lo miden, lo pesan, lo comparan con esto y con lo otro, y me producen, a la larga, la inhibición y la perplejidad que me hace abandonar mis proyectos.

He aquí por qué no he hecho más que tentativas teatrales tan exiguas y tan pequeñas como ésta de *Adiós a la bohemia*, que se va a estrenar en Madrid, en el teatro Cervantes.

PALABRAS DE UN BANQUETE EN PAMPLONA

Señores:

Es la costumbre, al finalizar un banquete, que el hombre agasajado por sus amigos haga, después de dar las gracias, y yo las doy con gran efusión, una ligera plática.

Los que tienen fuego retórico salen del paso con el repertorio de sus frases sonoras y caldeadas; yo tengo tan poca calefacción de esa especie, que me encuentro, ante la idea de decir algo a un auditorio de personas cultas, un poco perplejo.

Cuando vengo a Pamplona, donde pasé algunos años infantiles, pienso, aun sin querer, en la existencia del niño, y esto me hace reflexionar en las vacilaciones de ese período oscuro del despertar de la personalidad y en los dos grandes caminos que se pueden tomar en la vida: uno, el general, el de adaptarse al medio; otro, el más raro, el de romper con el ambiente y marchar por inspiración propia de la buena ventura. El uno lleva a la limitación; el otro, al desierto; el uno es de los adoradores de la ley, adoración de índole semítica y romana; el otro es el de los hijos del gran Pan, que han visto correr a los faunos y a las bacantes por los campos dionisíacos y han hecho temblar al mundo con el martillo de Thor.

El camino de la limitación es más cómodo, más fácil. Nos empujan hacia él las leyes viejas, las costumbres viejas, la teocracia vieja, la mujer que, vieja o joven, al menos hasta ahora, ha sido siempre reaccionaria y domesticadora, y mañana nos empujará en esa misma dirección el socialismo.

Marchando por este camino, se goza de algunas realidades, se disfruta de cierta tranquilidad, se tienen algunos medios, alguna responsabilidad, más o menos aparente; pero no se tiene la satisfacción interior. ¿Por qué? Porque hay que transigir muchas veces en la vida social actual con lo que interiormente repugna; porque hay que vivir en la hipocresía y en la mentira; porque hay que hacer algunas pequeñas canalladas por acción o por omisión. El que se somete por completo a la pragmática de su tiempo, tiene que tener como Evangelio, al menos en la España de hoy, el Evangelio de la mezquindad del hombre, y no creer en la austeridad de Sócrates, ni en el valor de Giordano Bruno, ni en la serenidad de Goethe, ni en la ciencia de Darwin, ni en la buena fe de Lenin. Cosa triste esta negación de los mayores valores humanos a beneficio de la mediocridad. Se quiere llegar a la paz interior cerrando las puertas y ventanas de sus chozas; trabajo inútil; no se llega más que a ser una momia, que empieza su vida de momia con una ablución en una pila bautismal y acaba hundiéndose en la gran sima trágica de una manera respetable, recibiendo los Santos Sacramentos y la bendición de Su Santidad.

El que sigue el segundo camino y huye de la limitación impuesta por el ambiente, satisface su orgullo, su impulso pánico, respira a veces a pleno pulmón en los campos dionisíacos, respira, pero no se nutre. Si tiene una vestidura, la va dejando hecha jirones en las zarzas, y cuando después de embriagarse con el aire de la libertad, quiere agarrar el fruto de la vida, al estrecharlo en la mano se encuentra con que está vacío, porque los más llenos están acotados para otros, y porque sin ayuda de los demás no es posible conseguir algo de nuestro medio social, lo que hace que el hombre solo no sea, como dice Ibsen, el más fuerte, sino el más débil y el más miserable de todos los animales del planeta.

Así, cuando se llega a la edad fría y provecta y empieza uno a sentirse ruina al contemplar la vida, que pasa como un río confuso de cosas que marchan eternamente y se despeñan en el vacío, al sentir la oscuridad que nos rodea y que nadie sondeará jamás, se cree que esta existencia nuestra es una sombra que está tejida con la misma sustancia con que están tejidos los sueños.

Yo, en mi juventud, me creí con fuerzas bastantes para seguir el abrupto sendero de los que se apartan de la limitación. Y sin hacer caso de leyes viejas, de costumbres viejas y de teocracia vieja, fui también eleuterómano y dionisíaco. Ahora no me arrepiento de ello; pero veo que ir en contra de la mentira vital, como diría un bergsoniano, es ir a la ruina.

Como yo hace muchos años, otros jóvenes de hoy y de mañana se encontrarán al principio de la vida con esa alternativa rígida: o adaptarse completamente o inadaptarse en absoluto; la ciudad estrecha o el desierto, el rebaño o el estado salvaje, la limitación o la libertad solitaria y pánica. Para que cese esa alternativa violenta, que no produce más que gente mecanizada o energúmena, será preciso que la sociedad, con más benevolencia y menos dogmatismo, pueda dar con el tiempo, al que busca la realidad, un poco de horizonte; y al que busca el horizonte, un poco de realidad.

FIN DE «DIVAGACIONES APASIONADAS»

ENSAYOS

*

TRES GENERACIONES

Conferencia leída, en la Casa del Pueblo
de Madrid, el día 17 de mayo de 1926.

ENSAYOS

*

TRES GENERACIONES

Conferencia leída, en la Casa del Pueblo
de Madrid, el día 17 de mayo de 1926.

OMPAÑEROS: Invitado amablemente por la Asociación del Arte de Imprimir, a la cual yo moralmente también pertenezco, a dar una conferencia, y un poco apremiado por la falta de tiempo y por la salud precaria, he escrito estas cuartillas que voy a leer. En estas cuartillas no hay esos aparatos de justificación: estadísticas y datos, que dan un aspecto falsamente objetivo a las disertaciones. Mis palabras quizá parezcan arbitrariedades, pero no lo son: son convicciones antiguas, arraigadas, a las cuales no he tenido ocasión ni gran habilidad para adornar con perfiles literarios.

Yo, como individualista y hombre dubitativo, de poco espíritu pedagógico, no experimento grandes deseos de comunicarme con un público numeroso. No considero esto como una ventaja, pero así es; no tengo tampoco panacea política que recomendar, y por eso no siento ardientes deseos de dirigirme a las masas.

Hombre de mi tiempo, con el escepticismo de mi época, no creo gran cosa en la eficacia de las discusiones ni de la palabra.

No trato de convencer a nadie de nada. El persuadir no es mi objeto. Tampoco he de insistir mucho en cada punto. No puedo más que rozar las cuestiones.

Las cuartillas que voy a leer tienen la pretensión de exponer el estado de espíritu de tres generaciones españolas: la de 1840, la de 1870 y la de 1900. Se trata de tres generaciones de burguesía. Naturalmente, en nuestro tiempo la burguesía es la que se ha caracterizado más.

La aristocracia no ha ejercido apenas influencia en la vida nacional de los modernos tiempos, y el elemento trabajador empieza a ser algo y a influir en estos últimos años, pero no tiene carácter aún. La burguesía es la que ha dado y sigue dando el tono a estas generaciones.

Mis cuartillas son un resumen sin datos y sin estadísticas: la expresión de una convicción íntima. Quizá se pueda encontrar que la elección de las tres fechas de estas generaciones: 1840, 1870 y 1900, separadas por treinta años de distancia, es algo arbitraria; que se podrían elegir otras tres, anteriores o posteriores; pero a mí me parecían las fijadas por mí las más características. También tengo que advertir que al exponer, aunque someramente, mis ideas acerca de estas tres generaciones, he intentado expresar la verdad más que la utilidad; es decir, ir a lo que considero como verdadero, más que a lo político y a lo tendencioso.

LA GENERACION DE 1840

Examinemos la generación nacida en las proximidades de 1840. Es una generación de aspecto brillante, en la que abundan los oradores y los políticos de fama. Vienen los hombres de esta generación al mundo al terminar la primera guerra civil española, la gran guerra civil, la única que tuvo grandeza, pues la segunda fue mezquina y sin brío.

LA CULTURA

Esta generación de 1840 es retórica, petulante, superficial, muy convencida de su valor. Sus conocimientos son escasos. Estos hombres no saben nada bien; han estudiado de prisa. La cultura antigua de Humanidades se había perdido en su tiempo en España; casi nadie sabía por entonces el latín ni los clásicos; estos hombres tenían conocimientos de manuales, y la mayoría no habían leído nada seriamente.

España necesitaba por aquel tiempo entrar en la vida moderna. Faltaba, después de una serie de guerras interiores, exterminadoras, la preparación adecuada. En esta prisa, muchas cosas antiguas bien organizadas se hunden, y las que las sustituyen son deficientes y malas. Así pasa, por ejemplo, con la imprenta española, que hasta mediados del siglo XIX se sostiene conservando su tradición gloriosa, pero que, al avanzar el siglo, a consecuencia del industrialismo bajo, pierde todo su carácter artístico y se hace pobre y ramplona.

La generación de 1840 produce una abundante cosecha de oradores, políticos, periodistas e ingenieros, que no son ingenieros más que de nombre.

LA MORAL

Los hombres de 1840 tienen una moral muy precaria y poco firme. Son los que hacen la revolución de septiembre y la restauración; son, en su mayor parte, anticlericales, anticlericales en público y clericales en casa. Se llaman casi todos buenos cristianos, buenos católicos; no saben en el fondo si lo son o no lo son. No tienen fuerza en el alma para saberlo. Estos anticlericales pactan con los clericales con una cuquería inaudita. En la vejez, cuando se arrepienten de su radicalismo, hablan de los errores de su juventud.

Entre los políticos de la época, la moral es mezquina hasta el último grado. Quizá un gran político, por ahora al menos, no pueda ser moral. Napoleón y Meternich, Bismarck y Clemenceau no son estrictamente morales; pero son gente que van arrastrados por planes grandes y no vacilan en los medios.

LOS POLÍTICOS

Los políticos españoles de esta generación tienen planes muy pequeños y aparatosos y, en pequeño también, son inmorales. Sin embargo, la gente los admira y los legitima. Si Castelar proporciona destinos en Ultramar, a cambio de que le envíen regalos en especie o en dinero, esto no escandaliza. El genio tiene derecho a todo—piensa la mayoría—; si otros hacen negocios con los ferrocarriles o con las Compañías de navegación y arruinan a una comarca, tampoco choca. Únicamente cuando la cosa toma aire un tanto cínico, cuando se sabe que un matutero como Pepe *el Huevero* regala pendientes a la hija de Sagasta, o se dice que la familia de Gamazo pasa contrabando en Valladolid, la gente se extraña; pero es, sin duda, porque la forma no le parece correcta.

Al principio del siglo actual hay presidente del Consejo que, después de salir del Ministerio, va unas veces a Biarritz y otras a Niza a cobrar las ganancias de sus jugadas de Bolsa hechas desde el Gobierno. La gente lo sabe; pero nadie se indigna, porque se han cubierto las formas. El dinero no tiene olor, decía Vespasiano cuando le reprochaban sus amigos el cobrar impuestos por los retretes de Roma.

LOS ABOGADOS

Basta, sin duda, el ser político para producir el entusiasmo de los españoles de este tiempo. Si el político es, además, abogado, y toma posturas académicas en la tribuna, el entusiasmo llega al delirio. Por todas partes, en esta última época, nos han atronado los oídos hablándonos de la austeridad de Maura, austeridad que no le impidió llegar a ser rico, a tener un palacio y a colocar bien a sus hijos. Yo, como no tengo muy buena idea del medio social español, dudo mucho de que se pueda llegar aquí a ser rico honradamente.

La diferencia que hay entre los antiguos y los nuevos ricos es, principalmente, ésta. Unos y otros han hecho su fortuna a fuerza de porquerías legales; pero los antiguos la han heredado y los nuevos ricos han tenido que ser ellos los que han amasado su capital con suciedades que no caen dentro del Código.

A mí nunca me ha entusiasmado la austeridad de los abogados que se hacen ricos, como los Maura, los La Cierva, los Cambó y los Alba. En el caso de Maura, siempre me ha chocado, y me ha parecido extraño que un escritor como él, tan confuso y tan oscuro, no vacilase en ser el presidente de una Academia como la Española, que a mí me parece un tanto ridícula, pero que a él debía de parecerle respetable; en la que se pretende, naturalmente, sin conseguirlo, el enseñar a hablar y a escribir correctamente. Maura, indudablemente, o no se conocía, o era un cuco, y no me choca nada que un hombre que sancionaba la injusticia de ser él académico y presidente de una Academia literaria siendo tan mal escritor, sancionara también cualquier otra injusticia.

Las gentes de esa generación de 1840 tomaron en pleno vigor los tópicos del parlamentarismo y de la democracia. Eran, en general, progresistas; tenían casi todos la aspiración de ser oradores, lo que indica una inclinación de comediantes y de histriones y un fondo de mediocridad que se advierte en los que tienen la elegancia y la policía en el hablar, como dice nuestro Huarte de San Juan.

LECTURAS

Estos hombres recogieron el final del romanticismo en su juventud. Los más perspicuos—la mayoría no había leído nada—se amamantaron con novelones franceses. En la edad madura, sus autores favoritos fueron Víctor Hugo, Dumas hijo, Sardou. De autores españoles, sus preferidos fueron Castelar, Echegaray y Tamayo. Galdós pertenece, en parte, a esta generación y, en parte, a la siguiente.

ENTUSIASMO

Más que los escritores, entusiasmó a aquellos hombres las celebridades del bulevar: Sara Bernhardt, la Patti, Gayarre y los toreros. Fueron todos admiradores del éxito y del aplauso: almas de bailarina.

Sin embargo, se consideraron muy serios: creyeron hacer un gran descubrimiento eligiendo el krausismo como sistema filosófico del porvenir, sin ver que era el más vulgar y el menos original de los sistemas filosóficos alemanes.

Si estos hombres hubieran profesado una filosofía, se hubiera dicho que eran positivistas; pero no profesaban filosofía alguna. Adoraban lo moderno; pero lo moderno cuando brillaba. De la ciencia tenían una idea un poco parecida a la que se podía tener de la magia. Indudablemente, el siglo XIX es grande, sobre todo por el desarrollo de la ciencia; pero para estos hombres, la ciencia era una engendradora de baratijas.

Les entusiasmaba el adelanto; el tipo de la época era el ingeniero, un ingeniero como el español, que, en vez de obras mecánicas, hacía versos o escribía comedias.

Adoraban lo moderno, sobre todo cuando brillaba: Edison, la torre Eiffel, las exposiciones universales. Querían hacer creer que era oro todo lo que relucía, y en su época no todo lo que brillaba era oro, ni dublé, ni siquiera purpurina.

LA VIDA COTIDIANA

La vida cotidiana, para los hombres oscuros de esta generación, no tenía gran importancia; la casa, tampoco; no la cuidaban, no les importaba, no les interesaba. Les gustaba el café, el Ateneo, la tertulia de hombres solos; eran terribles lectores de periódicos; tenían la superstición del papel impreso, y creían que un artículo de fondo era siempre algo muy serio, muy sesudo y muy pensado.

Sus amores eran el Congreso, la Prensa, el teatro; creían que con la polémica se podían aclarar los puntos más oscuros del pensamiento.

¡Pobres Newton, Kant o Riemann si hubiesen tenido que debatir sus ideas en un Congreso ante la brutalidad y la estupidez del número!

EL APARATO

Eran casi todos muy personalistas, partidarios de un caudillo; así había en ese período canovistas, sagastinos, castelarianos, zorrillistas, salmeronianos, piistas y nocedalianos.

Todo lo aparatoso les encantaba, y, principalmente, el teatro, el Congreso y la ópera. Creían que las batallas ya no se daban en los campos, sino en los salones de sesiones y en los escenarios. Ellos inventaron la palabra *cursi*; la necesitaban, porque caían en la cursilería con frecuencia.

Para ellos nunca había fracasos. Una derrota militar o política producida por la incuria, por la ligereza o por la estupidez, se convertía en seguida en algo glorioso. En el último tiempo de la Regencia, don Alberto Aguilera, con su aire de gigantón de escudo de portada barroca, manejaba a la gente del arroyo: matuteros y jugadores; movía a los estudiantes, hacia una manifestación con estandartes y banderas..., y ya estaba todo arreglado.

Esta generación tenía la idea de que antes de ellos no había nada en España; que después de ellos no iba a haber nada tampoco.

Cánovas era un monstruo, algo jamás conocido en la Historia, un hombre mucho más fuerte que Napoleón o que Bismarck; antes de Salmerón no había habido ningún pensador en España. Letamendi era Hipócrates; Pradilla, comparable a Velázquez.

LOS PERIODISTAS

¡Y qué decir de los periodistas! El maestro Moya, el maestro Vicenti, Figueroa, Cavia, Morote... A todos estos fabricantes de lugares comunes se los tenía por eminencias.

La moral de los periódicos era poco más o menos como la moral de los políticos. Durante el proceso del crimen de la calle de Fuencarral, *El Liberal* falseó deliberadamente las declaraciones de los testigos y hasta la de su mismo director, Araus, con un fin comercial, para halagar las malas pasiones de la plebe y explotarlas en su beneficio.

IDEA SOBRE ESPAÑA

Era aquélla una generación de una egolatría cómica. Les parecía a estas gentes que todo lo de su tiempo valía más que lo de los otros tiempos. Camacho era más importante que Mendizábal; Villacampa, más heroico que el *Empecinado*; Martínez Campos, más bravo que Espoz y Mina. Vivían en lo mediocre y creían estar en la gloria, en los alrededores del Olimpo y del Parnaso.

Si en España hubiera una historia seria de nuestra cultura que llegase hasta nuestros días—el libro de Altamira no creo que valga gran cosa—, probablemente se sentiría que en la última mitad del siglo XIX, en la Restauración, fue donde cayó más abajo nuestro país.

Azcárate, Peroyo y Revilla creían de buena fe que en España en los tres siglos últimos no se había producido nada de gran valor. Menéndez y Pelayo les salió al paso y les hizo ver, aunque probablemente no les convenció, de que cualquiera de los humanistas de los siglos XVI y XVII valía más que nuestras celebridades del siglo XIX, que tenían por gran mérito al saber traducir.

Estos hombres de esta generación se figuraban, no se sabe por qué, que eran inmortales; no tenían idea clara ni de España ni del mundo; con relación a España, creían que únicamente valían Cervantes y, a lo más, Calderón y Quevedo; es decir, que tenían de España la idea que habían recogido de nuestro país en cualquier manual extranjero.

En la vida práctica, para ellos, la ciudad lo resumía todo; el campo no era nada; vivir en una capital de provincia era como amputarse el cerebro, condenarse a no oír los trinos de Castelar o de Moret, a no oír cantar a Gayarre ni a asistir a los estrenos de las obras luminosas de Sellés y de Cano.

LOS PADRES

Esta generación de 1840 no guardaba buena idea de sus padres; tendían a ridiculizar el morrión; les pareció que en su tiempo habían avanzado muchísimo en el camino del liberalismo y del adelanto. No veían que sus padres, poco más o menos con la misma mentalidad que ellos y la misma escasa cultura, tenían mucho más valor y mucha más energía que ellos.

MEZQUINDAD

A pesar de su palabrería progresista y de sus aires de generosidad, hubo siempre en aquella gente, sobre todo en los prohombres, un gran fondo de mezquindad y de envidia. Sintieron gran antipatía por la generación que les iba a suceder, y se ingeniaron para cerrarle todas las puertas. Congresos, tribunas, periódicos, cátedras, escenarios, todo quedó admirablemente cerrado para los que no fueran incondicionales suyos. Jamás se vio una confabulación de igual cuquería, de egoísmo y de avaricia. El dinero, la posición, la gloria, la fama póstuma, todo lo quisieron guardar para ellos.

NEPOTISMO

Nunca se llegó tan lejos en el nepotismo. Nunca se trabajó de una manera tan cínica y tan desvergonzada por uno mismo, por su familia y por sus allegados. Este nepotismo trascendía no sólo a la política, sino a los demás órdenes de la vida. Si Montero Ríos y sus congéneres habían colocado cuidadosamente en las buenas sinecuras a sus hijos, yernos y amigos, un catedrático de San Carlos, como don Julián Calleja, hacía profesores con sus protegidos y favoritos, aunque fueran unos zoquetes.

Sobre arte no tenían idea original alguna; en su época no afirmaron ningún valor artístico antiguo, repitieron los tópicos creados acerca de los artistas de otras épocas. Les sedujo lo colosal, les gustó discutir sobre Wagner.

Hablaron con entusiasmo de Fortuny y de Meissonier, porque sus telas alcanzaban subidos precios. Se entusiasmaron con los cuadros de historia porque eran ricos y pomposos, y gustaron de la anécdota y del cuadro de género.

FALTA DE DIGNIDAD

No tenían dignidad; sus prohombres llegan cándidamente al máximo del cinismo. A Echegaray le nombran ministro de Hacienda; un periodista le dice:

—En este viejo edificio del Ministerio no estaría usted a gusto, porque es muy fresco.

Y él contestó:

—Más fresco soy yo, que acepto el ser ministro.

Moret en el Ateneo comentaba una vez unas sonatas de piano que tocaba Miguel Salvador, y aquel señor, ya viejo y de aire respetable, empleaba los latiguillos de un cómico malo para arrancar los aplausos del público. Todos estos personajes tenían el alma de cupletistas.

A esta generación no le gustaban los deportes; el único que le parecía bien eran los toros y las carreras de caballos; estas últimas porque a sus ojos le daba un aire inglés.

El campo no les decía nada; preferían siempre las diversiones de la ciudad.

Idea sobre las mujeres

Con relación a la familia, eran hombres un poco a la antigua, disfrazados con gustos modernos.

La mujer para ellos era una realidad vulgar o un tópico de retórica; no se preocupaban mucho de ella; había krausistas de los más conspicuos que se casaban con la criada. Esto parecía ser una consecuencia natural del sistema Krause; la mujer se quedaba en las oscuras funciones familiares. Si salía del círculo de tales funciones e iba al teatro, a la prensa o al libro, los hombres de aquella generación la adoraban: era la Patti, la Sara o la Pardo Bazán. Todo lo que fuera bamboila les encantaba a estos buenos señores.

Concepto de las mujeres sobre ellos

Las mujeres del tiempo no tenían antipatía profunda por el tipo de estos hombres de su generación; los miraban como a niños farsantes, petulantes, a quienes había que dejar que hablaran en la calle a condición de que obedecieran en casa. El hombre sería anticlerical entre sus amigos, pero los hijos irían al colegio de los jesuitas; el hombre haría alardes de anticatolicismo, pero la niña sería hija de María y se educaría en el Sagrado Corazón.

Pedagogía cómica

¡Qué desilusión la de aquellos hombres si vieran que hoy, al cabo de los años, no los conocemos más que por las estatuas y los monumentos, en verdad detestables, que hay en nuestras plazas y que los perpetúan con una perpetuidad parecida a la de la gripe, a la de la sífilis o a la del muermo! Probablemente los que erigieron estas estatuas pensaron en la pedagogía de la juventud, en la pedagogía propia de la Restauración. Así, el joven que viviera en Córdoba no sabría si en su ciudad nacieron Séneca, Lucano y Averroes, gentes insignificantes; pero, en cambio, sabría muy bien que allí habría nacido nada menos que el señor Barroso. El joven oscense no tendría necesidad de saber que Gracián o Goya eran aragoneses; pero tendría el alto honor de saber que era paisano del señor Camo, farmacéutico excelso que, al mismo tiempo que vendía la mejor zarzaparrilla de los montes de Aragón, caciqueaba en la provincia de Huesca con el no menos excelso periodista don Miguel Moya.

Balance de esta generación

El balance de esta generación, al parecer en su tiempo tan brillante, visto a través de los años, es de una gran miseria y de una gran pobreza. Una revolución de palabrería infecunda, una guerra civil mezquina, sin grandeza; un ensayo de República ridículo y una serie de sargentadas.

En literatura, muy poco: los libros de Castelar, hechos de encargo, la mayoría sin ningún valor; los ensayos de Cánovas, aún más mediocres y ramplones; los versos prosaicos de Campoamor, los antipoéticos de Núñez de Arce y los dramas de Echegaray, con cierta vena dramática, pero llenos de absurdos y de disparates.

En ciencia, poco o nada: las vulgarizaciones de Echegaray, las mistificaciones de Letamendi y toda esa palabrería engolada que llaman Jurisprudencia y que es el puente de los asnos, de los abogados elocuentes y campanudos. Entre toda esta obra ramplona de la época se destacan los trabajos de Menéndez y Pelayo, obra sólida, aunque sin ninguna grandeza ni ninguna amplitud de espíritu, y el tipo puro de lírico de Bécquer. En medio de toda la predicación de la época, desde los párrafos brillantes de Castelar hasta la palabrería aparatosa de Costa, no hay nada sencillo, no hay nada humano.

En la época de esta generación todo el tono de la vida española baja: el valor, las ciencias, las artes, las industrias, el saber; el traducir se considera algo extraordinario.

ESTATUAS

A pesar de la mezquina contribución de esta época a la Historia y a la cultura, los hijos, los yernos y los deudos de los hombres de aquella generación han llenado de estatuas y de lápidas con sus nombres las calles de Madrid y provincias. La aportación ha sido nula; el recuerdo quiere ser perenne. Y, sin embargo, ¡cuánto pudo hacer aquella gente! Porque hay que tener en cuenta que a esta generación España se entregó no como una mujer a su amante, sino como una golfilla a un chulo, y este chulo no supo hacer por ella más que envilecerla, empobrecerla y deshonrarla.

LA GENERACION DE 1870

La generación nacida hacia 1870, tres o cuatro años antes o tres o cuatro años después, fue una generación lánguida y triste; vino a España en la época en que los hombres de la Restauración mandaban; asistió a su fracaso en la vida y en las guerras coloniales; ella misma se encontró contaminada con la vergüenza de sus padres.

CARACTERES

Fue una generación excesivamente literaria. Creyó encontrarlo todo en los libros. No supo vivir. La época le puso en esta alternativa dura: o la cuquería, la vida estúpida y beocia, o el intelectualismo.

La gente idealista se lanzó al intelectualismo y se atracó de teorías, de utopías, que fueron alejándola de la realidad inmediata.

A pesar de esto, fue una generación más consciente que la anterior y más digna; pretendió conocer lo que era España, lo que era Europa, y pretendió sanear al país. Si al intento hubiera podido unir un comienzo de realización, hubiera sido de esas generaciones salvadoras de una patria. La cosa era difícil, imposible.

El camino de la vida pública no estaba abierto más que para los hijos, para los yernos y para los criados de los políticos. Era un mundo en el cual el único valor era la oratoria, atrincherado por hijos, yernos, amigos y criados, era imposible penetrar.

Esta generación tuvo un primer grupo de gente instintiva, indisciplinada y poco culta, que luchó con la generación anterior, y otro, culto y disciplinado, que encontró el campo más abierto e hizo una obra más pedagógica. Los tipos de esta generación fueron escritores, ensayistas, místicos y cultivadores de alguna especialidad histórica o científica.

Rechazados en casi todos los órdenes de la vida pública, los hombres de este tiempo tendieron a refugiarse en la vida privada. La mayoría de los que formamos en esta generación habíamos estudiado mal, con profesores estúpidos; pero al dejar las clases nos quedó a casi todos cierta curiosidad, cierto deseo de volver a lo que no habíamos aprendido.

Se pretendía ir a las cosas con cierto entusiasmo y buena fe; había gente que intentaba salir a flote por la energía propia y sin el auxilio de nadie; había el tipo del joven que compra libros y aprende en la soledad y se hace una cultura de especialista un poco absurda que luego no puede aprovechar.

TENDENCIAS

Los caracteres morales de esta época fueron el individualismo, la preocupación ética y la preocupación de la justicia social, el desprecio por la política, el hamletismo, el anarquismo y el misticismo. Las teorías positivistas estaban ya en plena decadencia y apuntaban otras ideas antidogmáticas.

En política se marchaba a la crítica de la democracia, se despreciaba el parlamentarismo por lo que tiene de histriónico y se comenzaba a dudar tanto de los dogmas antiguos como de los modernos.

La gente de esta generación, más ávida de lectura que la anterior, leyó mucho libro extranjero y también libros españoles; hubo cierto entusiasmo por los primitivos: Gonzalo de Berceo, el Arcipreste de Hita; hubo también entusiasmo por Gracián,

Huarte de San Juan, los místicos; se saltó por encima de la generación anterior y se buscó el formarse una idea de lo que era España dentro de sí misma y de cómo se representaba fuera de ella.

Con relación a las ideas religiosas y políticas, se empezó a creer que todo lo profesado sinceramente y con energía estaba bien; de ahí que en ese tiempo se intentara hacer justicia a San Ignacio de Loyola y a Lutero, a Zumalacárregui y a Bakunin. Esta época nuestra fue una época confusa de sincretismo. Había en ella todas las tendencias, menos la de la generación anterior, a quien no se estimaba.

En este tiempo, parte por su timidez y parte por haber sido rechazada de las actividades de la vida pública, la juventud tuvo una tendencia al germanismo, al misticismo, un apartamiento del espíritu latino; en esta época hubo joven en Madrid y en provincias que hizo un libro o dos bien y que, sin embargo, quedó en la oscuridad, sin intentar el reclamo ni el ruido. Estos tipos de solitarios, tímidos, con opiniones arraigadas, contrastan con la audacia de charlatanes de feria de la generación anterior.

Por este tiempo comienza el gusto de arreglar la casa. Hay un poco de pedantería, no cabe duda; no se quiere tener en las habitaciones cromos malos y se prefiere un grabado; se quiere conocer la tierra donde se vive; no hay ese prestigio único de París, y se siente afición al campo, a las excursiones y a los viajes pequeños. Hay cierto panteísmo.

En las ciudades, los hombres de esta generación no buscarán las plazas elegantes, de aire parisiense o madrileño; preferirán visitar los barrios antiguos, los arrabales, y estarán siempre ansiosos de encontrar lo típico y lo característico.

PREOCUPACIÓN POR LA MUJER

Otra de las manifestaciones de la mentalidad de la época es la preocupación por la mujer, preocupación excesiva; cosa lógica para quien no ve todo su ideal en la vida pública. La mujer y el amor son una obsesión para el hombre de este tiempo; la mujer tiene gran importancia, porque se espera de ella un reforzamiento espiritual. Esta mujer, que se supone que puede dar un equilibrio psicológico, es la mujer humilde, la mujer sin brillo, la mujer del hogar. La cómica y la gran dama no cuentan gran cosa para la gente de esta generación: les parece literatura.

LA ACTITUD DE LAS MUJERES

La actitud de las mujeres con relación a la juventud de la época es curiosa. A las mujeres les molesta, sin duda, que los hombres esperen tanto de ellas; tienen la idea de salir perdiendo con los hombres que exigen demasiado, como si intentaran llevarlas por un camino que no es naturalmente el suyo. La mujer es casi siempre realista, optimista y social; lo que hacen los demás tiene siempre mucha fuerza para ella, y el camino solitario del rebelde no la seduce. En el rebelde ven a un energúmeno o a un pedante.

Esta generación olvida a los padres y honra más a los abuelos. El primer grupo de ella queda aislado como una sustancia insoluble en el medio social y va desapareciendo y disgregándose; el segundo grupo, con cierta tendencia pedagógica, intenta influir en los jóvenes, y de hecho influye en ellos; ni uno ni otro grupo tienen antipatía por la juventud del día.

CUESTIÓN DE ARTE

En cuestión de arte se aquilatan las obras de la pintura antigua; no se deja en paz prestigio alguno sin examinarlo y agitarlo. Murillo baja para ellos de categoría; en cambio, suben el *Greco*, Zurbarán y Goya, y se conserva y aumenta la fama de Velázquez. Pintores de principios del siglo XIX, oscuros y desconocidos, se aprecian y gustan; otros de gran fama en su tiempo, como Fortuny, Pradilla y Casto Plasencia, se olvidan y se desdeñan.

Se cultiva el cuadro de género, el de tipos, sin composición, un poco insípido, con figuras como fotografías y el paisaje impresionista.

Hay también mucho sentimentalismo lacrimoso en esta época, no cabe duda. El modernismo está cargado con esta nota sentimental. Es el reinado de Maeterlinck en Europa, y en España, el de Benavente, el de Rusiñol y el de Martínez Sierra. Lágrimas, misterios, sacrificios, modestias, rincones de tristeza del alma, flores blancas y hasta flores cordiales.

Este modernismo sentimental y lacrimoso consiguió, ¡cosa rara!, en arquitectura y en mobiliario, hacer una mezcla vienesa-catalana, lo más feo que se ha hecho en el mundo. Feo, incómodo y sin consistencia.

Cualquiera hubiera dicho que para construir las sillas los carpinteros de entonces, en vez de emplear una buena madera, sólida, empleaban las flores blancas y los rincones de tristeza de su alma.

La gente de este tiempo no tuvo en bloque tanto entusiasmo por el teatro y por la ópera como sus padres; muchos no iban al teatro.

No practicaron ningún deporte.

La boga de los deportes les llega a destiempo.

PESIMISMO

Muchas acusaciones y reproches se hacen a esta generación, algunos justos, otros absurdos; uno de ellos es el del pesimismo. Se dice que esta generación ha sido pesimista, cosa cierta; pero este pesimismo no ha sido perjudicial para el país, sino todo lo contrario; gracias al pesimismo de estos últimos treinta años se ha intentado mejorar una porción de errores y de vicios de nuestra vida social, y en parte esta mejora se ha realizado.

TENDENCIA APOLÍTICA

Otro reproche a la generación ha sido su tendencia apolítica. En un artículo de Luis Morote, de hace años, en que se hablaba de esta generación, se decía que tendría más o menos mérito literario, pero que no había hecho nada por evitar la guerra de Cuba. Esta simpleza se ha repetido hasta la saciedad, como si el escritor tuviera necesidad de ser político y como si en esta época lejana de la guerra de Cuba los políticos viejos hubieran dejado intervenir en la cosa pública a los hombres de veintitrés y veinticuatro años.

Muchas veces se repite este absurdo.

El escritor no debe más que escribir; si el político encuentra algo aprovechable en su obra, lo debe aprovechar; claro que para eso es necesario saber leer, y el político español, si es que ha sabido leer, es ejercicio que no ha practicado apenas.

MISOGINIA

Otro reproche se hizo a esta generación: el de la misoginia. La curiosidad por la mujer verdadera hizo que la generación anterior a la nuestra, que no tenía más que el tópico literario sobre la mujer, creyera que la generación de 1870 era en gran parte misógina. Recuerdo una charla que tuvimos en una redacción de un periódico, *El Globo*. Formábamos parte de esta redacción, hace veinticinco años, *Azorín*, Pinillos, Oteyza, yo y algunos otros. Una noche de primero de año el propietario, por entonces don Emilio Riu, nos dijo: «Hoy no se trabaja, ya está concluido el periódico; tienen ustedes la noche libre. Pueden ustedes irse de juerga.» Unos a otros nos preguntamos: «Usted, ¿qué va a hacer?» «Yo me voy a la cama.» «Yo también me voy a la cama.» Todos, con unanimidad, íbamos a acostarnos.

Entonces saltó un redactor ya viejo, el señor Serrano de la Pedrosa, y dijo que era un absurdo, una vergüenza lo que decíamos; en su tiempo, según él, cuando un periodista joven tenía una noche libre, iba al teatro o al baile, a cenar, con una muchacha guapa y elegante del brazo.

—¿Y ganaban ustedes como nosotros?—le preguntó alguno.

—Menos; diez o doce duros al mes.

—¿Y con diez o doce duros al mes vivían y sostenían una mujer?

—No nos costaba nada, y éstas nos daban dinero.

—Pero eso pasa ahora también con los chulos—dije yo.

El hombre se indignó, porque afirmó que yo le insultaba, y es que comprendía, cuanto más quería explicarse, que el joven con diez o doce duros al mes y una mujer guapa y elegante al brazo, a quien llevaba a cenar, es un tópico literario, pero no una realidad.

Casi todo el donjuanismo español es así: pura imaginación.

Don Juan Valera, que pretendía conocer la vida—yo dudo mucho que haya nadie que la conozca íntegramente—, decía que el poeta Bécquer había tenido la pretensión de que las mujeres lo quisieran por su linda cara, y añadía: «Yo no he conocido a ningún hombre pobre que haya tenido éxito con las mujeres.» Y es natural; habrá habido hombre pobre que haya tenido éxito con una mujer, pero con muchas, difícilmente. Don Juan no puede ser más que un hombre rico y un desocupado.

HOMOSEXUALISMO

Otro reproche que se hizo a esta generación fue que en ella se daba con más frecuencia que en las anteriores el homosexualismo. Esta acusación ridícula se acentuó, y, con la natural pedantería española, se llegó a decir que el instinto sexual normal era una cosa rara en el tiempo. Según López Silva y sus amigos, esteta era sinónimo de pederasta; esta insólita opinión de un buen burgués, tenedor de libros, tuvo algún crédito.

Cierto que algunos de los escritores notables de este tiempo eran tachados de homosexualidad. En la generación anterior se tachaba de lo mismo a Castelar, a Carvajal, a Cañete y a otros menos ilustres. La verdad de la acusación es cosa que nos interesa poco, y únicamente la Policía podría saber hasta dónde llegaba su exactitud.

POLÍTICA

Lo curioso del caso es que, al mismo tiempo que se acusaba a voz en grito de homosexualismo a algunos Petronios de nuestra generación, tenidos como aficionados, se acusaba sotto voce de lo mismo por sus contemporáneos y conocidos a un escritor que para el gran público era la representación más genuina de la energía y de la virilidad; me refiero a Mariano de Cavia.

Como en todo en el fondo hay política (hay autores que han defendido que las tragedias griegas son principalmente política), la aberración supuesta de los unos se exhibía y se comentaba con fruición en los periódicos y en los cafés; en cambio, la del otro, supuesta o real, se ocultaba con amore.

El homosexualismo, como índice de decadencia, como producto de ideas más o menos disociadoras, es una preocupación. El homosexualismo es una pequeña equivocación de la sabia Naturaleza, que se ha dado y se sigue dando en todos los medios y en todas las razas y en todas las categorías sociales; desde el príncipe de sangre real hasta el limpiabotas. Abarca todas las profesiones: lo mismo las civiles, que las militares, y que las eclesiásticas.

La cuestión tiene poco interés, pero conviene aclararla e impedir que sirva de arma de combate a los buenos burgueses, a los tenedores de libros y a los horteras.

GOLFERÍA

Esta generación nuestra, acusada de muchas flaquezas imaginarias, padeció, a consecuencia de su manera de ser, un vicio, que tuvo una denominación completamente expresiva: la golfería.

Al encontrarse, a fines del siglo pasado y principios de éste, probablemente por el vacío hecho por los políticos a todos los que no fueran sus amigos y quizá también por la pérdida de las colonias, que, naturalmente, restringió el número de empleados en España; al encontrarse, decimos, tantos hombres jóvenes en las proximidades de los treinta años sin oficio, sin medios de existencia y sin porvenir, se desarrolló, principalmente en Madrid, una bohemia áspera, rebelde, perezosa, maldiciente y malhumorada.

Era lógico que así fuera. No se veía salida alguna, no había manera de resolver la existencia. La vida perezosa de noctámbulos, el pasarse horas y horas en un café, maldiciendo de todo y de todos, desarrolló la golfería, y con ella, el alcoholismo, la suciedad y la falta de higiene. El bohemio se trasladó fácilmente, en su decadencia, del café a la taberna, y de la casa de huéspedes al hospital.

La gente identificó con su instinto certero el merodeador de las afueras con el perezoso del café; vio que entre ellos había algo común, y a los dos los llamó golfos.

—¿Quiénes son ésos?—se preguntaba en un café, señalando un grupo de personas.

—Son escritores. que se pasan la noche hablando; unos golfos.

A la pereza, al alcoholismo, a la maledicencia y a la inutilidad, para vivir ordenadamente, se unió el misticismo por el arte y esa rebeldía cósmica que venía en el aire con la tendencia anarquista. Se formaron tipos decadentes, que duraron poco, porque fueron muriéndose alcohólicos y tuberculosos en los rincones.

Se puede decir de esta generación de 1870 que, si hizo daño, se lo hizo, principalmente, a sí misma. No pudo perjudicar al mediosocial, porque no llegó, con raras excepciones, a ocupar ningún puesto importante en las esferas oficiales.

EL TONO AGRESIVO

Si algo desacreditó a esta generación fue su tono agresivo.

En un libro que acaba de publicar Salaverría, titulado *Retratos*, se abomina del tono que emplearon los literatos jóvenes de aquel tiempo, cuando Echegaray fue premiado con el premio Nobel y festejado por el Gobierno. No creo que deba chocar este tono. El tono de los escritores entonces jóvenes es el tono de los rechazados. La juventud, y más una juventud como la de aquella época, obligada a estar en los extramuros, es siempre agresiva.

Además, el pecado no era tan grande. Negar a Echegaray, que tenía, indudablemente, algunas condiciones dramáticas, no es un gran crimen; no es negar a Cristo, ni a Sócrates; es, a lo más, regatear condiciones de dramaturgo a un Scribe o a un Sardou.

Más extraño es que hombres como Cánovas, en la plenitud de la fama y del poder, dijeran las tonterías que dijeron sobre Stendhal, sobre Zola, sobre el mismo Regoyos; es más extraño que los críticos serios disparatasen, hablando de Ibsen, y que Valera no comprendiese absolutamente nada el valor de Tolstoi y el de Dostoyevski.

La gente de aquella generación no fue tan irrespetuosa como se ha querido decir. Nadie criticó a Menéndez y Pelayo; únicamente yo he dicho mi opinión, en parte desfavorable, sobre él, sin reparos; se tuvo una devoción por Galdós, un tanto supersticiosa; Campoamor y Valera fueron elogiados constantemente por los jóvenes de aquella época, y no se intentó desenmascarar y poner al descubierto en la obra de Costa todo lo que hay en

ella de superficialidad, de vulgaridad
y de ridícula soberbia.

¿QUÉ QUEDARÁ DE ELLA?

¿Qué quedará de esta generación?
Difícil es saberlo todavía. No ha habido crítica bastante independiente
que haya podido prescindir de amistades, de compromisos, etc.; no se
sabe aún, de una manera positiva,
qué es lo que ha dado de sí este tiempo. Ha habido en él una producción
de obras científicas, de ensayos, de
novelas, de poesías y dramas que no
están todavía bien contrastados. En
cantidad, aunque quizá no en calidad, ha habido crítica abundante para las obras del teatro, poca para el
libro y ningun para la obra científica.

—Es que ha pasado el momento de
la literatura—me decía un accionista
de periódico.

A mí esto me da risa, porque lo
mismo se podía decir en tiempo de
Homero, de Cervantes y de Dostoyevski.

El periódico se ha separado, en
nuestro tiempo, del libro; se ha hecho industrial; no quiere emplear
sus columnas en hablar de autores;
preferiría con mucho hablar de los
políticos y de los grandes industria-

les. Naturalmente, la política y la
gran industria pueden hacer favores;
los escritores no pueden hacer ninguno.

¿Quedará algo del trabajo de estos
treinta años, o no quedará nada? A
mí, particularmente. no me chocaría
que quedara algo; tampoco me chocaría que no quedara nada. El porvenir dirá, si vale la pena, *l'ardua
sentenza*. No hay que confiarse en las
famas. Los que andamos con frecuencia en las librerías, sobre todo en las
librerías de viejo, estamos asistiendo
en estos últimos años al desmoronamiento de la popularidad de la obra
de Galdós. Cada día se van vendiendo menos sus libros, y, sin embargo,
pocos escritores han tenido en España más fama y han hecho más política alrededor de su nombre. La fama
de Galdós, que se pierde en el público, sigue en los periódicos, que
casi todos ellos tienen un tradicionalismo lacrimoso de viudas inconsolables, y nos recuerdan los aniver-
sarios de todos los políticos y periodistas muertos, aun los más insignificantes, con un celo que tiene algo
de empresa funeraria.

No hay que hacer mucho caso ni
de las famas, ni de los elogios, ni de
los vituperios. El porvenir dirá su
última palabra, si le interesa decirla.
A i posteri l'ardua sentenza.

LA GENERACION DE 1900

Los jóvenes nacidos al alborear el
siglo han visto, en plena adolescencia, la explosión de la guerra. Han
podido vislumbrar lo que había dentro de una civilización que parecía
tranquila y humana. Han podido
comprobar que el cristianismo, con

sus veinte siglos de dominación, no
tiene eficacia alguna para traer la
paz; no ha pasado, en su misión, de
bendecir los ejércitos y las banderas
y de cantar los *Te deum*; han visto
que el socialismo ha sido perfectamente inútil para impedir la guerra.

Han pasado ante sus ojos la lucha en las trincheras y la submarina, el bombardeo de París por los cañones «Berta», el bloqueo de Alemania, las Repúblicas ejerciendo la dictadura más despótica, los reyes y duques de Alemania echando a correr, sin que nadie los amenazara ni persiguiera, y el emperador Guillermo, el gran histrión, incapaz de un bello gesto en el peligro, corriendo con sus maletas, cargadas de oro, a meterse en el extranjero.

Toda la mezcla de brutalidad, de farsa, de histrionismo y de fraseología pomposa que fue la guerra, pasó, sin cambiar apenas las condiciones de la vida. Estos jóvenes que han visto esto no es fácil que sean muy susceptibles de creer en utopías. Tienen la alegría del que sale a la luz del sol del fondo de un túnel negro y maloliente.

ORIENTACIÓN PRÁCTICA Y ALEGRÍA

Estos jóvenes se preparan para la vida utilizando, naturalmente, los elementos de la época con una orientación practicista.

Han sido mejores profesores que los hombres de la generación anterior; nadie les ha estorbado ni se les ha puesto al paso. Se han orientado en una tendencia muy moderna; saben idiomas y se van preparando para cosas prácticas.

Algo que parece característico de esta generación que comienza a vivir es la alegría, una alegría que no tuvieron sus padres ni sus abuelos. Hay en la juventud actual optimismo; hay la idea de que todo el que trabaja consigue lo que se propone; idea que no es fácil saber si es del todo cierta, pero que, indudablemente, es una convicción muy conveniente y alentadora.

Se cree, o por lo menos se hace como que se cree, que todo el mundo tiene en parte su merecido en la tierra. A esto se añade el pensamiento, convertido en consigna, de que hay que trabajar mucho para ganar mucho y gastar mucho.

Esta moral práctica no puede ir acompañada de preocupaciones éticas muy sutiles. Las sutilezas éticas no parece que impresionan mucho a nuestros jóvenes. El sentido práctico se impone y se extiende; empieza a haber ingenieros que prefieren hacer obras de ingeniería que no versos o comedias, y médicos que prefieren también un estudio clínico a ecuaciones sobre la vida o a libros que se ocupen de ontología médica.

LA POLÍTICA

Con respecto a la política, se ve que la juventud actual es indiferente, por lo menos a las cuestiones inmediatas. Parece que notan, los que actualmente son jóvenes, que tendrán que gobernar alguna vez; pero no sienten prisa, y piensan, sin duda, que esto será obra de mucho tiempo.

Es indudable que todas las utopías democráticas han quedado galvanizadas por la guerra, y, sobre todo, por la Revolución rusa. Ya hoy las posiciones intermedias no tienen valor.

Así, el radicalismo parece sólo una cosa retórica. Esta misma indiferencia de los jóvenes, con relación a la política, se nota que existe también con relación al clericalismo. Se ve que el clericalismo, en España, no es tan agudo ni tan despótico como antes; pero que tiene vida aún, y los jóvenes que, sin duda, no quieren perder sus fuerzas luchando con molinos de viento, lo aceptan, lo dejan pasar.

582   OBRAS COMPLETAS DE PÍO BAROJA

RESPECTO A ESPAÑA

Respecto a España, se nota que la miran sin exageración. Ya ven que el ritmo de España es más lento que el de los países de la Europa central y norteoccidental; pero si esto lo sienten como una desgracia, no intentan consolarse con frases retóricas, como sus abuelos, ni se entristecen al ver su impotencia de remediar el mal rápidamente, como sus padres.

PREOCUPACIONES ARTÍSTICAS

La juventud actual no tiene aire de juventud artística. En los jóvenes hay afición, pero no hay misticismo por el arte. Parece que en esto esta generación ha reaccionado, y así como a los jóvenes no les quitan el sueño las preocupaciones éticas, tampoco están pendientes exclusivamente de las estéticas.

No creo que la juventud actual se sienta representada por un poeta dadaísta ni por un pintor cubista. La mayoría de los jóvenes se burlan de esas manifestaciones de una extravagancia comercial y no les dan mucha importancia. Tampoco creo que presten mucha atención a esas entelequias de mala sombra de Pirandello.

Con estas ideas relativistas, los jóvenes son rebeldes; la bohemia les parece ridícula, y ser llamados golfos lo considerarían, y con razón, como un insulto. Estos jóvenes no tienen ningún doctrinarismo; son, en su mayoría, elegantes, cuidadosos; visten bien, tienen preocupaciones de higiene, no son vegetarianos ni antialcohólicos, beben cuando llega el caso; pero no son borrachos, y poseen, como fondo de su personalidad, gran estimación por sí mismos.

Con relación a la generación ante-rior, tienen un trato cordial. Miran a sus padres como hombres un poco absurdos, exagerados y románticos; pero no les profesan antipatía, porque tampoco les estorban en nada. El joven actual no es respetuoso con el viejo, en lo cual, probablemente, tiene razón; lo cree inferior, y es verdad; casi siempre lo es.

RELACIÓN CON LAS MUJERES

Con la mujer tienen más amistad, más camaradería que sus padres; viven una vida más social y no tienen el misticismo por el eterno femenino que a sus padres les impelía a hacer una porción de necedades. El trato frecuente con la mujer, el baile, la conversación, el automóvil y sus impresiones, quizá las imágenes del cinematógrafo, les impide este misticismo. Les impide, probablemente también, la agudización de la sensualidad.

Las mujeres, a su vez, se entienden con este tipo de hombres de la nueva generación, que han hecho revivir algo de la manera de ser del siglo XVIII, mejor que sus madres con sus padres y sus abuelas con sus abuelos.

A las mujeres de hace sesenta años, los discursos políticos de sus maridos o de sus pretendientes les parecían verdaderas necedades; a las mujeres de hace treinta, las poesías verlainianas o los análisis psicológicos de sus galanteadores se les antojaban perfectas majaderías. En cambio, las hazañas deportivas de los hombres de hoy las encantan. En mi tiempo, las mujeres eran como plazas fuertes, atrincheradas y amuralladas. Llevaban un corsé que era como la muralla de la China o el baluarte de Verdún. Si por casualidad uno ponía la mano en su talle, encontraba una coraza tan dura como la que podía llevar a las cruzadas Godofredo de Bouillon. Si uno pretendía entrar en relación con uno de aquellos Verdún vivo, le contestaban durante varios días o semanas sí o no, como Cristo nos enseña.

Hoy, las mujeres se han humanizado en sus ideas y en su indumentaria. El joven que las sujete por el talle para bailar con ellas, o por cualquier otro motivo, no nota la muralla de la China ni el baluarte de Verdún, sino algo más blando y agradable.

Sin duda, las mujeres ya no están en pie de guerra, o, si lo están, lo están de otra manera. Han echado el corsé a las zarzas, y hablan, bailan y fuman.

Las mujeres han esperado a esta época para destaparse. Sin duda, tenían guardada esta aspiración de masculinidad de energía, que, al fin, han manifestado.

Hay que pensar que los hombres de las anteriores generaciones no han comprendido a las mujeres, y quizá los hombres de la actual las han comprendido, porque las han idealizado poco, las han tratado de igual a igual.

El joven de hoy que conversa con las muchachas como con un camarada, que no sólo baila, sino que aprende a bailar, como una cosa seria, y que practica el deporte, no puede tener ideas trascendentales, ni tampoco un erotismo agudo...

EL DEPORTE

Todo esto que voy indicando daría la impresión de una juventud un poco banal, un poco vulgar, un poco sensualista, si no tuviera algo fuerte que le da carácter. Este algo fuerte es el deporte. El deporte y la mecánica

es lo que caracteriza la juventud actual. El joven de hoy tiene algo del aviador y del mecánico.

El aviador es como el *summum* del deportista. Tiene que tener la cabeza fuerte, los nervios de acero. No puede ser un hombre distraído, ni un místico, ni un fantástico; no puede ser un hombre sensual, devorado por un espejismo voluptuoso; tiene que apoyar los pies en la realidad, tener las manos en el volante, y, llegado el caso, ser valiente, ejecutivo, frío y rápido.

El gusto por el deporte, por las excursiones, por el alpinismo, ha ido dando el temple a la juventud, y este temple aumenta por días.

EL JOVEN BURGUÉS Y EL JOVEN OBRERO

No es sólo el joven burgués el que ha adquirido estas condiciones, sino también el joven obrero. Una de las cosas importantes que ha conseguido el socialismo en Madrid ha sido extirpar la chulapería del pobre.

Este joven obrero, que no tiene la chulapería, muy frecuente en sus ascendientes, y que es, además, fuerte, deportista y mecánico, está a la misma altura que el joven burgués; forma con él como una clase superior, que se caracteriza por la energía y por la inteligencia, la clase superior que en breve plazo ha de ponerse al frente de la sociedad.

Nuestros padres fueron retóricos y hueros; nosotros fuimos tristes, sentimentales y sin brío; estuvimos aplastados por la miseria de la época, por el mal concepto que tuvieron de nosotros y por la banalidad aparatosa y charlatana de nuestros ascendientes.

Es evidente que los jóvenes de hoy

van teniendo una actitud ante la vida un poco más profunda y más digna que la de sus abuelos, y un poco más sonriente que la de sus padres; esta juventud que se presenta, de pu-ño fuerte y de cabeza fuerte, ha de intervenir alguna vez en la vida social, sin respeto por la pesadumbre tradicional, con una energía que puede ser la salvación del país.

FIN DE «TRES GENERACIONES»

ENSAYOS

*

INTERMEDIOS

1931

ENSAYOS

INTERMEDIOS

1931

ALLEGRO FINAL

(FANTASÍA DE UN DÍA LLUVIOSO DE NOCHEBUENA)

I

ENEMISTAD CONYUGAL

EN el comedor de una casa burguesa de Madrid. Hay un aparador de nogal con copas, tazas y algunos objetos de porcelana y de plata; en medio, una mesa puesta, con su mantel blanco. Encima de ellas, una lámpara eléctrica, de la que cuelga por un flexible el timbre. En la pared, algunos cuadros medianos. En el suelo, una alfombra, un tanto desteñida.

La habitación tiene un balcón con cortinillas en los cristales y cortinas oscuras hacia dentro. Es día de Nochebuena. Las dos de la tarde. De la calle se oyen voces agudas y destempladas de chiquillos que cantan y gritan y tocan el tambor y la pandereta.

En el comedor están sentados don Eduardo y doña Luisa, su mujer. Don Eduardo tiene sesenta años; su mujer, doña Luisa, cincuenta y cuatro. Don Eduardo lleva la barba y el pelo teñidos. Es de mediana estatura, la cara arrugada, debajo de los ojos bolsas moradas. Doña Luisa tiene aire marchito y avinagrado, la cara muy empolvada, los dientes postizos; lleva un peinador blanco.

Doña Luisa.—(A su marido.) ¿Has hecho la visita en el hospital?

Don Eduardo.—No; iré por la tarde.

Doña Luisa.—¿No habrás estado tampoco en la Sociedad de Seguros?

Don Eduardo.—No.

Doña Luisa.—Pues te han avisado.

Don Eduardo.—¡Qué se va a hacer! No he podido. ¡Me he levantado tarde!...

Doña Luisa.—¡Claro! Te acuestas a unas horas...

Don Eduardo.—Es que no puedo dormir. ¿Qué voy a hacer? Empezaba a dormirme, y me ha dado la tos..., y se acabó. He tenido que tomar una de esas tabletas que tienen morfina, y aun así no he conseguido dormir.

DOÑA LUISA.—Debías ir a casa de Zabaleta, a ver qué te dice.

DON EDUARDO.—¡Qué me va a decir! Nada. Yo ya sé lo que tengo.

DOÑA LUISA.—Sí, tú todo lo sabes... Otros médicos que saben tanto como tú van a los especialistas... Si tú no quieres ir adonde Zabaleta, vete a ver a García Moreno.

DON EDUARDO.—¿Para qué? Ese no vale nada. Es un farsante.

DOÑA LUISA.—Sí, para ti todos son farsantes; pues García Moreno tiene mucha fama y gana mucho dinero; por algo será.

DON EDUARDO.—¡Bah!... La visita y el ganar dinero no significa nada para tener ciencia.

DOÑA LUISA.—Para ti nada significa nada. Mucha soberbia es la que tú tienes... Así te va. ¿No quieres comer más?

DON EDUARDO.—No; no tengo ganas. (Se levanta de la mesa.)

DOÑA LUISA.—¿Qué vas a hacer ahora? No irás a echarte a dormir.

DON EDUARDO.—Sí, voy a echarme a dormir.

DOÑA LUISA.—Luego dirás que no duermes de noche.

DON EDUARDO.—Y es verdad. ¿Qué voy a hacer, hija? No tengo sueño de noche. Ahora, en cambio, se me cierran los ojos.

DOÑA LUISA.—¿Dónde vas a cenar?

DON EDUARDO.—Tomaré algo en el café.

DOÑA LUISA.—Ten cuidado; no bebas.

DON EDUARDO.—No beberé. Ya comprendo el daño que me hace. ¿Tú vas a casa de tu hermana?

DOÑA LUISA.—Sí. ¿Tú no querrás ir?

DON EDUARDO.—¿Para qué? Allí me aburro. Hoy no se puede hablar con jóvenes.

DOÑA LUISA.—¿Por qué?

DON EDUARDO.—La juventud es muy buena para ella misma; para el viejo es fría, indiferente y cruel.

DOÑA LUISA.—¿No lo hemos sido nosotros?

DON EDUARDO.—Claro que sí; cuando éramos jóvenes seríamos lo mismo que ellos.

DOÑA LUISA.—Entonces no hay que quejarse.

DON EDUARDO.—Quejarse es el recurso del fracasado, del vencido, del viejo..., y yo lo soy... Bien; me voy a dormir un rato.

DOÑA LUISA.—¿Así que no vas a casa de mi hermana?

DON EDUARDO.—No, no voy.

DOÑA LUISA.—Haz lo que quieras.

DON EDUARDO.—Es lo que pienso hacer.

DOÑA LUISA.—(En un arrebato de dolor.) ¡Qué casa la nuestra, Señor! ¡Qué hogar!

DON EDUARDO.—¿De quién es la culpa? De la suerte. de la casualidad, del hado adverso..., del fatum... Tú también te vas.

DOÑA LUISA.—Me voy, porque no quiero estar sola en casa. Me paso los días llorando.

DON EDUARDO.—Bueno, bueno. ¿Para qué vamos a reñir ni a discutir? Hemos discutido muchas veces esto, y no hemos llegado a un acuerdo.

II

EN EL DESPACHO

Don Eduardo sale del comedor y entra en su despacho de médico. Es un cuarto con dos balcones, unas anaquelerías de cristal con diversos aparatos, dos armarios llenos de libros encuadernados; en las paredes, varios cuadros y una gran fotografía de los médicos que acabaron la carrera en San Carlos en 1893, rodeando a los profesores, retratados éstos de una manera teatral, con togas y birretes. Entre los alumnos se ve a don Eduardo con una barbita ligera en punta, el pelo abundante y un poco de tupé. El despacho del médico tiene el aire de estar un tanto abandonado. Don Eduardo se tiende en un diván y se echa una manta a los pies.

Don Eduardo —Mi mujer siempre está lo mismo, quitándome ánimos, esperanzas. A deprimirme, a entristecerme. ¡Qué intención más antipática y más odiosa! Luego dice que me quiere. Me quiere reventar. Yo no puedo vivir aplanado. Me moriría. Soy viejo, nadie me hace caso. Los demás son más listos que yo. Los jóvenes no se ocupan de mí. Sí, sí; ya lo sé, doña Perpetua; pero yo me rebelo contra todo esto. Mi mujer es muy cuidadosa; pensará siempre en el sombrero, en los puños, en el papel de la habitación que se ha roto o que se ha ensuciado; pero en mí no piensa... No me duermo... Si me pongo a pensar estas cosas, no me voy a dormir. Antes, ¡cómo me gustaba este cuarto, mi despacho! Me encontraba aquí tan bien... Leía libros, leía revistas en inglés y en alemán, con ayuda del diccionario. Ahora este cuarto me rechaza. Esta angustia me mata; yo no sé si será de origen cardíaco o puramente neurósica...; pero me mata.

(Don Eduardo da vueltas y más vueltas en el diván, y, al último, se queda dormido.)

III

SUEÑOS

Don Eduardo oye que llaman por teléfono. Preguntan si está él en casa solo.

Don Eduardo.—Me avisan por teléfono. ¡Qué raro! Había quitado el teléfono; pero lo habrán vuelto a poner estos días. ¡Eh! ¿Quién es? No oigo... Fifí..., Fifí..., que viene...; bueno, bueno, que venga.

Fifí.—*(Entra.)* Soy yo, Fifí. Vengo a que reconozca a esta muchacha, que es sobrina mía.

(Fifí tiene un color de hoja marchita y unos ojos rodeados de círculos negruzcos. Se le transparentan los huesos. La sobrina de Fifí, Rosarito, es una muchacha preciosa.)

Don Eduardo.—Que se siente la muchacha aquí y que se quite la ropa; ahora la reconoceré.

(La muchacha descubre el pecho y la espalda.)

Don Eduardo.—*(Contemplándola.)* ¡Qué cuerpo! ¡Qué piel! Parece de raso.

(Don Eduardo toma un estetóscopo y ausculta a la chica. Oye un ruido terrible, extraordinario, como de catarata. Jamás ha oído nada semejante. Mira a la muchacha. Ella sonríe. Mira a Fifí, y la encuentra vieja. De pronto, al verla reflejada en un espejo, le da la impresión de que Fifí, en vez de cabeza tiene una calavera.)

Don Eduardo.—¡Nunca había visto nada tan raro!

El Yo oscuro —Todas éstas no son más que fantasías, sueños.

Don Eduardo.—Me choca ver a Fifí tan vieja y con esa cara de calavera. No es tan vieja. Tendrá mi edad.

Fifí.—*(Hablando con voz ronca.)* Y esta chica, ¿qué tiene?

Don Eduardo.—Esta chica tiene un soplo en el vértice del pulmón derecho.

Fifí.—¿Y es un soplo fuerte?

Don Eduardo.—Es un huracán. Que vaya a ver a Zabaleta... Le vendrá bien el ir a la sierra durante seis o siete meses, en la primavera.

Rosario.—¿A la sierra? No; prefiero morirme. Es más divertido.

Don Eduardo.—(A Fifí.) No le dejes que haga imprudencias.

Fifí.—No sé si podré con ella.

Don Eduardo.—Es el carácter de la juventud el no cuidarse de nada. El estar enfermo parece una gracia, y la idea de morirse da risa.

Fifí.—Si es así, no lo vamos a arreglar nosotros. Hoy vamos a ir a cenar al Ritz. Vete allí.

Don Eduardo.—Ya veré. ¡Estos días son tan desagradables! Empieza la noche tan pronto...

Fifí.—¿Y qué haces? No se te ve.

Don Eduardo.—Tenía un hijo que estudiaba Medicina, y se suicidó. ¿Por qué se mataría este muchacho? Parecía siempre contento. Era buen estudiante, y no tenía motivos de pena..., y, nada, en este gabinete próximo, una mañana le vi muerto, envenenado con unas pastillas de cocaína que había tomado de este estante... (Don Eduardo comienza a sollozar.)

Fifí.—¡Vamos, Eduardo! ¡Por Dios! Sé un hombre.

Rosario.— ¡Qué viejo más chusco!

Don Eduardo. — (Protestando.) ¿Por qué me llamas tú chusco? ¿Tú crees que vas a ser siempre como ahora? No. Tú también te harás vieja y se te notarán los huesos como a tu tía.

Fifí.—Muchas gracias por la manera de señalar.

Rosario.— ¡Qué necedad!

Don Eduardo.—¿Tú crees que es necio que un padre se lamente de la muerte de su hijo?

Fifí.—Bueno, Eduardo; no seas así.

Don Eduardo.—¡Cómo voy a ser! Como soy. Luego, mi mujer, doña Perpetua, así le llamo yo en broma, no para en casa; está siempre con su hermana. No se ocupa más que de cosas pequeñas: de hacer visitas, de limpiar la plata y de cepillar el sombrero. No nos unía fuertemente más que el chico. Ahora no nos une nada. Yo he tenido la culpa. Lo reconozco. Sobre todo después de la muerte de Eduardito, perdí los estribos, jugué el dinero, bebí, anduve de juerga...

Fifí.—(Indiferente.) Pues eso te queda, chico.

Don Eduardo.—Si me hubiera casado contigo...

Fifí.—Sí. Hubiéramos sido Pablo y Virginia, o quizá los amantes de Teruel.

Don Eduardo.—Tú eras muy coqueta.

Fifí.—Y tú querías que tu mujer tuviera algún dinero.

Don Eduardo.—¿Sigues tan alegre?

Fifí.—Sí, como unas castañuelas.

Don Eduardo.—¿Cantas aquellos cuplés franceses?

Fifí.—Sí, cuando me duelen las tripas.

Don Eduardo.—(Aparte.) ¡Qué desvergonzada está! ¡Qué cinismo! Ahora todo el mundo me da de lado. No tiene uno más entretenimiento que beber un poquillo y leer unos folletines que me presta mi amigo don Martín, el ingeniero. Además, para mayor delicia, está uno desahuciado. El doctor Zabaleta me ha reconocido, y me ha dicho: «Chico, si no te cuidas, esto va mal.»

Fifí.—(Indiferente.) Todos tenemos algo; los años no pasan en balde. Así que de esta muchacha, ¿qué me dices?

Don Eduardo.—Que se vaya a la sierra... en la primavera. Le dará el sol, y se pondrá aún más guapa.

Rosario.—(Riendo.) No, no; prefiero morirme; tengo muchas cosas que hacer aquí.

Don Eduardo.—*(A Fifí.)* Que no haga disparates.

Fifí.—No se si podré con ella. Vamos, buenas tardes. ¡Adiós, Eduardo!

Don Eduardo.—¡Adiós!

IV

EL HOMBRE DESPIERTA

Don Eduardo.—*(Desperezándose.)* ¿Y todo esto no ha sido más que un sueño? Es raro; me ha dejado tanta impresión como si fuera la realidad. ¡Y qué guapa era la muchacha! No le importaba vivir o no. ¿Y Fifí estará, realmente, como la he visto en este sueño? Está verdaderamente horrorosa. Parece mentira que la edad pueda hacer tales estragos. ¡Y qué guapa era! Aquel Bustamante me disuadió de que me casara con ella, diciéndome que Fifí había tenido muchos novios antes de conocerla yo, y que hasta decían que había tenido un chico. Si me hubiera casado con ella, ¡quién sabe lo que me hubiera ocurrido! ¡Quizá hubiera sido mejor, quizá peor aún! Son las oscuridades del Destino. ¿Qué hora será? Las cinco. *(Se levanta y se asoma a uno de los balcones.)* ¡Qué tiempo más feo! Ya es de noche. Me voy a poner los chanclos y me voy a ir al café. *(Saliendo al pasillo.)* ¡Ramona!

Ramona.—¿Llamaba el señor?

Don Eduardo.—Probablemente cenaré fuera de casa. ¿La señora se ha marchado ya?

Ramona.—Sí; ha dicho que cenará con su hermana.

Don Eduardo.—Y ustedes, ¿qué van a hacer?

Ramona.—Nosotras, la Nicolasa y yo, vamos a ir a casa de la Benita.

Don Eduardo.—¿Ya le han pedido ustedes permiso a la señora?

Ramona.—Sí, señor.

Don Eduardo.—¿Así que esta noche no habrá nadie en casa?

Ramona.—Nadie.

Don Eduardo.—Bueno, bueno. Está bien. Déme usted el llavín.

Ramona.—Aquí lo tiene usted.

V

REPROCHES A LOS AMIGOS

Don Eduardo se pone las botas, luego los chanclos, un gabán, la bufanda y un paraguas; baja las escaleras y sale a la calle. Cae la lluvia mezclada con la nieve. Don Eduardo toma entre la gente por la plaza de Isabel II y la calle del Arenal, hacia la Puerta del Sol.

Don Eduardo.—Tengo las piernas flojas y un zumbido en los oídos desagradable. No puedo tenerme en pie. ¡Si fuera a ver a Zabaleta! No; ese Zabaleta siempre ha sido un egoísta sin piedad. El otro día me dijo: «Esta insuficiencia está compensada; pero no de una manera completa. Ya sabes lo que te conviene: fuera alcohol, fuera tabaco, fuera comidas fuertes, fuera langosta a la salsa tártara, que sé que te gusta; fuera impresiones violentas. A las mujeres, ni mirarlas. Verduras, un poco de pescado, leche, ejercicio moderado; cuatro o cinco días al mes, tintura de digital, y nada más. Así podrás ir tirando; si no, amigo, esto va de mal en peor; el mejor día, un triquitraque, y al otro barrio, o ir arrastrando la pata por ahí durante unos meses. Si te decides a un régimen de esa clase, ven aquí dentro de un mes; si no, haz lo que te dé la gana.» Ese Zabaleta siempre ha sido un egoísta sin piedad. Nunca ha pensado más que en ganar dinero. Yo hubiera hecho lo que él. En las oposiciones al hospital estuve mejor que él; pero después me tumbé..., y luego la muerte del chico me reventó. ¿Por qué se suicidaría aquel chico?... Parecía alegre, contento. Si hubiera muerto del tifus o de pulmonía, ya sería otra cosa... ¡Pero suicidarse!... Es terrible... Yo no comprendo qué motivos de queja podría tener contra nosotros. Le cuidábamos, le mimábamos..., y, sin embargo... Nada, nada; hay que olvidar.

VI

EN EL CAFE

Don Eduardo entra en el café vacilando y tropezando. Llega a un rincón y se sienta.

El Mozo.—¿Qué hay, don Eduardo? Deje usted el gabán. Hace frío luego para salir. (*Le ayuda a quitarse el gabán.*) Mal tiempo, ¿eh?

Don Eduardo.—Malo está.

El Mozo.—¿Qué va usted a tomar? ¿Café?

Don Eduardo.—No... Tomaré una copita de jerez. El alcohol éste es, indudablemente, bueno.

El Yo oscuro.—No debías tomar alcohol. Te va a hacer daño. Recuerda las recomendaciones de Zabaleta.

(*Don Eduardo hace un gesto con la mano como para quitarse una idea inoportuna; coge el periódico de la noche, que ha salido más temprano que otros días, saca los anteojos y se pone a leer.*)

El Mozo.—¿Sabe usted, don Eduardo, que por un número no nos ha tocado la lotería?

Don Eduardo.—Hombre, ¡qué lastima! Yo, ¿sabe usted?, no creo en la lotería; no me ha tocado nunca.

El Mozo.—Pues a mí, sí.

(*Don Eduardo sigue leyendo el periódico.*)

VII

LOS ESTUDIANTES

Estudiante primero.—Yo, cuando veo que en el Congreso, en vez de poner Congreso de Diputados pone Asamblea Nacional, me avergüenzo.

Estudiante segundo.—Yo no veo que sea más liberal el que ponga una cosa u otra.

Estudiante primero.—Claro, para vosotros todo es igual. Antes que nada hay que ser ciudadano.

Estudiante segundo.—¡Bah! Eso es una estupidez. El que vive en Aravaca o el que vive en Carabanchel, no es ciudadano. Hay que ser hombre, y, si se puede, ser hombre culto.

Estudiante primero.—Oiga usted, don Eduardo, ¿a usted qué le parece la Dictadura?

Don Eduardo.—A mí, ¿qué quiere usted que me parezca? Nada. Si se hacen las cosas bien por la violencia, me parece bien; ahora, si se hacen mal, naturalmente, no me parecen bien.

Estudiante primero. — ¿Usted también es de la generación del noventa y ocho?

Don Eduardo.—Yo, el noventa y ocho era ya talludito; nací el setenta.

Estudiante primero.—Ustedes han tenido mucha culpa en lo que está pasando.

Don Eduardo. — ¿Nosotros? No creo.

Estudiante primero.—Sí, porque ustedes han sido indiferentes, escépticos. No se han ocupado del país.

Don Eduardo.—¡Bah!

Estudiante primero.—No han hecho ustedes nada en la política.

Don Eduardo.—Ni ustedes tampoco.

Estudiante primero. — Nosotros haremos.

Don Eduardo.—Eso se verá con el tiempo. No sé por qué nos reprochan a nosotros faltas que no cometimos. Hicimos como todos. Admiramos lo que había de bueno en nuestra época, como pasa siempre; leímos los libros que creíamos que eran los mejores, fuimos a la ópera, al teatro; quizá nos engañamos en nuestros juicios. ¿Quién no se engaña?

Estudiante primero.—Sí; pero la ciudadanía...

Don Eduardo.—Cada uno vive en su tiempo. Todo eso de la ciudadanía y del derecho me parecen cosas de abogados.

Estudiante primero.—¿Y usted cree que su tiempo era mejor que éste?

Don Eduardo.—Hombre, quizá mi tiempo no valía gran cosa; pero el tiempo anterior, sobre todo el principio del siglo XIX, fue admirable. ¡Qué gente había en Europa! Beethoven, Kant, Goethe, lord Byron, Goya, Schopenhauer, Walter Scott... Hoy el mundo tiene simpatía por lo nuevo. Eso está bien; pero no siempre es justo.

Estudiante segundo.—El viejo este parece que sabe y que no discurre mal.

Estudiante primero.—Sí; pero es un pelmazo, un tío lata. Vámonos. (Se van.)

El Mozo.—¿Qué le parecen a usted estos muchachos, don Eduardo?

Don Eduardo.—Tienen mucha petulancia y no valen nada... Verdad es que lo mismo nos pasaba a nosotros.

El Mozo.—Pues son buenos chicos. Sólo hay uno que me ha dejado a deber unas pesetas; pero todavía creo que me las pagará.

VIII

LOS ESCRITORES

Don Eduardo sigue leyendo el periódico, y se interrumpe para mirar el reloj repetidas veces. Van entrando parejas, que salen de un cine próximo; ellos con los hombros muy anchos y levantados y ellas casi todas pintadas como muñecas.

El Joven.—¿Qué te ha parecido la película?

Ella.—No me ha gustado.

El Joven.—¿Por qué?

Ella.—Porque los novios son sosos. No se han besado más que tres veces, y sin gracia.

Escritor primero.—Es curiosa la creencia de que el amor físico es algo genial. Freud y el público peliculero están de acuerdo. Cada macho que se empareja con una hembra produce en el espacio un episodio de Shakespeare, algo poético, ideal.

Escritor segundo. — Habrá que reivindicar los prostíbulos, convertirlos en templos y ponerles una inscripción como la del Panteón, de París.

Escritor primero. — Es evidente que la literatura del porvenir va a ser hecha a base de erotismo. Se está acabando el entusiasmo por el peligro y por la guerra; ahora los que van a dar el tono son los judíos, gente pacífica, cobarde y erótica. Ganar dinero de cualquier manera y tener mujeres será el ideal, y como antes se pensaba en el aventurero, ahora el aventurero será el aberrante sexual. Esta será la base del arte del porvenir.

Escritor segundo.—El puro cerdismo.

Don Eduardo.—Esta gente exagera; pero quizá hay algo de verdad en lo que dicen.

El Mozo.—Estos son periodistas, y hablan mal de todo.

Don Eduardo.—Sí, es la crítica demoledora; estos tipos rebeldes y revolucionarios, cuando empiezan a escribir en periódicos serios cambian, y entonces para ellos todo el mundo es ilustre y todas las cosas respetables.

IX

DON EDUARDO PIERDE LA PRUDENCIA

Don Eduardo.—(Al Mozo.) Oiga usted.

El Mozo.—¿Qué hay, don Eduardo?

Don Eduardo.—Tráigame usted la carta.

El Mozo.—¿Va usted a cenar?

Don Eduardo.—Sí, una cena sencilla.

El Mozo.—¿Tomará usted vino?

Don Eduardo. — ¡Hum!... Bueno... Media botella de rioja claro.

El Mozo.—¿Quiere usted una docena de ostras? Las hay muy frescas.

Don Eduardo.—Bueno. ¿Qué podría tomar?

El Mozo.—Tenemos riñones a la brochette.

Don Eduardo.—Hace mucho tiempo que no los he tomado. Tráelos.

El Mozo.—Y una langosta a la salsa tártara...

Don Eduardo.—Venga también. Nos despediremos de todo eso.

El Yo oscuro.—Estás haciendo disparates, amigo mío. Todo eso es malísimo; es un veneno lleno de purinas.

Don Eduardo.—Hoy es día de Nochebuena, ¡qué demonio! Hay que hacer alguna pequeña locura.

(Don Eduardo comienza a cenar con buen apetito. Pide otra media botella de rioja, y despacha los riñones y la langosta.)

El Mozo.—¿Café, don Eduardo?

Don Eduardo.—Sí, y una copa de coñac.

(Don Eduardo toma su café y la copa y enciende un cigarro puro. El Mozo le ayuda a ponerse el gabán, y sale a la calle.)

X

DE LA CALLE DE LA MONTERA A LA GRAN VIA

En la calle.

Don Eduardo.—Ahora está uno en plena euforia. Tengo las piernas fuertes y no siento frío. ¡Qué cantidad de gente! ¡Cuántos chiquillos!

(Sube por la calle de la Montera, y, al llegar a la Red de San Luis, se detiene un momento.)

Don Eduardo.—Aquí estuvo durante algún tiempo el café del Brillante, adonde iba a hablar con una cantadora, que cantaba «¡Ay mamá, qué noche aquélla!», y la habanera El último resplandor. Se creía uno un Sardanápalo. ¡Qué candidez! La verdad es que ha tenido uno una juventud miserable. ¡Sin dinero, sin amores, sin amistades. ¡Qué pobreza! Unicamente Fifí tenía gracia... Pero ¡era tan coqueta!...

Una mujer de la calle.—¿Quiere usted un décimo de la lotería del Niño?

Don Eduardo.—No, no. (Sigue en su monólogo.) Lo único que tenía la juventud es que todo le parecía a uno brillante. Madrid para mí era como una camisa bien planchada y lustrosa; hoy es como si la hubiera lavado y colgado al sol y estuviese llena de arrugas. Una pobre pelandusca nos parecía una Aspasia o una Friné.

Una Buscona.—¿Viene usted?

Don Eduardo.—No, no; yo soy viejo.

UNA BUSCONA.—¿Qué importa?

DON EDUARDO.—Déjame.

(Don Eduardo se detiene delante de un escaparate.)

DON EDUARDO.— ¡Qué extraño! Y pensar que yo he pasado en mi tiempo por conquistador. ¿Conquistador de qué? Y uno no ha conquistado nada. Y, sin embargo, se ha vanagloriado uno de ello entre los amigos. Ahora, mirando esas cosas de lejos, no son nada. Unas cuantas mujeres insignificantes, sin gracia, sin alegría... Hay que tener mucha ilusión para creer que ésas eran conquistas... Ahora, que en todo pasa lo mismo. ¿No ha sido uno elogiado por un diagnóstico que por casualidad ha resultado cierto? La verdad, la verdad no la sabe nadie. Se vive de apariencias, y basta.

UNA MENDIGA. — Cómpreme usted el *Heraldo*, señorito.

DON EDUARDO.—No, ya lo he leído.

XI

LA CALLE DEL DESENGAÑO

Don Eduardo entra en la Gran Vía, y después va a la calle del Desengaño.

DON EDUARDO.— ¡Qué poco me recuerda esta calle como era antes! Aquí estaba el café Habanero, tan triste. Aquí traje a cenar a una muchacha que andaba tirada por ahí y que luego resultó de buena familia. ¿Qué historia tendría aquella desdichada? Luego no supe nada de ella. Recuerdo que por entonces, en un periódico ilustrado, había una caricatura muy mala de un estudiante y de una modista que tenían este diálogo:

ELLA. Me dices que me quieres.

EL. Que sí te quiero.

ELLA. Pues vámonos entonces al Habanero.

EL. No, que a estas horas no permiten la entrada de las se- [ñoras.

¡Y esto nos parecía gracioso y exacto! ¡El pretexto del estudiante por no tener dinero! ¡Qué candidez y que estupidez! *(Acercándose a un grupo.)* Qué, ¿pasa algo?

UNO.—*Na*... Es un hombre que le ha *dao* un *acidente*.

OTRO.—Es un curda. No *pué* con la *tajá* que *yeva*.

UNO.—Aquí no hay respeto, porque a ese hombre le ha *dao* un ataque de *paralís* y la gente cree que es un borracho. Primero hay que enterarse y no desacreditar, sin más ni más, a una persona decente.

XII

EL CAFE DE LA LUNA

DON EDUARDO.—Me voy a acercar al café de la Luna, donde nos reuníamos los sábados. Aquí estaba. Ya se cerró también. ¡Qué tertulia la nuestra! Tres amigos, y los tres nos odiamos. Bustamante, Coll y yo. Siempre hablando mal uno de otro. ¡Y qué casa de huéspedes aquella donde vivía Bustamante! ¡Qué casa más desastrada y pintoresca! ¡Y qué final el de aquel hombre! Tenía el *dilettantismo* de lo malo, algo satánico. El no decía sólo: «Piensa mal y acertarás», sino: «Obra mal y acertarás». Y él, que era tan egoísta, porque ¡vaya si lo era!, se le ocurre una vez acompañar a una vieja impedida a cruzar de una acera a otra, y al volver, un camión le coge y le mata. Quizá fue la única vez que quiso hacer un favor a alguien. Bustamante y yo nos teníamos por rivales en amores, ¡qué ridiculez! Una vez trajo aquí, al café, para demostrar sus conquistas, a dos hermanas, dos cacatúas viejas, feas y mal vestidas... La verdad es que eso de los conquistadores es un mito. En el pueblo de mi madre, adonde solía ir a pasar los veranos, una capital de provincia, no había más que un joven de diecisiete o dieciocho años que tenía una querida joven, bonita y rozagante. Todos envidiábamos a aquel muchacho. Era como una prueba viviente de que existían entre nosotros amores como los de las novelas. Años después, hablando con el antiguo compañero afortunado, me decía: «No; yo no tuve relaciones íntimas con ella.» «¿De verdad?» «De verdad.» «Pues me has fastidiado.» «¿Por qué?» «Porque tú eras para nosotros el representante de todas las aventuras posibles de la juventud.»

(Al llegar a la calle de la Luna, esquina a la de Silva, están riñendo dos vendedores de periódicos.)

LA VENDEDORA.—¡Anda! ¡Borracho! ¡Indecente!

EL VENDEDOR.—No quiero andar. No me da la gana.

LA VENDEDORA.—¡Anda! Que tenemos que acostarnos ttemprano.

EL VENDEDOR.—No me da la gana.

LA VENDEDORA.—¡Golfo! ¡Granuja! Dame la llave.

EL VENDEDOR.—¿La llave? Ahí la tienes.

(Echa la llave por la boca de una alcantarilla.)

DON EDUARDO.—Este quema sus naves como Hernán Cortés. Quizá sea lo más prudente.

XIII

LA CALLE ANCHA

Don Eduardo baja por la calle de la Luna a la calle Ancha.

DON EDUARDO.—La verdad, ¡qué final el de los tres amigos! Bustamante, aplastado por un camión. Aquel Coll, tan romántico y tan puntilloso en cuestiones de honor y de caballerosidad, que no podía pasar un día sin ver a su novia, acababa, después de veinte años de casado, por vivir tranquilamente pared por medio de su mujer, ella con su querido y él con su hija. ¡Qué cosas da la vida! ¡Qué variedad en lo feo! ¡Qué pocas cosas nobles y hermosas! Es triste, pero es así. ¿Será solamente aquí? Probablemente, lo será en todas partes. Más sol, menos sol, un anillo en la nariz o un monóculo en el ojo, poco más o menos igual, cerca del Ecuador o cerca del cabo Norte, en la caverna o en el salón.

(Don Eduardo pasa por delante de una buñolería. El churrero trabaja con los brazos desnudos sobre un gran caldero con el aire lleno de humo.)

Esto me recuerda uno de mis éxitos: el de la churrería. Una noche, Bustamante, Coll y yo, con la blusa de internos recogida hasta la cintura, fuimos a una buñolería de la calle de Santa Isabel. Estábamos sentados, cuando se presentaron dos muchachas elegantes. Eran dos cómicas del teatro de Variedades; iban con dos gomosos y un viejo sainetero, ronco y cínico, de voz aguardentosa. La más joven de las cómicas trabajaba en una revista que se llamaba *Luces y sombras*; hacía el papel de Bujía y cantaba con una voz de gata:

> *De las luces,*
> *soy la que tengo más chic;*
> *soy la Bujía elegante*
> *más afamada en Madrid.*

No podía decir *chic*; tenía que decir *sic*. Se llamaba Pilar González. ¿Qué sería de ella? De estas dos cómicas, una tendría cerca de treinta años; la

Pilar era una niña. Bustamante, Coll y yo comenzamos a hablar con ellas y a hacer alarde de nuestra vida de internos y de que hacíamos autopsias en la sala de disección. «¿Son ustedes internos del hospital?» «Sí.» «Es un oficio muy duro.» Yo charlé por los codos de operaciones cruentas, sin duda un poco excitado por el alcohol, y en esto, la muchachita, Pilar, me dice con su lengua de trapo: «Llevas una vida muy dura. Si quieres, deja el trabajo y ve a mi casa; vivo en la calle de la Libertad, número tantos. Ahí tienes la llave de mi casa. Espérame.» Y me entregó la llave. Yo me quedé asombrado. Un momento después, la de más edad de las dos cómicas me dijo en un aparte: «Déme *usté* la *yave* que le ha *dao* ésa. No le haga *usté* caso. Con las novelas que lee está *chalá*.» Después no me ha pasado nada parecido. Sin duda era el prestigio de la juventud. Quizá había también en la inclinación rápida de aquella chica un fondo de sadismo.

XIV

EL PALACIO DE LA SIFILIS

Don Eduardo sigue andando, y un señor grueso, redondo, con cara de luna, le detiene.

Don Eduardo.—¡Hola, Valentín!
Valentín.—¡Hola, don Eduardo! ¿Qué tal?
Valentín.—Hoy andamos por aquí de parranda. Un día es un día. Vamos a tomar una copa, don Eduardo.
Don Eduardo.—No me conviene. Los médicos me lo han prohibido.
Valentín.—¿Quién hace caso de los médicos? Usted, seguramente, no. Yo, que soy practicante, tampoco. Vamos a entrar aquí.

Don Eduardo.—Vamos.
Valentín.—¿Sabe usted cómo llaman a este bar?
Don Eduardo.—No.
Valentín.—El Palacio de la Sífilis.
Don Eduardo.—¡Bah! También eso es fantasía. No habrá aquí más sifilíticos que en otro lado.
Valentín.—Tiene usted razón.
(Beben los dos y salen del bar.)
Don Eduardo.—Ahora, ¿qué va usted a hacer?
Valentín.—Ahora voy a poner una inyección a un viejo gotoso.
Don Eduardo.—¿Y dónde vive?
Valentín.—Vive en la calle de Atocha.
Don Eduardo.—Tiene usted un buen paseo; le voy a acompañar.
(Marchan los dos, charlando, del brazo, a la Puerta del Sol, y en la calle del Príncipe, en un bar, toman unas copas. Llegan a la calle de Atocha, a la casa donde tiene que entrar Valentín, y se la encuentra cerrada. Valentín llama al sereno y después canta.)
Valentín.

Abra usted la puerta,
señora portera,
que vengo del baile
con la filoxera.

Don Eduardo.—*(Canta también.)*

Ay, ay, ay, que a mi marido
le gusta el vino.
Ay, ay, ay, y el aguardiente
y el marrasquino.

Valentín.

Ay, ay, ay, que a mi marido
le gusta el ron.
Ay, ay, ay, y el aguardiente
y el peleón.

El Sereno.—*(Que se presenta de pronto.)* ¡Hola, buenas noches!

VALENTÍN.—¡Hola, sereno!

EL SERENO.—¡Y que está fresquita la noche! *(Buscando la llave y como si tuviera que hacer algo difícil.)* Vamos a ver.

DON EDUARDO.—*(A Valentín.)* ¿Ya acertará usted a poner la inyección?

VALENTÍN.—Sí, hombre. Como las propias rosas.

(El Sereno abre la puerta y enciende en el portal una cerilla larga, que entrega al practicante.)

DON EDUARDO.—¡Adiós, Valentín!

VALENTÍN.—¡Adiós, don Eduardo!

DON EDUARDO.—*(Solo.)* ¿Qué hago yo ahora? ¿Adónde voy? A casa, no. Mi mujer no habrá llegado. Al café, tampoco. Si tomase una copa más me emborracharía y daría un mal espectáculo. El caso es que tengo ganas de emborracharme y de olvidar. Todo eso de la insuficiencia no es más que pedantería médica, cosas que decimos nosotros para probar que sabemos algo.

EL YO OSCURO.—Sabes muy bien que eso que dices no es verdad.

DON EDUARDO.—Voy a comprar una botella de coñac y me voy a ir al hospital. Al menos allí me tienen un poco de ley; convidaré al interno.

(Don Eduardo sube hacia la plaza de Antón Martín y entra en una tienda de comestibles muy iluminada.)

Algunas veces solía venir aquí a comprar galletas inglesas para Eduardito... ¿Por qué se suicidaría aquel chico?... Bueno, bueno, dejemos eso. Estoy recordatorio. Parezco una esquela fueneraria.

EL YO OSCURO.—Esa es tu herida, que no podrás curar nunca.

(Don Eduardo coge la botella de coñac, la paga y la mete en el bolsillo del gabán. Luego marcha en dirección del Hospital General.)

XV

EL HOSPITAL

Don Eduardo ha entrado en el hospital, ha subido la escalera sombría y ha llegado a su sala. Están el médico de guardia, el interno y el capellán.

EL MÉDICO DE GUARDIA.—¡Hola, don Eduardo! ¿Qué le pasa a usted?

DON EDUARDO.—Que he tenido que hacer una visita por aquí cerca, y me he traído una botella de coñac.

EL MÉDICO DE GUARDIA.—¡Muy buena idea!

EL CAPELLÁN.—Excelente.

DON EDUARDO.—En mi casa ahora no habrá nadie. Mi mujer está celebrando la Nochebuena con su hermana.

EL CAPELLÁN.—Echaremos una partidita.

DON EDUARDO.—Bueno; ¿de qué?

EL MÉDICO DE GUARDIA.—De tute.

DON EDUARDO.—Vamos allá.

(El Capellán reparte las cartas.)

UN ENFERMERO.—*(Entra y se dirige al Interno.)*—A ver si pueden ustedes ir a la sala de locos. Están armando un escándalo.

EL MÉDICO DE GUARDIA Y EL INTERNO.—Ya vamos.

DON EDUARDO.—Iré con ustedes.

EL CAPELLÁN.—Yo voy a despachar con un enfermo.

EL MÉDICO DE GUARDIA.—No le dé usted muchos pases de muleta.

(El Médico de guardia, el Interno y Don Eduardo avanzan por largos corredores hasta la sala de locos, en donde entran.)

UN VIEJO LOCO.—Oiga usted, señor médico.

EL MÉDICO DE GUARDIA.—¿Qué pasa?

UN VIEJO LOCO.—Que yo creo que aquí todos son maricas, y está uno en peligro; pero yo, no; yo soy muy hombre, porque he tomado fitina y glicerofosfato de sosa, y estoy muy fuerte.

UNA MUJER DESMELENADA.—¡Ja! ¡Ja! Es un viejo asqueroso. ¡Pues no quería agarrarme del pecho!

UN VIEJO LOCO.—Señora, yo no soy viejo; yo tengo veinticinco años y soy joven y estoy lleno de radiactividad y de fluido magnético, porque he tomado fitina y glicerofosfato de sosa. Si viene usted aquí conmigo tendremos en seguida un chico, en veinticinco horas, veinticinco minutos, veinticinco segundos y veinticinco millones de cuarto de segundo.

UNA MUJER JOVEN.—(Con un pañuelo de bolsillo en la cabeza.) ¡Qué sinvergüenzas, asquerosos! Pero ¿qué se creerán? ¿Que todas somos aquí unas zorras? ¡Que tíos guarros! ¡Marranos! ¿Qué se creerán? Decir esas palabrotas delante de mí, que soy la emperatriz de Austria, y de Rusia, y de Checoslovaquia, y de la Siberia.

UNA EXTRANJERA.—(Con un sombrero estropeado en la cabeza.) Senior... Senior...

EL MÉDICO DE GUARDIA.—¿Qué quiere usted?

UNA EXTRANJERA.—Senior... Senior...

EL MÉDICO DE GUARDIA.—(Al Enfermero.) No pasa nada. Si alguno alborota demasiado, que le den una ducha. Vamos, don Eduardo, a seguir la partida.

XVI

NOCHE DE BARULLO

EL MÉDICO DE GUARDIA.—¿Otra copita? Parece que nos van a dejar en paz.

(Reparte las cartas.)

DON EDUARDO. — (Balbuciendo y con la cara roja.) Hace cuarenta años era yo el interno de la sala de presas; había mecheras, ladronas, estafadoras, comadronas abortadoras...

EL MÉDICO DE GUARDIA.—Como ahora. No se fija usted en el juego, don Eduardo. Tenía usted veinte en copas.

DON EDUARDO. — ¿Qué importa? Entonces la carcelera era la mujer de un novelista por entregas. Yo le decía: «Qué, ¿quiere usted un poco de alcohol?» «¿Del de quemar?» «No, del de beber.» «Bueno, venga.» Y le echaba una copa, y bebía, y se pasaba elegantemente el dorso de la mano por los labios. «Cuando vivía mi pobre marido—me decía—, solíamos tener grandes fiestas en casa. El compraba una botella de coñac, dictaba dos o tres capítulos y se bebía la botella. Eran otros tiempos», aseguraba ella.

EL CAPELLÁN.—Y lo serían.

EL MÉDICO DE GUARDIA.—Está usted jugando muy mal, don Eduardo.

DON EDUARDO. — ¡Bah! Lo mismo da.

UN MOZO.—(Entrando y dirigiéndose al Cura.) El número treinta y siete de la sala segunda se está muriendo. (Al Médico de guardia.) Traen un herido.

EL CAPELLÁN.—Bueno; vamos por los arreos de matar.

(El Médico de guardia, el Interno y el Cura se levantan y salen.)

EL MÉDICO DE GUARDIA.—Ahí se queda usted, don Eduardo; hoy vamos a tener noche de trajín.

DON EDUARDO.—Bueno, por mí no hay que apurarse. Yo soy rata de hospital.

EL INTERNO.—Si tiene usted sueño, se acuesta.

DON EDUARDO.—Vamos a tomar otra copa, ¡qué diablo!

EL MÉDICO DE GUARDIA y EL INTER-
NO.—Vamos allá. *(Beben.)*

EL MOZO.—*(Tarareando.)*

> Si vas a París, papá,
> cuidado con los apaches.

XVII

PROCESION DE SOMBRAS

Don Eduardo se queda solo.

DON EDUARDO.—*(Oye la canción
del Enfermero.)* Eso es muy feo. En
mi tiempo se cantaban cosas más divertidas. *(Canta con voz ronca.)*

> Un sietemesino,
> que perdió el destino,
> a una rica jamona
> le juró su fe,
> y ella, que es jamona,
> se desilusiona
> cuando en traje de baño lo ve.

*(Don Eduardo, excitado, se levan-
ta y canta de nuevo.)*

> Aprendemos en francés a saludar:
> Bonsoir, monsieur!
> Y sabemos en la pista patinar
> con sólo un pie.
> Si nos manda una incógnica buscar
> el profesor
> la encontramos en el baile
> mucho mejor.

No sé de dónde era esta canción.
Ya no me acuerdo. ¡Hum! La cabeza me da algunas vueltas.

*(Se sienta de nuevo, apoya el co-
do en la mesa y se queda un momento turbado.)*

EL MOZO.—Qué. ¿se va usted a
dormir?

DON EDUARDO.—Sí; es posible que
eche un sueñecito.

EL MOZO.—Don Eduardo tiene hoy
la gran jumera.

DON EDUARDO.—*(Hablando solo.)*
¿Qué pasará esta noche? Todos los

antiguos profesores, que yo creía
muertos, andan por los pasillos del
hospital. Ahí está Letamendi, con sus
melenas; Calleja, con su levita, y Calvo y Martín, que nos ha contado por
centésima vez que era miliciano nacional cuando Cabrera se presentó a
las puertas de Madrid. Don Benito
Hernando me ha dicho por lo bajo
que eso del arsénico no sirve para nada. Bueno, ¿a mí qué me importa por
el arsénico? Vamos a tomar otra copa. Cantaré como Julio Ruiz, ¡pobre! Creo que murió en el hospital.

*(Don Eduardo intenta cantar; to-
se, se mueve en la silla. apoya de nuevo la cabeza en la mano y se queda
atónito. Tiene delante al hermano
Juan.)*

DON EDUARDO.—Hombre, usted es
el hermano Juan. ¿Qué hace usted
aquí?

EL HERMANO JUAN. — Aquí estoy,
como siempre.

DON EDUARDO. — ¿Qué demonio
hizo usted, hermano?

EL HERMANO JUAN.—Me fui a la
Argentina, y estuve de enfermero...;
luego puse un bar.

DON EDUARDO.—Muy buena idea...
Y ahora que estamos solos. dígame
usted: ¿Qué diablo era usted? ¿Místico?... ¿Masoquista?... ¿Invertido?
*(El hermano Juan se pone un de-
do en los labios y desaparece.)*

DON EDUARDO.—No quiere decir
su secreto.

XVIII

BUENA NOCHEBUENA

Don Eduardo apoya de nuevo la
cabeza en la mano y se queda dormido. Comienza a oír a lo lejos la
campana de alguna iglesia, en donde
tocan para anunciar la misa del gallo.

DON EDUARDO. — ¡Qué extrañas voces! No entiendo lo que me dicen. ¿Cómo? ¿Qué dice usted? ¿Que no murió el chico mío?

LA VOZ.—(Como un trueno.) No.

DON EDUARDO.—Me quitan un peso terrible de encima.

LA VOZ DE EDUARDITO.—¡Hola, papá! Aquí estoy.

DON EDUARDO.—¿Así que vives? ¿Vives?

LA VOZ DE EDUARDITO.—Sí.

EL YO OSCURO —Es una ilusión auditiva.

DON EDUARDO.—Quería preguntarle, ¿por qué se suicidó?... Pero si no se suicidó, la pregunta es estúpida. Nada, nada; no tengo ningún pesar, no tengo ninguna tristeza. La euforia..., la euforia... ¡Qué música magnífica! ¡Qué allegro admirable! ¡Pero si es del pianista del café del Siglo; es el mismo! ¡Qué estado admirable! Esta es la euforia, la ataraxia.

EL YO OSCURO.—Esto es la muerte, son las fantasías del delirio.

(Delante de Don Eduardo se abre un gran teatro lleno de luces, rojo y dorado, en donde aparecen una porción de personajes con trajes brillantes.)

DON EDUARDO.—Esto es como una de las revistas de mi tiempo.

EL YO OSCURO.—Es el índice de nuestra vida, Finis.

DON EDUARDO.—Hombre, Fifí que canta.

FIFÍ.—(Que aparece elegantemente vestida y que se pone a cantar.)

Hier, voyant l' chien d'une vieill' dame.
Vêtu d'un pal'tot flambant,
Je dis: «A votr' toutou, madame,
Il manqu' quelque chose assurément:
Il n'a pas de parapluie;
Ça va bien quand il fait beau;
Mais, quand il tombe de la pluie,
Il est trempé jusqu'aux os.»

DON EDUARDO. — Muy bien, Fifí. ¡Muy bien! Estás como en tus buenos tiempos. Y ahora, ¿quién viene ahora? Pero, ¡hombre!, si es Julio Ruiz con su capa en Los trasnochadores.

(Julio Ruiz, de albañil madrileño y jugando con la capa, canta con voz ronca.)

JULIO RUIZ.

He dejado a la parienta
dormida en el piso quinto
y daremos una tienta
al vino tinto.
Yo me atraco de legumbres
y padezco de calambres,
y me curo con fiambres
y un par de azumbres.
Y aunque diga un mal amigo
que beber me causa estrago,
yo contesto: «Habiendo trigo,
venga otro trago.»

(Julio Ruiz hace una porción de juegos con la capa, hasta que se emboza en ella y se va.)

DON EDUARDO.—¡Bravo, Julio! Está como en sus buenos tiempos. ¿Quién sale ahora? La González. Pilar González, mi conquista.

LA GONZÁLEZ.—(Cantando.)

De las luces,
soy la que tengo más chic;
soy la Bujía elegante
más afamada en Madrid.

DON EDUARDO.—No ha aprendido a decir chic todavía. Tenía la lengua de trapo. ¿Y ésta otra que viene? Si es la Montes. ¡Qué guapetona! ¡Qué entusiasmo nos producía!

LA MONTES.

Una niña que tenía amores
con una cabo de la guarnición,
con tal fuego tomaba la cosa,
que aquel cabo se la consumió

EL YO OSCURO.—Todo esto es bastante grosero.

DON EDUARDO.—¡Qué importa! Es la juventud. Ahora el coro de marineritos del Retiro, de *La Gran Vía*.
LOS MARINERITOS.

Cruza el marino, con ánimo sereno...

EL YO OSCURO. — Esto no vale nada.
DON EDUARDO.—Ahora, *el Canene*, del café Imperial.
EL CANENE.

*La muerte del Espartero
en Seviya causó espanto;
desde Madrid lo traheron,
desde Madrid lo traheron,
hasta el mismo camposanto..*

DON EDUARDO.—Que toquen otra cosa. La romanza de la flor, de *Carmen*...; el vals de *La bohemia*.
EL YO OSCURO.—Todo muy acaramelado.
DON EDUARDO. — Ahora, el canto de la primavera, de *La Walkiria*. ¡Qué bonito! ¡Qué romántico!
EL YO OSCURO.—Podría ser de una zarzuela.
DON EDUARDO.—No, ¡ca! Es magnífico.
EL YO OSCURO.—¿Y eso ha sido tu vida? ¿Nada más? ¡Qué miseria! ¡Qué vida más insignificante!

Don Eduardo está ahora delante de la pantalla de un cinematógrafo, y un monigote va escribiendo estas palabras:
«Nada, Niente, Rien, Nihil, Nitchevo, Nichts.»
En esto, el cuerpo de don Eduardo se contrae y la cabeza cae sobre la mesa.

XIX

SE ACABO

Entran el médico de guardia, el capellán, el interno y el enfermero.

EL MÉDICO DE GUARDIA.—¡Eh, don Eduardo! Está frío. ¿Qué le pasa a este hombre?
EL ENFERMERO.—*Na*, que la ha *diñao*.
EL CAPELLÁN.—Vamos a ver si se puede hacer algo por él.
EL ENFERMERO.—*(Riendo.)* Unicamente la autopsia.
EL INTERNO. — ¡Pobre hombre! Era una buena persona.

Madrid, diciembre de 1929.

EL POETA Y LA PRINCESA
O
EL «CABARET» DE LA COTORRA VERDE

(NOVELA «FILM»)

PRIMERA PARTE

1

Corredor de la Universidad de Fordbridge, en Inglaterra. El corredor está lleno de doctores con toga y birretes, señores jóvenes y viejos, señoritas y señoras. Entre el público, Carlos y Armando.

2

Un fotógrafo dispara su máquina a cada paso.

3

Se abre una puerta, y aparece la princesa de Kandahar, con toga y birrete. A la princesa le han hecho doctora *in honoris causa* en la Universidad por su memoria titulada *Estadística y utilización de las viudas en el país de Kandahar.*

4

Los profesores y la gente del público felicitan a la princesa con grandes extremos.

5

La princesa advierte entre el público a Armando y Carlos. Da la mano a Armando.

Luego se acerca a Carlos y le abraza y le besa.

—*Charlie! My dear!*
Le vuelve a besar

6

Una señora inglesa encuentra los besos escandalosos, y dice:
—*Oh, shocking!*
—No; son las costumbres del Kandahar.
—¿Kandahar? ¿En el continente? El continente muy poca civilización.

7

Puerta de la Universidad y parque. La gente comienza a salir de la Universidad. Se ven los autos que cruzan el parque.

8

Algunos doctores van a pie, armados de sus paraguas.

9

Una señora coge a sus dos perros y los lleva abrazados para que no se mojen.

10

La princesa hace subir a su auto a Armando, a Carlos y al doctor Kankamurti, y arranca a toda prisa.

11

En el parque están formando un corro, tocando y cantando, gente grotesca de la Salvation Army; chin..., chin..., chin... La princesa marcha en el auto hacia ellos, les amenaza con atropellarlos. Les da un susto y se desvía después. Luego se ríe.

12

Se ve un señor viejo que corre con un cornetín de pistón bajo el brazo.

13

Un hotel de Fordbridge, llamado University Arms. Un pasillo del hotel. Una puerta grande con un letrero encima: *Duchess Bedroom.*
Cerca otra puerta con otro letrero: *Walpole's Room.*

14

Otro pasillo más estrecho con dos puertas pequeñas. En la primera, *Bachelor's Room.* En la segunda, *Lord Byron's Room.*

15

El cuarto *Lord Byron's Room.* Cuarto de estudiante. Cama. Lavabo. Ventana de guillotina. Una chimenea. Dos sillones. Una pequeña biblioteca. Retratos de escritores célebres en las paredes: Homero, Virgilio, Dante, el Tasso, Cervantes, Shakespeare, Molière, Byron. Carlos escribe a ratos, pasea y mira al techo y por la ventana.
Carlos es un joven melancólico, tímido, fantástico. Está escribiendo un poema. Es hombre simpático y al mismo tiempo un poco cómico. Alto. Lleva algo de melena y patilla corta. Fuma en pipa.

16

Carlos oye que llaman en el tabique.
—Armando me llama—dice.

17

Deja la pluma.
—¿Qué querrá ese hombre?

18

Carlos sale de su cuarto y va al inmediato, *Bachelor's Room.* Cuarto parecido al otro en el decorado. Aquí los libros están en el suelo y sobre una silla. Retratos de bailarinas. Dos floretes. Guantes de boxeador. Un cuadro cubista. En la chimenea, fuego. Armando está quemando libros. Recibe a su amigo riendo. Armando es atrevido, poco delicado. Quiere tener dinero ante todo. Brusco, espadachín, boxeador. Habla de un modo despótico. Lleva bigote corto. Al principio, más simpático. Luego, poco a poco, al avanzar el *film,* más cínico.

19

CARLOS.—¿Qué haces?
ARMANDO.—Estoy quemando cosas inútiles. Si te sirve alguno de estos libros, te lo puedes llevar.

20

Carlos mira los libros y separa algunos. Un Dickens, un Carlyle, un Bernard Shaw.

21

ARMANDO.—Ya se acabó la Universidad y todas estas estupideces. Ahora a París, y luego a España. ¿Conoces tú el país donde florece el naranjo?

22

Armando se levanta, pega una patada al birrete y luego baila.

23

En el cuarto *Walpole's Room*. Cuarto de trabajo de la princesa de Kandahar. Un empleado. Dos mecanógrafas. Un telefóno. Tiene todo un aire comercial. La princesa fuma, pasea y dicta. Acaba el trabajo y se va.

24

En el cuarto *Duchess Bedroom*. La princesa se está vistiendo. La doncella le presenta prendas. La princesa tira al suelo los sombreros que no le están bien. La princesa de Kandahar es soberbia, caprichosa, vehemente. Le parece que todo es posible para ella. No le asusta nada. Cree que puede hacer lo que se le antoje. Da empujones a las criadas.

25

La princesa necesita ponerse guapa. Quiere conquistar a Carlos.

—¿Cómo está mejor?—pregunta a su doncella.

26

No le gusta a él que ella le bese. ¿Estará enamorado de otra mujer?

27

En el salón del hotel University Arms. Un salón con aire de museo. Cuadros, estatuas, tapices, armas, cornamentas de ciervo, etc. Una gran chimenea encendida. Señoras y señores, todos muy elegantes. Van a felicitar a la princesa.

28

La princesa hace los honores y sirve a algunos el té. Todos la felicitan.

29

Dos periodistas entran para hacer una interviú con la princesa.

UN PERIODISTA.—¿Qué le parecen las costumbres de Inglaterra?

LA PRINCESA.—Muy atrasada. La gente viste muy mal.

LA GENTE.—¡Oh, oh!

EL PERIODISTA.—Pero hay mucha libertad en nuestro país.

LA PRINCESA.—Ninguna. Voy a ver lo que digo en mi diario. Kankamurti, tráeme mi diario.

El doctor Kankamurti es alto, moreno, de barba larga, melena y ojos brillantes. Una especie de Rasputín en cómico.

30

El doctor Kankamurti, secretario de la princesa, sale del salón y vuelve a poco con un libro. La princesa lee en voz alta:

«Inglaterra es una isla amanerada y crepuscular. La existencia sola de las solteronas y de los sombreros de paja de las damas demuestran la horrible decrepitud de este país.»

31

La princesa sigue leyendo:

«En los países civilizados que no tienen el amaneramiento de la vieja Europa, las muchachas hacen sus experiencias antes de llegar al matrimonio. Es lo que llamamos los sociólogos el matrimonio experimental. Los ingleses y las inglesas tienen horror por esta experiencia.»

EL PROFESOR.—*Aoh! Yes!*

LA PRINCESA.—Además, como usted sabrá, el mundo vuelve al matriarcado. ¿Conoce usted el libro de Bachofen?

EL PROFESOR.—*Aoh! Yes!*

LA PRINCESA.—Aquello es el comienzo. Este es el final.

EL PROFESOR.—*Aoh! Yes!* Es muy profundo lo que dice la princesa.

El periodista toma notas.

32

Mientras tanto, en un grupo, un pastor protestante lanza un discurso sobre la inmoralidad de los trajes, y expone sus ideas sobre el vestido femenino, y presenta unos modelos de trajes honestos.

33

Los trajes honestos cuyos modelos exhibe el pastor están cerrados hasta la barbilla y tienen faldas hasta los talones.

34

La princesa está impaciente porque Carlos no viene. Se pasea de la derecha a la izquierda.

LA PRINCESA.—¡Kankamurti!

KANKAMURTI.—¿Qué desea su alteza?

LA PRINCESA.—Pregunta a ver qué hace Carlos. Estará escribiendo su poema.

35

KANKAMURTI.—Princesa...

LA PRINCESA.—¿Qué?

KANKAMURTI.—El joven Carlos se ha marchado.

LA PRINCESA.—¿Adónde?

KANKAMURTI.—No sé, pero se ha marchado.

LA PRINCESA.—Ya lo he oído. No seas estúpido.

36

Departamento de *sleeping.* Tren de lujo. El camarero coloca en una mesa un vaso de *whisky* y una botella de limonada. Armando bebe *whisky*, y Carlos, limonada.

37

Armando cuenta la vida de su padre, financiero de mala fama, que dejó poco dinero, y a quien engañaron otros financieros más listos, que se guardaron el dinero y la fama. El asegura que se ha de vengar. Cuando vaya a España, ha de desenmascarar a mucho granuja que ha quedado con buena fama.

38

En el pasillo del tren están la princesa y su médico, el doctor Kankamurti.

39

La princesa quiere hablar a solas con Carlos.

40

El doctor Kankamurti le dice que le convide a tomar el té en el vagón-restaurante. La princesa acepta la idea.

41

La princesa va a su departamento, saca una tarjeta y una pluma estilográfica y se pone a escribir.

42

En el departamento de Armando y de Carlos.

ARMANDO.—¿Tú qué vas a hacer?

CARLOS.—No sé todavía. Ya veremos lo que nos reserva París y luego España.

ARMANDO.—Yo soy partidario de no dejarse amilanar. Pienso cantar las cuarenta a todo el mundo.

CARLOS.—A mí, si me dejan en paz, me dedicaré a escribir.

ARMANDO.—¿Tu famoso poema?

CARLOS.—U otra cosa. ¿Tú no piensas seguir pintando?

ARMANDO.—No sé. En Inglaterra me divertía hacer cuadros cubistas para indignar a la gente. En Francia creo que la gente no se indigna con el cubismo. Hasta hay quien dice que lo entiende. Ya así, no me interesa.

43

ARMANDO.—Hablando de otra cosa. Tú también tienes tu misterio.

CARLOS.—No diré que no. Pero ¿qué quieres? No me ocupo de él. El misterio me interesa en literatura: Hoffmann, Poe, Baudelaire...; pero los misterios familiares y mundanos no me llaman la atención. Al cabo de pasar unos años, todo se reduce a nada.

44

ARMANDO.—En las clases te han llamado siempre Alter.

CARLOS.—Es mi segundo apellido.

ARMANDO.—Ahora resulta que te llamas Heredia, y que eres español de nacionalidad, como yo.

CARLOS.—Mi abuelo y mi padre lo eran. Este cambio de nombre lo ha dispuesto un tío mío, hombre muy bueno y que me quiere. Tengo la seguridad que lo ha hecho por mi bien. Yo acato su decisión y no me ocupo más del asunto.

45

ARMANDO.—El profesor auxiliar de español ha dicho que debéis de ser de la aristocracia y que debéis de tener algún título.

CARLOS.—Chico, no lo sé, y no me importa gran cosa. Me contento con vivir, que ya es algo.

46

EL MOZO DEL «SLEEPING».—(A Carlos.) Una señora me ha dado este papel para usted.

(Le entrega la tarjeta.)

CARLOS. — (Leyendo.) «Querido Carlos: ¿Quieres venir a tomar el té conmigo? Estoy en el vagón-restaurante. Te tengo que hablar de algo interesante.—Zuria de Kandahar.»

47

ARMANDO.—¿Quién es? ¿La princesa?

CARLOS.—Sí.

ARMANDO.—Te invita solo. Quiere declararte su atrevido pensamiento.

CARLOS.—Quizá. Es posible. No me entusiasma nada. Estas mujeres orientales...

ARMANDO.—¿No eres partidario de la divisa Ex Oriente lux?

CARLOS.—No.

48

CARLOS.—(Al mozo, al salir al pasillo del vagón.) ¿Dónde está la dama que pregunta por mí?

EL MOZO.—En el vagón-restaurante, señor.

CARLOS.—Voy.

49

Carlos entra en el vagón restaurante.

UN SEÑOR VIEJO (de bigote y perilla blancos).—Carlitos... ¿Eres tú?

CARLOS.—No sé... Yo me llamo Carlos.

UN SEÑOR VIEJO.—¿Tú no eres hijo de Paco Heredia?

CARLOS.—Sí, creo que sí.

UN SEÑOR VIEJO.—¿Y adónde vas?

CARLOS.—Voy a París. Perdóneme usted; tengo que saludar a una dama.

UN SEÑOR VIEJO.—Muy bien. La saludaremos. No te dejo de ninguna manera.

50

CARLOS.—*(A la Princesa.)* Princesa...

LA PRINCESA. — Siéntate, Carlos querido. *My dear!*

UN SEÑOR VIEJO.—Perdone usted, princesa, pero no le puedo dejar a Carlitos. Hace diez años que no le veo. Figúrese usted. Le quería a su padre como a un hermano y a él como a un hijo. Le he conocido así. *(Se sienta.)*

51

LA PRINCESA.—*(Al doctor Kankamurti, que le acompaña.)* ¿No se le podrá echar a este viejo imbécil por la ventanilla?

KANKAMURTI.—No estamos en Kandahar, princesa.

LA PRINCESA.—Entonces me voy. *(Se levanta violentamente.)* Charlie. *My dear! (Le besa.) (Al señor viejo.)* ¡Adiós, señor!

UN SEÑOR VIEJO.—Es una mujer encantadora, aunque un poco brusca.

Se van la princesa y el doctor Kankamurti.

SEGUNDA PARTE

1

Armando y Carlos aparecen de noche, de frac, en el *cabaret* de la Cotorra Verde.

2

Se ve una cotorra en una jaula.

3

El *cabaret* de la Cotorra Verde. Salón de baile. Decoración cubista, a estilo ruso, con bastidores pintados con flores de un metro de grandes. *Jazz-band* con negros gigantescos de color morado. Color, al parecer, natural. Jaulas con pájaros, al parecer también, naturales.

4

TIPOS QUE PASAN.—Faribole, cantor de café-concierto. Tiene poca gracia y mucha suerte. Se asegura que es como una *mascotta*. Todo el mundo se le acerca y la festeja. Las mujeres le alisan el pelo y le convidan y le piden un recuerdo.

5

Faribole regala a una el palillo con que se escarba los dientes. La muchacha guarda el palillo como una gran cosa.

6

TIPOS QUE PASAN.—El reglandulado. Es un señor que avanza a duras penas con un aire de abatimiento y de estupidez.

LA GENTE.—¡Qué aire de juventud tiene!

—¡Qué ágil está!

—¡Qué gentil!

—El invento del doctor Voronoff es verdaderamente prodigioso.

Y eso que este señor ha sido reglandulado con glándulas de orangután melancólico.

7

Garchin, delegado bolchevique, de frac, chaleco blanco y la pechera llena de brillantes. Baila con la duquesa de Carentan. Al sentarse, pide al mozo el champaña más caro.

8

Currito Mendoza. Grande de España de primera clase. Es casi un enano. Lo único que tiene grande es la cabeza.

9

El señor Capdeloup, *cambrioleur* retirado, que ha escrito sus Memorias sobre las emociones del robo con fractura de una manera deliciosa. Al señor Capdeloup le quieren llevar muchos a la Academia por su estilo depurado. Es el Anatole France del robo con fractura.

10

El príncipe Sarko. Le llaman en broma el príncipe Sarkófago. Da la *jettatura*. Es pálido, lleva monóculo. Todos le saludan y ponen los dedos con el meñique y el índice extendidos. El secretario suyo hace lo mismo. Le dejan en medio un espacio libre.

11

La cotorra del *cabaret* se espanta al ver al príncipe Sarko, y se desmaya.

12

El general Agamenón Souza Coelho y Barreira da Castro, coronel general dos Paizes Calidos do Pará, y el general don Martín Baleador, ex presidente de la República de Guanacoteca.

13

El toreador don Rodríguez de las Castradas, natural de Perpiñán. Lleva bigote y patillas, y la gente dice al verle: *Ollé! Ollé!*

14

La duquesa de Tarento y su *gigolo*. La duquesa, alta, flaca, morena, imponente y llena de alhajas. El *gigolo*, pequeño, gordito y rechoncho.

15

Madame Amelia, una vendedora de cocaína, vieja, gorda y amable. Ofrece ramos de flores y cajas de *coco*.

16

Un poeta dadaísta recitando:

> *Patatí, patatá;*
> *flin, flan; flin, flan.*
> *El amor, el amor;*
> *din, dan; din, dan.*

17

UNO DEL PÚBLICO.—Es magnífico. ¡Qué poesía tiene!

OTRO.—Es algo parecido a Homero.

UN TERCERO.—Entre Homero y el Dante.

UN AMIGO DEL POETA.—¡Qué Dante! El Dante era un imbécil.

18

UN JOVENCITO.—Esto es muy malo.

UN SEÑOR.—A mí me parece lo mismo. Pero ¿usted no es también dadaísta?

UN JOVENCITO.—Lo era hace seis meses; pero ahora, no. Ahora soy confusionista, que es cosa algo más seria.

19

Cuelgan un cuadro cubista de Armando en el bar del *cabaret*.

EL OBRERO.—*(Con el cuadro.)* Oiga usted, señor pintor: ¿Esto es para arriba o para abajo?

ARMANDO.—¿Usted no lo sabe? Yo tampoco.

20

En una mesa próxima, Carlos descubre una muchacha con su familia. La muchacha le parece preciosa, y la mira. Ella le mira también.

21

En esto entran dos parejas que llaman la atención: la princesa de Kandahar con el doctor Kankamurti y la célebre cupletista Amelia Pariset *(Parisetina)*, seguida de su hombre de confianza, y Tití *la Sobonne*. La princesa atrae la atención del público por su tocado llamativo y estrepitoso y por el escote, que le llega muy bajo.

22

UNO.—¿Quién es?

OTRO.—Es la princesa de Kandahar, con *la Parisetina* y Tití *la Sorbonne*.

UNO.—¿Y el señor barbudo?

OTRO.—Es un mago.

UNO.—¿No será Rabindranath Tagore ni el conde de Keiserling?

OTRO.—No; éste parece que es un mago de verdad.

23

La princesa mira con impertinencia a derecha e izquierda, hasta que divisa a Carlos. Entonces se acerca a él y le besa.

—¡Charlie! *My dear!*

24

Carlos se levanta, extrañado y confuso. La bella señorita que le miraba se levanta de su asiento con un aire enfadado, y, haciendo un mohín de digusto, se va con su padre y unas amigas y sale del *cabaret*.

25

La princesa acaricia a Carlos y da palmadas en el hombro a Armando.

—Son Ariel y Calibán—dice—. Ariel es un espíritu puro, que no se ocupa más que de su poema. Calibán es un salvaje como yo.

Armando se ríe.

26

La princesa quiere que cenen juntos en un cuarto reservado del *cabaret* Armando, Carlos, *la Pariset* y el doctor Kankamurti. Tití *la Sorbonne* se irá a cenar a otra parte.

27

LA PRINCESA.—¡Charlie! *My dear!* Mi querido Carlos. Comprendo que te fastidio, que soy un poco pesada e impertienente; pero no lo puedo remediar. ¿Qué tal va tu poema? ¿Avanza?

CARLOS.—Sí, ya va avanzando.

28

Aparece Mohamed. Mohamed es el pretendiente oficial de la princesa. Hijo de Mohamed Alí Khan. Mohamed es grueso, rojo, de ojos pequeños brillantes y labios abultados. Lleva una flor en la mano.

29

El doctor Kankamurti le sale al paso a Mohamed. Le dice que la princesa de Kandahar, su futura, tiene una cena con hombres ilustres. La princesa ha venido a Europa a completar su educación y a conocer a los hombres. El príncipe reinante de Kandahar, su ilustre padre, Achmed-Ben-Edris el Sadok, le ha recomendado que estudie bien a los hombres, y ella pone en práctica su consejo.

30

Mohamed dice que quiere ver a la princesa de todos modos. El doctor Kankamurti le responde que no puedo ser. Está cenando con unos sociólogos y debatiendo problemas de alta ciencia. La princesa es una socióloga eminente. Su memoria *Estadística y utilización de las viudas en el país de Kandahar* se está traduciendo a diecisiete idiomas.

MOHAMED.—¡Qué barbaridad! La princesa es un pozo de ciencia.

KANKAMURTI.—Es lo que necesita un país, que su princesa sea una socióloga.

31

MOHAMED.—*(Muy triste.)* No me consuela, no me consuela bastante el saber que la princesa sea una ilustre socióloga.

32

En el cuarto reservado.

LA PRINCESA.—¡Qué bonitos versos los que hiciste a los cisnes del lago de Fordbridge, Charlie!...

CARLOS.—Eran muy vulgares.

LA PRINCESA.—¡Oh, no! ¡De ninguna manera! ¡Qué iban a ser vulgares!

33

Cenan alegremente. Después de cenar, *la Pariset* canta la canción del *Negro enamorado*.

34

La princesa baila la danza de los velos de las bayaderas del Kandahar.

35

LA PARISET.—Me tiene usted que escribir una canción, mi querido poeta.

CARLOS.—¿En francés?

LA PARISET.—Sí.

CARLOS.—No sabré.

LA PARISET.—¡Oh, sí! ¿No ha de saber usted, *mon petit Charlot?* ¡Ya lo creo!

36

LA PRINCESA.—Carlos no puede hacer poesías más que para mí. Yo le he nombrado poeta de la corte de Kandahar.

LA PARISET.—Es mucho exclusivismo, princesa.

LA PRINCESA.—La que no lo quiera así, se tendrá que ver conmigo.

37

Armando habla por los codos, y se pone a bailar el *charleston* con el doctor Kankamurti, que también está borracho.

38

Carlos está melancólico, pensando en la muchacha que ha visto hace poco. ¿Se habrá marchado ofendida porque le ha besado la princesa? ¿Le habrá tomado a él por un apache o por un *gigolo* de *dancing?*

39

Aparece en la pantalla la figura de la muchacha.

40

La princesa manda a un botones que vaya inmediatamente a su hotel.

41

Poco después, el botones viene con un criado con turbante, que trae un estuche de plata en una bandeja.

42

El criado presenta la caja a la princesa, pregunta si le mandan algo más, y se va.

43

La princesa abre el estuche y se lo regala a Carlos.

44

Carlos mete la mano en el estuche y saca diamantes, esmeraldas y perlas.

CARLOS.—¡Qué bonitas piedras!

LA PRINCESA.—Para ti.

CARLOS.—No.

Carlos mete las piedras en el estuche, lo cierra y lo deja encima de la mesa.

45

LA PRINCESA.—(Al doctor Kankamurti.) ¿Qué le pasa a este hombre?

EL DOCTOR KANKAMURTI.—No sé.

LA PRINCESA.—No me ha ocurrido nunca nada parecido. ¿Estará enamorado?

EL DOCTOR KANKAMURTI.—Quizá. ¿Quién sabe?

LA PRINCESA.—No creo que su poema le absorba hasta ese punto.

46

LA PRINCESA.—Estoy muerta de impaciencia. La duda me mata. Nada,

nada. Voy a darle el licor del mago Alquín, que hace hablar a cualquier persona más de lo debido.

47

La princesa se aparta y llama al doctor Kankamurti a un rincón.

LA PRINCESA.—Dame el licor del mago Alquín.

(El doctor se pone los lentes, saca un estuche del bolsillo del pecho y de allí un frasco, y mira su etiqueta con atención.)

EL DOCTOR KANKAMURTI.—Yo se lo daré.

LA PRINCESA.—No; tú tienes miedo y no le darás bastante.

EL DOCTOR KANKAMURTI.—Pero...

LA PRINCESA.—Venga, he dicho.

El doctor da a la princesa un frasquito. La princesa echa unas gotas en una taza de té, que sirve a Carlos.

48

Carlos comienza a excitarse y a hablar. Armando le mira, extrañado. Carlos habla cada vez más, se exalta, acciona, cuenta su vida. Se sienta, apoya la cabeza en la mano y queda desvanecido.

49

Recuerdos de Carlos intoxicado. Está en el colegio, de niño. Se presenta un tío suyo a sacarle de allí.

50

Le dice que va a llevarle a un colegio de Inglaterra.

51

Su tío le asegura que su padre era un perturbado y que ha hecho una torpeza antes de morir, con la que ha manchado su nombre brillante y casi célebre de aviador francés.

52

Le asegura al mismo tiempo que no debe ya pensar en su madre. Que piense en sus padres como si hubieran muerto.

53

El tío añade que se eduque en Inglaterra y que sea español como su abuelo paterno.

54

Carlos se agita. Ve un hotel de un pueblo suizo donde vivía su madre. Se ve una señora joven que abraza a un niño.

55

Carlos ha hablado bastante. El doctor Kankamurti le echa unas gotas de un cordial en los labios.

KANKAMURTI.—Mañana o pasado podrá andar por la calle.

56

LA PRINCESA.—¿Y no habrá ningún secreto que emplear para que este hombre me ame? Discurre, viejito. ¿No encuentras nada?

KANKAMURTI.—En nuestro país, sí; pero aquí los secretos no dan resultado. Esta vieja Europa es un país de kamarrupas (1), de gente de poca fe.

LA PRINCESA.—Si hay algo, vamos a emplearlo de todas maneras.

57

EL DOCTOR KANKAMURTI.—*(Saca un libro.)* Este es el libro sagrado de

Ranga-Sanga, escrito hace más de dos mil años por el venerable asceta Vaichiti (1). *(Lee.)* Se cogerá tierra de brezo... No; me he equivocado. Esto es para conseguir los melones dulces. Aquí está: la manzana del amor.

58

LA PARISET.—Aquí, en Francia, la manzana del amor es el tomate.

KANKAMURTI.—No hay que ser vulgar. Hay que elevarse por encima de las hortalizas.

LA PRINCESA.—Bueno; lee, viejito.

59

EL DOCTOR KANKAMURTI.—*(Sigue leyendo el Ranga-Sanga.)* Este es el gran secreto de los sabios cabalistas del Irán, llamado la manzana del amor. Un día trece y viernes, día de Venus, irás por la mañana a un huerto y cogerás la más hermosa manzana; después escribirás en un pergamino o filacteria el nombre tuyo y el de la persona amada, y en medio, la palabra *Scheva*. Después cogerás tres cabellos del amado y tres de los tuyos, y con ellos atarás el papel. Luego cortarás la manzana en dos pedazos, le quitarás las pepitas, meterás el billete dentro y unirás las dos medias manzanas con ramitas de mirto. Después pondrás la manzana debajo de la almohada de la persona querida que deseas que te ame.

60

La princesa toma tres cabellos de Carlos. Luego le besa en la frente.

---

(1) Los teósofos llaman algo así como *kamarrupas* a los materialistas.

(1) Los incrédulos aseguran que es un libro de Sar Paladan, traducido del francés.

61

La princesa recomienda al doctor que cuide de Carlos. El le dice que puede estar descuidada. Ella se va.

62

La princesa explica a *la Pariset* lo que ha hablado Carlos en su sueño, a quien la cómica no ha entendido, porque ha hablado a medias inglés y español.

63

La Pariset dice que cuando ella tiene algún conflicto que no sabe cómo resolver, va a consultar a madame Memphis, que es una gran adivinadora.

LA PRINCESA.—Vamos allá.

64

Van en un auto Armando, la princesa y *la Pariset*.

65

Entran en un portal. Pasan del portal a un patio, con una escalera de hierro.

66

En el primer piso, un rótulo:

MADAME MEMPHIS
PROFESORA DE CARTOMANCÍA,
METAFÍSICA Y PSICOANÁLISIS

67

Se ve una calavera que echa luz por los ojos.

68

Llaman, y sale un negro a la puerta con un turbante. Es un negro pintado. La princesa le pasa el dedo por la cara y le deja una marca de haberle quitado el maquillaje. *La Pariset* dice que toda esta comedia es para el público. Pasan adentro.

69

La Pariset cierra una llave de luz eléctrica y deja de salir la luz por las órbitas de la calavera.

70

Madame Memphis tiene un cuarto de maga. En las paredes, signos misteriosos. En el techo, un caimán. Encima de un armario, una lechuza.

71

La Pariset le dice al negro que le diga a madame Memphis que es ella. Pasan al despacho de madame Memphis. En el despacho. El Larousse, la Gran Enciclopedia, las obras de Descartes, de Renan y de Anatole France.

72

Madame Memphis lleva anteojos y tiene aire de sabio. Dice frases en latín. Se saludan. La princesa explica el asunto. Madame Memphis oye y va tomando notas. La princesa le dice que no escatimará el dinero. La Memphis saluda y los visitantes se van.

73

LA PARISET.—¿Qué le ha parecido a usted madame Memphis, princesa?

LA PRINCESA.—Es todo un folletín. Podía estar firmada por Gaboriau o por Xavier de Montepin.

74

Madame Memphis llama por teléfono a un policía detective. Le dice que se presente en seguida.

75

Después de esto, madame Memphis se pone a leer un libro antiguo.

76

Viene el policía detective, monsieur De Tournon, ex profesor de Botánica del Liceo de Poitiers. Monsieur De Tournon es un hombre flaco, misterioso, elegante, con una flor en el ojal. Monsieur De Tournon imita en el tipo y en los procedimientos a Sherlock Holmes. Va afeitado, de negro. Fuma pipa. Es un poco lacrimoso y cómico.

77

Se ve una figura de Sherlock Holmes.

78

Monsieur De Tournon dice, con aire insinuante, que ya sabe por qué le llama la Memphis. A pesar de ello, la adivinadora le explica el asunto. El dice que lo sabe por intuición; pero es porque la Pariset se lo ha dicho.

79

La Memphis le dice que no se las eche de pillo con ella. Ella ha visto a la Pariset, que ha ido a su casa, y supone que le ha contado el asunto.

80

Tournon dice que así es.

81

La Memphis habla y Tournon toma notas.

82

El señor De Tournon ha sido profesor de Botánica del Liceo de Poi-

tiers hasta que se enamoró de la Pariset.

83

Era habilitado del Liceo, y cogió las pagas de los demás profesores y se las gastó con la Pariset.

84

Como no pudo devolver el dinero, le echaron del Liceo y se hizo policía particular. Tournon sabe Botánica y es abstemio. Cuando va al campo, se dedica a herborizar, y se distrae. Para que no se distraiga demasiado, la Memphis ha pensado que le acompañe Tití la Sorbonne.

85

El señor De Tournon es tan abstemio, que es para él una obsesión. El mismo cuenta que durante la guerra estaba prisionero de los alemanes y se escapó, a punto de morir a cada paso. Al llegar a la trinchera francesa, cayó desmayado, y le quisieron dar una copa de ron; pero él la rechazó y dijo: «No, soy abstemio.»

86

Se ve a monsieur De Tournon con Tití la Sorbonne en una biblioteca grande, consultando el uno el Diario Oficial y el otro, otro periódico, tomando notas.

87

Plana de un periódico.

88

Monsieur De Tournon ya ha encontrado lo que necesita. Allá está el dato, la relación.

89

Tournon y Tití van en auto por en medio del campo. Se detienen en el café de la Gare. Hay allá unos gendarmes. Uno de ellos ofrece una copa al señor De Tournon, que la rechaza.

90

Pasan la frontera. En todas partes donde preguntan, tabernas, bares, cervecerías. Tití ofrece una copa a Tournon, y como éste la rechaza ofendido y escandalizado, se la bebe Tití.

91

Llegan Tournon y Tití a un hotel con jardín, y lo estudian.

92

Vista del hotel Benerhof, de un pueblo suizo. En una puerta, una marquesina y una enseña que sale de la pared con un oso pintado. Cerca hay un jardín.

93

Tournon hace señas, diciendo que allí fue donde ocurrió el hecho.

94

Campo de aviación francés. Hay un oficial aviador francés, a quien le dan una carta.

95

El oficial la lee y estruja el papel en la mano.

96

Le dicen que su mujer le engaña, que tiene citas con un oficial alemán en el pueblo suizo donde vive.

97

El oficial vacila, se decide, marcha al hangar y sale con un aeroplano. Se eleva en el aire. Aterriza.

98

El oficial va de noche y se acerca a un hotel iluminado. El oficial tiene una cara de hombre enfermo y deprimido.

99

Se asoma por entre las enredaderas que cubren la verja del hotel.

100

Ve a una mujer que abraza a un militar alemán.

101

El oficial busca el revólver en el cinto. No lo encuentra, se desvanece y cae al suelo.

102

El oficial alemán sale del hotel, toma un auto y se marcha.

103

La mujer se retira del jardín y entra en el hotel, sin enterarse de lo que pasa.

104

Poco después, una patrulla suiza recoge el cuerpo del aviador. Está muerto. Le registran, ven sus papeles y se llevan el cadáver.

105

El Diario Oficial da el nombre del oficial aviador como desertor.

106

Tournon y Tití *la Sorbonne* vuelven en auto. Tití baja a tomar una copa al hotel de la Comette. Tournon toma agua de Vichy.

107

Llegan a casa de madame Memphis. Tournon le da sus notas con toda clase de detalles.

108

Madame Memphis las lee y le despide a Tournon, pagándole.

109

Se ve a Tournon que está en su casa, solo, bebiendo y riéndose.

110

Tití *la Sorbonne* y *la Pariset* van a la casa de la princesa a contarle lo que han averiguado del padre de Carlos

111

LA PRINCESA.—¿El pobre Carlos no está enamorado?

LA PARISET.—Parece que no; debe de ser sólo el poema el que le trae a mal traer.

112

La princesa dice que le dominará a Carlos. Salen de casa.

113

Alcoba de la princesa de Kandahar. La princesa tiene una alcoba de aire oriental. Su cama está sobre un elefante. Está soñando que Carlos la galantea en un jardín a la luz de la luna.

114

En el jardín hay árboles con hermosas manzanas que producen su admiración.

115

La princesa se despierta y ve un almanaque de pared, que marca

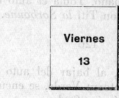

Viernes
13

116

Entonces se acuerda de la manzana del amor. La princesa va en auto. Entra en un manzanal. Elige una manzana. Vuelve al cuarto de su hotel.

117

Escribe la palabra *Scheva* en un papel y el nombre de Carlos y el suyo. Sujeta el papel con los cabellos suyos y de Carlos. Corta la manzana, le quita las pepitas, mete el papel y une las dos medias manzanas con unas ramitas de mirto.

118

En el cuarto reservado del *cabaret* donde quedó Carlos.

EL DOCTOR KANKAMURTI.—Perdone usted un consejo, mi querido Carlos.

CARLOS.—Diga usted.

KANKAMURTI.—Usted se podía casar con la princesa...; un matrimonio de seis meses...; ella se cansaría pronto de usted y usted de ella, y usted podía añadir un canto más a su poema.

CARLOS.—¿Qué quiere usted, mi querido doctor? La princesa no me gusta. Estas mujeres mundanas me son muy antipáticas.

KANKAMURTI.—Ella es muy simpática cuando quiere, y muy amable. Usted la irrita porque no la hace caso.

119

Sale la princesa con la manzana del amor en la mano. Toma el auto con *la Pariset* y con Tití *la Sorbonne*.

120

En la calle, al bajar del auto delante de la Cotorra Verde, se encuentran con el príncipe Sarko.

121

La princesa, Tití *la Sorbonne* y *la Pariset* hacen el signo contra la *jettatura*.

122

Se ve una mano que se agita de un lado a otro.

123

A la princesa se le cae la manzana y la coge el príncipe, que comienza a galantear a la princesa.

124

Se ve a la cotorra en la jaula, que se asusta al ver al príncipe.

125

SARKO.—¡Oh, qué hermosa manzana! ¡Qué magnífica manzana! Sus colores sólo pueden compararse con los de usted.

LA PARISET.—Habría que ver a la princesa sin maquillaje.

126

SARKO.—Princesa, no sabe usted lo que la quiero.

LA PRINCESA.—Yo también le tengo a usted mucho afecto; pero tengo prisa. Déme usted la manzana. *(Se la quita.)*

127

La princesa entra en el cuarto reservado del *cabaret* de la Cotorra Verde, coge un almohadón, lo descose rápidamente con unas tijeras y mete la manzana dentro del almohadón, y luego lo deja.

128

Entran el mozo, Tití *la Sorbonne* y *la Pariset*.

LA PRINCESA.—¿Dónde está el joven que ha dormido aquí?

EL MOZO.—Ha salido hace un momento.

LA PRINCESA.—¿Y el viejo?

EL MOZO.—Ese ha salido hace una hora.

129

La princesa se pasea furiosa. Encima de un velador hay un papel que dice:

«Recuerdo amistoso para el doctor Kankamurti, de su amigo

Carlos.»

130

LA PRINCESA.—Nada. Se ha marchado. Este Kanka no ha sabido vigilarle.

131

La princesa está furiosa y se pasea en el cuarto de un lado a otro.

LA PRINCESA.—Ese animal de Sarkófago tiene la culpa. El me ha entretenido en la calle. ¡Qué estúpida mala bestia!

132

Llega el doctor Kankamurti. La princesa quiere agarrarle del pelo; pero Tití *la Sorbonne* se opone. Luego le quiere dar una patada.

133

La princesa corre detrás del doctor Kankamurti, que va dando vueltas alrededor de las personas, huyendo de ella.

134

LA PRINCESA.—Bueno, para y hablemos.

Kankamurti se explica. Carlos le ha enviado a comprar una revista dadaísta, *El Sapo Azul*, al bulevar de Montparnasse, y mientras tanto se ha escapado.

135

La princesa le perdona y le da la mano a besar.

136

Aparece Mohamed, el pretendiente oficial de la princesa, con su flor en la mano. Todos se escapan. Mohamed pide un vermut al mozo.

137

Mientras vuelve el mozo, Mohamed se tiende en el diván y pone debajo de su cabeza el almohadón que tiene dentro la manzana del amor.

138

Mohamed va poniendo una cara apasionada. Se levtna y dice:

—Yo estar enamorado de la princesa como un loco. Más que nunca. Mi corazón ser como un rosal florido. No parece sino que alguien me ha dado algún hechizo o me ha dado la manzana del amor.

Mohamed se levanta y se va.

139

Entra el profesor Thompson con la señorita periodista miss Lee. Los dos ya viejos y con un aire de seriedad malhumorada.

EL PROFESOR THOMPSON.—*(Al Mozo.)* ¿Este ser el célebre *cabaret* de la Cotorra Verde?

EL MOZO.—Sí, señor.

EL PROFESOR.—*Cabaret* de muy mala reputación.

MISS LEE.—De detestable reputación en todo el mundo.

EL MOZO.—Es verdad. Tenemos una malísima reputación... Gracias a ella vivimos. *(Limpiando la mesa con la servilleta.)* ¿Qué tomarán ustedes?

EL PROFESOR.—Soda y agua de seltz. Nosotros queremos sentar aquí un momento para observar las malas costumbres.

140

Thompson coge de pronto el almohadón y lo pone debajo de su brazo. Al momento empieza a sonreír. Luego toma la mano de miss Lee, que le mira asombrada y severa.

141

Thompson atrae hacia sí a miss Lee y la abraza.

142

Ella se levanta espantada y sale corriendo.

143

El mozo se acerca a cobrar a Thompson, quien le paga, y se va, y tira el almohadón al suelo.

144

El mozo recoge el almohadón del suelo con mal humor. Poco después comienza a sonreír y ve a una criada vieja, que asoma por una puerta, y se acerca a galantearla.

145

La señora del mostrador aparece indignada. Quita al mozo el almohadón con violencia. Al ver la manzana, que está en el suelo, la coge y la pone en un frutero.

1

Carlos ha publicado una poesía sobre las máquinas de escribir, que ha tenido mucho éxito entre los dadaístas y los confusionistas.

2

Se ha convidado a un champaña de honor en el *cabaret* de la Cotorra Verde. Allí puede, si quiere, dedicar algunos ejemplares de su primer libro de versos, *Binomios sentimentales*, a los amigos, y cobrárselos. Es una costumbre nueva.

3

Van Armando, la princesa, *la Pariset* y todos los que aparecen en la primera parte. Se presenta Mohamed, y la princesa se esconde para no verle.

4

Se presentan el general Souza Coelho Barreira da Castro y el general

146

Al poco rato, un mozo que viene a llamar a la señora del mostrador, porque un señor del público ha encontrado un papel dentro de una manzana. ¿Es que es una broma? El señor está furioso. Ve a la señora, y el señor empieza a galantearla.

147

La señora coge la manzana, y va al jefe del restaurante, y, en vez de preguntarle nada, le dice que está muy guapo. El señor coge la manzana y la tira por la ventana.

TERCERA PARTE

1

Baleador con dos señores y dos muchachas, una de ellas Cecilia. Con ellas va el hermano de ésta, Manolito.

5

Cecilia habla con Carlos, y Carlos está tímido con ella. Ella le dice que sabe que es un gran poeta y que está haciendo un poema que le hará célebre. Su primer libro, *Los binomios sentimentales,* es encantador. La oda a los escrofulosos es una delicia, y la canción sobre los neumáticos es magnífica.

6

Armando conoce también a la familia de Cecilia, por el hermano de ésta, Manolito. Armando habla, se pavonea y hace reír a la gente.

7

Casa de los padres de Cecilia.

8

Cecilia habla con una vieja que ha sido su nodriza y que vive en la casa.

9

Cecilia le enseña el retrato de Carlos en una postal que han hecho en una carrera de caballos. En la postal, Carlos le mira a ella.

10

La nodriza le encuentra hombre guapo y de buena figura. ¿Será también hombre bueno y leal? Cecilia está segura de ello. Ha leído sus versos; no hay más que mirarle a la cara.

11

La nodriza dice que hay hombres guapos que parecen buenos, y luego son muy malos. A ella le engañó uno así. Cecilia besa a su nodriza.

12

El general Souza Coelho y Barreira da Castro y el general don Martín Baleador dan informes a Armando sobre la familia de Cecilia. Sus padres, el conde y la condesa, son millonarios. Tienen una finca en el Paraguay como media Francia. El se dedica a estudiar la ganadería y la obtención del tanino. Ella es presidenta de muchas sociedades culturales y caritativas.

13

ARMANDO.—¡Demonio! ¡Sería un negocio hacer la corte a Cecilia y casarse con ella!

14

Se ve la figura de Cecilia, que surge entre palacios, fincas y láminas de papel del Estado.

15

En el hotel donde está Carlos vigilan constantemente los criados, con turbante, de la princesa. Carlos se encuentra a cada paso un hombre con turbante, en el ascensor, en el salón, etcétera.

16

La princesa le ha dicho a Carlos que, con arreglo a las nuevas leyes de su país, pueden estar casados solamente seis meses. Es lo que se llama en su tierra matrimonio de ensayo. Carlos no acepta.

17

De cuando en cuando aparece Mohamed con la flor en la mano, y dice:
—¡Ah!... Yo estar enamorado de la princesa como un loco. Mi corazón es como un rosal florido. No parece sino que la princesa me ha dado la manzana del amor.

18

Carlos está vigilado por los criados de la princesa. En la escalera se los encuentra constantemente.

19

A la puerta del hotel hay un auto. El chófer saluda a Carlos, y el lacayo le pregunta si no va a salir.

20

Pasea, y le siguen por la calle dos hombres de turbante. Carlos no sabe qué hacer.

21

Está en su cuarto vestido de etiqueta—tiene que ir a casa de Cecilia—. Baja la escalera. Le siguen. Vuelve a su cuarto.

22

Carlos está pensativo. Abre la ventana, ve que da a un tejado, y con su sombrero de copa y su gabán va por el tejado y se le ve alejarse.

23

La condesa, la madre de Cecilia, es una señora guapa. Se acerca a Carlos, y le dice que su amigo Armando galantea a Cecilia. A Carlos le impresiona la noticia.

24

La madre de Cecilia pregunta a Carlos, diplomáticamente:

—¿Qué opina usted de Armando? ¿Es jugador, como dicen? ¿Es mujeriego? ¿Es pendenciero?

Carlos se muerde los labios y no dice nada. El no sabe nada.

25

Cecilia encuentra a Carlos pensativo y triste. ¿Por qué tiene este aspecto? El no quiere decir nada. Cecilia pregunta:

—¿Yo no lo puedo saber?

El se calla. Ella se queda triste. El se va.

CUARTA PARTE

1

Están en el *cabaret* de la Cotorra Verde Armando con Manolito, el hermano de Cecilia; Mohamed y Tití *la Sorbonne*.

2

Armando ha pedido dinero a Carlos y al hermano de Cecilia.

3

Los cuatro corren grandes juergas. Armando mira su matrimonio con Cecilia como un gran negocio que resolvería su vida. El hermano de Cecilia, Manolito, es un gomoso enamorado de *la Pariset*. Manolito y Tití *la Sorbonne* fraternizan. Mohamed piensa sólo en la princesa.

4

Un jardín, en donde están hablando Carlos y Cecilia a la luz de la luna. Se besan.

5

Armando y Manolito vuelven, los dos borrachos, y los ven.

6

Armando se lo cuenta a la princesa de Kandahar. La princesa rabia.

7

La princesa se pone a escribir. Después de escribir, llama por teléfono a *El Fígaro*. Quiere que pongan una nota de sociedad.

8

«EL FIGARO

La princesa de Kandahar y el poeta español Carlos de Heredia.

La encantadora princesa de Kandahar, que habita desde hace días entre nosotros, está recibiendo los homenajes de la buena sociedad de París. La gentil princesa, como dijimos el otro día, ha estudiado en la Universidad de Fordbridge con gran lucimiento. Hace días, la princesa se encontró en un lugar muy *chic* con su condiscípulo el joven español Carlos de Heredia, también estudiante de Fordbridge. La princesa, que lucía unas alhajas maravillosas, se las mostró al joven poeta español, quien, con toda la gravedad de su raza, sacó del bolsillo un estuche y se lo regaló a la dama. Esta, al abrirlo, se encontró con un collar de perlas admirable. Se dice que el idilio de la princesa irania y del poeta español acabará pronto en boda.»

9

Carlos lee el periódico y lo tira. Mira el libro del teléfono y llama al *Fígaro*.

—Que hagan el favor de rectificar. La noticia es falsa. Yo no he regalado nada.

10

LA MADRE DE CECILIA.—¡Qué extraño! *(Lee «Fígaro».)*

CECILIA.—¿Qué pasa?

LA MADRE.—Lee. *(Le da el periódico.)*

CECILIA.—*(Lee, y se queda parada y entristecida.)*

LA MADRE.—¿Qué te parece?

CECILIA.—No creo en eso. No es verdad.

11

En el *cabaret* de la Cotorra Verde hay un grupo de amigos. Armando dice que Carlos entra en casa de Cecilia. Que la madre de Cecilia flirtea con el general don Martín Baleador, y que el padre de Cecilia tiene un lío con la mecanógrafa.

12

Tití *la Sorbonne* lo oye y se lo dice a Manolito, el hermano de Cecilia.

13

La princesa le dice a Armando que Cecilia está enamorada de Carlos. El poeta es un amanerado que quiere casarse y ser padre de familia.

14

LA PRINCESA.—¡Esta vieja Europa! ¡Esta vieja Europa! No acepta más que el lugar común.

15

Nada mejor para desbaratar los amores de Carlos y Cecilia—piensa la princesa—que contar en casa de Cecilia la historia de la madre de Carlos.

16

Armando se convence. Después de todo, ¿qué ha hecho Carlos por él? Es un amigo. ¡Bah!, no hay amigos; cada uno va a lo suyo. Armando toma una copa tras otra, y se decide a ir a casa de Cecilia.

17

Armando ha pedido una entrevista a la madre de Cecilia. Se pasea por un salón, haciendo gestos de disgusto.

18

Aparece la madre de Cecilia. Armando le dice que, muy a pesar suyo, tiene que contar lo que sabe de la familia de Carlos.

19

Vuelve el cuadro del viaje en avión del padre de Carlos. La noche, el jardín, el abrazo de la madre de Carlos al militar alemán, y la muerte.

20

La madre de Cecilia le dice a Armando que no es un caballero; que es un mal amigo, un calumniador, y que se vaya de su casa. Le recuerda lo que le contestó Carlos cuando ella le preguntó acerca de la conducta de Armando. Armando ha mentido cuando ha dicho que Carlos entra en su casa; ha mentido también afirmando que ella flirtea con un americano, y ha calumniado a su marido y a una pobre muchacha mecanógrafa, que ganaba su vida trabajando.

21

El padre de la mecanógrafa ha sabido lo que dicen de su hija.

22

Se ve al padre de la mecanógrafa, un viejo de pelo blanco, que vive en una buhardilla, y que no quiere que su hija salga de casa. Tendrán menos para comer.

23

LA MADRE DE CECILIA.—(A Armando.) No vuelva usted a poner los pies en esta casa.

Armando sale furioso.

24

Hablan la madre, la hija y Carlos. Cecilia afirma que no le dejará a Carlos.

CECILIA.—No creo que sea verdad lo que ha dicho Armando. Aunque lo fuera, no dejaría a Carlos. ¿Qué tienen que ver los hijos con las faltas de sus padres?

LA MADRE DE CECILIA.—Hija mía, yo no sé qué hacer ni qué decir. Yo ya sé que las faltas de los padres no deben caer en los hijos. No sé si lo que ha contado ese hombre es verdad. Es un calumniador y no se le puede creer.

CARLOS.—Lo que ustedes manden haré yo. No creo que Cecilia y usted tomen una resolución injusta.

CECILIA.—¡De ninguna manera! Yo no te dejaré a ti.

LA MADRE.—Venga usted mañana, Carlos, y decidiremos.

QUINTA PARTE

1

Cecilia habla con su nodriza. Le cuenta lo que ha pasado. La nodriza le pide detalles.

2

Este asunto del supuesto adulterio de la madre de Carlos ocurrió cuando una amiga de una hermana suya estaba de ama de llaves en la casa del marqués (padre de Carlos).

3

CECILIA.—¿Tu hermana vive?
LA NODRIZA.—Sí. En un pueblo de los alrededores.
CECILIA.—¿Y su amiga?
LA NODRIZA.—No sé.
CECILIA.—Vamos a buscarla.

4

Cecilia y la nodriza van en automóvil. Cecilia conduce.

5

Paran en una casa pequeña de una aldea. La hermana de la nodriza les dice que su amiga, la que fue ama de llaves del marqués, vive cerca.

6

Van a buscarla. Una casa pequeña con un corral, y una vieja que vive entre gallinas, gatos, perros y conejos.

7

La vieja habla. Dice que el marqués estaba enfermo neurasténico. Había tenido varias heridas graves. Que el hombre que abrazaba de noche a la mujer del marqués era un hermano de la mujer, alsaciano, militar al servicio de Alemania, y que entraba en Suiza a hablar con su hermana.

8

En casa, Manolito dice a Cecilia que él ha oído decir a Tití la Sorbonne que hicieron una investigación policíaca sobre el padre de Carlos, y que

la mandó hacer una adivinadora, madame Memphis.

9

Van a casa de madame Memphis. Se ve la calavera que echa rayos por las órbitas.

10

Madame Memphis les cuenta lo que sabe. Les dice que vive la madre de Carlos. Les da el informe que escribió M. De Tournon, y les hace pagar sus informaciones. La madre de Carlos vive en Alsacia.

11

Van en auto el padre y el hermano de Cecilia a visitar a la madre de Carlos.

12

Explican a la madre de Carlos el asunto.

13

La madre de Carlos dice que su marido, el marqués, enfermo por las heridas de la guerra, era oficial aviador. Los sufrimientos le habían trastornado. El, español; ella, alsaciana, con amigos y parientes en el ejército alemán, producían sospechas.

14

Su hermano era oficial en el ejército alemán. A ella, por su parentesco, la tenían por germanófila.

15

Entonces ella decidió ir a vivir a Suiza. Su marido y su hermano se odiaban y no se querían ver.

16

Al marido le dice algún malintencionado que su mujer tiene un amante que es un oficial alemán.

17

El marqués monta en el avión.

18

Aterriza al anochecer.

19

Se acerca al hotel.

20

Se ve a ella en el jardín abrazándose con su hermano.

21

Entonces, al ir a sacar el revólver, al marqués le da un ataque, y cae muerto.

22

Al hermano del marqués le dan una versión falsa, y coge al niño, a Carlos, que está educándose en Angulema, y lo lleva a Londres. Le pone como condición que no hable nunca de su madre.

23

Ella va a Francia, después de muerto su marido, y rehabilita su memoria.

24

No sabe nada de su hijo. No sabe dónde está.

25

Ha escrito varias veces a su cuñado, pero éste no le contesta. Ultimamente le han dicho que está en una aldea inglesa.

26

Mientras hablan se presenta el hermano, el antiguo militar que estuvo en el ejército alemán.

27

El ex militar está triste. ¿Qué iba a hacer él? A veces las cosas se ponen tan mal, que no hay manera humana de obrar con sentido.

28

Lo malo, dice la madre de Carlos, es que no saben lo que hizo Carlos ni dónde se encuentra.

29

El padre de Cecilia dice que está con ellos y que va a casarse con su hija.

30

Están la madre de Cecilia, Cecilia y Carlos hablando, cuando se presentan el padre de Cecilia y la madre de Carlos. Se abrazan todos.

31

Una ceremonia en la que no se ve más que una mano de hombre y otra de mujer, a la que ponen el anillo nupcial.

32

Se han casado Carlos y Cecilia. Cecilia dirige el auto.

La madre de Cecilia.—¿Os vais?

Cecilia.—Sí, vamos a hacer una edición del poema de Carlos.

El padre de Cecilia.—No sé si bastará un tomo.

Cecilia.—Lo haremos en varios tomos.

33

Armando, Mohamed y la princesa andan juntos en auto. Ella coquetea con los dos, aunque sin entusiasmo.

34

Mohamed.—*(Con la flor en la mano.)* Yo estar enamorado de la princesa como un loco.—Más que nunca.—Mi corazón es como un rosal florido.—No parece sino que la princesa me ha dado la manzana del amor.

35

En casa de Armando. El pintor está haciendo un cuadro cubista: una bocina de gramófono, una máquina de escribir y dos bombillas eléctricas.

36

El doctor Kankamurti.—Amigo Armando, le veo a usted muy entusiasmado con la princesa.

Armando.—¿Por qué?

El doctor Kankamurti.—No hay ninguna razón, efectivamente, para que usted no galantee a la princesa; pero tenga usted cuidado. La princesa es muy celosa, y no admite que sus amigos le sean infieles.

37

Armando.—¡Ah!, ¿no?

El doctor Kankamurti.—Ella explica este carácter arrebatado por las secreciones internas, por la endocrinia.

Armando.—Muy bien.

38

El doctor Kankamurti.—En Kandahar, el que le es infiel va a parar al grupo de los esclavos o de los eunucos.

Armando.—Yo me río de las amenazas, doctor. A mí no me dominan las mujeres. Yo soy el que las domino a ellas por las buenas, o si no, con el jarabe de estaca. Para mí no hay tiroidina que reemplace a esto.

39

El doctor Kankamurti. — Tenga usted cuidado, mi querido amigo. Si la princesa le otorga su amor, espere usted a que se canse ella de usted antes que usted le sea infiel.

Armando.—Amigo doctor, usted no sabe cómo las gastamos los cubistas.

40

El doctor Kankamurti.—Si va usted a Kandahar, fíjese usted en algunos que trabajan en el campo o en los talleres y llevan un fez sin borla. Esos son eunucos que han desagradado en algo a la princesa o a su padre.

Armando.—Y usted, ¿lleva allí fez sin borla, doctor?

El doctor Kankamurti.—No; yo he sido siempre fiel.

41

Boda de Mohamed y de la princesa en la corte de Kandahar. Mohamed, con una flor, dice la relación de siempre.

42

En la corte de Kandahar. Armando, vestido con turbante y lleno de joyas, pinta a una muchacha desnuda y le agarra de la barbilla. Se besan y se dan una cita.

43

Se ve a la princesa de Kandahar con Mohamed, que pasea en un palanquín dorado, y a Armando, medio desnudo, con los bigotes largos y caídos y con un grillete al pie, que está entre los que llevan un fez sin borla, pintando una puerta.

Julio de 1929.

SILUETAS DE BOHEMIOS

ALBERTO LOZANO

Alberto Lozano era un joven andaluz, de Jerez, que había venido a Madrid después de haberse arruinado. Debía de haber sido generoso, manirroto, imprevisor. Colaboró en un periódico de Escalante Gómez, semanario de bombos, que se titulaba *Relieves*.

Escalante Gómez pagaba a sus redactores, Lozano y López Barbadillo, a peseta por artículo. Naturalmente, los artículos no eran largos. Lozano fue el que redactó la biografía elogiosa de un comerciante rico de Tarragona, y dijo, con inconsciencia, esta admirable frase:

«El señor Coll es el cacique más rico y más influyente de la provincia de Tarragona, y «aun así» hay algunos que le niegan sus votos.»

Después, Lozano anduvo sostenido por Francisco de A. Soler, que hacía una revista, *Arte Joven*, donde dibujaba Picasso. Francisco de A. Soler representaba un artefacto médico, el cinturón eléctrico, fabricado en Barcelona, no creo que de gran utilidad, y de esto vivía. Parte del dinero ganado con el cinturón lo gastaba en su revista. A veces hacía cosas cómicas. Iba, por ejemplo, a un baile del Frontón Central. a un palco; convidaba a unas cuantas máscaras de mantón de Manila a vinos y a licores, y de pronto sacaba un paquete de anuncios del cinturón eléctrico y los tiraba sobre el público.

Cuando Soler se fue de Madrid, Lozano quedó desamparado y se puso a vivir del crédito. A vivir y a beber. Entonces empezó a sablear a los amigos. Una de las víctimas fuí yo.

Lozano era amigo mío no sé por qué; no teníamos dos ideas comunes. El era místico y religioso, yo presumía de materialista y anticristiano. El era monárquico; yo, medio anarquista; él creía que no había en la literatura nada tan importante como los versos; a mí no me interesaban nada los versos, y creo que en toda mi vida no había leído arriba de dos tomos de poesías. A pesar de nuestras diferencias, nos hablábamos de tú, como si nos hubiéramos conocido de chicos.

Lozano se contentaba con poco. No era como Francisco Iribarne, que, una vez en el café, mostrando en la palma de la mano dos monedas que yo le había dado, decía:

—Ese canalla de Baroja, ¿qué creerá que voy a hacer yo con dos pesetas?

Lozano se presentó una vez en *El Globo*, donde yo hacía el papel de jefe de redacción, y me dijo que hablara al director y propietario, Emilio Ríu, para que lo aceptase como redactor. Prometía trabajar seriamente. *Azorín* y yo lo recomendamos, y Lozano entró en la redacción. A los ocho días no hacía nada; tenía un sofá favorito donde dormía y una botella de aguardiente metida en un armario polvoriento. Yo, siempre que registraba este armario, cogía anginas. Lozano, a veces, me llamaba:

—Oye—me decía—, a ver si pagas una cuenta pequeña de tres pesetas a este mozo de la taberna.

—Pero tú eres un cerdo—le gritaba yo—. Todos los demás tienen que hacer algo, y tú, no. Tú, sin duda, crees que eres un príncipe y los demás unos zoquetes que tenemos que estar escribiendo tonterías mientras tú fantaseas. No vemos qué derecho especial tienes tú para eso.

—¿Qué te importa a ti por tres pesetas? Vamos, hombre; no seas roñoso.

Yo le daba los cuartos, y Lozano se tendía en su sofá.

Al mes, viendo que no trabajaba absolutamente nada, Ríu le echó del periódico, y el poeta comenzó su vida lastimosa. Se las arreglaba para encontrarme en la calle, y solía pasar la vida entre las tabernas y las iglesias, adonde solía ir a rezar.

—Rezo por ti también—me dijo una vez.

—No me vengas con historias—le contesté yo—. Eres un cómico, eres un farsante.

Así seguimos en nuestra amistad, hablándonos, insultándole yo y él dándome sablazos. Siempre encontraba disculpas graciosas para no trabajar. Un día recibí una carta de Lozano. Me pedía cinco duros, y me decía: «Creo que no te volveré a pedir más, porque me muero.»

Yo estuve tentado de no dar nada, pensando que sería uno de tantos embustes del poeta. Fuí a ver quién había traído la carta, y me encontré con una pobre vieja, de mantón, con un aire muy triste y resignado.

—¿Está malo Lozano?—le pregunté.

—Sí; muy malo.

—Dígale usted que ya iré a verle un día de éstos.

Al día siguiente, Lozano se había muerto solo en su rincón.

La cosa me hizo muy mal efecto.

RAFAEL URBANO

Rafael Urbano comenzó a venir a mi casa cuando yo publiqué mi primer libro, *Vidas sombrías*. Estaba extrañado de que yo no hubiese leído a Angel Ganivet, y quería que leyese a este autor. Me trajo *La conquista del reino de Maya*, que no leí, porque desde el principio me pareció un libro aburridísimo.

Urbano me había impulsado a mí a jugar al ajedrez, y me ganaba de todas maneras. Me daba de ventaja una torre, después dos torres; luego las torres y los alfiles, y siempre me ganaba. Unía a la victoria algunos comentarios irónicos. Yo me iba amoscando.

Un día me encontré al francés Cornuty, que era amigo de Urbano.

Yo había defendido varias veces con calor la tesis cientifista, diciendo, por ejemplo, que la obra de Pasteur era mucho más trascendental para el mundo que la de Verlaine o la de Baudelaire.

El francés había tomado esto en cuenta, como un insulto, y, después de elogiar mucho a Rafael Urbano y sus conocimientos, me dijo:

—Usted ha escrito *Vidas sombrías*, pero eso no es más que «de» la literatura. En cambio, usted ha hecho una tesis psicofísica sobre el dolor con matemáticas e integrales. Es verdad, es verdad. Usted pretende «estar» un buen matemático, pero el señor Urbano le gana siempre al ajedrez.

Esto lo repetía el francés entre risas burlonas. Aquello me exasperó, y le dije en un momento de cólera:

—Usted es un lugar común humano, una frase hecha y amanerada. Respecto al señor Urbano, dígale usted de mi parte que si vuelve a mi casa le voy a clavar en la puerta, como a un murciélago.

Urbano, que era pequeño y negro, y llevaba un macferlán también negro, parecía, efectivamente, un murciélago.

Urbano se indignó de este acceso un poco misantrópico, y fue por la tarde a mi casa a devolverme unos libros, y dijo que no quería amistades con hombres iracundos e impulsivos.

Tiempo después me envió un libro en donde me decía que había entre nosotros dos una amistad estelar.

Luego veía muy rara vez a Urbano, casi siempre en alguna librería de viejo.

—¿Tiene usted muchos hijos?—le pregunté una vez.

—Sí, muchos. No me ocupo gran cosa de ellos. Nacen, crecen, mueren... Ellos se entienden con la vida como pueden.

Cuando Urbano se murió, vendieron su biblioteca en la librería de ocasión de Tomás Tormos, de la calle de Jacometrezo, y allí un jesuita historiador, el padre Lecina, y yo estuvimos mirando todos los libros. Urbano me había dicho que tenía una edición antigua de la *Guía espiritual*, del padre Molinos. El jesuita y yo anduvimos a ver si la cazábamos, pero no dimos con ella.

El jesuita se llevó una traducción española de Ruysbroek.

DON JOSÉ NÁKENS

Yo tenía desde la infancia la idea de que Nákens era un terrible bohemio; yo le había visto de chico ir una vez a mi casa, un día de invierno, y llevarse un poco de chocolate, porque el periodista radical pasó épocas de miseria terribles. Por eso, durante la infancia y la juventud tuve yo por Nákens, a pesar de que no compartía muchas de sus ideas, gran entusiasmo. Luego, por un motivo literario, dejé de tener simpatía por él y no le volví a ver más.

Cuando estudiaba el doctorado en Medicina, comencé yo a escribir en *La Justicia*, periódico de Salmerón. Me llevó a ella Luis Ruiz Contreras. El director entonces era Francos Rodríguez, que se las echaba de sentir un gran misticismo republicano. Decía que Alfonso XIII no llegaría a ser mayor de edad, porque estaba enfermo. ¡Poco ojo clínico para un médico! Como principiante, yo creía que mis artículos estaban bien.

Un día fuí a ver a Nákens a la redacción de *El Motín*, en la glorieta de Bilbao. Mi idea era hablarle de pasada de mis artículos. Nákens me recibió muy secamente. Estaba corrigiendo las pruebas de una traducción de una novela francesa que publicaba en su imprenta. Le hablé de mis artículos, y entonces él me dijo, con dureza, que los había leído ya; que eran pedantescos, petulantes y ridículos. Tenía en la mesa un número de *La Justicia* con mi último artículo; lo cogió, lo arrugó y lo tiró a la cesta de los papeles.

—Para eso, vale más que no escriba usted.

Salí de allí botando. Luego, al cabo de los años, encontré a Nákens; pero hice como si no le conociera. Después me escribió, intentando halagarme, llamándome gran escritor; pero yo rompí la carta y no le contesté.

Que ahora me digan que mis libros son malos y que soy un tonto, un perturbado o un pedante, no me molesta, y, aunque sea verdad, no me importa; pero en la juventud, una cosa así me hacía daño.

Además, yo encuentro que revela un fondo de maldad el tratar tan duramente a un joven. Yo me creo un hombre como la mayoría, ni bueno ni malo; pero no trataría nunca así a un principiante. Si me pareciese lo suyo despreciable, esquivaría el dar mi opinión.

RUBÉN DARÍO

Conocí a Rubén Darío en Madrid, entre el grupo de literatos de aquel tiempo. Hice, no por mala intención, sino por petulancia de juventud, un artículo en *El País*, de Madrid, y otro en *L'Humanité Nouvelle*, de París, sobre los escritores decadentes españoles, un poco irónico y burlón, y Rubén Darío, siempre que me veía, me decía:

—Ya sé que usted no me quiere.

Luego le vi en París. Yo vivía en un pequeño hotel de la calle de Vaugirard, hotel de Normandie, que tenía abajo una taberna. Rubén Darío vino a mi casa para invitarme a trabajar en una revista mundial que se iba a hacer en español. Estuvo varias veces. Al entrar y salir del hotel tomaba, invariablemente, un vaso de *whisky*. Un día me habló de que le había pasado una aventura rara con rusos nihilistas en una taberna de un barrio lejano. A él le habían tomado como ruso. La cosa me pareció un tanto rara. Rubén no tenía aire de ruso. Me invitó a ir a la taberna. Fuimos en auto y, a medida que hablaba, comprendí que la aventura era un sueño de alcohólico. Llegamos a la supuesta taberna de los rusos, y vi que era un *cabaret* inmundo, en donde había unas mujeres gordas y unos jovencitos vestidos de marinero y con los labios pintados. Rubén se sentó a la mesa; bebió un vaso de *whisky*, y al poco tiempo estaba completamente atontado. Yo me levanté, salí, tomé un auto y me volví a mi casa.

CIRO BAYO

Ciro Bayo y Segurola es un viejo hidalgo quijotesco. Es también la quinta esencia de la arbitrariedad. Don Ciro tiene el tipo de un hombre del siglo XVII; es un solitario que no necesita de nadie. Ha sido un aventurero caballeresco.

Sus cosas son graciosísimas, porque todo lo hace para sí, nunca pensando en el público.

Hace años, don Ciro tenía una buhardillita, donde vivía, en la calle de Federico Balart. Esta buhardillita misteriosa, en la que no dejaba entrar a nadie, le costaba tres duros al mes. Don Ciro tenía una asistenta vieja que cuidaba su rincón. La asistenta, que vivía en la vecindad, se quedó sin casa, y entonces don Ciro le buscó piso, que le costaba doce duros, que lo pagaba él. Así, el señor tenía una buhardillita de tres duros y la criada un piso de doce.

Don Ciro me ha dicho varias veces que cuando muera me va a dejar un reloj de oro, pero a condición de que yo lea unas cuartillas en su tumba.

—Pero si va usted a vivir cien años, don Ciro—le digo yo—. ¿Quién le espera a usted?

Hace más de veinte años, mi hermano Ricardo, don Ciro y yo hicimos un viaje a pie hacia Extremadura.

En nuestro viaje llegamos a Villaviciosa de Odón y compramos una liebre. Al ir a Brunete, le dijimos a la posadera que nos preparara la liebre con arroz, y como no teníamos una idea muy clara del que se necesita y llevábamos nosotros el arroz, lo pusimos a ojo. La cantidad resultó enorme; nos trajeron una cazuela como para diez personas. La liebre parecía también que había crecido.

Don Ciro se empeñó en convencernos de que teníamos que comer toda la cazuela. Naturalmente, fue imposible; por más esfuerzos que hicimos, más de la mitad del arroz tuvo que quedar allí.

Uno de los entretenimientos del camino, además de hacer el fuego y la comida, que los hacíamos muy mal, era discutir de estrategia. Salíamos a un valle.

—A ver—decía alguno—. Supongamos que el enemigo, con mil hombres, está atrincherado en aquellas alturas. Nosotros tenemos mil quinientos aquí, en el llano; un pelotón de caballería y dos piezas de artillería. ¿Qué hacemos? ¿Atacamos o no atacamos?

Nunca estábamos de acuerdo. Después de la discusión, don Ciro pensaba cómo sería el parte oficial que

daría el alcalde de alguno de aquellos pueblos al pasar nuestras fuerzas. Dictaba, como si fuera a un secretario:

«El alcalde de Losar de la Vera al ministro de la Gobernación. A las siete de la mañana del día 6 se han presentado en las inmediaciones de este pueblo varias partidas facciosas al mando de los cabecillas Segurola y Baroja, y, después de sacar raciones, se han dirigido por el camino de Plasencia.»

En la excursión ésta hacía yo de tesorero. Nuestros gastos eran pequeños. Si, por ejemplo, la cuenta era de seis pesetas, yo daba una de propina.

Como don Ciro se jactaba de ser un especialista en cuestiones de vida errante, me dijo:

—Aquí, en estas posadas y ventas, no hay costumbre de dar propina.

Al día siguiente, al salir de una posada yo pagué la cuenta, cinco o seis pesetas, y no di ni cinco céntimos de propina.

—¿No ha dado usted propina? —me preguntó don Ciro.

—No. ¿No me ha dicho usted ayer que no la diera?

—Sí; pero éste era un hombre simpático.

—Bueno, don Ciro—le dije yo—; tome usted el dinero y pague, porque pensar que yo voy a averiguar qué posaderos le van a ser simpáticos a usted y cuáles no, eso está por encima de mis fuerzas.

PEDRO BARRANTES

Pedro Barrantes era hombre alto, delgado, quijotesco, con una barba negra en punta. Le hubiera caído mejor un hábito de fraile que una chaqueta. No sé de dónde venía. Yo le conocí cuando ya tendría veinticinco o treinta años.

Había escrito algunas poesías y publicado un volumen titulado nada menos que *Delirium tremens*. Su musa cantaba la desesperación, el puñal, el alcohol, la guerra y la pólvora.

Le conocí con Manuel Sawa y el francés Cornuty. El francés, a pesar de ser un parnasiano, admiraba la frase violenta e incorrecta del poeta. Cornuty recitaba con énfasis estos versos de Barrantes. que no sé si los recuerdo con fidelidad:

¡Aguardiente con pólvora, soldados!
Se necesita imprescindiblemente,
para ir a la guerra denodados,
con pólvora mezclar el aguardiente.

También era estrepitoso y cómico aquello del «Soliloquio de las rameras», del mismo libro *Delirium tremens:*

Del cieno en la inmundicia nos hundimos,
tenemos seco y yerto el corazón,
a nuestras propias madres maldecimos,
somos la fetidez y la abyección.

Barrantes, según parece, era testaferro del periódico republicano *El País*. Aparecía responsable de los artículos subversivos denunciados, y se pasaba la vida en la cárcel. Este era su oficio.

Mientras estaba en la cárcel engordaba; luego, cuando salía de ella, comenzaba a beber y quedaba flaco y sin fuerzas.

Yo le veía con frecuencia parado en alguna bocacalle de la calle Ancha, como contemplando en espectador a la Humanidad, a veces dedicado al soliloquio. Yo, algunas veces, le hablaba; pero conmigo estaba como en guardia. Cuando le saludaba me contestaba con una reverencia elegante y me llamaba señor Baroja. No le debía de inspirar confianza. Debía de tenerme por un burgués antipático.

Le pasaría como a Tomás Meabe. Yo a este socialista bilbaíno no le conocí; pero don Isidro Lapuya cuenta, en un libro que hizo sobre los españoles en París en el siglo XIX, que una vez que me vieron a mí en el bulevar Saint-Michel, Lapuya fue a saludarme y Meabe le dijo:

—No se acerque usted a ése. Es un acaparador de trigo.

Tiene gracia.

Una tarde estuvimos en el café de la Luna, Barrantes, Sawa, Cornuty y yo. Sawa hizo el gasto de la conversación. ¡Qué de bolas nos contó! Las hazañas suyas en Filipinas dejaban atrás a las de Hércules. Una vez había macheteado él solo cincuenta chinos; otra había peleado con un gigante negro y le había tirado al fogón de la máquina de un barco.

—¿Y qué le pasó a ese negro?—le preguntamos.

—Sa... sa... lió... convertido en humo... negro — contestó, tartamudeando.

También nos dijo que en Joló bebían un aguardiente tan fuerte, que se cogía una caña de bambú llena del líquido, se echaba al aire y se evaporaba.

Barrantes, al oír esto, sonreía con una sonrisa mefistofélica. Luego, él nos habló de algunas gentes de la Cárcel Modelo, cuyas historias parecían tan fantásticas como la de Sawa. De las cosas de Barrantes, lo que me pareció más extraordinario fue lo que me contó Cornuty:

—Vengo a dejar a Barrantes—me dijo una mañana—. «Está» un hombre admirable. Se ha mandado hacer unos dientes postizos, y, como tiene dinero, me ha convidado a cenar en la Bombilla. A los postres, yo he recitado los versos de papá Verlaine y él ha principiado los suyos; pero los dientes que acababa de ponerse le molestaban, y se ha metido los dedos en la boca, ha agarrado la dentadura, la ha arrojado por la ventana y ha seguido recitando sus versos, con un fuego, con un verbo admirable. ¡Qué hombre! ¡Qué «dignitá»!

LAMOTTE

Lamotte, el inventor guipuzcoano, aunque de origen francés, era alto, rubio, delgado y un poco desgalichado. Gastaba melenas, bigote y perilla. Tenía aire de hombre inspirado. Le conocí en un pequeño restaurante de la calle de Capellanes, el Petit Fornos. Iba a hablarme, cuando yo era panadero, a mi casa, a comunicarme sus conocimientos científicos. Por lo que me dijo, su familia había tenido una fábrica de productos químicos.

Para Lamotte todo era rudimentario en el mundo; todo le parecía que estaba en embrión. El creía que vivíamos en un atraso lamentable, suponía que los ferrocarriles debían correr por lo menos doscientos kilómetros por hora, que se debían transformar los telégrafos y la cocina. Para él, todo marchaba demasiado despacio. Al principio, Lamotte me pareció un hombre enterado, que sabía química; pero después, al oírle hablar, noté que le arrastraba la elocuencia y saltaba por los detalles con demasiada facilidad.

En Madrid vivía con estrechez, con sus dos hijas, igualmente altas, rubias y desgalichadas como él.

—Yo no necesito para mis descubrimientos más que dos cosas—me decía con gran energía—: luz cenital y agua corriente.

No sé qué virtualidad encontraría en estas dos cosas.

Lamotte me expuso un proyecto de una máquina reguladora de la fer-

mentación del pan. Yo le escuché atentamente, por si la cosa valía la pena, y no pude ver en el proyecto nada práctico. La máquina reguladora se reducía a una artesa que se cerraba con una tapa, y esta tapa se aseguraba con unas tuercas.

Lamotte me explicaba, con grandes detalles, cómo se abrían y se cerraban estas tuercas, y después me hablaba de una manera dramática del oxígeno y del ácido carbónico, que se combinaban y luchaban como en una batalla.

Lamotte me explicó también otro de sus proyectos: había inventado una especie de biberón de los árboles; podía hacer crecer un árbol en un año de una manera artificial, tanto como de una manera natural puede crecer en treinta o cuarenta. Para explicar esto, hablaba de los nitrogenados y de los hidrocarbonados, como si fueran personas de buenas y de malas intenciones.

Yo le decía:

—Pero ¿ha hecho usted la prueba?

—Eso se hará—me decía él—. Eso se hará.

Me instó también a que hiciera unos panecillos reconstituyentes con glicerofosfato de cal y de sosa y con sales de hierro. No tenían de malo más sino que eran pesados como el plomo. Según él, con uno de aquellos panecillos bastaba para todo el día.

Además de la máquina reguladora de la fermentación del pan, Lamotte había inventado la mano remo y el pie remo, y un cepo para pescar langostas, en el cual ellas mismas se encargaban de llamar cuando estaban presas tocando una campanillita. Era el colmo de la perfección.

Yo nunca creí gran cosa en sus inventos, sobre todo desde que le oí decir una vez seriamente que el rastro plateado que dejan los caracoles en la tierra podía aprovecharse. Esto ya me pareció el colmo.

Lamotte produjo un gran entusiasmo en otro inventor conocido mío, también contertulio de Petit Fornos, que vivía en un caserón de la carretera de Extremadura. Este señor, a quien llamábamos don Fermín, no sabía más que cosas vulgares: la manera de quitar la sal a un guiso demasiado salado, procedimientos para dorar el cobre y otras cosas igualmente ramplonas. Don Fermín era uno de esos tipos que recuerdan a los mochuelos o a los búhos; llevaba anteojos, barba negra y nariz picuda. En la casa de don Fermín había, en el piso bajo, cuatro o cinco máquinas viejas inútiles, yo creo que compradas en el Rastro.

Don Fermín sintió una gran admiración por Lamotte, y éste le propuso una serie de negocios industriales fastuosos, entre ellos hacer marfil con patata, hirviendo la patata en ácido sulfúrico mezclado con otra droga.

Naturalmente, la patata no se quiso transformar en marfil; pero ni Lamotte ni don Fermín quedaron defraudados en sus creencias. Después, Lamotte desapareció, y al cabo de algún tiempo vi a una de sus hijas, vestida de luto, un poco derrotada, y supuse que su padre, el inventor, habría muerto.

DON SALVADOR

Hablo de él en pasado, porque hace días me dijeron que había muerto. Don Salvador era alto, elegante, afeitado, con aire principesco. Tuvo épocas en que apareció por las calles de Madrid elegante; otras, en cambio, en las que se le veía raído y tronado.

Cuando iba elegante tenía una elegancia parisiense; llevaba traje claro, gabán claro, botas con polainas grises, y me han asegurado que anduvo, a veces, con sombrero de copa blanco.

Yo, antes, a un hombre capaz de andar con un sombrero de copa blanco le admiraba. Era para mí una prueba de impertinencia, de superioridad y de espíritu aristocrático. Yo, en la juventud, pensaba que por mucho que me sonriera la suerte, no llegaría jamás a la altura de usar un sombrero de copa blanco.

A don Salvador le he tratado yo en su decadencia; le conocí hace tiempo en las librerías de viejo y en las ferias de libros. Hablaba con voz un poco triste y quejumbrosa; pero tenía, de pronto, un gesto y un ademán de hombre corrido y alegre.

Se veía un señor caído en la miseria. Ya, desde hace muchos años, se dedicaba a comprar y vender libros viejos, y si no vivía de este pequeño comercio, por lo menos le servía para ir tirando.

Un anochecer de invierno muy frío, hace muchos años, le encontré en la calle de Arrieta, cerca del teatro Real. En la pared del teatro, sobre un reborde de piedra, ponía una fila de libros, sostenidos por un bramante, el librero Julio Gómez.

—Estoy esperando a Julio—me dijo don Salvador—, a ver si me quiere comprar este libro. Estoy con una gran debilidad. La verdad es que hoy no he comido.

—Pero ¡hombre!

—No me dé usted nada—me dijo—. En tal caso, si quiere usted, cómpreme este libro. Le iba a pedir a Julio dos pesetas. Si me las da usted, mejor; no tendré que esperar.

—¡Ah, muy bien!

Tomé el libro, creo que un anuario francés, le di las dos pesetas y nos despedimos.

Desde entonces me mostraba cierto afecto. Un día dimos varias vueltas a la plaza de Oriente y me recitó algunas poesías místicas que había escrito, que me parecieron muy bien.

Otro día le encontré en las proximidades del Rastro, y me habló de la gente que había conocido cuando vivió en París, de grandes damas, de cómicas y bailarinas célebres, a las que invitaba a cenar en su casa; de un general que era su amigo, no recuerdo si me dijo Gallifet, y del doctor Robin, que le asistía como médico. Todo esto tenía un carácter de autenticidad y no parecía, ni mucho menos, inventado.

Una vez, viendo una antigua revista francesa en una librería, apareció el retrato de una cómica o bailarina de París, muy guapa; si mal no recuerdo, era Lina Cavalieri.

—¡Qué guapa es!—dijimos algunos.

—¡Ya lo creo!—saltó don Salvador—. Yo la he conocido mucho.

—¿La ha conocido usted?

—He vivido con ella—me dijo, con malicia, por lo bajo.

Otra vez, don Salvador me llevó a casa de un cura, en donde había una barricada de legajos que, al parecer, los habían sacado de la Capitanía General. Allí no había nada curioso, porque alguien había espigado de antemano, llevándose todo lo interesante.

Por entonces pregunté a los libreros de viejo qué sabían de don Salvador. Se contaban muchas historias misteriosas acerca de él; pero él no decía nada. Se aseguraba que había sido bautizado en la iglesia de la Encarnación con un nombre supuesto, que no era el suyo, por política; que era de familia principesca y que había vivido durante largo tiempo en Palacio. Por su tipo, era idéntico al

retrato de Carlos III, y recordaba también la figura de Carlos IV, aunque, en vez de ser grueso y rechoncho como este rey, era alto y espigado. Don Salvador tenía el más perfilado tipo de los Borbones.

Todos los inviernos veía a don Salvador por las calles del centro y por la Puerta del Sol, abstraído, sin fijarse en nada, como una pobre ruina humana, con el cuello del gabán levantado y las manos en los bolsillos.

La última vez que le vi fue hace unos meses, en la librería de Tormos, en compañía del general de Marina Berenguer. Venían a buscar algún libro. Don Salvador estaba alegre y hacía sonar los duros en el bolsillo del chaleco.

—Me gusta que sea usted rebelde e independiente—me dijo—. Ya sabe usted que yo le quiero.

—Yo también le tengo a usted afecto, amigo don Salvador.

Se despidió muy efusivamente y no le volví a ver más.

Después me dijeron que don Salvador estaba casi ciego, que tenía cataratas.

....

Hace unos días, el pintor Juan Echevarría y yo entramos en la librería de Tormos, y el pintor, de pronto, dijo:

—Creo que suele andar por las librerías un tipo que tiene mucho carácter y que dicen que es un aristócrata, un Borbón. Me lo han indicado para que le haga un retrato; pero creo que ahora precisamente está enfermo en un hospital, en el Hospital del Rey.

—Será don Salvador—indiqué yo.

—¡Hombre, don Salvador!—repuso Tormos—. Precisamente hoy me

han dicho que está muy grave, que quizá ha muerto.

A los dos o tres días hemos vuelto Echevarría y yo a la librería de Tormos.

—¿Qué se sabe de don Salvador? —pregunto al librero.

—No se sabe nada.

—Vamos a la librería de García Rico—digo yo—. Manuel Ontañón estará enterado. Todo lo que se refiere a libros, a libreros o a bibliófilos, lo sabe Ontañón.

Vamos a la librería de García Rico. Ontañón cuenta que don Salvador había caído días antes enfermo en la calle, y que un amigo, pariente de un librero, le llevó al hospital.

—Pero ¿vive o no vive?

—Ahora preguntaremos por teléfono.

Ontañón encarga a su dependiente que haga la pregunta, y éste vuelve al cabo de un largo rato y dice:

—He telefoneado al hospital. Ha hablado conmigo una señora de la Cruz Roja; me ha dicho que don Salvador está ya mejor, y que ella le va a llevar a su casa para cuidarle y que hará que le operen las cataratas.

....

¿Habrá encontrado don Salvador una hada benéfica y un hogar?

Si es así, daremos una enhorabuena cordial al viejo y digno aristócrata todos los compañeros que hemos fraternizado con él en la hermandad bibliófila del arroyo.

ESTÉVANEZ

Don Nicolás Estévanez, ex ministro de la República española, era hombre simpático y alegre, terco y arbitrario.

Había sido un revolucionario y quería seguir siéndolo. Tenía una mentalidad un poco estrecha y rectilínea, la mentalidad clásica del hombre de acción, del rebelde.

Buscar en un revolucionario, por ejemplo como Fermín Galán, el ideario complicado del intelectual nietzscheano, bergsoniano o spengleriano, es un absurdo psicológico. El que tenga los recovecos de pensamiento del crítico no será un revolucionario ni un hombre de acción.

Don Nicolás era rectilíneo y muy de su época. Yo le conocí a principio de siglo en París; Galdós me dio sus señas para que le visitara y al mismo tiempo le escribió.

Antes de ir a su casa apareció en mi hotel.

Era hombre corpulento, de ojos azules, perilla larga y mejillas sonrosadas. Parecía un militar francés del Segundo Imperio.

A pesar de su benevolencia, era muy desdeñoso. Sentía un gran desprecio por los políticos.

Pretendía ser, ante todo, radical y revolucionario, y para mí era una prueba viva de que el hombre que tiene más de cuarenta años no es revolucionario más que de nombre. El viejo es, biológicamente, conservador, quiera o no quiera.

Estévanez, que vivía traduciendo, era hombre de lecturas retrasadas, no comprendía su tiempo. No tenía gran sentido filosófico ni literario. Le fastidiaba, por ejemplo, que se citara a Nietzsche y a los filósofos alemanes.

A Estévanez le pasaba como a Valera. Se notaba que les molestaba el que se hablara de gente para ellos demasiado moderna. Entonces esta gente era Ibsen, Nietzsche, Dostoyevski, Tolstoi.

Refiriéndose a un señor que sabía geografía, decía don Nicolás, y se lo oí varias veces:

—Sabe más geografía que Malte-Brun.

Hubiera sido más lógico decir por entonces: «Sabe más geografía que Eliseo Reclus»; pero él, sin duda, había estudiado el libro de Malte-Brun y le parecía el más importante.

Estévanez, a pesar de su tendencia revolucionaria y de que había abandonado el ejército hacía muchísimos años, era militar de alma. No encontraba repugnante la guerra, le parecía natural.

En cambio, le preocupaban y le molestaban los galicismos en el idioma.

El que, en caso de guerra, se ametrallara a un pueblo se le antojaba un hecho natural; pero que en la prosa castellana se introdujese un galicismo, le escandalizaba.

—Pero ¿eso qué importa?—le decía yo—. Después de todo, la mayoría de las palabras que se toman del francés vienen del latín. Coger una palabra de la lengua madre no es ninguna gran cosa. Por muchas pretensiones que tengan el francés, el español o el italiano, no son más que dialectos latinos.

Estévanez sentía el fervor por el idioma. Yo es cosa que nunca lo he sentido.

Quizá por este fervor, él, que era federal, tenía muy poca simpatía por las regiones españolas que no hablan castellano, sobre todo por vascos, catalanes y valencianos. Un cubano le parecía más español que un vasco o que un catalán.

A mí me dijo varias veces:

—Yo creía que era usted americano.

—No. Soy español y vasco. No tengo nada de americano.

Luego me dijo, riendo, que no sé en qué parte de América se tenía a los vascos por brutos y por mala gente, de intención aviesa.

Su hostilidad por catalanes y valencianos le hacía decir:

—El Mediterráneo es un charco infecto.

—No, don Nicolás—le decía yo—. El Mediterráneo es un mar admirable. Es un charco en el mapa. También la Tierra es una bola insignificante en un mapa astronómico; pero a nosotros nos da esa impresión.

Con su arbitrariedad, Estévanez tenía que ser muy amigo de sus amigos, y, efectivamente, así lo era. Tenía un gran afecto por Pi y Margall, por don Francisco Pi, como le llamaba él; lo celebraba más como hombre y como escritor que como político.

La última temporada que vi a Estévanez con asiduidad fue en el otoño de 1913. Le encontraba en el café de Flora, del bulevar Saint-Germain. Solía llevar una nota en el bolsillo del pantalón de cosas que quería explicarme, y me contaba anécdotas muy cómicas de Salmerón, a quien no podía ver; de Rubau Donadéu y de otras personas, a las que yo apenas conocía de nombre.

Estévanez, que podía haber sido en España capitán general, vivía muy pobremente, como un completo bohemio, de traductor.

—Yo puedo vivir como un árabe —solía decir.

Efectivamente, no gastaba nada en su vida, no tenía necesidades.

Un día me contó:

—Hoy, al cruzar el jardín del Luxemburgo, se me ha acercado un pobre a pedirme limosna. No llevaba dinero y no le he podido dar nada, y entonces él me ha dicho amenazadoramente: «*Ah sale bourgeois. La révolution s'approche!*»

Era verdaderamente cómica la amenaza de la revolución próxima hecha por el mendigo a aquel hombre que se había sacrificado por la revolución.

REGOYOS

Darío de Regoyos era un hombre que haciendo las cosas de una manera juiciosa y sensata parecía muchas veces disparatado y absurdo. Tenía una mezcla de ingenuidad y de alegría, una cara jovial y sonriente, con un ojo más alto que otro.

No tenía malicia; pero era tan curioso y tan aficionado a preguntar, que ponía en un compromiso a cualquiera.

Al poco tiempo de conocer a una persona le preguntaba si estaba casado, si quería a su mujer, si tenía hijos, si pensaba tener más, y cosas por el estilo.

Le conocí en San Sebastián. Yo entonces comenzaba a publicar libros. Él me escribía: «A la librería de aquí suelen mandar dos ejemplares de sus libros; el uno lo compro yo; el otro se queda en la librería para siempre.»

Regoyos se hacía amigo en seguida de todo el mundo.

A mí me llevó a su casa el primer día de conocernos; entonces vivía en Ategorrieta, cerca de San Sebastián, y me enseñó sus cuadros. Había algunos impresionistas, muy bonitos; pero había otros sombríos; él decía que eran de su época de neurasténico y que no los quería enseñar a la gente. A mí me los enseñó; uno era una visita de duelo, y el otro, el cadáver de un militar, dentro de un ataúd, en medio de una estación del tren. Eran cuadros muy curiosos y muy tétricos. Al mostrarlos, Regoyos se reía como un loco.

Contaba Darío con mucha gracia su vida en Bruselas y las aventuras de un amigo suyo españolista, que iba con su capa y su guitarra, y decidió dejar su nombre belga y llamarse don Alonso Fernández de las Castradas.

Poco después, Regoyos y yo estuvimos en Córdoba y nos refugiamos en el estudio de Inurria, donde había grandes discusiones entre casticistas y modernistas. Yo decía que en la cuestión de la pintura se estaba hinchando el perro demasiado, porque no creía que el pintar con manchas, con puntos o con rayas tuviera una gran influencia en la vida, y que de tener el mal gusto de convertir a alguien en sacerdote, era más lógico convertirlo al filósofo, al literato o al músico que al pintor. No me hacían caso. Regoyos se reía y decía de mí:

—¡Qué bien muerde!

Años después vi a nuestro pintor en Madrid, en Burgos y en París. Estaba yo una vez en un hotel de la rue Moscú, cuando se me presentó Darío.

—Tenemos que pasar el día juntos —me dijo.

—Bueno.

Fuimos, creo, a los museos y entramos a comer en un restaurante. Había cerca de nosotros un buen francés a la antigua, muy serio, muy estirado, vestido de negro, de bigote y perilla, con melenas, que empezó a intrigar la curiosidad de Darío. Este, con su aire insinuante, llamó al mozo y le preguntó quién era aquel señor, si era una persona importante, y el mozo, con cierta solemnidad chateaubriandesca, dijo:

—*C'est un fonctionnaire.*

Oírlo Regoyos y empezar a reírse como un loco, todo fue uno. A mí me comunicó la risa y tuvimos que salir del restaurante avergonzados. Luego, bastaba que en la calle dijera él: «*C'est un fonctionnaire*», para que yo no pudiera tenerme de risa.

Años después fui con un escritor

belga al Salón de Otoño, y allí encontramos al poeta Verhaeren, que era un señor pequeño con unos bigotes largos.

—¿Es usted español?—me dijo éste.

—Sí.

—¿Vive usted en España?

—Sí. No encontramos a España tan negra como usted.

—¿Conoce usted a Regoyos?

—Sí, es muy amigo mío.

—¿Se habla de él en España?

—Algo, poco.

—¿Se ha hecho un hombre práctico?

—Todo lo práctico que se puede hacer él.

—¿Ha visto usted sus cuadros aquí?

—No, todavía no.

—Pues mire usted.

Me llevó delante de un paisaje de Medina del Campo y me enseñó que el marco estaba roto y la moldura saltada.

—No hay otro tan descuidado como él—dijo.

La curiosidad de Regoyos hacía que tuviesen las gentes de él una opinión rara.

Dos o tres años después de alojarme en la calle de Moscú, estuve viviendo una temporada en casa de monsieur Paulhan, autor de varios libros de filosofía.

Regoyos, que lo supo, y que se hallaba de paso en París, se presentó en la casa; yo ya me había marchado, pero Regoyos quiso ver a la dueña y le preguntó qué había hecho yo: si salía de noche, si no salía, si hablaba, si compraba libros... La señora de la casa se alarmó y me escribió a Madrid, diciéndome que se había presentado un señor misterioso que hablaba muy bien el francés y que debía de ser de la Policía.

CERVIGÓN

A Cayetano Cervigón y López de Ayala le conocí en Madrid hace veinticinco o treinta años hecho un elegante: terno claro, guantes amarillos, polainas grises y flor en el ojal. Era un joven de buen color, barba rubia, de aire sonriente.

Poco tiempo después, en París, le vi con un aspecto cansado, descuidado, y tres o cuatro años más tarde había tomado el aire del bohemio pobre, con el gabán raído, el sombrero seboso y las botas deformadas.

Cervigón le había dado un tute a su vida, que en poocs años parecía un viejo. Esto era en 1913. Yo le veía con frecuencia, porque hacíamos los dos el recorrido de los muelles del Sena en busca de libros. El compraba, sobre todo, libros sobre América, que todavía estaban baratos, y los revendía. Era muy francesista y hablaba mal de España y de Madrid. Me preguntó qué buscaba; yo se lo dije, y entonces iba por las mañanas al hotel donde yo vivía, en la rue Pierre Nicole, con una carpeta negra, como quien va a casa de un cliente, y mostraba sus estampas y sus libros y decía los precios como un comisionista.

Muchas veces no estábamos conformes en el precio de una estampa, porque él pedía cincuenta céntimos y yo creía que no valía más que cuarenta; pero luego salíamos y tomábamos algo en un café y pagaba cualquiera de los dos el consumo sin fijarse. La tacañería era sólo para el precio de las estampas, porque no se quería uno dejar engañar. En el mismo hotel de la rue Pierre Nicole vivía mi amigo Rafael Larumbe, médico de Vera, que estudiaba en París la especialidad de enfermedades de niños.

Algunas noches, Larumbe y yo, y

también Cervigón, íbamos al café de la avenida del Observatorio *La Closesie-des-Lilas,* donde tenía una especie de recepción, un día a la semana, el poeta Paul Fort y su mujer.

Una noche, Larumbe, que era muy músico, compró no sé dónde una flauta de metal, y en el café comenzó a tocar una canción popular del País Vasco, *Andre Madalen.*

—Nos van a echar—dijo alguno de la tertulia.

Al terminar la canción, todo el mundo empezó a aplaudir. Después, Larumbe se lució con otros aires populares vascos, siempre entre aplausos.

Luego salimos del café y Larumbe fue entonando la marcha de *Oriamendi* hasta que llegamos al hotel de la calle Pierre Nicole, y allí, como despedida, emprendió con el *Iriyarena* (De los bueyes), un aire que se tocaba en San Sebastián, cuando había bueyes ensogados en la plaza de la Constitución.

Unos vecinos, buenos ciudadanos parisienses, saltaron sin duda de la cama, y, en camisa y en gorro de dormir, se asomaron a los balcones a oír la flauta, y hasta aplaudieron. La sorpresa grande debió de ser la de

dos médicos pensionados de San Sebastián que vivían en la vecindad y que oyeron, a las dos de la mañana, en París, un aire de su pueblo.

Desde aquella noche, ya no volví a ver a Cervigón. Vivía en un hotel bastante mísero de la calle Dupin, calle estrecha, pequeña, entre la de Sèvres y la de Cherche-Midi. Tenía allí un cuartucho lleno de libros.

El aseguraba que su calle era la rue du Pin (del Pino) y el hotel, cuya muestra era ilegible, también; pero no debía de ser así, sino dedicada a un señor Dupin.

Cervigón, al comenzar la guerra, se vio desamparado. Sus amigos, Juan de Echevarría, González de la Peña y otros, habían dejado París.

Cervigón marchó a un hospital a operarse. El amo del hotel Dupin, a quien ya no pagaba, fue el primero en presentarse allí a ofrecerse a él. El segundo fue un vecino de Cervigón, del mismo hotel, que ni el amo siquiera sabía qué profesión tenía y que resultó enterrador del cementerio de Montparnasse. Cervigón murió, y el amo del hotel y el enterrador acompañaron al camposanto piadosamente el cadáver del antiguo *dandy* madrileño.

HISTORIA DE ANARQUISTAS

UN LIBRERO

Hace cerca de treinta años nos encontramos en Barcelona *Azorín* y yo. Solíamos ir con frecuencia a casa de Emilio Junoy, el político que acaba de morir.

Un día, Junoy nos llevó a los dos a un centro anarquista de una calle antigua, creo que era la calle del Ar-

co del Teatro. Estaban allí cuatro o cinco viejos teóricos doctrinarios y pedantes, entre ellos uno llamado Castellote, y varios muchachitos pálidos, exaltados, que escuchaban anhelantes y que probablemente se comprometían en estúpidas empresas, inspiradas unas veces por santones y otras por la Policía.

Como los anarquistas han sido

siempre amigos de la discusión y de la controversia, plantearon un tema ante nosotros los visitantes, y yo discutí con ellos, o, si se quiere, contra ellos, intentando refutar sus utopías, afirmando que no era posible una sociedad sin Policía; que el asegurar esto era una ridiculez, un cuento para chicos. Naturalmente, me acusaron de burgués, de reaccionario y de conservador, y fui anatematizado.

Hace tres años estuve en Barcelona en busca de unos datos sobre el conde de España, y me encontré a Junoy. Ya no era el radical de antes; se sentía monárquico y amigo personal del rey. Junoy me convidó a almorzar en un figón de la Barceloneta.

Después de comer y de tomar café, Junoy me dijo:

—Ahora, ¿qué quiere usted hacer?

—Yo, si hay libros viejos cerca, suelo ir a verlos. A la entrada de la Rambla los hay.

—Bueno, vamos a Santa Madrona.

Nos acercamos a los puestos, y Junoy me dijo, señalándome un librero:

—Aquí tiene usted a este librero, que es anarquista Por cuestión de principios no quiere vender ninguna obra que hable de la guerra. ¿No es verdad?—preguntó al mismo librero, que escuchaba.

—Es verdad—aseguró éste.

—¿Se acuerda usted, Junoy—dije yo entonces—, cuando nos llevó usted a *Azorín* y a mí a un centro anarquista de por aquí cerca, hace veintitantos años?

—No, no recuerdo.

—Pues yo, sí—dijo el librero—, y estuve oyendo discutir a Baroja.

UN JOVEN CATALÁN

Por esta misma época de hace veintitantos años solía yo pasear todas las mañanas por el paseo de Rosales.

En uno de aquellos paseos, una mañana fría de invierno, de vuelta a casa, se me acercó un joven con traje de mecánico y aspecto exaltado.

Era un tipo que yo, que creo algo en la fisionomía, he visto con frecuencia en los músicos: aire mogoloide y genial, cara ancha, cuadrada, pómulos salientes, ojos negros un poco torcidos y pelo rizado. El joven era catalán.

—¿Es ésa la estación del Norte? —me preguntó con acento rudo.

—Sí.

—¿Se puede bajar por ahí a la estación?—y señaló los desmontes.

—No; por ahí, no.

—¿Quiere usted mostrarme el camino? Yo le seguiré.

—Bueno.

Seguí en dirección del centro, llegué al bosquecillo de delante del cuartel de la Montaña y mostré al joven, que venía tras de mí, la cuesta que baja a la estación.

—¡Muchas gracias!—dijo el joven al marcharse.

Por entonces había atentados en Barcelona. Pensé que quizá aquel mozo viniera huyendo de allí y se fuera a Francia, para despistar, por Irún.

Quince años después del encuentro, al anochecer, en la Rambla, delante del escaparate de una librería próxima al hotel donde estaba, le vi al hombre. Le conocí por los ojos. El me conoció también. Estaba grueso y bien vestido, igualmente mogoloide, pero menos genial. Sentí cierto regocijo al verle.

—Usted y yo nos vimos una vez en Madrid—le dije alegremente.

—Es verdad.

—¿Encontró usted la estación?

—Sí.

—¿Y fue usted a Francia?

—Sí.

—¿Sin obstáculo?

—Sin ningún obstáculo.

—¿Y ahora?

—Ahora, mire: no pienso en tonterías..., sino en ganar dinero.

—Hace usted bien, muy bien.

Después pensé: «Este me va a hablar de Cambó», y como no me interesaba la cosa, le dije:

—Bueno, ¡eh!, adiós.

Y sin más me separé de él y me marché hacia el hotel.

FARRÁS

Luis Bonafoux era hombre de gracia. La tenía escribiendo y la tenía hablando. Pintaba a la gente americana, que se reunía con él en el bar Criterion, en la plaza de la estación de San Lázaro, con cuatro rasgos de una manera desgarrada y pintoresca.

De un periodista cubano, muy sucio en el comer, que estaba entonces en París, solía decir:

—Ese tiene su especialidad. Le pone usted un plato de sopa, y al mismo tiempo que lo come se lava la cara.

Una vez vimos en un café del bulevar al violinista Rigo, el amante afortunado de la princesa Caraman-Chimay.

Rigo nos aseguró que él no quería grandezas, sino una vida apacible.

—*Un petit hôtel tranquille, bien tranquille*—decía el húngaro. No ambicionaba más.

—Este es un seductor embolado —afirmó Bonafoux en su presencia, en voz alta.

El periodista cubano tenía una gran preocupación por los anarquistas y, según se aseguraba, él también lo era; no vagamente anárquico, como somos todos los españoles que no tenemos un buen destino o una crecida cuenta corriente en el Banco, sino del partido anarquista. Me aseguró que él

había conseguido por influencia de Canalejas que se indultara a los presos de Alcalá del Valle.

—Canalejas lo ha conseguido—me dijo—; pero no ha querido dar la cara.

En esta época yo veía con mucha frecuencia a Bonafoux en el bar Criterion, y luego le acompañaba a tomar el tren en la estación de San Lázaro para ir a Asnières, donde vivía. Por entonces hubo un atentado contra el rey de España en París.

Bonafoux me contó que, unos días después del atentado, apareció en su casa un joven alto, delgado, de barba negra, con acento catalán. El joven pareció examinarlo todo con curiosidad y se marchó sin decir claramente a lo que iba. Este joven, según él, era el anarquista Farrás, que algunas personas, andando el tiempo, pensaron que era el mismo Mateo Morral.

Días más tarde, Bonafoux me contó que había vuelto a ver al anarquista Farrás, vestido con traje de tratante de ganado, en la plaza de la Estrella.

Una semana después fui a ver a Bonafoux, charlamos en el bar, y le acompañé a la estación de San Lázaro. El cronista, muchas veces por el afán de hablar, perdía el tren. Aquel día Bonafoux hablaba de literatura y de política con cierta cólera. Era irritable y tenía ciertos resquemores literarios. De pronto, el hombre se calló, me miró con fijeza a través de sus lentes y me agarró del brazo:

—¿Qué pasa?—le dije yo.

—Aquel..., aquel que está allá... es Farrás.

Yo no vi más que el perfil de un hombre moreno, de barba negra, que desapareció en seguida entre la multitud.

—Habrá estado otra vez en mi casa—dijo el cronista, muy preocupado.

Con el encuentro, Bonafoux olvidó su tema literario y marchó de prisa a tomar el tren.

EL NOMBRE BORRADO

Antes de la guerra hubo elecciones en que se presentaban republicanos y socialistas unidos. Esta coalición, quizá para que tuviera la pequeña originalidad de un nombre nuevo, se llamó concentración socialista-republicana y duró no sé cuánto.

En una de las elecciones municipales, creo que en las mismas en que me presenté yo y salí derrotado, entre los candidatos de la concentración por uno de los distritos madrileños, se presentó un señor Rodríguez Reyes. Me chocó que en muchas partes, hacia la calle de Fuencarral y Chamberí, en los carteles electorales, el nombre de este candidato republicano estuviera tachado por una barra negra.

Pensando en que alguna razón habría en esto, pregunté a dos o tres, y uno me dijo, no sé si su versión sería cierta, lo siguiente:

—Esta barra negra la ponen los anarquistas.

—¿Por qué?

—Porque Rodríguez Reyes estaba en el cortijo de los Jaraíces, cerca de Torrejón de Ardoz, cuando Morral entró allí a descansar y a comer. Rodríguez Reyes fue el que llamó la atención al ventero sobre el hombre sospechoso vestido de mecánico, y el ventero marchó a avisar al guarda jurado que detuvo a Morral, y a quien Morral mató antes de suicidarse.

Si fue así, la venganza de los libertarios madrileños, borrando con una raya el nombre del denunciador republicano de una lista electoral, no fue una venganza de gran estilo, a la Sainte Vehme, ni mucho menos.

UN PROTECTOR DE CASANELLAS

Hace siete u ocho años, mi amigo Paul Schmitz y yo salimos de Basilea, y pasamos unos días en Hamburgo. Vimos lo que nos pareció interesante en la ciudad y descansamos dos o tres veces en el café Alster Pavillón, donde encontramos a algunos españoles. Uno de ellos se llamaba Gaztañaga y vivía dando lecciones de castellano.

Este Gaztañaga me dijeron luego que era cura. Se sentía judeófilo; al parecer le habían tratado mejor los judíos que los cristianos.

Escribió, meses después de conocerle yo, un artículo en Bilbao hablando de mí, queriendo demostrar que mi apellido, Baroja, venía de Baruch, en judío Bendito, pequeño error manifiesto en un vasco, porque Baroja es una aldea alavesa, fundada al principio de la Reconquista, de etimología vasca clara: monte frío; y parece que en Baroja no hay más bendiciones que en otro lado, ni semíticas ni cristianas. Este Gaztañaga, ex cura y judeófilo, me contó que, hacía meses, se le había presentado en su casa de Hamburgo Casanellas, el matador del presidente Dato. El ex cura le había protegido y proporcionado los papeles para dejar Alemania y entrar en Rusia, por Reval.

Yo siempre creí que el tal Casanellas era un poco mítico. No digo que no existiera un Casanellas auténtico, pero no creo que tuviese las proporciones rocambolescas que se le dieron por entonces, ni que fuera el más importante en el complot que costó la vida a Dato. En Barcelona se dijo que los dos principales organizadores del complot contra Dato murieron en un encuentro en la calle con la Policía. A uno de ellos yo lo conocía como comisionista de libros.

Respecto a que el protegido por el ex cura Gaztañaga fuese el verdadero Casanellas, cabía sus dudas, porque parece que a Rusia pasaron quince personas pretendiendo ser Casanellas.

Dejamos Hamburgo mi amigo Paul Schmitz y yo; yo estuve unos días en Dinamarca, y volví a París.

Al llegar a París, fui a saludar a unos amigos aristócratas españoles. No se encontraban en casa.

—El señor marqués no está—me dijo el criado—. La señora marquesa y su hija han ido a misa a la iglesia de la Magdalena.

Fui hacia el bulevar, paseando, y subí las gradas de la iglesia.

Al llegar a la columnata, el público comenzaba a salir del templo.

Encontré a la marquesa y a su hija, las saludé y me presentaron a la duquesa de Dato.

Estaba hablando con aquellas damas al pie de la escalinata, cuando me dieron una ligera palmada en el hombro. Me volví. Era Gaztañaga, el ex cura filosemita de Hamburgo.

¡La hija de Dato y el protector de Casanellas a pocos pasos! Esta idea me confundió un tanto.

—¿Es su familia de usted?—me preguntó Gaztañaga, refiriéndose a las señoras.

—No, no. Apenas las conozco. Les tengo que dar un encargo.

—Bueno. Me marcho. Le dejo.

—¿Este señor es español? ¿Es amigo de usted?—me preguntó, a su vez, la marquesa—. Parece que quería hablar con usted.

—No, no. Le conozco muy poco.

—Porque le podíamos convidar a comer con nosotros—insistió ella.

—No, no, de ninguna manera.

—¿Por qué?

—Ya se lo explicaré a usted.

Hubiera sido extraño que se hubiera reunido a comer en la misma mesa la hija del presidente muerto y el protector de uno de sus matadores.

La vida da a veces combinaciones raras.

MANIAS DE LOS BIBLIOFILOS

En los libros se suelen encontrar cosas raras, filigranas de papel, oraciones, flores prensadas, tarjetas y cartas. En un libro que vi hace años en la feria que se instalaba entonces en el Prado, cerca del Botánico, encontré un trozo de trapo rojo envuelto en un papel, que decía: «Sangre del obispo Izquierdo, muerto por el cura Galeote en la iglesia de San Isidro, de Madrid.»

En París, hace más de treinta años, un aventurero gascón me enseñó un libro que, según decía, estaba encuadernado con la piel de Pranzini, aventurero francoitaliano que asesinó hacia el año 80 del siglo pasado a una mujer de vida airada. De este Pranzini yo no recordaba más sino que decían que su carcelero, la noche antes que llevaran al reo a la guillotina, había escrito en la celda del preso con lápiz, quizá con un fondo de piedad, este letrero:

Mon pauvre Pranzini,
Tu ne mangeras plus de macaroni.

★

Si hay cosas raras entre las hojas de los libros, no las hay menos en la cabeza de los bibliófilos. El bibliófilo es por naturaleza bicho raro, aunque parezca vulgar. Así está este viejo señor que va a la feria. Hablo con él un momento:

—Yo me dedico a coleccionar libros que hablen de los *ferroscarriles* —me dice.

—¡Ah, sí! ¿Eso le interesa a usted?

—Mucho. Estoy empleado en la Compañía del Norte hace cuarenta y cinco años, y, ¡claro!, todo lo que se refiere a los *ferroscarriles* me llama la atención.

Al cabo de los cuarenta y cinco años de empleado en la Compañía dice con una energía plausible, que quizá estaría mejor empleada en otra cosa, *ferroscarriles* Una prueba de impermeabilidad auditiva y de interés.

★

Otro bibliófilo acérrimo que anda por ahí reúne libros en dieciseisavo. No creo que haya leído ninguno. Los compra, los ata y los lleva a su casa.

—Mire usted qué libro. ¡Qué bonito!—me indicaba el otro día, con un volumen en la mano, naturalmente, en dieciseisavo.

—¿Lo va usted a leer?

—No—me contestó casi con indignación.

Y seguramente pensó: «¿Qué se habrá creído este señor? ¿Que yo soy un hombre tan vulgar?»

★

La palabra *bonito* tiene, sin duda, acepciones muy diversas entre bibliófilos.

Un señor que compra obras de filosofía, desde Platón al conde de

Keyserling, y que, probablemente, no las lea, me decía hace poco, no sé si refiriéndose al contenido o a la pasta de unos volúmenes del siglo XVIII comprados por él:

—Son libros muy bonitos, ¿verdad?

★

Otra acepción de la palabra *bonito* era la de un viejo grabador. Un grabador joven compró un tórculo para tirar estampas a un grabador viejo.

El viejo le decía al joven de una manera insinuante:

—Si usted quisiera, entre los dos podríamos hacer cosas muy bonitas, ¿eh?.., pero muy bonitas.

El viejo grabador llamaba, indudablemente, hacer cosas muy bonitas a fabricar billetes falsos.

★

Los que andamos por las librerías vemos cómo se crean o se intentan crear bibliotecas. También vemos cómo se deshacen. Los finales de las bibliotecas suelen ser lamentables. Se van desmoronando poco a poco. Primero llega a la demolición el librero rico; luego, el pobre, y, al último, al trapero.

En los pueblos, la decadencia de las bibliotecas es terrible. Yo vi cuando era médico de Cestona dos bibliotecas bastante buenas: la del ex ministro don Pedro Egaña, en el mismo Cestona, y la de Altuna, en Azcoitia, a quien fui a visitar con mi padre. Treinta años después, de la de Egaña no quedaban más que algunos tomos incompletos en un desván, sucios, rotos y manchados por el estiércol de las gallinas.

La biblioteca de Altuna debía de tener mucho libro de Ignacio Manuel de Altuna, el amigo de Juan Jacobo Rousseau. Cuando Altuna, al que yo conocí con mi padre, se hizo viejo, tomó la manía, por lo que me dijeron, de coger los billetes de Banco que le entregaban los inquilinos como pago de las rentas de sus fincas y guardarlos en las hojas de los libros.

Murió el viejo Altuna, que creo era solterón, y criados y parientes se pusieron a registrar los libros con furia. Yo los vi tirados en un cuarto próximo a la cocina, abiertos y con las hojas rotas.

★

Capítulo curioso de los bibliófilos en su piratería; hablando sin eufemismos, su tendencia al robo. Don Bartolomé José Gallardo, gran bibliófilo, era el José María *el Tempranillo* de las bibliotecas.

Cánovas podía pasar por *el Bizco de Borge* de las mismas. Uno y otro se quedaban con lo que veían.

Se dice que Gayangos, cuando fue a la biblioteca del Museo Británico, de Londres, llevó su sello en el bolsillo con una idea maliciosa. Hizo sus estudios y comparaciones entre los libros suyos y los del museo, y, al terminar su trabajo, dijo al bibliotecario:

—Es muy fácil distinguir los libros míos de los que son del Museo Británico. Los que tienen mi sello en la portada son los míos.

El bibliotecario separó con candidez los que tenían el sello de Gayangos y se los envió al hotel. El bibliófilo se llevó no sólo sus libros, sino otros de la biblioteca del museo que había ido sellando fraudulentamente.

★

Los bibliófilos más serios y respetables son capaces de llevarse un libro.

Hace algún tiempo, en una biblioteca pública se presentó un erudito profesor francés, F. B., a hacer estudios literarios.

El erudito necesitaba manejar libros muy raros, y el bibliotecario, para no confundirse y no perder la pista de ninguno, hacía, al entregarlos, un índice y luego los revisaba, confrontaba y ponía en orden.

Al terminar su estudio, el francés indicó que se marchaba a París y se despidió del bibliotecario. Este revisó sus listas, y vio que le faltaban dos volúmenes de los más importantes. Inmediatamente salió a la calle, tomó un auto y se presentó en el hotel, en el cuarto del profesor, que estaba en aquel momento haciendo su maleta.

—Vengo—le dijo sin preámbulos— a que me devuelva usted los dos libros que me ha cogido de la biblioteca.

—Caballero. Usted me está insultando.

—Muy bien. Yo no me voy de aquí. O usted me da esos libros ahora mismo, o voy a llamar a la Policía. Usted verá lo que hace.

El profesor abrió una de sus maletas, sacó los dos libros y, suspirando, se los entregó al bibliotecario.

★

El caso más extraordinario de pasión de bibliófilo fue el del padre Vicente, librero de Barcelona. Este ex fraile no se contentó con robar, sino que llegó a asesinar por amor a los libros.

La historia suya se parece un poco a la del orfebre parisiense René Cardillac, que asesinaba a los que le compraban sus joyas para recuperarlas. Esta historia del orfebre la aprovechó Hoffmann en su cuento titulado *La señorita de Scuderi*.

Desde 1830 al 35 se encontraron asesinadas en varios sitios apartados de Barcelona nueve personas. No se descubría al autor ni la causa de los crímenes. Las víctimas no habían sido robadas. Se hicieron mil cábalas más o menos absurdas acerca del motivo de estas muertes. Se achacaron a la política. Algunos parece que sospecharon de un librero ex fraile. Se le prendió, y al momento confesó sus crímenes. El librero era un bibliómano rabioso, insensible a todo lo que no fueran libros. El hombre contó su primera hazaña con perfecta indiferencia.

Un día, un cura va a comprar un libro raro a su librería.

El padre Vicente le pide un precio alto por el volumen, a propósito, para que no lo compre; pero al cura le parece bien el precio, y lo acepta. El librero le quiere disuadir, le dice que el ejemplar está mal conservado, que tiene una página copiada a mano; pero el cura no se vuelve atrás, coge el tomo, lo paga y se va. Entonces el librero siente un gran dolor al quedarse sin su obra, corre tras del cura, lo aborda cerca de las Atarazanas, y le dice:

—Tome usted, señor cura, su dinero, y devuélvame usted el libro.

El cura no acepta. El bibliómano insiste en sus propósitos una vez y otra, sigue al cura, y, al llegar a un callejón solitario, el ex fraile saca una navaja y acomete al cura y lo derriba en tierra, herido y echando sangre por la boca. Entonces el librero se acuerda de su calidad de eclesiástico, da al moribundo la absolución *in extremis*, lo remata de otra cuchillada y deja el cadáver cubierto de ramas.

Ya acostumbrado al procedimiento, el bibliómano va matando a otras personas en su misma librería. Cuando se presentaba algún bibliófilo bastante terco para pretender quedarse con alguno de sus libros, el padre Vicente, al entregarlo, separaba uno o dos pliegos, que conservaba cuidadosamente. No tardaba en venir el comprador protestando contra lo incompleto de la obra, y entonces el librero lo llevaba a un cuarto apartado de la trastienda para darle explicaciones y allí lo despachaba.

Afortunadamente, como dijo el ex fraile en sus declaraciones, no le falló nunca el brazo.

Cuando llegaba la noche, nuestro bibliotecario tomaba el cadáver al hombro y lo dejaba en alguna callejuela solitaria.

No a todos los mataba en su misma tienda. A un librero llamado Agustín Patxot, quizá pariente del autor de la célebre novela en su época *Las ruinas de mi convento*, lo mató en su librería para robarle un incunable impreso en París por Lambert Palmart. El padre Vicente se presentó un día de verano de mucho calor delante de la librería de Patxot. Entró por un ventanal abierto. El hombre dormía la siesta. Vicente le pasó una cuerda al cuello y con un bastón le dio vueltas, hasta estrangular al librero. Luego cogió el libro y pegó fuego a la librería.

Ya confesado esto con toda clase de detalles, la defensa del ex fraile bibliómano en el juicio oral tenía que ser muy difícil.

El abogado defensor hizo los esfuerzos que pudo para salvar al reo; negó muchas de sus afirmaciones y, entre otras cosas, dijo que el incunable robado a Patxot, de Lambert Palmart, no era ejemplar único, porque había otro en una biblioteca de París.

La defensa no tuvo éxito, y el librero fue condenado a garrote vil.

El ex fraile, que hasta entonces había estado sereno, desde que oyó el discurso del defensor, quedó mustio y cabizbajo.

El fiscal se le acercó a consolarle.

—¡Ah, señor fiscal!—le dijo el bibliómano—. ¡Qué error más grosero el mío!

—¿Le reconoce usted?

—Sí, sí. Estoy muy arrepentido. Soy un insensato.

—La misericordia divina es grande, Vicente.

—Sí; pero lo que me apena es pensar que el ejemplar que le cogí a ese pobre Patxot no era único. ¡Qué error el mío! ¡Cómo puede uno equivocarse así! ¡Y uno cree que entiende de libros!

EL PLACER DE SER MAGO

No cabe duda que debe de ser éste una de las grandes satisfacciones del hombre, cuando ahora, como en todos los tiempos, hay mucha gente que mistifica por el gusto de pasar ante el mundo como un ser excepcional, conocedor de fuerzas ocultas.

Para los antiguos, un poco de aparato misterioso era indispensable y necesario. Entre los filósofos griegos, la farsa era frecuente. El demonio de Sócrates era una pequeña mistificación. Los médicos del Renacimiento, Agripa, Paracelso y Cardan, presumían de magos. Se cuenta que Cardan se suicidó porque, habiendo pronosticado cuál sería el día de su muerte y habiendo llegado a él sano, no quiso quedar desacreditado ante la posteridad como un impostor.

En el siglo XIX y en el XX las mistificaciones han sido tan abundantes como en siglos anteriores; los videntes, los traumaturgos, los faquires, los profetas y profetisas, los sujetos que emanan luz, los que ven a través de los cuerpos opacos, no han escaseado. Lo que ha ocurrido es que han tenido menos crédito y no han podido al-

canzar la nombradía de un Apolonio de Tiana o de un Cagliostro.

En nuestro tiempo hemos tenido un Rasputín y también un mago enérgico y tenaz, como Rodolfo Steiner. Steiner llegó a hacer por suscripción un magnífico templo antroposófico en Dornach, cerca de Basilea, donde neófitos y neófitas bailaban por higiene espiritual los poemas de Goethe. Si Steiner hubiera vivido más, se hubiera visto bailar en su templo el binomio de Newton y la teoría de la relatividad, cosa muy interesante; pero Steiner murió, y la antroposofía bailable no se pudo desarrollar.

Dentro de la ciencia médica se ha dado mucho la charlatanería, y si en un Mesner, en un Hahnemann o en el mismo Gall hay un fondo de charlatanismo, no lo hay menos en los Lombroso, en los Richet y en los Freud.

En España, en nuestro tiempo, ha habido también médicos palabreros y un tanto magos, y con ellos se podría hacer una lista que comenzara en Letamendi y acabara, por ahora, en el doctor Asuero.

Al doctor Letamendi le oímos los discípulos varias veces hacer horóscopos a los enfermos de San Carlos, horóscopos que, a la verdad, nunca resultaron ciertos. Entre la gente indocta abundan los aprendices de mago, y en el pueblo mísero, los que tienen esas inclinaciones son los que se dedican a ser saludadores, zahoríes, adivinos, los que curan por la fe con agua pura, etc.

Muchas veces las personas que no tienen ni la más remota idea de la Fisiología ni de la Patología son las que se lanzan con más ardor a practicar los ritos de alguna higiene o medicina mágicas.

La Metapsíquica, la Teosofía, todas esas teorías fantásticas que no tienen base experimental ninguna, pero que están algo relacionadas con la Medicina, producen unos entusiasmos frenéticos en los iniciados.

Hace años, los partidarios de la Medicina mágica eran, principalmente, los homeópatas, quienes obsequiaban con sus globulillos a todo el que quería oírles; luego han sido los naturistas, los metapsíquicos, los sectarios de la ciencia cristiana y otros *specimen* de magos.

SÁNCHEZ HERRERO

El primer mago acreditado que yo conocí fue el profesor de San Carlos Sánchez Herrero.

Yo no estudié con él, pero fuí varias veces a su clínica con un amigo a verle hipnotizar. Era una excelente persona, pero tenía una gran pasión por las teorías atrevidas o una cándida credulidad.

El hipnotismo de la escuela de Nancy, más radical y más dramático que el de Charcot, estaba entonces en boga.

Sánchez Herrero contaba una se-rie de historias fantásticas extraordinarias. Para él, toda la magia de los grimorios era auténtica.

—Ustedes verán en pocos años cosas extraordinarias—decía.

Se refería a visiones, a sugestiones, a materializaciones. Había alumnos espantados, maravillados. Aquello era un folletín como *Rocambole*. Estábamos expuestos a las sugestiones a distancia; lo mismo podía uno por una voluntad extraña convertirse en un santo como en un bandido; lo mismo podía uno parar en héroe que en sacamantecas.

El profesor contó una vez que alguien, no sé quién, había hecho una extraña experiencia. Frotaba con una cera especial el cuerpo de una persona y luego con la cera hacía una bola. Después, cuando pinchaba en la bola de cera, le dolía a la persona.

—¿Qué diría usted si le pasara eso?—preguntó a uno de los alumnos, que le miraba embobado.

—Pues diría: «Ahí me las den todas. Que me pinchen en la bola lo que quieran.»

Todos nos echamos a reír.

GÓMEZ

El otro mago que conocí no era un profesor, sino un pobre hombre. Gómez, el mago del naturismo.

Le conocí en el tren. Una noche de invierno muy fría, que yo iba en el expreso a Valencia, entró en el tren el señor Gómez, cerca de Madrid, y al poco tiempo pretendió abrir el cristal del vagón, a lo que, naturalmente, nos opusimos todos los viajeros.

—Quería hacerlo — dijo — porque esta atmófera no se puede respirar. Esto es muy malsano.

Luego me dijo que había perdido su tren, y se reveló como naturista.

Era un hombre de unos cincuenta años, de color terroso y que tenía un absceso en la mejilla y un catarro terrible.

—Ahora paro en una de estas estaciones, me voy a mi casa—me dijo—y me paseo media hora descalzo en el suelo helado. Luego entraré en casa y cenaré unas lechugas y dos naranjas.

—Se va usted a poner malo—le indiqué yo.

—¡Ca, hombre, al revés! Así estoy tan fuerte.

—Tiene usted un catarro terrible.

—Eso no importa. Eso es salud. Yo no me curaré nunca un catarro. El desaparecerá cuando quiera. ¿Usted sabe las consecuencias funestas que tiene el curar un catarro?

—Yo, no. Yo siempre que puedo me curo los catarros.

—Pues hace usted mal.

—Parece que tiene usted también un absceso.

—Sí; pero no crea usted que me pongo ninguna medicina ni me aprieto con las manos. No. Sólo me doy baños de vapor. Esto es de pura salud.

El señor Gómez, por lo que me dijo, era empleado en un ministerio y naturista rabioso.

Le vi luego en Madrid, siempre con su aire hético y triste, pero siempre convencido de que era un Hércules.

Gómez era, además de naturista, medio teósofo y medio homeópata. Creía que las medicinas hacían efecto a distancia. También presumía de esperantista. Gómez era intransigente. Tenía siete u ocho libros ridículos, en los que creía a cierra ojos. Creía que la infusión de café era un producto artificial, y que, en cambio, la de las bellotas tostadas era muy natural.

Yo no le hacía caso, porque me parecía muy tonto y muy aburrido. Yo le decía:

—Todo eso del naturismo me parece una estupidez. No sé por qué llevar sandalias ha de ser natural, y llevar zapatos, artificial; tampoco comprendo por qué el comer pan con salvado es natural y comerlo sin salvado es artificial.

Al señor Gómez se le metió en la cabeza que necesitaba un pan hecho con harina molida en antiguos molinos de piedra y no en molinos modernos de cilindros.

—Esos molinos de harina de cilindros que hay ahora quitan al pan sus virtudes—y al decir esto, Gómez cerraba los ojos y movía las manos como si estuviera viendo las virtudes del pan que se iban perdiendo en el abismo.

—Pero ¿cómo sabe usted que el molino de cilindros hace ese efecto? —le pregunté yo.

—Eso se comprende.

—¿Y qué virtudes son las que se pierden?

—Todas—me contestó categóricamente.

A pesar de su idiotismo, quizá por él, Gómez tuvo sus discípulos y partidarios.

Luego se empeñó en no comer más que cosas crudas, berzas, zanahorias, cebollas, y en andar medio desnudo, y poco tiempo después se murió mártir de su apostolado, aunque él seguramente creyó que moría a fuerza de salud.

FERREIRO, EL FLUÍDICO

Otro de los magos que conocí fue un gallego, un tal Ferreiro, empleado en no sé qué servicios del Ayuntamiento.

Algunos de los alumnos de San Carlos, discípulos de Sánchez Herrero, habían hecho en broma un instituto de estudios psíquicos en una casa de la calle del Avemaría.

A las sesiones iban muchachas de la vecindad con sus madres, dos o tres militares, Ferreiro y creo que también iba un cómico que vivía en la casa, García Valero.

Yo no fuí porque me dijeron que había que fingir seriedad y hacer aspavientos para no defraudar a los contertulios.

—Es divertidísimo—me decía un condiscípulo—. Se trae un velador, se apaga la luz y las manos andan más veces por debajo que por encima del velador. Una de las mamás, mientras que parchen a la niña, suele decir, tomando una copita de anís, con una voz gruesa: «Vamos, hijas, que hoy hay un fluido que corta.»

En estas sesiones, Ferreiro, el gallego, se impuso. Era el que tenía más fluido.

Este hombre era un tipo de unos cuarenta años, grueso, achaparrado, con el pelo negro rizoso, la cara amarilla, brillante, y los ojos de jabalí. Ferreiro comenzó a hipnotizar y a fascinar a las mujeres y a un jovencito un poco ambiguo. Se había agenciado el gallego un manual de hipnotizador. Todo era comedia y farsa, y lo que no era farsa, histerismo. Una criada de la vecindad, aleccionada por él, comenzó a tirar los platos de la cocina al suelo y a decir que se le caían. Las cazuelas, los pucheros, todo se venía abajo por influencia del fluido de Ferreiro.

Los estudiantes se asustaron y la casa entera se espantó. Las mujeres estaban con el mago y le admiraban.

El tal Ferreiro era un pequeño Rasputín.

La cosa terminó en que Ferreiro convirtió en un harén el instituto de estudios psíquicos de la calle del Avemaría. Hizo verdaderos destrozos. Dos o tres muchachas tuvieron que ir a la Maternidad gracias al fluido de Ferreiro.

El Rasputín gallego, que era un cínico, se reía. Uno de los militares, a cuya novia había seducido aquél, dijo que le iba a romper el alma, y el mago desapareció sin dejar rastro.

MACHINA SIN MACHINA

Cuentan que un moro de la zona española de Marruecos, viendo en una estación varios vagones del tren, unos arrastrados por una locomotora fatigosa y otro que se deslizaba suavemente solo, llevado por el impulso adquirido, dijo con la mayor convicción:

—Machina sin machina, mejor que machina.

Indudablemente, una cosa que marcha sin resoplidos, sin esfuerzos, sin humo, es mucho mejor que la máquina atiborrada de carbón que avanza entre chispas y chorros de vapor.

La obra de los Lombroso, de los Richet, de los Freud, es obra de magos, machina sin machina. En cambio, la de los Virchow, de los Pasteur, de los Koch, de los Cajal, es obra de los trabajadores; es decir, machina con machina.

Machina sin machina eran Letamendi y el doctor Asuero y todos los pequeños magos del naturismo, de la Metapsíquica y de la Teosofía que pululan por el mundo.

SILUETAS DE INTRIGANTES

Sarrión de Herrera

Sarrión de Herrera era bajito, con unas patillas rubias estilo Alfonso XII y un contoneo un tanto afeminado. Solía vestir de negro, llevaba una pechera muy almidonada y una cartera bajo el brazo, llena de papeles. Tenía aire audaz, de hombre trascendental e importante.

Le conocimos por unos amigos del general Burguete, que entonces era el comandante Burguete; le vimos en la Cruz Roja y en casa de Polavieja, el general cristino que de lejos y por su fama era un hombre terrible, pero que de cerca era un general de opereta, con pantalón blanco y sombrero de jipijapa.

Sarrión de Herrera estaba retratado en una fotografía de la carrera de San Jerónimo, de frac y lleno de condecoraciones. El decía que formaba parte de la Cruz Roja Española; pero, al parecer, no pertenecía a ella. Luego, años después, supimos, con asombro, que el tal Sarrión de Herrera, con sus patillas y su frac, sus condecoraciones y su contoneo un tanto afeminado, era el ministro de Estado nada menos que de la República del Cunani. La tal República era una República fantástica. El Cunani es una comarca entre el Brasil y la Guayana francesa, que no sé si está habitada por algunos indios o por algunos monos antropoides.

A la República del Cunani, al parecer necesitada de gente, iban a emigrar muchos españoles distinguidos capitaneados por Sarrión de Herrera, con distintos cargos; entre ellos, el capitán Casero, que iba de ministro de la Guerra; Manuel Sawa, que iba a ser el jefe de Policía, y otros. Le habían ofrecido también un empleo al anarquista Fermín Salvochea.

La República del Cunani hubiera sido admirable, pero murió en flor. A Sarrión de Herrera se le procesó, y parece que se sacaron de su casa, del archivo de la República del Cunani, dos camiones enteros de documentos, a pesar de la inexistencia de la República. ¡Dos camiones de documentos! ¿Qué hubiera escrito Sarrión de Herrera si hubiera estado en un ministerio formal de Inglaterra o de los Estados Unidos? Los camiones de toda la nación no hubiesen sido bastantes para llevar sus documentos.

A Sarrión de Herrera le quitarían el éxito, pero no la ventura ni la prestancia. Recuerdo haberle visto en el entierro del explorador francés Savorgnan de Brazza, a principios del siglo, en la plaza de la Concordia, con su frac y todas sus condecoraciones, algunas tan grandes que parecían huevos fritos. No sé si representaba en el duelo a la República del Cunani, pero estaba magnífico de prestancia y de audacia. Ni Bismarck hubiera estado a su altura.

Müller, «el Briago»

Müller, *el Briago,* era un mejicano, de origen alemán, que apareció en un café de camareras en la calle de Alcalá, donde nos reuníamos algunos literatos. Müller era un bárbaro, hablaba de una manera brutal, insolente y despótica. Se le llamaba con frecuencia *el Briago,* que en Méjico parece que es lo mismo que el borracho.

Legitimaba su apodo porque era hombre que vaciaba botellas de cerveza y de ginebra como si fueran de agua. De una sentada se bebía uno de esos frascos vidriados que llaman *canecos*.

Un día le encontré solo en el café, y se dedicó a las confidencias.

—Ustedes, los escritores, no ganan nada—me dijo con desprecio—. Son ustedes unos miserables.

—Es verdad.

—Yo gano lo que quiero.

—Mejor para usted.

—¿Usted sabe lo que yo hago en Madrid?

—No.

—Pues yo trabajo para el Ministerio de la Guerra, pero no oficialmente, no. Yo soy calígrafo. Me han traído unos catálogos de la Casa Krupp, manuscritos y en alemán. A esos catálogos se les quitan varias hojas, y yo las voy sustituyendo con la misma letra y poniendo a todos los productos de la Casa un precio mayor. El cañón que vale veinte mil marcos en el catálogo verdadero, aparece en el que hago yo valiendo veinticinco mil, y así, con este sobreprecio irá al Ministerio de la Guerra y así lo pagarán... Mientras tanto, yo vivo como un rey, porque soy un cráneo privilegiado.

Efectivamente, por entonces hubo una compra de armamento en el Ministerio de la Guerra de la que se habló mucho.

Poco después Müller, *el Briago*, desapareció.

GASTÓN ROUTIER

Conocí a Gastón Routier en Tánger, en el Hotel Continental. Me habían enviado por *El Globo* a hacer una información sobre los sucesos de Marruecos, a fines de 1902, información que fracasó, porque estuve enfermo casi todo el tiempo. En el mismo hotel se hallaban el doctor Belenguer, luego médico de Muley-Hafid, y don Vicente Vera, que iba de corresponsal de *El Imparcial*.

Gastón Routier era hombre de estatura mediana, grueso, grasiento, de barba negra espesa, con lentes y una condecoración en el ojal. Andaba con frecuencia con levita y sombrero de copa. Al oírle, daba al momento la impresión de que era hombre cínico y poco recomendable, un *sale type*.

En Tánger me decía:

—Hay que hacer el reportaje a la moderna y echar a volar noticias sensacionales, aunque sean falsas.

Vine yo a Madrid, y a poco Routier fue a verme a *El Globo* y me convidó a cenar en el restaurante de los Cisnes. Noté que era muy roñoso, cosa nada rara en un francés.

Me dijo que iba a dejar de ser corresponsal de *Le Journal*. Me recomendaría a mí, y me enviarían a viajar. Aunque no escribiera en francés, no importaba, porque me traducirían las crónicas. Esto me pareció muy agradable, aunque un poco fantástico. A cambio del favor, yo le ayudaría en algunos negocios que tenía entre manos. No me dijo qué negocios.

Al poco tiempo fue a verme otra vez a *El Globo*. Me indicó que él, con varios capitalistas españoles y franceses, estaba metido en una gran jugada de Bolsa al alza, a base de los planes financieros de Villaverde. Era necesario que *El Globo* publicara algunos artículos anunciando esta alza.

—La cosa es muy difícil—le dije yo—. El administrador de *El Globo* es un especialista en esas cuestiones, y no dejará pasar los artículos.

—Pues es una lástima. ¿Qué se podría hacer?

—Publíquelos usted pagándolos en la Administración. No costará mucho.

Esto no le hacía maldita la gracia.

—¿Y usted no podría entrar en la jugada?—me preguntó.

—Yo, no, porque no tengo dinero.

—No necesita usted una gran cantidad de dinero; con dos o tres mil pesetas le basta.

—No las tengo.

Luego, días después, me dijo que había comprado a mi nombre en París no sé cuantas cosas.

—¡Ah!, muy bien— le dije yo—. Puede usted comprar a mi nombre el bosque de Bolonia y un poco de la avenida de los Campos Elíseos, de París.

El ya vio que yo no caía en el lazo. Luego resultó que la gran jugada al alza, que, según Routier, se estaba haciendo, era para algunos iniciados una gran jugada a la baja, basada en la dimisión de Villaverde, que se efectuó. Mucha gente quedó arruinada en estas maniobras.

Un mes más tarde se presentó en mi casa un francés con aire de pasante de notario, que sacó un papel del bolsillo, y me dijo que yo había perdido cuarenta o cincuenta mil francos en una operación de Bolsa en París. Venía a preguntarme cómo iba a pagar yo esta cantidad.

—Usted está loco—le dije.

El hombre amainó en sus pretensiones, y me indicó que se contentaría con un veinticinco por ciento.

—¿Y cuánto tendría que cobrar Routier?—le pregunté yo.

—Ya veríamos—contestó él, cándidamente.

—Bueno; pues dígale usted de mi parte a Routier que no le doy ni cinco céntimos, y que esto es una mezcla de chantaje y de estafa.

El francés se marchó refunfuñando.

Tiempo después veía con frecuencia a Routier en la calle y me miraba de reojo.

Al comenzar la guerra estuvo en Vera un periodista francés, que venía, según él, del Canadá. Se llamaba, si mal no recuerdo, D'Allemagne. Alguien le trajo a mi casa, y me dijo que Gastón Routier hacía el periódico *La Verdad* en Barcelona, y estaba al servicio de los alemanes. A mí me tenía sin cuidado. Me hubiera dado lo mismo que estuviera al servicio de los chinos. El periodista francés debía de ser también un espía, porque unos días después le vi bajar del tren del Bidasoa en la estación de Behobia, reunirse con el agente alemán Flamme, que vivía e intrigaba en San Sebastián, y que le esperaba agazapado. Reunidos los dos, fueron hablando mano a mano muy secretamente.

En el primero o segundo año de la guerra, al venir a Madrid, encontré a Routier en la calle de la Montera. Yo intenté desviarme, pero él me paró. Me dijo que quería felicitarme por lo que yo había escrito sobre la guerra; que los alemanes eran una gente inmejorable, de una gran bondad, y que era una pena que siguiera esta lucha terrible.

—Yo no veo esa gran bondad de los alemanes, ni de los franceses, al menos en la guerra. Unos representan el Derecho y la civilización, según ellos; los otros, la cultura; pero esto no les estorba para emplear los medios más brutales y más atroces de hacer la guerra. Creo que es posible que los zulúes o los mandingas, de cuando en cuando, tuvieran más humanidad.

—Usted es un ateo—me dijo el periodista francés, no sé si en serio o en broma.

Dos o tres años después Routier murió en no sé qué hospital católico de Madrid.

EL PADRE CALPENA

En *El Globo* había la costumbre, convertida en lugar común, de hacer una crítica satírica de los sermones de Semana Santa. Una noches antes de Pascua se presentó el conserje del periódico y me dijo:

—Ahí hay un cura que pregunta por usted.

—¡Un cura! Es raro.

El cura era el padre Calpena, predicador de fama de Madrid. Era un hombre grueso, inyectado, de faz rubicunda, ojos claros y aire cazurro. Debía de llevar peluquín. Yo le había oído hablar en el púlpito, y hablaba muy bien, con una oratoria excesivamente florida, un poco al estilo de Castelar y Moret.

El padre Calpena me dijo que la crítica que se hacía de los sermones en *El Globo* no era mala para el clero, porque corregía la chabacanería de los predicadores, que algunos parecían hermanos espirituales de *Fray Gerundio de Campazas*.

Con el fin de orientarnos a los del periódico acerca del valor de los predicadores de Pascua, Calpena me iba a dar unas cuartillas con juicios cortos sobre cada uno de ellos, para que nos sirvieran de norma y no cometiéramos errores en la calificación. Dicho esto, me entregó las cuartillas escritas a mano y se marchó.

Leí las cuartillas, que eran trece o catorce, y me quedé un tanto asombrado. El padre Calpena ponía a los compañeros por los suelos; hacía acerca de ellos chistes sangrientos; con uno, sobre todo, que se llamaba el padre Sardina, se ensañaba. El literato más bilioso no hubiera tratado a sus congéneres de una manera tan acerba.

Luego, dos o tres años después, en Granada, conocí, en el hotel, a un canónigo de Madrid. Para matar el aburrimiento, él me contó muchas cosas, y yo, entre otras, le conté la visita del padre Calpena con sus cuartillas a la Redacción de *El Globo*.

El canónigo quería a todo trance que se las diera. Yo le dije que las tenía en Madrid. El canónigo estuvo en mi casa preguntando por mí. Naturalmente, yo no le di las cuartillas. Las guardé durante algún tiempo, mientras tenían algún interés, y luego las rompí y las eché al fuego.

SILUETAS DE MISTICOS

No sé yo si hay una buena definición del misticismo y del místico. A mí, sin pretender deslindar con exactitud el concepto, me parece que el místico es el que cree, por su exaltación, que tiene un medio personal y directo de comunicarse con la divinidad. Dicho un poco en broma y en estilo telegráfico, el místico es el que supone que tiene hilo directo con Dios. Este hilo directo se puede creer tenerlo siendo una individualidad extraordinaria, como San Francisco de Asís o Santa Teresa, y siendo un pobre hombre, un loco o un granuja.

«EL ROIG»

Cada cual tiene sus manías. A mí, la estancia larga en un país de sol me produce cansancio, aburrimiento. Me gusta el tiempo con alternativas, un poco de sol y un poco de lluvia. El sol perpetuo me desespera.

Llevaba algún tiempo de estudiante en Valencia y estaba profundamente aburrido e inquieto.

Al principio salía de casa y andaba; luego me entró la murria de no salir más que un poco de noche, y después se me ocurrió acabar pronto la carrera de médico y marcharme a algún pueblo del Norte.

Decidido a esto, de estudiante pigre y novillero me convertí en un estudiante empollón.

Este avance rápido llamó un poco la atención de algunos alumnos libres y holgazanes, que se me acercaron para hacer como yo, pensando, quizá, que yo podía tener un tranquillo. Uno de los estudiantes, ya no muy joven, era hijo de un tendero de una callejuela sucia y estrecha: la calle Baja. A éste, los condiscípulos le llamaban *el Billuter*, y yo por este apodo le conocía y le recordaba. Por lo que me dijeron antes, había en Valencia unos tejedores de seda a quienes llamaban *billuters*, y que se distinguían por ser tipos agudos, ingeniosos y ocurrentes. A estos tejedores les decían también *conills de porche*, conejos de buhardilla.

Mi condiscípulo *el Billuter* tenía cierta admiración por mí, porque veía que, cuando me proponía pasar unas asignaturas, no salía de casa, estudiando hasta aprobarlas. Venía a verme para que le prestara apuntes y notas.

—Hay que salir, *ché*—me decía—, a tomar el sol.

—¿Para qué?—le respondía yo.

Yo no tenía ganas de salir. Una vez me indicó:

—Vamos a ver a un tipo raro: a un saludador.

—¿En dónde?

—En un pueblo de al lado.

Tomamos un tranvía y fuimos a Burjasot. De aquí seguimos andando hasta otro pueblo próximo, con un barrio de cuevas.

—¡Eh, tú, *ché!*—le dijo *el Billuter* a un chico que apareció por allá—. ¿Tú conoces la casa de *Roig?* (pronunciado *el Roch*).

—¿El *saludaor?*—preguntó el chico.

—Sí.

—Vive en una cueva.

—Enséñanos en dónde.

—Vengan ustedes conmigo.

El chico nos amenizó el camino diciéndonos refranes que se referían a los pueblos próximos: Burjasot, *el burro mort;* Godella, *la burra vella;* Algemesí, *ni dona ni rosi*, etc.

El Billuter me dijo en el camino que *el Roig* había sido hasta entonces el encargado de sacar los pozos negros del pueblo con un cazo, y que había estado procesado por corrupción de menores. Debía de ser un tipo de cuidado. Llegamos a la cueva del saludador, y entramos por un pasillo estrecho tallado en la arena. En medio de una cocina bien surtida para ser de una cueva, estaba *el Roig* sentado, cortando unos mimbres. Era un hombre de unos cuarenta años, de cara grande, juanetuda, de color rojizo, casi morado; las cejas doradas, la expresión fría, antipática, suspicaz y, al mismo tiempo, socarrona; los ojos claros y brillantes. Vestía traje azul y llevaba un gorro negro redondo, como de quinto, con una cinta ancha que formaba una cruz. *El Billuter* habló al *Roig* en valenciano, y le dijo una porción de mentiras; quería llevarle a Valencia a que viera a unas enfermas; ganaría mucho dinero. *El Roig,* en guardia, le contestaba que no podía; él no ejercía la Medicina: era sólo la fe lo que recomendaba.

Los dos se hablaban de una manera exagerada y depresiva, como si quisieran engañarse el uno al otro con una malicia extraña. De mí no hacían el menor caso.

El Billuter llevó al *Roig* al terreno de las confidencias, y éste, cambiando de pronto de expresión y tomando un aire agresivo y amenazador, contó sus apariciones. En ellas tenía mucha influencia su gorro negro. Si la parte de la cruz del gorro quedaba sobre la frente, se le aparecía un ángel, y si no, los diablos.

Aquel día el gorro había quedado por el sitio de los diablos. Al decir esto, *el Roig* se levantó con un aire decidido y vino hacia nosotros. Al ver la actitud de aquel hombre pensé que le iba a dar algún ataque de locura furiosa y que nos iba a atacar. Yo me dirigí a la puerta con rapidez. Afortunadamente, entraron dos personas en aquel momento, y *el Roig* se calmó. Cuando salimos, yo debía estar pálido; pero *el Billuter* estaba lívido de miedo. A mí me quedó durante mucho tiempo la impresión. *El Billuter,* al volver a Valencia, se reía a carcajadas de recordar la escena de la cueva.

EL SALUDADOR DE ORIHUELA DEL TREMEDAL

En una excursión muy agradable en automóvil que hicimos J. Ortega y Gasset, Dantín Cereceda, Barnés y yo por Cuenca y el Bajo Aragón, antes de llegar a un pueblo llamado Orihuela del Tremedal, vimos a una mujer y a un hombre con un borriquillo, que iban por la carretera. La mujer,

montaba en el asno; el hombre, con una capa negra, marchaba apoyando su mano en el anca del animal. Tenían el hombre y la mujer una silueta fatídica, siniestra.

Paramos en el mesón de Orihuela, hablamos con el médico del pueblo, dispusimos la comida, y, al pasar por el zaguán, vimos al hombre del camino. Tenía la cara llena de cicatrices y los ojos estropeados, quizá por la explosión de algún barreno.

—¿Quién es este hombre?—le preguntamos a la posadera.

—Es un mendigo, y dicen que es también saludador.

Yo decidí interrogarle. Me acerqué a él y le di un cigarro.

—¿Se queda usted en este pueblo? —le dije.

—¿Y ustedes?—me contestó él en seguida.

—No. Nosotros nos vamos. Parece que dicen que es usted saludador.

—¿Y quién lo dice?

—Pues todo el pueblo. ¿Sabe usted lo que es necesario para ser saludador?

—Yo, no. ¿Y usted?

—Yo, sí; una de las cosas que hay que tener es la rueda de Santa Catalina en el paladar. ¿La tiene usted?

—¿Eso en qué se conoce?

—Se conoce al verla. ¿Sabe usted muchos conjuros?

—¿Y usted?

—Yo sé muchos. Los hay para curar la rabia, para el amor, para las enfermedades, para hacer aparecer al diablo...

—¿Y donde los ha aprendido usted?

—En los libros.

El hombre me miró con curiosidad, luego se acercó a la mujer, estuvo hablando con ella, se marchó y no volvió.

SUGARRET

Sugarret es un hombre alto y barbudo de Ascaín o de Sara, de uno de estos pueblos vascos franceses de la frontera. Sugarret es un místico a quien se le aparece de cuando en cuando la Virgen.

Sugarret puso una tiendecita en la cima del monte Larrún, donde vendía estampitas y medallas, y en un caserío de Vera que es suyo, o está administrado por él, colocó en una esquina una imagen de la Virgen de Lourdes.

Algunos decían que en su pueblo había tenido una tienda de comestibles con el título de *Epicerie de la République*, y en vista de que no tenía éxito le había llamado *Epicerie de la Vierge*. Así se juzgan las evoluciones espirituales por el vulgo.

Hace cuatro o cinco años, Sugarret estuvo en las fiestas de Vera. La señora del doctor Juaristi, de Pamplona, que estaba pasando unos días en nuestra casa, quiso que Sugarret hablara un poco de sus apariciones, y le instó a ello; pero el místico no quiso dar detalles de cosas tan serias entre la gente que gritaba en el tiovivo y el sonido de la charanga.

Unicamente averiguamos que la Virgen le hablaba a Sugarret de muchas cosas, hasta de política, pero que le ponía plazos para contar lo que le decía a la gente: plazos de dos meses o tres meses, un poco como a los pagarés.

Por la noche, Sugarret, que había entrado en una taberna de un francés, a la que llamaban en el pueblo el *Consulado de Francia*, se intoxicó con exceso, y los jóvenes del barrio de Alzate, sin respeto a su misticismo, le adornaron la barba patriarcal con una orla de ajos y de cebollas.

EL HERMANO JUAN

El hermano Juan, el enfermero voluntario y gratuito del hospital de San Carlos, era un tipo extraño. Era moreno, enjuto, cetrino, de barba negra espesa. Vestía blusa negra y crucifijo grande, de cobre, en el pecho.

El hermano Juan no hablaba nunca de su vida anterior. No decía de dónde había venido ni qué había hecho antes. Sus opiniones parecían de hombre de mundo, lo justificaba todo. No tenía ideas severas sobre moral, ni mucho menos.

La severidad únicamente era para él. No dormía apenas, comía las sobras de los enfermos y cuidaba de los tíficos y variolosos, sin miedo al contagio. Hablaba como iluminado, como hombre que tenía inspiraciones de lo alto.

A algunos estudiantes nos producía curiosidad la vida de este hombre. Una noche de sábado, después de salir del café, se nos ocurrió a unos cuantos, dos de ellos internos, ir al hospital y luego a la tejavana que tenía el hermano Juan en un callejón que había entre San Carlos y la clínica, y llamarle, para ver si nos enterábamos de qué hacía. Le diríamos, como pretexto, que estábamos de guardia, teníamos hambre y que le pedíamos algo de comer.

Fuimos allá, serían las tres o las cuatro de la mañana, y el hermano Juan, que estaba despierto y vestido, salió, cerró su puerta y nos dio unas galletas, unos trozos de chocolate y una botella de vino.

Miramos por las rendijas de la tejavana. No se veía nada. Luego supimos la extraña sociedad que tenía el hermano Juan con don Santiago López, sociedad de compraventa.

Esta sociedad tenía como razón social Emmanuel y Santiago; Emmanuel, la parte destinada a Jesucristo, es decir, a obras pías y caritativas, y Santiago, la del industrial.

Hoy todavía hay una casa antigua en la calle de Leganitos, subiendo a mano derecha, dedicada a la compraventa de muebles y de cuadros, que tiene en el balcón del piso principal un letrero: «Emporio de Ventas», y en el del segundo: «Emmanuel y Santiago».

Sin duda, el industrial que ideó esta combinación pensó que era lógico que, siguiendo las inclinaciones de la raza, Jesucristo se dedicara a la compraventa.

Por entonces se habló mucho en los periódicos del hermano Juan. Luego, el enfermero misterioso desapareció.

Años después fui a ver a mi amigo Germán Asúa, entonces profesor clínico en el Hospital General, y hablándole del hermano Juan y preguntándole si sabía algo de él, me dijo:

—Aquí están los libros que dejó cuando se fue.

Me mostró los libros.

Eran casi todos de psicopatología sexual, en francés, inglés y alemán, con llamadas y acotaciones hechas con lápiz azul y rojo.

¿Por qué le interesaban estas cuestiones a aquel hombre?

Después he preguntado varias veces por el hermano Juan. No se sabe más sino que fue a la Argentina, que estuvo en Buenos Aires, en un hospital, de enfermero, y que luego desapareció.

¡Extraño tipo este hermano Juan! Hubiera valido la pena de que algún especialista en cuestiones de psiquiatría, como Marañón o Lafora, lo hubiera estudiado detenidamente. Cierto que ninguno de estos dos médicos, por razón de su edad, debió de alcanzar el tiempo en que estuvo en el hospital de San Carlos el misterioso y enigmático enfermero.

NUEVAS NOTICIAS SOBRE EL HERMANO JUAN

Días después de publicarse el artículo anterior me escribió el doctor Marañón esta carta:

«Señor don Pío Baroja.

»Mi querido amigo: Cuando yo era interno del hospital en mis primeros años, vi al hermano Juan. No le traté. Pero cuando se fue a América recogí buena parte de sus papeles y libros. Estos últimos del mismo género psicosexual que los que legó a la biblioteca de los médicos de guardia. Coincidió su marcha a América con mi entrada como médico (el año mismo que terminé la carrera) en la sala de infecciosos del hospital, a la que estuvo consagrado en sus últimos tiempos. En su cuartito recién abandonado recogí sus papeles. Sirvió a mi lado durante varios años la misma enfermera que le ayudaba en aquella sala. Aún vive, ahora como enferma vieja e impedida. Ella me contó muchas cosas del hermano. Conocía como nadie sus secretos. Efectivamente, padecía una psicopatía sexual. Si algún día le veo, le contaré detalles. El año pasado, esta ex enfermera me enseñó una carta que le había escrito desde América el hermano, con una fotografía, ya muy viejecito.

»Su affmo. amigo, *Marañón*.»

¡Qué historia admirable podría hacer un novelista de estas dos figuras: el hermano Juan, con su vida enigmática y misteriosa, con sus instintos anormales contenidos, y la pobre enfermera, confidente suya, los dos en el fondo triste del hospital!

Yo no me atrevería a escribirla.

Se necesitarían muchas agallas para hacerlo. Habría que ser un gran psicólogo, un escritor sin retórica, a lo Pascal, para poder hacer dos retratos con gris y negro de estas dos figuras sugestivas.

Lo que atrae en ellas es su autenticidad. Los príncipes y artistas perversos de Oscar Wilde, de D'Annunzio, de Huysmans o de Benavente son unos farsantuelos petulantes, que posan ante el público; este hermano Juan quizá era una basura humana, pero tan auténtica como basura y como humana, que produce tanta curiosidad como horror.

SILUETAS DE IMPOSTORES

EL MARQUÉS DE MONTENEGRO

A aquel muchacho le conocía desde hacía ya tiempo. Le solía ver en Madrid, que iba a dibujar al Museo de Reproducciones, y en la calle, con una carpeta bajo el brazo. Después le vi en París. En París andaba hecho un *dandy*, con los ojos y los labios pintados, en compañías muy sospechosas.

A pesar de su tipo ambiguo, tenía gran éxito con las mujeres, y yo cocí a dos damas, una señora rusa y una señorita francesa de posición elevada, que, habiéndole visto al jovencito español en un baile de Magic-Park y habiéndoles dicho yo que le conocía, quisieron a todo trance que se lo presentase. Yo rehuí la comisión.

El joven elegante tenía una tendencia al sentimentalismo un poco fastidiosa.

Dos o tres años después estuve yo en Barcelona, de viaje político con Lerroux, Albornoz y Salillas, y se nos llevó al hotel Colón, de la plaza de Cataluña, entonces creo el hotel más elegante de la ciudad.

El segundo o tercer día estaba en el salón esperando a alguien, cuando el mozo me trajo una tarjeta.

—Este señor que quiere hablarle.

En la tarjeta había una corona, y debajo decía: «El marqués de Montenegro.»

Me chocó el título, que me pareció un poco de novela de Pérez Escrich o de Luis de Val. El marqués de Montenegro era el *dandy* de París. Estaba el joven radiante de elegancia: pantalón claro a rayas, chaquet más oscuro, zapatos con botines y guantes claros.

Venía a saludarme y a decirme que se hacía llamar marqués y que no le descubriera indicando su verdadero nombre.

—No, no; puede usted estar tranquilo—le dije yo—. Si le veo a usted, le llamaré marqués.

—No le pido tanto.

—Y usted, ¿qué hace aquí?

El seudomarqués me dijo que tenía una intriga amorosa y que quizá de ella dependiera su porvenir. Ya sabía que empleaba malos procedimientos, pero no podía hacer otra cosa. Iba el *dandy* camino del sentimentalismo, matiz de su personalidad un poco desagradable, cuando uno de los correligionarios se me acercó, y el supuesto marqués se despidió y se marchó. Le vimos desde la ventana tomar un auto.

—¡Caramba! ¡Qué tipo! ¿Quién es ese hombre?—me preguntó el correligionario.

—Es un joven marqués.

—Ya se nota que es de la aristocracia.

Años después, un periodista amigo me dijo que el falso marqués de Montenegro tenía un tenducho de antigüedades en Niza, y que estaba ya gordo y calvo.

Un seudo Galdós

Entre los republicanos federales de Madrid había un buen hombre, de holgada posición, que vivía en uno de los pueblos de la provincia dedicado a la agricultura. Era entusiasta de Pérez Galdós.

Este labrador rico, un poco tosco de formas y aficionado a la lectura, tenía una idea un tanto fantástica de su novelista predilecto. Suponía que ganaba veinte o treinta mil duros por cada libro, y creía que debía vivir como un nabab y estar solicitado por las duquesas y las princesas.

Los federales amigos del lugareño le dijeron que don Benito era hombre asequible, que se le podía ver fácilmente; pero el labrador no se convenció; afirmó que jamás se atrevería a ir a su casa.

Entonces a alguno de los amigos se le ocurrió suplantar a Galdós con un oficial de sastre de la calle de Toledo, que se parecía al novelista, y llevarle a casa del labrador.

Este, a quien anunciaron la visita, preparó una comida espléndida, y en la mesa se sentó al lado de su ídolo.

De cuando en cuando le hacía una pregunta, que al sastre le ponía en un brete, porque no sabía qué contestar, principalmente porque no había leído nada de Galdós.

Suponiéndolo así, uno de los iniciados en la trama se puso cerca para sacarle de apuros.

—¿Y qué obra le ha dado a usted más dinero, don Benito?—preguntó el labrador.

—¿Qué obra?—exclamó el sastre, perplejo—. ¿Dice usted qué obra?

—Seguramente *Doña Perfecta* —apuntó el amigo oficioso.

—Sí, sí; es posible..., es seguro.

—¿Y cuánto le habrá dado?

—¿Cuánto?... Unos cuarenta duros —contestó el sastre, que pensaba que una novela se cobraría poco más o menos como un corte de traje.

—Quiere decir cuarenta mil duros —indicó el amigo.

—Sí, sí; claro es.

A pesar de algunas pifias por el estilo, el labrador no sospechó la broma y quedó muy satisfecho de la visita de Galdós a su casa.

Estévanez aseguraba que el sillón en donde estuvo sentado el falso novelista lo tenía el labrador apartado y cruzado con un cordón de brazo a brazo para que nadie se sentase en él.

Esta broma de un sosia de Galdós se siguió sosteniendo cuando don Benito comenzó a presentarse en los mítines republicanos. Se decía que el que iba a los mítines era el sastre de la calle de Toledo y que el novelista, mientras tanto, estaba escondido en su casa escribiendo.

El canciller mayor de Castilla

Marchaba en el tranvía eléctrico desde Suoz, un pueblo próximo a Saint-Moritz, a tomar el tren en Coira para volver a Basilea, cuando entró un señor de aire petulante y orgulloso. Este señor me preguntó si era francés; le dije que no, que era español.

—¡Hombre! Yo también soy español.

Con este motivo, hablamos. Me pareció un fantasioso, que mentía con descaro, pero era entretenido. Había vivido en Norteamérica de asesor de una casa neoyorquina, a la que proporcionaba, según él, planes, ideas; había hecho unos proyectos para la resolución de la cuestión económica europea, y Clemenceau, Briand, Lldy George y otros habían reconocido el valor de sus proyectos.

Al llegar a Basilea me dio su tarjeta con su nombre y una corona.

—Venga usted a verme—me dijo.

Fui, por curiosidad. Vivía en uno de los grandes hoteles de la plaza de la Estación, en compañía de una muchacha austríaca de un aire un tanto alelado. El señor del tren me recibió con grandes extremos y habló de todo. En su conversación se mostró enemigo de los suizos, que eran, según él, unos pobres miserables, de una mentalidad burguesa, que estaban cometiendo con él desatenciones e indelicadezas horribles.

—No los perdonaré—exclamaba—. He de hacer temblar a la Suiza entera. Tendrán que pedirme perdón de rodillas.

Me despedí de aquel señor y de la austríaca, y al pasar por el buró, el encargado del hotel me saludó y me preguntó si conocía a aquel huésped con quien acababa de hablar. Le dije que le había visto por primera vez el día anterior en el tranvía.

El encargado me enseñó una tarjeta de aquel individuo, que decía: «El canciller mayor de Castilla.»

—¿Qué cargo es ese de canciller mayor de Castilla?—me preguntó el empleado.

—No sé—le dije yo—. En España no hay un canciller al frente del Estado, como en Alemania; hay cancilleres en los Consulados...; quizá eso sea un título nobiliario..., pero no lo creo, no lo he oído nunca.

—Entonces, ¿usted cree que es un aventurero ese señor?—me preguntó, como si yo tuviera la culpa de ello.

—Yo no lo sé, ni me importa; yo no voy a responder de los aventureros españoles que pueda haber por el mundo.

—Nos ha fastidiado; lleva más de un mes en el hotel y no paga.

Al día siguiente, el canciller mayor de Castilla me mandó una tarjeta, invitándome a tomar el té con él. Yo le contesté con otra tarjeta, dándole las gracias y diciendo que me marchaba de Basilea.

UN FALSO HOMICIDA

Tendría yo veinte años, había acabado la carrera y volvía de Valencia a Madrid a estudiar el doctorado. Venía en un vagón de segunda. El vagón estaba lleno.

Al llegar a la estación de Albacete salieron, no sé si ahora lo harán también, gentes a vender navajas y puñales. Yo aseguré que me parecía un disparate esta aparición nocturna de hombres llenos de armas, y un joven achulado que iba en el departamento me llevó la contraria con cierta violencia.

Cambiamos nuestras razones, buenas o malas, en tono agrio, se durmieron dos mujeres y unos niños, y mi contradictor se puso a hablar de un crimen que había ocurrido el día anterior en Valencia.

Se trataba de un individuo de una familia de matones, los *Veintiundits* (veintiún dedos), a quien habían matado en una casa de juego y lo habían tirado por un pozo. De estos *Veintiundits* se decía que eran diez o doce hermanos y que todos, menos uno, picador, habían muerto a mano armada.

De uno de estos *Veintiundits* se

contaba una anécdota, que luego creo que Blasco Ibáñez la aprovechó en uno de sus cuentos valencianos.

Este *Veintiundits* estaba en el hospital, herido de una cuchillada por un baratero con quien tenía rivalidades. Entonces, un hermano mató al agresor, le cortó una oreja y se la llevó al herido al hospital.

—Ahí tienes la oreja del que te hirió.

El herido cogió la oreja y se la comió.

El hombre achulado del tren habló del *Veintiundits* que acababan de matar el día antes, y lo pintó como un bandido. Se refirió después a un pollo Revenga que estaba en la casa del crimen, que era amigo suyo, y acabó

por decirnos que él era el que había matado al bandido y lo había tirado al pozo.

Yo me quedé aterrado de tener aquel compañero de viaje, y toda la noche la pasé despierto, observándole.

Meses después, al volver a Valencia, quise enterarme de qué habría de verdad en el relato de aquel compañero de viaje. Alguno me dijo que no debía de ser cierto, porque se conocía al autor de la muerte del *Veintiundits*, que estaba en la cárcel. El que me aseguró esto creía que el chulo del tren se alabaría, probablemente, de un crimen que no había cometido.

Si era así, era un pretendiente a una extraña gloria.

LA CANCION CALLEJERA

Generalmente, para los eruditos, la materia de su erudición no tiene interés más que cuando ha sido ya desbrozada por otros. No les gusta abrir un camino y convertirlo en transitable; prefieren llegar a última hora y dejar la carretera como una sala.

La canción callejera española de estos últimos cuarenta o cincuenta años no ha merecido que algún folkorista la estudie. Al hablar de la canción callejera, me refiero a la canción anónima, sin autor conocido, a veces graciosa y pintoresca; otras, encanallada y soez.

Yo intenté reunir hace tiempo las letras de los tangos y coplas populares, pero no las encontré. No se guardaron. Fueron flor de un día. Quedaban romances de ciego, relaciones de crímenes, la salve que cantan los presos al reo que está en capilla; pero letras de tangos, ninguna.

La canción popular, callejera, suburbana, sin autor conocido, ha tenido varios ritmos; pero el más destacado ha sido el del tango. Este tango, de origen incierto, luego ha emigrado a la Argentina, y ha venido de allá de retorno, americanizado, italianizado, marcadamente dulzón y de un sentimentalismo ñoño y venenoso.

Las canciones populares, por su asunto, se podrían dividir en políticas, militares, criminales, toreras, cómicas, etc.

Por su ritmo, tienen poca variedad en sus formas musicales; hay alguna polca más o menos exótica; las demás son habaneras y tangos. Por la época en que aparecieron, se podrían clasificar en canciones de antes de la guerra colonial, canciones de durante la guerra y canciones de después de la guerra.

Canciones de antes de la guerra

Yo no recuerdo canciones populares más que desde el año 80 del siglo pasado, época en que ya se daba uno cuenta de las cosas. Por entonces, tiempo en que vine yo por primera vez a Madrid, había dos tonadas, que cantaban las cocineras con gran entusiasmo; una tenía como estribillo:

Con el capotín, tin, tin, tin;
esta noche va a nevar.

La otra era una polca:

Tengo un niño chiquitín
que se llama Nicolás.

Esta polca, de aire francés, de ritmo muy cortado, no sé si era indígena o exótica.

Cuatro o cinco años después, estando yo en Pamplona, entre el aluvión de canciones extranjeras de *La Mascotta, Boccaccio, Madame Angot* y otras operetas traducidas, apareció una habanera que tuvo gran éxito. Comenzaba así:

Al gobernador de Cádiz
le ha dado por la finura
de ponerle campanillas
al carro de la basura.

Yo oí cantar esto a un sargento, acompañándose con la guitarra, en un cafetucho indecente de la calle de la Estafeta, donde se jugaba al billar y a la bola.

Creo que con esta tonada se inició el flamenquismo en los pueblos del norte de España.

Tras de ésta vinieron otras y otras coplas, todas o casi todas de aire andaluz; algunas, bajas, groseras; otras, más finas y delicadas. En general, eran picarescas y alguna que otra política.

Cuando volví a Madrid, en 1886, e iba al Instituto de San Isidro, al pasar por Puerta Cerrada solía oír a un ciego, que entonaba en la vihuela:

Le dijo el pollo Vicente
a su novia Manolita:
«Te traigo, pa sorprenderte,
una cosa muy bonita.»

También solía cantar un tango contra las mujeres, rebelesiano y chocarrero, pero no soez ni bajo:

Con pañuelos de Manila todas van,
la camisa muy planchada y sin lavar.

En la plaza del Progreso, dos hombres mal encarados cantaban un tango sobre el general Villacampa, que tenía esta imprecación, dirigida a alguien que impidió la asonada republicana:

¡Anda, so pillo, charrán,
asesino de mala estampa,
que quisiste regar las calles
con la sangre de Villacampa!

La musa política se cultivaba, aunque no creo que fuera recibida con gran entusiasmo por el público.

Había también una especie de melopea triste sobre el submarino Peral, en que se decía, entre otras cosas:

Y nosotros, como comprendemos
que en España no hay dinero ya,
nos vestimos con traje de buzo,
pa ver si lo hallamos en el fondo del mar.

Hay que reconocer que el procedimiento no era muy práctico. Parecido a éste, por tratar de una cuestión de actualidad entonces, era un tango sobre la Higinia Balaguer, la del crimen de la calle de Fuencarral. Era la copla una cosa bárbara. Comenzaba así:

En la primera corrida
que demos en mi lugar...

En esta corrida, la Higinia hacía de toro; la Justicia, de matador; los abogados, de banderilleros, y de picador, un fiscal; y acaba diciendo:

Y para dar la puntilla, ¡chipén!,
Viada será mejor.

Viada debía de ser algún magistrado de la Audiencia. Estos cantares, de aire político o criminalesco, no creo que llegaban a provincias; en cambio, los de asunto torero o picaresco, corrían por toda España, y las fregonas se dedicaban a ellos con delectación. La música de estos tangos era casi siempre la misma, con ligeras variantes; en general, una habanera con un ritmo más agitanado y flamenco que las habaneras antiguas.

Toda España se dedicaba por entonces a la gitanería con fruición. Era un síntoma de envilecimiento. En Madrid había varios cafés cantantes: el Imparcial, el de Romero, el de Naranjeros, el del Brillante; los había en Valencia, en Barcelona, en Bilbao, y donde no existían éstos, los estudiantes o los comisionistas, al volver de Madrid a sus pueblos, se lucían cantando *Graná estará orgullosa con el Frascuelo*, la *Muerte del Espartero*, o la canción de las mujeres que tenían que entrar en quintas y pasar unas a la Infantería y otras a la Artillería. El flamenquismo era casi un honor; por lo menos, una gracia.

Durante la guerra

Este período, que duraría unos cinco o seis años, se caracterizó en la música popular por el incremento de la gitanería y del flamenquismo y quizá también por la influencia negra que venía de Cuba. España tenía entonces una inclinación marcada por lo bajo y poco noble.

Durante la guerra de Melilla, cuando la muerte del general Margallo, apareció una canción de soldados, triste, de aire moruno, que tenía el estribillo:

Larigú, larigú, larigú.

No hubo mucha canción política por entonces. Yo no recuerdo más que un arreglo del tango ¿*De la niña, qué?*, en que se decía, refiriéndose a los cubanos:

Parece mentira que por unos mulatos
estemos pasando tan malitos ratos.

Por este tiempo hubo canciones que corrieron por toda la Península. Una de ellas, muy conocida, comenzaba así:

De las grandes locuras que el hombre   [hace,
no comete ninguna como casarse.

Esta era una canción grosera, soez, encanallada; pero que tuvo gran éxito y corrió por toda España.

El ¿*De la niña, qué?* no estaba mal; tenía rasgos de malicia, de broma. Así terminaba una copla:

Por estos refranes, a cierta chiquilla
su padre le ha roto catorce costillas,
porque decían que la niña ya...
Y mire usted si sería,
que al poco tiempo vieron llegar...
un ramillete de flores
que le traían de Puerto Real.

Otros tangos, como el de

Un cocinero de Cádiz muy afamado
a las mujeres las compara con el guisado.

El otro, que empieza diciendo:

En la época presente,
no hay nada tan sorprendente
como la electricidad.

Y el de *La bicicleta* se decía que los componían en una academia de guitarristas gaditanos que firmaban *Las viejas de Cádiz.*

El tango de *La bicicleta* estaba muy bien. Era una canción fina que aún se canta. Comenzaba diciendo:

Tengo una bicicleta que costó dos mil
y que corre más que el tren. [pesetas

Luego el autor se pinta a sí mismo, que va por la calle Ancha, de Cádiz:

Luciendo este cuerpecito,
encanto de las muchachas,

va a la Alameda y al parque del Genovés; pero a veces se pega cada crismazo,

que tengo el cuerpo que yo me sé.

Luego viene la duda sobre el indumento que han de llevar las mujeres montadas en el aparato:

Por eso hay ahora mil discusiones,
por si han de llevar faldas o pantalones.

Todo el tango es chistoso y está bien.

Al final de este período de las guerras coloniales se fue agudizando en la música popular la nota flamenquista, agitanada y negra, y vinieron las guajiras y se abusó de los cementerios y de los muertos.

En algunas canciones todo esto se mezcló con aires de corneta de los soldados. Así, había guajira que empezaba con la languidez de un danzón de negros y acababa con una diana militar.

DESPUÉS DE LA GUERRA

Al avanzar el siglo, la canción popular, el tango, comenzó a decaer, a involucionar. De la calle saltó al escenario de *variétés,* de los labios del ciego a los de la cantante. Se elegantizó y se mistificó, perdió su carácter suburbano y tomó el carácter del cuplé.

Desde este momento declinó, se exhumaron por entonces una porción de cantos populares regionales, antiguos y modernos, se los transformó al gusto del día, y tomó todo un tinte de sentimentalismo muy diferente de la crudeza de hacía años.

Luego hubo canciones semipopulares, con autor conocido. Quinito Valverde hizo algunas muy graciosas. El pintor Martínez Abades lanzó otras, que tuvieron gran éxito en España y fuera de España. Yo las vi en las librerías de Holanda y de Dinamarca. Tuvieron también gran popularidad el maestro Padilla y otros. Vino entonces el ocaso del viejo flamenquismo, un cierto olvido de los toros y el furor de los deportes y del cine...

Hoy se ve que la canción plebeya y anónima ha desaparecido por completo. A veces era grosera, encanallada y brutal, pero a veces era también graciosa y fina.

LOS PROFESORES ESPAÑOLES

Yo sospecho que el español actual no sirve para ser buen maestro. Es absolutista, pedante, doctrinario y caprichoso. Inmediatamente que llega a la cátedra, o se agría, no se sabe por qué, o se hace engolado y altisonante. Yo hablo por los catedráticos de mi tiempo; es posible que los de hoy no sean iguales.

Entre los profesores que conocí en mi juventud encontré dos tipos: uno, arbitrario, malhumorado e injusto; el otro, hueco e inflado. Sin embargo, hay que reconocer que entre los españoles de la calle hay gente sencilla; pero, sin duda, cuando se ven con un birrete y una toga, se trastornan.

A nuestros catedráticos yo los dividiría en catedráticos de bilis e hiperclorhidria y catedráticos de cartón y cemento armado.

CATEDRÁTICOS DE BILIS Y DE HIPERCLORHIDRIA

Entre los profesores agrios conocí bastantes. Uno de ellos era un tal Sáenz Díez, químico de alguna fama y profesor de Farmacia y enfermo de la orina. Este enano solía estar en el tribunal de Química general de preparatoria de Medicina, y solía dar la puntilla al que se examinaba e iba ya malamente con una pregunta difícil. El sabio enano debía mirar con odio a los alumnos que eran jóvenes, tenían una estatura corriente y no estaban enfermos de la vejiga; y debía de pensar: «Por lo menos, les daremos un disgusto.»

De este tribunal solía formar parte otro químico—don Magín Bonet—, también puntillero para los estudiantes; pero este señor no era agrio, sino, simplemente, tosco y cazurro.

En San Carlos, aunque no estudié con él, vi operar varias veces a un cirujano—don Juan Ribera—, un hombrecillo de voz atiplada, que trataba al enfermo como a un enemigo, sin humanidad y sin cordialidad. Después de verle operar, se hubiera uno alegrado de operarle a él.

DON BENITO HERNANDO

De estos profesores agrios, uno, a quien tuve que aguantar durante todo el curso, fue don Benito Hernando. Don Benito, profesor de Terapéutica, era un hombre arbitrario, caprichoso, insoportable. Tan pronto tenía familiaridades absurdas con los alumnos como se engallaba sin motivo. Sentía extraña aversión por las personas, y, lo que es más raro, por las medicinas. Hablar del arsénico como tratamiento de la anemia le ponía fuera de sí. Era para él un insulto.

Don Benito, que era castellano (de la provincia de Guadalajara), sentía antipatía por los vascos. Aseguraba que en los países ricos en minerales de hierro, como las provincias vascas, la gente era más escrofulosa y más torpe que en otras tierras. Al decirlo me miraba a mí, pero yo no me daba por enterado.

Después de repetir varias veces esto, una tarde se me acercó al banco donde yo me sentaba, con aire agresivo.

—¿Usted es vasco?—me preguntó.

—Sí, señor.

—¿Usted no ha notado que hay muchos vascos torpes y con la mandíbula colgante?

—No, señor.

—Pero ¿de veras no ha notado usted la torpeza de los vascongados?

Esta insistencia y la risa de los condiscípulos me indignó, y le dije, secamente:

—No, señor; no he notado que los vascongados sean más brutos que los de Guadalajara.

Toda la clase se echó a reír de una manera escandalosa. Don Benito se puso como un pavo, y me dijo:

—Después de clase hablaremos.

Esperé al terminar la lección.

—Esa impertinencia que me ha dicho usted no la olvido hasta los exámenes—me dijo.

—Perdone usted; la impertinencia ha sido la suya—le dije yo.

—Así no se habla ni a un criado. En la calle no me hablaría usted de ese modo.

—En la calle, mucho mejor que aquí, don Benito.

—Se atendrá usted a las consecuencias.

—¡Ah!, naturalmente. Que es usted rencoroso, vengativo y caprichoso y me hará usted perder el curso, ya me lo figuro.

—Vaya usted a otra Universidad.

—No, no quiero.

Muchos años después, yo había escrito varias novelas y tenía cierto nombre. Solía ir a un barracón donde se vendían libros viejos, en un solar de la esquina de la calle de Atocha y el Prado.

Una tarde, al salir de aquel barracón, vi a don Benito Hernando. Estaba medio paralítico. Yo fui a esquivar el encuentro; pero él se paró delante de mí.

—Baroja—me dijo, como si fuera todavía mi profesor y pudiera chillarme.

—¿Qué hay?

—¿No me conoce usted?

—Sí.

—¿No me tiene usted que decir nada?

—Nada, don Benito; que sigo creyendo que los vascongados no son más brutos que los de Guadalajara.

Y con esto seguí adelante.

LOS CATEDRÁTICOS DE CARTÓN Y DE CEMENTO ARMADO

Entre los catedráticos de cartón y de cemento armado, no recuerdo a ninguno con tanto gusto como a don Gregorio Pano, profesor de Matemáticas del Instituto de Pamplona, que ya aparece citado como auxiliar en el Diccionario Madoz de 1843. ¡Si sería viejo!

Pano parecía el Comendador del *Tenorio* de piedra verdadera, con su pelo blanco, su bigote y perilla, su hablar tembloroso. Era un pobre viejo lelo, vanidoso, pero completamente inofensivo.

MUÑOZ DE LUNA

Don Ramón Torre Muñoz de Luna —creo que se llamaba don Ramón— era otro Comendador del *Tenorio*, pero de muchas más conchas que Pano. Muñoz de Luna era hijo de cómicos y, naturalmente, era un poco farsante. Nos hablaba de sus amigos Liebig y Pasteur, Flammarión y Julio Verne, a quienes, quizá, no había conocido.

Hacía trucos de charlatán en los

experimentos. Cuando realizaba alguna prueba vulgar de Química, se le aplaudía y saludaba. Cantaba las excelencias del ácido hiponítrico como desinfectante, que había descubierto él, y muchas veces echaba una moneda de cobre en una taza, con ácido nítrico, cuando creía que el ambiente de la clase era malsano, y nos envolvía en humos rojizos y desagradables.

A Torre Muñoz de Luna, la sangre de cómico le rebosaba. Hubiera vendido muy bien la manteca de la serpiente Ophys o el licor contra la tenia en la plaza pública, desde lo alto de un coche.

LETAMENDI

Letamendi era otro Comendador del *Tenorio*, con trampa y cartón y farsantería a todo pasto. Cuando yo estuve en su clase, el primer día me llamó:

—Señor Baroja y Nessi.

Yo me levanté.

—Vamos a ver, señor Baroja—me dijo—. Suponga que a usted, sin leer ningún libro, le preguntaran: «¿Qué es para usted la Medicina?» ¿Qué diría usted?

—Yo diría que es el arte de curar.

—Bien. A ver el señor Tal—y Letamendi llamó a otro alumno en la lista—. Usted, ¿qué diría?

El alumno, más avisado que yo, recitó la definición de Letamendi.

—¿Ve usted?—me dijo el profesor—. ¿Ve usted?—y me mandó sentar.

Yo estuve por decir:

«Veo que le gusta a usted la adulación. Yo creí que tenía delante una persona seria, y no una bailarina.»

Letamendi era un audaz y un desaprensivo; tenía el tupé de decir que así como el río Guadiana desaparece en la tierra, la Medicina de Hipócrates había desaparecido en la Historia para aparecer con él. ¡Hipócrates y Lamentadi! Era mucha broma. El uno, todo observación y sencillez; el otro, todo palabrería y fuegos artificiales.

Letamendi-Hipócrates nos relataba una serie de anécdotas en que intervenían sus amigos y él. Una de ellas nos la contó como una eutrapelia de alto estilo y filosofía profunda. Estudiaba él el doctorado en Madrid; marchaba con varios amigos por la calle de Toledo, cuando vieron a un paleto que iba vendiendo un conejo. Se pusieron de acuerdo los amigos para convencer al vendedor de que no llevaba un conejo, sino un gallo; y a fuerza de decirle: «¡Caramba, qué hermoso gallo! ¡Qué magnífico gallo! ¿Cuánto quiere usted por ese gallo?», el vendedor, vencido, dijo: «Lo vendo por tres pesetas.»

Los condiscípulos míos, que sabían que yo no tenía ninguna admiración por el profesor, me preguntaron:

—¿Qué te ha parecido la historia del gallo y del conejo?

—Que tendría cierta originalidad —les contesté yo—si eso mismo no lo hubiera contado antes Martínez Villergas, en el año 41 ó 42, en un artículo sobre «Las calaveras», publicado en *El Album de Momo*.

De la obra de Letamendi-Hipócrates ha quedado poco; yo, para mí, creo que no ha quedado nada: todo era *bluff*, retórica y palabrería.

Era una catedral de cartón, o, a lo más, de cemento armado.

Si se quisieran encontrar obras españolas del mismo carácter de audacia artificiosa, de *kolossalismo* y de poca base, habría que recordar los monumentos de Gaudí, los cuadros cubistas de Picasso y algunas otras cosas por el estilo. En cambio, si se quisiera hallar la obra antónima a la de Letamendi-Hipócrates, se tendría que retroceder hasta Huarte de San Juan, el médico navarro del siglo XVI, tan sencillo, tan observador, tan lleno de intuiciones geniales.

SALMERÓN

A pesar de que podía sospecharse de que en Letamendi-Hipócrates nuestra raza dio el *summum* de quincallería científica, de palabrería y de *kolossalismo*, hubo quien le aventajó.

Uno de ellos fue don Nicolás Salmerón.

Don Nicolás Salmerón era un gran orador, y tratando de sus tópicos de Derecho y de política teórica no le aventajaba nadie; pero el buen señor, histrión inimitable, no tenía sentido humano alguno. Fuera de su política y de su Derecho, no acertaba en nada.

Al oírle se podía pensar, como dice Huarte de San Juan, que la elegancia y la policía en el hablar no es señal de gran entendimiento.

Una vez, Maeztu, Martínez Ruiz y yo tuvimos una larga conferencia con don Nicolás para pedirle que interviniera en el Congreso a favor de un periodista de Málaga, preso por haber denunciado el juego.

Salmerón contestaba a nuestros requerimientos diciendo una porción de vaguedades, y de cuando en cuando afirmaba con voz cavernosa:

—No se puede hacer nada. Hay que derrocar el régimen.

Había que derrocar el régimen. ¡Como si se tratara de echar una carta al correo!

Al oír a don Nicolás quedé convencido de que era el más ilustre de los profesores españoles de la clase de cartón y de cemento armado.

RECUERDOS DE UN MEDICO DE PUEBLO

EL PRIMER SUELDO

Había yo llegado de médico a Cestona y había ido a vivir de huésped a casa de la sacristana. La casa, pequeña y negra, pertenecía a la parroquia y estaba en un extremo de la calle Oquerra (la calle Torcida), en una vuelta que daba hacia la plaza.

Mi patrona, Dolores *la Sacristana*, era una mujer muy simpática y enérgica, muy trabajadora y muy entusiasta del tradicionalismo. Pertenecía a la rama más intransigente del tradicionalismo, que entonces, y supongo que ahora, se llamaba integrista.

En la casa, yo tenía un cuarto que daba a la calle y que había pertenecido a un notario, con una cama con

colgaduras, una mesa y armarios con libros de Derecho y de Religión; es decir, nada que pudiese interesarme a mí.

Delante del balcón tenía, enfrente, un tejado y un monte que parecía venirse encima.

Dolores *la Sacristana* me cobraba por tenerme en la casa nueve reales al día, y me trataba como a un canónigo. La madre de la Dolores era una vieja arrugada, vestida de negro, con un pañuelo del mismo color a la cabeza y enferma con un catarro crónico.

El primer día que me vio se incomodó conmigo, porque yo, al saludarla en vascuence, la traté de *zu* (tratamiento intermedio entre tú y usted), y no de *beorrí*, que es sinónimo de su merced, y es el tratamiento que se da a los viejos y a las personas de importancia en el País Vasco.

Yo le expliqué como pude que no era falta de consideración hacia ella, sino que no sabía emplear el *beorrí*.

En vascuence hay cuatro tratamientos: dos de *i* (tú), uno para mujeres y otro para hombres; uno de *zu* (entre tú y usted), y otro de *beorrí* (su merced). Estos tratamientos modifican el verbo. Así, por ejemplo, para decir «voy», que en castellano se emplea siempre la misma palabra con cualquier tratamiento, en vascuence se dice de cuatro maneras, según a quien se dirige: *banian*, si a una mujer a quien se habla de tú; *baniac*, si es a un hombre a quien se tutea; *banua*, al igual, y *banoa*, al superior.

Para un hombre de escasa capacidad lingüística como yo, eran demasiadas complicaciones.

A la vieja de la casa la convencí de esto, y quedamos amigos. Yo le fabriqué un tubo de hoja de lata con unos agujeros, en cuyo fondo le ponía un algodón con unas gotas de guayacol y cloroformo, y la vieja tomaba estas inhalaciones cuando le daba la tos, y con ellas se le calmaba algo. Muchas veces solía estar en la cama, como decía ella, tocando la corneta con el tubo toda la noche.

Los días de calor, yo solía tener la tertulia en el jardín del secretario del Ayuntamiento, que daba a la carretera, y cuando veíamos que pasaba la diligencia *La Vascongada*, con sus caballos y sus luces, entrábamos en la casa, y el secretario tocaba el piano y los demás cantábamos con frecuencia a coro zortzicos y otras canciones.

En esta casa del secretario había una estatua de piedra blanca de Juan Sebastián de Elcano, que se veía en un recibimiento como un fantasma.

Esta estatua la había mandado hacer un lejano pariente mío, según me dijeron, y no sé por qué había quedado allí.

Después de la tertulia solía marchar yo a cenar a mi calle Oquerra, y luego iba a la cocina, al fuego *anca zarrac berotzeco* (a calentar las piernas viejas), decía la madre de *la Sacristana*.

En la casa de la Dolores, a veces teníamos reunión de alto rumbo, porque solían ir dos damas de San Sebastián, muy amables: la condesa de Alacha y su hermana. Estas dos señoritas de la familia de Lilí Idiáquez, la más ilustre de los contornos, tenían una antigua capilla en la iglesia y un magnífico palacio gótico a orillas del río, el palacio de Lilí, probablemente de los mejores de Guipúzcoa. Las dos aristócratas señoritas no se desdeñaban de ir a sentarse a la cocina, y allí teníamos nuestra tertulia.

Cuando se cumplió el primer mes de mi estancia en Cestona, el alguacil me entregó ciento y tantas pesetas de mi sueldo. Me pareció casi una fortuna. Pagué a *la Sacristana*, mi patrona, la mensualidad, y pagué en la botica no sé cuánta antipirina y bromuro potásico, porque tenía una neuralgia pertinaz en la cara y me dedicaba a tomar esas drogas para ver si se me quitaba el dolor.

Convidé también a pasteles y a vino rancio a unas chicas, a quienes había prometido este modesto festín, y que me lo reclamaban.

Después de aquellos pequeños gastos, aún me quedaban pesetas y un par de duros en el bolsillo del pantalón, que al andar metían algún estrépito. Con tan pobres medios creo que me sentía triunfador y contento, a pesar de la neuralgia, como si el mundo fuera mío.

Era esto por septiembre, por las fiestas de Cestona. Se celebraba en la plaza del pueblo una corrida y lidiaban dos o tres toros de la ganadería de Lastur; uno de ellos, de muerte. Habían venido dos novilleros, unos pobres maletas miserables, no se sabe de dónde, que se exhibían en las calles y se daban mucho tono.

En el balcón del Ayuntamiento se habían puesto gradas de madera. Estaban allí la gente elegante del pueblo y la del balneario. A mí me invitaron a ir y fui; pero como no me gustan los toros, ni en grande ni en pequeño, me puse en un rincón, al lado de una pared, donde no se veía nada de la fiesta, a filosofar y a contemplar a la gente.

A veces me asomaba a mirar a la plaza, y al ver las judíadas que hacían con los animales, volvía la cabeza; a veces se me ocurría que me iba a empezar el dolor de la cara, y me ponía triste.

A poca distancia de mí, en el mismo banco, había una señora joven, que retiraba la vista de la plaza cuando hacían alguna barbaridad con el toro o parecía que cogían a algún torero.

Yo la miraba y ella también me miraba a mí, que estaba apartado, como castigado.

Al notar sus movimientos repetidos de desagrado, le dije con petulancia:

—Se ve que la molesta a usted lo que hacen con ese pobre bicho.

—Sí, y a usted parece que también —me dijo ella rápidamente, mirándome a la cara.

—¡Pchs! A mí, no mucho. No soy muy sensible.

—Pues a mí me ha parecido que se ponía usted hasta pálido.

—Es que tengo una neuralgia que me está fastidiando y he tomado unas drogas, y estoy flojo.

—Es cosa mala una neuralgia.

—Sí, porque le achica a uno el espíritu. En estado normal, lo mismo me da ver matar un toro que a una persona.

—Sí, usted debe de ser terrible —dijo ella, con ironía.

Me acerqué un poco a la dama.

—No pretendo ser terrible —añadí—; pero, en fin, ha visto uno operaciones...

—¿Es usted el médico del pueblo?

—Sí, señora.

—¿Y no le gustan a usted los toros?

—Nada.

—A mí tampoco. Alguno nos podía preguntar a usted y a mí: «Si no les gustan los toros, ¿para qué han venido?»

Esto de que hubiera algo común entre ella y yo me pareció muy agradable, y acorté disimuladamente la distancia que nos separaba en el banco.

Aquella señora tenía una voz de un timbre muy bonito. Debía ser casada, porque iba sola y llevaba alhajas. Tenía esa sencillez y esa seguridad de la gente de la clase alta que está acostumbrada a ser respetada y no necesita defenderse ni mostrar desdén a un extraño. Yo la miraba con gran curiosidad y entusiasmo. Era una mujercita muy rubia, muy fina, muy elegante.

Me preguntó sobre la vida de los médicos de pueblo, y sobre la mía en particular, y yo le conté algunas anécdotas cómicas.

En esto hubo un griterío en el público y vimos, aun sin querer, cómo el novillero principal acababa con el toro de una manera miserable, a fuerza de pinchazos.

—¡Qué horror! —dijo la señora.

—Sí, es francamente repugnante.

Acabó la corrida, la música comenzó a tocar y la gente joven invadió la plaza para dedicarse al baile.

—Esto es más bonito—dijo la vecina rubia—. ¿Usted no baila?

—No, no sé bailar. Yo he sido de esos estudiantes de Madrid que no saben bailar, ni les gustan los toros, ni los teatros.

—Un desastre.

—Completamente un desastre.

La bella señora me miró con lástima.

Los dos novilleros subieron poco después al balcón del Ayuntamiento y recogieron en las gorras algunas monedas de cobre y plata. Yo, por echármelas de rumboso ante la amable señora vecina mía, les tiré dos duros desde mi banco.

Ella se rió y me preguntó con ironía:

—¿Habrá usted empleado en esto todos sus ahorros de médico?

—Casi casi—le contesté yo—; pero si le ha divertido a usted, no lo siento.

Ella tuvo en los ojos un relámpago de coquetería y de malicia, que a mí me hizo olvidar la neuralgia y la antipirina. Me dio la impresión de que me miraba como a un hombre que sabe burlarse de su vida, no como a un palurdo que se cree algo.

Se levantó para marcharse, y yo me levanté también. Bajamos y salimos a mi calle. Yo fui junto a ella. Como íbamos en grupo, era disimulado.

—Esta es mi casa—le dije al pasar por delante de ella.

—¡Ah! ¿Aquí vive usted?

—Sí, señora.

Le debió de chocar una casa tan pobre, tan pequeña y tan negruzca.

Salimos a la carretera; había algunos coches elegantes y algunas cestas.

La dama rubia se acercó a un landó, en donde había una señora y un señor viejo. El lacayo abrió la portezuela, ella subió al coche; después, el lacayo saltó al pescante y se fueron camino de Zumaya. La dama rubia me miró y sonrió; quizá fuera ilusión mía. Pregunté a dos o tres del pueblo si conocían a aquellas personas. No las conocían. No estaban en el balneario. Pensaban que habrían venido de Zarauz.

Me fui a cenar a casa de la Sacristana, muy triste. La calle Oquerra estaba negra como un carbón. Tocaban en la torre las campanadas del Angelus. Me pareció que la neuralgia me volvía.

«Es uno un necio—pensé—. Se cree uno algo, y no es uno nada más que un pobre médico de pueblo.»

Hasta las monedas que llevaba en el pantalón, restos del primer sueldo que cobraba, sonaban a lo que eran: a monedas de cobre.

LOS APRENDICES DE BRUJO

En verano me encontraba en Deva, pasando unos días en casa de la condesa de Lersundi.

Tenía largas conversaciones con mi amigo Fernando del Valle Lersundi, hijo de la condesa, aficionado como yo a las cuestiones históricas. Hablábamos con frecuencia de la penuria de datos, de memorias y de documentos que hay en el País Vasco para componer la historia contemporánea.

—En donde habrá probablemente papeles—me dijo Fernando una vez—será en Cestona, en casa de don Pedro Egaña.

Los había cuando yo era médico del pueblo en Naranjadi, la casa de Egaña zarra (Egaña el viejo), como se llamaba el antiguo ministro de Isabel II, que hacía años había muerto.

—Es verdad que usted ha sido médico de Cestona.

—Sí.

—¿Y usted vio la biblioteca de Egaña?

—Sí, yo solía ir a la biblioteca de Naranjadi con frecuencia. Había libros, folletos, muchas cartas y sus Memorias.

—¿Usted las vio?

—Sí.

—¿Las leyó usted?

—Comencé a leerlas, pero no seguí.

—¿Y por qué?

—Porque estaban escritas en estilo florido y pedantesco... *Holgárame yo muy mucho... Antojábaseme...* Para mí, entonces, esto era pestífero. Otra de las cosas que me chocó mucho fue que en esas Memorias se llamara a Cánovas «audaz revolucionario». ¡Llamar audaz revolucionario a Cánovas, a quien habíamos silbado los estudiantes en mi tiempo por déspota! ¡Me parecía muy cómico! ¡Si hubiera conocido un poco la historia contemporánea de España, no me hubiera chocado el calificativo!

—Tenemos que ir a Cestona a ver si quedan esos papeles—dijo Fernando.

—Vamos, si usted quiere.

En un automóvil marchamos a Cestona. Yo no había estado allí desde que dejé de ser médico de la villa, hacía ya treinta años.

—¿Adónde vamos?—me dijo Fernando.

—Yo iré a casa de mi antigua patrona, y de paso le preguntaré a su hermana, que es la que vive, qué sabe de la biblioteca de Egaña zarra.

—Yo, mientras tanto, iré a casa de Egaña.

Le indiqué la casa Naranjadi, convertida en bazar, y marché por la calle Oquerra a la vivienda de *la Sacristana*. Vi a su hermana, a la Joshepa Iñashi, y estuve hablando con ella. El cuarto que yo había ocupado estaba casi lo mismo que en mi tiempo. Me daba una impresión un poco rara y angustiosa el encontrarme en una habitación donde había vivido hacía treinta años y que se encontraba igual que entonces. Me parecía como si me hubieran escamoteado la vida.

Hablamos la Joshepa Iñaski y yo de la gente de nuestra época: de Patrishio el del tambor, a quien yo le curé el pie que le aplastó una losa; de Pichia, el juez y confitero liberal; del vicario don Benigno, que hablaba siempre de grandes comidas, que comenzaba invariablemente con dos sopas; del señor Párodi, el antiguo maestro de Vergara, con su gorra escocesa con dos cintas atrás; de los curas, del secretario y de Chapao el loco. Pasamos revista a todo el vecindario.

Volvió Fernando poco después de Naranjadi. No quedaba allí nada. En casa de *la Sacristana* había algunos legajos empolvados en la buhardilla, procedentes de la biblioteca de Egaña zarra.

Dimos una vuelta por el pueblo, que, como es tan pequeño, se recorre al momento. Le mostré a Fernando la casa donde yo viví y el cementerio, en cuyo osario tenía yo dos sacos llenos de calaveras para llevarlas a casa y hacer mediciones antropométricas, proyecto que no pude realizar porque se lo comuniqué al otro médico, y éste me dijo que para ello tenía que pedir permiso al obispo.

Salimos del pueblo, de vuelta, y estuvimos un momento parados en un barranco por donde pasa el río Urola, barranco que en vascuence se llama Ociñ beltz (agujero o sima negra), que está entre Cestona e Iraeta. En esta hoz, no muy angosta, hay una cantera y, junto al camino, una caseta como de refugio para el caminante. A este refugio llamaban allí santucho, porque tenía aire de ermita o porque quizá lo fue en algún tiempo. El sitio me recordó un suceso que se me había borrado de la memoria completamente, en absoluto, y que luego fue brotando entre la niebla del recuerdo.

★

En los primeros días de llegar al pueblo vi varias veces en aquella carretera de Cestona a Iraeta a una vieja vestida de negro, de pelo blanco y desgreñado, que solía llevar un manojo de hierbas en la mano. Solía ir acompañada con frecuencia por un muchacho andrajoso, con cara de mendigo, que marchaba cojeando y mirando al suelo.

Me dijeron que esta mujer era curandera o emplastera, pero no de fama. No tenía mucho crédito. En el pueblo se hablaba poco de curanderos y nada de brujos o de brujas. En la comarca, el hijo del curandero de Arnabate se había hecho médico y tenía una clínica, creo que en Elgóibar. Esto parecía indicar que el curanderismo se intelectualizaba. También oí hablar en Cestona, como he oído después en la parte vasca de Navarra, de procedimientos mágicos para curar las hernias, como ese que consiste en pasar los niños por una rama desgajada de un roble a las doce de la noche, pronunciando una oración.

A la vieja mendiga y curandera la vi una noche, en el santucho de Ociñ beltz, con el mozo que la acompañaba, sentados los dos en el banco de piedra de la caseta y a la luz de unas ramas encendidas. No sé si estarían haciendo algún conjuro.

Me llamó la atención la vieja y pedí detalles de ella. Me dijeron que no era del pueblo. Debía de ser de Lastur, de una barriada de la parte de Iciar, donde había toros bravos. Era aquella mujer medio curandera y medio bruja, de poco prestigio. Además, al parecer, se emborrachaba con frecuencia. Solían andar el mozo y ella—el mozo debía de ser sobrino-nieto—por los montes, recogiendo hierbas para hacer emplastos.

Una semana o dos después volví a ver a la extraña pareja, un día que fuí a visitar al médico por entonces de Iciar, mi amigo y condiscípulo José Madinaveitia. Recuerdo que en este viaje que hice por el monte, al llegar a un bosquecillo, me persiguió una cerda grande, con una decisión tan constante y tan agresiva que me llegó a dar miedo. Ni el palo ni las pedradas asustaban al animal, que me seguía, y me seguía con ánimos de atacarme.

Poco después de salir del bosquecillo me encontré a la vieja curandera y al mozo. Estaban sentados en un ribazo y separando unas hierbas. Me acerqué y hablé un momento con los dos. Ella era una vieja seca, vestida de negro, con el pelo muy blanco, que le salía en mechones rojizos por debajo del puñuelo; la cara arrugada y denegrida, la mirada atenta y el aire suspicaz. El mozo no tendría veinte años, parecía muy marrullero y cazurro y no miraba de frente.

A mis preguntas contestaron con vaguedad estudiada. Yo hablaba mal el vascuence, y quizá no me comprendían. Quizá desconfiaban.

La vieja, por lo que me habían dicho, tenía gran enemistad por los médicos. Probablemente le habían molestado tontamente por pedantería profesional. De los dos anteriores a mí, uno de los cuales se había marchado del pueblo, parece que decía la vieja, sobre todo cuando tenía un vaso de más:

—A ese médico nuevo y al castellano los metería, a los dos, en un tonel y desde la punta de Erchina los dejaría caer abajo, tampa..., tampa..., tampa...

Me despedí de la vieja y del mozo y seguí mi marcha, pensando que debía ser muy mísera la vida de aquella gente. En Iciar hablé con Madinaveitia. Madinaveitia vivía en el pueblo con una hermana mayor que él, una señorita muy amable. Tenía una casa bonita, en el alto, con una vista al mar espléndida.

Comimos juntos y hablamos de la profesión. El manifestaba entusiasmo por la Medicina. Yo no me mostraba contento.

—Pero ¿por qué?—me dijo él.

—¡Qué quieres! Yo creo que no hago un diagnóstico bien.

—Pero eso le pasa a todo el mundo, sobre todo al que empieza. Hay que estudiar al enfermo, hay que verlo...

Luego hablamos de curanderos y de brujas. Allí, en Iciar, no había esta clase de gente.

Madinaveitia me decía que no permitiría en su partido intrusiones médicas. Tenía más fe en la Medicina que yo.

*

Unos días después, de noche, antes de ir a acostarme, estaba en la cocina de la casa de *la Sacristana*, a la lumbre, cuando vino el alguacil a decirme que teníamos que ir a Ociñ beltz, porque una mujer se había caído desde lo alto de la cantera.

El alguacil, un hombre un poco chusco, venía con un farol para acompañarme. Salimos del pueblo y fuimos por el camino de Iraeta hasta llegar al barranco. El cielo estaba negro y el río más negro aún.

—Es un sitio triste éste—le dije yo al alguacil.

—¡No se vaya usted a asustar, eh, señor médico!

—¡Bah! No hay miedo. Paso por aquí con frecuencia, solo y de noche, y no llevo nunca ningún arma. El otro médico me ha dicho que lleva revólver.

Llegamos a la cantera de Ociñ beltz y avanzamos, por entre las piedras rotas, hacia donde se veía la luz de otro farolillo.

Cuando me acerqué al cuerpo de la mujer y eché la luz del farol a su cara, por el pelo blanco y el traje negro comprendí que el cadáver era de la curandera. Tenía un ramo de hierbas apretado entre los dedos.

—¿Hay algo que hacer?—me dijo el secretario del Juzgado.

—Nada. Esta mujer lleva muerta tres o cuatro horas ya, por lo menos.

—¿Se habrá suicidado?

—No creo. Todo hace pensar que estaba cogiendo hierbas. Le habrá dado algún vahído o con la oscuridad se habrá equivocado de vereda y se ha resbalado.

Al día siguiente había que hacerle la autopsia, diligencia inútil, porque no había duda sobre la causa de la muerte. Tenía el cráneo fracturado por varias partes.

Estando en el depósito del cementerio, con el alguacil, se presentó el mozo que acompañaba a la vieja, el sobrino-nieto, y me preguntó con interés si podía registrar las ropas de la muerta. Yo le dije que creía que sí. Registró las ropas. No sé qué buscaría. Sacó unos papeles sucios, un librito pequeño como una novena y dos o tres perras gordas. Después me preguntó misteriosamente si iba a abrir el cuerpo de la abuela. Le contesté que era lo que mandaba la ley, abrir las tres cavidades de los muertos violentamente; pero que no lo haría porque no había necesidad.

El mozo no sé si entendió mi respuesta. Después hizo algunas preguntas al alguacil acerca de dónde iban a enterrar el cadáver. Luego se marchó de allí y ya no le volví a ver más por el pueblo.

LOS OBREROS ENEMIGOS

Cada uno habla de los asuntos por lo que ve. A mí me parece que en España el público es indiferente a lo que dicen los escritores. Yo, al menos, rara vez he recibido algún comentario sobre lo que he escrito.

Antes, no sé por qué, mis ideas producían cierta indignación en el público, y solían llevar con frecuencia protestas contra mis artículos, dirigidas no a mí, sino al director del periódico donde colaboraba.

Hace un año o cosa así publiqué un artículo en un semanario sobre los aprendices de brujo con el título de «Recuerdos de un médico de pueblo», y me escribieron una carta desde un pueblo de Castilla recomendándome que siguiera con mis recuerdos. Probablemente sería la carta de algún médico.

En la práctica de la Medicina, en la aldea, se ven cosas muy extrañas, a veces terribles, que dan una impresión quizá demasiado viva del fondo de egoísmo y de brutalidad del hombre.

De algunas de estas cosas vistas no se puede hablar con libertad, porque por mucho que se quiera disimular y despistar, sólo la indicación de la aldea ya basta para que se sepa en un pueblo de qué se trata y de quién se

trata. Citar una aldea y contar una historia, aun pasados treinta años, es como decir un nombre y un apellido en una ciudad. El médico, indudablemente, tiene algo de cura, y debe callar lo que ve en el ejercicio de la profesión, sobre todo si la divulgación puede perjudicar a alguien.

Yo, en el año y medio que estuve ejerciendo en Cestona, fui testigo de algún que otro drama rural intenso, que lo contaré en mejor ocasión. Lo que quiero contar ahora no tuvo un un carácter exclusivamente rural, pues ocurrió entre elemento trabajador y forastero.

Hará treinta y seis o treinta y siete años que yo fui de médico a Cestona. Estaban por entonces construyendo un edificio grande cerca del antiguo balneario, en un sitio oscuro y sombrío. En el pueblo se creía que el nuevo edificio iba a ser algo nunca visto. El arquitecto, un catalán bastante finchado, hablaba de su obra como de El Escorial. En esto trajeron algunos carpinteros de fuera del país, de los que llaman carpinteros de armar. Eran quince o veinte, la mayoría castellanos; pero había también, según nos dijeron, algunos valencianos, aragoneses y catalanes. A pesar de esto, en el pueblo los llamaron los madrileños.

Al principio, estos obreros, bien pagados y más atrevidos que los del pueblo, como suelen ser los forasteros en país extraño, quisieron tomar parte en las fiestas aldeanas, exagerando lo acostumbrado o queriendo cambiarlo por su capricho. Eran más audaces, más despreocupados. Los mozos del pueblo se apartaron de ellos y las chicas los miraron con prevención. Los forasteros tenían la gracia de ser aguafiestas, de molestar y estorbar. Ellos eran más hombres. Por lo menos así se lo creían. Al verse desairados, empezaron a dejar en paz a la gente campesina y a reunirse los domingos en alguna taberna o venta a jugar a las cartas y a la rana, a beber, a cantar, a tocar la guitarra y, según dijeron, a bailar flamenco. Había uno que bailaba flamenco encima de una mesa.

Esto del baile flamenco les parecía a los de Cestona algo terrible y diabólico.

El aislamiento hizo que hubiera riñas entre los *madrileños*, y, por lo que dijeron, se formaron entre ellos dos partidos hostiles.

Yo no los conocía. No solía ir al balneario casi nunca. El otro médico, que era carlista y amigo de los dueños, también carlistas, estaba allí casi siempre... Una vez, en la puerta del establecimiento, me presentaron al padre Coloma. Me pareció un tipo reservado y un tanto hipócrita, un tenorino místico y agitanado para damas aristocráticas un tanto putrefactas.

El autor de *Pequeñeces* habló mal de los aldeanos del país porque no sabían castellano, como si el saber castellano fuera el *summum* de la ciencia, y nos manifestó su desdén. Yo le encajé dos o tres impertinencias, en justa reciprocidad. Naturalmente, desde entonces no aparecí por el balneario.

En esto un día me llaman de prisa a una casa de la calle Oquerra, donde había una posada. Allí vivía un grupo de los *madrileños*. Uno de éstos había caído de una gran altura, desde el techo de un salón del balneario en construcción, y lo habían traído en una camilla moribundo.

Fui a verle. Estaba sin sentido. Debía de tener roto el cráneo. No había nada que hacer. Así se lo dije a sus compañeros. Como éstos protestaron, para hacer como que hacía, sangré al moribundo. El hombre murió por la noche.

Al dejar la casa, dos obreros que estaban en la posada se acercaron a mí y, en un tono destemplado, me dijeron que su compañero había sido víctima de la mala intención de uno del bando contrario. Estos dos obreros me preguntaron qué iba a poner yo en el certificado de defunción.

—¿Qué voy a poner? La verdad. Que este hombre se ha fracturado el cráneo en la caída, y nada más. Se le hará la autopsia y se verá cómo ha sido la fractura.

Los dos obreros se fueron murmurando. Se hizo la autopsia. El cráneo estaba roto en varios pedazos, como una avellana partida o un cántaro que se cae al suelo.

Dos o tres meses más tarde, una noche, ya después de las doce, me llamaron a la misma posada, y vi a uno de los *madrileños* en la cama. Tenía una herida en una nalga, con una gran hemorragia. La sangre había manchado toda la cama. Era una herida profunda, de unos diez centímetros de larga, con los bordes muy abiertos. Debía de haber sido hecha con un cuchillo ancho y grande. El herido, muy asustado y nervioso, estaba rodeado de seis o siete obreros de aire de matón, que vociferaban.

—¿Me dolerá mucho la cura?—me preguntó.

—Sí, un poco.

—¿No me podrían dar cloroformo?

—No. Para eso tiene que venir otro médico.

—¿Y no podría uno de nosotros hacerlo?—dijo un obrero con suficiencia.

—No; hay que saberlo hacer y tener cuidado con el pulso. No es como dar una copa de anís.

Como uno de los obreros hablaba

de que ellos eran muy hombres, yo le dije:

—Mire usted: esa admiración por ser muy hombre yo siempre la he visto en algunas mujerzuelas y en los gallinas...; pero yo no he venido a discutir. Si ustedes quieren que yo haga algo, se callan; si no, me marcho. Que me ayude alguno, y los demás que se vayan de aquí.

Se fueron refunfuñando. Al que quedó conmigo le dije que fuera a la botica y trajera unas agujas curvas, *catgut*, y un trozo de aglutinante.

El obrero vino con ello, nos lavamos las manos, yo me puse un delantal limpio de la patrona en el cuello y nos dispusimos a darle al herido unos puntos de sutura.

El hombre tenía un aire un poco afeminado, el cuerpo un tanto adiposo y redondo. Por su acento, no parecía madrileño, más bien andaluz o murciano. Al primer pinchazo pegó un berrido terrible, y la aguja no entró. Estaba un poco roma y, a pesar de haber estado engrasada, se hallaba mohosa por la humedad.

Entonces me dediqué a afilarla, frotándola en la raspa de una caja de cerillas. Luego la desinfecté y comencé a poner los puntos de sutura.

A pesar de los terribles gritos y lamentos del hombre, le cerré la herida con muchos puntos, y quedó con buen aspecto y cesó la hemorragia. Me había salpicado la sangre hasta la cara y tenía las manos y los brazos como un carnicero.

Yo creí que aquellos obreros estarían contentos de mi faena, pero fue todo lo contrario; porque cuando estaba lavándome empezaron a vociferar y a decirme que mi obligación era dar parte al juez, y que si no daba parte me denunciarían, que en aquel pueblo de hipócritas todo se quería tapar, etc.

Yo les dije secamente:

—Yo ya sé que mi obligación es dar parte. Ahora mismo haré la nota y se la llevaré al juez. A mí no me importa nada que a cualquier compañero de ustedes lo metan en la cárcel.

Salí de la posada con dos de aquellos hombres que quisieron acompañarme a casa del juez. En el camino me dijeron que parte de sus compañeros eran gente aviesa y criminal; querían creer que el accidente que había costado la vida al que cayó del andamio era debido a la mala intención de alguien del grupo enemigo.

Llamé en casa del juez municipal. El juez era un tipo curioso, un tal Iceta, apodado *Pichia* (el elegante); Iceta era confitero. Era hombre ya viejo, de setenta años, de cuerpo voluminoso, siempre vestido de blanco, con una boina que se la ponía como un turbante. Había sido carlista, luego liberal, y por entonces leía *La Voz de Guipúzcoa*, y tendía a republicano.

Este *Pichia* tenía un carácter atrevido y pintoresco. Dejaba a los chicos de la calle para que jugaran al *palmo* onzas de oro. Como juez, no le gustaba gastar papel en los juicios. Su justicia era expeditiva y rápida:

—Tú tienes razón, y tú, no—decía a los litigantes—. ¡Hala, fuera de aquí!

Una vez, siendo alcalde del pueblo, estaba en su silla del coro de la iglesia, y el párroco, en su sermón, afirmó que las tabernas se cerraban demasiado tarde, lo que era un escándalo. Iceta, desde el coro, dijo, con voz de trueno:

—Señor párroco, ésas son cosas del alcalde, no de usted.

Llamé, como he dicho, en la puerta del juez, y éste tardó bastante en salir. Le conté lo que había pasado;

la herida que tenía uno de los obreros, que era de las que llaman los médicos de pronóstico reservado, y la exigencia de los compañeros de que diera parte.

—Bueno; yo no quiero papeles —me dijo él—. Si me manda usted ese certificado, lo rompo y lo tiro.

—Entonces, como si se lo hubiera enviado. Si pasa algo, yo no tengo responsabilidad.

—Ninguna. Descuide usted.

—Está bien. ¡Adiós, señor juez!

—¡Adiós, médico!

Los días siguientes fui a ver al herido, que tuvo fiebre.

A la semana, la herida estaba cicatrizada.

—Un día de éstos vendré y le quitaré a usted los puntos —le advertí.

—Muy bien.

Al día siguiente, el farmacéutico, don Agapito Elósegui, me dijo, en broma:

—Qué, ¿ya les ha cobrado usted a esos *madrileños?*

—No.

—Pues cóbreles usted, porque ésos se van. Yo les he mandado la cuenta. No querían pagar las dos o tres cosas que se han llevado de la botica.

—Mañana tengo que ir a quitarle los puntos al herido y le cobraré.

—¿Cobró usted antes, cuando se cayó el otro?

—No. ¿A quién iba a cobrar?

—Ponga usted ahora una cuenta de ocho o diez duros. Tienen dinero. Ganan más que usted. Que paguen.

Al día siguiente, por la tarde, fui a la posada de los *madrileños;* pero el herido y sus compinches se habían marchado del pueblo.

CHIFLADOS DE ALDEA

ECHEGARAY, EL NATURISTA

Don José Echegaray, antiguo maestro de obras y minero, era un entusiasta naturista.

—¿Es usted pariente de Echegaray, el dramaturgo?—se le preguntaba.

—No sé si será de la familia—contestaba él.

Echegaray creía todo lo contrario de lo que cree la gente. No se acatarraba nadie, según él, con el aire frío, ni la humedad producía el reumatismo, ni el calor del sol las insolaciones. Echegaray comía muchas ensaladas y tomates, había oído hablar de las vitaminas, andaba con los pies desnudos sobre la hierba húmeda y se bañaba en los charcos. Una noche

se metió en un abrevadero de la carretera de Francia, y una campesina, al verle erguido en el abrevadero con una toalla en los hombros, le tomó por una *lamia* o un *inchisua*, y echó a correr despavorida.

Echegaray hacía gimnasia, medio desnudo, en un balcón corrido de la casa donde vivía, lo que producía el escándalo de algunas solteronas de la vecindad. Los malintencionados decían que este escándalo provenía de que era viejo y feo y enseñaba unos pellejos amarillos y desagradables; que si hubiera sido joven y guapo y con la piel tersa, estas *basa-andriac* (mujeres del bosque) no se hubieran indignado tanto.

Echegaray tenía, según se decía, la

propiedad de varias minas. Unos decían que estas minas valían mucho; otros, que no valían nada.

Echegaray hacía excepciones a su naturismo con frecuencia. Si le convidaban, se bebía tres o cuatro copas de licor sin pestañear. Otra de sus traiciones al naturismo era pintarse el pelo y la barba de negro con un tinte bastante malo. Como era viejo y cegato, el betún que se daba en la cabeza le corría casi siempre por la calva.

Vivía en una casa del barrio de Alzate, y la dueña quiso hacer obra en ella. Echegaray se empeñó en no salir. Tuvo que ir el Juzgado y ponerle los trastos en la calle. Entre éstos había unas muestras de minerales, una onza de oro falsa, una colección de zapatillas y otra de magníficas y complicadas lavativas.

Don León

Don León vivía en un pueblo vasco hace ya muchos años. Supongo que habrá muerto. Era hombre de buena pasta, de cierta cultura, pero un tanto endiosado.

Resistía, impávido, en el pueblo levítico dominado por clérigos, viviendo solo con un ama de llaves.

Quizá los de su tiempo le habían considerado como un réprobo al ver que se llamaba panteísta y hablaba de Hegel y de Krause.

La gente más joven, reaccionaria también, le tomaba a broma por sus ideas, y él replicaba de una manera seca y desdeñosa.

—Don León, que es un revolucionario...—le dijo un joven en el Casino, delante de mí.

—Yo soy español y republicano federal—contestó él, con gran dignidad.

—Y krausista—añadió el joven con sorna.

—Sí, señor, y krausista.

No sé de dónde se habría contagiado del krausismo. Supongo que cuando estudió en Madrid cogería este sarampión germánico de ínfima clase.

Don León vivía aislado. Yo, cuando le conocí, sentí gran lástima por él al verle tan expuesto a las bromas malintencionadas de los demás. Don León lo leía todo. Así aseguraba él. Era un enciclopedista. Esta tendencia enciclopédica procedía, según él, de sus teorías krausistas.

Don León creía que entendía de agricultura; pero, al parecer, de esto no sabía una palabra y no distinguía una mata de habas de otra de guisantes. También creía que tenía conocimientos de Medicina y de Arquitectura; pero, según los reaccionarios, que, al parecer, acertaban, estaba a la misma altura que en hortalizas.

A mí me preguntó si tenía un libro de Fisiología; quería estudiar las funciones del cerebro. Yo tenía uno, y prometí enviárselo. A mi padre le dijo si conservaba algún tratado de cálculo diferencial e integral.

—Sí, tengo un libro un poco viejo—le contestó mi padre—; pero creo que no lo entenderás. Hay que estar fuerte en Matemáticas para entender eso.

—¡Bah! Yo lo entiendo todo; mándamelo.

Le mandamos los dos libros, y al cabo de un mes le vimos y nos dijo que le habían interesado mucho. La Fisiología la encontraba un poco oscura; pero, en cambio, el cálculo integral le había parecido sencillísimo. Unicamente los ganchos no los había entendido bien. Lo que llamaba los ganchos eran los signos de las integrales.

Don León había, sin duda, entendido que donde ponía A decía A, y donde ponía B decía B; pero de ahí no había pasado.

¡Pobre enciclopedista polihistor de aldea! Como Stendhal quería que le pusieran en su tumba: «Arrigo Beyle: Milanese», a don León le hubiera gustado que en su sepulcro hubieran escrito: «León X... Krausista, enciclopedista y republicano federal.»

CEFERINO, EL MINERO

Ceferino era ancho, cuadrado, picado de viruelas, de unos cincuenta a sesenta años cuando yo le conocí. Había estado en la guerra carlista, y había sido contratista de carreteras, trocista y jugador de oficio en la Rioja. En el pueblo puso una panadería, y se dedicó con pasión a la minería.

Yo le conocí hace cuarenta años, acompañando a mi padre, a la puerta de su casa. Estaba tomando café con leche en un azucarero en el que cabría un litro o dos.

Ceferino tenía unos parientes que vivían con él, un sobrino jorobado, una sobrina soltera y otra casada con un belga, a quien todo el pueblo llamaba el Belgicano. Este Belgicano, fundidor de oficio, en vez de llamar tío a Ceferino, le llamaba padre. ¡Patre!, solía gritar, lo que al panadero hacía fruncir el ceño y apretar los puños.

Ceferino tenía casi siempre mal humor y unos arranques de barbarie espantosos. Una vez que una de sus sobrinas le contestó de malos modos y se burló de él, cogió un cuchillo, se lo tiró a la cabeza, y el cuchillo quedó clavado en una puerta. Entonces el jorobadillo, sentado a la mesa, empezó a reírse: ji..., ji..., ji..., y Ceferino le dijo fríamente:

—¿Qué te ríes tú con esa cara de conejo?

A veces Ceferino tenía rachas de buen humor, y cogía la guitarra y cantaba y hacía unos ronquidos muy burlones.

Una de sus gracias, cuando daba en su casa una comida y venía alguna liebre en la cazuela, era decir:

—Yo no sé de dónde sacan los carabineros estos gatos tan buenos.

—¡Ah! Pero ¿esto es gato?

—Sí, hombre.

Otras veces aseguraba que las chuletas que se estaban comiendo eran de perro.

Ceferino tenía la manía minera: vivía con el sueño de encontrar una buena mina. Uno de sus compinches era Shanchon, el capataz. Allí decían catapás. Shanchon había encontrado hacía años una mina de plata muy buena, que dio mucho dinero. A Shanchon se le consideraba especialista.

Ceferino era un fantástico, se creía un hombre razonable y un escéptico, pero tenía la mentalidad de un buscador de tesoros. El dinero que ganaba en la panadería lo perdía en las minas. Tras él iban, con la ilusión de la mina, Shanchon, un tal Trino, que era de Lesaca y tocaba la guitarra, y un compinche de éste, hombre muy alegre, que tocaba la flauta.

Ceferino se arruinó. Yo creo que sus últimos cuartos se los llevó un cura francés, de babero blanco, que aseguraba que tenía un misterioso aparato para descubrir los filones de mineral. Este cura, a pesar de su aire respetable, debía de ser un mistificador y un farsante. Llevaba una especie de paraguas grande con unos colgantes que lo dejaban cerrado, y allí dentro, sin que le viera nadie, maniobraba.

Decían que se oían ruidos extraños, pero algunos suponían que los sacaba más de su vientre que de su aparato.

Fuera con el cura francés o con algún otro, el panadero perdió sus últimas pesetas, vendió la casa y abandonó el pueblo.

OLABERRI, EL MACABRO

Olaberri es un pesimista jovial. No encuentra en el mundo más que vanidad y aflicción de espíritu. No tiene fe más que en la cal hidráulica y el cemento armado. Para él, detrás de toda satisfacción viene algo negro y doloroso, que son las facturas.

—¿Ve usted esa chica que se ha casado con el carabinero?—me preguntó el año pasado, con aire de profunda conmiseración.

—Sí.

—¡Qué infelices! Ahora mucha alegría, ¿eh?, y de viaje; pero luego, ya vendrán las facturas.

A Olaberri le preocupan las facturas. Para Olaberri, que es contratista, las facturas son como la sombra de Banquo, que aparece en el banquete de la vida.

Si Olaberri tuviera el sentido estadístico de nuestro amigo Berécoche, diría que en la vida hay un setenta y cinco por ciento de facturas.

—Ya le he dicho al párroco—me dijo una vez—: usted con su cubo de agua y un hisopo ya tiene para todo el año, y a vivir bien; nosotros, en cambio, pobres contratistas, siempre a vueltas con las facturas.

Olaberri tiene gustos macabros. Ha construido en el cementerio varios sepulcros y trasladado calaveras y huesos y algunos cuerpos recién muertos.

Al hacer la descripción de estos cambios siente, sin duda, un ardor combativo de artista medieval y macabro. Los huesos, las calaveras revueltas en tierra, los trozos de hábito o de traje, la madera podrida de los ataúdes, todo da pábulo a su verba pintoresca.

Al relatar el traslado de algunos cuerpos recién enterrados se crece; entonces los detalles realistas son tan terribles, que hacen estremecerse. Cuando describe el estado del cuerpo de una señora gruesa, muerta hacía poco, se excede. Salen a relucir los *busanos* blancos y las *gurgujas* verdes, y, al último, no sabe uno, al oírle, si echarse a temblar de asco o echarse a reír.

OLENTZERO

Desde remoto tiempo hubo en las provincias vascas la tendencia marcada de dar un carácter unitario al país. La Naturaleza no había dado esta unidad ni tampoco la Historia. El unitarismo fue en el fondo una copia de la disciplina religiosa y moral del mundo romano y del semítico. Se quiso creer que el País Vasco era católico, apostólico, romano, por instinto,

antes del catolicismo. La cosa era ridícula. Luego, ya que no católico, por lo menos se quería que el país fuese en la antigüedad monoteísta y parecido al pueblo judío.

La tendencia cuajó en la fórmula bizkaitarra de Arana y Goiri: *Jaungoikoa ta lagi zarrak* (Dios y las leyes viejas). En este lema se advierte claramente que se busca un paralelismo con Israel: el pueblo hebreo, Jehová y las tablas de la Ley; los euskaldunas Jaungoikoa y los fueros. Está fórmula no era muy original; estaba inspirada, en parte, en la teocracia, y en parte, en el catalanismo. Arana y Goiri la tomó en Barcelona. El bizkaitrrismo no era, pues, género del país puro, sino género catalán.

Durante mucho tiempo, los vascos bizkaitarras y teócratas afirmaron con orgullo que en el país no había prehistoria, ni leyendas, ni supersticiones; sólo existían Jaungoikoa, los fueros y el catecismo del padre Astete. La investigación ha venido a demostrar todo lo contrario. Se ha encontrado el dios desconocido de los montañeses pirenaicos, se han descubierto dólmenes, cuevas pintadas; se ha encontrado a Urcia, Urtzi (Thor, el Rayo); se han hallado indicios de astrolatría, de culto del sol, amuletos, magia, svásticas, tipos de demonios extraños, Araoz, Erensugue, Pracagorri, Gabero, Olentzero. Jaungoikoa no ha sido habido, Jaungoikoa no tiene tradición ni identificación suficiente. Sea el Señor de arriba o el señor de las vacas, como creen algunos, no es antiguo en el país, es un advenedizo, un *etorquiña*.

Podemos afirmar, aunque un poco en broma, que Jaungoika es un dios maketo. Ha venido, con el viento del Sur, del brazo del capitán de carabineros y del administrador de Aduanas.

El pueblo vasco no ha sido monoteísta; es un pueblo de tipo completamente contrario al de Israel, un pueblo sin unidad, lleno de pequeños semidioses o demonios locales; pueblo de supersticiones, el más pagano de España; no del paganismo grecorromano, tan grato a los Liceos franceses, sino de un paganismo anterior, oscuro y misterioso.

El país que hace cuarenta o cincuenta años nos lo pintaban como un trasunto de Israel, monoteísta y unitario, ha resultado todo lo contrario: un rincón lleno de variedad y de libertad.

El pueblo vasco, semitizado y romanizado artificiosamente por vascófilos y bizkaitarras, se ha enriquecido, ha tomado más sabor estos últimos años gracias a los descubrimientos arqueológicos de monumentos megalíticos, hechos por Aranzadi, Barandiarán y Eguren.

Barandiarán ha trabajado, además, en el estudio del folklore y de los mitos religiosos antiguos con grandes conocimientos y fortuna.

Al País Vasco, que hoy tiene prehistoria, una étnica propia y un idioma extraordinario, lo caracteriza también el no haber tenido vida clásica. Ni Grecia, ni Roma, ni Israel han influido en su primitivo espíritu. La tendencia unitaria de la cultura clásica es modernísima en el país.

Como los bizkaitarras tienen como lema *Jaungoikoa ta lagi zarrak* (Dios y las leyes viejas), muchos vascos tenemos este otro: *Urtzi ta legue gabe* (Urtzi y sin leyes), que es un postulado parecido al que defendemos el bachiller Juan de Itzea y yo, respecto al país del Bidasoa. República del Bidasoa. Sin moscas, sin frailes y sin carabineros.

★

Este año, en San Sebastián, han decidido restaurar una antigua fiesta vasca del día de Nochebuena: la fiesta del Olentzero u Olentzaro.

La fiesta se reduce a pasear en andas a un pelele de paja, sentado en una silla, que va fumando una pipa, entre ramos de laurel, cantarle unas coplas y después pegarle fuego.

¿Quién es este Olentzero? ¿Qué significa? ¿Qué origen tiene? Intentaremos explicarlo y hacer algunas hipótesis acerca de su origen. Olentzero es un personaje de Nochebuena; Olentzero tiene en su nombre diversas variantes. Se le llama Olentzero y Olentzaro en Oyarzun, Irún, Vera, Lesaca y sus alrededores; Orenzago en Zarauz; Orentzaro en San Sebastián y Lizarra, y Onentzaro en Berástegui.

Esta intervención de Olentzaro en Nochebuena no parece que existe más que en una zona de Guipúzcoa, que desde la frontera llega hasta Zarauz y en la parte septentrional de Navarra. El personaje no llega a Vizcaya ni a Alava. El tipo de Olentzero tiene como dos avatares: en el uno, probablemente el primitivo, es un personaje importante y sombrío que da miedo a la gente; en el otro, en el secundario, es un tipo cómico que hace reír.

En San Sebastián, cuando yo era chico, se recordaba un trozo de canción que se refería a Olentzero, a quien se le pintaba como al coco, como a un gigante avieso de ojos coloreados. Se decía:

> *Onentzaro, begui gorri,*
> *¿nun arrapatudec*
> *arrai ori?*
> *Zurriyolaco arroquetan*
> *bar arratzeco amaiquetan.*

(Onentzaro, ojos encarnados, ¿dónde cogiste ese pez? En las rocas de la Zurriola anoche a las once.)

Se nos contaba a los chicos que Onentzaro era un gigante que bajaba por la chimenea con la cara tiznada, con los ojos rojos y el aire fiero. También se decía que en la Zurriola metía a los chicos en un saco y se los llevaba.

En algunas partes se creía que venía con una hoz a cortar la cabeza de los niños.

Se le tenía también por un espíritu de gran poder. El día de Nochebuena había en la chimenea de los caseríos un tronco de leña especial, más grande que los demás o de figura extraña, dedicado a Olentzero, y el tronco, a medias quemado, que se sacaba al día siguiente a la puerta del caserío, tenía el poder mágico de curar el ganado.

Este Olentzero, personaje sombrío e importante en una tradición, se convierte en un tipo de bruto cómico, y en los cantares que se le dirigen se le increpa así:

> *Olentzero, buru, aundiya,*
> *entendimentu gabia,*
> *bart arratzian eran emendu*
> *amar erruco zaguia,*
> *ay urde tripa aundiya*
> *zagar ustelez beita.*

(Olentzero, cabezota, sin entendimiento, anoche ha bebido un pellejo de diez arrobas, ¡qué cerdo de tripa grande, lleno de manzanas podridas!)

El tal Olentzero, al parecer siniestro en sus comienzos, interviene con el tiempo en el nacimiento de Jesús de una manera subalterna. Así también en otras tradiciones se mezcla lo pagano con lo cristiano. En la canción de Olentzero se dice:

> *Olentzero juanzaigu*
> *mendira lanera*
> *intenziyuarrequin*
> *icatza eguitera*
> *auditu zubenian*
> *Jesus jayozala,*
> *etorrizan corrica*
> *parte ematera.*

(Olentzero se nos ha ido a trabajar al monte con la intención de hacer carbón, y en cuanto ha oído que nació Jesús, vino corriendo a dar el aviso.)

En este avatar cómico, que yo supongo el segundo, Olentzero es una especie de Baco grotesco. En otras canciones se le atribuye que ha comido diez lechones, chuletas y solomillos, y todo eso se mezcla sin gran sentido con el nacimiento de Jesús.

Una de las coplas más conocidas que se le dirigen es ésta:

> *Orra, orra,*
> *gure Olentzero*
> *pipa artzendubenic,*
> *ishirita dago*
> *capoyac ere baita*
> *arrautzachuaquin*
> *biyar merendatzeco*
> *botill arduaquin.*

(Ahí está, ahí está nuestro Olentzero con su pipa, sentado; tiene también capones y huevos para merendar mañana con una botella de vino.)

Estas letras de las canciones que transcribo las he oído a una muchacha de Lesaca, villa de Navarra, donde se celebra aún la fiesta de una manera tradicional. Quizá en otros pueblos las canciones tienen algunas variantes.

★

Descrito ya Olentzero y las canciones dirigidas a él, sería conveniente buscar su significado.

Yo sospecho que Olentzero es una representación solar. Los indicios me parecen claros. Olentzero se presenta en el solsticio de invierno, es carbonero, tiene los ojos rojos y brillantes, la cara tiznada por el hollín, entra por la chimenea, tiene un trozo de leño especial que arde la Nochebuena. A él mismo se le pega fuego y sirve después en el nacimiento de Cristo, que nace también en el solsticio del año. Todo lo que se relaciona con este personaje se refiere al fuego.

La coincidencia de la fiesta de Olentzero con Nochebuena, el existir una fiesta pagana de Oel, Joel y Noel, de donde quizá proviene el nombre de las *olerías,* nombre con el cual se distingue el período próximo al solsticio de invierno, todo hace pensar que Olentzero es un mito del fuego; es decir, un mito solar. La etimología vasca de Olentzero, yo no lo aseguraría categóricamente por no ser técnico en estas cuestiones, pero supongo que podría ser Oel-Zarra, el viejo Oel.

Las dos personalidades del tipo, una seria y terrible, de coco, de ogro, y otra cómica y grotesca, pueden tener una explicación. Yo supongo que la primera personalidad nace en una época en que el País Vasco no está aún evangelizado, y entonces Olentzero es un semidiós, una especie de Baco-Dionisios. La segunda personalidad puede tomar carácter después de la evangelización, y entonces el semidiós se convierte en un personaje cómico y ridículo, en una especie de fauno comilón y bebedor.

Si intentáramos en el terreno de la hipótesis el buscar el país de origen de Olentzero, supondríamos que éste era de importación extranjera y que había venido de Francia. En Francia existe, o, por lo menos, ha existido, la fiesta con más extensión que en España.

Frazer, en su libro *El ramo de oro,* habla de fiestas que se celebraban en el centro de Europa en los solsticios del año y en la primavera, en las que se formaba un gigante de paja y se le prendía fuego. A veces se metían en las figuras gigantescas, hechas con telas y ramos, animales vivos, perros y serpientes, que se quemaban.

Uno de estos personajes gigantescos puede ser muy bien nuestro Olentzero. Quizá también podría ser pariente de aquellos ídolos que se adoraban en Bayona en el tiempo en que dominaban los normandos, y a uno de los cuales, según la leyenda, derribó San León de un soplo.

Suponiendo su origen francés, la segunda cuestión sería averiguar el momento en que apareció. Yo pienso que la invención del Olentzero debió de ser hacia el milenario, en una época en que la Vasconia francesa que formaba parte de la Aquitania Tercia o Novempopulania estaba intervenida por los normandos.

Un detalle digno de tenerse en cuenta es la pequeña extensión del culto de Olentzero en el País Vasco español, limitado a la frontera. Quizá el resto del país, más cristianizado, se opuso al paso del personaje pagano.

También se podría aceptar que la extensión del culto de Olentzero dependió, en parte, de la extensión de la iglesia de Bayona, que, según el cartulario de Arsius, llegaba más allá de San Sebastián y de Hernani, y comprendía las Cinco Villas, de la montaña de Navarra, y el valle del Baztán. Todo hace pensar que la evangelización del País Vasco en el campo fue muy tardía, y que, probablemente, no se realizó hasta los siglos XIII o XIV de nuestra era. Al cristianizarse el país completamente, entonces la figura de Olentzero comenzaría a dejar de ser seria y a convertirse en grotesca.

De todas formas, la fiesta de Olentzero es una fiesta pagana, aunque quizá los donostiarras que han tomado parte en ella este año no se lo figuren.

LA POLITICA DESHUMANIZADA

Es curioso que en España se nos haya hablado de la deshumanización del arte, tan refractario a ser deshumanizado, y no se nos haya hablado nunca de la deshumanización de la política, que podría ser deshumanizada con ventaja. Se ve que la política produce simpatías y el arte pocas. Quitar en una obra de arte el sentimentalismo, el énfasis, el patetismo, sería mutilarla y a veces matarla. Rousseau o Chateaubriand sin énfasis elocuente; Dickens o Dostoyevski sin patetismo; Verlaine o Bécquer sin sollozos, sería suprimir a estos autores.

En música y en pintura se ha visto que la deshumanización, la asepsia, ha dado resultados lamentables; por ejemplo, el cubismo.

Lo extraño es que en la política nadie haya pedido la deshumanización ni la asepsia, y en política es donde no se perdería nada con que desaparecieran los gritos, las gesticulaciones, el énfasis y la retórica patética.

En el fondo, todo español, como todo meridional, es histrión y sueña con ser político y tomar posturas ante el público. Si es abogado—¿y quién no lo es aquí?—, el histrionismo informa su vida entera.

La política deshumanizada, si fuera posible, estaría bien. Sería llevar a la práctica lo que decía Stendhal: ver en lo que es, no forjarse fantasmas ni luchar contra molinos de viento, ni enredarse entre la fraseología retórica.

Quizá con un espíritu político claro y aséptico esas cuestiones doctrinarias, teóricas, como la de la superioridad de una forma de gobierno sobre otra, el derecho o no derecho a la pena de muerte, todos estos tópicos ya tan manoseados no tendrían valor.

Juzgando por los resultados—el político deshumanizado y aséptico no podría juzgar más que por ellos—, tendría que calificar a la República de Suiza de admirable, pero no podría menos de considerar también admirables a las Monarquías de Inglaterra, de Holanda y de los países escandinavos.

Dinamarca y Noruega han conseguido resultados que no han podido conseguir Francia con sus radicales ni Rusia con sus bolcheviques. Las Monarquías escandinavas han suprimido la aristocracia, han limitado la propiedad territorial y la herencia, han suprimido la Marina de guerra y casi han suprimido el ejército. La libertad para exponer el pensamiento es en esos países absoluta. No hay clericalismo, y en cuestiones de enseñanza y de higiene están a la cabeza de los pueblos de Europa.

Claro que para los doctrinarios, para los cortadores de lógica, como los llama Carlyle, para los que tienen la admiración por el gesto y el grito, esta política aséptica no sería seductora. No habría en ella apóstrofos ni grandes frases, ni ademanes tribunicios, ni todo el bajo repertorio histriónico, tan grato para los meridionales.

Yo creo que la mayor parte del entusiasmo que produce el régimen parlamentario en la burguesía depende de la posibilidad de hacer una carrera con rapidez, de la ilusión de representar un papel en el Congreso, de farolear, dar unos paseos en la tribuna y de estirarse los puños ante el público.

Todos los parlamentarios, a mí al menos, me han dado la impresión de histriones. Claro que ellos no lo creían así, pero a mí así me lo parecían. Salmerón, por ejemplo, se creía y lo creían un filósofo, un pensador, un estadista y una porción de cosas más, y lo que era de verdad era un admirable histrión. Lo mismo les pasaba a Maura y a Moret y a los demás.

Yo, como apolítico y como hombre que no pretende tomar posturas académicas en una tribuna, me gustaría que se deshumanizara la política y dejara de ser teatral y efectista hasta hacerse completamente aséptica y perder ese gusto de bazofia burda y picante, tan agradable para los aficionados.

EL COMUNISMO A LA MODA

Yo creo que desde la época del romanticismo, que, naturalmente, ni los viejos más viejos la han conocido de *visu*, no ha habido otra moda intelectual y política que haya arrastrado a las mujeres españolas como la moda actual del comunismo.

Yo, por lo menos, en cuarenta años no he visto una corriente como ésta, que haya llegado a las mujeres.

Lo político, en España, siempre fue patrimonio exclusivo de los hombres; ellos le dieron cierto aire de seminario un poco altisonante y pedantesco. No hemos tenido madamas Roland, ni madamas Staël, ni Carlotas Corday.

No se explica que a una mujer le pudiera gustar un discurso de Salmerón. Su carácter doctrinario de leguleyo se comprende que no agradara a un público femenino.

Los republicanos no arrastraron a las mujeres. Las damas rojas del radicalismo eran unos ballenatos tristes, unas pobres gordas que parecían salidas del mostrador de una mondonguería.

Los anarquistas no llevaron a sus cenáculos más que a algunas neurasténicas o medio locas, y los socialistas, si atrajeron a sus asociaciones a mujeres obreras, fue más por interés que por entusiasmo ideológico.

El comunismo es el primer partido político que atrae a las mujeres españolas por motivos sentimentales. Naturalmente, obra sobre las muchachas jóvenes, más dispuestas a dejarse entusiasmar fácilmente.

Mucho de esto depende, en parte, de que hasta ahora no había entre nosotros, al menos en cantidad, alumnas en las Universidades e Institutos.

Hoy hay muchas chicas estudiantes comunistas, probablemente tantas como chicos. Se establece el contagio, se propaga y se extiende.

Se dice, pero es un lugar común no muy exacto, que la juventud es dada a la exaltación en política y en todo. Esa exaltación política no ha sido siempre un carácter de la grey estudiantil.

Cuando yo estudiaba Medicina en San Carlos, en un curso de cincuenta o sesenta alumnos no había uno que fuese republicano. El único era yo, y mi republicanismo procedía de haber leído dos o tres historias de la Revolución francesa. A mis condiscípulos no les interesaba la política; la despreciaban. Al lado del volapié de *Guerrita* o de la canción de la Lucía Pastor, la política no era nada.

Cierto que antes hubo generaciones republicanas y liberales. Así como en literatura no hay de verdad generaciones, en política las hay, porque la política es más intuitiva, menos atómica, y a una generación revolucionaria sigue otra conservadora, y a ésta, una indiferente.

★

En literatura no hay un sincronismo espiritual casi nunca; en cambio, en política lo hay siempre. El escritor es un individualista, el político es eminentemente social.

En los partidos izquierdistas de estos últimos treinta o cuarenta años no han sido las diferencias ideológicas lo que los ha separado y los ha hecho a veces tan hostiles unos a otros, sino la técnica.

Los republicanos han esperado todo del pronunciamiento militar; los socialistas evolucionistas, del voto; los socialistas revolucionarios, de la huelga general; los anarquistas, de la acción directa.

Hoy mismo, entre los radicales izquierdistas y los comunistas, la diferencia mayor es la de la táctica. Los comunistas son más agresivos y emplean la pistola con más facilidad que los otros.

El juicio acerca de los sucesos últimos de Jaca divide interiormente a republicanos y comunistas. Estos últimos sostienen que el capitán Galán era comunista y que todo o casi todo el elemento paisano que fue a reunirse con él lo era también. Los republicanos no aceptan esta aserción. En asegurar o negar esto hay una cuestión política, igualmente, de táctica.

El Gobierno y los conservadores afirman: «Los de Jaca eran comunistas; no se trataba de una revolución política, sino de una revolución social, que iba contra la propiedad, contra el ejército y la religión.»

De esta manera se asusta a todas las clases pudientes y a la parte de clase media que pueda tener simpatía por la República.

Los republicanos, en cambio afirman: «Los de Jaca no eran comunistas; por tanto, los propietarios, si triunfa la República, no deben tener miedo por sus tierras, ni por sus acciones, ni por su cuenta corriente. La propiedad privada, en la República, será tan respetada o más que con la Monarquía. El Concordato mismo no se tocará. Se respetará a los obispos y seguirá el nuncio de Su Santidad como representante de la religión y del Papa.»

Hay en casi todas las teorías políticas y sociales, hasta en las más utópicas e imposibles, una realidad mayor o menor y una significación como de símbolo, de bandera y, al mismo tiempo, de mito.

La realidad del comunismo encontraría seguramente muy pronto, de intentarse llevar a la práctica, su tope en la realidad de la vida, y entonces, al chocar con lo humano, tendría que transformarse, que evolucionar y, en parte, que retroceder.

Sería como una inundación, que aquí arrasa, que allá fertiliza, que en otra parte cambia y, al último, se retira.

Fuera de esta realidad, muy problemática en nuestros días y en España, hay el mito comunista como bandera, como enseña, y este mito ha de tener avatares innúmeros y una eficacia como mito indudable.

*

Dejando el punto escuetamente ideológico y pasando a la moda comunista actual, hay que pensar que nuestros estudiantes ven en el comunismo el mito, la bandera, el símbolo del cambio social, más que una teoría económica complicada.

No creo yo que estas chicas que ahora se dicen comunistas hayan tenido la ocurrencia de leer un libro tan difícil, tan pesado y tan indigesto como *El capital*, de Karl Marx.

Hoy hay jóvenes comunistas de gabardina y pelo rizado y chicas coquetonas de las mismas ideas con los labios pintados y las cejas depiladas. Visten bien, van al cine, alborotan un poco, dan disgustos a los guardias y al ministro de Instrucción Pública y reparten hojas revolucionarias. Se divierten, lo toman todo un poco a broma y son evidentemente simpáticos.

Las chicas estudiantes de Madrid llevan ahora la voz cantante del comunismo y del feminismo en España.

Uno de estos días, en un grupo de muchachas estudiantes oí decir a una de ellas:

—Dicen que queremos la revolución. Pues es verdad, la queremos.

Y otra decía, irónicamente:

—No nos basta la revolución de don Niceto.

No sabemos si a estos jóvenes y a estas muchachas, cuando pasen de los treinta años, les parecerá el comunismo suyo de ahora una cosa seria o una niñería, una locura de la juventud. Es más que probable que les parezca esto último. No en balde son hijos de sus papás y de sus mamás respectivas.

EL SENTIMIENTO MONARQUICO DE ESPAÑA

Aunque uno no tenga una gran seguridad en ello, parece que en otros tiempos el sentimiento monárquico era algo muy distinto a lo que ha sido después. La monarquía basada en el principio de autoridad, de esencia divina o medio divina, clasificaba la masa social en jerarquías, o si no hacía ella la clasificación, la consolidaba.

La monarquía no era sólo una imposición ni una forma pragmática de la vida colectiva, sino un nexo de los hombres de un país, un símbolo efusivo de la patria. Ofender al rey era ofender al vasallo. Hoy ya no es esto; la mayoría de los monárquicos ponen por encima de la monarquía la patria, la libertad o la soberanía nacional. La monarquía es un *modus vivendi* que para el mayor número de los españoles presenta más garantías de orden que otra forma de gobierno cualquiera. Hoy es un motivo pragmático el que defiende a las monarquías. La clase rica, la media y aun la intelectual consideran que en un país como España, sin unificar, lleno de gérmenes de discordia, el único gobierno que permite y fomenta las actividades económicas posibles, la vida de los negocios, es la monarquía.

Este sector social importante, llámese burguesía, plutocracia, capitalismo, es uno de los puntales más fuertes de la sociedad. El capitalismo en España exige la monarquía. La monarquía considera indispensable para su vida un ejército, y un ejército numeroso. A su vez, el ejército, constituido como clase, necesita la posibilidad de una guerra.

Estos elementos: burguesía capitalista, monarquía, ejército, guerra, fomentan el nacionalismo, se consolidan con la religión, gran cemento social, y forman el conglomerado de los viejos Estados de un carácter que los socialistas llaman burgués. Esta forma es, en mayor escala y con diferencias de cantidad, la misma en las repúblicas y monarquías de Europa y América.

Tomándolo un poco a broma—¿por qué lo hemos de tomar en serio?—se podían fijar estas fórmulas:

Monarquismo = Capitalismo + Rey + Ejército + Guerra + Nacionalismo + Religión.

Republicanismo = Capitalismo + Parlamento + Ejército + Guerra + Nacionalismo + Retórica democrática.

El ensayo de constituir una sociedad sin capitalismo, sin Parlamento, sin nacionalismo y sin religión, por ahora al menos, no ha tenido éxito. Los Soviets han sacrificado el elemento más grato de la vida espiritual, la libertad, y no han conseguido mejorar la vida material.

En España, el proceso de la involución de la monarquía viene del tiempo de Fernando VII. Por entonces comienza a revivir el sentimiento monárquico de los españoles. Hasta entonces al rey no se le juzga; hay que darle la hacienda y la vida, como dice Calderón. Fernando *el Deseado* es el ídolo de los españoles. Se le adora y no tienen en cuenta sus pefidias y sus traciones. El narizotas cara de pastel es un mal rey.

Entre los militares, entre los políticos de la época comienza el viraje y se empieza a juzgar al rey como a un hombre. Cosa absurda para un señor del antiguo régimen. El pueblo es el más ferviente monárquico, y sus gritos de 1823, «¡Muera la nación!» y «¡Vivan las *caenas!*», manifiestan su entusiasmo. Es el sentimiento del pueblo el que se expresa con estos gritos, quizá un poco irónicos; es una manifestación de la democracia del tiempo. Lo mismo da decir aquí democracia que demagogia; la diferencia es literatura hueca.

Al morir, Fernando VII, sin saber por qué, empieza a ser impopular. A su muerte, la efusión monárquica de los españoles se escinde; la burguesía de las ciudades, las clases ilustradas, como se decía entonces, se entusiasma con la excelsa Cristina y la inocente Isabel; las aldeas y el elemento tradicional miran a Carlos como a un héroe y a un santo.

En los dos campos vino con el tiempo la desilusión. La excelsa Cristina era insultada en 1854 con los gritos de «¡Muera la piojosa!»; la inocente Isabel era pintada por algunos autores como una Mesalina.

El primer pretendiente, Don Carlos María Isidro, no demostró en la guerra más que su egoísmo y su nulidad. En su tiempo, Cabrera, Maroto y otros personajes carlistas pedían que dejara actuar a su hijo el conde de Montemolín, y algunos querían que abdicase. Don Carlos María Isidro tuvo, sobre todo al principio, grandes entusiastas.

Después de la Revolución, Amadeo de Saboya no pudo producir el fervor monárquico de los españoles. Era de una familia sospechosa de masonería y de antipapismo.

La aristocracia y la burguesía madrileñas le pusieron la proa, y el italiano, que no debía de ser un águila ni mucho menos, tuvo que largarse. Después de Amadeo vino la Repúbli-ca, un ensayo ridículo, oratorio, hecho sin valor y sin energía; una aventura que demostró la falta de genialidad del país.

Tras de la República se enciende el fervor monárquico de los españoles. Como años antes tío y sobrina, se disputan la corona dos primos: Alfonso y Carlos.

Como guerreros, ninguno tiene la madera de Aníbal ni de César. Sus vuelos militares son completamente gallináceos.

Alfonso se muestra avispado y un poco cínico; no tiene la gravedad que la burguesía española y la aristocracia hubieran querido que tuviese. Don Carlos es un hombre vulgar y sin talento, que produce entre los campesinos cierto entusiasmo porque es alto y guapo.

He conocido a una señora que trató al titulado Carlos VII durante la guerra en su corte de Vergara, y hasta fue requerida de amores por él. Esta señora, aguda y perspicaz, me decía:

—Era un hombre muy vulgar. De cerca no era ni guapo. Tenía unos ojos grandes de vaca y un labio belfo muy desagradable.

Para que un rey o un pretendiente parezca vulgar, tiene que serlo mucho.

Aquel patán agromegálico no sabía ni siquiera el castellano. Hace algunos años, los viejos de Vera del Bidasoa recordaban que cuando el pretendiente entró en la villa el 2 de mayo de 1872, durante el reinado de Amadeo de Saboya, leyó un papel y terminó diciendo: «Hoy, dos de mayo, día de fiesta *nasional. ¡Abaco el extranquero!*»

Los dos primos, Alfonso y Carlos, entusiasmaron a su gente. Yo recuerdo muy de chico, en San Sebastián, la entrada de Alfonso XII después de la guerra. La gente gritaba: «¡Viva *el Pacificador!*» Las señoras agitaban el pañuelo. Muchos lloraban y tenían que utilizar el pañuelo para la aclamación y para sonarse.

Después, el sentimiento monárquico en España ha quedado un poco inerte, ha ido achicándose, involucionando.

La Regencia no tuvo éxitos y no se prestó a manifestaciones de entusiasmo. No fue una época de pañuelos.

La baja en el sentimiento monárquico no procede indudablemente sólo del mayor o menor acierto del monarca ni de los lugares comunes puestos en circulación por demócratas y republicanos. Es un proceso biológico, de regresión, de atrofia. La monarquía involuciona, marcha al anquilosamiento. La mayoría de las gentes de las ciudades tiene un concepto racionalista de la vida, que va presidiéndolo todo.

Por lo mismo, el ideario republicano no tiene valor para los exaltados. Es un fiambre ya desabrido, comida de pedantes. Lo lógico, tarde o temprano, vendrá. Lo que se desea es lo ilógico. El verdadero revolucionario es antilógico.

Toda esa retórica vieja y alambicada de los oradores republicanos, en que a cada paso sale lo jurídico como un fetiche o una palabra *tabú*, no influye en la masa revolucionaria.

La oratoria republicana hace poco efecto; es una cosa anodina, formal, una de tantas manifestaciones del culto semítico por la palabra. Esa palabrería retórica, flatulencias de Ateneo o de juegos florales, dejan frío a todo el mundo. Así se pueden dar mítines republicanos de quince a veinte mil hombres, que salen después de un teatro o de un frontón como borregos, menos exaltados que si hubieran oído a Fleta o visto boxear a Uzcudun.

«Ahora, ciudadanos, retiraos religiosamente», decía don Nicolás Salmerón al final de todas las manifestaciones republicanas. ¡Retirarse y religiosamente! ¡Qué cosas más poco revolucionarias!

No es fácil sondear hoy con precisión el sentimiento monárquico de España ni prever sus avatares. Que existe, no cabe duda, sobre todo en los campos, en los pueblos españoles; pero no es posible conocer la profundidad que tiene. Quizá todavía pueda dar una rara sorpresa.

ALREDEDOR DE LA LITERATURA Y DE LA VIDA

LA LECTURA

Una de las preguntas que parece que se ha de formular el hombre joven en una época como la nuestra, positivista, en la cual no se quiere perder el tiempo, es ésta: «¿Qué ventajas se pueden conseguir con la lectura? ¿Qué fines se persiguen con ella?» La otra pregunta inmediata, sin duda alguna, será esta otra: «¿Qué libros hay que leer?»

Yo no soy el más indicado para hablar de libros de una manera pedagógica, porque, aunque no completamente lego en estas cuestiones, no me considero como tipo de hombre letrado.

Mi afición a los libros no la he llegado a sentir de una manera oficial y académica, sino de un modo espontáneo y callejero. Lo que he aprendido hasta ahora en ellos no lo he aprendido en bibliotecas oficiales, sino en libros que he ido comprando caprichosamente en los rincones donde se venden éstos, algunos en los muelles del Sena, muchos en las librerías de viejo de Madrid.

Todo el mundo tiene alguna filosofía; mi filosofía, si es que uno puede pretender tenerla, no se ha formado en las aulas, ni con discursos de profesores, sino con charlas en las calles y lecturas de ocasión. Es una filosofía la mía de transeúnte y de paseante en corte; mis palabras no tienen, pues, aire de consejo, y menos aire social.

Hablo desde un punto de vista individual, refiriéndome o dirigiéndome al hombre solo que por un esfuerzo de inteligencia y de voluntad puede sobrepasarse y llegar hasta las proximidades y hasta el corazón de la alta cultura.

La masa no puede ascender de este modo, no puede tener un impulso general; los rebaños son poco capaces de sentir inquietudes espirituales; todos los teóricos que han intentado estudiar las masas han advertido que sólo las empresas sentimentales y sensuales pueden prender en ellas. El espíritu de la masa es un conglomerado de lugares comunes y de malas pasiones. A la masa le basta un grito, un viva o un muera. La masa podrá llegar a la instrucción primaria, y aun ésta le vendrá ancha.

Al hablar de las masas no se refiere uno únicamente a los pobres, sino a los grupos cohesivos de mediocridades satisfechas, que tienen dogmas intangibles; de los pobres, en nuestro tiempo, a veces sale un hombre extraordinario, capaz de crearse sólo con su esfuerzo una gran cultura. Después de hacer estas salvedades para expresarme, yo creo, sin modestia y sin orgullo, que no tengo una preparación especial para tratar tales asuntos de una manera documentada, y vuelvo a mi tema.

¿Qué ventajas, qué fines se intentan conseguir con la lectura? ¿Con qué objeto se lee? ¿Qué resultados quiere obtener el hombre del contacto con los libros? ¿Qué libros hay que leer?

Yo no tengo un gran sentido pedagógico; no he leído nunca nada de cuestiones de enseñanza; es para mí ésta una zona virgen, en la que no he penetrado. Como individualista, las cuestiones de educación y de pedagogía no me llegan a apasionar.

No me llegan a apasionar, porque no creo mucho en su eficacia.

En lo que uno conoce bien no advierte la acción de lo pedagógico. ¿Quién enseñó a Cervantes, a Balzac o a Dostoyevski a escribir novelas? ¿Quién dio lecciones de dramaturgia a Shakespeare, a Calderón o a Molière? ¿Quién le hizo periodista a Larra?

En la vida corriente se observa, en pequeños casos parecidos, gente que se improvisa, sin formación académica, sin escuela; hombres casi autodidactos.

Yo mismo he estudiado Medicina y me han dado un título de médico, lo que no impide para que no sepa ya una palabra de esa materia y que no me atreva a discutir de ella con un practicante. En cambio, nadie me ha enseñado a escribir novelas, y, sin embargo, me han traducido ya bastantes libros, treinta o cuarenta, a diversos idiomas. Es decir, que en lo que me han enseñado no soy nada, y en lo que no me han enseñado, soy algo; poco si se quiere, pero algo.

Yo creo que el que tiene afición a una cosa, aunque sea difícil y abstrusa, la aprende.

Como digo, no tengo sentido pedagógico. No conozco lo que se ha escrito sobre estas cuestiones.

Es muy posible, pues, que, al desarrollar mi pensamiento, esbozándolo nada más, vaya siguiendo sin saberlo a algún autor y repita lo dicho por otro de una manera deficiente y poco hábil. Si alguien se ha ocupado de este asunto de una manera clara y definitiva, yo no lo recuerdo; así que puede muy bien que, al ponerme a escribir, esté improvisando con torpeza y mal lo que otros hayan dicho con habilidad y bien.

LOS FINES DE LA LECTURA

Pensando en los fines que se buscan con la lectura, en los resultados que quiere obtener el lector al leer, encuentro que estos fines se pueden clasificar en varias clases: primera, lectura para aprender conocimientos útiles, teóricos y prácticos, de índole que se podría llamar exterior; segunda, lectura para cultivar el espíritu y formar la base de una cultura general; tercera, lectura para obtener conocimientos de la vida y del mundo de índole psicológica, interior; y cuarta, lectura por entretenimiento, para deleitarse.

Al hacer esta clasificación, ya comprendo yo que estos fines no pueden aislarse unos de otros; lo que pretendo es señalar lo predominante de las distintas formas de lectura.

Un libro puede deleitar, dar una norma de conducta, y al mismo tiempo servir para algo; pero siempre uno de estos objetos será en él predominante.

Sobre la lectura cuyo fin es apren-der conocimientos útiles, teóricos o prácticos de índole exterior, poco se puede decir. Son tantas y tan diversas las materias, que no hay modo de hablar de ellas de una manera general. El lector de tratados o de manuales científicos, técnicos o de especialidades industriales busca el dominar la materia lo más pronto posible, el hacerse con el mayor número de datos, el simplificar y el aprovechar.

La lectura que tiene como fin el desenvolvimiento del espíritu, la adquisición de una cultura general, se presta, sin duda alguna, a mayores comentarios.

EL DILETANTE Y EL ESPECIALISTA

Una de las primeras dudas que se presentan al pensar en este punto es si el lector debe tender a ser un diletante o un especialista.

Indudablemente, para alcanzar una cultura general hay que ser un diletante; hay que tener una idea de conjunto de la Física, de la Química, de la Cosmología, de la Astronomía, de la Filosofía, de la Historia, de la Política y de la Literatura.

En estos últimos años ha habido la tendencia de considerar al diletante de una manera desdeñosa. Se ha confundido indebidamente al hombre que conoce muchas materias con el orador charlatán, que con un poco de audacia habla de todo.

Algunos creen—y en nuestro tiempo, y entre las clase directora, se da mucho esta creencia—que es mejor insistir en el conocimiento de un punto especial que no intentar el poseer una cultura amplia. El desentenderse de las nociones generales se considera práctico.

Yo me inclino a pensar que es un error querer prescindir de la cultura general. El hombre que pretenda llegar a un alto grado de conocimiento científico, literario o moral tiene que tener la visión del detalle y la del conjunto, abarcar el rincón del paisaje y el panorama. Conocer sólo el detalle no basta.

La especialidad, sin duda alguna, produce o tiende a producir la miopía espiritual. La especialidad perfecciona una función parcial a costa de la función total; progresa la labor externa, la labor que se podría llamar objetiva, pero el hombre interior queda inculto; se hipertrofia el órgano, el útil del trabajo, a costa del centro espiritual, que pierde en cohesión y en organización.

La miopía del especialista es un defecto, como la dispersión de espíritu del diletante lo es también. Por otra parte, hay el especialismo bueno y el malo, como hay también el diletantismo bueno y el diletantismo malo; el diletante que organiza su cultura vasta y el que no la organiza; el que tiene sus datos ordenados y clasificados y el que los tiene sin orden, como en un almacén sin catalogar.

Es más fácil que el especialista bueno produzca una obra de más valor y de fuerza que el buen diletante. La obra del especialista casi siempre tiene el valor de los hechos, de la investigación propia o, por lo menos, de la erudición; la obra del buen diletante puede no tener ningún valor.

Hay que tener también en cuenta que el especialista que huye de las ideas de conjunto se pierde, generalmente, en detalles inútiles, y no llega a poder construir una teoría o a dar una visión general de los asuntos que le ocupan.

Para el hombre inteligente es muy difícil, casi imposible, no intentar darse a sí mismo una explicación del Universo y de la vida. Desde un punto de vista práctico, la cultura tiende a producir una idea general de la ciencia, de la moral y del arte que sirva de orientación y de guía en el mundo de las posibilidades de la vida.

Todas las ciencias merecen ser conocidas, por lo menos en sus generalidades; pero, naturalmente, todas ellas no son, igualmente, importantes para el que busca su formación espiritual; es más, casi podría suponerse que algunas de ellas, por su misma superioridad y por su carácter extrahumano, en vez de ser confortadoras, son, por el contrario, despistadoras. Tal ocurre, por ejemplo, con la Astronomía. Todas esas teorías sobre lo infinito o sobre la limitación del Universo, las hipótesis acerca de la materia cósmica, de la fuerza y del éter; las distancias de millones de leguas de astro a astro; las nebulosas, constituidas por soles; la luz de Sirio o de Aldebarán, que tarda veinte o treinta años en llegar a la tierra; los distintos universos; todo eso, a fuerza de ser extenso, es tan superior a lo humano, que casi no vale la pena de ocuparse de ello.

El hombre que no sea especialista puede contentarse con el conocimiento del sistema solar; extenderse más es perderse en abismos insondables, que, a la larga, pueden no ser para nuestra inteligencia más que abismos de palabras, retórica mística. Las demás ciencias, la Física, la Química, la Geografía, están más cerca de nosotros que la Astronomía y se las puede abordar con pie más seguro.

LA FÁCIL ORIGINALIDAD

Al intentar conocer las generalidades de esas ciencias me parece prudente el tomar una actitud modesta.

Yo creo que desde un punto de vista de cultura y de deseo de formarse, es perjudicial el ir deliberadamente a buscar las teorías y las zonas inexploradas, en donde es fácil significarse como original. En esas zonas se llega pronto a destacarse, pero no se avanza, y muchas veces hay que retroceder y pasar de jefe a soldado raso.

Hay que huir de la fácil originalidad científica, que no lleva casi nunca a ninguna parte. No exige mucho talento aparecer como original, por ejemplo, echándoselas de mago, de adivino, de teósofo, de psicoanalítico o de afinador de trigéminos; pero todo esto no tiene siempre mucho porvenir. Se puede lanzar al espacio como un cohete de colores un procedimiento mágico, que si tiene éxito resplandece un momento en el cielo y se transforma en una lluvia de chispas; pero al poco tiempo este cohete luminoso y brillante se convierte en un pobre cartucho negro atado a un junco que se queda olvidado en el suelo.

Muchas grandes y aparatosas invenciones sensacionales médicas y sociales, sansimonismo, furrierismo, mesmesismo, sistema de Gall, homeopatía, metapsíquica, han triunfado, no sólo meses, sino años, y han quedado, al último, arrumbadas y olvidadas.

Claro que siempre tendrán la defensa de los exaltados y de los beocios, de los místicos, que quieren creer en la intuición y en la inspiración más que en el trabajo, y de la gente cerril, que le gustaría que no hubiera superioridades de ningún orden, ni científicas, ni artísticas, ni literarias.

Claro que entre los partidarios de la ciencia hay también una gran cantidad de confianza, de fe, de algo intuitivo e irracional. Confiamos en los hombres científicos de altura, creemos en su probidad y en su desinterés; pero esta confianza no es de orden científico.

Yo, por ejemplo, no he entendido la teoría de Einstein y, además, no he encontrado a nadie que me la explique de una manera racional y satisfactoria, y, sin embargo, creo que no es una mistificación, sino que tiene una base que yo no entiendo. Es decir, creo en ello por un acto de fe.

Alguno dirá: «Esto es igual que la fe del carbonero.» Naturalmente que es igual.

El político, el religioso y el cientifista no tienen más remedio que decidirse por una fe implícita, como decían los teólogos, porque no pueden conocer toda la armazón de la disciplina que practican. Además, que la política, la religión y la ciencia pueden ser diferentes; pero el hombre es igual, y cree en lo que cree de la misma manera.

Dejando estas cuestiones un poco de lado, hay que reconocer que la ciencia tiene una solidez bastante grande para cobijar al que se aloja en ella. Naturalmente, no puede pasar de ser humana y relativa. El lamentarse de ello es una locura. En la Humanidad no hay más ni puede haber más que el hombre. Considerar que, porque hay fórmulas matemáticas que no resuelven los problemas más que con aproximación, las Matemáticas no tienen valor; creer que porque la Medicina no sabe todavía la causa de muchas de las enfermedades, o no conoce bien su remedio, hay que ir al curandero o a Lourdes, son pruebas de espíritu poco científico.

Claro. En las ciencias, un concepto no tiene valor más que desde el punto de vista en que se ha formado. Muchos quieren suponer que porque no posee un valor universal y absoluto, desde todos los puntos de vista, no tiene ningún valor. Así, por ejemplo, el bien y el mal tienen un valor absoluto dentro de un punto de vista moral; pero, naturalmente, no lo tienen desde un punto de vista físico, químico o zoológico. Cada una de las ciencias tiene sus puntos cardinales; no hay en ellas ni puede haber conceptos absolutos que se traspasen de una a otra.

La teoría de la relatividad ha puesto últimamente de manifiesto que la idea del espacio infinito y con tres dimensiones, pensada por nuestro espíritu de una manera espontánea y necesaria, no coincide con el espacio real estudiado por los físicos; de aquí que la gente de mundo se ha puesto a disparatar y se ha asegurado en círculos y cafés que ya las líneas paralelas se encuentran, confundiendo la teoría matemática con lo que puede pasar en el espacio físico con dos luces aparentemente paralelas e influidas por la gravedad.

Las paralelas del geómetra no se pueden encontrar teóricamente nunca, porque están pensadas con la condición de no encontrarse. Tanto valdría decir que lo mayor es igual a lo menor; que lo grande es como lo pequeño, y que lo igual no es igual. Otra cosa será asegurar que en el mundo físico no hay nada igual, ni nada mayor, ni nada menor, ni nada paralelo, porque nada es homogéneo y todo es distinto.

Lo mismo sucede con esa pedantesca y aparatosa invención de la cuarta dimensión, que el hombre no puede comprender, y si dice que comprende es por petulancia o por echárselas de taumaturgo.

Afirmar que la cuarta dimensión es el tiempo, es un subterfugio sin ningún valor.

Se puede, practicando ese juego pueril de las etimologías, decir que el tiempo se mide, que, por tanto, hay en él una dimensión. Lo mismo se podría decir del peso, de la temperatura y de otras muchas cosas. Decididos a añadir una dimensión, a la tercera añadiríamos cuatro, diez o veinte, con facilidad; pero todo esto no tiene ningún valor, porque las tres dimensiones se refieren siempre a dimensiones espaciales.

Una tendencia parecida de confusión se llevó a las cuestiones de ética, y Nietzsche habló de poner esas cuestiones más allá del bien y del mal.

Claro que se pueden poner esos problemas más allá del bien y del mal, siempre que no se los juzgue como asuntos morales; pero cuando se los considere desde un punto de vista ético, aparecerá en seguida el bien y el mal. Lo mismo pasa cuando se trata de la latitud geográfica: se presenta al momento el paralelo y el meridiano, el Norte y el Sur. El hombre, como decía Séneca, no puede saltar por encima de su sombra.

Cuando Raspail y Orfila debatían sobre un envenenamiento célebre, producido por el arsénico, el de madame Lafarge, debatían una cuestión química, pero el resultado de su debate influía en una cuestión de derecho; lo que no hacía que la Química invadiera el campo de la moral, ni la moral el de la Química.

Es, indudablemente, plausible el no forzar la originalidad en cuestiones científicas. Lo esotérico está casi siempre en los límites de lo absurdo; muchas veces no es más que retórica. Así, cuando se habla sobre metapsíquica o sobre Teosofía y se diserta sobre los planos astrales o sobre la metempsicosis, no se hace más que retorizar, arrullarse con el runrún de las palabras.

La frase *Credo quia absurdum*, que se atribuye a San Agustín, ¿qué quiere decir? Racionalmente, poco. Lo único que puede significar es la abdicación de la inteligencia en holocausto de la fe.

Es decir, la sumisión de lo racional a lo irracional, de la reflexión a la intuición. Es lo que hoy algunos defienden con menos energía y menos brío.

A Edgar Poe le admiraba una frase de Tertuliano, otro padre de la Iglesia, africano como San Agustín, que, refiriéndose a la muerte y a la resurrección de Jesucristo, dice: *Credibile est quia ineptum est; certum est quia impossibile est.*

Para un poeta, para un místico, esto quizá esté bien; para un lógico es un contrasentido.

De una manera también exaltada y más precisa, el mismo Tertuliano, fijando el punto de vista del creyente de su tiempo, dice: «No hay que tener curiosidad alguna después de Cristo ni hacer investigaciones después del Evangelio.» Se ve que este escritor cartaginés es perfectamente lógico desde su punto de vista.

Kant, que tenía la benevolencia del genio y la amplitud de ideas por todo, hasta por las extravagancias, en vez de rechazar con desdén las teorías fantásticas de Swedenborg sobre los cielos, los ángeles y los espíritus puros, las llamaba entelequias posibles, entes de razón.

La misma benevolencia mostraba el filósofo de Koenigsberg por las fantasías espiritistas de Lavater.

EL MILAGRO

Donde no hay hechos comprobados no hay todavía ciencia. Por eso, discutir el milagro es una insensatez. Afirmar o negar está bien. ¿Discutir? ¿Para qué? De esta clase de discusiones nunca ha salido nada claro. Desde el momento en que un milagro estuviera comprobado y aclarado y visto su determinismo, dejaría de ser milagro y se convertiría en un hecho científico, que inmediatamente perdería su carácter de sorpresa, como no nos sorprende la telegrafía sin hilos o los rayos X, por muy maravillosos que sean.

En ese simbolismo judaico del árbol de la ciencia y del árbol de la vida se puede asegurar que no se injertan las ramas de un árbol en otro. El culto, la superstición y el milagro son ramas del árbol de la vida; el determinismo es rama del árbol de la ciencia.

La ciencia no puede estar nunca en un acuerdo íntimo con la religión, ni la religión con la ciencia. Cada una de estas instituciones tiene un objeto distinto y contrario; cada una tiene su tradición, sus fórmulas y sus procedimientos. La religión es trascendental siempre, porque trabaja, o cree trabajar, por la salvación; la ciencia es inmanente: trabaja para sí misma.

Esos maridajes de la religión y de las Matemáticas son pobres fantasías que no pueden hacer efecto más que en gentes muy crédulas.

—Ya ve usted qué talento tendrá Vázquez de Mella—me decía un profesor burgalés, hace años—, que ha encontrado la diecisiete prueba matemática de la existencia de Dios.

—¡Bah!—le decía yo—. El padre jesuita Atanasio Kircher encontró seis mil quinientas sesenta y una pruebas, ni una más ni una menos; en cambio, Laplace, que no era seguramente torpe en Matemáticas, no pudo encontrar ninguna.

El demostrar la existencia de Dios por Matemáticas o defender el ateísmo por principios, como el abate

Marchena, son absurdos extracientíficos. Ni la fe ni la incredulidad pueden basarse en las Matemáticas ni en ninguna ciencia físiconatural.

Quizá una de las razones de hostilidad de los egotistas contra la ciencia es este carácter de indiferencia que tiene para los grandes problemas del individuo. El hombre quiere que todo sea para él exclusivamente, y la ciencia no es para uno solo, sino para todos, y casi más para el porvenir que para el presente. Es, sin pretenderlo, comunista en sus aplicaciones; la religión también lo es, pero atiende más al individuo y a un futuro próximo. En todo se nota el desacuerdo de la religión y de la ciencia. Creer que se puede examinar un hecho al mismo tiempo desde el campo religioso y desde el científico es una incongruencia. La pretensión de examinar los hechos con un criterio experimental indiferente es para el religioso una posición antirreligiosa.

En el milagro hay siempre el deseo de que el objeto de palo sea al mismo tiempo de hierro, que lo blanco sea negro, que lo creíble sea increíble, y esto es lo que no puede ser, dentro de lo puramente racional de la inteligencia humana. No sabemos si podrá serlo para los habitantes de Sirio o de Aldebarán, si es que existen.

El hecho comprobado es la única base de la ciencia; mientras no se vayan presentando los hechos con este marchamo de comprobación, la ciencia no los estudiará ni los podrá estudiar.

La Naturaleza, para el racionalista, no es más que una serie de leyes, o si se quiere mejor llamar costumbres de las cosas, que el hombre ha ido conociendo y comprobando en los miles de años que lleva de animal consciente.

Decir sobrenatural y decir milagro dentro de lo científico no es nada. Si existiesen hechos sobrenaturales y milagrosos experimentales y estuviesen claramente demostrados, estarían dentro de la Naturaleza, lo mismo que la gravedad o la cohesión. Habrá miles y millones de fenómenos que se conocerán con el tiempo; otros que no se conocerán nunca, porque el hombre no tendrá manera de aprehenderlos; pero eso no querrá decir que sean sobrenaturales, sino simplemente desconocidos.

Yo he oído afirmar con energía a un predicador de fama, en Madrid, al padre Calpena, que la Naturaleza es una. Para el que cree que la Naturaleza es una no puede haber milagro ni posibilidad de sobrenatural, porque el determinismo gravita sobre todo lo que existe.

Claro que esto no quita al científico místico, al poeta, la esperanza, porque hay una vaga esperanza panteísta lo mismo en Goethe que en Pasteur.

En la práctica científica, nadie, ni el religioso, cree en el milagro; a ningún investigador se le ocurre, al ver una sustancia nueva en el tubo de ensayo, al comprobar algo desconocido en el microscopio o en el espectroscopio, que aquello pueda ser el resultado de un milagro. No. El religioso que se dedica a la experimentación no acepta el milagro dentro de lo experimental. El milagro está fuera de la investigación científica. Está en otra zona espiritual.

Es cosa extraña y curiosa que los milagros siempre sean los mismos; en época pagana o en época cristiana, entre egipcios y caldeos o entre griegos o romanos, entre faquires o entre espiritistas, siempre el hecho maravilloso se parece. Hay que reconocer que las distintas divinidades han tenido, a lo largo de la Historia, muy poca imaginación.

En los templos, en las grutas y en las fuentes los sacerdotes paganos curaban a los locos y a los furiosos como ahora. El emperador Vespasiano devolvía la vista a los ciegos, según cuenta Suetonio. Nunca se les ocurrió a estos antiguos magos poner una nariz al que no la tenía, ante el público; tampoco se les ocurre a los de ahora. Alguno nos dirá que hoy hay milagros comprobados. Renan cuenta que en Cartago había treinta mil lápidas conmemorativas de milagros hechos por la diosa Tanit y comprobados por todos. Hasta ahí no han llegado en nuestra época.

La realidad es que la ciencia no puede abarcar más que el campo en donde rige la ley de la causalidad de relaciones fijas e inmutables, de causas y efectos; es decir, en el dominio del determinismo. Lo que esté fuera de ese campo podrá existir o no existir, pero no cae dentro de la esfera de acción de la ciencia. Es más, si el milagro llegara a comprobarse de una manera experimental, con sus caracteres caprichosos, quizá toda la construcción científica se vendría abajo y el hombre tendría que tomar una posición espiritual parecida a la del milenario. El mundo, entonces, se convertiría en un inmenso y miserable Lourdes.

Querer, por los medios ordinarios del conocimiento, encontrar lo sobrenatural; querer sacar en las redes de lo experimental el milagro, es tan absurdo como querer hacer líneas sin puntos y polígonos sin líneas.

El milagro, como toda idea mágica, está fuera de lo científico, en otra región, en la región de las entelequias posibles o imposibles, pero fuera siempre de lo científico. El milagro, en general, quizá como todo lo mágico,

nace de un deseo, es una manifestación de la voluntad individual o colectiva. Recuerdo que hace unos treinta años, estando en Tánger, conocí al doctor Belenguer, que fue médico del sultán Muley Haffid. El doctor tenía un criado marroquí de la parte de Uxda. Este criado era muy entusiasta del Roghi, el pretendiente de entonces, y afirmaba que al Roghi no se le podía matar: tan bien tenía tomadas sus precauciones.

—Es posible, no digo que no—le repliqué yo—; pero le pueden preparar una emboscada o comprar a su gente y el mejor día pegarle cuatro tiros.

—No. Es imposible—contestó él criado moro, sonriendo.

—¿Por qué?—le pregunté yo.

—Es imposible—añadió—, porque para matarle habría que dispararle un tiro con una bala de oro.

—Pero eso es fácil—le decía yo—; los enemigos pueden llevar en la cartuchera alguna bala de oro para ese caso.

—No—aseguró el moro, riendo maliciosamente—, porque el Roghi tiene, además, un *panuelo*, y con mover el *panuelo* delante de su cuerpo hace que todas las balas, aun las que sean de oro, caigan a sus pies.

El criado del doctor había decidido que su Roghi fuera invulnerable, y si no hubiera sido el *panuelo*, hubiera sido otra cosa la que le salvaría de la muerte. Yo no sé, ni creo que lo sepa nadie, que se hayan comprobado algunos de los milagros de que hablan la Biblia, Herodoto, Pausanias, la Estela de Epidauro, Apolonio de Tiana o cualquiera de los taumaturgos más modernos; lo que no es obstáculo para que la apetencia del milagro sea la misma hoy que en tiempo de la Edad de Piedra.

VER EN LO QUE ES

El racionalista debe buscar una explicación racional de los hechos que conoce y de los que no conoce. A la larga, todas sus teorías serán racionales, porque el hombre no tiene más instrumento para conocer que la razón. «El hombre es la medida de todas las cosas—decía Protágoras—. La razón es la medida del hombre.»

El que tenga como norma el querer ver en lo que es, como decía Stendhal, no puede convertir en su interior en dogmas, fórmulas o doctrinas científicas, políticas o sociales que no tengan una absoluta evidencia.

¿Qué valor pueden tener la monarquía de derecho divino, la democracia, el parlamentarismo, el sufragio universal o el socialismo como realidades absolutas? Muy pequeño o casi nulo. Eso no importa para que unas ideas simplistas puedan producir períodos de agitación y de entusiasmo en los pueblos, y entonces la verdad en el fondo es lo sentimental, y no la idea, de muy poco valor. Yo creo que el parlamentarismo y el sufragio, el socialismo y el republicanismo, son sistemas que se sobrepasarán con el tiempo; me parecen fórmulas demasiado simplistas para que tengan larga vida. Como digo, la simplicidad de una teoría no es obstáculo para su eficacia. Muchas veces un grito, un ademán patético basta.

Comparando en Francia, país siempre de alta política, la época de la Convención con la del Imperio, se ve que donde se realizan las doctrinas de la Revolución es en el Imperio, y, sin embargo, el Imperio no da la impresión de revolucionario, sino casi de conservador, porque le falta lo patético revolucionario.

Después de los muchos ensayos que se han hecho en todas partes de Cons-

tituciones y de formas de gobierno, es muy difícil crer que basten una serie de disposiciones políticas para que se transforme un país. Da la impresión de que la geografía, la raza, la economía y la Historia son en conjunto mucho más fuertes que los artículos de una Constitución.

Actualmente, todo el mundo, hasta los curas, nos quieren demostrar que la República es una cosa salvadora; que la democracia, con su mecánica electoral, es algo insuperable e intangible.

Yo no creo en esas virtualidades de un régimen o de otro. Tampoco creo, como supone la gente, que cuatrocientos o quinientos *divos* reunidos en el Congreso sean la expresión exacta de lo que puede necesitar un país.

Esto, para mí, es una consecuencia del culto semítico por la palabra y por la ley. Yo, al menos, creo que un pueblo no es civilizado sólo por sus leyes, sino principalmente por su espíritu, por sus costumbres, por su ciencia y por sus artes. No creo, naturalmente, que se puede vivir sin leyes; pero me parece una prueba de noble espíritu el ser enemigo de la ley, de la vieja como de la nueva.

A otros les parece seguramente este espíritu antilegal y antijurídico una manifestación arcaica y cavernaria. Cada uno es y hasta debe ser como le hacen sus instintos y sus reflexiones. Yo soy partidario del mínimo de ley, del mínimo de religión, del mínimo de patria, del mínimo de Estado y del mínimo de ejército. Creo que el país que he mirado con más respeto ha sido Dinamarca, que ha suprimido el ejército. Cuando estuve allí me parecía que los humildes pastores de Jutlandia tenían un halo de nobleza que no he creído percibir en los generales y en los obispos de nuestros pueblos militaristas y católicos...

TÉCNICOS Y CIUDADANOS

Hace poco, no sé qué orador de los muchos que pululan en España dijo en una conferencia, en una Escuela de Ingenieros, que primero debían ser buenos ciudadanos y luego buenos técnicos.

A mí esto me parece un poco absurdo. Primeramente, no comprendo por qué se da esta extensión abusiva a la palabra *ciudadano*, imitando el empleo que se hizo de ella durante la Revolución francesa.

No todos los habitantes de un país son ciudadanos ni tienen un culto de la ciudad. Hay aldeanos y campesinos. Yo no me siento ciudadano, sino más bien aldeano y campesino, y estoy avecindado en un pueblo pequeño. Es más, creo que el bienestar de un país como España dependería hoy de levantar el tono a la vida de los campos y de las aldeas, con lo cual probablemente bajaría el de las ciudades.

Dejando pasar la palabra *ciudadano* como sinónima de hombre cumplidor de sus deberes políticos y sociales, tampoco aceptaría la tesis de que primero hay que ser buen ciudadano y después buen técnico.

La obra social que hace el técnico bueno es mucho más importante que la del buen ciudadano. Pasteur o Virchow, Roberto Koch o Roux, Hertz o Branly son mucho más útiles para el mundo trabajando en el laboratorio que llevando una papeleta con un nombre cualquiera al colegio electoral. Si Pasteur hubiera sido sólo un buen ciudadano, no hubiera descubierto la vacuna de la rabia, y si Roux o Behring se hubieran contentado con

ser republicanos o socialistas, no hubieran salvado la vida de miles, quizá de millones, de niños atacados por la difteria.

Hoy, el que piensa así, como yo, pasa ante la gente por un reaccionario. No se comprende que lo único revolucionario de verdad es la ciencia; lo demás es retórica, palabrería política, casi siempre hueca.

Hace unos años, al que afirmaba la prelación en todo de la ciencia le sacaban como argumento Homais, el tipo de Flaubert, argumento estúpido y sin valor, porque ya se sabe que el creyente en la ciencia no conoce toda la ciencia, ni el creyente en la religión tampoco conoce la religión.

La política, la religión y la ciencia pueden ser diferentes, pero el hombre es igual y cree en lo que cree de la misma manera. Todavía, si el ser buen ciudadano significara ser un tipo superior de humanidad y ser técnico fuera sinónimo de seco e indiferente, cabría la vacilación para el sentimental; pero no hay tal alternativa.

El buen técnico puede ser una excelente persona; el buen ciudadano puede ser, con su familia y con sus amigos, un tipo mezquino, vanidoso, quisquilloso y ridículo.

Esta afirmación de la excelsitud del ciudadano viene naturalmente de los medios políticos democráticos. El político quiere que la atención del público esté siempre fija en él, como el cómico necesita que el teatro esté lleno. Son el del cómico y el del político oficios histriónicos. Se necesita el coro que dé la respuesta, que comente, que ruja y que brame a su tiempo. Sin público no hay espectáculo, ni ciudadano ni teatral. Se puede decir que toda la política democrática y parlamentaria es latina.

La elocuencia, la idea exagerada y

mística de la ciudad, el Senado, el Foro, la toga, el culto de la palabra, toda esta pompa y teatralería es romana hasta lo más profundo. Ciertamente no será una invención latina pura; tendrá reminiscencias del ágora griega y del Sanhedrín judío, pero su forma definitiva se crea a orillas del Tíber. Es una guardarropía entre romana y mediterránea, griega y semítica; pero, sobre todo, romana. Así, pasando los siglos, las asambleas de los pueblos europeos están impregnadas del espíritu romano. En la Constituyente y en la Convención, en tiempos de la Revolución francesa, modelos de Parlamentos oratorios, no se hace más que hablar del Capitolio y del Aventino, de Cicerón, de Catilina y de la Roca Tarpeya. Roma está a la orden del día. Se romaniza constantemente.

ANTILATINISMO

Yo no sé por qué siento una profunda repugnancia por todo eso. Soy anticlásico y antirromano por naturaleza. Para mí, el ideal de la vida es el taller de la Edad Media. El tipo del artesano y del caballero medieval me conmueven más que el del orador romano; me parecen una cosa más próxima a mí, más íntima y más simpática.

El poeta español que más me gusta es Gonzalo de Berceo. Yo creo que Gonzalo de Berceo era un vasco. ¿Qué podía ser si no? Sería un vasco romanizado o germanizado, pero vasco, como lo era el canciller Pedro López de Ayala, y como lo serían probablemente *el Cid* y el conde Fernán-González desde un punto de vista étnico.

La Edad Media nos atrae a muchos como una dama misteriosa y púdica. Ya no es sólo lo pintoresco de ella ni sus accesorios, sino que es también su espíritu.

Si yo fuera millonario, no tendría en mis habitaciones más que cuadros de los primitivos y algo del Bosco, de Brueghel, de Patinir. Los Tizianos y las estatuas clásicas los dejaría para las antesalas y para las escaleras, para que pudieran admirarlos los ruskinianos del Mediterráneo y de Sudamérica. Este gusto medieval lo he tenido siempre; pero ahora se va intensificando más en mí.

Si fuera posible que Europa se convirtiera en una confederación de pequeños Estados, diferentes por su raza y por su lengua, yo, como vascongado, si tuviera que votar, votaría mejor por el Ducado de Vasconia que por la República de Vasconia. Este Ducado, por mi gusto, tendría toques libertarios y toques paganos; naturalmente, no del paganismo griego, sino del autóctono.

LA IGUALDAD Y LA ENVIDIA

Dejando esto, demasiado lejano y utópico, y volviendo al tema inicial, hay que reconocer que la democracia tiende a demostrar que el inútil vale tanto como el útil y el estúpido como el inteligente; que el mozo de laboratorio puede sustituir a Pasteur y el del observatorio a Herschel. ¡Viva el tonto que sabe votar! Este parece que es el grito de la santa democracia. La santa democracia ama la dulce estupidez. Se quiere creer que no hay diferencias cualitativas entre los hombres, y que, si las hay, estas diferencias son tan ofensivas, que se deben hacer todos los esfuerzos posibles para borrarlas.

Yo, la verdad, esto no lo comprendo. A mí no me humillan nada las superioridades. Cuando leo un capítulo de Kant y veo que con un gran esfuerzo lo voy comprendiendo, me quedo maravillado de mí mismo. Si alguno me preguntara:

—¿Usted quisiera ser el autor?

Yo le contestaría:

—¿Para qué?

Lo mismo me pasa cuando oigo trozos musicales de Haydn, de Mozart, de Beethoven o de Schumann. «¡Qué cerebros más distintos al mío!—pienso—. A éstos se les ocurrían tantas ideas musicales y a mí no se me ocurre ninguna.»

Y esto no me humilla. Casi me da risa. Con los demás grandes hombres me pasa lo mismo. Yo no comprendo que se pueda envidiar a San Francisco su bondad, a Hernán Cortés su energía, a Shakespeare su facundia, a Dostoyevski su profundidad.

Yo no comprendo que se puedan envidiar más que las cosas exteriores: la suerte, el dinero, la fama, el éxito con las mujeres... Y aun así, ¿para qué perder el tiempo en envidiar, que es tan inútil?

Yo, en este pequeño anfiteatro de la vida, con tener un asiento regular me contento.

Yo creo que las sociedades se tendrán que ir acercando en la práctica a la fórmula de los sansimonianos: a cada uno según su capacidad, a cada capacidad según sus obras; fórmula que se podría simplificar diciendo: a cada uno según su producción social. Al que rinde mucho y es muy útil, darle mucho; al que rinde poco, darle poco.

Con la fórmula no saldríamos ganando mucho los escritores, ni los músicos, ni los pintores, porque probablemente los buenos padres de familia, las patronas de huéspedes y las amas de llaves afirmarían, como algunos literatos, que nuestras activi-

dades, sobre todo las literarias, no sólo son inútiles, sino perjudiciales.

El Estado nos diría a los escritores y artistas lo que decía hace años un picapedrero en un mitín socialista:

—Y a esos que se llaman trabajadores intelectuales, yo les enviaría a romper piedra a la carretera.

LA SINDÉRESIS

La lectura, con el objeto de obtener conocimientos de la vida y del mundo, tiene también mucha importancia. Este es un punto que interesa sobre todo al que se siente aficionado a la filosofía práctica y a la moral; al hombre que quiere encontrar el sentido de la vida.

Al plantearlo se presentan en el espíritu varias cuestiones: primera, ¿hay un conocimiento práctico de la vida y del mundo?; segunda, ¿este conocimiento es sólo instintivo, o se puede adquirir por la experiencia y por la lectura? Sobre el primer punto de si hay o no un conocimiento práctico de la vida, yo tiendo a creer que se aprende poco con los años. En general, se confunde la flojedad del viejo con el buen juicio, y el ímpetu del joven con la insensatez. En la mayoría de los casos me parece que el acierto en la vida depende más de la voluntad y de la decisión que de la cordura. Maquiavelo decía que vale más ser impetuoso que reflexivo, porque la fortuna es *donna*.

Indudablemente, más eficaz que el juicio es el ímpetu, y más eficaz que el ímpetu es la suerte. La suerte es trascendental en la vida. Epicteto dice que la fortuna, hija de buena casa, se prostituye con los criados. La fortuna es una de las divinidades de que más se habla en los libros antiguos. El magnífico caballero sevillano don

Pedro Mexía le dedica un largo capítulo en su *Silva de varia lección*, denigrando a los paganos que creían en ella.

Schopenhauer estampa con gusto un proverbio español que expresa con gran energía el poder de la fortuna: «Da ventura a tu hijo y échalo al mar.»

El mismo filósofo cita esta frase de Terencio: «La vida humana es como un juego de dados: si no se obtiene el dado que se necesita, hay que saber sacar partido de aquel que ha caído en suerte.» Indudablemente, para esto hay que tener ímpetu y saber inspirar confianza y fe en los demás. El que posee este don de inspirar confianza, lo posee todo. La voluntad es la base de los aciertos de la vida. Comprender es algo, pero quizá poco; el que comprende y no sabe ejecutar se queda siempre a mitad de camino. El que ejecuta, aunque comprenda mal, acierta muchas veces. Siempre con la voluntad, en la vida, se llega a más que por el razonamiento.

El razonador, el hombre que piensa el pro y el contra de las cosas, que tiene la ilusión de que las teorías están rodeando a los hechos y a las cuestiones y que cree que obra como si estuviera en el fiel de la balanza, se engaña con frecuencia. Además, muchas veces sucede que en su balanza de precisión los dos platillos quedan a la misma altura; entonces no sabe qué hacer, y le llega la irresolución o tiene que resolverse por instinto.

En esto de sacar partido del dado que le ha caído a uno en suerte, según la frase de Terencio, entra el conocimiento, el saber; lo que los moralistas antiguos llamaban sindéresis.

Esta palabra es sinónima o casi sinónima de conciencia, sabiduría, discernimiento, juicio, sentido, cordura, moderación, prudencia, circunspección, perspicacia y capacidad natural para juzgar bien las cosas. Para Gracián es la ciencia de pensar y de vivir. Nuestro autor habla siempre con entusiasmo de la gran sindéresis.

Gracián, jesuita, hombre retorcido, admirador del éxito, tiene el culto de la sindéresis, de la intriga y del acierto. Huarte de San Juan, el médico navarro, más risueño y afable, no se entusiasma con el arte de atinar, que le parece solercia, habilidad, maña, y dice que los malos son muy ingeniosos y tienen mucha imaginativa para combinar, que saben comprar y vender y granjear la hacienda, y que los buenos carecen de imaginativa, muchos de los cuales, queriendo imitar a los malos y a los hábiles en cuestiones de dinero, en pocos días pierden su caudal.

También Huarte asegura que milicia y malicia son palabras muy próximas por el sonido, y Gracián, que probablemente habría leído al médico vasco, las une, y dice con su frase gongorina que «hay que emplear la milicia contra la malicia».

La sindéresis, pues, es un arte de cuquería y mundología; es una raposería a la alta escuela. Se dice del general lacedemonio Lisandro, que afirmaba que adonde no llega la piel del león hay que coser la de la zorra, y que este general, cuando le reprochaban su perfidia por haber hecho ahogar a ochocientos milesianos que se habían entregado a él bajo la fe de su solemne juramento de respetar su vida, decía: «Hay que entretener a los niños con las tabas y a los hombres con los juramentos.»

Con un carácter parecido de frialdad y astucia, se presentan las figuras de Fernando *el Católico*, de César Borgia, del gran Federico y de

Talleyrand, siempre en el supuesto de que no hayan sido falsificadas y recargadas por los historiadores.

Gracián exaltó en su libro *El político* la diplomacia de Fernando; Maquiavelo se entusiasmó con el Borgia y con su célebre emboscada de Sinigaglia; el gran Federico, para disfrazar su maquiavelismo, escribió el *Antimaquiavelo*, y el príncipe de Talleyrand, después de haber hecho traición a todo el mundo, dijo que la palabra había sido inventada para ocultar el pensamiento.

¿Se puede o no se puede llegar a esta raposería por medio de la lectura? Yo lo dudo. Maquiavelo, Gracián, La Rochefoucauld, Chamfort y Schopenhauer no hacen al incauto más avisado ni al pillo más pillo. También es una ilusión pensar que, leyendo novelas de Paul Bourget o de Proust, se va a conocer a las mujeres. Generalmente, el que conoce a las mujeres bien es porque tiene una intuición femenina parecida a ella y no las poetiza y las ve como son.

HAY QUE DESCONFIAR

Al leer a los autores, hay que desconfiar de sus juicios absolutos sobre los hombres y sobre los acontecimientos. No se puede creer que un hombre ilustre como Catilina, al preparar su conspiración en Roma, no pensara más que en robar y en incendiar; no se puede pensar que no tuviera algún otro objeto social, y que únicamente el pillaje y el incendio fueran sus ideales. ¿Le hubieran seguido los jóvenes más brillantes de la sociedad romana, entre ellos Julio César, si no hubiese tenido más que este plan? Todo hace pensar que no. El historiador Salustio quiere ennegrecer la figura del conspirador, pero no hay que creerlo sólo por su palabra.

Cuando la pasión política interviene, el lector debe dudar. Se puede sospechar, con muchos visos de verdad, que Nerón y Calígula, Catalina de Médicis y Maquiavelo, Felipe II y Torquemada, Lenin y Rasputín, no fueron lo que se ha dicho de ellos. Los escritores, indudablemente, los han estilizado, y al estilizarlos los han falseado.

La última manera de leer es aquella, y la más corriente, que se practica con el objeto de deleitarse o de divertirse. La tarea, que parece fácil, no lo es siempre, ni mucho menos. La vida muy activa no permite la concentración de espíritu para leer a gusto; al político que va a emprender una campaña, al negociante que va a preparar un asunto del que depende su fortuna, a la mujer que espera a su novio, no le entretienen siempre las páginas de un libro, aunque sea ameno.

Quizá, además, el libro no es para meridionales; probablemente no lo ha sido nunca: es para gente de países fríos, húmedos, de hogar. En España no se lee; yo creo que no se ha leído nunca gran cosa. El español tiene la superioridad o la inferioridad de poder pasarse horas y horas sentado en un café mirando vagamente al cielo. Cuando tiene uno esa ventaja o ese inconveniente, casi no necesita leer.

CAPACIDAD PARA LA CULTURA

Yo dudo un tanto de esa superioridad emocional de los españoles y de los hispanoamericanos de que habla el conde de Keyserling. Se puede sospechar que los españoles, como los latinos, han dado ya todo lo que podían dar en su historia, en su literatura y en su arte. Respecto a los hispanoamericanos, por ahora al menos, no parecen más que un pálido reflejo de Francia y de los Estados Unidos.

El hombre del norte de Europa, generalmente, es algo torpe, rudo; pero, en medio de su torpeza, tiene suavidad, dulzura, brotes sentimentales para nosotros un poco absurdos. El meridional, en cambio, tiende a ser seco, egoísta, perezoso e inclinado a la doblez. Yo al menos así lo he advertido. El ver que los catalanes y los valencianos, los gallegos y, en general, los regionalistas, quieren pintar a sus paisanos con aire de balada, me produce un poco de asombro.

Esta idea contrasta con la opinión de la mayoría de las gentes del centro y del norte de Europa, que creen que los meridionales, y sobre todo los españoles, somos casi criminales natos.

Cierto que esto no lo cree todo el mundo. Yo he conocido en el extranjero algunos simpatizadores de España, entre ellos al geógrafo Eliseo Reclus, a quien hablé un momento en París en la Redacción de una revista que se llamaba *L'Humanité Nouvelle*, hace más de treinta años. El geógrafo me dijo que recordaba el País Vasco como un país encantador y que creía en el resurgimiento de España. Entonces estaba próximo nuestro desastre colonial y se hablaba mal de España con frecuencia. Yo no creo ni en nuestra barbarie ni en nuestra superioridad emocional.

Los pueblos de capacidad emocional grande han producido modernamente esos tipos de energúmenos sentimentales: Dickens, Beethoven, Dostoyevski. Nada semejante se ha dado entre los españoles ni en ningún pueblo latino, en donde el hombre es limitado, recortado y pulido.

Keyserling también quiere pensar que los españoles pueden tener un papel importante en el pensamiento europeo, influyendo con lo intuitivo, con lo irracional. Tampoco creo en esto. En la altura a que ha llegado la civilización, me parece que sólo con la paciencia y el trabajo los hombres seguirán haciendo algo de valor.

Respecto al afán de curiosidad literaria de España, algunos dicen que avanza el gusto de la lectura entre nosotros; yo lo dudo mucho, y hasta sospecho que más bien retrocede y se convierte en una afición de especialistas. Yo he conocido algunas señoras viejas, nacidas en el primer tercio del siglo XIX, entre ellas mi abuela paterna, que leían mucho. Entre la gente joven que conozco, no he visto grandes entusiastas de la lectura en ninguna parte de España.

El gusto de la lectura por entretenimiento depende de los datos culturales y sentimentales que se tengan en el espíritu.

Y así como Platón dice que la ciencia es una reminiscencia, así se puede decir que todo lo que hay en un libro que interese está ya de antemano en el espíritu del lector. Sobre todo en cuestiones sentimentales, saber es sinónimo de rememorar.

Un libro, si es un libro antiguo, exige en el que lo lee, para sentirlo de una manera adecuada, una posición especial de espíritu. El que quiera leer la *Ilíada* o el *Quijote* como un número de periódico, es evidente que se aburre, y quien dice la *Ilíada* o el *Quijote*, dice cualquier otro libro clásico de tiempos remotos.

QUÉ SE DEBE LEER

Con relación a la segunda pregunta: ¿Qué se debe leer?, señalaré para las distintas clases de lecturas de que hablo unos cuantos libros, diez de cada clase, que me parecen los más señalados. Sir John Lubbock, en una obra intitulada *La dicha de vivir*, recomienda cien libros, o dice que va a recomendar cien libros, que considera de lectura indispensable; pero luego estos cien libros se convierten en su lista en cien autores, lo que no es lo mismo, porque indicar, por ejemplo, un autor fecundo como escritor que hay que leer, representa, no un libro, sino cincuenta o sesenta, y si se indica a Lope de Vega como autor de comedias, representa el leerlo cerca de dos mil obras de teatro.

Al hacer esta lista, yo prescindo un poco de mis gustos personales, y pienso en lo general. A mí, particularmente, me interesa más *el Empecinado* que Aníbal, las cuevas del Cantábrico que el Partenón, y me conmueve más Gonzalo de Berceo que Virgilio o Dante.

Dejando esto a un lado y marchando a algo más concreto, citaré diez obras de cada sección, como una invitación, dicha en lenguaje popular, a meterle el diente. Respecto a la lectura, cuyo fin es adquirir conocimientos prácticos, no se pueden citar diez libros sólo, porque, naturalmente, el número de manuales de Física, Química, Mecánica, Fotografía, etcétera, es inmenso, y al que quiera perfeccionarse en una materia y agotarla no le basta con diez libros.

Con relación a la Historia, no sucede lo mismo. En la Historia, los tipos se repiten, y el que lea *Los comentarios*, de César, con una curiosidad puramente humana y psicológica, no tiene necesidad de leer las campañas de Napoleón. Desde la época de un conquistador a la del otro, los medios técnicos variaron, pero el hombre quedó poco más o menos el mismo. Schopenhauer decía que en el libro de Herodoto estaban todas las combinaciones que podía dar la Historia.

Cierto que, desde un punto de vista, todo lo viejo se repite; en cambio, desde otro, todo es nuevo y diferente. Viniendo al punto concreto de los diez libros por cada sección de formas de lecturas de que he hablado, diré que para los fines de cultura general me parece indispensable leer: *La crítica de la razón pura*, de Kant; *El origen de las especies*, de Darwin; *Los nueve libros de la Historia*, de Herodoto; *Los comentarios*, de César; *La vida de los más ilustres filósofos de la antigüedad*, de Diógenes Laercio; el *Diccionario crítico*, de Bayle; *La civilización en Italia durante el Renacimiento*, de Burckhardt; *El porvenir de la ciencia*, de Renan, y la *Historia de la Revolución francesa*, de Carlyle.

Con fines de conocer la vida, las obras más señaladas creo que son:

Los *Pensamientos*, de Marco Aurelio; *Los siete libros*, de Séneca (de la tradución de Navarrete); el *Manual*, de Epicteto; los *Anales*, de Tácito; los *Ensayos*, de Montaigne; el *Oráculo manual*, de Gracián; las *Máximas*, de La Rochefoucauld; los *Caracteres y anécdotas*, de Chamfort; los *Aforismos sobre la felicidad en la vida*, de Schopenhauer, y *Humano, demasiado humano*, de Nietzsche.

Con los fines de deleitarse, yo recomendaría:

La *Odisea*, de Homero; *Las nubes*, de Aristófanes; *Hamlet*, de Shakespeare; *Don Quijote*, de Cervantes; *La vida es sueño*, de Calderón; *El avaro*, de Molière; *Robinsón Crusoe*, de Defoe; *Rob Roy*, de Walter Scott; *Pickwick*, de Dickens, y *Los hermanos Karamazoff*, de Dostoyevski.

Claro que yo no digo que estos libros sean los únicos que se deban leer; cada cual elegirá según sus gustos y aficiones, pero éstos son de las cimas más características y señaladas de la literatura universal.

LA BIBLIA

En las listas que han hecho los ingleses y los norteamericanos de los libros que se deben leer, aparece siempre la Biblia. Indudablemente, la Biblia para muchos es el libro por excelencia, por lo menos lo ha sido hasta ahora.

Actualmente hay que reconocer que para el hombre de ciencia ha perdido valores. Por ejemplo, el *Génesis* no tiene valor cosmogónico alguno. Ya se sabe que ni siquiera es original. La prehistoria ha socavado la cosmogonía de la Biblia. Ni el abate Breuil, ni Obermaier, que es cura católico, ni otros muchos sabios investigadores de prehistoria que son curas dan como definitiva la cosmogonía bíblica. Es muy difícil creer que el hombre achelense o el magdaleniente sean descendientes de Adán y Eva.

Si los que se dedican a la prehistoria, católicos y no católicos, creyeran intangible la cosmogonía bíblica, ¿a qué iban a estudiar los terrenos en que aparece el hombre primitivo, y si fue en el principio del cuaternario o en el final del terciario? Dirían, a estilo de Tertuliano: «Toda curiosidad, toda investigación después de la Biblia, es inútil.»

La Biblia, como libro histórico, es, sin duda, un libro interesante; pero da la impresión de una humanidad baja y rastrera, cosa que no puede sorprender por tratarse en ella de la historia de la raza judía.

Antiguamente, cuando la Biblia era el libro de las verdades absolutas para el místico y para el filósofo, el judío tenía ante el cristiano una situación de superioridad, se consideraba como el poseedor de la verdad, el guardador del monoteísmo. El judío llamaba a los cristianos, con desprecio, los *akums* (los adoradores de los astros); los consideraba como paganos, ateos e idólatras, como animales inferiores que debían trabajar para el semita. Hoy la posición ha variado, y el judío, con su monoteísmo y sus artes de banca y de usura, ha pasado a ser una persona sin prestigio, sin interés y sin autoridad.

Algunos suponen que una serie de lecturas puramente racionalistas, como las que yo acabo de indicar, podrían tener el peligro de producir intelectuales puros sin contacto con la vida. El peligro, al menos en España, es un peligro quimérico. Entre nosotros ni se da ni se ha dado el intelectual puro. Las preocupaciones religiosas o antirreligiosas, las políticas, las patrióticas, las pequeñas martingalas del estilo han hecho, indudablemente, que no tengamos ese tipo de hombre racional, verdadero *homo sapiens*, que ha sido el honor y la gloria de otros países de Europa. Balmes o Pi y Margall, Menéndez y Pelayo o Costa, en parte por su voluntad, no han sido más que figuras nacionales; Kant, Hegel, Schopenhauer, Nietzsche, Renan, Stuart Mill, han sido internacionales, universales.

NORTE Y SUR

En el siglo pasado y en el nuestro, los países del Sur no han hecho más que repetir, o si se quiere, repetirse. A mí, el Mediterráneo me da la impresión de un mar espiritualmente muerto, de una influencia histórica pasada, sin acción en la Europa actual; en cambio, el mar del Norte, y, sobre todo, el Báltico, son elementos energéticos radiactivos de la Europa intelectual.

El Mediterráneo en nuestro tiempo no ha sabido más que repetir o mistificar. Sus hombres ilustres son ilustres epígonos. Carducci o D'Annunzio, Verdaguer o Mistral, Daudet o Blasco Ibáñez, son repetidores de cosas hechas y dichas; Gaudí, Pirandello y Picasso, si no repetidores, parece que, por huir de la repetición, caen en la mistificación.

No ha pasado lo mismo en el Norte, en donde desde hace ya más de un siglo ha habido una ilustre estirpe de creadores; así, Kant, Hegel, Schopenhauer, Mozart, Beethoven, son innovadores, originales, como después Dickens, Tolstoi, Dostoyevski, Nietzsche, son inventores de complejos espirituales nuevos.

En las demás actividades humanas ocurre lo propio, y ya desde el tiempo de Linneo el norte de Europa predomina en la ciencia.

El Sur, evidentemente, baja en espiritualidad; Italia, que ha sido históricamente un plantel de grandes hombres, hoy no puede presentar casi ninguno, y se contenta con ver a Mussolini, que repite un gesto antiguo y canta a destiempo, a imitación del último kaiser, esa canción de bravura del imperialismo y de la guerra, tan vieja, tan desacreditada y en la cual ya nadie cree.

Hace algunos años se quería pensar que eran los reveses militares de los países del sur de Europa los que los empequeñecían; pero, después de la victoria, se muestran más estériles espiritualmente que antes, sacados por el ansia de dominio por el militarismo.

Para terminar: es evidente que de la lectura puede salir todo: la salvación para el místico, la teoría para el filósofo, el pragmatismo para el hombre técnico y el entretenimiento para el desocupado.

FIN DE «INTERMEDIOS»

ENSAYOS

*

VITRINA PINTORESCA

1935

ENSAYOS

*

VITRINA PINTORESCA

1935

PROLOGO

L releer estos pequeños trabajos para darlos a la imprenta, se me figura que tienen cierta unidad. Quizá sea ello una pura ilusión. La unidad puede estar en la manera de ver, de tratar los asuntos; en el tono más que en otra cosa.

Yo, como escritor formado espiritualmente en las postrimerías del siglo XIX, soy uno de los individualistas, de los últimos ya, demasiado curioso de todo lo que es característico y pintoresco.

Se ha dicho en estos tiempos, en España y fuera de España, que lo individual, con su cortejo de romanticismo y costumbrismo, debe en literatura ir cediendo el paso a lo colectivo. El individuo ha de quedar absorbido por la variedad, la variedad por la especie, la especie por el género.

Yo no comprendo cómo. No veo la posibilidad de realizar estas absorciones artísticas en el dominio de lo literario, no ya en la esfera de lo práctico, ni aun en la de lo teórico.

Los partidarios de esta tendencia creen, sin duda, que se puede hacer una literatura de grandes masas, con cierto aire de conmoción geológica, una historia sin detalles, una biografía sin anécdotas.

Para mí es como construir un objeto de hierro que sea al mismo tiempo de palo.

En la tragedia, en el drama o en la novela, siempre ha sido el hombre o la mujer, el viejo o el niño, el que se ha destacado para contar sus tristezas o sus alegrías. Ciertamente, ha existido un coro en la tragedia antigua; pero este coro no ha pasado de ser un fondo gris con que hacer resaltar una figura, y muchas veces, o casi siempre, la voz de la razón impersonal y anónima frente a la exaltación del héroe.

El propósito de sacar la literatura de su cauce natural individualista no es que me indigne, ni mucho menos; pero me parece una operación de magia un tanto misteriosa, cabalística e inútil. Se me figura una habilidad de prestidigitador a lo Cagliostro; una doctrina confusa del siglo XIX, salida del horno de transmutaciones que encendió y alimentó en Alemania el gran alquimista de la Filosofía, Hegel.

Para mí, en la literatura, no hay más que la unidad humana, con su identificación, su nombre, apellido, temperamento y demás circunstancias.

La literatura colectivista y vagarosa, sin una base clara, creo que deriva de una manera fatal hacia la retórica altisonante.

Si me equivocara, no lo sentiría, sino que me alegraría como lector, por conocer algo nuevo.

Yo soy de los que aceptan todo, con tal que sea ameno, divertido o interesante por cualquier concepto. Ahora, estos sistemas artísticos de hace años, como el cubismo, que unen la seriedad con el más profundo aburrimiento, eso no lo quiero.

Yo no veo para mí la posibilidad de llevar otro camino que el ya andado.

Evolucionar sería magnífico si se pudiera; pero no se puede evolucionar. Esa es una ilusión. Seguir en la misma ruta induce a la exageración. Quizá aquí yo exagero lo típico, lo característico y lo romántico.

Al comprenderlo así, se me ha ocurrido dar a este libro el título exageradamente barroco de VITRINA PINTORESCA.

Quizá no valía la pena de dar esta explicación para tan poca cosa; pero ¡qué se va a hacer! Yo tengo la debilidad de ser amigo de las explicaciones.

DIVAGACIONES SOBRE LO PINTORESCO

En un viaje que he hecho por distintas regiones de España me ha parecido observar que el aire pintoresco de nuestro país ha dado en poco tiempo un gran bajón. Poco tiempo es para un pueblo treinta y aun cuarenta años. Ciudades, aldeas, tipos y hasta paisajes, se han transformado. Lo característico desaparece. Lo que queda es más por deseo de conservarlo como atracción de turismo que como realidad.

El fondo del alma española no sabemos si cambia al compás de sus manifestaciones externas, porque no es tan fácil registrar los cambios espirituales como los materiales; pero es de creer que cuando se transforma el exterior ha variado algo en el interior.

El aspecto externo de las ciudades se ha modificado profundamente. Se han derribado calles típicas, se han echado abajo las murallas, se han abierto avenidas y plazas, no siempre con mucho sentido. Del reino de la piedra se ha pasado a la dictadura del cemento armado; de la dirección de los corregidores y de los canónigos, a la de los contratistas, negociantes y arquitectos partidarios de lo cúbico.

El cemento armado es una musa honesta y útil, y quizá en manos de un arquitecto genial sería admirable; pero cuando se desmanda y se siente atrevida, como una cocinera lanzada a cupletista, hace tales horrores, que habría que sujetarla y llevarla a la cárcel.

Las casas modernas, exceptuando las hechas a todo gasto, son generalmente, al poco tiempo de construidas, desagradables. Antiguamente se construía con cierta solidez, al menos donde había piedra y madera. Ahora, la construcción debe ser muy cara, y el contratista escatima los materiales y lo hace todo de pacotilla. No pueden construir, sin duda, artefactos cómodos y sencillos, y se construyen complicados, malos y de apariencia lujosa.

Una casa moderna, a los cuatro o

cinco años de construida toma un aire lamentable; los adornos se empiezan a caer; unas placas de mármol falso se rajan, todos los detalles de lujo ficticio desaparecen.

El reinado de la pacotilla se nota mucho en las fondas nuevas de las capitales de provincia. El ascensor está, con frecuencia, parado; el grifo de la fuente del lavabo no funciona; las persianas de palastro se han atrancado y no suben y bajan. Todo ello es consecuencia de la producción barata.

En ciertas manifestaciones exteriores de las ciudades se notan menos las faltas. Cafés y restaurantes se han renovado y se han elegantizado, y hay capitales de provincia españolas que tienen bares más cuidados y asépticos que el Instituto Pasteur.

Ya se acabaron aquellos cafés viejos con divanes de terciopelo rojo que olían a ratón. Ya no hay tampoco tabernas con sus cortinas discretas.

Las aldeas también han cambiado en mal, ¡y cuidado que de algunas se podía haber sacado partido! La musa del cemento armado reina en ellas. Todo se falsifica con el cemento, sea piedra, madera, ladrillo o hierro.

Yo fuí hace cuatro o cinco años a Cestona, donde estuve de médico cuando era joven. Cestona era, hace cuarenta años, una aldea amurallada, gris y oscura, sobre un cerro pedregoso. Cuando la volví a ver había una serie de artefactos blancos de cemento que parecían huesos de algún animal prehistórico. Me prometí no volver más al pueblo.

El campo ha variado también mucho en estos años últimos. La carretera ha mejorado de una manera evidente; el número de carros, de coches, de tartanas, de caballos y de burros ha disminuido y los han ido reemplazando los automóviles.

El mismo paisaje ha experimentado variaciones. En sitios antes míseros, en hondonadas secas y yermas, han aparecido grandes pantanos con una superficie de kilómetros de agua azul admirable.

En algunas regiones del Norte se han sustituido bosques de hayas y de robles con eucaliptos y pinos. Esto no me parece tan bien. El eucalipto da un aire exótico a la tierra, y el pino, un carácter triste, que no es el natural de la vertiente del Cantábrico.

Las construcciones en el campo han variado también. Han desaparecido las ventas. El automóvil ha acortado las distancias y los puntos de parada del coche y del carro se han abandonado y se han sustituido por otros.

Era muy clásico esto de las ventas. Muchas tenían nombres dramáticos: la Venta del Puñal, la Venta del Moro, la Venta de la Sangre, la Venta de la Cruz; otras, nombres de animales: la Venta del Gato, la Venta del Gallo, la Venta del Toro; otras estaban dedicadas a una mujer: a la Rubia, a la Negra, a la Morena; o a un fruto: a la Castaña, al Melocotón o a la Majuela; otras sacaban el nombre de algún accidente del terreno: la del Peñón, la del Charco, la de la Arboleda, y las había también que tenían un apelativo cómico, como la Venta del Aire, la Venta del Chaleco, la de Poco Trigo y la de Arrebatacapas.

El lugar común satírico era asegurar que en las ventas españolas no había nada que comer.

—¿Se puede tomar algo?—le preguntaba el que llegaba al ventero.

—Sí; puede usted tomar asiento —contestaba éste.

Se contaban también otras anécdotas. Un caminante preguntaba, al llegar a la venta, a la huéspeda:

—¿Hay cama?

—Mida usted siete pies en el suelo y se acuesta usted allí.

—¿Y habrá un canto para ponerlo por cabecera?

Entonces la mujer de la venta le contestaba, enfadada:

—Pida usted más gollerías, hombre.

Las ventas en los caminos de Sierra Morena tenían una mala fama internacional.

En uno de estos sitios poco tranquilizadores, en un ventorro, un fraile encontró a un hombre que había sido mesonero en Sevilla, y en cuya casa se había alojado varias veces.

El fraile le preguntó:

—¿Y cómo fue, hermano, el venir por aquí a instalarse?

El ventero, mirando involuntariamente un trabuco, contestó:

—¡Qué quiere, padre! Cometí alguno que otro pecadillo en Sevilla y he querido recogerme.

Ya en los campos no hay ventas: no son necesarias; si hay alguna especie de venta, se llama bar, tiene su mostrador, con muchos cacharros blancos y una radio, que vierte en el aire las notas de unos tangos y de unos pericones nauseabundos.

Si no hay carácter en el elemento inmóvil de España, tampoco lo hay en el semoviente.

De la indumentaria típica queda muy poco o casi nada en nuestras regiones. Por eso se ha pensado en hacer un museo del traje, porque el traje regional ha desaparecido. Esto pasa siempre. Cuando empieza a faltar algo es cuando se nota que ha existido. El traje regional quedará como de guardarropía de teatro.

Hoy, por los campos, no se advierte el traje típico. Yo he hecho un recorrido bastante largo en automóvil del norte al sur de la Península, y no lo he visto. Se nota, sí, en unas regiones, el gusto por el color claro, y en otras, por el oscuro, nada más. En la parte del Noroeste he visto un domingo a labradores en mangas de camisa, con cuello y corbata y sombrero flexible, segando hierba.

En los rincones más inmóviles de la Península, en el Bajo Aragón, en la Mancha, en algunas partes de Extremadura y en valles estrechos y aislados del Pirineo Alto, se conserva todavía el traje antiguo.

Esos sombreros redondos que en unas partes de Castilla llamaban de zaranda y en otros puntos de Andalucía catites (aunque yo creo que los catites eran más altos y de menos diámetro), y que eran frecuentísimos en Avila y en Segovia, ahora ya no se ve ninguno. Estos sombreros tenían en el borde un aro como de cedazo. Yo les encontraba un parecido con las figuras del planeta Saturno, con su anillo, que hay en las geografías astronómicas.

Las capas blancas que se veían en Soria hace cuarenta años, entre los pastores, desaparecieron hace tiempo; los capisayos de los vascos, los zaragüelles de los valencianos, los pantalones verdes con rayas de los maragatos, las monteras de los gallegos, los pantalones abiertos de los salmantinos, las gorras de piel de los paletos de las proximidades a Madrid, la angarina amarillenta de los mendigos, todo se lo ha llevado la trampa.

En un recorrido largo que he hecho, no he visto más que una vieja que estaba hilando en un pueblo de León.

¿Qué es mejor, dejar que este carácter pintoresco desaparezca, o sostenerlo artificialmente? A mí me parece mejor dejar que desaparezca. Otra cosa sería convertir a los pueblos en escenarios de teatro, con sus comparsas, lo que en algunas partes se está intentando hacer, y que sería un poco denigrante por lo falso.

¿Se sustituirá a este sentido de lo

pintoresco otro nuevo? No creo. La ciencia va dando a todo su carácter de utilidad, de eficacia, de economía. Ya no se hará nunca una catedral ni un traje de una belleza caprichosa; se harán edificios magníficos y cómodos, y vestidos confortables e higiénicos; pero el gran lujo de lo superfluo no se puede dar.

Con el tiempo, para el pintor puede quedar siempre el paisaje áspero y bravío, muy difícil de cambiar.

El escritor nacional o extranjero puede echar mano, a falta de lo pintoresco externo, color, dibujo y carácter de los hombres y de sus costumbres, de lo pintoresco interno; es decir, de lo psicológico.

Cuánto durarán las psicologías nacionales, no lo sabemos. Vemos, sí, que todo marcha a la uniformidad: las ideas, los hábitos, las comidas, las diversiones. Las gentes, aun en los campos, tienden a no comunicarse unos a otros directamente sus impresiones, sino a recibirlas por el intermedio de los periódicos.

Hace un mes, en la carretera, al volver de Almadén a Córdoba, nos dijo un hombre en el camino que había habido una riña en una venta de Alcaracejo.

Al llegar al lugar, como había alguna gente a la puerta del ventorro, le preguntamos a uno del grupo:

—¿Qué pasó?

Y el hombre, sacando un periódico, dijo:

—Ahí está lo que pasó.

El papel impreso va tomando tanta fuerza, que ya no va a ser el periódico el que copie y redacte lo que dicen las gentes de las ciudades y de los campos, sino que esas gentes van a copiar lo que dicen los periódicos.

LOS CHARLATANES AMBULANTES

Yo soy un auténtico papanatas, admirador de los espectáculos callejeros y, sobre todo, de los charlatanes ambulantes. Les escucho a éstos con entusiasmo y con fruición.

Hay varias clases de charlatanes: los hay de academia y de mitin, de calle y de plazuela; unos fijos y otros ambulantes; unos de lugar cerrado y otros de aire libre. Los de academia. de mitin y de lugar cerrado no me interesan nada.

A medida que los charlatanes de círculos y ateneos aumentan, el número de los de las plazuelas disminuye. No sabemos por qué, unos y otros están en razón inversa. Yo, que no he estado más de dos o tres veces en mi vida en el Congreso, me detengo siempre que veo un charlatán en la calle rodeado de su corro.

Es uno de los entretenimientos del papanatas de la gran ciudad. Yo siempre que he ido a un pueblo grande me he dedicado de lleno a la papanatería.

Para mí, aburrirse un poco en una ciudad grande y desconocida es agradable.

Hay gente que cuando va a París, a Londres o a Berlín, hace un proyecto detallado para cada día. Se levantará a las nueve, irá luego a un museo; después, a ver un almacén; almorzará, tomará café, visitará a un compatriota amigo, comprará un objeto para regalarlo a una persona de su pueblo, irá a un cinematógrafo, comerá, asistirá a un concierto o a un teatro y se marchará a su hotel.

Yo, no; yo soy un paseante en corte. Salgo de casa con doce o catorce horas a mi disposición, sin plan alguno, rico, millonario de tiempo. Miraré el escaparate de una tienda de antigüedades; después, el de una librería; luego, observaré la ceremonia a la puerta de una iglesia, sea un entierro o una boda; contemplaré si el río viene claro o turbio y la gabarra que pasa; si hay dos personas que riñen, me acercaré a ver qué se dicen; si un pintor está delante de un lienzo dedicándose al paisaje, contemplaré lo que hace, y si un borracho perora, le escucharé.

Yo no sé quién se ha asombrado de que el papanatas sea capaz de pasar horas enteras mirando una pared, detrás de la cual se dice que pasa algo. A mi esto no me parece raro.

Durante el proceso del crimen de la calle de Fuencarral, cuando llevaban a la Higinia Balaguer a la Audiencia, todos los papanatas estábamos en los alrededores contemplando el edificio.

Yo recuerdo haber estado cerca de la plaza de la Roquette, en París, al lado de una tejavana donde decían que guardaban la guillotina, más de media hora contemplando la puerta, en donde los chicos habían dibujado con tiza el aparato benéfico del doctor Guillotín.

Mis recuerdos de papanatas acerca de los charlatanes de plazuela son abundantes.

Los primeros que conocí, de chico, fueron en las ferias de Pamplona hace ya medio siglo. Todavía en aquella época tenían éxito y prestigio popular las figuras de cera, la mujer cañón, los espejos cóncavos, los adivinadores del porvenir y la linterna mágica.

Los voceadores de las barracas demostraban unas gargantas de acero. Generalmente no eran entretenidos, no hacían más que aturdir al público con sus gritos, que sonaban tanto como los platillos y el bombo. Verdad es que éste era su objeto.

Los vendedores de específicos eran más interesantes y pintorescos. Los había serios, graves, y los había burlones y humorísticos. Entre los serios, recuerdo al vendedor de la manteca de la serpiente de cascabel. Este se instalaba en la Taconera y peroraba desde lo alto de un coche magnífico pintado de rojo. Yo le escuchaba maravillado de su facundia. El hombre, que tenía un aire de profesor agresivo, explicaba todo lo explicable con gran claridad: los secretos de la Física, de la Química, de la Astronomía y de la política.

Vendía su ungüento los primeros días a dos pesetas la caja, después a peseta y luego a dos reales.

Yo pensaba, horrorizado, en la cantidad de serpientes de cascabel que habría necesitado aquel hombre para hacer su pomada y en los indios que habrían muerto en la caza de este bicho peligroso, que tiene en la Historia Natural el nombre terrorífico de *Crotalus horridus*.

Muchos años después, en un pueblo del mediodía de Francia, me mostraron a un hombre con anteojos de plata, barbas largas y trazas de loco, que decían que cazaba víboras y serpientes.

A las víboras, según se aseguraba, las secaba después de muertas y las vendía; a las serpientes les sacaba la manteca, que servía para curar las mordeduras de otros ofidios. La teoría curativa se basaba en el principio homeopático de Hahnemann, de que los semejantes se curan con los semejantes. *Simila similibus curantur.*

Yo no conozco la vida en el campo francés; pero, por lo poco que he visto de ella, supongo que hay en él tantos tipos misteriosos como en el de España, o quizá más.

Aquí hay saludadores y zahoríes y gentes que curan con agua; en muchos rincones del País Vasco hay aún brujas. En Francia se encuentra todavía mucho mago campesino. Hace poco, en el país vasco-francés, en Oleta, ejercía sus artes de hechicero, y ahora mismo hay cerca de Bayona una especie de santo que lo cura todo.

★

Otro charlatán de los serios, que estaba a la altura del de la manteca de la serpiente de cascabel, era un tal Martínez, que se instalaba hace treinta y tantos años en la plaza Mayor, de Madrid, a vender un elixir para expulsar la tenia.

Martínez solía poner una tabla en el pescante del coche, y allí varios bocales de cristal con solitarias y tenias y unos diplomas más o menos fantásticos. Martínez peroraba de tal manera y con tanta elocuencia, que convencía a todo el mundo, y vendía muchos frascos de su específico. Martínez solía ir en compañía de una mujer elegante, y cuando colocaba sus muestras y sus títulos en su coche, miraba al público de una manera fosca y amenazadora, que imponía.

Tipo de charlatán, éste de los alegres, que recuerdo con gusto, era un vendedor de libros del barrio de Whitechapel, de Londres, a quien vi hace cerca de treinta años. Le conocí paseando en compañía de dos anarquistas: de Enrique Malatesta y de Tarrida del Mármol. El charlatán se ponía en la avenida principal del barrio con un puestecillo pequeño ambulante, con Biblias, novelas y libros de poesías.

Era un tipo cincuentón, rubio, ya medio cano, de aire de payaso, con un redingote negro y sombrero de copa. Se subía a un banco, cogía un libro y lo elogiaba, y se ponía a dar explicaciones tan expresivas y a decir tales bufonadas, que el público reía, y muchos acababan por comprar una Biblia u otro libro cualquiera. Tarrida le compró un tomo en unos peniques. Volví a ver al librero otros días, y me hubiera gustado entenderle bien y hablarle, porque me parecía un tipo dickensiano; pero era de estos ingleses que consideran que el que no habla como ellos es un hombre absurdo y sin interés.

Charlatanes maravillosos son también los de la plaza de la Puerta Capuana, de Nápoles. En aquel Rastro napolitano se vende de todo: trajes, cartas, pergaminos de Iglesia, platos de carne y pescados guisados y trozos de queso de segunda mano.

A uno de aquellos charlatanes le vi varias veces y me parecía genial. Vendía alternativamente sombreros, cortaplumas, sacacorchos. Una vez le vi vender cabelleras de mujer, algunas hermosas, rubias y negras; otras, de vieja, tan miserables, que parecía imposible que alguien quisiera llevárselas gratis a su casa.

El charlatán este, napolitano irónico y facecioso, se expresaba de una manera tan viva, que le chispeaban los ojos al hablar, y accionaba no ya con las manos, sino con cada dedo.

Otro charlatán que me sorprendió fue uno que se ponía con frecuencia en la Puerta de Atocha hace años. Hablaba con energía y con dureza y tenía un ligero acento catalán. Una vez le oí un discurso elocuente, cuyo exordio acabó así:

—A todos los innovadores como yo, el público ignorante ha llamado charlatanes. Charlatán se les llamó a Sócrates y a Copérnico; charlatán, a Paracelso y a Colón; charlatán, a

Watt y a Stephenson...; y por ese camino, y si llegara a tanto la obcecación humana, charlatán le llamarían muchos a Nuestro Señor Jesucristo.

Recuerdo otros oradores callejeros de menos importancia. Uno de éstos se colocaba en algunas plazuelas lejanas, en el Rastro y en la plaza de España. Llevaba gabán y fez rojo en la cabeza. Ponía delante una cajita, encima de ella un pañuelo, repicaba con una campanilla y hacía algunos juegos de manos no muy complicados.

Decía que se llamaba Rodolfo del Castillo; pero como había vivido, según él, mucho tiempo en la Argelia francesa, le llamaban *Musiú Rodolfo*, o *el Musiú*.

El daba como seguro que, en francés, señor se decía *musiú*.

Este *Musiú* tenía un imitador, también con su gabán y su fez rojo, que colocaba un cajoncito en el suelo y alrededor unas láminas horribles y espeluznantes de una obra de dermatología del doctor Olavide. El *seudomusiú* hacía juegos de manos con pedazos de papel, y vendía después un dentífrico.

También orador, aunque parco y severo, era el de los pajaritos sabios.

★

Charlatanes brillantes y faceciosos de la plaza de la Bastilla, de Hyde Park y de Whitechapel, de la Puerta de Atocha y de la Puerta Capuana; voceadores de teatro Guignol del Jardín del Luxemburgo y del paseo de Rosales; vendedores de hierbas, de lápices, de relojes, de dentífricos, de sacacorchos, de anillos para el paraguas y del mejor juguete para el niño; ilustres sacamuelas que amenizáis todavía las calles...: a todos os saludo con la simpatía de un paseante en corte y de un auténtico papanatas.

VERDUGOS Y AJUSTICIADOS

Una de las muchas cosas que separarán y ya separan al hombre del siglo XIX del actual es que éste no habrá visto ejecuciones ni conocido verdugos.

Hasta la pasada centuria, las ejecuciones se debieron de considerar con indiferencia. Eran frecuentes y se tenían como indispensables. Maistre miraba al verdugo como el *pivote* de la sociedad.

En los siglos XVI y XVII no ya las ejecuciones, sino los tormentos, se miraban como necesarios. El jurisconsulto—¡qué porquería humana!— estudiaba cómo y cuándo se podía descoyuntar a un hombre las articulaciones, echarle aceite hirviendo o plomo derretido en la boca.

El jurisconsulto Gonzalo Suárez de Paz específica, en un libro escrito en latín macarrónico, los distintos procedimientos de martirio, como quien habla de recetas de cocina.

En pleno siglo XVII, a Damiens, que intentó herir a Luis XV, se le condenó a un suplicio horroroso. Se le quemó la mano derecha con azufre, se le atenazaron las piernas, los muslos y el pecho, se le echó en las heridas plomo fundido, aceite hirviendo, resina y cera derretida, y después comenzó el descuartizamiento, que fue lento, porque los cuatro caballos que tiraban de las extremidades del reo no podían romper sus coyunturas.

Hay que reírse un poco de los países de suaves costumbres. En el siglo XIX, en Inglaterra se colgó con entusiasmo, en Francia se guillotinó y se fusiló, en España se colgó y se agarrotó, amén de fusilar con frecuencia. El conde de España, en Barcelona; Elío, en Valencia, y Chaperón, en Madrid, tenían la costumbre de asistir a las ejecuciones. Se asegura que algunos de ellos, o los tres, practicaban la humanitaria costumbre de dar un tironcito de los pies a los ahorcados. El conde de España, humorista macabro, según parece, los saludaba con el sombrero y les decía:

—¡Adiós, hermano! ¡Hasta la eternidad!

Entrado el siglo pasado, y ya sustituida en España la horca por el garrote—suplicio filantrópico, según don Alfonso de Borbón, porque no dejaba sangre—, las ejecuciones eran fiestas de bota y merienda.

En Madrid se ajusticiaba en el campo de Guardias (1), y parece que iba una multitud, como a la plaza de toros, a ver qué tal quedaba el reo ante el patíbulo. Yo he conocido a un hombre que asistió a la ejecución del cura Merino, el regicida. Contaba con fruición las frases que dijo mientras iba por las calles montado en un burro con una tranquilidad asombrosa.

En Inglaterra, a principios del siglo XIX, había unos *resurrection-men*, hombres que vendían cadáveres para los anatómicos. Algunos no se contentaban con robarlos de los cementerios, sino que asesinaban a las gentes para tener género que vender.

Los más célebres fueron dos irlandeses, Burke y Hare, que vivían en Edimburgo; atraían éstos a los extranjeros, mendigos e idiotas, a sus escondrijos, los ahogaban o los estrangulaban y vendían sus cuerpos para la disección a los médicos. Cuando se ahorcaba a uno de estos *resurrection-men*, escorpiones humanos, el público aplaudía con entusiasmo.

En Inglaterra se consideró mucho al ejecutor de la Justicia. Como dice Voltaire, el verdugo es el que podría escribir mejor la historia de Inglaterra, porque siempre ha sido ese gentilhombre el que ha zanjado las querellas políticas de los ingleses. En Francia, durante la Revolución, *monsieur* de París, por entonces Henri Sanson, fue celebrado y aplaudido en varias ocasiones, y no hace muchos años, cuando ejecutaron al destripador Vacher, la multitud ovacionó de una manera entusiasta al *monsieur* de París de la época, que era por entonces el respetable ciudadano señor Deibler.

★

Una de las impresiones más profundas de mi juventud fue ver, de chico, desde el balcón de un cuarto de la calle Nueva, de Pamplona, el paso de un reo que llevaban a ejecutar en la Vuelta del Castillo. Iba en un carrito, rodeado de cuatro o cinco curas. Vestía una hopa amarilla pintada con llamas rojas y un birrete. Se llamaba Toribio Eguía. Había matado en Aoíz a un cura y a su sobrina.

Dos largas filas de disciplinantes, encapuchados, con sus cirios amarillos, cantando responsos o letanías, iban delante del carro. Detrás marchaba el verdugo, a pie, braceando. Era pequeño, rechoncho; llevaba traje de aldeano, sombrero pavero y polainas. Todas las campanas de las iglesias del pueblo tocaban a muerto...

Luego, por la tarde, lleno de curiosidad, sabiendo que el agarrotado

_____

(1) En algunos libros se le llama pradera de los Guardias, y estaba en las afueras, cerca del alto de Monteleón, entre la puerta de Fuencarral, a la salida de esta calle, y la de San Bernardo.

estaba todavía en el patíbulo, fui a verle, y estuve de cerca contemplándole. Después apareció el verdugo a soltar el cadáver y dio explicaciones ante un grupo de curiosos. Yo volví a casa temblando de horror.

Pocos años más tarde era estudiante, en Madrid, del Instituto de San Isidro. Había allí bastante granujería de los barrios bajos. Una mañana un condiscípulo propuso hacer novillos e ir a ver cómo ejecutaban a los reos de la Guindalera: dos hombres y una mujer. Fuimos unos cuantos. Llegamos tarde. Tres siluetas negras, de agarrotados, se destacaban al sol en el tablado puesto al ras de la tapia de la Cárcel Modelo. La mujer estaba en medio; la habían matado la última, según decía la gente, por ser la más culpable. El espectáculo era terrible, pero tenía algo de teatral.

Años después presencié la ejecución de la Higinia Balaguer, la del crimen de la calle de Fuencarral, desde los desmontes próximos a la cárcel. Hormigueaba el gentío. Soldados de a caballo formaban un cuadro muy amplio. La ejecución fue rápida. Salió al tablado una figurita negra. El verdugo le sujetó los pies y las faldas. Luego los hermanos de la Paz y Caridad y el cura con una cruz alzada formaron un semicírculo delante del patíbulo y de espaldas al público. Se vio al verdugo, que ponía a la mujer un pañuelo negro en la cara, que daba una vuelta rápidamente a la rueda, quitaba el pañuelo y desaparecía.

En seguida el cura y los hermanos de la Paz y Caridad se retiraron, y quedó allí la figurita negra, tan pequeña, encima de la tapia roja de ladrillo, ante el cielo azul, claro, de una mañana madrileña.

Todavía vi el fusilamiento de un soldado en una plazoleta entre desmontes, cerca del paseo de Areneros

y la cárcel, con un público de golfos y de señoritos salidos del café de Fornos, entre los que me encontraba yo.

Una compañía de soldados había formado en la calle de la Princesa, quizá para distraer a parte del público, y un viejo con alma de romano de circo decía:

—A ver si nos dan aquí la entretenida y lo fusilan en otra parte.

★

En la Redacción de *El Globo* un periodista que había hecho una interviú con el verdugo de Madrid nos instó para que fuéramos a verle. Fuimos dos o tres. Vivía en la calle del Cardenal Cisneros, en un piso bajo. Era hombre rechoncho, con la cabeza cuadrada, de cara juanetuda, bigote y patillas rubios, andaluz. Su mujer era pequeña, negra, con aire fatídico y un niño en brazos; parecía una japonesa.

El verdugo contó sus ejecuciones, y sacó unas correas nuevas, negras, con hebillas brillantes, para asegurar al reo. Aquello nos hizo a todos un efecto de repulsión inmediata.

El verdugo pretendía que le dieran permiso para poner una barraca en las ferias y hacer ejecuciones con figuras de cera, ilustradas con algunas explicaciones. El caso no hubiera sido nuevo. Yo he visto impresa en inglés la conferencia de James Bercey, verdugo de la ciudad de Londres, acerca de los que habían pasado por sus manos.

El verdugo de Madrid nos habló del valor y de la cobardía de los criminales, de algunos pobres miserables que iban al patíbulo extenuados, como muertos, y de otros que marchaban tan tranquilos, después de cenar y dormir profundamente.

Al despedirnos del verdugo y salir

a la calle de Luchana hablamos de Ravachol, que fue al patíbulo cantando; de Angiolillo, que pronunció la palabra *Germinal* con las manos atadas en la cárcel de Vergara, y de la frase de la pobre madame Du Berry, dirigida al verdugo, Sanson, y que conmovía a Dostoyevski: «¡Un momento más, señor verdugo!», había dicho la vieja cortesana. También hablamos de la anécdota que se cuenta ocurrida entre el médico envenenador Lapommerais y el doctor Volpeau. El doctor había propuesto al reo, en beneficio de la ciencia, que inmediatamente que le cortaran la cabeza, él le hablaría, y si le entendía, que moviera un párpado. Así podría saber Volpeau si la cabeza vivía algún tiempo después de cortada.

Como se había publicado en *El Globo* la interviú acerca del verdugo, una noche se presentó éste en la Redacción a dar las gracias. Un reportero, que no recuerdo su nombre, con un ojo con una nube, se puso tan frenético de cólera al saber quién era aquella visita, que dijo que si llega a tener un revólver a mano le hubiera pegado un tiro.

En España nunca ha habido entusiasmo por el verdugo. La gente popular se pone en el último momento más a favor del reo que del ejecutor.

En nuestros tiempos la figura del verdugo ha decaído; ya no es el horror y el lazo de la asociación humana, como decía el señor Maistre. El verdugo moderno se desprecia a sí mismo y odia su oficio.

El anterior al actual de Londres estaba enfermo y neurasténico por haber ejecutado a una mujer, y se sui-

cidó; al último de Barcelona lo mataron, se supone que los extremistas, mientras tomaba el fresco en el balcón; al último de Madrid le pesaba el cargo. Unicamente el de Burgos, ya difunto, tenía afición por el oficio y parecía cumplir su misión según el aforismo médico de Celso: *Cito, tuto et jucunde* (Pronto, seguro y alegremente).

La ejecución ha desaparecido en muchas partes para el delincuente de delito común; no ha desaparecido aún para el rebelde político ni social. En esta esfera sigue habiendo verdugo y víctima, ejecutor y ajusticiado; ahora que aquí el verdugo es anónimo, no tiene nombre y apellido, es una fuerza armada; la víctima no es tampoco una, sino múltiple, víctima de ocasión, casual, sin antecedentes penales.

Esta concepción moderna del verdugo la ha llevado a la práctica, con más fuerza que nadie, la Rusia soviética, que ha sido el país de las matanzas; de las matanzas sabias y bien organizadas, en que no se desperdiciaba ni una bala de ametralladora.

Por el camino de Rusia han seguido los países fascistas, y es de temer que sigan los demás. El Estado lo absorbe todo, según los dogmas comunistas; tiene que absorber también la represión y el cargo de verdugo.

Así, el espíritu del verdugo evoluciona y se infiltra en las altas esferas políticas y en sus servidores de uniforme.

Todo hace pensar que el reino de Moloc, el dios de los sacrificios humanos, va a devorar todavía mucho en el mundo. A pesar de la supresión oficial de la pena de muerte.

LOS VAGABUNDOS

Actualmente hay en España y fuera de España más vagabundos que nunca. La crisis del trabajo hace que muchos obreros cambien de lugar y salgan de su pueblo para ver de encontrar ocupación en otro. Estos son vagabundos accidentales, pasajeros; pero algunos se acostumbran a la vida errante y terminan convirtiéndose en vagos habituales.

No cabe duda que para el que está sano y fuerte y resiste las inclemencias del tiempo, el frío, el calor y la lluvia con facilidad, la vida del vagabundo debe de ser agradable. Cambiar siempre de paisaje, echar la siesta a la sombra de un bosquecillo y ponerse a dormir contemplando las estrellas sin coger un catarro, es magnífico.

Hay un fondo instintivo en el vagabundo que le hace lanzarse al campo. El hombre de tendencia nómada comprende oscuramente que el dedicarse a andar por los caminos le puede curar de su debilidad o de su irritación nerviosa. El vagabundaje, para algunos, constituye una terapéutica. A las emociones del viaje, el ciudadano prefiere el cine.

El vagabundo no suele ser casi nunca criminal. A veces roba algo por necesidad; pero, si puede, prefiere no robar. En este momento andarán por las carreteras de España, en el norte por la mañana y por la tarde, y en Andalucía, de noche, como sombras, con el hatillo al hombro, una porción de vagabundos que no cometerán delito alguno más que pedir en caso de extrema necesidad.

He conocido varios tipos de vagabundos. Uno de ellos, joven bien plantado, pasó por Vera hace años. Nos preguntó a un grupo en dónde estaba el alcalde y cuál era el camino de Pamplona. Uno de los circunstantes le dio diez céntimos, que los tomó, y el alcalde le dijo:

—¿No le da a usted vergüenza pordiosear, siendo joven y fuerte?

—Yo no pordioseo. Si me dan algo, lo tomo.

—¡Más le valía a usted trabajar!

—¡Trabajar! ¿Para qué? ¡Que trabajen las máquinas!

—Pues va usted a ir a pasar la noche a la cárcel por haber dicho eso —le replicó el alcalde.

El vagabundo fue a la cárcel sonriendo. El alguacil le llevó una buena cena, y al día siguiente, con la fresca, salió camino de Pamplona.

En Valdepeñas, hace ya treinta años, un obrero francés del Mediodía, técnico en cuestión de vinos y que había recorrido toda Europa, decía, muy convencido:

—Es muy triste eso de tener que gastar en un mismo pueblo más de dos pares de alpargatas.

Sin duda, para él un pueblo no merecía más que dos pares de alpargatas, fuera Atenas, Venecia o Cabezón de Abajo.

Hay también el vagabundo mendigo, el santero de aire medieval, que ya no debe quedar apenas, y el que vende medallas o rosarios, también muy raro. Hace dos o tres años estuvo uno de éstos instalado en una chabola de madera en Endarlaza, a orillas del Bidasoa, un par de semanas. Se le veía alrededor de la covacha muy tranquilo, como un propietario en su finca.

Un tipo parecido a éste he visto hace pocos días en Galicia, en el camino de Monforte de Lemus. Era un hombre atezado, melenudo, con una boina metida hasta los ojos, una barba reluciente, espesa, como de ébano; una mirada fija y amenazadora, el traje de percal negro, un rosario al cuello y una varita en la mano. No iba lleno de polvo. Debía salir de alguna casa próxima al camino.

«Este es un Rasputín», pensé yo.

Luego indiqué al chófer:

—A ver. Pare usted un momento el auto y retroceda usted un poco para sacar una fotografía a este tipo.

El hombre, al comprender la maniobra, nos miró de una manera huraña, volvió la espalda y se metió por un sendero.

Yo pensé que en Galicia, en el pueblo pobre, debe de haber un fondo de credulidad y de misticismo para permitir el gesto de un tipo como aquel vendedor de rosarios tan arrogante. No pude comprender si el Rasputín del camino era nacional o extranjero.

En el Mediodía y en Levante había antes saludadores y curanderos que andaban de pueblo en pueblo. En Valencia abundaban los zahoríes que pretendían descubrir los manantiales de agua con una vara de avellano. Estos tipos eran vagabundos más bien por utilidad que por otra cosa, viajantes de comercio de la mistificación y del engaño. A veces se dan casos de melancolía errabunda en gente tranquila. En Deva había un señor que de pronto le entraba la obsesión de que las botas que llevaba le hacían daño. Días después averiguaba que en Sevilla o en Valencia había un zapatero ideal. Marchaba allí ilusionado, se hacía unas botas, estaba contentísimo con ellas, volvía, y al cabo de un par de semanas empezaba a hacer gestos porque le molestaba el calzado. Después se enteraba de que

en Lérida o en Santiago de Galicia estaba la verdadera tía Javiera de los zapatos, y marchaba a uno de estos pueblos, y tenía unos días de entusiasmo, seguidos de la inevitable desilusión.

En Vera había hace tiempo un viejo minero naturista, gran viajero y vagabundo, que traía de sus viajes una porción de cosas inútiles que cogía en las fondas y en las calles: un frasco de medicina vacío, una bola de un picaporte, una llave, una plegadera para cortar papel, etc., creyendo que todo esto tenía su valor.

También hemos tenido en el pueblo el tipo que en el libro *El azote de los tunos* se llama el *afraile*. Este, que era joven, se vestía con su hábito, llevaba un saco al hombro e iba precedido por un perro. Pedía limosna en los caseríos, y cuando reunía lo necesario metía el hábito en el saco y, ya de paisano, iba a comer a alguna venta y a emborracharse.

El vagabundo suele tener un carácter perezoso y contemplativo. Le gusta la soledad y la libertad. Todos dicen que no tienen familia, lo que no suele ser siempre cierto. La idea de los lazos familiares les molesta.

Los vagabundos no son aventureros. No les gusta mezclarse en asuntos complicados. Son demasiado filósofos y quieren la vida sencilla. Para ellos el estado errático es el normal, y si se les sujeta por algo, sienten la nostalgia del vivir libre.

A pesar de su indiferencia y de su anarquismo, muchos de estos vagabundos son sencillos y puntillosos en cuestiones de dignidad.

Se explica que antiguamente los filósofos fueran vagabundos sin arraigo en parte alguna. Diógenes, Pirrón, Pitágoras, Apolonio de Tiana, según la vida romanceada de Filóstrato, eran errantes. Se comprende que estos hombres, de pocas necesidades prácticas y de gran curiosidad, vieran en la vagabundez un aliciente para sus reflexiones filosóficas.

Los viajeros antiguos y modernos, desde Herodoto y Pausanias hasta Borrow, pasando por Marco Polo o Benjamín de Tudela, tenían sangre de vagabundo. Los que no la tenían, como Hernán Cortés o Pizarro, eran conquistadores, y los muy modernos, como Burton o Livingstone, hombres de ciencia.

Vagabundos por motivo de persecución lo fueron algunos humanistas, médicos y filósofos del Renacimiento, como Giordano Bruno, Miguel Servet y otros.

Los escritores de la misma época y de tiempos posteriores conocieron la vida de los caminos, y Espinel, Cervantes, Suárez de Figueroa, el autor de *El pasajero;* Mateo Alemán y Agustín de Rojas, el del *Viaje entretenido,* dan muchos detalles de la existencia andariega, que conocieron a fondo.

Otro tipo raro y deambulador fue Torres Villarroel, el de los almanaques y pronósticos.

En Francia, Rabelais tiene mucho aire de hombre vagabundo, y el poeta Villon no sólo es vagabundo, sino que anda cerca de la horca por la habilidad de sus manos en los bolsillos ajenos. Esto no le impidió ser un gran poeta.

La picardía me parece un lugar común literario y no me es nada simpática; no así la vagabundez, que, después de todo, no hace daño a nadie y es lícita.

Hay un libro de Juan Jacobo Rousseau que se titula *Les rêveries du promeneur solitaire,* título muy sugestivo. Este libro no lo he leído, porque desde que en la juventud me aburrí horriblemente con el *Emilio,* no he podido tragar nada de este autor.

El título de la obra de Rousseau, que no tiene una traducción exacta al castellano, me seduce. Es posible que leyendo el libro no me gustara tampoco; pero estas *Rêveries* me hacen el efecto de algunos títulos de canciones de Schumann.

El vagabundo, que en la literatura española de los siglos XVI y XVII fue un motivo muy general, casi un tópico, pasó, en el comienzo del siglo XIX, revestido con galas sentimentales e intelectuales, a ser un personaje romántico en manos de Chateaubriand, de Byron y de Sénancour. Este último escribió *Obermann,* una de las obras más pesadas y más lacrimosas de la época, que se salva únicamente por su carácter típico.

Después han sido los rusos los que han desarrollado la figura del vagabundo de las estepas. Gogol, Dostoyevski y Tolstoi fueron, como quien dice, los inventores; Gorki, el vulgarizador.

En el mundo anglosajón, Dickens y Tomás Hardy, Breet-Harte y Whitmann, han pintado hermosos tipos de vagabundos. También lo ha hecho, dándoles un aire poético y casi polar, el noruego Knut Hamsun.

Entre nosotros la vagabundez literaria tiene antigua tradición. Uno de sus cultivadores modernos ha sido nuestro amigo don Ciro Bayo y Segurola.

Los psiquíatras se han ocupado modernamente mucho de los vagabundos. Parece que van a decir grandes cosas y a revelar oscuros secretos; pero, al último, no dicen nada. Hay quien asegura que el vagabundo tiene el instinto del vagabundaje, como el opio, según los médicos de Molière, tenía la virtud dormitiva, y el acíbar, la virtud purgativa.

Para descubrimientos así, vale más no hacerlos.

LOS MENDIGOS

En un artículo de Barberán publicado en *Ahora* se dice que el número de los mendigos en España es enorme.

Es evidente que hay una gran cantidad de pobres y de pedigüeños en Madrid y en las ciudades; pero como toman actualmente el carácter de obreros parados, no parecen mendigos. Debió de haber una época medieval en que los mendigos eran legión en todos los países. Los escritores y los pintores han tenido cierta delectación para representarlos.

No es fácil saber hoy la cantidad de verdad que habría en las descripciones de la vida y habilidades de los mendigos hechas por nuestros clásicos.

Hoy no se ve el tipo del mendigo ni en las ciudades, ni en los pueblos, ni en los caminos. El carácter profesional que les daba su vitola legendaria ha desaparecido.

Hace cuarenta o cincuenta años, en Castilla y en las provincias del Norte se los veía con un sombrero ancho y una anguarina amarillenta, que tenía una manga o las dos atadas por las puntas y les servían de zurrón, y un garrote blanco para defenderse de los perros, siempre aristocratistas y enemigos de los que llevan mala ropa.

También solían verse por ese tiempo santeros con aire salvaje, envueltos en un capote pardo, con la cara curtida por el sol, que llevaban una imagen, la demanda, y cantaban gozos o romances al santo o a la Virgen.

Era también frecuente encontrar peregrinos con su capa y sombrero adornados con conchas, su pértiga, su bordón y su calabaza.

En las puertas de las iglesias, sobre todo de las catedrales, solían amontonarse los pordioseros y los lisiados, ciegos, perláticos, mudos con una campanilla en la mano, cretinos con bocio, etc. El verlos y el oírles pedir canturriando recordaba los cantares de ciegos del arcipreste de Hita:

Varones buenos e onrrados,
querentnos ya ayudar;
a estos çiegos lasrados
la vuestra limosna dar;
somos pobres menguados;
avémoslo a demandar.

En los alrededores de las iglesias se veían vagabundos y contrahechos, que algunos iban sentados en una caja con ruedas y marchaban apoyándose con dos trozos de palo en el suelo.

En Madrid y en las ciudades grandes los mendigos no tenían, hace medio siglo, tanto carácter como en los pueblos. Ya tiraban a la picardía más que a la solemnidad. Había los mismos mendigos, pero con distinta vitola: los lisiados, los ciegos cantores, los ciegos músicos, etc.

Los lisiados siempre han constituido un espectáculo odioso. Ahora, en Madrid, no se ponen en las puertas de las iglesias, sino en los sitios más céntricos, con unas actitudes teatrales dramáticas, vendados y repeinados, a mostrar un muñón repugnante.

El mendigo más o menos ciego se dedica a la guitarra, al violín, a la ocarina, a la zampoña y a la pandereta. Entre los ciegos cantores había algunos, y los hay, que recitaban con una voz chillona, repulsiva, relaciones inventadas por ellos de sus enfermedades y de sus desgracias; había otros que cantaban bien y se recreaban y recreaban a los demás con su canto.

Cuando yo era estudiante en Valencia, hace más de cuarenta años, al volver del hospital a la calle de Liria, donde vivía, solía pararme en la calle Baja ante un ciego, que cantaba la *Orasió* con gran estilo. Yo le escuchaba con fervor. La principal copla de su canción, que recuerdo, era ésta:

> Cuando el ángel San Gabriel
> vino a darnos la embajada
> que María electa es,
> al punto quedó turbada.
> María le dijo:
> —Esclava soy yo
> del Eterno Padre
> que a Dios me envió.

Esta canción, acompañada del run-rún de la guitarra, se armonizaba muy bien con las callejuelas estrechas, sucias y mal iluminadas de aquella parte de la ciudad.

En un pueblo próximo a Valencia, en Burjasot, otro ciego solía cantar la canción de San Antonio de los pajaritos delante de casa. Este ciego pronunciaba el castellano de una manera valenciana cerrada. Unas veces nos recitaba, delante de la puerta, la copla en que se habla del padre de San Antonio:

> Su padre era un caballero
> cristiano, honrado y prudente.

Otras, la recomendación del padre al hijo de que tuviera cuidado con el huerto cuando iba a misa, y otras, el desfile de los pájaros, llamados por el santo:

> Se puso en la puerta
> y les dijo así:
> —Vaya, pájaritos,
> ya podéis salir.
> Salgan cigüeñas con orden;
> águilas, grullas y garzas;
> gavilanes, avutardas,
> lechuzas, mochuelos, grajas;

> salgan las urracas,
> tórtolas, perdices,
> palomas, gorriones
> y las codornices.

El mendigo de hoy de las grandes ciudades no se contenta con recoger unos cuartos y vivir malamente con ellos. Hoy la mendicidad tiende al delito. El holgazán que no quiere trabajar se provee de papeles falsos, simula una enfermedad o se lleva lo que puede.

La gente que nota más o menos conscientemente esta evolución no los llama pobres, vagabundos, indigentes, mendigos o pordioseros (de por Dios), sino que les dice mangantes, lo que significa, sin duda, el mendigo medio ladrón, del tipo del descuidero, porque mangar en germanía debe de ser, más que pedir, quitar. En esto el mendigo actual se parece al gitano, para quien pedir y robar son actividades igualmente lícitas.

Las habilidades y hasta la psicología de estos tipos no es cosa nueva de la psiquiatría actual. Se escribió mucho sobre ellos antiguamente. En España se les trató con extensión en la novela picaresca. Después se ha hablado mucho de ellos.

Yo tengo varios libros sobre los vagabundos y mendigos. Uno se titula *El azote de tunantes, holgazanes y vagabundos*. Obrita divertida y útil, en que se describen los engaños de los vagabundos y falsos mendigos que corren el mundo a costa nuestra. Refiérense muchos acontecidos en materia de vagos, para desengaño e instrucción de las personas incautas, crédulas y demasiado sencillas. Cuarta impresión. Aumentada considerablemente. Madrid. En la imprenta de Mateo Repullés, 1803.

En esta obra se señalan y caracterizan toda esta clase de mendigos: biantes, felsos, afrailes o frailes fingidos, abordones o falsos peregrinos, acaptivos, afarfantes o farsantes, acapones, lagrimantes, aturdidos, acayentes, cañabaldos, prestadores, tembladores, admirantes o milagreros, aconios que llevan imágenes; atacantados, que se fingen picados por la tarántula; mendrugueros, que sólo piden mendrugos de pan; crujientes, que tiritan; clerizantes, que fingen ser curas; rebautizados, palpadores, harineros, lampareros, que piden aceite para las lámparas de las iglesias; reliquieros, paulianos, colisiarios, lavanderos, croceantes a vendedores de azafrán, compadreros, familiosos, pobres vergonzantes, morganeros, testadores, atrasados, hormigotes o soldados fingidos, ensalmadores y claveros o vendedores de amuletos.

Según el autor, el adagio de todos estos pícaros se expresa así:

Con arte y con engaño
se vive medio año;
con ingenio y con arte
se vive la otra parte.

Sería un poco largo explicar con detalles la especialidad de los vagabundos y mendigos de que habla el autor de *El azote de tunantes*.

En Madrid he conocido hace años algunos tipos curiosos de mendigos.

Uno de ellos, ya viejo, bastante bien vestido y con bastón, se acercaba a algún jovencito que volvía a las altas horas de la noche, lo abordaba y le decía:

—¿No sé si habrá usted notado que le vengo siguiendo?

Según el tono del jovencito, en el que advertía indiferencia o miedo, el mendigo seguía:

—Pues sí, le vengo siguiendo. Se me ha muerto una hija en la flor de la edad y no tengo ni una vela para poner junto al cadáver. Eso me

pasa a mí, que he servido a la patria.

Si el jovencito tenía miedo, le daba todo el dinero que tenía. A mí aquel truhán me detuvo una vez en la calle de Preciados y me hizo la pregunta consabida en tono trágico. Yo le contesté que no le había advertido, porque estaba un poco sordo; pero que si quería podríamos entrar en una taberna del callejón de Preciados y en ella me podía explicar lo que quería.

El hombre aceptó, y entramos en la taberna. Había allí unos cuantos panaderos gallegos, que me conocían, y se echaron a reír.

—¿Viene usted aquí con este borrachín indecente?...—me preguntaron—. ¿Le ha hablado a usted de que se le ha muerto una hija?

—Sí.

—¿Quiere usted que le peguemos una paliza?

—Hombre, no. ¿Por qué?

El padre desconsolado, que tenía cara de pillo, sin decir nada cogió la puerta y salió corriendo.

Otro tipo curioso era una vieja que vivía en la calle del Avemaría en casa de un condiscípulo mío. Solía ponerse en una esquina, y allí, si se le acercaba alguno, le contaba grandes embustes, de que era hija de un general.

Mi condiscípulo aseguraba que a veces cantaba, con el velo echado, una habanera que comenzaba:

Nací en un bosque de cocoteros,
una mañana del mes de abril.

No todos los mendigos eran gente maleante. En la calle de la Esperancilla, cerca de la de Atocha, vivía en una casa de vecindad, probablemente en algún tabuco, un mendigo viejo, a quien algunos vecinos llamaban el *Ro-*

mántico. Este tenía buen aspecto, llevaba barba negra y melenas y cantaba, acompañándose de la guitarra, con mucha afinación. Las habaneras entonces ya viejas, como ¡Ay mamá, qué noche aquélla! y El último resplandor, las entonaba con gusto.

Este hombre no tenía nada de maleante. Como diría un folletinista, hay a veces alguna perla en el cieno.

LOS GITANOS

Viajando por el norte o por el mediodía de España—más por el mediodía que por el norte—, se ven pasar por los caminos caravanas numerosas de gitanos. Luego, al anochecer, en alguna hondonada próxima a un arroyo, se los ve alrededor del fuego con sus carros y sus caballerías.

Hay algunos—sobre todo en el Sur—hombres elegantes, de buen aspecto, que marchan en mulos y borricos adornados. Estos no paran en el campo y duermen en los pueblos; otros, más insociables y harapientos, prefieren, sin duda, pasar la noche a campo raso.

Es extraño cómo se puede vivir así, recorriendo países siempre en calidad de enemigos, en piratas de tierra, mirados por la gente de los pueblos por donde pasan con odio y con desprecio.

No se puede decir que ellos, advenedizos en todas partes, no sientan la hostilidad. Se ve que la sienten. Si para el campesino el gitano es un personaje indeseable, para el gitano el payo o el busné es un enemigo nato de su raza, a quien se puede impunemente robar o engañar.

¿De dónde viene esta tropa? ¿Qué hace? ¿De qué vive?

> Sorciers, bateleurs ou filous,
> reste inmonde
> d'un ancien monde,
> gais bohémiens, d'où venez-vous?,

preguntaba el viejo poeta Béranger.

Se puede asegurar que los gitanos no vienen de ninguna parte, porque están yendo y viniendo constantemente. Así, ellos nunca han sabido de dónde proceden, y siempre están en movimiento, porque, como dice uno de sus refranes:

Tamború sos ne piraba cocal ne chupardela.
(Perro que no anda, no tropieza con hueso.)

¿De qué viven? Deben vivir, principalmente, del robo y de la mendicidad; del robo en pequeño. Si hubieran ejercido el robo en grande, la raza gitana sería una raza noble. Pordiosear es vil; robar, no.

La base principal de la existencia de estos vagabundos es la mentira. Han hecho de ella el fondo de su comercio. Explotan la mentira y el engaño.

Yo creo que el gitano miente y engaña siempre: cuando dice la buenaventura, cuando vende caballos o burros, cuando los esquila o cuando compone calderas.

El gitano, como tipo natural y no formado por la cultura, es contradictorio. Da la impresión de desconfiado, de tímido y de cobarde, y, sin embargo, si se queda solo de noche en sitios tenebrosos, le asusta una zorra, un lagarto o un reptil que pasa por el camino, y es capaz después de comérselos; come también la gallina muerta por enfermedad y el cerdo enterrado por haber tenido el carbunco; insulta al alcalde del pueblo y respeta y teme al alguacil. Se ve que el gitano no comprende la manera de ser de las gentes de los pueblos por donde pasa. Un hombre decidido, con un palo, les hace retroceder a quince o a veinte.

El gitano no tiene moral. Abusa del infeliz a quien puede engañar y sorprender, y teme al que se le presenta con autoridad y con fuerza. En general, no parece sanguinario. Sus inclinaciones más destacadas son el robo, la rapiña, la pereza y la lubricidad.

Cuando el payo o el *busné* pasan por su lado al anochecer, le miran como diciendo:

«Yo te robaría con gusto, pero sé que tienes guardias civiles o gendarmes que te protegen, y por eso no te ataco.»

Hace años, en San Juan de Pic de Puerto, una muchachita, gitana vasca, me decía:

—Tomar lo que se necesita y quitárselo al que lo tiene no es robar.

—¿Y si el robado se defiende?

—Pues se le mata.

La chiquilla, que sin duda repetía lo que había oído a sus padres, decía:

—Las gitanas son fieles a los hombres cuando los quieren. Si no los quieren, son libres.

Cuando un viejo cabo de gendarmes solía ver a la gitanilla, la amenazaba bufando y la chica echaba a correr.

Este viejo cabo de gendarmes, del norte de Francia, que había estado en Argelia y en Grecia, solía ir a tomar una copa a la cantina de la posada donde yo me alojaba. Yo hablaba muchas veces con él. Tenía definiciones y frases tajantes para todo.

De los vascos decía:

—¡Los vascos! No es gente de paz. No hay más que mirarles a los ojos y ver cómo les brillan. Si pudieran, andarían por el monte de guerra o de contrabando...; pero no pueden..., son pocos. A nosotros nos odian porque los sujetamos, y nos llaman franchutes y gabachos. ¡Si pudieran!..., como a las lechuzas se los vería de noche andando de rapiña.

De los judíos tenía muy mala idea.

—Esos no son de ninguna parte —decía—. Son como lo que deja el retrete del tren al pasar por el campo.

A los gitanos los odiaba.

—Con esos canallas no debía haber compasión —decía—. Al que tumbara a un granuja de ésos de un tiro de fusil le debían dar un premio como al que mata un lobo o una zorra.

Yo encontraba demasiado categóricas las opiniones de este buen gendarme.

El gitano, ¿es de una raza única? ¿Tienen todos el mismo origen? Yo creo que no.

Durante mucho tiempo se hicieron extrañas conjeturas acerca de la patria inicial de los gitanos.

Se les creía egipcios, de la familia de los faraones, y se hablaba de sus jefes, que eran duques y condes. Martín del Río, en sus *Disquisitionum Magicarum*, cuenta cómo su maestro, Ignacio de Loyola, había visto en Toledo una tropa de gitanos que produjeron disturbios en una fiesta y eran mandados por un misterioso conde. Al final del siglo XVIII se publicó el libro de Grellman, que se tradujo al francés con el título *Histoires des bohémiens* (París, 1810). Desde la publicación de la obra, el origen de los gitanos comenzó a aclararse.

En este libro el autor reunió un número considerable de palabras gitanas, y encontró que la tercera parte eran de origen hindú. Intentando relacionar la construcción gramatical del gitano con la de las lenguas de la

India, halló una analogía tan evidente, que dedujo que los gitanos habían venido de aquel país. Fue más lejos aún en sus inducciones, y, estudiando los principales dialectos del Indostán, vino a sacar en consecuencia que el gitano era la lengua hablada por las tribus del Surate, al nordeste de la India.

Las teorías de Grellman parece que se han comprobado posteriormente, y hoy se les cree a los gitanos salidos de la tribu de Djatt o Jatt, establecida cerca de la desembocadura del Indus, en el país designado con el nombre de Sind.

Los gitanos son, indudablemente, parientes próximos de los parias.

Esta gente, que dice tantos nombres: gitanos, zíngaros, tzigamos, zincalis, gypsies, tchinguianes, cairds, carachis, bohemios, etc., y que entre ellos se llaman rom, romanos, romanicheles, ¿son de la misma raza? Es difícil saberlo.

A mí me ha parecido encontrar tres tipos distintos entre ellos. El gitano de España, a veces con facciones muy correctas, el color tostado, los ojos claros y el cuerpo esbelto, generalmente muy jactancioso; el gitano de Francia y de Alemania, con el color más cobrizo, la cara ancha, los labios gruesos, los ojos negros y el aire sombrío, que recuerda al indio, y luego, el tipo bohemio o húngaro, con su oso o su mona, de cara blanca y ojos claros y una voz plañidera, tipo medio eslavo, el más bonito y simpático de todos.

A algunos gitanos he oído decir que todos ellos se entienden con su idioma, el caló o el romano. Es posible que esta afirmación sea un principio de racismo cañí.

Para muchos, el gitano tiene gracia. Yo lo dudo. La gracia suya es protocolar, algo como es hoy la gracia andaluza, que está ya reglamentada, dosificada y hasta se puede fijar en recetas.

Ese es el resultado de llegar al tope de una cultura alta o baja. Cuando se llega a esto, el idioma se convierte en puras fórmulas. Lo que le pasa al gitano, le pasa en parte al andaluz y en parte al francés. Tienen frases hechas para todo.

Los gitanos, en general, han sido perseguidos. La mayoría de los escritores han opinado contra ellos, y algunos han preconizado su expulsión. Han tenido también sus defensores, como Borrow, inglés sensato y cuáquero, que experimentaba gran simpatía por estos errantes, amigos del engaño y del robo. Borrow, como se sabe, escribió Los zincali, un diccionario caló-español-inglés, y la novela Lavengro.

El gitano, ni en España ni fuera de ella, ha tenido bastante cultura para escribir sobre sí mismo.

En cambio, se ha escrito bastante acerca de él, aunque no de una manera realista.

La primera obra literaria en que el protagonista es de raza vagabunda es La gitanilla, de Cervantes. Aunque los cervantistas quieren poner toda la obra de su autor favorito a la altura del Quijote, La gitanilla no es más que un cuento inventado. La heroína de la novela, la Preciosa, es una silueta estilizada. El cuento tiene un argumento de comedia.

La Esmeralda de Nuestra Señora de París, con su cabra sabia y su puñal, es también una silueta inspirada en la de Cervantes.

Otro tipo literario de gitana, el más conocido hoy, es Carmen, de Mérimée. Carmen ha pasado, por los que han visto la ópera y no han leído la novela, por una andaluza, por una cigarrera sevillana, y no hay tal.

En la novela de Mérimée, Carmen es una gitana nacida en el pueblo vasconavarro de Echalar.

Una señorita rumana, estudiante en París, me decía que Carmen era la mujer del mediodía de España, y Micaela, la del norte, y que las simpatías suyas iban a la mujer meridional, a Carmen, todo fuego e instinto. Yo le decía:

—Originariamente al menos, no es eso. Para Mérimée, Carmen no es una andaluza: es una gitana. Además, está tan estilizada por el autor, por el libretista y por el músico, que cuando canta L'amour est enfant de Bohème ya no es una andaluza ni una gitana, sino una tiple francesa de la Opera.

Sobre los gitanos, el libro literario más notable es el Lavengro, de Borrow, que es bastante inverosímil.

En Francia y en Alemania se han escrito multitud de artículos y cuentos acerca de la vida de los marcelotes y de los heimathlos. Una novela bastante bonita es Sicoutrou pescador, de Francisco Parn.

La manifestación artística más importante de los gitanos se considera el cante flamenco. Yo no sé si hay alguna diferencia entre el cante flamenco y el cante jondo. Los técnicos sabrán apreciar los matices.

Yo me figuro que sobre la música andaluza clásica—a mi parecer de hombre indocto en estas cuestiones—, de tipo europeo, vino la influencia gitana, que le dio un aire oriental, exagerado, recargado, quejumbroso, que es lo que ha producido el cante flamenco.

La influencia gitana es, por su esencia, popular, plebeya, enemiga de todo lo noble, y representa muy bien las gracias del espíritu del paria.

He oído decir que la saeta andaluza es originariamente un canto judío. No sé qué razones habrá para creerlo así; pero no puede chocar este origen, porque la saeta tiene la emoción contenida y dolorosa de un pueblo que se siente esclavo de su señor y amo.

LOS JUDIOS

Ante la campaña antisemita que se desarrolla en Alemania—país influido y mediatizado por los judíos—, se comprende, poco más o menos, cuál será la actitud de los partidos populares en países como España. Los republicanos y socialistas tomarán la actitud judeófila; los conservadores se callarán y se abstendrán. Los mismos católicos no se manifestarán antisemitas, porque el antisemitismo no les agrada, pensando que puede ser una avanzada del anticristianismo.

El antisemitismo alemán, hoy exaltado, tiene que tener una explicación, una causa.

No creo que hoy a los judíos se les hagan los mismos reproches que les hacían antiguamente los cristianos, considerándolos como deicidas. En España, las acusaciones antihebraicas están reunidas en el libro del padre Alamín titulado Contra judíos (1).

(1) El libro se titula Impugnación contra el Talmud de los judíos, Alcorán de Mahoma y contra los herejes, y segunda parte de la religión cristiana, apostólica, católica y romana. Madrid, imprenta de Lorenzo Francisco Mojados, 1727.

Los reproches de los antisemitas actuales no están basados en la religión, sino más bien en la vida, en las ideas y en los procedimientos de los judíos en el comercio, en la Banca, en la política y en las artes; en conjunto, en la competencia y en el concepto de la moral.

Decir antisemitismo no es exacto ni preciso; lo lógico sería decir antijudaísmo.

No hay raza semítica; hay lenguas semíticas, y estas lenguas las hablan diversidad de razas.

Durante mucho tiempo, y por seguir las inspiraciones de la Biblia, se han confundido lenguas y razas, asimilándolas. Hay gente de estirpe europea que habla una lengua semítica, y gente de raza africana que habla una lengua aria.

Si por el idioma hubiera de clasificarse a los hombres, el negro de América, que habla el inglés, el español o el francés, debía llamarse ario o indogermánico, porque esas lenguas se consideran de raíz aria.

Sem, Cam y Jafet, hijos de Noé, quizá tengan algún valor como noción histórica para el problema del lenguaje; para la cuestión de las razas, ninguno.

Todo hace pensar que cuando se escribió la Biblia no se tenía idea de los chinos, ni de los pieles rojas, ni quizá tampoco de los negros. Probablemente la gran irrupción de éstos en Africa fue contemporánea o posterior a los tiempos bíblicos.

Que Cam, hijo de un Noé blanco, se convirtiera en negro como el betún por la maldición de su padre, es cosa bastante ridícula. Unicamente en *Rocambole*, de Ponson du Terrail, ocurren cosas parecidas.

Según la tradición de los judíos y de los árabes, los tres hijos de Noé eran muy distintos. Sem era el superior y el preferido; Jafet tuvo descendientes malvados y monstruosos, y Cam estaba destinado a la esclavitud.

Jehová acordó a los hijos de Sem todas las ventajas: el don exclusivo de la profecía, del apostolado y la soberanía sobre los demás pueblos. Judíos y mahometanos, que se creyeron investidos con esta misión, marcharon a la conquista del mundo; los unos, con el libro de cuentas, y los otros, con la espada en la mano. Unos y otros, a pesar de la denominación común de semitas, no son de una única e idéntica raza. No hay raza mahometana, como no hay raza judía.

A pesar de la pretendida pureza étnica de esta última, el pueblo judío es un grupo religioso y social con una mentalidad típica, pero no una raza. Por lo que se asegura, entre sefardíes y askenasin hay tanta o más diferencia que entre latinos y germanos.

★

Uno de los caracteres más salientes del judío es que no tiene patria. Su patria, Sión, es una cosa tan fantástica como la sede de los obispos católicos *in partibus infidelium*. No están unidos estos israelitas con lazos actuales a ninguno de los países del viejo mundo y no entran en sus clasificaciones. No tienen patria, y la mayoría no quieren tenerla. Su única patria antigua fue el *ghetto*.

Un francés, a pesar de su patriotismo, va a Inglaterra o a Holanda; su hijo es inglés u holandés; un español va a vivir a Francia o a Alemania: su hijo es francés o alemán. El hijo de un judío sigue siendo judío. Emigran a una ciudad norteamericana miles de alemanes, de franceses, de rusos, de polacos y de italianos.

No se ha hablado para nada en los padrones de que son israelitas. Al cabo de algún tiempo hay miles de judíos. Este cambiazo es muy hebraico; es un fraude de aire bíblico.

El pueblo que se siente así amenazado por una maniobra de extranjeros se alarma y mira a los invasores con antipatía.

En ese mismo pueblo se conocen las aptitudes características de los emigrantes: el inglés será un buen empleado, serio y formal; el alemán, un buen pedagogo; el francés, un buen mecánico; el italiano o el español, buenos trabajadores del campo. ¿Y el judío? El judío se les aparecerá a los habitantes proteico, movedizo, sólo fiel a su religión y a su comunidad teocrática.

Este no tomará parte en las preocupaciones generales, sino en las de su grupo. Visitará la sinagoga, y, a lo más, la logia masónica; tendrá una tienda de compraventa o una prendería, y empleará todos los recursos para enriquecerse. Lo mismo ha hecho en los países cristianos que en los mahometanos; lo mismo le han odiado en unos que en otros. Pensar que esto puede ser un capricho o una casualidad, es absurdo. Las *razzias* en los *ghettos* musulmanes y los *pogroms* de los pueblos eslavos tienen que tener una causa. El judío cree que está destinada para él la soberanía de los pueblos; que la Biblia y el Talmud son la panacea universal, y que el haber organizado el monoteísmo es alguna gran ventaja para el mundo, y que todos debemos estar por este motivo obligados a ellos.

Yo conocí en Londres hace treinta años, por Tarrida del Mármol, a varios judíos, y me preguntaron en serio si ya podrían entrar los israelitas en España... a dirigir la política.

Con esta idea de su superioridad y con el desprecio por los demás, el judío es hombre de pocos escrúpulos. Es el jesuita de la acera de enfrente.

En Tánger, hace muchos años, se hablaba riendo, entre algunos judíos, de jóvenes israelitas que iban a marchar a la América del Sur con la idea preconcebida de hacer, por lo menos, tres quiebras fraudulentas si no les marchaban bien los asuntos.

El judío en la vida oscura no es nada simpático para el pueblo. El francés, el alemán o el ruso le odian, porque comprenden que sin ataduras con el medio social, unido a otra comunidad independiente, dará la zancadilla a cualquiera. El obrero europeo encontrará al judío en la casa de préstamos y en la prendería, en la oficina de la Banca y en el bazar, nunca con un instrumento de trabajo en la mano.

★

Probablemente en la vida intelectual el judío tiene caracteres parecidos a los que tiene en la vida comercial—no tan claros, porque la inteligencia prescinde en muchas actividades de lo sentimental y de lo instintivo—. A un matemático—al menos en su obra—no es fácil señalarle la nacionalidad.

Lo principal para el judío intelectualista es llegar a ser algo y mandar; arrivismo, dominación y talento práctico. En esto sigue pareciéndose al jesuita. Para llegar, todos los procedimientos son buenos; la cuestión es tener éxito.

Una de las manifestaciones muy corrientes de la despreocupación judaica es el cambio de nombre. No es que no se dé en los demás individuos de otras razas; pero es mucho más frecuente entre los judíos. El hijo del judío alemán que vive en París se convierte de pronto en un Lajeunesse o en un Lafleur; el que va a vivir a Rusia se transforma en un Trotsky o en un Zinovief. En estos últimos tiempos de Alemania, los judíos tomaban nombres ilustres de todas partes; así, el doctor Cosme de Médicis o el ingeniero Rohan, que se anunciaban en una calle de Berlín o de Francfort, eran un Cohen o un Leví disfrazados.

En España tuvimos un Alvarez Méndez, sospechoso de judaísmo, que se convirtió en Mendizábal. Este y don Alejandro Aguado, conde de las Marismas, fueron los únicos banqueros que traspasaron las fronteras. Aguado se consideraba como judío de raza, y Mendizábal debía de tener la sospecha de su judaísmo.

Al intervenir en la ciencia y en la literatura, el judío es gesticulante, histriónico y reclamista. Lo es desde los hombres de gran talento, como Heine y Disraeli, hasta los de pequeño talento, como los Max Jacob. Lombroso y Freud se dan la mano con *Charlot*.

La vida de Benjamín Disraeli es muy característica del judío intelectual. Su literatura es hueca y brillante. El joven Benjamín es como un mono de talento que quiere escalar los altos puestos. Es charlatán, barroco y arrivista; llega a lord, a conde Beaconsfield, con lo cual su ansia de plebeyo debió de quedar calmada.

A pesar de su britanización, nunca deja de ser judío y antieuropeo, y trabaja para que los rusos en su tiempo no se apoderen de Constantinopla, lo que hubiera sido conveniente y civilizador para Europa.

El arrivismo del judío es una forma de su afán de mando. Quiere mandar. El mando se lo ha asignado Jehová. Los pueblos primitivos de la vieja Europa no quieren obedecer, y, naturalmente, menos a los judíos.

Pocos dictadores habrá habido tan fuertes y tan violentos como Daniel Manin, de la República de Venecia, hebreo con tendencias mesiánicas.

Al judío, para mandar en Europa, le estorban las diferenciaciones nacionales, regionales, etc.; quiere pasar la apisonadora por el continente; que no hay más valor que el dinero. «No hay más que economía, y el hombre es igual en todas partes—dice él—. Igual ante Jehová», añadirá en su casa.

El judío, más o menos conscientemente, ha luchado contra los particularismos de Europa y ha querido convertirla en un campo raso.

El católico como el judío socialista—los dos espiritualmente judíos—, quieren unificar el mundo, hacer operaciones aritméticas con los hombres y constituir Gobiernos ecuménicos.

Unidad católica y unidad socialista: los dos imperialismos nacen de la misma raíz.

Las principales tendencias universalistas modernas han tenido su personificación en algunos tipos judíos: la Banca, en los Rothschild; el socialismo, en Lasalle y en Karl Marx; ahora el comunismo, en Trotsky, Zinovief y gentes de la misma calaña. Unicamente la guerra, el arte y la gran música se han escapado a los judíos.

Los judíos atacan, más o menos disimuladamente, todo lo que no es suyo, con una malicia de simio. Así vemos a un historiador como J. Salvador buscando el modo de achicar la figura de Jesucristo, estudiándola, no con un criterio histórico, como Strauss o Renan, sino con un criterio de rabino. Vemos a un músico inspirado—Offenbach—y a un libretista de ingenio—Halévy—, los dos judíos, que ponen en solfa en *La bella Elena* y en *Orfeo en los infiernos* a dioses de una religión europea muerta e ilustre como el paganismo. No lo hubieran hecho seguramente con personajes bíblicos. Muchos historiadores judíos actuales se muestran enemigos de la prehistoria porque derrumba los mitos arrinconados del *Génesis*, y críticos de arte como Maier-Graefe niegan obras antiguas de importancia para elogiar pequeñas mistificaciones modernas expuestas en la casa de algún chamarilero amigo suyo.

Al mismo Einstein—por lo que dijo alguno de sus acompañantes—no le interesaba la catedral de Toledo; pero le entusiasmaba Santa María la Blanca, que no tiene gran cosa que admirar más que sus paredes de yeso y el haber sido sinagoga.

El judío aparece en todo lo que le molesta al europeo y cree que le desacredita: en la usura, en los cambios, en eso que llaman la *valuta*, en la novela y en el teatro eróticos, en el cubismo, en la legitimación del homosexualismo con Freud y compañía.

En Alemania viven en el mismo establo el mastodonte germánico y la mona judía. No es raro que de cuando en cuando riñan y se tiren los trastos a la cabeza.

LOS JESUITAS

Es evidente que Ignacio y Javier, los dos fundadores vascos de la Compañía de Jesús, eran, entre sus compañeros, los más exaltados e inspirados.

Voltaire encuentra en Loyola rasgos de caballero andante. Un escritor que se ocultaba en el seudónimo de *Hércules Rasiel de Silva* escribió un libro titulado *Historia del admirable caballero don Iñigo de Guipúzcoa,* libro impreso en La Haya a mediados del siglo XVIII, en el cual se pinta a San Ignacio como al héroe de Cervantes.

Loyola es un Don Quijote que realiza sus sueños. Siguiendo su marcha de exaltación, de astucia, según Voltaire, se acaba en la horca o en los altares.

Lo que Loyola y Javier pudiesen tener de vascos era seguramente el ímpetu fisiológico de una raza europea de capacidad natural, encerrada en un rincón del mundo, con un idioma milenario, impenetrable a la cultura. Las ideas de los dos fundadores eran las ideas del tiempo en el mundo católico.

Houston Stewart Chamberlain hace la afirmación de que la célebre frase de Loyola sobre la obediencia *Perinde ac cadaver* («como un cadáver») es de procedencia vasca, de origen no ario. La afirmación es tendenciosa y falsa. Primeramente, Loyola no dijo que había que obedecer en todo como un cadáver. Dijo: *Perinde ac cadaver in omnibus ubi peccatum non cerneretur* («como un cadáver en todo aquello donde no se advierta pecado»). Esta frase Loyola no la hubiera podido traducir al vascuence sin emplear palabras de origen latino. No nació, pues, del vasco.

Los pueblos primitivos de Europa anteriores a las invasiones históricas asiáticas no eran monoteístas, sino practicantes de la astrolatría, del animismo y de la magia. En el fondo, ateos. Un obispo del siglo XV, el Gerundense, comentando un párrafo de

Estrabón, afirma que, todavía en su tiempo, las gentes del norte de España no tenían Dios.

La idea de Dios ha sido una invención de los arios y de los semitas.

Ni San Ignacio ni San Francisco Javier se sintieron vascos, y desde que salieron de su país no se ocuparon para nada de él. Eran universalistas. No tenían nada de euzkadianos de su tiempo. Se puede sospechar que si hubieran vivido ahora hubiesen mirado con desdén las pequeñas lucubraciones sacristanescas de Sabino Arana y sus discípulos.

Los fundadores de la Compañía de Jesús dieron a ésta un espíritu heroico, militar, férreo. Pronto este espíritu evolucionó, cambió, se sutilizó y dio una gran floración de escritores, teólogos y moralistas de una acusada originalidad. Esto fue el verdadero jesuitismo.

En el comienzo, la Compañía tiene un influjo hispanoitalofrancés; más tarde influyen en ella los flamencos, los alemanes y hasta los eslavos, polacos y rusos.

¿Qué relación hay entre los vascos y ese espíritu jesuita agudo y lleno de sutilidades? Ninguna. Ni siquiera hubo jesuitas vascos importantes después del fundador y de su gran colaborador; es decir, después de la creación de la técnica y de la moral jesuíticas. Todas las sutilezas y distingos de teólogos y casuistas no podían llegar a un país que apenas hablaba el castellano. Para ello se necesitaba conocer muy bien un idioma moderno y tener latinistas, dos condiciones que no reunían los hombres de Vasconia.

Encontrar el espíritu jesuita entre los vascos sería tan difícil o más que hallar rastros del espíritu del padre Mariana entre los talaveranos, o el de Luis de Molina entre los granadinos. Si se publicaran páginas de Mariana, Escobar, Molina y Gracián y se dieran a leer a los aldeanos vascos como producto indígena, se encontrarían tan asombrados como si a un caballo le mostraran hijos suyos que fueran buitres o cuervos.

Un vasco muy destacado, el abate de Saint-Cyran, conocido por Duvergier de Hauranne, pero cuyo primer apellido era Etcheverry, fue uno de los hombres más hostiles a la moral jesuítica. El libro del matrimonio, del padre Sánchez, le producía una enorme repugnancia.

Se puede asegurar que en el jesuitismo hubo algo de ímpetu vasco (las secreciones internas), pero no la ideología, que es producto de cultura. La ideología la crearon los que hablaban y escribían en idiomas latinos: castellanos, andaluces, italianos, aragoneses, catalanes, franceses, etc., que florecieron en la Orden.

La organización interna de la Compañía, comenzada por Loyola, debió de ser transformada por Láinez, a quien se le tenía por judío de origen, y por el saboyano Lefèvre. Después intervinieron hombres de toda Europa. La floración de la Compañía de Jesús fue extraordinaria. Los jesuitas conmovieron el mundo con sus teorías y su audacia. Escobar, Soto, Mariana, Suárez, Molina...

La importancia de Escobar se puede presumir por el dato de que, en francés, ha quedado la palabra *escobarderie*, en sentido de sutileza casuística, y el verbo *escobarder*.

Boileau escribió:

> *Si Bourdaloue, un peu sevère,*
> *nous dit; Graignez la volupté,*
> *«Escobar—lui dit-on—, mon père,*
> *nous la permet, pour la santé.»*

La Fontaine compuso una *Balada* sobre Escobar, que terminaba con este envío:

*Toi, que l'orgueil poussa dans la voirie
qui tient là-bas noire conciergerie,
Lucifer, chef des infernales cours,
pour éviter les traits de ta furie,
Escobar sait un chemin de velours.*

Las teorías de Molina, el conquense, sobre la gracia, dividieron a los teólogos de Europa en molinistas y antimolinistas. De todos estos teólogos y moralistas sabemos la mayoría algo por las *Provinciales*, de Pascal. El libro de Pascal es un libro único en este sentido, libro que no ha sabido hacer ningún español ni antes ni después.

A pesar de su genio, hay que reconocer que Pascal, en esta cuestión, defendía el lugar común ético; en cambio, los jesuitas eran los libertarios del tiempo, los que llevaban la crítica hasta sus últimas consecuencias.

Muy pocos deben conocer a fondo la obra de los casuistas españoles.

Hace años estuvo en Madrid un profesor alemán, que pretendía llevarse libros de esos autores. En las librerías no encontró ninguno. Los más importantes no estaban, según dijo, ni siquiera en la Biblioteca Nacional.

A pesar de que en su tiempo se hicieron, al parecer, numerosas ediciones de los teólogos casuistas, yo no he visto, en los muchos años que he husmeado en las librerías de viejo, ni un ejemplar de Escobar, de Molina o de Soto, ni en castellano ni en latín.

Nadie ha estudiado en España a estos autores ilustres que conmovieron el mundo con sus doctrinas. Menéndez y Pelayo era hombre de espíritu demasiado cauto y suspicaz para internarse en un campo tan difícil para un católico.

Aunque uno no ha podido conocer la moral jesuita probabilista y casuista en sus propias fuentes, tiene uno cierta idea de ella por trozos y resúmenes de escritores enemigos del jesuitismo. Los amigos no se han atrevido a decir nada de esto, y sus defensas han sido banales y dulzonas. Hubiesen tenido que tratar a fondo la cuestión de la moral laxa, el tiranicidio preconizado por Mariana y otros autores de la Compañía, y les ha faltado valor.

La moral jesuítica y todo el jesuitismo tendía a reemplazar la utopía cristiana irrealizable por un pragmatismo realista y posible. ¿En dónde hubiese terminado esta tendencia si hubiese podido realizarse y continuar? No es fácil preveerlo. Probablemente, en una ética naturalista y realista.

La antinomia violenta que se desprende del Evangelio entre Cristo y el mundo, los jesuitas intentaron hacerla desaparecer con la moral laxa. El pecado, a fuerza de mirarlo, de remirarlo, de pesarlo y de analizarlo, desaparece y se esfuma. Bastan unas cuantas prácticas para salvarse.

Yo encuentro esta actitud perfectamente lógica. O lo uno o lo otro, como siglos después decía Kierkegaard. O al yermo o a la vida, con todas sus irregularidades.

Las dos posiciones extremas, la del hombre de acción y la del místico, tienen su grandeza. La posición media, la corriente, es la mezquina y la pobre.

Ibsen simbolizó de una manera poemática las dos actitudes decisivas ante la vida: la una, en Juan Gabriel Borckmann (la tendencia de poner las fuerzas del mundo en movimiento); la otra, en Brand (el ideal de adaptar la vida a la moral cristiana).

Se dice que la moral jesuítica está hecha a base de hipocresía; yo encuentro todo lo contrario: que hay en ella una tendencia a la probidad y a la claridad.

Se asegura que los jesuitas fueron los que sustentaron la máxima «El fin justifica los medios». El padre Busenbaum, jesuita de Westfalia, del siglo XVII, dijo en su libro *Medulla theologiæ moralis: «Quum finis ets licitus etiam media sunt licita.»*

No sería muy difícil encontrar enunciado este principio en autores muy anteriores a los jesuitas. En la práctica, Bruto, Catilina, César Borgia, lo siguieron. Modernamente, los bolcheviques, los fascistas y los anarquistas de acción lo han seguido también, sin haber necesitado leerlo en ningún libro de casuismo.

La moral laxa de los jesuitas y el probabilismo intentan buscar al hombre tal como es, basarse en su naturaleza, no en un puritanismo fingido.

Lo que predispone a la hipocresía en una sociedad es ver que detrás de una fraseología idealista la vida es sucia y llena de inmoralidades. Son más repulsivas las gentes que presumen de austeras y son ruines y crapulosas que los hombres viciosos que no presumen de nada y no pretenden ser modelos de conducta.

El jesuita vio al hombre pequeño, interesado, egoísta, vanidoso, y quiso hacer una moral para él. No iba a construir una ética de caballeros andantes, ni de héroes, sino una ética para las gentes que conocía por el trato y por el confesonario.

Respecto a las conspiraciones, intrigas y misterios de los jesuitas, que tienen su expresión popular en la figura de Rodin, de *El judío errante*, de Eugenio Sue, constituye una literatura de portería, de poco valor. Es una literatura que gira alrededor de un tópico. *La familia de León Roch* y *Gloria*, de Pérez Galdós, son también de la misma clase: libros pesados, farragosos, si no para cocineras, para republicanos de los que tienen

el cerebro lleno de fórmulas doctrinarias.

En el sueño de Iván Karamazoff, de la novela de Dostoyevski, hay más filosofía y más alma que en todas las obras de nuestros anticlericales, incluidos Galdós y Blasco Ibáñez.

El reverso de la medalla, el otro tópico, éste para los clericales, es la masonería con sus hombres barbudos, sus puñales, sus espadas de latón, sus palabras misteriosas y sus escenas de revista cómico-lírico-bailable.

Con la misma energía que los jesuitas ilustres de los siglos XVI y XVII penetraron en la moral, otros escritores de la Compañía, en el siglo XVIII, buscaron la verdad en la Historia y la Filología.

Eran los expulsados en tiempo de Carlos III por el conde de Aranda. Como los de los siglos XVI y XVII desmoronaban la moral cristiana e intentaban acercar la ética a la naturaleza de los instintos, los del XVIII luchaban a brazo partido con la fábula histórica y con los mitos. Los dos ejemplares más destacados de estos destructores son Masdéu y Hervás y Panduro. Masdéu, en su larga historia de España, intenta echar abajo todo lo que le parece ficción. Hervás y Panduro recoge los datos que encuentra a mano para aclarar sus problemas. No hay en ninguno de ellos el menor respeto a la tradición. Van abriéndose camino en la selva virgen como pueden. Todo en ellos es racionalismo y libre examen.

Pasada esta brillante época, la cultura jesuítica se estanca.

La tendencia al realismo que se observa en los autores jesuitas, unas veces unida a la sencillez, otras al conceptismo, como en Gracián, desaparece y se borra en el siglo XIX.

En nuestro tiempo, el jesuita pierde sus líneas fuertes: se hace blando, amadamado, cursi.

Los jesuitas españoles, y aun no españoles del siglo XIX son la mediocridad. La gran fibra de sus escritores de antaño ha desaparecido. Don Antonio Maura creía que ellos y los de otras Ordenes representaban la ciencia. Para este político desafortunado, escritor gárrulo y confuso, la ciencia debía de ser el silogismo y el comentario del artículo del Código.

En el siglo XIX, en España, no se destaca ningún jesuita libre. El más conocido es el padre Coloma, espíritu cominero y adulador, que había heredado algo de las gracias de una dama amanerada y repipiada como *Fernán Caballero*.

Los jesuitas de hoy sirven para exhibirse como los políticos y dar conferencias efectistas de seudociencia, para hacer bodas, recomponer matrimonios y hasta para proporcionar nodrizas y realizar otros menesteres domésticos.

A los jesuitas, ya sin fuerza, nuestros radicales les han querido dar el golpe de gracia, por aquello de a moro muerto, gran lanzada.

Es posible que esta lanzada les haya hecho revivir algún tiempo. Para nosotros — los escasos liberales del tiempo—la fórmula clásica de los fisiócratas: «Dejad hacer, dejad pasar», es la que acaba con todo lo que está destinado a morir, y acabaría con los jesuitas mejor que las proscripciones.

LOS MASONES

El hablar de los jesuitas da ganas de decir algo sobre los masones. Han sido los dos polos de la política del siglo XIX y los cocos de la sociedad. Muchas veces los han relacionado a unos con otros. Un librero de viejo del Barrio Latino, de París, del tiempo de la Revolución francesa, republicano y martinista, escribió un libro titulado *Los jesuitas echados de la masonería y sus puñales rotos por los masones,* libro en el cual trata de demostrar que los jesuitas eran masones de la secta de los Rosa Cruz (1).

El público une con gusto los extremos. Cuando Mateo Morral echó la bomba en la calle Mayor y desapareció por unos días, había gente que decía:

—Ese anarquista estará escondido en algún convento de jesuitas.

Al pueblo le gusta el folletín.

Se han relacionado con frecuencia jesuitismo y masonería. Se ha considerado a las dos asociaciones tenebrosas. No sabemos qué puede haber de cierto en ello. No tiene uno datos para creerlo.

No hay una historia de la masonería de algún valor; todas son fabulosas, misteriosas, llenas de mistificaciones. Hay un libro de Rebold, otro de Clavel, otro de Truth, otro de Dantón ∴ 1, con un prólogo de don Emilio Castelar, publicado en Barcelona, y otro de J. G. Findel, que parece el mejor y el más sensato. Hay, además, unos *Manuales* de Ragón y los infundios de Leo Taxil sobre el satanismo de las mujeres masonas (el paladismo), que luego desmintió el autor cínicamente y los presentó como místificaciones inventadas por él.

---

(1) Hay también una obra moderna, titulada *Les infiltrations maçonniques dans l'Eglise,* par l'abbé Emmanuel Barbier. Desclée, 1910.

Para explicar los orígenes de la masonería, los especialistas nos hablan de Adán y Eva, del Arca de Noé, de la torre de Babel, de las Pirámides de Egipto, de la Biblia en verso y en prosa. Hablan también del arquitecto Hiram o Abi Hiram, que construyó el templo de Salomón y murió violentamente; de un Adonhiram que, al parecer, era capataz y que simbólicamente representa unas veces a Cristo, otras a Manes, otras al pueblo, otras al Sol, otras a Jacques Molay, y de otras monsergas y cuentos que, si no tártaros, son judaicos.

Las sociedades secretas medievales, la de los Templarios y las *guildas*, como antecedentes de las logias son fantasías. La relación de la masonería con los signos de las piedras de las iglesias románicas no tiene realidad alguna. Se llamaron signos masónicos adaptando la palabra del francés a las señales hechas por los antiguos canteros.

Que ha habido asociaciones secretas más o menos en contra de lo estatuido desde los más lejanos tiempos, es evidente. Lo han demostrado los etnógrafos que han encontrado restos de clubs entre los pueblos salvajes. Estas asociaciones no se han continuado unas en otras.

Las doctrinas misteriosas y ocultistas han servido para los asistentes a los conciliábulos secretos. Los misterios de Eleusis y de Isis, el culto de Mitra, las fiestas dionisíacas, las bacanales romanas y los aquelarres medievales debían de tener algo de masonería popular.

Las fantasías de Filóstrato en la *Vida de Apolonio de Tiana*, de Plotino, Porfirio, Jámblico y Proclo y otros neoplatónicos y pitagóricos cultivadores de la magia caldea; el maniqueísmo y las sectas gnósticas; las ideas de los magos medievales como Alberto *el Grande* y Miguel Escoto; de los médicos Cornelio Agripa y Cardan, ya en el Renacimiento, y de los embaucadores más modernos, como el conde de San Germán, Cagliostro y Martínez Pasqualis, dejaron un rastro de misticismo. Ellas se mezclan con las utopías políticas y sociales, sobre todo al comienzo del siglo XVIII, y engendraron la masonería.

Esta se organizó en Inglaterra. Así lo cree la mayoría.

«La constitución de los francmasones es la obra del predicador James Anderson», dice Salomón Reinach en su libro *Orfeo*.

«La orden masónica, en su organización y en su forma, no data más que del siglo XVIII», segura Findel.

Ragón añade, fijando la fecha: «Del año 1717 data la orden masónica.»

Otro tratadista asegura que nació en una reunión del hotel del Manzano, en Londres, el 24 de junio de 1717. En esta reunión se crea la Gran Logia de Inglaterra. Algunos dicen que la masonería fue fundada en Francia por el barón de Ramsay.

La masonería aparece poco después en todos los pueblos de Europa.

Al avanzar el siglo XVIII, el carácter de utopía social de la masonería se acentúa. En las listas masónicas aparecen los nombres de Voltaire, Franklin, Lessing, Lavater, Helvetius, Mirabeau, Fouché.

Nos maravilla ver en la lista de masones el nombre de Mozart. ¿Qué hacía este ruiseñor en la misma jaula que los aguiluchos? No lo sabemos.

Se afirma que la masonería influyó poderosamente en la Revolución francesa. No parece que esto sea tan cierto como se asegura.

En los acontecimientos posteriores ejerció su influjo. La Tugendbund y la Burschenschaft, de Alemania, debían de ser sociedades secretas de carácter masónico, como la mayoría de las sociedades políticas que se crearon en Francia en el siglo XIX contra la monarquía.

Respecto a España, se dice que en 1726 se estableció la primera logia en Gibraltar y en 1727 otra en Madrid, en la calle Ancha de San Bernardo, fundada por el duque Felipe de Warthon. No hay documento auténtico que lo atestigüe.

En tiempo de Carlos III, la masonería debió de extenderse en nuestro país, y, al parecer, el conde de Aranda fue el primer gran maestre del Gran Oriente nacional de España, fundado en 1780. La masonería debió de actuar muy poco en ese tiempo y ser una institución neutra.

Sobre la masonería en España hay varios libros; pero ninguno vale gran cosa. Los que tienen más datos, pero están llenos de falsedades y de embustes, son el de don Vicente de la Fuente, *Historia de las sociedades secretas antiguas y modernas de España*, y los de Tirado y Rojas, *La masonería en España* y *Las traslogias*. Hay también un libro de Díaz Pérez, *La francmasonería en España*, y otro de Morayta sobre lo mismo.

Morayta, que debió de ser Gran Maestre, parecía lógico que supiera mucho; pero, a juzgar por su libro, mediocre y confuso, sabía muy poco.

Hay también folletos sobre la masonería: el de Luis Durcos, *Historia cierta de la secta de los francmasones*, Madrid, 1813, y el *Centinela contra francmasones*. Discurso. Madrid, 1815. Este folleto es del padre fray José Torrubia, franciscano, que había viajado por Francia e Italia y era autor de la *Crónica de la seráfica Orden de San Francisco*, publicada en Roma.

Hay, además, un novelón histórico titulado *Historia de las sectas secretas o el francmasón proscrito*, de don José Mariano Riera y Comas, que tiene las trazas de ser una serie de *bolas* difíciles de tragar. Como se ve, la bibliografía masónica española es muy escasa.

Desde el principio del siglo XIX, la masonería se encuentra en toda la historia de España. Se cree que hoy persiste su influencia.

Las sociedades secretas empiezan a actuar con energía en la guerra de la Independencia. En esta época comienza la expansión intensa de las logias. La masonería en España es exclusivamente política. De ella sale el partido liberal, con sus dos ramas, moderada y exaltada, y después el partido progresista. Ya el partido demócrata y el republicano se forman de un modo más público.

De todo ello se sabe poco con exactitud y con detalles. No ha quedado documentación. En la primera época absolutista fernandina los masones debieron de quemar sus papeles por precaución; después, en los años que se han llamado la ominosa década de Calomarde, pasó lo propio, y en tiempo de Narváez, lo mismo. Además, se destruyeron muchos procesos políticos al decretarse las amnistías.

De todo esto resulta que los masones, al menos en España, saben tan poco de historia de su sociedad estando dentro de ella como los que estamos fuera.

En las Memorias del siglo XIX de García de León Pizarro, de Alcalá Galiano, Fernández de Córdoba, etc., se tropieza constantemente con la masonería.

La secta en seguida se divide; unos quieren la acción política eficaz, otros la continuación de los ritos teatrales. Los primeros se hacen disidentes y van formando sociedades diversas: Comuneros, Carbonarios, La Isabelina, Los Europeos, El Tiro Nacional, etcétera; los otros se llaman Rosa Cruces, Caballeros Kadosch, Templarios, Filadelfos del rito de Misraim, del rito de Menfis y otras denominaciones un poco absurdas.

En Francia quedan tres ritos: el francés, el escocés y el de Misraim. El francés antiguo, el escocés creado en América por un judío llamado Stephen Morin en 1765 y llevado a Europa por el conde de Grasse-Tilly, y el rito de Misraim, fundado durante el Imperio por los altos dignatarios y militares.

En España hay ritos semejantes, formando al principio cuatro Grandes Orientes, que debieron quedar con el tiempo reducidos a dos.

Del 1820 al 23, *El Universal* y *El Imparcial*, periódicos masones, se burlan de las ceremonias de los comuneros, y *El Zurriago* y *La Tercerola*, comuneros, ponen en ridículo las de los masones.

Entre estos mismos hay una gran suspicacia. En un folleto de Santiago y Rotalde, *L'Espagne dévoilée ou Mémoire sur l'Espagne dans la présente crise politique*, París, 1830, se habla de que existe una masonería blanca, creada durante la guerra de la Independencia con fines patrióticos, en la que intervienen aristócratas, generales y curas, de la cual, según el autor, tienen que desconfiar los verdaderos masones.

El carácter secreto de sus sociedades dio un tipo común en el tiempo a reaccionarios y a revolucionarios. Así, algunos suponen que el Angel Exterminador, la Santa Fe y la Confederación de Realistas puros eran masónicas.

Se habló también de asociaciones con fines libertinos de hombres y mujeres, como la Dulce Alianza, de la cual no hay ningún documento auténtico.

De la masonería moderna, yo no tengo muchos datos.

Mi padre contaba que, a raíz de la revolución de septiembre, y encontrándose él de ingeniero de minas en Riotinto, aparecieron unos comisionados masones a hacer prosélitos, e invitaron a ingenieros y a capataces a ingresar en la sociedad. Era indispensable para ello practicar una religión, o, por lo menos, creer en Dios y en la inmortalidad del alma. Uno de los ingenieros, al oírlo, parece que dijo cómicamente:

—Si nos exigieran afirmar que los tres ángulos de un triángulo valen dos rectos, ya sería más fácil hacerlo; pero eso de la inmortalidad del alma está fuera de nuestras atribuciones.

La ideología religiosa y social de la secta no parece que sea nada revolucionario. Entre sus dogmas sociales está la defensa de la propiedad privada. Se dice que hay en la masonería una influencia judía y conservadora. Se cuenta también una historia fantástica del duque de la Torre, que, al llegar al grado 33, le quisieron obligar a escupir sobre un crucifijo. La cosa tiene aire de ser demasiado burda y demasiado estúpida.

En la muerte de Prim se dice que tomó parte una logia masónica.

Como los jesuitas modernos se dedicaron, según la gente, a hacer negocios y a preparar buenas bodas y a conseguir para el joven respetuoso la mano de la hija honrada del padre ladrón, como dijo Silvela, ideal del señorito español circunspecto y devoto, los masones tuvieron su tacto de codos para subir y prosperar. Estos, en nuestra época, no han sido gentes de armas tomar, sino arrivistas y cucos.

Antes de la sublevación de Filipinas se decía que la logia de Madrid, dirigida por Morayta, sacaba dinero de los diplomas que daba a los filipinos separatistas.

Cuando la guerra europea, la masonería, que estaba muy en baja, subió bastante. Los franceses e ingleses debieron mandar medios pecuniarios para hacer la propaganda aliadófila por las logias. El doctor Simarro, que dicen que era el Gran Maestre, formó el equipo aliadófilo-masónico-ateneísta, que supo beneficiarse años después del advenimiento de la República y darlo como resultado de sus esfuerzos.

Durante la Dictadura, la masonería cayó de nuevo. Un masón conspicuo me explicó con cierto sentimentalismo el final de una logia instalada en una casa en el Pretil de los Consejos. Yo creí que me iba a contar algo trágico; pero no. Al parecer, se reunieron unos pocos, se encontró con que no cotizaba nadie y que no había gente para tomar acuerdos, y se clausuró por entonces el templo. Yo estuve por decirle:

—Tendrán ustedes que poner en el local un salón de baile.

No creo yo tampoco que la masonería pueda tener ya mucha vida. Los partidos nuevos obreros, socialistas, comunistas y anarquistas, no la miran con simpatía; la consideran como una sociedad burguesa, teatral, palabrera, y, a lo más, de socorros mutuos.

Mussolini, en su último discurso, ha hablado del fascismo como si fuera San Jorge, destructor no de un dragón, sino de muchos dragones, entre ellos el de la masonería.

Este señor Mussolini, con su vieja retórica d'annunziana, a pesar de su jersey negro, de su mandíbula y de sus actitudes, se ve que es un San Jorge un poco mediocre, que se vanagloria de cosas bastante insignificantes.

EL EXTREMISTA

Cada época tiene sus palabras favoritas. En nuestro tiempo, la palabra *extremista* ha tenido gran éxito. No parece muy necesario explicar lo que se entiende por extremista; todo el mundo lo sabe. La palabra es más fácil de comprender que las de maximalistas y minimalistas, de mayoritarios y minoritarios, que se emplearon con frecuencia en tiempo de la guerra, y que muchos no sabíamos a punto fijo lo que querían significar.

Extremista es palabra clara y expresiva; no necesita explicación ni definición. Demos por sentado que sabemos lo que es. Un extremista es un doctrinario exagerado, intransigente, recalcitrante, que no admite términos medios. Parece que su alternativa para la mayoría de las cosas ha de ser: todo o nada.

Las gentes correctas y bien avenidas con su tiempo que se encuentran en una postura cómoda, los buenos burgueses gubernamentales con catorce sueldos—algunos con etiqueta socialista—, quieren creer que los extremistas son unos mentecatos caprichosos que, encontrándose en la abundancia de todo, les da la ventolera de ser insensatos, de protestar y rabiar.

La cosa es cándida. A la gente gubernamental, un tanto sanchopancesca, le choca que los extremistas, comunistas y anarquistas sean enemigos de la República parlamentaria y conservadora; les choca también que los extremistas del otro lado miren con antipatía un Gobierno capitalista. Es curioso, que, no siendo más que cuatro o cinco ideas primarias y vulgares las que se agitan en la política, no las comprendan o no las quieran comprender.

El gubernamental parte de la idea de que el Gobierno y la sociedad son algo honesto y bien constituido, que todos deben respetar y ayudar. El extremista supone lo contrario. Del primer concepto nace esa predicación crónica del gobernante que quiere que todos los habitantes del país intenvengan en la política y tengan responsabilidad, la misma responsabilidad, porque—aquí viene la losa del lugar común—todos son ciudadanos. El gobernante se siente maestro de escuela y no quiere que haya niños díscolos en la clase.

Para estos buenos demócratas, el ciudadano ministro o el ciudadano embajador con setenta u ochenta mil duros de sueldo y hasta sus pantalones cortos de etiqueta es igualmente responsable de las cosas públicas que el ciudadano pocero, el ciudadano gañán de cortijo o el ciudadano limpiabotas. Como unos y otros tienen el mismo privilegio de echar cada cierto número de años una papeleta en una urna de cristal, no puede haber diferencia en ellos. La diferencia de comer, de beber, de alojarse bien, de vestir, de divertirse, etc., eso no se cuenta dentro de la dogmática gubernamental. Lo trascendental es la papeleta.

Aunque es perfectamente teórica y los fieles se la saltan a la torera, ¡cuánto más efusiva y más cordial es la igualdad en las religiones, basada en que no hay diferencias en los hombres ante la pequeñez y la miseria de la vida, que no esta igualdad de papeleta! Hasta los que nos inclinamos a pensar que el hombre es un lobo pa-

ra el hombre, no tenemos más remedio que reconocerlo.

En contra de la prédica del gubernamental, el extremista hace la contraria. El Gobierno y la sociedad, según él, están basados en el fraude, en el engaño y en la violencia. Hay que declararles la guerra.

El gubernamental siempre dice lo mismo:

—Antes, cuando mandaban los otros, la protesta estaba bien. Ya no tiene objeto.

El extremista contesta:

—Ahora lo mismo que antes.

El «ya no tiene objeto» de los gubernamentales se dijo lo mismo en tiempo de Calomarde, Martínez de la Rosa, Espartero, Narváez, Prim, Cánovas, Sagasta y Primo de Rivera.

El «ahora lo mismo que antes» lo afirmaron en su época los liberales, los progresistas, los demócratas, los republicanos, que entonces eran extremistas. Hoy lo dicen comunistas y anarquistas.

Las dos tendencias debaten constantemente.

Después de haber indicado la separación irreducible que existe entre gubernamentales y extremistas, señalaremos las distintas clases de éstos.

EL EXTREMISTA DE LA ARISTOCRACIA

Una familia aristocrática no quiere decir en nuestra época, en España, una familia de antiguo linaje que venga de las cruzadas, como los personajes del vizconde Ponson du Terrail, o como el mismo vizconde; quiere decir una familia rica, poderosa, que lleva, por lo menos, dos o tres generaciones en la opulencia, proceda de grandes capitanes o de grandes usureros.

El hombre de la aristocracia tiene

propiedades, cortijos, montes. Ha vivido siempre en grande, ha hecho lo que le ha dado la gana. De pronto han cambiado los tiempos, y se encuentra con limitaciones de sus fueros de propietario por todas partes.

El hombre es soberbio, egoísta, puntilloso; cree que su persona es una joya, que su vida es trascendental y distinta a la de los demás. Se siente el *pater-familias*, el jefe. Su hacienda es tabú. Se desespera al verse privado de sus prerrogativas.

Su padre, que no era mejor ni peor que él, vivió hecho un reyezuelo. De joven hizo sus calaveradas, se propasó y se respetaron sus caprichos. No tuvo tropiezo en la vida. De hombre ejerció de cacique, cambió alcaldes y secretarios de Ayuntamiento, dio órdenes a la Guardia Civil como si fuera autoridad, fue tratado por el político importante de Madrid de potencia a potencia. Llegó a diputado, a senador; se le tuvo por hombre ilustre, por beneficioso para la provincia, y se le hizo un entierro de gran pompa. Si llega a ser un mediano orador y a soltar unos cuantos lugares comunes pomposos—dado el entusiasmo del país por la oratoria—, tendría una estatua, o, por lo menos, un busto en la plaza del pueblo.

El hijo piensa: «¿Por qué no ha de vivir él como su padre? ¿No es igualmente rico? ¿No tiene los mismos recursos?» Y al verse sitiado por el Sindicato, por los obreros, por el gobernador, por la Prensa, se siente desesperado y se hace extremista. Despacha obreros, no quiere sembrar en sus campos, pretende alquilar sus fincas.

El desearía que viniera una dictadura militar que diera palos a derecha e izquierda; naturalmente, a todos menos a él; y si esto no fuera posible, el diluvio, el soviet, la anarquía, cualquier cosa.

EL EXTREMISTA DE LA BURGUESÍA

El extremista de la burguesía es el médico, el abogado, el ingeniero, el militar, el periodista que no es del montón, pero que tampoco tiene energía o habilidad para destacarse y ponerse en primera fila.

Este tipo generalmente fracasa en la vida porque no tiene en los primeros años de su juventud una familia que le ayude y le encauce o una mano protectora. Hay en él también una tendencia de inadaptación.

Este fracasado, si ha hecho una carrera, aunque haya sido relativamente estudioso, ha tenido alguna pequeña caída: un año en que se descuida y le suspenden, una réplica impertinente a un profesor u otra cosa por el estilo. Toma fama de quisquilloso, de descontento y de quijotesco. Tiene una dignidad vidriosa. Los compañeros muchas veces le jalean y le provocan, pero después lo abandonan. De estudiante no es simpático a los catedráticos. Concluye la carrera sin protectores y se encuentra en seguida solo. Se prepara para unas oposiciones o para un concurso y estudia con ahínco; pero las oposiciones se aplazan y se aplazan, en el concurso hay otros que tienen mejores notas que él y no llega a obtener nada. Pronto se cansa y se echa al surco y marcha por los caminos de través.

El hombre se pone en la fila, a la espera de un empleo, y cuando entra en el recinto donde se distribuyen las mercedes, ve que por otros sitios, por otras puertas, se ha colado la gente avisada y que todas las plazas se han ocupado. Entonces vienen el desasosiego, la amargura, la exasperación del sentido crítico. El compañero que ha progresado, según él, lo ha sido por un buen matrimonio, por la intriga o por el servilismo. El uno se salta las oposiciones, el otro gana todos los concursos. Nuestro hombre piensa unas veces que el trabajo honrado no lleva a ninguna parte; otras, que no tiene condición alguna de arrivista, de trepador, y que está condenado a hundirse donde otros muchos quedan a flote. Ofendido y sintiéndose postergado, tiene que aceptar lo que no quiere nadie: el médico, el partido miserable o la Sociedad de beneficencia usuraria; el abogado, el ser pasante íntimo o secretario de un Ayuntamiento pequeño; el ingeniero, el trabajo en un garaje; el militar, la guarnición en un pueblo lejano al que se va como de castigo.

La calidad de desterrado, de desdeñado, le hace más agrio y descontento. No puede vivir con los del montón, que le parecen animales de rebaño satisfecho en su mediocridad; tiende a no aceptar nada del pensamiento ajeno. Se hace lo que llaman los psiquíatras un *autista*. Como no tiene buenas amistades, se casa mal o no se casa. El arte de casarse bien es uno de los más trascendentales del trepador, del arrivista.

Nuestro fracasado es un rencoroso y un hiperestésico. Siente los golpes y humillaciones de una manera exagerada. Habla mal de todo el mundo. Riñe con el superior. Está dispuesto siempre a firmar protestas. Si es aficionado a escribir, un día salta con un artículo acre en un periódico contra algún colega ilustre que ha dicho una sandez. Aunque tenga razón, todo el mundo le da de lado.

Estos tipos de inadaptados de la burguesía no son de hoy. Cuando se exasperan producen los casos de Angiolillo, de Emilio Henry o de Mateo Morral.

En la literatura tienen también su representación. En grande son los Ras-kolnikof, con las varias réplicas que les dio Dostoyevski; en pequeño, los desarraigados de Barrès.

El hombre descontento de la burguesía puede ser un cínico insociable o un temperamento de fanático. Si es de esta última clase, un día cualquiera, por una lectura de un libro o de un artículo, se hace, de repente, comunista o anarquista. Toda la parte clara de su espíritu no ennegrecida por el rencor la proyecta con colores de visionario sobre la pantalla de la utopía.

Su *autismo* no le permite aceptar objeciones ni de fondo ni de detalle. El sistema que ha escogido tiene la absoluta verdad. Es una panacea. El que no lo acata es un malvado o un canalla.

Yo, ciertamente, no creo que sea despreciable esta clase de gente. La mayoría de los escritores pertenecemos, en parte, a ella. Son un fermento social a veces hasta útil. Tienen un fondo morboso; pero ¿quién no lo tiene? Sólo el hombre completamente estúpido es perfectamente normal.

EL EXTREMISTA DEL PUEBLO

El extremista trabajador de la ciudad, obrero de fábrica o de taller, es, generalmente, menos atravesado y despechado que el de la burguesía. Tipos como Buenaventura Durruti dan una impresión de algo bárbaro, primitivo y cordial. Como en el pueblo hay mucho más espíritu de clase que en la burguesía, el extremista proletario amalgama en su espíritu las miserias de su grupo social con las suyas propias, y hace de ambas un todo. Su no conformismo aparece teñido desde el principio con un matiz colectivo. Tiene una fiebre epidémica no individual, pero es también egotista, *autista*. Al comenzar su actividad en la juventud, asociado con otros, busca el modo de destacarse. Escritor u orador—casi siempre orador—, va ganando simpatías y sufragios de los compañeros. Es un líder querido y admirado. En esas zonas tumultuosas, las jefaturas, aunque sean disimuladas, duran poco. Pronto tiene que luchar con otros líderes más jóvenes, que dan, si pueden, una nota más aguda para llamar la atención. De aquí viene la rivalidad sorda.

Muchas veces, a medida que nuestro extremista va avanzando en su vida política (que es política, aunque él no la llame así), se calma su radicalismo, su *autismo* se mitiga; va viendo las imposibilidades de la utopía, y se encuentra, en ocasiones, que cuanto menos extremista es por dentro tiene que aparentarlo más por fuera para no defraudar a los suyos. Esta es su tragedia. Su fiebre epidémica ha ido remitiendo en él. Su gente nota su poco fervor, su poca temperatura. No se puede retirar y no puede seguir. Si cambia, si rectifica, quizá los antiguos compañeros le sigan; pero toda la gente joven, fanática y fuerte, se lanzará contra él, como una manada de lobos, a destrozarlo. Su vejez es casi siempre lamentable y abandonada.

El extremista del campo—sobre todo del Mediodía—es el hombre desesperado, miserable, que vive tan mal, que no piensa más que en soluciones catastróficas. No tiene nada que le alegre la vida; su casa es miserable, sin un huertecillo, sin un adorno, sin

nada cómodo. La familia es para él un motivo de tristeza y de molestia. Su existencia entera es amargura, descorazonamiento y rencor. Se le ve flaco, esquelético, irritado, nervioso.

Su entretenimiento está en la taberna, en hablar, fantasear y soñar. Conseguirlo todo o acabar de una vez—se dice—. Para la vida que lleva él —piensa—, lo mismo da.

Cierto que entre ellos se hallan explotadores y cucos; pero ésos no son verdaderos extremistas, como no son religiosos los que desvalijan los cepillos de las iglesias.

¿Se puede acabar con estos extremismos en España? Me parece difícil. El extremismo deseperado del viejo español ya no lo cura nadie. Ese, si fuera poeta, pensaría, como Baudelaire, en hacer una fosa profunda en la tierra:

Et dormir dans l'oubli comme un requin
[dans l'onde.

Respecto al extremismo del joven, se podrá dulcificar si llega a reinar alguna vez en los Gobiernos la comprensión, la justicia, la benevolencia y la equidad social.

Ahora bien: pensar, como piensan nuestros sanchopancescos políticos, que, por lanzar decretos y alimentar al desvalido con la prosa pesada de la *Gaceta*, por augurar que todo está muy bien en el mejor de los mundos posibles, la amargura, el descorazonamiento y la rabia de los extremistas va a desaparecer, eso es una ilusión.

GENTE DE LAS AFUERAS

En los distintos idiomas, los alrededores de una población tienen nombres característicos que indican un concepto de la ciudad y de las cercanías.

En latín, la zona próxima a la urbe se llama *suburbium*, bajo de la ciudad, o ciudad baja. Lo perteneciente al suburbio se denominaba suburbano. En cuestiones eclesiásticas, lo que dependía de la diócesis se conocía por *suburbicarius*.

En francés, idioma formado en época feudal, para los alrededores de la ciudad se emplea la palabra *banlieue*, palabra que recuerda la autoridad de un jefe o de un Municipio. *Banlieue* quiere decir la jurisdicción del *ban*, la legua de territorio que abarcaba el poder del señor o del Ayuntamiento.

En las urbes españolas, que la mayoría han tenido poco espíritu ciudadano y ninguno feudal, a los alrededores se los llama afueras, palabra que no tiene ningún sentido jurídico ni histórico. Los literatos emplean la voz aledaño; pero esta locución sabia no la usa el pueblo.

Afueras son lo que ya no es ciudad, aunque su extensión esté influida por ella. Los madrileños de poco sentido ciudadano han empleado otra palabra de aire catastral para sus alrededores: el extrarradio.

Las afueras de Madrid constituyen una serie de paisajes de lo más sugestivo de España. La zona del Norte y Oeste, con su muralla del Guadarrama, es noble y majestuosa; la parte Este y Sur es el páramo castellano, con unos montes monótonos en el horizonte, y el erial, desolado, zarrapastroso y triste.

Yo no conozco pueblo cuyas afueras me den una sensación tan aguda tan trágica, tan angustiosa, como esas zonas que se divisan de algunas rondas meridionales madrileñas. El panorama de las Vistillas, el del paseo de Rosales, el de los altos de la Moncloa con la sierra enfrente, es magnífico; el que se divisa desde el Retiro por la parte que da hacia Atocha y del campillo de Gilimón es miserable. Al Manzanares le pasa como al paisaje madrileño; hacia el Norte, hacia los alrededores del puente de los Franceses, tiene aire goyesco y velazqueño; en cambio, en las proximidades del Canal, es feo, trágico, siniestro, maloliente; río negro que lleva detritos de alcantarillas, fetos y gatos muertos.

Elementos esenciales del paisaje de las afueras madrileñas son esos cerros formados por arenas arcillosas que deben de ser de una época diluvial, del período pleistoceno. Al extenderse la ciudad, estas arenas se cortan en desmontes, en los que se abren solares. Dejan al descubierto en sus paredones hendiduras y cuevas, y en el suelo, hondonadas, que en invierno, llenas de agua, forman charcos como pequeñas lagunas.

Por encima de estos cerros arenosos corre, en algunos sitios, el Canalillo, canal insignificante y siniestro, que al anochecer, cuando refleja las nubes encendidas del crepúsculo, parece que va a mostrar flotando sobre su cinta de agua el cadáver de algún suicidado.

*

Las afueras madrileñas no han producido gran curiosidad entre los escritores españoles.

Galdós tiene alguna nota descriptiva de las afueras madrileñas en la novela *Misericordia;* pero es la descripción del que se asoma a ver algo que no le produce interés.

He leído esta novela hace poco, por el consejo de una señora conocida que me decía que yo tenía una idea falsa e injusta de Galdós, y que debía leer, por lo menos, *La incógnita, Realidad* y *Misericordia.* Leí los tres libros, y no me gustaron; me parecieron amanerados, trabajo de taller, con un sabor de época, de moda pasada un tanto desagradable. Por cierto que la señora entusiasta leyó de nuevo las tres novelas, y me confesó que en la última lectura no le habían gustado tampoco.

Las afueras de Madrid no han tenido escritor que las haya explorado y descrito. Unicamente yo he intentado hacerlo en las novelas *La busca, Mala hierba* y *Aurora roja,* novelas un tanto deshilvanadas, pero que tienen cierta autenticidad sentimental. *La horda,* de Blasco Ibáñez, pensada a base de una idea falsa, es una imitación de estos libros míos, fabricada en frío. Quiere ser un copo de lo pintoresco de los alrededores madrileños, pero tiene el aire industrial y vulgar de casi todo lo escrito por el novelista valenciano.

★

Durante mucho tiempo, por las mañanas, mi paseo favorito era ir por Rosales, pasar por delante de la Moncloa, seguir por un camino en cuesta del Instituto Rubio, entre eucaliptos, y, atravesando una tapia rota, salir a unos cerros a cuyo borde seguía una estrecha senda. Desde ella se divisaba la vista espléndida del Guadarrama, con sus montañas azules y sus crestas nevadas en invierno. Por allí cerca había un hospital de infecciosos, con pabellones, el Hospital del Cerro del Pimiento, nombre madrileño neto, zarrapastroso, de un pueblo enemigo de la solemnidad.

Cruzando estos cerros avanzaba yo hasta el romántico cementerio de San Martín, con sus cipreses, y después volvía a mi calle.

Las afueras me preocupaban entonces mucho. Había por allí gente rara, miserable, desharrapada; casuchas de lata y chozas de tierra; merenderos, ventorros, casillas de Consumos; tipos degenerados, de aire mogoloide y una vida oscura y misteriosa.

Los días de fiesta se veía que aún perduraban juegos que uno creía olvidados. Mientras tocaban los organillos en los merenderos, los hombres se dedicaban a la rana, a la barra, a la rayuela y al chito; los muchachos daban saltos con una pértiga por encima de una cuerda y los golfos intentaban engañar a los incautos con las chapas y el juego de las tres cartas. En los días de verano, alguno levantaba una cometa; dos o tres veces vi el mantenimiento del pelele, como en uno de los tapices de Goya.

★

No era fácil hablar con aquella gente, porque el hombre de las afueras es desconfiado y suspicaz; sin embargo, conocí a alguno.

Uno de éstos era un jorobadito, cazador de pájaros. Con su hermano y con otro, iban en cuadrilla por los alrededores. Uno llevaba un gran bulto, que era la red arrollada a la espalda; el otro, las jaulas de los reclamos atadas con unas correas; el tercero, una cazuela, una bota de vino y unas cuantas astillas para hacer fuego. En medio del campo preparaban sus aparatos, y a cierta distancia de ellos hacían la comida. El jorobadito era locuaz y le gustaba hablar de las costumbres de los jilgueros, de los verderones y de las urracas.

Otro tipo conocido mío era Joaquín, el carpintero, que trabajaba con frecuencia en mi casa.

Joaquín vivía, primero, en la calle de Magallanes, antes que desaparecieran los cementerios, próximos a la calle Ancha, la Patriarcal y el Cementerio General del Norte. Luego, el carpintero fue a vivir más lejos, hacia los Cuatro Caminos. Joaquín era un entusiasta de las afueras. Joaquín había estado en París tres o cuatro años, y había trabajado allí en la construcción de una plaza de toros y creo que en un frontón para el empresario Berriatúa; pero las orillas del Sena no le entusiasmaban; aquello no era lo suyo.

Joaquín me hablaba de los merenderos de la Raza Latina, de Canuto y de los del Partidor; de la gente maleante del ventorro del Cojo y del ventorro del Maroto; de los contrabandistas y consumeros. Me hablaba también del campo del tío Mereje. Yo, como de más edad que él, le explicaba las diversiones de la era del Mico, con sus columpios, tiovivos y trapecios, en la época en que todavía había calesines.

Como el buen Joaquín tenía tanta curiosidad por la vida suburbana, le di una novela mía, *Aurora roja*, y la tomó como historia. Me decía en serio que había conocido a los principales personajes de mi libro.

Cuando se deshizo el Cementerio General del Norte, Joaquín me invitó a que fuera a verlo. No fui, y lo sentí después. Allí había estado enterrado don Eugenio de Aviraneta. Al comenzar a ocuparme de la vida del conspirador pariente mío, el cementerio estaba destruido y los huesos aventados. Me hubiera gustado tener en la mano la calavera de don Eugenio y ver si era braquicéfalo o dolicocéfalo.

A Joaquín lo he sacado en mi última novela, *Las noches del Buen Retiro*. También sale en este libro otro tipo de las afueras, a quien no conocí personalmente, y que me preocupó. Fue un cliente de un médico amigo mío. El cliente del doctor era, sencillamente, un ladrón de casas de esos a los que, en lenguaje policíaco, llaman topistas. Este hombre vivía en un hotelito de la Prosperidad, aislado, como en guardia. El topista se llamaba don José. No salía apenas de casa. No hablaba con nadie. Solamente con el médico amigo mío se franqueaba y expansionaba. Al parecer, era menudo, pequeño, calvo, de aire amable. Tenía mujer y dos hijos, varón y hembra. Contaba con alguna fortuna, no se sabe si producto del robo o de qué.

Por lo que me dijo el médico, este hombre no preparaba sus robos ni tenía cómplices. Trabajaba solo. Una tarde de domingo se decidía, se vestía con cierta elegancia, tomaba su palanqueta y sus demás artefactos, iba a algún barrio lejano y llamaba en el timbre de los hoteles. Si no respondían en alguno, se preparaba para el trabajo. Descerrajaba la puerta y se metía dentro. Dentro, echaba el cerrojo. Si le sorprendían, él mismo decía al vecino alarmado que llamara a la Policía, y se entregaba sin resistencia.

Por lo que decía al médico amigo mío, no había emoción como esta de robar. Yo pasé varias veces por delante del hotelito del topista; pero no llegué a conocerlo.

Otro tipo curioso de este barrio era

un policía destituido que vivía en un cuartucho barato de la Prosperidad.

Todos los días, que hiciera bueno o mal tiempo, el hombre marchaba al centro de Madrid a pretender algo, a pedir algo. Mañana y tarde andaba por las calles, con la cabeza baja y un paso de paralítico. Se paraba en los escaparates de las tiendas, en los portales de las fotografías, y seguía su marcha con aire triste y sus ojos apagados. Yo pensaba al verle en el hombre de las multitudes de Poe. Esta marcha constante, este andar horas y horas, al parecer sin objeto, me producía horror.

DOWNIE, EL QUIJOTESCO

Un día hablaba en mi casa con un inglés viajero y amigo de España, A. R. Collis, y en la converssación me decía, riendo:

—Creo que entre los españoles, sobre todo del pueblo, nos consideran a los ingleses como tipos un poco raros y quijotescos.

—Sí, es verdad—le decía yo—. Para la gente, el inglés es un excéntrico o un sabio, que es lo mismo que ser excéntrico. Es la prerrogativa del rico y del turista. Ya esto mismo le empieza a pasar al hombre de la gran capital ante el aldeano. También le parece un tipo raro, de curiosidades estrambóticas.

Al hablar así pensaba en algunas gentes conocidas y en las personalidades de ingleses un tanto extravagantes que figuraron en la España del siglo XIX; entre ellas Downie, Jorge Villiers, sir Roberto Wilson, Flinter, Lacy Evans, Barrow y Josefina Comerford, aunque esta dama, de origen irlandés, hubiera nacido en España.

Para escribir algo sobre Downie, esperaba encontrar el lugar y la fecha de su nacimiento y de su muerte. No los he encontrado.

De Downie, militar inglés, extravagante y quijotesco, hablaron don Adolfo de Castro, en su libro *Cádiz en la guerra de la Independencia;* Gómez de Villafranca, en *Extremadura en la* guerra de la Independencia; Le Brun, en los *Retratos políticos de la Revolución de España;* los *Diarios de Sesiones* y actas de las Cortes de la época, el conde Toreno en su obra conocida y las historias de Fernando VII. El libro que más datos tiene acerca del militar inglés es *El Ejército y la Marina en las Cortes de Cádiz,* por don Francisco J. de Moya y don Celestino Rey Joly.

John Downie se dice que era natural de Escocia, y que vino con el ejército inglés a la Península en la guerra de la Independencia en 1809.

En un oficio que le dirigió Bardaxi por el Consejo de la Regencia, llama a Downie comisario general del ejército inglés.

Downie se distinguió por su sobresaliente bizarría—se dice en ese documento—, sobre todo en la salida que hizo la guarnición aliada de la plaza de Badajoz, marchando él a la cabeza de las guerrillas y quedando herido.

Pero después de este suceso proyectó levantar una legión de voluntarios, que él dirigía, y mandaría, y pagaría en parte.

El ofrecimiento se aceptó por la Regencia.

El cuerpo de voluntarios se llamaría Leal Legión de Extremadura. Debía constar de tres mil hombres, distribuidos en cuatro batallones de Infantería ligera, tres escuadrones de Caballería, cuatro compañías de Artillería, de dos piezas cada una, y una compañía de Cazadores.

En la clase de oficiales entrarían los nobles de la región, los hijos de familias ilustres y los soldados beneméritos.

El coronel de la Legión, con atribuciones de general, sería don Juan Downie.

Downie debió de pensar muchas extravagancias. Fundó el Cuerpo Volante de Tiradores de Pizarro, que se incorporó a la Legión, y organizó una compañía de Volteadores con algunos desertores franceses, a los que tenía que pagar de su bolsillo.

El tipo de don Francisco Pizarro debía de seducir al escocés.

Downie se sentía español y extremeño. Una vez, comiendo en compañía de lord Wellington, éste le dijo:

—Veo que es usted español hasta la camisa.

—Y aún más adentro, milord—contestó Downie.

El periódico de Cádiz *El Conciso*, de junio de 1811, habló por primera vez de que habían llegado a Yelves fuerzas de la Legión de Extremadura con soldados vestidos a la antigua.

«Antes del levantamiento del sitio —dice don Adolfo de Castro—, había estado en Cádiz el bizarro escocés don Juan Downie, sujeto de probado valor, muy dado a empresas de caballería, y de corazón excelente.»

Habla luego Castro de que creó la Legión de Extremadura, y añade:

«Todos iban vestidos a la *española* del tiempo de Felipe II, con jubón, calzas y ropilla de los colores blanco y encarnado, capa corta, roja, y bonete de los mismos colores. Sus armas eran lanzas con banderines encarnados y blancos, espadas y pisto-

las; éstos, los del escuadrón de Caballería, porque había otros batallones de Infantería vestidos también a la antigua usanza.»

Un amigo de Downie, militar y poeta, don Cristóbal de Beña, defendió en Cádiz la teoría de que volver a usar el antiguo traje de la época de los tercios sería un medio de renovar el entusiasmo patriótico.

Don Adolfo de Castro dice, con razón: «Solamente que en todo esto había un error, que era creer que ese traje pertenecía a los españoles como peculiar de la nación, cuando se usaba en toda Europa de la misma suerte. ¡Tan equivocadas suelen ser las ideas en tiempo de alteraciones!»

Más feliz que Don Quijote, Downie no tuvo que echar mano de ninguna bacía de barbero para cubrir su cabeza ni esgrimir ninguna arma sin tradición y sin historia. La marquesa de la Conquista, descendiente de don Francisco Pizarro, donó al escocés la antigua espada que, por tradiciones familiares, se decía del conquistador del Perú.

Se supone que el caballero de Escocia tomaría en sus manos el mandoble temblando de emoción, como Ruy Díaz de Vivar la fuerte espada de Mudarra el castellano.

Downie, con su traje antiguo y su espada, se batió contra los franceses heroicamente. Su amigo el poeta Beña escribió una poesía con el título de *La voz del patriota en Extremadura*, publicada en *El Conciso* de septiembre de 1812, en donde se leía esta estrofa:

Mirad de su tumba
cual ya se levantan
y al vándalo espantan
Pizarro y Cortés.
¿No veis cuál derrumba
su lanza gloriosa
la tropa orgullosa
del loco francés?

En el combate de Arroyomolinos de Montánchez, en octubre de 1811, la Legión Extremeña colaboró en la victoria de los aliados contra los franceses.

Downie, con treinta o cuarenta de sus soldados de caballería, vestidos todos a la antigua, y él con el espadón de Pizarro, fue a Cádiz para presentar a las Cortes y a la Regencia una muestra de lo que eran sus soldados.

Aquella extraña tropa provocó la risa de la gente y la admiración de los chicos, y, al fin, el escocés tuvo que abandonar su vestido de otros tiempos, porque la experiencia demostró que aquellos birretes eran mala defensa para los sables de la caballería enemiga, que no dejaba de acuchillar a los españoles, sin cuidarse gran cosa de lo venerable y antiguo de sus trajes.

Downie, al parecer, siguió vistiendo de una manera pintoresca. Había ascendido a brigadier, pero usaba faja de general, y así se retrató y apareció en una estampa que corrió grabada.

Naturalmente, no se separaba nunca del mandoble que había pertenecido a Pizarro.

En una ocasión, y para impedir que esta espada gloriosa cayera en manos del enemigo, realizó una hazaña digna de los tiempos caballerescos.

Salió de Cádiz una expedición militar con el objeto de apoderarse de Sevilla. Dirigía a los españoles el mariscal de campo don Juan de la Cruz Mourgeon. Downie iba en ella con su Legión Extremeña.

Con la impaciencia del entusiasmo, la división se arrojó sobre los franceses, que estaban a punto de retirarse de la ciudad.

Avanzaron los aliados, y se metieron en Triana, empeñándose el combate en la cabeza del puente. Downie intentó pasar a caballo, y le rechazaron y le hirieron. A la tercera vez arremetió casi solo, lleno de coraje; saltó a caballo por uno de los obstáculos que los franceses tenían en el puente, y cayó herido, con la mejilla destrozada y un ojo de menos. Entonces, comprendiendo que no podía librarse de caer prisionero, se levantó como pudo, cubierto de sangre, y arrojó la espada de Pizarro a los suyos para que el glorioso trofeo no cayese en poder del enemigo.

El general francés Villate trató a Downie como los yangüeses a Don Quijote. Mandó atarle encima de un cañón, y lo tuvo así varias horas desangrándose, sufriendo dolores e insultos. Al llegar a Marchena, donde estaba el mariscal Soult, el escocés se presentó a él y le pidió con energía que lo fusilara. Soult le dejó prisionero bajo su palabra de honor, y el mismo día los franceses abandonaron el pueblo y dejaron a Downie olvidado.

El escocés marchó a Inglaterra, con permiso de la Regencia, a restablecerse y a curar sus heridas.

Regresó a Cádiz en la convalecencia. Tenía, según los contemporáneos, una figura extraña. Era muy alto y seco, con bigote largo y caído y con un parche negro y un vendaje que le cubrían la parte izquierda del rostro. Era otro caballero de la Triste Figura.

La popularidad que llegó a gozar Downie fue grande. Se hablaba de sus hazañas como de las de un héroe de un libro de caballerías. Las Cortes se ocuparon de él con elogio, y acordaron que se hiciera mención honorífica del escocés en sus actas y que se le manifestase el agrado que producían sus sentimientos de entusiasmo y patriotismo.

También le prodigaron calurosas alabanzas los poetas gaditanos, y, en particular, Cristóbal Beña, que hizo una oda, naturalmente enfática y amanerada, para cantar sus proezas. Esta oda se titulaba *Del heroísmo*, y comenzaba así:

Musa que de los ínclitos varones
diste a Osian divino
el ensalzar las bélicas acciones
en canto peregrino,
que acompañaba con su voz sonora
de oro y marfil el arpa encantadora:
da poder celestial hoy a mi acento,
que a los astros levante
sobre las alas rápidas del viento
el ánimo constante
del que es honor de la escocesa gente
y émulo digno de Fingal valiente.

Al acabar la guerra, la Leal Legión Extremeña fue enviada a América, extinguiéndose, tras diversas vicisitudes, en el Perú, después de la batalla de Ayacucho. Downie, que ya era brigadier, se quedó en España; ascendió en 1815 a mariscal de campo, y desempeñó los cargos de segundo cabo de la Capitanía General de Sevilla y de alcaide del Alcázar.

En la segunda época constitucional, de 1820 al 23, Downie debió de inclinarse al absolutismo. No en balde se ha vestido un traje a lo Felipe II y se ha llevado al cinto la espada del conquistador Pizarro. Algunos suponen que sufrió desaires de los liberales.

En 1823, en ocasión de hallarse Fernando VII en Sevilla, de paso para Cádiz, Downie tramó una conjuración para arrancarle del poder de los liberales; pero habiendo sido descubierto, fue detenido, llevado a Cádiz y encerrado en las Cuatro Torres, del arsenal de La Carraca, donde permaneció hasta que el rey pudo unirse a las tropas del duque de Angulema y a sus amigos los absolutistas.

Carlos Le Brun, en sus *Retratos políticos,* dice:

«No podía Downie digerir estos desaires, y, en calidad de fazañista, se propuso (ya la corte en Sevilla) librar al menesteroso de Fernando de los malandrines liberales, que se lo querían llevar a Cádiz. Busca una cuadrilla de Sanchos que le acompañen, y ya que había juntado en su casa, de acuerdo con Fernando, las primeras espadas para empezar y salir dando lanzadas a roso y a velloso por aquellas calles y dejarlas llenas de brazos y cabezas de diputados a Cortes y de liberales—por cuanto se le antoja a don Braulio López entrar en el Alcázar y en su cuarto, y se equivocan los porteros, teniéndole por uno de los conjurados—. Se escandaliza, se sorprende y alborota don Braulio, sale apellidando traición, y se cogen fritito a nuestro Downie y cofrades.»

Después de esta conjuración, al salir de la cárcel de Cádiz, Downie volvió a ser general segundo cabo de Sevilla.

¿Qué hizo después? No lo sabemos. Se dice que estuvo en Londres, que allí publicó las poesías de su amigo Cristóbal Beña con el título de *La lira de la libertad;* pero no hemos visto la fecha ni el lugar de la muerte de este escocés, nuevo Caballero de la Triste Figura.

EL ENIGMA DE GUZMAN, EL TERRORISTA

Entre los españoles que intervinieron en la Revolución francesa, los más destacados fueron Marchena y Guzmán. Figuraron, igualmente, Olavide, Hevia, Santibáñez, el banquero Cabarrús y su hija, la célebre Teresa, madame Tallien, «Nuestra Señora de Thermidor». Hubo también algunos vascos que fueron a París de curiosos, como Eguía y Corral, que pasó treinta años viviendo en las galerías del Palais Royal, donde, según él, se encontraban todas las cosas necesarias y agradables para el cuerpo y para el espíritu, menos aquellas que no hacen falta para nada, entre las que indica las boticas y las iglesias.

Otros vascos oscuros, profesores y alumnos del colegio de Vergara, de tendencia enciclopedista, se asomaron a Francia a ver qué se preparaba allí, como ahora van los turistas a Rusia.

De los españoles conocidos, Olavide era ya viejo cuando marchó a París. Fue glorificado por los enciclopedistas y por la Convención; después fue preso, y quedó libre con el movimiento termidoriano. La actuación del abate Marchena, más intensa, quedó bastante oscura. Marchena se trasladó joven a Francia. Marchena era un enano malicioso y genial que intrigó entre los revolucionarios. Fue maratista; luego, amigo de Brissot. La época de la prisión del abate andaluz la contó Riouffe en sus *Memorias*.

La personalidad de Marchena, sus ideas, sus actividades políticas, no muy estudiadas en detalle, se conocen en conjunto.

Guzmán, Andrés María de Guzmán, es un tanto enigma. Los historiadores franceses hablan de él como de un partidario de Marat, extravagante y alocado. «El español Guzmán—dice Lamartine en la *Historia de los girondinos*—era, respecto de Marat, lo que Saint-Just respecto de Robespierre.»

El doctor Robinet, en su libro *El proceso de los dantonistas*, le dedica algunas páginas.

Se han ocupado exclusivamente de él don Adolfo de Castro, en su libro *El abate Marchena y Andrés de Guzmán*; Miguel Santos Oliver, en *Los españoles en la Revolución francesa*, en donde se aportan muchos datos, y Morel-Fatio, que fue el que hizo el estudio más completo y documentado en *El revolucionario español Andrés María de Guzmán, llamado «don Tocsinos»*, publicado hace años en la *Revue Historique*.

Ultimamente, el profesor Alberto Mathiez vuelve al tema en su libro *Alrededor de Dantón*, y publica en él un capítulo sobre Guzmán.

Leyendo estos diversos estudios no se forma uno una idea clara de Andrés María de Guzmán y de lo que pretendía. Guzmán es de esos tipos históricos que tienen careta, pero que no tienen cara.

El capítulo que le dedica últimamente Mathiez es completamente tendencioso. Mathiez, especialista en estudios acerca de la Revolución francesa, es terriblemente antidantoniano y partidario y defensor de Robespierre, así como Aulard, su predecesor en los mismos estudios, era entusiasta de Dantón.

A Mathiez le gusta más la pedantería doctrinaria de Robespierre que el fuego y la audacia de Danton.

Para el doctor Robinet, que tenía

el culto dantonista, Guzmán, como incluido en el proceso del célebre revolucionario, era una víctima noble. Para Mathiez, como robespierrista que es, Guzmán es muy sospechoso.

El nacimiento y la genealogía de Guzmán están aclarados por uno de sus ascendientes, que publicó una nota apologética y rimbombante. Dice así:

«Don Andrés de Guzmán y Ruiz de Castro T'Serclaes de Tilly nació en Granada el 7 de octubre de 1753 y fue bautizado en la parroquia de Santa María Magdalena de dicha ciudad. Fueron sus padres don Juan José Domingo de Guzmán Maraver, maestrante de Sevilla, señor de la Torre de Gil de Olid, capitán del regimiento de Dragones de la Reina, y doña Isidora Ruiz de Castro y T'Serclaes de Tilly; nieto, por ésta, de don José Ruiz de Castro y de doña Albertina de T'Serclaes Tilly, y bisnieto de Alberto Octavio de T'Serclaes de Tilly, príncipe de T'Serclaes, grande de España de primera clase, conde de Tilly y del Sacro Imperio, virrey de Navarra, caballero del Toisón de Oro, y de doña Alejandrina Bacq y Sucre.»

Don Andrés de Guzmán, como hijo primogénito, fue príncipe de T'Serclaes, conde de Tilly y del Sacro Imperio y heredero de sus posesiones y de sus mayorazgos. En su mocedad fue alférez del regimiento de Infantería de la Corona y debió de abandonar su carrera al pasar a Alemania a tomar posesión de sus propiedades. Su hermano don Francisco Javier de Guzmán pidió en 1799 real licencia para pasar a Flandes a tomar posesión del principado, por dar ya por muerto a su hermano Andrés.

El hermano de Guzmán, el conde de Tilly, tuvo también una actuación bastante misteriosa en la política. Perteneció a la masonería, actuó en la guerra de la Independencia y en la capitulación de la batalla de Bailén.

Más interesante que la retahíla de los títulos nobiliarios de Guzmán es su corta vida de agitador terrorista.

El resumen de la historia del aristócrata granadino es éste.

Guzmán hace sus estudios en Francia, en la Escuela militar de Sorèze, de 1762 a 1769. Entra después en el ejército español y pasa a Francia en 1773. En París vive con gran lujo antes de la Revolución. En 1781 se hace naturalizar francés y va a Bélgica a reclamar propiedades y títulos que le correspondían por herencia materna, que le disputa una de las ramas de los Montmorency. Pierde su proceso, a pesar del talento de su abogado, Vonck, que se hace célebre en un movimiento revolucionario belga. Vuelve a Francia, sirve en el ejército con el grado de coronel de Caballería, y lo expulsan por motivos desconocidos. Se le achaca haber dicho que las tropas de voluntarios valían poco. El se defiende y se exculpa ante la Sección de las Picas, de la que es comisario, y es absuelto.

En París se hace amigo de Marat y de los terroristas franceses del grupo de Hebert.

Es miembro del Club del Obispado, de la facción más violenta de la República. Enemigo de los girondinos, es el principal director del movimiento revolucionario del 31 de mayo de 1793 y manda tocar la campana de alarma *(tocsin)* en Nuestra Señora de París, por lo que le llaman después en broma *don Tocsinos* o *Guzmán Tocsinos.*

Sobre la amistad de Marat con Guzmán corrió la leyenda de que el terrible revolucionario, después de herido en el baño por Carlota Corday, escribió al español una carta, que éste llevó en un relicario en el pecho.

Según algunos historiadores, esta carta fue una invención de los girondinos, hecha después de Termidor, para desacreditar a Marat y considerarlo unido al partido extranjero.

De los autores que han tratado de Guzmán, unos lo consideran como un fanático, como un furioso; otros, como un agiotista, agente del extranjero.

Mathiez tiene esta última opinión. Para el profesor robespierrista, el excelso Maximiliano tenía que tener una causa seria para guillotinar a Guzmán.

Era evidente que el grande de España era amigo de Marat, de Hebert y de Dantón; también lo es que se reunía en el café de Corazza con gentes sospechosas de agiotaje y de monarquismo, entre ellas el barón de Batz, el abate de Espagnac y otros.

El grupo del café de Corazza debía de ser un grupo de vividores. Lo componían Baltasar Proly, hijo natural del banquero Kaunitz y de una belga; Jacobo Pereira, judío bayonés, comerciante de vinos de Burdeos; el cómico Dubuisson, Hilarión Chabot, Varlet, Desfieux, Fournier el americano, Kock el holandés, padre del escritor Paul de Kock, etc.

A estos extremistas, vividores y perdidos, entre los que abundaban los extranjeros, se los comenzaba a considerar sospechosos. La mayoría de ellos no tenían la menor idea de probidad. Se denunciaban unos a otros sin escrúpulo. Se creía que tenían relaciones con Austria y con Inglaterra.

Baltasar Proly, perezoso, escéptico, comilón y juerguista, que vivía en la plaza del Palais-Royal, encima del café la Corazza, publicaba *El Cosmopolita.*

Los hermanos Dubruska, austríacos, de familia judía, que, al instalarse en París, cambiaron su apellido en Frei (en alemán, libre), intrigaban contra amigos y enemigos. Jacobo Pereira, judío, hacía lo mismo.

Según el vizconde de Avenel, en su libro *Anacharsis Coots,* iba la tropa a los garitos y eran obsequiados por la señorita Desfieux y por «*dona* Guzmán, descendiente del *Campeador*». (Se supone que quiere referirse a alguna mujer que acompañaría al español.)

Saint-Just acusa a Guzmán de dar a Dantón y a sus amigos banquetes a cien francos por cabeza.

A nuestro grande de España lo denuncian cuatro veces: las dos primeras, unas mujeres; luego, el diputado Beltrán Barère, el de las *Carmagnolas;* la última, sus amigos Chaumette, Jacobo Pereira, Frei el judío y Rouselin. En el interrogatorio ante el Tribunal revolucionario, Guzmán dice que lo ha sacrificado todo en beneficio de la República, y refuta los cargos que le hacen. No le sirve. Robespierre es la pedantería doctrinaria y es inexorable e incorruptible.

Los dantonistas, y con ellos el austríaco Frei, el español Guzmán y el danés Deiderikstein, van a la guillotina el mismo día.

Guzmán ha desaparecido por el escotillón de la Historia sin confesar su secreto.

Reuniendo versiones y acusaciones, resulta un personaje enigmático y ambiguo.

En la *Historia de España,* de Dunham, continuada por Alcalá Galiano, se le llama a Guzmán ex eclesiástico. Después se sabe que fue militar. Se le considera como un furioso colaborador de Marat y de Hebert, y al mismo tiempo se asegura que es amigo del barón Batz y del abate de Espagnac, que quisieron libertar de la prisión del Temple a María Antonieta.

La ciudadana Cuvillier, que vive en

la misma calle que Guzmán, en la calle Nueva des Mathurins, declara en contra del español, que se ha llamado, unas veces, barón de Frey; otras, caballero de Saplino, y que ha añadido que era hijo de Clemente Augusto de Baviera, elector de Colonia.

Después se le acusa de banquero de casas de juego, de *croupier*, de intrigante, de estar vendido al extranjero y de ser agente de Pitt y de Coburgo.

Rousselin de Saint-Albin, director de un periódico titulado *La Hoja de Salvación Pública*, en un artículo contra Guzmán, del 3 de octubre de 1793, dice, entre otras cosas, que una mujer hizo contra el español una declaración singular, «afirmando que Guzmán era una mujer disfrazada de hombre», que había sido empleado por el embajador de España; después, banquero de juego, y vivido siempre con gran opulencia, sin que se le conocieran recursos.

Como se ve, todas estas denuncias tienen un carácter de fantasía y de extravagancia absurdo.

De la actitud de Guzmán ante los hechos se desprende, a mi ver, que era hombre de poco talento, arrastrado por la corriente de la Revolución, probablemente con hábitos de gentilhombre rico, de los cuales no se podía desprender, y con la palabrería revolucionaria, que entonces era nueva y sugestiva.

No era un político, porque de serlo hubiera comprendido que él, como español, en Francia, en un país patriotero por excelencia, no podía hacer nada ni ejercer la menor acción.

Si era un intrigante, un vividor o un ambicioso, también estaba equivocado, porque el momento en París era malísimo para los metecos. En un instante como aquél, de historia sanguinaria y de pedantería política, un extranjero no tenía más salida que escaparse inmediatamente de Francia o caer en la ratonera de la guillotina.

FANTASMAS DE TARIFA

Por la mañana, con un sol radiante, veo la ciudad de Tarifa, con sus murallas, sus torreones y una isla próxima al mar.

Tarifa es como un centinela que contempla las alturas montañosas de Africa. Tiene fama por sus naranjas, por sus vendavales y por las encapuchadas. Por una calle ancha pasan algunas mujeres sin indumentaria especial. De las mujeres de Tarifa y de las de Vejer se dice que van con un manto negro, con la cara tapada, y que a esto llaman ir cobijadas. Yo esperaba ver un pueblo poblado por fantasmas femeninos, pero no hay tal.

A un hombre que se prepara en una esquina a montar a caballo, le pregunto:

—¿Es verdad que van aquí las mujeres con la cara tapada?

—No. No, señor. Antes parece que sí, que iban con manto a la iglesia; pero ahora no lo creo. Yo no lo sé, porque voy poco por la iglesia.

Estamos hablando con un anticlerical.

—Y ese castillo, ¿es el de Guzmán *el Bueno?*—le sigo preguntando.

—Sí, señor.

La historia o leyenda de Guzmán tiene para mí aire de teatro. Recuerdo haber visto de chico un drama de Gil y Zárate, en el cual el héroe de Tarifa, asomándose a una almena de la muralla, exclama:

—Moro, si no tienes arma para matar a mi hijo, ahí va mi acero.

En el viejo romance, el traidor infante don Juan, con sus sarracenos, lleva al hijo de Guzmán al pie de la torre para sacrificarlo si su padre no se rinde. El hecho se narra así:

> *Luego, tomando el cuchillo,*
> *por cima el muro lo ha echado:*
> *junto cayó del real*
> *de que Tarifa es cercado.*
> *Dijo: —«Matadlo» con éste*
> *si lo habéis determinado,*
> *que más quiero honra sin hijo*
> *que mi hijo con mi honor manchado.*

Tarifa no ofrece una procesión de mujeres fantasmas. A mí me recuerda fantasmas históricos; un acontecimiento del siglo XIX: la aventura de un grupo de liberales, que en 1824 ocuparon la ciudad por sorpresa, y el nacimiento de la amazona realista Josefina Comerford.

La empresa de los liberales fue audaz, pero de muy poco éxito. Una columna de emigrados salida de Gibraltar, en número de setenta y cinco, en una barca, llegó a Tarifa, y, unida a algunos vecinos, sorprendió la guarnición, libró a los presidarios, que incorporó a sus filas; proclamó la Constitución y se dispuso a defenderse en los muros de la plaza contra los realistas.

La empresa la dirigió el coronel don Francico Valdés. Hay un folleto que concreta con detalles la hazaña, titulado *Manifiesto de las operaciones militares en la plaza de Tarifa en el mes de agosto de 1824.* Cuenca. Imprenta de La Madrid. Año de 1837.

La primera página de este folleto tiene otro título:

«Historia militar de la toma y defensa de la plaza de Tarifa en el mes de agosto de 1824, por una expedición de patriotas, al mando del ciudadano coronel don Francisco Valdés», escrita por don Mariano Linares, teniente

y encargado de las funciones de jefe de Estado Mayor de dicha expedición.

Leyendo el folleto, la dirección de don Francisco Valdés no se advierte. Al jefe no se le ocurre nada. Se nota más la iniciativa de sus oficiales, entre ellos de su segundo, don Pedro González Valdés, que fue prisionero y fusilado por el general don José O'Donnell, comandante del campo de San Roque.

Don Francisco Valdés era un castellano de Móstoles, de vida azarosa e interesante. En su juventud estuvo en Alemania con el marqués de la Romana, y colaboró en la célebre escapada que hicieron los españoles de los puertos de Jutlandia para no jurar fidelidad a José Bonaparte.

Tomó parte Valdés en la guerra de la Independencia, se sublevó con Riego, hizo la expedición de Vera, en 1830, poniéndose contra el general Mina; tuvo un descalabro en la primera guerra civil en Serradiel, cerca de Casas Ibáñez (Albacete), y actuó en las jornadas del 54, en Madrid, a favor de los revolucionarios.

Don Francisco Valdés debía de ser hombre de valor, demócrata, probablemente republicano, un tanto terco y unilateral. Hablaba muy bien el inglés y el francés.

En el *Estado Mayor del Ejército Español*, publicado por Chamorro y Baquerizo, está su retrato, dibujado por Múgica, de cuando era Valdés teniente coronel.

Es un viejo que da la impresión de altivo y orgulloso. Es de mediana estatura, erguido, cara larga, facciones correctas, el pelo blanco. Está representado en la muralla de Tarifa, cerca de una almena, con una banda y condecoraciones, un anteojo en la mano derecha y la izquierda en el puño del sable. Sin duda, su aventura tarifeña era uno de los mejores recuerdos de su juventud. Le gustaba que le llamaran el héroe de Tarifa.

Con la misma rapidez del auto, que va dejando atrás los alrededores para escalar los montes de la costa y dominar después la bahía de Algeciras, pasó el viejo militar Valdés, republicano y demócrata, a la amazona realista Josefina Comerford.

Josefina Comerford Mac-Crohon de Sales nació en Tarifa el año 1798, de padres ricos. Quedó huérfana pronto y pasó a vivir con su tío, el conde de Brías, que servía en España en el Cuerpo de Guardias valonas. Este conde de Brías no debía de ser mayorazgo, pues había otro por la misma época con el mismo título, Luis Antonio, general belga, nacido en Luxemburgo.

El conde de Brías, de España, era muy devoto, muy fanático; tenía haciendas y propiedades en Irlanda, y fue a vivir a Dublín con su sobrina.

Los detalles de la vida de la señorita de Comerford están tomados, por los autores que hablan de ella, de una novela de un señor don Agustín y Letamendi. La novela se titula *Josefina de Comerford o el fanatismo*. Novela histórica y contemporánea, por A. de Letamendi. Madrid, 1849. Martín, editor. Calle de Hortaleza, 67.

En esta obra, el autor pone, como títulos, debajo de su nombre: «Miembro de varias sociedades literarias y científicas de Europa y de América; autor del *Tratado de Jurisprudencia diplomático-consular*, que sirve de texto y referencia en las Legaciones y Consulados de España en países extranjeros, y de otras obras de enseñanza, educación y recreo. También lo es de los famosos partes telegráficos que semanalmente, por espacio de cuatro años, aparecieron en las columnas de *El Clamor Público*, bajo el seudónimo de *Felipe-José Torroba, antiguo paje de escoba.*»

Josefina era una muchacha de una imaginación fogosa y de una inteligencia precoz. Había heredado de su tío la devoción: se creía parienta de San Francisco de Sales. En Dublín vivía rodeada de clérigos irlandeses fanáticos, y llegó a pensar que su destino iba a ser trascendental en el mundo. Por lo que dice Letamendi, que, al parecer, la conoció, Josefina era graciosa, de talle esbelto, de cabello entre rubio y castaño, ojos azules brillantes, mejillas sonrosadas, cara ovalada, modales exquisitos y voz agradable y dulce.

No hay retratos de la dama. En una novela por entregas titulada *El conde de España*, escrita por don Francisco Orellana, hay una lámina en que está Josefina mostrando un crucifijo, y varios curas, frailes, un militar y un tipo de guerrillero, extendiendo todos la mano para jurar sobre la cruz.

De Dublín, donde Josefina estudió las lenguas modernas, marchó con el conde de Brías a Viena. Aquí tuvo como profesor un judío polaco, llamado Mickaelovic. El profesor se enamoró locamente de su discípula, y ella, como buena catequista, le advirtió que se casaría con él si abjuraba de su religión y se hacía católico. El judío no aceptó.

Después, Josefina tuvo otro profesor, Federico Foerster, que había escrito una biografía de Hofer y unas impresiones sobre la guerra del Tirol.

El conde de Brías muere en Viena, y Josefina queda sola, rica, joven y en plena belleza. Se relaciona con una señora irlandesa y con la mujer del embajador español, Bardají, y frecuenta los salones. Conoce a escritores y a músicos. A su casa va un tal Belmas, oficial francés que escribió un libro sobre los sitios que sostuvieron los imperiales en la Península, y

Alberto Rocca, suizo, de origen italiano, que estuvo en la guerra de España, publicó unas Memorias sobre ésta y se casó en secreto con madama Staël, que tenía veintidós años más que este oficial y la había corrido de lo lindo.

Con todos sus amigos, Josefina discute y expone con calor sus ideas teocráticas y ultramontanas.

Rocca induce a Josefina a que vaya a Roma, en donde, por entonces, estaba la Staël, Chateaubriand, Bernardino de Saint-Pierre y otras ilustraciones del tiempo.

Josefina se aburre en Roma. No le bastan las disertaciones sabias ni la contemplación de las ruinas; desea la acción y la aventura. Se decide a venir a España. Estaba entonces en el apogeo de su belleza y de su fanatismo religioso.

Josefina se estableció en Barcelona, donde conoció al padre Marañón *el Trapense*. El fraile, ignorante, decidido y violento, ¿pudo seducir a la mujer culta y llena de atractivos? ¿Hubo entre los dos amores un tanto satánicos? ¿Fueron sus relaciones puramente de política y de fanatismo religioso? No lo sabemos.

Letamendi y los que le siguieron creen que fueron amantes. Algunos tradicionalistas han escrito que, tanto el fraile energúmeno como la damisela andaluza-irlandesa, eran de costumbres muy austeras. Lo cierto fue que Josefina entregó al padre Marañón su fortuna y le siguió a caballo en traje de amazona por Cataluña, Navarra y la Rioja, en 1823, hasta que Fernando VII obligó al fraile a que volviese al convento de la Trapa, de donde había salido. La Regencia de Urgel obsequia por entonces a Josefina con el título de condesa de Sales.

La dama, separada de su compañe-ro energuménico, no quiere abandonar la partida. Se establece en Manresa, y como el Gobierno supone que conspiraba, la destierra a Barcelona. Josefina sabe que en Cervera está el foco del partido teocrático; quiere presentarse allí, y como si la estilización de su vida fuera una de las cosas más importantes para ella, hace que una criada suya se traslade a esa ciudad, y después que los doctores del claustro universitario la declaren energúmena, y con el pretexto de ir a verla y a cuidarla, consigue un pasaporte del capitán general de Cataluña, y se presenta en el pueblo, en el cual los profesores de la Universidad no querían incurrir en la funesta manía de pensar.

En Cervera, en mayo de 1827, organiza el movimiento de los agraviados.

De las conversaciones místicorreligiosas de las madamas Staël, los Chateaubriand, los Bernardino de Saint-Pierre y otros alambicados personajes a dirigir una Junta facciosa de curas trabucaires y de bandidos teocráticos, como el *Caragol, el Jep del Stany*, Pixola y el *Pare Puñal*, hay un salto. Josefina da el salto con desembarazo.

—Y cuando falte un jefe—dice a sus hombres—, yo montaré a caballo, y con el sable al cinto me pondré a la cabeza de mis partidarios.

En noviembre del mismo año 27, el conde de Mirasol arresta a Josefina en Tarragona, en casa del canónigo don Guillermo de Rocabruna.

Se la procesa y se la condena a ser trasladada y recluida en un convento de Sevilla. En el convento impone su voluntad, y tienen que llevarla de uno a otro, hasta que la dejan libre.

Después, pudo vivir en el olvido. El autor de la *Historia de la guerra civil*, don Antonio Pirala, pretendió ver-

la en Sevilla en 1853, y supo que
habitaba una casa humilde de la calle del Corral del Conde. La brava
amazona no estaba en Sevilla, y debía de hallarse casi en la miseria.

Yo, hace unos años, quise ver también la casa y la calle donde vivió
Josefina; pero no las encontré. En un
plano viejo de Sevilla había señaladas dos calles del Corral: del Corral
del Rey y del Corral de la Reina. No
había del Corral del Conde (1). Naturalmente, no quedaba recuerdo en
la ciudad de esta mujer extraordinaria. Tampoco he visto en ninguna par-

te la fecha de su muerte. ¿Fue una
vida malograda la de esta amazona
realista, o fue una vida lograda? Sólo
ella lo pudo saber...

Al volver de Gibraltar a Cádiz, veo
de nuevo Tarifa, con sus murallas y
sus torreones iluminados por el sol
rojo del crepúsculo. No pasa por la
calle ninguna tapada como un fantasma. Para mí, los fantasmas históricos
de esta ciudad son Guzmán *el Bueno* con su acero, don Francisco Valdés apoyado en su sable y Josefina Comerford con su látigo de amazona.

EL FUSILAMIENTO DE DON DIEGO DE LEON

Roger de Beauvoir era uno de esos
escritores franceses del siglo XIX, del
período romántico, que tenía la preocupación de ser, antes que nada, ingenioso; hombre de casino y de café, gozaba fama en París por sus ex-
centricidades, por sus trajes y, sobre
todo, por sus chalecos.

En 1845 figuró en un proceso de
gran resonancia: el desafío de Beau-
vallon y Dujarier. Este desafío, que
se inició en una cena del restaurante titulado Los Hermanos Provenza-
les, constituyó uno de los escándalos
ruidosos que entusiasmaban a nuestros abuelos. Figuraron en él Dumas
padre y Dumas hijo, la célebre bailarina Lola Montes, habló el abogado
Berryer—entonces de gran nombradía—y desfilaron periodistas y cortesanas.

Roger de Beauvoir escribió algunos
libros aparatosos, que ya nadie lee,
y unas impresiones de viaje por España que tituló *La Porte du Soleil*
(París, dos volúmenes, 1844).

El libro está escrito en unas cartas

fechadas—la mayoría en 1841—en
distintos lugares de la Península. Las
observaciones no son muy exactas ni
muy profundas. Reina en ellas el lugar común sobre España.

En toda la obra, lo único que he
encontrado curioso es el relato del fusilamiento de don Diego de León.

Roger de Beauvoir no cuenta en
principio nada nuevo que no hayan
dicho los que se ocuparon de la vida
de don Diego—Pastor Díaz, Bermejo,
Massa Sanguinetti y Fernando Fernández de Córdova—; pero da detalles vistos y cuenta sus impresiones
como francés, lo que da a su narración un carácter diferente de las españolas.

Se sabe cómo intervino De León en
la aventura de Palacio, cómo fue llevado por Pezuela—después, conde de
Cheste—, cuando la empresa había ya
fracasado, y cómo se entregó cerca
de Colmenar Viejo a un escuadrón de
su famoso regimiento de Húsares de
la Princesa, mandado por el comandante Laviña, antiguo ayudante y sub-
ordinado suyo, que le propuso escaparse con él a Portugal.

(1) Parece que el Corral del Conde era
un caserón de la calle de Santiago.

La aventura de la escalera de Palacio fue de las más románticas del siglo XIX español. Todos los que intervinieron en ella eran jóvenes, atrevidos, valientes, un poco enamorados de María Cristina. Veían la posibilidad de conquistar a la reina y de convertirse en amantes y en casi reyes. El jefe, don Diego, tenía entonces treinta y un años y era teniente general.

Por qué se entregó don Diego, no se sabe. Quizá como era sordo se encontró con pocas condiciones para huir por el campo, quizá pensó que Espartero no sería tan torpe para fusilarlo; pero Espartero fue bastante torpe, y le mandó fusilar.

El Gobierno recomendó a los fiscales que sustanciaran los procesos de los sublevados rápidamente, y condenó a ser pasados por las armas a todos los jefes del alzamiento, con la agravación para Marchesi de serlo por la espalda, previa degradación.

El Consejo de guerra se celebró en la capilla de San Isidro. Había en Madrid entonces tres capillas de San Isidro, además de la de la iglesia catedral y la del colegio de jesuitas, que hoy es Instituto.

En esta última capilla es donde parece que se celebró el juicio. Yo la recuerdo, porque en ella, convertida en aula, dábamos hace años la clase de Química general los alumnos de Medicina, Farmacia y Ciencias, y contemplábamos las figuras de los evangelistas pintados en el techo mientras oíamos como quien oye llover las explicaciones aparatosas de don Ramón Torre Muñoz de Luna.

De León nombró su defensor a don Federico Roncali, mariscal de campo, y la defensa la escribió don Luis González Bravo.

El Tribunal Supremo de Guerra y Marina examinó la causa y aprobó por unanimidad la sentencia. Uno de los generales que votaron en pro fue Maroto, entonces conde de Casa Maroto. Decentemente, como ex carlista, debía haberse abstenido.

Muchos militares y paisanos pidieron el indulto. Roncali, entre ellos, fue a visitar a Espartero, y como éste se colocó en una actitud obstinada, le dijo que desde entonces no contara ni con él ni con sus compañeros.

Don Diego de León había sido llevado preso al cuartel de Nacionales, de la calle de Atocha. Le había conducido allí, por orden de Espartero, un joven teniente, llamado Gándara, desde la puerta de San Vicente. Este Gándara figuró después en nuestras discordias civiles.

Don Diego de León, considerándose ya perdido, había llamado como confesor al jesuita don Eduardo José Carasa.

Algunos de estos datos que da Roger de Beauvoir, recogidos, sin duda, en la calle, los dan los demás escritores que se ocuparon del asunto. Habla después el escritor francés de las circunstancias que le hicieron presenciar el fusilamiento. Dice que, encontrándose en El Escorial, salió para Madrid con un *castellano* y un *calesero*. El *castellano* era, al parecer, un aldeano, y el *calesero*, que no llevaba una calesa, sino un coche, era un cochero.

El *castellano* iba hasta Las Rozas, y, al llegar a este pueblo, dijo al escritor francés:

—Hoy, señor mío, habrá gran función en Madrid.

Al llegar a la corte, Roger de Beauvoir se enteró de que iban a fusilar a don Diego de León.

«La víspera—dice—aún se hicieron esfuerzos para obtener gracia; la familia de De León se presentó en Palacio, acompañada de la condesa de Altamira y del conde de Puñonrostro, en el momento en que la reina salía en el coche a dar su acostumbrado paseo. Toda la familia, vestida de luto, se arrojó a sus pies sollozando. Isabel volvió a sus habitaciones y quiso escribir una carta a Espartero; pero su aya (la condesa de Mina) le dijo que era indispensable la intervención del tutor (Argüelles). La hija de María Cristina le hizo buscar y le pidió permiso para escribir la carta; él lo concedió. Pero no se supo ni se sabe todavía lo que ha pasado con la carta.

El venerable anciano Castaños, el vencedor de Bailén, el más antiguo de los mariscales, fue a visitar a Espartero, y no obtuvo nada de él. Se dice que fue recibido muy bruscamente por este soldado afortunado.

Espartero contestó con aspereza al octogenario general:

—Y usted, ¿no fusiló a Lacy el año mil ochocientos diecisiete?—le preguntó.

—Yo cumplí con mi deber, señor —contestó Castaños—; yo no era regente y no tenía facultad para conceder indultos.

Según la costumbre admitida, De León había sido puesto en capilla en el cuartel de los Nacionales, de la calle de Atocha. El cuarto donde se encontraba, del segundo piso, tenía una ventana a la calle. A un lado estaba la cama; al otro, un altar improvisado con un crucifijo y dos cirios.

Desde que entró en este cuarto lúgubre, De León colocó sobre el altar una imagen de la Virgen que le había llevado su pariente el marqués de Zambrano. Don Diego estuvo tranquilamente sentado. Hablaba de cuando en cuando con su defensor Roncali de sus campañas, y con el cura Carasa, hombre de talento y de mérito probados. Muchas veces sus ojos se hu-

medecían pensando en sus compañeros de armas, sobre todo en Pezuela, carácter enérgico y profundamente castellano, poeta y soldado, activo y lleno de vigor.

Tales eran los detalles que cada uno se apresuraba a darme a mi entrada en la villa; tristes detalles, que me explicaban demasiado bien las palabras de mi compañero de viaje y *castellano* de Las Rozas: «Hoy, señor mío, habrá gran función en Madrid.»

Sonaban las doce del día cuando llegué a la puerta de San Vicente. La ceremonia de los pasaportes comenzó para el *calesero* y para mí; la inquisición de los aduaneros me pareció más despierta que nunca; hubo algunas consultas entre ellos acerca de nuestra entrada en la ciudad. La fatiga y el malestar me habían obligado a sentarme en un banco. Las gentes de la Aduana nos dejaron, por fin, el paso libre.

Subido en el pescante del coche, vi milicianos de uniforme y oí redoble de tambores. Una multitud tumultuosa y compacta se dirigía hacia la calle de Atocha.

En la plaza Mayor, la agitación de la multitud era muy viva. Sin embargo, en un abrir y cerrar de ojos, esta plaza, lugar de paso, quedó desierta, triste y como barrida.

Vi entonces que toda la gente se acercaba a la prisión de don Diego de León, el cuartel de los Nacionales, situado en la calle de Atocha, y que era antes Santo Tomás.

Algunas manos amigas apretaron las mías en esta multitud.

Empujado por el flujo y reflujo, llegué a la calle de Atocha. El timbre estridente de un reloj vecino dio un golpe seco y rápido; este golpe indicaba la señal de la fatal partida.

Vi pronto aparecer un coche de alquiler, especie de carretela descubierta. De León ocupaba el asiento de atrás con su confesor, el padre Carasa; en el de delante iba el general Roncali, su defensor.

Diego de León vestía el uniforme de los Húsares de la Princesa: dolman rojo, bordado de oro; pantalón azul celeste con un ancho galón; el dolman, abierto, dejando ver sus condecoraciones. Llevaba en la cabeza el chacó de los húsares con anchas plumas.

Creo que jamás vi una cabeza más bella. El retrato de Murat, pintado por Gros con un traje anólogo, del Museo del Luxemburgo, puede dar únicamente una idea de su figura.

Este rostro castellano respiraba a la vez la serenidad y el orgullo; se hubiera creído que aquel hombre iba a pasar una revista militar. Iba apoyado de una manera indolente en la capota del coche, apartando de la frente con sus manos sus cabellos lisos y lustrosos. De León era una extraña mezcla de coquetería y de bravura; amaba la batalla y el tocador. Marchaba muy bien enguantado. Antes de salir de su prisión ensayó muchos pares de guantes color de paja, hasta que encontró unos que le venían bien.»

La escena presenciada por Roger de Beauvoir está representada en una estampa que tiene gran aire de autenticidad.

Va don Diego de León en la carretela al lado del cura, que le muestra el crucifijo, y en el asiento de delante, Roncali con su tricornio. El carruaje lleva un lacayo atrás, en pie, y va rodeado de milicianos de caballería e infantería. En el fondo se ven dos casas sólo hasta la altura del primer piso; una, desalquilada, con cuatro balcones grandes con papeles, y la otra, con tres balcones llenos de curiosos.

«La ejecución — s i g u e diciendo Beauvoir—debía verificarse a la una de la tarde. A las doce, Roncali, que no había abandonado a don Diego un instante, miraba el reloj disimuladamente a cada paso; conservaba alguna esperanza. A la una menos cinco oyó el ruido del coche que se paraba a la puerta.

—Llegó el momento—dijo a De León—. El brazo, general.

De León bajó la escalera dando el brazo a Roncali. Al descender, se detuvo un momento y dijo:

—¿Sabe usted, amigo mío, de qué tengo miedo? Tengo miedo de que los soldados yerren. ¡Cuántos tiros a quema ropa me han disparado en la guerra, y, sin embargo, no tengo ni un arañazo!

—Es verdad, general. ¿Y cuántos caballos le han matado cuando usted los montaba?

—Ocho.

El gentío era compacto alrededor del carruaje. Cada vez que De León dirigía su mirada clara y orgullosa sobre la multitud, oía yo a las mujeres, que decían: «¡Matar a un hombre tan guapo!», y escondían una lágrima furtiva bajo la mantilla. Los hombres, apretándose los puños con desesperación, exclamaban: «¡Matar a un hombre tan valiente!» Viejas señoras, acompañadas de sus criados, rezaban el rosario suspirando. Los milicianos fingían un sentimiento hipócrita. Había entre la multitud señoritas de Madrid vestidas de negro, algunos espías y algunos ingleses. La escolta se componía de un piquete de milicianos, de un escuadrón de Caballería y de un destacamento del Provincial, de Madrid. De éste se eligió el pelotón para el fusilamiento.

El cortejo recorrió la calle de Atocha. En los balcones y miradores había poca gente; el silencio era profundo. Llegado a la calle de Toledo, los caballos del coche doblaron el pasó y llevaron pronto al condenado a la puerta de Toledo, lugar designado para la ejecución.»

Aquí el señor Beauvoir cuenta una fantasía que sabe a folletín del malo. El *castellano* de Las Rozas se le aparece, con una capa de color de ala de mosca, en la puerta de Toledo, y aunque no dejan pasar a nadie al cuadro, él habla a un teniente conocido suyo, y éste deja que el francés avance y se esconda en una galera detenida.

«Llegados a las afueras de la puerta de Toledo—sigue diciendo Beauvoir—, el general Roncali saltó del coche el primero, le siguió De León, y se volvió para dar la mano al padre Carasa, su confesor.

A la derecha de la puerta había una plazoleta. Era el lugar elegido para la ejecución, en lo cual, según el francés, no había ningún favor, porque en aquella nueva plaza de la Grève se agarrotaba a los ladrones y asesinos. En aquel lugar iban a fusilar a un soldado.

El sol brillaba con toda su fuerza, a pesar de que se estaba ya en octubre. Yo me coloqué en la sombra de la galera detenida y vi pasar al general, que revistaba a las tropas con toda tranquilidad.

Sacó sus monedas de oro del bolsillo de su dolman y las repartió entre los que le iban a fusilar. A los soldados que habían servido a sus órdenes los reconoció, y les dirigió la palabra, sonriendo.

Después se fue a colocar en medio del cuadro, cuyo cuarto lado estaba vacío. El fiscal se acercó a él y le leyó la sentencia. De León la escuchó erguido con la mano en el chacó... Tuve tiempo de examinar de cerca y por última vez esta cabeza soberbia... Estaba derecho; su estatura alta, sus cabellos castaños, su tez curtida, sus bigotes finos y lustrosos, su mirada clara, segura, todo, hasta la postura convencional que toma como a pesar suyo el hombre que va a morir, establecían una semejanza extraordinaria entre De León y Murat...

Después de la lectura de la sentencia, dio un paso hacia adelante, elevó la voz y dijo con fuerza, mirando a los soldados:

—Compañeros: Os habrán dicho que el general De León era traidor y cobarde; ambas cosas son falsas; el general De León jamás ha sido cobarde ni traidor.

Aquella voz resonaba como una voz de mando. Se dirigió en seguida al pelotón encargado de tirar sobre él, y dijo a los fusileros:

—Que la mano no os tiemble. ¡Amigos! ¡Atención a la voz de mando!

Otros aseguran que dijo: «No tembléis, al corazón.»

Hundió después su chacó en la cabeza, pasó su mano por sus espesos bigotes y gritó con la misma firmeza:

—¡Preparen..., apunten..., fuego!

Vi entonces—dice Beauvoir—que los soldados vacilaban. De León tuvo que repetir la orden. La mano y el corazón de los soldados desfallecían... A la segunda orden, De León no pudo articular más que la mitad de la palabra «fuego», y cayó de un lado traspasado por las balas.

En el momento del disparo, Roncali cayó en tierra sin conocimiento. Se le llevó a su casa y no volvió en sí hasta veinticuatro horas después.

De León expiró en una actitud teatral y sin ser desfigurado por la muerte.

Terminado el suplicio, el cadáver debía quedar expuesto durante una hora. Joaquín Roncali, el hermano del general, se presentó en la puerta de Toledo con otra persona. Estaban encargados los dos por la familia del muerto de reclamar el cuerpo del fusilado. El fiscal, general Minuisir, que estaba al lado del cadáver, sacó el reloj y dijo fríamente:

—Faltan cinco minutos.

Hubo que esperar que la aguja pasara los cinco puntos negros.»

Los comentarios políticos de Roger de Beauvoir, de carácter realista, los paso de largo.

En el Museo de Artillería está la banda de Isabel la Católica que lucía en el pecho don Diego al ser fusilado. La banda se ve manchada de sangre.

En esta casa, en Vera, hay en un cuadro un trozo de una banda blanca y azul con dos gotas de sangre, ambas del general fusilado. En el mismo cuadro hay una carta del conde de Castellá, en la que asegura que los dos restos son del uniforme de su pariente don Diego de León. Estas reliquias nos las donó generosamente, al ver nuestra afición a la historia contemporánea, doña Rosario Lacy de Elorrieta.

UNA FAMILIA EJEMPLAR

La verdad es que no se ha parado uno a considerar todo lo extraordinario que ha sido la familia de los Borbones en la historia de España. No hay ningún libro que dé una impresión justa acerca de ella. La historia moderna española ha sido mediocre. No hemos tenido historiadores de altura. Sería muy curioso el estudio biológico y patológico de la familia borbónica, sobre todo desde Carlos IV hasta el último de sus individuos reinantes. Lo que falta es espíritu y visión de conjunto. El español de hoy es un poco romo y miope y no ve más que lo que tiene delante de sus narices.

El clima moral de fines del siglo XVIII, en donde comienza la vida contemporánea española, era un tanto laxo.

Las costumbres de María Luisa, para la mayoría de nosotros, pequeños burgueses de vida austera—quizá más por falta de medios que por virtud—, nos producen asombro. De todos los hijos de esta dama, ninguno es de su marido. El padrón de sus amantes oficiales llega a diez o doce, y entre ellos intercala el capricho por un granadero, por un manolo o por un fraile. María Luisa embauca a su marido. Es inteligente, hábil y sagaz.

Cuando va con Carlos IV y Godoy, dice son sorna: «Ya está aquí la Santísima Trinidad.»

María Luisa no es sólo libre, de un erotismo desenfrenado, sino que a veces intenta envenenar cuando alguno le estorba. De vieja, tiene un aire de celestina completo.

Mientras María Luisa convierte en un burdel el palacio, Carlos IV caza. Es un infeliz, buena persona, de genio apacible, y en su reinado se llega, parte por su influencia, a una gran dulzura de costumbres.

Sería curioso averiguar quiénes fueron los padres de los hijos de María Luisa y sus condiciones, porque esto explicaría su carácter histórico.

Hay varios cuadros de la familia de Carlos IV, uno célebre, de Goya. Hay también un grabado de la época, en que están los reyes con tres hijos y dos hijas, todos de perfil. La madre y el padre oficial tienen la nariz corva. De los hijos, Fernando VII es narigudo («Narizotas, cara de pastel», le llamó el pueblo); una de las princesas y don Carlos Isidro tienen la nariz recta; dos infantes, los más jóvenes, niño y niña, la nariz remangada.

Fernando VII ofrece aire borbónico, seguramente por su madre.

María Luisa no tenía estimación por el carácter de su hijo; lo consideraba falso e hipócrita y decía que era un marrajo cobarde.

Otra vez parece que afirmó, refiriéndose a él: «Ese no es hijo del rey. Es el regalo de un fraile de El Escorial.»

Así lo cuenta el padre Salmón en el *Resumen histórico de la Revolución de España* (Cádiz, 1812-1814; seis volúmenes).

Si Fernando VII fue hijo de fraile, eso sólo lo podía saber su madre. Lo que sí es cierto es que era solapado, hipócrita y de un ingenio frailuno. No se parecía nada en el carácter a Carlos IV. Fernando era hombre inteligente y chistoso.

Carlos Le Brun y Michael y Quin publican de él muchas anécdotas.

Cuando vio a los voluntarios realistas en la parada de Palacio sustituyendo a los milicianos nacionales, dijo: «Son los mismos perros, con diferentes collares.»

Sabido es que al entrar los franceses del duque de Angulema, las Cortes quisieron incapacitar a Fernando y declararle loco. Al invitarle a marchar a Sevilla, preguntó en broma: «¿Así que ya no estoy loco?»

Otra vez, en una época en que los palaciegos estaban esperando con ansia el embarazo de la reina Amelia, que asegurase la sucesión del trono, fue la Corte a La Isabela un día de agosto con un calor y un polvo horrorosos.

«De este viaje salimos todos preñados, menos la reina», dijo Fernando VII con sorna.

Muchas anécdotas hay suyas que demuestran su humor. Hay un paralelismo de estilo y de épocas entre los chistes de este rey y las frases de Goya en sus *Caprichos*.

Fernando no sólo demostró humor, sino también crueldad, ingratitud y cobardía.

La infanta María Luisa y el infante don Francisco de Paula, que en el grabado de la familia real aparecen de niños con las narices remangadas, tenían, según los diplomáticos de la época, un «indecente parecido» con Godoy.

La infanta María Isabel—al parecer, hija de Godoy y de María Luisa, a quien se llamaba en la familia «bastarda paralítica»—casó con Francisco I de Nápoles. Esta María Isabel tuvo varias hijas, una de ellas Luisa Carlota, que fue la mujer de don Francisco de Paula, tío suyo por la mano derecha y por la izquierda.

La infanta Luisa Carlota derivó hacia la ambición. Conspiró contra su hermana Cristina constantemente. En ella, la pasión de toda su vida fue la ambición. Quiso, ya que no podía ser reina, ser madre de reyes.

En 1839 encargó un folleto contra su hermana a un libelista: Pedro Martínez López, perfecto granuja, que puso a la gobernadora por los suelos.

Cristina consideraba a su hermana como a una víbora.

María Cristina, de otro tipo que Luisa Carlota, ya antes de casarse con Fernando VII tenía aventuras en Nápoles. Fernando con su cuarta mujer se mostró celoso. Así lo dice García de León Pizarro en sus *Memorias*.

María Cristina, según los rumores de la época, antes de la muerte de su marido se entendía con Muñoz, hijo de una estanquera de Tarancón, y que había estado de mozo en una barbería.

Ronchi, Teresa Valcárcel y otros intrigaban en Palacio y andaban con Cristina en asuntos de tercerías.

García Pizarro, a pesar de su monarquismo, tiene en sus *Memorias* notas como ésta:

«Marzo, 6, 1834.—Se cuenta que, en efecto, la reina, de pronto, quiso llevarse a la casa a un oficial de provinciales; estaba de facción, pero se le reemplazó y fue, y dicen que sigue ahora; si con Muñoz o sin Muñoz, no se dice. Aseguran que es aún más bruto. ¡Mejor!»

A María Cristina, que tiene una moral de cupletista, ya de vieja, se le acusa de emplear el veneno. Como a su abuela.

Otra hermana de María Cristina y de Luisa Carlota fue la duquesa de Berry, María Carolina, hija también del rey de Nápoles Francisco I.

María Carolina casó con el duque de Berry, heredero del trono de Francia, que fue muerto por Louvel. En 1832, María Cristina, viuda, apareció en La Vendée, al principio del reinado de Luis Felipe, a soliviantar a los legitimistas. Fracasada la intentona, se escondió en Nantes, en donde la denunció al Gobierno el judío convertido Deutz, nuevo Judas, que la vendió, no por treinta dineros, sino por doscientos mil francos.

Llevada la dama al castillo de Blaye y encerrada allí, se encontró que estaba embarazada de un conde italiano, y dio a luz ante los notarios que mandó Thiers, con lo que quedó humillada e inutilizada para su campaña realista.

En la rama mayor de los Borbones, por ser de línea de varón, los productos no fueron más excelsos. Don Carlos María Isidro, el primer pretendiente y el heredero auténtico del trono, según la ley Sálica, era hombre de cortos alcances, egoísta y torpe.

Maroto, en una nota autógrafa, escrita al margen de un libro de Mitchell—*El campo y la corte de Don Carlos*, libro que yo guardo—, habla de lo sospechosos que eran para él los abrazos de don Carlos a su secretario y ministro, Arias Tejeiro.

De Isabel II, todo el mundo sabe que tuvo amantes: desde Serrano y el cantor Mirall hasta Marfori. Se sabe, además, que se mostraba cruel, liosa, supersticiosa y de gran perfidia.

Don Carlos, llamado Séptimo por los carlistas, era un patán acromegálico, rijoso y cínico. Y Alfonso XII, señorito insignificante, no lo era menos.

Doña María Cristina de Habsburgo ya tenía otras condiciones diferentes a los Borbones. Se manifestó correcta, roñosa y mediocre. Su hijo no era tampoco hombre de grandes desórdenes.

El que intentara superar el punto de vista de moralidad burguesa, arraigado por hábito y tradición, podría quizá explicarse la conducta desordenada de una familia como la de los Borbones, colocada en lo alto, de una manera casi científica.

Cierto que la cuestión de la herencia no está aclarada. Lo que sí parece evidente es que el individuo no hereda de una manera completa y armónica los elementos (los genes) de sus ascendientes.

Ya Mendel demostró que unos cromosomas se destacan sobre otros que quedan anulados. Así, por ejemplo, si el individuo *A* está engendrado por 10 cromosomas, hay en él un predominio del 1, del 3, del 5 y del 7, y los demás están anulados. Es como si una persona que heredase un guardarropa no usara todas las prendas, sino sólo el pantalón del padre, el chaleco del abuelo y la levita del bisabuelo.

En el caso de las reinas María Luisa, María Cristina e Isabel II hay lo que se podría llamar el erotismo filogénico. Las tres son mujeres uterinas. En las tres existe la misma tendencia a la prole. Desde un punto de vista puramente biológico, son tipos normales: genotipos.

A estas mujeres, sus maridos respectivos no les ofrecen garantías de fecundidad y buscan el macho fuera del hogar. En las dos primeras aparece una supervivencia del carácter italiano antiguo, y llegan, según la voz pública, a ser envenenadoras.

En el caso de don Carlos María Isidro, de la infanta Luisa Carlota y de don Francisco de Paula, estos dos últimos descendientes de Godoy, y que heredan sus condiciones, no se ve el erotismo filogénico, sino la ambición.

La ambición personal, como el instinto de gloria y el sentido artístico, no son de naturaleza filogénica; están más adscritos al individuo que a la especie; son ontogénicos. Estos tipos, sobre todo el de la infanta Luisa Carlota, son los desviados, los desvirtuados, los que tienen una tendencia a salir de su cauce natural. Algunos los llaman, en contraposición a los genotipos, los paratipos. Son como el galgo en la Zoología y la *œnothera lamarckiana*, creada por Hugo de Vries, en la Botánica.

Mirada la cuestión de la familia borbónica desde un punto de vista político, se ve que los reinados de las tres reinas eróticas y alborotadas (María Luisa, María Cristina e Isabel II) representan épocas de agitación, de fermentación de desórdenes, de posibilidades, de cierta originalidad.

La regencia de María Cristina de Habsburgo y el reinado de Alfonso XIII son ya la anemia, la regresión de un país que pierde la vitalidad y termina en una República retórica y jurídica, repetidora de gestos viejos y amanerados; República que ha hecho perder la penúltima esperanza de los españoles; y no dice uno la última para no parecer demasiado pesimista.

TIPOS MORBOSOS LITERARIOS

Esta divagación ha tenido como punto de partida el oír discutir a la gente el caso de dos chicos jóvenes que se han dedicado a robar, y a quienes las consideraciones éticas habituales no han hecho el menor efecto.

La opinión de los unos es que sus padres debían administrar, como remedio una paliza diaria o bisemanal a los díscolos. Otros mueven la cabeza y dicen:

—Esos chicos no son normales.

Este problema tan antiguo de la responsabilidad o de la irresponsabilidad se plantea a veces en una aldea como un problema nuevo. ¿Qué puede pasar en la cabeza de un muchacho para que todos los conceptos tradicionales de la familia y del pueblo naufraguen y se sustituyan por la desvergüenza y el cinismo?

No lo sabemos. A este chico, que parece como todos los chicos, le recomendamos algo, intentando convencerle:

—Mira, no rompas este papel, no quites esa flor, porque lo necesitamos para esto o para lo otro.

El chico, que ya parece tener uso de razón, lo primero que hace es romper el papel o quitar la flor.

Uno se pregunta: «¿Esto es maldad? ¿Es perversidad?» Probablemente es enfermedad, anomalía.

Desde hace ya más de veinte años se habla en revistas médicas y en artículos de periódicos de la esquizofrenia. La palabra viene del griego *skizein*, rasgar, dividir, y de *phren*, *phrenos*, inteligencia. Esquizofrenia es, pues, sinónimo de inteligencia dividida.

La esquizofrenia es una falta de organización en las ideas que produce una duplicidad psíquica.

Las ideas no llegan siempre al fondo de la conciencia. La oficina central no se entera de cuanto acude a sus puertas, y contesta desacorde y sin sentido a las llamadas de fuera.

Naturalmente, en esto tiene que haber grados. Hay el individuo perfectamente normal, que comunica automáticamente con el exterior, hombre de talento u hombre sin él.

Hay también el esquizoide, que comunica con el exterior de una manera incompleta. Es el soñador, el imaginativo, el solitario.

Luego viene el esquizofrénico absoluto, que da la impresión de loco. Para éste, el mundo es una cosa muy diferente que para los demás; las acciones tienen otros motivos que los que se les achaca ordinariamente. El esquizofrénico es lo que llaman *autista*, algo más que egotista. Para él, además, el seguir un razonamiento en una línea única y seguida es imposible. Tiene que proceder a saltos.

Muchos de los esquizofrénicos tienen lo que un psiquiatra francés de talento científico y literario, Ernesto Dupré, llamó la mitomanía.

El desequilibrio constitucional de la afectividad y de la inteligencia turba no sólo el juicio, sino también la imaginación. El sujeto tiende a alterar la verdad, a mentir, a fabular y a simular. Sustituye la percepción de la realidad con la creencia en acontecimientos imaginarios y hechos fantásticos.

Esta fabulación o mitomanía es normal en el niño en virtud de la insuficiencia del discernimiento y del juicio.

En los adultos, a veces, es pasiva; se señala por la credulidad y la debilidad de sentido crítico; a veces es activa, y entonces se caracteriza por la exuberancia de la imaginación creadora y por la facilidad de inventar.

Enfrente unas veces, al lado otras del esquizofrénico, los psiquíatras han colocado el tipo del maníaco depresivo o psicasténico, hombre en el cual, por un motivo cualquiera, disminuye el tono de la energía psíquica.

El maníaco depresivo se siente incapaz de reaccionar contra los acontecimientos, pierde la confianza en sí mismo, vive en una indecisión perpetua y tiene la tendencia a la introspección. El maníaco depresivo se cree más débil de lo que en realidad es.

Las explicaciones sobre el origen de estos desórdenes no son, por ahora, ni muy claras ni muy suficientes.

En los últimos veinte años se ha dado como razón de todo lo patológico-psíquico el pansexualismo de Freud. Esto estaría bien si la sexualidad fuera anterior a la vida orgánica; pero la sexualidad es un epifenómeno. Antes está la función de los centros nerviosos y la cenestesia perfecta o imperfecta que da el organismo.

El esquizofrénico se lo figura uno huesudo, flaco, moreno, marchando con un paso rápido; mentiroso, fantástico, arrogante y orgulloso.

El maníaco depresivo parece que ha de ser grueso, redondo, rubio, blanco, con los ojos claros.

Pensando en estos dos tipos, se ve que los dos tienen una representación genial en la literatura. Don Quijote es un esquizofrénico; Hamlet es un maníaco depresivo.

Don Quijote, que es un hidalgo de aldea, se cree capaz de todo, se siente con entusiasmo y con energía para intentar las cosas más difíciles. Vive en un mundo irreal, brillante, lleno de grandezas y de sublimidades, de genios buenos y malos.

Hamlet, que es príncipe, se manifiesta triste, humilde, resignado, descontento y sin voluntad.

Don Quijote es una reencarnación literaria más perfecta de Aquiles, del Cid o de Bayardo; Hamlet es una nueva hipótesis de Sakya Muni. El uno ve la vida en tono mayor, como un mapa lleno de relieves; el otro la ve en tono menor, como un mapa lleno de oquedades.

Don Quijote es un estoico. «Y si no me quejo de dolor—dice a Sancho después de la aventura de los molinos de viento—es porque no es dado a los caballeros andantes quejarse de herida alguna, aunque se les salgan las tripas por ella.»

Hamlet se lamenta constantemente: «Desde hace tiempo—asegura—no sé por qué he perdido toda mi alegría, he renunciado a toda clase de ejercicio, siento en el alma una tal tristeza, que esta maravillosa máquina, la tierra, no me parece más que un estéril promontorio; esta bóveda soberbia, el cielo; este magnífico firmamento suspendido sobre nuestras cabezas, esta cúpula majestuosa donde brilla el oro de innumerables estrellas, todo esto no me parece más que un conjunto infeccioso de vapores pestilenciales.»

Es lo que piensa el maníaco depresivo frecuentemente sin tanta elocuencia.

No podría añadir mucho más un psiquíatra moderno a esta frase característica de un psicasténico.

Estas dos figuras, Don Quijote y Hamlet, son como los dos topes de la mentalidad morbosa.

Cuando se resuelve la sociedad por una agitación revolucionaria salen a la superficie tipos esquizofrénicos y maníacos depresivos; naturalmente, más de los primeros, porque son hombres de más acción. Un Marat, un Robespierre, un Saint-Just, son, probablemente, esquizofrénicos.

Taine creía que el jacobinismo de la gente joven que sale del colegio rindiendo culto a la razón pura es una enfermedad de crecimiento. Ahora diríamos que es una manifestación esquizofrénica.

Taine era hombre unilateral y pedantesco, porque es cierto que la tradición existe y tiene gran fuerza; pero también lo es que los esfuerzos y hasta las barbaridades de la gente joven no conformista cambian y modifican el legado de la tradición.

Los maníacos depresivos, más prudentes y desconfiados que los esquizofrénicos, son los que a su vejez se hacen reaccionarios e hipocondríacos y encuentran mal todo lo que se hizo en tiempos de su juventud. En España, un tipo de éstos fue el gran orador liberal don Antonio Alcalá Galiano. La revolución española última ha sido de oradores. Los esquizofrénicos no aparecieron a la superficie. Su salida es la manifestación de que la agitación social ha llevado al fondo de la charca. Esto debió de pasar en Rusia en los tiempos de las matanzas y de los fusilamientos, en los cuales la histeria sanguinaria y el sadismo se consideraron como una virtud.

Las dos tendencias, la esquizofrénica y la maníaco depresiva, se unen muchas veces en el hombre actual, que es a veces un poco Don Quijote y un poco Hamlet.

En la literatura pasa lo mismo. Se

da el caso del esquizofrénico-maníaco depresivo y genial. Entre ellos se pueden incluir como más significados a Dostoyevski, a Nietzsche y a Verlaine. Nietzsche es, sobre todo, original cuando de una manera preconcebida, enfurecida y deliberada, niega y toma la posición contraria al lugar común. Así, la mayoría de los hombres cantan y elogian la verdad como una de las bases de la vida. El, no; canta y elogia la mentira. En esto coincide con Ibsen.

Cuando Nietzsche es razonable—como cuando elogia a Goethe y el arte griego—, se confunde con cualquiera.

Se ve que en filosofía y en literatura se puede defender el pro y el contra de una idea de una manera plausible.

Estos escritores antes citados tienen la conciencia dividida. De ellos se puede decir que la mano izquierda no sabe lo que hace la derecha. Así, en sus obras a cada paso saltan las contradicciones más chocantes.

En ellos, la atención no está canalizada como en la mayoría de las personas. La asociación de ideas es distinta a la del resto de los hombres y por eso dan una impresión de originalidad y de novedad. Cierto que, a veces, esta novedad no es más que una apariencia que un momento de reflexión echa a tierra.

También se da mucho en los escritores esquizofrénicos la asociación de las palabras por su sonido más que por su significado.

En la literatura antigua, el héroe era casi siempre normal. Así lo eran Aquiles, Ulises o Eneas. El mismo Edipo no es un hombre llevado al incesto por sus pasiones desviadas, sino por la fatalidad.

Una de las obras clásicas que da una impresión de furia patológica es *Las bacantes*, de Eurípides.

Aquí no se trata ya de un ditiram-bo en honor de un dios, como en la tragedia antigua. *Las bacantes* son un conjunto de escenas de horror y de delirio que recoge el sentido de orgía, de terror y de farsa de las fiestas dionisíacas.

En los autores de épocas posteriores, sobre todo de teatro, la patología entra en los tipos, por lo que puede tener su manía de vicio social.

Así, hay un fondo de patología en *El verdugo de sí mismo* (el *Heautontimorumenos*), de Terencio, y en *El avaro, La asinaria, La casina* y *El soldado fanfarrón*, de Plauto.

Después del Renacimiento, Shakespeare sumerge casi todos sus personajes en la vida morbosa. Hamlet es un perturbado; el rey Lear es otro perturbado; Otelo, Shylock y Calibán no andan lejos de serlo.

Cervantes coloca su esquizofrénico genial en medio de gentes muy razonables para que se destaque con más fuerza.

El siglo XVIII se esfuerza en hacer una literatura juiciosa y de buen sentido, y en él reinan los franceses con su tendencia a la medida.

En el siglo XIX, el romanticismo salta otra vez a lo patológico, y el monstruo y la enfermedad reinan de nuevo. Víctor Hugo inventa sus monstruos de una manera un tanto mecánica; Balzac pinta los mismos tipos de Shakespeare en el ambiente parisiense, y Dickens describe locos y maniáticos con una gran perspicacia.

La expansión de la patología viene con Dostoyevski. Aquí se puede decir que no hay un tipo normal: todos son neurasténicos, epilépticos, locos, avaros, eróticos y vagabundos.

La luz de la linterna del autor ruso ilumina zonas psicológicas muy oscuras, y todo hace pensar que, gracias en parte a él, se aclararán más en el porvenir.

EL HOMBRE Y EL AVENTURERO

Algunas veces he oído decir a la gente: «¿Por qué no harán los escritores actuales novelas a la antigua, aunque con personajes modernos, que sean entretenidas y amenas, y no historias pesadas y antipáticas?»

Yo, cuando he oído esto, he intentado explicar a mi manera por qué no se puede hacer esa clase de libros, deseables por una parte del público. Ciertamente, no he convencido a nadie. La razón principal de la dificultad, amén de otras muchas, está, a mi modo de ver, en que la sociedad moderna no produce el héroe literario ni el aventurero. Sin estos dos elementos, no hay gran novela a la antigua.

El héroe literario no es el héroe político o social; tiene otros caracteres y otros matices. Si hubiera exactitud y justeza en el lenguaje, no se denominaría lo mismo al uno y al otro. El héroe político es un caso de exaltación de pasiones idealistas y sociales; el héroe literario es, sobre todo, una personalidad, un tipo psicológico de interés.

De aquí—aunque parezca una paradoja—se desprende que es más fácil que se dé el héroe político en la realidad que el héroe literario en la obra del escritor.

Las circunstancias pueden hacer de un hombre intelectualmente mediocre un héroe político; no hay circunstancias que puedan convertir un hombre vulgar en un héroe literario.

En España, por ejemplo, en el siglo XIX hay una multitud de héroes y de heroínas: los de Zaragoza y Agustina de Aragón, los de Gerona con Alvarez de Castro, *el Empecinado*, Mina, Torrijos, Riego, Mariana Pineda, etcétera; en cambio, héroes literarios de esa centuria, que tengan una vida perdurable, no hay ninguno en España.

A la vez que falta en nuestro tiempo el héroe literario—porque no da elementos para construirlo el medio social—, falta también el aventurero, otro de los personajes necesarios de la gran novela.

★

Influyen en la desaparición del héroe y del aventurero muchas causas: la mayoría, naturalmente, sociales; algunas, de otro orden.

La gran novela moderna, que hoy todavía sirve de tipo del género, se desarrolló en las dos ciudades europeas más grandes y más misteriosas en su tiempo, de clima húmedo y oscuro: París y Londres.

Esta novela norteuropea tiene cierto paralelismo con el arte gótico; como este último, es un poco monstruosa, y le cuadran bien la niebla y el humo. Balzac o Dickens, Stendhal o Thackeray, Eugenio Sue o Montepin—unos, escritores ilustres; otros, medianos—, no hubieran podido poner la acción de sus libros populares en Cádiz, en Valencia, en Palermo o en Nápoles. Necesitaban la gran ciudad oscura, nebulosa, fangosa, llena de misterio, de contrastes de lujo y de miseria; necesitaban cierta oscuridad y confusión, la posibilidad de la aventura, la población sin escrúpulos, el ladrón, el bohemio, el asesino, al lado del ambicioso, del inteligente y del fuerte, y en esta fauna elegir sus tipos y sus héroes.

Hoy esas dos grandes ciudades se han aclarado, se han higienizado, no tienen apenas oscuridades; pierden sus contrastes, su misterio romántico, y no dan el aventurero que se pueda transformar en héroe. El aspirante a Balzac o a Dickens, a Montepin o a miss Braddon se encuentra en las calles parisienses o londinenses sin muñecos trágicos que poder manejar.

La higiene ha acabado con la ciudad laberíntica y misteriosa; la Policía, los medios de identificación van acabando con el hombre irregular y con los aventureros, posibles héroes. En la Naturaleza en grande ha pasado como en las ciudades en pequeño. La Geografía ha aclarado el planeta.

El misterio en la novela tiene que hallarse en el héroe o en el ambiente. En el héroe está, por ejemplo, en los personajes de Dostoyevski. En el ambiente está en las novelas de aventuras. Ulises, héroe del poema griego —en el fondo, novela de aventuras—, no es un hombre misterioso y hermético; pero el ambiente en que se mueve lo es. Si el Mediterráneo de Ulises no tuviera sirenas, ni hechiceras, ni islas misteriosas, el viaje del aventurero griego sería un viaje de turismo.

Para que haya novela sugestiva tiene que haber penumbra en el hombre o en el ambiente. El héroe y el aventurero necesitan, como las quimeras góticas, la bruma, la confusión y el misterio. No resisten la luz demasiado clara. Cuando la luz del sol penetra de lleno en las calles de los pueblos; cuando un temperamento meridional como Zola entra en la novela, ahuyenta el misterio. Zola no puede —quizá no quiere—idear un héroe, y en sus novelas, el hombre, tipo genérico y sin perfiles, es un número en la masa, y la masa sirve en la política, pero no en la literatura.

★

Las mismas evoluciones de la sociedad ha tenido la novela. La novela tomó de la vida lo que ésta le daba. Cuando Cervantes ideó el *Quijote*, había, seguramente, muchos tipos así en España. Quijotes fragmentarios, que él vio de una manera sintética y completa.

El medio social del comienzo del siglo XIX daba el misterio, permitía la existencia del aventurero y la posibilidad de convertirlo en héroe. Había, o parecía haber, flexibilidad individual y social, que el escritor aprovechó a su modo.

Esta flexibilidad se ha ido perdiendo; lo gaseoso se convirtió en líquido, y lo líquido, en sólido. Todo tiende hoy a quedar reglamentado, estable y clasificado.

Una de las causas de la flexibilidad de la vida antigua era la oscuridad del estado civil. En el principio del siglo XIX, la Policía y la estadística estaban en mantillas; todavía se podía mudar de nombre con facilidad. Una persona que cambiaba de país borraba todos sus antecedentes y podía formarse una nueva vida.

Aun viviendo en su país natal y en esferas públicas, se podía dar el caso de un Joaquín Fernández que se transformaba en Baldomero Espartero; de un Juan Alvarez y Méndez que se convertía en Mendizábal; de un Domínguez Bécquer que aparecía sólo como Bécquer.

En la esfera más alta de la sociedad se podían dar casos como el del conde de España o el del general Jorge Bessières, que no se sabía con seguridad quiénes eran.

Cierto que en la revolución bolchevique, los Lenin, los Trotsky y los Zinovief se presentaron hace pocos años con nombres que no eran suyos; pero todo el mundo sabía en su país lo que eran y de dónde procedían.

El caso muy curioso de oscuridad en el estado civil, muy sintomático del siglo XIX, fue el de Gaspar Hauser, a quien las gentes de Nuremberg encontraron un día, en 1829, en las calles de la ciudad fabricante de los soldados de plomo como caído de la luna. Le interrogaron; no supo decir quién era. Tenía señales de haber sido martirizado, y debía de estar perseguido por alguien, porque fue muerto por un desconocido años después. En su tumba se puso este epitafio:

HIC JACET GASPARUS HAUSER,

OENIGMA SUI TEMPORIS.

IGNOTA NATIVITAS, OCCULTA MORS,

MDCCCXXXIII

Una cosa así, evidentemente, no puede darse hoy.

Figuras enigmáticas de otra clase se dieron antes en el siglo XVIII; una de ellas, el conde de San Germán; la otra, Cagliostro.

El conde de San Germán, imitador del antiguo taumaturgo Apolonio de Tiana, supo ocultar su personalidad verdadera y su origen durante toda su vida. Según algunos, era un francés; según otros, hijo de un judío español o alsaciano.

San Germán aseguraba ser inmortal y haber vivido miles de años. Tenía el talento de contar en una conversación un acontecimiento importante de época antigua y de narrarla como un testigo presencial, como una anécdota del día, con los mismos detalles y el mismo grado de interés y de vivacidad. Así, hablaba de su conversación con Julio César antes de la batalla de Farsalia y de los consejos que había dado a Cleopatra antes de dejarse matar ésta por el áspid.

El conde parecía riquísimo y aseguraba tener la piedra filosofal. A pesar de ésta y del elixir de larga vida,

que también poseía, murió, como cualquier mortal, en un castillo del ducado de Schleswig, del príncipe de Hesse, gran protector de las ciencias herméticas. Murió llevándose a la tumba su secreto.

Más desgraciado que San Germán fue Cagliostro, otro imitador de Apolonio de Tiana. Cagliostro, popularizado por Alejandro Dumas en *Las memorias de un médico* y en *El collar de la reina*, no pudo ocultar su nombre.

Goethe, entonces, en Italia, fue el que descubrió muchos datos de su vida. Cagliostro se llamaba José Bálsamo, era de familia pobre y había servido de enfermero en Palermo. Su mujer, Lorenza Feliciani, a quien Dumas quiso pintar como una vestal, era una pobre pelandusca, hija de un mercero de Roma, a la cual su marido explotaba a estilo de apache moderno.

Como San Germán, Cagliostro pretendía ser inmortal y haber charlado mano a mano con Séneca, con Jesucristo y con el gran Kan de la China. Cagliostro interviene en la masonería, es el gran copto, y muere en Roma, en la cárcel, como un estafador cualquiera.

Después, en el principio del siglo XIX, hay el asunto de los falsos delfines que llena la imaginación de las gentes. Docenas de personas se hacen pasar por el hijo de Luis XVI, muerto en la prisión del Temple en la época de la Revolución. Se reúnen informes de aquí y de allá y se considera posible que el delfín se salvara.

G. Lenôtre publicó no hace mucho un libro titulado *El rey Luis XVI y el enigma del Temple,* en donde recoge pruebas y rumores del famoso asunto.

De estos falsos delfines, los más célebres fueron un fabricante de zuecos, celebrado por el poeta Béranger, y un tal Naundorf, que llegó a convencer a muchos de que era el auténtico Luis XVII.

Toda esta balumba de romanticismo y de misterio es la que produce, en parte, la novela de la época, con sus aventureros y sus tipos gesticulantes dibujados en claroscuro.

★

Si pensamos en la vida actual, vemos que desde hace mucho tiempo no hay nada parecido. El escritor no ha podido sustituir al héroe misterioso de la época romántica por otro de hoy, igualmente sugestivo, político o deportista. El aventurero puede ser igual que el de hace años, pero sus medios se han restringido y su acción es insignificante.

No hay en nuestras proximidades históricas un teniente de Artillería que acabe en emperador, como Napoleón; ni un hijo de un abogadillo de Pau que se convierta en rey de Suecia, como Bernadotte; ni un hijo de un posadero provenzal que llegue a rey de Nápoles, como Murat. Tampoco se sabe de menestrales y de mozos de mulas que acaben en mariscales de Francia, llenos de oro, de plumas y de galones.

Todavía en la Francia de mediados del siglo XIX reinan el aventurero y la aventura con Napoleón III y la emperatriz Eugenia. Un hombre tan inteligente, tan divertido y tan cínico como el duque de Morny, hijo natural de una reina, sirve de modelo para los tipos mundanos descritos por los novelistas del Segundo Imperio.

★

La lotería de la vida actual tiene, indudablemente, premios muy chicos hasta para los más favorecidos por ella. La Fortuna en nuestra época es una Fortuna con seso, con libro de cuentas y con un cuerno de la abundancia muy pequeño. A esto se une la dificultad o casi imposibilidad de la aventura. Las artes del aventurero están perseguidas.

Las identificaciones de la Policía se han perfeccionado, y desde la última guerra han tomado un gran incremento. Fotografiados, fichados, con sus impresiones digitales registradas, no hay libertad de movimientos para el aventurero.

Hay mucha gente que supone que la vida no tiene gran cosa que ver con la literatura. La literatura siempre ha sido un espejo de la vida, ahora y antes, y, probablemente, lo seguirá siendo. La vida actual no tiene misterio, no da la aventura ni el aventurero, no da la posibilidad del héroe, y por eso la novela no puede reflejarlo. El intentarlo a la moda antigua, más que creación, sería hoy un caso de arqueología literaria.

LA LITERATURA CULPABLE

Un señor que no firma me envía una tarjeta postal con unas frases un tanto secas y agrias en contestación al artículo «El héroe y el aventurero».

Me dice que no es cierto que los héroes literarios sean más importantes que los patrióticos y políticos, y que la culpa del desorden sentimental que existe actualmente en España hay que achacarla a la literatura.

La literatura sentimental y romántica es un morbo que hay que hacer desaparecer de cualquier manera, y cuanto antes, mejor, según él.

A las afirmaciones de este señor anónimo voy a contestar, porque me parecen sintomáticas de un estado de opinión de los medios políticos burgueses.

Yo no dije que el héroe literario fuese más importante que el héroe político. Esto de la importancia no es una cosa clara; depende del punto de vista que se tome. Yo lo que dice fue que el héroe político es más fácil de brotar, de darse en cualquier medio, que el héroe literario.

Así, aseguraba que en España, en el siglo XIX, ha habido muchos héroes políticos, y que, en cambio, héroes literarios como puedan serlo Don Quijote, Don Juan u otros menos generales, no se había creado ninguno.

Todas las doctrinas políticosociales han tenido en nuestro país héroes: el patriotismo, el tradicionalismo, el liberalismo y el anarquismo. Los que no han tenido héroes han sido precisamente los triunfantes en la política actual, los republicanos y los socialistas. De éstos no se recuerda ninguno que tenga la vitola de héroe. Menor disposición aún para la heroicidad han demostrado los monárquicos alfonsinos. Estos, cuando mandaban rodeados de guardias, de Policía y de Ejército, parecían terriblemente severos, un poco tigres; pero cuando se han quedado sin acompañamiento han demostrado, desde su rey para abajo, pasando por los demás Martínez Anido, que tenían más de liebres que de tigres.

No eran de esos lepóridos el jefe anarquista de Casas Viejas, *el Seisdedos*, con sus hijos y la muchacha que preparaba las armas para que el hombre hiciera fuego sin interrupción. Esos tenían madera de héroes como los de Numancia o los de Zaragoza.

Los políticos nos dirán que en lo malo no puede haber heroísmo. No nos convencerán. Ya se sabe que es más práctico y sensato que andar a tiros seguir el ejemplo de Fulano republicano y socialista y tener varios sueldos y una posición sólida. En esta sensatez no hay sospecha de heroísmo. Sí la hay en la acción del *Seisdedos* y en la muchacha que le acompañaba en la choza trágica. Hay en ellos valor y una idea grande, aunque sea utópica.

★

La glorificación del bandido generoso, del aventurero y del anarquista es para mi comunicante anónimo una gran culpa y un gran daño de la odiosa literatura. Si uno le conociera a ese señor, le preguntaría: «¿De qué literatura?» De la nacional no será, porque ésa, conservadora o anarquizante, se lee tan poco, que no puede influir en la masa.

No vaya a darse aquí la repetición de la teoría de un artículo que publicó Luis Morote hace ya muchos años sobre la supuesta generación del 98. Morote, al principio de su artículo, decía que los escritores de esa generación fantasma no habían sabido escribir libros populares que penetrasen en la sociedad y llegasen a las masas, y después, al final, añadía que la influencia de la seudogeneración del 98 era nefasta. Ahora, cómo una cosa que no llega a la masa puede influir en ella y ser nefasta, eso no lo entienden más que los metapsíquicos y los articulistas de fondo. La presunta generación del 98 debió tener, según Morote, una acción catalítica.

Quizá mi anónimo comunicante piensa: «No es la literatura nacional sólo la que ejerce una acción funesta en las masas, sino la literatura en bloque, sobre todo, naturalmente, la romántica.» En el fondo, creo que es lo que ha querido decir y lo que piensa el señor de la tarjeta postal. La tesis es muy de político.

El político cree que la literatura es perjudicial. Tanto conservadores como comunistas, se muestran enemigos de lo literario; unos y otros odian la acción individual y se sienten directores y amos.

—Hay que abandonar todo sentimentalismo — dicen muchas veces los comunistas.

No piensan que si no hubiera habido sentimentalismo políticosocial no existirían ideas democráticas ni comunistas ni anarquistas.

El antisentimentalismo es lógico en el conservador, ordenancista, partidario del Estado fuerte, a la romana. También es lógico en los aspirantes a Stalines. Ya en el racista no lo es, porque éste pretende manejar tópicos sentimentales.

El político tiene otros motivos más personalistas contra el escritor. El literato tiende, según él, a aislarse, a ser soberbio, a llamarse intelectual.

Yo, la verdad, no recuerdo de nadie, en España ni fuera de España, que se haya llamado a sí mismo intelectual — probablemente se pondría en ridículo—; pero he notado siempre que a nuestros políticos les produce la palabra tanta inquietud y tanta cólera como a Primo de Rivera.

El dictador hablaba con frecuencia de los autointelectuales, como diciendo: «Hay gentes que se llaman a sí mismas intelectuales, y no lo son.» Para él, intelectual debía de ser sinónimo de genio, y llamarse así constituía una enorme petulancia.

Con igual motivo, otro cualquiera podía haber hablado de los autogenerales, de los autopolíticos y de los autoobispos, refiriéndose a los que se creen generales, políticos y obispos en su grado máximo, cuando no lo son más que de nombre y en su grado mínimo.

Yo, como digo, no he oído a nadie llamarse intelectual, ni he visto poner en el padrón: «Profesión, intelectual»; pero si alguien se lo llamara o lo pusiera, no creo que indicaría mayor petulancia que llamarse médico, diplomático o artista.

La antipatía de los políticos españoles por los autointelectuales primorriverianos es manifiesta. La mentalidad del político demócrata, hecha casi siempre de lugares comunes, no acepta el prurito de originalidad de los escritores. Esto ofende.

Recuerdo que en la Redacción de *El Globo*, hace treinta años, presté *El crepúsculo de los ídolos*—una traducción fragmentaria de este libro—a un periodista republicano. A los tres o cuatro días me lo devolvió, y me dijo:

—Esto es una lata.

—Pues, amigo—le dije yo—, si esto es una lata, ¿qué serán los artículos y los discursos de los políticos republicanos?

El hombre se amoscó; dijo que en el libro no encontraba más que disparates, y que todo un anarquista que se firmaba *Claudio Frollo* había asegurado que los libros de Nákens valían más que los de Nietzsche.

—Hombre, eso no es más que una pobre majadería de ese señor *Claudio Frollo*—le dije yo—. Nákens es de vuelo gallináceo al lado de Nietzsche, que es de vuelo aquilino.

★

Los políticos demócratas han pensado antes y ahora que los autointelectuales primorriveristas les pisan el terreno, intentan cortarles la hierba bajo los pies, como dicen los franceses. No ven que, como los militares en tiempo de la Dictadura, son ellos

hoy los que lo acaparan todo, no sólo los sueldos y las mercedes, sino la
publicidad máxima. Los discursos más
vulgares, las más anodinas declaraciones, corren por todos los periódicos
de España y se les da una importancia trascendental, de algo salvador
para el país. A pesar de ello, la gente se va cansando de las promesas y
de la ineficacia de los políticos, y es
posible que cuando éstos intenten de
nuevo comenzar su propaganda, llue-
van patatas y otras hortalizas en los
escenarios de los pueblos.

A los políticos les pasa actualmente como al avaro que le toca el premio gordo de la lotería. Es el premio
mayor, pero no es el premio único.
El político tiene éxito en su pandilla
o en su banda; pero hay gente excéntrica y absurda, algunos autointelectuales primorriverianos que no se
ocupan de ellos y piensan en Spengler, en Einstein o en el moro Muza,
y esto les molesta profundamente. Para ellos no hay más que la política, y
la política suya.

Ese es uno de los motivos por el
cual jefes y jefecillos odian la literatura. Ya saben que por muy radicales que sean sus teorías, hay otras
más radicales, mejor pensadas y expuestas.

Mientras los políticos comen y peroran, hay autointelectuales primorriverianos que tienen la osadía de no
asomarse por el restaurante, sólo por
el gusto de murmurar y de hablar en
la calle mal de los que tragan. Es
absurdo, pero ¡qué se le va a hacer!
Es cosa de autointelectuales primorriverianos.

Por otra parte, el político triunfante tiene que ser correcto y mostrar
prudencia, y éste es como un boquete por el cual se le marcha la popularidad. Por ahí se desinfla su globo.
Ahora, en el caso de este *Seisdedos*

y de la muchacha anarquista, desconocida todavía, batiéndose heroicamente en una choza de Casas Viejas
hasta la muerte, el político y el señor de la tarjeta postal dirán que no
son valientes, ni exaltados, ni locos,
sino agentes de un señor monárquico
que les pagaba unas pesetas. ¡Como
si por unas pesetas se decidiera nadie a morir!

Yo, si fuera andaluz y anarquista,
pugnaría por que en los Sindicatos
de la C. N. T. quitarán de las paredes los retratos de algunos viejos barbudos vulgares, dogmáticos y pedestres, y pusieran, en cambio, la efigie
de la muchacha anarquista, desconocida hasta hoy, de Casas Viejas. Como los países militaristas tienen el
culto del soldado desconocido, los libertarios podrían tener el culto de la
anarquista desconocida. Esta andaluza, admirable por lo brava, tiene el
derecho de entrar en el panteón revolucionario clásico.

★

El sentir admiración y simpatía por
lo exaltado, lo generoso y lo heroico,
sea de un extremo social o de otro
—más si mira a lo por venir—, es
con seguridad lo que mi comunicante
anónimo de la tarjeta postal considera consecuencia perniciosa y patológica de la odiosa literatura.

¡Qué se va a hacer! El Evangelio,
el Romancero, las novelas de caballerías, la literatura de cordel, Cervantes y Tolstoi, influyen, aunque sea indirectamente, en la masa popular española más que los manifiestos del
Comité del partido radical o del partido socialista.

Los políticos quieren creer que la
vida y las ideas están ya todas encerradas en sus redomas; que ellos les

han puesto la etiqueta definitiva y que no hay otras.

«Este específico debe de estar en la farmacia en el ojo del boticario, y este otro, en el cajón de las hierbas.»

El pueblo no hace mucho caso de tales clasificaciones y marbetes; obra por intuición y siente afecto u odio por lo que le impresiona, teniendo en cuenta más los motivos de obrar que los resultados.

Los españoles y España sienten todavía así: más humana que políticamente, más en hombre que en leguleyo; y aunque nuestros políticos, palabreros y un poco mediocres, crean que hechos como el de Casas Viejas, de Medina Sidonia, de violencia, desacreditan a los españoles rebeldes ante el mundo, muchos creemos que los acreditan como esforzados y como idealistas.

Si para algunos esto es culpa de la literatura, para otros—entre los cuales me cuento—es parte de su gloria.

EL MAR Y EL MARINO

Desde un punto de vista literario, se podrían señalar en la historia del mar tres períodos: el fabuloso, el antiguo y el moderno.

El fabuloso, con sus sirenas, sus tritones y sus nereidas; el mar antiguo, con sus barcos de velas complicadas, sus aventuras, sus sublevaciones, sus piratas y sus negreros, y el mar moderno, con sus máquinas de hélices poderosas y su telegrafía sin hilos.

El mar fabuloso abarca casi únicamente el Mediterráneo y sus proximidades, en la mitología clásica el dominio de Anfitrite. Es el mar de Jasón y de los argonautas que buscan el vellocino de oro; el de Ulises, el de Eneas, el de los poemas geográficos del tipo de la *Ora marítima*, de Avieno; el de las fantasías de *Las mil y una noches* y el de las *Historias verdaderas*, de Luciano.

El mar antiguo, el de Neptuno, no tiene la representación brillante del fabuloso en la literatura; en su período entrarían las épocas bárbaras de expediciones de escandinavos, normandos y vascos y las épocas más conocidas de los exploradores y conquistadores de América. Llegaría a nuestro tiempo.

El mar moderno es el del mundo sometido a la mecánica y a la economía, en el cual el barco es una máquina casi perfecta, de un funcionamiento matemático, que lleva una ruta fija.

Fábula, misterio y mecanismo serían para nosotros las tres etapas literarias del mar.

En ninguna de estas tres etapas, que han durado siglos, el hombre del mar, el marino, se ha destacado, ni ha sido puesto a plena luz por la literatura. Un personaje tan importante ha quedado siempre en la semioscuridad.

El marinero, en el antiguo poema, forma parte del coro, no tiene apenas carácter. Los que acompañan a Ulises o a Eneas por los mares clásicos no se destacan por su individualidad. Unicamente el piloto Palinuro, de la *Eneida*, arrebatado por las olas, rendido de sueño, agarrado al timón y muerto por los habitantes de la costa, merece el recuerdo de Virgilio.

Las desgracias del héroe, los amores del héroe, son únicamente trascendentales para el poeta.

En el período que se puede llamar del mar antiguo, período de misterio, en las epopeyas germánicas y escandinavas no hay apenas atención por el océano. Este no es más que un camino, y en el canto de Ragnar Lodbrock, el más célebre de los piratas escandinavos, no hay impresiones marítimas, sino sólo muertes, robos y asesinatos.

La literatura del Renacimiento y la del siglo XVII no sienten gran curiosidad por el marino. En las relaciones de viajes se considera a la tripulación como un elemento peligroso y brutal, que puede desencadenar sus cóleras como los vientos y las tempestades.

En Shakespeare, los marinos no tienen tampoco carácter realista bien acusado, y la isla y el mar en donde se desenvuelven las escenas de la comedia fantástica *La tempestad*, con su Ariel y su Calibán, son una isla y un mar de teatro.

Lo mismo ocurre en la novela marítima *Persiles y Sigismunda*, de Cervantes, que es, más que otra cosa, un poema medio simbólico, en el cual los personajes navegan en aguas septentrionales sin carácter, desconocidas para el autor.

En nuestro tiempo hay una literatura abundante sobre el mar actual, que no cuenta seguramente con una obra maestra y que tiene cantidad más que calidad.

En los tres períodos no hay apenas folklore marino. Si lo hay, no se conoce. De los pescadores, lo hay; de los marinos de altura, de los pilotos y de los marineros, muy poco.

★

Los ingleses son los que sienten primero en la literatura el interés y la curiosidad por la vida real del marino. Es natural que sea así, por ser el pueblo inglés el más marinero de la tierra.

En el *Robinsón Crusoe* aparece, quizá por primera vez, un mar de verdad y un marino con las preocupaciones y la mentalidad de un hombre moderno.

Después de Defoe, el autor de *Robinsón*, los ingleses siguen cultivando el mar, unos en la poesía, como lord Byron y Coleridge; otros en la novela, como Walter Scott, Edgard Poe, Feminore Cooper y el capitán Marryat. La tendencia llega hasta Kipling, Jacobo Stevenson y Conrad.

Walter Scott construye libros admirables, como *El pirata*; el americano Cooper los escribe también, sin su gracia y su encanto. Poe derrocha su imaginación en las *Aventuras de Arturo Gordon Pym*, y Marryat, en *Pedro Simple* y en *Jacobo Fiel*, sabe pintar la vida en el pequeño mundo del barco con una ingenuidad y un humorismo atrayentes.

En Francia, en el período romántico, Eugenio Sue escribe unas novelas marítimas, byronianas, un tanto desagradables, como *Atar-Gull, La salamandra* y *El vigía de Koat-Ven*.

En España y en Italia no hay novela marítima moderna importante.

★

Se comprende la indiferencia, la falta de curiosidad que produjo el oficio del marino cuando durante siglos se miró con la misma indiferencia el imperio quieto de las olas. Para los antiguos, el líquido elemento es una morada de dioses. En algunas mitologías, el mar y el cielo se confunden. El Eridu caldeo, el Varuna védico y el Urano griego es agua y cielo al mismo tiempo. Probablemente también lo eran la fuente Urdar de los escandinavos y el Urtzi de los vascos. Para los griegos, el océano está dominado por Poseidón, que se desdobla en Anfitrite y Neptuno. Al mar se le glorifica y se le venera, pero no se le atiende.

Glorificaciones y fiestas náuticas hay muchas en los pueblos, desde la del Barco de Isis, en Egipto, a la del Bucentauro, de Venecia, y a las bendiciones y procesiones en barcas de los pueblos de la costa. El mar, como el monte para nuestros antepasados, no era en la realidad más que un obstáculo y en la literatura un lugar común.

Cuando yo era chico y estudiaba en el Instituto de Pamplona, nos leía el profesor, como cosa admirable, una poesía de Arolas, que, si mal no recuerdo, decía así:

¿Qué pasatiempo mejor
orilla al mar puede darse:
coger la olorosa flor
que escuchar al ruiseñor,
y en clara fuente bañarse?

Yo, que había vivido en la infancia en un puerto y que pretendía tener un poco de espíritu crítico, encontraba en la poesía esta una serie de extravagancias, y decía a mis condiscípulos:

—Yo no he visto a orillas del mar ni flores, ni fuentes, ni creo que he escuchado ningún ruiseñor. Además, ¿para qué bañarse en una fuente, estando cerca del mar?

Mis condiscípulos se reían. Seguramente, para ellos también el mar era un lugar común.

★

El mar, el marino y el marinero, en su época de misterio, la más curiosa e interesante, se han escapado a la observación del escritor. Los hombres iban y venían por el océano, su-

frían sus embates y sus cóleras y no le concedían importancia. Una serie de profesiones de poca monta tienen acerca de ellas una literatura abundante; la profesión del marino y la del marinero la tienen escasa.

El oficio de marinero en España era considerado como bajo; así, este oficio se ha transformado, ha evolucionado casi en la oscuridad.

El mar entra de lleno en la literatura universal ya tarde, a mediados del siglo XIX, con la *Geografía física,* del capitán americano Maury. Este libro, publicado en 1854, de carácter más bien científico que literario, está muy bien, tiene un gran éxito y se traduce a varios idiomas. El libro es, realmente, ameno y sugestivo, y da origen a imitaciones. Tras de la obra del capitán americano viene *El mar,* de Michelet, en 1861, y *Los trabajadores del mar,* de Víctor Hugo, en 1866.

Se ha descubierto el océano como motivo literario para todo el mundo. El mar ya no es una exclusiva de los autores ingleses. Se va explotando el descubrimiento. Julio Verne escribirás sus novelas de aventuras, en donde el mar no tiene mucho olor ni sabor, pues parece un estanque lleno de agua destilada de laboratorio.

Pierre Loti hará sus descripciones brillantes y melancólicas con un fondo de egotismo lírico, y otros escritores, como Le Goffic y Farrère, le seguirán dando productos más mediocres.

Todos estos últimos, como Kipling y como Conrad, tratarán del mar actual en su época del mecanismo, cada vez menos típico y de menos carácter. Hoy todo hace pensar que el mar y la vida del marino han perdido elementos para la novela. Le quedarán, en cambio, motivos eternos para la poesía lírica.

LOS RIOS DE ESPAÑA

Actualmente hay montañistas que hacen colección de montes, de las imágenes de los montes que escalan y conquistan en sus ascensiones. Mark Twain contó en broma la historia de un coleccionista de ecos. Yo, si hubiese podido, hubiera sido un coleccionista de ríos.

Muy sugestivo es el mar, no cabe duda; para mí es más sugestivo el río. El mar es la unidad, un punto de apoyo del panteísmo; el río es la variedad constante.

Yo he pasado muchas horas en París contemplando desde un puente el Sena. También las he pasado en Londres contemplando el Támesis. Un río comercial es de un entretenimiento admirable; sólo el agua que corre es algo que distrae y que arrulla. Un espectáculo magnífico es ver salir el Ródano del lago de Ginebra; también lo es mirar desde lo alto de la terraza de la catedral en Basilea las aguas inquietas y tumultuosas del Rin.

Don Alberto Lista, el maestro de Espronceda, escribió una poesía titulada *Desde la cima del Alpe*, cuyos primeros versos se han comentado mucho y se han atribuido a distintos poetas:

Dichoso el que nunca ha visto
más río que el de su patria,
y duerme anciano a la sombra
do pequeñuelo jugaba.

La exclusiva de no haber visto más que un solo río no me parece completamente seductora, aunque, ¿quién sabe? Quizá ver un río bien sea igual que verlos todos.

Yo no haría ningún esfuerzo por ver las grandes ciudades de América, pero sí lo haría, o por lo menos lo hubiera hecho en la juventud, por ver el Mississippí, el Amazonas o el Orinoco.

No he visto más que los ríos de la Europa occidental y parte del Rin y del Danubio.

Todos los ríos, para mí, tienen un gran atractivo; que el agua sea transparente y clara u oscura y turbia, que tire a azul, a verde o a rojo, me parece bien; lo que ya no me parece bien, a pesar de todos los razonamientos utilitarios, es que el cauce esté seco y sin agua, como pasa con el Turia en Valencia.

El río, para los antiguos, era un objeto de culto. Se le representaba como un viejo de barbas largas y espesas con un cuerno de la abundancia en la mano, cuando no con dos cuernecitos en la frente, como a Moisés, símbolo de poder y de autoridad.

Del culto de los ríos hay muchos restos. Un naturalista alemán, Bossetk, del siglo XVIII, publicó un libro, *De cultu fluminum*, donde hay grandes fantasías.

Los franceses, que consideran a la mayoría de sus ríos del género femenino, los han representado en la escultura como damas.

★

Un escritor francés, si hablara en un artículo o en un libro de los ríos de su país, los llamaría los bellos ríos de Francia. Llegaría a asegurar que hasta sus grandes corrientes de agua son allí razonables y sensatas y presienten que están en la tierra de Montaigne y de Descartes.

Nosotros, los españoles, no diríamos: «Los bellos ríos de España.»

La verdad es que nuestros ríos no son tan bellos, ni tan claros, ni tan mansos como los de la Europa central; son más bien violentos, trágicos, dramáticos. Son ríos salvajes e indomesticables, poco útiles. Como los caballos recién cazados, no permiten que se les cargue nada encima, y como el potro bravo, desarzonan con facilidad al jinete.

Nuestras corrientes fluviales no tienen un curso regular; se estrechan entre paredes angostas, se convierten en una balsa, se empantanan en un juncal, pasan por el fondo de un tajo de rocas blancas o rojizas, cuando no tienen la humorada de hundirse en la tierra y desaparecer, como el Guadiana, en un paso de prestidigitador.

Son los nuestros ríos gruñones y malhumorados; tienen presas, remolinos, piedras, cañaverales; pasan de famélicos y esquivos a estar hinchados y a amenazar con la inundación.

Los deportistas españoles empiezan ahora a querer domesticar los ríos como han domesticado los montes. La empresa fluvial parece que es más difícil que la montañera.

Hace algunos años, inmediatamente después de la guerra, vi que en Pamplona, en el Arga, campo de operaciones de mis correrías infantiles, unos alemanes venidos del Camerón y reconcentrados allí habían hecho una playa para bañarse. Aunque era muy natural, me pareció un poco absurdo y se me figuró que habían estropeado aquella parte del Arga. Uno es español y cree que no está mal que un río no sirva para nada.

Estos ríos nuestros no se prestan a los deportes; admiten únicamente la pesca. No creo que llegarán a servir para regatas. No recuerdan el *Embarque a Citerea*, de Watteau, ni se piensa al contemplarlos en excursiones en lancha de damiselas y petimetres.

Será difícil convertir a nuestros Tajo, Duero y Ebro en vías fluviales tan académicas como el Loira o como el Sena.

El tipo del río ciudadano es el Sena; con su aire modesto y tranquilo, es un pozo de ciencia y de malicia. El Tíber, el más histórico de todos, es negro y siniestro y tiene aire de traidor. El Rin, como río alemán, es impetuoso, y, como Alemania casi siempre, fracasa al final y se convierte en una serie de canales un poco vulgares; el Támesis es negro y sombrío, como un río de comerciantes ávidos y puritanos.

El Sena está representado muy bien en el comienzo de estos versos, un poco ñoños, de madame Deshoulières, titulados *Versos alegóricos:*

> *Dans ces près fleuris*
> *qu'arrose la Seine*
> *cherchez qui vous mène,*
> *mes chères brebis.*

★

Nuestros ríos, en la mayor parte de su recorrido, tienen un carácter torrencial. La línea divisoria de las dos vertientes principales de la Península separa varias cuencas: las del Mediterráneo, más rápidas; las del Atlántico, más suaves.

La mayoría de nuestros ríos y arroyos tienen formas seniles. Esto se lo he oído decir al profesor Dantín Cereceda en una excursión en auto. No sé si la vejez ha de ser preludio de la muerte en la corriente de las aguas, como en las personas.

De estos ríos nuestros de gran declive, constantemente cambiantes, uno de los más típicos es el Tajo. El Tajo pasa por desfiladeros, por barrancos estrechos y hondos. En algunos puntos va a 150 metros de profundidad, como en el Salto del Gitano, cerca de Acebuche. Esta hondura debe de ser uno de los síntomas de vejez.

A pesar de su fama poética de río de márgenes floridas y de haber sido cantado por grandes poetas, desde Ovidio hasta fray Luis de León, marcha por entre orillas desnudas y salvajes. Sólo en Aranjuez y en Talavera cruza comarcas fértiles y toma un verde oscuro al reflejar las arboledas próximas. El Tajo es en muchas partes dramático; lo es en Toledo, en el puente de Almaraz y en el de Alcántara.

El Ebro, mientras es castellano, hasta Miranda, es claro; luego, ya al acercarse a Logroño y al internarse en Aragón, se hace gris y amarillento. En todo su trayecto es de rápida corriente, de aire serio y amenazador.

El Duero pasa por delante de ciudades viejas, ruinosas, de color de miel. En Soria es todavía claro y verdoso; luego se hace más amarillento. Su cuenca es la más ancha de los ríos españoles. Almazán, Toro y Zamora se reflejan en este río, que recuerda la Reconquista y la Edad Media. Yo lo he atravesado desnudo en invierno por un vado, y aún recuerdo su frialdad medieval.

El Guadalquivir tiene siempre prestigio en el extranjero. Se le considera como un escenario de fiestas alegres, con guitarras y panderetas. Es del país de Carmen; de Carmen, que en la novela de Mérimée es una gitana vasconavarra.

El Guadalquivir es amarillo y rojo. El poeta sevillano Arguijo le llama claro Guadalquivir en un soneto. No sé en dónde lo encontraría así. Tampoco se sabe dónde lo vería Grilo para escribir aquello que comienza diciendo:

Del Betis cristalino
junto a la orilla.

Probablemente lo vería en su imaginación o quizá lo confundiría con el canal de Lozoya.

El Guadalquivir toca a su paso con hermosas ciudades, pero es un poco monótono. No creo que tenga, a pesar de su fama, un folklore popular. Sobre él se ha hecho literatura sabia y erudita. Yo, cuando estoy en Sevilla, recuerdo invariablemente los versos pomposos de *Don Álvaro*, que oí recitar de chico a Rafael Calvo:

¡Sevilla! ¡Guadalquivir!
¡Cuál atormentáis mi mente!

También recuerdo un cantar de una comedia del teatro clásico:

Vienen de Sanlúcar,
rompiendo el agua,
a la torre del Oro,
barcos de plata.

El Guadiana es un río de fama modesta. Al que vive en Madrid le da la impresión de estar más alejado que los demás. Tiene el dramatismo de su desaparición teatral, como por escotillón, debajo de tierra, y para los cervantistas el atractivo de servir sus orillas a varias escenas del *Quijote*. El Guadiana es caudaloso y ofrece gran aspecto en sus valles y al cruzar el puente romano de Mérida y el de Badajoz, construido con los planos de Herrera.

Los ríos grandes y pequeños que van al Mediterráneo o al Atlántico se asemejan; son en general amarillos o grises, poco claros; rara vez verdes, nunca azules.

Estos ríos, que a la luz fuerte del mediodía tienen casi siempre color de barro, al atardecer parecen corrientes de oro fundido, toman resplandores mágicos, rojos y escarlatas, al reflejar en su superficie las nubes del crepúsculo.

Muy diferentes a ellos son los del Cantábrico, pequeñas vías de agua entre el monte y el mar, claras y transparentes. Los riachuelos de la España húmeda invitan a vivir junto a ellos, y eso que la mayoría están estropeados con presas y con electras.

★

Mis recuerdos fluviales españoles se refieren a ríos pequeños. En el Arga, bañándome, un día me metí en un remolino, en donde comencé a dar

vueltas como una peonza, y me sacaron un poco trastornado; en el Urola, en Cestona, subía a un tronco de árbol que avanzaba en el río y me dedicaba a la pesca y un poco a la meditación; en el Segre estuve sentado en el puente de Espia, donde mataron al conde de España, mientras el chófer cambiaba una rueda del auto, y en las hoces del Cabriel almorzamos una mañana espléndida de invierno J. Ortega y Gasset, Dantín Cereceda, Domingo Barnés y yo, mientras los alcotanes chillaban por el aire y cruzaba el espacio alguna gruesa avutarda.

EL SENTIMIENTO DEL CAMPO

Un alto en el camino. Estoy de noche un momento solo en la carretera. Una noche magnífica y fresca. A lo lejos, en una hondonada, un grupo de luces de un pueblo. ¿Cuál será ese pueblo? ¿Quién vivirá ahí? ¿Qué pensarán las gentes que habitan en esa llanura cóncava? Seguramente, si esperara a que saliera el sol, todo lo que ahora me figuro de ese pueblo resultaría distinto; donde creo que hay una llanura aparecerían unos cerros, y donde supongo un río se mostraría un pedregal.

Este silencio, esta bóveda estrellada invitan a la contemplación y a la reflexión. ¡Qué pocas ideas brotan espontáneamente de nuestro estado contemplativo!

Acerca de las cosas elaboradas por el hombre se pueden hacer comentarios, a veces inteligentes; sobre los grandes espectáculos de la Naturaleza es difícil pensar algo original.

De primera intención no se nos ocurren más que lugares comunes. Delante del mar, ¿cuánta agua!; en la

noche, ¡qué hermosa!, ¡cuánta estrella! El inteligente y el tonto piensan, poco más o menos, lo mismo.

Ahora me viene a la imaginación una elegía de Ovidio que nos hacían traducir de chicos y que me daba una impresión auténtica de abandono y de tristeza en medio de la noche:

Cum subit illius tristissima noctis imago.

Yo me figuro que el poeta de *Las tristes* y de *Las metamorfosis* era un llorón, adulador, blando, de muy poca dignidad y un tanto gallina, pero un gran poeta. A mí me hacía efecto, leyendo sus versos, la descripción de su partida de Roma, cuando se despedía de su mujer amante, que le abrazaba llorando; los perros de la casa callaban y la alta luna regía los caballos de la Noche.

Ovidio es uno de los poetas que más sienten la Naturaleza y el paisaje. Para el que sepa latín debe de ser una lectura admirable. He leído esa elegía de *Las tristes* con la traducción al pie, y me ha parecido magnífica.

Recuerdo después el comienzo de una poesía de fray Luis de León:

Cuando contemplo el cielo
de innumerables luces adornado...

Los versos que siguen no vienen a mi memoria.

Otra sugestión literaria y más vulgar de la noche está en el parlamento del *Tenorio:*

Hermosa noche, ¡ay de mí!
Cuántas como ésta tan puras
en infames aventuras,
desatinado, perdí.

No sé quién será el que gane noches o las pierda. Para insistir en la banalidad, podía recordar un *Nocturno* de Chopin, pero no quiero recordarlo.

Me río de este bagaje un poco incoherente de mi memoria. Después, sentado en el auto, pienso en los paisajes que tiene ocultos la noche.

El sentimiento del paisaje y del campo es muy viejo en la literatura. Lo que es nuevo, lo que es un hecho de nuestros días, es el sentimiento del paisaje y del campo por la colectividad, fenómeno que hemos visto producirse en estos últimos cuarenta años en Madrid.

En la literatura, el sentimiento del campo ha tenido sus eclipses.

Los autores griegos a los cuales he leído alguno en traducciones, saben dar la indicación del paisaje casi siempre gráfica. En la *Ilíada* y, sobre todo, en la *Odisea,* hay notas sobre el ambiente expresivas y breves. No he leído a Teócrito, a Anacreonte ni a otros poetas bucólicos de Grecia.

Los romanos parece que consideraban el campo como los franceses Versalles: buscaban la pompa y la solemnidad de las villas, los mármoles, las estatuas. A Cicerón le preocu-

paba la dignidad de las cosas, sentimiento muy de gentes del Mediterráneo. Para éstos, el que una persona sea insignificante y mediocre, no cuenta. La cuestión es que la toga esté bien planchada, el gesto sea solemne y la frase sonora.

Para los romanos, los montes eran sólo obstáculos. Se dice que Julio César se dedicaba a hacer estudios gramaticales ante los Alpes..

No era romano, pero tenía una actitud parecida don Alberto Lista, que en su poesía *Desde la cima del Alpe* cantaba la dicha del que no había visto

más río que el de su patria.

En este verso parece que hay como una protesta contra la Naturaleza alpina, porque pensar en el río o en el arroyo de su país ante grandes montes nevados es como no querer verlos y ponerse de espaldas a ellos.

En la literatura española, en los primitivos, hay más sentimiento de la Naturaleza que en los escritores posteriores.

Gonzalo de Berceo, de tan poco espíritu latino y de tan poco espíritu católico, pagano en el fondo de su cristianismo ingenuo, siente el campo de San Millán de la Cogolla y de las riberas del Cárdenas de una manera directa. En la *Introducción de los milagros de Santa María* hay muchos versos que evocan el paisaje de su tierra:

La verdura del prado, la olor de las flores,
las sombras de los arbores de tempranos sa-
[bores.

En el *Poema del Cid* hay también frases evocadoras; pero aquí no tienen el tono jugoso de las de Berceo; parecen más indicaciones secas, ásperas y gráficas del terreno.

En el marqués de Santillana y en el arcipreste de Hita se dan igualmente impresiones directas del campo. En fray Luis de León y en San Juan de la Cruz, el amor efusivo por la Naturaleza es tal, que si hay lugares comunes bucólicos se funden en el fuego panteísta de su espíritu.

Hay otros escritores españoles para los cuales la Naturaleza no existe, como Quevedo. Cuando en *El gran tacaño* su personaje cruza la sierra del Guadarrama, no se le ocurre al autor el menor comentario.

De las obras de Quevedo habría que decir como de *La Henriada*, de Voltaire. Según algunos críticos, en este poeta hay tan poco campo, que no se podría encontrar en él hierba bastante para dar de comer a un caballo.

Respecto a nuestros poetas bucólicos autores de églogas y de anacreónticas, algunos excelentes como Garcilaso, Esteban Manuel de Villegas y Meléndez Valdés, me parece que el campo para ellos era un escenario con bambalinas de poetas antiguos, sobre todo de Virgilio.

Dejando a un lado la cuestión literaria sobre el paisaje, que necesitaría más espacio y más conocimientos que los míos para ser debatida, es casi más interesante hoy, porque es más actual, el descubrimiento del campo y su afición a él por las masas.

Hace cuarenta años, para las gentes de Madrid el campo—sobre todo el próximo a la ciudad—era un erial sin el menor interés. No había ni afición ni curiosidad por la tierra próxima. Cierto que las carreteras estaban rotas, desfondadas, deshechas y se andaba entre nubes de polvo. El mundo de los caminos no era para los acomodados. Estos sólo viajaban en tren. El camino era para carreteros, arrieros y gente maleante. El auto ha cambiado la población de los caminos.

Hace cerca de cuarenta años marchamos tres o cuatro amigos a Miraflores de la Sierra, y de Miraflores, por el puerto de la Morcuera, bajamos al valle de Rascafría. Fue para nosotros una gran sorpresa el encontrar el monasterio de El Paular.

Yo ignoraba su existencia. Tampoco había leído entonces la *Epístola* en verso, de Fabio a Anfriso, de Jovellanos, en la que hay una descripción de El Paular, en donde el gran escritor cuenta sus penas y sus dolores un poco lacrimosamente, a estilo de Ovidio.

Después, con un amigo suizo, fuimos, en invierno, a subir el pico del Urbión y a seguir después las orillas del Duero. Yo conté el viaje en «Los Lunes» de *El Imparcial*. Mi amigo el suizo me decía:

—Está bien; pero creo que falta una invitación al público a lanzarse al campo.

—¿Para qué?—decía yo—. Eso es pedagogía, y no me interesa.

Desde entonces acá el entusiasmo y la curiosidad por el paisaje se han extendido y se han intensificado. En estos últimos tiempos, la literatura de *Azorín* ha influido mucho en el entusiasmo por Castilla.

También ha tenido influencia la poesía de Antonio Machado. *Azorín* ha llegado a inculcar la efusión estética por el paisaje, no sólo por el

verde e bien sencido, de flores bien po-
[blado,

de que habla el maestro Gonzalo—a quien yo considero, no sé si con razón o sin ella, como un vasco sencillo, poco adulterado por los dogmas romanos—, sino que ha llegado a comunicar el entusiasmo por la tierra parda y monótona de la Mancha, para lo cual se necesita tener una sensibilidad un tanto alambicada.

Fuera del terreno literario, los que han llevado al campo a los madrileños han sido: primero, los obreros gallegos y asturianos; luego, los alemanes; después, la Institución Libre de Enseñanza. Ultimamente han influido también los socialistas.

Yo, hace cuarenta años, oí hablar por primera vez a los obreros gallegos y asturianos de sus meriendas y de sus excursiones hacia el puente de los Franceses, la puerta de Hierro y otros sitios donde yo no había estado nunca. Estos obreros fueron llevando poco a poco a los demás a los campos de las afueras.

El antiguo obrero madrileño no salía los domingos y días de fiesta del casco de Madrid. Lo más iba alguna vez al Retiro, y eso por excepción. Su punto de cita, según su oficio, era la taberna o el café.

Los alemanes influyeron mucho también en la afición al campo de los jóvenes empleados en Bancos y en casas de comercio. Ellos trajeron, igualmente, el naturismo y el desnudismo.

La segunda vez que estuve yo en El Paular, a principio del siglo, había siete u ocho alemanes, electrotécnicos, según decían ellos. Se bañaban en el río, subían a Peñalara, y uno de ellos leía a Carlyle.

Los institucionistas, con don Francisco Giner y don Bartolomé Cossío, colaboraron en la empresa llevando a los jóvenes de la clase media a la sierra y dándoles el gusto por la Naturaleza, por las serranillas del marqués de Santillana y por las poesías del arcipreste de Hita.

Hoy los pueblos españoles a quienes antes se llamaba ausentistas y eran poco campestres, y entre ellos Madrid, se han hecho rabiosamente entusiastas del campo, y hay en todas partes alpinistas, naturistas, montañistas, *mendigoizales*, esquiadores y otros nombres que deben indicar ciertos matices deportivos que yo no conozco apenas.

BESTIARIO DEL CAMINO

Viajando en auto y no yendo de chófer, se ven más las nubes y el cielo que los hombres; más el horizonte que las casas, los obstáculos y los animales terrestres. Esto depende, en gran parte, de la actitud que se toma al ir sentado en el vehículo.

El chófer observa con atención el camino, de lo demás no se ocupa; el que va reclinado en su asiento marcha un poco absorto contemplando el espacio y mira con escasa curiosidad lo que pasa cerca.

Es más atractivo el juego de la luz entre las nubes que lo que puede ocurrir en el suelo; también son más curiosos los animales del aire que los de la tierra, cosa lógica y natural en cualquier país civilizado, porque el hombre ha podido exterminar las bestias terrestres que le estorbaban y dejar sólo las útiles; pero no ha podido hacer esto con las del aire, que están más fuera de su dominio.

Recordando los animales que se ven cruzando al pasar por la carretera, se puede imaginar un bestiario, no con tantas deducciones moralistas como los bestiarios medievales ni como los libros del padre Andrés Ferrer de Valdecebro.

Este padre publicó dos obras curiosas en el siglo XVII. La una se titula *Gobierno general, moral y político hallado en las fieras y animales silvestres, sacado de sus naturales propiedades y virtudes;* la otra, *Gobierno general, moral y político hallado en las aves más generosas y nobles, sacado de sus naturales virtudes y propiedades.*

Los dos libros, por sus teorías y también por sus dibujos, que parecen cubistas, tienen un aire de anticipación con respecto a los que se han publicado de la misma materia en el siglo XIX y en el siglo XX. El libro sobres las aves podría haber servido de pauta a Toussenel, el de la *Ornitología apasionada*, y a Michelet, el de *El pájaro.*

Toussenel, seriamente, como Ferrer de Valdecebro, encuentra muchas enseñanzas en el mundo de las aves. El autor francés ve en ellas un ejemplo para la Humanidad del gobierno de las hembras, que le parece el mejor, y de las teorías de Fourier.

Por ese camino de las moralidades es difícil seguir a esos autores. Es más fácil considerar a los animales desde el punto de vista culinario, como un viejo cochero que me llevaba a pasear, hace años, a la Casa de Campo, y cuando veía unos conejos o una perdiz, decía:

—¡Qué buenos éstos para con tomate!

O murmuraba, convencido:

—Para la perdiz no hay nada como el estofado.

Los animales terrestres que se ven desde el auto son vulgares y no provocan el comentario. Perros que siguen al auto ladrando con furia, mulas medio dormidas, burros cansados, algún cerdo estúpido que no toma en cuenta el aparato amenazador trepidante que se le echa encima, el caballo asustado que empieza a galopar por la carretera, el rebaño que se extiende como una mancha de aceite por el campo, el conejo que queda de noche paralizado, absorto, ante la luz de los faros, y algún lagarto pintado de verde recientemente que se retira entre las matas.

Los pájaros y las aves son más sugestivos que los animales terrestres.

Hay gente que cree que ahora hay menos pájaros en el campo que antes. Esto me parece lo mismo que los que dicen que en treinta o cuarenta años ha cambiado el clima de un pueblo. Son muy pocos treinta, cuarenta o cincuenta años para apreciar una diferencia así.

La cantidad de pájaros que puede haber en un país no depende sólo de las condiciones de éste, sino de la emigración. Cerca de Vera, en los altos de Echalar, pasan todos los años, por octubre, al mismo tiempo que las palomas, una nube de pájaros de todos colores, que vienen huyendo del frío de la Europa central.

Doña Emilia Pardo Bazán me decía una vez en su tertulia, de una manera categórica, muy habitual suya, que en las provincias vascongadas no había pájaros. Esto mismo lo había asegurado en un artículo. Me lo dijo varias veces, y al último yo le contesté:

—Pues mire usted, doña Emilia: cuando yo era médico de Cestona tenía una huerta grande y mi vecino de campo solía poner un espantapájaros en su maizal. Esto no creo que sería para asustar a los legos y jesuitas que venían del convento de Loyola a pedir limosna.

Dejando a un lado la literatura, voy a recordar el bestiario aéreo, que se encuentra viajando por las carreteras de España. Cerca de Madrid reinan el tordo, el mirlo, los gorriones y la urraca, la urraca ladrona, que parece que habla, de la que se cuentan sus robos y sus malicias, y que dio motivo a la ópera de Rossini *La gazza ladra*. También se ve alguna que otra abubilla, con su moño y sus plumas brillantes. La abubilla tiene mala fama, sobre todo entre los gastrónomos, desde el punto de vista culinario; se dice que come toda clase de porquerías y que su carne huele muy mal.

En la tierra llana, cubierta por monte bajo, entre las matas se ven a veces perdices gordas tan cerca, que da la impresión que se las puede coger con la mano. Estas gallináceas rojizas, por instinto, miran tranquilamente a los hombres que se les acercan en un automóvil y llegan a pocos pasos de ellas, y huyen, en cambio, de los cazadores con sus escopetas cuando los ven a largas distancias.

Al pasar de las zonas de árboles y de monte bajo a las llanuras, se ven con frecuencia grandes bandadas de cuervos que lanzan su graznido triste en el aire.

No hay manera de ponerse de acuerdo con los aldeanos sobre el nombre de estos pájaros.

—¡Cuánto cuervo!—se dice delante de un campesino.

—No; son chovas—replica éste.

Si poco después se asegura ante otro aldeano, y señalando los mismos pájaros, que son chovas, él afirma:

—No; son grajos.

Cuando no dice que son grajas, como si conociera su sexo desde lejos.

Al entrar en terreno árido y pedregoso, muchas vesces aparece un pajarraco grande y pesado, de vuelo bajo, que si le coge a uno desprevenido le deja inquieto pensando que es algún enorme buitre que se le echa encima. Es la avutarda. La avutarda, como los chicos, tiene mucha afición a los caballos, y los sigue de lejos. A pesar de su inclinación por el arma de Caballería, es un animal muy receloso y muy tímido. Coge el vuelo con dificultad y a veces los pastores las matan a palos por las madrugadas, cuando están atontadas y medio dormidas.

Parece que la avutarda siente curiosidad por los aeroplanos, y se acerca a ellos y los precede o los sigue, y muchas veces la hélice del aparato la derriba.

Un pájaro más de poblado que de campo, aunque también se ve en los desfiladeros y en las hoces de los ríos, es el alcotán.

El alcotán, que también llaman cernícalo, es una clase de pequeño halcón, que da vueltas en bandadas alrededor de las torres derruidas y de los campanarios de las iglesias lanzando gritos estridentes.

De noche duermen, y desde que comienza la luz de la aurora empiezan a dar vueltas vertiginosas en el aire. Se alimentan de insectos, de pájaros y de roedores. A veces se los ve que se dejan caer como una piedra para coger un pajarillo y devorarlo. Estos piratas del aire deben pasar muchas hambres. Hay mucha competencia entre ellos y no han llegado al sindicato y a las ocho horas de trabajo.

Antes, no sé si ahora, las rapaces o aves de rapiña se dividían en dos de familias: diurnas y nocturnas, y las diurnas, en pájaros nobles e innobles, división que tiene más aire de literatura sentimental y folletinesca a lo Pérez Escrich que de ciencia. Es ganas de dar artificialmente preocupaciones humanas a la vida de los animales.

En las grandes llanuras, un pájaro que reina en los pueblos y en los campos es la cigüeña.

La cigüeña es un animal estrafalario y misterioso. Se comprende que en algunos países se la tenga como pájaro sagrado. Como muchas zancudas y palmípedas, recuerda a su antepasado el reptil.

Cuando anda parece que va en zancos; cuando descansa sólo en una pata, al lado de un charco, tiene el aire de un animal disecado. Sobre las chimeneas altas de los palacios abandonados, reunidos en grupo, dan una impresión de viejas damas remilgadas.

La cigüeña es un pájaro que no tiene canto, ni siquiera grito. No serviría para el sistema parlamentario. Sin duda, su garganta no está organizada para eso. En cambio, con su pico ancho hace un ruido de castañuelas, que en los pueblos de Castilla llaman machacar los ajos.

Así, hay una retahíla infantil, que dice:

> *Cigüeña barreña,*
> *la casa te se quema,*
> *los hijos te se van*
> *por la calle de San Juan.*
> *Machácales los ajos,*
> *que ellos volverán.*

Las cigüeñas, cuando van por el aire, tienen un aspecto extraño. Marchan con el cuello alargado y las patas extendidas hacia atrás, horizontalmente. Llevan, con frecuencia, en el pico ramas largas, reptiles, ratones, haces de paja. Ver luchar una cigüeña con una serpiente es un espectáculo curiosísimo. El ofidio hunde la cabeza en la tierra y da grandes latigazos; el ave se defiende de los golpes poniendo el ala como un escudo, y acaba con su enemigo de un picotazo certero. Hay arqueólogos que suponen que la cruz svástica es una interpretación del vuelo de las cigüeñas. Toussenel pensaba que la visión de Constantino, de la cruz en la batalla contra Maxencio, había sido, en la realidad, un flamenco volando en el aire.

Las cigüeñas hacen unos nidos muy toscos; como arquitectos, son poco hábiles: no se las puede comparar con las golondrinas ni con otros muchos pájaros.

La emigración de las cigüeñas es rara. Se dice que vuelven, después de la emigración, de los países calientes de Africa, a sus antiguos nidos; que se les han puesto anillos y se las ha reconocido al siguiente año.

Si es así, debe de haber en el cerebro de estos pájaros una memoria extraordinaria para recordar los sitios que ya vieron y un mapa que debe de ser mucho mejor que el de las guías Michelín.

El bestiario ornitológico del camino canta poco. El ruido del motor del auto no permite oír cánticos.

Para escucharlos, hay que penetrar en un bosque y permanecer inmóvil. Entonces se puede oír algo semejante a los murmullos de la selva de la ópera *Sigfrido*, de Wagner, pues aunque esa página musical está muy bien, no es, al menos para mí, muy inspirada, como, por ejemplo, la *Canción del cuco*, de Schumann, sino algo como una imitación realista y mecánica parecida a la que se puede conseguir con un aparato de sincronización del cine.

A este bestiario aéreo se puede añadir la silueta del águila, del buitre, del vencejo y de la golondrina.

También se podría añadir antes la figura del loro en su jaula o en un balcón, sujeto con una cadena, en la casa de un indiano, servido por una mulata; pero desde que se desarrolló la psitacosis, ya no hay loros ni en los puertos de mar.

CONVERSACIONES DEL CAMINO

En la plaza Mayor de Trujillo. Un descanso. Azcona hace fotografías de estos suntuosos palacios con altas chimeneas, en donde están de centinelas las cigüeñas, que parecen viejas damas remilgadas.

Subimos al barrio alto, antes de conquistadores, ahora de proletarios. Grandes caserones con armas, chozas entre piteras, una Casa del Pueblo pequeña y desierta y la tapia del palacio arruinado de los Pizarro. Cerca, la iglesia donde se halla la tumba del padre del gran aventurero.

La iglesia es de un convento de monjas. Las monjitas cantan. Se oye desde fuera rumor de voces y de órgano. Un cicerone espontáneo nos lleva a la ruina de otro convento, donde viven algunas familias pobres. Entre las bóvedas y columnas es ya de noche. Por un gran espacio derruido se ve el campo verde y las murallas viejas del pueblo a la luz de un sol de crepúsculo de colores mágicos.

—¿Hay aquí sindicalistas? — pregunto yo al cicerone.

—Aquí, no, señor. Aquí hay cultura, y ha mandado siempre la gente de la ciudad y no la del campo.

—Hablan ustedes en andaluz.

—Sí, señor. A Trujillo la llaman Sevilla la chica.

—¿Y aquí no ha pasado nada desde la revolución?

—No, señor; nada. Nadie ha querido que pasara nada.

Salimos de las ruinas del convento a una plazoleta, donde hay dos mujeres que se insultan. Lo hacen colocadas a veinte o treinta metros de distancia una de otra y de una manera oratoria. Yo creo que en algunos pueblos del norte de España, después de estos insultos, se hubieran arañado y mordido.

Aquí no llegan a las manos, y el público de hombres y de mujeres las oye como en un certamen.

—¡Qué malas son ustedes, las mujeres!—les decimos, medio en broma, a unas cuantas espectadoras del torneo de insultos femenino.

—Pues, ¿y ustedes?—dicen ellas.

Ya oscurecido, vamos al barrio bajo por una cuesta que se llama de las Almenas. Las mujeres de un prostíbulo, unas cuantas jóvenes vestidas de claro y una vieja, han sacado sillas a la calle, hacen su tertulia pacíficamente y toman el fresco. Nos detenemos un momento a mirarlas. Tiene el grupo en la luz crepuscular un aire de cuadro impresionista.

Una vieja de negro, al pasar, nos dice con desdén, señalando a las otras:

—Esas mujeres son de la vida.

La vieja del prostíbulo replica, amablemente:

—Pues sí que usted, señora, debe de ser de la muerte.

Esta frase, como de aceptación de la miseria, me parece algo triste y resignada. Indica demasiada cordura.

★

La bomba de gasolina del pueblo al que hemos llegado está en una rambla ancha con casas blancas de dos pisos, enfrente de una taberna. El automóvil se detiene, y un ciudadano grueso y rubio—probablemente el tabernero—se acerca a darle a la palanca del aparato de gasolina.

—¿Qué tal aquí la cuestión obrera?—le preguntamos.

—Aquí las condiciones del trabajo no son buenas—nos dice este andaluz pacífico con un acento cerrado—. Los obreros del campo y los patronos se pelean muchas veces por tiquismiquis sin importancia. En una finca de ahí cerca se quedaron de acuerdo en el trabajo y en el jornal; pero luego se puso la cuestión de si el tiempo que se tardaba en ir a la besana desde el pueblo — unos cinco minutos — tenía que entrar o no en las ocho horas de trabajo, y vino de nuevo la pelea y la trifulca. Si unos y otros se ponen así, ya no habrá paz.

—¿Y a usted le parecería mejor que hubiera paz?

—Claro. Si no, ¿cómo íbamos a vivir?

—¿Usted no es extremista?

—Yo, no, señor. Me contento con vivir y dar de comer a los hijos.

Se le paga a este vándalo sonriente y amable y se sigue el camino.

★

Ahora entramos en un pueblo por una cuesta interceptada por carros. A un lado y a otro, las tapias de las casas están llenas de letreros: «¡Viva el comunismo!» «¡Viva la huelga del 18!» (No sabemos cuál es esta huelga.) «Libertad de Casanellas.» «Boicot.» «¡Viva la Rusia soviética!»

Nos detenemos un momento para evitar mayor confusión en la marcha de los carros, y bajamos del automóvil.

—¿Es que hay aquí muchos comunistas?—le preguntamos a un viejo apergaminado.

—Sí, señor; muchos.

—¿Y anarquistas?

—Ninguno; no queremos tratos con esa gente.

—Nada de frente único—le digo yo.

—Nada.

★

El hotel de Sevilla es grande, decorativo; parece un museo. Patios encristalados, cuadros, estatuas; muchos turistas. Un poco el aire de un Hotel de Ventas.

En el comedor, extranjeros con caras enrojecidas por el sol de Africa y del Extremo Oriente. Hombres fuertes con aire estúpido de boxeadores y pantalón corto, y viejos raídos con su máquina fotográfica en bandolera, un cuello de pajarita de hace cincuenta años y un traje gris arrugado.

De pronto se oye una voz violenta que protesta, y se ve a un señor que sale del comedor. El mayordomo y un empleado del hotel se le acercan y discuten con el protestante, que vuelve poco después enfurruñado.

—¿Qué pasaba?—se le pregunta al mozo.

—Nada. Es un señor de aquí, un aristócrata, que quiere que le reserven una mesa; pero cuando hay mucha gente como ahora y el comedor está ocupado, los forasteros no hacen mucho caso de observaciones y se sientan a la mesa que les parece. El señor ese se indigna porque no le tienen consideración, y dice que ya no vuelve más.

Comentamos este puntillo español, que es como una degeneración del sentido antiguo del honor y de la categoría, y seguimos cenando.

★

Por la mañana siguiente, después de desayunar, estoy agazapado en un sillón de mimbre en un ángulo del patio del hotel, contemplando la gen-

te que va y viene. Llegan viajeros;
dos señoras inglesas traen catorce
grandes bultos, entre baúles y maletas, llenos de etiquetas de todos los
colores; pasan unos jóvenes con el
Baedeker en la mano, con una cara
estupefacta; unas señoras viejas, mal
vestidas, con traje ceniciento, hablan
como grullas; un señor grueso, redondo, vascongado, representante de
Uzcudun, con una boina a la cabeza,
acompañado de dos jóvenes, expone
unos anuncios del *match* de boxeo
entre Paulino y un inglés o alemán,
que se va a celebrar el domingo próximo en Sevilla.

A un lado se sientan dos andaluces: uno, flaco, pálido, aguileño, con
el pelo blanco, vestido de negro; el
otro, grueso, ventrudo, rojo, de traje
claro y con una verbosidad mareante.

Por lo que dice, han ido a visitar
a alguna persona de influencia con el
gobernador. Este señor grueso no habla más que de condes y de marqueses; el uno, es primo suyo; el otro,
pariente de su mujer, y los demás,
amigos.

Después de agotar el *Almanaque de
Gotha* provinciano, dice el señor gordo con su hablar vertiginoso:

—No se puede ceder en nada. Si
empezamos a ceder, estamos perdidos. A todo hay que decir que no,
que no y que no. Porque comprenda usted que si empieza a discutir
con los obreros y a hacer concesiones,
no va usted a saber dónde parar. Querrán intervención hasta en los asuntos de su casa y criticar si tiene usted una criada o diez, si toma usted
café o manzanilla...

—Entonces, la intransigencia—dice
el señor flaco, indiferente.

—Sí, señor; la intransigencia mejor que las concesiones. Bueno, vámonos.

Los dos señores se levantan, pre-

guntan algo al conserje y salen a la
calle.

★

El anarquista preso en la cárcel de
Sevilla me mira a través de las dos
rejas con sus ojos negros, brillantes.
Uno de sus compañeros ha hecho una
exposición dogmática de principios
entre federales y comunistas libertarios.

El anarquista, impaciente, dice:

—Mire usted. Ya las explicaciones
son inútiles. Ya comprendemos que
no hemos de convencer a la burguesía ni al Gobierno. No los convence-
remos y, naturalmente, no nos convencerán. Si no acabamos con ellos,
ellos acabarán con nosotros. Ellos tienen la Guardia Civil y los guardias de
Asalto; nosotros tenemos el pueblo.

—¿Y qué remedio hay entonces?
—le pregunto yo.

—Ninguno.

—Pero eso no es posible.

—Lucharemos hasta el final. Opon-
dremos la violencia a la violencia; al
máuser, la pistola.

—Es cosa triste.

—¿Por qué ha de ser triste? La
violencia es algo magnífico.

—Si no digo que no; pero es para
otras gentes distintas de nosotros;
para los Zumalacárregui o para los
Mina.

—Y para nosotros también.

El oficial de Prisiones hace ruido
con las llaves, como para indicar que
la conversación tiene que acabar.

—Usted, ¿cómo supone que termi-
narán las luchas de nuestra época?
—me pregunta el anarquista.

—Yo creo que en lo próximo ter-
minarán en una tregua tácita...

—¿En algo gris?

—Sí.

—Entonces sigo prefiriendo la violencia.

Entre la cordura exagerada de los unos, demasiado humildes y apacibles, y la rebeldía intransigente de los otros, un tanto energúmenos, será difícil que la vida española tenga algo de benevolencia y de comprensión. Será durante mucho tiempo una cosa agria y desolada.

LA NOCHE DE SAN JUAN

Esta noche en los montes y en las alturas de España y de otros pueblos de Europa y del mundo se verán resplandecer grandes hogueras. Estas llamaradas son el recuerdo de uno de los cultos más antiguos de la Humanidad: el culto del Sol.

Desde las épocas más lejanas, los pueblos pastores, que habían notado las revoluciones del astro vivificador de la Tierra, se reglaron su vida con su carrera y le dedicaron sus fiestas.

En el comienzo, parece que fue la Luna la que llamó más la atención de los hombres con sus apariciones y desapariciones teatrales. Se cree que el dios Luna fue anterior al dios Sol.

Los dos momentos trascendentales de la marcha del Sol son los dos solsticios—solsticio, que quiere decir detención o inmovilidad del Sol—y los dos equinoccios—igualdad del día y de la noche—. Los solsticios han sido para los hombres más señalados y atractivos que los equinoccios. El solsticio de invierno es el 21 de diciembre; el de verano, el 21 de junio. El equinoccio de primavera, el 21 de marzo, y el de otoño, del 23 al 24 de septiembre.

Los dos solsticios han sido celebrados en todas las religiones. En el solsticio de invierno se fija el nacimiento de Jesús en la religión cristiana, y en las anteriores, el de Osiris, el de Mitra y el de Baco. Es también entre los paganos europeos el tiempo de la fiesta de Joel.

En el solsticio de verano, los griegos fijan el nacimiento de Zeus, de Apolo y de Pan. Los cristianos, el de San Juan Bautista.

La coincidencia entre las fiestas paganas y cristianas alarmó a los creyentes. Los autores citan esta frase de San Eloy, dirigida a sus fieles:

«No os reunáis en los solsticios; que ninguno de vosotros dance alrededor del fuego ni cante canciones el día de la fiesta de San Juan. Estas canciones son diabólicas.»

Bossuet, mil años después de San Eloy, dice en su catecismo, publicado en Meaux, de donde era obispo, hablando de la natividad de San Juan Bautista:

«Pregunta.—La Iglesia, ¿toma parte en estos fuegos?

Respuesta.—Sí, porque en varias diócesis, y en particular en ésta, muchas parroquias hacen un fuego que se llama *eclesiástico*.

Pregunta.—¿Qué razón hay para hacer este fuego de una manera eclesiástica?

Respuesta.—La de desterrar las supersticiones que se practican con el fuego de San Juan.

Pregunta.—¿Cuáles son esas supersticiones?

Respuesta. — Danzar alrededor del fuego, jugar, tener festines, cantar canciones deshonestas, echar hierbas sobre el fuego, cogerlas antes del mediodía o en ayunas y conservarlas durante un año, guardar los tizones o los carbones del fuego y otras semejantes.»

Las coincidencias de unas religiones con otras hicieron pensar a Dupuy que todas procedían de la astrolatría, y, para demostrarlo, escribió un libro famoso, *El origen de todos los cultos,* libro de una erudición portentosa.

Los autores cristianos no negaron las coincidencias evidentes. Gregorio *el Grande,* en una carta, dijo:

«Es preciso regar con agua bendita los santuarios paganos, utilizar sus altares y poner reliquias, porque si los templos están bien edificados, es preciso hacerlos pasar del culto de los demonios al servicio del verdadero Dios.»

El arqueólogo francés G. A. Breuil, en su libro *Del culto de San Juan Bautista y de las costumbres profanas que se relacionan con él* (1846), dice:

«Los cristianos comprendieron de primera hora que, para conservar y extender más fácilmente el imperio de su religión, convenía, en vez de proscribir todas las observancias del culto pagano, apropiárselas y santificar aquellas que no podían inferir ningún atentado a los dogmas y tradiciones de la Iglesia.»

No es un hecho casual que la fiesta del nacimiento de Jesucristo, del 24 al 25 de diciembre, sea la misma que la del nacimiento del Sol, ni que las ceremonias de Navidad sean una reproducción casi exacta de las de Osiris y de Mitra: *«Dies natalis Solis invicti.»* Tampoco puede chocar que las fiestas de San Juan tuvieran un completo paralelismo con las Palilias de Roma.

San Agustín acepta la relación astronómica de las fiestas cristianas, y en uno de sus sermones *(Sermo XII in Nativitate Domine)* dice:

«In navitate Christi dies crescit; in Johannis navitate decrescit. Profectum plane fœcit dies quum mundi Salvator oritur, defectum patitur quum ultimus prophetarum generatur.»

(«En la natividad de Cristo crece el día; en la natividad de Juan, mengua. El aumento se produce claramente en aquellos días en que nació el Salvador del mundo; la mengua se soporta cuando se engendró el último de los profetas.»)

En otro sermón, San Agustín, que había sido maniqueo, añade:

«Habemus solemnem istum dien non sicut infideles propter hunc solem, sed propter eum qui fecit hunc solem.»

(«Nosotros solemnizamos este día no como los infieles a causa del Sol, sino a causa del que ha hecho el Sol.»)

Como se ha dicho, las fiestas de San Juan son idénticas a las Palilias, en honor de la diosa Pales, que se celebraban en Roma. El nombre de Pales viene de *palea,* paja.

Las Palilias eran fiestas rústicas y purificatorias. Se lavaban los pastores con agua pura, y por la noche se encendían hogueras y se saltaba por encima de ellas.

Ovidio habla en los *Fastos* de las fiestas palilias. Las describe y dice que tomó parte en ellas:

«Yo he saltado por encima de los tres fuegos alineados... Encended los fuegos, haced pasar vuestros miembros generosos a través de los montones de paja que crepita...»

«Per flammas saluisse pecus, saluisse colonos.»

Ovidio no sólo describe la fiesta, sino que intenta explicarse el significado de ella. En su tiempo la fiesta era ya vieja, tradicional; una manifestación del culto del Sol, de la agricultura y del fuego.

Hoy, poco más o menos, la misma fiesta que vio Ovidio la vemos nosotros con caracteres idénticos. ¡Qué admirable supervivencia!

Frazer, en *El ramo de oro*, en el libro titulado *La muerte de las divinidades de la vegetación*, habla con gran extensión y con infinidad de detalles de la fiesta de San Juan, que, al parecer, se celebra en casi todo el mundo. Al referirse a España, dice:

«Dejemos ahora los cielos brumosos del Norte por los países del sol. En toda España se encienden hoy todavía, la víspera del solsticio, grandes hogueras. Duran toda la noche; los niños saltan por encima, y sus saltos rítmicos parecen antiguas danzas. En las costas, las gentes se bañan en el mar; en el interior del país, los aldeanos se pasean y se revuelven desnudos en el rocío de las praderas, que pasa por un preservativo soberano contra las enfermedades de la piel. Esta misma noche, las muchachas que quieren conocer su porvenir ponen un vaso lleno de agua en el alféizar de la ventana. Cuando suenan las doce de la noche, rompen un huevo en el agua, observan las formas que la clara y la yema toman al mezclarse en el líquido y creen ver prometidos castillos y ataúdes. En general, lo que imaginan ver son los novios.»

En San Sebastián, cuando yo era chico, se nos decía que echando un huevo a un vaso de agua la noche de San Juan se veía aparecer un barco con todas sus velas. Esta supuesta aparición del barco en un vaso me producía a mí una gran curiosidad y una gran inquietud.

El año pasado tuve que ir a Santisteban, pueblo inmediato a Vera, y a la vuelta me sorprendió ver muchos caseríos con los balcones y las ventanas adornados con ramas de chopos. No había caído que era el día de San Juan. Por la tarde fui a San Sebastián, y al anochecer comenzaron a brillar las hogueras en los montes. ¡Qué fuerza de la tradición! ¡Qué supervivencia más extraordinaria!

Esto se halla fuera de esa teoría un poco ridícula y libresca de los reaccionarios, que sólo consideran tradición en España lo que pudo ocurrir entre los reinados de Isabel *la Católica* y Felipe II.

En mucha parte del País Vasco se siguen encendiendo hogueras. Antes se encendían muchas más y se practicaban distintas ceremonias del culto del agua. En Lesaca se tapaba con ramas de yezgo el único ojo de un puente y se inundaban los alrededores. En Vera se plantaba un tronco de árbol con un pelele arriba y una barca debajo.

En Oiz, el día de San Juan, las mujeres llevaban a la iglesia unas crucecitas de palo y unos ramos de laurel para bendecir, que luego colocaban en los campos labrados, hasta que al siguiente año, en la misma fecha, los quitaban para renovarlos. Con las ramas de laurel viejas hacían una gran hoguera, sobre la que saltaban gritando:

Sarna fuera.
Ona barrena.
eta gaiztoa campora.

(«Sarna fuera. El bueno, adentro, y el malo, fuera.»)

Hay, además, en el país una fuente milagrosa, en donde se curan los enfermos de la piel la noche de San Juan. Esta fuente está en el territorio de Yanci, que es una aldea de las Cinco Villas de Navarra.

Hace ya muchos años estuve en la romería. Se decía que por imprudencia del guardián se había incendiado el santo que estaba en un nicho abierto en la peña y que lo habían sustituido por otro.

Después el estanquero de Vera, Nicasio Sierra, me contó que los romeros enfermos echaban las toallas con que se habían lavado a las zarzas; que el santero tenía la obligación de quemar las telas; pero que los gitanos, siempre desaprensivos, se las llevaban.

Sierra sabía una canción del día de San Juan en vascuence, pero no sabía más que el principio:

San Juan de la San Juan; gure goico soruan sorguiñ beguiya galdu da.

(«San Juan es San Juan; en nuestro prado de arriba se ha perdido el ojo de la bruja.»)

También decía que había oído otra canción en la que se hablaba de quemar el día de San Juan los sapos, las serpientes, los gatos y las brujas, pero no sabía cómo era.

En esto había también una supervivencia de los mitos solsticiales de que habla Frazer.

EL MONTE LARRUN Y SUS BRUJAS

Muchas tardes voy por la carretera a contemplar el monte más alto de estos contornos: el monte Larrun. Esta montaña tiene un color de piedra gris y se destaca de las demás que la circundan, bajas, redondeadas y cubiertas de verde, con un aire orgulloso y solitario.

Larrun es un afloramiento de rocas primigenias en un terreno carbonífero más moderno; tiene el aire ruinoso, caótico, de todos los montes viejos, que contrasta con las eminencias de su alrededor, fértiles, cubiertas de prados y bosques.

Dos ríos pequeños, el Bidasoa y la Nivelle, rodean el macizo de Larrun, o la Rhune, como le llaman los franceses. El *Derrotero*, de Tofiño, de las costas del Atlántico, dice, hablando del golfo de Gascuña:

«Larrun es la primera montaña principiando del E. para el O. que se halla a la citada distancia de la costa (cinco millas y media); es alta y puntiaguda, con una ermita en su cumbre, por donde pasa la línea divisoria de los dos Reynos. Quando esta montaña deriva de SE. para el S., ya no se presenta puntiaguda, sino que va formando una loma pareja desde la ermita para el SE. que será más larga cuando demore del S. para el O. Por su espalda están otras montañas dobladas, pero mucho más tierra adentro.»

Larrun y el monte de la Batallera, así llama Tofiño a la peña de Aya, que se presenta en forma de corona con varios picachos, son los que indican desde el mar el puerto de Socoa.

Larrun es un vigía, un centinela que tienen los Pirineos en el Atlántico. Es, además, un espléndido mirador. Desde su cumbre, hacia España, se ve un mar de montes; hacia Francia, un mar de llanuras verdes; en el cielo, casi siempre, un mar de nubes, y en el mar auténtico, unas líneas blancas de espuma que rompen en los acantilados del golfo de Gascuña, tan inquieto, tan turbulento y tan pérfido.

Este monte Larrun, ceñudo en medio de un país suave, ha presenciado desde lo alto de su atalaya muchas tragedias. Romanos, francos, vascones, vikingos, ingleses, franceses, españoles, revolucionarios *sans-culotidos* y curas carlistas han robado, incendiado y matado ante su vista.

Lo que más caracterizó hace siglos al monte Larrun fue el ser uno de los centros de brujería del País Vasco.

Tenía en la cumbre la ermita del Espíritu Santo, donde se celebraban misas negras.

Todos los pueblos de los alrededores colaboraron en la secta de las *sorguiñas*. Zugarramurdi, con sus cuevas de lamias, su arroyo del Infierno y su aquelarre, está a un paso; el castillo de los Brujos, de Saint-Pee, a poca distancia; el castillo de Urtubi, donde se celebraron sábados, también muy cerca. Vera, Echalar y Maya dieron gente para el auto de fe de brujería de Logroño, como Hendaya, Ciburu y San Juan de Luz al proceso del mismo carácter de Burdeos.

La hechicería debía de ser antigua en el País Vasco. Probablemente, el antiguo culto pagano sin tradición definida, mezclado con ideas y supersticiones llegadas de otras partes, había producido una especie de religión popular que estaba en pugna con la religión oficial.

Uno de los caracteres de esta especie de religión era que la mujer que ejercía de sacerdotisa era la sorguiña. En los cultos semíticos, la mujer siempre parece pasiva e inferior al hombre. El hombre es el interesante, el divo, el tenorino. En las religiones primitivas de los europeos, aun en aquellas más humildes y menos pomposas, la mujer representa un papel.

Estas sorguiñas vascas tenían algo de valquirias.

La hostilidad contra la religión oficial se advierte en que el día de San Juan, el día del culto del Sol, las brujas iban a las iglesias e insultaban a los santos y les hacían con la mano la señal de la higa.

El sacar los huesos de los cementerios católicos podía ser un resto de odio de gente pagana.

El echar polvos y venenos para acabar con las cosechas no se comprende muy bien más que en extranjeros o en pastores anarquistas de la época.

Las fantasías sobre el tipo del diablo, de los sapos elegantemente ataviados y del canibalismo pueden ser más que nada manifestaciones histéricas. Las bacanales y danzas tienen más aire de ser ciertas.

A principios del siglo XVII, fuera que la secta de las sorguiñas tomara más incremento, o que se tratara de una maniobra política, el Gobierno francés y el español tomaron cartas en el asunto. Los inquisidores de Logroño juzgaron a los brujos de la Navarra española, y el juez de Burdeos, Pierre de Lancre, a los de Labourd.

Los inquisidores españoles cargaron el proceso con detalles fantasmagóricos y fueron benignos en sus sentencias; el juez de Burdeos se mostró duro y cruel.

En 1609, un señor de Saint-Pee, medio loco, se fue a quejar al Parlamento de Burdeos de que los brujos, después de celebrar un aquelarre en su casa, le sorbían de noche los sesos.

El Parlamento delegó a dos de sus miembros, D'Espagnet y De Lancre. El primero tuvo que volver a Burdeos, y De Lancre siguió solo el proceso.

Este hombre, en parte de origen vasco, Pedro de Rosteguy, se mostró como un bestia, fanático, cruel e inepto. Un verdadero magistrado. Mandó quemar a cientos de mujeres locas y perturbadas.

El historiador francés Michelet elogia a De Lancre por francesismo. Hasta el hecho de haber sido un juez francés más severo con las brujas que los inquisidores de Logroño le parece al historiador huero, teatral y retórico, una ventaja.

Una mendiga de diecisiete años, Murgui (Margarita), y otra, Lisalda, de la misma edad, se ponen a denunciar a De Lancre a todas las mujeres del país sospechosas de brujería.

Se comienza el proceso, y poco después se condena a ser quemados vivos a varios clérigos a quienes se acusa de decir la misa negra. Los curas Bocal, Arguibel y Migalena van al suplicio. Son medio tontos, medio locos, y no saben defenderse. A no ser por la oposición del obispo de Bayona, toda la clerecía del país vascofrancés hubiera ido a la hoguera.

El cura decía la misa blanca por la mañana en honor de Jehová y la misa negra por la noche en honor de Satán, dos divinidades judaicas extrañas al país.

El cura iba a caballo el sábado aquelarresco con su espada, llevando a la grupa su sacristana, benedicta o cerora, que era joven y guapa, y muchas veces bailaba en la fiesta.

Comienza De Lancre el interrogatorio de las mujeres acusadas de brujería de acudir a los sábados y aquelarres.

¿Qué eran estos aquelarres?

Las versiones son muy distintas. Algunas mujeres dicen que en estos sábados se comía y bebía bien, pan fresco y vino delicioso; otras, que se devoraban cosas repugnantes: carnes corrompidas de niños muertos y desenterrados.

Juan Dibassou dice al juez que el sábado era un verdadero paraíso, un lugar de delicias que se dejaba con gran pena. María de Larralde, de dieciocho años, llevada por primera vez al sábado a las diez por la bruja Marisane, aseguraba que en los aquelarres se divertían mucho, que se oía una música deliciosa y que el diablo les decía que el infierno era una necedad y que el fuego que ardía constantemente en él era de pura apariencia y que no quemaba.

Juanita Belloc, labortana, de veinticuatro años, dijo a Lancre que el sábado era como un baile de máscaras. María d'Aguerre, de trece años, al ir al sábado veía un cántaro, y que de él salía un macho cabrío grande. Otras vieron un tronco oscuro sin manos y sin pies, que supusieron era el diablo, y otras, un hombre vestido de negro y con la cara roja.

Sobre las comidas no hay unanimidad. Desde las buenas comidas hasta el canibalismo, hay para todos los gustos.

María Balcón confesó que un sábado había comido la oreja de un niño pequeño.

La forma de los viajes por los aires, cada brujo o bruja los explicaba a su manera.

Bodin, en *La demonología de los brujos*, dice que los procedimientos de ir volando al sábado son distintos; se va ora montado sobre un chivo, ora sobre un caballo volante, ya sobre un palo de escoba, ya sobre un bastón.

Los brujos labortanos iban con frecuencia al monte Larrun por los aires. Los navarros españoles, a Zugarramurdi.

Al llamado Ansuperomain de San Juan de Luz se le veía muchas veces por los aires sobre un macho cabrío. Era el que tocaba el chistu en los aquelarres.

Juanita d'Abadie, de la villa de Ciburu, un domingo, el 13 de septiembre de 1609, mientras se celebraba misa, fue al sábado con el demonio.

María d'Indarte, muchacha de Sara, tenía un ungüento que le había dado el diablo, y cuando se untaba con él subía por los aires. Se le preguntó si hacía el viaje despierta, y contestó que no, que lo hacía siempre después de haberse dormido. A Catalina Landalde le bastaba sentarse al fuego para transportarse por los aires.

De Domengina Maletana se aseguraba que por una apuesta con otra bruja había dado un salto desde la cima de Larrun hasta el pie de este monte sin hacerse daño. Novecientos metros de un brinco.

Las danzas de los sábados eran también muy diferentes, según quienes las contaban. Había grandes bailarines y bailarinas.

María de Iriarte vio una noche en el aquelarre de Zugarramurdi a una moza francesa de Trapaza (?), en Francia, que era una gran bailadora, y daba unos saltos por encima de los tejados.

Trapaza quizá fuera la bahía de Trapasses, de la isla de Terranova, adonde iban los pescadores vascos.

Entre las brujas de la Navarra española había muchas que tenían la fantasía de convertirse en animales. La reina del aquelarre de Zugarramurdi, doña Graciana de Barrenechea, tomaba a veces la figura de yegua; otras se convertían en ranas, como las que fueron a asustar una noche al molinero Martín de Amayur cuando iba a su molino.

María de Zozaya, maestra y pastora de sapos, que vivía en Rentería, le decía a un cura cercano del pueblo que matara muchas liebres, y luego ella se disfrazaba de liebre y hacía que el clérigo y su criado y sus perros fueran persiguiéndola sin darle

alcance. Esta mujer, agarrotada en Logroño, no pensó en tomar la forma de las ratas de la cárcel cuando estaba encerrada y de echar a correr.

Menéndez y Pelayo, al hablar de los veintinueve reos que salieron en el auto de fe de Logroño, dice que todos confesaron y que merecían mil muertes.

El polígrafo santanderino en el siglo XIX está a la altura del señor Rosteguy, llamado Pierre de Lancre, el juez del siglo XVII de Burdeos, tan cruel con sus antiguos paisanos.

A cualquier persona con un poco de espíritu de rectitud y de justicia se le ocurriría pensar: «¿Qué valor podían tener estas declaraciones de las brujas?» Muy poco o ninguno. De los procesados, probablemente nadie sabría español ni francés, ni los jueces de Logroño y de Burdeos sabrían vascuence.

Después, aun aceptando las confesiones y que fuesen sinceras, ¿qué crédito se le podía dar a aquella turba histérica que volaba por el aire cuando le daba la gana y se convertía a su placer en yeguas, liebres o ranas? ¿No era lo más inmediato pensar que aquella gente estaba loca?

Ni aun las pruebas tenían valor. Una muchacha apellidada d'Oyarzábal, de quince a dieciséis años, aseguró que había sido llevada al aquelarre por una bruja. Esta lo negó, porque se encontraba metida en la cárcel vigilada y atada con cadenas; pero la de Oyarzábal aseguró que la vieja bruja venía a buscarla en forma de gato para llevarla al sábado y que dejaba en su lugar una figura que se le parecía..., y se creyó a la denunciadora.

¡Cuántas bestialidades no han hecho los Lancres, los jueces e inquisidores de todas las épocas y han sido defendidas por los Michelet y Menéndez y Pelayo que han escrito después!

Cierto que también ha habido espíritus críticos y serenos que han visto claro; uno de ellos fue Pedro de Valencia, discípulo de Arias Montano, que escribió por la época del auto de fe de brujería de Logroño un *Discurso sobre las brujas y cosas tocantes a magia*, en el cual aseguraba que casi todas estas historias fantásticas de ungüentos y viajes aéreos dependían de la imaginación, de la fantasía, y que no tenían realidad alguna.

Un modesto escritor alemán del siglo XVI, Hermann Wilcken, de Steinfeld, algo más conocido por el nombre de Agustín Lercheimer, publicó, en 1585, un librito sobre brujería, y decía en él cándidamente:

«Un día, en Heidelberg, fui a pasear más allá del puente. Se había reunido una multitud que miraba a la montaña y lanzaba grandes gritos. Yo pregunté de qué se trataba. «¿No ve usted allá arriba—me dijeron—la danza de los brujos?» Miré, y no vi más que los árboles agitados por el viento.»

Todo era, según el buen alemán, imaginación y delirio de los sentidos.

Así pensaba también el señor de Montaigne, lo que hacía que Lancre le atacara en su libro titulado *L'incrédulité et mécréance du sortilège pleinement convaincue...*

....

Cuando estoy terminando de escribir esto, una tromba de agua de Larrun, que viene amenazadora hinchando los arroyos, nos inunda el barrio de Alzate y va arrasando los campos y las huertas. Una vega próxima se va convirtiendo en laguna. En el portal de mi casa, sobre el agua, flotan bancos, arcas y sillas.

La causa de este fenómeno meteorológico parece que ya la ha conocido alguno que tiene buena pupila. Es un castigo de Dios por el anticlericalismo... de los castellanos. Va también contra los que, oyendo criminales predicaciones, soñaban con apoderarse de la propiedad de los caseríos.

Al retirarse el agua, he salido con mi sobrino Julio a la carretera, y hemos visto una comadreja muerta y luego un topo, ahogados por la riada. Yo he pensado que, o debían ser anticlericales, o que soñaban con apoderarse de las madrigueras de los otros.

EPIGRAFIA CALLEJERA

Actualmente todas las paredes de los pueblos de España están llenas de letreros políticos: Viva la U. G. T., la C. N. T., la F. A. I., la F. U. E., la F. E., etc. Dan ganas de sintetizar estas exclamaciones por una que diga: ¡Vivan todas las letras mayúsculas del alfabeto!

Alternando con los vivas, hay algunos abajos y mueras. El más pintoresco de los abajos es uno que he visto hace pocos días en un pueblo de la Mancha, que decía: *Avajo esos escalabajos cavernícolas.*

Dejando estos vivas, mueras y abajos, que desaparecerán pronto cuando se blanqueen las casas, voy a hablar de los rótulos antiguos que se veían en las paredes y en las muestras, lo cual constituye una labor de escritor costumbrista, muy próxima al lugar común literario.

Como aficionado al deporte de la papanatería, a ser paseante en corte, he deambulado, sobre todo en la juventud, por calles y plazas, y he leído letreros estrambóticos, de los cuales recuerdo algunos.

He pasado durante mucho tiempo por una tienda en cuya muestra decía:

FAVRICA DE CHOLATE

Y por un portal de la calle de los Estudios, con una tablilla en que se anunciaba:

QERDAS DE GITARA

Otros rótulos muy significativos había en Madrid. El Municipio contribuía a la confusión con esos antiguos azulejos con letras mayúsculas, empotrados en las casas, en donde se leía: «Visit. Gen. Manza N.º 346.» En una de las Rondas se encontraba uno, hace años, ante este jeroglífico:

AQUI
BIBENSIEGOSI
MUSICOS
PARAVAILES
IVODAS

Al principio se quedaba uno sorprendido; esto de *Ivodas* le sonaba a uno a ruso; pero luego se leía fácilmente: «Aquí viven ciegos y músicos para bailes y bodas.»

En la calle del Cuervo, cerca del Rastro, había otro letrero parecido:

AQUI SECO
MPRA IERR
OITRA POVI
EGO

Esto parecía una inscripción latina; pero no era más que *rastrera*, y decía: «Aquí se compra hierro y trapo viejo.»

En un barracón de las afueras había otra inscripción difícil de descifrar para un epigrafista callejero:

CASAPARADOR MIRLOS
OBREROS,

que al principio se pensaba si se trataría de cría de pájaros; pero era un parador para dormir los obreros.

En la calle del Pez, en una tienda de confecciones, se leía en el escaparate:

TRAJES DE PUNTO
PARA NIÑOS DE ALGODÓN

Claro que en esto faltaba otro punto de otro género, o una coma, que quizá se había borrado.

Otros letreros fáciles de entender que recuerdo tenían gracia por su expresión y por su laconismo. En las Rondas, en una carpintería pequeña, se leía hace años:

SEACEN CAJAS
PARA ATAHVD
BUENAS

En esto de las cajas para ataúd buenas parece que debía ser el propio interesado el que debía decir *a posteriori* si eran buenas o no, cómodas o incómodas.

En la calle antigua de Tudescos, en una casa grande, desastrada y profunda, al lado de un salón de peinar señoras, decía:

AQUI BIBEUN COLCHON
HERO A DESTAJO,

y en la calle de la Flor:

ELCHE
ALQUILA CARROS

Pero no era Elche, la ciudad, sino *el Ché* el que alquilaba los carros.

En la calle de las Velas, en un portal, se leía:

SE VENDEN
GALAPAGOS
Y OTROS
ANIMALES
DOMESTICOS

También era curioso el anuncio de una barbería de barrios bajos:

SE OFRECE
COMADRON Y SANGUIJUELAS

En los atrios de las iglesias había siempre letreros extraños. Sobre un cepillo, en el zaguán de un convento, se leía:

AQUI SE ECH
ALA LIMO
SNA PALUMB
RAESTE DIBINO
SEÑOR,

y en una pared:

POR AQUI SE PIDEN LOR SANOS
SACRAMENTOS

En la calle de la Luna, hace cerca de medio siglo, todavía quedaba un memorialista, con este anuncio escrito en una tela amarillenta por el tiempo:

ESCRIBIENTE MEMORIALISTA
SE ESCRIBEN CARTAS
A PRECIOS MODICOS
Y SE ENVIAN GRATIS
A SU DESTINO

Había también en Madrid, y debe de haber todavía, rótulos de muestras de significación oscura. Así, por ejemplo, en la calle de Cedaceros, *El Sol sale para todos;* en la de Relatores, *La Aurora trata de maderas;* en la de Hortaleza, *El Colmillo del Elefante;*

en la de Mesón de Paredes, en una barbería, *La Puerta del Sol por dentro;* en la calle del Arenal, *La Tormentaria,* y en la de la Montera, *A los Cien Mil Brillantes.*

Igualmente enigmáticos eran esos rótulos que no tenían más que un apellido triunfante: Gómez, Sánchez, García, o un nombre de flor o de región: La Dalia, La Pasionaria, La Margarita, El Andorrano, La Asturiana, etcétera.

Había, y hay, otros aún más enigmáticos, como esos en que se lee: «García. Por mayor y menor.» Parece que a García lo van a vender en bloque y a trozos.

Cada oficio tenía su manera de anunciarse. Los pirotécnicos son de los más lacónicos en sus muestras. No ponen en ellas más que el nombre y el oficio: «Sánchez. Pirotécnico.» En cambio, los zapateros son fantasiosos. En una zapatería de la calle Mayor y en otra del Rastro había pintado un león desgarrando una bota. En la leyenda decía: «La romperás, pero no la descoserás.»

Más gracia que en el interior de la ciudad tenían los rótulos en las afueras y en los pueblos próximos a Madrid.

En las Ventas, no sé si seguirá la frase cínica que se leía en un merendero hace tiempo:

MEJOR SE ESTÁ EN ESTE
QUE EN EL ESTE

En las posadas y mesones solía haber letreros puestos con malicia. En un ángulo de la pared se leía:

VINO DE BALDE,

y en la otra pared de la esquina:

PEÑAS

Era también muy frecuente la frase, que luego ha terminado por emplearse para desentenderse de algo:

A LA VUELTA LO VENDEN TINTO

El letrero clásico de los merenderos era:

SE GUISAN CALLOS Y CARACOLES

En unos lados se le quitaba la *u* a la palabra «guisar», quizá considerándola innecesaria en una buena cocina, y en otros se ponían los callos con *y* griega, quizá para que estuvieran más clásicos.

En las calles de Bravo Murillo y de Segovia, en algunas casquerías, decía:

SE VENDEN IDIOMAS Y TALENTOS,

lo que quería decir que se vendían lenguas y sesos.

En una excursión que he hecho últimamente, siguiendo los pasos del general Gómez por el Norte y por el Sur, he encontrado rastros de los rótulos antiguos que admiraba uno de chico. En algún Ayuntamiento he leído:

CASACON SISTORIAL,

y en dos o tres tabernas míseras he visto:

OI NO SE FIA AQUI, MAÑANA SI,

y en las tahonas:

SE CUEZE EL PAN Y LO QUE BENGA

En Sigüenza, hace treinta años, comimos en una posada, a cuya puerta decía:

AQUI SE GISA DE
COMERA
LA PERFEZION

En Béjar, en una taberna, se anunciaba:

DESPACHO DE VINO POR
EL PROPIO FURIBIS

En Guadajalara, en el paseo de la Concordia, en una taberna o bar, se lee este letrero sentencioso:

LA UNICA HORA PARA TOMARLA
PARA VIVIR HAY QUE BEBER
PARA BEBER HAY QUE PAGAR

En una tienda de los Cuatro Caminos dice así:

AQUÍ FABRICAMOS TODO LO QUE VENDEMOS:
SALCHICHÓN DE VICH, MANTECA ASTURIANA,
BUTIFARRA CATALANA, JAMÓN SERRANO
Y CHORIZOS DE SALAMANCA

En un pueblo de la provincia de Albacete vi, no hace mucho, una casa grande, vieja, que me sorprendió por lo que sintetizaban los letreros antiguos y modernos.

Además de los vivas y los mueras a las letras del alfabeto, mostraba una alegoría, pintada, del Primero de Mayo, en verde.

En una de las fachadas, sobre una puerta, ponía:

ORNO EN LA TRASERA

En otra puerta más lejana:

ORNO DE BISCOCHOS
Y
OTRAS COSAS GUENAS

En la fachada principal, sobre el portal:

BINO TINTO I BLANCO DELA M
ANCHA POR MAIOR I
MENOR

Enfrente, para completar lo pintoresco en la muestra de una taberna, decía:

SE BENDEN VEVIDAS
Y
SORUETES

Como hombre un poco intoxicado por el costumbrismo, sentí, al leer estos letreros, una íntima satisfacción; los copié, y los transcribo aquí para satisfacción de los papanatas.

Don Gonzalo Manso de Zúñiga me manda algunos letreros vistos por él, que tienen gracia, como contribución a la epigrafía callejera:

A la salida de Haro, por la carretera de Zarratón, hay una serie de postes de energía eléctrica con la siguiente advertencia:

NO TOCAR PENA DE MUERTE

Hace años vi en el escaparate de una taberna de Nájera una tortilla como de cuatro huevos, con un letrero clavado que decía:

VENDIDA

Había en Estella hace pocos años un fabricante de sombreros que tenía puesto el siguiente cartel sobre la puerta:

FAUSTINOZUBIETAFA
BRICANTEDESOMBREROSFI
NOSDECASTORES
TELLA

También en Estella podía verse, a la puerta de una peluquería, el siguiente anuncio reclamo:

SAFEITA Y CORTA EL PELO
QUE PAICE MENTIRA

En Vitoria vi el año pasado, en una barraca, un semifaquir que se anunciaba con este desconcertante cartel:

EL AUTENTICO MUSULMAN

En Santo Domingo de la Calzada hay un salón de baile que ostenta este versallesco nombre:

EL TETON

En Haro, ciudad que está en constante pugna con Logroño, se sacó en los toros un monumental letrero que decía:

LOS DE HARO SALUDAN A LOS FORASTEROS,
MENOS A LOS DE LOGROÑO

En Baracaldo, cerca de Llodio, hay una taberna en la carretera, que invita a entrar con este cartel:

NO DES UN PASO
SIN BEBER UN VASO

LOS HORRORES DE LAS ANTIGUAS FERIAS

Actualmente se nota que las fiestas de los pueblos y de las capitales de provincia han decaído mucho. La gente no está quieta como antes; va y viene, frecuenta el cinematógrafo y no espera la feria del pueblo con la ansiedad de otras épocas.

He estado hace unas semanas un momento paseando por el ferial de una ciudad del norte de España. Era ya al caer de la tarde. Había dos largas filas de puestos con juguetes, relojes, espejos, cortaplumas, cacharros de cocina y baratijas de todas clases. Pasaba muy poca gente, y uno de un puesto le decía a otro con tristeza:

—No se hace nada.

—Habrá que convencerse de que

hay que dejar esto—le contestaba el otro.

Las ferias se han elegantizado con relación a las de hace años; las instalaciones son más cuidadas y más vistosas. La parte espectacular y truculenta, el departamento de los horrores, es el que ha disminuido o casi desaparecido.

En el paseo de esta ciudad del norte de España, en un extremo, en la zona dedicada a las diversiones, veo unos tiovivos modernistas y unos columpios en forma de góndolas. No hay más.

Se nota cómo la época ha digerido el romanticismo y lo ha eliminado. Esa parte espectacular y truculenta de las ferias era antiguamente como el folletín de la gente de la calle que no leía; el departamento de los horrores.

Me pongo a comparar esta feria, aséptica de romanticismo, con la que veía yo de chico, hace ya medio siglo, en Pamplona.

Aquélla, como casi todas las de la época, estaba cargada de truculencia y de espíritu folletinesco. La parte más infecciosa, apartándose instintivamente del comercio de las baratijas, buscaba un sitio lejano en el paseo de la Taconera, y allí instalaba sus barracas, donde se cultivaba el horror pánico.

Culminaba el espíritu folletinesco en las figuras de cera. Reinaba en ellas el espíritu de Eugenio Sue y de Javier de Montepin. Allí no había más que víctimas y asesinos, héroes y criminales, espías y soldados moribundos; nada de buenos burgueses sanos y gordos.

Todavía existía algo que podía considerarse como el alcaloide venenoso de las figuras de cera en curiosidad y en repulsión: el gabinete reservado de piezas de anatomía, que producía el horror de las criadas, de los mozalbetes y de los soldados, a quienes se llamaba finamente en los carteles militares sin graduación.

No tenía tanta fuerza atractiva ni repulsiva la cabeza parlante, que se comprendía que se lograba con una combinación de espejos; ni la joven sin brazos ni piernas, que con frecuencia se llamaba Thauma (thauma en griego quiere decir maravilla), y que también era resultado de un truco óptico; ni el salvaje con su barba larga, su porra y los brazos tatuados; ni la mujer cañón; ni el cosmorama tuti-li-mundi o mundo nuevo, con sus cristales ovalados, que todavía se ve pasar por Madrid por la calle Ancha con un carrito llevado por un burro.

Más inquietantes eran el magnetizador, el astrólogo, los gigantes, los enanos, el domador de leones, y, sobre todo, el fenómeno, casi siempre una porquería. A veces, el fenómeno explicaba su anormalidad; a veces alguno del público le hacía preguntas a él o al empresario de una manera pedantesca: «¿Cómo come el fenómeno? ¿Cómo anda el fenómeno? El fenómeno, ¿se cree mujer u hombre?»

No era raro que alguno saliera con el estómago malo de la contemplación del fenómeno.

Completamente inocentes eran la cabeza de turco, en donde se pegaba con el puño o con un mazo sobre una especie de dinamómetro para probar la fuerza; el pim pam pum, con muñecos de trapo, y el tiro al blanco. Este se ha perfeccionado últimamente, y presenta una serie de innovaciones: pipa de barro, huevos que giran y un zuavo o un moro con un círculo en el pecho, y dentro, otros concéntricos, y en medio, el blanco, al que hay que dar.

Las cosas extraordinarias, como los

domesticadores de pulgas, no aparecían en las ferias de los pueblos. Tampoco se presentaban los domesticadores de focas y de cacatúas. Eso era para los circos importantes.

La última feria que vi con barracas de monstruosidades y los clásicos horrores fue en Marsella, hace muchos años. Allí pude contemplar al hombre sapo, la mujer pantera, con la piel con unas manchas peludas; la mujer de tres pies, el esqueleto de la sirena Nereis y las escenas terribles de las mujeres que van recluidas a la prisión de San Lázaro, en París, en figuras de cera.

En esta feria, el público tomaba los horrores completamente a broma.

Mucho se ha hablado de los espectáculos de las ferias de todos los pueblos grandes, como París, Leipzig, etcétera, y, naturalmente, las ferias de las ciudades y de las capitales de provincia europeas no eran más que réplicas incompletas de las que se celebraban en las grandes poblaciones.

En las ferias de los pueblos no solía haber barracas dedicadas a los horrores pánicos. Si había alguna, era por casualidad. En parte, esta sección estaba sustituida por los cartelones de las ferias. Claro que con una pintura, por muy expresiva y muy tosca que sea, no es fácil reemplazar la impresión de las figuras de cera, de bulto, con ojos de cristal, barbas, bigotes, pelucas y trajes corrientes; pero aun así hacían efecto los carteles.

En medio de puestos de telas de percal, de pucheros y de instrumentos de labranza, se veía al hombre del cartel de la feria con frecuencia con su capa y un puntero en la mano.

El cartel solía estar pintado por los dos lados. El más característico que recuerdo es uno que vi en Sigüenza hace treinta años. A un lado tenía el crimen de Don Benito, dividido en varias escenas, con el trágico final de la ejecución de los dos criminales. Del romance que recitaba el hombre con voz lastimera, no recuerdo más que estos dos versos:

> *Entrégate, Inés María,*
> *que tu madre ya murió.*

En el otro lado del cartel se veía la aparición de la fiera corrupia.

Los romances que recitaban los hombres que llevaban carteles no eran casi nunca antiguos, porque el crimen pasado no interesaba al público. En general, eran muy malos. Yo he oído romances sobre el crimen de Don Benito, el huerto del *Francés*, Rosaura *la de Trujillo*, Cintabelde y Cecilia Aznar.

Con frecuencia, la mayoría de los relatos eran vengativos y justicieros, menos este de Cecilia Aznar, en que el autor, que firmaba Modesto Escribano, se manifestaba lleno de piedad y llamaba a la Cecilia pobre joven.

Modesto Escribano comenzaba su rapsodia así:

> *A Cecilia salió la sentencia*
> *con la última pena, por fin;*
> *el fiscal, por su crimen horrendo*
> *le pide que muera en garrote vil.*
> *¡Pobre joven! ¡Qué mal pensamiento*
> *Satanás en tu pecho albergó,*
> *por el lujo y por el dinero*
> *hasta el crimen tu mano llegó!*

El poeta terminaba su relación con estos pensamientos profundos:

> *¡Cuánto crimen, todo por el vicio,*
> *que sucede en esta capital!*
> *Muchos de ellos son por las mujeres;*
> *esto es, por falta de moralidad*

El Freud del cartel daba su explicación más o menos psicoanalítica del crimen.

Dejando el anverso de los carteles de feria, dedicado a la representación expresionista de un crimen famoso, pasaremos a hablar del reverso, que casi siempre tenía una lección astronómica apocalíptica.

De estas lecciones, la que recuerdo más completa es la aparición de la fiera corrupia, también del cartel de Sigüenza.

La fiera corrupia, en forma de dragón rojo, con siete cabezas, diez cuernos y unos candeleros con velas en cada cabeza, era, evidentemente, la Bestia del *Apocalipsis*. El que había escrito el romance oído por mí en Sigüenza había leído, sin duda, algo sobre el apocalipsis y hacía alusiones a este libro fantástico y enigmático. A mí me recordó la pintura con el dragón rojo, los ángeles tocando la trompeta y la luna y las estrellas, algo del antiguo poema de Alexandre:

Vyeron aquella noche una muy fiera cosa,
venye por el aire una sierpe rabyosa
dando muy fuertes gruytos la fantasma as-
[trosa;
toda venye sangrienta vermeya como rosa.

Esta fiera corrupia, descendiente espuria de la Bestia del *Apocalipsis*, ha tenido diversos avatares y ha perdido, sin duda, en otros carteles y romances, el carácter de su origen bíblico.

He visto varios romances, en los cuales la fiera tenía otros aspectos. Aquí copio algunos de los títulos:

«La fiera malvada. Nueva y curiosa relación, en la que se declara y da cuenta de las horrorosas muertes, estragos y desgracias que ha ejecutado una fiera silvestre titulada la corrupia el día 12 de marzo del presente año en la ciudad de Urben, inmediata a Tierra Santa, matando ciento cincuenta y tres personas, y el fin que ésta tuvo.»

La fiera malvada, a juzgar por la estampa tosca que lleva al frente, era un monstruo negro con tres cabezas: la de en medio, de hombre, y las otras, una de oso y otra de serpiente; seis manos, seis patas y seis velas encendidas en la cabeza.

Además de la fiera malvada, existía la fiera maltrana:

«La fiera maltrana. Caso notable y espantoso que acaba de suceder en la ciudad de Alicante con un animal fiero. Dase cuenta de cómo por la providencia de Dios arrebataba diariamente los niños de las casas de sus padres, trasladándolos a una cueva de un monte. Declárase también cómo al cabo de algunos días se descubrió la causa de este castigo por un tierno niño de pecho, que lo descubrió por inspiración divina.»

La fiera maltrana era, a juzgar por el dibujo, un dragón de tres cabezas. Esta fiera venía al mundo a castigar a las familias que no daban educación cristiana a los hijos.

El monstruo evoluciona de aspecto y de nombre, y se llama en otros papeles la fiera curpecia y la fiera crupecia.

«Horrorosos estragos ocasionados por la fiera crupecia, que apareció en Melilla, en el Río la Plata.»

No sabemos qué río será éste, y si el autor confundió Melilla con Buenos Aires.

La fiera crupecia era, a juzgar por el tosco grabado, un monstruo femenino con cuatro cuernos, alas de murciélago y dos garras suplementarias a cada lado. Su voracidad era terrible. Comía, según el hombre del cartel —hombre, sin duda, de cultura—, más que el «animal llamado Heliogábalo». El mismo dibujo de la fiera crupecia ha servido para fenómeno pezmujer o la maldición de una madre y para otras relaciones igualmente cómicas y absurdas sobre el fin del mundo.

Al mismo tiempo que estas historias, donde interviene, en parte, lo sobrenatural, había otras de hechos naturales exagerados, fieras que mataban niños o pastores, como el lobo blanco de Peñarroya, el oso del Urbión y algunas más con que se amenizaban las ferias de los pueblos.

LAS CALLES SINIESTRAS

Ayer, al pasar por la Gran Vía, advertí que están derribando una manzana de casas de la calle de Mesonero Romanos, antes del Olivo, que llega hasta la de la Abada.

Esta manzana estrechaba últimamente la callejuela, y en un espacio escaso de cien metros mostraba lo que había sido la antigua calle del Olivo.

¡Y qué carácter tenía ésta en su tiempo! ¡Qué barrio el formado por la calle de Mesonero Romanos, Jacometrezo, Tudescos, Horno de la Mata, Silva, Abada, etc.!

Era el rincón de Madrid donde había más prostíbulos, tabernas, cafetuchos, tiendas oscuras, casas de citas y consultas de enfermedades secretas. También había librerías de viejo, y esto no atraía a muchos.

No sé cuál de estas calles tortuosas y siniestras se llevaría la palma en estrechez, en sordidez y en negrura. ¡Qué portales oscuros, donde no entraba nunca el sol! ¡Qué corredores! ¡Qué escaleras! ¡Qué casas de huéspedes! ¡Qué horrores!

Casi todas estas calles han desaparecido o se han transformado de tal modo, que son difíciles de identificar para los que las conocimos. Yo no podría recordar la morfología antigua de este barrio.

De la calle de Jacometrezo no ha quedado casi nada; de la de Tudescos vieja, dos o tres causas; de la del Horno de la Mata resta solamente una en alto sobre un pequeño desmonte sostenido por postes, a la entrada de la calle del Desengaño.

Esta barriada siniestra, miserable y hampona, le trae a uno a la memoria recuerdos de la juventud.

A la calle de la Abada y a la plaza del Carmen solía ir yo con frecuencia, en mis tiempos de panadero, a las altas horas de la noche, a llamar a algún obrero o repartidor de pan intoxicado por el vinazo.

En la calle de Mesonero Romanos estaba *El Imparcial,* donde uno comenzó a publicar artículos en «Los Lunes» y a cobrarlos; en la calle de Jacometrezo vivían algunos amigos, y nos citábamos a veces con ellos en un café de camareras próximo; en Tudescos y en el Horno de la Mata conocía libreros de viejo.

En una casa grande que se comunicaba entre estas dos callejuelas había una imprenta, donde yo imprimí algunos libros.

Se entraba en esta casa por un portal de Tudescos y se continuaba por un corredor que tenía una alcantarilla de piedra al descubierto, naturalmente fétida. Había al final del pasillo un patio con un antiguo pozo ornamentado.

A esta calle del Horno de la Mata, a una taberna, una noche de domingo, llevamos a cenar Alberto Lozano y yo a una muchacha de servicio a quien había debido engañar su novio y la había dejado medio borracha a altas horas de la noche en la Cuesta de San Vicente.

La chica estaba trastornada, como si le hubieran dado algún narcótico, y no sabía la hora que era ni dónde estaba. Lozano la detuvo, le habló y la convidó a cenar. Después de cenar con nosotros, la muchacha se tranquilizó, se animó, y, al salir a la calle, se despidió de nosotros y echó a correr. La escena, algo transformada, la conté yo en una novela titulada *Aurora roja*.

Frecuentadores de las tabernas y buñolerías del barrio de Jacometrezo y sus alrededores fueron Alejandro Sawa con su perro, Cornuty, Barrantes, Paso y otros muchos bohemios de la época.

Este Madrid que ahora desaparece, que no era antiguo, sino sólo viejo, corresponde un poco al Madrid de Larra y Espronceda, al de Zorrilla y de Fernández y González, al de los policías como Chico y de los conspiradores como Aviraneta.

Corresponde también a la época de hombres de mi tiempo, a la época de Galdós y Echegaray, de la cuarta de Apolo, del *Madrid Cómico* y del café de Fornos, lleno con Granés, que insultaba, con Cavia, que bebía, y con Dicenta, que disputaba.

★

El recuerdo de las viejas callejuelas siniestras madrileñas me hace pensar en las de París, donde abundaba y abunda aún el género.

Mucha de la sugestión de estas calles viejas de París me llegó indirectamente por haber leído en la adolescencia gran número de folletines. La novela de Balzac *La historia de los trece* fue la que influyó más en mí en este sentido.

La historia de los trece está formada por varias narraciones. La prime-

ra, titulada «Ferragus», es misteriosa y un poco absurda, pero tiene un preámbulo sobre las calles de París que es intensamente sugestivo. El autor habla de las calles de la gran ciudad de una manera inspirada y alucinada; habla de calles nobles, de calles comerciales, de calles infames y asesinas.

Para Balzac, París es un monstruo.

Con esta sugestión romántica viví yo una temporada en París la primera vez que fui allá, en los últimos años del siglo XIX. Buscaba el monstruo-ciudad, el diablo-ciudad. Me llegaba un ramalazo final de romanticismo y· de bohemia, sin que creyese gran cosa ni en uno ni en otra.

Fui como el aprensivo que quiere averiguar si tiene una enfermedad o no la tiene.

Para creer en el romanticismo necesitaba comprobar la existencia del monstruo-ciudad balzaciano.

Vi en París tabernas de apaches con títulos estrambóticos, *cabarets* con nombres poéticos; asistí a mítines anarquistas, en donde a la salida los agentes pegaban como quien varea lana; curioseé en los antros parisienses, como el Château Rouge y el Père Lunette; en los cafetines de la plaza Maubert, de la calle de San Dionisio y de los alrededores del bulevar Sebastopol.

No aprehendía al monstruo ni por la cabeza ni por la cola. No encontraba más que miseria, prostitución y brutalidades, como en cualquier otra parte.

Vi también cómo se derribaban los viejos hoteles balzacianos entre patio y jardín, cómo cortaban los árboles de la abadía del Bosque (Abbaye-au-Bois) para hacer un nuevo bulevar, y cómo aparecían entre agujeros y cascotes las chimeneas y el papel de los salones de madame Récamier.

Contemplé el viejo Hôtel Dieu en la orilla izquierda del Sena, medio derruido, lleno de ratas, y pasé varias veces con don Nicolás Estévanez por la Morgue, la posada del Caballo Blanco, ilustrada por el abate Prévost en *Manón Lescaut;* por delante de la casa de Víctor Hugo y por la de don Javier de Montepín, como decía irónicamente Estévanez, pronunciando con fuerza la *i.*

Hablé un momento con Eliseo Reclús en el portal de la casa de una revista titulada *L'Humanité Nouvelle,* y conocí a varios profesores.

Vi pasar a Oscar Wilde por el bulevar con aire de gigantón acromegálico, vestido de gris, con aspecto cansado, solo, los bolsillos llenos de periódicos, la cara larga y estupefacta y el tipo desagradable que tienen los gigantes. Oí hablar a Charles Morice, teorizante del simbolismo, en compañía de Carrière y de Juan Echevarría, de la vida de Verlaine, de sus apuros pecuniarios, de sus odios y del cuarto miserable que habitaba en el hotel de la Luna, cerca de la plaza del Odeón.

Estuve también en los rincones de la bohemia, en los alrededores del jardín de Luxemburgo y en algunos talleres de Montmartre, y vi con curiosidad al anochecer esas calles de las afueras parisienses, siniestras, solitarias, próximas a una estación o a un matadero, por las que se ven al final las fortificaciones o un talud verde por donde pasa la vía del tren.

En Londres, años después, hice mis investigaciones, deambulé por los alrededores del Támesis y por los callejones de Whitechapel, donde quedaba entonces el recuerdo de Jack, el destripador de mujeres.

Allí, como en todas partes, había codicia, prostitución y alcoholismo. En ninguna de estas latitudes aparecía el monstruo-ciudad, el diablo-ciudad.

★

Cosa extraña y curiosa es que el prestigio de las grandes ciudades desciende a medida que se limpian, se hacen higiénicas y van sustituyendo las calles estrechas, tortuosas y siniestras por las avenidas anchas, rectas y limpias.

El romanticismo y la bohemia nacieron y se desarrollaron en callejuelas y lugares oscuros. El aire libre y el sol los han ido ahuyentando, desterrando. Nunca París y Londres tuvieron tanta sugestión para la la juventud como cuando eran pueblos oscuros, laberínticos y sucios; cuando tenían fama de monstruos.

El París de Balzac y el Londres de Dickens trastornaron muchas cabezas juveniles del tiempo; hoy ninguna de las dos ciudades trastorna a nadie. El atractivo de ellas no estaba en la catedral, en el museo, en el río, en la calle bien construida o en el profesor sabio. Catedrales, museos, ríos, calles bien tiradas y profesores sabios hay en muchas partes. El atractivo de las dos grandes ciudades estaba principalmente en el contraste, en el misterio, en su supuesta calidad de monstruos. Esta misma seducción tienen a veces las mujeres de mala fama, a las que se acusa de perversas, de dañinas, de falsas. Son las mujeres fatales del cine. Muchos se creen fascinados por ellas con una fascinación parecida a esa que, según la leyenda, sienten los pájaros por las serpientes.

Es muy probable que las mujeres fatales sean tan fantásticas como las ciudades-monstruos; pero existen en la imaginación le los jóvenes con alma de pájaros que creen en ellas.

★

El fenómeno del desprestigio de la ciudad se está dando en Madrid, como en todas las demás capitales del mundo.

Madrid se ha agrandado, se ha saneado, ha dejado de ser un pueblo laberíntico y sucio, la ciudad que tenía, como Moscú, la mayor mortalidad de Europa. Madrid ha perdido su misterio, ha dejado de ser mujer fatal.

El provinciano inteligente comprende que en Madrid no le va a pasar nada más extraordinario que en su pueblo. Unicamente encontrará más barullo en las calles. En lo demás no verá diferencia; la misma gente, la misma radio, el mismo cine; casi todo igual.

Si este provinciano tiene un hijo estudiante, comprenderá que hoy es más peligrosa para un joven la pequeña ciudad con un centro universitario que la capital.

Hoy ya hay mucha gente que encuentra que vivir en una ciudad grande no es una ventaja. A veces, si hay una ventaja, es puramente económica, por la baratura de las subsistencias en los grandes centros de consumo.

Desde el momento que se ha ido viendo que la ciudad grande no era un monstruo, ha perdido su encanto.

Así, algunas ciudades tienden otra vez a dar carácter misterioso a sus barrios, como hace Barcelona con ese Barrio Chino que hace pocos años ha inventado.

Es muy posible que así como ahora se tiran las calles siniestras, con el tiempo se construyan para atracción de forasteros.

Al hombre le gusta todavía el misterio y la confusión. La ciudad-monstruo, la mujer fatal, son caras ilusiones de su alma.

EL DEMONIO DEL CARNAVAL

Desde hace muchos años se ven en los periódicos artículos en los que se habla del Carnaval como de una fiesta absurda, zafia y ridícula, llamada a desaparecer.

El que la fiesta tienda a desaparecer puede muy bien ser cierto; el que sea absurda, zafia y ridícula, no lo es.

El Carnaval es, o por lo menos ha sido, la fiesta más completa de los hombres. Lo tiene todo: la risa, la barbarie, el disimulo, el miedo, la inquietud y la perfidia humana. Hay en él posos de sentimientos ancestrales, totémicos, que se remontan a las épocas más lejanas.

El dios Momo tiene a sus órdenes una caterva de archidemonios.

Se ha querido darle tradición remontando su origen a las fiestas de los locos de la Edad Media, a las lupercales y saturnales romanas y a las dionisíacas griegas.

Todo eso es de ayer para el Carnaval. Este es mucho más antiguo, muchísimo más viejo. La máscara, la careta, aparece en los bailes y cultos rituales de los sacerdotes primitivos. El mago y el adivino, al disfrazarse, pensaban que adquirían un nuevo espíritu.

En épocas prehistóricas, los hombres solteros, que formaban asociaciones secretas, clubs totémicos patrocinados por un toro, un oso o un león, tomaban el aspecto del animal que consideraban el padre de su familia o de su grupo, y, disfrazándose con sus pieles, bajaban a los poblados, en donde las mujeres vivían con sus hijos con una institución matriarcal, y allí se entregaban a orgías de erotismo y de sangre.

Para la magia de la caza, los hombres primitivos empleaban disfraces idénticos, con la idea de atraer a los animales. Estos disfraces zoomorfos existían en el paleolítico magdeleniense, a juzgar por las pinturas rupestres de Altamira y de Les Combarelles, que se remontan a quince o veinte mil años.

El Carnaval es tan antiguo como la magia y las religiones; no es una ficción ridícula y sin valor, sino una tremenda realidad henchida de sustancia humana.

Que convenga o no convenga el conservarla, es otra cuestión.

Los griegos y los romanos no concedían a esta clase de fiestas—en los primeros, dedicados a Baco Dyonisios, y en los segundos, a Saturno y a Pan—más que un día al año. Tal peligro veían en ellas.

Baco—dios, al parecer, buenazo—deriva con facilidad a lo trágico. El dios del vino tiene en ocasiones mal vino. Cuando se leen *Las bacantes*, de Eurípides, se queda uno asombrado al ver a un dios borrachón, tranquilo e inofensivo convertido en un dios trágico y feroz, y a sus sacerdotisas furiosas y homicidas manejando sus tirsos como flechas y desgarrando las carnes sangrientas.

El Carnaval tiene muchas caras, muchas facetas; es demoníaco y libertino; une el sentido igualitario y el erótico, la fecundación y la locura, la obscenidad y la rebeldía, la risa y el terror pánico.

El Carnaval se toca por un extremo con la Danza de la Muerte y la Nave de los Locos, con la hechicería y los aquelarres; por otro, con el culto del Sol y de la Naturaleza.

Así como en las religiones el diablo tiene su tope en Dios, el Carnaval lo tiene en el Miércoles de Ceniza, en que comienza la Cuaresma. La pelea de don Carnal con doña Cuaresma—asunto de antiguas fábulas—fue fijada en la literatura por el arcipreste de Hita, y en la pintura, por Breughel *el Viejo*.

Modernamente, en muchos países se ha querido transformar el Carnaval en una fiesta culta y social. No se ha podido conseguir.

El Carnaval viene de una corriente subversiva, demoníaca, antisocial, humana, demasiado humana, que diría Nietzsche. Encauzarla, domesticarla, es dejarla sin vida.

El Carnaval es una fiesta anárquica de masas desorganizadas, de individualismo, que puede ser fino y amable o rajado y violento. En esto se parece a la literatura, que tampoco puede ser de masas. El Carnaval ordenado, municipal, socialista, es aburrido; no tiene color ni sabor.

★

El carro naval de Momo tiene muchos demonios a su servicio: el demonio de la lubricidad, de la risa, de la locura, del cinismo, de la maldad y del terror pánico.

El demonio de la lubricidad preside el Carnaval entero; la líbido triunfa en él.

Todas esas mujeres vestidas de locura o con pantalones de hombre que van en grupos moviendo las caderas y dando gritos estridentes sienten la nostalgia de ser ménades o bacantes. El joven de sexo dudoso, pintado y empolvado, que el Carnaval da suelta a la duplicidad de sus instintos, va llevado también por el demonio lúbrico.

El demonio de la risa y de la alegría bárbara triunfa en el Carnaval. No será constantemente auténtico; muchas veces habrá sido suplantado por otro espíritu más acre.

Ahí está, como manifestación casi siempre auténtica, la pareja del oso y el domador. Quizá en esto hay algún ligero matiz de totemismo.

El que hace de oso se pone una alambrera de brasero en la cabeza, se viste con una piel o con una tela de saco y baila y gruñe y se zarandea, convencido de que es un oso de verdad. El domador entra en su papel—a veces con demasiado calor—y arrea algún palo a su compañero; pero se divierten los dos haciendo barbaridades y diciéndolas.

Recuerdo un caso muy típico de alegría individualista y solitaria ocurrido hace catorce o quince años en Hendaya.

Esta noche de fiesta había cenado yo en casa del médico oculista doctor Durruty. En la plaza hacía frío y había poca gente. Un tiovivo con orquestón tocaba a cada paso una musiquilla vulgar parisiense, cuyo nombre no recuerdo, pero cuyo estribillo era: *Ah, le petit panier.*

Entre el público había un joven disfrazado de moro, con una chilaba de tela de sacos, un turbante, una barba postiza negra y una espingarda de caña. El hombre se divertía solo; debía de ser un joven vascofrancés que había estado en el servicio en Argelia o en Marruecos y quería imitar una fantasía de moros. Era, probablemente, un hombre oscuro y tímido, a quien la fastuosidad árabe había llamado la atención y la caricaturizaba con una gracia ingenua y una alegría burlona, quizá inspirada por el vino.

El joven daba unos pasos solemnes,

se ponía la mano sobre los ojos para mirar el horizonte, apuntaba con la espingarda, avanzaba y retrocedía dando saltos y hacía como que disparaba. Se veía que se estaba divirtiendo solo. Yo estuve contemplándole y riendo a carcajadas.

★

Un tipo que parece impulsado por el demonio de la locura es ese hombre que aparenta llevar a otro a cuestas. El que va en la espalda es un pelele. La máscara marcha haciendo sonar un gran cencerro que lleva colgado del cuello. Este hombre no se para a hablar con nadie, corre como un loco en el patio de un manicomio y parece tener el sentimiento de ser un fantasma de una noche de pesadilla.

El demonio de la maldad y de la intención aviesa se agita y se retuerce y rechina los dientes en el Carnaval.

Una primera manifestación de este demonio la recuerdo como ocurrida en Pamplona, en el paseo de Valencia, siendo yo chico. Tres jóvenes disfrazados habían cogido por su cuenta a una damisela y le habían dicho tales cosas, que la muchacha iba pálida, desencajada y llorando. Después se habló de quiénes habían sido los bromistas y de lo que habían dicho a la chica.

Seguramente era una venganza de despechados, una pequeña canallada de capital de provincia.

El Carnaval despierta ese demonio perverso que impulsa a herir, a molestar, a desprestigiar. Es el espíritu sádico, que se une con el de la lubricidad.

Otro demonio desatado en época carnavalesca es el demonio del cinismo. Movidos por él, van los desvergonzados en grupos: el que se pinta la nariz de rojo, las mejillas de corcho quemado y se pone un sombrero de copa; el que se disfraza de ama de cría con unos pechos enormes; el que lleva un pantalón abierto a propósito por detrás, que se inclina para mostrar un pedazo de camisa por la abertura.

Hay el cinismo individual y el cinismo colectivo. De este último fue muestra completa la Murga Gaditana de hace años. Pocas manifestaciones se podrán dar tan perfectas de cinismo y de sinvergüencería.

Ahora hay también comparsas de esa clase, cuyos músicos llevan como instrumento una caña con un papel y un bombo y se acompañan con éstos para cantar coplas brutales. En un cartel se llaman los Boqueras y los Cataplasmas, y mujeres y hombres se ríen al oír sus indecencias.

Hay también por Madrid otras estudiantinas y comparsas, pero no son fieles al demonio del cinismo. Una es la comparsa del Taipatía y su cuadrilla de bandidos andaluces; pero éstos parece que cantan canciones gitanas, más o menos auténticas, en honor de los «ojasos» de las madrileñas y no dicen insolencias. Son herederos de una cabalgata titulada Los Siete Niños de Ecija, que salía a caballo hace años, dirigida por un zapatero de barrios bajos apodado el Patria.

★

Otro demonio que se despierta en Carnaval, que está en su tradición y que han perseguido las autoridades de las ciudades y de los pueblos, es el demonio de la funebridad, de lo macabro. Siempre hay alguien que intenta aparecer, si le dejan, vestido de Muerte, con un traje negro, una guadaña y un reloj de arena o con un sudario blanco y una calavera. Seguramente, el que lo hace no sabe que sigue una tradición ancestral.

La lección de la muerte la darían con mucho gusto las máscaras, como en una vieja danza macabra o como en un capitel gótico. Ya que no pueden darla, se contentan con el entierro de la sardina y con lo fúnebre que pueda tener éste. No parece muy lógico el entierro de la sardina al comienzo de la Cuaresma; más lógico sería celebrar el entierro del cordero y del cerdo y el triunfo de la sardina y del bacalao.

También un espíritu siniestro que se desata en Carnaval es el demonio del miedo, de la suspicacia, del terror pánico. La máscara predispone a la inquietud, al disimulo, a la desconfianza.

Una noche de Carnaval, hace treinta y cinco años, un amigo mío, estudiante de Ingenieros, y yo salimos del baile de la Alhambra a las tres o las cuatro de la madrugada entre un grupo numeroso de máscaras, y, al pasar por una esquina de la calle del Arco de Santa María y de la Libertad, vimos todos en la acera un hombre caído en el suelo. No había bastante luz para advertir si el hombre estaba borracho, herido o muerto. Las primeras máscaras, al ver el cuerpo del hombre, se apartaron bruscamente de él con un sobresalto y escaparon calle arriba. Nosotros hicimos lo mismo.

Después, al llegar a casa, estuve yo hablando con mi amigo del egoísmo y de la barbarie que habíamos demostrado todos ante aquel hombre que quizá necesitaba socorro.

El amigo, que no tomaba muy en serio estas cuestiones éticas, dijo:

—Probablemente, si hubiera sido en tiempo ordinario, todos nos hubiéramos acercado al hombre caído; pero de noche y en Carnaval, no parecía prudente.

—¿Qué nos podía pasar?

—Si el hombre estaba herido o muerto, hubiera habido que ir a la Delegación, quizá declarar, quizá quedar incomunicado, y el que más y el que menos no quiere nada de eso.

Yo pensaba que, más que por reflexión, todos habíamos huido de allí por instinto.

✳

El Carnaval ha tenido siempre muchas caras, muchas facetas, muchos demonios a sus órdenes. Ese ha sido uno de sus atractivos y de sus misterios. En la vieja guía Murray de España, el autor puso como lema esta frase: «Quien dice España, dice todo»; pensando en las fiestas humanas, se puede asegurar: «Quien dice Carnaval, dice todo.»

LAS CASAS DE DUENDES

Hace bastantes años todavía se encontraba el viajero, al llegar a un pueblo, con algún caserón cerrado y abandonado, que tenía el aspecto de haber sido importante en otro tiempo.

—¿Qué es esa casa?—solía preguntar.

—Aquí la llaman la casa del duende.

—¿Y por qué?

El interrogado, generalmente, se encogía de hombros, dando a entender que no valía la pena hablar de una cosa así. A veces se llegaba a dar con alguna persona con cierto sentido histórico, que contaba una relación acerca de la casa solitaria y misteriosa, en donde había pasado algo hacía mucho tiempo. Era un crimen, una cita entre dos amantes, terminada fatalmente; una reunión de masones o conspiradores, descubierta por el Gobierno, o un conciliábulo de ladrones, de contrabandistas o monederos falsos.

Para la mayoría de los narradores, el misterio de estos caserones abandonados y ruinosos, los ruidos de cadenas, luces y fantasmas contituían maniobras hechas por gentes que buscaban la soledad y el apartar a los curiosos con un designio especial.

La explicación corriente era ésta; pero había raras personas, casi siempre mujeres, que creían que las apariciones de fantasmas o de duendes eran auténticas.

Yo he oído hablar de casas deshabitadas en donde aparecían por las noches una mujer lavando, una vieja planchando, un hombre tocando la guitarra, una familia reunida ante un niño muerto, envuelto en una mortaja, y otras escenas igualmente fantásticas.

Hoy no se oyen estas historias en los pueblos. No creo que hayan desaparecido del todo. Lo que sucede es que, con el automóvil, el viajero para en otros sitios que paraba cuando iba en diligencia. No es lo mismo tampoco hablar con un chófer y con el dueño de un hotel con pretensiones modernas, que con un antiguo cochero y con el amo de una posada o de una fonda.

El cochero antiguo y el posadero vivían más la vida de los pueblos; el chófer y el hotelero actuales sienten más la ciudad y la carretera. El cochero y el posadero tendían a la leyenda y a las historias locales; el chófer y el hombre del hotel tienen el entusiasmo por la rapidez y la velocidad. La gasolina no fecunda la fantasía: es enemiga de la superstición.

Pensando en la denominación general de la casa del duende que se daba a los edificios abandonados y arruinados de los pueblos, se ve que no era exacta, porque más que casas de duendes eran casas de aparecidos.

El duende tiene un carácter especial en la mitología popular. Es un espíritu enano o de pequeña estatura, que habita con predilección los desvanes, sótanos y sitios lóbregos de casas solitarias. Su nombre viene de *duendo*, y éste, a su vez, del latín *domitus* (manso, doméstico).

Juan Bodin, en uno de sus libros, titulado *De la impostura de los diablos*, dice que los demonios, que los alemanes llaman enanos terrestres y los franceses gobelinos y *luitons*, son de dos clases. Los unos, enanos familiares, muy tranquilos y serviciales, habitan las casas, hacen la comida, traen agua, encienden el fuego y abren las puertas; los otros, enanos montañeros, viven en el fondo de las minas y son muy enemigos de los hombres, que quieren arrancarles su tesoro. A los primeros, es decir, a los benéficos, los alemanes, según Wier, llaman *gutles* y *trulles*.

Se habla en los libros de magia del duende Hudekin o Hedeckin (portagorro), en el obispado de Hildeshein, en Sajonia, que hacía de cocinero, y que, según contó el abate Trithéme, cortó en pedazos a un mozo que se burlaba de él y lo guisó en sus cacerolas; se cuenta de otros que cuidaban de los caballos y de los niños. Estos espíritus de gnomos creo que deben de ser de procedencia germánica.

Los duendes de las casas misteriosas y abandonadas de los pueblos españoles no tienen de común con estos geniecillos, más literarios que populares, que el estar recluidos en viejos edificios; en lo demás, nada. Yo no he oído nunca en ningún pue-

blo referirse, al hablar de duendes, a enanos sabios, a gnomos o a silfos. Esto es de cuentos, traducidos del extranjero. Lo mismo pasa con los palacios encantados; son más bien de literatura escrita. Es posible que antiguamente se haya creído en España en el duende como geniecillo familiar alegre y bullicioso, pero yo no he encontrado rastro de esta idea. El duende de la casa embrujada es siempre algo triste y fatídico. El padre Fuente la Peña, en su libro *El ente dilucidado*, dedica cerca de cien páginas, a dos columnas, a tratar de los duendes; pero no dice más que fantasías teológicas. La suya no era la época del reportaje.

El padre se pone a querer aclarar seriamente la naturaleza de esos espíritus, aceptando que existen, puesto que Olaus Magnus y otros escritores fantásticos los consideran como reales. Después de afirmar que los duendes no pueden ser ángeles buenos, ni malos, ni almas separadas, termina diciendo que son una especie de animales aéreos, engendrados por la putrefacción del aire y por los vapores corrompidos.

El buen fraile, puesto a elegir entre tres o cuatro versiones igualmente absurdas, elige la peor. Es la inclinación del teólogo. «Estos duendes o fantasmas—dice—, ordinariamente se sienten y tienen su primer ser, como la experiencia lo enseña, en caserones inhabitados y lóbregos o en desvanes o sótanos que, de ordinario, no se utilizan.

»Luego se conoce que son animales engendrados de la corrupción de los vapores gruesos, que en semejantes desvanes o sótanos o lobregueces hay, por falta de habitación, lumbre y comercio que purifiquen el aire; pruébase esta consecuencia. Lo primero parece se infiere de los lugares en que hacen húmedos, inhabitados y donde el aire no se rompe. Y lo segundo, porque estos duendes, por una parte, no se producen por creación ni por natural dimanación, sino por educción, y por otra, esta educción no se hace por verdadera generación de vivientes; luego de *primus ad ultimum* sólo resta que se produzcan por corrupción o putrefacción; no hay otro mixto más a propósito en dichos lugares que pueda corromperse, para que ellos engendren dichos duendes, que los vapores gruesos.»

Estas y otras fantasías no muy luminosas se le ocurren al padre Fuente la Peña al tratar de los duendes.

Le Loyer, en su magnífica obra *Discursos e historias de los espectros* (París, 1605), dice:

«Los franceses llaman a los espíritus malignos *rabbats, folets, gobelinos, monjes boures, lutins,* que serían *luitons* o demonios luchadores, como es el demonio de la noche, que es el *lilith* de los judíos, o más bien demonios faunos, silvanos y forestales de Litana, que yo encuentro en Tito Livio significar, en lenguaje galo, bosque. Los italianos tienen su *mazzapengoli, mazzaruoli, farfarelli;* los españoles su *drisgo,* su *mampesada...*»

Martín del Río, en su *Disquisitionum Magicarum,* dice que a estos espíritus, parecidos a los duendes, se los llamaba por el vulgo familiares, *martinellos* y *magistellos.*

Martinent era el familiar que acompañaba a los magos y que daba el visto bueno a sus operaciones. Daba también a los viajeros las indicaciones para seguir el camino más corto. En España, a estos duendes se los llamaba *martinitos.*

Sinistrari, en su libro *Dæmonialitas (Demonialidad),* supone que los duendes son demonios íncubos.

«En fin, cosa prodigiosa y casi incomprensible — dice — estos íncubos, que se llaman en italiano *folletti,* en español *duendes,* en francés *follets,* no obedecen a los exorcistas, no tienen ninguna veneración por los objetos sagrados, a la aproximación de los cuales no manifiestan el menor temor.» Sin duda, son librepensadores.

En el libro de Antonio de Torquemada *Jardín de flores curiosas* se cuentan varios casos de duendes ocurridos a una señora de Salamanca y a un estudiante fanfarrón.

Este libro de Antonio de Torquemada, *Jardín de flores curiosas,* del cual en todas partes se habla mal, comenzando por el *Quijote,* es de lo más divertido que se ha escrito. Yo no lo he visto nunca en castellano. Se publicó en Salamanca en 1570. Yo encontré hace años, en París, una traducción al francés de 1582, con el título de *Hexamerón* (tiene seis tratados). Leí el libro y me gustó mucho. Al ejemplar le faltaban más de treinta páginas. Se lo advertí al librero parisiense, que me dijo que se lo devolviera, y se lo devolví con pena.

Sobre los duendes, tomando datos de los mitólogos y demonólogos, se puede escribir con facilidad un volumen; ahora que no se sabe, al recoger los informes, si éstos son autóctonos o sólo reflejo de las supersticiones generales; es decir, si son creencias populares o aportaciones literarias, lo que ya no tiene tanto interés.

Acerca de apariciones de espectros y de espíritus familiares, hay tanto publicado, que no cabría en una biblioteca corriente. En general, los autores se copian unos a otros y no añaden nada. Entre los libros más curiosos sobre esta materia, además del de Le Loyer, citaremos el de Henningus Grosius *Magica. De spectris et apparitionibus spirituum,* Lugduni Batavorum (1656); el *Tratado de la aparición de los espíritus*, por Taillepied (Ruan, 1588); el *Tratado histórico y dogmático sobre las apariciones, las visiones y las revelaciones particulares*, por el abate Lenglet Dufresnoy (Aviñón, 1751); las *Disertaciones sobre la aparición de los ángeles, de los demonios y de los espíritus*, por el benedictino Dom Agustín Calmet (París, 1746), y el titulado *El conde de Gabalis* (Amsterdam, 1715).

Goya, en los *Caprichos*, saca a relucir duendes y monstruos raros; pero todo ello tiene aire enigmático y parece que encierra siempre alusiones a hechos políticos y sociales más que a costumbres de la época. Se sospecha que hay en esas aguafuertes más obra de satírico que de costumbrista.

Cuando se dice, por ejemplo, en una leyenda: «Los duendecitos son la gente más hacendosa y servicial que pueda hallarse; como la criada los tenga contentos, espuman la olla, cuecen la verdura, friegan, barren y acallan al niño», se supone que no quiere indicar una superstición popular, sino alguna otra cosa que se comprendería en aquel tiempo.

En algunas comarcas de España se oyen historias de hadas, de duendes y de trasgos que no son más que réplicas de mitología clásica y romana.

Ya en la etimología de estas palabras: hada, de *jada;* duende, de *duendo,* y luego de *domitus* (manso, doméstico); trasgo, de *striga* (bruja); espíritu, de *spiritus,* se ve que son de origen latino. Las ideas que expresan no son más que variaciones locales de la superstición romana, general en la Europa latina.

Más interesante sería bucear en la mitología vasca, porque ésta es autóctona, o, por lo menos, anterior a la de Roma. Lo que ocurre es que es muy desconocida.

En la mitología vasca hay un *Ireltxo,* genio burlón que se aparece a los viajeros; unos *Gaizkiñas,* demonios de las enfermedades; un *Ipiztiko, Amalauzanko, Ebro,* que son fantasmas, y unos *Inchisuac,* y unos *Mairuac,* cuya especialidad no se conoce muy bien.

Estos demonios o semidemonios antiguos, ¿habrán influido algo en la idea posterior sobre los duendes? No lo parece. Todos estos espíritus locales probablemente quedaron recluidos en su país de origen sin tener la menor expansión. Al revés, irían estrechando su radio de acción hasta quedar ahogados en otra mitología de más fuerza expansiva.

EL JUEGO Y LOS JUGADORES

A la puerta del café y fonda de este pueblo manchego me encuentro con un hombre que supongo es el conserje. Hablamos un momento. Es un tipo un poco displicente, que se expresa como de mala gana.

A las pocas palabras cambiadas con él me dice que en el pueblo se juega y que hay empresarios que llevan la banca en algunos casinos y casas particulares de la comarca.

—Es extraño—le digo yo—. Yo creía que eso había desaparecido por completo.

—¡Ca!

—Pero ¿se juega dinero?

—Natural.

—¿Y a qué se juega?

—A todo. Al mus, al póquer y al monte.

—¿Al monte también?

—También.

Hablamos del juego y de sus consecuencias, y yo le cuento, pensando que le voy a hacer efecto, el caso del huerto del *Francés*, en el pueblo de Peñaflor, y cómo entre Aldige y Muñoz Lopera iban matando a los fulleros que entraban de noche, engañados, en su casa y los enterraban en el jardín. Después le hablo del crimen del capitán Sánchez; pero tanto una relación como otra, a pesar de la truculencia, no le producen la menor impresión a este manchego indiferente. Me despido de él.

La conversación acerca del juego me trae a la imaginación lecturas antiguas y escenas presenciadas hace tiempo.

En España y fuera de España, hasta esta última época, se debió de jugar mucho.

En las aleluyas del *Hombre malo* se dice: «Juega y pierde.» Cervantes, Quevedo y Mateo Alemán hablan con fruición en sus libros de las habilidades de los fulleros. Con frecuencia sale a relucir en la literatura el libro de las *cuarenta hojas*.

Don Félix de Montemar, en *El estudiante de Salamanca*, juega en un garito y habla con gran prosopopeya; en el *Tenorio*, de Zorrilla, don Juan o don Luis, no recuerdo bien cuál de los dos, dice:

Jugué, y me quedé sin blanca.

En la literatura extranjera, el jugador tiene mucha cabida. El abuelo de Nelly, en *El almacén de antigüedades*, de Dickens, se arruina jugando. La novela romántica usa y abusa del hombre que juega, pierde su fortuna y se suicida lanzando una carcajada sardónica. Otras veces no se suicida, sino que al ver su miseria, exclama: «¡Ja..., ja..., ja!...» Y el autor dice después: «Estaba loco.»

En un folletín de Javier de Montepin, que cuando lo leí, hace muchísimos años, me pareció muy divertido, hay una sociedad que creo que se llama de los Caballeros de Lansquenet, una sociedad de bandidos imitada de *Los trece*, de Balzac, tan absurda, pero menos genial.

Otro dramón que vi varias veces en la juventud, los domingos por la tarde, y que me interesó mucho, fue *Treinta años o la vida de un jugador*. Este melodrama, traducido del francés, mal representado, era de un cómico subido.

No sé lo que se dice del jugador en los *Españoles pintados por sí mismos*; no tengo el libro a mano. Supongo que debe de copiar esta letrilla clásica que aparece en varios autores del siglo XVII, y que es la expresión de las veleidades de la fortuna:

Aprended, flores de mí,
lo que va de ayer a hoy;
ayer maravilla fui,
hoy sombra mía no soy.

El jugador es, naturalmente, la manifestación más acabada de la inestabilidad. El jugador cree que ha encontrado leyes a lo que no las tiene, y que puede dominar la suerte. Así, hace años, cuando estaba autorizado el juego, se veía a señores serios con una cartulina, que daban en los casinos, llena de rayas, haciendo un cálculo de probabilidades absurdo.

Había, según se decía, los que jugaban a la dobla, y con esta combinación, si no había mucha puesta, ganaban siempre; pero para esto vigilaban los inspectores del juego, y cuando veían alguno que practicaba este procedimiento, le daban el alto y le invitaban a que se fuese, asignándole a veces como indemnización unos duros. Lo que no querían los empresarios es que se inmoralizase el buen jugador insensato y absurdo, que creía más en su suerte que en las matemáticas.

En España, en el siglo XIX, se debió de jugar rabiosamente. En la primera guerra carlista, casi todos los oficiales y generales eran terribles jugadores.

Mientras se daba la batalla de Mendigorría y la perdían los carlistas, González Moreno, el verdugo de Málaga, capitán general del ejército de Don Carlos, jugaba al tresillo en Puente la Reina y decía a sus ayudantes: «No se preocupen ustedes; no hay que apurarse: todo está previsto.»

Espartero, Córdova y los demás caudillos liberales discutían de política y de guerra entre partidas de naipes. Así lo cuenta Fernández de Córdoba en sus *Memorias íntimas*.

En tiempos de la Revolución del 68 y de la República del 73 debió de jugarse también en grande. En una *Ilustración* francesa de la época hay una casa de juego de Madrid, con sus tipos pintorescos, representada por Miranda, dibujante que hizo ilustraciones para las historias de la primera guerra civil.

En la minoría de Alfonso XIII, en la época en que uno era estudiante, Madrid estaba lleno de casas de juego. Sólo en la Puerta del Sol, contando los entresuelos de los cafés y los pisos altos, había catorce o quince. Además se jugaba desenfrenadamente en todos los círculos.

Lo extraño era la existencia de garitos miserables en calles estrechas, con un aire peligroso y poco tranquilizador. Se subía por una escalera angosta, de tabuco, y en el vestíbulo había uno o dos hombres de mala traza; después, un colgador para los gabanes y las capas, y luego, la sala del crimen.

No se comprendía cómo nadie iba a estas chirlatas; no podía ser por la pequeñez de la puesta, porque en los entresuelos de los cafés de la Puerta del Sol la postura mínima era de diez céntimos. Así se solían ver chicos estudiantes del bachillerato. La razón debía estar en que en aquellos antros se jugaba al monte, que para muchos tenía más atractivos que el treinta y cuarenta o el bacará, que eran los juegos habituales en los cafés del centro, y que quizá los puntos más castizos no comprendían su marcha. Los que llevaban la banca en aquellos tabucos eran muchas veces caballeros (al menos por su aspecto) de aire respetable, con el pelo canoso, y al comenzar la partida decían:

—Esta es una casa formal, señores. Aquí no se engaña a nadie. Aquí se paga la pinta, la contrapinta, el salto y el elijan.

Después de esta advertencia tranquilizadora comenzaba el juego. Se ponían cuatro cartas, dos sacadas de arriba y dos de abajo: unas eran el albur y otras el gallo.

La pinta y la contrapinta se referían al palo. El entrés era una apuesta contra dos cartas que habían salido ya, y el elijan, contra tres.

Con esta inconsciencia de la juventud, yo me metí con algún amigo varias veces en uno de estos antros y no me pareció nada tenebroso. Ello le daba a uno conocimientos bastante cómicos.

Unos años después de ser estudiante fui con un antiguo condiscípulo a ver, en el teatro Romea, un sainete o revista de Félix Limendoux, que se titulaba *Charivari*. Salía un jugador, representado por un cómico de cierta gracia, llamado Fuentes, y recitaba una relación llena de frases de doble sentido sobre la pinta y la contrapinta, y entre otras cosas decía:

*Y si se dan judías
tenemos pa el puchero en unos días.*

El condiscípulo, al salir del teatro, me indicaba:

—Es una revista muy estúpida: hay palabras que no quieren decir nada. ¿Qué quiere decir eso de

Y si se dan judías
tenemos pa el puchero en unos días?

—Sí quiere decir algo—le contesté yo—. Porque las judías, al mismo tiempo que son una legumbre, para el jugador de monte son las cartas con figuras, y las contrajudías, las demás.

Las palabras y las frases del juego entraban en el vocabulario popular: «leer el libro de las cuarenta hojas», «verlas venir», «tirar de la oreja a Jorge», «dar el pego», «levantar muertos», «poner una timba», eran locuciones corrientes.

En Madrid, además de jugarse en los entresuelos de los cafés y en los círculos, se jugaba en los billares. En algunos, a la treinta y una y a una lotería de cartones; en otros, en la misma mesa de billar, a la bola y a la «tarota», con una botella de cuero que tenía unas bolas blancas con números y una negra única.

En las capitales de provincias pasaba igual; se tallaba siempre en los casinos, y cuando llegaban las fiestas se ponía una timba en algún café céntrico, y en medio de un ambiente de humo se veía una mezcla de señoritos, de menestrales y de aldeanos jugando.

A las fiestas de Pamplona se decía que iba un famoso jugador, García, que era aragonés, del cual se contaban grandes proezas: que había saltado la banca de Baden-Baden o de Montecarlo y que había tenido un proceso en París. Este García era una figura legendaria.

En Córdoba había un célebre empresario, José María, que tenía el arriendo del juego en varios círculos y casinos de Madrid y de provincias. Este hombre llegó a reunir diez o doce millones de pesetas y acabó arruinándose y convirtiéndose en un punto de garito.

El jugador elegante de círculo y de casinos era de origen francés; se jugaba con cartas francesas, y casi todas las palabras que se empleaban lo eran también, aunque algunas se habían traducido.

Los juegos empleados eran el bacará, el treinta y cuarenta, los caballitos y la ruleta.

En la mesa, el *croupier,* impasible, con su aire de profesor, colocado en una silla más alta que la de los puntos, manejaba su raqueta en un paño o en otro con una indiferencia sobrehumana. El banquero decía:

—Hagan juego, señores... ¿Está hecho?... ¿No va más?... No va más.

Y los *croupiers* daban un golpe con la raqueta en el paño, como indicando que ya no había tiempo de apostar.

En la mesa del treinta y cuarenta se oía decir al banquero:

—Encarnado gana, color pierde... Encarnado pierde, color...

Yo no me enteré nunca de qué era esto. No me interesaba.

El juego parecía a la gente casi tan natural como el teatro, el paseo o el baile.

Los que iban a Biarritz de noche terminaban marchando al Casino Municipal a jugar. Allí la cantilena era distinta:

—*Messieurs, faites votre jeu... Le jeu est fait... Rien ne va plus? Rien ne va plus.*

Toda la locuacidad de la gente cesaba en la sala de juego, en donde los mismos espectadores se contagiaban con la ansiedad del jugador. Reinaba en el local un gran silencio. Un viejo cínico, amigo mío, solía decir:

—Esto del juego es la única religión que queda.

Yo pensaba que estaba ya entre las religiones desaparecidas; pero aún parece que sigue teniendo su culto secreto.

LA HISPANOFOBIA

Desde hace algún tiempo—a consecuencia quizá de un brote nuevo de patriotismo literario—se habla en España de una hispanofobia que domina en el extranjero.

No es fácil creer en esta hispanofobia. Que fuera y aun dentro del territorio nacional no se conoce bien a España, es evidente. Pero ¿es que se conoce bien algún país en el extranjero? Hay que dudarlo.

Excepción hecha de núcleos muy cultos, ¿se tiene una idea clara de la geografía, de la economía y de la historia en las demás naciones? Es evidente que no.

Con respecto a España, ocurre que, en general, el juicio histórico de los autores, al referirse a la época de dominación española en el siglo XV y, sobre todo, en el XVI, es adverso.

Ello es explicable, porque la mayoría de los historiadores célebres de los siglos XVIII y XIX con influencia en el mundo fueron protestantes o librepensadores.

España se caracterizó, en su época de mando y de mayor representación exterior, con Isabel *la Católica*, Carlos I y Felipe II, por la defensa ardorosa de la unidad católica. Es lógico y natural que los autores de tendencia protestante y librepensadora no celebren su política. Tampoco la pueden celebrar los judíos.

Al mismo tiempo, España decayó en los siglos XVIII y XIX, más que nada, en el sentido del poder externo. Para los extranjeros, había en este caso una manifestación de crimen y castigo.

No se puede asombrar nadie de esto. La misma actitud hubieran tomado los escritores católicos ante un país herético fracasado en una empresa política, y, hoy, ante uno comunista.

No es creíble que la ruina de la España imperial se debiera al catolicismo, sino a que su obra era superior a sus fuerzas. El catolicismo favoreció la acción imperialista, como todo dogma cerrado; pero no bastó para suplir la falta de medios naturales. Lo mismo sirvió la religión en la guerra de la Independencia. Sin la fiebre religiosa, el español no se hubiera podido oponer al ejército de Napoleón con la energía que lo hizo.

Esto hace pensar, de una manera pragmática, que la religión es un aura febril muy útil en tiempo de paz.

La enemistad de los escritores protestantes y liberales del siglo XVIII contra la España imperial y católica, unida a alguna que otra impertinencia de poco vuelo de escritores modernos, hizo pensar que había una leyenda inventada contra nuestro país, producto de la hispanofobia.

Julián Juderías publicó en 1914 un libro: *La leyenda negra y la verdad histórica.*

La leyenda negra española me parece una preocupación. Sería fácil escribir un libro semejante sobre cualquier nación buscando opiniones de autores adversos a ella.

En el haber de la leyenda negra de Juderías entran las noticias de algunos viajeros—la mayoría no muy inteligentes—, datos del viaje y de las Memorias de la condesa D'Aulnoy —que hoy se duda que estuviera en España—, informes del duque de Saint-Simon, que era un embolado, de espíritu mediocre, que medía a los hombres por sus títulos y sus cruces, y frases de Voltaire, Montesquieu y otros escritores que no estuvieron en España.

Del siglo XIX se cita a lord Byron, que elogia a los españoles, naturalmente, a su manera y a la manera del tiempo; a Víctor Hugo, que hace lo mismo; a Gautier, que describió muy bien lo que a él le interesaba: el aspecto exterior de las cosas; a Dumas padre, que miente y exagera en España como mintió y exageró en todas partes; a Borrow, que cuenta historias muy curiosas con errores de visión, lógicos en una época inquieta y turbulenta, y luego se habla de escritores mediocres, como Didier, Dauzat y otros, a quienes no conoce nanie ni dentro ni fuera de España.

Si se quisiera oponer a los autores adversos otros favorables, se podían encontrar. Ahí están, de los más ilustres, Mérimée, Stendhal, Schopenhauer, y, sin carácter literario, Guillermo Bowles con su libro *Introducción a la Historia Natural y a la Geografía física de España*, libro admirable en muchos conceptos.

Además, ¿qué país o qué pueblo no habrá tenido detractores?

Pocos países habrán sido modernamente tan ensalzados como Francia y pocos pueblos tan cantados como París. Hay, sin embargo, una literatura antifrancesa, no sólo salida del enemigo tradicional, del alemán, sino de elementos sin hostilidad histórica. Ahí están el *Misogallo*, de Alfieri, y los *Recuerdos de París*, de Kotzebue,

y en la literatura moderna, Tolstoi y Dostoyevski.

Entre noostros mismos, al lado de los elogios interesados y vulgares de los hispanoamericanos y el incienso ante el altar de París, estilo Gómez Carrillo, se pueden encontrar notas acres y duras.

A mí me parece que no tiene mucha importancia para un pueblo la opinión adversa extranjera de unos cuantos escritores aislados; en cambio, sí la tiene el vejamen interior de unas regiones contra otras, de unas comarcas contra las vecinas y de unos pueblos contra los próximos. Eso existe en España, no sé si más que en otras partes, pero de una manera desaforada y frenética.

La primera vez que noté esto claramente fue leyendo un librito que compré hace ocho o diez años en una librería de viejo. Era un cuaderno en pergamino con dos opúsculos, el uno titulado *Historia del búho gallego con las demás aves de España*, sin pie de imprenta; el otro, *El tordo vizcaíno*.

El búho gallego es un ataque a los españoles no gallegos (dicen que escrito por el conde de Lemos, el protector de Cervantes). *El tordo vizcaíno* es una defensa de los vizcaínos muy erudita. En mi ejemplar, al final de éste dice con letra manuscrita: «Según el librero Padilla, impresor de Su Majestad y muy inteligente en materia de libros, es este opúsculo de Garibay, el coronista. Sevilla, 21 de septiembre de 1829. Juan de Dios Lara.»

Como no se sabe a punto fijo cuándo se publicó *El búho gallego* y cuándo *El tordo vizcaíno*, no se puede colegir si la contestación es de Garibay o no.

Muchas de las acusaciones, un poco ridículas, de *El búho gallego*, sobre todo las dirigidas a los vizcaínos, están recogidas en un libro titulado *Castellanos y vascongados,* por Z. Madrid. Imprenta de Víctor Saiz, 1876.

El búho gallego está escrito con el objeto de ensalzar a los gallegos y atacar a los demás españoles. Se les moteja a castellanos, catalanes, andaluces y aragoneses de muchas cosas y se les pone mote. De los vizcaínos dice que su nombre era vicecaínes; que Amézqueta quiere decir mezquita, y Fuenterrabía, Fuente del Rabí, y otras fantasías insustanciales por el estilo.

No ha habido en España simpatía entre las distintas regiones, ni luego entre las comarcas ni entre los pueblos. De la gente del Norte podríamos hacer, de primera intención, este pequeño florilegio:

«Navarro, ni barro.»

«Vizcaínos, burros, vicecaínes.»

«El montañés, por defender una necedad dice tres.»

«Los enemigos del alma son tres: gallego, asturiano y montañés.»

«El asturiano es loco y vano, poco fiel y mal cristiano.»

«Ni perro, ni negro, ni mozo gallego.»

Tirando hacia el Este, tendríamos:

«El viento y el varón no es bueno de Aragón.» «Aragonés, falso y cortés.» Esto se dice lo mismo del burgalés, del alavés y del leonés.

«El catalá, si no lo ha fet, lo fará» (de los valencianos).

«Valencia y hom de be no port ser» (de los catalanes).

«Valenciano si no lo haces.»

«Catalán con botas, gallego con mando y andaluz con dinero, para matarlos.»

Del centro de España y del Mediodía recordaríamos en seguida:

«Castellano viejo, ajo, pescado y abadejo» (que indica que come miserablemente).

«Castellano rabudo.»

«El manchego vende la olla y después come de ella.»

«Fariseo y extremeño es lo mesmo.» «Extremeño, cerrado de barba y de mollera.»

«Al andaluz hazle la cruz.» «Si es sevillano, con la una y la otra mano.» «Si es cordobés, hasta con los pies.» «Andaluz fulero.»

La galantería española con relación a los pueblos es exquisita. Se puede ver la prueba en las siguientes frases:

El clima de Burgos, Madrid, etcétera, ya se sabe cuál es: «Nueve meses de invierno y tres de infierno.»

«El aire de Madrid es tan sutil que mata a un hombre y no apaga un candil.»

Respecto a la comida de la gente madrileña:

Aun las personas más sanas,
si son en Madrid nacidas,
tienen que hacer sus comidas
con píldoras y tisanas.

Muy propia para el fomento del turismo es esta descripción de lo que es Valencia:

En Valencia, la carne es hierba;
la hierba, agua;
los hombres son mujeres,
y las mujeres, nada.

También está muy bien con objeto turístico aquello de

Córdoba, ciudad bravía,
que, entre antiguas y modernas,
tiene trescientas tabernas
y una sola librería.

Prueba también de la galantería es lo que se dice de Marbella:

Marbella es bella; no entres en ella;
quien entra con capa sale sin ella.

O lo que se dice de una ciudad como Albacete, moderna y adelantada: «Albacete, mira y vete.»

Tampoco está mal, por su intención benévola, eso de «En Briones, ni mujer ni mula tomes», o «Benavente, buena villa y mala gente», o «Loja, la que no es p... es coja, y la que no cojea, renquea», o «Valderas, deja la capa donde la veas, que si vienen los de Villamiñán te la quitarán», o los de Alhama de Granada, que «tienen cinco *sentíos:* tres vanos y dos vacíos».

«De Antequera, ni mujer ni montera»; «De Osuna, ni la luna»; «Mata al rey y vete a Murcia»; «Dios hizo al muló para descanso del hombre, y al gallego, para descanso del muló»; «Lerín, peñas altas y gente ruin».

Todo ello indica un franciscanismo que trasciende.

Si un extranjero tuviese interés —que seguramente no tendrá ninguno—en desacreditar a España, en el mismo país encontraría las acusaciones más agrias y violentas.

El español, en general, ha sido petulante, malintencionado, de espíritu localista y un poco estrecho.

Los apodos y motes despreciativos que se han lanzado unas comarcas a otras y unos pueblos a otros formarían una lista muy larga.

Torpes, brutos, borrachos, moros, judíos, zotes, son dictados con que se han obsequiado los vecinos.

Se han inventado historias a montones. Los del pueblo de al lado, que van a pescar una ballena en un riachuelo; los otros, que son tan brutos, que quieren sacar una viga por una puerta de través, y los llaman los de la viga atravesada; los que crucifican de nuevo a Cristo; los que echan el santo al río cuando no llueve, etc.

En la parte de Guadalajara y la Alcarria es donde hay más motes agresivos. Sin duda, perdura el espíritu del arcipreste de Hita. Una de las relaciones más malintencionadas es ésta:

No compres mula en Tendilla,
ni en Brihuega compres paño,
ni te cases en Cifuentes,
ni amistes en Marchamalo.
La mula te saldrá falsa,
el paño te saldrá malo,
la mujer te saldrá p...
y hasta el amigo contrario.

Se puede poner este romance como una flor del idilio nacional. También es buena muestra de espíritu piadoso y de intención cristiana esta retahíla de tierra de Guadalajara:

En Sayatón,
en cada casa un ladrón;
en casa del alcalde,
los hijos y el padre;
en casa del alguacil,
hasta el candil.

Se ve que el español es agrio y negativo. Es un poco estúpido achacar a los de fuera el descrédito cuando los de dentro contribuyen a él con más fuerza, con más perspicacia y más saña.

También me parece cándido el pensar que toda esta división y esta acritud interna va a desaparecer con esa palabrería de patriotismo y de hispanidad que ahora corre por los periódicos reaccionarios como una panacea.

ARBITRARIEDAD Y ESTILIZACION

En un diccionario un poco antiguo que tengo a mano no aparecen las palabras *estilizar* y *estilización*; pero supongo que en los nuevos figurará.

Estilizar es dar, de una manera un tanto falsa y convencional, un carácter típico a una obra. Estilización es la acción de estilizar. El estilo, desde un punto de vista psicológico, puede ser de dos clases: interior, producto espontáneo de la imaginación, de la sensibilidad, del temperamento del escritor o del artista, que da a sus ideas una forma y reviste sus sensaciones de un matiz característico, y exterior, manierista, hecho con fórmulas artificiales y estudiadas.

En el primer sentido se tiene o no se tiene estilo, como se tiene salud o no; en el segundo sentido se puede estilizar una obra, porque este estilizar es algo artificioso, convencional y puramente técnico.

Un pintor, por ejemplo, ha pintado casi inconscientemente una parte de un paisaje de un modo puntillista, dividiendo los colores, porque le da el procedimiento más impresión de luz, y otra parte la ha hecho a la antigua, con pinceladas largas y colores mezclados. Después, al contemplar su cuadro con una mirada crítica, piensa que las dos maneras desentonan en una misma obra, y prefiere una y suprime la otra. Este pintor estiliza su cuadro.

Una estilización parecida, convencional y arbitraria, hay en literatura y en política. En la literatura queda en el dominio del arte; en la política pasa a la vida y es casi siempre perjudicial.

Todas las fórmulas y aforismos sociales que tienen algún fondo de verdad han sido sistematizados, estilizados arbitrariamente por los filósofos y políticos, con el fin de producir una doctrina para las masas.

La parte de verdad que pueda tener una máxima o sentencia general desaparece muchas veces al forzarla, y el sistema se convierte en arbitrariedad manifiesta y en tortura de los hechos.

«La propiedad es un robo», dice, por ejemplo, Proudhon. El hombre cree haber hecho un enorme descubrimiento. En el fondo, la frase es una frase retórica que tiene alguna verdad, pero no toda la verdad. La idea la habían expresado antes los padres de la Iglesia, Pascal, Rousseau y Brissot.

Pascal escribe: «Este perro es mío; éste es mi sitio al sol: he ahí el comienzo y la imagen de la usurpación de toda la tierra.»

Los primitivos cristianos y Pascal, al negar la legitimidad de la propiedad, se colocan en una posición mística, de efusión religiosa.

Proudhon, no; quiere construir un sistema a base de su sentencia, que cree que es la más trascendental de los tiempos modernos, y construye un sistema arbitrario que tan pronto quiere ser comunista como individualista; sistema que quizá tiene algún valor político, pero que no tiene valor social, y que, en algún término, no suprime la propiedad, que él considera en bloque como un robo.

Algo semejante ocurre con la teoría de Nietzsche acerca del origen de la moral. La moral, según el autor de *Zaratustra*, brota de un fondo de resentimiento, de rencor humano. Hay en su teoría atisbos geniales, es evidente; pero el que haya una parte de rencor en la moral ascética no quiere decir que toda la moral sea producto de ese rencor.

Un rasgo de unión entre Proudhon y Nietzsche—dos hombres tan distintos en todo, aunque ambos retóricos y arbitrarios—es que los dos recurren para fundar su tesis a la etimología. Proudhon quiere demostrar que en los idiomas primitivos propietario y ladrón es lo mismo. Ya se sabe que entre los griegos Mercurio era el dios de los comerciantes y de los ladrones. Nietzsche, que era filólogo, explica cómo las palabras *bueno, malo* y *noble* no querían decir en su origen lo que ahora significan.

Estas puerilidades etimológicas no demuestran gran cosa. En las ciencias matemáticas y físico-químicas, únicamente se han producido hasta ahora sistemas perfectos; en las ciencias naturales, algunas teorías, como la de la evolución y la microbiana, en conjunto, son sólidas e inatacables, y si cambian, cambian sólo en detalles. En cambio, en la política y en lo que se llama ciencias sociales no hay nada sólido, y todo es confusión y arbitrariedad.

*

En los tiempos de aguda transición social hay siempre escritores que, en grande o en pequeño, toman una actitud crítica, descombran lo antiguo y preparan el terreno para la edificación de lo venidero. Uno de los ejemplos más destacados es el de Luciano. Luciano de Samosata escribe la *Almoneda de las sectas* y los *Diálogos de los dioses y de los muertos* con espíritu malicioso y satírico.

Luciano se burla de los mitos del mundo antiguo y al mismo tiempo de los iluminados de su época, de los Peregrinus y de otros profetas o mistagogos donde apunta el cristianismo.

Con otro espíritu de honradez, sin ninguna malicia ni tendencia satírica, Pierre Bayle escribe su *Diccionario histórico y crítico,* en donde va contrastando los datos de la Historia en una época en que se inicia una transición. En el *Diccionario* de Bayle, como en los libros de los antiguos teólogos, por cada línea de texto hay una cosecha abundante de notas y de subnotas.

Se puede sospechar que una tendencia como la de Luciano o la de Bayle, de pura exposición, podía traer al mundo un sincretismo político, social y literario; pero este sincretismo existe siempre en la práctica, aunque no en la teoría.

El estilizar en la política, en las ciencias y en las artes produce obras atractivas, cierto, pero llenas de inexactitudes, arbitrariedades y falsedades.

Hace treinta años estaba yo en Córdoba en compañía del pintor Regoyos y le veía trabajar. El era impresionista y no quería de ninguna manera pintar un trozo extenso de cielo azul, uniforme. Le era necesario poner nubes en el cielo.

—Pero ¿para qué estas nubes?—le decía yo—. Si no las hay.

—Hay que estilizar—me decía él.

Y yo le replicaba:

—Me parece que estilizar es falsificar.

En aquellos cuadros de Regoyos, Andalucía, por amor de la estilización, aparecía siempre nebulosa.

Unos ponen, por sistema, nubes donde no las hay, y otros las quitan donde las hay.

Cuando yo estudiaba Medicina se leía un libro de Terapéutica de un francés—Rabuteau—, escrito con mucha claridad, y en el cual los medicamentos estaban clasificados por su acción fisiológica. Esto daba al libro un aire muy sintético y al mismo tiempo muy científico. Al leerlo parecía que una disciplina tan anárquica como la Terapéutica se convertía en algo ordenado y sujeto a método; pero ello no era más que apariencia, estilización, porque la vieja anarquía de la materia médica perduraba en la realidad. Un cosa desordenada en sí debe dar en su forma, para ser justa, la impresión del desorden.

En las teorías políticosociales acreditadas de hoy hay una gran parte de estilización, de arbitrariedad. Lo mismo ocurre en las religiones.

Se dice que algunas teorías como el anarquismo son utópicas, arbitrarias, estilizadas. Yo creo que todas son, igualmente, utópicas y arbitrarias. El comunismo es tan utópico y tan estilizado como el anarquismo, y la misma República lo es, porque no puede llevar a la práctica más que muy pocas de las doctrinas que defiende, y, en cambio, tiene que practicar lo que en teoría le parece abominable.

Se puede sospechar que casi todos los sistemas políticosociales son armas de combate y nada más. Los comunistas creen que su comunismo es un sistema tan bien preparado y elaborado, que se puede ponerlo en planta mañana íntegro. Ilusión. Muchos sospechamos que es únicamente una bandera.

Creer que Karl Marx, con su mesianismo semítico, o Bakunin, con sus fantasías rusas, inventaron formas nuevas de vivir en sociedad, con todos sus detalles, es, más que nada, una candidez.

★

La tendencia lógica y natural, la del buen sentido, parece que debía ser la de darse cuenta, la de ver en lo que es con el mínimo posible de prejuicios y de arbitrariedad; pero esa tendencia, que parece natural, es, sin duda, antinatural, rara y absurda.

Una de las razones para tal antinomia es la estilización a base de mentira y de arbitrariedad de las doctrinas sociales y el presentarse éstas cerradas, impermeables, sin acceso al libre examen. No hay manera hoy de que la ideología de la gente de un bando se modifique o se mejore con la de otro. Las controversias de los sectarios son aparatosas y siempre falsas. Cada ideología, que generalmente es un conjunto de lugares comunes, se defiende cerrándose como una ostra.

Hablaba conmigo hace poco un médico de que había conocido en Francia a un cirujano ruso célebre que ganaba en su país menos que un barbero y que estaba constantemente vigilado y vejado por el Gobierno soviético.

A este médico no se le permitía salir con su mujer y sus hijos de Rusia, por temor de que no volviera. El cirujano ruso contó al médico español que en Rusia se sangraba a los fusilados y muertos por accidente, y se guardaba la sangre en cámaras frigoríficas para inyectarla en caso de necesidad a los operados y heridos.

Contaba esto a un comunista, y lo primero que éste hizo fue negarlo terminantemente, como si lo supiera por experiencia. Después rectificó, y aseguró que todo ello le parecía bien.

Si alguien hubiera dicho con algún dato que en Rusia se comían los niños crudos, nuestro comunista hubiese contestado lo mismo: o negándolo, o diciendo que estaba bien.

Para un elemento bolchevizante, todo lo que se hace en Rusia es magnífico.

Que nos digan que no se tienen noticias fidedignas de allí, y asentiremos; pero creer que todo lo que se dice de malo es falso, o al contrario, es una forma de dogmatismo y de arbitrariedad.

Hace un año, en el tren, camino de Barcelona, encontré un joven elegante, que al poco tiempo de hablar con él me dijo con cierta petulancia que era anarquista.

Después, en la conversación, y por motivo de un señorito que se empeñaba en abrir la ventana del pasillo en las estaciones, a pesar de que hacía frío, hablamos del poco sentido social del español.

—El español, y, en general, el latino—decía yo—, no tiene sentido del prójimo. No lo nota o hace que no lo nota. La psicología del meridional europeo es un tanto felina. En países latinos ocurrieron no hace muchos años sucesos como el del Bazar de la Caridad, de París, y el incendio de un cinematógrafo italiano, en donde los hombres atropellaron, para salvarse, de la manera más brutal, a las mujeres y a los niños. En España, en un cinematógrafo de Levante, pasó algo parecido, aunque no de tanta magnitud. En cambio, fue un país anglosajón el que dio el ejemplo del *Titanic*, haciendo que mujeres y niños se salvaran del naufragio, mientras los hombres de la tripulación se hundían cantando salmos.

El joven elegante y anarquista parecía asentir, y yo dije:

—Creyéndolo así, se ríe uno de esas entelequias de los anarquistas, que aseguran que reinando la anarquía el hombre será tan bueno, que dará a la comunidad lo que produzca y tomará de ella lo que necesite, sin pensar si gana o si pierde. Es posible que algún santo, si produjera como veinte, los diera a la comunidad y después tomara de ella dos para sus necesidades; pero la mayoría, formada por chulitos y por madrugadores, pretendería siempre dar dos y tomar veinte.

El joven elegante protestó con una fraseología libertina, y luego dijo:

—La creencia en los malos instintos de la Humanidad predispone a considerar el despotismo como el mejor gobierno.

—No digo que no—repliqué yo—. Naturalmente, si se supiera que un tirano había de ser justo, inteligente y bienintencionado, yo, al menos, sería partidario del buen tirano.

El joven anarquista aseguró que un tirano bueno no podía ser bueno, ni un comunismo libertario malo podía ser malo.

Es curioso cómo unas cuantas frases o unas cuantas utopías pueden obturar la inteligencia del hombre de tal modo que no le permitan discurrir libremente.

La estilización y la arbitrariedad de las ideas y de los sistemas políticos son como espejos cóncavos o convexos, que deforman la imagen de la realidad. Al parecer, la deformación es necesaria. El hombre no quiere vivir de cara a la verdad; prefiere la mentira. Quizá a ésta la encuentra más atractiva y más vital.

EL FOLLETIN Y EL SAINETE

En un hotel de una capital de provincia, en donde estoy solo, cenando, escucho sin querer la conversación de varias personas que hablan alto y están a mi lado. Tres de ellas, por el tipo y por el acento, me parecen comisionistas catalanes; los otros quizá sean comerciantes de la ciudad.

Los forasteros hablan de un sainete o comedia que han visto hace poco en Barcelona, y dicen que, aunque entretiene, es una pasayada. Luego uno de ellos asegura dogmáticamente que los libros que interesan por sus aventuras o por sus personajes son folletines buenos para gente indocta. Según él, un libro y una comedia valen si tienen estilo y son una cosa fina.

Yo me maravillo un poco al ver cómo este lugar común literario, que he oído defender tantas veces entre escritores, ha ido rodando poco a poco, hasta ser del dominio común.

Después, los comensales, sobre todo los que yo creo que son comisionistas, hablan con gran interés de política. Esto ya les parece cosa seria.

La idea desdeñosa por el libro que interesa y emociona y por la obra de teatro que hace reír o llorar, es actualmente muy de país latino. Yo supongo que no lo ha sido siempre. A mí me parece un tópico, no digamos de decadencia, pero sí una manifestación final de una época en que se tiene poca curiosidad de leer y cierta desconfianza en las emociones.

Entre la mayoría de los escritores existe ese tópico. A muchos literatos les he oído decir seriamente, refiriéndose a obras de Balzac, de Dickens y de Dostoyevski:

—Son folletines.

Con relación a las obras cómicas, ocurre algo parecido. Se afirma:

—Son payasadas.

Recuerdo que hace años, en París, en compañía de dos españoles, uno el pintor Villegas Brieva y otro un amigo suyo, que volvía de Cuba, estuvimos a ver *El viaje del señor Perrichon*, de Labiche. Yo me reí, como se dice, las tripas. Ellos, al salir, estaban como ofendidos.

—Esto es una payasada—afirmaron los dos.

—A mí me ha parecido admirable.

Cuando representaron *Le burgeois gentilhomme*, de Molière, en Madrid, hubo gente que decía:

—Nos están tomando el pelo.

Lo mismo que se dice de las novelas de Balzac, de Dickens y de Dostoyevski que son folletines, de los dramas de Shakespeare, si no vinieran evaluados, ensalzados y cantados, se diría que son melodramas.

Eugenio Melchor de Vogüe, que fue el primero en dar a conocer en Occidente la literatura rusa, achaca a Dostoyevski concomitancias con Eugenio Sue.

Parecido externo lo hay entre escritores ínfimos con escritores preclaros, y no es difícil encontrar semejanzas entre Paul de Koch y Víctor Hugo, y entre Montepin y Balzac.

El gran novelista, mirado con malevolencia, se convierte en folletinista; el gran dramaturgo, en autor de melodramas, y el gran autor cómico, en payaso.

Estas gentes que creen en la finura y en el estilo deben de suponer que los espectadores de Aristófanes, de Plauto y de Molière sonreirían con aire de superioridad crítica, pero no;

probablemente se reirían a mandíbula batiente hasta descostillarse de risa. A mí me parece una superioridad la de un público de teatro o de libro que pueda llorar o reír. En ello está toda la literatura.

Es extraño este desdén del momento por lo que hace reír o llorar. En el poeta parnasiano puede estar bien decir, como Baudelaire en su soneto a la Belleza:

Je haïs le mouvement qui déplace les [lignes
et jamais je ne pleure et jamais je ne ris;

versos que, traducidos un poco libremente por Marquina, dicen:

Detesto el movimiento que rompe la ar-[monía,
y en ningún tiempo lloro y en ningún tiem-[po río.

Si éste fuera el único canon de la belleza artística, casi todas las obras que nos apasionan estarían fuera de él, hecha excepción de las escultóricas. La escultura es el arte que más tiende a la impasibilidad.

Es curioso que los españoles, que tienen como libro cumbre de su literatura el *Quijote*, libro de emoción y de risa, vayan la mayoría aceptando como dogma en el arte una tendencia a la corrección impasible. En su tiempo, el *Quijote* haría reír al público, que cogería todas sus alusiones, más que ahora, a carcajadas. Para muchos sería una obra chocarrera y poco distinguida. ¿No hubo escritor y contemporáneo de Cervantes que dijo que el *Quijote* acabaría en un muladar?

A la novela novelesca o folletinesca, como al drama un poco truculento, se le achacan dos faltas: primera, que no es seria; después, que no es verdadera.

Respecto a su falta de seriedad, puede ser muy cierto. No me parece

el reproche tan exacto respecto a su falsedad.

La novela erótica, en general, es mucho más falsa que el mismo folletín. A la gente le da la impresión de ser más documentada, pero es un puro espejismo. Yo no he sido lector de la novela erótica, pero me ha parecido que en ella se notan, más que en ninguna, las imitaciones. El folletín o algo parecido al folletín se puede escribir a base de un informe documental de un crimen, como Stendhal hizo *Rojo y Negro;* pero no suele haber informes documentales sobre el erotismo o, por lo menos, no los ha habido hasta nuestra época de psiquiatras y de freudianos. Además, la novela erótica parece que lleva implícita para el lector la idea de que es un relato vivido.

En una novela de Felipe Trigo, que comencé a hojear hace unas semanas en una librería de viejo, se habla de una señorita de un pueblo extremeño que se pone desnuda delante de sus novios. ¿En dónde pasa esto? Yo no sólo no lo he visto, sino que no lo he oído jamás, y eso que he oído explicaciones jactanciosas de muchos tenorios y seudotenorios.

El detalle ése de la Friné extremeña me parece una invención de erotómano tan falsa o más falsa que una invención folletinesca.

Sin embargo, el público, de gente joven, lo ha considerado auténtico, porque lo erótico les parece serio y verdadero.

La seriedad en nuestra época convence. Una pobre mistificación, como el cubismo, la teosofía, la metapsíquica, la visión extrarretiniana, defendida en serio, tiene muchos partidarios. En política pasa lo mismo; los discursos hueros hacen un gran efecto. El público se traga todo lo que le echen, con tal que sea serio.

El que quiera aparecer como hombre importante debe defender una doctrina cualquiera con tesón y con seriedad. La sospecha de una sonrisa le puede desacreditar. Corrección, medida, algo de estilo. Nada de folletín ni de alegre farsa.

Bergson quiere considerar la risa siempre como protesta social. Yo no lo creo. Me parece su idea exagerada, de judío.

Yo creo que hay la risa del buen humor, una risa un poco pánica, sin intenciones sociales.

La risa de Molière está muy cerca de la mordedura, y muchas veces se comprende que la comedia bufa o el sainete suyos se convertirían en tragedia con facilidad. Lo mismo pasa en Labiche, salvando las distancias. En éste todavía hay más la alegría pura y sin intenciones sociales.

Yo creo que se necesita un fondo de cultura para que el lector pueda divertirse leyendo una novela espeluznante, bien hecha, como las de Conan Doyle, por ejemplo, y un fondo de cultura y de benevolencia para ir a un teatro y reírse de ver puestas en ridículo las costumbres y las ideas privativas de uno.

Se dice que Sócrates fue a ver *Las nubes*, de Aristófanes, donde trataban al filósofo de una manera odiosa, y encontró la comedia bien y divertida.

La literatura va siempre de la representación de la vida, de una manera primitiva y libre, a la elocuencia y al estilo. No sé quién ha dicho que se bebe en la copa toda clase de líquidos, y, al último, se pretende beber la misma copa.

Son éstas tendencias naturales a especializarse. La literatura termina en retórica; la filosofía, en metodología; la política, en oratoria. Si estas manifestaciones son finales, de madurez y de vejez, es muy difícil salir de ellas.

Claro que no todo es malo en estas manifestaciones epigónicas. La preocupación del estilo puede estar bien en el escritor conceptuoso y alambicado; en él es auténtica; pero no en el público, que no ha escrito más que cartas a la familia y no sabe lo que son las facilidades y las dificultades de la expresión.

En esa parte del público, la preocupación del estilo es un tópico sin valor.

La metodología puede ser algo bueno para las Universidades, pero no creo que ayudará a formarse a ningún Kant ni a ningún Hegel.

La retórica del político, cuando es personal y original, está muy bien; cuando es comunista y de bienes mostrencos, no vale nada.

Todos los países tienen en su literatura, como actuando en el mismo eje, las dos ruedas: el dramatismo y la risa.

España los tiene juntos en un libro como el *Quijote*.

Hay que reconocer que estas dos ruedas, andando los tiempos, se han desinflado como las de los automóviles que han andado mucho.

El sentido de lo dramático se va perdiendo. El público empieza a dudar de que haya algo dramático en el mundo fuera de los relatos truculentos de los periódicos y de las representaciones del cine.

El sentido de la risa se ha anquilosado en los países latinos. Más que en ninguna otra parte, en Italia; después, en España, y luego, en Francia.

Cuando se ven las caricaturas juntas de varios periódicos del mundo, como se suelen ver ahora, las de Italia y las de la América latina se distinguen por su falta de humor. Un pueblo que se da un amo, como el italiano, no puede tener gracia. Mussolini ha puesto en prensa a los italianos como al bacalao. Lo único que les diferencia a éstos del bacalao es que no tienen sal.

Inglaterra, Francia y Alemania sostienen todavía el sentido de la caricatura. España no se queda atrás, y

en estos últimos años la caricatura parecía vivir con cierta lozanía, pero la política acabará con ella.

Yo, al menos, siento no vivir en la época en que lloraba sobre las páginas de una novela, se estremecía uno de espanto en el melodrama y se reía bárbaramente en el sainete.

NUESTRA JUVENTUD

El escritor, cuando llega a viejo, convierte con frecuencia su actividad en oficio y ya no se ocupa mucho de lo que piensan de él. Es lo que me pasa a mí. A veces me dicen:

—Hay un periódico que se mete con usted.

—Bueno; ¿qué importa?

—¿No lo va usted a leer?

—No. ¿Para qué?

Con este régimen y con no asistir a cafés y a reuniones literarias puede uno trabajar con la misma tranquilidad serena que un obrero.

Esta tranquilidad apacible se perturba a veces donde menos se piensa; en una conversación de un café o de un hotel de una capital de provincia, adonde se llega con propósitos de descanso o de turismo, dos o tres jóvenes aficionados a la literatura se acercan al escritor que va de Madrid, con curiosidad, y con sus preguntas van como removiendo el légamo que lleva todo el mundo en su alma, el literato como todo el mundo, aunque quizá en éste ese cieno sea más fluido y más capaz de enturbiar rápidamente las ondas del espíritu.

Escucho a estos jóvenes que se acercan a mí, gente amable. Yo no sé por qué les interesa la juventud de mi tiempo y por qué en mis libros quieren ver las razones personales del autor al escribirlo más que su mejor o peor

realización estética. Tampoco comprendo por qué en las obras de otros escritores se contentan con examinar si cumplen su propósito literario, sin pensar en la vida del que las hizo.

¿Es que nosotros éramos interesantes de verdad? Yo no lo sé. ¿Es que ha habido en estos cuarenta años un cambio de atmósfera espiritual y ha hecho que ese tiempo antiguo en que éramos jóvenes nosotros tenga alguna sugestión? Tampoco lo sé.

Lo que veo es que la época de mi juventud tiene todavía interés para los literatos nuevos. No se ve la razón. No era una época de grandes hombres ni de interés histórico, y, sin embargo, la curiosidad existe. Puede que diéramos sin saberlo en algún punto doloroso, en alguna cuerda sensible del país.

Esta curiosidad se advierte, sobre todo, en las ciudades castellanas. Es menor en Valencia, en Cataluña, menor aún en Vasconia y no existe en Andalucía.

Entre los amigos vascos, ninguno me ha preguntado si la época de mi juventud era más interesante que la actual. Los que leen mis libros me consideran como un escritor bueno o malo, pero como un escritor individual, sin relación apenas con el ambiente.

En Andalucía, la indiferencia por

los escritores de ayer y de hoy es completa. Hace dos años un joven cordobés me decía:

—Ahora estoy leyendo los libros de ustedes, porque, como soy abogado, quiero aprender a hacer informes.

Es el practicismo, que entre gentes de espíritu rapado se considera una gran cosa. ¡Cuando en Inglaterra, el país más práctico del mundo, corrían veinte millones de ejemplares de Dickens, el autor más romántico de Europa!

En las ciudades de Castilla, que se reflejan en Madrid, es donde hay una preocupación por la juventud de los escritores de hace treinta o cuarenta años.

¿Es que se cree que se ha salido de una época oscura y nefasta y se ha pasado a otra mejor y más clara? No parece que ésta sea la causa. El interés es más sentimental y generoso.

Cuando me preguntan cómo era nuestra juventud, yo digo que era más bien triste que alegre, más agria que sonriente, más vulgar que extraordinaria.

—¿Había de verdad bohemios? Estos bohemios, ¿eran auténticos?—me dicen.

Yo me encojo de hombros. ¿Quién sabe si aquellos bohemios eran auténticos o no?

¿Por qué se habla de esa generación del 98, que yo, la verdad, creo que no ha existido? No lo comprendo.

Al referirse a la generación del 98 se me hacen preguntas sobre Azorín y sobre mí. A los demás escritores del tiempo se les juzga individual e independientemente.

En esto, los jóvenes que me hablan coinciden con Valéry Larbaud, que, mirando la cuestión desde fuera, dijo que no creía que existiera en España esta generación del 98, pero que, si

existía, la formábamos Azorín y yo. Es difícil que dos escritores solos formen una generación. A Azorín se le relaciona con Gabriel Miró, a quien se le tiene como un continuador suyo.

Uno de los jóvenes me dice, riendo, que hay quien considera a esta generación del 98 como un grupo de apóstatas y traidores, que ahora viven agazapados, disfrutando de las sinecuras de la República.

—Sí, al parecer—le contesto yo—, somos en el campo literario algo como pequeños Talleyrand y Fouché, que, después de cultivar la demagogia, terminan de príncipes y de duques con fortunas fabulosas y viviendo en palacios espléndidos. Ahora, ¿dónde están las sinecuras, los palacios y los millones? Yo no los he visto por ninguna parte. Yo, por ahora, no he topado con ninguna sinecura. Es posible que no sea uno bastante avisado para eso. Respecto a los medios económicos, tiene uno que trabajar lo mismo que antes.

Uno de los jóvenes me cuenta, riendo, una anécdota respecto a mi brusquedad, que le contaron a él, y que supone que será completamente falsa.

—Completamente falsa—le digo yo al oírla—. Hace poco tiempo, un joven estudiante de Arquitectura, que me paró en la calle, me habló de las anécdotas que le había contado un periodista de Zaragoza acerca de mí, en las cuales, naturalmente, yo quedaba bastante mal parado; entre ellas, una ocurrida en un baile de máscaras al que acudimos una vez el periodista de marras, el doctor Marañón y yo. «¿Es cierto eso?», me preguntó el estudiante. Podía serlo. No tiene más inconveniente, para ser verdad, que cuando yo iba alguna vez a los bailes de máscaras, cuando tenía veintitrés o veinticuatro años, Marañón tendría entonces tres o cuatro, y no cabe duda que podía haberlo llevado en brazos, si hubiera habido esa costumbre, al baile. Respecto a ese periodista de Zaragoza, no lo he visto en mi vida.

—Esa invención de anécdotas acerca de una persona indica, evidentemente, preocupación por ella—me dice un interlocutor.

—Sí; pero es una preocupación hostil no muy agradable. Sobre todo cuando se hace uno viejo, prefiere el silencio a la hostilidad.

—Pero a usted no le molestaba antes la hostilidad. Está bien eso de tener sólo amigos y enemigos.

—Sí, quizá; pero hay cosas feas que son desagradables.

—Por ejemplo...

—En esta última época han venido a mi casa tres o cuatro americanitos con adulaciones y sonrisas, y luego ha visto uno que ha escrito algo contra mí con ese fondo de mala voluntad un poco ruin que hay en la mayoría de los escritores hispanoamericanos. A mí no me importa mucho que hablen mal de mí; pero leer un insulto y recordar una sonrisa no es muy grato; da una impresión triste del hombre.

—Los americanos dirán que le atacan a usted porque usted ha dicho que América es el continente estúpido.

—Sí, pero salir a defender a un inmenso continente con sus montes y sus enormes ríos hablando mal de un señor que vive en España es tan ridículo que no se le puede ocurrir más que a un escritor americano. Además, que no es lo mismo hablar mal de un continente que de una persona. Hablar mal de un continente es como hablar mal de la luna. Yo, al menos, no sería capaz de ir a visitar a un hombre sonriendo, con la intención de denigrarle después. Esto mismo me impide el ir a Rusia, adonde

me han invitado alguna vez. El ir allí con la cara amable y con la intención aviesa de escribir mal de lo visto me repugna.

—Los antepasados hidalgos se estremecerían al saber en su descendiente una acción tan poco noble.

—Por lo menos, a mí me desagrada la idea.

—Romanticismo.

—¿Por qué romanticismo? Un poco de probidad.

—¿Usted no se considera contradictorio?

—¡Hombre! Contradictorios, todos lo somos, poco o mucho; pero no es lo mismo ser contradictorio que tener doblez.

—Bien. Si usted tiene esa tendencia puritana que ahora manifiesta, ¿cómo se explica esa afición suya a la vida irregular de bohemios, de anarquistas y de golfos?

—Pues yo creo que se explica. Yo en la juventud era un buen caldo microbiano para todos los gérmenes de la calle. Así, ha sufrido uno las fermentaciones e infecciones de la época. Esta inclinación innata a la vida desordenada y laxa era para mí un peligro. El café, el alcohol, el tabaco, el noctambulismo, las horas pasadas en conversaciones interminables me atraían. Yo, que no he podido convivir con los políticos ni con las personas serias, me he encontrado muchas veces, al día siguiente de llegar a un pueblo, con gente desarraigada como yo, a la que parecía conocer de toda la vida y que me tenía como uno de los suyos.

—Lo que le pasa en estos momentos.

—Es verdad. Para luchar contra esa tendencia descendente mía no tenía más remedio que retraerme, aislarme.

—Sí. Es una explicación. ¿Y usted

cree haber sido consecuente con sus ideas?

—Creo que sí. Yo he tenido cierta perseverancia y fidelidad a mis ideas.

—Pero ha sido usted anarquista.

—Nunca. De los que creen posible una sociedad paradisíaca sin Estado, sin Policía, regida por un libre acuerdo, nunca. Con más cultura filosófica hubiera sido un kantiano. En cuestiones biológicas y sociales, me siento darvinista.

—Y en literatura, ¿no piensa usted haber cambiado?

—Poco. La literatura es lo que más me ha preocupado, y he pensado en ella no sólo en lo que se considera su fondo, sino también en su forma, en el estilo. Esta preocupación me ha llevado a practicar un contraestilo, que no es, como creen algunos, resultado de indiferencia por la expresión, sino resultado de preocupaciones más o menos justas por ella. Me he batido con el idioma como he podido, buscando el prescindir en lo posible de tópicos y de lugares comunes de pensamiento y de forma.

—Entonces, ¿usted cree que no se puede ir más allá en el estilo de lo que usted ha llegado?

—Con más condiciones se puede ir más allá. ¿Qué duda cabe? Con las condiciones mías, no. Un boxeador que tenga que luchar no puede permitirse el lujo de andar con el pelo largo, ni tener una nariz griega, ni llevar las uñas largas y pintadas como las cupletistas. Necesita primero conseguir la eficacia; después, si puede, alcanzar la elegancia. Lo mismo pasa con el estilo.

—Otra cosa que molesta mucho a los lectores suyos es que usted da una idea pobre del amor—me indica uno de los jóvenes.

—Sí; ésa es una consecuencia de la petulancia española. Al español le indigna que se le diga que su vida amorosa es pobre, sin dramatismo; pero así es. ¡Qué le vamos a hacer! Yo creo que el país rural que no es rico no tiene una moral libre. Solamente en los países comerciales e industriales de clima blando es donde se destaca la personalidad de la mujer y triunfa el amor apasionado. En nuestro hemisferio se ve que a medida que se sube al Norte en la dirección del meridiano, la mujer es más independiente y tiene más carácter. ¿No es evidente que una de las figuras más destacadas de la literatura española es Dulcinea del Toboso, que no existe más que en la imaginación de un hombre?

—Es posible, pero hay que reconocer que eso va cambiando.

—No lo sé, pero lo dudo mucho. Supongo que el español y la española se entusiasman con la aventura romántica y peligrosa de amor en el libro, en el teatro y en el cine más que en la vida. En la vida aceptan con entusiasmo el amor pedestre del matrimonio, que es el amor por el sistema métrico decimal.

—¿Por qué lo dice usted?

—Porque así lo he notado. He conocido en una capital de provincia una mujer muy guapa casada con un señor un poco viejo que afirmaba categóricamente que la pasión existía, pero que se podía dominar siempre. «¿Siempre?», le preguntaba yo. «Siempre.» Entonces no hay pasión, no hay peligro. El español y la española en este asunto, como en otros muchos, quieren el trozo de hierro que sea al mismo tiempo de madera. Erotismos, libertad y moral. Esto pasa en el teatro, no en la vida. El mudo que rompe a hablar a tiempo, el malo que se convierte en bueno, el hombre débil y flojo que de repente se yergue y demuestra que es más fuerte que el fuerte...

—Hay que dar algo a la fantasía.

—A mí eso, más que la fantasía, me parece la mentira. Respecto a esta cuestión amorosa y a la discrepancia entre la teoría y la práctica, recuerdo una conversación que tuve en Behobia con una cómica joven, Amelia Muñoz, muerta prematuramente. Filmaban una novela mía, y los cómicos estaban en una fonda de Behobia. Yo fui una tarde allí y estuve hablando largo rato con Amelia Muñoz, que me dijo que no le gustaban mucho mis libros, porque en ellos el amor no aparecía como iluminado con una luz gloriosa. «¿Qué quiere usted?—le decía yo—. Yo he escrito lo que he visto.» Ella creía que el amor era y debía ser la preocupación constante de la Humanidad. Tenía como un panerotismo idealista y romántico. Después, hablando de otras cosas, me contó que había hecho varios viajes a América, y en uno de ellos embarcaron tres compañías de teatro, con lo cual se divirtieron mucho, porque la mayoría de los actores eran jóvenes. «¿Ahí en el barco se desarrollarían muchas pasiones, muchos amores?», le dije yo. «Nada de eso—me contestó ella—. Todo el mundo estuvo muy correcto, y cuando llegamos a América, cada uno de nosotros se fue a su trabajo, y se acabó.» «¿Y el amor? ¿Y el panerotismo idealista y romántico?», estuve por preguntarle.

—Sí; es posible que esa glorificación del amor apasionado sea principalmente literatura—dice uno de los jóvenes que me interrogan.

Después de nuestra conversación salimos del hotel y paseamos de noche por las calles desiertas. Practicamos el noctambulismo, rito clásico de la mocedad literaria. Vuelven a hablarme de la juventud de mi tiempo.

Al entrar en el cuarto del hotel pienso que la charla nocturna ha revuelto en mí posos antiguos un poco oscuros de inquietud inútil. La idea de que al día siguiente por la mañana tengo que continuar mi viaje me serena y me hace dormir tranquilamente.

LA VIDA DE SOCIEDAD

Se puede sospechar que por algún defecto congénito, mal conocido aún, la vida española no pudo evolucionar de una manera normal, armoniosa y completa. Probablemente, los factores principales de esta crisis de crecimiento fueron la pobreza, la aridez de las grandes extensiones de terreno del centro de la Península y el esfuerzo exagerado del país al colonizar América. Como el río Turia, que llega a Valencia sin una gota de agua, dejándola antes en las acequias, le ha debido pasar a la energía de España. Ahora que el riego de su comarca representa para Valencia gran riqueza; en cambio, la colonización en América no le produce a España el menor beneficio.

La pobreza de España es antigua. El presupuesto de París, ya entrado el siglo XVI, era quince o veinte veces mayor que el de Madrid en la misma época, cuando ya era capital y corte.

Habrán influido elementos espirituales y políticos en la crisis de crecimiento de España, pero los materiales y económicos han debido ser los predominantes. Cuando las circunstancias del medio ambiente físico de las ciudades españolas y extranjeras son parecidas, las diferencias en su desarrollo son pequeñas o nulas. Barcelona es ciudad tan grande, tan comercial y tan fabril como Marsella, Génova o Nápoles. En estas ciudades mediterráneas el medio físico es parecido; el desarrollo de las urbes ha sido semejante. Si el Gobierno español hubiera sido una rémora, el retraso se notaría en la ciudad española en algo, y no se nota.

En los demás pueblos hispánicos de la costa mediterránea y atlántica pasa lo mismo. Casi todos han crecido, han mejorado, se han desarrollado; algunos, en gran escala. En cambio, los del interior, exceptuando Madrid, Zaragoza y algún otro—Sevilla no se puede considerar ciudad interior—han quedado estacionarios.

España, que desde la conquista de América realizó un esfuerzo desproporcionado para sus medios, tomó el carácter de un organismo preso del agotamiento y de la neurosis. Lo mismo le ocurre al individuo. El que gasta su energía no es capaz de atender a los menesteres cotidianos de su vida. Para ello necesita salud y superabundancia de fuerzas. Esta condición debió faltar durante mucho tiempo en España, y quizá siga faltándole aún.

El informe de los extranjeros que vinieron a la Península en la época de los Austria y los Borbones coincidió en afirmar que la existencia de los españoles no era próspera, cómoda y grata, sino más bien apagada y lánguida. Todos encontraron solemnidad, pompa, abandono, escasa vida de sociedad y formulismo exagerado. Estos síntomas son manifestaciones de consunción. El hombre débil y el pueblo débil se refugian en las fórmulas. España, durante los siglos XVII y XVIII, vivió de una manera formularia; cuando los acontecimiento le tocaron

en lo vivo, como en la guerra contra Napoleón, improvisó y olvidó las fórmulas.

No tenemos datos auténticos completos para conocer cómo era la sociedad en tiempo de los Austrias y de los Borbones. No hay Memorias de aristócratas ni de burgueses de la época.

En el siglo XVII, Francisco Santos publicó su *Día y noche de Madrid*, y Zabaleta, sus dos libros: el *Día de fiesta por la mañana* y el *Día de fiesta por la noche*. De estos libros, de las novelas del tiempo y del teatro no se puede obtener un conocimiento detallado del vivir colectivo de los españoles.

En tiempo de los Austrias parece que había academias literarias patrocinadas por gente influyente. Estas academias eran como los Ateneos actuales. Suárez de Figueroa, el autor de *El pasajero*, buen observador, un tanto misántropo, dice en 1615 que algunos ingenios se reunían en Madrid en casas de familias nobles. Según él, se dedicaban únicamente a versificar, y el amor propio de unos y de otros, las persecuciones, arrogancias y arrojamientos ocasionaban menosprecios, demasías, peligrosos enojos y pendencias, lo que fue causa de que cesaran las reuniones.

Cosas parecidas ocurren hoy en los ateneos y en los cafés.

Madame D'Aulnoy, en su *Viaje* y en sus *Memorias de la corte española*, da la impresión de una sociabilidad escasa.

Cierto que este *Viaje* y estas *Memorias* no parecen muy auténticos, y hasta se duda que esa señora los hiciera.

En tiempo de los Borbones se debió intentar en los palacios españoles la vida de sociedad a la francesa. De esta época hay informes extranjeros, casi sólo cortesanos, como los de Saint-Simon y algunos otros que no parecen muy veraces, como los de Casanova.

A mediados del siglo XVIII la sociedad española, al menos en Madrid, debió subir un tanto y tomar un aire de amabilidad y de enciclopedismo; pero las amenazas de la Revolución francesa y después la guerra de la Independencia acabaron con aquella tendencia de sociabilidad.

Desde la guerra contra Napoleón hasta la última carlista, España vivió en perpetua lucha.

En la Restauración, con Cánovas, se intentó hacer de España un país sedentario, juicioso y con algún brillo. La tentativa no tuvo gran éxito. La aristocracia de título se mezcló con plutócratas, políticos y generales. Esta fusión y en parte selección no llegó a gran cosa, decayó pronto en la Regencia, y ya antes del advenimiento de la República no tenía influencia en la vida.

La acción de la aristocracia española en la sociedad no fue nunca predominante. Hubo sin duda ministros, generales y marinos salidos de la aristocracia; pero no obraron como aristócratas, no dieron el tono social. Algunos, el duque de Lerma y don Rodrigo Calderón, dejaron fama de fastuosos; pero los tipos de elegancia y del dandismo, Antonio Pérez en tiempo de Felipe II y el conde de Villamediana en el de Felipe IV, eran casi advenedizos.

Entre las mujeres aristócratas hubo tipos de carácter fuerte y acusado, pero no damas de salón. La misma duquesa de Alba, que dio el tono de la época, no lo era, y sus parientas la condesa de Montijo y Eugenia de Guzmán, después emperatriz, para serlo, tuvieron que trasladarse a Francia.

★

A pesar de no haber existido en España una vida amplia de sociedad, nunca habrá llegado ésta a ser tan escasa como en nuestro tiempo. La sociabilidad hispánica ha descendido al mínimum. Ya no se da sólo entre nosotros el robinsonismo del tipo raro y ensimismado, sino el robinsonismo de la familia corriente y vulgar.

En el pueblo la cosa se explica; el pueblo ha involucionado, se ha desnatado, ha sufrido una evolución regresiva. Todos los elementos de algún valor lo han ido abandonando. El pueblo no sujeta hoy a la gente; el hombre no quiere ser aldeano. En el pueblo todos son hoy aves de paso; el médico piensa marcharse; el juez, también; si hay militares, estarán unos meses.

El médico, el juez, el farmacéutico y el propietario, aunque tengan pocos medios, compran lo primero un automóvil para escaparse en cuanto puedan de su rincón. La botica no tiene tertulia como hace años. No hay gusto en contarse noticias o en comentar sucesos; para eso, se piensa, están el periódico y la radio. La pequeña burguesía lugareña no tiene misión ni representación; únicamente la parte menestral y campesina vive la vida suya, mejor o peor, sin gana de desplazarse.

En la capital de provincia el fenómeno es parecido. La tertulia de la botica, con su bola verde, se acabó; la de la librería, también. El hombre joven y la mujer joven no comprenden que la casa pueda tener algún atractivo. La primera condición para divertirse es salir de casa, y, si se puede, del pueblo.

En Madrid pasa igual que en las capitales de provincia, en mayor escala. No hay vida de sociedad; no hay fuerza de atracción. El prestigio aristocrático se perdió hace tiempo; el del talento o del ingenio no se reconoce. El prestigio del dinero y de la influencia existe, pero no es cordial, produce envidias y odios. De esto viene el aislamiento. El pequeño rico y el nuevo rico, que no quieren hacer el rendibú al millonario, cogen su automóvil y se marchan al campo y después al cine. De aquí viene el atomismo social.

Mucha gente que no quiere creer en motivos de envidia, que le parecen vejatorios para sus acciones, supone que hoy no se puede llevar una vida de sociedad porque hay muchas cosas que hacer. Esas son ilusiones.

★

En Francia y en todo el continente europeo se ha perdido la vida de sociedad. Ya hace mucho tiempo que se acabaron los salones.

Muchos motivos influyen en esto. La familia, aun la rica, empieza a no tener criados suficientes. En muchos, no tener una casa buena y bien servida basta para limitar su sociabilidad. Se le ha quitado valor social a la música con la pianola y con la radio. ¿Quién va a reunir a sus conocidos para oír a un señor que toca con los pies una pianola o pone una clavija para que se oiga la radio?

No puede ser núcleo de una reunión ni el político ni el escritor. El político es aburrido fuera de sus círculos y de sus tópicos; el escritor es agrio y malévolo.

El viejo, sólo por ser viejo, es indeseable. Es ésta una época en que el joven desdeña al viejo de tal modo, que no le considera como un interlocutor grato.

Nosotros, los de mi tiempo, hemos cogido el mundo a contrapelo. En nuestra juventud, los jóvenes no pin-

taban nada, y el viejo pontificaba; ahora, en cambio, en nuestra vejez, el joven gallea y el viejo ha quedado arrinconado. Así, hemos pasado de la hostilidad a la soledad.

Por lo que he oído, en la América española este apartamiento del viejo está más acusado, y la gente joven se reúne sola. A esto llaman la muchachada.

La base de la vida de sociedad fue siempre la mujer, y la mujer casada. La mayoría de las mujeres hoy no se quieren quedar en casa unas horas para hablar de las personas conocidas. Les parece aburrido. Se une a esto el haber entrado en ellas las divisiones políticas; una es reaccionaria; la otra, republicana; la otra, comunista, y todas defienden sus doctrinas con el proselitismo, la pedantería y el tesón con que se defiende lo nuevo y lo mal conocido. No es posible así el tono apacible de la tertulia. La sociabilidad no puede producirse más que a base de sordina y de tono menor.

Es curioso que en una época de disgregación social como la nuestra haya cundido tanto el socialismo. Esta paradoja no es rara. Hay demócrata que trata mal a la criada y habla de tú al mozo de café; hombre que no puede soportar al único compañero de oficina y se siente humanitario y liberal, liberalísimo, en el mitin y despótico en su casa.

Podría pensarse que el instinto social no es lo mismo que el instinto de sociabilidad y suponerse un mundo socialista o comunista en que nadie sintiera ni curiosidad ni simpatía por el prójimo.

Parecería lógico que el instinto social comenzara en el hombre por lo más cercano a él: por la familia, la casa, la calle, el barrio y la ciudad;

pero para muchos comienza por la más lejano. Estos se preocupan más de lo que pueden hacer los chinos, los

japoneses o los papúes que de lo que hacen los vecinos de su calle o de su pueblo.

LA VIGILIA, LA CUARESMA Y EL SENTIMIENTO RELIGIOSO

Comienzo a escribir este artículo —dicho un poco en francés a la diabla—en un cuarto del hotel de Badajoz, después de haber recorrido en auto varios pueblos de Extremadura. La memoria mía anda ahora dispersa, y la tendencia a las divagaciones, aumentada.

Una de las cosas que me ha chocado en esta excursión es ver que aquí no se respeta en absoluto nada la vigilia. Esto casi me parece mal.

Quizá tenga yo de la vigilia de Cuaresma una idea más culinaria que religiosa; pero desde ese punto de vista de cocina, encuentro la vigilia como un pequeño oasis en la barbarie de la alimentación carnívora.

Antiguamente, todo tenía mucho carácter, carácter que ahora se va perdiendo por completo. Las fiestas rimaban admirablemente con las épocas del año, y las estaciones las completaban y las adornaban. Todo estaba perfectamente clasificado; los preceptos religiosos distribuían las fuerzas de mar y de tierra en las comidas.

Pensando en esto, recuerdo que el traductor y comentarista español de la *Historia Natural*, de Plinio, asegura que hay ríos y lagunas que no tienen peces más que en tiempo de Cuaresma.

Una galantería así de lo Alto nos hubiera conmovido a todos, hasta a los más incrédulos.

En estos pueblos de Extremadura, que hemos recorrido José María Azcona, su hijo Jesús y yo, no hemos

notado en los hoteles la Cuaresma ni siquiera la Semana Santa.

El reino del bacalao no es aquí exclusivo de esta semana, que un anarquista de Béjar de hace tiempo llamaba con énfasis la Semana Clerical. Antes, en algunas partes de España se vendía una estampa de la Cuaresma representada por una mujer con un bacalao en la mano y siete pies, que indicaban las siete semanas de ictiofagia y de vegetarianismo. A medida que se iba pasando el período de abstinencia, la dueña de la casa iba cortando a la figura un pie. Ya no hay necesidad de estampas.

Las costumbres se pierden. El mozo de uno de estos hoteles es capaz de servir una sardina encima de un pedazo de carne el día de Viernes Santo sin que le tiemble el pulso. No hacerlo quizá le parecería medieval. Así le parecería también la cama de matrimonio a una señora francesa a quien encontramos en Cáceres y después en Badajoz, donde el hotel estaba bastante lleno. Le dijo el encargado del hotel—y se lo tradujimos nosotros—que para ella y para su marido le reservaban un cuarto con cama de matrimonio, y la señora dijo:

—Está bien; pero eso de la cama única me parece completamente medieval.

★

Volviendo a la vigilia y a la decadencia en Semana Santa del reino absoluto del bacalao, se encuentra uno sorprendido y un tanto perplejo como el perro luchador del que habla Mark Twain. Este perro luchador tenía la costumbre de atacar al perro enemigo y de morderle y sujetarle por la pata derecha delantera; pero una vez le echaron contra él un perro cojo a quien le faltaba la pata derecha, y ya perturbado ante aquella novedad, y sin saber qué hacer, quedó vencido y murió.

No tiene uno los conocimientos del *Doctor Thebussen* acerca de cuestiones culinarias. Respecto del bacalao, no sé más que lo que los técnicos dicen: «Del abadejo, el pellejo.» Ignoro las bases científicas de esta afirmación.

También sé que hay dos guisos importantes del bacalao: uno con salsa verde y otro con salsa roja, a la vizcaína.

A mí, que soy aficionado a la etnografía, el de la salsa verde me parece celtoatlántico, pide la sidra o el chacolí y recuerda el paisaje de la zona húmeda de España; el bacalao a la vizcaína es ibérico: llama en su ayuda al vino de la Rioja o de Navarra.

Los dos se hacen al *pilpil*, palabra onomatopéyica que expresa bien la lentitud en la cocción, el *tempo lento* que preconiza Ortega y Gasset para la novela.

También hay otra forma de guiso de bacalao, que se llama el ajo arriero; pero esto es aún más ibérico, de tierra de aceite, en donde se bebe vino en porrón.

Los bilbaínos han asegurado con audacia que la primacía en guisar el bacalao tiene su centro en casa de la Amparo. No sé si los donostiarras y los iruneses, los chapelaundis de la plaza del Mercado podremos aceptar estas superioridades.

Respecto a San Sebastián, hay que reconocer que hoy tiene el cetro de la gastronomía española. San Sebastián se está convirtiendo en un gran restaurante internacional, principalmente francoespañol. El francés, desde Burdeos para abajo y aun para arriba, va a San Sebastián a comer bien; y algunos, al salir del comedor repletos y ver una cuenta pequeña, dicen muy convencidos: *Mais c'est un pays de cocagne!*

La rivalidad antigua del aceite, de la mantequilla y de la grasa se resuelve amistosamente en las fondas de Donosti. Estos elementos rebeldes efectúan su simbiosis en las cocinas vascas como la tesis y la antítesis en la síntesis hegeliana.

Esta decadencia de la vigilia de Cuaresma y de Semana Santa en Extremadura me hace pensar en la posible decadencia del sentimiento religioso de España. La tal decadencia —al menos en el Mediodía—parece mayor en los pueblos y en las aldeas que en las ciudades. Sería curioso averiguar el porqué y hacer una investigación auténtica sobre el sentimiento religioso en nuestro país.

En América del Norte se han hecho esta clase de estudios y estadísticas sobre la religiosidad, principalmente de los estudiantes.

Yo he conocido católicos que, en el fondo, no creen (principalmente entre los vascos) e incrédulos que creen (entre castellanos y andaluces).

—¿Se debe ir a la iglesia?—le preguntaba a un vasco.

—Sí; se debe ir. Se deben cumplir los deberes de la Iglesia. No cumplirlos está mal.

Unos días después le decía:

—¿Y usted cree que, después de muerto, seguirá viviendo el alma de los hombres?

—Yo eso no lo he visto, y no lo creo—me contestó.

Una señora vasca que rezaba rosarios y varias oraciones al día, confesaba con ingenuidad:

—Yo creo que morir debe de ser como un sueño del que no se despierta.

—¿Nada más?

—Yo creo que nada más.

Daban ganas de preguntarle: «Entonces, ¿a qué vienen los rosarios y las oraciones?»

Entre los andaluces hay muchos que se enternecen pensando en las imágenes religiosas.

En España, creo que en algunas comarcas industriales de Cataluña y en otras agrícolas de Levante es donde hay menos sentimiento religioso en el pueblo. Allí la mayoría de los hombres y mujeres suponen que la religión es un engaño burdo sin justificación y que los curas son unos explotadores.

La investigación auténtica del sentimiento religioso daría sorpresas extrañas. Se podría hacer un mapa religioso por regiones y por oficios.

Entre las profesiones liberales, creo que entre los médicos es donde hay más ateos. Los que no son ateos, son de una religión estrecha y fanática, inclinados a pensar que una diabetes o un aneurisma puede ser castigo del cielo.

Los ingenieros, en general, no piensan mucho en problemas éticos ni religiosos. Los abogados, tampoco.

Entre los escritores que yo he conocido había algún místico, pero nadie sinceramente religioso. Si alguno se decía católico, era por tomar una postura distinguida.

Los negociantes y hombres de comercio son la mayoría escépticos prácticos. Se confesarán y comulgarán para casarse y para morir como quien toma la cédula, pero no se ocupan de religión para nada.

Por lo que yo he observado entre los españoles cultos de hoy, la creencia en Dios es muy débil.

La idea de la inmortalidad del alma y de lo sobrenatural está más extendida que la creencia en Dios. Defienden aquéllas tanto los católicos como los teósofos espiritistas o semi-espiritistas, que en la actualidad abundan.

La mayoría de la gente cree en lo sobrenatural quizá porque no tiene una idea clara de lo natural. Se oyen decir tonterías como éstas: «El alma no puede desaparecer. No cabe duda que hay un fluido en el mundo que hace comunicar las almas.»

La idea del cielo y del infierno está muy en baja, y la del purgatorio produce grandes protestas, como si fuera una maniobra política del mal carácter.

También la idea del diablo está en franca crisis. El gran demonio de la religión, rival en otra época de Dios, ha decaído mucho, casi no existe.

Para la mayor parte de la gente, el demonio ha bajado de categoría; más que un demonio, hay demonios, especie de trasgos o duendes que hacen estupideces en un colegio de niñas o en un convento de monjas. No he oído nunca atribuir las malas acciones de un hombre al demonio. Si se les atribuye algo a los demonios, son extravagancias.

Sería muy interesante llegar a formar el mapa de los sentimientos religiosos de España de una manera objetiva y científica.

EL DISIMULO Y LA HIPOCRESIA

He encontrado a esta señora en un hotel de un pueblo vasco de la costa. Como la conozco poco, no me he decidido a saludarla. He esperado a que llegara el amigo que me ha traído en auto, en el salón de lectura, leyendo un periódico.

La señora ha besado a sus dos niños, que se van a la playa con una doncella. Ha pasado delante de mí y no he tenido más remedio que saludarla.

Es una mujer joven, guapa, casada con un señor asturiano. Como todas las señoras de este tipo de la burguesía española, deriva a la suficiencia y a la pedantería. La pedantería de las mujeres, sean católicas o socialistas, da quince y raya a la de los hombres. Son más modernas para la política y el comentario social y, naturalmente, tienen que ser más dogmáticas y más pedantes.

Esta señora, que antes veraneaba en Asturias, viene ahora a una playa vasca —según dice— para estar más cerca de Francia.

No sé si es que pensará que los revolucionarios españoles —esos revolucionarios que para nosotros no existen— obligarán el día menos pensado a expatriarse a las personas decentes. Es decir, a las personas que tienen dinero.

—Me gusta más Asturias que esto —me decía la dama—; la Naturaleza es más hermosa.

—No digo que no. A mí me gusta el País Vasco. Los pueblos vascos tienen gracia, sobre todo las aldeas.

—Será para ustedes.

—Claro, para los que los conocemos.

—A mí aquí la gente me parece muy seca.

—Es natural; no dominan el castellano.

—Creo que son disimulados e hipócritas.

—¡Disimulados!..., como todo el mundo.

—No; mire usted, por ejemplo, los aragoneses. Yo he vivido, de niña, en un pueblo de Aragón. Es gente franca.

—De todas formas...

—Yo creo que de todo.

—No. Una persona franca no podría vivir, no sabría defenderse. Todo hombre que ambiciona algo tiene que disimular. Además, si hubiera un pueblo franco de verdad, en él no habría falsificadores, ni estafadores, ni donjuanes. Esto se sabría por la estadística.

—Exagera usted.

—No. Lo que no me gusta es el lugar común. Todo el mundo se defiende en la vida social con el disimulo. ¿Qué diría usted de un enamorado que expusiera a sus rivales cuáles eran sus principales defectos?

—Diría que era un tonto.

—Y lo mismo diría usted de un abogado que pusiera de manifiesto los puntos flacos de su argumentación, o de un político que explicara los trámites de una crisis exhibiendo las gestiones feas e inconfesables hechas por él.

—Usted saca de sus casillas la idea de la franqueza.

—Yo creo que no. ¿Qué puede ser la franqueza? La sinceridad, la sencillez; en el fondo, la verdad. Déle usted, si quiere, a esta verdad un aire generoso y jovial, pero siempre la base de la franqueza será la verdad.

—Los escritores hacen con las ideas como los que recogen hierbas y las prensan. Esta es la planta—dicen—; pero esa planta tenía color brillante, estaba fresca y ahora no lo está.

—Eso no quita para que esa planta, prensada, conserve los caracteres necesarios para clasificarla.

—La clasificación a mí no me interesa.

—A mí, sí. La planta prensada tiene, aun en clase de momia, todas sus cualidades específicas y todos sus principios.

—Menos la vida.

—Cierto, menos la vida. Eso es precisamente lo inanalizable. En la planta alimenticia muerta quedan sus elementos nitrogenados y sus vitaminas; en la venenosa queda su alcaloide. El alcaloide de la franqueza es la veracidad. Ahora yo pienso que con la veracidad no se puede vivir, a no ser que quiera uno meterse en un tonel a imitar a Diógenes. La veracidad lleva al cinismo.

—Todo lo que se exagera puede convertirse en malo.

—Es que la verdad, si existe, no se puede exagerar. En la verdad no puede haber matices; en la semiverdad o en la mentira, muchísimos.

—Oscurece usted el asunto.

—Creo que no. Yo digo: franqueza, virtud basada en la veracidad, en la verdad; veracidad, condición inútil y hasta funesta para la vida social.

—Usted cree que la vida social es mala, como todos los revolucionarios.

—No; creo que es lo que puede ser nada más; ahora, no creo que pueda estar basada en la verdad; por eso, la franqueza me parece una palabra nada más. En la ciencia, la verdad es indispensable para seguir construyéndola; en la filosofía se busca la verdad, aunque no se la encuentre.

En la historia, la verdad es insegura y aleatoria, y en la política y en la vida social no existe.

—No veo por qué.

—Porque la verdad en la vida social derivaría a la barbarie, al cinismo, a la falta de cortesía. Después de todo, ¿qué es la educación y las formas sociales sino algo basado en la mentira? Una impertinencia no es más que una verdad inoportuna. A una mujer se le echa en cara entre la gente: «Ya me he enterado de que tiene usted los dientes postizos.» A un hombre que ha intervenido en un asunto cualquiera se le dice: «¿Sabe usted que todo el mundo afirma que ha quedado usted muy mal?» Las dos cosas pueden ser muy ciertas, y, sin embargo, el manifestarlas es dar prueba de grosería, de brutalidad...; pero creo que la aburro a usted y lo dejo.

—No, no; siga usted.

—Hay una comedia de Labiche, muy graciosa y muy profunda, que se llama *El misántropo y el auvernés*. El misántropo es un rentista—Chiffonet—que, harto de vivir en la mentira y el convencionalismo entre palabras amables, quiere que le digan siempre la verdad, y se encuentra con un mozo de cuerda auvernés, muy bruto—Machavoine—, que le dice las verdades y llama al pan, pan, y al vino, vino. «¿Cómo me encuentras hoy?», pregunta Chiffonet a un criado adulador. «El señor está fresco como una rosa», le dice el criado. En cambio, pregunta a Machavoine: «¿Cómo me encuentras hoy?» «El señor está feo...» «¿Y tú crees que si yo me casara sería del gremio de los cornudos?» «Claro que sí; en seguida.» Chiffonet, entusiasmado con esta franqueza, hace un contrato con el auvernés para que se quede en su casa y le diga siempre y en todas las ocasiones la verdad. Al poco tiempo, las verdades del auvernés le han perjudicado y le han comprometido tanto a Chiffonet, que tiene que despachar de su casa e indemnizar al verídico Machavoine.

—La consecuencia es que no podemos vivir con la verdad.

—Así me parece. Esta misma idea, que desarrolló Labiche como una farsa de buen humor, la llevó de una manera poemática Ibsen a su drama *El pato salvaje*. La comedia de Molière *El misántropo* es esto mismo. El personaje que quiere ser verídico y franco pierde procesos, se enemista con su novia, que es coqueta; riñe con los amigos...

—Así que no hay verdad y no hay posibilidad de franqueza en la vida.

—Hay posibilidad de franqueza en las formas, pero no en el fondo.

—Pues yo sigo creyendo que los vascongados no son francos. Son reservados, hablan poco. Hablando se entiende la gente.

—Yo casi creo lo contrario. Ya sabe usted que Larra dijo: «Bienaventurados los que no hablan, porque ellos se entienden», lo que me parece que está muy bien. «La palabra —la frase se atribuye a Talleyrand— ha sido dada al hombre para disfrazar su pensamiento.»

—¿Y no cree usted tampoco que los vascongados son hipócritas?

—No, no lo creo. La hipocresía no me parece un defecto español. Nosotros hemos tenido la vanagloria del vicio de Don Juan, que es un poco mentecato; pero la vanagloria de la virtud no la hemos tenido nunca.

—¿Tanto hemos despreciado nosotros a esa pobre virtud?

—Por lo menos los hombres, sí. Habrá usted oído contar la anécdota del moribundo que le dice al confesor: «Me acuso de haber tenido amores con dos mujeres casadas», y el cura le replica: «Hijo mío, no es ésta la hora de las vanidades.» En la mujer española se ha podido dar la hipocresía más que en el español.

—¿Por qué?

—Porque la mujer ha vivido en un ambiente de inacción y no se le ha permitido más ideal que el de la virtud. Así se explica el fingimiento. En la. literatura española no hay tipos de hipocresía importantes más que de mujeres: *Marta «la Piadosa»*, de Tirso, que, más que de una hipócrita, es el tipo de una mujer sin escrúpulos, y *La mojigata*, de Moratín, que es una hipócrita en tono menor.

—Y el hombre, según usted, aquí, ¿no es hipócrita?

—Creo que no. El español es más bien jactancioso. No las mata callando, sino a gritos. La hipocresía es una condición de sociedades muy fuertes y muy jerarquizadas. De esos tipos de sociedades no ha habido en España. El español inculto es poco respetuoso; el español culto tiene con frecuencia un fondo de nihilismo. ¿Para qué fingir ni disimular—se pregunta—si la mayoría no creemos en los honores ni en la gloria? Un francés dijo que la hipocresía es un homenaje que rinde el vicio a la virtud.

—Si es así, es preferible entonces que haya hipócritas.

—Desde un punto de vista social, me parece cierto. El tipo de Tartufo, de Molière, no ha interesado aquí, porque es poco frecuente en España. Lo mismo se puede decir de Pecksniff, el hipócrita sobrecargado y exagerado de Dickens. Tiene que haber un gran fondo de respeto social para producir hipócritas semejantes, o tiene que haber un fervor de secta como entre los fariseos y los judíos. Esos personajes no nos interesan. El tipo de la hipocresía, los españoles no lo vemos en un Tartufo, que tiene cierta grandeza, sino en un devoto o en una santurrona que finge una piedad excesiva para tapar pequeñas faltas de la juventud.

—¿Así que usted piensa que no ha habido hipócritas de cierta altura en España?

—Ahora empezará a haberlos con la República y el socialismo.

—¿Y por qué?

—Porque ahí la austeridad o el aspecto de la austeridad tienen un valor que no tienen en los partidos antiguos.

En este momento de la conversación ha entrado el marido de la señora con camiseta de mangas cortas, cinturón y pantalones blancos. Nos hemos saludado.

—Aquí estoy hablando con Baroja, que me quiere convencer de que lo blanco es negro y lo negro es blanco —ha dicho la señora.

—Ese es el oficio de los escritores —ha replicado el marido—. ¿Usted no vendrá a la playa?

—No, voy a escribir esta convención que he tenido con su señora.

LA HIPOCRESIA DE LAS MUJERES

Comentando un artículo que publiqué hace unas semanas sobre el disimulo y la hipocresía, y del cual ya no me acordaba, he recibido una carta extensa de una señora, que publicaría íntegra y con su firma si ella no me advirtiese que no lo permite.

Algunas cartas suelo recibir comentando mis afirmaciones; de mujeres, muy pocas, y éstas casi todas conminatorias. Una carta de aire doctrinal recibí el año pasado de una señora valenciana cuáquera, en la cual protestaba de que yo afirmase que el español, y, en general, el latino, si deja el catolicismo tiende a no tener religión.

Yo he visto algunos impíos y librepensadores, no de esos muy sólidos, que han vuelto al catolicismo; he visto otros que, por interés y por farsantería, se han convertido; católicos o librepensadores de cierta cultura que hayan pasado al protestantismo, no sé de ninguno.

Ir de una agrupación a otra no vale la pena. La carne judía es siempre la misma. Lo único que varía es la salsa.

El snobismo ha producido ciertos cambios de religión no muy profundos, y así ha habido ateneístas y teósofos que, después de leer cuatro fantasías estólidas, se han declarado budistas.

Dejando la réplica a las observaciones de la carta de la cuáquera que me escribía el año pasado, voy a comentar las observaciones de la señora que me escribe actualmente:

«Creo que tiene usted razón — dice—en asegurar que las mujeres vivimos más en la hipocresía y en la mentira que los hombres; pero esto depende principalmente de los hombres. Son ellos los que han puesto la pauta de que en sus relaciones con nosotras se puede emplear la mentira.»

En esto estoy de acuerdo. Con iguales o parecidas palabras creo haberlo dicho en mi artículo.

«Una muchacha—sigue diciendo la señora en su carta—tiene un pretendiente, le ha hablado, le ha escrito dos o tres veces; ella le ha contestado. «¿Tú conoces a ese joven?», le preguntan en casa. «No», contesta ella. Pero ¿por qué lo hace? Porque tiene miedo de que si dice que sí intervengan en el asunto el padre o el hermano con brutalidad, con torpeza o con jactancia, trastornando algo que para ella es importante. A una mujer casada le ha escrito alguien una carta inocente; el marido, celoso, le pregunta: «¿Es que te ha escrito un hombre?» Y ella miente, y dice: «No.» ¿Y por qué lo hace? Porque explicarse con un hombre celoso y violento es más difícil que negar.»

También en esto estoy de acuerdo con la señora que me escribe. En otras cosas no estamos conformes.

A mí me parece evidente que la mujer actual es más disimulada, más hipócrita que el hombre; pero no creo que sea por naturaleza, sino por educación, por la lucha por la vida y por las condiciones en que la ha colocado el hombre.

A la mujer le ha pasado lo que a las razas oprimidas: al judío con el cristiano, al indio con el inglés, al gitano con el busné. El oprimido se defiende con el engaño y se desmoraliza.

Ahora mismo se nota ese efecto en los alrededores de Gibraltar. El inglés manda y tiene dinero. El andaluz le engaña. El engañar al inglés le parece una cosa lícita y agradable. Se cuentan varias anécdotas en las cuales el inglés hace el papel de pasmarote, del tonto, y el andaluz, del pillo.

Se explica la inferioridad de la mujer en las épocas guerreras; en la actual ya no se explica tanto. Claro es que la moral de miles de años se hereda.

Resto de herencia entre españoles, y, en general, latinos, debe de ser la idea de que, en cuestiones amorosas, es lícito engañar. En los pueblos del norte de Europa esta idea no existe, o, por lo menos, no existe con tanta

fuerza. Yo siempre he creído que engañar a un hombre o a una mujer es lo mismo; pero la mayoría de los españoles no lo creen así. Yo he oído a don Juan Valera contar historias, un poco verdes, de engaños hechos a mujeres, riéndose a carcajadas. A mí me ha parecido que engañar a una mujer, a un hombre, a un viejo o a un niño siempre es engañar. No se comprende cómo se puede hacer la distinción y decir:

—Este señor es un hidalgo, un caballero. Tiene palabras para los hombres, pero no para las mujeres.

Yo creo que en todo esto influye esa pequeña superchería literaria del eterno femenino. El eterno femenino no es más que la consecuencia de un repertorio amanerado, aceptado por la gran dama y por la criada.

El día que las mujeres crean a pie firme que entre una y otra no hay más diferencia espiritual que los sentimientos, la cultura, y no los aparatos y los dengues, se acaba el eterno femenino en la señora empingorotada y en la maritornes. La gran dama de Balzac es una comiquilla ridícula, un figurín recargado por la imaginación de un hombre febril y solitario. Cuando esa gran dama tiene un aire un poco trágico en la literatura balzaciana es una réplica de la mujer violenta y sombría de Shakespeare. Lo mismo se puede decir de las mujeres perversas de Barbey d'Aurevilly, que son francamente cursis; de las damas de D'Annunzio, de las de Oscar Wilde, de las de Huysmans y de la mujer fatal del cinematógrafo, que es la misma, disfrazada y con menos retórica.

Todas estas oscuridades, incoherencias y veladuras que forman el repertorio del eterno femenino y hacen de la mujer un producto extraordinario, ángel y serpiente al mismo tiempo,

se han producido por muchas causas.
Una de ellas, de las más importantes,
es la esclavitud.

La esclavitud, como todo, tiene sus
ventajas, aun para el esclavo. Seguramente, las circasianas, que se vendían hace años para los harenes de
Turquía, si no hubieran querido no
hubiesen sido vendidas; pero seguramente pensaban que por la venta podían terminar en pobres siervas, pero también en favoritas y en princesas.

La religión, sobre todo el catolicismo, ha colaborado en la hipocresía
femenina. Ya de la Biblia viene la idea
semítica de la mujer peligrosa y fatal. El catolicismo, con la confesión y
las restricciones y reservas mentales,
ha complicado esta idea, y le ha dado más perspectivas y más oscuridades. El confesor católico es la claridad en la oscuridad; un calamar que,
después de ennegrecer el agua, la analiza con el microscopio.

Si no fuera así, ¿cómo se puede
pensar que una reina como María
Luisa, la mujer de Carlos IV, mujer
casi de burdel, tuviera un confesor
como el padre Almaraz, que le diera
la absolución a cada paso, y que hiciera lo mismo el padre Claret, al que
han canonizado o van a canonizar,
con Isabel II?

Un cura, persona sencilla, con un
poco de espíritu cristiano, hubiera dicho a cualquiera de estas dos mujeres, si hubiera sido su confesor:

—Señora: La vida desordenada que
Su Majestad lleva no es una vida de
persona religiosa, y Su Majestad se
enmienda, o si no yo aquí sobro.

Esto sería lo natural; pero con el
repertorio aceptado del eterno femenino, inspirado por el catolicismo, lo
natural es precisamente lo no natural,
y lo claro es lo oscuro.

En la literatura del siglo XIX se encuentran representados cientos de casos del hombre que abandona a la
mujer joven por una dama más vieja y corrida. Entonces el autor, con
un aire de unción un poco cómico,
para explicar el caso inventado por
él, habla de la perversidad.

Pero ¿qué perversidad? Todas las
perversidades del hombre se pueden
catalogar en media hoja de papel de
fumar, y las conocen, al menos de
oídas, los chicos de catorce años.

Los esfuerzos de Freud, de André
Gide y compañía de poetizar las aberraciones son baldíos. Es como si quisieran pegar unas alas a los cerditos
y echarlos a volar.

Nada de eso tiene importancia. Es
Teología. La idea de que los homose-
xuales son gente terrible y genial es
ridícula. La mayoría son unos pobres
desdichados, buenos creyentes y hasta conservadores.

La mujer monstruo ha llenado de
viento y de retórica la cabeza de los
escritores, y, a fuerza de jalearla y de
incensarla, han creído en ella como en
una realidad. Si uno se acerca con un
poco de espíritu crítico a una mujer
así, ve que es un conjunto de lugares
comunes, de frases hechas para salir
del paso y que, en general, no sabe
nada de nada. No hay en ellas más
que apariencia.

La señora comunicante mía asegura que la mujer de hoy tiene el propósito firme de emanciparse moral y
materialmente.

He aquí una cosa en la cual yo no
creo. Yo no veo esa intención. Las
mujeres españolas quieren obtener
ventajas, pero no parecen dispuestas
a sacrificar las tretas del eterno femenino. Si no sacrifican eso, no hay
posibilidad de buena inteligencia con
el hombre.

Las mujeres tendrán que liquidar
y renunciar a las ventajas de la es-

clavitud, es decir, a la pequeña mentira, a la pequeña perfidia, etc. Mientras quieran gozar de esas prerrogativas, no podrán tener el gran lujo de la veracidad. La veracidad no se adquiere más que por el sacrificio.

La veracidad y la justicia, que vienen con ella aparejada, no puede permitir superioridades falsas, y la mujer que no las quiera para las demás no las debe aceptar para ella.

El tener posición social, automóvil, trajes, joyas, todo esto es adjetivo; si la mujer quiere considerarlo propio, privativo suyo, y, además, envolverse en una nube poética, las otras harán igual, y entonces la claridad, la crítica, y con la claridad y la crítica el cambio, es imposible. Quedará la vida femenina dominada por la suerte, como ahora y antes. Yo sospecho que a la mayoría de las mujeres, y, sobre todo, a las españolas, les gusta más la idea de la fortuna que la del trabajo y la del mérito.

Siglos de merecimiento
trueco a puntos de ventura,

decía un dramaturgo castellano del siglo XVII.

No parece que las mujeres quieran llevar el libre examen a sus asuntos. Les gusta todavía la comedia antigua, burlar la vigilancia del padre y del hermano y oír los piropos de la calle, aunque estén catalogados como chistes de almanaque desde tiempos casi prehistóricos.

Yo creo que si ellas quisieran acabarían con todo eso en seguida. Pero ¿lo quieren de verdad? Es muy problemático. ¿Les conviene en el momento actual? También es muy dudoso. Es evidente que en la España actual hay muy poca cultura en los hombres; pero la incultura de las mujeres es mucho mayor, y, además, pre-

tende tener un aire de ligereza y de gracia. Claro que una mujer puede ser inculta y enormemente agradable, pero un atractivo fuerte no es una cosa ordinaria. La mujer que tiene un encanto así, con saber leer y escribir y las cuatro reglas, le basta y le sobra.

Cuando una mujer no tiene estas dotes de atracción extraordinarias, tiene que defenderse de otra manera, y si es mediocre y su cultura es también mediocre, no se defiende. Yo he oído entre mujeres de la burguesía frases tan profundas como éstas:

—Yo, en lo primero que me fijo en un hombre es en el calzado.

—Para mí, lo primero en un hombre es que sepa vestir.

—Yo no puedo con un hombre que no lleve bien la corbata.

Es posible que me haya desviado un tanto del motivo principal de esta divagación.

Para mí, las mujeres españolas no hacen el esfuerzo que la señora comunicante supone que hacen para emanciparse intelectual y moralmente. Si lo hicieran, creo que triunfarían.

Hay que jugar limpio o con trampas. Para jugar limpio, no hay que hacer trampa ninguna, ni pequeña ni grande; pero si se hacen trampas, no se puede pedir limpieza en el juego al adversario.

Es lo que ocurre ahora con el juego amoroso, con la lucha de sexos. Se juega siempre sucio. El uno engaña, la otra también. ¿Cómo exigir lealtad en el adversario o compañero?

Otra segunda cuestión de importancia sería el saber si después de una real emancipación femenina se podría llegar a un acuerdo entre los sexos.

Yo, en el fondo, creo que no. En la sociedad, y de una manera natural, justa y equitativa, no ha quedado nada resuelto. Sometiendo unos elementos a otros, sí; entonces es fácil la armonía. Actualmente no cabe duda de que la familia comienza a desmoronarse. No se sabe cómo terminará. Pero supongamos que hubiera una reacción en un sentido tradicionalista y se pudiera imponer por decreto. La mujer obedecerá siempre al marido; los hijos obedecerán siempre a los padres; los criados, a los amos.

Realizado esto, la familia de nuevo estaría consolidada. Pero ¿y después? ¿Si el marido era un imbécil y la mujer no? ¿Y si el hijo tenía más sentido que el padre? ¿Y si los criados eran más inteligentes que los amos?

En casi todo lo social pasa lo mismo. Estamos en un callejón sin salida. En un extremo hay un orden, una norma, dura, un poco estúpida, vulgar, deficiente, que permite la vida; y en el otro extremo, una utopía más bonita, más luminosa, con la cual no se puede vivir.

El hombre, como una rata metida en un sumidero, va de la norma a la utopía y de la utopía a la norma, sin poder encontrar otras salidas y sin resolver nunca nada.

FIN DE «VITRINA PINTORESCA»

ENSAYOS

RAPSODIAS

1936

ENSAYOS

*

RAPSODIAS

1936

LA FORMACION PSICOLOGICA DE UN ESCRITOR

(DISCURSO DE INGRESO EN LA ACADEMIA ESPAÑOLA)

SEÑORES académicos:

Yo siempre he sido considerado como el escritor de la calle, sin la formación necesaria ni los conocimientos suficientes para ingresar en centros académicos. Esta idea respecto a mí es cierta; no me he dedicado a estudiar las bellezas posibles del idioma, porque no creía mucho en ellas. Mi cuidado principal ha sido el expresar con claridad mis ideas y mis sensaciones.

Para mí, la perfección de la forma literaria no puede proceder de un esfuerzo aislado, personal, sino de una labor colectiva de siglos. Así sucede que en los países donde la lengua está muy trabajada, como en Francia, todas las personas cultas escriben correctamente.

No he sentido nunca la necesidad de más palabras para expresarme en castellano; lo que sí he echado muchas veces de menos ha sido la claridad y la precisión. Esas palabras que chillan, y cuyo empleo para algunos constituye el desiderátum de la literatura, a mí me producen más bien efecto desagradable y grotesco.

Un idioma en el momento de su gé-nesis permite, y quizá exija, una labor seleccionadora; cuando este idioma se ha perfeccionado y es ya una lengua literaria, la selección huelga para el escritor que no es un técnico. Está hecha por sus antecesores.

Se puede, por huir de la corriente, buscar en las palabras un sentido pictórico o musical. Ello me parece un trabajo baldío.

A mí, al menos, la palabra me ha interesado principalmente como signo. No oigo la prosa; sólo en el verso me atrae el ritmo y la sonoridad. Siendo la música tan rica en el arte de los sonidos y la literatura a su lado tan pobre, no vale, indudablemente, la pena de intentar realizar con palabras lo que se consigue con perfección con las notas.

Aunque yo no me crea con especiales condiciones para el cargo, agradezco los sufragios de los académicos al darme un puesto entre personas de más cultura literaria que yo. Intentaré laborar con ellas si me encuentro en condiciones favorables para hacerlo.

No tengo la preparación necesaria para dedicarme a estudios gramaticales, filológicos o lingüísticos. En el campo de la literatura técnica no estoy en el grupo de los sabios, sino en el de los legos. Algunos me han acusado de escritor de suburbio, y no digo que ello no sea cierto.

Yo estudié Medicina en mi juventud bastante mal, como se estudia casi siempre, y tengo algunos rudimentos de Patología y de Fisiología, ciencia esta última para mí muy atractiva, y, en cambio, de latín, de griego y de Humanidades no poseo estas nociones. Por no tener, no tengo tampoco un dogma estético, firme e inmutable. Me considero, dentro de la literatura, como hombre sin normas, a campo traviesa, un poco a la buena de Dios.

La falta de dirección y el desconocimiento de las lenguas clásicas y de las Humanidades me induce a descartar todo tema erudito o científico para mi discurso.

Desconfío de mi cultura literaria, un poco de acarreo, pues no ha tenido el desarrollo lento y seguro necesario para su firmeza y su fecundidad.

En una institución como la Academia Española, en donde se han dado casos, y se dan, de ciencia literaria e histórica portentosa como el del actual director, don Ramón Menéndez Pidal, presentarme con un estudio hecho a la ligera me parece un poco denigrante.

Me gustaría más que lo que he escrito sumergirme en un trabajo de compulsa de datos; pero no tengo medios ni tiempo de hacerlo. Ha pasado uno la juventud en un veraneo de cigarra y a la vejez le queda el ejercer de hormiga literaria para vivir. No lo digo por lamentarme, sino para justificarme. Por otra parte, no debe intentar uno más que aquello que pueda hacer medianamente.

Había pensado en hablar de la juventud de mi tiempo; pero tal desconfianza siento al referirme y al comentar hechos generales, quizá no bien conocidos por mí, que he derivado a ocuparme únicamente de mi juventud. En este tema no me pueden faltar datos ni encontrarme con una frase en latín, difícil de traducir. No creo que la tendencia a lo autobiográfico indique siempre vanidad o egolatría.

Al querer hablar de la juventud de mi tiempo comenzaba a referirme, sin proponérmelo de antemano, más a la mía que a la de los demás, y me desenmascaré ante mis ojos.

El objetivismo es una ilusión. Sólo la estadística puede ser objetiva e imparcial, y aún no lo es del todo. Faltan casi siempre datos para un estudio documentado, sobran ideas preconcebidas, y el espectador, cronista o como se le quiera llamar de la época, no es un espejo perfecto y sin nubes. No refleja siempre con exactitud las imágenes. Todos las deformamos queriendo o sin querer.

Esa es la razón por la cual muchos no creemos en el peligro del realismo en el arte. El realismo de un autor no se parece en nada al del otro. Probablemente, *el Greco*, Velázquez, Zurbarán o Goya pensaban al pintar seguir con fidelidad con el pincel la línea del modelo, y, sin embargo, eran tan personales como podían serlo los pintores considerados más idealistas.

No hay realismo absoluto, no hay objetivismo en el arte, no lo puede haber, y el escritor o el pintor considerados como objetivos y serenos interpretan y estilizan como los demás artistas.

Con todo el cargamento de pasiones, de antipatías y de simpatías, paso a hablar de mi juventud y a ponerla, en parte, como sujeto de estudio en la mesa de disección. No me cegará el espejismo de lo pretérito, no siento esta nostalgia; no me parece que cualquier tiempo pasado fue mejor. No creo que el sol de mis años juveniles fuera más alegre que el de ahora ni que la vida tuviese más intensidad ni más gracia. Unicamente las formas varían en esos períodos de tiempo largos para las personas y pequeños para los pueblos.

El hombre cambia al hacerse viejo; se le va palideciendo y ensombreciendo el ambiente, se le reduce y achica el porvenir. Muchas veces este fenómeno interno lo llega a considerar como externo y a proyectarlo hacia afuera.

Lo que le interesaba al hombre de hace cincuenta años como nuevo y curioso no le interesa al de hoy; pero quizá le vuelva a interesar al de dentro de un siglo. Probablemente no se mejora y se cambia solamente el gusto.

Hasta en los autores predilectos del público ocurre algo parecido a una variación y a un retorno; en cada época se les encuentra una excelencia distinta, y si en un tiempo se alaba a un escritor ilustre por su gracia, en otro se le considera por su melancolía, por su intención psicológica o por sus conocimientos geográficos. Todo ello indica una limitación fundamental del espíritu del hombre. Nadie puede abarcar todo lo humano, y, naturalmente, menos lo cósmico.

Se puede y se debe aceptar la limitación propia como un hecho que se da desde el blastodermo hasta la vejez. Ello no me parece intransigencia. Insistir en la no comprensión, trazar los límites de la limitación, cuando ésta existe, y existe siempre, no es una prueba de tozudez ni de barbarie, sino de sinceridad y de espíritu crítico.

Dentro de mi limitación peculiar

supongo que todo lo que se conoce bien y se puede contar con alguna sinceridad y claridad puede tener cierto interés de documento. Supongo también que algún interés puede ofrecer la vida mía, no por ser la de un señor con nombre y apellido, sino por ser una de tantas de una época crítica de España, en la cual se da como fenómeno sintomático el fracaso de la juventud. Es éste signo de épocas decadentes; en las heroicas sucede lo contrario: los jóvenes triunfan y mandan.

El echar una mirada hacia atrás, el ver el camino recorrido, el ir fijando las pequeñas evoluciones de un espíritu, puede tener alguna sugestión.

Voy a señalar una serie de hechos y algunos comentarios al margen; por un lado, la dirección de una vida, y por otro, las divagaciones que engendra su carácter.

Mi discurso se podría llamar con dos títulos, a estilo de novela por entregas. La formación psicológica de un escritor o la experiencia de una vida.

En mí esta preocupación de la vida pasada, este pensamiento crítico acerca de la juventud, comienza a ser un tópico.

Se repite uno; pero ¿qué va a hacer el viejo sino repetirse? Renovarse es una fantasía. No hay posibilidad de renovación preconcebida. Por otra parte, nadie se repite del todo. «Nadie se baña en el mismo río dos veces—dice Heráclito—, porque todo cambia incesantemente en el río y en el que se baña.»

El tema de la formación psicológica de un escritor y el recuerdo de la juventud me acerca a hablar de mi antecesor, don Leopoldo Cano.

No tengo idea de su persona. Ello para mí hubiera sido importante. La impresión directa me ha parecido siempre decisiva. No llegué a hablar a Cano. Le vi de cerca solamente, una vez en la Puerta del Sol. Marchaba yo con mi padre. Mi padre le conocía y le saludó, y estuvieron hablando los dos un momento.

—¿Quién es?—pregunté yo después a mi padre.

—Leopoldo Cano.

—¿Y de qué hablaba?

—Hablaba de sus obras, y ha dicho: «Empiezo a creer que sólo los que hemos estudiado Matemáticas sabemos hacer dramas.»

—¿Y por qué decía eso?

—Supongo que se refería a Echegaray y a él.

No puedo hablar de don Leopoldo Cano por sus obras vistas en escena, sino por sus obras leídas, y leídas hace poco. No vi representadas las comedias suyas en su tiempo, tiempo que fue el de mi juventud.

La mayoría de los estudiantes de mi época éramos gente de muy poco dinero. No hacíamos vida social ni literaria, no nos asomábamos a los teatros grandes, sólo íbamos algún domingo por la tarde a teatros pequeños y no asistíamos a estrenos de obras importantes.

Estábamos en esto a la altura de los menestrales y de los dependientes de comercio. No tengo, pues, una impresión directa de las obras de Cano en su ambiente, sino una impresión de lector tardío.

Pertenece Leopoldo Cano al grupo de los nuevos románticos iniciado poco después de la revolución de septiembre. El representante más típico de este grupo fue Echegaray. Figuraban en él Sellés, Cano y, en cierto modo y como epígono, Dicenta.

Echegaray era un discípulo de Dumas padre. Este mulato fecundo, Eurípides de bulevar, falso, truculento y efectista, tuvo en todas partes admiradores y secuaces. Los procedimientos de Dumas padre pasaron a Echegaray y a sus discípulos.

El nuevo romanticismo de Echegaray, Sellés y Cano venía tras de la labor realista de Bretón de los Herreros, llena de vivacidad, de gracia y de picardía, y de sus continuadores. No podían tener los neorrománticos los ímpetus y la audacia de sus antecesores del principio del siglo; pretendían defenderse con una mayor observación, con más fidelidad en las descripciones de los tipos y de las costumbres.

Los detalles realistas abundaban en las obras de estos autores. Eran detalles realistas imaginados, no vistos y vividos. Ese es el detalle del melodrama: hace efecto y deja simultáneamente en el espectador una sospecha de truco y de juego de prestidigitación.

Estos tres dramaturgos: Echagaray, Sellés y Cano, se sentían revolucionarios. ¿Lo eran de verdad? ¡Quién lo sabe! ¿Se puede ser revolucionario teniendo un alto destino? Es difícil. Para los que éramos, hace años, partidarios del filósofo inglés, hoy sin prosélitos, del individuo contra el Estado, esa posición era falsa. Hoy los comunistas nos tachan a los que creíamos y practicábamos esta teoría del alejamiento de reaccionarios y de pequeños burgueses, porque ellos consideran que se debe vivir del Estado y para el Estado. En cambio, para nosotros, individualistas, su teoría no es más que una defensa del parasitismo.

Todos estos dramaturgos de la época tenían un propósito revolucionario a su modo. Ello se advierte en obras como *El gran galeoto* y en *Locura o santidad*, de Echegaray, y en las comedias de Cano *La opinión pública* y *La Pasionaria*.

Si algo distingue a este autor de los demás, es su vena de poeta satírico, su acritud y su patriotismo. Por la construcción de sus comedias no es, sin duda, el primero de los tres de su período literario; por la intención de las frases, sí.

Con Echegaray sostuve una larga conversación una noche en casa de Sorolla, ya en su vejez, y me sorprendió su ingenuidad y su candor. Con Dicenta hablé y discutí varias veces. Era hombre de escaso sentido crítico. Sellés, a quien conocí, hablaba poco. Con Leopoldo Cano, como decía, no llegué nunca a conversar. Echegaray y Dicenta tenían un drama como una batalla contra el público o contra cierta parte del público, en la cual se podían emplear toda clase de recursos, toda clase de trucos. Los dos autores consideraban su fraseología social como algo ya realizado al ser aplaudido. La obra impresa de Echegaray le interesaba muy poco, casi nada. No pretendo ser un buen juez de comedias y de dramas, no he tenido gran afición por el teatro. Probablemente falta de afición significa falta de condiciones. Estos juicios míos los expongo con poca seguridad y a beneficio de inventario.

OPTIMISMO E IDEAL

Yo estoy considerado como un escritor de visión un poco negra. No creo ser un pesimista sistemático, tampoco un optimista. El pesimismo o el optimismo lo llevamos cada uno en el cerebro y en los nervios; querer hacer un balance de placeres y de dolores de la vida a estilo de Schopenhauer es una pobre e inútil estadística. ¿Qué enseñanza puede dar esto? Ninguna. Cuando se intenta representar el mundo tal como se ha visto con los propios ojos, muchos replican: «Es una visión fragmentaria de la vida. Falta el ideal.» Pero el ideal no lo inventa un individuo aislado. El ideal lo da, creo yo, la colectividad. Si en la colectividad no existe un ideal político o religioso, es difícil o imposible que lo haya en el individuo.

Para muchos el ideal va siempre unido a un candoroso optimismo. Hay muchas clases de optimismos: unos, respetables; otros, cómicos. En una capital de provincia de clima muy extremado, un profesor del Instituto nos decía a varios turistas y a mí muy en serio:

—Antes este pueblo se ponía en evidencia con sus temperaturas extremas; pero desde que yo estoy al cuidado del Observatorio no pasa eso.

El optimismo de la falsificación y de la mentira entusiasma a mucha gente. A mí no me ha entusiasmado nunca, aunque esté envuelto en una retórica fastuosa.

Al llegar aquí en mi disertación noto el carácter divagatorio que tienen todas las mías, y que ya no puedo refrenar fácilmente.

RASGOS DE CARÁCTER

Yo, de chico, era un tanto pesado de inteligencia, con una comprensión de ritmo lento, con poca o ninguna condición para lucirme. En la infancia tenía una buena memoria de cosas vistas, pero mala para palabras oídas. Después, de hombre, me ha pasado lo mismo. A veces me ha ocurrido conocer a una persona en un pueblo del extranjero, por tenerle al lado en un café, y al cabo de diez o doce años reconocerle y decir: «Este es aquel a quien solía ver hace mucho tiempo aquí o allá.» Una condición de fisonomista así, ciertamente, no sirve para nada.

No pienso haber tenido otras facultades señaladas más que la buena vista y el buen oído. En lo demás era de una perfecta mediocridad, se tratara de Historia, de literatura o de Matemáticas.

Los profesores tuvieron para mí predicciones poco halagüeñas. «Este es un cazurro», dijo uno. «No será nunca nada», profetizó otro.

Indudablemente, he sido siempre poca cosa.

Sentí en la juventud cierto entusiasmo por la verdad, después exagerado y convertido en norma de la existencia y del juicio. No pensaba de joven consagrar la vida a la verdad, convirtiendo esta frase de Juvenal en lema doctrinario; pero sí pensaba que, fuera de la verdad, no podía haber ciencia ni arte ni satisfacción interior.

La frase de Protágoras leída por mí ya en la edad madura en las *Vidas de los filósofos ilustres*, de Diógenes Laercio, me pareció de una gran exactitud: «El hombre es la medida de todas las cosas; de las que existen como existentes, de las que no existen como no existentes.»

Yo hubiera aceptado como lema: La verdad, siempre; el sueño, a veces. La verdad como verdad, base de la vida y de la ciencia; la fantasía y el sueño en su esfera.

Este entusiasmo por lo verídico y la antipatía por el fraude constante terminan, a la larga, en la misantropía; el otro camino, el de la contemporización, conduce a la hipocresía y a la vulgaridad.

Para manejarse bien es necesario un fondo de malicia, de sindéresis y de energía.

Yo no lo he sabido tener.

«La vida humana es como un juego de dados —ha dicho Terencio—. Si no se obtiene el dado que se necesita, hay que saber sacar partido de aquel que nos ha caído en suerte.»

La empresa exige una habilidad no común a todos. Hay hombres que poseen desde niños el sentido de la orientación. Como las aves tienen ese centro misterioso del caracol del oído interno que las dirige, ellos tienen algo parecido. Otros no poseen esta especie de brújula.

El hombre joven sin este instinto maravilloso se agita siempre torpemente en el momento que no domina y en la ansiedad del porvenir que no conoce. Cuando faltan habilidad y constancia y una trayectoria definida, a la torpeza natural se une la tendencia a la distracción y a la divagación. En ese caso es muy difícil aprovechar el tiempo. Se ignora el camino.

La falta de esa dirección interior impulsa a inventar pequeñas supercherías para tranquilizarse y legitimarse. El individuo tiende siempre a creerse un ejemplar único de la especie humana por sus cualidades y hasta por sus defectos. Quizá esta idea sea necesaria para vivir. Si cada hombre tuviera una idea exacta de su valor, el mundo se agitaría en la más completa desesperación.

En la adolescencia se está ante la vida con la ansiedad del espectador que asiste por primera vez a una función de teatro. «¿Qué pasará al levantarse el telón?», se pregunta. Va a contemplar cosas extraordinarias a la luz de las candilejas.

Transcurrido el tiempo, se sospecha si las pocas combinaciones conocidas serán las únicas; si no pasará nada nuevo. La idea es perfectamente triste.

También en la juventud se anda buscando, alocado e inquieto, una norma o una medida exacta para los hombres y para los acontecimientos, hasta que se llega a pensar si no habrá tal norma ni tal medida.

La buena suerte hace creer en las normas y en las medidas casi exactas, como la salud hace pensar al que la posee que son sus costumbres y sus conocimientos higiénicos los que le proporcionan tal beneficio.

El hombre de mala suerte o de mala salud se desmoraliza y se hace fatalista y pesimista.

Entonces muchos se preguntan, como Segismundo, dirigiéndose a los cielos:

> *¿Qué delito cometí*
> *contra vosotros naciendo?*

A esta pregunta nadie contestará con la afirmación del héroe calderoniano:

> *Pues el delito mayor*
> *del hombre es haber nacido.*

No puede considerar el hombre de hoy un delito el haber nacido. Podrá serlo de sus padres, si acaso; pero no el suyo. La idea de un pecado original es muy fantástica para nuestro tiempo.

En mi juventud yo no quería creer que si la vida presentaba más dolores que placeres, esto podía significar que estaba irremisiblemente perdida. No. Lo que consideraba indispensable era emplear la actividad en algo que no fuera sólo el cuidado de los pequeños asuntos cotidianos. Tal pretensión se llama por algunos romanticismo, locura.

La vida es como un viaje de funámbulo en la cuerda floja y sobre el abismo insondable. Tiene sentido cuando se rige por el instinto y por la pasión. Cuando pretende ser completamente consciente es cuando comienza a parecer rota, inconexa, contradictoria y hasta cómica.

Hecho tan viejo está representado en la Biblia por el simbolismo del árbol de la ciencia y el árbol de la vida y por la frase del *Ecclesiastés:* «Quien añade ciencia añade dolor.»

En la mocedad no puede existir el tener sólo motivos racionales e intelectuales, y es lógico que el hombre se sienta solicitado por apetitos y por instintos.

Estas solicitaciones, estas atracciones, que para los hindúes forman la mentira de la existencia, son el velo esplendoroso y lleno de colores de la ilusión que ellos denominan Maya. Tras el velo se ocultan las miserias y las enfermedades del tráfago de la vida.

Quizá esto no importe gran cosa. Vivir el momento con alegría es mucho. Con un doctrinarismo fatal pesimista se puede encontrar la vida absurda si se quiere medirla con un sentido crítico absoluto. Yo creía de joven que el vivir, si no alegre, sería siempre digno del esfuerzo si se hallaba animado por la acción y hasta por la violencia.

Ciertamente, no me preocupaba en la juventud la idea de si la vida era buena o mala; mi deseo consistía en emplearla en algo inmediato, en algo de acción y, en parte, de peligro. El vivir por vivir no me satisfacía.

Recuerdo que hice al acabar la carrera una Memoria, bastante mala, en el doctorado de Medicina sobre el dolor. Defendía que la vida normal daba una sensación de indiferencia ni dolorosa ni placentera.

El doctor San Martín, que estaba entre los examinadores, me preguntó:

—Pero ¿usted no cree que andar, respirar, tomar el sol, es un placer?

—Para mí no lo es—le respondí yo—. Los días que no tengo más que esas ocupaciones de andar, respirar y tomar el sol prefiero pasarlos dormido.

El no sentir una afición marcada más que a vivir con alguna energía es una mala condición en tiempos pacíficos, en los cuales no pasa ni puede pasar nada ni hay lugar para los aventureros.

Este entusiasmo por las acciones violentas nacía en mí del temperamento y de la imaginación y de no tener ni desde chico ideas trascendentales ultraterrenas.

Llevaba, no sé por qué, dentro de mí un germen de pirronismo para todo lo que fueran idilios y dulzuras místicas.

Gracián dice, refiriéndose al hombre: «A oscuras llega y aun a ciegas quien comienza a vivir sin advertir que vive y sin saber qué es vivir.»

Luego añade:

«Bien supo la Naturaleza lo que hizo y mal el hombre lo que aceptó.»

El hombre no aceptó nada. En estas frases se nota la habilidad del escritor jesuita y su hipocresía, porque unas veces dice la Naturaleza cuando el sino es adverso, y otras Dios cuando no lo es tanto.

No sabemos aprovechar bien los momentos buenos que nos da la existencia, y casi siempre los estropeamos, sobre todo en la juventud. El hombre hace como el niño: rompe el juguete que le divierte y luego se lamenta de haberlo inutilizado.

La vida es lo trascendental del hombre hasta que se acaba. Cuando se acaba, nada: todos los recuerdos, todas las glorias póstumas, no valen lo que vale un pedazo de pan para el hambriento.

Alejandro de Macedonia y su mozo de mulas, muertos, tienen la misma condición: o devueltos al principio generador de todos los seres del mundo, o dispersados en átomos, dice Marco Aurelio.

El tumulto de la existencia turbulenta me atraía profundamente en la juventud; pero ¿dónde encontrarlo? En esa época me hubiera gustado tomar parte en acontecimientos extraordinarios, en empresas difíciles. Sin tener una idea filosófica clara, me figuraba que la acción, la aventura, la guerra debían de ser una de las cosas más dignas del hombre. Si el caballo no era bueno, el jinete se creía valiente, o, por lo menos, quería serlo. Deseaba que me pasaran cosas fuertes; pensaba que tendría energía para soportarlas.

En una acción rápida y de cierta importancia yo pensaba que sabría quedar bien; en cambio, sospechaba fallar en situaciones en que se necesitase un ánimo constante y persistente.

Se comprende que un soldado se desmoralice con más facilidad en la guarnición que en la guerra.

A mí me hubiera gustado tomar parte en acontecimientos violentos; tener un aprendizaje de lucha y de peligro para probar el temple de mi espíritu: hacer viajes, exploraciones, y, a poder ser, conocer la guerra. ¿Dónde estaba la vida violenta? En todo lo que había a mi alrededor yo no veía más que estancamiento y gusto por lo sedentario.

En esas épocas estrechas, encanijadas y retóricas, tener cierta tendencia turbulenta es una desgracia. La fuerza que intenta desbordarse produce el repliegue sobre sí misma como el de un caracol asustado en su concha.

El observador superficial piensa: «A este hombre le falta energía, pasión, y muchas veces le sobra»; lo que le falta es táctica y persistencia.

Es mucho más difícil tener un espíritu de continuidad que un ímpetu pasajero. El que no tiene ese espíritu de continuidad se estrella. Perder teniendo como enemigo al tiempo neutro e indiferente es aniquilador. Tras de las ilusiones de la actividad perdidas se puede pasar de joven lleno de anhelos de todas clases y casi sin transición a hombre melancólico y a viejo sombrío y apagado.

En parte, no se pierde mucho. En la vejez hay también sus compensaciones. El aburrimiento es menor que en la juventud; no hay deseos, no hay prisas. En la juventud se pasa de la inquietud al fastidio; son como los dos extremos en que oscila el péndulo de la existencia del joven. En el viejo, si no la ataraxia, hay un comienzo de tranquilidad.

Mis ideas en la juventud respecto a la acción y a la moral eran un tanto exageradas y doctrinarias. Aspiraba a que la vida fuese principalmente limpia. Mentir, engañar, intrigar, me parecía entonces y me parece ahora poco digno.

Cuando oía hablar de las impurezas de la realidad como algo necesario protestaba interiormente. «La realidad no puede ser impura—me decía—; será bárbara, cruel, pero no impura. Lo impuro es la hipocresía.» Ese dualismo de la casa limpia y de la calle sucia no lo aceptaba de buen grado. Pretendía un juego leal, y me preguntaba: «¿No es quitarle todo aliciente al juego el hacer trampas?»

Gracián dice: «El jugar a juego descubierto no es de utilidad ni de gusto.» A mí me parece lo contrario.

También afirma el escritor jesuita: «Sin mentir, no decir todas las verdades, y antes loco con todos que cuerdo a solas.»

Yo, por exageración de puritanismo, hubiera transformado la frase y hubiera dicho:

«Aun mintiendo, decir todas las verdades. Y antes loco solo que cuerdo con todos.»

Después he sospechado si el entusiasmo excesivo por la verdad será falta de sentido social e inapetencia para la convivencia humana.

Al hombre ansioso de la verdad le queda como un puritanismo indisoluble, muy perjudicial a la larga.

En España y en los demás países latinos hay como un dualismo para todo en la literatura y en la vida corriente: espíritu y materia, realismo e idealismo, forma y fondo: Don Quijote y Sancho.

Algunos no hemos sentido ese dualismo pragmático y maniqueo, sino más bien una tendencia de monismo o de panteísmo biológico y moral, uno e indivisible. Quizá esa tendencia nos ha hecho marchar de tropiezo en tropiezo y de tumbo en tumbo.

La visión dualista de las cosas materiales o espirituales no es completa desde un punto de vista filosófico. Lo mismo pueden presentar estas cosas dos aspectos que tres o que diez. Seguramente presentarán más facetas a medida de la mayor comprensión del observador.

El dualismo en la existencia cotidiana tiene un aire de contemporización y de hipocresía. Actitud galante con la mujer, si es guapa y rica; ordinariez y desdén, si es fea y pobre; generosidad con el fuerte, mezquindad con el débil, respeto por el viejo prócer y desprecio por el viejo desdichado.

«Conocer los afortunados para la elección y los desdichados para la fuga—dice Gracián, y añade—: Nunca por la compasión del infeliz se ha de incurrir en la desgracia del afortunado.»

Todas estas frases de aire anticristiano nacen del dualismo moralista.

INFANCIA

De la infancia recuerdo vagamente el bombardeo de San Sebastián por los carlistas cuando vivía con mi familia en un hotel del paseo de la Concha y nos refugiábamos en el sótano por las granadas. También recuerdo el haber visto un cementerio abandonado, próximo a nuestra casa, con algunos cadáveres de soldados todavía con uniforme.

Después, ya pasada la guerra, al salir de la escuela, correteábamos por el puerto y saltábamos a las gabarras y a las lanchas. El domingo y los días de fiesta íbamos con mi madre al castillo, al Macho, al paseo de los Curas y a la batería de las Damas.

Por aquellos días, en la vecindad, en una casa del pueblo viejo, en el piso de encima del nuestro, donde vivía un matrimonio sin hijos, se desarrolló un drama que quedó truncado. El matrimonio comenzó a tener síntomas de envenenamiento. Hicieron cábalas de cuál podía ser la causa. Les asistía una mujer viuda. Se sospechó de esta mujer, criada o asistenta; la espiaron dos policías escondidos en la cocina, y la vieron entrar y echar unos polvos en la chocolatera. Los polvos eran un compuesto de mercurio. Se armó gran barullo en la casa. No se pudo averiguar qué motivo de odio tenía la envenenadora. Cuando la llevaron presa no se le ocurrió más que decir en vascuence: «Si lo hice, ya lo voy a pagar.»

Fue para mí aquella escena una entrada del folletín en la vida.

Otra de las impresiones grabadas en la memoria, con una gran energía, era la Nochebuena. Mi padre nos hacía un nacimiento con figuritas de papel, que a mí me gustaban mucho más que las de barro. Esa noche solían llegar los campesinos de los alrededores y cantaban en las escaleras de las casas villancicos en vascuence, acompañándose de panderos y de tambores. Al final de sus canciones, si les daban propina, comparaban a la dueña de la casa con la Virgen, y si no les daban nada, la llamaban vieja bruja.

Para mí era ésta una de las impresiones más fuertes de la primera infancia. Aquel tumulto, los chillidos en la escalera de la casa, las voces roncas, me daban la impresión de algo pánico y misterioso.

De San Sebastián fui a Madrid con mi familia. Yo tendría ocho o nueve años; mi padre era ingeniero de Minas, y estaba destinado al Instituto Geográfico y Estadístico. Vivíamos en la calle Real, más allá de la glorieta del Bilbao, calle hoy prolongación de la de Fuencarral. No me gustaba nada Madrid. Sobre todo, de noche me inquietaba; la calle, el gentío, me daban la impresión de algo siniestro y amenazador.

Enfrente de nuestra casa había un campo alto, no desmontado aún. Se llamaba en el barrio la era del Mico. Tenía una serie de columpios y de tiovivos. Las diversiones de la era del Mico vistas de lejos, las calesas y calesines, los coches fúnebres, que pasaban por la calle, eran el entretenimiento mío y de mis hermanos desde los balcones de la casa.

Con un intervalo muy corto, hubo por entonces dos ejecuciones: supongo que en el campo de Guardias, la de los regicidas Otero y Oliva Moncasi; debieron de pasar los reos por cerca de mi calle. Con este motivo oí yo, de chico, historias de verdugos, y vi vender la salve que cantan los presos al reo que está en capilla.

Una criada alcarreña nos contaba que a unos parientes suyos del pueblo les habían llevado a presidio por asaltar una casa. Mi madre decía, para tranquilizarnos:

—Aquí no podrían entrar, porque la puerta es fuerte, y, aunque arriba hay un montante, tiene rejas de hierro.

La criada replicaba:

—Estos hierros con un cortafríos se cortan en seguida.

Yo pensaba si el cortafríos sería algún aparato mágico y misterioso.

ADOLESCENCIA

De Madrid fui a Pamplona. Pamplona, en aquel tiempo, era un pueblo amurallado, cuyos puentes levadizos se alzaban al anochecer. Parte de la infancia y de la adolescencia la pasé en la capital navarra. Tenía esta ciudad un carácter un tanto medieval. Se cerraban las puertas de la muralla de noche y quedaban sólo dos abiertas; para salir había que contestar a la guardia de los portales, que daba el «¿Quién vive?»

Un amanecer marché con mi madre a la estación del tren para ir a las fiestas de un pueblo cercano. Mi padre nos acompañó. Al pasar por la puerta Nueva, el grito inesperado del centinela, que nos mandó parar, me hizo una gran impresión. Nos detuvimos delante del cuerpo de guardia y salimos por un arco al campo, en donde comenzaba a clarear.

Entre nosotros, los chicos, se desarrollaban una brutalidad y una violencia bárbaras.

Ahora, al pensar en ello, me sorprende. Quizá no tenía esto nada de raro. La mayoría de mis compañeros eran hijos o descendientes de voluntarios de la guerra civil, que tenían como norma de la vida la barbarie y la crueldad. Se hacían mil brutalidades: se rompían los faroles de las calles, se apedreaba a los chicos de otras cuadrillas o del Seminario, se tiraban piedras al palacio del obispo por un trozo de muralla que se llamaba el Redín.

Yo estuve un año en un colegio; luego me hice independiente, y estudié o no estudié, pero cursé el bachillerato en plena libertad.

Había en el pueblo un antiguo dómine a quien apodaban *Abadejo*. Daba lecciones de latín en su casa. A su mísera academia llamaban los alumnos la Vela. Sin duda funcionaba de noche. Yo no recuerdo si lo vi alguna vez o lo supongo, pero me figuro al dómine vestido de negro y con un gorro también negro en la cabeza.

Al entrar en el Instituto nuestra preocupación era ser calaveras y atrevidos. Ibamos a una churrería negra y llena de humo de la calle de la Curia, bebíamos aguardiente *mata ratas*, fumábamos, jugábamos los cuartos en los cafés y nos mostrábamos lo más fanfarrones posible.

Debíamos de parecer todos crías de don Félix de Montemar, *El estudiante de Salamanca*, de Espronceda. Había leído por entonces este poema, por eso lo recuerdo. Yo, como más que a don Félix, me hubiera gustado parecerme a Robinsón Crusoe, iba muchas veces al anochecer al paseo de la Taconera, me subía al árbol del Cuco, fumaba en pipa, lo que me mareaba, y soñaba en una isla desierta.

Hice también fantásticas excursiones por el tejado de casa y por el de las casas de los alrededores mirando los desvanes y asomándome a los patios.

Allí, en Pamplona, conocí de vista a tipos curiosos y célebres: a don José Zorrilla, que fue, según dijeron, a pedir dinero a casa de la señora del doctor Landa, de la familia de don Diego de León, que vivía en nuestra vecindad, en la calle Nueva; a un hermano de Maceo, que estaba deportado en la ciudadela, y a don Tirso Lacalle, *el Cojo de Cirauqui*, guerrillero liberal de la última guerra carlista. Conocí también a otras celebridades populares: a Gayarre, a Sarasate, a *Lagartijo* y a *Frascuelo*, pero éstos no me interesaban.

Una de las impresiones para mí de las más grandes fue el saber que un condiscípulo mío, al parecer voluntariamente, se había tirado de la muralla y había muerto destrozado al pie. Fuimos corriendo al lugar, y pudimos contemplar sus restos cubiertos con una manta.

Vi también pasar por delante de mi casa, en la calle Nueva, a un reo de muerte, a quien llevaban a ejecutar en la Vuelta del Castillo, ante un baluarte de la muralla próxima a la puerta de la Taconera. Iba el reo en un carro, vestido con una hopa amarilla con manchas rojas y un gorro redondo en la cabeza. Marchaba abrazado por varios curas, entre largas filas de disciplinantes con sus cirios amarillos en la mano. Cantaban éstos responsos mientras el verdugo caminaba a pie detrás del carro y tocaban a muerto las campanas de todas las iglesias de la ciudad. Luego, por la tarde, lleno de curiosidad, sabiendo que el agarrotado estaba todavía en el patíbulo, fuí solo a verle y estuve cerca contemplándolo. Al volver a casa no pude dormir, con la impresión, y el recuerdo me duró mucho tiempo.

En esa época de estudiante del bachillerato tenía yo, como los demás chicos, poco dinero; en las familias modestas se daban a los muchachos unos céntimos los domingos. A los cuatro o cinco años de estancia dejé Pamplona. No pude tener esas amistades comenzadas de niño, creadas lentamente y que a veces pueden resistir las diferencias de temperamento y de ideas que se manifiestan después con la edad. Al cambiar de sitio donde se vive, sobre todo en la infancia. se cambia también de amigos. Todo ello, con los años, va empujando al aislamiento y se tiende a sentirse entre la gente un solitario, si no como un verdadero Robinsón en su isla desierta, como un falso Robinsón en el árbol del Cuco.

DE ESTUDIANTE

En el período de estudiante yo no conocía la manera de estudiar, ni siquiera la de leer con provecho. Hay una manera de estudiar para lucirse en un examen, hay otra forma de estudio que nutre el espíritu. Yo no llegaba a poseer ninguna de las dos. Hubiera deseado practicar la primera, porque tenía, como he dicho, pocas condiciones para destacarme.

Que la enseñanza estuviera entonces hecha a base de trozos aprendidos de memoria, no puede chocar, en casi todas partes sucedía lo mismo; pero que a lo largo del Instituto y de la Facultad no se encontrara alguien capaz de inculcar unas ideas claras y fundamentales, parecía más raro. Así, se podían dar estudiantes, y yo los he conocido, que en el doctorado de Medicina no tuvieran un concepto de los cuerpos simples o no hubieran oído hablar jamás de la teoría de Copérnico.

La cultura fue en España en el siglo XIX muy deficiente. La antigua, a base de humanidades y de clásicos, se había eclipsado; la moderna, la científica, no llegó a tener una vida lozana.

La mayoría de los españoles no tienen la costumbre de leer libros. Hay lectores buenos y malos; los buenos son muy pocos. Yo, de joven, he leído siempre atropelladamente, saltando líneas, buscando el diálogo si se trataba de una obra novelesca. Sólo ya muy tarde he podido leer despacio, palabra por palabra.

Conocí a algunos muchachos a quienes pasaba lo mismo. No los volví a ver después; no sé si fueron del todo torpes o no. Se ve cómo la Pedagogía no se ha perfeccionado. Casi todas las cuestiones que preocupaban a Huarte de San Juan, y de las cuales habla en su *Examen de ingenios* en pleno siglo XVI, no se han resuelto aún.

El criterio para la educación moral no estaba ni está todavía resuelto. Habría que saber primero cuál es el fin de esa educación y después que la mayoría estuviera de acuerdo en él. Habría también que conocer procedimientos de eficacia psicológica hoy desconocidos.

La naturaleza moral, en el transcurso del niño al hombre, da grandes sorpresas.

Yo he conocido algunos jóvenes, atravesados, de malos instintos, embusteros, sin palabra, que al hacerse hombres y vivir en sociedad y trabajar, se han convertido, al menos en apariencia, en tipos normales y corrientes; en cambio, otros, naturalmente cándidos y bienintencionados de chicos, nos hemos ido agriando y haciéndonos esquinudos y atravesados con el trato social y con la vida.

No creo yo que el hombre sea definitivamente bueno ni malo. Los resortes de la ética se desconocen. Mientras no estén bien aclarados y no se sepa lo que influye en ellos, la Pedagogía será perfectamente inútil. Como el hombre es muy viejo en el planeta, quinientos mil, seiscientos mil años del período prechelense a hoy, según algunos antropólogos, tiene que haber entre los hombres actuales representantes de los períodos desde esa época acá. Tener para todos la misma pedagogía es un absurdo doctrinario.

La idea de la igualdad en la educación es consecuencia de las utopías modernas de los derechos del hombre y de otras proposiciones sentimentales poco científicas.

Uno de los fenómenos muy corrientes en el joven no atrevido y poco sociable, al menos en mí se dio, fue el quedar achicado con la fama de torpe y de no inteligente. La mala fama inicial le sigue al chico como la sombra. Esto pasa con frecuencia al que va a una tertulia y no sabe decir una palabra a tiempo, o, si la dice, es una inoportunidad. La pobre opinión dejada por primera vez le encoge el espíritu y luego no sabe borrar la impresión producida en los demás y conquistar un nuevo terreno. Es necesario cambiar de ambiente para sentirse un poco ágil.

A mí me pasó, en parte, esto. En las clases no supe decir la palabra a tiempo. Luego, ya mucho más tarde, en el terreno literario, fuí algo más feliz; demostré cierta tendencia intermitente. Dentro de cualquier disciplina científica hubiera actuado con la misma tenacidad intermitente puesta en la literatura; pero la literatura, en general, es un camino que se abre uno solo y sin medios, y la ciencia necesita medios y una ayuda adecuada en los primeros pasos.

Cuando cursaba Medicina sentía una vaga afición a la Fisiología; no sé si esta afición la hubiera podido desarrollar y conseguir que fructificase. De todos modos, no tuve medios de ver si mi afición podía desarrollarse o no. ¿A quién dirigirse? Si un estudiante le hubiera dicho al profesor: «Yo tengo afición a esto», el profe-

sor se hubiera reído o hubiese creído
una habilidad o una martingala.

LA PUBERTAD

El despertar de la pubertad en una
de nuestras ciudades levíticas era algo
grave. Lo seguirá siendo aún, seguramente, aunque quizá no tanto.

Al llegar a ese período hay que
inocular con varios virus para reaccionar normalmente; vacunarse para
las alegrías de la vida psíquica. Si se
resiste a estas inoculaciones se queda
uno inadaptado para siempre.

Muchos románticos, como si no hubiesen leído más que novelas de Biblioteca Rosa y hubiesen pasado la
vida metidos en un fanal, quieren
creer que los amores fáciles y alegres
asaltan al hombre en su juventud,
quien tiene que defenderse enérgicamente de ellos. Yo esto no lo he visto
en ninguna parte, y menos en España.
En mi tiempo había que ir al vicio
con más vocación, más energía y más
constancia que al trabajo. Los amores fáciles, al menos en España, son
literatura.

La pubertad no es edad alegre; es
edad de turbulencia y de tentación.
Se siente la sensualidad en el ambiente. Atrae el vicio o lo que se llama
vicio, y como hay pocos capaces de
marchar hacia él con valor, se buscan
las malas compañías. Así, nosotros
tendíamos a ir a cafés y a billares donde se reunían estudiantones y sargentos calaveras y a hacernos amigos de
ellos. Había que pasar por zonas fangosas para llegar después, según la
opinión, a un ambiente más limpio y
más tranquilo. Se necesitaban guio-
nes.

Probablemente aquellos compañeros, considerados como corridos, eran
tan tímidos como los demás; pero

fingían una seguridad, una habilidad
y una depravación que tampoco tenían.

Estas zonas fangosas de la juventud,
unos las atraviesan con pie firme;
otros, con pie tembloroso, según su
energía o su fuerza.

La sensualidad en la capital de provincia, un tanto clerical y levítica, vi-
braba en el ambiente. Se oían historias eróticas terribles y se creía el
mundo más sucio, más libidinoso de
lo que es.

Los días de Cuaresma, cuando las
mujeres iban de traje negro y mantilla a los ejercicios espirituales de alguna iglesia, y luego, en Semana Santa, a las procesiones, le parecían a uno
más bien sacerdotisas de un culto misterioso de Venus Afrodita que devo-
tas de un cristianismo severo y triste.
Este era el anverso atractivo de la
sensualidad.

A veces, al anochecer, se veía paseando por las afueras, como apesta-
das, a dos o tres mujeres pálidas,
acompañadas de una vieja, con una
mirada cínica y suspicaz. Este era el
reverso, la parte negra de la sensualidad. La iniciación en la vida erótica
era algo triste y repulsivo.

La actitud individual ante esos oscuros problemas de la pubertad era
distinta.

Hay gente que alimenta una llama
constante; otros arden de prisa y se
quedan pronto consumidos.

Nadie sabe si estos problemas de la
vida erótica se pueden resolver de una
manera limpia y decente; por ahora
no se vislumbra la solución. Muchos
creen que nada se puede cambiar;
otros toman por soluciones utopías
irrealizables.

La moral no debe estar en contra
de la Naturaleza, dicen esos utopis-
tas; pero lo que debe ser no nos
interesa tanto como lo que es, y por

ahora no hemos visto que la vida del individuo en sociedad esté basada íntegramente en la Naturaleza.

La ansiedad erótica nunca hubiera sido tan grande si la imaginación hubiera estado ocupada en algo intenso y fuerte en que pensar y realizar. Esto faltaba más que nada. La juventud se mueve como un péndulo entre la ansiedad y el fastidio, y el fastidio es consecuencia casi siempre de la inacción.

LA INACCIÓN Y LA REBELDÍA

La inacción es algo terrible para el joven. En la vejez, el no tener ocupaciones es a veces agradable y se puede dejarse vivir al sol como un animal o como una planta; pero cuando las fuerzas del organismo y del espíritu están en tensión al pensar: «Nada tengo que hacer», «No hay obra en que pueda colaborar», es algo desesperante. El comprender tal imposibilidad conduce a vivir con avidez en la vida refleja de la literatura.

Yo desconfío de los que actualmente no necesitan de esta vida, muchas veces falsa y perjudicial en la práctica. Si le oyera decir a César o a Hernán Cortés: «No he leído novelas», diría: «Es evidente, no las ha necesitado»; pero cuando oigo a un señor corriente y vulgar que dice con suficiencia: «Yo no he leído novelas», pienso: «Este señor no es que esté por encima, sino que está por debajo del que lee.»

Naturalmente, yo no soy de los que sienten desdén por la literatura de entretenimiento; por el contrario, el hombre imaginativo capaz de inventar historias que puedan divertir a la gente me parece un hombre superior. Los escritores de nuestra época que han dado como la más excelsa de las literaturas la de los párrafos retóricos, me parece que demuestran una fantasía pobre y mezquina.

Socialmente, el hombre que es capaz de entretener y divertir con sus libros es un ser que produce un enorme beneficio al viejo, al enfermo, al que no puede salir de casa y se consuela leyendo.

De joven y sin cultura, no iba a forjarme yo un concepto, una significación y un fin de la vida, cuando flotaba y flota en el ambiente la sospecha de si la vida no tendrá significación ni objeto; pero sin proponérmelo y sin hacerlo de una manera expresa, marchaba a seguir la máxima del poeta latino: «Coge la flor del día sin pensar demasiado en la de mañana.»

Yo tenía en la juventud cierta rebeldía; pero era más bien una rebeldía forzada que otra cosa. No he pensado espontáneamente en ser rebelde por gusto. La rebeldía no me ha agradado nunca, me ha parecido vanidad y presunción. Soy más partidario de la disciplina; pero cuando la extravagancia y el capricho reinan, la rebeldía salta sin querer. Someterse a una disciplina lógica y cumplida estrictamente, aunque sea *perinde ac cadaver*, me parece admirable, una prueba de superioridad humana. Disciplina para todos, para el que manda y para el que obedece.

Ahora, dejando a un lado la divagación y el comentario, vuelvo a los hechos.

Recuerdo haber vuelto a Madrid en el verano en que se estrenó *La Gran Vía*. Para muchos madrileños del tiempo, esta época debió de ser un hito de su existencia.

Los chicos en el Instituto de San Isidro, donde yo estudié el último año del bachillerato, cantaban la jota de los Ratas y la canción de la Menegilda en los claustros del viejo colegio de los jesuitas.

Muchas veces íbamos a hacer novillos a la parada de Palacio, y otras a las rondas y a los alrededores del Rastro, a oír a los charlatanes ambulantes y a ver cómo los granujas engañaban a los paletos con el juego de las tres cartas.

Un día, con algunos condiscípulos, fuimos por la mañana hacia la Moncloa y vimos sobre la tapia de la Cárcel Modelo a los tres reos ejecutados del crimen de la Guindalera: en medio, una mujer, y a los lados, dos hombres.

Años después vi con otro compañero como agarrotaban en el mismo sitio a la Higinia Balaguer, protagonista del crimen de la calle de Fuencarral.

LAS CARRERAS

Por ese tiempo empezaba yo a estudiar Medicina. En casi todas las familias de la clase media, a consecuencia del individualismo de la época, existía la idea de que el porvenir de sus hijos estaba en las profesiones liberales; es decir, en las carreras. Se rompía con esto la continuidad de la profesión familiar, tan característica de otros tiempos y, sobre todo, de la Edad Media.

Desde la mitad del siglo XIX había comenzado la producción exagerada de licenciados y de doctores. Después ha tomado proporciones absurdas y monstruosas. No se comprendía que una carrera terminada con poco entusiasmo y no teniendo alguien de la misma profesión en la familia que pudiera ayudar al principiante, no era nada o casi nada.

Se tenía cierto desvío por el comercio y por la industria, no solamente por una idea de categoría, sino porque el comercio y la industria exigían capital y la carrera no lo exigía. Ade-

más, entonces, para comenzar estas profesiones comerciales, había que entrar a barrer la tienda, y a las familias de la clase media no les podía hacer gracia ver a sus hijos dedicados a tal humildes menesteres.

La afluencia de todo el mundo a las Universidades, Facultades, Seminarios y escuelas especiales nos ha permitido ver en este último tiempo abogados de cobradores de tranvía, ingenieros de mecánicos en los garajes y médicos y curas de guardias de asalto.

Yo, por exclusión de profesiones que no me gustaban, decidí estudiar Medicina.

Cursé parte de la carrera en Madrid y parte en Valencia. En el preparatorio de Medicina teníamos profesores muy viejos: Torres Muñoz de Luna, Pérez Arcas Osorio; después, también, algunos muy viejos, como Calvo y Martín, en el doctorado.

Entre nosotros, los que nos disponíamos a estudiar Medicina, existía una tendencia al espíritu de clase un poco cómica, consistente en un común desdén fanfarrón por la enfermedad y por la muerte, en cierto entusiasmo por la brutalidad quirúrgica y en un gran desprecio por la sensibilidad. Así, eran frecuentes las bromas macabras en la sala de disección.

En la carrera fuí, como en el bachillerato, un estudiante bastante malo. Solíamos con frecuencia hacer novillos dos amigos y yo, y de San Carlos íbamos al Retiro y a los altos del Observatorio a charlar de todo lo divino y lo humano. Las asignaturas no se estudiaban bien. En los años primeros que cursé en Madrid había entonces algunos profesores de grandes conocimientos; por ejemplo, don Federico Olóriz, que hizo un libro sobre la distribución geográfica del índice cefálico en España de los más serios y fundamentales, lo cual no le quitaba el ser demasiado adusto, inútilmente, con los estudiantes.

Había otros profesores excesivamente literarios, como Letamendi. Letamendi se creía hipocrático. No creo que fuese de la cantera de Hipócrates ni de la de Virchow o Pasteur. No era su fuerte la observación. Quizá se hubiera destacado en la mala época de la Medicina, en que predominaban los Cardan, los Agripa y los Paracelso.

Yo dije siempre que la obra de Letamendi como filosofía no tenía valor y que tampoco la tenía como preparación para el estudio de la Medicina.

La Patología general no es una ciencia organizada ni exacta, parecía decir Letamendi; no vale, pues, la pena de explicarla. Podía haber añadido, dirigiéndose a sus discípulos: «A ustedes les convendría saberla; pero como a mí no me divierte hablar de ella, no lo hago, y la sustituyo por mis fantasías.» Entre estas fantasías había una fórmula de la vida, bastante aparatosa y vacua, que no sé si sería buena para los hotentotes, pero que para un español modesto no era nada.

Con relación a este catedrático, repito lo que decía antes: disciplina para todos, para el profesor y para el discípulo.

En mi tiempo, Ramón y Cajal no estaba aún en la Facultad de Madrid.

Don Benito Hernando, profesor de Terapéutica, era un maniático y un atrabiliario. A mí me distinguía, como a otros varios, por su antipatía. Sabiendo que era vascongado, hablaba mal de los vascongados en clase, mirándome con intención sarcástica, hasta que yo le hice una observación que le pareció una impertinencia.

A otro condiscípulo, don Benito le mortificaba por sus polainas grises y su gabán claro, como si él tuviera que ser el árbitro del traje de sus discípulos. No sólo se mostraba agresivo con nosotros, sino también con gentes de más representación. En aquel curso, una tarde se presentó en el laboratorio de terapéutica el médico Tolosa Latour con el profesor francés Dujardin-Beaumetz, que yo no sé lo que hizo, pero que sonaba entonces como patrocinador de alcaloides y remedios nuevos. Hernando le saludó con muy mal gesto, se puso muy rojo, le dijo en latín que la terapéutica de los alcaloides le parecía pura industria, y, llevándole a un armario con muestras de quina, le aseguró que para él estaba allí la verdad.

Los alumnos presenciamos con cierto asombro la escena y el aire desolado de Tolosa Latour ante un recibimiento así.

Cuando el profesorado de una Facultad es un poco de manicomio, no es difícil que los discípulos tomen aire de cretinos.

Muchos profesores de este tipo hemos conocido que no podían vivir de geniales, y cuya genialidad principal consistía en las melenas, en los chalecos y en los sombreros.

Todas las capitales de provincia han tenido su Letamendi de segunda y de tercera o de cuarta clase entre médicos, profesores, abogados y periodistas.

Los españoles podían estar hartos de estas genialidades teatrales e histriónicas y el Gobierno no permitir que el profesor, pagado por él para enseñar una ciencia o un idioma, se dedicara a contar cuentos o a hacer chistes; pero los españoles admiran las fantasmonadas y a los fantasmones, y los Gobiernos, sin duda, también.

Los profesores que conocí en Valencia no eran tan arbitrarios como los de Madrid. Allí viví con la obsesión de la tuberculosis cuidando a un individuo de la familia que padecía esta enfermedad.

En general, la mayoría de los estudiantes concluíamos las asignaturas sabiendo muy poco. Nadie se ocupaba en serio de nuestra preparación científica. Cada uno tiraba por donde le parecía. Estuve yo, con algunos de mis compañeros, en un curso de enfermedades que daba un médico en el sombrío Hospital de San Juan de Dios, de la calle de Atocha. Este médico, el doctor Cerezo, con sus patillas a la rusa, escribió una sifiliografía, bastante grotesca, en verso. Trataba bastante mal a las pobres enfermas recogidas allí, y se sentía nacionalista, militarista, y quería conquistar el peñón de Gibraltar con el submarino Peral. Acudimos a estas conferencias más por curiosidad malsana que por espíritu científico o práctico.

La primera vez que fui al Hospital General me chocó el ver a un hombre de quien he hablado en varias partes: el hermano Juan.

Este hombre, cuya procedencia se ignoraba, andaba vestido con una blusa negra, alpargatas y un crucifijo de cobre colgado al cuello. Dormía en una barraca hecha de tablas que había en un callejón entre San Carlos y el Hospital Clínico. El hermano Juan cuidaba por gusto de los enfermos más contagiosos. Era, al parecer, un místico, un hombre cuyo centro natural eran la miseria y el dolor.

Hace dos o tres años volví a hablar en un periódico de este tipo misterioso de tan extraño carácter, y el doctor Marañón me envió una carta haciendo aclaraciones a mi artículo y precisando el tipo de psicopatología sexual del hermano Juan.

Nuestra vida de estudiantes era la vida corriente del estudiante pobre. Don Ramón Torres Muñoz de Luna nos decía en su clase de Química con cierta solemnidad: «Viven ustedes en un ambiente demasiado oxigenado.» Yo no veía el oxígeno por ninguna parte.

Nuestras costumbres no eran, ni mucho menos, del bajo imperio. Los sábados íbamos al café, y como uno no estaba acostumbrado a tomar un vaso grande de café con leche, probablemente con achicoria, poco después de cenar, o una botella de cerveza, con frecuencia algo de esto le hacía a uno daño o no le dejaba dormir. Después del café solíamos ir al teatro, al paraíso, a las últimas funciones, por horas, y también a los cafés cantantes a ver el zapateado violento de una bailaora o a oír los jipíos de algún cantador gordo y ridículo. Si lo de la calle no era espléndido ni pomposo, lo de casa, desde este punto de vista, no era mejor.

Ahora, por lo que veo en algunas familias, los jóvenes tienen su cuarto de estudio. En mi tiempo no había eso. La instalación de la clase media era un poco mísera. Los chicos estudiaban en el comedor ante la luz del quinqué de petróleo y a veces de la candileja de aceite.

Las casas tenían entonces pocas comodidades. No había cuartos de baño, pocas estufas y mucho menos calefacción central; se leía y se escribía en el rigor del invierno al calor del brasero.

La luz eléctrica ha influido mucho en la vida y, sobre todo, en las ideas de la gente. En uno de aquellos clásicos comedores de hace más de cuarenta años, con su papel un poco ajado, con alguna estampa o algún cromo en las paredes y su lámpara mortecina y triste, no se podían tener más que ideas descentradas y románticas.

En las calles de las ciudades ha sucedido lo mismo, y los focos de luz eléctrica han disipado muchas nieblas y oscuridades de la cabeza de los hombres. Recuerdo haber ido a París a final del siglo XIX. En casi todos los hoteles del Barrio Latino se usaban todavía velas y lámparas de petróleo, y, como correspondiendo a esta iluminación, había bohemios y tipos extravagantes y misteriosos. Años después, al dominar la electricidad, toda la fauna rara y absurda desapareció de las calles parisienses como las lechuzas y los búhos a la luz del sol.

En esa época de estudiante de que hablo era yo un sectario; me sentía republicano intransigente. Creía que una revolución como la francesa era un espectáculo indispensable en todos los países, y un poco de terror y de guillotina me parecía una vacuna necesaria para los pueblos.

Pronto dejé el credo republicano y evolucioné hacia el anarquismo.

Mi anarquismo era un anarquismo schopenhaueriano y agnóstico, que se hubiera podido resumir en dos frases: no creer, no afirmar.

Schopenhauer fue el primer autor de obras de filosofía importante que leí. Después leí a otros filósofos, pero ya no me hicieron tanta impresión.

Al comienzo de mi juventud me sentía un tanto filarmónico. Iba con relativa frecuencia los sábados al paraíso del teatro Real. Algunos estudiantes, la mayoría de ingenieros y de arquitectos, se mostraban entusiastas de la ópera y de los divos; aplaudían con fervor a Gayarre, a Stagno, a Tamagno y a la Nevada. Ya por entonces comenzaba la época en que se discutía fieramente sobre las óperas de Wagner, y se ponía en ello tanta

o más pasión que en las cuestiones políticas.

Yo fui algo aficionado a la música y a oír en los cafés sonatas de Beethoven y de Mozart y trozos de Wagner. Después, por cierto desdén por todo lo que no tuviera un carácter filosófico y trascendental, me hice hostil a los cafés, a los teatros y a la música. Años más tarde solía ir a las funciones del género chico. Esto último lo conocí, más que de estudiante, en mi época de ensayos de pequeño industrial, cuando ya disponía de algún dinero. Entonces también pude curiosear en los bailes de máscaras, que me parecieron enormemente aburridos, y acudir a teatros importantes y a los jardines del Retiro.

LAS LECTURAS

Los estudiantes no leíamos apenas la literatura contemporánea, más que nada, quizá, porque los libros nuevos recientemente publicados nos parecían caros, y lo eran para nuestro bolsillo. Algunos libros corrían de mano en mano, casi siempre traducciones u obras publicadas en folletín en algún periódico. La literatura clásica se desconocía en absoluto. Creo que no conocí a ningún compañero mío que hubiese leído de verdad el *Quijote*.

Los aficionados a leer éramos frecuentadores de librerías de viejo.

Recuerdo haber comprado novelas famosas en traducciones españolas por entregas. Algunos lectores las leían, sin duda, en la cama, y, al apagar la vela con el cuadernillo, dejaban marcado en la página un círculo de sebo de la bujía. Yo frecuentaba mucho las librerías de viejo, y he escrito varias veces sobre la geografía de éstas en las calles de Madrid. Conocí a un tal

Laviña, cerca de la plaza de Santo Domingo, con una tienda en un sótano, para llegar al cual era necesario bajar unas escaleras, y que estaba próximo a un horno de hacer bollos. Este Laviña era un hombre alto, grueso y rojo; vendía muchos libros, algunos pornográficos, a precios ínfimos. Había un librero pequeño, rubio y desmedrado, en una covachuela de la iglesia del Carmen, anticlerical y volteriano furibundo: el asturiano Pepín, que estuvo muchos años en un puesto de San Luis y luego en la plaza de la Bolsa, el invierno siempre envuelto en la capa y que apenas sabía leer; había un viejo en un esquinazo de la calle de Capellanes; Rico, en la travesía del Arenal, y un manco, empleado suyo, enfrente: Viñas, en la calle de la Bola, que solía contar sus anécdotas de cuando era sargento en Cuba; Iravedra, que tenía, al mismo tiempo que la librería de la calle del Arenal, un puesto enfrente, en un ángulo de la casa de Oñate, y muchos otros libreros en la calle del Horno de la Mata.

Algunos me preguntaban por qué no iba a leer a la Biblioteca Nacional. Cierto que existía este centro de cultura en la actual calle de Arrieta, que entonces se llamaba de la Biblioteca; pero no se nos dejaban libros literarios, por orden del director, Tamayo y Baus, y, al último, tampoco se nos permitía la lectura de revistas ni de periódicos, por el motivo de que tenían folletines. Eran cómicas estas prohibiciones ordenadas por un literato: una manifestación de la arbitrariedad española.

Yo leí en la juventud todo lo que cayó en mis manos, principalmente novelas, sin fijarme gran cosa en si el autor tenía fama o no.

Después, entre los treinta y los cuarenta años, noté que las obras literarias más importantes de la Humanidad no las conocía aún. Entonces pensé si no hubiera sido mejor, en vez de devorar los cientos o miles de libros que habían pasado por mis ojos y por mi cabeza, leer, como los antiguos, cinco o seis obras bien.

Algunos amigos y compañeros me preguntaban: «¿Para qué leer tanto? Eso, ¿para qué sirve? Hay que pensar en lo inmediato, en vivir, en comer.» Yo seguía leyendo todo cuanto caía en mis manos, sin objeto práctico, a veces también pensando que encontraría a la mejor ocasión algo útil.

No leí en mi juventud más que dos autores de filosofía. Primero, como he dicho, a Schopenhauer; luego a Kant, a quien no entendí más que muy fragmentariamente. Los libros de estos dos autores constituyeron todo mi bagaje filosófico.

La lectura de Schopenhauer me produjo cierta curiosidad por la vida de Buda y por sus doctrinas. Encontré dos o tres libros que hablaban de él, y sentí por el asceta de la Bactriana, no sé si mítico o real, un verdadero entusiasmo.

La idea brahmánica de las encarnaciones sucesivas y de las transmigraciones eternas la encontraba desagradable. El contar estas fantasías, que debían mirarse por algunos con horror en el tiempo de la vida del príncipe Kapilavastu con el ideal del Nirvana, con la muerte absoluta, me pareció admirable. Durante algunos años me sentí simpatizante del budismo. Esto encajaba también en mi tendencia anarquista.

No sentía lo que se llama por los filósofos, sobre todo kantianos, la moral eudomonista; es decir, la moral utilitaria. Me parecía y me sigue pareciendo la verdadera moral, la moral pura, la que no tiene ninguna finalidad social ni ningún interés positivo.

Era un tanto kantiano, sin haber entendido más que algunos puntos de las obras de Kant.

Al anarquismo crítico, al pesimismo y un poco al budismo, unía una marcada tendencia a la vagabundez.

No tenía yo condiciones para ganar dinero, y pensaba y temía que no las iba a tener nunca.

El que ha podido vivir en casa de sus padres sin dinero se acostumbra a considerarlo tan superfluo para los usos de la vida, que los primeros cuartos que tiene quiere gastarlos en viajes, en cuadros o en alguna otra fantasía por el estilo. Me faltaba a mí el sentido instintivo espontáneo de la ganancia, que es un sentido social y conservador. Muchas veces me proponía intelectualmente, como una consigna: hay que ganar dinero. Como de estudiante pensaba estudiar y no estudiaba, de hombre quería ganar y no ganaba.

Se me escapaban las ocasiones. En eso he sido como el mal cazador, que se pregunta cuándo tiene que disparar. «¿Será ahora? ¿Esperaré?» Mientras tanto, la presa desaparece. El buen cazador dispara cuando es necesario y sin pensarlo. Yo estaba siempre distraído con cualquier fantasía para poder hacerlo.

LAS IDEAS POLÍTICAS

Por los años en que yo era estudiante se intensificaron en España las luchas sociales y comenzaron a actuar con energía y a manifestarse con hostilidad mutua el socialismo y el anarquismo. Yo me sentía, como he dicho, anarquista, partidario de la resistencia pasiva recomendada por Tolstoi y de la piedad como lector de Schopenhauer y como hombre inclinado al budismo.

No fuí nunca simpatizante de las doctrinas comunistas. El dogma cerrado del socialismo no me agradaba. Tampoco cogí del anarquismo su pretendida parte constructiva. Me bastaba su espíritu crítico, medio literario, medio cristiano. Después reaccioné contra estas tendencias, y me sentí darvinista, y consideré, como espontáneamente consideraba en la infancia, que la lucha, la guerra y la aventura eran la sal de la vida.

Nunca he podido suponer una armonía colectiva más que con la autoridad; es decir, con la violencia. Lo natural no es social; lo natural se tiene que transformar y cambiar para hacerlo sociable. De aquí la pobreza del anarquismo constructivo. Este me pareció y me sigue pareciendo la doctrina más providencialista de todas las utopías sociales.

Para mí, antes y ahora, el anarquismo no ha sido más que una crítica de la vida social y política, un liberalismo extremo.

Además de este carácter, me hicieron encontrarlo estimable la defensa individual y el sentimiento de piedad. La mecánica del comunismo libertario, antes y ahora, me pareció palabrería vana, y el libro de Kropotkin *La conquista del pan,* que en mi tiempo tuvo gran fama, se me figuró siempre cándido, falso y vulgar.

Respecto al comunismo puro autoritario, fuí hostil a él por temperamento y por ideas. Pensar que un hombre o un grupo de hombres pueden saber lo que le conviene al mundo entero me parece una prueba de petulancia y de osadía verdaderamente repulsiva. La misma tendencia mesiánica de suponer un paraíso en la tierra se me fugura ridicula y desagradable. Como diria un amigo un poco chusco, he sido enemigo particular de los paraísos.

Con relación al materialismo histórico que encierra la interpretación materialista de la Historia, no creo que sea éste lo mismo que el científico. El materialismo científico, cuando es verdadero, no es más que una consecuencia estricta de las ciencias fisiconaturales y de las biológicas.

El materialismo, unido con el determinismo, es un postulado científico que lleva con él una dieta del pensamiento: mientras no pase los límites de sus conocimientos y de sus datos, es la más exacta, la más juiciosa y la más probable de las teorías. Se basa en todo lo que está ya comprobado, en aparatos perfectos en su género, en observaciones exactas, en hipótesis admisibles. El materialismo científico rige en todos los laboratorios. Cuando el materialismo salta de su esfera conocida a la desconocida y quiere explicar lo inexplicable, entonces se hace un sistema tan fantástico y tan inseguro como todos los demás; pero mientras queda en los límites de lo relativista, es una práctica fecunda. Cuando quiere marchar a lo absoluto y dejar su natural agnóstico, ya no vale nada, porque ni siquiera sabe nadie lo que es en su esencia la materia. Ni el átomo ni los electrones son una realidad, sino una explicación hipotética.

El materialismo científico no hace más que relacionar fenómenos conocidos y buscar su causa próxima. Esta relación de causa a efecto de hechos homogéneos, colocados en el mismo plano, es su misión. El materialismo científico verdadero huye de explicaciones absolutas y no puede alcanzar más afirmaciones que las relativas.

Así, Newton, al formular la ley de la gravitación universal, no la dio como una verdad absoluta, sino como la norma corriente con la que se producen los fenómenos, sin pretender llegar a causas primeras inasequibles para el hombre.

Pasteur solía decir: «Cuando entro en mi laboratorio dejo mis creencias a la puerta; cuando salgo, las vuelvo a tomar.» Es decir, que en el laboratorio era determinista, materialista; luego, en la vida, no. Esa es la actitud verdadera del hombre de ciencia.

¿Cómo se puede equiparar el materialismo científico con el histórico de los socialistas, que quiere sacar sus consecuencias fijas y categóricas del conjunto oscuro heterogéneo y mal conocido de la Humanidad?

El materialismo histórico económico de los socialistas no es igual al científico ni tiene nada de común con él más que el nombre. Por la interpretación materialista de la Historia se quiere demostrar que las sociedades humanas no se han movido más que por intereses materiales prácticos, lo cual no se puede probar, y termina en una prédica de repartición igualitaria de placeres, que no tiene nada que ver con la ciencia.

El materialismo histórico tiene una ascendencia judaica y se convierte en una especie de religión sensualista. No se comprende qué interés práctico pudo tener Copérnico al exponer su sistema en su gran obra, enfermo, a los setenta años y ya próximo a la muerte.

La explicación del materialismo histórico no es una explicación, es una de tantas soluciones prematuras y probablemente falsas dadas a los problemas humanos.

Hay muchas instituciones y actividades que son inmanentes, que tienen su objeto dentro de sí mismas y no fuera de sí mismas; así se puede sentir el culto del arte por el arte, de la ciencia por la ciencia y hasta de la aventura por la aventura. Muy difícil sería el buscar elementos de practicismo en los secuaces de estas ideas.

Hoy, a pesar de lo que afirman los reaccionarios y con sentimiento de los que somos liberales y racionalistas, decrece la tendencia al libre examen, probablemente por falta de cultura. Se prefieren los credos cerrados.

Para muchos, someter todo a la crítica es peligroso e inseguro. Aceptar el contenido íntegro de la tradición antigua o de la utopía moderna es tan peligroso o quizá más aún.

Los doctrinarios que aseguran estar en el secreto de las cosas y que tienen soluciones para todo son terribles, no les arredra nada. Son capaces en su pedantería de reglamentar lo irreglamentable. Es posible que estos pedantes doctrinarios tengan su utilidad dentro de su simplismo; son los que hacen las revoluciones y las reacciones y creen que llevan las normas del porvenir dentro de su cráneo.

Yo, al discutir con otros las soluciones socialistas, decía, con cierta indignación de mis interlocutores:

—Lo que tenemos que pedir es no sólo que no haya nadie que nos quiera mandar, sino también no permitir que haya alguien que se quiera sacrificar por nosotros, porque muchas veces el que comienza por ser servidor o esclavo se convierte pronto en amo.

Por entonces, en los años de mi juventud, bullía como ahora el mito de la revolución. La revolución era la solución de todo. Vendría como el santo advenimiento, a elevarnos, a purificarnos y a sustituir nuestros brazos y nuestras manos con unas alas angelicales.

Yo tuve de joven entusiasmo por el lado dramático de la revolución; pero siempre me sorprendió que todas ellas o casi todas no realizaron sus planes mientras esuvieron dominando, y cuando éstos se consumaron, si no

en conjunto, en parte, fue cuando ya parecía que habían fracasado.

Yo creí que estaba bien que los partidos radicales manejaran ese tópico de la revolución, pero como un mito y con la seguridad de su carácter irrealizable. Se ve que las revoluciones, cuando triunfan, no cambian nada íntimo de un país; si varía algo, son las personas que mandan.

En el fondo de mi espíritu, más que la revolución palabrera de gritos y de gestos, hubiera deseado una evolución y una renovación lenta. Pero ¿cómo ayudar a conseguir esto? No se veía camino.

Con las discusiones políticas con mis compañeros, que la mayoría eran poco aficionados a estas cuestiones, y con la defensa que hacía yo de la revolución, fuí evolucionando hasta pensar si la democracia y el parlamentarismo no tendrían ningún valor; si serían falsedades, entelequias doctrinarias, desprovistas de fondo y de valor humano. Pensé si no habría más que la dictadura de las personas inteligentes que pudiesen realizar con plenitud el orden y el progreso de las cosas materiales, dejando a los hombres la absoluta libertad de pensar en cuanto fueran asuntos del espíritu. Esto se ha hecho, más o menos claramente, en los países civilizados.

La igualdad y la fraternidad me parecieron siempre mitos de guardarropía.

La tendencia revolucionaria del tiempo no era una fantasía sin sentido en la época de mi juventud. En todo aquello en donde se asomara una persona de buen sentido veía una anomalía o algo absurdo y mal organizado.

Existía, y probablemente existe, poca justicia en España. Se sentía la arbitrariedad en todas las esferas. Es lo peor que puede pasar a un país. La falta de justicia lo corrompe todo, impide hasta la convivencia humana, porque no es posible que el postergado o el sacrificado pueda convivir con el arrivista que sube y triunfa cínicamente. O el sacrificado se transforma también en uno de tantos o se hace un amargado y un triste. El que ha tenido la preocupación moralista habrá podido decir esto siempre y exclamar como el predicador del *Ecclesiastés:* «Vi más debajo del sol: en lugar del juicio, allí la impiedad, y en lugar de la justicia, allí la iniquidad.»

«No hay que dar demasiada importancia a lo ético», decía Salmerón una vez a sus correligionarios. Pero si no se le da importancia a lo ético, ¿a qué se le va a dar?

De estos sentimientos éticos ha nacido la política que informa las tendencias revolucionarias.

En esas épocas de poca justicia, y no digo que en la actual no pase lo mismo, las personas de moral incompleta viven a sus anchas; en cambio, los desilusionados de buena fe, si tienen que juzgar o elegir algo, recurren a los expedientes, a los antecedentes y hojas de servicio, porque temen que les achaquen arbitrariedades, y se justifican con la letra de la ley más que con su espíritu. Así, resulta que los malos son activos, y los buenos, neutros.

DE MÉDICO DE PUEBLO

Al final de la carrera, yo me veía mal preparado para ejercerla. No conocía la práctica de la Medicina. No sabía auscultr ni percutir, no sabía más que contar las pulsaciones en la arteria radial, pero no advertir las diferencias que el clínico encuentra en el pulso.

A mis compañeros les pasaba lo mismo. Al venir a Madrid, desde Va-

lencia, a estudiar el doctorado, estuve unos meses en una sala de presas, que visitaba en el Hospital General don Jacobo López Elizagaray y vigilaba la viuda del novelista Fernández y González.

Elizagaray era hombre tranquilo, reposado, buen clínico, y con él aprendí un poco a auscultar y a limitar la macicez de un órgano por la percusión.

No era Elizagaray hombre que pretendiera ser original, pero se veía que conocía su profesión de una manera concienzuda.

Letamendi decía una frase que quería ser genial: «El médico que no sabe más que Medicina, no sabe ni siquiera Medicina.»

Yo me figuro que Elizagaray pretendía sobre todo saber Medicina, y lo sabía muy bien, y era un clínico hábil. No era de los farsantes con melenas o con chalina que quieren asombrar al mundo con sus supuestas genialidades. No es que yo odie a los hombres geniales; por el contrario, los admiro; pero la falsa genialidad es algo antipático, como todo lo mistificado.

Yo le hablaba a Elizagaray de que leía algunos libros de Filosofía, y él me preguntaba muy extrañado:

—¿Y para qué lee usted eso?

El ser nombrado médico de Cestona (Guipúzcoa), por presentarme solo al concurso, fue para mí un medio de digerir las ideas buenas o malas aceptadas en la juventud, y medio también de rechazar unas y de aceptar más o menos definitivamente otras.

El oficio de médico de aldea era entonces, y seguirá siendo ahora, difícil, mal pagado, trabajoso y de gran responsabilidad. La vida de médico de pueblo me pareció dura, aunque tenía ciertamente algunas compensaciones.

Un tanto de escepticismo y otro tanto de prudencia me evitaron el hacer disparates, que deben de ser muy frecuentes entre personas que comienzan a ejercer la profesión, aunque sean sabias y bien enteradas.

Tuve rivalidades con otro médico más antiguo, rivalidades que yo no sólo no las busqué, sino que las rehuí. En esto seguía la máxima de Gracián: no competir; que me parecía y me sigue pareciendo bien. La responsabilidad de tener una función demasiado importante, la falta de práctica y de conocimientos científicos completos, el aislamiento, me hicieron pasar mala época. La retención de la placenta, frecuente en las puérperas, quizá por exceso de trabajo en el campo, y algunas presentaciones difíciles durante el parto, que hicieron necesario el empleo de fórceps, me impresionaron profundamente.

Recuerdo el caso de una parturienta con una hemorragia tal, que la sangre había empapado el colchón, atravesando el suelo y hecho un charco en el portal del caserío. Salí de la vivienda pensando que aquella mujer estaría muerta dos o tres horas después. A los quince días estaba trabajando en el campo.

No todas las impresiones del pueblo fueron malas; algunas, por el contrario, me parecieron agradables. Viví unos meses en casa de la cerera, al lado de la iglesia, en el cuarto ocupado antes por un notario, con una biblioteca de libros de Derecho y de devoción que a mí me atraían poco.

Después me trasladé a una casa construida por un médico antiguo que había ejercido en el pueblo hacía treinta o cuarenta años.

Tenía la casa una huerta que daba al Urola, muy bonita, con una calle de perales en abanico y un árbol torcido en la orilla, que avanzaba sobre las aguas del río, y desde donde se podía pescar.

En esta huerta trabajaba yo en el campo.

Tiempo después pretendía una plaza de médico en San Sebastián, y un amigo de mi padre, personaje importante en la ciudad, le decía:

—¿Cómo le vamos a dar un empleo a tu hijo si en Cestona solía estar trabajando los domingos en la huerta para hacer ostentación de sus ideas antirreligiosas?

No era verdad; pero el pretexto se consideraba bueno para no hacer nada por una persona que, sin duda, no parecía simpática.

El interior de la casa del médico antiguo era isabelino. En el comedor había un papel curioso, una composición entera. El escenario eran las cataratas del Niágara; por delante pasaban unas señoras en coche y unas damas escoltadas por negros con librea.

En la cocina solíamos pasar parte de los días de invierno quemando leña y jugando al mus. Al amor de la lumbre, en la chimenea baja, se contaban historias mientras los dos perros dormían, suspirando, al lado del fuego. A veces, en medio de la noche, se oía el golpe de la aldaba, y al preguntar: «¿Quién es?», contestaba una voz en vascuence: «¿Está el médico en casa?» Y había que levantarse y salir.

La mayoría de los días era indispensable andar a caballo, visitando caseríos lejanos, entre la lluvia y la nieve. A veces, en el campo, a la luz de la luna, los troncos de los árboles y las raíces le hacían a uno ver visiones. En este pueblo comprendí, observándome a mí mismo, cómo había dentro de mi espíritu, dormido, un elemento de raza no despertado aún. En aquella época me dediqué a escribir cuentos e impresiones en el cuaderno donde tenía el registro de los igualados.

DE PEQUEÑO INDUSTRIAL

Como no era posible seguir en el pueblo, y no encontré nada en San Sebastián, cuando hallé una ocasión de venir a Madrid y convertirme en pequeño industrial, marché con cierta satisfacción, ya un poco harto de soledad y de apartamiento.

Cogí una época bastante mala. Era al final de la guerra de Cuba, y la vida de la industria y del comercio en Madrid estaba decaída. Para mi empresa me faltaba capital, y no lo pude encontrar, por más ensayos que hice. Iba, venía, hablaba a uno y a otro. La verdad es que no encontré más que usureros. En aquella época, los trabajadores madrileños comenzaron en todas las industrias a asociarse y a considerar como enemigo suyo al patrono.

Entre estos obreros había gente que sabía cumplir su palabra, pero había otros para quienes prometer y no cumplir no tenía importancia. De amigos y colaboradores se convirtieron con una facilidad extraordinaria en enemigos de los industriales, pequeños o grandes, tuviesen éstos para ellos atenciones o no las tuvieran.

Trabajé durante seis o siete años, con esperanzas de manumitirme, y cuando vi que no salía a flote, que la probabilidad de ser un rico industrial era cada vez más lejana, me desmoralicé, perdí la esperanza definitivamente, me sentí fracasado y me dediqué a escribir artículos y luego a acudir a las redacciones.

La vida de pequeño industrial fue para mí una experiencia enérgica. Tuve que acudir a la Bolsa y a los Bancos, convivir con gente mísera y luchar con autoridades, policías y obreros.

Entonces conocí a alguno que otro pobre inventor chiflado que habían inventado artefactos para ellos importantes: la ratonera con espejo, la mano remo y el pie remo, el biberón del árbol; también conocí al que pretendía hacer marfil hirviendo patatas con agua y ácido sulfúrico.

Las dificultades de la industria eran muy grandes; a veces se presentaban, como dándose cita, varios cobradores con sus facturas en mi despacho, y había que torearlos y hasta escaparse por una ventana, si era necesario.

DILIGENCIAS VANAS

En tiempos así, en el que el fracaso se cierne, el hombre inadaptado tiende a replegarse sobre sí mismo y a separarse de los demás en ideas prácticas y teóricas. El éxito y el fracaso son como dos polos: el positivo y el negativo de la vida social. El horizonte es muy distinto contemplado desde uno o desde otro. El no ser como los demás, la divergencia, toma proporciones de gloria para el hombre del fracaso. Se siente un gran placer en hacer tabla rasa de todo, en sentirse rabiosamente libertario. Esos sentimientos han producido a veces grandes personajes; pero, naturalmente, en muy contadas ocasiones.

Por entonces conocí a algunos jóvenes aficionados a la literatura en una situación parecida a la mía, a la que habían llegado por otros caminos. Ver las cosas sin prejuicios era nuestro ideal. La palabra *prejuicio* siempre nos gustó a los que teníamos la tendencia libertaria, aunque yo sospeché que no se puede pensar sin prejuicios, porque las palabras son prejuicios y metáforas condensadas. Así como de pequeño industrial había conocido gente pobre, obrera y desvalida, después, como aficionado al periodismo y a la literatura, conocía otros medios, que, sin ser tan miserables, no eran menos tristes.

El contraste, la contemplación de la existencia áspera y desnuda, tiende a una visión esquelética de la vida. Se intenta sorprender en los demás y en sí mismo el hueso y las vísceras más que la piel, y se hace uno sin querer operador de rayos X.

Era yo partidario de la crítica implacable, poco contemporizador. Entonces, como ahora, no me encontraba con condiciones para mandar ni para obedecer; en cambio, tenía cierto entusiasmo por la disciplina y por el compromiso libremente contraído.

La preocupación mía era escapar a las condiciones corrientes y vulgares de la vida.

Poder vivir sin someterse a la pragmática general es cosa difícil. Yo quería prestarme a una sumisión de fórmula y no pasar de ahí; pero cuando se quiere conseguir algo hay que prestarse a una sumisión profunda. Se está en la fila esperando a entrar en el teatro por la puerta grande, pensaba, y resulta que por otra puerta se ha ido colando gente avisada, y cuando se asoma la cabeza por el patio de butacas, ya se encuentra todo ocupado.

¿Por dónde han ido entrando? No se comprende siempre la fuerza que tiene la atención constante y la sumisión verdadera.

Lo que yo pretendía era vivir con intensidad algún tiempo, no pasar por momentos mediocres unos tras otros.

Pero ¿cómo lograr esta tensión cuando no existía en el ambiente?

Con un amigo más viejo que yo y más derrotado que yo, me dedicaba con frecuencia a escribir cartas a los anunciantes de periódicos extranjeros que decían, por ejemplo: «Se necesita un profesor de español en Estocolmo.» «Hace falta un jardinero que sepa francés y español en el Canadá.» «Se necesita un médico en Nueva Zelanda.» Naturalmente, de estas gestiones no resultaba nada. Mi amigo, escéptico para sus iniciativas, las llamaba con cierta sorna *diligencias vanas*. Quería uno, por lo menos, cambiar, por ser muy propio de enfermos no durar mucho en un estado, tomando por remedio las mudanzas, como asegura Séneca en su libro *De la tranquilidad del ánimo*.

Como he dicho antes, tenía pocas condiciones para ganar dinero y poca suerte.

Esto es lo que más lamentaba: la falta de suerte, sentimiento muy de perezoso.

Un personaje de una comedia española clásica dice:

Siglos de merecimiento
trueco a puntos de ventura.

Yo también anhelaba tener puntos de ventura como todo el mundo, pero los puntos de ventura no llegaban.

Después de dos años de médico de pueblo, de seis u ocho de industrial, no había podido resolver la manera de vivir. Como el cazador torpe, no había disparado nunca a tiempo; y, ya convencido de mi inutilidad para la vida práctica, pensaba dedicarme al periodismo y a la literatura como deporte, suponiendo que ni el uno ni la otra me llevarían a nada.

En la literatura no se advertía horizonte alguno. Yo no ganaba dinero; pero vivía bastante cómodamente en casa. Había liquidado toda aspiración grave y me dedicaba a una especie de bohemia, sin preocupación por el mañana. Este fue para mí el veraneo de la cigarra. Me sentía inactual, indiferente a la política, convencido de que ésta no era nada ni conducía a nada.

La política y los políticos no podían atraer con sus mistificaciones legendarias el elemento literario.

No eran los hombres del final de nuestro siglo parecidos a los del principio, con sus tipos valientes, desgarrados y trágicos, como el Empecinado, Mina, Cabrera y los demás guerrilleros de la Independencia y de la primera guerra civil.

Era un momento de frialdad y de cuquería, en que todo el mundo iba a lo suyo.

El socialismo ya por entonces tenía caracteres de viejo y de manoseado, y no era posible darle como una novedad social y literaria. Se veía, sin embargo, porvenir político en él; pero ninguno de los escritores más o menos conocidos de entonces entramos en las filas socialistas, porque todos sentíamos un poco de recelo y de repulsión a fingir un compañerismo falso.

La política no tenía prestigio. Retórica, lugares comunes, juego de palabras, histrionismo bajo y cuquería; ésa era, en general, la política. Todas sus luchas, que desde fuera parecían encarnizadas, eran desde dentro esgrima de salón, valores convenidos. Hasta los mismos asuntos personales que parecían de gran encono no eran nada.

No se atacaba nunca con saña, y el enemigo aparatoso del orador era después su particular amigo; así, la política, para el que vivía cerca de los focos donde se producía, sobre todo para los periodistas, constituía una farsa. Para nosotros, los que hablábamos con gusto de los prejuicios, la consecuencia misma de los políticos no nos conmovía, nos parecía una letra cobrable a algunos años vista o las acciones del especulador que las compra por nada, esperando que suban con el tiempo y se pongan a la par.

La mayoría de la gente del pueblo se entusiasmaba y se sigue entusiasmando con esas figuras de cartón austeras y consecuentes, cuando muchas de ellas, si no vendieron sus acciones, fue porque no las pudieron vender a la par. Estos hombres, que dependen de la fama, y no de la conciencia, no podían ser nuestros héroes.

Años después hice un ligero ensayo de política, y no pude mejorar mi impresión. Vi que no había en ese campo más que palabrería y ambiciones. En España, la política ha sido poco fecunda.

BOHEMIA

Por entonces acudimos a las redacciones, y yo me relacioné un poco más con la juventud literaria.

Estábamos bastante desarmados para recoger las impurezas de la calle. Fuimos vacunados con todos los virus infecciosos que corrían por el mundo, y tuvimos una segunda juventud tardía, furunculosa o eruptiva. Yo me sentía un buen caldo microbiano; pero aceptaba las infeciones alegremente.

No todos pudieron hacerlo. Entre los compañeros, muchos tomaron su situación en trágico. A la pereza, al alcoholismo, a la maledicencia, al rencor y a la inutilidad, para vivir ordenadamente, se unió en ellos el misticismo por el arte y la rebeldía cósmica que venía en el aire con la tendencia anarquista. Se destacaron tipos desastrados; algunos de éstos acabaron mal, muertos en plena juventud por la tuberculosis. Yo resistí porque no tomé muy en serio la bohemia. Me parecía también decoración y aparato escénico. Cierto, llevaba una vida un tanto irregular: me acostaba tarde, me levantaba tarde, pasaba horas en el café, deambulaba por las calles, llegaba a casa a las altas horas de la noche; pero no me dejaba arrastrar por la resaca decadente.

Muchas veces otros amigos y yo, llevados por cierta tendencia macabra, fuimos de noche a unos cementerios románticos próximos a la calle Ancha, hacia Vallehermoso, cerca del Canalillo. Al mismo tiempo que nosotros buscábamos la impresión lúgubre, una pandilla de golfos se dedicaba a robar alambres del teléfono y a desvalijar las tumbas. A alguno se le ocurrió, por lugar común literario, que allí, en uno de aquellos cementerios, se podría representar la escena en que Hamlet recibe de los sepultureros la calavera de Yorick, el bufón del rey.

La vida irregular y vagabunda presentaba sus atractivos.

Andar por las calles y plazas hasta las altas horas de la noche, entrar en una buñolería y fraternizar con el hambre y con la chulapería desgarrada y pintoresca, impulsados por este sentimiento de caballero y de mendigo muy español, era algo que tenía su encanto malsano.

También lo tenía marchar con la impresión en la garganta del aceite frito y del aguardiente, al amanecer, por las calles de Madrid bajo un cielo opaco como un cristal esmerilado; sentir el frío, el cansancio, el aniquilamiento del trasnochador, y ver entre las vallas de los solares esas eras inciertas, pardas, que se alargan hasta fundirse con las colinas onduladas del horizonte, en el cielo de la mañana, en la desolación de los alrededores madrileños.

A veces, cuando volvía a casa, sentía como un fondo de amargura y de remordimiento. No sé si era la protesta moral de la vida ociosa, aprensión a vagotonía o exceso de ácido clorhídrico en el estómago; pero la verdad era que yo me sentía un tanto trastornado y como arrepentido. «¿Arrepentido de qué?», me preguntaba. ¿Qué podía importar a un hombre con sentimientos libertarios ir a acostarse a las diez de la noche o a las cuatro de la mañana?

Y es que el que tiene la constitución de carácter moralista busca motivos de arrepentimiento, como el melancólico busca motivos de tristeza.

La bohemia anterior a la que yo conocí era un poco aficionada a la taberna; la de mi tiempo tenía cierta vaga inspiración al guante blanco.

Sus principales puntos de reunión eran los cafés, las redacciones, los talleres de pintor y hasta las oficinas del Estado.

Entre las redacciones, había algunas en donde no cobraba ni siquiera el director.

Yo frecuenté la de *El Ideal*, la de *La Justicia*, *El País*, *El Globo*, *El Imparcial*, *El Radical*, y más tarde la de la revista *España*. Colaboré también en pequeños semanarios de gente joven.

Había tertulias de café, verdadero muestrario de tipos raros y rotos que se iban sucediendo: periodistas aventureros, policías, curas de regimiento, cómicos y anarquistas; todo lo más barroco de Madrid pasaba por ellas. En una época se distinguieron las reuniones por el paso de empleados cesantes de Cuba y de Filipinas.

Como yo no sólo tenía curiosidad por la capital, sino también por el campo, hice algunas excursiones con mi amigo el suizo-alemán Paul Schmitz, con don Ciro Bayo y con mi hermano Ricardo. Subimos a Peñalara y al Urbión; estuvimos en varias partes, y llegamos a pie desde Madrid hasta cerca de Portugal.

Schmitz me habló de las ideas que entonces, hace más de treinta años, bullían en Alemania: el racismo, el antisemitismo y las teorías de Nietzsche. Yo pude seguir la vida de cigarra sin obligaciones y sin cargas, deambulando y curioseando. Años después, al comenzar a ganar algo con los libros, lo gastaba en seguida, haciendo un viaje, que, naturalmente, no podía ser muy largo. Así, pude satisfacer mis curiosidades románticas de antiguo lector de folletines.

Después de recorrer los barrios bajos de Madrid y alternar un poco con el mundo suburbano y ver la taberna de la Blasa, en las Injurias, los merenderos de la China y de la California y los ventorros del Pico del Pañuelo y del tejar de *Matapobres*, fui a París, a final del siglo XIX, cuando en las calles se pegaban los dreyfusistas con los antidreyfusistas; presencié manifestaciones libertarias con Sebastián Faure a la cabeza, y hablé un momento con el célebre geógrafo Eliseo Reclús. Contemplé los hoteles del barrio de Saint-Germain, del que habla Balzac, con su patio-jardín; recorrí los sitios miserables próximos a San Severino y a San Julián el Pobre, los que existen cerca del bulevar de Sebastopol, y anduve por las afueras.

Otro año marché unos meses a Londres a ver las orillas del Támesis, los rincones del Waping, las callejuelas de Whitechapel, donde anduvo Jack *el Destripador*, y los lugares descritos por Dickens.

Estuve otra temporada en Roma, oí canciones parecidas a los tangos en las callejuelas al anochecer y escuché el sonido triste de sus campanas; comí en las tabernas, medio prostíbulos, del barrio de San Juan, de Marsella, entre mujeres pintadas, marineros indios y mulatos, y oí cantar *Funiculi-Funiculá* y *Santa Lucía* en los rincones sucios y pintorescos de Nápoles antes que Mussolini hubiera dado a toda Italia un aire de seriedad y de pedantería. Anduve en lancha por los canales de Rotterdam, subí a los montes de la Engadina y recorrí una parte de Jutlandia a pie. También vi, hace más de treinta años, un pequeño encuentro entre moros, cerca de Tánger, en el que hubo cabezas cortadas paseadas en picas.

Para mí ya bastaba. Me hubiera gustado ver el Asia central, la meseta de Pamir y los grandes ríos de Africa; pero esto estaba muy lejos y era muy difícil para mis posibilidades. En cambio, no tenía la menor aspiración de contemplar el Pindo o el Parnaso ni el Partenón.

Después, estas curiosidades las he ido perdiendo.

«El que vea ahora el mundo, lo ha visto todo —dice Marco Aurelio—; ha visto toda la eternidad pasada y la del porvenir. Porque todo es y será de la misma naturaleza y de la misma apariencia.» Esto lo podía comprender en bloque un emperador filósofo, no un hombre cualquiera con pocos medios. Ahora sí lo veo. Ya he hecho el aprendizaje; lo malo es que el aprendizaje me ha durado casi toda la vida.

Yo he visto que una tertulia de damas aristócratas no se diferencia gran cosa de una reunión de modistas; que una peña de literatos es igual que otra de empleados o de dependientes de comercio, y que un grupo de anarquistas en una taberna o en un bar demuestra las mismas vanidades y pequeñeces que otro cualquiera.

Ya me he quedado tranquilo. Ya sé que detrás de esa montaña pasa lo mismo que lo que pasa aquí, y no tengo deseo de ver más.

Actualmente se considera por algunos que nuestra juventud literaria desmoralizó las juventudes que llegaron después. No lo creo. En su tiempo fue un síntoma de rebeldía tan pequeño, que no se advirtió siquiera; luego se le ha querido dar importancia y un aire simbólico y hasta considerarla como una meta. No hay nada de eso. El período anterior de inconstancia y de palabrería ha continuado y ha perdurado en España. El entusiasmo por lo que se llama ideología política, que es muy poca cosa o no es nada, las grandes frases, los grandes párrafos oratorios, es lo que ha quedado lo mismo que antes.

Yo no sé si las juventudes españolas del porvenir encontrarán épocas más limpias, más claras, más entusiastas que por la que yo pasé. A pesar del natural egoísmo de la vejez, lo desea uno fervientemente. Vivir la juventud bien de una manera noble es tener ganada la vida; vivirla de un modo sórdido es perderla de tal modo, que todos los esfuerzos que se puedan hacer después no bastan para aclararla y levantarla.

De la vida literaria no conservo yo malos recuerdos; por lo menos, si el fondo era egoísta, rencoroso y malintencionado, había también excepciones. Una de las excepciones fue para mí *Azorín*.

Azorín, en 1900, me detuvo en la Castellana. Había publicado yo mi primer libro, titulado *Vidas sombrías*.

—¿Es usted Pío Baroja?—me preguntó.

—Sí.

—Yo soy Martínez Ruiz.

Nos dimos la mano, y me dijo:

—He leído su libro; creo que es de un escritor.

Después, durante mucho tiempo, habló de mis obras con benevolencia.

Treinta y cuatro años más tarde vino a mi casa al anochecer.

—Le vamos a hacer a usted académico—me dijo.

Y después de decir esto se marchó con su aire impasible.

EL DINERO DE LA LITERATURA Y EL DINERO DEL ESTADO

Convencido yo de que con la literatura en España no se podía ganar gran cosa, he soportado las pequeñas piraterías de algunos editores de una manera tranquila. Si la mayoría de los editores y libreros creen que es cosa lícita tratar a un escritor como presa de guerra, ¡qué se va a hacer!

Mal aconsejado, tuve hace años la candidez de reclamar contra una casa editorial porque vendía ejemplares de una novela mía que parecían de una edición distinta de la única hecha según el contrato.

Había ejemplares diferentes por el fotograbado de la cubierta, por el papel y por el cosido. El texto no podía ser diferente, porque desde los primeros ejemplares se había hecho la tirada con estereotipia. El juez tuvo los comprobantes cuatro años, y al cabo de éstos no había podido resolver si el fotograbado, el papel y el cosido eran distintos los de unos volúmenes y los de otros.

Contaba esto a un magistrado conocido, y éste me dijo que no podía ser, que había un error en todo ello, y el magistrado me acompañó al Juzgado, y, después de varias idas y venidas, el asunto quedó sobreseído y sin decirme si yo tenía razón o no. Casos como éstos y otros parecidos desmoralizan al escritor y le inducen a seguir caminos más seguros. El camino más seguro es el del empleo, el de la sinecura.

Hoy todo el mundo pretende vivir del Estado y tener un destino. Llegará el tiempo en que los españoles se dividirán en una casta superior de burócratas y en otra inferior de trabajadores, principalmente de la tierra, y a esto habrá contribuido la democracia y el socialismo.

La aristocracia habrá desaparecido y los burócratas la sustituirán. Ese será el panorama español y, probablemente, el de los demás países.

Mientras tanto, el labrador, que se resigna a no ser nada y a pagar sus tributos, trabajará con sus bueyes, y en las ciudades se derrochará alegremente el dinero que le arrancan a él.

PATRIOTISMO

La falta de un sentimiento patriótico natural, biológico, falta que se observaba en nuestra juventud, se debía, indudablemente, al abuso hecho por los políticos de la retórica patriótica, que les servía de capa para cubrir sus insensateces.

Esta falta de patriotismo natural de gran parte de la juventud literaria de mi tiempo no era sólo culpa de ella, sino principalmente de los políticos, que miraban el patriotismo como una maniobra retórica para disimular errores y torpezas. Esta retórica antipática, de final de banquete, si alguna vez tuvo eficacia, la llegó a perder. Después, en la época posterior a la nuestra, que se ha considerado dominada por una idea pesimista, se adelantó y se mejoró, evidentemente, en todos los órdenes en España.

Cuando tenía yo veintitantos años y había acabado la carrera no me sentía nada claro, ni siquiera español ni vasco. Al ir a ejercer a Cestona comencé a encontrarme vasco, y al salir por primera vez de España a pasar una temporada en París comprendí que era fundamentalmente español en algunas cualidades y en muchos defectos.

Varias generaciones sucesivas no parecían sentir de una manera eficiente el patriotismo. ¿De quién era la culpa? El patriotismo había tomado un aire tan palabrero, que a la mayoría de las personas le parecía, sobre todo en los discursos, algo vacío, una habilidad de prestidigitador. Al mismo tiempo que el patriotismo declinaba, en medios intelectuales se hablaba de la decadencia de España. Esta idea es una idea vieja y se han dado muchas versiones sobre ella. En mi tiempo creo que provenía principalmente de ver a los grandes países de Europa ya constituidos en equilibrio estable y definitivo, mientras nosotros teníamos agitaciones interiores y exteriores, que los Gobiernos no sabían resolver. La idea se modificó después de la guerra mundial, y el equilibrio de las naciones poderosas, que semejaba un estado definitivo y permanente, se convirtió en un desequilibrio difícil de atajar.

Muy posible es que no hubiera en España un motivo serio de pesimismo y que el país, en sus capas interiores, no lo sintiera; pero había ciertos núcleos intelectuales con una neurosis deprimente.

La política era la principal causante de esta depresión. No podía atender a las necesidades del país; se convertía en un mandarinato chino. El camino de la vida pública estaba abierto únicamente para los hijos, para los yernos y para los favoritos de los grandes personajes. Se hacía una selección al revés en las altas esferas, y esta involución tenía que llegar a todos los organismos del Estado y hasta de la vida privada.

En un mundo en el cual el único

valor eran la intriga y la oratoria, atrincherado por hijos, yernos, amigos y hasta criados, no podía entrar el aire de la calle. La gente con condiciones naturales se hacía hostil. Era lógico en tales condiciones que la astucia y el trabajo de zapa tuvieran más importancia que las condiciones y el mérito.

Pasados los tiempos de neurosis pesimista, muchos hemos reaccionado hacia el patriotismo, no hacia el patriotismo retórico y hueco de frases hechas, sino a una preocupación de los problemas y de las cuestiones de nuestro país y, sobre todo, de la tierra.

Para sentir el patriotismo, yo al menos no he necesitado enterarme bien de las épocas brillantes de la historia de España. Me ha bastado conocer los primeros tiempos del siglo XIX, de alteraciones y de dolores, porque en las acciones históricas me ha entusiasmado más el ímpetu que el éxito y más el merecimiento que la fortuna. Así, he seguido con tanto interés las empresas de Zumalacárregui como las hazañas de Hernán Cortés, narradas un poco enfáticamente por Solís, y esto no quita para que considere al héroe de la conquista de Méjico como uno de los grandes astros de la historia de España. También me ha entusiasmado más *el Empecinado* que Cristóbal Colón o que el Gran Capitán. El resultado de la empresa no es lo que más me ha ilusionado. Los esfuerzos de los que no tuvieron éxito y conservaron la energía y el valor dan todavía una impresión más efusiva que los que llegaron al éxito y a la fama. Al mismo tiempo que el conocimiento del país y de la Historia, quizá no del todo completa, nos ha acercado al patriotismo la gran literatura y la gran pintura española. Leerla con desapasionamiento

y contemplarla de la misma manera es el modo de apreciarla. Para lo que tiene valor en sí no se necesita el ingrediente de la retórica patriótica. El patriotismo viene después, como una consecuencia biológica más que como una idea *a priori*.

¡Qué hombres ha tenido España en el dominio de la acción! Loyola, San Francisco Javier, Hernán Cortés, Pizarro, Vasco Núñez de Balboa, *el Empecinado*, Zumalacárregui. ¡Qué tipos de piedra y de acero!

En la literatura nos hemos encontrado identificados con Gonzalo de Berceo, con el poema de «Fernán González», con el *Romancero*, con el arcipreste de Hita, con Jorge Manrique, con San Juan de la Cruz y con fray Luis de León; después hemos vivido en la intimidad de la obra de Cervantes, de Calderón y de Gracián, y más tarde aún, en la intimidad de Espronceda, de Larra y de Bécquer. Ha podido uno comprobar también, si no por una lectura completa, la crítica y la ciencia profunda de Mariana, del padre Flórez, de Hervás y Panduro, de Jovellanos, de Masdéu y de Ceán Bermúdez.

En la efusión artística hemos tenido épocas de entusiasmo por *el Greco*, por Velázquez, por Zurbarán y por Goya, y nos hemos esponjado contemplando con alegría el plateresco y el barroco españoles. Yo no creo que se pueda hablar muy en serio de ciencia española, como habló Menéndez y Pelayo, porque en este respecto España es donde ha sido más débil; pero sí se puede hablar de la cultura española. Esta es una de las tres o cuatro más importantes del mundo moderno.

Antiguamente se presentaba a España en los países del norte de Europa y, en general, en los protestantes con una porción de sombras recargadas. Hoy se ve que esas sombras no son mayores que las de los demás países. El mundo culto no tiene hoy sobre Felipe II o sobre San Ignacio de Loyola, puntos neurálgicos, la impresión que tenía hace doscientos años. El mundo ha querido comprender y ha llegado a comprender.

Se ha ensanchado el sentido de la comprensión para España y para los demás países; claro es que no se ha llegado a la comprensión completa, y como es casi imposible en la lucha de los pueblos, cuando hay pasión, saber quién está en lo cierto y quién no, al último se coloca uno del lado de su país cuando cree que tiene toda la razón y también cuando la tiene sólo parcialmente.

NUESTRO LIBERALISMO

La tendencia de muchos de nosotros de liberalismo, de individualismo, de poca tutela del Estado, recibió un tremendo golpe con la guerra europea. Se salió de ella con un afán inmoderado de mandar, con un nacionalismo violento y estrecho. El Estado, como el de Rusia, en grande, y el de Alemania e Italia, más en pequeño, no quiere mandar sólo en los actos exteriores de las gentes, sino que aspira a mandar en las conciencias. Se quiere renovar la Inquisición y el régimen de los jesuitas del Paraguay.

Se podría aceptar que un apóstol quisiera dirigir el mundo y su país para llevar a la práctica una idea alta y extraordinaria; pero que los conceptos vulgares de los dictadores de hoy, nacionalistas o comunistas, se conviertan en normas despóticas para todo el mundo, es realmente insoportable.

Se comprenderían estas experiencias si hubieran fórmulas y procedimientos nuevos de vivir y de obrar; pero no los hay, y las panaceas del momento actual son las mismas que las de hace dos mil años. No se ha inventado nada nuevo en este sentido.

BIBLIOFILIA

A la proximidad de la vejez, mi tendencia, un tanto puritana y sectaria de la juventud, se transformó en indiferencia jovial.

Comencé a hacerme coleccionista y bibliófilo. Con esta afición, he rebuscado en ferias y en librerías de viejo con encarnizamiento.

Esta caza del libro ha sido para mí muy divertida; primero, porque tenía pocos medios, y luego, porque no he perseguido la edición rara o la encuadernación curiosa, sino la obra principalmente para leerla. Esta pequeña manía comienza a ser el principio de mi epílogo.

FINAL

No es que quiera dar estos apuntes de mi vida y de mis cambios espirituales como una cosa trascendental y universal. No. Es algo particular, individual, de una época española. Es también una voz de la calle más dionisíaca que apolínea.

Para los que tienen un entusiasmo hegeliano y universalista, no es nada; es una de las muchas oleadas del mar que llegan cortas a la playa. Es la historia del mar y de la playa un momento sin importancia; pero el que ha formado parte de esa oleada la considera como la vida que no ha tenido un desarrollo completo.

Yo creo que para España, como para todos los países, su primer problema es el conocimiento profundo de su manera de ser. Estamos en un período histórico en que todo está en crisis: religiones, democracia, parlamentarismo y libertad.

No hay nadie con sentido profético para vislumbrar si detrás de este crepúsculo viene otra aurora, o viene la noche. Para muchos, los dogmas y los sistemas doctrinarios tienen gran valor; para otros, no lo tienen más que por sus resultados.

Yo soy de los relativistas. Las perfecciones de un sistema político en el papel me interesan muy poco.

El país necesita conocer lo más perfectamente posible su geografía, su étnica, su historia, su industria, su comercio, su literatura y su arte.

Yo creo que nadie que sea un iluso puede pensar que nosotros, los españoles, conocemos todas esas materias.

Hay, indudablemente, una falta de información.

Ciertamente que en literatura y en arte los extranjeros no han descubierto mucho nuevo en España.

Se ha hablado de Gracián, a quien puso a flote modernamente Schopenhauer, y del caso del *Greco*, aunque de éste habíamos hablado mucho con entusiasmo antes que se ocuparan de él los extranjeros; pero si en la historia de la literatura y del arte españoles la mayoría está hecha por españoles, no pasa lo mismo en otros campos científicos: en la Geografía, en la Prehistoria, en la Etnografía, en la Geología y en otros asuntos.

Desgraciadamente, nos encontramos actualmente en una época en la que no se quiere razonar ni atender al pensamiento del prójimo.

Cada cual se encierra en sus doctrinas, en sus simpatías, sin escuchar al vecino. Se dice que en todas partes pasa lo mismo. ¡Qué se va a hacer! Yo no creo en las discusiones y polémicas de ingeniosidades y de frases; pero si cada cual se encierra en su doctrinarismo o en su utopía sin echar una mirada curiosa al espíritu del que está cerca, vamos a pasar, o mejor dicho, van a pasar los que vengan, períodos muy negros, más que nada por estupidez y por incomprensión.

Aunque racionalmente tenga uno la sensación un poco pesimista del porvenir próximo, siempre se espera algo, y aunque las experiencias del pasado no hayan sido agradables, la esperanza se levanta, como las alondras al sol, en los campos agostados a la luz clara y penetrante de la mañana.

12 mayo 1934.

LAS IDEAS DE AYER Y DE HOY

Yo no soy hombre tozudo, y lo siento a veces. Cuando me invitan a dar una conferencia, cosa que comprendo que no lo hago bien, rehúyo el encargo con una carta; pero cuando me invitan, como ahora, en nombre del Ateneo Guipuzcoano, tan amablemente como lo ha hecho don Ignacio Usandizaga, no tengo fuerza para rechazar el halago, y cedo, aunque pienso que quizá no debía ceder. Después de ceder me encuentro un tanto perplejo. Una conferencia leída no puede ser nunca amena. No tengo yo el hábito de dirigirme directamente al público. La vida extramuros de la política y hasta de la sociedad durante largo tiempo ha ido aminorando en mí el sentido pedagógico y el político. Ya soy, sin proponérmelo, inactual y apolítico.

A alguna gente de mi tiempo se le echaca ahora el ser demolera y nihilista. Se habla de cuando en cuando de esa generación del 98, que no ha existido más que en la imaginación de algunos críticos y que quizá por su misma inexistencia ha llegado a parecer una realidad. ¡Tanta es la fuerza del tópico y del lugar común!

No sé claramente lo que es ser nihilista. Supongo que será, principalmente, ser escéptico. Yo no lo soy. Creo en el trabajo del hombre, creo en el valor de la ciencia y de la razón, creo también en la verdad de la literatura y del arte, naturalmente relativa y humana. No estoy tan desprovisto de creencias para sentirme completamente desnudo; es decir, nihilista.

Al escribir esta conferencia no tengo pretensiones de convencer ni de defender esto o lo otro, sino de exponer lo más claramente posible ideas que flotan en el ambiente del tiempo. Tampoco puede uno caracterizar los problemas con gran número de datos y con rigor científico, sino un poco a salto de mata, de una manera algo caprichosa y arbitraria y como un índice de cuestiones. El tiempo de que he dispuesto ha sido también escaso.

El objeto de esta conferencia es el examen y la comparación de las principales doctrinas de ayer y de hoy. En verdad, el tema parece presuntuoso. Todos los temas son presuntuosos si no se sienten, si se trata sólo de lucir erudición; pero yo no trato de eso. Ya la erudición está en los diccionarios enciclopédicos, como las salsas inglesas en botellas, y es tan fácil simularla, que no vale la pena. Este punto de las ideas de ayer y de hoy me ha preocupado siempre y he discurrido acerca de él a mi modo.

Un hombre como yo, que considera muchas de estas doctrinas falibles, en vez de hablar de las ideas de ayer y de hoy, podría decir los mitos de ayer y de hoy; pero me parece más exacto llamarlas las ideas, aunque algunas hayan dejado de ser profesadas como tales y queden como fantasías.

LA LUCHA DE LAS IDEAS

Hasta ahora al menos, la Humanidad ha marchado en una lucha constante de doctrinas contra doctrinas, de sistemas absolutistas y cerrados contra otros sistemas de idéntico tipo. En la misma ciencia se han construido dogmas en contra de su espíritu natural antidogmático o adogmático. La ciencia ha tenido y tiene una escoria doctrinaria que va saltando al golpe del martillo de los nuevos investigadores. Por su parte, la religión ha tenido dentro de sus instituciones muchos elementos científicos. Lo humano no puede ser puro ni homogéneo. Únicamente teniendo en cuenta esa escoria doctrinaria se pudo inventar la pobre mistificación de la bancarrota de la ciencia. Casi siempre, en el terreno científico, son los segundones los que exageran las teorías de los iniciadores, las falsean y las intentan convertir en dogmas.

LA TEORÍA MICROBIANA

Cuando yo estudiaba Medicina, hace ya cuarenta años, se estaba como en plena luna de miel con la teoría microbiana. No había más que microbios, todo estaba producido por microbios. La terapéutica única era antimicrobiana. Se trataba de desinfectar, desinfectar y desinfectar.

Nuestra prescripción era más limitada que la del médico de Molière en su admirable sainete *El enfermo imaginario*. Este médico tiene para todo tres indicaciones:

Clysterium donare,
postea seignare,
ensuita purgare.

Nosotros, como digo, teníamos una sola: desinfectar.

Yo, en la pequeña experiencia de la aldea, vi que, en la práctica, no era todo desinfectar; había heridas que, desinfectadas constantemente, empeoraban; lo mismo pasaba en algunos casos de puerperio. La antisepsia en ellos no parecía tener resultado favorable. Luego he sabido que no se practican ya las desinfecciones sistemáticas de mi tiempo en todos los casos.

El dogmatismo en la ciencia va en contra de su espíritu, que debe ser siempre abierto a la crítica y al libre examen.

EL MONOTEÍSMO DEL «GÉNESIS»

Pensando en las doctrinas de ayer, la primera que se nos presenta en la imaginación con majestad teatral es la del monoteísmo, del Dios único, del Eterno.

Se ha asegurado siempre que todos los pueblos, civilizados y salvajes, tienen su Dios, lo que no es cierto más que a medias; también se ha considerado como la afirmación más genuina del monoteísmo la de los primeros versículos del *Génesis*.

Se defiende el significado de estos versículos con ardor; constantemente aparece algún nuevo defensor suyo, pero la defensa no es siempre fácil.

La creación bíblica quebró, falló en el siglo XIX, no por argumentos, sino por pruebas. La Geología, la Antropología y la Prehistoria socavaron definitivamente la idea de la Creación. El postulado de que en el *Génesis* no se habla de seis días, sino de seis períodos, es una componenda sin valor. Dentro de la ciencia—y al hablar de la ciencia piensa uno principalmente en las ciencias físicas y naturales—nadie toma en cuenta la Creación bíblica. Un Svante Arrehenius, al pensar en la vida de nuestro planeta, trata en su libro *La evolución de los mundos* de explicar su origen en la panspermia en la vida sideral; no se le ocurre ni aun tomar en cuenta la leyenda de la Biblia.

Para la religión católica hubiera sido mucho más prudente, siguiendo al abate Loisy y a algunos otros modernistas ilustres, considerar el Antiguo Testamento como historia, sin afirmarlo íntegramente como dogma; si no, hay que aceptar a Josué parando el sol por su capricho y otras extravagancias por el estilo propias de la época en que se escribieron los libros considerados santos.

Lo curioso de los primeros versículos del *Génesis* es que en ellos no se afirma el monoteísmo, sino más bien el politeísmo. Se dice que los *Elohims* hicieron el mundo, no Jehová.

No quiero insistir en esto, porque no tiene uno el conocimiento inmediato de los textos en su lengua original; pero todos los hebraístas independientes así lo afirman. No hay, pues, ese monoteísmo puro en el *Génesis*. Hoy la mayoría de los historiadores y etnógrafos creen que los judíos y semitas eran politeístas en el comienzo de su vida social y religiosa.

EL PROVIDENCIALISMO

Una consecuencia natural del monoteísmo es el providencialismo. Según esta idea, el mundo está gobernado directamente por Dios, no sólo por leyes creadas por El, sino por una acción, por una intervención efectiva y un tanto caprichosa, no ya sólo en el mundo moral, sino también en el físico.

Para el que tiene esta idea, una buena cosecha, un buen tiempo es un premio divino, y una inundación, una granizada, una peste o un terremoto, un castigo.

Es muy difícil, hoy que se conocen mejor las causas de los fenómenos que antes, ver la mano divina en hechos que tienen razones físicas y mecánicas. Es difícil ser providencialista de una manera medianamente razonable.

Sobre la intervención divina en la tierra, la frase más exacta me parece la de aquel filósofo griego que decía: «Los dioses pueden existir; los dioses pueden también no existir; lo que es evidente es que, si existen, no se ocupan para nada de nosotros.»

EL VALOR ASTRONÓMICO DE LA TIERRA

Consecuencia de la investigación científica y de la quiebra del prestigio de la Biblia es la pérdida para el hombre del valor astronómico de la tierra. La idea de la insignificancia de ésta, idea genial, viene de Copérnico. El canónigo polaco, cuando descubre su sistema, comprende su importancia y las protestas que puede producir, y no lo quiere dar al público más que a su muerte.

Las teorías de Copérnico tienen su expansión en el *Mysterium cosmographicum*, de Kepler, en donde los cielos de cristal de los antiguos cosmógrafos se rompen para dar paso al Universo. Pasados ya tantos años de la exposición del sistema de Copérnico, no ha llegado a las masas. Todavía hay poca gente que de verdad tenga una idea clara del sistema solar.

Si se consultara a los habitantes de campos y ciudades de las partes más civilizadas de Europa, se vería seguramente que la mayoría tiene de la tierra una idea aproximada a la que da la Biblia. Es decir, suponen el planeta un disco plano y redondo con una especie de campana de cristal, que es el cielo, donde habitan Dios y los ángeles, y no sospechan la concepción de Copérnico y de sus continuadores.

Resuelto ya de antiguo este punto de la mecánica del sistema solar, ahora se construyen nuevas teorías sobre el Universo, y se cree que hay otros universos además del conocido. Con esto, nuestra tierra, ante el cosmos, se queda reducida a casi nada. Algunos piensan que eso no tiene importancia para las ideas religiosas; pero la tiene, ¡no la va a tener! ¡Qué diferencia de lo que era todavía nuestro mundo para algunos teólogos en pleno siglo XVII, como el padre Nieremberg, que, por otra parte, era un hombre inteligente y de espíritu audaz, y lo que es hoy!

Nieremberg dice así en su libro *Curiosa y oculta filosofía:*

«Tiene, pues, cada cuerpo celeste un ángel que le asista como los demás elementos y que le gobierne para los movimientos irregulares que fuese menester para particulares providencias que Dios dispone. El día que padeció Cristo traería su espíritu sobrestante a la luna para que eclipsase al sol y después la restituiría a su lugar y corriente natural. Los ángeles del sol y la luna detendrían a estos dos planetas a la voz de Josué y después los pondrían en carrera.»

Esta tesis del padre Nieremberg, en que Dios juega al fútbol con las estrellas y que hoy parece absurda, no es más que la aplicación de una teoría bíblica, casi un dogma.

La unidad de la conciencia

Otra proposición trascendental que si no queda abandonada no se sostiene con su antigua fuerza, es la de la unidad de la conciencia humana. Todo hace pensar que no hay una unidad psíquica completa en el hombre. La Patología ha estudiado diversas alteraciones y desdoblamientos de la conciencia, a los que ha dado diferentes nombres: esquizoidia, esquizofrenia, hebefrenia, doble personalidad, etc. Hay muchos casos de incendiarios, de homicidas, que obran impulsados por un espíritu subterráneo, como le llamó Dostoyevski, que no es el suyo habitual. En la vida corriente vemos gentes tranquilas que, por un movimiento apasionado, en alguna ocasión, se convierten en energúmenos. Todos hemos presenciado el efecto que el alcohol hace en determinadas personas. El número de los semiconscientes, de espíritu doble, es inmenso; en cambio, el de los hombres con unidad psíquica completa es muy pequeño. Quizá estos hombres, a quienes se llama genios, son los que tienen principalmente esa condición de la unidad psíquica que hace que no se desvíen de su camino, ni se distraigan, ni desparramen su acción, como nos ocurre a los demás.

La responsabilidad

Basada en gran parte en la perfecta unidad de la conciencia humana, está la doctrina de la responsabilidad. El hombre es responsable de sus actos y de sus ideas. Conviene socialmente que así lo sea.

A pesar de la conveniencia social, cada día se acentúa más la idea de la irresponsabilidad teórica. Es evidente que la responsabilidad absoluta no existe. La responsabilidad completa no hay manera de captarla ni con el teísmo y el providencialismo tradicionales, ni con el racionalismo naturalista de nuestros días. En los dos sistemas se escapa. Para hacer posible la responsabilidad, dentro de la religión, el teólogo Molina inventó la teoría de la gracia suficiente, y con el mismo objeto, dentro del racionalismo, ideó Kant un expediente en la *Crítica de la razón práctica* que no satisface del todo. Kant, que era un monstruo del pensamiento, no corrigió con su segunda crítica la demolición de la primera; más bien creó dos sistemas filosóficos, uno para el científico y otro para el hombre social.

La no responsabilidad deja sin base la moral y convierte la sanción en una cosa utilitaria, de higiene colectiva. Con este criterio, al hombre culpable considerado no completamente responsable se le podrá apartar de la circulación como a un animal enfermo o peligroso, pero no castigarle con rudeza implacable. Algunos anarquistas creen que se puede acabar con la moral. Esta es una idea falsa y quimérica, que no vale la pena de examinar. Una moral habrá siempre escrita o tácita, y el anarquista, cuando llame a esto bien y a lo otro mal, no hará más que expresar una moral. Estar por encima del bien y del mal es lanzarse a una literatura utópica, que puede ser genialísima, y lo era con Nietzsche, pero que no es realidad.

LA VIDA ULTRATERRENA

Otra doctrina antigua importantísima para la ética religiosa individual es la de la vida ultraterrena. Hay que reconocer que el hombre, aun fuera de las religiones, ha tenido un gran deseo de que apareciera un dato, por pequeño e insignificante que fuese, que sirviera para afirmar la vida de ultratumba. Su deseo tragicómico se ha frustrado. No ha aparecido ese dato. Se han dicho muchos absurdos sobre esto. Se ha asegurado que se pesaban las almas, que el pensamiento se transmitía a largas distancias, que los espíritus hablaban por los veladores, que había faquires que se levantaban en el aire con la voluntad y otras mil cosas fantásticas. Se han modernizado los milagros de Apolonio de Tiana y de Cagliostro; hasta se ha dado nombre a una seudociencia que no tiene más que nombre: la Metapsíquica, ciencia hermana en ficciones de la Teosofía; pero no se ha comprobado con medios científicos ni una brizna de sobrenatural en la tierra.

LA ORDENACIÓN UNITARIA

Esta ideología de los viejos dogmas tenía su representación más adecuada en la vida práctica, en la monarquía de derecho divino y en el régimen aristocrático. La monarquía es el trasunto del monoteísmo. Un Dios en el mundo, un rey en cada pueblo. Dios y el rey tienen un paralelismo evidente. Por eso, los católicos gritan con frecuencia: «¡Viva Cristo Rey!» Por muy grande que se les represente su Dios, creen que un reinado, por pequeño que sea, no lo desdeñaría.

Al lado del rey, los aristócratas y los ricos, aunque fueran de procedencia usuraria, puesto que el dinero lo desinfecta todo, representan los santos rodeando a Dios o los planetas en torno del sol. Según dicen los mitólogos, los caballeros de la Tabla Redonda que aparecen en la leyenda del rey Artús en el ciclo bretón no son más que la representación de las estrellas girando en derredor del gran astro Arturus.

LOS DOGMAS CRISTIANOS

Respecto a los dogmas cristianos, no son en su origen, evidentemente, muy constructivos; más bien parecen disolventes. El que quiera seguir al pie de la letra los preceptos del Evangelio, sin hacer caso de interpretaciones capciosas, no podrá ser con la conciencia tranquila ni muy conservador, ni muy rico, ni muy sibarítico, ni muy sensual. Más bien será un anarquista o un comunista platónico.

El catolicismo da la impresión de que ha tenido que subvertir la esencia del espíritu cristiano auténtico, primitivo, para hacerlo social. El catolicismo y el protestantismo se han tenido que apoyar en el espíritu judío, legalista, del Antiguo Testamento más que en la piedad difusa y poética del Evangelio. Así, el filósofo griego Celso, en su *Discurso verdadero*, lo que reprocha principalmente a los cristianos de su tiempo es su sentido antisocial. Hoy se les reprocha todo lo contrario, lo que hace pensar que han cambiado.

He aquí cómo empieza el *Discurso veraz* de Celso:

«Hay una nueva raza de hombres

nacidos ayer, sin patria ni tradiciones antiguas, ligados contra todas las instituciones religiosas y civiles, perseguidos por la justicia, generalmente notados de infamia, gloriándose de la execración común: son los cristianos. Los afiliados cristianos—dice después Celso—tienen reuniones clandestinas e ilícitas para enseñar y practicar sus máximas; se relacionan por compromisos más sagrados que un juramento, se unen para violar más seguramente las leyes y resistir más fácilmente a los peligros y suplicios que los amenazan.»

Si hoy leyéramos estos párrafos en un artículo de periódico, todos diríamos: «Esto se refiere a los anarquistas.» Yo me acordaba de las frases anteriores cuando fui a visitar a unos jefes anarquistas esta primavera pasada en la ruinosa cárcel del Pópulo, de Sevilla.

Hoy el católico tiene el papel del pagano defensor de las leyes, y el anarquista, el papel del cristiano primitivo enemigo de ellas, que espera de un momento a otro el reino de Dios, el santo advenimiento.

Como decimos, el católico se ha tenido que apoyar más en el espíritu judío dogmático que en el cristiano de pura piedad para la construcción social.

En la época moderna ha sido también un judío, Karl Marx, el que ha preconizado un sistema comunista autoritario a base de disciplina y de ordenancismo. Los Schopenhauer, los Tolstoi, los Dostoyevski, los Nietzsche, antidisciplinados y antilegalistas, son de raíz cristiana.

Se habla del judío disolvente; pero el judío es disolvente en Europa, en países que no son el suyo, a los que odia en el fondo. Probablemente, si dominara en un país sería allá conservador, teócrata y amigo de ceremonias y de zalemas.

ALTO

Hecha esta reseña de las viejas doctrinas un poco a la ligera, pasaré a hacer una rápida exposición de los ideales nuevos de la misma manera sumaria.

Yo no soy defensor de sistema filosófico alguno.

Si hubiera insistido más en el estudio de la filosofía, sería un kantiano.

Esto de la filosofía, a primera vista al menos, es una cosa extraordinaria y admirable y un tanto cómica. Se leen las teorías de los griegos y el *Discurso del método*, de Descartes, y parecen un conjunto de lugares comunes; ahora, se lee *La crítica de la razón pura*, de Kant, y no se entiende, o se entiende tan difícilmente que no se puede seguir la lectura.

También hay otra filosofía que no es lugar común claro ni explicación abstrusa: es la filosofía de lo fantástico, estilo Plotino, y de los místicos. Esta es una filosofía que consiste en inventar nombres sobre cosas que no se sabe si existen o no existen. El doctor Richet, al inventar la palabra *metapsíquica*, fue un plotiniano.

EL PROGRESO Y EL SUPERHOMBRE

Uno de los primeros dogmas de la vida actual es el del progreso. Afirmamos que progresamos en todos los órdenes de la vida material y espiritual. Progresamos automáticamente, es la creencia difundida; casi lo mismo da que nos tumbemos a la bartola como que nos pongamos a trabajar febrilmente.

Este progresar continuo tomó hace años una forma melodramática en la idea del superhombre. Fue dentro del misticismo un poco pedantesco de los alemanes del tipo hegeliano y vagneriano donde se concibió esta idea. Los hombres como Kant nunca se lanzaron a cantar arias de bravura semejantes. Nietzsche, que pretendía ser poco vagneriano y poco hegeliano, inventó, o por lo menos infló, esta idea lírica del superhombre. No pudo seguir la línea pura y ascética de Kant, y, a pesar de su seudoclasicismo, se lanzó al misticismo germánico.

¿En qué se advierte el advenimiento del superhombre? ¿Qué indicios hay de su presencia futura? Yo creo que no se advierte en nada. No hay signos de superhombría en el ambiente. Por el contrario, el hombre, por la presión de las masas, parece que tiende a hacerse más aborregado, menos individual, más social y, probablemente, más mediocre.

No cabe duda que se puede discutir y hasta negar el progreso en algunas actividades humanas.

No se puede creer que las guerras modernas sean más benignas que las antiguas, ni que el bolchevismo ruso haya sido más benévolo que la jacquería francesa del siglo XIV; no se ve tampoco que el hombre sea mejor hoy que ayer, sino que está más dominado por la Policía y las leyes. Se puede sospechar que estamos en un momento bajo y pobre de la historia del mundo.

Algo que podría considerarse como anticipación optimista es el pensar que la ciencia puede ir influyendo cada vez más en la vida y contribuir a perfeccionarla y a mejorarla. Esta influencia es evidente, al menos en la ciencia aplicada; pero el espíritu científico no trasciende a las masas y, probablemente, no trascenderá nunca.

LA ARISTOCRACIA DE LA CIENCIA

Por otra parte, la ciencia pura se va sublimando y alejándose más de los hombres corrientes. La ciencia toma caracteres de misterio y de hermetismo, como la de los antiguos magos.

Si el matemático, el físico o el biólogo se dedicaran a explicar a las masas los problemas que en el momento les preocupan, ¿quién los entendería? Todos los sabios se nos aparecerían alejados de nosotros por sus preocupaciones y por sus problemas, como una casta superior e inasequible.

LOS IDEALES POLÍTICOS

Más próximos que los ideales de la ciencia se nos presentan, por sus caracteres menos complicados, los morales y los políticos. Entre ésos están los que simbolizan las tres palabras de la Revolución francesa, que constituyen su lema: Libertad, Igualdad, Fraternidad.

Estos tres postulados no parecen completamente armónicos. La realización de la libertad tiende a hacer desaparecer la igualdad, y la tendencia igualitaria impulsa a suprimir o, por lo menos, a restringir la libertad. El principio de la fraternidad queda flotando como un deseo alado, como un ideal un poco vago e indeterminado.

El instinto de libertad ha producido el libre examen, el liberalismo, y en nuestro tiempo ha engendrado la ideología de libertarios y anarquistas. La igualdad informa las tendencias socialista y comunista.

La libertad es un anhelo humano, una necesidad del espíritu. Se ha dicho que a Lenin no le interesaba la libertad. Tampoco, seguramente, le interesa al Papa. A nosotros nos interesa la libertad más que Lenin y que el Papa.

En nuestros días, la guerra europea ha acostumbrado al Poder de los Estados a no respetar la libertad ni la vida de los individuos. Los dictadores actuales, a nombre del socialismo o del fascismo, tratan a la gente como al ganado. Los que ya somos viejos y hemos vivido mucho tiempo de hombres antes de la guerra mundial, recordamos la libertad admirable de aquella época en todos los países, y principalmente en Inglaterra, en donde se entraba y se salía, se iba y se venía, sin necesidad de dar explicaciones, de llevar ningún documento y sin que le preguntaran a uno nada. Esto no impedía que Inglaterra fuera grande.

LA IGUALDAD DIFÍCIL

La igualdad es un postulado un poco contradictorio con la libertad; se puede llegar a una igualdad aparente en algunas condiciones de trabajo, pero de ahí no se puede pasar. Siempre habrá unos que trabajarán con facilidad y con ingenio; otros, con pesadez y con torpeza. ¿Cómo evitarlo? Unos podrán hacer trabajos difíciles y complicados; otros no servirán más que para faenas simples y vulgares. Si aparece un Pasteur, un Darwin o un Roberto Koch en la sociedad futura, no creo que el Gobierno los dedique a barrer las calles sólo por rendir culto a la igualdad. Otros mil motivos de diferencia existirán siempre. El joven guapo y atractivo se encontrará con mujeres que le sonreirán y le buscarán, y al hombre feo y desgraciado le pasará lo contrario. A la mujer le ocurrirá lo mismo, y esta superioridad de naturaleza será siempre tan fuerte, que la igualdad de las condiciones de trabajo no nivelará nada ni servirá de consuelo.

El hombre que tenga el espíritu de un Cervantes, de un Molière o de un Dickens verá un mundo lleno de imágenes, de colores y de contrastes; encontrará en un rincón cualquiera, vulgar, motivo de risa, de diversión y de lágrimas; en cambio, el hombre corriente, ramplón, tendrá delante de los ojos un mundo gris, plúmbeo y monótono.

¿Quién podrá dar condiciones iguales de vida al optimista y al melancólico, al alegre y al triste?

Se podrá llegar a que tres o cuatro horas de trabajo general diario basten para las necesidades de la vida; pero si se llega a esto, con la holganza las diferencias naturales serán mayores aún y más ofensivas; entonces, la mujer de éxito o el hombre de éxito podrán decir: «No es la posición, ni el dinero, ni el traje, ni el automóvil; soy yo el solicitado y el buscado.» Naturalmente, esto ofenderá más al pobre diablo sin éxito.

LA ASPIRACIÓN A LA FRATERNIDAD

La aspiración a la fraternidad queda como un ideal un poco vago e indeterminado. Hay, evidentemente, un sentimentalismo humanitario que existe, que crece; más que un sentimiento efectivo y verdadero, es algo difuso, vagaroso y musical.

La gente ama a la Humanidad en abstracto, quizá porque la odia en concreto. Se entusiasma con las grandes frases caritativas o filantrópicas, pero le importa poco por el vecino miserable; se siente fraternal con los hombres, pero le basta una pequeña ofensa o una rivalidad para mostrarse como una fiera.

En los partidos de efusiones humanitarias sucede como entre los católicos, protestantes y demás religionarios antiguos y modernos. Todos ellos canalizan su fraternidad hacia los suyos, a los que tampoco quieren, y guardan la hostilidad para las gentes de las sectas próximas. Es como una continuación del espíritu judío bíblico.

El odio clásico de católicos y de protestantes, de jesuitas y de jansenistas, de girondinos y de montañeses, se da hoy con la misma fuerza entre socialistas, comunistas y anarquistas, que se aborrecen con idéntico fervor que sus ascendientes religiosos y políticos.

EL ETERNO RENCOR

Otro rasgo común entre los antiguos religionarios y los modernos teóricos de la fraternidad es que en unos y en otros hay un fondo, quizá natural y lógico, de rencor.

El descontento, el sentimentalismo y el rencor forman la base de todo espíritu rebelde que reacciona contra la vida corriente.

Es muy difícil creer que ese fondo de rencor vaya a desaparecer y a sustituirle un sentimiento auténtico de fraternidad entre los hombres. Todo hace pensar que la frase de la *Asinaria*, de Plauto, que repetía Hobbes: «El hombre es un lobo paar el hombre», podrá servir durante muchos siglos, o quizá por siempre, para caracterizar al animal humano.

Ocultar ese rencor, paliar ese rencor, ha sido la tendencia de las religiones—sobre todo del cristianismo—en Europa; ha sido ése su ideal y su fracaso. El hombre sigue tan rencoroso hoy como hace dos mil años. El cristianismo no le ha transformado.

Con religión o sin religión, el mismo fuego sombrío arde en el corazón de Cabrera o del cura Santa Cruz que en el de Ravachol o de Mateo Morral; la misma rabia en el artículo del revolucionario que en el del clarical.

En un artículo de un fraile de Lecaroz, en que habla de mí y protesta porque he dicho que el padre Coloma era un adulador de la aristocracia—y yo creo que lo era—, el fraile dice, dirigiéndose a mí: «A este paso, cuando usted se muera, habrá algún desdichado que diga que fue usted un adulador del clero.»

No voy a impugnar las palabras de este fraile poco sagaz, que no ve las intenciones, sino a señalar lo piadoso y lo franciscano de este «cuando usted se muera».

Afortunadamente para todos, la vida de los anticlericales no está en la mano de los clericales, ni al contrario; ni la de los revolucionarios en la de los conservadores, o viceversa; si no, estaríamos perdidos todos: los unos y los otros, a pesar del cristianismo y de la filantropía universal.

La misma predicación de fraternidad hacen hoy los que defienden el comunismo libertario que hacían en siglos pasados los cristianos; pero el corazón del hombre por eso no cambia.

Nos quieren convencer que tenemos unas alitas para volar y que si no volamos es porque nos lo prohíben las viejas rutinas o las modernas inquietudes. Pura fantasía. El hombre, cuando se contempla de cerca, advierte en sí mismo ese animal peludo y con las piernas torcidas de que habla el abate Swift, a quien caracterizan las aviesas intenciones. A veces se nos pueden ver las garras; pero las alas, difícilmente.

Pensando en nuestro natural malo, rencoroso, violento, yo pienso que quizá fuera mejor ver dónde residen los manantiales del ódio y del rencor; averiguar si esos manantiales se pueden cegar con el tiempo o si son manifestaciones biológicas innatas a la existencia humana e imperecederas, por tanto.

La democracia

La democracia, que es una broma etimológica con eso de que es gobierno del pueblo, no creo que llegue a ser una idea ni un ideal; es, al menos en la práctica, un procedimiento político que no me parece que tenga mucho valor. Esa canalización fantástica del parlamentarismo que hace que cincuenta o sesenta mil hombres estén representados por uno solo se me figura más un mito religioso de los aruntas o de los botocudos que una idea racionalista de europeos. La democracia, si no es una mistificación de oradores, lo parece. Hay otra democracia, que es la popular o populachera: el reino pasajero de la violencia de la masa.

Esta buena señora es tan oscura en sus deseos, que nunca le sale bien lo que quiere, y muchas veces, al mismo tiempo, la autoridad que pega y el rebelde pegado se consideran sus más legítimos representantes.

La omnisciencia del Estado

Otro mito que socialistas y comunistas nos quieren dar como una realidad es el de la sabiduría del Estado. El Estado paternal, cuando se implante, lo sabrá todo; lo mismo si está constituido por grandes técnicos que por grandes ignorantes. El empleado holgazán se convertirá en trabajador y ordenará la vida; el egoísta, en generoso, y el arbitrario, en justo. El Estado legislará hasta en los más pequeños detalles; se cuidará de los biberones de los chicos y de la cantidad de aspirina que tienen que tomar los carcamales reumáticos. Es-

ta utopía tan vieja nos la quieren dar como algo maravilloso, inventado ayer, los comunistas y los fascistas.

La posibilidad de un arte nuevo

En el mundo artístico y estético, donde no hay dogmas firmes, ha nacido, por cierto paralelismo con los ideales sociales, una aspiración un tanto mística: la posibilidad de un arte nuevo. Se han querido dar varias razones, todas bastante especiosas y sofísticas, para creer en un arte nuevo. Ortega y Gasset en España, otros en el extranjero, sentaron como base la posible deshumanización del arte. Muchos artistas—que, en general, son gentes de sesos un tanto fluidos—han aceptado la teoría con entusiasmo, como una fórmula que pudiera legitimar sus fantasías.

La deshumanización del arte

A mí todo esto del arte nuevo se me antoja confusión y palabrería. La tesis de la deshumanización del arte es un teorema que no tiene confirmación ni comprobación en nada. Creer que el arte al deshumanizarse se sublima es indefendible. Yo veo todo lo contrario. Cuando el arte es humano, auténticamente humano, es cuando vale.

Claro que puede ser falsamente humano; pero entonces lo malo es su parte de falsedad, no su parte de humanidad, que está mistificada. Lo que ocurre es que en estas cuestiones no hay piedra de toque, no hay manera de poder contrastar de un modo objetivo qué es lo humano auténtico y qué es lo que no lo es; qué es lo que tiene vida, raíz psicológica, y qué es lo muerto, lo simulado.

Para mí, la causa de que me interese más un Dostoyevski que un Víctor Hugo es ésta. En el ruso, lo humano me parece cosa sentida, verdadera, viva, y en el poeta francés lo humano es retórica, arte de taller íntimamente frío, insincero y aparatoso. En un folletinista, Montepin, Richebourg, Pérez Escrich, el hombre se ha convertido en fantoche, en maniquí; en la obra ha desaparecido lo humano.

En la música, Haydn, Mozart o Beethoven dan la nota humana sincera; en cambio, Chopin, Liszt, Brahms, son con frecuencia falsos; el mismo Wagner es muchas veces exagerado en frío, *kolossalista* y extrahumano. Hasta en la música callejera se nota esto. Hay canciones populares que suenan como la moneda buena; en cambio, otras suenan como la moneda falsa. Ese tango argentino, meloso, antipático, que se oye desde hace años en todas partes, es la representación más acabada de lo falsamente humano, de lo más artificioso y más muerto.

En la confusión artística de nuestra época hay una manifestación que es —o ha sido, por lo menos—verdaderamente nueva o humana para nosotros: la música negra de los *jazz-bands*. Esto es auténtico y ha influido en la vida moderna como influye siempre lo auténtico. Muchos hemos visto en casinos o en *dancings* en estos últimos años a mujeres de fino tipo europeo imitando en las contorsiones violentas, dislocadas, de un baile, a la negra en celo de la selva africana. Se podrá considerar esto humillante y rebajador para un buen europeo, pero no se podrá ver en ello ninguna mistificación ni el más leve matiz de ironía.

En cambio, cuando se va a un museo de algún pueblo alemán, donde hay—o había hace años—grandes salas de pintura cubista y futurista, se nota a los dependientes de comercio con sus novias que entran, sonríen y se miran burlonamente.

En la música de *jazz*, a pesar de la parte posible de mistificación yanqui que puede haber en ella, aparece el negro auténtico con sus pasiones. En cambio, en el cuadro cubista, el que se presenta es el señor Duval, el señor Pérez Pujol o Schultze, el cual, siendo, como todo el mundo, tan vulgar como cualquiera, quiere demostrar que es un energúmeno, que tiene una manera de ver distinta a los demás mortales. Y este disfraz, esta máscara, esta mistificación que nota el público, es lo que produce su risa y su desdén.

No hay arte nuevo, no puede haberlo, y menos fabricado de una manera deliberada. Es una petulancia de algunos pobres de espíritu que se las echan de audaces el decir: «Estamos haciendo un arte nuevo.»

¡Qué van a hacer un arte nuevo! Los que han hecho algo nuevo lo han hecho casi siempre sin proponérselo.

Hasta los genios fundadores de las religiones y de las sectas han pensado siempre en ser continuadores y no inventores.

EL CARÁCTER EPIDÉMICO DE LO NUEVO

Lo nuevo tiene en el arte, en la filosofía y en la vida un carácter como de epidemia. Esa epidemia no es capaz de crearla nadie de una manera deliberada.

Esto del arte nuevo es algo así como lo que se cuenta del niño del colegio que explicaba el descubrimiento de América, diciendo: «Cristóbal Colón entró en su carabela y advirtió a sus compañeros: Vamos a descubrir América.» O lo del general alemán, que dijo: «Vamos a comenzar la guerra de los Treinta Años.»

Si hoy apareciera un arte nuevo seguramente no sería en Europa ni en la América europeizada, sino en Asia o en Africa, en partes que tuvieran otra tradición y otras disciplinas artísticas que nosotros.

Por ahora siempre ha sucedido que una tendencia nueva en la civilización y en el arte ha venido con la influencia de un pueblo desconocido sobre otro.

En el principio de la civilización, sumerianos, elamitas y egipcios se hacen préstamos de dioses, de formas de escritura y de leyendas. Estos préstamos persisten durante la Historia. Los griegos toman prestado a los egipcios; los romanos, a los griegos y a los orientales; los germanos, a los romanos; los pueblos modernos de Europa, a los germanos y a los árabes. Todos los países, tarde o temprano, dan algún fruto a la civilización, pero la semilla viene de fuera.

«De nada no viene nada», dijo Lucrecio. Llega un momento en que los pueblos se conocen relativamente bien, y ya no se fecundan unos a otros.

Por eso, yo creo que la única manifestación de arte nuevo en nuestro tiempo es la música negra de *jazzband*, y que esta novedad suya se revela en su éxito y en el carácter eterno de manifestación, transportada de otro país que pone a flote el sentimiento de un pueblo desconocido en su psicología como el pueblo negro. Todo lo que no tenga este carácter natural y espontáneo, como de epidemia, casi siempre venida de fuera, es una pobre manifestación de snobismo de taller.

La imposibilidad de hacer algo nuevo deliberadamente

Yo asistí hace treinta años en París con mi amigo el pintor Juan Eche-varria a una cena de escritores y artistas, en la que se trataba nada menos que de inventar una fiesta laica y ciudadana. Había allí gente inteligente. Dirigía la reunión del pintor Carrière. Estaba el grupo del escritor Charles Morice. Se propusieron muchos proyectos que querían ser originales y no se salió de todo lo ya conocido: de la procesión, del concierto, de la asamblea... A mí me daban ganas de decir a aquellos escritores y artistas:

«Creo que están ustedes queriendo encontrar una manera nueva de comer pan o de montar a caballo, y no la hay.»

Eso mismo le pasa al cubismo, al dadaísmo o al suprerrealismo. Quieren o han querido encontrar maneras nuevas de comer pan o de andar a caballo.

Valor para la vida de los ideales

Después de esta reseña, sería conveniente comparar los ideales y los dogmas antiguos y modernos y contrastar su valor para la vida práctica.

Se puede sospechar que en el mundo que se presentará mañana no habrá divinidad, ni milagro, ni vida ultraterrena; por tanto, ni premio ni castigo después de la muerte, ni idea de responsabilidad absoluta entre los hombres.

A mí me parece indudable que los dogmas antiguos, examinados por la razón natural, tienen poco valor; pero, en cambio, tienen un gran valor de eficacia para la vida, la civilización y el arte.

Vivimos en la construcción hecha por sociedades animadas por un espíritu religioso. Casi todas las obras, sobre todo las artísticas que nos producen admiración, se han creado al calor de esos ideales o dogmas que la mayoría no sentimos ni creemos.

Ellos han sido los elementos radiactivos de la civilización hasta nuestro momento histórico. Han sido como un alcohol que ha hecho vivir excitados a los hombres.

Los cimientos de la construcción comenzarán a hundirse, pero el edificio todavía se sostiene.

La situación de las religiones es muy difícil en nuestra época. Intentar sostenerlas atendiendo a su eficacia es imposible. Ya comenzado el derribo, habrá que seguirlo hasta el final.

Si la sociedad puede sostenerse tensa con una idea racionalista y relativista, nadie lo sabe. Ya los rusos, como desconfiando de toda teoría relativista, convierten el comunismo en religión, a Lenin en profeta, y hacen que la *Dialéctica*, de Hegel, que no parece más que un juego de seminario laico, se considere algo de un rigor científico absoluto.

Por ahora el monoideísmo y el espíritu sectario es lo que produce la acción; las gentes agnósticas saturadas de relativismo y de libre examen, con pluralidad de ideas, viven entre dudas y vacilaciones.

No hay hombre de espíritu relativista y comprensivo capaz de ordenar las matanzas que ordenaron los Lenin, los Trotsky y los Zinovief en Rusia, ayudados por unos judíos descendientes, sin duda, del mal ladrón, a juzgar por sus intenciones. Tampoco manda una persona de buen sentido las estúpidas matanzas que se hicieron en España, en Casas Viejas. Para eso hay que ser un fanático y un pedante, fruta que abunda entre los políticos rusos y entre los españoles.

A lo largo del tiempo ha de ser muy difícil el sustituir por otras igualmente eficaces ideas-claves como la idea de Dios y otras tan esenciales a la mayoría de los hombres como la de la vida ultraterrena y la del premio o castigo después de la muerte.

Pensando en ello con serenidad, se puede sospechar que no se llegarán a encontrar sustitutivos a esas ideas madres, al menos en el horizonte próximo a nosotros.

Esta afirmación o, por lo menos, esta sospecha parece más de reaccionario que de otra cosa. Pero ¿lo es? Yo no lo creo. El escritor, si no tiene un dogma definido y no pertenece a ningún grupo político, debe poner ante todo su probidad. Esto me parece a mí lo liberal y hasta lo libertario.

COMODIDAD DE LA VIDA ANTIGUA

El mundo antiguo estaba hecho ideológicamente única y exclusivamente para el hombre. Hoy no sabemos para quién está hecho. Podemos suponer con los mismos visos de verdad que el hombre es un semidiós, como que es algo tan importante como el musgo de una roca o el alga que flota en el mar.

Cuando leemos el auto sacramental de Calderón que tiene el mismo título que su famosa comedia *La vida es sueño*, nos asombra un tanto la confianza del poeta en la perfección de las cosas y en su teleología: el sol para alumbrarnos, las estrellas y la luna para la noche, de suplemento de iluminación; las plantas, los animales, las piedras, todo está hecho para el hombre y tiene una dedicatoria para nosotros, dedicatoria que ahora no vemos por ningún lado.

Se comprende que un hombre de la Roma antigua o de una ciudad de la Edad Media debía sentirse muy firme en el mundo, debía poner el pie con seguridad en la tierra.

Todo estaba pensado para él. Debía experimentar un sentimiento de responsabilidad grande al verse tan importante. No tenía ni el concepto nebuloso que tenemos los hombres actuales del Universo ni tampoco la sensación de contingencia de cosa pasajera, huidiza, que sentimos nosotros al pensar en nuestro tiempo.

Para el artista medieval y aun para el del Renacimiento no había la conciencia de este cambio completo y continuo en las formas del vivir que tenemos nosotros, y cuando pintaba una virgen o un santo con los rasgos de su raza germánica, italiana o española, con el traje del tiempo en que vivía el pintor, lo hacía con el convencimiento de representar una realidad. El mismo Milton, en *El paraíso perdido,* hace aparecer la artillería en las luchas de ángeles y demonios. En casi todos los aspectos de la vida práctica, en todo el pragmatismo psicológico y moral, la vida antigua parece más sabia que la moderna. En la cuestión de arte no hay que decir. Probablemente ya no se harán nunca obras de arte como las pasadas. La vida antigua falla en los cimientos y acierta en las consecuencias; la vida moderna, que tiene cimientos más sólidos, no ha podido, por ahora, encontrar fórmulas hábiles y completas.

En muchas cosas pequeñas se advierte la superioridad pragmática de una vida sobre otra.

Hay que notar la diferencia del domingo de una aldea católica y sometida a la Iglesia con el domingo de un pueblecillo republicano y anticlerical. El domingo en la aldea católica está reglamentado desde la mañana hasta la noche; el aldeano sabe lo que tiene que hacer casi hora por hora; en cambio, en el pueblo anticlerical, como no hay todavía inventada una pauta de vida laica, el aldeano se desespera y se aburre.

En todo lo práctico, la vida vieja es más sabia y más cómoda que la vida nueva.

Yo casi siempre he creído sospechar en el librepensador, en el anarquista, sentimientos más generosos que en el conservador y católico; pero cuando en éste he visto buenas intenciones he advertido que con frecuencia compadece sinceramente al no religioso, por comprender que su vida dentro de las murallas de la ciudad antigua es mucho más completa y más agradable que la del que marcha extramuros, a campo traviesa, sin saber dónde guarecerse ni tener alojamiento preparado. Además, la superioridad de la vida antigua estaba en los dos planos, en el plano de la vida normal corriente y en el plano de los momentos difíciles, en donde tenía la religión que le servía como un alcohol que le exaltaba y le daba fuerzas.

Por otra parte, la religión limita la inquietud humana, cierra con un telón de fondo las perspectivas hacia el caos panteísta. Esa debe de ser una de las razones que hace que todos los grandes metafísicos de la edad moderna hayan sido increyentes. Spinoza, Kant, Hegel, Schopenhauer... Todos ellos eran espíritus sin freno, habitantes de las noches cimerianas, que se lanzaban, como dijo uno de ellos, a bañarse en el éter puro de la sustancia única.

El porvenir

Aunque fuera exacto el balance, no muy confortable, de lo viejo y de lo nuevo hecho aquí, el místico de lo nuevo dirá: «No importa. Hay que sacrificarse por el porvenir. Desde hace tiempo, el hombre vive entre escombros. Los arquitectos del porvenir diseñan proyectos y más proyectos.»

No sabemos si alguno de ellos servirá íntegramente; lo más probable es que ninguno sea perfecto y completo. También lo más posible es que todo lo pensado con buen sentido y con buena intención tenga algo que se pueda aprovechar en lo lejano.

En todos estos planes, lo malo será la parte de intransigencia, de sectarismo y de rencor.

Yo creo que hay que abandonar las aspiraciones *kolossalistas* imitadas hoy de Roma, de Berlín o de Moscú.

Para esto habría que olvidar la retórica y sus floripondios de papel pintado.

Yo supongo que en España debe de haber gente harta de tanta palabrería, de tanto aspaviento, de tanto gesto histriónico y de tanta vulgaridad como ha destilado siempre la política.

Dicen que nos debemos dividir en izquierdas, derechas y centro. Todo eso de izquierda, derecha y centro yo lo veo muy claro en los descansillos de las escaleras; pero en la vida no lo noto absolutamente en nada.

Supongo que tiene que haber personas que quieran trabajar en lo suyo con un poco de silencio y con cierto pudor. Si no las hay, peor para nosotros. Esto querrá decir que no servimos más que para charlatanes de plazuela.

Yo comentaba hace años esa teoría de la deshumanización del arte, y decía: «No; de deshumanizar algo, que nos deshumanicen la política; el arte, no.»

Que el político hable de los aranceles y de los empresarios, está bien; pero ¿de su alma? ¿Para qué? Para eso ya están los poetas: los Byron, los Bécquer, los Verlaine o los Baudelaire.

El público español corriente parece que quiere dar como trozo lírico de algún valor el alegato chabacano del político que exhibe sus sentimientos, probablemente falsos, con una literatura de último orden.

La retórica, que ni siquiera es la buena, nos envenena. La frase histriónica, la metáfora usada y efectista quieren hacerla pasar por un producto intelectual y hasta práctico.

Esta retórica de tono mayor, de grandes brochazos, de lugares comunes solemnes, esconde todos los gérmenes de porvenir, si es que los hay en España.

Cierto que el meridional ve siempre sus ideales envueltos en grandes frases.

No sé si yo tengo un ideal meridional o nórtico; pero el mío es la aspiración al trabajo, a la pulcritud en las relaciones humanas, a la vida sencilla y a conseguir que el hombre pueda desarrollarse con serenidad y con el máximo de libertad, de justicia, de cultura y de benevolencia.

Octubre de 1933.

EL RELATIVISMO EN LA POLITICA Y EN LA MORAL

Muy halagado porque algunas personas de Villena se han acordado de mí, he venido con gusto a leer unas cuartillas que he enjaretado un tanto rápidamente.

De esta ciudad tengo un recuerdo agradable. Estuve aquí hace unos treinta años en compañía de *Azorín*, y me pareció el pueblo lo más sonriente de lo que vi en aquel viaje.

La sombra de Enrique de Villena, poeta, alquimista y brujo, con la que engañó al demonio en Salamanca, no enturbia el aire de estos campos ni de estas calles.

Al pensar en el alquimista de la redoma encantada, he recordado que Menéndez y Pelayo dice que era indisciplinado y vagabundo.

Mi conferencia también será indisciplinada y vagabunda. No he tenido tiempo de disciplinarla ni de sujetarla. Me ha salido, más que una quinta esencia, una tríaca magna: aquí un poco de teoría, allá un poco de anécdota; aquí algo como una sermón, allá como un cuplé.

IMPREVISIÓN

Ha habido en mí un poco de imprevisión al prestarme a escribir con rapidez una conferencia y al dar el título y el asunto sobre lo que iba a versar.

Tenía vagas ideas sobre este tema, suficientes para una conversación, pero quizá no para una conferencia estudiada y documentada. Ya puesto en el caso, y con la sospecha de no acertar ni de fijar bien el pensamiento, no he tenido más remedio que continuar.

EL RELATIVISMO

Voy a titular el trabajo con un título un tanto ambicioso: *El relativismo en la política y en la moral*. El objeto de la disertación es tratar de los caracteres y consecuencias que ha tenido en lo antiguo el relativismo en la moral y en la política y los resultados y consecuencias que podría tener en la política y en la moral del porvenir.

Con arreglo a la norma de la mayoría de los autores, habría primero, antes de entrar en materia, que definir lo que es el relativismo. Yo no soy muy partidario de las definiciones; más bien lo soy de las explicaciones. En general, las definiciones no son más que circunloquios, artificios en que se mete más o menos disimuladamente el definido en la definición.

Si yo quisiera dar un aparato erudito a esta conferencia, podría copiar quince o veinte definiciones del relativismo de cualquier enciclopedia moderna. Esto no me interesa. No es mi ánimo el presentar mi trabajo con un aire erudito.

Para mi objeto, basta decir que yo empleo la palabra *relativismo* en el sentido vulgar; es decir, llamo relativismo al sistema que se basa sobre lo pasajero, sobre lo que no es trascendente ni absoluto. Actualmente se puede decir que hay un relativismo filosófico expresado en sentencias de antiguos pensadores; hay un relativismo científico, del cual ha sido campeón últimamente el físico Einstein, y hay un relativismo que quiere ser constructor y vital: el pragmatismo de William James y de Bergson.

El relativismo filosófico tiene su fórmula más perfecta y más sencilla en la frase de Protágoras: «El hombre es la medida de todas las cosas, de las posibles como posibles y de las imposibles como imposibles.»

Este relativismo llega a su mayor altura en la obra de Kant. Cuando Kant considera los tres conceptos que tenemos para abarcar el mundo exterior, espacio, tiempo y causalidad, como formas de nuestra intuición psicológica y no como realidades que están fuera de nosotros, llega al máximo del relativismo. Para Berkeley no existe la materia más que cuando la tenemos delante de nuestros ojos; para Kant, el mundo exterior es tan problemático como para Berkeley.

EVOLUCIÓN Y CAMBIO

El relativismo, que nace, en parte, de la inseguridad de la existencia de las cosas exteriores, en su esencia, o, por lo menos, en sus aspectos, se afianza más con la idea comprobada de que todo evoluciona perpetuamente, todo cambia y nada es definitivo, porque todo tiende a ser. Desde este punto de vista, las cosas en conjunto, en el momento que las vemos, son eternamente nuevas, y para lo que es eternamente nuevo no hay continuidad; lo de hoy no es lo de ayer, y no ya su apariencia ha cambiado, sino su esencia misma es distinta o puede ser distinta.

Este relativismo, que en sus altas cimas es kantiano, es el que intentamos captar: el relativismo de Einstein no lo hemos podido entender, por falta de preparación matemática, y el relativismo pragmatista, con su tendencia deliberada, reaccionaria y conservadora y sus premisas preparadas de antemano, nos interesa poco.

EL CONCEPTO DE LA VERDAD

Uno de los conceptos más importantes para el relativista es el concepto de la verdad. Para el relativista no hay verdad absoluta e inmutable, y menos en el campo de la historia, de la religión y de la moral. Para el relativista discípulo de Heráclito, todo cambia y evoluciona constantemente; para el relativista no hay nada absoluto.

En la política, en la religión y en la moral es donde los cambios son más completos y más rápidos.

Ejemplos del cambio de criterio social se pueden citar a montones. Ha habido tiempo en que se ha defendido el despotismo y la esclavitud; hoy nos parecen odiosos. En la *Ilíada* se habla de la inversión sexual como una cosa natural y lícita; hoy nos parece abominable. En la tumba de Maquiavelo se escribió esta leyenda: *Tanto nimini nullum par elogium* («Un tal nombre al que no iguala ningún elogio»). Maquiavelo, doscientos años después, fue considerado como un monstruo, como un aborto de la Humanidad. Más tarde, en nuestro tiempo, ha vuelto a estimársele y a reivindicarse su memoria.

Al amigo y casi maestro del escritor florentino, a César Borgia, le pasó algo parecido. César Borgia murió en un encuentro cerca de Viana, de Navarra, lo enterraron en la iglesia de esta ciudad y pusieron en su tumba un epitafio pomposo en verso.

En el siglo XVIII un obispo de Pamplona mandó sacar los restos de aquél, a quien consideraba como réprobo, y echarlos fuera de la iglesia.

Cambios parecidos hemos visto con relación a personajes de la historia moderna. Para los historiadores y escritores franceses monárquicos de principios del siglo XIX, los hombres de la Revolución, Dantón, Robespierre, el mismo Mirabeau, eran monstruos; hoy tienen estatuas en Francia; los mismos comunalistas de París, que al principio de la Tercera República francesa se los considera como asesinos e incendiarios, fueron luego glorificados.

En España, Riego, Torrijos, *el Empecinado*, Chapalangarra, fueron tenidos en su tiempo como verdaderos criminales; de criminales pasaron a héroes. Hace cuarenta años todavía se consideraba a Pablo Iglesias como un forajido; hoy su efigie aparece en los sellos de Correos como la de un grande hombre.

No existe verdad política y social. La misma verdad científica, matemática, está en entredicho, y si la Geometría puede tambalearse sobre las bases sólidas de Euclides, ¿qué no le podrá pasar a los dogmas éticos de la sociedad?

DOS CRITERIOS DE MORAL

La moral es como un ambiente que se forma no se sabe a punto fijo cómo ni por qué.

Todos los hechos políticos, religiosos y morales han sido sometidos desde antiguo a dos normas, a dos criterios principales: a una norma absolutista y a otra relativista.

La norma absoluta y la norma relativa han producido en la religión y en la moral el rigorismo y el laxismo; en la política, el dogmatismo y el doctrinarismo, por un lado, y el realismo y el oportunismo, por otro.

Las varientes, los matices de estas distintas normas o tendencias son infinitas.

Los examinaremos rápidamente, un poco a la ligera.

En la religión, y luego en la moral, el absolutismo corresponde al rigorismo, a la moral estrecha y rígida; el laxismo corresponde al probabilismo, al casuismo. La palabra *rigorismo* se emplea sobre todo en la época en que más preocupa la moral cristiana. Antes del cristianismo se habla de la moral de los estoicos, que corresponden un tanto a la rigorista, como la moral de los epicúreos a la de los laxistas. Al referirme a la moral de los epicúreos no me refiero a la moral de Epicuro, que fue un maestro de los más grandes y de los más nobles, sino a la moral de los que se dijeron epicureístas, de aquellos a quienes llamó Horacio cerdos de la piara de Epicuro *(Epicuri de grege porcum)*.

Hay una época—la época del apo-geo jesuítico—en que los problemas de la moral se debaten con un máximo interés, y entonces las dos tendencias, la absolutista y la relativista, se separan y luchan con gran brío.

El molinismo y el antimolinismo, el jansenismo y el jesuitismo, con todos sus matices, son incidentes de esta guerra de principios éticos.

El caballo de batalla de los teólogos es el partido que debe tomar el individuo, mejor dicho, el cristiano, cuando se encuentra enfrente de una obligación dudosa.

EL TUCIORISMO

Los rigoristas absolutistas aseguran que cuando el hombre se encuentra en presencia de una obligación dudosa, debe tomar el partido más favorable a la ley, es decir, el partido más seguro, sin que le sea permitido obrar en sentido contrario, apoyándose en opiniones más o menos probables que sostengan que la ley o la obligación no rige en ciertos casos.

Esta es la doctrina que los teólogos llaman tuciorismo. El tuciorismo dice, por boca de algunos de sus ilustres dogmatizadores: obra siempre en el sentido que más te desagrade. La misma fórmula la aceptan los jansenistas, convencidos de que la tendencia natural del hombre es ir a lo agradable vicioso.

La doctrina tuciorista, seguida por los jansenistas, fue condenada por el Papa Alejandro VIII.

EL PROBABILISMO

En contra del tuciorismo absolutista se levanta una doctrina moral relativista: el probabilismo.

El probabilismo defiende que en el

caso de inseguridad, en el caso de no conocer de una manera completa la licitud o la ilicitud de una acción, se puede seguir la opinión particular y probable en contra de la opinión general, aunque ésta se halle convertida en sentencia aceptada por todos.

Qui probabiliter agit prudenter agit.

San Alfonso María de Ligorio asegura que no obra prudentemente el que, viendo que la verdad está en la sentencia más segura, quiere seguir la que es menos probable.

El probabilismo es una forma de anarquismo ético, un relativismo casuista. Siempre se puede minar el carácter absoluto de una sentencia moral. En todo hay el pro y el contra. ¿Quién lo duda?

El probabilismo ha sido el camino de flores del jesuitismo, el *chemin de velours*, que dicen los franceses, lo que les dio a los ignacianos sus grandes éxitos sociales, su fama de mundanos, de elegantes y de confesores de manga ancha.

Todavía los casuistas y los teólogos aficionados a los tiquismiquis de la ética práctica inventaron otro nombre y otra subteoría más relativista aún, que llamaron probabiliorismo. Los que la defendían no creían que en caso de inseguridad se pudiera seguir una opinión particular y probable, en contra de la sentencia general, a no ser que tuviera garantías suficientes.

Pero ¿quién era el torpe que aceptando el principio no sabía encontrar algunos argumentos mejores o peores para legitimar su decisión? El diablo mismo—según se ha dicho—sabe emplear para sus fines los textos de la Escritura.

En la época en que estas cuestiones de Teología moral apasionaban, los jesuitas y carmelitas tendieron al probabilismo; es decir, al laxismo; los dominicos y jansenistas fueron rigoristas.

De tales sutilezas casuísticas salieron las restricciones mentales, la dirección de la intención y otras argucias de confesonario, que, si no son útiles, son divertidas.

Contra el probabilismo y el casuismo, contra los Escobar, los Soto, los Molina y los Diana, se levantó Pascal con sus *Cartas provinciales*. Pascal fue el defensor elocuente del lugar común contra los revolucionarios, contra los relativistas de la moral y contra los espíritus modernos del tiempo.

El prestigio del casuismo y del probabilismo estaba en que favorecía y permitía la vida ligera y fácil. Legitimaba un poco el vicio, la pasión y el desorden. De aquí el éxito de los jesuitas.

Estos profundos moralistas del jesuitismo quisieron hacer de la moral algo como una matemática. Si los llegan a dejar hubiesen acabado con la parte utópica de los dogmas cristianos. En este sentido, los protestantes y los jansenistas eran menos modernos que los jesuitas, porque querían retrotraer la religión hacia sus principios semíticos y judaicos; en cambio, los jesuitas iban tendiendo a una moral como la del Renacimiento, moral de la supremacía de la fuerza, de la inteligencia y de los demás valores humanos.

El jesuitismo, como todo, tuvo su parte buena y su parte mala; la mala, o si se quiere la peor, fue la absolutista, la de la obediencia como de cadáver; la buena fue su tendencia laxa y libertina.

En la moral laica. Antinomia

Estas dos mismas formas de moral absolutista y relativista, rigorismo y laxismo, han continuado cuando la ética ha dejado de ser principalmente religiosa y ha comenzado a ser natural y social.

Kant, por ejemplo, es rigorista. Kant asegura que ni para salvar la vida de un hombre es lícito mentir. ¿Qué diríamos nosotros, altos y bajos, cultos e incultos, si una turba quisiera matar a un hombre inocente refugiado en un lugar cualquiera, y esa turba preguntara a un vecino: «¿Dónde está ese hombre? ¿Cuál es su refugio?», y él contestara, por no mentir, descubriéndolo: «Ahí está»?

Diríamos que era un desalmado, un bruto. Con ello demostraríamos que éramos unos probabilistas, unos casuistas, y, a pesar de esto, postularíamos después categóricamente que la verdadera moral es la rigorista. Este postulado sería una contradicción, una antinomia, pero sentida y sincera, porque al mismo tiempo diríamos:

—De ninguna manera se debe mentir.

Y al mismo tiempo afirmaríamos:

—En este caso he mentido, y siempre que se me presente un caso así, mentiré.

EN LA POLÍTICA

Si trasladamos del terreno de la religión y de la moral al de la política las dos tendencias principales, el absolutismo y el relativismo, veremos que, inspirados por ellos, han salido una porción de sistemas grandes y pequeños.

El absolutismo ha producido muchos sistemas dogmáticos: el monarquismo, el republicanismo, la democracia, el nacionalismo, el socialismo y el anarquismo.

El relativismo ha dado origen a otros tantos: el liberalismo, el oportunismo, el realismo y el sindicalismo.

Los sistemas absolutistas son todos dogmáticos en bloque, tienen afirmaciones contundentes que pretenden ser axiomáticas. Los sistemas relativistas tienen aire de soluciones medias y de componendas.

Se podrían considerar los sistemas políticos absolutistas más como religiones que como verdaderas teorías políticas.

LOS GRANDES FILÓSOFOS Y LA POLÍTICA

No han sido los grandes filósofos y pensadores los que han construido los principales sistemas políticosociales que andan por el mundo.

Parece que los grandes filósofos no tienen condiciones para actuar en las masas. Kant, por ejemplo, ha influido algo, pero poco; en cambio, Hegel ha ejercido una influencia enorme. Yo he leído a Kant con esfuerzo; también he leído a Hegel.

Kant me parece dentro de la Filosofía lo que Mozart en la música; es decir, la perfección. En cambio, Hegel es muchas veces superficial, charlatán, *kolossalista*, una especie de Wagner de la filosofía. Por lo mismo, Hegel ha influido más en la política que Kant.

En todas las proposiciones que hizo Kant acerca de puntos de Física, Cosmología, Matemáticas y otras ciencias, donde hay comprobación, acertó y dio en la verdad; en cambio, Hegel disertó con profusión, embarulló las cuestiones históricas y literarias, no tuvo un acierto evidente y hasta rechazó la teoría de la evolución, que ya en su tiempo se iniciaba y que luego desarrolló y completó el gran genio de Darwin.

Hegel protestó con fuerza contra los autores que querían deducir toda la serie animal de los organismos inferiores.

Le era, sin duda, más grato un concepto místico que un concepto realista.

Del barullo y de la palabrería hegeliana puede salir todo: el cosmopolitismo, como el nacionalismo, el despotismo y el socialismo.

Kant era un gran enemigo de las teorías absolutistas. Su espíritu crítico y su amor por la verdad le llevó a dudar del mundo exterior y a no afirmar más que los medios personales del conocimiento. No le interesó fuertemente la Historia ni la política. Era lógico que a un hombre como él no le interesaran. ¿Con quién se iba a entender? ¿Quién le iba a entender? A pesar de su escepticismo con relación a la verdad, fué en la moral un rigorista de tradición protestante. La mayoría de los grandes filósofos no han influido, como decíamos, en las masas; habrán hecho pensadores solitarios, pero no han creado sistemas políticos. Estos los han formado segundones del pensamiento. Fourier, Karl Marx, Proudhon, Kropotkin o Sorel, en el mundo del pensamiento, son personajes de segunda fila.

LA INFLUENCIA DE LAS MASAS

La idea fija, la retórica, el fuego y la tendencia a la persuasión no se han dado en los hombres de gran altura.

Schopenhauer, en la vejez, decía: «El día de mi muerte será el día de mi canonización.» A pesar de su talento filosófico y literario, no llegó a ejercer influencia más que en un reducido número de escritores.

Hay que reconocer que nunca las teorías relativistas han ejercido acción en las masas. Las teorías absolutistas influyen y no se llevan a la práctica; las teorías relativistas influyen en las minorías y sus planes se realizan a veces. Al menos hasta ahora, el oportunismo nunca ha movido a los pueblos; no sabemos si llegará un tiempo en que planes pequeños y sensatos hagan efecto entre las masas.

Ahora sería interesante, desde un punto de vista relativista, hacer un examen de nuestra situación política.

¿Cuál puede ser entre los ideales políticos y sociales humanistas de hoy lo que los une a todos ellos? ¿Cuál puede ser el magma en donde se apoyan todos?

Parece indudable que el común denominador de las tendencias actuales es la aspiración de impulsar la evolución humana, la aspiración de mejorar las condiciones de la vida, dando al hombre más justicia, más libertad y más bienestar.

LA CULTURA

Uno de los andamiajes importantes para esta obra es la cultura.

La cultura de hoy, que no puede ser aristocrática, tiende a la utilización de todas las energías de la tierra y del hombre, a fin de que éstas den el mayor rendimiento posible.

Los medios de conseguir esto para los relativistas son varios, largos, evolutivos, y necesitan un esfuerzo de generaciones y de muchos años.

En la mitad final del siglo XIX se tuvo como la concepción científica más seria y más probable la teoría de la evolución de Darwin. Sólo la acción lenta del medio podía ir cambiando las especies y los individuos.

Hará próximamente treinta años, un botánico holandés, Hugo de Vries, demostró que hay ciertas especies vegetales que, de repente, sin preparación alguna, sin nada que lo haga prever, pueden cambiar en absoluto de tipo y tomar otros caracteres. Esta transformación brusca, denominada por Hugo Vries mutación, añadió en Biología a la ley general de la evolución la posibilidad de la variación brusca. Es decir, el botánico holandés encontró en la Naturaleza la posibilidad de la revolución y del milagro revolucionario.

Los políticos, desde hacía tiempo, habían creído en este milagro revolucionario.

LO JURÍDICO

Los políticos creen, como decimos, que tienen medios rápidos para conseguir los fines de la cultura; es decir, para realizar el milagro revolucionario.

Uno de estos medios es la instauración de la democracia y de la República.

Para ellos la cuestión es teórica y jurídica. Lo jurídico es el gran tabú de los republicanos. Toda la pedantería española se queda extasiada ante esta palabra.

Hace meses leí en un periódico un artículo de un profesor de Derecho acerca de la vida de Rusia. El profesor, confrontando estadísticas, encontraba que desde la revolución acá se habían fusilado oficialmente en Rusia todos los años de seis mil a siete mil personas; pero no se había reconocido en el Código ruso la pena de muerte. La pena de muerte no era jurídica. Estábamos salvados. Para este profesor, como para muchos republicanos españoles, lo importante no es la vida de las personas, sino el Código.

Esto recuerda al médico de Molière, que asegura que vale más morirse siguiendo los preceptos de Hipócrates que no vivir contra ellos.

MONARQUÍAS BUENAS Y MALAS

Juzgando por los resultados—el relativista no podría juzgar más que por ellos—, tendría que calificar a la República de Suiza de admirable; pero no podría menos de considerar también admirables a las Monarquías de Inglaterra, de Holanda y de los países escandinavos.

Dinamarca y Noruega han conseguido resultados que no han podido conseguir Francia con sus radicales ni Rusia con sus bolcheviques. Esas dos Monarquías escandinavas han suprimido la aristocracia, han limitado la propiedad territorial y la herencia. Han suprimido la Marina de guerra y casi han suprimido el Ejército. La libertad para exponer el pensamiento es en esos países absoluta. No hay clericalismo, y en cuestión de enseñanza y de higiene están a la cabeza de los pueblos de Europa.

Yo no soy un defensor de la Monarquía; pero hay que reconocer que hay Monarquías buenas y malas. La nuestra era mala, y bien muerta está. A nadie le puede extrañar que se le ponga en la tumba un epitafio definitivo.

A DESTIEMPO

Hay mucha gente que se asombra de que la mayoría de los españoles independientes seamos más enemigos de la Monarquía que entusiastas de la República.

La cosa no es extraordinaria, porque la Monarquía ha sido torpe, y la República, por ahora, no es tampoco muy hábil.

La República, como institución para producir entusiasmo, viene un poco a destiempo; es una fórmula un tanto usada y manoseada. Es como la novia a la que espera su prometido años y años y llega pasada, sin el aire de juventud y de frescura de otra época.

EL PARLAMENTARISMO

El principal instrumento de la República es el parlamentarismo. Cada cincuenta mil personas, exceptuando las mujeres y los chicos, los militares y los curas, envían un representante al Parlamento, y la suma de esos representantes es la opinión íntegra del país.

Esto, como sistema mágico, puede tener algún valor; como sistema racional, muy poco o ninguno.

Se podría argumentar diciendo que el procedimiento es arbitrario, pero el resultado es valioso; pero no hay tal.

El Congreso, en este momento, no representa la masa social española. Si la representara, sería un conglomerado desgarrado de opiniones contrarias, de rencores y de furias. El Congreso actual es más bien apacible y mediocre, es una creación artificiosa y falsa. No puede ser otra cosa. Parece que está hecho pensando no en el país, sino en la cubicación del palacio del Congreso, de la carrera de San Jerónimo.

Está hecho también con la idea preconcebida de dar una impresión de que España es un país en su mayor parte socialista, lo que es falso.

El Parlamento español, como quizá la mayoría de los Parlamentos, no sólo no representa la masa social, sino que, además de esto, no interesa.

Las Cortes tendrían su objeto si no existiera la prensa desarrollada de nuestro tiempo; pero hoy, cuando un solo periódico puede reproducir la opinión de una persona en cientos de miles de ejemplares, ¿qué valor de expansión puede tener un discurso pronunciado ante trescientas o cuatrocientas personas?

El Parlamento no queda más que como una de tantas ceremonias de la democracia.

Sin el altavoz de la prensa, el Parlamento tendría la misma resonancia que un Congreso de turistas, de veterinarios o de dentistas.

REFORMAS QUE NO NOS INTERESAN

Los hombres de la República actual tienen una actitud un tanto parecida a los hombres de la Dictadura.

—Estamos haciendo una maravilla —nos dicen estos políticos, como aquellos generales—, y todo el que no se entusiasma con nuestra obra es un canalla y un mal español.

Nosotros, la mayoría, que no estamos dentro de la política, esperamos y deseamos que los políticos lo hagan bien; pero es difícil creer que lo torpe es hábil y lo desgraciado es afortunado.

Este Congreso, con sus sabios leguleyos, ha dado a los españoles una serie de fórmulas que nadie apetece. Ha asegurado que somos una República de trabajadores, a pesar de que cada español sospecha que somos un país donde abundan los vagos; ha dado el voto a la mujer, el divorcio y la secularización de los cementerios.

Todo esto, la verdad, nos interesa tan poco, que a la mayoría nos deja indiferentes.

Con la Constitución íntegra pasa lo mismo. Nadie cree en ella.

En España se han hecho ya trece Constituciones después de la Constitución de Cádiz, y se harán catorce, y dieciséis, y todas serán muy perfectas, pero no influirán en la vida. Todas ésas son reformas en el papel, pero no en la realidad.

Nuestros republicanos, unidos a los socialistas, han amenazado y no han dado; han dicho que van a hacer, y no han hecho nada, con lo cual han conseguido que los capitalistas estén asustados y los obreros exasperados.

Respecto a represiones y violencias, los meses que llevamos de República han producido más muertos en las calles de las ciudades que cuarenta años de monarquía.

SOCIALISMO Y COMUNISMO

Después del republicanismo democrático vienen otros partidos más radicales y no menos absolutistas, como el comunismo y el socialismo, que no se diferencian entre ellos gran cosa más que en su táctica. Después aparece el anarquismo.

Ninguno de estos sistemas quiere tener en cuenta la realidad, y todos ellos son utópicos. Todos nos prometen un paraíso con Adán y Eva y sin serpiente. Es decir, sin capitalistas.

El socialismo y comunismo, por ahora, en ninguna parte han producido grandes beneficios.

La mayoría de las concepciones del socialismo son ilusorias. Ni los socialistas ni nadie pueden sacar de la nada una sociedad nueva a fuerza de decretos. Habría que transformar las condiciones de la tierra, hacer cultura intensa intelectual y sentimental.

LO MODERNO DEL COMUNISMO

Los comunistas quieren creer como en un axioma que el comunismo es un descubrimiento y una innovación que se está ensayando en la vida por primera vez.

No hay tal. Sociedades comunistas ha habido muchas en la Historia, y no en los pueblos más civilizados, sino todo lo contrario.

En el libro *El alma primitiva*, de Levy-Bruhl, se citan informes de viajeros y etnógrafos por los cuales se comprueba que entre los congoleses, los achantis, los australianos y los indígenas de las islas de Salomón se vive en pleno comunismo, sobre todo en el comunismo de la tierra, que pertenece no a los individuos, sino al grupo social.

Claro que esta semejanza con relación al comunismo con los salvajes menos civilizados no hará mella en los exaltados, y hasta algunos dirán: «A ésos, a los salvajes, hay que imitarlos», como el padre Ferrer de Valdecebro creía que los hombres podían tomar muchas lecciones para la vida de las aves y de las fieras y animales silvestres.

PROMESAS SOCIALISTAS

Desde el momento que se ha ensayado el paraíso prometido, se ha convertido en un desagradable purgatorio, cuando no en un infierno franco. Con el socialismo ha aumentado en todas partes la burocracia y la Policía. Los trabajadores han vivido igual o peor, y en vez de provocar una dictadura verdadera del proletariado, que sería, por ahora, el reino de la incapacidad, se ha ido a una dictadura de oradores retóricos, de gente lista, avisada y charlatana.

Hay que tener mucha ceguedad y mucha estupidez para considerar como un ideal a la Rusia soviética, en donde se prende y hasta se fusila por motivos tan fútiles como el de considerar a un obrero inhábil para el trabajo.

Los que tienen esta nostalgia bolcheviquista debían haber nacido indios en la época del mando de los jesuitas en el Paraguay.

Cierto que no hay manera de tener una idea clara de lo que pasa en Rusia. Los buenos burgueses de Occidente ven en el antiguo Imperio de los zares lo que les quieren enseñar los bolcheviques. Les muestran escuelas y hospitales, como el ministro Potemkin mostraba a la gran Catalina, en medio de la estepa, aldeas prósperas, que eran, en realidad, bambalinas.

Los buenos burgueses de Occidente recorren este laberinto de feria llevados por un cicerone, y sacan la consecuencia de que Rusia es una especie de Chicago.

Ninguno de estos turistas ve lo que hay a un lado y a otro de este americanismo falso: el infierno sombrío, formado por la pedantería marxista y la crueldad del mogol y del semita.

No hay manera de tener una opinión objetiva sobre Rusia que valga la pena. Yo últimamente he hablado en Barcelona con un obrero que ha trabajado en Moscú cuatro años y que sabe ruso. Según este obrero comunista, la vida allí es sombría, negra; los restaurantes obligatorios huelen mal, en las casas se vive en el mayor hacinamiento, las mujeres y los niños tienen un aire siniestro. La mayoría de las gentes soportan la miseria aterrorizadas.

Vivir esclavizados y al mismo tiempo mal es cosa terrible. El hombre corriente puede aceptar una de estas dos cosas: o vivir libremente, con dificultades y con amarguras, o vegetar cómodamente en una dictadura despótica como un animal bien cebado. Ahora, vivir esclavizados, estandardizados y mal dirigidos por el Stalin de tanda, judío o mogol, eso es horrible.

El conde Sforza, que dio no hace mucho una conferencia en Madrid, parece que contó que en Rusia se vivía mal, pero que el obrero ruso tenía otras compensaciones. Así, cuando fue una Comisión de obreros rusos a Londres, los compañeros ingleses les llevaron a Hyde Park y les mostraron lo bien tenidos y elegantes jardines; pero los rusos, al ver a los jóvenes de la aristocracia y de la burguesía inglesas que jugaban y paseaban, fuertes, bien nutridos y de mejor aspecto que los jóvenes obreros, dijeron que no comprendían cómo los ingleses podían soportar aquel espectáculo, denigrante para ellos.

Es posible que estas ideas de igualdad absoluta, un poco disfraz de la envidia, basten para sentirse contento.

Yo, a pesar de ello, lo dudo.

El socialismo y el comunismo no han dado en la práctica lo que se esperaba de ellos. Ya no tienen aire de aurora, como en el siglo XIX, sino de crepúsculo.

Yo lo creo así, y no porque tenga miedo ni nada que perder con un cambio social. En un régimen socialista me molestarían más las inepcias que se pusieran en circulación que los perjuicios.

Además, me parece ridícula la idea de la excelsitud y de la infalibilidad del Estado. Es una idea ésta muy agradable para los que mandan, sobre todo para los políticos profesores.

Hace poco tiempo estuvo en mi casa un periodista de un periódico ruso, la *Pravda*. Dijo las vulgaridades de todos los bolcheviques, y aseguró que en Rusia había toda clase de libertades.

—Pero, entonces, ¿se puede discutir y atacar el marxismo?—le pregunté yo.

—No; eso, no.

—Pues entonces no hay libertad ninguna—le dije—. Esa es la misma libertad que la de los católicos.

La verdadera libertad está en permitir combatir lo que a uno le parece el error; lo demás es inquisición, bolcheviquismo o fascismo, algo repugnante para un espíritu liberal.

Respecto al anarquismo, es tan utópico como el comunismo, pero tiene la ventaja de no aspirar al Poder, lo que le hace, indudablemente, menos peligroso políticamente.

Los socialistas españoles tienen las mismas habilidades de los viejos políticos: tan pronto aparecen conservadores y evolucionistas como revolucionarios e intransigentes.

Cuidan de su sociedad casi con tanto celo como la Compañía de Jesús de la suya.

Están en el Poder, y cuando hay matanzas de campesinos, como en Epila y en Arnedo, se hacen solidarios de los campesinos y protestan. Protestan, ¿contra quién? ¿Contra ellos mismos y sus ministros? La cosa es un poco absurda. Lo único que ha demostrado, por ahora, el socialista es un afán inmoderado de empleos, honores y preeminencias.

FIDELIDAD A LOS SUYOS

Quizá es el común denominador de los políticos el ansia de los empleos. En esto no hay mucha diferencia entre republicanos y socialistas. En lo que sí creo que hay diferencia es en que los socialistas son más fieles a su gente.

Yo conozco viejos republicanos consecuentes que han trabajado con entusiasmo por la República, y cuando ha venido el cambio de gobierno no les han hecho caso, los han olvidado. Yo, como digo, conozco a algunos y hasta me burlo un poco de ellos cuando los veo, claro que amablemente y sin ganas de ofenderlos.

Esta ingratitud y versatilidad debe de ser característica de los políticos. Me recuerda una anécdota de mi pequeña vida política.

Yo creo que actué en política, hace más de veinte años, de cinco meses a medio año. Luego lo dejé, porque me pareció aburrido. En esa época me nombraron candidato a concejal por la coalición republicanosocialista de Madrid.

Lerroux me dijo por entonces:

—No sabe usted lo agradecida que es la democracia cuando un hombre se dedica a ella.

—¡Hum!... Yo lo dudo un poco —le contesté.

—¿Por qué?

—Porque cuando un hombre alcanza un cargo, al menos en España, nadie cree que hace un servicio a su país, sino que coge una prebenda para disfrutar de ella.

—Es usted pesimista; pero ésa no es la realidad. Lo verá usted.

Como candidato a concejal, en Madrid, durante las elecciones, hablé en unos cuantos mítines, y como no tenía condiciones ni afición a la oratoria, me cansé pronto y lo dejé.

Tenía yo un amigo médico, el doctor Dupuy, que entonces estaba en una Casa de Socorro de barrios bajos. Daban una noche un mitin para presentar a los candidatos republicanos y socialistas en un local de la calle de la Ruda.

—Vamos —me dijo Dupuy.

—No. Me querrán hacer hablar.

—¡Ca! En el público no le conoce a usted nadie.

—Bueno. Entonces vamos a la parte del público.

Estaba el local lleno de público; caldeado, echando bombas.

Hablaron varios ciudadanos y después el secretario de Galdós, Pablo Nougués.

Nougués hizo un elogio de los candidatos, sobre todo de mí.

Entonces, un hombre que estaba al lado de mi amigo el doctor Dupuy, le dijo:

—A mí ya me están haciendo la pascua con tanto hablar de ese señor Baroja.

—Tiene usted razón—le contestó el doctor.

—Porque ¿dónde se le ha visto a ese señor en un mitin o en un Comité? Porque aquí lo que pasa, ¿sabe usted?, es que está usted trabajando en el Comité durante veinte años, y cuando hay una vacante de concejal o de diputado se la dan a don Pío Baroja o a los hermanos Quintero.

Mi amigo Dupuy le daba la razón, y al salir se reía con toda su alma.

Tenía razón el buen ciudadano de la calle de la Ruda. En general, los republicanos no son agradecidos a sus fieles, y dan los cargos a cualquiera menos al que lleva años haciendo méritos.

DERIVACIONES RELATIVISTAS

Dentro de las teorías absolutistas íntegras han salido, como sucede siempre, tendencias relativistas, experimentales; al socialismo le ha brotado el laborismo, y al anarquismo, el sindicalismo. El sindicalismo ha tenido más fe en el ímpetu revolucionario que en la teoría. Ha sido, en parte, antidogmático y antiutópico. Es lo que ha tenido de bueno. Las asociaciones obreras sindicadas, sobre todo las no contaminadas con los Gobiernos, y más si llegan a asimilarse a los técnicos, son las que pueden orientar la vida de España de una manera práctica y al mismo tiempo nacional, sin imitaciones alemanas ni rusas.

Muchos dicen que los sindicalistas son anarquistas sin etiqueta, pero no hay tal. Entre el sindicalista y el anarquista hay ya mucha diferencia; el uno es absolutista e iluso, el otro comienza a ser relativista y práctico. Dentro de esta dirección podrá ser práctico del todo.

PLANES RELATIVISTAS PARA EL PORVENIR

Si se pudiera aceptar una tendencia relativista en la política, traería, naturalmente, el abandono, al menos en parte, de los ideales absolutos y trascendentales.

Parece indudable que el relativismo en la política, los ideales prácticos y no mesiánicos, no pueden ser más que patrimonio de minorías inteligentes. El relativismo, si es posible, consistiría en ver en lo que es, en no forjarse fantasmas ni luchar contra molinos de viento ni vivir siempre enredados en una fraseología retórica.

El relativismo en política podría dar ideales, realizables en breve plazo, que sustituyeran a ese eterno mesianismo socialista y anarquista, que no termina más que en una charlatanería frenética.

España es un país muy vario, de los más varios de Europa.

Sin ser un país íntegramente rico, es el que tiene mayor variedad en paisajes y en flora. Por eso Linneo llamaba a España la India de Europa.

Un país como el nuestro no se puede regir siempre por disposiciones generales. Cada pueblo, cada comarca, cada región debía tener su manera especial de regirse. Para esto tendría que conocer a fondo sus intereses particulares e intentar resolverlos a su modo. Con ese objeto sería conveniente que se fueran formando Juntas municipales y comarcanas, no para resolver inmediatamente sus asuntos, sino, primero, para conocerlos, y después, para ensayar soluciones.

Yo creo que el individuo que habita en un pueblo debe defenderse del Ayuntamiento; el Ayuntamiento, de la Provincia; la Provincia, del Estado español; España, de Europa, y Europa, de los demás continentes. Me parece la guerra social e individual la fórmula más natural y lógica de la existencia.

La concurrencia vital y la lucha por la vida seguirán rigiendo el mundo, a pesar de las predicaciones vacuas de comunistas y de anarquistas. No sabemos si se podrá evitar alguna vez la guerra entre los Estados; la guerra entre los individuos no se evitará nunca, porque es la condición de la vida.

La transformación de España tiene que ir de la periferia al centro. Del centro no pueden salir más que frases, retórica y dogmas.

Yo no creo que para las organización del trabajo y de la tierra sea necesario la contribución de la Historia ni el lastre del regionalismo o del nacionalismo. La Historia pura pesa poco en los problemas de la vida actual. Se puede aceptar el residuo histórico mientras adorne un poco y no estorbe, como un motivo de arte decorativo; pero nada más. Lo necesario es ir abandonando la idea mística de la revolución. Los que se llaman revolucionarios no tienen en la cabeza más que una palabrería retórica, que si se pudiera convertir en práctica terminaría en un cambio de nombres y de etiquetas.

Nuestros revolucionarios son como los cubistas: quieren hacer pasar cuatro tonterías manoseadas que ruedan por el mundo como genialidades de gran porvenir.

Hay que abandonar también la idea de hacer de España una gran nación. Eso de formar parte de una gran nación es un ideal de portero francés o de sargento alemán; un ideal de puro aparato.

También hay que desconfiar de los grandes políticos. No los hay. A los que se tienen como tales los vamos a ver dando batacazos constantemente.

Hay que prescindir de esos supuestos grandes hombres, que de cerca son hombres de cartón.

Lo necesario sería ir conociendo la geografía humana de las regiones y de las comarcas, el dominar las diversas técnicas, las agrícolas y las industriales, y el hacer más intenso por todas partes el trabajo.

También sería ya tiempo de empezar a considerar a la República no como un fin, sino como un punto de partida hacia otras cosas de alguna más sustancia.

Enero de 1932.

EL TEMA SEXUAL EN LA LITERATURA

Con tiempo escaso, y entre un viaje que he hecho con un amigo por Andalucía y Extremadura y otro que voy a emprender dentro de unos días, no me siento capaz de abordar con novedad un tema tan extenso como el que me han señalado. No tengo por el momento libros ni datos para dar a mis cuartillas un ligero aire de erudición. De todas maneras, conste de antemano mi agradecimiento por haberse acordado en estas Jornadas Eugénicas de un hombre como yo, que es desde hace mucho tiempo un desertor de la Medicina.

No cabe duda que el tema sexual,

el amor, es la base principal de la literatura de todos los tiempos. El produce una serie de acciones y de reaciones en la vida, aun en la más humilde, tan complicadas y tan varias, que se multiplican hasta el infinito. Es un árbol lleno de ramas, que se dividen y se subdividen, como en la Naturaleza, en parte todas iguales y en parte todas diferentes.

La raíz de este árbol es irracional y de pura animalidad; la florescencia es a veces rara y extraordinaria. En esta cuestión del amor, en la práctica, hay siempre un equívoco. Los naturalistas dicen: «El amor en los animales.» El místico dice: «El amor de Dios.» El ciudadano: «El amor a la patria.» Una cosa se refiere exclusivamente a la unión sexual; las otras no pueden referirse a eso, de manera que la palabra es demasiado extensa para ser precisa.

Concretándose a la unión sexual, hay en el amor una serie de confusiones que es posible que no se aclaren nunca o que, por lo menos, tarden en aclararse.

En ese sentimiento se toca lo bueno con lo malo, lo más noble con lo más indigno. De aquí que el hombre enamorado pueda ser como una caja de sorpresas. Por ello quizá es el eje sobre el cual gira la literatura. No sé si toda la literatura. Es posible, yo no lo sé, que para un chino ilustrado nuestros conflictos sentimentales de las madames Bovary y de las Ana Karenina sean perfectas tonterías.

Por otra parte, el amor sexual está lleno de trampas, aun en su mayor pureza. Siendo un asunto tan individual, tan exclusivo de una pareja amorosa, que parece que no tiene más finalidad que su dicha, es, sin embargo, un asunto social. La especie quiere vivir, y los enamorados que se desentienden del mundo entero para unirse y no piensan más que en sí mismos obran dominados por ese fatalismo de la especie.

En nuestro tiempo cualquiera diría, al ver tanto libro dedicado a la vida sexual, que se ha descubierto algo nuevo en ella y que es necesario comunicárselo al pueblo para que lo conozca. El caso es que no sabemos que haya ningún descubrimiento en esta cuestión ni en el orden científico ni en el literario. Las aportaciones de Freud no pasan de ser hipótesis más o menos ingeniosas, defendidas con anécdotas muchas veces de dudosa veracidad.

Los libros de sexología descubren un Mediterráneo tan conocido como el viejo mar de este nombre. La tal sexología es algo como el cubismo, aunque no tan petulante ni tan necio ni tan absurdo como este sistema pictórico.

Si científicamente no se advierte nada nuevo de importancia en nuestro tiempo en la cuestión sexual, en literatura pasa lo mismo. No parece que haya nadie que pueda añadir un capítulo más al *Arte de amar*, de Ovidio; ni escribir una novela tan cínica como *El Satiricón*, atribuida a Petronio; ni copiar de la realidad una vida tan escandalosa como la de la emperatriz Teodora, contada en la *Historia secreta*, de Procopio.

Hay una tendencia cándida a simplificar en ciertas cuestiones sociales y morales entre los médicos filósofos y entre los anarquistas. Los primeros y los segundos tienden a mirar sólo lo biológico en un problema social mixto, lo cual no es la manera de contemplarlo íntegro en su totalidad y en su heterogeneidad, sino verlo de una manera fragmentaria y parcial.

Los primeros quieren considerar el amor como una cuestión puramente biológica; los anarquistas hacen lo mismo. Estos propenden siempre a las simplificaciones un tanto caricaturescas de los dogmas contrarios a los suyos. Así, dirán: «La bandera es sólo una tela de colores. Las religiones no tienen ninguna base.»

Si la cuestión sexual, el amor, no fuera más que una simple cuestión biológica, estaría ya resuelta desde hace tiempo; si la bandera no fuera más que una tela de colores, no se le daría importancia, y si las religiones no tuvieran ninguna base, habrían desaparecido.

Por el amor ha habido riñas, luchas, suicidios, asesinatos, novelas, poemas y otros muchos horrores. ¡Qué de cosas no pasan en un país para que cambie una bandera! Años de agitación, guerras, millones de toneladas de papel impreso, miles de discursos elocuentes, huelgas, tiros, muertes, elecciones; y a consecuencia de todo esto, un día cambia la bandera y aparece con una franja más, con una estrella o con lo que sea.

De las religiones, no hablemos. Ahora se dice hasta en la Puerta del Sol—yo lo he oído el otro día—que la religión es el opio del pueblo; pero sería mucho más exacto decir que es el alcohol del pueblo, porque es lo que ha producido más luchas, más odios, más guerras y enardecido más a la Humanidad.

Las simplificaciones que quieren sintetizar un hecho eliminando sus componentes no tienen valor. «Lo que es», no es fragmento de una totalidad, sino la totalidad completa. Tampoco «lo que es» tiene nada que ver con «lo que debe ser».

Muchos de los sabios de la sexología se dedican a hablar más de lo que debe ser que de lo que es. Son teóricos de la utopía.

En una novela del padre Coloma, que hojeaba el otro día en una librería de viejo, leía al frente del primer capítulo esta frase: «En la vida del hombre sólo dos mujeres tienen cabida legítima: su madre y la madre de sus hijos.»

Muy bien; pero la madre puede ser egoísta y brutal, y el hijo puede preferir vivir con una tía o con un ama de llaves, si la tiene; la mujer puede ser sucia, abandonada, desagradable y hasta borracha, y el hombre puede preferir el ir a vivir con la criada.

Cierto que el padre Coloma no era un sociólogo; lo he recordado como consejero: como un consejero en un asunto amatorio. Los médicos y los sociólogos lo son también, pensando en lo que debe ser, no en lo que es.

Un autor pedagógico recomienda al joven sabio que tenga una casa soleada y que se case con una mujer fuerte con la dentadura completa. Y uno se pregunta: «¿Y si no la encuentra? ¿Y si la encuentra y la mujer no hace caso del joven sabio?» No parece que haya jóvenes sabios ni jóvenes ignorantes que, pudiendo elegir, elijan deliberadamente la casa mala y sombría y la mujer débil con los dientes cariados, y no la casa buena y la mujer sana. El consejo parece una perogrullada.

Cajal dice que el sabio en cierne debe buscar como probable y apetecible compañera de glorias y fatigas la señorita hacendosa y económica, dotada de salud física y mental, adornada de optimismos y buen carácter, con instrucción bastante para comprender y alentar al esposo, con la pasión necesaria para creer en él y soñar en la hora del triunfo, que ella diputa segurísimo. Inclinada a la dicha sencilla y enemiga de la notoriedad y exhibición, cifrará su orgullo en la salud y gloria de su esposo.

Esto, naturalmente, es muy cómodo para el hombre; pero yo no sé si será fácil encontrar este mirlo blanco.

Desde el punto de vista de la mujer, no me parece un ideal muy halagüeño esto de ser siempre el paño de lágrimas del hombre, que en algunas ocasiones raras podrá ser un tipo noble y extraordinario, pero que, en la mayoría de los casos, puede ser un personaje mezquino, cominero y ridículo.

Está muy bien para el hombre encontrar una mujer fuerte, sana e inteligente, y para la mujer, un hombre noble y trabajador; pero éstos son específicos que no se encuentran en las boticas.

Cuando yo estudiaba en San Carlos, teníamos en la clase de Disección un prófesor ayudante, todavía joven, a quien los alumnos habían puesto—no sé por qué—el elegante mote de *Pinchaúvas*. *Pinchaúvas* hablaba de una manera callejera y poco académica. Como el profesor tenía familiaridad con nosotros, uno de los condiscípulos le dijo una vez en broma, delante de la mesa ocupada por un cadáver ya descompuesto:

—Es absurdo tantas explicaciones de higiene y tenernos aquí respirando esta peste.

Pinchaúvas, que tomó en serio la frase, contestó:

—Oiga usted, pollo: cuando se quiere hacer una vida higiénica, ¿sabe usted lo que se hace? Pues se empieza por tener un millón de pesetas; y si no se tiene, y si es necesario, se mete la nariz aunque sea en la m...

Yo, que no fui nunca un joven sabio que aspirara a conquistar a ninguna madame Staël, tampoco he encontrado la señorita que tuviera inclinaciones de servir de rodrigón al hombre.

La verdad es que la experiencia que tiene uno del amor es bastante escasa. Si quiso uno cantar el gran dúo de tenor y tiple del amor, no encontró a la tiple. Lo raro es que yo no conocí a nadie que lo cantara medianamente.

En mi tiempo, la vida de la juventud era bastante mediocre. Las mujeres decentes y distinguidas eran como plazas fuertes atrincheradas y amuralladas. Llevaban un corsé que era como la muralla de la China o el baluarte de Verdún. Si por casualidad uno ponía la mano en su talle, encontraba una coraza tan dura como la que podía llevar a las cruzadas Godofredo de Bouillon.

Si uno pretendía entrar en relación con uno de aquellos Verdunes vivos, le contestaban varios días o semanas «sí» y «no», como Cristo nos enseña.

Unicamente si podía uno presentar en el estandarte un sueldecito o una renta, bajaba el puente levadizo del castillo y se parlamentaba.

Lo que produce la dificultad del problema sexual no es la fisiología ni la patología humana, sino su carácter mixto, complejo, formado por la Historia durante miles de años. En el problema sexual influyen la economía, la religión, la moral, las supersticiones, los tabúes, la literatura, la moda, todo lo bueno y todo lo malo de la vida humana.

Querer prescindir de tanto factor y ver sólo la física de los sexos y dar una explicación sumaria no vale, como no vale decir que en la cuestión de las banderas no hay más que una cuestión de percalina y de tinte.

Los médicos especialistas en sexología apasionada y los anarquistas parece que quieren creer que ha sido por un capricho por el que se han limitado y se han puesto trabas a los instintos de la vida en la sociedad. No quieren ver que no hay tal capricho, sino que la limitación y la traba han sido consecuencia de una moral y que ésta ha sido, probablemente, una faceta más o menos oscura de la economía.

La sociedad hace de lecho de Procusto con el instinto sexual. Lo acorta o lo alarga según sus necesidades. Probablemente, no puede hacer otra cosa.

Los médicos y los libertarios son providencialistas disimulados; se les podría llamar panglossistas. Están inclinados a pensar, a estilo de Bernardino de Saint-Pierre, que la Naturaleza ha dividido el melón en rajas para que puedan comer al mismo tiempo de ese fruto los miembros de una familia.

No creo que haya mucha armonía en esta cuestión del amor. La Naturaleza, evidentemente, no es equitativa ni justiciera, al menos desde un punto de vista humano. Si en un barco o en un sitio apartado y sin comunicaciones se reunieran cien hombres jóvenes y cien mujeres, no se formarían espontáneamente cien parejas. Los cien hombres, probablemente, desearían a diez o doce mujeres, y las cien mujeres, a diez o doce hombres. Esto ha pasado siempre y ha producido su reflejo en la literatura: el donjuanismo masculino y la coquetería femenina.

Los libertarios propugnan, como se sabe, el amor libre, la libertad sexual; pero no la practican porque el ambiente no lo permite. Esta libertad ha existido, en parte, en los medios aristocráticos, sobre todo en la corte de Versalles. Si se leen las *Crónicas del ojo de buey*, que compiló un señor Touchard-Lafosse con las aventuras secretas y las crónicas escandalosas del tiempo de Luis XIV, Luis XV y el regente; *La vida privada de Luis XV*, de Moufle d'Angerville; las *Memorias secretas*, de madame de Hausset, sobre la Pompadour, y las *Anécdotas*, de Chanfort, se ve que, de hecho, la aristocracia francesa con los Borbones había llegado al amor libre.

Esta libertad existía para unos centenares de aristócratas que vivían sobre un medio social de veintitantos millones de siervos que trabajaban para ellos. Si las duquesas y las marquesas del Grand Trianon y del Petit Trianon hubieran tenido que lavar en el río sus camisas y sus pantalones y planchar sus volantes; si los duques y los vizcondes hubieran tenido que llevar el arado y el carro a recoger el estiércol, se habría acabado la libertad sexual en seguida.

La honestidad es, en el fondo, ahorro, como el libertinaje es gasto. Se puede gastar lo que se tiene; pero más de lo que se tiene, si no hay crédito, imposible. Cinco o seis mil personas derrochando, mientras más de veinte millones viven un poco como bestias, puede darse; pero si los veintitantos millones de franceses del tiempo de Luis XIV hubieran querido vivir igual que los aristócratas y hacer de toda Francia un inmenso Trianon, no lo hubieran conseguido.

La posibilidad de un libertinaje general, alegre, que preconizan los anarquistas, es una utopía. Un libertinaje colectivo acabaría en una barbarie tumultuosa y pánica. Sería muy interesante y quizá hasta genial, pero nada tranquila ni arcádica.

Todas las teorías y sistemas basados únicamente en hechos fisiológicos y convertidos en dogmas no tienen valor social.

¿Qué importancia puede tener el preguntarse — como han hecho muchos—si el hombre es naturalmente monógamo o polígamo? Ninguna. El hombre no es ni una cosa ni otra, y puede ser la una y la otra. Se pone a un hombre normal con una profesión que le guste y le obligue a trabajar mucho, una mujer amable y familiar, y será monógamo. Se le deja rico, desocupado, en un ambiente laxo, con una mujer poco agradable, y será polígamo. El hombre es ya demasiado viejo y demasiado elástico para ser fundamental y exclusivamente una cosa u otra.

Lo mismo se puede asegurar de la mujer, que será monógama (si se puede llamar así a la mujer que vive sólo con un hombre) o poliándrica, según sea el ambiente en que se desarrolle.

En todas las definiciones de los sexólogos hay mucho de efectismo y de teatralidad. Las mismas aberraciones sexuales, si no tuvieran más motivo que la aberración misma; si no tuvieran la tradición de algo misterioso, sacrílego y nefando, digno de la marca del hierro rusiente puesta por la mano del verdugo; si no tuvieran más que su patología, se convertirían en hechos anómalos sin importancia, perderían su aire monstruoso y no producirían la menor curiosidad. Se sabría de ellos como se sabe del catarro gástrico o de la diabetes del señor de la vecindad, cosa que no nos produce ninguna indignación.

Los sexólogos y los libertarios consideran que la moral sexual tradicional es absurda y que tiene que variar. Unos son profetas del erotismo puro; otros, del erotismo y de la eugenesia. Que esa moral debe evolucionar, a muchos nos parece indudable. Evolucionar, bien; pero no someterla a una utopía. Los profetas del amor libre quieren el cambio inmediato. Se puede sospechar que, como se dice «Justicia, pero no por mi casa», ellos dirán: «Amor libre, pero no con mi familia.» Supongamos que hay un padre cuya hija anda por malos caminos—por lo que hoy se considera malos caminos—. El libertario le dirá:

—¿Por qué le molesta a usted que su hija haga su vida sexual y tenga amantes?

El padre, si es un dogmático calderoniano, hablará del honor, de la virtud, etc. Si es una persona sencilla y de mediano sentido, contestará:

—El desorden de la vida de mi hija me amarga la vejez. El único amigo que tenía huye de mí y dice que no tengo vergüenza; la señora a cuya casa iba de visita me tira puntadas; la portera me dice insolencias; si voy al café o al casino, me dirigen alusiones molestas. Tengo que aislarme.

—Pero es natural que una mujer tenga amores—dirá el libertario.

—Muy natural—contestará el padre—, y a mí no me importa nada que los tengan las mujeres de la vecindad; pero en mi casa es para mí desastroso.

Esto sulfura a la gente de un romanticismo banal que no quiere ver la diferencia que hay entre lo que debe ser y lo que es. Hoy todavía se mira con estimación al mentecato conquistador de una mujer casada, y con desprecio al marido engañado, aunque sea una persona de sentimientos nobles.

—¡No debe ser así!—dicen los románticos.

Bien, pero es. Las cosas y las palabras tienen un valor circunstancial. No es insulto llamarle a nadie anarquista; pero si se le llama a cualquiera en una reunión turbulenta de reaccionarios agresivos, le exponen a que lo maltraten. Tampoco es una injuria decir de alguien: «Es un cavernícola.» Esta palabra, en realidad, no significa nada; pero ser acusado de cavernícola en un mitin de extremistas puede traer como consecuencia una paliza, por lo menos.

Sobre los hechos naturales y biológicos están en la vida humana actual los hechos sociales y económicos; quizá lo han estado siempre.

Los elefantes no se reproducen en la cautividad; en cambio, los conejos se reproducen lo mismo presos que libres. Si un hecho social influye en los animales, ¿qué no influirá en los hombres?

El problema sexual es uno de los más complicados de la vida humana; tardará mucho en resolverse, si es que se resuelve alguna vez. Las soluciones que quieren ser radicales, de médicos y anarquistas, valen poco. No valen más las soluciones libertinas preconizadas en el siglo pasado por escritores seudoespirituales, entre los que entran desde Pigault-Lebrun hasta Anatole France. Todo esto es chatarra vulgar pintada con purpurina.

Al parecer, uno de los fracasos de la Rusia soviética es la cuestión sexual. Ahí, en ese problema, no podía influir el aislamiento y la animosidad de las naciones capitalistas. El Gobierno ruso, con cierta bárbara pedantería, ha llegado a todo: a la práctica oficial del aborto por los médicos del Estado, a intentar acabar con el pudor, considerándolo algo como la viruela, y, sin embargo, no ha conseguido lo que se proponía. Rusia parece que en su vida sexual es lo que era, y no hay tal amor libre. No lo puede haber en el siglo XX; quizá no llegue a existir nunca. El problema parece demasiado complicado para resolverlo con leyes y con decretos.

La cultura lo suavizará, lo dulcificará, lo humanizará con el tiempo; pero, mientras tanto, muchas generaciones de hombres y de mujeres pasarán por ese lecho de Procusto en que la sociedad pone al instinto sexual, y encontrarán un motivo de desesperación en donde esperaban hallar un motivo de dicha. Quizá esta posibilidad de ser desgraciado sea uno de los motivos de la grandeza del hombre.

LA OSCURIDAD DEL MUNDO

El mundo siempre ha sido oscuro. Su aire de claridad en la Historia se lo ha dado, en algunas épocas, la pasividad y la incultura de las masas y la dirección de unos pocos.

La guerra de Troya, la producida por la rivalidad de César y Pompeyo, la Vendée y la guerra de la Independencia española parecen claras; por dentro quizá no lo fueran tanto.

Hasta nuestros días, el mundo ha simulado, en complicidad con los historiadores, casi siempre providencialistas, una claridad que no tenía. Las revoluciones de Francia, desde la grande del 93 hasta la Commune, toman en la Historia un aspecto de unidad a la tragedia de Racine. Los franceses parecen moverse en esa época sólo por principios doctrinarios.

En las convulsiones políticas españolas del siglo XIX no hay tanta claridad, excepción hecha de la guerra carlista, que no es tampoco tan esquemática como cree la gente que no la conoce.

Desde el comienzo del siglo XX irrumpen las masas en la vida social, masas cambiantes, formadas por conglomerados de individuos que en un momento se identifican y que a veces se separan y se disgregan.

Con la guerra mundial, y a pesar de las etiquetas de unos y otros, brotó la gran confusión entre todos. Nadie supo el motivo íntimo de la guerra y sus orígenes; nadie supo, cuando se peleaba con tesón, cómo iba a acabar la lucha. Los acontecimientos de esta guerra, a pesar de su vulgaridad y de su falta de genialidad, fueron una constante sorpresa. No se pudo ver claro. El conflicto sobrepasaba, por su extensión y por su carácter complejo, la capacidad de las gentes doctas.

La vida de las naciones clásicas, reflejada en la Historia, es como una tragedia antigua. Hay en ella cuatro o cinco personajes importantes; lo demás es coro. La obra parece armónica. Hoy no hay tal cosa: cada uno de los elementos del coro ha descubierto que es también un individuo con voz propia, y quiere hablar. Se acabó la armonía. Viene la confusión, y la oscuridad, y el estrépito.

En la vida española actual, mucha gente, de una manera más o menos consciente, creía que el paso de la Monarquía a la República sería como ir de una zona de oscuridad a otra de luz. Hace poco oía decir a personas modestas, con una gran candidez:

—No creíamos, la verdad, que esto iba a ser la República.

Pensaban, seguramente, que al instaurarse el nuevo régimen los hechos iban a ser claros, diáfanos, y que se iban a realizar a la luz del sol. Ilusiones.

En todas partes, probablemente, y en España como en todas partes, nos pasan por delante de los ojos manifestaciones políticas y sociales cuya génesis y cuyo desarrollo nos es desconocido.

Durante la guerra mundial, en Madrid, en las demás ciudades españolas y en las aldeas no había casa desocupada. Ciudades, pueblos y aldeas se hallaban repletos. ¿De dónde había venido tanta gente? Se daban explicaciones, pero eran superficiales, porco satisfactorias. Han pasado años, y ahora hay un gran número de casas desalquiladas en Madrid, en las ciudades y en las aldeas. ¿Es que se ha marchado la gente de España? ¿Adónde? No hay emigración posible. No se puede ir a los países de Europa ni de América. Sin embargo, parece que hay menos gente. No sabemos por qué.

Con los hechos políticos ocurre la misma confusión. Durante la Dictadura nos dijeron que las obras del ministro Guadalhorce estaban muy bien; luego nos han asegurado que estaban muy mal. De las reformas militares del principio de la República se afirmó que eran acertadísimas; ahora se escribe que son torpísimas. En la cuestión de la honorabilidad personal de los hombres políticos pasa lo propio.

—Fulano tiene diez o doce cargos y diez o doce sueldos—nos dice uno.

—No haga usted caso. No cobra más que uno—replica otro.

—El ministro Tal ha hecho un negocio de millones—nos aseguran *sotto voce*.

—No es verdad—afirman otros—. Es una calumnia.

Hay para encogerse de hombros.

A veces nos encontramos con alguien que vive en el mundo político y que, cuando damos como verdadera una versión de un hecho recogida en los periódicos, nos dice burlonamente:

—¡Si eso no ha ocurrido así! La causa de este acontecimiento ha sido esta otra.

Y nos da una explicación distinta y casi siempre personalista y de género picaresco.

«Entonces no estamos enterados de nada», piensa uno.

Es lo mismo que decíamos durante la Monarquía. Es decir, que vivimos en la oscuridad de muchas cosas. En la política hay un lenguaje convencional para la calle y una germanía para los iniciados.

Esa pobre ilusión de que con la democracia y el parlamentarismo se conoce lo que ocurre en el país, no la pueden tener más que los cándidos y defenderla los cucos. Se sabe lo que dice el periódico después de filtrado por muchos cedazos.

La verdad no se sabe nunca.

Se tardó en averiguar más de dos meses lo que había pasado en Casas Viejas. Fueron escritores independientes los que contaron lo ocurrido allí, y aún no conocemos el hecho en su totalidad y en sus detalles.

Lo mismo ocurría con el régimen monárquico. Nada quedaba completamente aclarado.

La política no está basada más que exteriormente en principios doctrinales; en la realidad, se rige por un conjunto de intuiciones, de habilidades, de genialidades. Sigue siendo un arte hermético, como era para Bismarck, para Richelieu, para Fernando *el Católico* y para César; un arte para el cual el español moderno no demuestra ninguna habilidad especial.

Una de las cosas claras de nuestra época es la omnipotencia del dinero. El dinero cada vez representa más en la vida moderna. La moral tradicional se va eclipsando; la moral nueva no aparece. De aquí casos como el de Stavisky, que revelan una putrefacción interior que habrá existido siempre, pero no tan generalizada como ahora.

Los méritos y las famas, aun reconocidas, si no van acompañadas de dinero, pesan muy poco. Cervantes, Shakespeare y Galileo, si no tuvieran más que sus obras, andarían por las calles de nuestras ciudades con las botas rotas y el gabán raído. Los jóvenes comprenden hoy que la gloria póstuma es un fantasma demasiado aéreo, un espejismo casi ridículo, y se preparan a buscar algo de más sustancia.

Esta es una de las pocas cosas claras de nuestra época: el valor omnipotente del dinero. El que no lo tiene, ya puede pensar que sin protecciones, sin ayuda, con un juego limpio, no llegará nunca a gran cosa.

Así se da, en la República tanto como en la Monarquía, el tipo del joven arrivista que va, como los tiburones, escoltando el carro del Estado. Sueldos, comisiones, pensiones, becas, viajes... Allá está el hombre.

En el fondo, a todos estos jóvenes la cosa les parece natural, y con Monarquía, con República, con socialismo y hasta con anarquismo, se quedarían con algo. Ellos consideran que el que no sigue su táctica es porque no puede, y si hay alguno que no quiere, es porque es un imbécil.

La fuerza cada vez más omnipotente del dinero sería motivo para pedir la vigilancia y la intervención de las fortunas privadas; pero esta idea tropieza con el temor y la suspicacia de dar atribuciones de investigación a gentes que podían ser arbitrarias, injustas e inmorales.

Para aclarar la confusión y la oscuridad del mundo, los profesores de las Universidades han inventado, desde hace tiempo, teorías, hipótesis o quizá más bien frases que parecen algo y son muy poco. La filosofía de la Historia, la filosofía del Derecho, el materialismo histórico, todas estas cosas son juegos de catedráticos para legitimar su profesión, escribir libros y cobrar sueldos.

Actualmente, estas utopías seudocientíficas revisten un aire pesimista y catastrófico. Se ha pronosticado la decadencia de Occidente; ahora se dice que vamos a entrar en una nueva Edad Media. No hay que apurarse; quizá la Edad Media sea más divertida que la actual. En una época en que se aceptan todas las supercherías: la metapsíquica, la antroposofía, el espiritismo, el cubismo, el dadaísmo, el psicoanálisis freudiano, una patochada más no significa nada.

Bastante más bonitas que estas predicciones recalentadas y forzadas de nuestro tiempo es el relato misterioso de un Plutarco. Este autor cuenta que un piloto llamado Thamrer, cuando navegaba por el Mediterráneo, al pasar cerca de Palodes, en Grecia, oyó una voz potente que decía: «El Gran Pan ha muerto.» Esta voz misteriosa es más sugestiva sin decir nada, pues nadie sabe a punto fijo quién era el Gran Pan, que todas esas logomaquias actuales, escritas en muchos tomos y con muchos datos para defender una idea arbitraria.

Ante la oscuridad de nuestro tiempo, los políticos tienen también sus específicos.

Se recomendó el republicanismo y la democracia como panacea universal; ahora se recomienda el fascismo y el comunismo. Mañana quizá se recomiende la guerra, el exterminio, el vegetarianismo o la antropofagia.

Todos estos remedios, aun los que parecen serios, son un poco bastos, como moldes de hierro en los que se quiere sujetar una materia blanda y fluida como la Humanidad. La vida sobrepasa los doctrinarismos nuevos y viejos. La vida es indomesticable, afortunadamente, y no acepta más que de una manera pasajera férulas arbitrarias y dogmáticas.

Hay, además, un sincretismo natural en el hombre. Este sincretismo de inconsciencia, de vitalidad, casi lógico en la vida del individuo, trasciende a la política y forma esos compuestos híbridos y contradictorios, absurdos en el terreno de las teorías: partido liberal-conservador, radical-socialista, comunista-literario.

Todas las tentativas de dar claridad a la vida colectiva y a la política son inútiles. Los países no se conocen unos a otros; dentro de un país, las regiones se ignoran y los pueblos próximos se siguen odiando como hace mil años.

La verdad es que no se ve la posibilidad de aclarar el mundo. El mundo, no ya el Universo, sino nuestro pequeño globo sublunar, es muy oscuro y complicado, y las leyes que rigen las sociedades y los hombres, si es que de verdad existen, no se conocen, y los remedios de los empíricos políticos no valen gran cosa.

Los políticos, sin embargo, se empeñan en que siempre hay que hacer algo. Yo creo que en la mayoría de los casos no hay que hacer nada.

Cuando yo era estudiante de Medicina, el profesor de Terapéutica nos ponía como ejemplos de sistema y de escepticismo estos dos:

Un discípulo de Broussais asistía a un enfermo de fiebre tifoidea. Le veía con fiebre alta y le hacía una sangría copiosa. A los seis o siete días no bajaba la temperatura, y le volvía a sangrar, le sangraba de nuevo, y el enfermo se moría. El discípulo de Broussais pensaba: «No le he sangrado bastante.» Esto era tener un sistema, según el profesor.

La falta de sistema estaba representada en otro caso. El célebre médico Trousseau, llevado por el escepticismo y en vista de las estadísticas de los homeópatas en el tratamiento del tifus, mejores que las de los demás médicos, había hecho, en el hospital de París que estaba a su cargo, la prueba de dividir los enfermos del ti- fus en tres secciones: a los de la pri- mera sección los sometía al tratamien- to clásico de la época: purgantes, qui- nina, etc.; a los de la segunda, al ho- meopático, y a los de la tercera no les ponía tratamiento. Al finalizar el cur- so de la enfermedad, la mejor esta- dística era la de los tíficos de la ter- cera sección, de los que no habían tomado ningún medicamento.

Nuestro profesor creía que esto era escepticismo y no tener sistema. Yo creo al revés. No dar nada cuando no

se conoce el tratamiento de un mal es el verdadero sistema.

Es lo que ha hecho el pueblo es- pañol.

—Ahora derribemos la Monarquía —se dijo hace tres años.

—¿Y luego?

—Luego, nada. Ya se verá con el tiempo.

Los políticos no han sabido apro- vechar esta sabiduría popular y han comenzado otro tratamiento, segura- mente tan perjudicial como el anti- guo.

EL ESPIRITU DE LAS MASAS

Hace ya treinta o cuarenta años se publicaron varios libros acerca de la psicología y del alma de las multitu- des. Creo que la primera obra que trató de esta cuestión más o menos científicamente fue la del profesor ita- liano Sighele, y que a ésta siguieron las de Le Bon, Tarde y, por último, Freud.

Se intentó construir una psicología colectiva, pero el intento quedó en el primer capítulo. La tesis de este pri- mer capítulo se puede expresar así: la multitud, la masa, tiene una espe- cie de sobrealma social que no es la suma de las almas individuales que la componen. A la tesis se le añade un corolario: las energías de espíritu de todos los que forman la masa, en vez de adicionarse, se destruyen en parte o en todo.

Estas afirmaciones no son nuevas.

Solón, el legislador griego, decía que los atenienses, uno a uno, indivi- dualmente, eran astutos como zorras, y que reunidos tenían un espíritu me- diocre y vulgar.

Hay una antigua sentencia latina sobre los senadores que no es necesa-

rio traducir, porque se entiende per- fectamente; dice así: *Senatores boni viri. Senatus mala bestia.*

Se cuenta que un orador griego, cuando era aplaudido por la multitud, decía:

«Alguna estupidez ha salido de mi boca.»

Por último, el Ariosto afirma: «Se asegura que hay hombres que valen por ciento; yo jamás he conocido cien hombres que valgan por uno.»

Como se ve, la observación de la mediocridad espiritual de la masa con relación al individuo es antigua.

Algunos psicólogos de tendencia mística se han inclinado a creer que la sobrealma colectiva de las muchedum- bres no es una fórmula metafórica, si- no una realidad; otros piensan que ese nombre y esa idea no pasan de ser una etiqueta para expresar los carac- teres que presenta una aglomeración humana.

Yo supongo que éstos tienen razón.

Para la mayoría de los autores, las modalidades características de una multitud son la unanimidad, el furor, la versatilidad y la tendencia justiciera. Las causas de ello dependen de la imitación, del contagio, de la sugestión. Yo creo que a esto habría que añadir el sentimiento de poder y la impunidad.

La imitación, el mimetismo, tiene una fuerza consciente enorme. Se ve bailar a unas parejas al son de la música y se siente el deseo de llevar el compás como ellas. Se ve en el circo a un hombre que pasa con su balancín por un alambre o por la cuerda floja y, si se le mira con atención, se hacen movimientos parecidos a los del volatinero. Es difícil no marcar el paso al lado de una banda militar que va tocando una marcha. El contagio del movimiento y del gesto es una consecuencia del instinto de imitación. Se oye llorar y se tiende a llorar; se ve reír y se tiende a reír; donde el mérito es insultar, se insulta; donde el mérito es rezar, se reza; donde es vociferar, se vocifera. Individual y colectivamente, se verifica el contagio, tanto por las ideas expresadas como por los gestos.

Un obrero semiindiferente que penetra por primera vez en un lugar de una reunión revolucionaria puede tener distintas reacciones: o protesta y se muestra disconforme, o procura aislarse, inhibirse de lo que ocurre a su alrededor, o se entrega.

Si se entrega, se va fundiendo en la masa rápidamente. El tumulto, los clamores, los gestos, le convierten en un autómata. Une sus aplausos y sus gritos a los de los demás; se transforma sin darse cuenta en un enérgumeno, en un frenético, que si se viera a sí mismo se asombraría.

La razón de esta identificación del hombre—sobre todo, pobre—con la masa revolucionaria está principalmente en que tiene el sentimiento de que se han cometido injusticias con él o con su clase, y en su corazón hay

como agazapada una fiera que se despierta y se lanza a morder.

El rencor de este desvalido se transforma en una decoración lejana y romántica, como si estuviera construida por sentimientos generosos. El resentimiento en el alma del revolucionario se convierte en poema.

En la vida ordinaria, ese fondo de rencor y de envidia tan humano está velado por la prudencia, la sociabilidad, por el cuidado de conservar una buena reputación, y así muchas veces lo que nace con intenciones de mordisco o de arañazo se termina en un chiste o en una sonrisa.

Al burgués, al conservador, al patriota, le pasa lo mismo. En un momento de una manifestación o de una asamblea de los suyos se identifica con la masa conservadora o patriótica. En el orador que le habla de una manera elocuente ve el defensor de sus privilegios de clase o de nación; pero no ve estos privilegios de una manera concreta, fría y tangible, sino de un modo simbólico, que no le parece egoísta. ¿No le pagan las rentas? Pues esto es señal de que la sociedad se hunde y de que viene el caos, el asesinato y la muerte. La bandera, el canto, el monumento a los héroes del país le dice *sotto voce* que le pagarán los alquileres.

Tanto el hombre del proletariado como el conservador, al incorporarse a la masa, sienten la fuerza terrible que les da el número y al mismo tiempo la conciencia de su poder. Navegan en una corriente que neutraliza su timidez natural, corriente hecha a base de anonimato y de la impunidad.

Entonces sale de su boca una consigna que quiere ser rápida y justiciera: «¡A Berlín!» «¡A las armas!» «¡A fusilar a los presos!»

La masa pretende ejecutar en seguida sus planes y sus sentencias; unas veces lo consigue; otras fracasa por una causa cualquiera: porque llueve, porque se dividen los pareceres de los dirigentes o porque les salen al encuentro unos cuantos guardias.

Así es la psicología de las masas: un ímpetu primario generalmente orienta hacia soluciones rápidas y unilaterales, más bien vulgares que selectas.

A veces, las masas aceptan ideas generosas o nobles; pero, en general, lo que triunfa en ellas son sentimientos de rencor y de venganza.

Casi siempre lo exaltado por las masas es falso, aparatoso, lleno de mentira y de teatralidad.

El público produce el histrionismo. El hombre que vive para el público es un cómico. Yo he notado que cuando se habla en público se habla como cuando se usa un idioma extranjero que no se conoce bien. Se dicen sin querer frases exageradas, pomposas y falsas. No se puede extraer del interior la verdad psicológica personal, con matices y con contradicciones. Esta verdad íntima no interesa; es de onda corta para el público.

En la ecuación que se establece entre el hombre y público, el público exige al hombre que éste se acomode a su modelo. Su modelo es el fantoche. De aquí el entusiasmo de la masa por el fantoche político o literario, por el gran histrión. Cuando este histrión tiene genio verbal, el público se derrite de entusiasmo.

El espíritu de la masa trastorna el del hombre que pretende dirigirla, y éste, por ponerse a tono, la excita y la azuza.

Así, una masa formada por personas inteligentes y sensatas puede hacer con facilidad una gran estupidez, o cometer una crueldad, o dar muestra de una enorme cobardía.

La masa es una charca pantanosa y malsana; pero con ella y con su espíritu tiene que contar la política. Ya en la Convención, el *Marais* (el pantano), lo más bajo de la Asamblea, era lo que decidía en las deliberaciones. La masa, con sus tirones y sus exigencias, es la que da a la política este aire cómico-lírico-bailable tan del gusto de las porteras y de los barberos.

El político está a la altura de la masa. Este personaje turbio, aprovechador de todas las corrientes que le pueden encumbrar, se convierte con facilidad extraordinaria en un divo, en un cómico que busca la claque.

Los casos en España y fuera de España son muchos, y no vale la pena de señalarlos.

La tesis de que todo hombre es político no es cierta. Muchos somos antipolíticos por convicción. Si se sintiera uno maestro de escuela, diría que política viene de ciudad; yo, por aficiones y por la cédula, no soy ciudadano, sino campesino.

*

Considerada España desde un punto de vista colectivo, hay que reconocer que nuestro país no es todavía un país de masas. Únicamente en Barcelona y después en Madrid se podría señalar algo parecido a grandes masas. En el resto de España, no.

Una masa de andaluces o de castellanos no se comprende muy bien; una masa de vascongados, mucho menos aún. Una sala de posada o de sidrería donde puedan estar veinticinco vascos, ya nos parece mucho a nosotros. El *summum* para un vasco es un orfeón; de ahí no podemos pasar.

Somos los españoles—por ahora, al menos—poco cepillados para la vida colectiva, mal preparada para colaborar con otros.

El sentimiento social en Europa es evidentemente patrimonio de los países centrales de grandes llanuras. Sobre ese sentimiento, el judío, con su espíritu teocrático y sus conocimientos económicos de largos años de usura, ha dado al socialismo un aire seudocientífico y al mismo tiempo mesiánico.

Los europeos de las zonas periféricas no son socialistas. Los del centro —sobre todo, los alemanes—tienen el sentimiento, ya innato, de la colaboración y de la disciplina, para lo bueno como para lo malo.

A mí este sentimiento de colaboración me sorprendió y me salió al paso una tarde de domingo que llegué solo a Nuremberg. Me mostró una de sus buenas facetas.

Al bajar del tren me encontré con la enorme estación abarrotada de gente. Había, quizá, diez o doce mil personas en los andenes, que marchaban despacio hacia la salida, apretándose y pisándose sin protesta, con esa característica brutalidad alemana. De pronto, aquella multitud se puso a cantar a coro una canción popular de Haydn. Era como una tempestad de voces armonizada y estudiada, algo imponente, que me dejó sobrecogido.

Quizá la música—el arte social por excelencia—sea uno de los elementos más indispensables para fundir los individuos aislados en una masa.

★

Actualmente parece que el formar masas es el ideal de los partidos políticos. ¿Lo será siempre? No lo sabemos. Los individualistas desearíamos que este ideal fuese transitorio y que se volviera a pensar en los eternos valores personales; pero quizá es ya tarde.

La masa, que cuando protesta es rencorosa y de un sentimentalismo ridículo y pueril, cuando manda es despótica y sanguinaria. Su moral es muy pobre. ¿Se mata? No se podía hacer otra cosa. Antes la vida humana valía mucho; ahora comienza a no valer nada. La política de masas produce: o la dictadura socialista, o la fascista.

Con una o con otra, el Gobierno es tiránico y pedantesco, dirigido por gente mediocre y endiosada, apoyado por burócratas, policías y guardias de todas clases.

Aquella Inglaterra de hace años que uno ha conocido, liberal, magnífica, en la que se entraba y se salía, se iba y se venía sin dar explicaciones a nadie, ya no la volveremos a ver más. Habrá que pensar que la mentalidad socialista o la fascista triunfen definitiva o alternativamente, que el liberalismo se está muriendo, y que la vieja Europa, arruinada y entontecida, va hundiéndose casi con fruición en la penumbra de la decadencia.

LA BARBARIE Y LA CRUELDAD POLITICA

En los países modernos, divididos políticamente en partidos tradicionalistas y liberales, hay dos historias, o, si se quiere, una historia con dos criterios distintos y opuestos.

Como los tradicionalistas y conservadores de España se dejaron ganar la partida hace cuatro años con una flojedad y una blandura un poco vergonzosa para ellos, quieren tomar actualmente el desquite y se preparan insistiendo en sus puntos de vista e intentando dar a éstos mayor intensidad y energía.

Para los tradicionalistas, la unidad católica y la intolerancia religiosa de España fue un acierto. Hay que volver los ojos a Roma y a la Monarquía pura.

A la afirmación absurda y pedantesca de que España ya no es católica, los tradicionalistas oponen la tesis de que el español que no es católico no es español. Español auténtico, según ellos, es sinónimo de católico, de romano, de enemigo de la Reforma y de la Revolución.

Tendrán que hacer un estante especial para los españoles que no nos sentimos romanos ni partidarios de una revolución cuyos hechos principales son las *colas* en las panaderías y tiendas de ultramarinos. Se asegura hoy por los reaccionarios que durante nuestras discordias civiles no fueron los bárbaros y crueles los absolutistas y los carlistas, sino los liberales, primero constitucionales, luego cristinos y últimamente alfonsinos y republicanos.

Creo que se puede hacer una distinción anterior al tratar este punto entre barbarie y crueldad. Barbarie y crueldad no son exactamente lo mismo. La barbarie puede ser la fiereza, que no toma en cuenta los males ni el dolor que produce con tal de llegar a un resultado. La crueldad es la complacencia en el dolor ajeno, el placer de ver sufrir al prójimo.

La barbarie es una consecuencia de un estado moral poco desarrollado, de una sensibilidad y de una cultura imperfecta. Barbarie, brutalidad, vandalismo, tendencia a la destrucción, son conceptos parecidos. La crueldad es más bien una disposición patológica de ánimo para hacer sufrir a los demás, lo que se llama por los médicos sadismo.

Un periódico de Bilbao, al hablar de mi libro *Siluetas románticas*, trataba de poner en solfa el que yo hablase de la crueldad frailuna. Yo creo que la hay. Creo que hay una crueldad frailuna, militar, civil, del pueblo, de la aristocracia, francesa, inglesa, alemana, española, judaica, del chino y del negro.

Todos los generales y guerreros célebres han sido unos bárbaros. El oficio de conquistar y matar no se presta a otra cosa, pero muchos no han sido crueles.

Entre los mismos negreros había los que transportaban a los desdichados negros de Africa a América por la ganancia, como quien lleva caballos o cerdos. Estos eran los bárbaros. Había también los que les hacían sufrir, y éstos eran los crueles.

El liberal habrá podido ser en España tan bárbaro como el carlista, pero no se ha distinguido por su crueldad. Para mí, la causa de esta distinción es que el liberal ha tendido a suprimir el obstáculo, y el carlista o el absolutista, a suprimir el obstáculo y a castigar. Esto último es la herencia judaica de las religiones hijas de la Biblia. El castigar aproxima a la crueldad.

Los Gobiernos absolutistas llegaron a ejecutar a personas por sus ideas religiosas, lo que no hicieron nunca los liberales. El padre del ministro don Salvador Manzanares, médico en un pueblo de Guipúzcoa, fue fusilado durante la primera guerra civil por Villarreal, únicamente porque no iba a misa; el maestro Cayetano Ripoll fue agarrotado y quemado en Valencia, en 1824, por ser más deísta que apostólico romano. Cuanto más absolutista es una teoría religiosa o política, es más intransigente y cruel. De aquí las ejecuciones de los bolcheviques rusos.

El liberal ha matado pocas veces al adversario por sus ideas; lo ha hecho más bien por sus hechos. El absolutista ha castigado a los hombres por sus ideas, porque éste siente una profunda cólera al ver que sus adversarios no tienen sus creencias.

Haciendo un pequeño balance de brutalidades y de hechos sanguinarios producidos en España por unos y otros durante el siglo XIX, en el sentido de la brutalidad y de la barbarie, estarían a la misma altura liberales y absolutistas. En el sentido de la crueldad se llevarían la palma los reaccionarios.

En el reinado de Fernando VII hay muchas ejecuciones cometidas con crueldad. La de Díaz Porlier, en 1815; la ejecución de Richard y de sus compañeros, en 1816, a quienes ahorcan, descuartizan y cortan la cabeza. La ejecución de Joaquín Vidal y de otros militares, en 1819, en Valencia, en la que se pone de manifiesto la ferocidad del general Elío.

La ejecución de Riego, llevado en un serón, arrastrado por un burro hasta la plaza de la Cebada, tiene unos caracteres innobles. La del *Empecinado* es también miserable y vengativa. El hombre que había peleado por su patria, después de ser preso en Roa y expuesto en una jaula, muere luchando con el verdugo.

La ejecución de Cayetano Ripoll, en Valencia, es triste y vergonzosa.

Al lado de estas muertes, ordenadas por los absolutistas, hay la condena del general Elío, en 1822, por los liberales, con crueldad parecida a la que tenía el general navarro con ellos. El fusilamiento de frailes, de curas y de un obispo por las tropas del general suizo Rotten, en Cataluña; la muerte del cura don Matías Vinuesa, en mayo de 1821, que fue destrozado a martillazos por una banda de forajidos que asaltó la Cárcel de la Corona, que estaba en la calle de la Cabeza, son hazañas de bárbaros.

Los ahogamientos de La Coruña, ejecutados por las órdenes de don Pedro Méndez Vigo, a estilo de Carrier, son feroces. En 1823, Méndez Vigo, que era brigadier, sacó los presos realistas del castillo de San Antón y mandó ahogarlos en el mar.

En la primera guerra civil hubo brutalidades por un lado y por otro; una de las más señaladas fue el fusilamiento de la madre de Cabrera, pedido por el general Nogueras y aceptado por Mina, que consideraba necesaria una guerra de exterminio. Cabrera contestó al fusilamiento de su madre con la muerte de cinco mujeres de oficiales liberales, y Nogueras quiso fusilar a las hermanas de Cabrera y a otros prisioneros. Era la barbarie contra la barbarie.

Dentro de esta barbarie, la crueldad estuvo siempre en el campo carlista más que en el liberal. El conde de España tenía rasgos de crueldad, de un vesánico. Cabrera, no. Cabrera era un hombre cruel en frío, con una inteligencia clara. Había sido seminarista y tenía el furor de todos los cabecillas que salieron de esas fábricas de curas. A pesar de todo, no debía de ser insensible para sus dolores, porque se dice que, estando en Londres, se desmayó cuando le vacunaron. Otros cabecillas, sobre todo del Mediterráneo y del mediodía de España, como *el Serrador, Palillos* y *Orejita*, se distinguieron también por su crueldad.

Hay siempre una diferencia entre el militar y el cabecilla, y más si éste es cura. El militar tiende a la barbarie, a suprimir el obstáculo que le estorba. El cura tiene la crueldad judaica, porque tanto como suprimir el obstáculo, quiere castigar, principalmente castigar al que no cree en su Dios.

Entre los guerrilleros de la Independencia, *el Empecinado*, Longa, Palarea, Manso y otros, no fueron crueles. En cambio, sí lo fueron el cura Merino, el padre Nebot *el Trapense* y la mayoría de los eclesiásticos jefes de partidas, con algunas excepciones.

En la primera guerra carlista, Córdova, Espartero, Narváez, don Diego de León, Valdés, fueron únicamente severos y brutales. Nogueras y algunos otros llegaron a la ferocidad y a la barbarie. Entre los carlistas, Zumalacárregui, Gómez, Cabañero y Quílez tuvieron fama de humanos; no así Cabrera y la mayoría de los cabecillas que le siguieron.

Entre los absolutistas conservadores y carlistas hubo saña. El cortar la cabeza de Richard, el descuartizar el cadáver de Riego, el quemar los cuerpos agarrotados de Ripoll y de Merino el regicida, el desenterrar los restos de Arco Agüero y echarlos en un pozo, en 1825, fueron manifestaciones de saña.

Otros hechos reprobables no fueron tan sañudos.

Espoz y Mina, al comienzo de su carrera, fusila a varios cabecillas por sus robos, dice él; pero se puede sospechar que es también para librarse de rivales peligrosos. La destrucción de Castellfullit, el incendio y los fusilamientos de Lecaroz, ordenados por el general navarro, son pura barbarie; pero no hay en ellos crueldad sádica.

Cabrera, según algunos, denuncia a los liberales a Carnicer para librarse de él. Si esto es cierto, la maniobra es fea, pero no sañuda.

La emboscada de Málaga, preparada por el general González Moreno y don Diego Miguel García contra Torrijos y sus compañeros, es una treta miserable; pero no se puede decir que tenga caracteres de crueldad.

Espartero, Narváez, Zurbano, Azpiroz y otros muchos generales son, en ocasiones, unos bárbaros; pero no son crueles. No les gusta mortificar al enemigo, sino suprimirlo.

Narváez mismo escribe a Zurbano, sabiendo que quiere sublevarse contra él, para que se retire, para que se aleje de la lucha. Un ejemplo claro del tipo de la crueldad del clerical está en las maniobras de los curas guerrilleros, como el cura Merino, el cura de Flix, el de Alcabón y el cura Santa Cruz.

El cura Santa Cruz apalea y pega el pelo con pez a las mujeres en la espalda. Humilla a los suyos. No quiere soberbios. Fusila a su segundo, Juan Egozcue *el Jabonero*, en el monte Erlaiz, próximo a Irún, porque consideraba a su lugarteniente endiosado, y fusila también a los hermanos Arruti porque son liberales, sólo por eso.

Yo no creo en los casos de crueldad que se contaron de los alemanes durante la guerra mundial. El alemán, que es tranquilo y sensato en tiempo de paz, tiende a la barbarie y al vandalismo con la exasperación guerrera. Probablemente, son más crueles en épocas de revuelta y de lucha los franceses y los demás latinos. Así, al menos, lo han demostrado en la Historia.

La barbarie es un testimonio que puede aminorarse y hasta desaparecer por la cultura. No tanto la crueldad, que se presenta en las sociedades más civilizadas.

Una y otra se exageran cuando estalla la guerra.

LA LUCHA DE RAZAS

El libro de Spengler *La decadencia de Occidente*, publicado por Espasa-Calpe, es, en el fondo, una filosofía de desquite o de venganza. Este alemán inventa un artefacto científico, histórico, literario y artístico, y dice a los enemigos de su patria: «Nos habéis vencido en la guerra: ahí tenéis el resultado. La civilización occidental está en decadencia. A vosotros y a nosotros no nos toca más que la ruina.»

La *Revista de Occidente* inserta en su último número un capítulo, «La revolución mundial de color», de un nuevo libro de Spengler, titulado *Años decisivos*, y que también ha publicado Espasa-Calpe.

Aquí el autor alemán se muestra ya completamente imperialista, superhitleriano, no sólo en defensa de Alemania, sino de Europa. Cree que el mundo blanco está en peligro de muerte y que debe esgrimir la espada para rechazar los posibles ataques del futuro. La tesis es ésta: la gran civilización europea se encuentra en este momento amenazada por dos peligros: la lucha de clases y la lucha de razas.

Piensa Spengler que los dos peligros se presentarán uno al lado del otro en los decenios sucesivos, y que quizá aparezcan como aliados, lo que producirá la crisis más grave de los pueblos blancos.

Estamos, pues, según él, ante la amenaza socialista y ante la amenaza de amarillos, negros y cobrizos, que nos acechan.

Indudablemente, la lucha de clases no es de ayer: se remonta a muchos siglos antes. Espartaco no era contemporáneo nuestro.

Según Spengler, en el desprestigio de los pueblos blancos ante los pueblos de color han influido las dos campañas perdidas por Rusia en los últimos tiempos, una contra los japoneses, la otra contra Alemania, y el haber hecho que negros y amarillos intervinieran en la guerra mundial y fueran luego devueltos a sus casas en la creencia de haber vencido a potencias europeas.

La derrota última de Rusia hizo que este pueblo, pueblo-Jano, según el escritor, abandonara su máscara blanca y europea para tomar la amarilla y asiática.

El pensar que marroquíes, senegaleses, dahomeyanos, indios, etc., por haber pasado uno o dos años en el frente, se han dado cuenta de la debilidad espiritual de los europeos, y esta idea la han comunicado a sus respectivos pueblos, eso me parece una fantasía de color. No se dieron cuenta los franceses en los seis años que estuvieron en España durante la guerra de Napoleón de lo que eran los españoles, ni se dieron cuenta de lo que eran los italianos, los alemanes ni los rusos. A los demás europeos les hubiera pasado lo mismo. ¡Y pretende Spengler que unos pobres senegaleses o dahomeyanos van a ver claro en el espíritu de la última guerra, cuando los europeos apenas nos hemos enterado!

Lo que ocurre, yo al menos así lo creo, desde hace muchos siglos, es que lo mismo en Asia, en Africa que en América, el natural, el autóctono, comienza a querer verse libre de amos y de explotadores. Que el bolcheviquismo favorezca esta tendencia y la aliente, es muy posible; pero no la ha creado él: es ya muy vieja.

Eso que se llamó en América doctrina de Monroe, sintetizada en la frase: «América, para los americanos», es de todas partes, más o menos conscientemente. Lo mismo dirán los asiáticos: «Asia, para los asiáticos.» Los africanos: «Africa, para los africanos», y los de Oceanía: «Oceanía, para los oceánicos.»

Los peor parados quedarán los americanos, porque ellos no están en su casa, y por poco que profundicen los indígenas, el criollo les resultará un extranjero o un hijo de extranjero, y el verdadero americano será el indio. Así se ve que la revolución mejicana, con una tendencia racista, inconsciente quizá, va deseuropeizando el país y haciéndolo íntegramente indio, excepto en la capital, donde no puede dominar todavía por completo.

Spengler se lamenta de que la revolución del siglo XVIII preparara el terreno de los separatismos americanos realizados por europeos; que las teorías socialistas vayan entrando en Asia, y de que en Africa el misio-

nero cristiano, sobre todo el metodista inglés, con su doctrina de la igualdad de todos los hombres ante Dios, prepare el campo para las ideas emancipadoras.

Aquí se ve cómo el racismo, en Europa, ya no sólo es antisemita, sino anticristiano. Es una consecuencia natural del concepto étnico, llevado a la política de un país.

«Oswald Spengler, el filósofo que ha nutrido espiritualmente a las jóvenes generaciones alemanas—acusado ahora de herejía por los nacionalsocialistas, los cuales le reprochan no creer en el «racismo» ni en el Estado—, es anticristiano», afirmaba Kim el otro día en un artículo de *Ahora*.

Spengler no es racista en el sentido que él llama zoológico o darviniano, pero sí lo es en un sentido espiritual.

En el mismo artículo del periódico de la mañana se añade que el profesor Bermann, uno de los apóstoles más destacados del racismo, considera el cristianismo como un enemigo de las creencias nórticas de la juventud germana.

Esto se veía venir. Hace treinta años yo conocí en Suiza a varios jóvenes universitarios alemanes, la mayoría nietzscheanos, que afirmaban que el cristianismo no era la religión natural de Europa y que había que proscribirla principalmente como extranjera. Ya para entonces se hablaba de la svástica como símbolo antisemita.

Spengler parece que pretende que cada europeo tenga en el mundo una situación privilegiada. Esto me parece un poco injusto y absurdo. Además, no creo yo que, por la persuasión, por una filosofía del mando, se llegue a conseguir este resultado.

Los hombres han vivido casi siempre en una completa discrepancia entre la teoría y la práctica, movidos por instintos oscuros más que por nociones claras.

Muy católicos eran los conquistadores españoles, pero su catolicismo y su culto de Cristo y de la Virgen no les impidió llevar a sangre y fuego su conquista; muy puritanos los ingleses que fueron a América del Norte, tampoco les impidió su puritanismo exterminar a los pieles rojas. Los negreros franceses que salían de Nantes, de Brest y de Burdeos en los siglos XVIII y XIX eran de familias creyentes. Sin embargo, trasladaban los «bultos de ébano» de Africa a América y los vendían como quien vende caballos o cerdos.

Las razas blancas de Europa se encuentran, evidentemente, en una situación incómoda, porque no tienen campo donde extenderse por su aumento de población.

Spengler dice que la doctrina de Malthus y su consecuencia, la esterilidad o la limitación de la prole, es trivial. Yo no la encuentro así. La doctrina de Malthus me parece exacta en sus principios. Lo que ocurre es que mientras no se pueda llevarla a la práctica en todas partes, no tendrá resultado. Un pueblo que la realizara con método sería, probablemente, un pueblo próspero; pero su misma prosperidad atraería la codicia de los pueblos cercanos abandonados, sucios, prolíficos, y entonces el país próspero, bien ordenado, se encontraría con que tenía que luchar con hordas desesperadas y agresivas o con masas de mendigos y de esclavos. De todas maneras, unos u otros desequilibrarían al pueblo bien regido. Esto pasó con Roma, ha pasado con Francia y pasaría con Inglaterra si no fuera una isla. En esas circuntancias de amenaza, el temor del vecino les hace armarse hasta los dientes y

entregarse muchas veces a las tropas mercenarias.

Según el autor del libro que se comenta, el individualismo liberal tiende a disolver la sociedad en una suma de átomos particulares, cada una de los cuales pretende extraer de su vida y de las ajenas la mayor cantidad posible de goce. No se piensa en la estirpe, sino en sí mismo. Este es el suicidio de la raza blanca.

Aquí aparece el prusianismo de Spengler. Según él, las mujeres no deben pensar en el amor, sino en tener hijos. Es la idea de Napoleón. «Que las mujeres tengan hijos para que yo pueda emplearlos mañana en la guerra», pensaba el corso.

Esta idea del sacrificio individual en aras de algo, convertida en filosofía, es una idea de un sector alemán hegeliano. En Spengler va unida al sargentismo, al culto del sable. Es la misma idea, aunque más general, que la que tuvo Kipling, circunscribiéndola sólo a Inglaterra.

La idea no ha sido siempre predominante en Alemania.

Los grandes alemanes como Kant, Hegel, Schopenhauer, Beethoven, Mozart, Nietzsche, no parece que se preocuparan mucho en dar hijos para su país. El mismo gran fetiche de Goethe, que, quitando a los franceses, porque habló con elogio de ellos, a los demás no nos produce entusiasmo, no fue un hombre muy prolífico.

Después de los síntomas de la decadencia interior de las razas de Europa, viene el anuncio del peligro externo.

«Los hombres de color no son pacifistas—dice Spengler—. Tomarán la espada si nosotros se la entregamos.»

¿Cómo se puede decir en bloque que los hombres de color no son pacifistas? ¡Qué variedad más enorme no debe de haber entre los hombres de color! Unos, tímidos; otros, atrevidos; unos, dulces; otros, sanguinarios. Tiene que haber entre ellos de todo.

A mí se me figura que la mayoría de las razas de color no son agresivas, y no es que yo tenga ni un conocimiento ni una simpatía especial por ellas.

La verdad es que los agresivos hemos sido nosotros; nosotros somos los que hemos matado, hemos degollado, hemos achicharrado, hemos vendido negros, hemos hecho horrores.

Spengler, sin duda, quiere que tengamos una bula para seguir matando, degollando y achicharrando a negros, a indios y a amarillos en holocausto a Europa; y, sobre todo, en honor de la santa Germania.

«Antes les sobrecogía de espanto nuestro poder, como a los germanos las primeras legiones romanas. Hoy, que son ya un poder por sí mismos, su alma, que jamás comprendemos, se yergue, y mira de arriba abajo a los blancos como algo perteneciente al ayer.»

¡Que se yerga! ¡Qué importa! Cada raza puede tener su orgullo. El piel roja le puede decir al blanco de América: «Tú haces un puente o un ferrocarril mejor que yo; yo, en cambio, soy mejor cazador que tú, tengo mejor vista y oído más fino.»

Que cada cual esté contento en su casa. Con esto no se pierde nada.

Con el mismo derecho que los pueblos nuevos de Asia, de Africa, de América y de Oceanía pueden querer su continente para ellos, nosotros diremos: «Europa, para los europeos.» No queremos negros, ni amarillos, ni mestizos, ni siquiera judíos. El español, en España; el francés, en Francia, y el alemán, en Alemania.

Yo creo que, a base de maltusianismo y de eugenesia, se podría llegar en Europa a cierta purificación zoológica de las razas, que traería a la larga una purificación espiritual y un mayor tono de energía y de vida.

Pensar que si Europa se dedicara, en vez de tomar la espada, que es hoy un artefacto inútil, a intensificar la labor científica, podría haber alguien que la pudiera atacar es una locura. Un invento químico vale hoy, aun para la guerra, más que diez batallones.

Spengler, a pesar de querer mirar el porvenir, ve el pasado. Es un fascista de un fascismo más profundo y más extenso que el que expresa la palabrería vana de Mussolini; pero un fascista del pasado.

Se exalta pensando en el culto de la violencia, de la decisión, de la disciplina, del espíritu prusiano.

Mussolini habla de Roma y del Imperio romano como si éste perdurara todavía y como si eso interesara algo. Spengler se refiere a la Europa actual. El uno ve un mundo de actitudes, de gestos y de palacios antiguos; el otro es más moderno, pero también ve la guerra con espadas, con uniformes y con batallones. Spengler es un nietzscheano a caballo, de sable y de cuartel. Hoy, el que pretenda serlo a la alta escuela del tiempo, tiene que ser un nietzscheano de laboratorio y de avión.

ARIOS Y SEMITAS

En estos últimos tiempos se ha renovado en algunos países de Europa —sobre todo en Alemania— la campaña racista y la lucha entre arios y semitas. Esta división de carácter lingüístico se pretende convertir en separación étnica y ética. Las observaciones de los antropólogos y etnógrafos no se quieren tomar en cuenta. Se pasa por encima de ellas.

Hoy la etnografía, en vista de la aparición de razas prehistóricas con caracteres anatómicos definidos, no acepta las divisiones de la Biblia de Sem, Cam y Jafet como troncos de la humana estirpe, y va buscando otras nuevas.

Tampoco quedan muy firmes, desde un punto de vista antropológico, los grupos de la historia antigua conocidos por iberos, celtas, ligures, germanos, etc. Todos ellos, estudiados con detenimiento, se descomponen, se disuelven y se esfuman. Unas veces resulta que una denominación geográfica se toma como étnica; otras es el uso de un idioma el que se cree que caracteriza a una raza.

El hombre se ve que es muy viejo en el planeta; quinientos mil años, lo menos, lleva en nuestra tierra, y si las fichas de un ajedrez en un tablero de sesenta y cuatro casillas pueden dar combinaciones casi infinitas en unas horas, ¡qué de cambios, qué de permutaciones no habrán podido hacer millones de hombres en un lapso de medio millón de años!

Actualmente se conocen varios tipos humanos de caracteres antropológicos distintos que se dieron en una misma fase del período prehistórico que se llama paleolítico inferior.

Esos tipos diversos indican con claridad las varias razas que en épocas remotísimas se encontraban viviendo simultáneamente en zonas muy próximas unas de otras.

Cuando, en la edad de la piedra tallada, la mezcla de los ejemplares humanos se había verificado ya, no cabe duda que para buscar elementos étnicos puros hay que remontarse a tiempos tan lejanos de los cuales apenas quedan vestigios.

El averiguar con exactitud este ir y venir de la marea humana sobre la corteza terrestre tiene que ser absolutamente imposible; tan imposible como registrar los movimientos del mar.

Vacher de Lapouge, Ammon y Woltmann, discípulos de Gobineau, se lanzaron hace cuarenta años a separar, a definir y a clasificar a los arios europeos. Ya no era bastante el rechazar de la comunidad ariana a los semitas, árabes y judíos, sino que rechazaron también de ella al *homo alpinus* y al *homo mediterraneus*. El verdadero ario era el germano y el escandinavo, pero no todos los germanos y escandinavos, sino el alto, el rubio, el dolicocéfalo, el audaz, el individualista y protestante en religión.

Así, resultaba que más de las tres cuartas partes de Europa no eran europeas. Habían salido estos detritos de alguna fábrica sospechosa de los suburbios sin su *Made in Germain* correspondiente.

El historiador y ensayista alemán, de origen inglés, Houston Stewart Chamberlain comprendió, sin duda, que esta exclusión de la calidad de europeos de más de media Europa era, política e históricamente, una torpeza, y entonces en su libro *Los fundamentos del siglo XIX* volvió al arianismo no como una realidad anatómica y étnica, sino como la base de una civilización celtogermanoeslava, cuyo espíritu había engendrado lo mejor de Europa.

En este marco amplio entraban todas las glorias europeas, desde Cervantes hasta Ibsen y desde Leopardi hasta Tolstoi.

Los que quedaban fuera de esta gran plaza eran los judíos, como forasteros y extraños, y los pueblos autóctonos europeos, como los vascos y los etruscos.

La historia de la Humanidad civilizada para Chamberlain era como el conflicto de las dos influencias: la buena y la mala, la aria y la semítica. Su libro tenía como principal objeto descubrir a Ormuz y a Arimán en el mundo europeo.

El historiador, al llegar a examinar el cristianismo, se rendía, y encontraba que entre arianismo y semitismo había muchas semejanzas y muchas relaciones. Evidentemente, ha de ser así, y esto ha tenido que permitir la cristianización de Europa.

A Chamberlain, los viejos pueblos autóctonos de Europa, como los vascos, no le merecían simpatía, y los juzgaba a través de dos hombres que a él le parecían genuinos representantes de la raza: San Ignacio y San Francisco Javier, como tipos oscuros, cavernarios, enemigos natos del arianismo y del espíritu luminoso europeo de la Reforma.

Después de Chamberlain ha venido Günther con una etnografía popular que tiene poco de científica y poco de filosófica, y después Spengler, que es hombre de gran talento, de concepciones filosóficas profundas y originales.

Spengler no se ocupa de estas etiquetas seudocientíficas de hombres alpinos y mediterráneos, sino del europeo, del hombre blanco. Este para él es un hecho consumado, sean sus orígenes los que sean.

Los políticos alemanes racistas no han tenido más remedio que prescindir de las clasificaciones complicadas de los aficionados a la etnografía, y han vuelto al antiguo mito del arianismo. Así, Hitler ha hablado de los arios como sinónimo de europeos.

En una nota del libro de don Justo Gárate *Estudios euskarianos*, en el capítulo «Los judíos en Vasconia», se dice:

«Recientemente un alemán que reside en San Sebastián ha obtenido permiso de su Gobierno para casarse con una vasca, *porque los vascos son arios.*»

Aquí se ve una confusión un poco deliberada. Los vascos son europeos, más viejos europeos que los germanos, pero no son arios, porque no han hablado tradicionalmente un lenguaje de procedencia aria.

El arianismo en Alemania se convierte en antisemitismo. Es decir, es un mito contra otro mito. A la tendencia antisemítica, lo más sencillo sería llamarla antijudía, sin darle apariencias científicas falsas. Por otra parte, en Alemania no hay fobia ninguna contra los árabes ni contra los mahometanos.

El antijudaísmo yo no sé si será bueno o malo para Europa. Evidentemente, el espíritu judío es antieuropeo, y Europa tiene sus motivos para defenderse de él.

Ahora lo que no creo es que deba defenderse con mentiras. Y se defiende con ellas.

En España mismo se habla mucho actualmente entre los tradicionalistas de liberales, masones y revolucionarios, como si todos ellos estuvieran animados de espíritu judío; pero no sería difícil probar que entre los católicos y conservadores hay tanto espíritu judaico o más que entre los liberales, revolucionarios y masones.

Si socialistas y comunistas tienen como profeta a Karl Marx, que era un judío, los conservadores y fervientes católicos tienen una religión que es, por su origen, completamente judía.

Actualmente en Berna se está instruyendo un proceso acerca de la verdad o de la impostura de un libro titulado *Los protocolos de los sabios de Sión*, que ha tenido resonancia estos últimos años.

Yo he leído el libro, pero me parece completamente falso. Es como la *Monita secreta* de los jesuitas y otras cosas por el estilo.

En estos casos, la gente sectaria, después de considerar a los jesuitas y a los judíos muy listos y maquiavélicos, los tiene por tontos, pues creen que van a descubrir ante el mundo entero sus planes y sus proyectos más secretos y más tenebrosos, suponiendo que los tengan.

Que el que escribió *Los protocolos de los sabios de Sión* conocía a los judíos, sabía lo que pensaban, es evidente; pero que ese libro lo hayan escrito ellos, es una candidez. El autor ha exagerado y ha dado una idea melodramática de los judíos.

No se sabe cómo acabará el proceso que se está viendo en Berna acerca de este libro; probablemente reconociendo su falsedad.

A medida que se desarrolla la lucha entre arios y semitas, cristianos y judíos, se ponen en claro cosas curiosas.

Es evidente que los judíos tienen una influencia enorme en la Rusia soviética y en el oriente y centro de Europa. En estos países—Polonia, Rumania, Austria, Bulgaria—, la Prensa, el teatro, la política, la Medicina y el cinematógrafo están acaparados por los judíos.

Algunos dirán: «Es que valen más.» Puede que sea así; pero también puede ser esto consecuencia de una organización poderosa y de que el judaísmo sea en todos los países, como la Iglesia, un *imperium im imperio*. En este caso, el Estado debe estorbarlo e impedirlo.

Lo lógico sería que la mayoría de los judíos que no quisieran abandonar su religión se fueran a Palestina. Ese vivir suyo parasitario debía parecerles a ellos denigrante; en cambio, estar en su país de origen y tener una nación lo encontrarían más noble.

Un pueblo como el hebreo, formado por más de veinte millones de hombres y que cuenta con grandes riquezas y tiene una Banca la más importante del mundo, podía pagarse el lujo de tener un país propio y no vivir siempre parasitariamente.

Sean verdaderas o falsas las acusaciones que se hacen a los israelitas, éstos debían poner los ojos en Sión.

De todas maneras, siendo antisemitas o no siéndolo, al tratar de cristianos o de judíos, de mahometanos o de budistas, lo primero que habría que hacer sería averiguar la verdad.

EL INDIVIDUALISTA Y SU UTOPIA

Le encuentro a la salida de una librería de la calle Ancha. Es un señor ya viejo, de mi edad, muy cano, de cierta elegancia natural, aunque algo raído. No es un bibliófilo. A veces compra algún libro moderno de filosofía. Desde hace tiempo cambiamos un saludo y una frase. La verdad, no sé cómo se llama. El no me lo ha dicho, y no tenemos amistades comunes para poderme enterar de su nombre por otra persona.

Como hay cierta cordialidad entre nosotros, me parece un poco impertinente confesarle que no sé cómo se llama ni a qué se dedica. Supongo que él debe pensar que le conozco muy bien, o quizá le tiene sin cuidado que le conozcan.

Reunidos a la salida de la librería, vamos por la calle Ancha abajo.

—¿Hay algo nuevo aquí, en la librería?—me pregunta.

—No, nada.

—¿Usted ya va a su casa?

—Sí.

—¿No sale usted de noche?

—No. Ya hace más de treinta años que no salgo de noche.

—¿Ni a teatros ni a cafés?

—Nada. No me interesan.

—Me parece muy bien. ¿Va usted pronto a Vera?

—Hoy mismo.

—¿Lee usted mucho?

—Sí, algo.

—Yo, desde hace tiempo, leo poco—dice él—. He perdido la afición como quien pierde el apetito. Sobre todo, lo moderno me cansa.

—Pero si le queda la afición a lo antiguo, ya es algo.

—Me queda muy poco, muy poco. Releo autores que me gustaban an-

tes: Carlyle, Spencer, Stuart Mill, Schopenhauer... También sigo fiel a Montaigne.

—¡Hombre! Es curioso.

—¿Usted no lo lee?

—No; lo cogí un poco tarde.

—Yo, no. Yo empecé a leer los *Ensayos* en el colegio, en Francia... Soy un individualista, un anarquista. Montaigne me parece muy bien. El socialismo no me entra. Soy refractario a él.

—Es usted de los del individuo contra el Estado...

—Sí, partidario del individualismo puro. No me es simpática esa tutela pesada del Estado. Como no creo ni en la bondad ni en la inteligencia de las mayorías, prefiero que reinen las fuerzas económicas más o menos ciegas que no los dictadores seudopaternales.

—Y esa mixtura que han inventado los anarquistas actuales del comunismo libertario para poner una vela a Dios y otra al diablo, ¿qué le parece a usted?—le pregunto yo.

—No me parece mal.

—En teoría, no es descabellado. Es un ideal muy puro, no cabe duda, pero irrealizable.

—¿Usted cree?

—Así me parece. Todavía se me figura posible en lo lejano en países de una gran cultura, de costumbres como Suiza, Dinamarca o Noruega, algo semejante al comunismo libertario; pero en los países del mediodía de Europa, donde el hombre es fundamentalmente vanidoso, violento y despótico, es imposible.

—Sí, sí; yo también lo considero difícil para el presente.

—¿Qué le ha parecido a usted la huelga última?

—Yo no soy político; de todas maneras, una cosa es señalar las faltas del comunismo libertario y de la Confederación del Trabajo y otra el achacarle inexactitudes y falsedades.

—¿A qué falsedades se refiere usted? ¿Cuáles son?

—Una, el señalar una complicidad de anarquistas y de reaccionarios. Es ésta una maniobra burda de periodistas que hacen de gendarmes del Gobierno. Otra es el acusar a los anarquistas de no haber trabajado contra la Dictadura y sí contra la República. Todos los hombres de acción del anarquismo tuvieron que marcharse durante la Dictadura al extranjero. Usted lo sabe tan bien como yo. Los que lucharon a su modo contra los dictadores fueron los anarquistas. Ellos prepararon la expedición disparatada de Vera que usted ha contado en su libro. En el período de la Dictadura, varios anarquistas fueron al patíbulo.

—Es cierto.

—Que los socialistas—hoy los representantes más perfectos de la moral burguesa—les achaquen complicidad o benevolencia para con la Dictadura, es una falsedad. La réplica de los anarquistas es fácil. Pueden decir que no hubo entre ellos ninguno que fuera consejero de Estado, ni estuviera empleado en el Ministerio de Trabajo, ni en la Universidad, ni que cobrara pensiones o comisiones en la Exposición de Barcelona o de Sevilla cuando el gobierno de Primo de Rivera.

—Es verdad. Los socialistas no pueden decir lo mismo.

—Dejando estos reproches ridículos de celos de partido, hay que reconocer que el anarquismo en España, a pesar de lo que se dice de sus errores de táctica, ha crecido de una manera evidente.

—Yo también así lo creo, aunque los periódicos dicen lo contrario.

—Es una de tantas afirmaciones hechas para la galería. Los anarquistas de la F. A. I. tienen la táctica de la acción constante y de producir mártires a la causa. Particularmente, el anarquista ha de tener, como cada quisque, el temor a la muerte y a la cárcel; pero los jefes suyos, como políticos, a pesar de llamarse antipolíticos, ven con claridad que en un medio ambiente tímido y de cuquería, la violencia, la audacia y el martirio son el camino del éxito de sus ideas. El anarquismo es un cristianismo sin Dios. Todos los desposeídos, los exaltados, los maltratados, los rebeldes, se unen a él.

—Para usted es como una Jacquería moderna.

—Eso es.

—Algo como una epidemia sentimental en que los buitres furibundos y las águilas carniceras sueñan con un paraíso infantil.

—Sí, el anarquismo tiene un aire fatalista. Conozco algunos jefes, y tienen una confianza en sí mismos y en sus ideas ciega; un desprecio por los demás olímpico. Esto es una fuerza. Si hace treinta años se hubiera dicho que iba a haber centros anarquistas en San Sebastián, en Burgos, en Vitoria, en Pamplona y en los pueblos pequeños de Castilla la Vieja y del país vasconavarro, se hubiera pensado que era una fantasía. Pues hoy los hay.

—Yo he asistido a esa evolución —indico a mi vez—. Yo era estudiante de Medicina cuando comenzaron las bombas de Barcelona. Entre mis compañeros de San Carlos no había ninguno que comprendiera el punto de vista de los anarquistas. Sus actos de terror les parecían una barbaridad sin objeto, una monstruosidad semejante a la de los destripadores o sacamantecas. Como Salustio creía que Catilina era un revolucionario que no quería más que robar, los jóvenes de mi época creían que los anarquistas eran como los *thugs*, como los adoradores de la diosa Kali que aparecen en el *Rocambole*, de Ponson du Terrail: gentes que mataban por matar. En ese tiempo, los anarquistas en Madrid eran cuatro gatos. Entre la burguesía madrileña se hablaba de exterminarlos, haciéndoles sufrir antes tormentos medievales.

—Cuando el atentado de Morral —añade mi interlocutor—, la repulsa de todo el elemento popular era unánime. Yo decía en la tertulia de un círculo, comentando el atentado al día siguiente, que Morral era un loco, un enfermo que había obrado movido por una idea generosa, no por un impulso egoísta... ¡Amigo, se me echaron encima y tuve que salir corriendo!

—No me choca. La gente no quiere reconocer nada en el enemigo. El fanatismo le parece noble y quiere pensar que otros motivos innobles mueven al adversario. El cura Santa Cruz saldrá al campo a robar; Morral llevará fines egoístas y bajos. Para mí, en estas cosas, la cuestión sería ver en lo que es, como decía Stendhal, sin exageraciones, sin mentiras y sin metáforas.

—Es muy difícil. Se buscan siempre argumentos de un lado y de otro para la defensa y para el ataque. Hay socialista que dice muy serio: «Eso del anarquismo es sólo en los países latinos.» Como si los socialistas españoles fueran germanos, escandinavos o fineses. También los gubernamentales afirman con petulancia: «Estos revolucionarios españoles no son, como revolucionarios, de gran cultura.» No parece que ellos, como gobernantes, son una maravilla.

—Somos un pueblo de escolásticos —agrego yo—. Todavía nuestras discusiones trascienden a seminario.

—Otra simpleza que dicen los periódicos es: «Estos anarquistas no respetan la ley, no se acomodan a ella. Están fuera de la legalidad.» Ningún rebelde se acomoda a la ley. Al revés, la trata de vulnerar y de destruir. Los liberales no aceptaban la legalidad de los monárquicos absolutistas, ni los republicanos la legalidad de los monárquicos liberales, ni los anarquistas la legalidad de los republicanos socialistas. Asombrarse de esto es dar pruebas de ser muy negado.

—¿Y usted cree en el porvenir del anarquismo?—le pregunto yo.

—Hombre. El anarquismo se ha puesto a socavar los cimientos de la sociedad actual, y es posible que acabe derrumbándola.

—¿De una manera fatal?

—Es posible. Ahora, que consiga implantar su utopía, eso ya no se puede creer.

—Nadie sabe lo que brotará de las ruinas. ¿Usted qué idea tiene?—me pregunta él.

—Yo creo que cuanto más repriman el anarquismo y le empujen a la clandestinidad y al misterio, será mejor para él. Si tenemos con frecuencia sucesos como el de Casas Viejas, prisiones, deportaciones, etc., el anarquismo subirá y nos acogotará. En cambio, si hay libertad, si se deja hablar en los mítines, si se permiten los Sindicatos y la propaganda, no pasará nada. Nuestros anarquistas fieros y violentos fracasarían en Inglaterra. Allí no los meterían en la cárcel por explicar sus teorías en un mitin; al revés, los protegería la Policía mientras peroraban.

—Claro. Usted habla así porque no cree en el anarquismo.

—Creo en parte. Creo en su labor destructora; en la creadora, no. ¿Usted sí?

—Yo, sí. Yo sería partidario de que todos los anarquistas individualistas viviéramos en un ambiente distinto al común, al margen de la política y de sus intrigas, y fabricáramos un mundo aparte. Sería partidario de que tuviéramos nuestras publicaciones y nuestros periódicos doctrinales para debatir nuestros problemas ideológicos y sentimentales, sin ocuparnos de los demás, y que diéramos un ejemplo de humanidad, de tolerancia y de virtud.

—Pero eso sería una religión nueva—digo yo.

—Lo mismo da llamarla de una manera que de otra.

—¿Y usted cree que la sugestión de ese mundo aparte serviría para hacer prosélitos y convencer a los demás?

—Así lo creo.

—Me parece una utopía.

Habíamos marchado por la calle Ancha y luego por la de los Reyes y San Bernardino, a salir a la de la Princesa, delante de la estatua de la Pardo Bazán.

—Esta calle se llama ahora de Vicente Blasco Ibáñez—observa el individualista, con sorpresa.

—Qué, ¿no lo sabía usted?

—No. ¡Pobre calle!—añade con sorna.

Y en la esquina nos despedimos.

—Ya nos veremos dentro de un año o de dos—me dice él.

—Sí, nuestra amistad es una amistad un poco planetaria—le contesto yo—. Dentro de dos años, si nos encontramos, volveremos a discutir la misma cuestión.

LAS RAZAS NOBLES

Es corriente hablar de las razas nobles. Antiguamente, ésta era una expresión retórica sin gran precisión; pero, más tarde, los discípulos de Gobineau quisieron darle alguna exactitud, lo que, naturalmente, no han conseguido.

¿Existen razas nobles? ¿Se puede considerar esto como una realidad? Ello es muy problemático.

La raza es un concepto oscuro, mal definido, de carácter biológico, naturalista; la nobleza es un concepto sentimental y ético. ¿Puede haber una raza noble? Parece difícil. Podrá haber individuos nobles, pero una raza entera es imposible.

¿Qué condiciones podrían caracterizar una raza noble? Las principales serían: la antigüedad, la excelencia ética, la historia, el tipo, el éxito, el poder y el dinero.

La antigüedad, unas veces, constituye la nobleza y la aristocracia; otras veces, no. Así se considera en los países celtogermanos que los germanos, más modernos en Europa, son los aristócratas, los nobles, y los celtas, más viejos, los plebeyos.

Por la antigüedad, en Europa los vascos y los etruscos serían los más nobles, porque son los más primitivos y se presentan en el período neolítico. Si fuera así, la frase «Los vascos no datamos», que el abate Iharce de Bidassouet atribuye a un vasco, en su *Historia de los cántabros*, podría ser un gran timbre de nobleza; pero si aparecieran unos auténticos Cromagnomes, para ellos sería la palma.

Respecto a la excelencia de las razas, los centroeuropeos, sobre todo alemanes y franceses, aseguraron que la raza aria era la raza noble. Los motivos de esta creencia son un tanto banales y de pura vanidad. Se creía —hoy no es la cosa tan clara—que celtas, germanos y eslavos procedían de la India, origen esclarecido no sabemos por qué, porque los gitanos vienen también de la India.

Otra de las razones de la creencia sin ningún valor es que ario quiere decir primitivamente noble, ilustre. Esto es poca cosa, primero, porque la mayoría de los pueblos se han dado a sí mismos calificaciones excelentes (no les costaba nada); después, porque parece que ario, en su origen, quiere decir propietario, y, últimamente, porque no hay raza aria ni sangre aria.

Sangre aria valdría tanto como decir sangre católica, sangre científica, sangre erudita. Mañana dirían, si el esperanto se propagara, sangre esperantista.

El ario es primitivamente un tronco común de varios idiomas que los hablan pueblos de distintos orígenes. El usar una lengua aria no quiere decir que los individuos que la hablen sean altos o bajos, rubios o morenos, barbudos o lampiños.

El arianismo, hoy, en el campo étnico, no es nada, y es raro que Hitler, que parece emplear mitos y conceptos más nuevos y más originales que Mussolini, use en sus discursos el tópico, ya abandonado, de los pueblos arios.

La nobleza de una raza o de una familia podía proceder de su importancia y de su superioridad intelectual y ética, demostrada en la Historia. No es casi nunca así. Los turcos y los rusos han despreciado a los griegos y a los judíos, y no cabe duda que griegos y judíos fueron en la antigüe-

dad mucho más importantes que ellos. Los actuales europeos del Norte han tenido siempre un gran desdén por los meridionales italianos, españoles y hasta por los franceses, e históricamente no han hecho lo que han hecho éstos.

La aristocracia europea, algo relacionada con la actual, debió de empezar después de la invasión de los bárbaros.

Los jefes bárbaros dan a sus capitanes derechos sobre las tierras conquistadas por un tiempo señalado o por toda la vida. Este es el feudalismo y el origen más o menos mítico de la nobleza. Las acciones no importan. Si alguien pudiera demostrar que era descendiente de Platón o de Marco Aurelio, sería menos noble, menos aristócrata que el que probase que procedía de un jefe bárbaro del siglo X, cuyas principales hazañas hubieran sido degollar a su madre y comerse a dos de sus hijos.

En España, la entrada de los moros empuja a los cristianos españoles, mezcla de celtíberos, vascos, romanos y germanos romanizados, a las montañas del Norte, y de allí empieza la Reconquista, en parte autóctona en Asturias, en parte apoyada en la Europa cristiana, en Vasconia y en Cataluña.

Asturias se desenvuelve sola; Vasconia comienza su existencia política con un ducado de origen franco, que luego forma Navarra, Castilla y Aragón. Cataluña, que depende directamente de Francia, constituye la Marca Hispánica.

Entonces—al menos en teoría—se forma la nobleza española. Con antigüedades más remotas no se quiere nada.

Lope García de Salazar—que supongo será el genealogista más antiguo de España—afirma, en su libro de las *Buenas andanzas y fortunas*, que un jefe que vino de Irlanda, llamado Juan Zuria (el señor blanco), fundó los linajes del País Vasco.

El historiador don Prudencio de Sandoval, obispo de Pamplona, hizo la genealogía de Carlos, y no se remontó más que hasta Adán y Eva. Hoy hubiera pretendido llegar al período neolítico.

Respecto a la nobleza basada en el apellido, es también un poco ilusoria. Los jefes que aparecen en nuestra Reconquista se llaman Gómez, Sánchez, García, Gónzalez, patronímicos que no indican más que el nombre del padre. Buscar la identificación de estos apellidos con los modernos es imposible. Al patronímico se une después el nombre del lugar y cambian los dos en la misma familia. Así, el hijo de Sancho Pérez de la Mata se puede convertir en Juan Sánchez de la Peña. ¿Quién es capaz de hacer una investigación genealógica auténtica? Nadie. ¿Dónde hay libros parroquiales de los siglos XIII y XIV? Casi en ninguna parte.

El conde de Gobineau escribió un libro para demostrar que él descendía de un vikingo llamado Ottal Yarl; pura fantasía. Algunos le dijeron que procedía de un bonetero de Burdeos.

La aristocracia conocida española comienza con los Reyes Católicos, y es una aristocracia de corte más que de historia o de étnica. Usando el léxico de las ejecutorias, se puede decir que es nobleza de privilegio y no de sangre. Naturalmente, así debe ser, porque el privilegio es una realidad y la sangre noble es un mito. Lo social es un hecho en la historia de una familia; lo biológico es una fantasía sin comprobación.

En los siglos XV, XVI y XVII, los que llegan a la corte y gozan del privilegio real se consolidan como aristocracia; los demás quedan en hidalguillos de pueblo. En las aldeas vascas y navarras es frecuente hoy que el apellido principal de la familia noble del siglo XV o XVI lo lleve algún mendigo. El hidalgo no pudo defender sus prerrogativas más que por muy poco tiempo, y sus descendientes volvieron a la masa oscura.

A un arzobispo de Burgos, Mendoza y Bobadilla, se le atribuyó un libro titulado *El tizón de la nobleza española*, del cual yo no he visto nunca más que una edición moderna. En este libro—que, según algunos, es apócrifo—se achaca a la aristocracia española filiación judía. Las grandes familias españolas están, según este librito, infiltradas de judaísmo. Esto no tiene nada de raro. Toda la gente que sabe trepar, al último se relaciona y se entrelaza. De las familias aristocráticas del sur de Francia se decía lo mismo. ¿No se ha casado la hija de Don Alfonso de Borbón con un Torlonia, cuyo primer ascendiente, el duque de Bracciano, fue, según dicen, un banquero judío que comenzó su carrera de mozo de cuerda y de prendero?

La aristocracia inglesa, que no ha tenido la preocupación de la sangre y que se ha aliado con los elementos de valor que ha hallado al paso, ha sido por esto la más eugenésica. Esta preocupación del origen es un tanto ridículo. En la catedral de Burgos se encuentran partidas de defunción en donde se lee: «Fulano de Tal, mercadero», y esta palabra, borrada.

El apellido significa poco para la supuesta nobleza de sangre. El mismo nombre de familia lo puede tener un aristócrata, un menestral, un judío y un gitano.

El primero puede llamarse Fernández de Córdoba, Fernández de Toledo o Sánchez de Segovia, porque tuvo jurisdicción y posesiones en uno de esos pueblos; el menestral se llama así porque su ascendiente nació en uno de ellos; el judío, porque le obligaron a dejar su Abraham Leví o su Moisés Ben Judá para nacionalizarle, nombrándole Pablo de Toledo o Simón de Segovia, y el gitano, porque, como extranjero, se le conoce por el nombre y por el último pueblo donde ha vivido. Así, un Córdoba, un Salamanca, un Segovia, un Avila, puede ser aristócrata, menestral, judío y gitano.

Otro de los indicios de la nobleza, de la sangre azul, podía ser el tipo; pero no hay tipo señalado de nobleza ni en España ni en ninguna parte.

Hay algo—o, por lo menos, había—de hábito profesional en el aristócrata, como en el militar, en el médico, en el abogado; pero nada que llegara a lo orgánico. No existe ni ha existido nunca signo físico que permita distinguir al aristócrata del plebeyo.

En la misma familia se dan el tipo basto y el tipo fino, el hombre y la mujer de pies y manos grandes y el de manos y pies pequeños. Hay en esto la comprobación de la teoría de los cromosomas de Mendel.

No sé si con el régimen de castas de la India se llegaron a formar rasgos especiales en las familias, que fueron luego perpetuándose. En Europa no ha pasado eso.

Muchas veces me han sorprendido en algún salón de hotel o de casino de moda, en donde había reunida gente abigarrada, que los tipos más señalados por su prestancia y por su desenvoltura eran gentes de poco más o menos, y que, en cambio, la nobleza aparecía con un aire insignificante y neutro.

En las casas ricas y aristocráticas pasa algo parecido: los que tienen mejor aspecto son los criados, y es natural, porque al criado se le elige por el tipo, y, en cambio, el rico o el aristócrata lo son por su dinero o por la importancia de su casa.

En las familias históricas, si presentan algún carácter, es casi siempre degenerativo. Don Florestán Aguilar, ilustre dentista, escribió un trabajo para demostrar que el prognatismo de Alfonso XIII no era un signo de degeneración, sino de familia. Bien. Suprimamos la palabra «degeneración», que con exactitud no sabemos lo que es, y digamos que era una cosa fea y poco estética, como la herpe de Isabel II, las narices de Fernando VII, los granos de Víctor Manuel I y el brazo anquilosado y atrofiado del ex kaiser Guillermo II.

No tiene nada de particular que los aristócratas no tengan tipo especial, cuando no lo tienen los artistas y pensadores, a pesar de serlo, no por una convención social, sino por un impulso profundo del espíritu.

De los retratos que recuerdo, Velázquez parece un militar; Descartes, en el cuadro de Franz Hals, del Louvre, da la impresión de un cómico del Mediodía; Leonardo de Vinci tiene algo de sabio alquimista; el Tiziano, de médico; Calderón, de magistrado; Kant, de pobre burócrata; Goya es por su estampa un ciudadano de mal humor. A Balzac se le tomaría por dueño de una taberna o de una carnicería; a Víctor Hugo, por el buen burgués que puede llegar a ser presidente de la República, y a Nietzsche, por un lobo marino.

Hay algunos personajes que realizan un tipo; ejemplos: Beethoven, que da la máscara del músico para siempre; Thiers, la del político, y Pasteur, la del sabio. Hay otros que se hacen una cabeza, como Lamartine, Daudet, Espronceda, Zorrilla, etcétera. Esto es lugar común.

De los que yo he conocido personalmente, Anatole France tenía un corpachón grande y una cabeza de pepino bastante fea; Oscar Wilde era un gigantón con cabeza de solterona inglesa; Galdós parecía un capitán del Cuerpo de Carabineros; Campoamor, gordito, tripudo y con patillas blancas, era ridículo; la Pardo Bazán tenía proporciones de bola; Echegaray, de cerca, mostraba una cabeza pequeña como un meloncito; Castelar, gordo y grasiento, parecía una foca.

De los personajes conocidos por mí que legitimaban con su cara y con su tipo su manera de ser, estaban Reclus, con su vitola de iluminado revolucionario; Valera, con su estampa de gran señor andaluz; Ramón y Cajal, con cierto aire de sabio moro; Salmerón, con su gran prestancia de santón, y Bergson, con su aire fino y espiritual.

Es verdad que esto es muy arbitrario. En el teatro mismo no se ha llegado a un acuerdo. El héroe de la tragedia clásica parece que tiene que ser más bien moreno que rubio y de nariz recta. Creo que la mayoría nos figuramos así a los héroes de Sófocles, de Eurípides, de Racine o de Goethe.

El teatro de Molière es para gente rubia, marquesas de nariz respingona y ojos claros, y caballeros también rubicundos.

El teatro español es de morenos entreverados de rubios.

La ópera de Wagner es de gentes rubias y barbudas. A Lohengrin, a Sigfrido, a Tannhauser, se los figura la mayoría con larga barba dorada.

En los tipos históricos no se sabe cuál es físicamente mejor. Unos se decidirán por el leonino de Lutero, de Tolstoi, de Bismarck o de Ibsen, y otros, por el aquilino de Dante, Alfieri o Bonaparte.

Del éxito, del poder y del dinero como bases de la aristocracia no se puede dudar, porque es lo único que hemos visto que la ha constituido en este tiempo.

De la parte étnica que puede haber en la nobleza, tan vaporosa que no hay manera de captarla, los antropólogos alemanes, modernos discípulos de Gobineau, quisieron sacar consecuencias políticas.

Según ellos, la democracia, iniciada en la Revolución francesa, no sería en Europa, sobre todo en el centro, más que la victoria de la raza braquicéfala inferior—la céltica—contra la dolicocéfala superior germánica. En la lucha, el judaísmo y la masonería favorecerían a los inferiores celtas contra los superiores germanos por un fondo de envidia.

Estas proposiciones no tienen demostración alguna. Habría que demostrar, primero, que hay una raza céltica, que ésta es braquicéfala y que es inferior; segundo, que hay una raza germánica que es dolicocéfala y superior, y tercero, que la democracia viene del conflicto de las dos.

Para demostrar esto se falsifica la Historia. En la Revolución francesa hubo, evidentemente, una masa popular y burguesa que luchó contra una clase privilegiada de la aristocracia; pero ni se puede decir que el pueblo fuera céltico ni que la aristocracia fuera germánica.

Además, entre las figuras de la Revolución se destacaron gentes de sangre azul: el duque de Orleáns, Mirabeau, Talleyrand, Barras, Saint-Just, Fonvielle, etc. y entre los tipos de la contrarrevolución, muchos plebeyos.

Todas las consecuencias políticas y sociales que hasta ahora se han querido deducir de la etnografía han sido arbitrarias y caprichosas. Esto no quiere decir que alguna vez no se puedan obtener deducciones mejores.

EL ARISTOCRATISMO EN ESPAÑA

Aristocratismo y *democratismo* son dos palabras que, por lo que veo, no aparecen en el diccionario, pero cuya significación es clara, y su uso, general y corriente.

Aristocratismo es el amor o inclinación por la aristocracia, y democratismo, inclinación y simpatía por el predominio del pueblo.

Las palabras *aristocracia* y *democracia* son las que no representan conceptos únicos y bien claros.

Sabido es que aristocracia significa etimológicamente gobierno de los mejores; pero en la práctica no significa esto, porque si así fuera, todos seríamos partidarios de la aristocracia.

En la realidad actual, la aristocracia la han formado y la forman aún un conjunto de personas destacadas por algo: títulos hereditarios, políticos conservadores y los que tienen una superioridad social por su cargo, por su dinero o su influencia.

La democracia tampoco es un concepto claro—al menos, en el uso corriente—. Por su etimología, es el gobierno del pueblo; en la práctica vulgar, demócrata es el hombre llano que puede convivir y simpatizar con la gente humilde. Así que la palabra *democracia* tiene dos acepciones distintas: una, política, de procedimiento; otra, vulgar, de sentimentalismo.

Dejando los conceptos etimológicos, que, aunque parecen los más claros, son los más oscuros, y, ateniéndose a los vulgares, se puede uno preguntar: «¿España es un país de tendencia aristocrática o democrática?»

Es difícil contestar a esto, si se quiere huir de lugares comunes y apoyarse en hechos y observaciones. Tan pronto se piensa: «Este es un país de gustos feudales»; como se dice: «Esta es una tierra de las más democráticas del mundo.»

Quizá en todas partes ocurra igual; quizá en la mayoría de los individuos se dan al mismo tiempo las dos tendencias, porque el hombre es un producto natural más que social, y no se forma ni se desarrolla en una casilla única.

A mí mismo me han acusado de las dos inclinaciones, diciéndome unas veces: «¿Por qué tiene usted interés y curiosidad por ir a casas aristocráticas?»; y otras: «¿Por qué anda usted con gente desastrada? ¿Por qué le gusta hacer tertulia en librerías de viejo?»

A mí, como escritor, me interesa todo: la aristocracia, el clero, la burguesía; pero lo que me interesa más profundamente es el pueblo, porque creo que es el que tiene más originalidad y más carácter.

Viajando por España se notan, al lado de rasgos de aristocratismo, otros de tendencia democrática profunda. Esta mezcla heterogénea en cada región tiene su matiz.

En Cataluña y en Levante, en la población rural, hay poco sentido aristocrático, quizá ninguno; pero en las ciudades lo hay estrecho y cerrado. En Andalucía tampoco hay mucho aristocratismo en el campo, que da al mismo tiempo el tipo humilde y respetuoso y el irritado y demagógico. Tanto Cataluña y Levante como Andalucía son tierras donde pasa mucha gente y se renueva todo y se olvida con rapidez.

Castilla, más estática, más inmóvil, conserva, en parte, sus antiguas tradiciones. Le queda una idea de la nobleza un poco del *Romancero*, pero no de aristocracia. A la Navarra de la Ribera le pasa igual.

El País Vasco ofrece un carácter curioso. En el campo, en los pueblos pequeños y aldeas hay un cierto aristocratismo tradicional y moral de instinto, sin teorías y con cierto matiz étnico. En las ciudades como Bilbao y San Sebastián hay un aristocratismo desvergonzado, rastacuero, de gente advenediza y petulante.

Si se quisieran sacar consecuencias de la literatura española, no sería tampoco fácil averiguar si los españoles somos aristocratistas o democráticos.

La primitiva literatura castellana es popular. El *Poema del Cid*, el *Romancero*, Gonzalo de Berceo, el arcipreste de Hita, son para el pueblo. No hay en ellos tanto par, tanto duque y tanto conde como en las obras del tiempo francesas y alemanas.

La literatura del siglo XVII es más libresca y menos salida del terruño. De Calderón, considerado como la quinta esencia de las ideas monárquicas y católicas, no se puede decir que fuera un partidario de la aristocracia. Era de un espíritu más noble que Lope de Vega; era también más poeta, y en él no hay la menor adulación a los príncipes y a los hombres de rango.

No habría manera de asegurar lo mismo de Cervantes. En el *Quijote* hay de todo: frases que saben a rebeldía popular y otras que tienen un carácter de adulación repulsiva. Las escenas de Don Quijote con los duques siempre me han parecido repugnantes.

También es un adulador Gracián, pero es un adulador teórico.

En la literatura española clásica no se plantea el conflicto de aristocracia y pueblo. Hay algo de esto en *Fuenteovejuna* y en *El alcalde de Zalamea*, pero sin caracteres de lucha de clases. Es muy posible que en España la aristocracia se haya constituido definitivamente con los Borbones y que tenga origen francés.

En el siglo XIX, con el Romanticismo comienza la prédica antiaristocrática y la glorificación del pueblo. Se hace ésta en poesías, novelas por entregas, melodramas, sainetes y artículos. Influyó en esto la guerra de la Independencia, en la cual el pueblo quedó tan bien y la aristocracia tan mal.

El período de glorificación popular se puede decir que comienza en Espronceda y acaba en Dicenta.

Los literatos españoles del siglo no populares son aristocratistas. No quieren, en general, dar la nota violenta contra Demos, como la daba en sus comedias Aristófanes—que era un Muñoz Seca del tiempo con genio—; pero si esto no lo hacen es más por prudencia que por otra cosa.

Fernán Caballero satirizó con su discreción andaluza a los liberales, y Pereda hizo en una de sus novelas una caricatura de un constitucional esparterista bastante ridícula y lugareña.

Un libro novelesco en el que se trata de la aristocracia desde un punto de vista de clase es *Pequeñeces*, del padre Coloma. Yo creo que es un libro de adulación.

En un artículo de una revista de los frailes de Lecaroz (Navarra), titulado «Bilis acumulada», firmado por Rodrigo Echenique, y publicado hace meses, se rebate esa afirmación mía.

«¡Coloma adulador! ¡Oh manes de Valera y demás críticos insignes! Ya os oigo la carcajada al leer tamaño disparate. ¡Coloma, el autor de una de las obras de mayor éxito de librería del siglo XIX, precisamente por ser *Pequeñeces* la sátira más formidable y cruel contra la aristocracia, convertido en adulador de los Villamelones y las Currita Albornoz por obra y gracia de Baroja!», dice el crítico.

Yo no tengo la culpa de que un fraile de Lecaroz tenga, naturalmente, la inteligencia roma.

Las intenciones, más que se ven, se adivinan. Si porque Coloma habla de unos aristócratas mal (de los advenedizos) fuese enemigo de los aristócratas, Zola, por las pinturas que hizo de las costumbres populares francesas, sería un enemigo del pueblo, y no lo era, ni mucho menos; Karl Marx y Proudhon serían enemigos del socialismo porque criticaron con rudeza a los socialistas anteriores a ellos.

El que tiene alguna intuición ve un poco detrás de las palabras, y en un hombre como Heine, a pesar de sus bromas antijudías, nota al judío, y en Nietzsche, a pesar de su aparente germanofobia, siente al alemán, y en Stendhal, con su antifrancesismo, advierte al francés.

En el padre Coloma, con su supuesta hostilidad por la aristocracia, trasciende el adulador.

Esta idea la pude comprobar por lo que vi de él, por lo poco que hablé con él y por lo que leí de él.

En todos sus libros, en los *Retratos de antaño*, en *Boy*, en los cuentos, se nota la adulación franca al aristócrata, al rico, y el odio y la antipatía al que intenta salir de su esfera de pobre.

Sobre todo en los *Retratos de antaño*, se ve que el escritor jesuita se derrite hablando de condes, de duques y de príncipes.

Yo era estudiante cuando se publicó *Pequeñeces*, y recuerdo que el *Heraldo de Madrid*, que debía de ser entonces de Ducazcal, hizo a la novela un reclamo tremendo, como no se ha hecho nunca en la literatura española, y que duró dos o tres meses, y recuerdo también que por entonces un escritor carlista y católico, don Valentín Gómez, dijo, refiriéndose a la obra, si no con estas palabras, con otras parecidas: «¡Quién sabe si en este libro, que parece un libelo contra la aristocracia, no hay en el fondo una apología!»

¡Naturalmente que la hay! Se necesita ser ciego o tonto o fraile de Lecaroz para no verlo.

Claro que en *Pequeñeces* se ataca a la aristocracia; pero es a la improvisada, no a la antigua y a la buena católica. Esa es la posición del aristocratista, del que maneja el incensario.

Al padre Coloma le conocí yo en Cestona. Tenía un tipo mixto de judío y de gitano, étnicamente poco recomendable.

Yo nunca le vi con gente pobre del pueblo. Siempre en coche y en un salón de un *chalet* del dueño del balneario, rodeado de señoras ricas. Era el Chateaubriand del Urola.

Una mañana, el otro médico del pueblo, carlista y devoto, me presentó al jesuita.

—Aquí tiene usted al nuevo médico de Cestona. Es un revolucionario.

No era una recomendación para el novelista aristocrático, que me miró con mal ceño.

Se habló de la gente que estaba en el balneario, y no sé quién dijo aristocracia vascongada, refiriéndose a la condesa de Guaqui, parienta de la familia de Narros.

—Aristocracia vascongada no hay —dije yo—. Guaqui debe de ser un lugar de América, y Narros tampoco es de aquí.

—Ya se sabe que entre los vascongados no ha habido nunca aristocracia—dijo Coloma con desdén.

—Para mí es un motivo de orgullo —contesté—. Yo, de creer en algo aristocrático, creería en la aristocracia de la raza.

El padre Coloma me miró de reojo y nos volvió la espalda.

El señor Echenique, a quien choca que yo considere como un adulador a Coloma, habla de un folleto de Valera, y podía haber hablado de otro de la Pardo Bazán.

Valera y la Pardo Bazán eran aristocratistas, un poco disfrazados en su literatura; pero en su casa lo eran sin disfraz.

En un libro mío—*Juventud, Egolatría*—conté yo cómo, hace más de treinta años, una tarde, con un amigo mío suizo, Paul Schmitz, de Basilea, fui a visitar a don Juan Valera, a quien yo conocía de antemano. Estuvimos hablando varias horas con él.

Una de las cosas que discutimos fue el comunismo. El suizo y yo tendíamos a considerar el comunismo posible con ciertas modificaciones antidoctrinarias. Nos mostrábamos, además, enemigos de las prerrogativas de la aristocracia y de la plutocracia, lo que a Valera le molestaba tanto, que llegó a mostrarse agrio y violento con un extranjero.

Respecto a la Pardo Bazán, se exaltaba pensando en la aristocracia; yo le oí hablar varias veces como si fuera carlista. En cuestiones de clases sociales, era del aristocratismo más rabioso que puede darse. En cambio, en otras cosas se manifestaba de ideas casi libertarias.

El mismo Galdós, si no en la vida, era también aristocratista en literatura, e imaginó, a base de patrones extranjeros, una serie de tipos de duquesas y de aristócratas, como el señor de Labrit, de los cuales no hay el menor rastro ni la menor posibilidad en la realidad española, pues la aristocracia en nuestro tiempo ha sido insignificante y mezquina.

En la novela moderna, Dickens, Dostoyevski y Tolstoi vieron cómo el pueblo—no el que vota; ése casi no es pueblo—era el que tenía tipo. Después de leer a estos escritores y de advertir sus hallazgos literarios, se comprende que los muñecos aristocráticos inventados desde Balzac a Bourget y a D'Annunzio son palabrería vana.

Yo, la verdad, no he tenido ni simpatía ni odio especial por la aristocracia. No me ha ofendido nunca que existan condes, marqueses y duques. Tampoco me ofende que existan coroneles, brigadieres y generales.

Cada uno tiene su mundo, en el que se mueve.

En la única aristocracia que creo algo es en la étnica. Un hombre o una mujer de tez clara, de cabeza bien hecha y de facciones correctas me parece siempre superior, de más categoría étnica que un tipo—sea hembra o varón—moreno, cetrino, contrahecho y con los ojos negros brillantes. Claro que si este último demuestra que vale más que el otro, lo reconoceré.

El porvenir debía ser para una aristocracia de raza y de talento; pero el pueblo—sobre todo el que vota—no parece que esté dispuesto a aceptar esto. El grito de la época es: «¡Abajo todas las superioridades!»

Hay que reconocer que el pueblo, el Demos aristofanesco, ha demostrado que acepta con gusto, o, por lo menos, con resignación, la superioridad del nacimiento y de la fortuna. Por ahora, lo que no ha demostrado es que acepte la superioridad del talento ni del trabajo.

Actualmente, el aristocratismo antiguo subsiste. España no se renueva más que en palabras.

Habría que ver las casas de nuestros demócratas y socialistas y ver cómo tratan a sus criados para juzgar de su sentido democrático.

Del otro aristocratismo, del posible del porvenir, basado en el reconocimiento de las superioridades, todavía no hay indicios.

LATIFUNDIO Y COMUNISMO

Cuando se recorren en auto estos pueblos y estos campos de Andalucía y de Extremadura, ahora en la primavera tan verdes, tan feraces, de aire tan rico y tan despoblado, se pone uno a sí mismo cuestiones que uno no sabe contestar.

¿De qué depende esta falta de población? ¿Por qué no hay más casas, más bosquecillos en esta tierra que parece amable? ¿De qué deriva esa idea tan arraigada del campesino de que la propiedad de la tierra es algo irregular e ilegítimo?

★

La despoblación del campo podría proceder de causas físicas, de que no hubiera en esas grandes llanuras fuentes ni arbolado, ni medios de construcción para levantar con piedra o con ladrillo aldeas aisladas. Algo de esto debe de ocurrir, porque en muchas partes se ven grupos de chozas de paja de aire mandinga o bosquimano.

El motivo principal de esa falta de población es, sin duda, el latifundio.

No sabemos si el latifundio es causa o es efecto de las circunstancias del país. Para los terratenientes andaluces y extremeños a quien hemos oído hablar, es efecto. El latifundio, según ellos, es necesario e insustituible en las tierras vastas de secano. En las

de regadío, la división se hace espontáneamente. Los terratenientes afirman que la parcelación de la gran propiedad sería la ruina de las comarcas. En ello coinciden con el campesino, que tampoco defiende la división de la tierra, sino la propiedad en común.

El latifundio del mediodía de España tiene, principalmente, tres orígenes: el señorío no muy antiguo, la desamortización del tiempo de Mendizábal y la usura.

El espíritu del latifundista, aristócrata, burgués enriquecido en el siglo XIX, o usurero, es seguramente el mismo. Es un espíritu de soberbia y de aislamiento, de hombre encastillado, embriagado con el ansia de la propiedad, que llega muchas veces a sacrificarse por ella.

Yo, hace treinta años, en un banquete que se dio en Jerez en la inauguración de un pantano, al que asistí como periodista, le decía a un comensal vecino de mesa:

—Es curioso que estas personas reunidas aquí no se parezcan a los braceros de la calle.

El me explicó:

—Es que hay bastantes personas entre nosotros de apellido extranjero, francés e inglés.

Yo, más que franceses e ingleses, veía allí actitudes judaicas. No me parecía el extranjerismo la razón principal de la diferencia entre pueblo y burguesía, diferencia que encontraba más en la expresión que en los rasgos anatómicos de las personas.

A mí se me figura que el latifundista aristócrata, burgués o usurero, han ido creando en sí mismos un espíritu hostil a la masa campesina que los circunda. Este temor suspicaz les asemeja a los judíos.

Al mismo tiempo, la masa ha intensificado su sentimiento de hostilidad contra el propietario. Las dos enemistades broncas han llegado a dar carácter a ricos y pobres, que se miran con rencor.

Es muy posible que en esta hostilidad mutua influyan sentimientos ancestrales, la reminiscencia vaga, subconsciente de las invasiones extranjeras, que han sido muchas en Andalucía.

En otras regiones hispánicas menos invadidas étnicamente, por ejemplo, en Vasconia, país de tierras pequeñas, el propietario no siente hostilidad por sus colonos; el campesino, aun el pobre, no tiene la idea de que el terrateniente rico es un extranjero; lo considera como un hombre más afortunado que él. En Andalucía, el propietario mira a la masa campesina como a una fuerza enemiga; el campesino, a su vez, considera al propietario como a un cuerpo extraño, como a un quiste que quisiera extirpar lo más pronto posible. No creo que esta creencia del campesino provenga de haber leído a Karl Marx o a Bakunin en sus obras o en sus comentaristas; me parece que ello nace de un sentimiento étnico más que de una idea racional.

★

¿Cuál es la raza autóctona de Andalucía? No se sabe. Quizá no hay actualmente raza autóctona en ninguna parte del mundo.

En el comienzo de la historia de España se habla de los ligures, de los iberos, de los tartesios, gentes fabulosas, a quienes se les asignan varios orígenes; pero que se supone siempre que vienen de fuera a ocupar un país ya habitado por razas prehistóricas.

Según algunos, el elemento africano sería el más abundante en Andalucía, teniendo en cuenta la evolución geológica de la Península. Hubo época en que parte de la región andaluza estaba unida al Africa; el actual cauce del Guadalquivir era un brazo de mar, el estrecho de Gibraltar no estaba abierto, las montañas desde Huelva a Alicante, dominadas por Sierra Nevada, pertenecían al continente africano, y el escalón de Sierra Morena era el límite meridional en esta parte de Europa.

Si esto fuera así, el africanismo podría existir como base étnica en el sur y en la costa de Andalucía; pero no en la cuenca del Guadalquivir, país relativamente nuevo y formado por otros elementos.

¿Quiénes eran éstos? No se sabe. Como hemos dicho, se habla de los ligures—quizá los constructores de dólmenes—, de los tirsinos o etruscos, de los iberos de pelo rizado, según unos, procedentes de Libia, y, según otros, del Cáucaso; de los capsienses, comedores de caracoles. Todos ellos, con el resto de paleolíticos y neolíticos, formaron, probablemente, la masa étnica andaluza en época protohistórica.

Esta masa de orígenes diversos fue unificándose por la acción del ambiente y del clima en miles de años. Cuando se tienen noticias de ellos eran ya gente civilizada; vivían en pueblos con sus murallas, tenían comercio e industria.

Hacia el siglo VI antes de Jesucristo aparecen cruzando Sierra Morena hordas célticas, medio europeas, medio tártaras, con sus caballos y sus carros, que se establecen y forman urbes en un país aún poco poblado, con sus propiedades probablemente comunales.

Mezclados los pobladores viejos y los nuevos, llamados después en la Historia celtíberos, son pastores, cazadores y agricultores. La propiedad debía de ser entre ellos aleatoria; la vida política, rudimentaria y casi anarquista.

La tierra, todavía abundante, bastaba para todos; los extranjeros, fenicios, griegos y cartagineses, se acercan a comerciar con los naturales, principalmente de las costas, de una manera pacífica.

Es muy posible que en esta época de cierta prosperidad el andaluz fuera ya poco guerrero, como después y como ahora.

Entonces se presentan de improviso los primeros conquistadores. Las legiones romanas, representantes de un Estado fuerte y disciplinado, establecen sus castros y sus presidios, dominan las ciudades y se apoderan de la tierra.

Se sabe que el posesor romano creó la gran propiedad, el latifundio, por derecho de conquista. El latifundio organizado y el absentismo comienzan con los romanos.

La raza autóctona, aunque mezclada, como todas, queda sometida al extranjero, al romano fuerte y poderoso.

A la sociedad romana, ya cristianizada, se le van descomponiendo los resortes vitales con el tiempo, y aparecen los bárbaros, hombres rojos del Norte, medio nómadas, que se estabilizan y se cristianizan.

Los visigodos no debían de sentir en su principio gran entusiasmo por la propiedad territorial; sin embargo, debieron de repartirse el país entre los jefes y los soldados distinguidos. La población romana, ante los nuevos amos, probablemente se funde con la autóctona.

Tras de los godos vienen los árabes, relativamente pocos. Más que a la posesión de la tierra, aspiran a tener cargos en el ejército, en la administración y a cobrar tributos.

El elemento gótico derrotado, que no huye al norte de la Península, desaparece también en la masa étnica.

Los andaluces cultos quieren creer que estos árabes, bereberes y sirios, eran sus hermanos de raza. Ello me parece fantasía literaria; los tales árabes eran, seguramente, tan extranjeros o más que los godos para el país.

Después de la Reconquista vienen los castellanos y la gente del norte de España como dominadores a Andalucía. Hay un feudalismo tardío. Más tarde, el latifundio se adquiere por la desamortización y por la usura.

★

Probablemente, España y la Andalucía actuales tienen hoy una constitución étnica parecida a la del tiempo de Séneca. La influencia del ambiente ha dominado a todos los elementos extraños. Los etnógrafos se sorprenden de que en la España actual haya tan pocos rastros de romanos, de griegos, de godos y de árabes. Sobre todo esta falta de elemento árabe les sorprende, y su sorpresa viene de que tienen una idea falsa de la dominación de los árabes. El arabismo en la étnica española es algo muy limitado, como en la arquitectura. La

Alhambra, la Mezquita de Córdoba, el Alcázar de Sevilla, unos cuantos minaretes y cúpulas, y se acabó. Todo lo árabe es pegadizo, extranjero y escaso en España. Hoy la étnica española es una unidad que no tiene nada que ver con el latinismo ni con el semitismo, que son culturas. Es muy probable que en la tierra andaluza, lo autóctono, lo privativo, sea un cierto comunismo rural. Sobre este comunismo se plantó el latifundio, la construcción fastuosa del romano como una superestructura a la que imitaron después godos, árabes, austríacos, borbónicos y plutócratas modernos. Quizá todas estas formas de latifundio sean superfectaciones contrarias al espíritu del pueblo andaluz, y la forma natural de vivir en el agro español del Mediodía sea la comunista.

★

LA GANANCIA LÍCITA

Esta última huelga de las Artes Gráficas ha presentado unos caracteres un tanto extraños. Como se sabe, por una diferencia de los obreros de una Empresa periodística con sus patronos, los obreros han declarado la huelga no sólo contra esa Empresa, sino contra las demás, a las cuales no tenían nada que reclamar. En el taller donde comenzó el conflicto y el paro tiene que haber vencedores y vencidos, como en todas las huelgas; en los demás talleres, no; no puede haber ni derrota ni victoria.

Se dice que la generalización de la huelga se ha hecho por solidaridad. Más parece que se ha realizado por un sentimiento de castigo al rebelde. El socialismo se ha sentido Jehová.

Esto pensaba el otro día aquí, en Sevilla, cuando fui a hablar en la cárcel del Pópulo, vieja, sucia y pintoresca, una cárcel del tiempo de Mérimée, con los anarquistas presos. Estos se hallan detenidos por haber hablado con violencia en un mitin.

Los vi desde el locutorio, a lo lejos, entre dos rejas, como fieras enjauladas. Estaban Durruti, Ascaso, Pérez Combina, Zimmermann, Paulino Díez y otros muchachos jóvenes. Como los anarquistas son discutidores, comenzaron a discutir conmigo. Hablaban con entusiasmo de la revolución, que consideraban próxima, y del triunfo del comunismo libertario. Yo presentaba mis objeciones de hombre incrédulo y adogmático.

Al salir de la cárcel pensaba:

«¡Quién sabe si lo que defienden estos hombres, en vez de ser lo utópico del futuro, sea, en Andalucía, algo ancestral y tradicional!»

No en balde Karl Marx era un judío mesiánico, y la mayoría de sus principales continuadores lo son también.

El espíritu cerrado, de secta, bíblico, late en el socialismo español.

No importa cometer una injusticia y un atropello si es contra los enemigos. Para los espíritus nobles, la justicia está antes que todo; para los espíritus estrechos y mezquinos, lo principal es la secta, la clase. Israel siempre tiene razón contra los rivales; Roma no yerra nunca; Moscú, tampoco.

Como los cristianos, quieren convencernos de que los hombres de hoy tenemos la culpa del suplicio de Jesucristo, de hace cerca de dos mil años; si esto sigue así, los socialistas de dentro de algunos decenios reprobarán a sus contemporáneos el que Karl Marx no llegara a centenario y padeciera de cuando en cuando alguna dispepsia.

Otro carácter, también judaico, que me ha parecido observar en las masas socialistas y comunistas en estos días, ha sido el rencor contra todos los que no son obreros o, quizá con más exactitud, contra los que se encuentran fuera de sus agrupaciones. «El que no está conmigo, está contra mí.» Esta fórmula semítica y rencorosa rige, al parecer, entre nosotros.

En grupos de obreros, hombres y mujeres, he oído decir estos días: «Hay que quemar las imprentas y los periódicos. Los periodistas son unos canallas. Los patronos son unos ladrones.» Insistiendo un poco con esas buenas gentes, resulta que todos son ladrones, mejor dicho, todos somos ladrones: los médicos, los ingenieros, los escritores, los periodistas... Es decir, que no hay profesión honrada más que la de los obreros adscritos a la Casa del Pueblo, a la C. N. T. o al Centro comunista.

Quizá se encontraría, insistiendo en la opinión popular, que únicamente los toreros se salvarían del estigma de ladrones, lo que haría pensar en si los socialistas de hoy son hermanos espirituales de los entusiastas de Fernando VII, que gritaban: «¡Vivan las caenas!», y celebraban la fundación de la Escuela de Tauromaquia. No es de hoy ni de ayer, ciertamente, la preocupación sobre la legitimidad o ilegitimidad de la ganancia. Los padres de la Iglesia y los místicos trataron de ella; después la discutieron los economistas.

En esta última época, entre la clase obrera se ha intensificado la crítica sobre los medios de ganar y sobre su carácter lícito o ilícito. Esta sensibilidad crítica no se refiere a todas las formas de ganar, sino a aquellas que practica la clase que se llama burguesa. La actitud que parece crítica no lo es; es una actitud política y sectaria. Se supone, con un dogmatismo cerrado, que todos los medios de adquirir de la burguesía son reprobables, y todos los de la clase obrera, legítimos.

Para que la crítica de los medios de ganar tuviera algún fundamento sería necesario establecer de antemano un criterio general firme e inatacable que no se detuviera en nada ni en nadie. Se puede llegar a pensar que el patronazgo y la renta, cuando no representan trabajo ni inteligencia, son abusivos. Se puede llegar a encontrar ilegítima la ganancia del contratista, que se vale de un desnivel económico, sólo por él conocido, para enriquecerse, sin poner gran cosa de su parte; del negociante que, conociendo la marcha de los asuntos y de los valores, los pone a contribución por la facilidad que le dan sus medios; del usurero, del empresario de toros o de boxeo; del abogado, que cobra por lo que hace su pasante como si fuera trabajo suyo, y de otras muchas formas de ganar; pero el obrero comunista y sus directores ya no se contentan con esto. Quieren creer que sólo el trabajo manual es trabajo; lo demás es abuso.

El inventor que crea un artefacto nuevo por su inteligencia y su esfuerzo, el pintor que hace un cuadro y lo vende, el escritor que publica un libro, el músico que escribe una partitura, no obtienen una ganancia lícita, no ganan un dinero limpio, porque, aquí está lo absurdo, los productos de esos hombres, además de no tener una utilidad inmediata, están hechos para la burguesía.

Esto no es la justicia, sino más bien

una manifestación de lo que ellos llaman política de clase.

Aunque el reparo tuviera valor, que no lo tiene, no sería un reproche que sólo se pudiera hacer a los trabajadores de la burguesía.

Con la misma razón que ellos se preguntan: ¿Qué utilidad puede tener para el pueblo este libro, este cuadro o esta partitura?, se les podría decir a ellos: Y el obrero de las fábricas de armas y de cañones, ¿para quién trabaja? Y el confitero que produce caramelos que no sirven más que para estropear el estómago de los chicos, ¿qué labor útil hace? ¿Y el que fabrica licores, casi todos perjudiciales? ¿Y el que fabrica y vende tabaco? ¿Y el que destila alcohol? ¿Y el camarero o la camarera del *cabaret*? ¿Y el portero de la casa rica? ¿Y el tabernero? ¿Y el mozo del vagón restaurante, del coche-cama y del gran hotel lujoso? ¿Y el chófer que pasea en su auto a las damas del prostíbulo o a la querida del enchufista? ¿Y el lacayo? ¿Y el barbero? ¿Es que estas gentes dan un producto útil? ¿Es que trabajan sólo para el pueblo? La contestación al argumento es la palabra tabú de la época, categórica y absurda, como todos los tabúes:

—Es que esos hombres son proletarios.

Muchos de esos proletarios ganan más, mucho más, que un ingeniero, un escritor o un pintor actual; pero no ofenden al santo proletariado. Los escritores, sobre todo, les ofenden porque son soberbios, se creen superiores y se llaman a sí mismos intelectuales. Yo, la verdad, no he oído a nadie llamarse a sí mismo intelectual. Produciría un poco de risa. Visitaba en la cárcel de Sevilla a unos anarquistas presos allí, y uno de ellos me preguntaba, con cierta sorna agresiva:

—¿Y se puede saber por qué se llaman ustedes intelectuales?

—Veo que tienen ustedes la misma idea que el general Primo de Rivera —le contesté yo—. Yo no he conocido a nadie que se llame intelectual. El llamar a algunas profesiones intelectuales vale lo mismo que llamarlas liberales.

Se ve que en la antipatía del obrero o del militar por el intelectual interviene la vanidad herida. Un mozo de café puede ganar cincuenta pesetas al día; está bien. Pero si un escritor gana diez, ya ofende. Y es que los obreros y, sin duda, los generales tienen una idea de novela de Pérez Escrich o de Felipe Trigo del escritor y del artista. La gloria, las mujeres, la popularidad, etc.

Ya los obreros y los generales han decidido que no hay y que no debe haber intelectuales ni superioridades. Un obrero vale más que todos los literatos juntos, aunque se llamen Cervantes, decía no hace mucho, en *Solidaridad Obrera*, de Barcelona, un escritor anarquista. Un sargento que sepa mandar uno..., dos..., tres, vale más que Galileo y que Copérnico, dirá el mejor día un escritor militar.

Se puede suponer que en este juicio entrará la licitud de la ganancia, no la importancia de la obra.

Volviendo a esta cuestión, y generalizando la crítica, no quedan apenas maneras legítimas de ganar.

De primera intención parece que se podría llegar a una fórmula acerca de la licitud de la ganancia, y decir: «Únicamente es legítima la ganancia del productor de una cosa útil para la Humanidad.»

A primera vista, la fórmula parecería buena; pero pronto se presentaría la duda: ¿dónde empieza y dónde acaba la utilidad? ¿Quién es el productor de una cosa útil?

Hay una utilidad práctica, inmediata, directa, y hay otra utilidad menos directa.

Trabajos útiles directos son el del labrador, el del minero, el del tejedor, el del molinero, el del albañil. Los que fabrican instrumentos de trabajo tienen ya una utilidad menos directa; son el herrero, el carpintero, etcétera. Después vienen los que transportan los productos y los distribuyen: carreteros, cocheros, chóferes. Estos empiezan a ser intermediarios, y más intermediarios aún son los capataces, contratistas, policías, jueces, militares y curas.

La supresión del intermediario sería el anarquismo, es decir, el liberalismo radical; pero no se puede suprimir fácilmente el intermediario. Si se suprimiera, se hacía que el intermediario único fuera el Estado en forma de Municipio, Sindicato o como se le quiera llamar. Entonces ya se estaría dentro del comunismo, y la parte anarquista, liberal, desaparecería. No basta con dar nombre a una utopía y decir Comunismo-libertario. Lo mismo se puede decir con énfasis Hierro-madera, o Hierro-piedra. El anarquismo actual es de hecho una secta comunista. Como quiere ser la unión de una cosa posible con otra romántica y utópica, la Cocina-templo o el Pesebre-altar, si intentara realizarse, en la práctica la parte de templo y de altar desaparecerían, y quedarían sólo el pesebre y la cocina.

Siguiendo la trayectoria de las profesiones de una utilidad evidente, pasaríamos de intermediarios citados a los ingenieros, arquitectos, investigadores científicos, botánicos, físicos, químicos, etc. De una utilidad más lejana son los geólogos, los astrónomos y los que se dedican a las matemáticas puras.

Menos útiles aún son los escritores, artistas, músicos, cuyo practicismo inmediato no se advierte.

Se puede pensar que hay un primer tramo de la vida, que es la vida material: comer, vestir, tener una casa, calentarse en invierno. Después de esta vida material, queda una vida que no sé si se puede llamar espiritual. Se quiere leer, se quiere pensar, hasta se llega a la inmoralidad de querer oír música. Esto no es fácil saber si es útil o no.

Tales deseos producen la posibilidad del escritor y del músico. ¿Lo útil es únicamente lo inmediatamente útil, de utilidad comprobable, o hay otras cosas útiles que nos lo parecen solamente por intuición y sin que podamos comprobarlas?

Si no hay más que lo útil comprobable, los que deben perdurar son los productores de valor práctico, y hay que abandonar y hasta dificultar el trabajo de los que crean un lujo superfluo.

Ahora, si esto no es así, si hay esa otra utilidad de aire poco práctico, esas funciones al parecer de lujo deben subsistir y tener libertad para producirse. Los escritores, los pintores, los escultores, los cómicos, las cupletistas, los saltimbanquis, los prestidigitadores y los payasos deben estar dentro del cuadro social sin ventajas y sin desventajas.

—A todos ellos los pondremos bajo la tutela del Estado—dicen los comunistas.

A mí esto me parece un absurdo. Todo lo artístico que depende del Estado es mediocre. Lo ha sido siempre.

Las profesiones intelectuales deben ser libres. Si encuentran medios de vivir al aire libre, que vivan; si no, que se mueran. El Estado nunca ha sido incubadora de genios, sino de mediocridades.

La crítica de los medios de ganar me parece bien si es limpia y clara. Ahora, si nos vienen apoyados con ese absurdo denominador común de proletarios a querer glorificar al mozo de café y al barbero porque sirven la cerveza o afeitan con esmero al compañero Martínez, esa crítica nos da risa.

Evidentemente, son productos útiles el labrador, el minero, el fundidor, el tejedor; pero más útil que todos éstos es, en ciertos casos, el médico, y más útil que el médico corriente es el médico que descubre o inventa una vacuna, un tratamiento, el uso de un anestésico como el cloroformo, porque evita dolores, enfermedades y muertes. Es decir, que los Jenner, los Pasteur, los Koch, los Roux, son o han sido los más útiles de los hombres.

Claro que el pueblo no los conoce. Yo hace cinco o seis años fui al Instituto de Alfonso XIII para ponerme inyecciones contra la rabia, porque me había mordido un perro. Pensaba a veces que mi precaución había sido excesiva; pero me encontré con que la gente que iba a ponerse en tratamiento era más precavida que yo y mucho más cobarde. Había alguno que ni siquiera sabía dónde le había mordido el perro, y lo suponía solamente. Yo muchas veces les decía a ellos:

—Se ve que no somos herederos de Hernán Cortés.

Una vez, a unos jóvenes bien vestidos, también sujetos al tratamiento antirrábico, que conocían el nombre de todos los futbolistas, les pregunté yo:

—¿Y ustedes saben quién hizo esto de la vacuna de la rabia?

—Alfonso Trece—contestó uno de ellos—. ¿No ha sido él?

—Es indudable.

A pesar de que los comunistas y socialistas quieren glorificar la divina incomprensión de la masa, si viene con triunfo el comunismo o el socialismo, se producirá automáticamente una aristocracia del que valga, o si no se retrocederá al taparrabos más o menos marxista.

FIN DE «RAPSODIAS»

PEQUEÑOS ENSAYOS

1943

PEQUEÑOS ENSAYOS

1943

EL DIABLO, A BAJO PRECIO

os suizos, gente de cultura y de vida muy civilizada, conservan un espíritu más sentimental que los pueblos próximos. No han tenido guerras ni catástrofes recientes, y no se han endurecido tanto como los demás para las miserias ajenas. Tampoco tienen irrupciones extranjeras de gente famélica como los otros países. Un emigrado produce entre ellos cierta piedad, cosa que no produce en los pueblos de alrededor, en donde se le considera como un posible rival que estorba. Una señora de aquí, con un tipo de marquesa del antiguo régimen, me dice con frecuencia:

—Veo que no va usted al teatro ni al cine. Yo le enviaré localidades.

—No. ¿Para qué? Muchas gracias.

—Pero ¿no va usted cuando está en España?—me pregunta.

—No.

Para esta señora yo debo de ser un resumen de negaciones. No sé nadar, no sé bailar, no practico ningún deporte, no he aprendido el alemán en la juventud, no voy al teatro ni al cine, no tengo ganas de merendar por las tardes. Aunque no soy el tipo de ese español que, según los franceses, vive con una aceituna y un vaso de agua, ando cerca de él.

Esta señora me va a preguntar algún día:

—Pero, usted, ¿qué ha aprendido?

Y yo le diré:

—Pues yo, de chico, aprendí a tirar piedras, a romper faroles, a pegarme con los compañeros, a fumar; luego, de joven, aprendí a no ir a clase, a frecuentar los cafés cantantes, a trasnochar, y, ya de hombre, no sé si he aprendido algo. Lo único que creo que he aprendido es a tener un poco de paciencia y de estoicismo. Supongo que esa cultura le parecerá a la dama bastante mísera. Con esta educación, si esto se puede llamar educación, tiene uno un espíritu bastante áspero y poco piadoso. Tiendo a ver en la persona que tengo delante más los huesos que la piel; comprendo que el esqueleto no es la realidad, pero la fuerza de la costumbre me impulsa a ello.

Esta señora amable, con su aire de marquesa del antiguo régimen y que tiene una gran vitalidad, no concibe la vida apoltronada y solitaria de un español emigrado, y me invita a ir con ella, con su cuñado y con su hermana en automóvil, aquí y allá. Hemos estado en el lago de Lucerna, en el de Thun, en el Neuchatel y en el castillo de Burg. También hemos estado en el Goetheanum, de Dornach. Yo visité con dos amigos hace diez o doce años el lugar del antiguo Goetheanum, construido por el doctor Rodolfo Steiner, edificio que se incendió, a pesar de su sapiencia, porque era de madera. Ahora hay uno nuevo de cemento armado.

El Goetheanum actual es un edificio pesado que se encuentra en una falda del Jura, en el pueblo llamado Dornach. Está dedicado a la antroposofía. Tiene el estilo que se llamaba modernista hace treinta años. Es, pues, una muestra de modernismo anticuado.

Estas mezclas de futuro y pasado son bastante absurdas. Una señora vieja puede decir de un antiguo pretendiente olvidado: «Es un antiguo futuro mío.»

El Goetheanum tiene mucho de lo *kolossal* alemán; es decir, que es, como construcción, algo aparatoso, superficial y petulante. Alrededor del Goetheanum hay otros pequeños Goetheanum que son villas de los fieles de la antroposofía. El elefante ha tenido sus crías.

Dornach es un pueblo bien cuidado, como casi todos los del país. Fue hace años lugar de una batalla entre campesinos suizos y señores feudales. Estos, ayudados por alemanes. La batalla se llamó *Schweben Krieg* (guerra de los suevos). En una encrucijada del pueblo hay una pirámide de cadáveres, dentro de una vitrina de cristal, que son restos de los combatientes de la antigua lucha.

Nos acercamos a la entrada del Goetheanum, y nos dan un prospecto. Por él vemos que este edificio es una Escuela Superior Libre de Ciencia Espiritual, que tiene por fin cultivar la antroposofía, fundada por el doctor Rodolfo Steiner. Sabemos también que el objeto de la antroposofía es buscar un camino de conocimiento que reúna el espíritu en el hombre al espíritu en el Universo.

Como yo no tengo un gran espíritu místico, sospecho si esto será una frase vacía. En una tabla de anuncios de la entrada veo indicada una conferencia próxima con un tema sugestivo: «De Santo Tomás de Aquino a Rodolfo Steiner.» Aquí parece suponerse que ambos están a la misma altura.

Entramos en el Goetheanum con varias personas: unos, curiosos; otros, prosélitos. Todo es de cemento armado y sin concluir. En el edificio, el teatro es hermoso y grande, con un magnífico escenario. Hay una orquesta en el coro y bailan en el instante en que entramos unas mujeres que no son ni muy gruapas ni tienen gran arte de bailarinas. Esto parece que es la euritmia, la ciencia del baile, que dice el profesor del *Bourgeois gentilhomme*, de Molière. Parece que la danza y la acrobacia son auxiliares de la antroposofía.

Esto me recuerda la anécdota de Chamfort. Habiendo visto bailar en un teatro en París la *Atalía*, de Racine, dijo un chusco:

—Aquí, el mejor día, se va a bailar *El espíritu de las leyes*, de Montesquieu.

Salimos de la sala de espectáculos, y subimos por una escalera a un descanso en donde hay un monumento de madera hecho por el doctor Steiner. A mí me parece una cosa bastante mediocre. El cicerone necesita media hora para explicarlo. No creo que se pueda convencer a nadie de que esto sea una obra maestra, y el señor Steiner, un Donatello.

En el bloque de madera, de cinco o

seis metros de alto, abajo, hay una canoa en donde se entrevé un hombre desnudo que desaparece entre raíces, hojas, ramas, etc. Debe de ser el hombre dominado por las necesidades naturales. Encima hay un tipo con túnica, que podría ser Cristo si tuviera barbas, pero que quizá sea el doctor Steiner, y más arriba, entre unos árboles, el diablo, que se asoma con curiosidad a mirar. Todo ello es de un simbolismo pueril de poca monta, y no tiene el monumento de madera el aire de pasar a la Historia entre el *Juicio final*, de Miguel Angel, y los frescos de Orcagna.

Después vemos unas salas bajas, sombrías, con unas esculturas antipáticas y unas pinturas bastante delezables. En una vitrina se muestran las obras de Steiner y varias fotografías suyas. El fundador tiene aire de mago, de cabalista, de prestidigitador de circo.

A la salida nos dan una revista, *Das Goetheanum*, dirigida por Albert Steffen. Lo primero que se me ocurre al salir de este edificio horroroso es pensar por qué le han dado el nombre de Goetheanum, por qué lo han dedicado a Goethe. Goethe parece un hombre bastante pobre en filosofía, o, por lo menos, en metafísica. Yo, no sabiendo alemán, no pretendo juzgar a este poeta. Para el que no sabe alemán y no puede leer sus poesías en el idioma en que se hallan escritas, no produce entusiasmo. Se dirá que con todos los autores pasa lo mismo. No. Shakespeare, Calderón, Dostoyevski, en traducciones llegan a entusiasmar. El *Fausto*, para el extranjero desconocedor de la lengua, da una impresión hermosa; pero el *Fausto* de Marlowe da casi la misma. Respecto a *Werther*, yo, cuando lo leí, lo que más me gustaba eran los trozos intercalados de Ossian, que, como se sabe, son apó-

crifos. Con relación a los dramas y novelas de Goethe, no sé en Alemania, pero fuera de Alemania no los lee nadie, les ha pasado el tiempo, son de poco interés. No creo que a Goethe, si viviera, le pudiera agradar el patrocinar con su nombre este Goetheanum, este edificio tan absurdo y de tan mal gusto. Comprendo que Steiner hubiera llamado a su monstruo de cemento el Beethovenianum. Hubiera sido un sacrilegio, porque Beethoven es lo más auténticamente universal que hay en el mundo, pero se explicaría la aspiración del mago. También podría haberle llamado Swendenborgianum y, mejor, Cagliostranum, porque el mago italiano estuvo en Basilea e hizo sus prosélitos; pero creo que, si buscaba la exactitud del nombre con la función del edificio, debía haberle llamado Rasputinianum. Esto creo que hubiera sido lo más exacto.

Al llegar a casa echo una mirada sobre la revista en alemán que nos han dado, de la que entiendo poco, pero me parece encontrar en ella todos los lugares comunes de los ocultistas, naturistas, etc. Se habla del diablo, quien se llama Arkiman-Mefistófeles, como se le podría llamar Belzebuth-Lucifer o Satanás-Pedro Botero. Se habla también de una terapéutica racional, *Rationnelle Thérapie*, como si el mundo hubiera buscado los medicamentos artificiales por capricho. Es la palabrería de los naturistas. Cuando el que tiene un dolor de cabeza toma una pastilla de aspirina y no una taza de tila, es porque ha comprobado que la aspirina le quita el dolor al momento, y la tila, no. No es porque le guste más lo artificial que lo natural. En la revista *Das Goetheanum* hay anuncios de cosméticos y de hierbas. Esto debe de ser la *Rationnelle Thérapie*. Antes, parece que los antropófagos tenían una fábrica de cigarrillos en Stuttgart, sin duda para reunir el humo del espíritu del hombre con el del Universo.

Fundaciones como el Goetheanum parecen al principio una casa de locos y una casa de pedantes; pero en el fondo son también casas comerciales. Esta es una tienda en donde se vende un género tan fantástico como la antroposofía, que, evidentemente, no sirve para gran cosa. Sin embargo, el templo existe. En nuestros países latinos no duraría nada; tendrían que tirarlo a los pocos meses o convertirlo en un almacén de carbón.

Aunque se afirma por los fieles que no hay tal cosa, detrás de la antroposofía se sospecha que puede haber bastante de historia y de neurosis, y que se explota el ocultismo y el espiritismo.

Este es un signo de los tiempos. A muchos les choca que en una época de materialismo, todas las prácticas de la antigua magia renazcan. A mi no me choca. Yo creo que el espiritismo, a pesar de su nombre, es una de las formas más groseras del materialismo.

Detrás de él está el culto del diablo, no un gran diablo a la antigua, sino un diablo en paños menores, como los antiguos duendes, un Satanás en calzoncillos y a precios módicos.

Como en este Goetheanum se baila, se bailaba en los aquelarres de brujería de los vascos, y como aquí se preparan hierbas de la *Rationnelle Thérapie*, allí se hacían bebedizos en la cueva de Zugarramurdi.

El mundo entero esté lleno de antros que, si no tan grandes como éste de Dornach, se dedican al mismo comercio de la mentira desde hace cientos de años.

Ya los romanos y las romanas hacían bailar a los veladores, conocían todos los recursos de la magia y de la brujería, que, realmente, no son muy grandes.

Desde hace cuarenta años estamos oyendo decir a los espiritistas:

—Hasta ahora no se ha hecho nada científico; pero ahora se están practicando unas experiencias interesantísimas. Ya verá usted dentro de tres o cuatro años.

Pasan los tres o cuatro años, y todo sigue lo mismo. Las mismas cosas que cuenta Herodoto se cuentan ahora; las mismas ideas y palabras que barajaba Plotino en sus *Enneades* y que aparecen en Pórfiro, Ammonio, Saccas y Jámblico se dan como nuevas. Los veladores se siguen moviendo; pero cuando se consulta, por ejemplo, a Newton, el Newton de los veladores apenas sabe sumar, el Kant discurre como un tonto, el Napoleón sabe menos estrategia que un cabo furriel y el Mozart es incapaz de dictar un pasodoble.

La verdad es que no se ha encontrado nada y que por ese camino no se encontrará nada. El espiritismo y la magia se han quedado para los teatros, para las reuniones de solteronas místicas y para los magos, adivinadoras, echadoras de cartas, etc.

Hay ciertas ideas que gustan a algunas gentes. Por ejemplo, la transmigración de las almas seduce a fracasados que en su interior son orgullosos, y como quien se inventa una genealogía nobiliaria, se fabrican unas encarnaciones anteriores y se convencen de su autenticidad. También ésta es una idea que gusta a los invertidos; así hay como una justificación de sus inclinaciones y el joven afeminado dice que en otra encarnación fue una dama de la corte de Cleopatra, y la mujer virago afirma que fue un caballero del Renacimiento, probablemente apuesto y conquistador.

Otras transmigraciones ya no se comprenden ni parecen tan halagüeñas. Unos meses después de morirse el teósofo español Mario Rosso de Luna, un librero de viejo preguntó a uno de sus parientes:

—¿Y dónde está ahora el espíritu de don Mario?

El pariente contestó muy en serio:

—Hemos estado muy preocupados por su suerte; pero ahora ya estamos tranquilos. Sabemos que está de gallo en Madagascar.

Puede ser que el estar de gallo en Madagascar, entre hermosas gallinas, sea una gran cosa.

La colaboración que han prestado algunos supuestos sabios a estas bromas del espiritismo es inexplicable. Flammarión, Lombroso, como hombres de ciencia, son poca cosa; Richet es algo más. William James, que cayó en esto, y el escritor Conan Doyle llegaron a ello en un momento de decadencia mental.

Hay también escritores que, si no propagandistas del espiritismo, de la magia y de la Teosofía, ayudan a la expansión de estas tendencias. Son los orientalistas o indianistas, desde los Bournouf y Schopenhauer hasta los Keyserling y René Guenon. No es que legitimen la Teosofía y el espiritismo. Algunos, como Guenon, los atacan, pero hacen que el lector se incline hacia ellos.

La tesis de estos escritores es que el Oriente es superior al Occidente. El Oriente es la espiritualidad y el Occidente es el materialismo; el Oriente, la teoría; el Occidente, la práctica. Yo creo que éstas son perfectas tonterías.

En el caso de René Guenon hay una teoría, pero me parece una teoría inaceptable. El supone que la época tradicional, superracional, de los pueblos es la época de la sabiduría. El período do que se inicia con la filosofía griega y profana es un período de decadencia. Es decir, que las sociedades fuertes viven con un orden sagrado. Con sus misterios, con sus claveles más o menos oscuros, con sus templos. Las sociedades modernas viven al aire libre, sin misterios, sin oscuridades, sin nada sagrado, con todo profano. Lo sagrado es todavía el Oriente y lo profano el Occidente.

Aun suponiendo que esto sea verdad, que ya es suponer, y que el predominio de la crítica y de la razón sean errores, ¿cómo va a suprimir el razonamiento y aceptar la fe, y la fe exótica? ¿Cómo va a ser posible esta transmutación? Además, ¿para qué un escritor de éstos, como René Guenon, razona para convencernos de que en los asuntos más trascendentes para el hombre no hay que razonar?

Aunque la Humanidad se convenciera de la debilidad de la razón y de la fuerza de la fe, lo que me parece imposible, nadie iría a buscar una religión en el Oriente; cada cual tomaría la religión próxima, la de su país y la de su raza.

Para mí, en esta cuestión, Spengler ha estado en lo cierto al considerar que el hombre blanco, el europeo, proceda de donde proceda, es eso: la teoría, la energía, el individualismo, la crítica, la técnica, la máquina, el industrialismo.

Se ve la continuidad de la cultura europea: el paganismo grecorromano, la filosofía griega, el estoicismo, la teología católica, el humanismo, la Reforma, la Revolución francesa, el desarrollo de la industria, todo sale de la misma raíz. Así, César y Alejandro, Sócrates y Platón, Lutero y Kant, Loyola y Hernán Cortés, Watt y Edison son olas del mismo mar. Lo que constituyen corrientes exóticas en Europa y, por tanto, no orgánicas, que perturban la marcha de la civilización, son las venidas del Asia: el judaísmo y el budismo. Entre ellas está, quizá también, el comunismo.

El europeo, el hombre blanco, debe seguir adelante con sus teorías y sus máquinas y su técnica y su alcohol, porque si se quiere dedicar a la contemplación y al éxtasis, se deshará sin beneficio para nadie.

Los escritores partidarios de la fe oriental influyen poco en la mayoría de teósofos, espiritistas, extremistas de la magia que hoy pululan por todas partes. Estos son de los que quieren que haya fuerzas ocultas y aprovecharse de ellas; les gusta tener un diablo a su disposición, un diablillo de poca monta y de poco precio, a quien se puede tratar con confianza, explotarle con arte y darle un puntapié si estorba.

Basilea, agosto de 1937.

BLASCO IBAÑEZ

Me preguntaba el otro día un señor:

—Y ahora, ¿qué escribe usted?

—Lo de siempre. Naturalmente, poco de política; más bien algo alrededor de la literatura y de la filosofía.

—¿Y qué va usted a hacer?

—Voy a hacer, si no parece mal, unas semblanzas de escritores y de políticos conocidos que ya no existen, diciendo mi opinión sobre ellos.

—No me parece oportuno—me dijo el señor.

—¡Pero, hombre, eso ya está dentro de la Historia!

—Sin embargo, no creo que sea el momento.

Para algunas personas, nunca es el momento de nada. A pesar de la opinión en contrario, lo intentaré. Comienzo por Blasco Ibáñez, como podría empezar por otro cualquiera. Blasco Ibáñez es un escritor de quien yo he leído muy poco, casi nada, y a quien he visto también muy poco. Sin embargo, de las veces que hablé con él y de lo que supe de él, saqué una impresión muy reveladora de su carácter.

La primera vez que lo vi fue en Valencia, no recuerdo el año; sería en 1892 ó 1893. Yo era estudiante.

Me hablaron de Blasco como de un hombre terrible. Publicaba por entonces una novela anticlerical, La araña negra, que se anunciaba con tinta en las aceras. No sé si ya existía su periódico El Pueblo; creo que sí. Yo me figuraba a Blasco, por lo que me decían sus entusiastas, como un tipo mediterráneo, flaco, moreno, aguileño, con una barba negra, algo como el Giaur, de Byron.

Yo no iba al teatro casi nunca; pero una vez que fui con un condiscípulo, me mostró a Blasco en el patio de butacas. Era un hombre grueso, un poco adiposo, de barba medio rubia y con una voz aguda.

Este no es el tipo clásico del mediterráneo.

Pero si físicamente no lo era, espiritualmente lo era en absoluto.

Diez o doce años después estaba yo una noche de verano en los jardines del Retiro, de Madrid, paseando con dos periodistas. Uno de ellos, Antonio Palomero, tenía fama de ingenioso, y lo era hablando, aunque no escribiendo. El otro, Carlos del Río, a quien todo el mundo llamaba Carlitos del

Río, andaluz, sevillano, muy amable, muy servicial, muy *dandy*, escribía en el *Heraldo* y andaba con frecuencia con levita y sombrero de copa. Era una de sus características.

Sobre nosotros cayó Blasco Ibáñez como una bomba, y en seguida pretendió dominar la conversación y decir la última palabra sobre todo. Vestía un terno claro, cinturón rojo y sombrero de paja. Era un hombre voluminoso y de vientre abultado.

Blasco, que había hablado por la mañana o por la tarde en un mitin republicano, haciendo líricamente la apología de la República, nos dijo con sorna que la República sería el régimen de los taberneros, de los zapateros de viejo y de los maestros de escuela, y que, afortunadamente, no vendría nunca a España.

A mí me pareció que esta duplicidad de atacar por la noche lo que defendía por el día no tenía ningún objeto. ¿A quién iba a engañar o a sofisticar con ella? A nosotros, al menos, no.

Después se habló de literatura, y el valenciano mostró sus antipatías. Un editor de Barcelona, Henrich, estaba publicando por entonces una colección titulada «Novelistas del siglo XX». En esta colección iba a salir o había salido ya la novela mía *El mayorazgo de Labraz*.

Blasco dijo que era una ridiculez, una petulancia, ese título de «Novelistas del siglo XX». Yo le atajé, y le dije:

—Yo no veo la petulancia. Balzac, Dickens o Dostoyevski, por muy extraordinarios que sean, pertenecen al siglo XIX; nosotros, aunque seamos medianos, somos del siglo XX.

Este *nosotros* no le hizo ninguna gracia. Cambió de conversación, y como si no supiera decir más que impertinencias, aun queriendo hacer favores, nos indicó que nos iba a convidar a comer hasta hartarnos, porque los escritores de Madrid estábamos acostumbrados al hambre, y en España no se comía. De aquí venía nuestra decadencia.

—Yo no estoy acostumbrado al hambre—contesté en broma—, y me alegraría estarlo. He comido en casa lo suficiente siempre; no he echado de menos nunca la comida. Además, creo que es una fantasía eso que dicen de que la decadencia de los españoles, si es que hay decadencia, proviene de no alimentarnos; yo, por lo contrario, veo que comemos demasiado y que todo se nos va en comer.

A los dos años de esta conversación me encontraba mirando el escaparate de la librería de Fernando Fe, en la carrera de San Jerónimo, donde había unos libros míos, cuando me pusieron familiarmente una mano en el hombro. Era Blasco Ibáñez.

Yo había escrito tres novelas de la vida madrileña: *La busca, Mala hierba* y *Aurora roja*. Blasco, que había leído las obras mías, quiso convencerme de que esto no era lo que se debía hacer; que yo había hecho estampas, pero no cuadros. Su insistencia me molestó, y, cansado, le dije:

—Todo puede ser bueno y todo puede ser malo. Un cuadro malo, porque sea cuadro, no creo que tenga valor. Pienso, además, que una obra no se sabe si vale algo o no hasta veinte o treinta años de muerto el autor. Así que para mí la crítica actual no tiene gran importancia.

Un poco a base de los libros míos citados hizo Blasco su novela *La horda*, por lo que me dijeron algunos escritores. Yo no lo comprobé, porque no me interesaba gran cosa.

El año 1913 fui yo a París en compañía de un amigo, que había sido médico de Vera de Bidasoa, Rafael Larumbe. Vivíamos en un hotel de la calle Pierre Nicole, cerca del bulevar de Port Royale. Casi todas las noches íbamos al café La Closerie des Lilas, de la avenida del Observatorio.

Larumbe era todo un tipo, muy alegre, muy simpático, demasiado inclinado a la cerveza. Tenía mucha afición a la música, y la característica suya era tocar todos los instrumentos que cogía. Una noche se presentó con una flauta de hojalata, que los franceses llaman *flageolet* y los vascos *chirol*, en La Closerie des Lilas, llena de público.

Era uno de los días de la semana en que el poeta Paul Fort daba unas recepciones populares en donde reunía a sus amigos.

Larumbe se puso a tocar la *Marcha real* en la flauta. Yo pensé: «Nos van a echar de aquí a trastazos.» Pero, por el contrario, al terminar la marcha, el público empezó a aplaudir con entusiasmo, y Larumbe tocó dos o tres canciones, con el mismo éxito.

Salimos del café, y fuimos a nuestro hotel de la rue Pierre Nicole, seguidos de cuatro o cinco, mientras Larumbe tocaba un pasacalle de las fiestas de Vera. Al llegar a la puerta de nuestra casa entonó el *Iriyarena*, una canción vasca muy bonita de los toros ensogados en la plaza de la Constitución, de San Sebastián. Al oír aquel aire tan alegre y tan saltarín, empezaron a aparecer en los balcones de los pisos bajos hombres en camisón y mujeres en bata, que se reían y celebraban la música. La sorpresa grande debió de ser la de dos médicos de San Sebastián que vivían en la vecindad cerca de nosotros, y que oyeron desde la cama esta tocata de su pueblo, sin comprender por qué ni cómo.

Larumbe y Javier Bueno (que no era este último el que después se destacó cuando la revolución de Asturias de 1934), al decirles que me marchaba a España, decidieron que me tenían que dar un pequeño banquete en el restaurante de La Closerie, en el entresuelo. Yo dije que no, que en París no me conocía nadie; pero ellos insistieron. El día del banquete me encontré en el café con Zuloaga y con Blasco Ibáñez. Subimos al restaurante los tres, donde había unas veinte o treinta personas.

Blasco, que, sin duda, tenía la costumbre de hablar mal de todo en las conversaciones y bien en los discursos, la tomó con el Barrio Latino de París, y dijo pestes de él; según su opinión, esos amores y esa vida ligera de bohemia no eran más que una mentira, una ridiculez y un lugar común.

—Es natural—dije yo—. No basta una leyenda literaria para que la vida sea distinta en un barrio que en los demás sitios.

Después se puso a hablar con acritud de América, de la Argentina y de Buenos Aires.

—Nos pone usted en un compromiso a todos—le indiqué yo—. Aquí hay algunos americanos, y esto va a acabar de mala manera.

Entre ellos recuerdo que estaba Alejandro Sux, que escribía en periódicos de Buenos Aires.

—No me importa nada—replicó Blasco, y siguió con su diatriba burlona y amarga.

Entonces, un periodista canario, alto y fornido, que se llamaba, si mal no recuerdo, Rafael de Mesa, que tenía amigos americanos y que dirigía la sección española de la Biblioteca Nelson, de París, se levantó y empezó a echar un discurso que a primera vista parecía que era para elogiarme a mí, pero cuyo principal objeto era atacar a Blasco Ibáñez. Insinuó que éste había querido hacer un negocio de negrero, dejando en el campo argentino abandonados a sus valencianos y viniéndose él a París. Blasco contestó con violencia. Aquello tenía aire de acabar como el rosario de la aurora. Alguno le dijo a Mesa que se marchara, y se fue, y se pudo tranquilizar el cotarro.

Este pequeño banquete familiar pareció mal a Gómez Carrillo, que, sin duda, se consideraba como representante único de la literatura española e hispanoamericana en París, y que dijo en un periódico francés que era absurdo que se diera en pleno Barrio Latino un banquete a un hombre como yo, entusiasta de la filosofía y de la música alemanas.

Meses después, al comenzar la guerra de 1914, Javier Bueno escribió una crónica en *La Tribuna*, de Madrid, en la que se burlaba de las levitas de algunos políticos, y le llamaron la atención y le dijeron que si no se moderaba lo expulsarían de Francia.

Como Javier Bueno temía, sin duda, que le quitaran la colaboración de *La Tribuna*, me escribió pidiéndome que le defendiera, y yo hice un pequeño artículo diciendo que nunca se había tomado como cosa seria y trascendental la indumentaria de los políticos; que era lícito burlarse de ella y que tampoco era motivo el que un hombre fuese entusiasta de la filosofía y de la música alemanas para que lo denunciaran como un enemigo de la patria a los salchicheros de París.

Carrillo tomó esto a mala parte, y dijo que yo le acusaba de delator. Un día que estaba concluyendo de comer en mi casa, en Madrid, se me presentaron dos señores muy graves, ambos periodistas de *El Liberal*—el uno el señor Maestre y el otro creo que era el señor Rosón—, con una carta de Gómez Carrillo, en la que les decía que se presentaran a mí y me pidieran una rectificación o una reparación por las armas. El hecho me pareció bastante cómico.

—¿Qué quiere Carrillo que rectifique?—les pregunté yo.

—Usted le ha ofendido diciéndole que le ha denunciado a usted a los salchicheros de París.

—Yo no veo ahí ningún insulto.

—Sí, hay una intención injuriosa. Usted le llama delator.

—No, en tal caso digo que denuncia. Denunciar no es una palabra insultante. Se puede denunciar una mina, un salto de agua...

—Pero usted añade que denuncia a los salchicheros de París buscando un oficio bajo.

—¿Por qué? Salchichero no es un oficio bajo; tendrá una resonancia cómica, pero nada más. Por otra parte, si quiere Carrillo, estoy dispuesto a decir que no me refería sólo a los salchicheros, sino también a los peluqueros, a los carniceros, a los ebanistas o a los sastres.

Los dos periodistas rechazaron, muy serios, mis palabras.

—Bueno—concluí yo—; explíquenme ustedes qué quiere Carrillo que yo diga, y lo diré sin inconveniente.

Me aseguraron que para zanjar la cuestión tenía que nombrar dos padrinos. Yo me avine a esta condición, que me parecía un poco ridícula, y nombré a Valle-Inclán y a *Azorín*. Los dos se vieron con los periodistas de *El Liberal* en un café. Valle-Inclán llamó a Carrillo aparte y le dijo que el desafiarme a mí por una frase un poco en broma era una estupidez sin gracia, y que todos los escritores compañeros nuestros que conocían lo ocurrido estaban de acuerdo en considerar una cosa así una necedad.

—Desafiaré a todos los escritores que digan eso—exclamó Carrillo.

—A mí no me desafía usted—le contestó Valle-Inclán.

Y con este motivo armaron una trifulca que acabó la cuestión.

Años después, Blasco Ibáñez estuvo en Madrid y se habló bastante de él.

En casa de una marquesa conocida mía que vivía en mi misma calle le oí contar al duque de Miranda que Blasco había estado a punto de ir a visitar a Alfonso XIII. No es que a mí esto me pareciera mal, sobre todo si el escritor no quería ya ejercer de político.

Un grupo de aristócratas había invitado al novelista valenciano a un banquete en el Nuevo Club, círculo próximo a la calle de Alcalá.

Allí se agasajó a Blasco, y se le dijo que debía ir a visitar al rey, que era admirador suyo. Los dos eran grandes españoles, patriotas, etc. El novelista se dejó convencer, y los palaciegos quedaron de acuerdo en que se señalaría un día y una hora para la visita. El rey no fijó el día, y Blasco se marchó a París bastante ofendido.

Algunos años después, no sé cuántos, por el verano, *Azorín* me escribió de San Sebastián a Vera diciéndome que le había escrito Blasco Ibáñez, desde París, hablándole de un proyecto suyo de instituir un premio de cincuenta mil pesetas para una novela en español. No era una bicoca, evidentemente. Los jurados serían cinco escritores, entre los cuales estaba yo, y tendría seis mil pesetas de sueldo al año. Una verdadera ganga. Para una cosa y otra, Blasco Ibáñez pondría en un Banco dos millones de pesetas. Yo, esto, la verdad, nunca lo

creí, y, efectivamente, no resultó cierto. También dijo el novelista, inspirado por su mecenismo, que iba a dejar su casa de la Costa Azul como asilo para novelistas viejos y pobres. Luego se contentó con poner en el jardín de su finca bustos de Cervantes, de Balzac y de Dickens, pensando, sin duda, con mucha razón, que era más cómodo tener cerca a novelistas ilustres en estatua que no a novelistas vivos con fama o sin ella.

Se me dirá que no he visto en Blasco Ibáñez más que los lados malos. Son los únicos que advertí en él como persona. Puede ser que tuviera otros aspectos buenos, pero ésos yo no los pude comprobar.

Un escritor francés que come en el mismo restaurante que yo, cerca de mi mesa, me decía el otro día:

—¡Blasco Ibáñez! ¡Qué tipo! Sabía explotar a todo el mundo como nadie. A nosotros, escritores franceses, nos pagaba el derecho de traducción de los libros muy poco. Doscientos o trescientos francos. Los mandaba traducir y luego decía al autor que hiciera el prólogo con muchos elogios de sí mismo. El autor caía en el lazo y lo hacía. El prólogo lo firmaba luego Blasco. «Si el libro se vende—aseguraba—, les daré más.» Pero ni a mí ni a nadie le dio después ni cinco céntimos, y algunas traducciones nuestras se vendieron muchísimo.

A esto diría un castizo que no hay tan buen sastre como el que conoce el paño, y él lo conocía como escritor y como editor; así que en estas cuestiones de publicación de libros era un águila. Ahora, lo que no sé es si tenía condiciones de águila en su literatura. Yo la conozco poco y no me ha atraído nunca.

Además, creo, y quizá sea un prejuicio, que la novela en nuestra época es un arte nórdico y atlántico. El Mediterráneo y el Sur no dan por ahora novelas de gran valor. Se dirá Zola. Yo creo que Zola es un potente escritor; pero novelista, en el sentido clásico de creador de tipos, no lo es. Tampoco creo que lo fuera Blasco Ibáñez.

París, enero 1940.

AUDACIA Y TIMIDEZ

Para algunos filósofos intelectualistas muy preocupados por los límites y el lugar de cada ciencia, la irrupción de la Biología en pleno siglo XIX en el campo de los estudios dio un carácter peligroso a las doctrinas del tiempo.

El filósofo alemán Rickert, saturado de kantismo, encontraba que las teorías de la Biología introducidas en la filosofía y en las ciencias que él llamaba culturales no hacían más que despistar y confundir. Así, para él, la concepción biológica del conocimiento tendía a algo regresivo y bárbaro. El valor vital no era, en su opinión, un valor científico. Los únicos valores eran los valores intelectuales

Los filósofos de tendencia escolástica encontraron también que la Biología colocaba las cuestiones en terrenos intermedios en donde lo natural y lo vital se mezclaban con lo elaborado por la cultura. El ataque a la buena clasificación de las disciplinas científicas le inquietaba: «¡Zapatero, a tus zapatos!», se dijeron los especialistas.

¿Qué era eso de introducir una teoría a veces puramente zoológica en un problema de Historia o de Sociología?

Todos los técnicos abominaron de las novedades que se pretendían introducir en sus respectivas ciencias.

A pesar de ello, las tendencias renovadoras triunfaron. La doctrina de la evolución sistematizada por Darwin corrió por el mundo, y la economía, la etnografía, la historia política y hasta la crítica literaria se hicieron evolucionistas. El aire de la calle entró en las escuelas, y con él una audacia revolucionaria.

Hay que tener en cuenta que Darwin ni dio su teoría como un dogma ni como una invención exclusivamente suya. Era un hombre demasiado probo para esto. Al hacer el balance de setenta u ochenta años de estudios con criterio evolucionista se vio que en el amontonamiento de hipótesis, datos, estadísticas, había muchas exageraciones, ligerezas y prejuicios. Nadie debía extrañarlo, porque el mejor metal sale de la mina con escorias.

Al ver este resultado, los técnicos, los peones de las Universidades, gritaron como cotorras, diciendo que la ciencia en los últimos decenios había fracasado, y en Francia algunos profesores de retórica de la clase de las gallináceas aseguraron en todos los tonos que la ciencia moderna había hecho bancarrota.

La liquidación de las adquisiciones científicas se hizo a gritos, y en el mismo lazareto de apestados se ha querido colocar a Buchner, Letourneau y Lombroso, que a Lamarck, Darwin y Huxley.

De la tendencia, un tanto mediocre, de proscribir cuanto fueran teorías audaces, se ha venido a caer en lo contrario: en la timidez de la gente que vale. Esta no quiere consignar más que lo demostrado, y es incapaz de escibir un libro atrevido y sencillo sobre una materia científica.

Se ha asegurado demasiado, se han inventado demasiadas teorías—se dijeron algunos sabios—; de ahora en adelante, ni aseguraremos ni inventaremos, y tendremos para todo una enorme prudencia.

La prudencia no ha producido nada más que mediocridad, miopía y, a la larga, anquilosamiento en todos los terrenos.

Los audaces del siglo XIX no zanjaban, evidentemente, las cuestiones; los tímidos del siglo XX, tampoco.

Hoy se le preguntará al médico sabio:

—¿Es que se puede curar a una persona porque otra le ponga las manos encima?

—¡Ah! ¡Quién sabe!

El médico de hoy respeta la opinión del tonto bien colocado en la sociedad. El tipo audaz de hace años la despreciaba.

Siempre es necesario en la vida y en la ciencia una cierta dosis de osadía. Circunstancias así de timidez las aprovechan gentes que han cristalizado en una teoría vieja y dogmática: los espiritistas, los teósofos, los homeópatas, etc. Los comunistas, cuando hablan del materialismo científico, no admiten progresos a partir de la época lejana en que Engels escribió su folleto sobre los *Orígenes de la familia, de la propiedad y del Estado*, o del tiempo en que Karl Marx publicó *El capital*.

Así tiene que resultar que en su mayoría las masas comunistas no están completamente de acuerdo con los doctores de la secta.

Pasada la racha de cólera y de rabia contra la avalancha de teorías audaces del siglo XIX, se va a ver que fue mucho más fecunda que la mediocre y prudente del período actual.

La técnica de hoy de la gente reservada es sustituir los tratados doctrinales de cierta genialidad y audacia por manuales que aspiran a estar al día. Estos quedan envejecidos muy pronto. Un manual es casi siempre una lectura aburrida, lo mismo para el que sabe como para el que no sabe.

Es evidente que en las obras de un Lamarck, de un Darwin, de un Claudio Bernard, de un Pasteur, en las concepciones filosóficas de un Hegel, de un Schopenhauer o de un Nietzsche, en la creación literaria de un Dostoyevski, hay grandes aciertos al lado de fallas.

No se puede formular la ecuación: genial igual a absurdo y a disforme, porque ésta traería la afirmación inmediata: mediocre, equivalente a ponderado y a razonable.

El que no se haya acertado en muchos caminos no quiere decir que se tenga que volver hacia atrás. Si a los hechos de la vida aún oscuros o a los de la política o de la Historia no se les ha encontrado su determinismo, no quiere decir que haya que recurrir a la explicación antigua o que se rijan por puro capricho. Otros investigadores pueden venir que los descubran.

Mucha gente se alegra cuando una investigación científica falla. Es el sanchopancismo. Toda la beocia se entusiasma en estos casos y vuelve a pensar beatíficamente que nadie sabe nada, que los hombres de ciencia falsifican y mienten a sabiendas. Así, la brutalidad orgullosa queda satisfecha.

No se comprende cómo estos zoquetes, cuando están delante de una radio o de un aparato eléctrico sencillo, no piensen: «Evidentemente, debe de haber gente más inteligente que yo, porque yo ni supongo siquiera como se puede inventar una cosa así.»

Hay personas que tienen una aversión instintiva contra la ciencia. Yo he conocido algunas, entre ellas señoras, a quienes la idea de la Prehistoria las irritaba, y que hubieran dado cualquier cosa porque las figuras y grabados de las cavernas prehistóricas fueran falsos. Estas gentes creen, sin duda, que es ofensivo que sus antepasados hayan vivido en cuevas de una manera primitiva y tosca en miles y miles de años. Todo ello es de una ridiculez que pasma.

El hombre actual tiene una presunción tan grotesca que da risa. ¡Con qué seriedad acepta uniformes nuevos, galones, insignias, títulos académicos, a pesar de que se ve que todo el mundo oficial hoy es cosa muerta! De aquí quizá que los problemas de origen le molestan.

El poeta Campoamor llamó al evolucionismo filosofía de mozo de establo. Si al género humano le investigan la ascendencia, más pronto o más tarde la encuentran en la animalidad; si al aristócrata le buscan sus orígenes, a los trescientos o a los cuatrocientos años aparece el fundador de la casa, en el mejor de los casos un aventurero, un aventurero con suerte, cuando no un expoliador, un usurero o un miserable lacayo de un rey.

Estas consideraciones se me ocurren pensando en la política y en la historia de los pueblos.

Con relación a su origen, parece evidente que en estos cincuenta años se ha aclarado algo el problema. Nadie cree en un contrato social a estilo de Rousseau. El mundo, la sociedad, las naciones, no se han organizado como un club moderno con unos estatutos discutidos y razonables.

Hobbes, que debía de ser hombre de una gran perspicacia, veía en la sociedad dos principios en parte en pugna: el egoísmo del individuo y el reino de la fuerza del Estado organizado.

En parte, por ese camino han ido los investigadores modernos a ver de poner en claro el origen de la vida social. Paso a paso, se ha estudiado la influencia de los totem, de los tabúes, en los pueblos primitivos. Se ha visto cómo se han formado los clanes y las tribus y se ha comprobado la fuerza aglutinante de los poderes mágicos y de la religión. Se ha encontrado el origen de la Monarquía en instituciones más viejas y la evolución del poder hacia la nación y el Estado.

Toda esta obra, en la que han colaborado modernamente Spencer, Ratzel, Tarde, Wundt, Frazer, Durkheim y Levy-Bruhl, tiene mucha importancia; pero si sirve para señalar los orígenes, no sirve todavía para dar direcciones en el porvenir.

Se ha estudiado y se ha descrito con detalles la vida de los pueblos de civilizaciones primitivas, la influencia del medio físico y de la cultura en las sociedades; mas estos conocimientos históricos y prehistóricos no bastan para darnos un concepto claro del mundo moderno.

No se conoce de una manera suficiente ni la psicología del hombre ni la de los pueblos.

La psicología de las masas está por hacer. Todavía el personaje histórico puede ser transparente para el buen psicólogo. El mismo Stalin, en su retiro del Kremlin, entre bandido y cazurro peligroso, puede llegar a ser perfilado, a pesar de la oscuridad en que se envuelve. Lo mismo se puede decir de otros célebres políticos, probablemente próximos a lo patológico; pero ¿quién señalará las reacciones confusas de los pueblos?

Ni *a posteriori* se pueden señalar claramente éstas. Spengler ha querido describir de una manera brillante el lucir y el extinguirse de la cultura en la Historia, pero da la impresión de que otro con su talento podría defender tesis contrarias a las suyas con las mismas garantías que él.

La Historia no será nunca una ciencia; no ya una ciencia exacta, que eso, naturalmente, no puede ser, pero tampoco una ciencia con ciertos métodos y ciertas seguridades. La Historia siempre será una rama de la literatura. De ahí que siga pareciendo una caja de sorpresas. Antes de los hechos históricos no hay quien los pueda predecir; después de los hechos realizados, no hay tampoco quien explique su proceso de una manera que satisfaga a todos. El único que se acerca a esto es el hombre un poco vidente que tiene audacia y cierta genialidad.

París, enero 1940.

LA RETÓRICA ESPAÑOLA ACTUAL

La tendencia barroca próxima al gongorismo tiene en España raíces hondas y vivas en la literatura y en las artes. A la mejor ocasión aparece con toda su fuerza tradicional.

En la literatura moderna, en las obras de *Azorín*, de Ortega, de Miró y de Antonio Machado, se ve un brote de gongorismo claro y apolíneo. En los libros de Unamuno, de *Silverio Lanza*, de Felipe Trigo, hay también gongorismo; pero éste es oscuro, confuso y dionisíaco.

El éxito de Felipe Trigo, que lo tuvo en su tiempo, se debió a esto. Sin duda, se le presentaban las ideas con cierta oscuridad, y esta oscuridad le hacía considerarse a sí mismo como un hierofante.

El paisaje ideológico suyo, visto sin nubes, era muy poca cosa; pero él lo veía tempestuoso, incierto, y, además de esto, creía en las palabras, en el verbo.

A Unamuno, de un panorama intelectual más extenso, le preocupaban también las palabras de una manera un tanto mística; y la filología, la etimología y aun la ortografía le parecían muy trascendentales. Así habló varias veces de la ciencia y de los que tenían el atrevimiento de escribir ésta con C mayúscula, lo cual debía ofenderle profundamente. Se ve que el rector de Salamanca era un gran creyente del verbo.

A los pocos españoles que consideramos la palabra sólo como un signo y no nos preocupa mucho su sonido, ni la cantidad de letras que tenga, ni que se escriba con mayúscula o con minúscula, todo esto nos deja indiferentes.

La verdad es que si la civilización europea, crítica y racionalista, hubiera tenido un sentido universal, debió aceptar la escritura ideográfica de los chinos, que es una interpretación de la idea misma, y trabajarla y hacerla evolucionar. Quizá se hubiese llegado a una escritura mundial, a una clave para todo el Universo, y ésta podía haber subsistido al lado de la representación del idioma hecho por sonidos que se hablara en cada país.

Muchos escritores creen en el verbo como los místicos antiguos. No es fácil en nuestra época que haya hombre que piense, como Virgilio, que se puede con palabras hacer caer la luna a nuestra tierra.

Carmina vel cœlo possunt deducere lunam.

Unamuno era de los más confiados en el valor de la expresión humana; cuando tenía que hacer un juicio bueno o malo de la personalidad de un escritor o de la obra de un político, creía que podía analizarla por completo, *discriminarla* como se diría hoy, hasta darle un calificativo definitivo y exacto.

Es decir, que tenía la ilusión: primero, de que en él no había movimientos apasionados que pudieran turbar su juicio; segundo, que, deseando ser un buen árbitro, diría la verdad sobre el hombre o sobre la obra con una palabra categórica y sin apelación, es decir, con un sonido.

¿Qué diferencia objetiva expresa, por ejemplo, el llamarle a un escritor grafómano o fecundo? Yo creo que no hay más diferencia que la intención del que se lo llama. Al decirle grafómano quiere indicar que lo considera como malo, y al decirle fecundo, como bueno. Así pasa con todos los calificativos; llevan de antemano y de una manera velada una idea de elogio o de desdén, pero no son resultado de un juicio limpio y sin pasión.

El creer lo contrario es para mí el error de todos los dogmáticos. Los sentimientos humanos no tienen en el lenguaje una etiqueta clara y definitiva. Las definiciones y los calificativos no son más que aproximaciones. Cuando a un hombre le llaman ilustre benemérito, y a otro, canalla, miserable y granuja, no le definen. No hay diferencia esencial en estos elogios o en los otros sonoros dicterios. La habrá, quizá, etimológicamente; pero en la realidad no hay más que insultos o alabanzas. El que cree en la exactitud de estos epítetos es un cándido. La Historia demuestra que el sabio, el justo y el benemérito, al cabo de cien años, es un pobre hombre, es un cretino o un tonto, o, al contrario, el extravagante puede convertirse en un genio.

A mí me gusta más que las afirmaciones rotundas la manera de Renan, que en el *Ante Cristo*, al hablar de Nerón, le llama pobre muchacho, y dice que su educación deficiente le había dado un mal gusto y una preocupación histriónica por su persona que le inducían a hacer disparates.

Unamuno, en su dogmatismo, llegaba a preocuparse tanto del valor de las palabras, que, según decían, pensaba en serio si a una persona tenía que llamarle en una carta apreciable, estimado o querido.

Casi todos nuestros escritores, algunos que no creen en nada, creen en el estilo ornamentado y en el valor absoluto del verbo.

Yo supongo que es una inclinación étnica, mediterránea y que lleva fatalmente a una retórica aparatosa. La palabra suelta dice poco; sólo un conjunto de ellas, una frase, y eso de una manera relativa, puede expresar una idea o una impresión sensorial.

Algo así como una norma, como un punto de referencia de la prosa, sería que hubiera en nuestra lengua como un tipo de narración sencilla, precisa y elegante, sin adornos comunales de mogollón, que fuera como la fórmula media del idioma. Alrededor de ella podía haber tipos de estilo más recargado y ajustado y aparatoso, o más seco, esquemático y lacónico. En España no existe eso. Los científicos y los eruditos son los que se han acercado más a dar una nota de ese carácter. Menéndez y Pelayo, Costa, Menéndez Pidal, Moratín, Miñano, don Modesto Lafuente y don Fermín Caballero.

En general, el escritor español no se contenta con la forma clara, tiende a salir de la norma y a lanzarse al barroquismo exagerado y gesticulante. La prosa española, que desde el siglo XVIII seguía su paso de andadura como un caballo viejo y medianamente domado, se puso a dar saltos de carnero y a hacer cabriolas cuando, hace cuarenta años, llegó la influencia del modernismo francés y de D'Annunzio. Recordó su ascendencia gongorina y comenzó sus gracias y sus piruetas.

Desde esa época entró en la literatura una retórica más o menos atrevida que se puso enfrente de la tradicional que seguían novelistas, periodistas y críticos del siglo XIX, aunque no faltaran entre ellos algunos recargados gongorinos, como Estévanez Calderón, *el Solitario*.

Se renovó el léxico, pero no se renovaron las ideas. Eso de que basta que cambien las palabras para que se modifiquen las ideas es una pura fantasía.

Lo mismo da decir madrugador que madruguero, aldeano que pueblerino, individual que señero. Es el sonido lo que varía, pero la idea, no. En el cambio se consiguió un amaneramiento nuevo.

Al neologismo correspondía la construcción modernista tomada del francés o del italiano, y como llegaba a ser comunal, lo que parecía una tendencia a diversificar, a separar, a dar un carácter difrencial a un autor y a otro, se convertía en una tendencia a unirlos, a hacerlos a todos semejantes. Como lo que es sistema se transforma pronto en algo mecánico, la prosa modernista de los que pretendían ser más divergentes, se parecía tanto a la de los otros, que era aún más igual entre sí que la prosa tradicionalista de los escritores anteriores. Lo mismo ha pasado con el cubismo, en el cual una nota semioriginal se reparte entre tres o cuatro mil pintores.

Al último, todo terminaba en afectación, en remilgo y en más o menos sonoridad, y daban ganas de decir a estos retóricos la frase de Falstaff al abanderado Pistol, que le habla en un estilo preciosista y anfibológico en *Enrique IV*, de Shakespeare.

—Di lo que tengas que decir como un hombre de este mundo.

La retórica es un arte musical de sofismas que predispone a la mentira. Al sofista le gusta que la frase hábil llegue a dominar a la razón.

No hace mucho tiempo hubo unas oposiciones en Madrid en la Facultad de Medicina. Se habló de un opositor de gran memoria y de gran verbosidad que, al atacar al competidor, dijo de una manera vertiginosa:

—Esa teoría está refutada por cientos de investigadores, entre ellos por Rivière, Dubois, Dupont, Duval, Dubonnet, Shack, Schultze, Recklinhausen, Müller, Okama, Noguchi, Jersen, Pintapodan, O'Neil, Dietrich...

Luego se cuenta que le preguntaron al joven opositor quiénes eran los citados por él, y dijo que quizá entre nombres de sabios auténticos había puesto para alargar la lista algunos de marcas de automóviles y de aperitivos.

La juventud española no ha tenido el entusiasmo necesario por el rigor y la verdad científica, ni ha sentido el desdén por el recurso malo y la triquiñuela. Siente inclinación por la sofística y por las discusiones bizantinas.

Claro que hay muchas frases disparatadas que empleamos todos y que no corresponden a la significación de su origen. Ya sabemos, por ejemplo, que cuando en un periódico se lee que ha habido una hecatombe en tal lugar, no quiere decir que se han sacrificado cien bueyes, sino que ha habido una gran mortandad o un gran desastre. Hay ciertos absurdos donde se hunde el idioma sin saber cómo. El contrasentido en donde mete el lenguaje ya no se puede remediar. Después de todo, a fuerza de contrasentidos y de absurdos se formaron las mitologías antiguas, y el dios de un país transportado a otro y con el nombre mal pronunciado se convertía en otro dios con otros atributos.

Lo estúpido es ir a la tontería deliberada. En tiempos anteriores al modernismo se empleaban metáforas ridículas. Se hablaba de algo considerado desde el punto de vista, se decía reflejar las aspiraciones, culminar los deseos, cristalizar las opiniones...; todos estos lugares comunes mal inventados servían para la gacetilla y para la política y tenían el carácter de algo sin trascendencia. Después, la metáfora ha tomado aires trascendentales. No sabemos qué importancia tendrá en la Historia esa literatura que se llamó modernista. Yo creo que no la tendrá grande, pero se estudiará como una manifestación de la época.

La peor influencia que han tenido esas formas retóricas ha sido al pasar de la literatura a la política. Siempre la política tuvo en todas partes fórmulas literarias pobres, más o menos exactas, pero en nuestro tiempo, a falta de ideas nuevas, ha querido tener fórmulas ricas.

Ultimamente, en España, el prototipo del escritor político ha sido un hombre como Ortega y Gasset, de gran estilo literario. Con él alternaban como más viejo Unamuno, y como más joven, Giménez Caballero.

La manera de Unamuno, de Ortega y Giménez Caballero era excesivamente intelectual y ornamental para la ramplonería de la política nuestra. En ellos estaba bien; pero al pasar a la turba de imitadores se fue convirtiendo en una jerigonza de la culta latiniparla o de las preciosas ridículas. Con torpeza, pero siguiendo la tendencia elíptica y metafórica de sus maestros, los jóvenes barajan con fruición las palabras favoritas de la época. Escritura para el oído más que para el intelecto.

La envergadura, la estructuración, el volumen de los acontecimientos, la horizontalidad en la vida, lo ecuménico, el sindicalismo vertical, las cifras astronómicas... Todo esto, que da una impresión vagarosa, si se tratara de cuestiones subjetivas y literarias, no tendría importancia, pero tratándose de cuestiones vitales produce una confusión, una especie de bruma oscura y mística que da falsas perspectivas a las cosas y presenta conceptos que no son conceptos y justifica lo no justificable. Esto le recuerda a uno la frase de Feliciano de Silva, citada en *Don Quijote*: «La razón de la sinrazón que a mi razón se hace de tal manera mi razón enflaquece, que con razón me quejo de la vuestra fermosura.»

Los modernistas y d'annunzianos de hace cuarenta años podían pintar una aldea miserable como una posesión principesca y fingir palacios y abadías y bosques señoriales donde no había más que chozas, patanes y cerdos.

Los modernistas, o como se llamen los actuales, no se ocupan de la realidad tangible, pero son capaces de pintar lo blanco negro y lo negro blanco. Del escritor carlista y reaccionario se habla si conviene como de un tremendo revolucionario; el que era un bebedor de sangre, discípulo de Marat, aparece como un bendito; el separatista, como un patriota español, y el unitario, como un federal. La verdad parece que no cuenta. Se ve que el escritor joven tiene la petulancia de creer que lo que se le ocurre a él es nuevo y extraordinario y que puede cambiar a su gusto la historia grande o pequeña. Este literato novicio aprende nombres y giros antes de tener ideas e impresiones y quiere escribir para tener el gusto de emplearlos y para que suenen en el aire. Hay tonto que dice de una manera presuntuosa: «Nosotros no hacemos ensayos, hacemos dogmas.» Como si se hicieran dogmas como quien hace buñuelos.

Hace unos días me decía un señor español que llevaba un periódico rojo de Barcelona en la mano:

—¡Qué cosas se escriben ahora! ¡Esto es un ciempiés!

—¿Por qué lo dice usted?

—En este periódico he encontrado que habla de las élites, de las eclosiones, de la vida standard, de la puesta en punto, de los carnajes, de los incontrolables, de las constelaciones y de las competiciones y de las masacres de los desclasados. Esta palabrería desusada y extranjera me hace el efecto de que le estuvieran a uno apedreando. La retórica en plena época revolucionaria es algo terrible y nefasto. Se pueden decir las cosas más absurdas. Todas las revoluciones, naturalmente, se tienen que hacer con ideas generales, absurdas y pobres, porque pensar que con ideas relativistas ricas de contenido y de matices se va a mover a la gente, es una ilusión. Una de las ideas que me ha parecido más disparatada es la que ha aparecido en algunos periódicos reaccionarios, en la que se defiende que la filosofía de Kant ha influido en la men-

talidad de los ojos españoles. No se puede dar mayor absurdo.

Entre los rojos de España no habrá media docena que hayan leído a Kant y ninguno que lo haya entendido. Así que la influencia del filósofo alemán es nula. Tanto valdría decir que una huelga de dependientes de comercio se puede hacer por sugestión de las teorías de Einstein, que no las entiende nadie, salvo él, si es que las ha entendido. Podemos tener la seguridad que tanto Lerroux, como Largo Caballero, como Trifón Gómez, están tan limpios de Kant como de la teoría de Einstein. El carácter palabrero de la retórica española se acentúa en un país que desde hace ciento cincuenta años tiene la historia del cambio y la ilusión de encontrar a cada paso la panacea para todos sus males.

No hay pueblo en el mundo que haya hecho sin éxito tantas pruebas y haya defendido cosas tan diversas con tanto tesón, con tan poca habilidad y hasta con tanta estupidez. Nuestro país parece con frecuencia un manicomio o una plaza de charlatanes de feria.

Todas las utopías, todas las insensateces encuentran defensores. En seguida hay alguno que las pone en artículos muy seriamente. Se han hecho trece Constituciones desde la de las Cortes de Cádiz a aquí. Se han hecho revoluciones, reacciones, guerras y pronunciamientos, y nada ha dado resultado, porque todo se ha hecho a base de palabras sonoras y de elocuencia.

Lo único que no se ha ensayado todavía es algo sensato, tranquilo, sin estúpida retórica y a base, principalmente, de trabajo.

Ahora estamos en una época en que manda la extrema juventud, que es palabrera, vana y gesticulante. La extrema juventud se ha convencido de que el conocimiento y la experiencia de los viejos no valen nada. Puede que en gran parte tengan razón, y puede que la audacia y el atrevimiento lleven más lejos que la prudencia, pero esto ocurrirá siempre que haya intención y genio.

LA REPUBLICA DE CUNANI Y SUS HOMBRES

Algunos me dicen que debía escribir Memorias, ya que es uno viejo y ha visto pasar cosas interesantes por delante de los ojos. No sé si los recuerdos tendrían interés, ni si los podría contar bien con detalles, porque datos, fechas y personas se van esfumando con los años en mi cabeza.

La gente de mi tiempo ha tenido poca suerte. Hemos vivido en la juventud en una época cerrada, arcaica, en la que mandaban los viejos, y, en la vejez, en cambio, hemos padecido unos años levantiscos, en los cuales han gobernado los jóvenes. No nos hemos encontrado nunca en una situación propicia; no hemos tenido influencia, y, sin embargo, nos han considerado culpables de muchas cosas fantásticas. Según algunos, hemos perdido España.

El otro día oí hablar a un americano, semialemán, de la región del Amazonas, en donde había estado, y le pregunté:

—¿Qué fue la historia de una República de Cunani, de que se habló hace unos treinta años? ¿En qué termino aquello?

—Aquello era una estafa, una falsificación que se pretendió hacer por unos aventureros. ¿Usted sabe algo de eso?

—Poca cosa. Unicamente sé que algunos bohemios, conocidos míos, hablaron de alistarse para ir allá. ¿El Cunani existe?

—Sí; es un territorio que está entre la Guayana y el Brasil, a orillas del Amazonas, de mayor extensión que Francia. Se aseguró que este territorio era una República independiente. ¿Dijeron algo en España de eso?

—Muy poco. Lo que supe se lo contaré de una manera descosida y como fue llegando hasta mí. ¿Usted recuerda haber oído hablar de Luis Bonafoux? ¿No? Pues Bonafoux era un periodista puertorriqueño que estaba de corresponsal en París. Hace cosa de cuarenta años comenzó a hablar en el *Heraldo de Madrid* de un militar joven, el comandante Burguete, que era entonces preceptor de los hijos de la infanta Eulalia, como hombre de gran porvenir. Burguete vino a España y entró en el medio literario madrileño. Escribió en los periódicos y publicó en la Biblioteca Sampere, de Valencia, un libro titulado *Así hablaba Zorrapastro*. No lo leí. No sé si se trataba de un sátira contra el *Zaratustra*, de Nietzsche. Supongo que no, porque Burguete era, al parecer, nietzscheano. Yo no creía mucho en las condiciones literarias del comandante. De 1902 a 1903 estábamos *Azorín* y yo en el periódico *El Globo*, que había sido de Castelar, y que, por entonces, en la decadencia, era de un diputado catalán, Emilio Ríu, que llevaba camino de llegar a ser algo de la nada.

Un editor de nuestros primeros libros, B. Rodríguez Serra, amigo de Ríu, y también catalán, nos dijo que debíamos presentar a Burguete al periódico donde nosotros escribíamos, porque era hombre de gran prestigio, y así lo hicimos. Avisamos a Ríu que llevaríamos al comandante, que le leería un artículo. *El Globo* estaba en el palacio del conde Oñate, cerca de la Puerta del Sol, entre la calle Mayor y la del Arenal. Ríu nos recibió, nos llevó a un saloncito pequeño, e invitó a leer el artículo. El comandante, que leía de una manera un poco premiosa y tartamudeando, comenzó sus cuartillas con una tirada lírica imitada de Nietzsche, y Emilio Ríu, de pronto, le interrumpió, diciéndole con su acento catalán duro:

—Perdone usted, comandante. Eso es una fantasmagoría; yo no *asepto* fantasmagorías—él pronunciaba *fantasmagoríes*.

Burguete, *Azorín* y yo nos quedamos helados los tres. Ríu, en el fondo, tenía razón. Aquélla era una fantasmagoría, y fantasmagoría de pocos vuelos.

Después de este intento fallido, Ricardo Burguete, que, según algunos, aspiraba a ser un segundo Prim, nos presentó a *Azorín* y a mí a varios militares amigos suyos, de una ideología entre demagógica y dictatorial, y nos llevó a casa de algunos generales, entre ellos a la de Polavieja, que vivía en la calle del Sacramento. Polavieja me dio la impresión de general de zarzuela para ir vestido de blanco, con un sombrero de jipijapa y un loro.

En casa de Polavieja vimos a un señor llamado Sarrión de Herrera. Este Sarrión de Herrera era un hombre pequeño, inquieto, movedizo, un correveidile, un poco de tipo afeminado, con patillas, vestido de negro, siempre con un montón de papeles bajo el brazo. Tenía un retrato de gran tamaño, expuesto en el escaparate de una fotografía de la carrera de San Jerónimo, de frac, con todo el pecho lleno de cruces y condecoraciones.

Pensé que este señor sería un chupatintas, un poco petulante, y poco tiempo después supe que era el ministro de Estado de la República de Cunani, y, al mismo tiempo, embajador de esta nación en la capital de España.

El que me dio datos de esta supuesta República de Cunani fue un bohemio llamado Manuel Sawa. Manuel Sawa era un malagueño alto, con una barba larga y negra, de profeta judío, embustero como pocos, cínico y desgarrado en el hablar, y tartamudo. Una vez estaba yo en el circo de Parish, en esa galería que suele haber detrás de los palcos, que se llama paseo. Los periódicos del día hablaban de la enfermedad de la reina Victoria, de Inglaterra, que estaba muy grave. Sawa se me acercó y me dijo con voz sonora:

—Ese besugo podrido... de la reina Victoria... parece que todavía... no ha terminado de agusanarse.

La gente distinguida de los palcos le miró con espanto.

Los Sawas eran cuatro, como los jinetes del *Apocalipsis*, de origen griego o judío. Ricardo Fuente, bohemio amigo de Lerroux y compañero de trampas, contaba una vez que, cuando iba de París a Madrid, dejando a deber a medio mundo, al llegar a la estación del Norte preguntaba con ansiedad:

—¿Viven los Sawas?

—Sí.

—Pues entonces se puede vivir aún en Madrid.

Manuel Sawa, una noche, en el café de la Luna, nos habló de las excelencias de la República de Cunani a tres personas: a un francés, Cornuty, decadente eterómano que había sido amigo de Paul Verlaine en París; a un gallego pintoresco, Camilo Bargiela, y a mí. El Cunani era, según Sawa, un paraíso terrenal, una ganga, donde estaba todo por hacer, donde había un porvenir enorme. Allí había lugar para todos. Allí iba cualquiera de nosotros, y a las dos semanas era ministro de Instrucción Pública, por lo menos. El iba a ir de jefe de Policía de la República; con él marcharían su hermano Alejandro, su hermano Enrique, el capitán Casero, y pensaban convencer a don Nicolás Estévanez y al anarquista Salvochea. También marcharían un señor don Teófilo, espiritista y republicano, amigo nuestro, que se había sublevado con Villacampa y que tenía un sobrino que tocaba el violín en un café. Respecto a Sarrión de Herrera, según Sawa, era un hombre extraordinario, un diplomático de la altura de Metternich o de Talleyrand.

Entre esta gente indicada había algunos fantásticos. Alejandro Sawa era personaje decorativo a quien se le tenía por genial. Hablaba con gran prosopopeya. Imitaba el tipo de Alfonso Daudet con su barba y su melena; andaba de café en café y de taberna en taberna, en compañía de un perro, que se metía en las cocinas a comer lo que encontraba. Se decía de Sawa que, en su juventud, le había besado Víctor Hugo en la frente y que ya no quería lavarse la cara.

Cornuty era también un pájaro extraño. Parecía una letra gótica; tenía pocos medios de vida y su padre no le atendía.

—El pequeño industrial que está mi padre no comprende mismo de la literatura—agregaba.

Otras veces, en vez de decir no *comprende mismo*, decía *no comprende demasiado*.

El capitán Casero era un tipo curioso, sublevado cuando la revolución de Villacampa en Madrid, en 1886, que tocaba la guitarra y la flauta. Había vivido en París diez o doce años

de su arte, y había escrito un himno republicano con aire de habanera, letra y música, que comenzaba así:

Sienten ya nuestras venas
sangre española arder;
de España las cadenas
vayamos a romper.

Con su noble frente erguida,
adelante marcha ya.
Te ofrecemos nuestra vida.
Para ti siempre será.

De los tipos más pintorescos era Camilo Bargiela, hombre tímido, que quería pasar por terrible, con unos bigotazos negros, amenazadores, la cara cetrina, y que estaba entonces en una situación muy mala. Contaba cosas truculentas ocurridas en Santiago de Galicia, que yo creo que no existían más que en su imaginación. Esperaba que le hicieran cónsul porque había ganado unas oposiciones, pero Valle-Inclán aseguraba que no había tal y que le habían suspendido. Bargiela llevaba unos pantalones tan destrozados, que no le quedaban más que los tubos, que sujetaba con unas cuerdas al cinturón. Nosotros, a los pantalones rotos los llamábamos pantalones Bargiela. A pesar de su indumentaria, que no era de un *dandy*, tenía confianza en sí mismo, y una vez que paseábamos los dos por la Castellana contemplando las damas elegantes reclinadas en sus coches, me dijo:

—Amigo Baroja, estas señoras nos miran con un desvío... inexplicable.

Después he recordado la frase y me he reído solo. Bargiela era muy partidario de tomar las cosas por la tremenda..., al menos en teoría.

Dos o tres años después de la conversación con Manuel Sawa, leí en el periódico *El Imperial* que había una denuncia, no sé si del Brasil, contra la Embajada de Cunani en Madrid. Se registró la supuesta Legación y se sacaron dos camiones de documentos. Sarrión de Herrera desapareció.

El final de los aspirantes a burócratas, que iban a Cunani, fue bastante curioso. A Sarrión de Herrera le vi en París, de lejos; creo que en el entierro del explorador Savorgan de Brazza, en la comitiva oficial, en la plaza de la Concordia, de frac, muy tieso, muy serio, lleno de condecoraciones probablemente falsas, con una cantidad de hoja de lata en el pecho que metía miedo. Luego le llevaron a la cárcel, también en París, por ultrajes al pudor; sin duda, era un tanto freudiano, y desapareció de nuestro campo visual.

Alejandro Sawa acabó, ciego y loco, en una buhardilla; su hermano Manuel, que se había quitado su barba profética, y que sin ella tenía un aire de charrán, pescó la gripe y terminó en la calle. Poco después murió otro hermano suyo. A Cornuty le mató un camión en París; el capitán Casero se fue de este mundo sin que nadie lo advirtiese. Estévanez falleció en París al comenzar la guerra europea, y Salvochea murió en Cádiz, teatro de sus aventuras, hacia 1907. Don Teófilo, el espiritista, supongo que transmigraría a otro cuerpo o se trasladaría a un plano astral.

El que dio un poco más de juego fue Camilo Bargiela. A pesar de que Valle-Inclán aseguraba que siempre que había hecho oposiciones a cónsul no le habían dado plaza, le nombraron para un cargo, no sé si el primero o el segundo, en el Consulado de Manila, donde estuvo dos o tres años. A la vuelta hacia Europa, el barco donde venía paró en Casablanca, y al bajar los pasajeros se armó una de tiros entre moros y franceses, y hubo muertos y heridos. A Bargiela, el Gobierno español le dio la cruz del Mérito militar, con distintivo rojo, que se da a los que han tomado parte activa en alguna batalla, cosa que a él debió entusiasmar, y le vimos al diplomático flamante y elegante, con la punta de los bigotes en los ojos y su condecoración en el ojal, lucirse por las calles de Madrid. El destino adverso no le dejó disfrutar de su buen momento, y poco después se fue a Galicia y se murió. Al cabo de algún tiempo se dijo en los periódicos gallegos que Bargiela era el verdadero autor de una novela titulada *La casa de la Troya*, que llegó a alcanzar mucho éxito, y se le glorificó por sus paisanos como hombre audaz y calavera, de lo cual creo yo no tenía nada.

LOS ENEMIGOS DEL LIBERALISMO

En todas partes, los enemigos del liberalismo son las gentes más torpes, los que odian todo lo individual y todo lo distinguido, y a pesar de su vulgaridad les gusta mandar. Tienen el espíritu del capataz; el hombre de ingenio que se destaca, lo mismo en el arte que en la ciencia, les parece un petulante a quien hay que hacer callar.

En este sentido son iguales los comunistas que los fascistas. El comunista y el reaccionario, que se miran como enemigos furiosos, se diferencian en muy poco. Después de la guerra de España, cuando los rojos tenían perdida su causa, decían:

—Preferimos el fascismo a que vuelva la antigua monarquía liberal.

Esta preferencia es lógica, porque,

a pesar de que ellos no lo crean, están mucho más lejos del pensamiento liberal unos y otros que de ellos entre sí. Tanto fascistas como comunistas son enemigos de la libertad, y encuentran siempre sofismas para atacarla. «Ya no puede haber liberalismo», dicen unos y otros. No sabemos por qué.

Hace unos cuantos años, dos o tres antes del movimiento revolucionario actual, estuvo en Madrid un ruso del periódico *Pravda,* que hablaba bastante bien el castellano.

A mí me vino a ver, y me dijo:

—No es verdad que en Rusia haya despotismo. En Rusia existen todas las libertades.

—Pero ¿se permite criticar, por ejemplo, la teoría y los principios de Marx?

—No; eso, no.

—Pues entonces no existe ninguna libertad.

Esa es la misma libertad que la de los católicos fanáticos; es decir, una libertad que no es tal libertad.

Ahora se asegura, yo no sé si es cierto, que en Madrid se quiere rehacer la Ciudad Universitaria, y se dice que la Universidad futura en España será católica y política.

Si es así, se puede decir que se ha lucido. De una Universidad de ese carácter no saldrán más que fascistas y comunistas; es decir, cualquier cosa menos algo de valor científico.

Todavía en las antiguas Universidades, regidas por un sistema escolástico que tenía por base el silogismo, podía llegarse a algo dentro de la tendencia metafísica y casuística de la época; pero en una Universidad moderna, católica y política, no saldrán más que fanáticos, rojos o blancos.

Un centro de enseñanza de esta clase no puede servir para ayudar a discurrir a la gente ni para darles datos.

Ello sería como las meditaciones que los jesuitas proponen a los jóvenes.

—Medita sobre tal asunto o sobre tal misterio, y saca en consecuencia que esto es así.

¿Para qué meditar, si la consecuencia es obligada? Si hay que obedecer a una consigna, vale más no tomarse el trabajo de pensar en ella.

Los profesores de esa Universidad fabricarán una papilla espiritual para los estudiantes, y éstos, unos se la tragarán como los pavos, sin dificultad y sin protesta, y otros la rechazarán.

Stalin dijo que él quisiera que el mundo fuera como un artefacto mecánico, para darle cuerda y que todo marchara al compás. Hay siempre, entre los que mandan, gentes que se sienten capataces y que quisieran una obediencia estúpida y ciega en los demás.

Sobre la enseñanza, los alemanes son los que han fantaseado con más pedantería y de una manera más categórica.

Los pedagogos actuales germánicos afirman que no se puede ni se debe ser imparcial en la Historia ni en la ciencia. La objetividad y la tolerancia son, según ellos, falsedades.

La época de la razón pura y de la ciencia libre de valores nacionales ha pasado definitivamente, dice un pedagogo moderno llamado Krieck. Pobre Kant, supeditado a obedecer a *herr* sargento o *herr* profesor. No sabemos si este Krieck se dedica a la pedagogía o a la pedantología. De ahí se va a la estupidez de la verdad nacional. En broma lo había dicho Pascal: «Verdad de los Pirineos para acá y mentira de los Pirineos para allá.»

La verdad no puede ser exclusivamente alemana, francesa o rusa, ni católica, protestante o judía. La verdad no puede ser más que la verdad, una adecuación de la realidad a un esquema interior de nuestro espíritu.

Esa afirmación de la verdad supeditada a la nación, a la religión o a la raza es de esa clase de originalidades fáciles que han entusiasmado a los alemanes modernos que en la época posterior a la guerra batieron el *record* del modernismo y del snobismo. Hoy defienden tesis contrarias con la misma pesadez y falta de gracia que antes.

Estas afirmaciones, estas originalidades puestas ahora a la moda, dan la impresión de descubrimientos de maestros de escuela.

¿Cómo la verdad va a ser política ni religiosa? ¿Qué relación puede haber entre un teorema geométrico y un sistema de política? ¿Entre una idea físico-química y otra religiosa? No puede haber ninguna. La ciencia tiene una zona y las religiones y la política otra; estas zonas no se tocan nunca, y así, decir, como decía el orador Vázquez de Mella, que había pruebas matemáticas de la existencia de Dios, es una pobre estupidez. Sería muy raro y muy extraño que lo que había encontrado este señor, palabrero y vulgar, que no sabía matemáticas, no lo hubiesen visto matemáticos tan ilustres como Riemann, Poincaré o Einstein. La ciencia no podrá oponer de una manera valiosa un argumento en pro o en contra de la oración o de la idea sobre la inmortalidad del alma. Podrá estudiar los resultados psicológicos de esta idea en un individuo o en una masa humana, pero saber la eficiencia que tengan estas ideas en el mundo natural conocido, movido por fuerzas mecánicas, no puede ser de su incumbencia. La verdad está, indudablemente, condicionada con la manera de ser psicológica del hombre, porque la verdad

absoluta no se puede conocer nunca ni saber siquiera si existe.

Solamente los fascistas y los comunistas tienen la pretensión de ser dogmáticos y de creer que sus fantasías tienen caracteres eternos.

Los católicos han dicho y repetido últimamente esta frase de Menéndez y Pelayo: que la ciencia española tuvo un éxito al afirmar el dogma de la Purísima Concepción.

Esta frase, que la consideran como un gran acierto, no puede producir más que la risa en una persona que tenga el sentido de lo que es la ciencia.

Esta clase de afirmaciones es la contrapartida de las de los marxistas.

Se ve que unas y otras son originalidades de maestros de escuela para nutrir seminarios y capitales de provincia. La mixtura de religión y de ciencia patrocinada, si es cierta y auténtica la Universidad católica y política de Madrid, dará en lo futuro frutos extraordinarios. Veremos Memorias del doctorado interesantes con títulos como éstos: «La teoría de Planck, desde el punto de vista de la filosofía de Santo Tomás de Aquino», «La relatividad de Einstein en relación con el reglamento de las Hijas de María», «La teoría microbiana y la Asociación de San Luis Gonzaga».

La gente que ha pensado en esta unión de la religión y de la ciencia no comprende el carácter intrascendente que tiene modernamente toda la ciencia.

Las teorías físico-químicas, las astronómicas, las biológicas, se apartan de tal modo de lo próximo al hombre, que de ellas no se puede sacar nada utilizable para los apuros y dificultades espirituales del género humano. El hombre no interesa a la ciencia. El hecho es terrible y, en parte, de un cómico trascendental. Es algo como el que construye una casa, y ve luego que puede servir para templo, para observatorio o para laboratorio, pero no para vivirla.

La ciencia no puede contestar a las preguntas que más apasionan al hombre, y al presentárselas enmudece.

—Pero ¿hay o no hay una vida ultraterrena?—le preguntarán al científico.

—Es un problema grave, pero no es un problema puesto en condiciones de estudio—dirá el sabio—. Nosotros no tenemos más medios que los demás de aclarar ese punto.

—Pero ¿existe el alma o no existe?

—Tampoco se puede contestar a eso de una manera estrictamente científica.

En cambio, de la pobreza de esas cuestiones viejas y no resueltas, el hombre de ciencia hablará de una manera asombrosa de la constitución de la materia, de la disgregación de los átomos, de la composición química de una estrella, de su peso, de su órbita y de su velocidad.

En su comienzo, la ciencia tuvo una dirección más humana; luego, probablemente, se desvió de ella, principalmente porque vio que en los asuntos religiosos y trascendentales no había porvenir y que se marchaba directamente a lo fantástico.

Evidentemente, por el camino de los místicos no se llega a nada, más que a una especie de poesía. A Plotino, a Rungstroeck, a Santa Teresa de Jesús.

La ciencia necesita hechos comprobados. Si no los tiene, obra en el vacío.

La ciencia y el liberalismo han tenido siempre grandes relaciones. La verdadera filosofía ha sido siempre liberal y siempre transigente. Sócrates, asistiendo a la representación de *Las nubes,* de Aristófanes, comedia en la que el satírico griego le insulta

y le denigra de una manera soez, encontrando bien esta comedia da una prueba de liberalismo. Los filósofos de la misma escuela fueron, igualmente, como él, racionalistas y liberales; en cambio, los que le condenaban a muerte, las turbas de cristianos que mataban a Hipatia y perseguían a Miguel Servet y a Giordano Bruno, éstas no eran liberales.

La fórmula clásica del liberalismo, que primeramente tuvo un carácter comercial y después un carácter político y hasta filosófico, fue la de los fisiócratas franceses: «Dejad hacer, dejad pasar.» Esta fórmula fue aceptada por los liberales de Manchester, y ha producido la grande y brillante civilización del siglo XIX.

Al liberalismo se le achacan muchos defectos. Como toda teoría humana, no es naturalmente perfecta. Se dice que no ha impedido las desigualdades humanas; pero éste no era su objeto ni lo ha defendido nunca. Tal reproche se puede hacer con más justicia a las religiones, que han afirmado que todos los hombres son iguales, y después no han hecho más que favorecer las diferencias de categoría y de casta, que han puesto un mandamiento como no matar, y han asesinado a todos sus enemigos.

El objeto del liberalismo era producir la libertad individual, la circulación de la riqueza, el bienestar material. Reprocharle que no ha trabajado por la fraternidad humana es lo mismo que reprochar a la Medicina y a la Cirugía que no se han preocupado de la literatura o del arte, o a las Matemáticas que no han estudiado las pasiones humanas.

En la España actual, entre rojos y blancos, hay un abismo que es imposible de llenar. Los blancos han invitado a sus enemigos a entrar en España en unas condiciones inaceptables. Ni siquiera quieren permitirles que sean neutrales, que vivan fuera de las ventajas del presupuesto, sino que quieren que se entreguen y trabajen para ellos. Esto es algo absurdo. Por su parte, entre los rojos se dicen mayores necedades. El señor Martínez Barrio indicó que, para llegar a la normalidad y para que los españoles de uno y otro bando pudieran convivir en su propio país, habría que atenerse a respetar la Constitución de 1931. Las dos cosas me parecen completamente imposibles. Los blancos no pueden aceptar la Constitución de 1931, que les parecerá demagógica; los rojos no pueden ir a España a trabajar por unas ideas que no son suyas, y, naturalmente, el rojo que ha podido vivir en el extranjero y ha podido sostenerse, no ha vuelto ni volverá a España en esas condiciones. Además, ¿para qué buscar la colaboración de personas que, siguiendo las costumbres actuales, pueden no ser fieles a su palabra?

Lo lógico sería que los que gobiernan el país aceptaran el que sus antiguos enemigos volvieran a España, dándoles el mínimo de derechos individuales necesarios a la dignidad humana y la tolerancia religiosa, y, naturalmente, no permitiéndoles que intervinieran en la política; pero tampoco exigiéndoles que les ayudaran en lo que está en contra de sus ideas.

LAS DESIGUALDADES ÉTNICAS

Con relación a la distinta capacidad de las razas humanas, hay dos tendencias principales: la de que todos los hombres son iguales para la cultura y la de que todos son diferentes.

La igualdad es el postulado de las religiones y de las utopías humanitarias. Los hombres, para ellas, no sólo son iguales, sino hermanos, compañeros. La desigualdad es una tesis defendida por muchos antropólogos.

La afirmación de la igualdad parece más un deseo que un hecho real. Por ahora no se ha comprobado que un bosquimano pueda ser tan buen relojero como un ginebrino, un papúa tan buen matemático como un francés, ni un tagalo tan buen director de orquesta como un alemán.

No todas las religiones afirmaron la hermandad humana y el origen único; algunas tendieron a las diferencias de los hombres y establecieron castas, como el brahmanismo. En un libro de Anatole France titulado *Sobre la piedra blanca* se dice que no hay razas, que los hombres son variedades de una misma especie, que forman entre ellos uniones fecundas y se mezclan sin cesar. La frase es una manifestación de lo poco enterado que estaba el escritor de esas cuestiones, porque esas variedades, cuando se perpetúan, son las que constituyen las razas. Por la Zoología se sabe que las distintas razas animales se mezclan y son fecundas. Los que no se mezclan son los individuos de distinta especie, y si se mezclan producen el híbrido, en general infecundo.

Al conde de Keyserling le he oído decir que las razas no tienen importancia, porque se crean con facilidad. Que se han creado, es indudable; pero ha sido en miles de años y en circunstancias por ahora desconocidas. No creo que en ninguna parte se pueda decir por ahora que se haya creado una raza humana nueva. En principio, y considerando ese punto de una manera puramente natural y zoológica, parece evidente que las razas humanas, y hasta las subrazas, deben ser distintas y tener cada una aptitudes diferentes. Por otra parte, las razas, sobre todo las próximas, deben estar ya tan mezcladas desde tiempos prehistóricos, que tiene que ser muy difícil o imposible asignar a cada una sus caracteres y su especialidad. La cultura llega a borrar unas diferencias étnicas y a acentuar otras. Es, por ejemplo, muy lógico que entre los judíos haya habido grandes banqueros, porque durante mucho tiempo no han podido ser militares, agricultores, industriales, sino sólo negociantes; también es lógico que entre ellos y los musulmanes no haya habido pintores célebres, porque para los semitas la reproducción de la figura humana estaba prohibida.

En el principio del siglo XIX comenzó el estudio científico de la etnografía y de la antropología. El iniciador principal fue Blumenbach. Se creyó encontrar en el cráneo la clave del misterio de las razas. Se empezaron a formar colecciones de calaveras, se inventaron aparatos para hacer mediciones del ángulo facial y de la longitud de los cráneos, y Retzius dividió éstos en dolicocéfalos (largos) y braquicéfalos (anchos). Broca llamó a los tipos intermedios mesocéfalos.

La relación entre la largura de la cabeza, considerándola como 100, y la anchura como x, se llamó índice cefálico.

Este índice cefálico ha sido el caballo de batalla de los antropólogos durante mucho tiempo.

En un período de poca claridad y vulgarización de los conocimientos etnográficos publicó, en 1853, un libro el conde de Gobineau, titulado *Ensayo sobre la desigualdad de las razas humanas*. El libro, de cierta originalidad, no hizo efecto al salir. Su influencia fue lenta.

En tiempo del libro de Gobineau, la teoría de la evolución no estaba conocida ni popularizada. El sistema del naturalista Lamarck, atacado por Cuvier, no gozaba de crédito. *El origen de las especies*, libro trascendental de Darwin, no se había publicado aún. La obra es de 1859.

Gobineau acepta la génesis bíblica, a Sem, Cam y Jafet, hijos de Noé, como ascendientes de todos los hombres. Partir de esta unidad y llegar a la desigualdad es un poco extraño.

Gobineau no mira la cuestión étnica de una manera científica, sino de un modo inspirado y literario. Para él, la cuestión de las razas es el *Deus est machina* de la civilización. Según él, en la Historia aparece un pueblo animador y energético: el pueblo germano, que es el heredero de los arios.

Ni el clima, ni el Gobierno, ni las costumbres, ni la religión bastan para elevar una civilización, según el conde; mientras no haya elemento indogermánico, ario, no se elevará. La cosa es un poco absurda, creyendo, como creía el conde bordelés, que todos los hombres tienen el mismo origen tan próximo. Es decir, que en los cinco o seis mil años de la existencia del hombre, según la Biblia, se habían creado tales diferencias entre los hijos de Noé en un período de dos o tres mil, que ya eran completamente distintos.

La tendencia germánica de Gobineau gustó, naturalmente, en Alemania, y se fundó allí una sociedad gobinista.

Muchos años después, algunos antropólogos quisieron afianzar las teorías del conde con la antropometría y fijar el tipo físico del ario indogermano. Los alemanes Ammon y Woltmann y el francés Vacher de Lapouge trabajaron en esto. Para Vacher de Lapouge, el ario actual tiene características claras físicas y morales. El ario *(Homo europœus)* es alto, rubio, dolicocéfalo, audaz, individualista, atrevido, protestante en religión. El *Homo alpinus* es braquicéfalo, moreno, vulgar, rutinario, burócrata, oficinista, de concepciones mezquinas, inclinado a vivir del Estado, y de religión católica.

Con estas premisas se busca la cantidad de arianismo, de indogermanismo, que hay en los grandes hombres y que queda en los pueblos.

Dante, Leonardo, Garibaldi, Cervantes, hasta Jesucristo, son arios, según los indogermanistas.

Un francés, tan mal enterado como su paisano Anatole France, y que tuvo cierta fama entre los modernistas del tiempo, J. Peladan, decía en su libro *La guerra de las ideas* (1916): «Prusia no invoca otro título a la omnipotencia que la cranioscopia. Prusia es dolicocéfala (cráneo alargado), mientras que los latinos son braquicéfalos (cabezas redondas).» Esto el aprendiz más lento de antropología sabe que no es cierto, porque ni el prusiano es dolicocéfalo, sino más bien braquicéfalo, como más eslavo que es, ni todos los latinos son braquicéfalos, porque hay entre ellos pueblos mesocéfalos y excesivamente dolicocéfalos.

Al fijar el tipo del ario por Vacher de Lapouge, resulta que éste no es el alemán moderno más que en parte, y que el ario es el escandinavo, y, en parte, el inglés, el francés, el español y el italiano.

Un historiador y ensayista de origen anglosajón —Houston Stewart Chamberlain—publicó hace unos treinta y tantos años, en alemán, un libro admirable por muchos concep-

tos, *Los fundamentos del siglo XIX*. Stewart Chamberlain vivió en una época en que la antropología había llegado a la conclusión de que no hay ni ha habido raza aria, ni semítica, ni céltica, ni germánica, sino lenguas arias, semíticas, célticas y germánicas, y que los pueblos que hablan cada una de estas lenguas no son de una misma raza pura.

Chamberlain tomó el arianismo no como una realidad étnica, sino como la base de una civilización constituida por el grupo de pueblos celto-germano-eslavos, cuyo espíritu engendra, según él, lo mejor de Europa. Enfrente están los pueblos semíticos, los prehistóricos y los autóctonos europeos de origen desconocido, como los vascos y los etruscos.

La historia del mundo, para Chamberlain como para Gobineau, es el conflicto entre las dos influencias: la buena y la mala. Hay que descubrir —y ésa pretende ser su obra—la influencia de Ormuz y Ahrimán en el mundo europeo. Entre los malos están señalados dos vascos de los más significados: San Francisco de Loyola y San Francisco Javier.

Para Chamberlain, estos dos hombres geniales son los enemigos netos del arianismo y de la Reforma, como representantes de una raza prehistórica y cavernaria.

Muchos de los historiadores alemanes del siglo XIX participan del punto de vista indogermánico exaltado —que científicamente tiene poco valor—, entre ellos Mommsen.

Hoy, los etnógrafos, en vista de la aparición de razas prehistóricas con caracteres definidos, van marchando a establecer nuevas clasificaciones étnicas, y los arios, semitas, celtas, iberos y germanos quedan como nombres de valor lingüístico, histórico o geográfico.

Desde hace años se lee en Alemania una obra de Hans F. K. Günther que ha tenido varias ediciones, *Rassenkunde Europas,* en la cual se dan noticias y se hacen varios retratos de los tipos europeos. En estos retratos se mezcla lo anatómico con lo espiritual y se resuelven cuestiones de una manera un tanto sencilla.

Todo ello tendría algún valor si se intentara aclarar de una manera objetiva y científica la cuestión etnográfica; pero como se hace halagando el patriotismo y la vanidad del pueblo, no tiene importancia.

La vanidad y el patriotismo influyen grandemente en los etnógrafos y antropólogos. Los ejemplos son numerosos. Broca hace mediciones de cráneos vascos procedentes del cementerio de Zarauz y de San Juan de Luz. Encuentra unos cráneos de Zarauz de un tipo ario muy puro, y comprueba que los vascos tienen una capacidad craneana mayor que los parisienses. Entonces parece alarmarse, y advierte al lector que no vaya a creer que los vascos son más inteligentes que los parisienses. ¿A qué viene una advertencia así? Un científico debe señalar el hecho y esclarecerlo si puede; pero tomar una postura política o patriótica por una cosa de esta clase es ridículo. Una cierta parcialidad se nota también en Ratzel, en Pittard y en Aranzadi, cuando las observaciones se rozan con el grupo racial a que pertenecen.

El problema de la igualdad o de la desigualdad de las razas humanas no está resuelto. Hay quien cree que entre el bosquimano y el europeo no hay apenas diferencia, y quien opina que entre el hombre de Bilbao y el de Burgos, entre el de Bayona y el de Montpellier, hay un abismo.

A pesar de las predicaciones de los demócratas internacionalistas y humanitarios, por un lado, y de los trabajos de los antropólogos, por otro, queda como hace años el evangelio de los unos: la igualdad de todas las razas humanas, blancas, negras, amarillas o achocolatadas, y el contra-evangelio de los etnógrafos: la desigualdad de todas ellas. La tesis de la igualdad es más simpática y más cordial. La tesis de la desigualdad, mirada de una manera objetiva, parece indudablemente más cierta.

Para los profesores de eugenesia del porvenir—que quizá gobiernen el mundo alguna vez—, esta cuestión de la competencia o incompetencia tiene mucha importancia. No vale la pena de hacer perdurar gentes torpes e inútiles si hay la posibilidad de poblar el planeta con otras hábiles y útiles que puedan dar el máximo del rendimiento humano.

LA VIDA TRADICIONAL

Cuando se traslada uno de la gran ciudad a la aldea lejana, se siente el paso de la vida moderna a la antigua.

Lo que nosotros, la gente de la calle, llamamos sin gran precisión la vida de los pueblos, lo que señalan los legistas, en sus asuntos, con la palabra consuetudinaria, los etnógrafos han empezado a denominar etología. En ella se comprenden los hábitos, costumbres, vida familiar, ideas religiosas, etc. Aceptando la palabra para el uso corriente, podemos decir que la etología de la gran ciudad es la moderna, semicientífica, con mil restos del pasado, de superstición y de tabúes, y la etología de la aldea es la antigua, traspasada también por la influencia moderna de las ciudades.

Ninguno de los modos de vivir, ni el de la aldea, ni el de la urbe, son puros y homogéneos en su antigüedad o en su modernidad.

Las ciudades y los campos se van acercando y perforando con sus mutuas influencias. Siempre habrá pasado lo mismo. El mundo antiguo estaba constituido, ideológicamente, única y exclusivamente para el hombre. Hoy no sabemos, ni aun en teoría, para quién está hecho. La ciencia impulsa a la vida moderna con un determinismo un poco oscuro.

Podemos suponer con los mismos visos de verdad que el hombre es un semidiós con un espléndido porvenir, como que es algo tan importante como el musgo de una roca y el alga que flota en el mar.

Cuando leemos el auto sacramental de Calderón que tiene el mismo título que su famosa comedia *La vida es sueño*, nos asombra un tanto la confianza del poeta en la perfección de las cosas y en su teleología: el sol para alumbrar el día, la luna para adornar la noche; las plantas, los animales, las piedras, todo está hecho para el hombre y tiene una dedicatoria clara para nosotros, dedicatoria que ahora no vemos por ningún lado.

Desde Copérnico a Arrhenius, el mundo ha perdido de tal manera sus condiciones teóricas humanas, que vamos a creer que ya no contamos para nada en la vida del Universo.

Se comprende que un hombre de la Roma antigua o de una ciudad de la Edad Media debía de sentirse muy firme en el mundo; debía de poner el pie con la seguridad en la tierra.

En aquellos momentos históricos, todo estaba pensado para el hombre y sobre el hombre. Debía de experimentar éste un sentimiento de responsabilidad grande al verse tan importante. No tenía ni el concepto nebuloso que tenemos en la actualidad del Universo, ni tampoco la sensación de contigencia, de cosa pasajera, huidiza, que sentimos nosotros al pensar en nuestro tiempo.

Para el artista medieval, y aun para el del Renacimiento, no había la conciencia de este cambio continuo en las formas de vivir que tenemos nosotros. Cuando uno de ellos pintaba a la Virgen o a un apóstol cristiano con los rasgos de su raza germánica, italiana o ibera, con el traje del tiempo en que vivía el pintor y con su paisaje habitual, lo hacía con el convencimiento de representar la verdad, sin pensar que los rostros, los trajes, los panoramas de un pueblo judío, seco y polvoriento de Palestina no eran los de Europa. El mismo Milton, en *El Paraíso perdido*, en las luchas de ángeles y demonios, hace aparecer la artillería como en la batalla del Marne. Si hoy pudiera existir un tipo de poeta así, religioso y anticientífico, pondría a Lucifer al frente de una escuadrilla de aeroplanos.

En casi todos los aspectos prácticos del vivir cotidiano, la vida antigua es fundamentalmente cómoda. La etología tradicional es más utilitaria que la nuestra. Esta se deshace en un disolvente universal de duda, no sabemos con qué fin.

El hombre moderno es más loco, más despilfarrador de energías que el antiguo. La vida tradicional falla en los cimientos y acierta en las consecuencias; la vida moderna, que tiene fundamentos más sólidos, la ciencia, no ha podido por ahora encontrar fórmulas hábiles y prácticas. Claro que la ciencia no es una verdad absoluta. El filósofo inglés David Hume fue el que en los tiempos modernos comprendió y explicó con claridad meridiana el carácter contingente de lo científico. No fue el único; en la antigüedad había expuesto esta condición Protágoras. Los positivistas, y luego los Bergson, los Poincaré y los Einstein, han seguido y han desarrollado las teorías de Hume.

En muchas cosas pequeñas se advierte la superioridad pragmática de la vida antigua sobre la actual. Para los discípulos de William James, esta superioridad en la práctica es también teórica. Para ellos, lo pragmático priva.

Cuando se pasa un domingo de un barrio de ciudad moderna, republicano, socialista y anticlerical, a una aldea sometida aún a la vida antigua, se observa la diferencia a beneficio de ésta.

La etología tradicional es más práctica que la nueva. El domingo, en la aldea católica, está reglamentado todo desde la mañana hasta la noche. El aldeano sabe lo que tiene que hacer casi hora por hora. En cambio, en el pueblo anticlerical, como no hay inventada aún una pauta de vida laica, el ciudadano se desespera y se aburre. Evidentemente, la etología vieja es más sabia y más cómoda que la nueva.

Yo casi siempre he notado en el hombre sin dogmas, en el nihilista, pensamientos más generosos y nobles que en el conservador y en el creyente; pero cuando he visto en éste intenciones generosas, he advertido que con frecuencia compadece sinceramente al no religioso.

Comprende él que su vida dentro de las murallas de la ciudad antigua es mucho más completa y más agradable que la del que marcha extramuros, a campo traviesa, sin saber dónde guarecerse ni tener alojamiento preparado. Estos sentimientos de generosidad no son muy frecuentes entre nuestros clericales, que son egoístas y cerriles.

La superioridad de la etología antigua radicaba en los dos planos vitales: en el plano de la vida normal corriente y en el plano de los momentos difíciles, en donde el hombre tenía la religión, que unas veces le servía como el alcohol, para exaltarle y darle fuerzas pasajeras, y otras, como la morfina, para adormecerle y calmarle.

Por otra parte, la religión limita la inquietud humana, la inquietud metafísica y la corriente en una preocupación egoísta y personal: la preocupación de salvarse o no salvarse.

El dogma cierra con un telón de fondo, un telón de barraca de feria, las perspectivas hacia el caos panteísta. Sin ese telón de fondo, los hombres de cabeza ardiente se lanzan sin freno a hundirse—como dijo uno de ellos—en el éter puro de la sustancia única.

A las concepciones metafísicas de tipo elevado de Kant y de Schopenhauer se han unido las de los astrónomos y físicos matemáticos, como Planck, Maswell, Lorentz, Hertz, etc.

Las teorías actuales sobre el espacio y el tiempo, sobre el éter, la ionización, la radiactividad, la panspermia y la entropia son propicias para llevar la confusión al espíritu más firme y mejor defendido. Conocerlas sólo es hundirse en la noche cimeriana, en donde reinan la oscuridad, la vaguedad y el peligro. Mirarlas con simpatía es sentirse de corazón nietzscheano y seguir la máxima trágica y pomposa del autor de *Zaratustra:* «Hay que vivir en peligro.»

El filósofo Feuerbarch, romántico que quería colocarse en una actitud muy práctica, pensaba que se debían desdeñar sistemáticamente las ideas de espacio infinito y de sustancia infinita, que había que limitar el horizonte y reducirlo todo al hombre y a sus proporciones. Así se va del mayor idealismo al mayor practicismo.

En la aldea no hay peligro de que nadie se desvíe de la vida práctica con una escapada a la fantasía panteísta. Podrá haber un Don Quijote, pero nunca un Tycho Brake.

Las preocupaciones aldeanas son claras y precisas. ¿Lloverá? ¿Granizará cuando los frutales estén en flor? ¿Habrá buena cosecha?

Sobre la preocupación diaria, la doctrina religiosa vigila al campesino y le somete a un régimen férreo, que, a la larga, como toda disciplina estrecha, es más cómodo que la libertad.

La etología aldeana, a pesar de su aparente resistencia al cambio, no es tan irreducible; ya no se defiende con brío. La moda conquista la aldea. No entrará Darwin, o Einstein, o Dostoyevski; pero ante el dominio de la moda no hay fuerza que valga. Ni el párroco, ni el obispo, ni el Papa, pueden nada contra ella.

La moda nivela el aspecto exterior de las personas. El aldeano y, sobre todo, la aldeana, si es joven, imitan las maneras y los usos de la ciudad. Colectivamente, puede haber en las villas un sentimiento misoneísta; pero ante las formas de los trajes y de los adornos, ante el nuevo modo de peinarse, o de bailar, o de pintarse los labios, este sentimiento misoneísta se quiebra.

Otro conducto por donde llega a la aldea el espíritu de la ciudad es lo económico. En todo cuanto se refiere a dinero y a mercados, el aldeano se muestra capaz de cambiar. El campesino, naturalmente, es mucho más roñoso que el ciudadano; tiene egoísmo, pero no vanidad. No ve tampoco posibilidades de ganar dinero de otra manera que la habitual. Tiende al ahorro y a la miseria avarienta. La idea de la revolución, para él, encierra, sobre todo, la idea de la inseguridad de su dinero y de sus propiedades.

En lo que atañe a la economía, el aldeano, aun el más cazurro y conservador, hila muy fino; una diferencia de pocos céntimos le basta para cambiar de mercado de compra o de venta y para poner su vela al nuevo viento que reine.

La vieja etología de las aldeas se quebranta también como todos los conjuntos de hábitos y de costumbres ancestrales. Siempre habrá sido lo mismo en principio; la diferencia, hoy, es de cantidad; lo que antes era una pequeña corriente innovadora que nutría a la aldea sin transformarla, ahora va siendo ya una inundación que arrasa todo lo viejo y lo inútil.

LOS FRUTOS DE LA CULTURA

Es evidente que las instituciones que han tendido a favorecer el progreso material y moral de la Humanidad, lo que se llama civilización y cultura, se han ido creando exclusivamente para el hombre; no podían tener otro objeto ni otra finalidad más que él. Pero ha llegado un momento en que esas instituciones, sobre todo las científicas, han refluido, se han ido alejando del punto de vista humano y se han hecho inmanentes.

Quizá los científicos no han levantado una bandera similar a los artistas del arte por el arte; pero sin proclamar ese lema; lo han practicado como ninguna otra institución humana.

Cada rama de la ciencia ha considerado que su fin está en sí misma. No ha tenido en cuenta si sus frutos son dulces o amargos. Ha pensado que son lo que deben ser. Así, todas las ciencias van siguiendo su ciclo llevadas por su determinismo, y cada día se desentienden más de las condiciones y de los problemas de la vida humana.

Evidentemente, la ciencia maravilla. No conforta, no abriga, puede tener frutos amargos; pero deja absorto y seducido.

La ciencia, como algunos ríos, entre ellos el Níger, ha cambiado de dirección. Antiguamente no se sabía que este río africano que va de Este a Oeste y luego de Oeste al Este, fuera el mismo, pero después se vio que lo era.

En su comienzo, la ciencia tuvo una dirección más humana; luego, probablemente, se desvió de ella, quizá por la influencia exclusiva de la especialidad y del especialista.

La ciencia, al ensancharse, produjo dos tipos antagónicos en su seno: el generalizador y el especialista.

El generalizador es creador de teorías, es un diletante, a veces es visionario. El especialista es el obrero, el que aporta los datos, los elementos. El público considera más al especialista, al hombre práctico, que al hombre de las teorías, y desdeña y no conoce al generalizador.

Sin embargo, las dos tareas son importantes. El especialista puede hacer una lente irreprochable, un tornillo casi perfecto, un cálculo de resistencia de material exacto, un análisis de sangre al milésimo. El que se acostumbra a estas faenas llega a encontrarlas las únicas de valor. La articulación de los hallazgos de los distintos especialistas, si se hacen deducciones sobre ellos, le parecerán lo menos interesante en un estudio, y cuando éste se encuentra terminado, irá primero, y quizá únicamente, a ver cómo el técnico de su misma especialidad ha cumplido su cometido.

Al diletante, al que tenga un espíritu generalizador, le pasará lo contrario; le llamarán la atención las teorías, los razonamientos generales, los examinará y analizará con cuidado; pero, probablemente, no le pasará lo mismo con los detalles técnicos.

Algunos encuentran que uno de los motivos de cierta falta de concepción metafísica elevada de la ciencia actual depende, en parte, o, por lo menos, viene acompañada de la desaparición del latín como lengua universal.

Puede que la renuncia a emplear el latín como lengua única de cultura produjese al principio un retroceso. Hay que reconocer que el latín no era una lengua universal más que para una parte relativamente reducida del mundo, pues no abarcaba la civilización griega, ni egipcia, ni la judía, ni la hindú; de manera que su universalidad era bastante relativa.

Por otra parte, tenía que suceder que el latín, sin conexiones con el pueblo, llegara a ser un idioma muerto para la vida nacional.

En latín hubiera sido imposible en España escribir el *Lazarillo de Tormes*; el *Libro del buen amor*, del arcipreste de Hita, o el *Don Quijote*; tampoco se hubieran podido escribir en Inglaterra los dramas de Shakespeare, ni en Francia las obras de Rabelais o de Molière. Desde la Edad Media venía acentuándose en toda Europa la era particularista nacional, que tenía que triunfar en los diferentes países.

Se puede sospechar también que, aunque hubiera subsistido el latín como lengua sabia, dada la extensión que han tomado las ciencias, no se hubiera podido dar el tipo clásico del sintetizador, del enciclopedista, del *polihistor*, que dicen los alemanes. No basta que la lengua sea general para ello.

Por otra parte, el científico moderno tiene tanto que hacer, que es imposible que aprenda a hablar y a escribir bien un idioma antiguo por lujo. Necesita conocer su materia cada vez más extensamente, y para dominarla debe leer y entender, aunque no sea de una manera literaria, los idiomas en que se publican los descubrimientos constantes. Un latín que necesitara dar a conocer estos hallazgos no tendría ningún aire de elegancia clásica.

Cada idioma y cada estilo tienen sus posibilidades, y, aunque el canon griego de la escultura sea muy perfecto en su género, no hubiera servido jamás para labrar el pórtico de una catedral gótica.

En el carácter más o menos apolíneo y elegante de la ciencia influye con seguridad la economía. Hoy la vida está demasiado mediatizada por el dinero, y las actividades intelectuales, como todas las demás, están sujetas a él.

El saber, desde hace mucho tiempo, no es para el que se prepara a ser un científico, un fin serio, sino un medio de prosperar, de llegar.

El estudiante aplicado y trabajador tiende a devorar cuanto se le presente, a apoderarse de todas las materias científicas. Busca más el conocer los hechos que el penetrarse de ellos y darles una interpretación personal. Como explicación, le basta, por el momento, la teoría que esté en boga. En conjunto, lo que necesita el estudioso, desde un punto de vista práctico, es amontonar datos y teorías para destacarse en un certamen y obtener una plaza que le permita vivir.

La sociedad actual, como no tiene más que un sentido pragmático, comprende muy bien este punto de vista; el otro, romántico, del sacrificio y el trabajo por la obtención de la verdad, no lo comprende y casi lo desprecia. Que un señor esté haciendo estudios o excavaciones para enriquecerse o para ganar una preeminencia social, le parece muy bien; pero que los haga por pura curiosidad, se le antoja casi una extravagancia.

Aún mayor le parece ésta si el impulso que lleva a un hombre a sus estudios es un afán de inmortalidad. La ambición de la inmortalidad va desapareciendo. En la época contemporánea, yo supongo que existió más que nada entre los que se tenían por genios, y, sobre todo, entre políticos, escultores y artistas. Napoleón, Goethe, lord Byron, Chateaubriand, Víctor Hugo, Wagner, Nietzsche.

El hombre moderno con malicia, cuando ve que toda la inmortalidad de un Víctor Hugo, tan extensa en Francia, se queda reducida a los nombres de una serie de avenidas y de calles de capitales de provincia, en un monumento en una calle de París y en una estación del «Metro», considera que la inmortalidad no tiene, después de todo, grandes ventajas.

En general, para el público, el hombre de oficio es siempre más respetable que el aficionado; el que busca algo concreto, más sensato y más cuerdo, que no el que se hipnotiza con una idea tan vaga como la de la inmortalidad.

Nada de extraño tiene que el joven busque primero un título académico, si no es hombre muy activo, para ir viviendo, y, si lo es, para sacarle jugo a su ciencia y destacarse entre los elegidos. Hay muchas razones que hacen que modernamente las gentes se dediquen a la ciencia, a la literatura, a la Historia, no por pura afición, sino por ganarse la vida.

Cuando el hombre se pone en ese plan de pensar sólo en ganar su sustento, pierde una serie de condiciones buenas: la sinceridad, la honradez, la audacia, y adquiere otras malas: la adulación, el instinto de medro y de la intriga. Esto se llama saber vivir.

Así, muchas veces se da el tipo en que se une la gran facultad de trabajo y de comprensión con un arte de intrigar, de decir lo contrario de lo que piensa íntimamente, cosa que parece impropia de un hombre de ciencia.

El individuo de este tipo se las arregla para hablar mal del compañero, que sabe que es hombre de talento, y elogiar al que está seguro que es negado o que es un cínico audaz, que tiene arte para distinguirse entre profesores, políticos y periodistas por su astucia y por su cinismo. A veces esto lo hace por envidia: pero otras, no. Y entonces sólo va guiado por el entusiasmo que le produce el arrivista y el charlatán atrevido que escala posiciones, y que después le quiere proteger.

Naturalmente, aún más que al compañero oscuro y poco avisado, se desdeña al hombre de la calle que vive fuera del favor oficial. De él se habla siempre en broma. Un individuo que no tiene un cargo, ¿qué va a hacer? ¿Qué trabajos serios puede realizar?

Esto no obsta para que, si por una casualidad el individuo de la calle se destaca y llega a representar algo, el hombre del mundo oficial se encargue de glorificarle y de incensarle.

Es evidente que el carácter utilita-

rio de la vida actual hace que el estudioso de hoy lo haga en gran parte como quien emprende un negocio, y que tanto el título como su reputación los emplee como armas de combate.

A esta mentalidad corresponde la idea de que parecer prácticamente es lo mismo que ser.

Hace unos cuarenta años, en Ginebra, en el café de la Corona, había un grupo de señores que se reunían en un par de mesas un día a la semana. Estos señores, la mayoría viejos, de aire modesto, formaban la Academia de Ciencias de la ciudad. Algunos de ellos eran conocidos en el mundo por sus trabajos científicos; pero el público del café no les prestaba la menor atención. Los miraba con una perfecta indiferencia.

Hoy, para la gente, una academia que tenga cierto grado de valor y de eficacia debe estar hecha a base de salones, de techos artesonados, de sillones de terciopelo, de criados con uniforme de lujo y de pompa. Si no, no cuenta.

Es el carácter de la época.

La cultura y la civilización no están hechas sólo a base de ciencia, sino también de moral, de política, de riqueza, de industria, de comunicaciones, de medios comerciales y de literatura y de arte.

En nuestro tiempo, todo lo mecánico ha progresado mucho. Se han acortado las distancias, se ha economizado el tiempo. El trabajo penoso va disminuyendo y la comodidad aumenta. Sin duda, esto no basta, porque, a pesar de haberse suavizado las condiciones de los oficios del hombre, el hombre no sólo no se ha dulcificado, sino que se ha hecho más agresivo.

Contemple el uno con entusiasmo las tradiciones antiguas, que se extasíe el otro en el porvenir, el hombre es un lobo para el hombre. La frase es de Plauto, y la repetiía Hobbes con frecuencia.

No hay perfección en él. Se mataba en el período paleolítico hace doscientos mil o trescientos mil años con una lanza o con una piedra; se mata hoy con una ametralladora o con una bomba desde un aeroplano.

¿Pasará siempre igual? No lo sabemos; pero todo hace pensar que sí.

Cabría una esperanza de que eso cambiara si los hombres se transformaran al sustituir una teoría mala y vengativa por otra buena y conciliadora; pero eso no ocurre. Primeramente, quitando alguna secta rara y cuyas teorías quizá no han sido bien comprendidas, como la de los fumadores de hachisch del Viejo de la Montaña y la de los *thügs* de Bengala, adoradores de la diosa de la Muerte, las religiones todas han preconizado la bondad, la caridad, etc.

En esto, lo mismo da el judaísmo, el cristianismo, el mahometismo, el budismo, el brahmanismo, etc. No hay religión que diga: «Matarás, robarás, odiarás a tu prójimo, considerarás a los demás como animales...»

Sin embargo, todas ellas dan soldados, sicarios y verdugos, y todas están empapadas en sangre desde la cabeza hasta los pies.

En las teorías laicas pasa igual. En ellas, en principio, no hay más que idilios. La República y la democracia no quieren más que realizar el derecho común.

No digamos el comunismo, el socialismo y el anarquismo. Aquí no se piensa más que en la felicidad de las gentes, en los débiles, en los niños, en las mujeres, en los viejos. Hay una piedad difusa por los hombres y hasta por los animales. Los mayores asesinos son dignos de compasión y de exquisitas atenciones.

Llegan esas doctrinas al pueblo, se intenta llevarlas a la práctica, e inmediatamente empieza a correr la sangre, y no hay más que muertes, incendios y horrores.

Casi se puede creer que la más benévola de las religiones es, al menos en la práctica, el Codigo penal. Yo lo pienso así sin idea de bromear. El Código rige del hombre normal para abajo. Si hubiera otro que rigiera del hombre normal para arriba, no había que pedir más.

Si los hombres podrán llegar a comprender que todas las utopías religiosas y sociales han sido hasta ahora inútiles para mejorar la Humanidad, es difícil saberlo.

Por ahora, al menos, nos han conducido a una encrucijada sin salida, a una época en donde el mundo es tan duro y tan sombrío como en los tiempos más remotos. La cultura, por ahora, no ha hecho más que intelectualizar el mal, quitarle su carácter áspero y bruto y hacerlo más refinado.

«Todas las aplicaciones de la ciencia no son beneficiosas—dice Broglie en *Materia y luz*—, y no es cierto que su desarrollo deba asegurar el progreso real de la Humanidad, porque este progreso depende mucho más, sin duda, de la elevación espiritual y moral del hombre que de las condiciones materiales de la vida.» Pero esta elevación, ¿quién la va a dar? Lo antiguo no lo ha dado y lo moderno tampoco. El hombre de hoy se diferencia del de la Edad de Piedra en que tiene más medios mecánicos; en lo demás, parece que en nada.

El hombre sigue siendo el mismo animal egoísta, salvaje y cobarde, que en épocas primitivas disfraza la crueldad con el nombre de valor y la cobardía con el de prudencia. Así ha sido siempre y así será, porque con todas las predicaciones de las religio-

LA MORAL PUBLICA Y LA INDIVIDUAL

Para las cuestiones humanas y muy generales no creo que haya especialista ni una clase de conocimiento técnico y científico. Todos los que piensan en estos asuntos los ven de una manera parecida, según sus tendencias e inclinaciones.

La maniobra del rey de Bélgica, que, por la falta de su palabra, ha producido la muerte de miles de soldados, que habían creído en él, pone en pie el problema de la diferencia entre la moral pública y la privada.

Mañana, los aliados tendrán en su mano al rey de Bélgica, que asume la responsabilidad de haber producido muertes y desastres, y le condenará a vivir en un hermoso palacio, y hasta quizá le den una magnífica renta.

Prácticamente, siempre se considera distinta la moral pública y la privada. En parte, es la fuerza de los hechos la que hace esta distinción. El dualismo existe ya en las religiones, que si de verdad han de ser realistas o materialistas como son, no tienen mucha razón de existir. Uno de los mandamientos de la ley de Dios, según el Antiguo Testamento, es no matar; pero se puede matar, según los religiosos, en tiempo de guerra. También está condenado el mentir y el robar; pero durante la guerra estas prácticas tan naturales al hombre son casi lícitas y se desinfectan con el olor de la pólvora.

Hay, evidentemente, una gran diferencia entre la moral privada y la pública. La moral privada existe porque tiene sanciones que se realizan.

nes, de la filantropía y de la moral no ha mejorado espiritualmente, y hay que presumir que no mejorará.

La moral pública no existe más que de una manera aleatoria, y cuando llega un conflicto armado desaparece.

Un aviador en tiempo de guerra se acerca a una ciudad o a un pueblo, bombardea casas y ametralla a las mujeres y a los chicos que huyen por los caminos; una patrulla roba todo cuanto encuentra; ni al aviador ni al jefe de la patrulla se les considera criminales, sino soldados con honor, a quienes la sociedad y la religión los tiene como personas dignas. Si esta lucha actual se representara simbólicamente en una lucha individual, ¿qué se diría de hombres que estuvieran esperando a ver si uno de los contendientes caía al suelo para echarse sobre él y darle en la cabeza con el tacón? Se diría que eran unos miserables; pero eso ya no significa nada en la actualidad, porque todas las vilezas y todas las mentiras se disfrazan con retórica patriótica. Toda esa inmoralidad, practicada por los países, ha producido a la larga el nihilismo en las ideas y principios del mundo. Ya no se cree en nada.

Yo no sé si Maquiavelo fue el primero que planteó con claridad y con honradez la miseria y la mentira de la moral pública. Expuso la inmoralidad profunda de las prácticas del Estado, y, considerándola imposible de remediar, la aceptó y la defendió. Hizo como el médico que aconseja, cuando la terapéutica corriente es inútil, el recurrir a la Cirugía.

Ante la exposición valiente de Maquiavelo, todos los hipócritas del mundo protestaron. Es siempre la táctica de ellos. El gran Federico, hombre de política turbia, atacó al escritor florentino por su inmoralidad. Escupe en el plato para dar asco a los demás, diría de él Voltaire. Todavía hoy se sigue la misma táctica, y los ministros de Mussolini han prohibido la lectura de las obras del secretario de la República de Florencia, cosa ridícula, porque estos italianos actuales no son más que discípulos vulgares y sin talento del autor de *El príncipe*.

¿Un Estado tiene que tener los escrúpulos de un juez que actúa en período de paz, o no los puede tener? No lo sabemos. Que no los tiene, es evidente; que a nosotros, los no políticos, nos parece que debía tenerlos, también lo es. La moral de los Estados en estos últimos años se ha venido abajo. El intento de la Sociedad de Naciones, de Ginebra, y el Instituto, o como se llame, de la Paz, de La Haya, han sido dos fracasos enormes. Los dos Centros fueron un receptáculo de falsos prestigios, de *bluff*, de pedantería, de reclamo periodístico, de lo peor de lo peor.

La moral privada, que es, sin duda, uno de los aspectos más importantes de la civilización, también ha bajado en nuestro tiempo.

Evidentemente, las religiones no han mejorado los instintos del hombre; casi se puede creer más bien que los han empeorado. La esencia cristiana, evangélica, es tan escasa en el catolicismo o protestantismo iberos, que se puede decir que es nula. No han conseguido nada tampoco la literatura y el arte. La ciencia, igualmente, ha sido estéril para ello. Tengo todavía fe en la ciencia. No se puede decir aún que haya fallado desde un punto de vista moral. Por ahora, evidentemente, no influye en las ideas de los hombres.

La ciencia es magnífica como construcción, magnífica como ahorradora de esfuerzo y de dolor de la Humanidad; pero no tiene eficacia alguna en mejora de la moral. Un país puede tener grandes ingenieros, grandes físicos, grandes químicos, y ser un país bárbaro. En nuestra época es indudable.

Parece evidente que la diferencia de eficacia, de práctica, entre la moral privada y la pública está principalmente en la sanción. La privada tiene sanción, el Código, la pena; y la pública no la tiene. Al criminal, por muy audaz y malicioso que sea, si se le prende se le castiga. Al Estado criminal no se le puede prender y castigar, a no ser que se le derrote en la guerra. Ahora la derrota no tiene nada que ver con la razón, ni con la honradez de las ideas, ni con la pureza de las costumbres, sino con la fuerza, con el número, con el armamento, con la inteligencia, con el arte de la técnica y de la estrategia. La victoria es un exponente de energía; pero no de la razón y de la moral.

Por otra parte, el Derecho no es nada si no se lleva a la práctica. Ese derecho perfecto de un Código o de una Constitución que no se practica jamás es una fantasía que da ganas de reír.

Los leguleyos y los juristas dicen que hay una ciencia del Derecho. No sabemos dónde se esconderá ésta. Al pensar que no hay tal cosa, no se pide que una ciencia social o política tenga caracteres de ciencia exacta, matemática o físico-química, no; pero una ciencia tiene que tener unos principios sólidos y admitidos por todos, y no se ve que el Derecho los tenga.

Por ejemplo, la métrica de los poetas o la fonética tienen poca importancia para la mayoría de los hombres; pero son, en parte, completamente científicas. El Derecho no lo es. Está entregado a todos los vientos y a todos los temporales. Es como si se dijera que hay una ciencia del amor o de la amistad.

Hay muchos a quienes basta que una materia sea importante para que la quieran considerar como ciencia. En los periódicos españoles ha corrido una frase de Menéndez y Pelayo, que yo no la he leído en el original, y que dice: «Uno de los triunfos de la ciencia española ha sido el dogma de la Purísima Concepción.»

¡Qué vacuidad! En el fondo, esto no es más que una frase de catequismo católico. Hay gente cándida que identifica el deseo con la realidad. Así, muchos se entusiasman con esas máximas de relumbrón de las religiones en donde se habla de la piedad y del amor al prójimo.

—¡Qué religión más hermosa esta del parsismo, o del budismo, o de cualquiera otra secta lejana!—nos asegura algún entusiasta cándido.

—Pues ¿por qué lo dice usted? —pregunta uno.

—Mire usted lo que dice: «No pegues a tu enemigo ni con la hoja de una flor.» «Antes de ponerte la capa, mira a tu alrededor si hay alguien que tenga frío; y si hay alguno, dásela.»

—Pero ¿hay quien cumple esas máximas entre los que practican esa religión?

—No.

—Pues entonces eso no vale nada. Es literatura. Es como los ejemplos del *Juanito* o de cualquier otro libro moralista para la infancia, en donde el niño rico da el pastel al pobre, o como ese cuento chino en el cual un muchacho constantemente azotado por una madre cruel, a quien, a pesar de ello, quiere, un día se presenta a una

persona llorando, y ésta le pregunta:

—¿Qué te pasa, niño chino? ¿Por qué lloras?

—Lloro porque temo que mi madre se esté poniendo enferma, porque no me pega ya con tanta fuerza como antes.

Todo ello es un poco cómico. No vale la pena de inventar en el papel paraísos, ángeles, ni niños chinos. Ya se sabe que por la persuasión ni las ostras se abren espontáneamente, ni los hombres se hacen juiciosos y buenas personas, ni los Gobiernos y los Estados respetan la personalidad de los pueblos más débiles.

Individual y colectivamente, no habría para defender la ética más que la sanción; individualmente existe, pero colectivamente, no. Hablar de la responsabilidad de un pueblo agresivo, ante la Historia o ante Dios, no tiene valor alguno. Ya los alemanes han asegurado que la historia objetiva e imparcial no existe. Respecto de Dios, los alemanes creen algo semejante, y están inclinados a pensar que el suyo, o algo parecido al suyo, Thor o Wotan, no tiene nada que ver con el del vecino. Su ideal de vida, su *Gemüt*, no tiene tampoco relación con el de los otros.

Puestas las cosas así, ya no hay más que la guerra, y la guerra sin tregua y sin piedad, sin posibilidad de convencimiento; la guerra a la alemana, o sea una carnicería terrible, sin ningún sentimiento caballeresco, bombardeando ciudades abiertas, matando mujeres y chicos, destruyendo hospitales, no haciendo caso de los tratados, etc.

Lo malo o lo peor que tienen los países de ideas brutales es que contagian a los otros que todavía conservan prácticas de honor y de dignidad humana y les obligan a seguirles y a emplear sus procedimientos.

Quizá los Estados directores tengan que decir con el tiempo:

—Todos los que estén conformes con nuestras ideas que vengan con nosotros. Les daremos nuestra nacionalidad, y en algunos casos, la posibilidad de vivir pequeña o grande.

Después quizá haya que formar grupos de pueblos liberales, de pueblos comunistas y de pueblos fascistas y hacerse la guerra hasta el exterminio. Esta puede ser que sea al último la solución pura: el mundo.

En esta guerra actual se lucha, de una parte, por la libertad definitiva de los hombres, y de otra, por su avasallamiento. ¿Qué pasará? Nadie lo sabe. El triunfo de los aliados será volver a la vida. Lo contrario sería una noche pesada, la somnolencia. La confabulación del absolutismo viejo con la pedantería siniestra e inhumana del comunismo hacia la unión de todas las fuerzas demoníacas del mundo, dirigidas por la barbarie del mogol y la crueldad del semita.

Mejor que presenciar esto, vale más morirse en un rincón.

BARBARIE Y CULTURA

Escribí hace años unas *Divagaciones sobre la cultura*, en las cuales intentaba explicar de una manera sociológica el sentido de la idea de la civilización y sus distintas formas. Ahora se me ocurre hablar de la misma materia apoyándome en datos filológicos, aunque yo no sepa nada de filología y no sea en estas cuestiones ni siquiera aficionado. Se ve que el estudio de las palabras da cierta claridad a su significación. Comparar las palabras *bárbaro* y *barbarie* con sus antagónicas *civilización* y *cultura*, ver sus orígenes mutuos, es una tarea sugestiva y aclaratoria.

La palabra *bárbaro* parece que es antiquísima y que tiene una persistencia extraordinaria. Los filólogos aseguran que es un vocablo imitativo.

Estrabón cree que es una onomatopeya que se aplicó a aquellos a quienes los griegos no entendían por hablar como balbuciendo. En sánscrito, *barbara* o *varvara* designa el ruido de las armas; *varvari* es la abeja que zumba, y *barbara*, un idiota o un loco de hablar ininteligible.

Los especialistas han encontrado esta palabra formada por reduplicación en dialectos del sánscrito, en el persa, en el griego, en el lituano, etc. También se encuentra en el árabe. *Bereber* es la misma palabra que *bárbaro*. Bereber viene de una raíz árabe que quiere decir tartamudear. Los bereberes, que se llaman a sí mismos *imazin* (hijos de Mazir o amazigas), los árabes los han considerado como habladores torpes; es decir, como bárbaros, como bereberes. Así que bereberes no es una raza, como se ha creído, ni mucho menos, sino una forma de hablar de gente tosca. Se sabía hace tiempo que la palabra *bárbaro* venía de la reduplicación de una voz asiria; pero actualmente se cree que esta voz reduplicada no es asiria, o sea semítica, sino sumeria, es decir, aria o turania, pero no semítica.

En lenguaje sumerio, al lobo se le llamaba *Ur-vara*; pero, al mismo tiempo, los *Ur-vara* eran los pueblos *wari*, medio iranios, cuyo dios era el lobo. No se sabe si los *wari* tenían alguna relación con los lidios, pueblo, según algunos, semita; según otros, frigio o tracio, de origen ario.

Los lidios consideraban también animal sagrado al lobo, como probablemente lo consideraban los itálicos, a juzgar por la loba que amamantaba a Rómulo y Remo. La igualdad en el totem hace pensar en una cierta comunidad de origen.

En la palabra *vara*, reduplicada en *var-var*, los sumerios o caldeos comprendían al lobo, al merodeador y al hombre que ronda el poblado.

Es curioso que, al cabo de miles de años, en España se haya comenzado a usar la palabra *golfo* con un sentido de merodeador y de bárbaro, palabra que puede proceder del alemán *wolf* (lobo).

También es curioso que la voz sumeria en algunos idiomas persista con su antiguo sonido. Así, en germano existe la palabra *warou* y en francés hay el *loup garou*, que es un lobo fantasma, el coco para los chicos. El nombre de éste en francés es una repetición de la palabra en dos idiomas, pues se encuentra en él la forma latina *loup*, del latín *lupus*, y la forma germánica *warou*, de origen caldeo.

Por lo que se dice, en el sumerio el plural se hace por reduplicación. Así, *kur* es tierra y *kur-kur* tierras, como *var* es bárbaro y *var-var* bárbaros.

El que la palabra se encuentre en los idiomas arios y en los semíticos, para muchos es prueba de que ha habido en épocas históricas más relaciones que lo que se ha pensado entre ambas ramas lingüísticas. Según algunos, en esos lenguajes las diferencias son muy grandes y fundamentales cuando se encuentran en un alto grado de evolución; pero no lo son cuando se hallan en estado primitivo. Es decir, que las raíces son próximas, aunque el tronco y las ramas no lo sean.

Así parece que en el caldeo y en el tokario, lenguas arias las dos, se encuentran formas de articulación muy próximas a las de los idiomas semíticos, formas que se van separando cada vez más a medida que los lenguajes se desarrollan.

El sumerio es un pueblo de origen oscuro, del que habla la Biblia, que se estableció en el valle bajo del Eufrates, cerca del golfo Pérsico, y que creó una gran civilización a base, sobre todo, de la ciudad de Ur.

Algunos relacionan étnicamente los sumerios con los vascos.

El pueblo tokario se encuentra en el Asia Central, en el Turquestán. Este pueblo se halla próximo a los antiguos mercados de la seda, que tenían una ruta señalada que iba desde el Mediterráneo oriental hasta el mar de la China y que la recorrió Marco Polo al atravesar todo el continente asiático.

Los comerciantes griegos, chinos y asirios frecuentaban con sus caravanas ese camino.

El tokario es una lengua indoeuropea, extraña al grupo iranio, de la cual se han encontrado textos en Turgan y en Kucha.

Estos textos son del libro de un antiguo peregrino que los tradujo del sánscrito. En ellos se advierten formas gramaticales de estructura semítica. El pueblo tokario parece que estuvo relacionado con los indogermanos de la Bactriana y con los turanios del Imperio sumerio o caldeo, lo que explica los sedimentos culturales y lingüísticos en los tokarios de influencias tan lejanas.

El pueblo de Tukara (Tu-ko-lo), según el peregrino budista Hiuen Tsang, estaba dividido en veintisiete estados, quizá cada uno semiindependiente.

Aceptada en casi todos los idiomas la palabra *bárbaro* y después *babarie*, toma varias acepciones. En Egipto, según Herodoto, trataban de bárbaros a todos los que no hablaban su lengua. Los griegos hacían lo mismo, y Aristófanes, en *Los pájaros*, dice que estas aves eran bárbaras antes que supieran hablar. Ovidio dice en *Las tristes*, durante su destierro:

Barbarus hic ego sum, quia non intelligor ulli. (Aquí el bárbaro soy yo, porque soy el que no entiende.)

La barbarie era principalmente esto: no comprender.

Entre los griegos, el bárbaro era el que no hablaba su idioma. *Pas me Ellen barbaros*, dice Serbio. (El que no es heleno es bárbaro.) Y la frase popular *Ellenes kai barbari* significa lo mismo.

En Grecia existía una diferencia entre bárbaros, yavanos y metecos. El bárbaro era el que no entendía el idioma; el yavano, un rústico del Lejano Occidente, y el meteco, el recién llegado. Entre los romanos, el bárbaro era el que no hablaba griego o latín.

Después de las guerras de los persas, el bárbaro tomó el significado de cruel. En Roma, donde durante mucho tiempo, como en Grecia, la palabra era sólo sinónima de extranjero, empezo a aplicarse más especialmente al conjunto de los pueblos que se establecieron al Norte y que acabaron por invadir y destruir el Imperio.

El mundo romano identificaba la civilización con la cultura grecolatina. Bárbaro equivalía a no civilizado. Era la distinción fundamental del Universo conocido en el momento en que se producía la invasión. En el siglo IV, el Imperio estaba rodeado de bárbaros. Al Norte, germanos, escandinavos, finlandeses, mogoles, tártaros; al Sur, mauritanos, númidas, bereberes, etíopes, tripolitanos, árabes.

Los hombres rústicos vestidos de pieles ocupaban campos y ciudades de la península Itálica y tenían dominada y cautiva a Roma:

Ipsa satellitibus pellitis Roma patebat et cativa priusquam caperetur, erat.

Rodeado por esta cintura amenazadora, el pueblo romano forjó el tipo del enemigo, es decir, del bárbaro, y lo vio fiero, cruel, arrojado, temerario, insensible, tosco y grosero.

Sin embargo, los informes literarios sobre estos peligrosos vecinos no eran tan malos como el popular, y leyendo *De bello gallico*, de César, y el *De situ, moribus et populis Germaniæ*, de Tácito, no se tiene tan mala opinión de ellos.

Como se ha dicho, la palabra *bárbaro* es una palabra antiquísima: tiene probablemente más de tres mil años de existencia; en cambio, los términos antónimos de esa palabra, como culto civilizado, son de una modernidad extraordinaria. Es curioso que se inventara la palabra negativa antes que la positiva, y existiendo la idea de la no cultura, de la no civilización, no haya existido al mismo tiempo la de civilización y cultura.

La palabra *cultura* es de origen latino; pero no se emplea en el sentido actual hasta el siglo XVIII. Herder, en Alemania, es el primero que la generaliza. La idea de cultura proviene de la concepción intelectual y filosófica del mundo, que en oposición con la concepción teológica busca la razón de la vida en la vida misma. La teología es de índole trascendental; el vivir, según ella, tiene una finalidad fuera de sí mismo. Se vive para alcanzar la gloria eterna. En cambio, la cultura es inmanente. La vida, para ella, es su principio y su fin.

Cultura, actualmente, es una palabra de sabor germánico. *Civilización*, en cambio, tiene un aire más latino.

Fue Turgot el que empleó primeramente esta voz.

En España, en el siglo XVIII, los economistas y filósofos al estilo de Jovellanos, que vivían en un medio ambiente estrecho y limitado, emplearon los términos más superficiales de *adelanto, ilustración, buen gusto*. Un concepto parecido es el que privó entre los alemanes cuando llamaron a la época culta *Aufklarung*, o sea tiempo de las luces.

Todas esas palabras van tomando por días una significación más clara. La cultura se refiere a la ciencia, al saber: la civilización, a la ética y a las relaciones sociales; el adelanto, al progreso material; el buen gusto, a la estética. Ni en la ética ni en la estética se aprecia una posibilidad de desarrollo; casi se puede decir que están dentro de la historia pasada y muerta; el adelanto depende de la cultura científica.

Hay que poner, pues, entre los problemas vitales, y a la cabeza de ellos, el problema de la cultura. La cultura ha tomado estos últimos años, sobre todo entre los alemanes, un aire místico.

¿Qué debe buscar la cultura? La cultura es por su esencia inmanente, busca su esencia en sí misma. Todas las tendencias trascendentales están fuera de ella. Desde ese punto de vista, hay varias direcciones. Los unos quieren por la cultura encontrar la felicidad, la dicha del hombre; los otros, su perfección intelectual y moral; otros más, la intensificación de la vida.

A los primeros se los puede llamar utilitarios; a los segundos, intelectualistas; a los últimos, vitalistas. Las tres aspiraciones podían estar representadas en la filosofía moderna por Bacon, Kant y Niezsche. La primera tendencia, la utilitaria, sería la más pobre; la intelectual, la más heroica y ascética; la vitalista, la más arrebatada y dionisíaca.

A medida que pasa el tiempo, la cultura es inabordable en su totalidad. El bosque es demasiado grande y complicado para estudiarlo en conjunto. Por tanto, el hombre se pregunta: «¿Qué es mejor: el diletantismo o la especialización? ¿La masa puede y debe ser culta, o la cultura es propia de una minoría?» No cabe duda que la idea de la cultura intensa conduce al aristocratismo, no a un aristocratismo vulgar de títulos decorativos y de riqueza, sino a otro de los elevados, de los elegidos, de los aristarcos.

Modernamente, de la cultura se quiere hacer un instrumento del Estado, desviándola de su carácter universal y puramente humano.

El porvenir de la cultura no va más allá del porvenir del hombre.

Las variedades étnicas influyen evidentemente en la cultura y le dan un carácter específico, aunque no muy claro. Hay dos luchas culturales, rivalidad entre los países sobre puntos de Física o de Medicina. Estas luchas se aumentan al tratarse de Historia, de Filología, de literatura, porque las consecuencias ensalzan o deprimen el orgullo nacional.

En principio, se puede y se debe suponer que hay países más aptos que otros para la labor cultural. Gobineau y sus discípulos, Vacher de Lapouge, Ammon, H. S. Chamberlain y Günther, han afirmado que la raza germánica es la raza superior en ese aspecto. Evidentemente, en algunas manifestaciones de la época moderna, por ejemplo, en Filosofía y en música, lo es. En otras, no tanto. Esta idea ha hecho ya, desde hace mucho tiempo, que se comparen los caracteres de la cultura germánica y de la latina, rivales en Europa y en América, con cierta malevolencia.

Si en los germanos entran los anglosajones, como pensaba Carlyle, los germanos llevan la palma en nuestra época. Lo tienen todo o casi todo: filosofía, música, ciencia, literatura. Los latinos viven más del pasado glorioso.

Los franceses han querido afirmar que el pensamiento germánico es algo pesado y sin gracia; puramente trabajo y paciencia; que no hay en él claridad, genio ni gracia. La cosa es absurda.

Pensar en Shakespeare o en Mozart escribiendo sus obras premiosamente, consultando papeletas como un profesor de liceo, es risible.

Otros han hablado de la oscuridad germánica. Yo creo que ésta tampoco existe. Lo que sucede es que los alemanes tienen una mentalidad que, aceptando el calificativo de Spengler, se puede llamar fáustica; mentalidad que quiere abarcar las líneas generales y los detalles. Todo en todo, como decían los románticos hegelianos.

Para el que tiene un criterio pedagógico y escolar, el hombre de todo en todo es un hombre abstruso, que vive en la oscuridad de las cumbres cimerianas, como decía Goethe.

Entre los dos topes del Bárbaro y del Civilizado, de Barbarie y Cultura, está casi toda la historia del mundo. Los bárbaros, que empiezan a agitarse empujados por los hunos y se derraman en el Imperio romano, construyen la Europa moderna, que perdura todavía. Es probable que esa reserva de pueblos primitivos, de bárbaros colocados en los confines de un país, fue lo que produjo la posibilidad de su renovación. Esto ha sucedido en la Historia.

Actualmente, ya en todo el mundo esa reserva humana de los bárbaros desaparece. El país que decae no encuentra un pueblo próximo sano y fuerte que lo invada y le inyecte la energía que le falta. ¿Qué pueblo hay fuerte? Todo eso parece metafísica sin valor.

Frobenius, el etnógrafo, que acaba de morir, creía que esa misión de salvación estaba hoy reservada a los pueblos negros, que tienen, según él, más juventud, más espontaneidad y más humanidad que los blancos. La idea parece un tanto utópica y poco probable, y, por otra parte, la profecía es tan lejana, que nadie puede comprobar su exactitud o su inexactitud.

SEMBRADORES DE DUDAS

Yo nunca me he puesto a leer libros impulsado por el consejo de los críticos. Las obras elogiadas y cantadas en varios tonos no me dan ganas de leerlas. En la elección de las lecturas me he entregado siempre a la casualidad. Como estoy pocas veces conforme con la opinión general de la crítica, no atiendo a sus recomendaciones. Hasta hace veinte años no había oído hablar del *Diccionario histórico-crítico*, de Bayle. Encontré esta obra en Madrid en un puesto de libros viejos colocados en un pasadizo estrecho que sale a la calle Mayor y que es o era continuación de la calle de la Fresa.

El ejemplar, por lo que se decía en una nota, había sido de un Llorente, no sé si de don Juan Antonio, el autor de la *Historia de la Inquisición española*, o de don Alejandro, político conservador e individuo de la Academia de la Lengua. En la primera página había copiados unos versos antiguos en honor del autor. La edición era en cuatro tomos en folio, impresa en Rotterdam a principios del siglo XVIII.

Este libro me hizo comprender que tengo una gran afición a las compilaciones, centones, misceláneas, etc. Tal clase de obras, a veces con títulos sugestivos, como *De subtilitate*, de Cardán; *Silva de varia lección*, de Pedro de Mejía; *Diálogos de apacible entretenimiento*, de Hidalgo, y *Teatro crítico*, del padre Feijoo, me gustan. Hay un *Jardín de flores curiosas*, de Antonio de Torquemada, selección de fantasías y de consejas que aprovechó Cervantes en varias obras y de la cual habló pésimamente en *Don Quijote*, que a mí me parece divertidísima.

Entre tal clase de compilaciones, una de las más importantes es el *Diccionario*, de Bayle. A mí me sucede un fenómeno que no sé si es raro o frecuente. Una novela corta de Chateaubriand o de Flaubert me cansa, no la puedo soportar, a pesar de sus perfecciones; en cambio, un *Diccionario* como el de Bayle, en cuatro tomos en folio, gruesos, me entretiene.

Pedro Bayle era un meridional francés, protestante de origen, tornadizo y versátil. Había nacido en Carlat, hacia el condado de Foix, de un ministro calvinista, en 1647. En 1669 se convirtió al catolicismo con los jesuitas. Diecisiete meses después abandonaba el catolicismo. Considerado como relapso, tuvo que abandonar Francia a los veintitrés años. Fue preceptor en Coppet (Suiza), en casa de un aristócrata; luego, profesor de Filosofía en Sedán. Suprimida la Facultad en este pueblo, se trasladó a Rotterdam y no salió de allí, donde vivió definitivamente, publicó todos sus libros y murió en 1706.

Por sus retratos, Bayle parece un tipo borroso, sin nada de particular: cabeza redonda, ojos brillantes, melenas largas, vitola entre clérigo y laico.

Espiritualmente era hombre tranquilo, modesto, sin ambición, erudito insaciable, indiferente a la gloria literaria. Había suprimido todas las complicaciones de la vida y no le gustaba el bregar con las dificultades domésticas ni con los contratiempos.

Huía de las fiestas, del ruido, como un verdadero sabio.

Era profesor, editor, periodista, historiador y, sobre todo, compilador. Lo que le gustaba era leer, escribir, tomar notas, pesar el pro y el contra de las teorías, imprimir y corregir sus pruebas. Lo característico suyo era la tolerancia. Tenía horror por todos los fanatismos. Cuando se trataba de asuntos graves, él, según decía, no era un dogmatizador, sino sólo un narrador. No desperdiciaba nada, todo lo aceptaba y lo utilizaba. Pensaba que los detalles tenían gran valor. Le gustaban la abundancia, el desorden, las disgresiones interminables y las anécdotas. Se parecía a los eruditos del siglo XVI.

Creía que todo es posible, que nada es seguro, en lo que me parece que estaba en lo cierto. El espíritu humano se le presentaba como algo muy alocado y caprichoso. Era hombre de gran probidad intelectual, sin lugares comunes, sin dogmas, sin prejuicios.

No creía en las leyes históricas. ¿Qué leyes puede haber en la Historia? A no ser que las leyes sean el capricho o la casualidad, no hay leyes.

¿Qué sabemos del mundo y de la vida? Sobre todo de la esencia de las cosas no sabemos nada. Probablemente, nunca se sabrá nada. *Ignoramus ignorabimus*. De la Historia conocemos poca cosa, y no hay en ella más que hipótesis que no están demostradas. Los acontecimientos pasan por delante de nosotros como máscaras con su antifaz. La Historia es como una novela y seguirá siendo, y la verdad histórica no tiene ningún valor. Así se puede, ante un acontecimiento y ante un personaje, tomar toda clase de posiciones y exaltarle o denigrarle, negar la realidad de sus manifestaciones y hasta su existencia, si es antiguo.

Bayle no defendía ningún sistema filosófico o histórico.

El mismo aseguraba que su *Diccionario* era una compilación informe de pasajes, unos a la cola de otros.

Para tener elementos de juicio y una opinión acerca de los grandes hombres, había que conocer, según él, todos los detalles posibles de su vida. Cuanto más, mejor.

La nota de Bayle era la prudencia dentro de la imprudencia. Ponía un explosivo al lado del otro, pero luego los separaba y los aislaba con mucho cuidado. Hoy unos le hubieran tomado por un conservador y otros por un anarquista. El buen Bayle no quiere afirmar por principios nada exagerado ni excesivo. Siempre emplea fórmulas de éstas: «Se dice...», «Algunas personas aseguran...», «Quizá se podrá creer...»

«Soy —indica— un filósofo sin terquedad, que contempla a Aristóteles o a Epicuro como a inventores de conjeturas, que se pueden seguir o dejar, según que se quiera buscar esta o la otra clase de entretenimiento.»

¡Entretenimiento!

Una afirmación así tenía que parecer a los dogmáticos una verdadera blasfemia.

¡Hablar de filosofía y de entretenimiento! ¡Qué cinismo!

Bayle no creía que hubiese ninguna idea que mereciera que se sostenga con sangre. Para él, el respeto a la conciencia individual debía

ser sagrado. La sangre, la vida de las personas, le parecían más importantes que las afirmaciones dogmáticas.

Tal idea no era consecuencia de que creyese que el hombre fuese muy respetable ni muy bueno.

Por el contrario, aseguraba firmemente la maldad humana: «El hombre —decía— es un animal incorregible, tan malo ahora como en los primeros siglos.»

A pesar de ello creía con fe que la presión social debía respetar siempre la vida de las personas.

Esta actitud relativista y agnóstica ha sido de gente civilizada; la tenían los antiguos filósofos griegos y romanos, y naufragó en Europa con la entrada del semitismo en forma cristiana, y en nuestro tiempo está hundiéndose, también con el semitismo, en forma comunista. Bayle tenía un gran amor por la verdad.

«No hay prescripción contra la verdad —afirmaba—. Los errores, por ser viejos, no son mejores.»

El pensaba, seguramente, como Volney, en cuyo libro *Las ruinas de Palmira* —que cuando éramos chicos, en el Instinto, mirábamos como obra prohibida— leíamos esta frase, que nos parecía terrible: «El principio de la sabiduría es el saber dudar.»

Bayle es un espíritu de crítica y de contradicción. Muchas páginas de su obra tienen dos líneas de texto con letras grandes, y todo lo demás, con comentarios y notas sobre los comentarios, en letra minúscula. Basta que diga él mismo que un personaje nació en un punto y en tal tiempo, para que en la nota diga que un dato y el otro están discutidos y negados por tales y cuales autores.

El pro y el contra de una cuestión es lo que apasiona a Bayle. Nada de afirmaciones, nada de dogmas.

Para él, todo es ilusorio. Aunque no

tanto como para Berkeley. La belleza no es más que un juego de la imaginación —asegura—, que cambia según los países y según los siglos.

No cree tampoco en el estilo. «Mi estilo —dice— es bastante descuidado; no está exento de términos impropios y que envejecen, ni quizá de barbarismos. Yo, en esto, no tengo escrúpulos; pero soy escrupuloso, hasta la superstición, en otras cosas más fatigosas.

Bayle divaga con un tono algo parecido a Montaigne, con menos gracia y con menos talento literario. Montaigne busca el hombre de siempre, con sus pasiones y sus pequeñeces, en sí mismo y en los autores clásicos. Bayle lo busca, sobre todo, en la Historia. Bayle, como tipo, era un pirenaico puro; Montaigne también lo era, pero se afirma que tenía un elemento extraño, semítico. Este elemento le venía de su madre, Antonieta de Louppes. Se dice que estos Louppes eran López españoles, como una razón de judaísmo. López es un patronímico, que quiere decir hijo de Lupo o de Lope, y el tal patronímico lo usaron indistintamente en España, en la Edad Media, cristianos y judíos. Si no hay más datos que éste, no se puede asegurar que la madre de Montaigne fuera judía.

Algunos quieren encontrar en esta mezcla étnica las características espirituales de Montaigne, su prudencia en la expresión, su agilidad de pensamiento y la rapidez de asimilación. Esto es pura fantasía. Todavía no está asimilada una forma de espíritu a una raza.

Montaigne pudo vivir en su castillo, en donde tenía su biblioteca con los libros que compró él y con los que le dejó un amigo entrañable, La Boétie. No fue nunca perseguido, como lo fue Bayle. Montaigne leía los clá-

sicos, sobre todo a Plutarco y a Séneca, para extraer pensamientos y sentencias y llegar al conocimiento del hombre en general, y como el hombre, según él, es ondulante y diverso por esencia, tenía mucho que estudiar; Bayle sacaba a relucir los documentos antiguos para tomar datos, aunque fueran contradictorios.

Montaigne escucha la voz de la filosofía cuando se dedica al estudio del hombre. Entonces hace una buena obra, según él. Cuando ella se entrega a especulaciones temerarias, la abandona. Aquí se nota la cabeza poco metafísica del francés. Bayle aprovecha todo lo que encuentra.

El arte de la composición de la prosa no le interesaba a Montaigne, como no le interesaba a Bayle. Montaigne no es un estilista; pero es un hombre que sabe decir las cosas muy bien. Sobre su fondo de cultura latina tiene ingenuidad y al mismo tiempo malicia. No compone el párrafo con una norma, porque comprende por instinto que el párrafo elocuente es monótono y campanudo, y que hay ideas e impresiones que se expresan mejor en una prosa amorfa y sin huesos, que en otra con columna vertebral y corsé. A Bayle le basta expresar y fijar un hecho de cualquier modo.

Montaigne y Bayle: estos dos sembradores de dudas, evidentemente, se completan. El uno es más artista, el otro es más erudito.

Buffon asegura que la poca brillantez de la prosa de Bayle hacía que en su tiempo la gente se contentara con hojear su *Diccionario histórico* para documentarse, sin leerle. Pero es lícito preguntarse: «¿Y quién lee hoy a Buffon, a pesar de que se asegura que era un buen escritor?» En Francia quizá lo lea alguno; fuera de

Francia, nadie. Puede que se lea más a Bayle.

De Buffon hay la teoría de que los escritores perduran no por sus pensamientos ni por sus condiciones psicológicas, sino por su forma. Flaubert creía, al parecer, lo mismo, y, por otro lado, se asombraba, en su *Correspondencia*, de que todos los grandes escritores escribieran mal, según los retóricos. Es decir, que, para éstos, Shakespeare, Cervantes, Rabelais, Montaigne, Balzac, Dickens, Stendhal,

Dostoyevski y otros muchos son grandes escritores que escriben mal, lo que es evidentemente bastante cómico.

No los escritores retóricos y menos los elocuentes y los doctrinarios, pero los agnósticos de todas clases, epicúreos y pirronianos, discípulos de Diógenes o de Protágoras, kantianos y berkelianos, gentes para quienes la duda es una buena almohada para reposar la cabeza, deben mirar a Bayle como un buen compadre, que ha trabajado por su causa.

EL ARIO Y SU CRANEO

Es curiosa la existencia y la importancia de la palabra *ario*, cuando su significado étnico ha decaído de tal manera que para los etnógrafos y antropólogos casi no tiene contenido alguno. La voz subsiste por valores políticos más que por realidades científicas.

Como se sabe, el arianismo comenzó cuando los lingüistas se dieron cuenta de que casi todos los idiomas europeos tenían un origen común, un aire de familia marcado. Esta fue la obra de Bopp, el fundador de la Gramática comparada. Entonces se creyó que una misma raza, hablando un mismo idioma, había aparecido en épocas lejanas en una comarca del Asia, y que esta raza se había derramado por la India y por Europa; por la India, poblada de gentes oscuras, y por la Europa, deshabitada. Era a principios del siglo XIX, época del monogenismo, y se quería creer que la Humanidad y los grandes pueblos debían nacer en un mismo punto, en Asia. Esto último no tardó en verse que era falso, porque Europa, en el período que los prehistoriadores llaman neolítico, no sólo no estaba deshabitada, sino poblada hacía miles de años por pueblos diversos y antiguos: los paleolíticos.

El arianismo tuvo grandes cantores un poco ridículos y produjo extraños entusiasmos. Ario quería decir el señor, el noble, y los arios eran los fieles, los amigos, los excelentes, los respetables. Estos nombres elogiosos que se dan los pueblos a sí mismos no tienen mucha importancia. Los filólogos dicen que la voz *arya* deriva de la raíz que da en sánscrito *aryaman*, amigo; *aryaka*, venerable, y *aryata*, conducta honrada.

Se buscó el ario como idioma originario; no se encontraron más que tres ramas de esta supuesta lengua primitiva: el sánscrito, el zend y el persa. No hay un lenguaje protoario; por lo menos no quedan vestigios de él. El mismo sánscrito es una lengua reconstruida. El védico parece que es más auténtico, al menos como lengua literaria. Después se quiso buscar un pueblo especial que hablara el idioma primitivo y localizarlo en un punto. Ello fue aún más difícil. No se ha podido conseguir tal objeto. De aquí que muchos etnógrafos, entre ellos Déchelette, consideren que el concepto de ario es exclusivamente lingüístico y que no debe entrar para nada en la etnografía.

Antes que el mito ario cayera en un período de descomposición y de crítica tuvo época de grandes fervores. Gobineau fue el primero que cantó literariamente las excelencias de una raza aún pura. Esta raza tenía, según él, una virtud radiactiva, y estaba representada por los alemanes y los escandinavos. Después hubo antropólogos y científicos que compartieron el mismo criterio, y, pasado algún tiempo, se destacó el francés Vacher de Lapouge con su libro agrio, apasionado y elocuente, *El ario y su papel social* (1899). Este profesor de Montpellier se había hecho adepto del alemán Ammon, que, a juzgar por su nombre, debía de ser judío, y que había fundado la antroposociología. Lapouge exaltaba al ario, al que consideraba alto, rubio, de cabeza alargada, decidido, emprendedor, enfrente del hombre alpino, pequeño, moreno, de cabeza redonda, rutinario y tímido.

Luego fue Houston S. Chamberlain, en sus *Fundamentos del siglo XIX*, el que se encargó del panegírico del ario, que, según él, no era sólo el tipo escandinavo de Gobineau, sino que abarcaba los tres elementos que se pueden encontrar en Alemania: el céltico, el germano y el eslavo. Chamberlain no era un exaltado como Lapouge, sino un patriota alemán, a pesar de ser inglés de origen, y un hombre al servicio del Imperio del kaiser Guillermo II.

Después vinieron las críticas de estas diversas teorías. Salomón Reinach aseguró que la hipótesis de un tipo físico especial de los propagadores de las lenguas arias era una pura novela. Taylor (Isaac) sostuvo la tesis de que los arios tenían caracteres pareci-

dos a los fineses mogoloides, y que su cuna era el sur y el este de Rusia. Sergi suponía que los arios formaban una raza braquicéfala (de cabeza ancha) llegada de Asia, que había influido en los nórticos y mediterráneos de Europa, y otro profesor italiano, Michelli, pensaba que lo que se llaman pueblos arios o indoeuropeos eran producto de una combinación lenta en la Europa central y oriental, en la época neolítica, de diversas razas europeas primitivas. Es lo que parece más probable.

Después ha seguido el debate, y al último la palabra *ario* se ha convertido en una palabra política de combate.

En su aspecto científico, al querer asignar al tipo ario caracteres determinados, se han expuesto hipótesis y teorías muy curiosas.

Para Ammon y Vacher de Lapouge, el ario era el germano del Norte, alto, dolicocéfalo (cráneo largo), rubio, de ojos azules; para otros, era el celta, el *homo alpinus*, más bajo, juanetudo y braquicéfalo (cráneo ancho); otros suponían que era el mediterráneo, pequeño, dolicocéfalo, moreno y quizá procedente del norte de Africa.

En estas opiniones influía el que muchos etnógrafos e historiadores empezaban a creer que el llamado tipo indogermánico no era de origen asiático, sino de origen europeo. Según unos, se había formado a orillas del Báltico, y según otros, del Danubio.

Algunos, sobre todo los historiadores, pensaron que existió, si no una raza, una nación aria, de la cual han hablado Herodoto y Tolomeo. Este pueblo, originario de la Bactriana, habría ido a la India y suplantado a las razas de color. Una parte emigraría al occidente de Europa, que les debería la industria de la piedra pulimentada, después la del bronce y el idioma.

Desde el punto de vista anatómico y etnográfico, la raza del Norte, escandinava e inglesa, tiene rasgos comunes con la mediterránea, y las dos con la primitiva de Cromagnon; así que pudiera ser muy bien que el ario fuese exclusivamente lo que se llamó primero el celta y luego el hombre alpino; es decir, una raza de estatura relativamente baja, de cabeza redonda y de aire mogoloide, que ocupó el centro de Europa, que constituyó 'la civilización lacustre de los palafitos, que vino del Asia por las estepas de Rusia y por el Danubio, y formó el fondo étnico de Francia, de Alemania, de Suiza, de Bélgica y de parte del norte de España y de Italia.

Esta es una hipótesis como cualquiera otra. De todas maneras, no se puede asegurar que el ario, si existe, o si ha existido, sea un tipo de esta clase o de la otra. Tampoco se puede decir que haya en Asia o en Europa un territorio en el que se noten indicios de haber estado poblado por una raza protoaria, con un lenguaje también protoario.

La mayoría de los antropólogos supone que la raza nórtica europea se ha tenido que formar en regiones frías y húmedas, en una lucha constante con la Naturaleza. No es posible entonces que estos nórticos sean los arios venidos de países templados del Asia. No puede corresponder su tipo a los escandinavos, porque en época neolítica Escandinavia estaba cubierta de hielos. Tampoco se acomodan sus caracteres a las gentes nacidas en el Turquestán o en la Rusia meridional.

Europa entera, en el período paleolítico, era casi en su totalidad dolicocéfala. Los arios o indogermanos, que aparecieron, según el etnógrafo Kossinna, en las comarcas danubianas y en Francia, debían ser los braquicéfalos.

Kossinna supone que las poblaciones del norte de Europa no vienen del Asia, sino que son descendientes de los hombres paleolíticos del suroeste europeo, de la raza de Cromagnon y de Combe-Capelle. Si fuera así, los hombres del suroeste europeo serían un lazo de unión entre el tipo del Norte y el del Mediterráneo, y, probablemente, el descendiente de ese hombre, que fue el intermediario, sería el vasco actual, que tiene rasgos de los dos: del nórtico y del meridional.

Un diplomático paisano mío que estuvo en Noruega y que había hablado con el rey de este país, me dijo que le había oído decir al monarca:

—Los vascos son como nuestros vikingos. Yo los encuentro iguales.

Estas son cuestiones que no se puede insistir en ellas porque no terminan en nada definitivo.

Como Ammon, Vacher de Lapouge y sus discípulos tenían una idea mística del ario indogermano, quisieron rodearlo de excelencias y de superioridades. Una de estas excelencias era la dolicocefalia (la cabeza alargada).

Un hombre ilustre como Virchow había creído que la braquicefalia (las cabezas redondas) era una marca de civilización, y que la dolicocefalia como supervivencia de salvajismo iría desapareciendo a medida que el mundo fuera progresando. Para esto se fundaba, sin duda, en que todas las grandes ciudades europeas (París, Berlín, Viena, Milán) tenían un sedimento braquicéfalo. Pero ¿iba a negar Virchow la civilización a Inglaterra, a los países escandinavos, a Alemania del Norte, a Italia y a España?

En contra de esta teoría, los antroposociólogos afirmaron lo contraria:

la dolicocefalía era una superioridad.

Según las observaciones de Ammon sobre los reclutas, había más dolicocéfalos en las urbes que en los distritos rurales. En Heidelberg, ciudad, 37,5 por 100 de dólicos; en Heidelberg, campo, 17 por 100; en Calsruhe, ciudad, 33 por 100; en Calsruhe, campo, 13 por 100.

Lo mismo que en los reclutas, en los habitantes de la ciudad hay, según los investigadores, siempre más dolicocéfalos que en el campo. Es necesario exceptuar en las estadísticas los países como Inglaterra y España, que son casi exclusivamente dolicocéfalos.

Ese contraste de la ciudad dolicocéfala y del campo braquicéfalo parece demostrar que el dolicocéfalo es más civilizado que el braquicéfalo. El mismo caso se da con relación a otras circunstancias. Con respecto a la altura, los dólicos se dan en las zonas bajas de poca altura; los braqui, en las zonas altas; los dólicos, al lado del mar y de los ríos, de comerciantes y de industriales; los braqui, en las altas mesetas, de agricultores y de pastores. Con relación a la riqueza, pasa algo paralelo: entre los ricos, más dolicocéfalos; entre los pobres, más braquicéfalos.

En la emigración, un caso semejante. El dolicocéfalo emigra; el braquicéfalo, no.

En la ciudad, el dolicocéfalo aumenta, porque se encuentra más a sus anchas; en cambio, el braquicéfalo disminuye.

Yo no sé, naturalmente, la cantidad de autenticidad que tienen estos datos. Por observación de curioso pienso que los dólicos son más inquietos, más atrevidos, más emprendedores que los braqui, y que éstos son más pasivos y más rutinarios.

Yo creo que estos arios o indo-germanos braquicéfalos eran gente mediocre. Tenían el sentido de la masa, de la obediencia y de la sumisión. El dolicocéfalo era el individualista, el emprendedor, el aventurero; el braquicéfalo, el comunista, el obediente, el que lleva en su espíritu algo de chino, de oriental. La única superioridad que creo hay en el braquicéfalo es la música y quizá las Matemáticas.

Como signo colectivo de un grupo social, la dolicocefalia indica superioridad; como signo individual, no. Decir que los braquicéfalos no pueden ser inteligentes y geniales, cuando Kant lo era, sería un poco cómico; como decir que no pueden ser grandes músicos, cuando Beethoven también lo era.

Es muy complicado el cerebro humano para que su función dependa de que la caja craneana donde está alojado sea más redonda o más oval. Ahora se asegura que el índice cefálico, o sea la relación entre la longitud y la anchura del cráneo (braquicefalia y dolicocefalia), cambian en la raza humana con relativa rapidez por influencia de la cultura, de la alimentación, etc. Las familias braquicéfalas que van del campo a vivir a la ciudad pierden esta condición en unas cuantas generaciones.

Hace días me contaba un profesor alemán que en Berlín, donde se continúa esta corriente de antroposociología, se siguen haciendo experiencias con animales sobre la transformación de las razas para aplicarlas al hombre, y que con sólo el cambio de alimentación se consigue que una raza braquicéfala se convierta en dolicocéfala en muy poco tiempo.

La alimentación en el hombre debe tener gran importancia. Así ha ocurrido con franceses en la Indochina a consecuencia de la alimentación. Allí la alimentación del pueblo está hecha a base de arroz. Desde que la gente comía el arroz a la europea, sin cáscara, la población degeneraba. Se atribuía esta decadencia a muchas causas, hasta que una Comisión francesa comprendió que debía proceder del arroz desprovisto de cáscara, porque en ella hay una vitamina muy eficaz. Al volver a comer el grano con la cáscara, la gente de la Indochina fue curándose, y la degeneración, el beriberi y otra serie de enfermedades desaparecieron.

Cuando estos conocimientos se aclaren del todo, dada la tendencia de intervención que lleva el Estado, puede suceder que así como se transforma a los animales se intente transformar a los hombres por la herencia, por la alimentación o por lo que sea.

Vacher de Lapouge suponía que esta cuestión de dolicocéfalos y de braquicéfalos era tan trascendental, que llegaría el tiempo en que unos y otros vendrían a las manos y se harían la guerra, como en las antiguas aleluyas los hombres flacos la hacían a los hombres gordos.

Entonces todos los del Occidente iríamos a la guerra contra los chinos de Europa. Parece que la cosa no tiene /tanta importancia desde el momento que se puede resolver por la alimentación.

Los médicos antroposociólogos se-

rán los que preconizarán las medidas necesarias que haya que adoptar con las familias y con los individuos para hacerlos dolicocéfalos, y darán su visto bueno.

A mí me dio el suyo hace muchos años un profesor suizo de Psicología, a cuya casa me llevó un amigo. El profesor era, además de psicólogo, aficionado a la fisiognomía pintoresca.

—¿Qué le parece a usted este señor?—le preguntó mi amigo, señalándome en broma.

—Hubiera pensado que era de Milán o de Turín; pero como sé que ha estado usted en España y veo que es amigo suyo, supongo que es español.

—Sí.

—¿Y qué condiciones le encuentra usted?

—Tiene algo de estratega.

—Pues es novelista.

—También es estrategia.

—¿Y cree usted que podré hacer algo de provecho, dado el tipo de mi cabeza, en esa materia literaria?—le pregunté yo.

—Sí; es usted dolicocéfalo con anchura frontal, los ojos tiran a verdes, lo que demuestra origen nórdico, y el ángulo facial es abierto. Sí; algo puede usted hacer.

Le di las gracias por el salvoconducto que me otorgaba; pero no me hice muchas ilusiones.

EL CULTO ORFICO Y EL CRISTIANISMO

Hace treinta y tantos años estaba yo en un hotel bastante decorativo en Roma. Había allí una señora parisiense pomposa que era viuda de un americano y que tenía una hija muy bonita. Viajaban las dos en compañía de una señorita de compañía y

de un abate. Esta señora me invitó a ir con ellas a las catacumbas. Yo no tenía mucho interés en ir, pero fui.

El fraile que hacía de cicerone nos mostró los sepulcros de los subterráneos, y nos enseñó no sé si en un pozo o en un sepulcro una figura del

Buen Pastor, Orfeo, dominando a las fieras.

A la salida pregunté al abate que nos acompañaba:

—¿Qué relación hay entre el cristianismo y Orfeo? Orfeo creo yo que es una divinidad pagana, un dios de la música, ¿no es eso?

El cura no me supo decir qué relación había. Después vi y compré el libro de Salomón Reinach titulado *Orfeo*, que es una historia de las religiones, y leí de él algunos capítulos que me interesaban, pero no me enteré por qué llevaba la obra el nombre del músico legendario y mitológico. Hace unos días, al cabo de los años, encuentro aquí, en París, dos libros que adquiero y me los llevo a casa con curiosidad. Uno es *Los misterios paganos y el misterio cristiano*, del abate Loisy, libro muy sabio; el otro, *Orfeo; relaciones del orfismo y del cristianismo*, por Andrés Boulanger, obra muy documentada. He aquí, pues, cómo voy a contestarme a una pregunta que me hice hace treinta y tantos años en Roma al salir de las catacumbas.

La leyenda de Orfeo, músico, Buen Pastor, no se ve que tenga una relación estrecha con el orfismo, que aparece después, y al que da su nombre. Estas incongruencias son frecuentes en las mitologías de todos los países. El orfismo es una tendencia de misticismo y de pesimismo envuelta en misterios y oscuridades trágicas.

La vida legendaria de Orfeo no es triste, aunque lo sea su final. Orfeo es un músico divino, un mágico encantador. Inventor de la lira, antes, o al mismo tiempo que Apolo, la pulsa con tal arte, que domestica a los hombres bárbaros y a las fieras. Acompaña a los argonautas en su expedición célebre, conquista al dragón de la Cólquide, que se deja arrebatar el

vellocino de oro, dominado por la música. Luego baja a los Hades a buscar a su mujer, Eurídice, muerta, según Virgilio, por la picadura de una víbora; amansa al terrible Cancerbero y conquista a Plutón, siempre con el prestigio de su lira.

El rey de los Hades permite a Orfeo que saque de sus sombríos dominios a Eurídice, a condición de que, al seguir su camino, no mire hacia atrás; pero como el divo es un poco fatuo, como buen artista, se olvida de la recomendación y mira, y Eurídice queda en el averno para siempre.

La muerte de Orfeo, destrozado por las ménades a orillas del Hebro, porque rechaza el amor de estas peligrosas damas, nos sume en el estupor. ¿Por qué este pobre músico tiene un final tan trágico?

El hombre no lo merece. Su conducta en el averno con Eurídice es un poco tonta, pero nada más.

El final de Orfeo es el mismo de Dionysos Zagreus, muerto por los titanes, y el mismo de Pentheo, rey de Tebas; de las bacantes de Eurípides, que muere destrozado por los tirsos de estas damas, que le castigan porque no permite en su pueblo el culto de Dionysos.

Con Orfeo son tres los personajes legendarios que mueren destrozados por mujeres furiosas, y los tres relacionados con Dionysos: Orfeo, Dionysos Zagreus y Pentheo. No sabemos qué explicación dan a esto los mitólogos.

La vida mítica del músico poeta y su final desdichado no autoriza para que, con el tiempo, y bajo su nombre, el orfismo, la religión de Orfeo, aparezca como una teoría mística y ascética llena de lúgubres misterios y preocupada, sobre todo, de la vida ultraterrena.

El orfismo no es, seguramente, una

secta con un dogma único, sino una
tendencia misteriosa y oscura que se
pone al amparo del nombre del músico, poeta y argonauta.

¿Por qué bajo ese nombre? No se
sabe. Si en la supuesta vida de Orfeo
no hay motivo para ello, tampoco lo
hay en su origen. Según un autor inglés, Eisler, el nombre de Orfeo primitivamente significa el Pescador. Según Salomón Reinach, es un dios-
zorra totémico.

El orfismo parece que nació en la
Gran Grecia, es decir, en la Italia meridional, Nápoles y Sicilia, donde se
confundió después con el pitagorismo. Su aparición es del siglo VI antes
de Cristo.

Así, desde este siglo se llama órfico (o se confunde con lo órfico) todo
movimiento de misticismo, de oscuridad, de desolación.

El patronaje del músico por estos
misterios no es del todo lógico; pero
ello es frecuente en la mitología. Lo
mismo ocurre con Dionysos, dios rústico y del vino, por otro nombre Baco, en una de sus personalidades, y
en la otra, dios sombrío. Dionysos,
hijo siniestro de Zeus y de Sémele,
dios griego popular de fiestas campesinas, tiene un seguro avatar de dios
de éxtasis, de misterios, de dios extranjero oriental originario del Asia
Menor. En esta segunda personalidad
posee los mismos atributos y es el
mismo Thamur, Osiris, Adonis, Attis
y Eshmun, divinidades de la vegetación que mueren y resucitan.

El abate Loisy dice que los misterios paganos procedían, al menos en
parte, de antiguos cultos agrario-má-
gico-religiosos.

«Tales eran con matices y particularidades — añade — los misterios de
Eleusis en Grecia, los de Isis en Egipto, que se esparcieron en el Imperio
romano; los de Dionysos, venidos,
probablemente, de Tracia; los de
Mitra, originarios de Persia, pero
desarrollados, al parecer, en Asia Menor; los de Cibeles y Attis, nacidos
en Frigia.»

De la misma manera que éstos, Orfeo, el cándidos pulsador de la lira,
se convierte en un supuesto fundador
de un culto misterioso, que, después
de haber vivido mucho tiempo en el
anónimo, reaparece ofreciendo a las
gentes la esperanza de la inmortalidad.

El misticismo oriental ha tenido para las masas mayor prestigio que la
filosofía griega, a pesar de ser ésta
un supremo esfuerzo de la inteligencia. Quizá por ello mismo.

El misterio, el mito, el ritual de
salvación ha apasionado al mundo.
Así, Dionysos Zagreus, devorado por
los titanes y vuelto a la vida; Orfeo,
Coré, Attis, mutilado, muerto y resucitado; Osiris, también muerto y despedazado por Seth, y llevado después
por Isis a una existencia inmortal;
Mitra, inmolando el toro en donde
él mismo estaba quizá encarnado, han
llenado de pánico y de esperanza la
imaginación del hombre antiguo.

Pasado el tiempo, el orfismo se
confunde con el pitagorismo.

El orfismo tiene como literatura,
primero, obras litúrgicas, cantos de
purificación, himnos y discursos; segundo, obras míticas o cosmogóni-
cas, de tendencias morales, teogonías,
oráculos, remedios, testamentos, *cra-
teres* y *peplos*.

Desde el principio, el orfismo este
recoge las tendencias misteriosas que
se entrecruzan en el mundo helénico,
y combina las corrientes hebraicas,
iranianas, egipcias y todo lo que tiene
carácter mágico.

Después, con el tiempo, tal sincretismo religioso se acentúa, y el mito
órfico se mezcla con el dionisíaco y

con el mitraico, con los misterios de Eleusis, y, por último, con el cristianismo.

Los fundadores del orfismo primitivo son Onomácrito de Atenas, *chresmologo*, o sea fabricante de oráculos; Orfeo de Crotona, Zopiro de Heraclea, Ferecides de Siros y otros autores de nombres pintorescos.

Los escritos de éstos son himnos sagrados, colecciones de fórmulas mágicas y purificadoras atribuidas a Orfeo. Se preocupan, sobre todo, de la moral y de predicar una vida ascética para mejorar las almas en las futuras existencias, porque creen en la transmigración, en la metempsicosis.

El libro sagrado por excelencia del orfismo es el *Hieros Logos*, del pitagórico Cercops. Este poema comienza por una teogonía que, por lo que dicen los autores, no se diferencia mucho de la de Hesíodo.

Según Hesíodo, los dioses no han creado el mundo, no son más que productos derivados y tardíos de la evolución.

En el origen de las cosas existe la Noche, que engendró un huevo cósmico de plata. La parte superior de este huevo formó el cielo (Uranos), y la parte inferior, la tierra (Gaia).

De aquí nacieron el tiempo (Cronos), el Eter y el Caos. Luego aparece un dios, Fanes (el Luminoso), otro dios con numerosas cabezas de animales, Zeus y los titanes.

Zeus Hera devora a Fanes y se convierte en el dios del mundo inteligible.

Hay otras variaciones: flogónicas o cosmológicas. Según el neoplatónico Damascios, en el comienzo no existe más que agua y barro, y de la mezcla de estos elementos nace un terrible dragón con una cabeza de toro, otra de león y una cara de dios. Su nombre, tomado del iranio, es *Cronos Ageras* (el tiempo que no envejece). Este monstruo es hermafrodita y su aspecto femenino; se llama *Ananké Adrasteia*, la fatalidad incorpórea. Aquí Cronos es el que fabrica el huevo del mundo, y de él salen el joven dios de alas de oro Protógonos (el primer nacido), Metis (La Sabiduría) y Erikepaios. De Cronos nace Zeus o Pan (El Todo), el ordenador del mundo.

De los amores incestuosos de Zeus, disfrazado en forma de serpiente, y de su hija Perséfone, nace Dionysos Zagreus. Zagreus es destrozado por los titanes y hecho pedazos por éstos, que luego hierven su carne en una caldera y se la comen.

Sólo el corazón se salva por Pallas; pero Zeus, excitado por Hera y queriendo hacerlo desaparecer, disuelve el corazón de su hijo en una bebida, que traga inmediatamente.

Dionysos Zagreus, en vez de morir, renace a una vida nueva. Aquí se presenta la cuestión de la omofagia, la antropofagia ritual de las comidas y cenas místicas. Parece que está probado que esta antropofagia ritual hiciera creer que al comer la carne del jefe se adquirían su fuerza y sus virtudes.

En esta omofagia se cumplían dos fines diferentes: unas veces, sólo el sacrificio humano; otras, el culto del héroe totémico.

Antes de la batalla de Salamina, Temístocles inmoló a tres prisioneros persas en honor de Dionysos Omestes. Omestes significa el Carnicero, y se le dedicaban sacrificios humanos en la isla de Quíos y de Ténedos. En esto se da sólo el sacrificio.

En la comida omofágica se sacrificaba un toro, y su carne y su sangre se consideraba que eran las del dios totémico. Robertson Smith, en *La religión de los semitas*, ha probado que entre éstos existían tales ritos en las comuniones.

De la sangre de Zagreus había nacido la granada, fruto preferido por Hera, y que Policleto, en la estatua del templo de Argos, le había dado como atributo.

Se decía también que Perséfone, por haber comido una granada, había quedado cautiva del mundo subterráneo. La teología órfica, influida por las ideas iranias, afirma la trinidad. Todo el Oriente está lleno de Trimurtis. El alma, según los órficos, es de origen divino. Si vive en un cuerpo en la tierra es por una falta, por una caída,

> *porque el delito mayor*
> *del hombre es haber nacido,*

dirá después Calderón, andando los tiempos.

Unicamente por la expiación y por la purificación el alma puede conquistar el mundo divino, según los órficos y los pitagóricos. Naturalmente, esto va unido a la idea de la transmigración sucesiva que va purificando las almas por el sufrimiento y las privaciones.

Esta idea es también claramente oriental.

Cuando, pasado el tiempo, el orfismo y el pitagorismo se confunden, es muy difícil separar las teorías y las tendencias de una y otra sectas.

Los diferentes misterios griegos, que, como atestigua Diodoro de Sicilia, se convierten al fin en religiones de salvación, tienden a acercarse y a copiarse unos a otros. Los devotos se esfuerzan en realizar esta unidad en ellos mismos coleccionando las iniciaciones. Apuleyo se jacta de haberlo hecho, y Pretextatus, gran dignatario, tiene cuidado de señalar en una inscripción que él es o ha sido dionisíaco, eleusiniano, hierofante de Hécate,

neócoro de la Gran Madre y que ha recibido el bautismo de sangre en el culto de Mitra. Este Pretextatus es como un moderno caballero de cuatro o cinco Ordenes y con distintas cruces.

La gnosis judía, y después la gnosis cristiana, mezclan las teorías de las distintas religiones. Para los gnósticos defensores de tal mezcla, Orfeo y Pitágoras y los filósofos antiguos son profetas que se han anticipado al cristianismo.

El emperador Alejandro Severo pone en su capilla la imagen de Cristo al lado de la de Orfeo.

La gnosis es algo como el orfismo cristiano, la época de sincretismo por excelencia, en que se penetran todas las teorías y los dioses.

Las infiltraciones del pensamiento gnóstico en el cristianismo no aparecen hasta la toma de Jerusalén por Tito, cuando la propaganda cristiana llega a penetrar en los círculos cultos de los paganos.

Los gnósticos eran partidarios acérrimos de toda clase de asimilaciones o sincretismos; los naasenianos identificaban la muerte y la resurrección de Cristo con la de Attis; un bajo relieve del siglo II después de Jesucristo, conservado en el Museo de Módena, representa el Zervan mitríaco con los atributos del Fanes órfico, y hay una secta gnóstica que hace la fusión de Jesucristo y Orfeo.

En los primeros siglos del cristianismo, en que domina la tendencia neoplatónica del siglo V al VI, Orfeo es un símbolo de Cristo, y su imagen aparece con un carácter casi oficial en las catacumbas. Fuera de las catacumbas, esta fusión fue sin duda corriente.

Así, hay una gema de un anillo en hematites en el Museo de Berlín, que representa un personaje crucificado con los rasgos de la cara poco indicados. A los pies tiene dos clavos gruesos; sobre la cruz, una media luna, y encima de ésta, siete estrellas y una inscripción en griego que dice:

Orfeo Báquico.

Aunque no se sabe de qué fecha, se cree que esta clase de gemas son anteriores a los crucifijos cristianos, que no aparecen hasta el siglo v.

Una gema gnóstica conservada en Würzburg muestra en una cara la imagen tradicional del Buen Pastor con el cordero en los hombros y con la inscripción «Iesous», y en la otra el dios egipcio Horus con el nombre de Christos.

Hay también el célebre grafito del Palatino, en el Museo Kirchner, de Roma, que representa un personaje con cabeza de asno atado a una cruz en forma de T, y al cual un hombre, en pie, contempla en un ademán de adoración. Una leyenda, que se cree

sarcástica, acompaña este grosero dibujo:

Alejandro adora a su Dios.

Las representaciones cristianas de Orfeo, como el Buen Pastor, son varias. Aparece con un gorro frigio, su túnica entallada y su capote, sentado sobre una roca, tocando la lira y rodeado de animales seducidos por el encanto de su música.

De estas representaciones las hay en las catacumbas de Domitilla, en el cementerio de San Calixto, en la catacumba de Priscila, en el Museo de San Juan de Letrán, como pastor y sacerdote de Mitra, y en otros muchos sitios.

....

Y he aquí cómo me explico, aunque sea de una manera sumaria, lo que hace treinta y tantos años no sabía explicarme al salir de las catacumbas de Roma.

LA APARICION DE LOS CHAMANES

Siempre me ha interesado mucho la brujería y la magia. Antes de haberlo leído como algo doctrinario, encontraba una diferencia esencial entre la magia y la religión. La magia es una práctica orgullosa y soberbia; nace de un supuesto conocimiento; de energías y de hechos naturales y espirituales. La religión, en cambio, parte de una actitud de humildad ante fuerzas desconocidas consideradas por encima de la Naturaleza.

Esta idea en mí es una idea corriente de médico acostumbrado a oír que muchos tratamientos terapéuticos fueron en su origen mágicos, como la química fue en sus comienzos alquimia.

Después he leído el desarrollo de las diferencias entre magia y religión en el *Ramo de oro,* de Frazer; tales diferencias son aceptadas por la mayoría de los especialistas en estas cuestiones.

Lo que no se ve claramente es la frontera entre la una y la otra. Si la magia y la religión tienen un mismo origen, es cosa que se ha debatido, pero no se ha resuelto. Evidentemente, las dos usan a veces procedimientos idénticos.

La religión emplea una fórmula para aplacar a la divinidad: la oración; la magia puede emplear la misma fórmula, pero su objeto al hacerlo no es el mismo. Es como si a la puerta de la casa el religioso se dirigiera al amo pidiéndole por favor que le abriera y, en cambio, el mago empleara la fórmula como una ganzúa.

Algo que acusaría las diferencias, exagerando la nota, sería decir que la magia puede ser atea; en cambio, la religión no lo puede ser de ningún modo.

La magia es una ciencia falsa. El mago intenta conseguir sus fines utilizando las fuerzas de la Naturaleza, canalizándolas y dosificándolas, aprovechando la casualidad, que cree que es verdadera, como lo puede hacer hoy un médico o un ingeniero maniobrando con relaciones comprobadas de causa a efecto.

El mágico decía y dice aún:

—Ha pasado un cuervo..., es la medianoche..., canta el gallo... Detrás de un fenómeno así, vendrá otro... —y entonces hay que coger esta hierba con la mano derecha o con la izquierda.

El mago es como un químico que combina, pero combina cosas falsas. El religioso suplica y se entrega.

Se explica que la magia y la ciencia hayan tenido una gran semejanza, que haya habido una magia blanca científica, y se explica la antigua antipatía de la religión por la magia y la actual que siente por la ciencia.

La magia, en el fondo, nunca ha sido exclusivamente demoníaca; ha intentado emplear efluvios, corrientes misteriosas, sangre, simples.

Hay dos elementos que hacen que la magia popular, la brujería, haya llegado hasta nosotros desfigurada: uno es la influencia grecorromana, que dio a todo su carácter amanerado; el otro es el cristianismo, la Iglesia católica, que impuso a la Europa occidental una teoría sobre la magia o hechicería con un predominio demoníaco que espontáneamente no tenía o,

por lo menos, no lo tenía siempre. En los rincones más apartados de Europa se pintó la brujería con un barniz clásico que con seguridad es postizo.

Es evidente que para el estudio completo de la magia popular de la brujería habría que prescindir de la idea grecorromana y, al mismo tiempo, de la demonología medieval, también impregnada de clasicismo, con sus demonios, sus íncubos, sus apariciones del Diablo y toda esta escenografía que no es más que el lado negro del cristianismo proyectado sobre la pantalla para hacerlo odioso.

Hay afirmaciones ridículas en la demonología. Si el Diablo intentaba seducir a los hombres y engañarlos en los sábados y aquelarres, ¿cómo se presentaba de una manera horrible y hacía sufrir a sus adeptos y ofrecía como manjares carnes podridas y repugnantes, cuerpos de niños desenterrados y otras cosas igualmente desagradables? El fraile de entonces exageraba la pedagogía religiosa. Podía haber dicho a sus gentes: «El Diablo atrae en sus fiestas con planes falsos que llevan al Infierno, y hay que tener cuidado de ello.» Pero pensar que va a atraer a los incautos con un menú de niños desenterrados y la presencia de viejas desdentadas es un poco estúpido.

La madre que teme que su hijo se deje arrastrar por una mujer fatal, o que la cree fatal, no le dirá que ésta es fea, legañosa, mal vestida y zafia, sino le dirá que es una mujer que seduce con sus encantos y que luego se burla del hombre y le arruina.

En los países en donde hay poca tradición grecorromana y católica es donde debe estudiarse la primitiva magia del viejo mundo. Es decir, en España, entre los vascos; en Alemania y en Francia, en las zonas menos cristianizadas; en los fineses, magiares y mogoles del Asia central y nórdica.

La magia más pura, en el sentido de menos mezclada con teorías religiosas y dogmáticas, se manifiesta en el mundo mogol y siberiano. Es lo que se llama el chamanismo. El chaman (o caman) es el hechicero más lejano, más apartado de un dogma que ningún otro.

El chamanismo no puede tener unidad, ni una iglesia, ni un culto único. Así que presenta los mayores contrastes y diferencias.

El chaman no tiene un programa, una teoría, un libro, un conjunto de ideas metodizadas y definidas. Es un inspirado, un individualista sin pauta, que debe atenerse a una genialidad espontánea.

La palabra *chaman* viene del pali csamana o samana (religioso). El pali es una lengua parienta del sánscrito, más moderna que ésta, en la cual se escribieron los libros búdicos. Entre el sánscrito y el pali hay la misma diferencia que entre el latín clásico y el latín vulgar. Es fácil demostrar cierta erudición hablando de ello, porque todos los diccionarios enciclopédicos traen largos artículos sobre el pali.

A pesar de su nombre semibudista, el chamanismo no tiene que ver directamente con la religión metafísica de los Budas, aunque sí con sus derivaciones supersticiosas.

Parece que hay dos escrituras en el budismo, las dos en pali: la *Hinayana* y la *Mahayana*. La *Hinayana*, que es del Sur, es la filosófica y la pura. La *Mahayana*, del Norte, recoge muchas ideas del politeísmo panteísta y quizá ha influido en el chamanismo.

El chamanismo es el más antiguo culto de los paganos de Oriente, que practicaban los pueblos mogoles de Siberia y del Ural-Altai. Los chamanes son adivinos y sacerdotes, pero principalmente brujos. Tienen reuniones de hombres y mujeres vestidos a veces de pájaros, alrededor de las llamas de una hoguera, de noche, al son del tamboril y de los cascabeles. Con el barullo caen en una especie de éxtasis, en el cual hablan, gritan y pronostican el porvenir.

No sé si los chamanes llevan en estas fiestas nocturnas caretas para identificarse con los animales representados. Es muy probable. En los aquelarres vascos se usaban. El aire antiguo y terrorífico de la máscara ha servido siempre en los pueblos primitivos para dar a las fiestas de magia y de sociedades secretas un carácter más pánico, más dionisíaco.

A juzgar por las fotografías, los chamanes tienen aire de mendigos, llevan sobre la ropa un mandil de cuero con correas colgantes y van canturriando al son de alguna calabaza pequeña llena de piedras, que hacen sonar al agitarlas, o con un pandero o tambor, que tocan con un palo. Sobre los tamboriles de los chamanes hay un estudio de W. Golobeux, titulado *Los tambores mágicos en Mogolia*.

Los caracteres psicológicos del chaman son muy especiales. El chaman es un energúmeno, un anormal, un mistificador, con frecuencia un loco, casi siempre un vagabundo famélico. Tiene crisis violentas, excitabilidad, accesos y temblores nerviosos; pierde con facilidad la conciencia, y entonces habla y predice el porvenir.

Como para él todo le es posible y permitido, a veces se considera pájaro, oso o lobo; a veces se cree él mismo que cambia de sexo, y se casa con otro hombre.

El chaman espera el momento de éxtasis, que es lo que le da prestigio entre los suyos. Tiene una astucia patológica, emplea trucos; pero si se los descubren, no se inmuta. Estos trucos están hechos para despertar la fe en él.

En algunas comarcas, el chaman ha llegado a tener una consagración oficial, pero no es lo corriente.

Hay también grupos familiares en la Siberia y entre los esquimales, que tienen un chaman como director espiritual, así como los tibetanos tienen un lama.

El chaman es el tipo más puro del brujo del antiguo mundo. En la zona en que se ha desarrollado no había una religión poderosa. Nadie se ha propuesto ni defender ni atacar el chamanismo. Ello no ha tenido interés. No está ni elogiado ni denigrado deliberadamente.

No se ha afiliado tampoco a ninguna religión. Por el contrario, el chamanismo ha creado en algunas comarcas una cierta religión, y el hechicero ha tomado una faceta de sacerdote.

En esta simbiosis, las dos caras del chaman son auténticas, sin embellecimientos ni deformaciones preconcebidos. Por esta razón, en nuestros países, en plena civilización positiva, cuando aparece el mago, el brujo, el médium, no se asemejan ninguno de ellos al augur, a la pitonisa griega o latina, ni al hechicero satánico medieval, sino al chaman mogol, medio europeo, medio asiático.

Sale a flote como un resto de paleontología espiritual lo que fue verdad, lo no falsificado.

Yo estoy inclinado a pensar que todo eso del satanismo y de las misas negras es literatura amanerada y de poco valor; lo mismo me parecen las historias de Barbey d'Aureville, Huysmans, Jean Lorrain, y actualmente de Bernanos. Son invenciones del snobismo de bulevar, sin realidad alguna. En cambio, el tipo del chaman es cosa que se da con fuerza en todos los países, y cada vez más. Es algo que irrumpe en las sociedades civilizadas.

Esos vagabundos rusos inquietantes, equívocos, ridículos, con un misticismo instintivo, no reglamentado, son chamanes. Rasputín no fue otra cosa, en grande. Rasputín no tenía ninguna teoría. La teoría era él.

No sólo se dan estos tipos en Rusia, en lugares próximos al mundo mogol, sino que se dan en el centro y en el mediodía de Europa. Una de las corrientes aprovechadas por ellos es el espiritismo. Ahí se puede emplear la superchería, el truco semicientífico del hipnotismo y otras artimañas.

Tipos como Rodolfo Steiner y el fundador de la antroposofía y del Goetheanum de Arlesheim son chamanes con cierta cultura, como lo fue en su tiempo Cagliostro.

El chaman moderno, aunque no tenga en Europa su nombre pali, existe y viene a caballo sobre el espiritismo. El chaman clásico no se cree el asiento de un espíritu solo, sino de muchos espíritus. De aquí que considere posible en un momento cambiar de personalidad por el éxtasis, la posesión, el *trance* en la jerga espiritista, y ser alternativamente bueno o malo, hombre o mujer, viejo o niño, y convertirse en animal, en pájaro, en oso o lobo.

Esta multiplicidad supuesta de almas tiene que producir el terror, porque, para el espectador crédulo, el chaman que tiene delante es lo desconocido, que lo mismo puede ser el santo, el lobo, la mujer o el monstruo.

Otro carácter del chamanismo es afirmar que el ser inferior es, en su inconsciencia, superior al que se considera superior. Esta idea ha debido de existir en la Europa medieval y es también cristiana. Se cree que el idiota, el loco, el tonto, pueden tener facultades sobrenaturales.

Muchas de las ideas de Tolstoi y de Dostoyevski acerca de los hombres se podrían explicar por esa tendencia. Verdad es que en Dickens pasa lo mismo, porque Dickens es el último mago de la Europa occidental.

Los inocentes, y no los sabios, son los que resuelven las cuestiones difíciles. Los pobres de espíritu son bienaventurados. Nosotros, las gentes corrientes, los europeos racionalistas, creemos que el buen médico es el que sabe algo de Medicina. Para Tolstoi, los buenos médicos son los canallas de la Facultad. En los libros de Dostoyevski son los idiotas los que solucionan los problemas arduos. Los sabios son los que yerran; los pobres de espíritu, los que aciertan.

El tipo del chamán aparece hoy en plena civilización en forma de poseído, de médium, de mistificador.

Al mago, con el carácter de hechicero medieval con su pacto con el Demonio, yo no lo he encontrado nunca. En las mujeres pasa lo mismo. Si hay algún tipo de bruja diabólica es alguna vieja echadora de cartas, medio estafadora, que engaña a las criadas de servir y les saca unas pesetas. La hechicera chamana, joven y ambigua, es la inquietante, la mujer fatal. Tipo como aquella Tarnowska, presa en Venecia, que dominaba a los hombres y los mataba si la estorbaban, a quien tenían que cambiar constantemente el guardián de la celda de la cárcel, porque si no lo seducía.

El chamán del Norte no se diferencia gran cosa del mago francés que todavía funciona en el campo, ni del saludador y zahorí español.

Yo he conocido alguno de estos tipos. He hablado con un mago vascofrancés hace muchos años en San Juan de Pie de Puerto. Era herbolario y cazador de víboras, y tenía de sí mismo, de su importancia y de su fuerza magnética, como decía él, una idea grotesca. Un tipo como aquél era capaz de envenenar a cualquiera y quedarse tan tranquilo.

También recuerdo, siendo estudiante en Madrid, a un gallego que contagió con el espiritismo una casa de la calle del Avemaría, donde habitaba un condiscípulo mío, y desarrolló en ella una epidemia de neurosis erótica y mistagógica. Una criada de la vecindad, inspirada por el gallego, se dedicó a tirar todos los platos y cacharros de barro de la cocina al suelo y a decir que se caían solos. Cuando se marchó, los pucheros y las cazuelas perdieron, *ipso facto*, como decía un pedante, todas sus condiciones semovientes.

A uno de los jóvenes de la casa, hijo de una viuda, inspirado también por el gallego, le empezaron a dar ataques, seguramente fingidos. Le comenzaba el patatús, por si acaso, siempre en sitio blando, y se quedaba en la cama o en el suelo con los ojos cerrados, y decía con voz melodramática:

—Ya vienen..., ya vienen...; me quieren matar...; el puñal...; el veneno...; cuando den las doce...; una, dos, tres, cuatro.

Este aprendiz de mistificador era un chamán que no tenía más público que su madre y algunas vecinas que le admiraban.

También recuerdo haber visto un saludador con tipo de medio mago, de medio iluminado, en una cueva de Burjasot, pueblo próximo a Valencia. Me incitó a ir a visitarle un estudiante de Medicina compañero mío. El saludador era un individuo peligroso, medio loco, que tenía una gorra negra con una cruz, y decía que cuando por la mañana, al levantarse de la cama, la cruz se le quedaba delante, en medio de la frente, era buena señal; pero cuando se le quedaba de lado o por detrás, era muy mala, y hacía una barbaridad. Aquel día que yo fui a verle con el estudiante le había quedado, según dijo, la cruz a un lado, y comenzó a gruñir y amenazar, y nos escapamos de la cueva a la carrera el condiscípulo y yo, porque el hombre no estaba para bromas.

En estos cien años últimos, la idea del Demonio ha bajado en la Humanidad; en cambio, la idea de la magia ha subido, y no tiene tendencia a disminuir. A ello contribuyen esas doctrinas ambiguas orientales, medio espiritistas, que, a pesar de sus nombres modernos, son restos de la magia ha subido y no tiene tendencia a que otra cosa. En eso se basa el chamanismo, que aparece por todas partes con distintos colores y aspectos y con una fuerza siempre creciente.

LA FECUNDIDAD DE LA MENTIRA

Cada día está uno más convencido de la fecundidad de la mentira y de la aridez de la verdad para la fantasía y para la vida.

Quizá por eso, el pueblo más creador de la antigüedad, el pueblo griego, era el más mentiroso de todos.

Los romanos, mucho más veraces y menos geniales, señalaban el contraste de su buena fe con la falsedad de los griegos y la perfidia y doblez de los fenicios.

El hombre vive a gusto con la mentira, es evidente.

L'homme est de glace aux vérités.
Il est de feu pour les mensonges,

dijo La Fontaine.

El último alegato poético a favor de la mentira fue *El pato salvaje*, de Ibsen. Yo siempre he creído encontrar una relación entre el optimismo y la mentira. El optimista tiende siempre a ser mentiroso. Los pesimistas somos siempre verídicos.

Es curioso cómo cuando no hay base positiva se poetizan los hechos; en cambio, cuando la hay, ya no tienen interés.

Hay aquí, en este barrio de las afueras parisienses, una fábrica de aeroplanos. De cuando en cuando en algún café o restaurante próximo aparecen algunos jóvenes elegantes, que, sin duda, se preparan a ser aviadores, y llevan en la levita, como insignia, unas alas doradas. Hablan como burócratas de los aparatos nuevos que fabrican o pilotean, y esto no les dice nada a la imaginación. Oyéndoles, se me ocurre pensar en la esterilidad de este aparato auténtico y verdadero y comparar el caso con lo fecundo en poesía de las mentiras poéticas. Por ejemplo, la mentira del caballo alado.

Lo mismo pasa con la supuesta telepatía, cosa que, racionalmente, no puede existir. Nada llega a la inteligencia que no pase por los sentidos. Podemos estar rodeados de efluvios, de corrientes de todas clases; pero mientras no se conviertan en signos, no los podremos entender. Aunque se aten dos personas espalda con espalda y a una se le diga: «Piensa en un color o en un número», no se comunicará la idea o la sensación a la otra.

A pesar de ello, en la telepatía se cree. ¡Qué de presentimientos, qué de agüeros, qué de fantasías se han hecho a base de ella! Un hombre ha oído una voz de una persona querida al otro lado del mar, a tres mil kilómetros de distancia; el otro ha visto a un ser de la familia que vive en las antípodas.

Algo de esto se hace hoy con la radio. Mañana se verá a distancia, y no chocará nada. Al hombre le gusta el misterio y no le gusta la ciencia. La comunicación a distancia, para que le agrade, tiene que ser sin ningún aparato, de una manera fantástica, de noche, en la soledad, de un modo febril, unas veces sí, otras no; pero si hay un sistema, un procedimiento, un aparato..., ya se acabó la ilusión. El hombre es tan cándido y tan poco científico hoy como hace veinte mil años.

Si hubiera esa transmisión del pensamiento, la incomunicación de los criminales no existiría. Mañana se inventará el aparato que será quizá como un reloj, y se transmitirán las ideas propias y se recogerán las ajenas por signos, y ya no interesará a los románticos de esa clase de cosas.

Pensando en el paralelismo de la esterilidad del aeroplano para la poesía y de la fecundidad, en el mismo orden, del caballo alado, contemplo un libro de escultura, y la memoria de Salomón Reinach, que aparece en el tomo V de su obra *Cultos, mitos y religiones.*

Pegaso es el primitivo caballo alado, que nació de la sangre de Medusa, una de las Gorgonas, cuando Perseo le cortó la cabeza. Pegaso colaboró en varias hazañas y portentos. Libró a Andrómeda, llevó a Júpiter a su grupa, y de un golpe de su herradura en el Helicón hizo brotar la fuente de Hipocrene.

Père de la source sereine
Il fait, du rocher ténébreux
Jaillir pour les Grecs Hippocrène
Et Raphidin pour les hébreux.

Así dice Víctor Hugo en su poesía *El caballo.*

Belerofonte encontró a Pegaso en el Acrocorintio bebiendo en la fuente de Pirene, y lo domó con ayuda de Atena, por medio de una brida de plata, regalo de la sabia Minerva.

Belerofonte, con ayuda de Pegaso, venció a la Quimera y a las Amazonas; pero al intentar subir al Olimpo, el caballo alado fue picado por un tábano, y tiró a su jinete, que cayó a tierra en Licia. Según algunos, Zeus le había lanzado un rayo por su audacia. Pegaso llegó al cielo, y fue el caballo de Júpiter.

Hay quien supone que Perseo montó también a Pegaso. Hay un cuadro de Mantegna en el Louvre en el cual se ve a Mercurio, que tiene al extraño caballo sujeto por la rienda.

Otro caballo con alas, de invención más moderna, es el hipogrifo, que figura en el prólogo magnífico con que comienza *La vida es sueño*, de Calderón.

Hipogrifo violento
que corriste pareja con el viento.

Se dice que el poeta italiano Boyardo hizo aparecer por primera vez el hipogrifo en su poema *Orlando, innamorato;* pero no parece que es cierto. Boyardo describió a un grifo o buitre que arrastra el caballo de Orlando por el aire, y entonces su personaje se apodera de Rabicán, caballo encantado hecho de llamas de fuego y de viento, que estaba preso en la caverna de un gigante, y vuela con él.

El auténtico inventor del hipogrifo es Ariosto, en su *Orlando, furioso.* El hipogrifo nació de la unión de un grifo con una yegua. Esta unión, según el poeta, no era rara en los montes Ripeos, lugar de los grifos y de los hiperbóreos.

Non è finto il destrier, ma naturale
ch'una giumenta generò d'un grifo
simile al padre avea la piuma e l'ale
in tutte l'altre membra parea quale
era la madre, e chiamasi ippogrifo;
che nei monti Ripei vengon, ma rari
molto di la dagli aggiacchiati mari.

En general, la acepción corriente de grifo es de un monstruo fantástico, fabuloso, con cabeza de águila, alas y cuerpo de león.

En el poema de Ariosto, Ruggiero, montado en el hipogrifo, libró a la cruel Angélica de su cautiverio, y llevó a Astolfo a la Luna.

Antecedentes literarios del hipogrifo pueden ser los hipogipos de la *Historia verdadera de Luciano,* habitantes de la Luna que cabalgaban en buitres, y los borak, toros alados asiriobabilónicos de origen iranio, que llevan a Mahoma al cielo.

Otro caballo que, si no alado, marcha por los aires, es el *Clavileño,* de *Don Quijote.* En *Las mil y una noches* hay un caballo de madera así que tiene una clavija y que vuela por el aire y recorre en poco tiempo distancias enormes. En algunas novelas antiguas aparecen también.

Este *Clavileño el Alígero* era, como dice Cervantes, el mismo caballo de madera sobre quien llevó el valeroso Pierres robada a la linda Magalena; el cual caballo se rige por una clavija que tiene en la frente que le sirve de freno, y vuela por el aire con tanta ligereza, que parece que los mismos diablos lo llevan.

Salomón Reinach afirma que las figuras poéticas relativas a Pegaso y el hipogrifo proceden de dos confusiones, de dos versos latinos mal interpretados. La del hipogrifo viene, según el crítico, de una poesía de Virgilio, égloga VIII, en la cual Damón, amante desesperado de la infiel Nisa, que está unida a Mopsus, exhala así su dolor:

Mopso Nysa datur; quid non speremus,
[amantes?
Jungertu jam grypes equis, œvoque sequenti
cum canibus timidi venient ad pocula da-
[mae.

(Puesto que Nisa me abandona por Mopsus, los amantes deben creer ya que nada es imposible. Se verá pronto a los grifos aparearse con los caballos, y en una época posterior, a los gamos tímidos ir a beber con los perros.)

Salomón Reinach supone que la imagen de Pegaso cabalgado por los poetas no se debe a Virgilio, sino a Catulo. Este, en una de sus composiciones, dice que busca con empeño a su amigo Camerarios por todas partes, y que, aunque tuviera el cuerpo de bronce del atleta Lasas o los cabellos de Reso o los talares de Perseo, o fuera llevado por el vuelo de Pegaso,

Non si Pegaseo ferar volatu

moriría de fatiga.

Hay que suponer al leer esto que Perseo tendría también en su representación pequeñas alas en los talones, como Mercurio. De aquí quizá que en el cuadro de Mantegna sea Mercurio el que tenga el caballo alado por la brida.

Parece que la obra de Catulo, publicada por primera vez hacia 1472, fue editada, hasta el final del siglo XV, trece veces.

Todos los poetas modernos han hablado de Pegaso. Un satírico español moderno, no recuerdo quién, hablando de Pegaso, decía con la natural malevolencia de los españoles por la pompa mitológica:

Siempre termina llevando
los genios al hospital.

Así, para nosotros, Pegaso es un caballo de funeraria.

De todas las poesías modernas acerca del caballo alado, la más curiosa es la titulada *Le cheval,* de Víctor Hugo. Don Juan Valera encontraba esta poesía muy extraña. Yo no creo que tenga más extrañeza que la técnica, en la cual era maestro el autor. En lo demás, es perfectamente corriente y hasta vulgar.

C'était le grand cheval de gloire,
Né de la mer comme Astarté,
A qui l'aurore donne à boire
Dans les urnes de la clarté.
Tout génie, élévant sa coupe,
Dressant sa torche au fond des cieux
Superbe, a passé sur la croupe
De ce monstre mystérieux.

....

Son écurie où vit la fée,
Veut un divin palefrenier;
Le premier s'appelait Orphée
Et le dernier André Chénier.

¿Por qué Andrés Chénier, un poeta tan poco universal? Seguramente por la rima. Si no, el que escribiera esto, en el tiempo en que escribió Víctor Hugo, hacia 1865, elegiría como último palafrenero de Pegaso a Goethe, a Byron, a Schelley, a Leopardi, a Enrique Heine o a Espronceda mejor que a Andrés Chénier. Hoy elegiría a Verlaine.

Se podría insistir más en el estudio de las huellas de Pegaso en la poesía.

Lo ejemplar para mí es ver cómo la invención, lo falso, es siempre más fecundo en las religiones y en la literatura que lo visto, que lo evidente. Lo instintivo es más atractivo que lo demostrado, suponiendo que lo demostrado lo pudiera ser de una manera absoluta, cosa que hoy nadie cree, porque la misma matemática no se considera como exacta, sino como un ejercicio útil y práctico, con un fondo tan poco sólido como todo lo demás en que se basa la ciencia y los otros conocimientos humanos.

Y si la ciencia es falible, ¿qué no serán las demás teorías basadas en los sentimientos: la caridad, la fraternidad, el amor al prójimo, etc.? Y, sin embargo, todo esto ha producido ríos de sangre. En cambio, nadie se ha matado por el sistema de Copérnico o por la gravitación universal. La mentira ha sido atractiva para el hombre; la verdad, la verdad que puede alcanzar el hombre, no le ha seducido.

A pesar de esto, a nosotros nos parece que hoy, en el estado en que se encuentra el mundo y en el que, probablemente, se encontrará mañana, será difícil retroceder; hay que seguir contra viento y marea hacia la verdad.

El hombre lucha contra la Naturaleza, que no le es propicia casi nunca. Como decía Plinio, la Naturaleza es madre para los brutos y madrastra para los hombres. A su vez, Plauto afirmaba: «El hombre es un lobo para el hombre.» Reconozcámoslo, y adelante.

El *homo sapiens,* que no es casi nunca sapiente, es un animal falso, cruel, hipócrita, sanguinario, cobarde. Reconozcámoslo también y sigamos sin detenernos. Que hagan los legisladores un régimen sabio para domesticarlo.

Hace unos días, en un artículo de un periódico parisiense, Claudel afirmaba que Nietzsche no había escrito más que locuras e insensateces. Claro que las escribió en medio de intuiciones y de adivinaciones; pero Nietzsche no fue retórico como Claudel, sino que dejó su sangre y su cerebro en la busca de la verdad, y esto le da el carácter de uno de los primeros héroes de nuestro tiempo.

EL CULTO DE LOS HÉROES

Se habla en esta temporada en los periódicos franceses de Carlyle y del culto de los héroes. Un escritor, Víctor Basch, ha publicado un libro acerca del genial publicista escocés, libro que no he leído, porque veo por las críticas que ataca bastante a su biografiado por motivos patrióticos. Cuando se trata de un autor a quien irrita el patriotismo, lo mejor es no hablar de él. De hablar, hacerlo, al llegar el tiempo, con serenidad.

Es difícil que Carlyle sea estimado por los franceses. Era un germanófilo exaltado y violento, un racista, un enemigo de la democracia y del espíritu latino. Su *Historia de la Revolución*, elocuente, apocalíptica, con sus anatemas y sus gritos, sus visiones y sus frases patéticas, a veces de mal gusto, es la más extraordinaria que se ha escrito. Nada hay tan sugestivo sobre la gran convulsión francesa. A pesar de su patetismo y de su lirismo, no satisface al patriotismo francés, que quiere que sus mitos democráticos sean sagrados.

La interpretación de la Historia, que tiene como base considerar al héroe como promotor de una época, encuentra su primer defensor moderno en Carlyle, después en Emerson, y luego, en parte, en Nietzsche.

Los grandes hombres—para el escocés—son los textos inspirados, hablando y actuando, de ese libro divino de las revoluciones, cada uno de cuyos capítulos, de una época a otra, se llama por algunos historia. Así, dice, palabras más o menos, en *Sartor Resartus*.

Es evidente que se sabe poco de psicología individual y que se sabe menos de psicología de las masas. Parece que hay una manera de ser especial de las masas que no se puede considerar como la suma de los caracteres individuales que las componen. Si no se conoce de una manera clara la psicología del individuo ni la de las masas, no se puede llegar a la conclusión clara de qué es lo que determina la Historia. No se pasará de las hipótesis. Los unos hablarán actualmente de los hombres que van produciendo la historia *Menschen die Geschichte machen;* los otros, del clima, de la tierra, de la economía...

El culto a los héroes, naturalmente, no lo inventó Carlyle; tiene raíces más antiguas. Lo que hizo este autor fue renovarlo, adaptarlo a su tiempo, ponerlo en oposición a la interpretación del genio colectivo de la muchedumbre considerado como único eficiente desde el siglo XVIII.

Esa frase de *Le chant du depart,* de J. Chénier: *Le peuple souverain s'avance,* debía de molestar mucho a nuestro autor.

Carlyle, muy inclinado a la historia de períodos revolucionarios, tiene un fondo aristocrático, de un aristocratismo intelectual; la divinización de la masa, considerada como la única forjadora del Destino de los pueblos, le irrita. El se siente superior, cosa que se puede perdonar. Su orgullo, la idea grande que tiene de sí mismo, le hace creerse héroe, el héroe que representará en las generaciones futuras al escritor veraz del siglo XIX, que, como un San Jorge, lucha con un dragón alimentado de mentiras y de falsedades, y lo vence.

Unido a ese fondo aristocrático y soberbio, Carlyle tenía una gran elocuencia y una retórica original. De ahí quizá que el libro que escribió para demostrar la verdad de su tesis, *Los héroes*, tuviera un gran éxito entre políticos y oradores ingleses.

Actualmente, parece que la teoría de los héroes como creadores de la Historia no está tan proscripta como en tiempos del fervor democrático. Parte de la opinión pública, ya un tanto cansada de las adulaciones al anominado de la masa, quiere buscar el hombre salvador, no solamente para echarle el mochuelo o la carga honorífica del poder, sino también las responsabilidades de toda clase que ella se siente incapaz de asumir. Sobre todo, en la política es donde se advierte más el fenómeno. En las artes y en las ciencias ya no se siente la necesidad de señalar un director o un conductor de muchedumbres. La noción del héroe aparece, según los etnólogos, en ciclos de cultura muy arcaicos, relacionada con la idea de la religión y del progreso en personajes que se consideran útiles, geniales.

Los héroes civilizadores, a los que se da un culto especial, son hombres que inventaron o descubrieron algo provechoso para los demás: el uso de un alimento, el empleo de un producto, la invención de un arma, de una forma de cultivo, o varias de estas cosas a la vez. La idea de este culto así expuesta parece de lo más positivista en su origen; pero este carácter positivo y práctico se pierde con el tiempo y se va haciendo mítico.

El héroe nunca lo es por su propio impulso. No se parece al hombre que los pedagogos norteamericanos se han deleitado en pintar y que todo se lo debe a sí mismo a fuerza de energía y de tesón; no es un *self-made man*.

El héroe es un elegido por el Destino. Si hace las cosas buenas extraordinarias señaladas, es porque hay un espíritu superior, una divinidad que las inspira. En esto aparece la predestinación; unos son los llamados y otros los elegidos, dirá el Evangelio.

En todo ello se ve la negación del esfuerzo. El hombre primitivo no admira en el héroe la inteligencia, aunque la tenga mayor que los demás, ni la belleza, ni el valor, ni ninguna otra condición, sino la suerte, el hado.

Siglos de merecimientos
trueco a puntos de ventura,

dirá un dramaturgo español, Alarcón, en pleno siglo XVII sin creerse cínico.

La idea sobre el héroe la encontramos en los pueblos primitivos actuales y en las religiones antiguas, sobre todo en la griega. Los grupos humanos, desde la aurora de los tiempos, se han esforzado en crear un tipo que los represente y en diferenciarlo de los demás próximos.

En la Grecia antigua, Dracón instituyó el culto de los héroes entre las obligaciones públicas consagradas por las leyes.

El héroe helénico era un semidiós, en general hijo de un dios y de una mujer mortal. A Hércules, Dionysos, Aquiles, Eneas, se los tenía por medio divinos por su origen. Los antiguos poetas griegos no veían en estos personajes al guerrero valeroso que obtiene un éxito por procedimientos puramente naturales y personales, sino al protegido de los dioses. El mismo Ulises, tipo menos épico, se encuentra ayudado por una diosa protectora, que le defiende y le ayuda en los momentos peligrosos. Después, los griegos divinizan a personajes históricos, a guerreros como Leónidas y Temístocles, a legisladores como Licurgo, a médicos como Hipócrates, a filósofos como Sócrates, Epicuro y Platón, y a poetas como Homero y Hesíodo. Estos tipos civilizadores ofrecen otro carácter, son menos divinos.

Indudablemente, la sociedad antigua tenía una idea muy pobre en lo que, por sus propias fuerzas, podía hacer el hombre, y cuando alguno se distinguía, lo achacaba a otra cosa que a su propio valor: a un ser medio divino, a un demonio, a un espíritu.

Este fondo de malignidad y de broma ha sufrido con el tiempo modificaciones, pero no se ha perdido. Así, ahora mismo oiremos la versión de que si un escritor es inteligente o chistoso se debe a que sus gracias le vienen de un amigo, de un pariente o de la cocinera de la casa.

Otra característica del héroe antiguo o primitivo es que, después de una vida esplendorosa, muere en plena juventud. Osiris, Adonis, Attis, Dionysos, medio héroes, medio dioses, acaban mal, lo mismo que otros de menor importancia. El carácter divino es, evidentemente, poco confortable y algo antihigiénico.

Es curioso notar cómo la necesidad de una muerte prematura y trágica para pasar a la categoría de héroe ha quedado en el mundo hasta nuestra época. Cuando leemos la poesía o la novela en la que se narra la muerte de un hombre joven y brillante de gran porvenir, experimentamos la desolación, unida al placer estético que tal idea produce, y nos hacemos eco de una manera de sentir primitiva. Sale en nosotros el hombre que lloraba la muerte de Balder o de Thamuz durante la primavera; sale en el fondo del odio del mediocre contra el tipo superior y la satisfacción de verle vencido.

Es evidente que desde un principio en esta idea de la muerte del héroe hay una fuerte dosis de preocupación artística y un fondo de envidia.

Como compensación a la suerte trágica de abandonar la vida, el héroe sigue viviendo una existencia ideal en un trasmundo un tanto triste y sombrío. El culto a los dioses en la antigüedad se verificaba en las primeras horas del día en templos suntuosos; el culto a los héroes, en lugares más modestos y en las horas de anochecer. Los héroes, después de muertos, iban, al parecer, a las islas Afortunadas; los dioses y los semidioses, a los Campos Elíseos.

Hay que sospechar si la Humanidad siempre habrá tenido antipatía por sus héroes, lo que sería muy cómico.

Cuando las ideas éticas se intensificaron, la noción del héroe se modificó. El héroe no fue ya un intermediario entre los hombres y la divinidad, que se encargaba de las mejoras materiales que aquéllos le pedían, ni tampoco un símbolo artístico, sino un ser extraordinario dentro de lo humano. El héroe se hizo exclusivamente un hombre de acción, y su campo fue la política y la guerra. En las *Vidas paralelas*, de Plutarco, se encuentra este concepto del hombre en personajes capaces no sólo de cosas buenas, sino también de cosas malas. Antes de Plutarco, se ve la misma idea en Cornelio Nepote.

La Edad Media vuelve a una concepción más arcaica. Roldán, los doce pares de Francia, los caballeros de la Tabla Redonda, son tipos imaginarios formados con arreglo a gustos y tendencias viejísimas. Algo semejante ocurre con los personajes arábigos, como Antar, Mahoma, etc.

El Renacimiento es la época en que la idea del héroe adquiere en cierto modo un carácter más filosófico. Sobre este concepto, que se hace general, el teorizante más famoso es Maquiavelo, que da motivo a un sinfín de comentarios, críticas y censuras. El héroe, para el florentino, es el hombre de acción, como para Plutarco, y en él no se da ninguno de los caracteres poéticos o religiosos de los héroes antiguos. En Maquiavelo, la ética se evapora, se desvanece. Para él, la política es principalmente el arte de triunfar y de mandar con independencia de toda teoría moral. La política es la ciencia de sujetar a la fortuna; pero la fortuna es casquivana, es *donna*, como dice él, y los procedimientos de dominarla son aleatorios.

Maquiavelo puso como prototipos de héroes de su tiempo a César Borgia y a Castruccio Castracani, personajes que no llegaron a realizar grandes hazañas, aunque dieron ejemplos de habilidad, como los dio el Borgia en su célebre emboscada de Sinigaglia.

Gracián, maquiavelista en el fondo, puso como ejemplo de héroe a Fernando *el Católico*, que fue hombre de más temple y de más vista que los dos anteriores; pero que tenía su misma moral, de arrivismo y ultranza por cualquier sistema y por cualquier medio.

Los escritores renacentistas de esta tendencia maquiavélica dieron al héroe un aspecto demasiado esquemático y restringido, pero muy bien perfilado.

Carlyle, aprovechando la precisión y claridad obtenidas por ellos, elaboró su sistema haciendo entrar en la categoría de héroes a tipos que antes se habían respetado, pero que nunca se habían tenido por heroicos. Así, hubo el héroe-escritor, el héroe-filósofo, el héroe-poeta. Esta tendencia estaba en el espíritu de autores del siglo XIX, que partían de puntos completamente contrarios a los de Carlyle, como, por ejemplo, Augusto Comte,

y que terminaban en el mismo misticismo, en la veneración religiosa por los grandes hombres.

Según Carlyle, todo movimiento en la Historia está ocasionado por el ímpetu de un hombre extraordinario que arrastra la sociedad hacia un fin. La Historia universal, la historia de lo que el hombre ha hecho en el mundo, no es más que la relación de la obra de los grandes espíritus en la tierra.

Para Carlyle, como para Maquiavelo, el héroe debe triunfar. Quizá si Maquiavelo hubiera sabido el final de César Borgia, no le hubiera tomado como modelo al escribir *El príncipe*.

Según Carlyle, el que no ha tenido éxito, el que no ha triunfado del medio, no puede ser considerado como un hombre superior. Todo éxito autoriza a suponer que el hombre que lo ha obtenido es un gran hombre.

Así que se puede gritar sin inconveniente:

«¡Viva el éxito!» «¡Viva la Pepa!» «¡Viva la gallina con su pepita!»

Vico suponía que los héroes antiguos eran feroces en grado superlativo, de una inteligencia extremadamente limitada, de imaginación fecunda y de naturaleza violenta y apasionada. En cambio, para Tolstoi, los llamados grandes hombres no son más que las etiquetas de los acontecimientos importantes de una época. Es decir, puras sombras.

A la tesis de Carlyle se unieron con el tiempo Emerson, con sus hombres representativos, y Nietzsche, con su superhombre.

Un observador que no sea un doctrinario se puede preguntar: «¿Hay realmente tan gran diferencia entre los hombres, o no la hay?» Es difícil decidirse por una o por otra conclusión. Shakespeare es un dramaturgo genial; pero parece que puso a contribución a una porción de escritores anteriores y contemporáneos. Hay dramas suyos, según se afirma, que tienen una tercera parte de versos cogidos de otras obras. Que para hacer esto bien hay que tener un gran talento, es evidente, Cervantes aporta a su *Don Quijote* elementos de aquí y de allá, de libros de caballerías, de poemas italianos, de cuentos españoles; los *Ensayos,* de Montaigne, están empedrados de citas de autores clásicos. Molière pone a saco el teatro latino, el español y el italiano. Si estos hombres de genio eran tan extraordinarios, ¿a qué la copia y el plagio? No es fácil resolver si la diferencia entre los humanos es grande o específica o si es pequeña y de grado. Tampoco es fácil aquilatar la contribución del tiempo y de la ocasión con las famas.

Yo pienso que en la música es donde debe manifestarse más que en ninguna otra actividad humana la diferencia de un espíritu a otro. Un político puede representar un papel trascendental siendo mediocre; un científico, en un medio bueno, en un laboratorio importante, dará la impresión de ser más de lo que sea en realidad; lo mismo le puede ocurrir a un escritor que haya visto mucho y que haya estado en contacto con gentes de gran capacidad; pero en un músico esto me parece imposible.

El músico es el que da la medida más exacta de su talento sin nada que lo oscurezca, y entre los músicos no cabe duda de que hay muchas diferencias que parecen esenciales, lo que hace suponer que haya las mismas diferencias esenciales en la inteligencia de todos los demás.

PRONOSTICOS Y ANTICIPACIONES

El interés que el hombre tiene en saber algo de su porvenir le ha conducido inevitablemente a una serie de extravagancias que se han tomado, se toman y es probable que se sigan tomando durante muchos años en serio.

Este interés se halla fundado en gran parte en las ideas básicas de los pueblos primitivos, ideas que luego se han ido complicando y embrollando, hasta formar un laberinto inextricable.

Las creencias en los agüeros, oráculos, horóscopos y predicaciones proceden todas de la misma raíz, obedecen a una idéntica necesidad psicológica. Con ellas están emparentadas prácticas de origen mágico. Actualmente toman otro matiz a consecuencia de la preocupación científica de nuestra

época. Hoy, probablemente, no se hacen muchos horóscopos contemplando las estrellas; pero se pretende obtener anticipaciones y predicciones.

Antiguamente, estas anticipaciones se referían casi siempre al individuo; hoy se refieren más a la sociedad.

Lo que podemos nosotros saber del porvenir próximo es algo muy inseguro; del porvenir lejano, nada. Todas nuestras predicciones no pasan de ser hipótesis de escaso valor.

Que el hombre mejora moralmente poco, es cierto; que la ciencia puede inventar aún mucho, parece también cierto, y que estos inventos no influyen en hacer a los hombres más buenos ni más humanos, es indudable. Todas las anticipaciones que quieren ser racionales, como las de Wells, responden a los conocimientos y ten dencias del tiempo. No son un esbozo del porvenir, sino el presente un poco transformado y embellecido. Lo mismo se puede decir de las novelas de Julio Verne, que hace varios años algunos cándidos las consideraban como visiones del futuro, y que no eran más que aplicaciones hechas con más o menos arte de los conocimientos de la época.

A pesar de que esta idea de que es imposible averiguar el porvenir es fácil de captar, han existido siempre personas de talento que han creído en las condiciones proféticas de los charlatanes. Cicerón decía que no comprendía cómo cuando dos augures se veían no se echaban a reír; pero no por eso él mismo dejó de ser augur y de creer en alguna ocasión que el porvenir se podía vislumbrar. Hay historiadores que aseguran que Julio César se rió cuando le anunciaron su muerte; pero esto bien puede ser una leyenda forjada precisamente con la intención de hacer resaltar la verdad de los pronósticos.

Los moralistas griegos, especialmente los cínicos, negaban todo valor a los oráculos y a la adivinación. Diógenes Laercio cuenta cómo su gran tocayo, el cínico de Sínope, ridiculizaba a los que creían en estas pobres ilusiones. Bión, otro filósofo con tendencias análogas, condenaba la doctrina estoica inclinada a tomar en serio la predicción del futuro.

El antiguo poeta Cecilio, influido por Menandro, expone sus dudas al hablar de los arúspices.

Lucrecio es fertilísimo en ataques contra las insensateces que hacen cometer los adivinos y los oráculos. La tradición, en este sentido escéptica, sigue hasta Séneca, y luego parece esfumarse y perderse. Este espíritu crítico es como una planta que se desarrolla en un ambiente desfavorable,

y, al disminuir la cultura, pierde toda su fuerza. Así se explica el crédito de la novela de Filóstrato *La vida de Apolonio de Tiana*, que tuvo durante largo tiempo un gran prestigio.

Las historias latinas del bajo Imperio, como la llamada *Historia Augusta* y la de Ammiano Marcelino, con sus hechos sorprendentes, revelan la ineficacia de las sátiras y argumentaciones de los cínicos y moralistas contra los que pretendían averiguar el porvenir.

El nacimiento de cada uno de los más oscuros emperadores fue acompañado por los augures de gran número de signos, que indicaban a los entendidos todo lo que en su vida iba a ocurrir. Se ve que muchos detalles de estos relatos fabulosos fueron inventados muy tarde; pero se puede creer que los mismos que inventaban la leyenda y la forjaban la llegaban a creer y también los propios interesados.

En la antigua Roma, la legislación era muy severa contra la adivinación y contra todo lo que se consideraba relacionado con la magia negra. A pesar de esto, el Estado la empleaba a veces, cuando le convenía, y muchas de sus prácticas proscritas por las Doce Tablas eran lícitas cuando se trataba de intereses generales.

Augusto prohibió a los astrónomos practicar su oficio y mandó quemar sus libros. Lo hizo, seguramente, con una idea de higiene social, porque, según el testimonio de Dión Casio, a él le tenían sin cuidado los pronósticos.

Tiberio, más severo y más suspicaz, promulgó varios *senadoconsultos* para expulsar de Italia a los matemáticos, astrólogos y magos, que, al parecer, la gente los confundía, porque hacían todos augurios; desterró a los mágicos indígenas, confiscó sus bienes, prohibió las consultas con los arúspices en secreto y sin testigos y persiguió por lesa majestad a aquellas personas que, a pesar de ser de gran categoría social, como Lépida, descendiente de Sila y de Pompeyo, interrogaban a los astrólogos sobre el destino de la familia imperial. (*Quaesitum per chaldeos in domum Caesaris.* Tácito: *Anales.)*

El hecho sólo de preguntar a un adivino acerca de la vida o del nacimiento del emperador o de un miembro de la familia imperial se consideraba en tiempo de Tiberio delito de lesa majestad y era merecedor de los más severos castigos.

Las historias romanas y griegas están llenas de profecías, augurios y horóscopos que, según los historiadores, se cumplen. Hombres de gran talento y de probidad, como Plutarco y Tácito, no dudan de que una gran cantidad de hechos fantásticos que narran sean absolutamente ciertos.

La tradición de dar cuenta de signos especiales y de anuncios de grandes acontecimientos se exagera en la literatura de la Edad Media y llega hasta el Renacimiento.

Los cronicones nacionales de España y los de los otros pueblos de Europa son pródigos en detallar toda clase de maravillas, precursoras de una guerra o de otra calamidad nacional: cometas, monstruos de dos cabezas, sierpes astrosas, fuentes que dejan de manar, fantasmas. Una porción de fenómenos extraordinarios preceden, según los historiadores, a los grandes acontecimientos.

En todas las épocas, para que se cumpla el augurio, se confunde muchas veces un objeto o un sujeto con un nombre. Así narra, por ejemplo, Flabio Vopisco, hablando de Diocleciano, que el mismo emperador había contado a su abuelo que cuando todavía servía en los grados inferiores del ejército, estando en el norte de las Galias, tuvo que hacer una cuenta con cierta mujer pitonisa o adivina. Esta le dijo:

—Diocleciano, eres d e m a s i a d o avaro.

—Seré más espléndido cuando sea emperador—contestó él, riendo.

—No te rías, Diocleciano — replicó la mujer—, pues serás emperador cuando hayas matado a un jabalí. *(Nam imperator eris quum aprum occideris.)*

Desde entonces, al soldado le entró la ambición de reinar, y, creyendo en el augurio, no perdía ocasión de cazar jabalíes. Fue ascendiendo en la milicia, hasta llegar a los más altos grados de ella; vio sucederse a varios emperadores, y parece que decía a sus amigos:

—Yo mato jabalíes, y otros se los comen.

A la muerte de Caro y de su hijo, Diocleciano adquirió extraordinaria popularidad.

Entre los soldados se sospechaba que el último de estos emperadores, llamado Numeriano, había sido asesinado por su suegro, Arrio Aper.

Diocleciano fue llevado al trono, y como había jurado vengar la muerte de Numeriano, mató él mismo a Arrio Aper, con lo cual la profecía de la adivina de las Galias se cumplió, porque Aper quiere decir jabalí.

Infinidad de casos parecidos se dan en las antiguas crónicas.

Muy difícil es separar hasta los tiempos modernos la idea profética de la magia y de la hechicería. A partir del Renacimiento, los augures pretenden tomar un aire marcadamente científico. Quieren demostrar que hay un procedimiento, un sistema para hacer sus pronósticos.

Desde una época muy remota se venían mezclando conceptos puramente matemáticos con otros fantásticos por los astrólogos, hasta tal punto que la gente creía que aquel que se ocupaba en teoría de números y de líneas era mago, sobre todo en el siglo XVI, cuando se veían los personajes más celebrados del mundo que mezclaban la ciencia con la fantasía y la extravagancia.

Como el hombre se contenta muchas veces con las palabras, aunque debajo de ellas no haya nada, se han inventado multitud de voces, tomadas del griego, para indicar formas de adivinación. Así, si se coge el libro de Martín del Río sobre las disquisiciones de magia o el de Pierre de Lancre acerca del sortilegio, o cualquier otro, se encuentran infinidad de procedimientos mágicos de averiguación del porvenir; alectromancia, amniomancia, antropomancia, aritmancia, capnomancia, cefalomancia, cosquinomancia, dagnomancia, hidromancia, quiromancia, etc. Todo esto rima tanto con extravagancia como con estupidez.

Como las mayores mistificaciones tienen sus defensores, modernamente se ha defendido la realidad del arte de los zahoríes con su varilla mágica de avellano para descubrir el agua, y se los ha llamado sensitivos, sin duda para darles mayor categoría. Se ha dicho también que los movimientos de la vara son debidos a la fuerza *chábdica* (Richet), y su arte se ha denominado radiestesia.

Justificar las necedades es una obra grata para el hombre.

Es curioso cómo se han podido escribir tantos tratados que quieren ser serios y tantos grimorios populares sin base alguna. Yo llegué a reunir un ciento de volúmenes de obras acerca de magia y de hechicería, la mayoría

franceses, algunos en latín y muy pocos españoles. En ellos no se encuentra nada interesante. Son perfectamente aburridos.

La superstición llega hasta los hombres de ciencia.

Cardan, por ejemplo, que contribuyó valiosamente al progreso científico, que inventó el sistema de suspensión que lleva su nombre, hizo descubrimientos en álgebra y halló la fórmula para la resolución de las ecuaciones cúbicas, cayó en los mayores absurdos al hablar de los horóscopos y predicciones del porvenir.

Este médico italiano de Pavía, se llamaba *mediolanensis medici* (médico milanés), hombre de cabeza privilegiada y al mismo tiempo perturbada, fue instruido en la magia por su padre, según asegura Pierre de Lancre, tomándolo de otro historiador, y dice que guardó un espíritu familiar durante veintiocho años.

Escalígero, que era enemigo suyo y que también pretendía tener un espíritu familiar, dice que Cardan había fijado, según cálculos astronómicos, el año y el día de su muerte, y que se dejó morir de hambre para que el acontecimiento justificara su predicción. Es un hecho que nada atestigua; pero como Cardan era un hombre estrafalario, se considera en él todo posible.

Martín del Río, en sus *Disquisitionem magicarum*, tiene a Cardan por un loco, y, verdaderamente, algunas de sus opiniones inclinan a pensar que lo era. G. Naudé, parisiense, en su libro *Apologie pour les grands hommes soupçonnés de magie* (Amsterdam, 1712), lo cree también así.

En un volumen titulado *Oposcula medica et philosophica* (Basilea, 1566), Cardan hace dos elogios absurdos: el de Nerón *(Neronis encomium)* y el de la podagra o gota *(podagræ enco-*

mium), y les une una sátira contra Sócrates *(Socrates studio)*.

Otro tipo curioso, medio crédulo y medio mistificador, fue H. Cornelio Agripa, a quien llama Rabelais *Herr Tripa*. Encontrándose en Francia en la corte de Francisco I, Agripa rehusó predecir por medio de la astrología el horóscopo de la madre del rey, haciendo pensar que sería adverso, y, en cambio, predijo nuevos éxitos al condestable de Borbón, que se encontraba al frente de las tropas del emperador Carlos V y en contra de Francisco I, por lo que cayó en desgracia en la corte francesa.

Agripa, este gran brujo, como le llama Lancre, se manifestó varias veces escéptico con relación a la magia, y dijo que sólo los asustadizos y los pobres de espíritu eran creyentes en sus misterios; pero, según Lancre, decía esto para despistar.

Otros muchos personajes, más o menos mistificadores y farsantes, hay en la lista de los profetas populares. En ella están Nostradamus, el conde de San Germán, Cagliostro y la última pitonisa célebre, la señorita Lenormand, que era una mujer muy inteligente, que representó su papel en París durante la Revolución y el Imperio. Se dice que en tiempo de la Revolución francesa fueron a visitarla Robespierre y Saint-Just a la calle de Tournon, donde recibía a sus clientes. La pitonisa pronosticó a los dos que morirían en la guillotina, por lo cual fue presa.

Los mejores adivinadores, por lo menos los más exactos, son como el maese Pedro, del *Quijote*, que aseguraba que tenía una mona que conocía el pasado y no el porvenir, porque su amo, Ginés de Pasamonte, antiguo ladrón disfrazado de titiritero, antes de llegar a una aldea, tenía la precaución

de enterarse de todos los chismes e historias que se contaban en ella.

Muchos pronósticos han pasado como auténticos. Así, se contó en París una predicción de Cazotte, el autor del *Diablo enamorado*. Según esta historieta, Cazotte había predicho, en una cena en casa de un académico, en 1788, lo que iba a ocurrir en Francia con la Revolución. Predijo cómo terminarían en el patíbulo los que se hallaban en la reunión, que eran Condorcet, Chamfort, Vicq d'Azir, Bailly, Malesherbes, la duquesa de Grammont, y con ellos el rey y la reina. Luego se supo que esta predicción estaba inventada y escrita por La Harpe, naturalmente *a posteriori*.

Alejandro Dumas padre la plagió en el prólogo de su novela *El collar de la reina*, y atribuyó la profecía a Cagliostro.

Hay, naturalmente, coincidencias curiosas y pronósticos basados en las ideas del tiempo que producen cierta sorpresa. Así, el notable y estrambótico escritor Diego de Torres Villarroel, profesor de Matemáticas, en su calendario, que llama *Gran Piscator de Salamanca*, tiene esta décima acerca del destino de Francia:

> *Cuando los mil contaras*
> *con los trescientos doblados*
> *y cincuenta duplicados*
> *con los nueve dieces más,*
> *entonces tú lo verás,*
> *mísera Francia, te espera*
> *tu calamidad postrera*
> *con tu rey y tu delfín,*
> *y tendrá entonces su fin*
> *tu mayor gloria primera.*

El año que indica es el de 1790. Mil, más trescientos doblados. Son mil seiscientos; más cincuenta duplicados, mil setecientos; más nueve dieces, mil setecientos noventa.

Quitando la complicación de la forma, el decir que al final del siglo XVIII iba a haber una revolución en Francia no era ninguna cosa extraordinaria, porque muchos franceses lo pensaban así, y Torres Villarroel había vivido en Francia.

En el terreno de la ciencia hay, evidentemente, anticipaciones importantes, cuyo origen no está bien conocido. Los filósofos griegos que afirmaron la existencia de los átomos y que la tierra era redonda, tenían, evidentemente, una idea hecha a base de una antigua intuición.

En la Edad Media hay también anticipaciones dignas de tenerse en cuenta. Rogerio Bacon, el fraile franciscano, en su *Opus majus*, habla de las posibilidades de las máquinas de volar, de los vehículos automóviles y de los submarinos.

En época más moderna, en unos *Diálogos de Galileo*, publicados por Gío Batista Landini en Florencia, en el siglo XVII, se dice que el célebre físico y astrónomo italiano se encontró una vez con un sujeto que le quería vender el secreto para entenderse a distancia valiéndose de una aguja magnética. Este hombre había ideado algo como el telégrafo, naturalmente sin llevarlo a la práctica.

En el terreno social, la primera anticipación más o menos utópica es la *República*, de Platón, en la cual el filósofo griego quiere sacrificar a los individuos a los intereses del Estado.

Después, en época relativamente moderna, la anticipación más importante es la *Utopía*, de Tomás Moro.

No hay muchas anticipaciones del porvenir en los libros posteriores a la *Utopía*, de Moro, con el mismo carácter de éste en la *Ciudad del sol*, de Campanella, o en la *Icaria*, de Cabet, o en *El año dos mil*, de Bellamy. En todos ellos hay una afirmación de socialismo. Lo más original entre esta clase de obras modernas son *Las*

noticias de ninguna parte, de William Morris, y la fantasía satírica *Erewhon*, de Samuel Butler.

En cuestiones literarias y artísticas, las equivocaciones en los pronósticos que se hacen en el tiempo son palmarias. Alguno de los contemporáneos célebres de Cervantes dijo que *Don Quijote* iría a parar a un muladar; a Shakespeare se le considera como un bárbaro; del célebre dramaturgo Ruiz de Alarcón, perseguido por la saña de los escritores de su tiempo, por Lope de Vega, Quevedo, Tirso y Montalbán, dice Góngora:

> De las ya fiestas reales,
> sastre y no poeta seas,
> si a octavas como libreas
> introducen oficiales,
> de ajenas plumas te vales,
> corneja desmentirás
> la que adelante y atrás
> gémina concha tuviste,
> galápago siempre fuiste
> y galápago serás.

Casi no hay escritor o pintor que en su tiempo se le juzgue con exactitud o se le ensalce exageradamente, como a Anatole France, o se le denigre, como a Stendhal en su época. Con los artistas pasa lo mismo. A Verdi, su maestro en el Conservatorio le dijo que no tenía condición alguna musical.

Respecto a pequeñas anticipaciones políticas, yo creo haber sido testigo de dos bastante curiosas. Una la hice yo mismo; la otra, un político.

Una tarde, dos o tres meses antes de la dictadura de Primo de Rivera, me encontré en la feria de libros del paseo de Atocha, de Madrid, con el escritor bilbaíno Ramón Basterra, que venía de Bucarest, donde había estado empleado en la Embajada; estuvimos hablando largo tiempo, fuimos a la Puerta del Sol y me habló de que en el extranjero, en los medios diplomáticos, se tenía una idea muy pesimista del porvenir político de España. Esto le alarmaba. Después de divagar sobre ello, me preguntó:

—Usted, ¿qué cree? ¿Qué pasará?

—¿Sabe usted lo que pasará?—dije yo—. Que dentro de un mes o dos vendrá un general de los de Marruecos e implantará una dictadura militar.

Dicho esto me despedí de Basterra para tomar el tranvía.

Tres o cuatro años después volví a encontrar a Basterra con un nieto de don Juan Valera, también diplomático, creo que el marqués de Auñón, y me preguntó:

—¿Cómo sabía usted que iba a venir la Dictadura? ¿Qué datos tenía usted?

—Ninguno especial; los de todo el mundo. Quizá aseguré el hecho con demasiada energía.

Un pronóstico que me sorprendió fue el que me comunicó un amigo y que oyó de los labios de Portela Valladares cuando éste era presidente del Consejo de Ministros.

Mi amigo supongo que fue a visitar al presidente para un asunto de elecciones, y Portela, en la conversación, le dijo:

—Si vence el Frente Popular, la República no durará dos años; ahora, si triunfan las derechas, puede ser que dure tres o cuatro.

Esto no lo cuento yo *a posteriori*, porque en ese tiempo, que debía de ser diciembre de 1935, se lo dije a todos los amigos. ¿Qué datos tenía Portela para creer en esto, que ha resultado verdad? No lo sé; pero seguramente tenía algunos.

Lo curioso es que una cosa así encuentra incrédulos, y que, en cambio, una afirmación absurda y sin base tiene creyentes.

Se puede razonar contra las supersticiones astrológicas y mágicas; ello no evitará que la gente siga creyéndolas, y no sólo la indocta, sino también alguna que pasa por culta.

En el entresuelo de un hotel de Passy, en París, por donde yo pasaba con frecuencia hace unos meses, veía un despacho elegantemente puesto, y en el cristal de las ventanas unos libritos de adivinación por la astrología. Allí vivía, al parecer, una señora astróloga. A la puerta se veían con frecuencia algunos automóviles, y luego supe que una dama de la vecindad a quien yo conocía, por otra parte muy inteligente, solía ir a ver a la astróloga casi todos los meses.

LAS ANTICIPACIONES EN EL ARTE

El haber escrito un estudio sobre las anticipaciones y pronósticos en la vida de la sociedad y de los individuos me impulsa a hablar de la misma cuestión en la literatura y en el arte. Realmente, parece que debía de ser más fácil tener la intuición del porvenir literario o artístico que la del futuro político, porque se piensa que en el terreno del arte no hay sorpresas, que en esa materia se tienen todos los datos necesarios; pero no hay tal.

Puede haber dos clases de anticipaciones: una, sobre el arte en sí, sobre su dirección y sus cambios; otra, sobre el porvenir de los artistas y escritores.

Acerca del arte, hay cánones antiguos: el griego para la escultura, las unidades aristotélicas para el teatro, las reglas métricas para la poesía. En cada época hay una estética consignada en preceptos. En un país en tiempo de cultura clásica, un drama sin las tres unidades aristotélicas no puede ser aceptado. De aquí que Shakespeare o Calderón tardaran tanto tiempo en entrar en Francia y tuvieran que pasar a fuerza de recortes y de adaptaciones.

En la pintura, las figuras de un cuadro de composición debían tener forma de pirámide y cada imagen de primer término había de ser completa, sin que la interceptase parcialmente otra. En un paisaje era indispensable un primer plano oscuro, unos árboles pardos y poco o nada de verde. El verde se consideraba inadecuado, inoportuno, como si no existiese en la Naturaleza.

Cuando el público vulgar y corriente tiene un gusto distinto de los eruditos, se puede dar el hecho de que los indoctos acierten contra los sabios; pero cuando el público es indiferente, entonces el caso es imposible.

El que piensa que los cánones artísticos son insustituibles y de un valor dogmático permanente, no puede hacer anticipaciones sobre el arte del porvenir. No le interesa. No le cabe la idea de la posible variación. Para él no hay que hablar de cambios ni de orientaciones. Todo lo que se produzca bueno estará dentro de las reglas, y lo que esté fuera de ellas será defectuoso y malo.

El que no tenga esta seguridad podrá pensar que le será posible, con el tiempo, encontrarse con obras, si no de un arte íntegramente nuevo, con algo que tenga matices distintos y diferentes a lo clásico y a lo reglamentario.

El que piense así no rechazará de antemano las teorías ni las obras que pretendan representar el futuro; las contemplará, las examinará, y si encuentra que no han conseguido su objeto, que no realizan su intención y que son mitificaciones más que otra cosa, las olvidará.

Muchos hemos contemplado con curiosidad cuadros cubistas, futuristas y expresionistas; hemos comenzado a leer poesías dadaístas y superrealistas; hemos visto que no nos interesaban ni nos divertían, y las hemos abandonado.

En el arte y en la literatura ha habido pocas anticipaciones geniales. Muchas más las ha habido en la ciencia. Hoy cada autor marcha como le parece, entregado a su temperamento. No se sospecha cuál será el porvenir en las artes y si puede haber teorías o sistemas que vuelvan a producir una unión de los espíritus después de la dispersión de nuestra época.

Lo más sencillo es casi siempre lo que tiene más dificultades de anticipación.

Cuando comenzaron los trenes, se dijeron una porción de tonterías acerca de los trastornos que produciría la velocidad. La gente se volvería loca, muchos intentarían tirarse por las ventanas de los vagones..., todo por ir a cuarenta o cincuenta kilómetros a la hora.

Respecto no ya a la literatura o a las artes en general, sino a los literatos, pintores y escultores, la anticipación y la crítica han sido poco perspicaces. En la historia del teatro griego se nota que muchos trágicos y dramaturgos desconocidos, seguramente medianos, tuvieron más premios que Sófocles, Eurípides o Aristófanes. En la literatura científica, Lamarck, Geoffroy, Saint-Hilaire, Bachofen y otros fueron poco considerados en su tiempo; en la Historia le pasó lo mismo

a Burckhardt; en la novela, a Stendhal; en la poesía, a Baudelaire; en
la pintura, a Manet y a los impresionistas; en la música, a Wagner y a
Bizet.

Además del no reconocimiento del
mérito, existió también la confusión
en el juicio. En casi todos los tiempos, los críticos no hacen la discrimi-
nación completa del mérito de los autores. En una época ya muy analista,
como la primera mitad del siglo XIX,
se ven colocados en la misma categoría de novelistas Balzac, Sue y Soulié;
en la música, a Meyerbeer y Wagner.

Se dice que el músico Kreutzer
aceptó la dedicatoria de la famosa sonata de Beethoven con cierto desdén,
y que lo mismo hizo Chopin con un
cuaderno de composiciones que le envió Schumann, y no cabe duda de que
Kreutzer no es nada al lado de Beethoven, y Chopin es poca cosa al lado
de Schumann.

Hay escritores que tienen un gran
éxito en su vida y después se oscure-
cen; a otros les pasa lo contrario.
Con frecuencia, ni el gran éxito, ni el
gran olvido, están legitimados, porque
hay autores que no merecen ni este
exceso de honor ni esta indignidad.

Hacia 1860, todos los cuadros de
Manet eran rechazados por el Jurado
de París, y en 1866, cuando hizo una
exposición particular, la gente se reía
de sus obras. No se comprende bien,
porque no había extravagancias en
ellas. Lo mismo pasaba en Madrid a
principio del siglo con cuadros de
pintores que ahora parecen vulgares
y corrientes, como Rusiñol, Casas,
Mir, etc.

El éxito lo pueden hacer el público
y los críticos. Actualmente lo hace
más la crítica, porque el público tiene muchos asuntos para distraerse.

La fama que produce el crítico, probablemente es la más incompleta. El
crítico tiene predilección por cierta
clase de obras. La obra mejor es la
que más se presta a las *fiorituras* literarias.

Nadie niega que se puede juzgar
bien; pero el juicio no pasa de ser
la visión de un individuo.

En general, la escala de valores literarios y artísticos más definitiva se
hace siempre muchos años después de
la muerte de los autores, y aun así,
nunca de una manera completa. *Ai
posteri l'ardua sentenza*, dijo Manzoni tras de cantar a Napoleón.

Todo el mundo que hace algo para el público es en ese punto un poco de Napoleón, un Napoleón en miniatura.

Los escritores y los artistas, buenos o malos, están siempre sujetos a
un juicio revisor, y pueden subir o
bajar en la escala, llegar a los primeros peldaños, o bajar a los últimos,
al silencio y al anonimato.

No se elige por datos ni por reflexiones, sino por intuiciones. Cada lector o espectador que tiene afición artística levanta en su espíritu un retablo
de imágenes, a las que admira; algunos varían en su culto y otros persisten en él.

El tiempo influye en el cambio. Hay
un conjunto de circunstancias imprevistas que escapan a la más fina penetración humana. Nadie sabe cómo
se orientará el mundo artístico y literario, no ya dentro de quinientos
años, ni aun dentro de cincuenta o
de ciento. El ambiente varía, la luz del
escenario cambia.

¡Quién podía pensar que a mediados del siglo XIX los prerrafaelistas
italianos iban a tener una época de
supervivencia, de admiración y de entusiasmo! ¡Quién iba a creer que a
final de este mismo siglo *el Greco*,
Goya y Zurbarán llegaran a ser universales!

En el juicio sobre literatura y arte se acierta rara vez *a priori*, en parte por culpa de la pasión y en parte de la incomprensión.

Algunos afirman que es imposible que el público no sienta ni entienda lo que es la síntesis del alma de su país; pero no es ello muy seguro. Muchas veces el éxito viene no de una adivinación primera, sino de una repetición; es el caso de *Don Juan Tenorio*, de Zorrilla.

Los hombres de gran talento ven relaciones entre las ideas que los demás no advierten. El escritor que siente la época y que comprende lo que hay en ella de específico y de latente y sabe expresarlo es el que hace la obra de trascendencia; pero muchas veces el medio popular no lo nota y el erudito tampoco.

¿Qué quedará de la obra literaria y artística de nuestro tiempo dentro de ciento o doscientos años, si es que queda algo? Nadie lo puede prever.

¡Cuántas obras que se han considerado magníficas e inmortales, al cabo de un tiempo se han ido olvidando! Algunas, aunque en menos cantidad, consideradas de poco fuste al aparecer, han sobrenadado por encima del olvido y han tomado importancia con los años.

Puede haber una crítica objetiva, es evidente, una crítica puramente científica; pero ésta llega a poco en sus conclusiones.

En general, la crítica que acierta es la subjetiva, impresionista e intuitiva. La otra no acierta nunca. Explica, razona; pero nada más.

Nuestra época es una época de tendencia anárquica en el arte. En la gran cantidad de reglas, de prejuicios y de lugares comunes, cada uno toma de ellos la cantidad que le parece.

Así se puede decir de nuestro tiempo lo que decían los antiguos: *Quot capita tot sensus*, que creo se puede traducir: «Tantas opiniones como cabezas.»

A veces el renombre del escritor o del artista viene no del propio país, sino de los países extranjeros. El *Quijote* fue libro muy celebrado en España, cuando se publicó, como obra de gracia y de risa; pero su gran fama de algo trascendental vino de Francia, de Inglaterra y de Alemania.

La entrada en la corriente de la literatura universal de algunas obras depende a veces de circunstancias que parecen fortuitas. Así, la boga del *Romancero* se inicia con la publicación de los romances castellanos por Depping (Leipzig, 1817), y luego se acrecienta con la colección titulada *Primavera* y *Flor de romances*, de Wolf (Berlín, 1856).

La fama de Calderón la impulsa también Alemania. Guillermo Schlegel traduce alguna de sus obras. Goethe se entusiasma tanto con ellas, que llora al leerlas. Schiller dice que aprende con su lectura a no cometer faltas. El poeta inglés Shelley las admira.

A consecuencia de esta fama, naturalmente fundada sobre una base muy firme, la figura de Calderón se exalta por grandes escritores europeos. Así, hoy sus obras se representan todavía en Alemania y en Rusia. En Suiza, todos los años se da al aire libre el auto sacramental *El gran teatro del mundo*.

Espinel y Vélez de Guevara salen a flote con las obras de Lesage: el primero, con el *Gil Blas de Santillana*, en donde hay páginas de *El escudero Marcos de Obregón*; el segundo, con *Le diable boiteux*, adaptación muy acertada y muy sabia de *El diablo cojuelo*, hecha por el novelista francés.

La fama de Tirso de Molina en el

mundo depende principalmente de haber sido el primero que llevó a la escena a Don Juan, personaje que, como se sabe, ha tenido infinidad de avatares en la literatura.

Gracián llegó a revalorizarse en España por Schopenhauer, cuando éste comenzó a tener un gran prestigio. Huarte de San Juan, que en su tiempo había sido traducido a muchos idiomas y después olvidado (el padre Feijoo no pudo encontrar un ejemplar en castellano de su obra), fue sacado de la oscuridad también por Schopenhauer.

El conde de Gobineau, desconocido en Francia, tuvo gran popularidad e influencia en Alemania, donde se constituyeron círculos gobinistas entre ellos el Gobineau-Vercinigung. En la literatura, los casos de incomprensión se repiten. Zoilo niega a Homero, según la tradición. Aristófanes ataca a Eurípides y a Sócrates con saña; entre nosotros, Góngora desprecia a Lope de Vega y Quevedo a Góngora. «El *Quijote* es obra que irá a parar a un muladar», dice uno de los más ilustres escritores de la época.

Molière, Corneille y Racine tienen negadores sistemáticos.

Contra el dramaturgo Ruiz de Alarcón, los poetas cortesanos de Madrid se desatan en versos desdeñosos e insultantes.

Byron dice que entre los autores ingleses prefiere Pope a Shakespeare.

Los contemporáneos de Stendhal consideran a éste como un escritor fuera de la literatura. Víctor Hugo le desprecia, y el autor de *Rojo y Negro* dice en broma que la edición de su libro *El amor*, como no se vendía, la dejó en un barco para que sirviera de lastre.

Mérimée habla desdeñosamente de Baudelaire. Así dice en una carta de la correspondencia inédita dirigida a una señora:

«No he hecho ninguna gestión para impedir que se queme al poeta de que me habla usted, sino decir al ministro que valdría mejor quemar otros antes que él. Pienso que se refiere usted a un libro titulado *Las flores del mal*, libro muy mediocre, nada peligroso, donde hay algunos chispazos de poesía, como puede tener un pobre mozo que no conoce la vida y que está triste y cansado porque le ha engañado una griseta.»

Aquí Mérimée se muestra incomprensivo y hasta cursi. Es la petulancia del que ha llegado a viejo y cree que sabe mucho. Ni todas las muchachas del pueblo son vulgares ni todas las damas elegantes son refinadas e ideales. El pensar así es más bien patrimonio de un pobre hombre que de un cortesano que vivía en palacios. Una persona de talento debía haber comprendido que *Las flores del mal* es el libro de un poeta decadente, perverso y enfermo; pero, en último término, de un poeta.

La primera edición de *El mundo como voluntad y como representación*, de Schopenhauer, el editor la lleva a la fábrica para convertirla de nuevo en pasta de papel. Treinta o cuarenta años después, Schopenhauer apasiona al mundo.

Al morirse Dickens hubo crítico que aseguró que era un payaso. Oscar Wilde le decía a Andrés Gide cuando le mostraba una traducción de *Bernabé Rudge*, que estaba leyendo:

—No hay que leer a Dickens.

Dickens ha sido uno de los escritores peor comprendidos. Su carácter de literato popular le produjo el desdén de los estetas y de los *snobs*.

Julio Claretie, en un libro de semblanzas literarias, dice que Héctor Malot, como psicólogo y novelista, vale más que Emilio Zola. Zola tiene su lugar en la historia de la literatura francesa. En cambio, ¿quién se acuerda hoy de Héctor Malot?

En París, en 1905, oí asegurar a varios profesores que Paul Verlaine había pasado definitivamente, y por el mismo tiempo les oí decir a unos rusos universitarios que Dostoyevski era considerado en Rusia como un escritor de segundo orden. Se ve que los rusos de entonces empezaban a ser tan negados y tan torpes como los de ahora.

En la pintura ha pasado lo mismo, ha reinado idéntica incomprensión.

Hace cuarenta años, todavía el Greco era un extravagante, un loco.

Stendhal encuentra indigno de figurar entre los cuadros de la galería Doria, de Roma, el retrato del Papa Inocencio X, hecho por Velázquez. Hoy se considera el retrato como lo más saliente de esa galería romana.

A los impresionistas les rechazan los cuadros en las exposiciones de París, cuando sus obras son lo único fuerte que ha producido la pintura francesa del tiempo. En cambio, Meissonier y Fortuny, que entusiasmaban por la misma época, hoy están olvidados.

En la música se dan los mismos o parecidos casos. De las óperas de Mozart se aseguraba por sus contemporáneos que eran muy abstrusas, difíciles y complicadas.

Se cuenta que en el estreno de Las bodas de Fígaro, el emperador de Austria llamó a su palco al compositor y le dijo amistosamente:

—Hay que reconocer, mi querido maestro, que hay demasiadas notas en esta ópera.

—Ni una más que las necesarias, señor—contestó el músico.

Hoy, esa ópera nos parece una maravilla de sencillez.

Cuando se estrenó en Roma El barbero de Sevilla, de Rossini, se silbó la obra estrepitosamente. Al representarse La Favorita, de Donizetti, en París, fue acogida con una completa indiferencia. Se consideró que únicamente los bailables tenían cierta gracia, y se auguró a la obra poca duración en los carteles.

La crítica musical francesa habló durante mucho tiempo de Wagner como de un compositor extravagante, pesado y de mal gusto. En París, donde se elogiaron con entusiasmo obras mediocres, se criticó duramente la Carmen, de Bizet, que es la ópera francesa moderna que ha tenido más éxito en el mundo entero.

A Verdi le dijeron en el Conservatorio italiano, donde estudió, que no tenía condiciones musicales.

Al lado de tantas pifias, ¡qué pocos aciertos!

Ante la miseria y el poco éxito de los artistas, ha habido algunos que han considerado que el Gobierno debía protegerlos. Esta es la tesis que defiende Alfredo de Vigny en su drama, un tanto lacrimoso, Chatterton, que lleva un prólogo explicativo titulado «Ultima noche de trabajo».

La idea de que el legislador debe ayudar al artista o al poeta es muy plausible en sí, pero muy difícil de llevar a la práctica. ¿Cómo el legislador va a conocer quién es el verdadero poeta y quién no lo es? ¿Cómo va a saber quién tiene verdadero talento y quién es un mistificador? ¿Con qué piedra de toque va a comprobar si en este hombre joven existen la inspiración y el genio y en éste no?

El legislador no tiene el vagar necesario para leer si preocupaciones, y si ha de atender a lo que le digan sus subordinados, que pueden ser rivales del joven poeta o del joven artista, no acertará. Puede hacer un tanteo de opiniones, una especie de estadística, de juicios favorables y adversos. Tampoco resolverá nada.

Si pasado el tiempo hay errores e incomprensiones en el juicio que se tiene acerca de los escritores y artistas muertos, ¿qué no habrá sobre el hombre que no se ha manifestado aún?

Bécquer, en la segunda mitad del siglo XIX, es el poeta más auténtico de España, y, sin embargo y de vivir en la miseria, no tuvo protección oficial. Entre sus contemporáneos hubo una tendencia a desprestigiarlo, a considerarlo como escritor de un sentimentalismo vulgar. Sus *Rimas* eran suspirillos germánicos, decía Núñez de Arce, que era un versificador seco y acartonado.

Como se decía de Espronceda que era un imitador y hasta un plagiario

de lord Byron, se dijo de Bécquer que era un imitador de los alemanes, cuando el poeta no sabía alemán.

Probablemente influyó en esto también su apellido. ¡Llamarse Bécquer y ser sentimental y poeta! Evidentemente, era un plagiario de los alemanes, sobre todo de Heine.

Yo no creo que Espronceda fuera un imitador de lord Byron, y menos que Bécquer hubiese leído a escritores alemanes.

Bécquer tuvo mala suerte en su vida y en su fama. En el tiempo en que yo era estudiante en Madrid se le tenía al poeta por un sentimental vulgar, por un cursi.

Todo esto demuestra que las opiniones acerca de los artistas y de los escritores que comienzan son inseguras, y las anticipaciones acerca de ellos lo son todavía más.

LAS PROCESIONES DE FANTASMAS

Esta disertación casi sabia y erudita la he escrito al caer en mis manos una traducción al francés de un libro de Antonio de Torquemada, escritor español del siglo XVI. La obra en francés se titula *Histoires en forme de dialogues serieux de trois philosophes* y está publicada en Ruan. El original español se llama *Jardín de flores curiosas en que se tratan algunas materias de humanidad, philosophia y theologia, con otras cosas curiosas y apacibles.* La primera edición es de Salamanca, de 1570. No he visto nunca el original español, ni siquiera anunciado en los catálogos de libreros importantes, y supongo que debe de ser muy raro. Cervantes habla mal de este libro en *Don Quijote,* pero luego lo imita en *Los trabajos de Persiles y Sigismunda.*

Una de las historias del *Jardín de flores curiosas,* reproducida después varias veces, es la del pecador que asiste a su propio entierro. El doctor Cristóbal Lozano reprodujo la fábula en *Las soledades de la vida y desengaño del mundo,* en donde el estudiante Lisardo asiste a su mismo funeral.

Don Gonzalo de Céspedes y Meneses cuenta una aventura parecida de un capitán de su apellido, que sucedió en Granada.

Luego, la anécdota pasa en el período romántico a *El estudiante de Salamanca,* de Espronceda, y a *El capitán Montoya,* de Zorrilla.

★

Las procesiones de fantasmas formaban lo que en otro tiempo, en español, se llamaba la hueste antigua.

La hueste antigua, por una contracción de voces, dio origen a la palabra *estantigua*. Estantigua tiene hoy el significado de persona alta, seca y estrambótica.

La hueste antigua era una comparsa de aparecidos o de almas en pena con la dirección de alguno que otro diablo. Esta comparsa se presentaba por la noche, causando espanto. Debían llevar la mayoría de los asistentes cirios encendidos, y se supone que cantarían salmodias fúnebres y tristes. El cortejo lúgubre y diabólico debía de considerarse como muy posible en todas partes en la época medieval. En España parece que existía la creencia desde el Norte al Sur y del Este al Oeste.

En cada región presentaría, indudablemente, su matiz diferencial. En el País Vasco no he oído hablar como tradición de estas procesiones nocturnas de aparecidos; pero, en cambio, hacia las Encartaciones de Vizcaya, comarca romanizada, debía de existir la creencia, porque leí hace tiempo un artículo de don Antonio de Trueba en *La Ilustración Española y Americana*, en el cual se describe uno de estos cortejos nocturnos por alguien que lo creyó ver.

En el País Vasco, más que en aparecidos muertos, se creía en brujas vivas, en mujeres de poder mágico y secreto. Aun ahora mismo se cree en ello. Quizá en esto influyera e influye una lejana tradición de matriarcado primitivo. En el país, la mujer fue siempre tan importante como el hombre; lo contrario de lo que ocurría en los pueblos clásicos, romanos, griegos y judíos, en donde la base de la familia y de la sociedad fue el patriarcado.

Por cualquier parte podía llegar a España y a los demás pueblos de Euroja la superstición de estas procesiones de fantasmas nocturnos, porque todas las religiones antiguas creyeron en las almas en pena y en los espectros.

Donde ya la teoría estaba más cuajada y más definida era en los pueblos latinos primitivos. De ellos, probablemente, vendría a España y se mezclaría con las supersticiones autóctonas y con las ideas cristianas. Los romanos, según Ovidio y Apuleyo, daban el nombre de lemures a las almas de los muertos y distinguían en ellas dos especies: las buenas, pacíficas y protectoras, que llamaban lares, y las intranquilas, enemigas y malignas, a quienes conocían por larvas o fantasmas.

La palabra *lar* (laris), de origen etrusco, significaba primitivamente jefe. Había los grandes lares, que eran dioses importantes, y los pequeños lares. Entre éstos se especializaban los lares urbanos, los lares marinos, protectores de los barcos; los lares compitales (de las encrucijadas), viales (de los caminos), rurales, familiares, etc. La palabra *larva* significaba en latín máscara, fantasma, y se relacionaba con Lara y Larunda, diosas de los muertos.

Las larvas eran espíritus malhechores, almas en pena, de gente malvada y atravesada, que tenían odio por los hombres, a quienes gustaban inquietar y perturbar. Estas larvas, según Apuleyo, andaban errantes y vagabundas en castigo de sus fechorías y de su mala vida, y producían terrores pánicos a las personas sencillas.

Según el sistema de Pitágoras y del mismo Platón, las almas virtuosas de los bienaventurados subían al Empíreo; en cambio, las de los malos se dedicaban a molestar a los pacíficos ciudadanos con sus pesadas bromas. Esta idea vieja subsiste en el espiritismo actual, que se considera moderno, a pesar de estar constituido por una suma de vejeces ruinosas.

Los romanos no las debían de tener todas consigo en cuestiones de aparecidos y almas en pena; por lo menos no los querían en su casa. Quizá les parecían bien en los caminos, en los barcos y en las encrucijadas.

«Lemures, pero no por mi casa», debían de decir aquellos pomposos señores.

De las periódicas expulsiones de los malos espíritus habla mucho Frazer en su *Ramo de oro.*

De cierto en cierto tiempo solían hacer, de noche, una ceremonia para suplicar a la fauna lemúrida, fuese buena o mala, lares o larvas, siempre inquietantes, para que se retiraran de su domicilio y se fueran con la música a otra parte.

La ceremonia consistía en lavarse las manos en una fuente, en plena oscuridad nocturna, y en echar después por encima de la cabeza, hacia atrás, unas habas negras que llevaban en la boca.

El haba negra era el alimento de los muertos, y por eso Pitágoras recomendaba a sus discípulos que no las comieran.

El *pater familias,* cuando echaba las habas hacia atrás, decía:

—Me libro a mí y a los míos. ¡Salid, manes paternales!

En Roma se organizaban fiestas en honor de lemures, que se llamaban lemurias. Después se celebraron, en honor de los parientes muertos, las parentalias.

Como se ve, esta cuestión en el paganismo estaba ya oficialmente resuelta y clasificada. En la época cristiana, el papel de las almas en pena, fantasmas y aparecidos, es un poco más oscuro. Hay quien cree en ellos, hay quien duda y hay quien los nie-

ga. Entre los demonólogos, Martín del Río y Rivadeneyra, Pierre de Lancre y otros muchos autores crédulos dan reglas para discernir cuándo una aparición está producida por los ángeles o por los demonios. Al parecer, los ángeles se presentaban en forma de jóvenes, de viejos venerables y de niños; nunca en forma de mujer. A veces toman figura de águila y también de paloma. Así se le aparecía un ángel a Santa Catalina de Siena. Los demonios, en cambio, tienen tendencia a disfrazarse de perro, de gato, de serpiente, de cocodrilo y de mujer guapa. Estos deben de ser de los más peligrosos por sus atractivos. Algo como las mujeres fatales del cine.

También hay relación entre el diablo y el cerdo, no muy clara. El cerdo debía de ser un animal tabú entre los semitas, y tenía afinidad con los espíritus malignos, a juzgar por el Evangelio.

No hay manera de resolver con exactitud qué naturaleza tienen o tenían los fantasmas que formaban la hueste antigua. Hay una corta relación de ella en el *Milagro de Teófilo,* de Gonzalo de Berceo, escrita con la ingenuidad y la candidez de primitivo no igualada por ningún autor en España.

El vicario o ecónomo Teófilo, *vice dominus* de la iglesia de Adana, en la Cilicia, está a punto de ser obispo, pero por modestia renuncia a este honor. Nombran a un nuevo obispo, y éste, sin cuidarse de la modestia de Teófilo, le destituye y pone en su cargo a otro vicario. Teófilo se irrita y se convierte de Abel en Caín, como dice el buen Gonzalo. Comienza a ver en peligro su hacienda, y se lanza por los caminos de la irreligión y de la apostasía. Conoce a un judío protervo y se hace su amigo, y escucha sus consejos:

Do morava Teófilo en essa bispalia
Avie y un iudio en esa iudería:
sabía él cosa mala, toda alevossía
ca con la hueste antigua avie su cofradía.
Era el trufan falsso, lleno de malos vicios,
Savie encantamientos e otros artificios,
fazie el malo cercos e otros artificios,
Belzebud lo guiaba en todos sus oficios.

El judío convence al vicario Teófilo y lo lleva de noche al campo a una encrucijada, sitio clásico para conferenciar con Satán y sus congéneres, en donde ve pasar la hueste antigua, y dice el maestro Gonzalo:

Prissolo por la mano la nochi bien me-
    sacólo de la villa a una cruzeiada. [diada,
Dissol: «Non te sanctigües, nin temas de
    [nada,
ca toda tu facienda será cras meiorada.»
Vió a poca de ora venir muy grandes gentes
con ciriales en manos e con cirios ardientes;
con su rei emedio, feos, ca non luzientes;
ia querría don Teófilo seer con sus pa-
    [rientes.

Teófilo hace un pacto con el diablo y pierde su alma; pero la Virgen, siempre bondadosa, le salva del infierno.

Seguramente esta descripción de la hueste antigua es la más remota de las que puede haber en castellano. En el poema de Fernán González se habla de la hueste, y los vasallos, que se quejan de la vida aventurera que les hace llevar su jefe, dicen:

A los de la hueste antigua, aquellos se-
    [meianos.

Relaciones modernas de aparecidos se oían antes con referencia a las casas de duendes. En la literatura moderna española recuerdo la de Trueba y un relato de un libro de *Fernán Caballero,* de unos estudiantes que, fingiéndose fantasmas, van a robar de noche a la huerta de un propietario llevando velas encendidas en las manos. Esta procesión es una broma. Los estudiantes, en su marcha, entonan una cantilena:

Andar, andar, andar
hasta llegar al peral.
Cuando íbamos vivos,
andábamos por estos caminos,
y ahora que estamos muertos
andamos por estos desiertos.
¿Hasta cuándo durarán nuestras penas?
Hasta que las sárgenas estén llenas.

Esta palabra *sárgena,* según algunos *árguena,* quiere decir angarilla, y el Diccionario Histórico de la Academia asegura que viene del árabe *arquen.* Hay quien supone que pueda venir del latín *sarcina* (saca o morral), palabra que se emplea en los *Comentarios,* de César.

★

Una variación española de la hueste antigua, en la que el pecador asiste a su propio entierro, se encuentra en el libro de Antonio de Torquemada, citado al principio. Traduciré la narración del francés al castellano, porque, como he dicho, no tengo el original:

«Muchas cosas han sucedido y suceden todos los días en el mundo—dice el autor—tan misteriosas, que sería gran locura pensar en llegar hasta su fondo y último punto de ellas, y aunque nosotros podamos conocer por casualidad alguna verdad, debemos pensar siempre que queda algo escondido. He aquí que yo alegue el caso que sucedió a un caballero en nuestra España, del cual, porque el hecho va en deshonor y perjuicio de éste y de un monasterio de religiosas, no diré el nombre ni el lugar donde sucedió. Este caballero, muy rico y de autoridad, amaba a una religiosa, la cual, para tener medio de estar con él, le indicó que hiciera llaves iguales a las de las puertas de la iglesia, que entrara en ésta y que ella encontraría medio de pasar del convento al templo por un torno que había para el servicio de la sacristía...

El caballero, muy contento de lo convenido y deliberado, hizo forjar dos llaves, una para abrir el gran portal exterior de la iglesia y otra para la puerta interior. La abadía estaba un poco lejana de la aldea. El caballero se fue a medianoche, que estaba muy oscura, sin llevar compañía, para que su negocio fuera un secreto, y, dejando su caballo en cierto lugar conveniente, se fue a la abadía, y cuando hubo abierto la primera puerta vio que la segunda lo estaba también, y que dentro había una gran claridad de lámparas y velas, y que las voces resonaban como si cantaran personas e hicieran el oficio de difuntos.

Asombrado, se acercó a ver qué pasaba, y, mirando por todos lados, vio la iglesia llena de monjes y curas que cantaban funerales y en medio un catafalco muy alto, cubierto de negro, y alrededor una gran cantidad de cirios encendidos y frailes y curas y muchas otras personas que estaban con ellos con luces en las manos. Lo que más le extrañó fue que no conociera a nadie de los que estaban allí.

Después de pasar largo tiempo mirando, el caballero se acercó a uno de los curas y le preguntó quién era el difunto por el cual se cantaba el funeral. El cura le contestó diciéndole que se celebraba el entierro de un señor del pueblo, y le dio su nombre.

El caballero, al oír que le nombraban a él como muerto, se echó a reír, y replicó:

—Os engañáis, señor cura, porque ese caballero está aquí vivo y soy yo.

El cura le replicó:

—El que os engañáis sois vos, porque el caballero está muerto y amortajado—y se volvió para seguir cantando.

El caballero, muy asombrado de lo que había oído, se acercó a otro cura y le hizo la misma pregunta, y éste le contestó con idéntica respuesta y le certificó lo que el otro le había dicho, con lo cual quedó muy asustado.

Ya intranquilo, y sin más tardanza, salió de la iglesia y, montando a caballo, se encaminó hacia su casa, e *incontinenti* dos grandes y fuertes mastines negros comenzaron a acompañarle a un lado y a otro.

Por más que hizo amenazándoles con la espada, no quisieron abandonarle hasta que llegó a la puerta de su casa, y como sus servidores salieran a recibirle, se maravillaron de verle tan demudado e impresionado, pensando que le debía de haber ocurrido algo muy grave.

El caballero les contó con detalles lo que había visto, y, al entrar en su cuarto, acabó la relación de lo pasado.

No había terminado de contar lo ocurrido, cuando entraron de pronto los dos mastines negros, se echaron sobre él y, sin que nadie pudiera socorrerle, hicieron pedazos al caballero.

Así, los funerales que había presenciado en su vida resultaron verdaderos.»

El interlocutor que oye esto en el tercer diálogo de las *Flores curiosas*, de Torquemada, dice que los dos mastines negros eran diablos, y que si el caballero se hubiera arrepentido de sus pecados, seguramente se hubiera salvado.

En la historia del estudiante Lisardo que aparece en las *Soledades de la vida y desengaños del mundo*, de don Cristóbal Lozano, la escena del funeral está descrita aún con mayores detalles, pero no tiene otra novedad.

LAS RAICES DEL CARNAVAL

Actualmente a mí no me importa nada enteramente de que el día en que estoy viviendo es un día de Carnaval. Antes sí me importaba.

Este año, en París, no he notado la fiesta. No he visto ni una máscara en la calle; sólo en el Metro vi un chico con una careta.

En otro tiempo sentía el Carnaval como un acontecimiento importante. Era inútil que intentara convencerme a mí mismo de que no tenía ninguna trascendencia, de que no me había de interesar, ni entretener, ni de llamar la atención. La trascendencia se me imponía. De chico me producía una mezcla de atracción y de miedo.

Eran también para mí los Carnavales un motivo de exitación a la mitomanía. Recuerdo haber inoculado para mi uso en la niñez una historia en que unas máscaras me amenazaban, historia que tuve durante algún tiempo por verídica, hasta que la sometí al libre examen, la destruí y me libré de ella.

Esta excitación me ha hecho siempre pensar que en el Carnaval debe de haber algo muy importante para el hombre. Yo creo que, efectivamente, lo hay.

Cuando a uno le hace un efecto profundo el mar, la noche, la luz de la luna, un grupo de árboles al anochecer o el ruido de un arroyo en la oscuridad y en el silencio del campo, es evidente que hay en ello algo trascendental que ha influido en nuestros antepasados, que nos han transmitido por herencia la facilidad de emocionarnos ante una sensación de esta clase. Es posible que cuando se lleven siglos de luz eléctrica en la ciudad y

en el campo, el terror de la noche desaparezca.

El Carnaval era seguramente la fiesta profana más sugestiva del hombre. Tenía todos los atractivos: la alegría brutal, la sátira, el misterio, el erotismo, la perfidia, el libertinaje, la venganza y después la perspectiva del arrepentimiento en el Miércoles de Ceniza. La esencia suya es libertinaje y escándalo, como el primer acto del *Don Juan Tenorio*, de Zorrilla.

El Carnaval era una fiesta para triunfar en plena Edad Media. Fiesta de los locos, danza macabra, amores, venganzas, misticismo, magia, envenenamiento, todo esto iba envuelto en su manto rojo, constelado de estrellas; todo esto iba unido a la brevedad de tres días cortos, porque en breve plazo la Venus rubia y de cabellos de oro se convertiría en esqueleto descarnado con una horrible calavera envuelto en un sudario blanco.

La palabra *carnaval* parece que viene de *carrus navalis*, carro naval. Es la etimología más aceptada.

Hay quien considera que la voz puede venir de *carne vale* (carne, ¡adiós!); otros dicen que de *carne levamen* (supresión de la carne), de levamen, acción de quitar. Los que creen esto se apoyan en que el Carnaval se llama también Carnestolendas, retirada de la carne, de *tollendus*, de *tollere*, quitar, retirar o prohibir.

No se comprende bien por qué se denomina así al Carnaval, que no tenía en sus días prohibición de comer carne.

Respecto a su origen, evidentemente, el Carnaval desciende de una manera directa de las fiestas báquicas de Roma: bacanales, lupercales, saturnales, y éstas, a su vez, de las fiestas dionisíacas de Grecia, pues sabido es que Baco, Dionysos y Pan son, originariamente, la misma divinidad pagana. Por otra parte, Sabacio es también Dionysos y Sabacio es el dios de la magia y de la brujería, el dios del macho cabrío, símbolo del sol. De aquí que los sábados y los aquelarres medievales sean fiestas hermanas del Carnaval. Otro parentesco menos trágico tiene con el dios Momo, genio de la burla, de la sátira y de la locura, hijo del Sueño y de la Noche, enmascarado y lleno de cascabeles como un bufón.

El siglo XIX, romántico y al mismo tiempo pagano, quiso rejuvenecer la alegría carnavalesca y darle un aire pánico, tumultuoso y turbulento.

Era una tendencia lógica, sobre todo entre los germanos, el marchar contra lo académico y lo razonable del siglo XVIII francés, el atacar los viejos cánones clásicos. Esta tendencia iniciada por Herder se llamó en Alemania *Sturm und Drang*, período de turbulencia y de tempestad. La Revolución francesa había prohibido máscaras y disfraces. Le parecían atentatorios a la dignidad humana. ¡Qué pedantería más absurda!

Esta misma idea siguen teniendo hoy los socialistas.

Los Carnavales de los pueblos de las orillas del Rin, Düsseldorf, Colonia, etc., fueron célebres en el siglo pasado. Lo fueron también el de Venecia, cantado por lord Byron; el de Roma, celebrado por Goethe, y el de Florencia.

En España se distinguían por sus fiestas Madrid, Sevilla y Cádiz. Todavía el paseo del Prado en la corte tenía prestigio. El Carnaval de Madrid era individualista, jolgorio, de gente de a pie, broma, aventura y venganza. Yo asistí a sus postrimerías:

«Para verdades, el tiempo», dice un antiguo refrán. Para verdades, el Prado de Madrid en Carnaval.

Después del Carnaval del Prado, que era de bromas, de conversación, de farsa de la vida, para decir con Goya: «Nadie se conoce», o para decir con Larra: «Todo el mundo es máscara», y de más o menos ingenio, vino un Carnaval en el paseo de la Castellana, espectacular, de coches, carrozas, confetis y serpentinas, y poco después languideció y casi murió.

En mi tiempo, en donde existía aún el espíritu de la fiesta individualista, y sin alardes de lujo municipal, era en algunas ciudades de provincias del norte de España, en Pamplona, Burgos, Vitoria, etc. En estos pueblos se conocía la gente, se sentían las diferencias de las clases sociales, había ganas de divertirse, de desquitarse, instintos de licencia y miedo al escándalo.

El espíritu del Carnaval podía darse en una ciudad pequeña y en parte levítica; en una ciudad grande y mecanizada era ya imposible. No tenía objeto. No podía haber en ésta intrigas ni aun bromas entre personas que no se conocían. Así, la fiesta en las capitales derivó a tomar un aspecto suntuoso, vacuo y espectacular.

El Carnaval ha sido en nuestro tiempo un producto de misterio, de superstición, de individualismo, de diferencia de clases, de ironía y de venganza. No puede subsistir en un régimen moderno, socialista, en donde el espíritu pretende ser docente, lógico y moralizador y la Policía severa. El Estado no va a dejar que por unos días ni por unas horas las gentes se entreguen a la libertad y a la impunidad. La Policía no permitirá tampoco que sus individuos fichados, fotografiados e identificados anden como de incógnito entregados a su capricho y no vigilados por sus agentes.

Otro elemento que, evidentemente, daba mayor prestigio al Carnaval, era la idea de la brevedad de su duración.

El Carnaval de nuestra época de gentes románticas no murió por falta de asistencia pecuniaria de los Ayuntamientos, sino por falta de espíritu. Era para una época de aristocracia y de pueblo; la burguesía republicana y el socialismo obrero lo miraban con desprecio y lo arrumbaron en el rincón de los trastos viejos, desde donde ya no volverá.

De las antiguas Carnestolendas quedaron en la literatura las bromas del arcipreste de Hita sobre la lucha de don Carnal y doña Cuaresma, y las fantasías de Brueghel en su célebre cuadro con este mismo asunto que se encuentra en el museo de Viena.

De los modernos Carnavales no queda nada literario ni artístico importante. En la pintura hay algunos cuadros folletinescos; en la música, una composición admirable de Schumann y la canción *O mamma!*, sobre la cual Paganini hizo distintas variaciones para violín y que han corrido por el mundo con el título de *El Carnaval de Venecia*.

La lamentación de Larra *Todo el año es Carnaval* es bastante contestable; porque ¿quién sabe si no sería mejor que lo fuera? De ser mentira, hay que hacer que lo sea todo, y de ser verdad, que lo sea, igualmente, todo en conjunto. La mezcla de mentira y de verdad es la mayor mentira, y ésa parece que va a existir siempre.

Desde el punto de vista sociológico y etnográfico, el Carnaval tiene una **gran tradición, unas raíces** profundas que se hunden en lo más remoto de la Historia.

La máscara, la careta, ha sido durante miles de años objeto de culto.

El hombre primitivo, al taparse la cara con una máscara con figura de animal, creía convertirse en el mismo animal que era el patrón de su grupo, de su clan. Este animal sagrado, el totem, era para él una defensa contra los enemigos materiales y espirituales, hombres y demonios.

Si se tapaba con la careta que representaba la facies de un guerrero, de un artesano o de un loco, creía convertirse en guerrero, artesano o loco. Lo mismo le pasa al niño imaginativo de ahora.

La careta aparece hoy todavía en las ceremonias de iniciación de las sociedades de los primitivos actuales del Africa y de Oceanía. Lo mismo ocurría en los pueblos antiguos de una civilización naciente.

Las máscaras se encuentran representadas en las pinturas de las cavernas paleolíticas europeas, lo que hace pensar que se empleaban ya hace quince o veinte mil años. No es posible que otra fiesta tenga más larga tradición.

Las sociedades secretas de los pueblos primitivos de hoy están asociadas a la máscara. Los clubs de hombres solos del Africa occidental y de la Melanesia viven en este régimen del disfraz.

Los mozos en esos países, en una época de su vida, tienen que aprender a fabricar caretas de los animales totémicos, del antílope, liebre, mono, pantera, cigüeña, avestruz, cocodrilo, etcétera.

El que lleva la máscara de un animal se identifica con él y le imita en sus movimientos. De aquí el baile del oso, del canguro, del pato, y el baile de la zorra, que es vasco, es muy antiguo y se llama *asheri dantza*.

Las sociedades secretas de los pueblos primitivos actuales no representan, según algunos, únicamente los hábitos del clan totémico, sino un rito religioso prohibido como una masonería.

Al parecer, en los pueblos del Africa del Sur la estructura social comprende aún tres clases de grupos:

Primero. Las cofradías de hombres solos, que se supone creadas contra la preeminencia de las mujeres de una época matriarcal. Esas asociaciones hacen sacrificios en honor del jefe desaparecido, se lo comen simbólicamente para recoger su fuerza y se dedican a la danza ritual, sobre todo en los funerales.

Segundo. Las organizaciones de funcionarios, administradores, policías, soldados, etc., que son las menos misteriosas.

Tercero. Las asociaciones q u e practican la magia bajo la inspiración del totem (el animal simbólico de la casta), del genio del lugar o del guerrero ilustre.

Entre estas últimas están la de los Hombres Panteras, criminales sádicos que matan personas desvalidas, mujeres y niños, como los thungs y los haschichinos del Viejo de la Montaña, y la de los Hombres Chimpancés, enemigos acérrimos de ellos y partidarios de la justicia distributiva para todos los que persiguen y exterminan a los Hombres Panteras.

La sociedad de las máscaras de Awa, de los acantilados de Bandiagara, a orillas del Níger, se constituye con los jóvenes adultos que toman parte en las danzas.

En esta tribu, la careta es una prenda indispensable en el período de la juventud, tan indispensable como un frac y un chaleco blancos para un muchacho elegante de Londres.

Las caretas no suelen ser sólo de animales entre los awas, sino también de ciertos tipos profesionales y de extranjeros al país, más o menos caricaturizados.

Al mismo tiempo que en el Africa occidental, la costumbre de la sociedad secreta y del disfraz predomina en Melanesia, lo que hace pensar a los etnógrafos que ha habido relaciones de cultura en estos países tan lejanos entre sí.

En las islas de la Melanesia, las prácticas de las sociedades secretas parece que son más rígidas que en el Africa. Los hombres casados y solteros viven, comen y duermen en el club.

Los melanesios usan casi constantemente la careta cuando salen del sitio secreto en donde se encuentra su club. Entonces llevan un rombo de madera, atado con una cuerda, al que dan vueltas en el aire, y producen un zumbido que consideran que es la voz de los espíritus.

A estos hombres los ingleses los llaman *bull roarer*, lo que quiere decir muy lacónicamente el hombre que hace el mugido del toro.

Este aparato recuerda un tanto la carraca y la vejiga que, atada a un vergajo, se agita por encima de las cabezas y se amenaza con ella.

En Pamplona y en algunos pueblos de Bélgica flamencos, y puede que a ellos los llevaran los españoles, suele haber en las fiestas hombres que llevan un cuerpo de caballo de cartón y un vergajo con una vejiga en la punta, con la que amenazan a la gente. En Pamplona se los llama *saldicomáldicos,* que es palabra castellanizada del vasco, y que debe querer decir el jinete malévolo o perverso.

Es extraordinaria la supervivencia de prácticas antiguas que un etnógrafo encontraría, si se lo propusiera, en el Carnaval.

Si esta fiesta desaparece y muere definitivamente, se pierde algo de lo más tradicional de la vida del hombre.

Se le pueden hacer funerales de primera clase.

Cuando en el reino de Tileno, según cuenta Plutarco, se oyó una voz misteriosa que, en el silencio de la noche, gritaba: «El Gran Pan ha muerto», se cuenta que el mundo se estremeció de espanto.

El Carnaval tiene algo del Gran Pan. Al enterrarlo y hundirlo en la oscuridad, no se hunde para siempre en el olvido a Baco y a Momo, cuya mitología no había llegado a los pueblos actuales, no se pierden sólo las siluetas de Arlequín o de Pierrot, ni se acaba con el grotesco entierro de la sardina, celebrado en Madrid e ilustrado por Goya, lo que se hunde en el fondo de la Historia y del silencio es una de las fantasías más irracionales y absurdas, pero más vitales, de la Humanidad.

LA CUESTION DEL ESTILO

Yo he escrito alguna vez antes sobre esta vieja cuestión del estilo con la idea de aclararla, al menos para mí, y de expresar al mismo tiempo algunos conceptos sencillos y corrientes. Es posible que me repita.

Ahora, con frecuencia, en periódicos y revistas franceses se leen unos galimatías místicos, inspirados en Paul Valéry, en los superrealistas o en ese señor Claudel, tan aparatoso y tan aburrido. En otros galimatías se habla de los escritores, y, sobre todo, de los poetas, como seres herméticos, superracionales y mágicos.

No es que yo crea que las obras y los hombres sean completamente claros, no; pero creo que la retórica altisonante y confusa no explica nada.

Cervantes y Voltaire, Dickens y Dostoyevski, se reirían de estas mojigangas místicas y mistagógicas de una época literaria como la nuestra, un tanto pobre y afectada. Siempre se ha pretendido y se pretende en la literatura y en las artes ir al fondo último de las cuestiones, a su esencia; saltar, como decía Séneca, por encima de la propia sombra; pero, en general, la empresa falla y las explicaciones y las metáforas no aclaran nada.

En la cuestión del estilo hay elementos concretos y fáciles de analizar y otros oscuros y difíciles de someter a la crítica.

En cierto modo, y desde un punto de vista psicológico, el estilo es una manifestación de la personalidad humana, como puede serlo el hablar, el sonreír y el andar. Desde otro punto de vista, el estilo representa una serie de reglas gramaticales y retóricas que sirven o pretenden servir para dar una forma literaria a un escrito.

Hay, pues, un estilo interno y otro externo. El primero preside la elección de un asunto, da el tono a la obra literaria, y el segundo va realizando sus fines de un modo objetivo. El uno imprime una dirección y el otro la realiza. Naturalmente, ni el estilo interno es sólo interno, porque se exterioriza al fin con claridad, ni el estilo externo es sólo cosa de fuera, porque tiene su raíz en el fondo psicológico del autor.

En unas hojas de una antología de literatura francesa que me mandaron hace años envolviendo unos libros había un prólogo sin firma sobre el estilo, que me pareció muy bien. Después vi que era el *Discurso sobre el estilo*, de Buffon. Yo había leído, atribuida a este autor, la frase «El estilo es el hombre», y la teoría de que sólo las obras bien escritas pasaban a la posteridad.

Las dos proposiciones me parecían falsas y exageradamente retóricas, pero pude ver primero que Buffon, en su *Discurso*, no formula la frase «El estilo es el hombre», y después que para él las obras bien escritas no son las adornadas con arabescos y ringorrangos.

Buffon se refiere principalmente a la prosa.

Una obra bien escrita, para este autor, es una obra clara, precisa, bien pensada, con unidad de ideas elegantes, con un equilibrio interior. En esto creo que estamos todos de acuerdo.

Buffon reconoce que, fuera de las reglas, puede haber estilos personales que, sin inspirarse en ellas, las sigan, las realicen y hasta las superen. El caso más destacado es el de Shakespeare.

En nuestro tiempo, en España, las metas del estilo en prosa se han considerado el casticismo, el adorno y la elocuencia.

Para los tradicionalistas, el casticismo es lo esencial de la buena literatura. Un escritor que tenga cierto sabor a siglo XVII es un estilista; para los modernistas, la gracia es el adorno; la prosa recargada de metáforas y de objetivos con colorines es lo que significa el estilo. Para los unos y los otros el ideal es la elocuencia.

Hace ya muchos años hablaba con el director y el crítico de un periódico madrileño. El director me decía, y el crítico parecía asentir en ello, que yo había escrito un libro titulado *Mala hierba* con descuido, y que luego, para demostrar que sabía lo que era escribir, había puesto al final unas páginas bien escritas. Yo contesté:

—No, yo creo que no es eso. Para mí, ustedes confunden el escribir bien con la elocuencia. En las últimas páginas de ese libro mío yo he querido dar una impresión más entonada y elocuente; pero esa intención no basta para que estén bien escritas.

Si el escribir bien significa únicamente la elocuencia, sería fácil alcanzar este resultado. El estilo elocuente es el más conocido y el que tiene reglas más fijas. Con emplearlo y ocuparse exclusivamente de palacios, de jardines reales, de catacumbas, de héroes, de grandes capitanes, todo el mundo sería un gran escritor. En cambio, el autor del *Lazarillo de Tormes*, el de *El buscón* o el de *Pickwick* no serían nada.

Para la mayoría de los latinos, el estilo es la retórica elocuente, como el idealismo es la retórica doctrinaria. El orador cetrino que habla a todas horas del derecho, el periodista chanchullero que emplea grandes frases, son idealistas.

Por cierto que en Madrid, hace pocos años, había un escritor ya viejo y popular que tenía una casa de préstamos, pero esto no le quitaba, según el público, nada para que pudiera ser idealista.

El español y el latino creen sobre todo en la forma, y suponen que se puede ser ratonero, bajo en la vida y en el pensamiento elevado. Así, en la política española última se han dado estos casos del hombre que pasa de un campo a otro y toca su solo de trompa y entusiasma a su nuevo público con su fraseología como entusiasmó al antiguo.

Para mí no es el ideal del estilo ni el casticismo, ni el adorno, ni la elocuencia; lo es, en cambio, la claridad, la precisión y la elegancia.

Los elementos principales de la prosa son la sintaxis, unas veces regular, lógica, y otras irregular, con transposiciones; el léxico o vocabulario y la elección del período con párrafo largo o con párrafo corto.

La sintaxis tiene gran importancia. Desde un punto de vista psicológico, la sintaxis que emplea cada uno es una consecuencia de su raza y de su cultura. No puede ser lo mismo proceder de un país en que haya hablado durante siglos un idioma que ser hijo de unos extranjeros. En este sentido, los más pobres en castellanidad y en latinidad de España y de Hispanoamérica tenemos que ser los vascos. Los demás españoles no están en nuestro caso, porque la sintaxis latina lo mismo preside el valenciano, el catalán y el gallego, que el castellano.

La sintaxis típica viene de un fondo de raza, y en el escritor, cuanto más personal es, más se nota su ascendencia.

Otro elemento importante es el léxico o vocabulario. Aquí me parece que ocurre lo mismo que en la sintaxis. Cuando la riqueza de léxico es forzada, aprendida, vale poco, da una impresión de artificio; ahora, cuando es natural, espontánea, es otra cosa. El escritor que emplea las palabras que ha oído, sobre todo desde niño, les da un sabor especial de verdad, de autenticidad, que no tienen casi nunca cuando las tomas del diccionario.

Yo no escribiré nunca *por ende, a mayor abundamiento, enterizo, señero, reciedumbre, mañanero, madruguero*, ni hablaré de la *besana* ni de los *albaranes* de las casas, porque éstas y otras palabras las leo, pero no las oigo. Sobre todo, no las he oído.

Esto me basta para no usarlas. Son para mí voces inusitadas que no añaden un matiz nuevo a una idea. Todo ello constituye un léxico que a mí me parece de una moda modernista muy próxima a la trivialidad, que en España se llama cursilería. Tampoco me gusta emplear esas palabras de hoy como *propugnar, posibilitar, opositar, estructurar, controlar*, que tienen un sabor de pedantería de academia jurídica, y que no sé si añaden algo a ideas viejas.

Algunos dicen: «Todo lo que es castellano se puede y se debe emplear.»

Yo no lo creo así en todos los casos. Si yo empleara los giros y las frases de *Fernán Caballero*—muy andaluces y, por tanto, muy castellanos— para hablar de la vida de un pueblo vasco, haría a mis ojos una cosa completamente ridícula.

Otro punto no resuelto referente al léxico es el de si se deben emplear palabras especiales, populares o sabias, que para mucha gente del público no se entiendan de primera intención. Yo creo que el término que no se comprende hace en un texto el mismo efecto que un espacio en blanco en una página impresa. Pienso que hay muy poca gente que, al encontrar una palabra que no entienda, vaya a mirar su significado en el diccionario.

Enrique de Mesa me decía hace unos años: «Cuando habla uno, por ejemplo, de la sierra del Guadarrama y recuerda en el monte matas de piorno, ¿va a decir, porque la gente no conoce esta planta, que son de romero o de cantueso?»

No creo que se puede dar una regla en estos casos. A mí me gusta poner el nombre de las plantas que conozco, aunque comprendo que para el lector en general, si se trata de nombres raros, esto no le dice nada. Exagerado el sistema, la descripción de un paisaje se convertiría en una página de un libro de Botánica, de Mineralogía y de Geología. De todas maneras, dar el nombre verdadero a las cosas es algo, cuando ello no es una exageración, aburrido. En enriquecer el idioma con sinónimos es tarea a la que no se le ve ventaja.

Otro de los puntos que tienen importancia en el estilo es la elección del párrafo largo o del párrafo corto.

El párrafo largo, el período de origen latino, formado por varias oraciones unidas, tiende, naturalmente, a la elocuencia. El párrafo corto es una síntesis. Nuestro tiempo tiende al análisis.

El párrafo largo es todavía natural al castellano. Ha dominado y domina aún. Castelar, Valera, Galdós, lo han empleado.

A principios del siglo, *Azorín*, que ha hecho muchos ensayos formales de estilo, alguno que otro escritor y yo, intentamos el párrafo corto. Para mí era la forma más natural de expresión, por ser partidario de la visión directa, analítica e impresionista. En el párrafo largo hay un ritmo más musical que en el corto, ritmo no muy complicado, porque se podría marcar con un tambor.

La sonoridad de la prosa es condición que se armoniza más con el párrafo largo que con el corto. La sonoridad es un elemento de la elocuencia y, por tanto, del período redondo. En el párrafo corto no tiene apenas cabida. El párrafo largo parece una romanza un poco monótona; el párrafo corto da la impresión del golpeteo del telégrafo Morse.

En el párrafo largo, aun leído mentalmente, se respira mal. Como hay ahora protestantes de los protestantes, me decía hace poco un joven escritor

que ésta es una idea de los modernistas de a principios del siglo; pero no hay tal, la idea es vieja. La Fontaine decía:

La période est longue; il faut réprendre ha-
[*leine.*

Casi inmediatamente después de nosotros, en escritores de 1900, el párrafo largo volvió a triunfar. Ortega y Gasset dio el tono a los escritores, y los orteguistas emplearon el período largo con muchos incisos.

Otro punto también importante en el estilo es el de las transposiciones, hipérbaton y otras formas de decir que no siguen la pauta de la construcción lógica y regular. A veces es evidente que esto da energía y brío al lenguaje, pero muchas veces lo hace confuso, anfibológico.

Hay incorrecciones que se aceptan, porque son más cómodas y expresivas. Así, no choca la frase de Zorrilla:

No os podéis quejar de mí,
vosotros a «quien» maté.

En otros varios casos, la mezcla del singular y del plural en una misma oración y con un mismo sujeto no disuena.

Cuando estas irregularidades son una fórmula popular, me parecen bien; ahora, cuando están buscadas deliberadamente, ya no me gustan.

Hoy es general y corriente cambiar, por ejemplo, una frase como ésta: «Aquel capitán que había conquistado tierras en América», y decir: «Aquel capitán que conquistara tierras en América.»

Esto, por lo que veo en la Gramática—y no estoy muy seguro de ello—, es sustituir el pluscuamperfecto de indicativo por el pretérito imperfecto de subjuntivo. El sentido estricto, ¿es el mismo en las dos frases? Se podría dudar.

Yo creo que por ese camino y con esos procedimientos se llega pronto a la culta latiniparla y a la jerga de *Las preciosas ridículas*.

Otra preocupación actual de los escritores venida de Francia es la de suprimir el *que*. El *que*, en el castellano como en todos los idiomas latinos, es algo biológico. Desterrarlo es artificioso. También se quieren suprimir los gerundios y reducir el empleo de los verbos auxiliares.

Yo no dudo que con esta manera de encorsetar el idioma se pueda conseguir cierta elegancia; pero siempre será una elegancia amanerada y afectada.

Constituido el idioma literario por una poda y una desviación de las formas naturales de expresión, no cabe duda que no sirve para ciertos géneros literarios, como, por ejemplo, la novela. No ha debido de servir nunca. Así se podría decir que ha habido tres clases de lenguaje: uno, el vulgar; otro, el preciosista, y otro, el de los novelistas. Flaubert se extraña en su *Correspondencia* de que los grandes escritores no hayan sabido escribir. Esto, que parece paradoja, no lo es. Los grandes escritores, sobre todo los novelistas, no han podido escribir en estilo preciosista y han tenido que echar mano a todos los recursos del lenguaje.

Así, Cervantes, Fielding, Defoe, Walter Scott, Balzac, Dickens, Stendhal, Dostoyevski han sido considerados como escritores incorrectos.

De todos los géneros, la novela es lo que menos se presta para los ejercicios del estilo. El estilo correcto, alambicado, es más propicio para otra clase de obras: discursos, impresiones, viajes, reflexiones, ensayos, etcétera.

El estilo de Renan, verdaderamente magnífico, sirve para la historia y para describir los paisajes del mar Muerto o las cimas del Sinaí; pero para hablar de la tiendecita y de la casa pobre en la callejuela de la ciudad, no serviría. Bien están el órgano en la iglesia y el acordeón en el suburbio.

El estilo refinado tiende forzosamente a la elocuencia. Muchas veces, en las novelas de Anatole France, que a mí siempre me han parecido fastidiosas por su afectación y amaneramiento, se ven descripciones de un rincón de París hechas con muchos perfiles y con ritmo elocuente. Hay en esto una falta de armonía, que la mayoría no nota. Tiene que haber una relación entre el asunto y su expresión. En esto Cervantes es uno de los primeros maestros, en contraste con Flaubert.

Sainte-Beuve, para elogiar a *Madame Bovary*, la novela de Flaubert, decía que tenía estilo. Cierto, pero este estilo pesa, porque se sienten el trabajo y la mecánica. Es siempre el mismo procedimiento y la misma técnica, que no corresponden al asunto. En cambio, el estilo pobre de Stendhal no pesa. La perfección, al menos cierta clase de perfección, aburre. Yo, cuando leo obras excesivamente trabajadas y bien escritas, pienso: «Si esto tuviera partes descuidadas y un poco abandonadas a la inspiración, quizá se leyera con más facilidad.»

Naturalmente, para los aficionados a la literatura no hay todavía una fórmula general para el estilo. Si la llegara a haber, vendría la era de la monotonía y del aburrimiento y se produciría de una manera efectiva no el estilo de Chateaubriand (vizconde), sino el estilo del *Chateaubriand pomme* de la cocina francesa.

EL DESDOBLAMIENTO PSICOLOGICO DE DOSTOYEVSKI

Durante el invierno, y en la casa de la aldea, el único entretenimiento posible es la lectura. Casi todas las noches he comenzado a leer un libro. A veces no lo he terminado; otras, sí. Stendhal, Mérimée, Tolstoi, Proust, Dostoyevski, los he releído con atención. Dostoyevski siempre conserva interés y curiosidad para mí, siempre encuentro en él extrañas sorpresas.

Es un autor que llevo leyendo ya hace más de cuarenta y cinco años, del que escribí un pequeño artículo a los veinte, y del cual voy teniendo un concepto que va cambiando con el tiempo.

Algunos libros célebres del ruso, muy comentados, le producen a uno menor sensación ahora que antes; otros de menos fama siguen inspirándome gran admiración. *Los poseídos, El eterno marido, El espíritu subterráneo,* me atraen más, por ejemplo, que *Crimen y castigo.* Quizá llegue con el tiempo a la saturación dostoyevskiana y deje la lectura de las obras de este autor.

Al mismo tiempo, he repasado varias críticas acerca del novelista y he vuelto a mi antigua idea de que en Dostoyevski lo más sugestivo no son sus pensamientos, ni sus personajes, ni su técnica, sino que lo que produce la impresión más profunda es el desdoblamiento de su espíritu, unido a su gran acuidad psicológica.

«Siempre hubo en mí desdoblamiento», dice Dostoyevski en una de sus últimas cartas.

Desde hace más de veinte años se habla en revistas médicas y en artículos de periódico del desdoblamiento psíquico, de lo que se llama en términos científicos esquizofrenia.

El valor literario de Dostoyevski se basa, en gran parte, en su esquizofrenia, en su mezcla de sensibilidad, de barbarie, de humildad y de sadismo, y al mismo tiempo en que toda la vida que refleja es por primera vez en la literatura íntegramente patológica.

La esquizofrenia, palabra griega compuesta modernamente, significa inteligencia dividida. Inteligencia en el sentido de psique, de personalidad. La esquizofrenia es una defectuosa organización de las ideas, que produce la duplicidad espiritual. Naturalmente, en la esquizofrenia hay grados. El que se encuentra en esa situación psíquica tiene un reflejo imperfecto del mundo exterior. Las ideas no llegan siempre al fondo de la conciencia; ésta no se halla dispuesta a recibir las imágenes de los hechos de una manera completa y normal, los necesita transformar, cambiar, darles un sentido que no tienen. En estos casos, la atención no se halla canalizada como en la mayoría de las personas. Este reflejo, modificado e imperfecto, del mundo exterior tiene diferentes matices.

Entre algunos escritores se ha dado la esquizofrenia sola; a veces se ha presentado unida a la tendencia maníacodepresiva. Uno de los caracteres del genio de Dostoyevski es que no domina la vida de los personajes de su obra. Estos personajes llegan a tener una existencia que parece independiente del autor que los crea.

¿Es posible una cosa así? ¿O es una pura fantasía?

La aclaración de este punto literario debe ser principalmente psicológica. Habría que partir de la idea que tenemos de la conciencia.

Definir lo que es la conciencia es una tarea doctrinaria, de escuela, que no tiene gran valor. Ya sabemos que la conciencia es un resultado del ser, del vivir, pero no sabemos más. La conciencia, o el espíritu, ¿tiene una unidad o no la tiene? Para los psicólogos clásicos hay una unidad absoluta en el espíritu. Es la *mónada* de Leibniz. Para los psicólogos experimentales modernos, que no creen en el alma como una esencia independiente de los órganos cerebrales, no puede haber esa unidad; hay más bien estados de conciencia múltiples y variables. «No pretendo afirmar —dice W. James—que un estado de conciencia carezca de duración; aunque ello fuera cierto, lo que sería difícil de establecer, lo que quiero dejar fijado es que ningún estado de conciencia es reversible; es decir, que no puede volver a ser idéntico a sí mismo.» Para los psicólogos experimentales, la conciencia es como una central en la que hay muchos elementos independientes que están sometidos a un sensorio único; es decir, a una dirección. Uno de los progresos de la fisiología moderna ha sido mostrar que la vida de la planta y la del animal son resultantes de otras vidas subordinadas armónicamente, que terminan en un concierto único.

La verdad es que prácticamente no se nota la unidad.

Hay personas que pueden leer un periódico y oír al mismo tiempo un trozo de música y darse cuenta de ambas cosas.

Hace mucho tiempo se aceptó en fisiología la teoría de las localizaciones cerebrales, que, en parte y en el terreno experimental, parecía cierta. Era como un régimen de especialidades provinciales de una nación. Después se creyó en las neuronas de Ramón y Cajal, algo como un régimen individualista de un país. Hoy, en un momento de tregua, se está estudiando el tejido nervioso intermedio entre célula y célula, la *microglia*, cuyo estudio reserva descubrimientos de gran importancia.

Hace veinte años, Freud ha hablado de todo esto como si el problema estuviera ya resuelto, considerando que las raíces de las sugestiones oscuras de la personalidad se hundían siempre en un fondo sexual. Evidentemente no es así. Estas raíces pueden recoger sus impulsos inconscientes, o semiconscientes, de otros manantiales orgánicos, además del sexual. Ya Nietzsche, con más genialidad psicológica que Freud, habla de crisis espirituales que pueden depender de la mala función de las vísceras.

Que hay un germen de duplicidad y de multiplicidad en la conciencia, es evidente. La embriaguez, la enfermedad, la fiebre, la esquizofrenia, modifican y perturban esa unidad. «Así, quien quiera hallar su *yo*—dice W. James—más cierto, más intenso, más profundo, habrá de repasar la lista cuidadosamente y elegir el que haya de poner en juego su porvenir. Los demás *yoes* quedarán oscurecidos, como si no existieran; sólo la fortuna de elegir será la real.» Todo hombre, por honrado y moral que sea, comprende que con otra educación y con otro ambiente podría haber sido un perdido, un granuja o un ladrón. De aquí el interés que nos producen los criminales. Comprendemos que, en circunstancias especiales, todos podríamos llegar al crimen.

Si no nos consideramos capaces de cometerlos no nos asustarían nada; pero comprendemos que la mala suerte podría habernos llevado a la situación del que roba o del que mata, y por eso nos interesan los crímenes y los criminales.

Los desdoblamientos de la personalidad tienen grados: el alcohólico ve el mundo de una manera distinta que en el estado normal; al febricitante le pasa lo mismo. La edad hace cambiar el estado de conciencia.

Entre los escritores destacados hay algunos que no pueden dominar sus impulsos semiconscientes; hay otros que son casi conscientes del todo. Así, por ejemplo, a Horacio se le puede considerar como el más alto tipo del escritor consciente, manipulador y depurador de bellos lugares comunes; en cambio, Eurípides, Shakespeare, modernamente Dostoyevski, son hombres en los cuales la vida inconsciente se refleja con gran energía en su obra. *Las bacantes*, de Eurípides, por ejemplo, es una tragedia en la cual el autor parece perder la razón al mismo tiempo y al compás de sus héroes y de sus tipos.

El carácter de relativa independencia que tienen, con relación al autor, las figuras de Dostoyevski, es muy significativo. Ello parece una fantasía, pero, en parte, es una realidad. Probablemente, a causa de su desdoblamiento, los personajes suyos tienen un carácter y unos motivos de obrar que parecen independientes de las intenciones del autor.

Esta condición, que le da un valor de psicólogo extraordinario, no le hace ser un gran filósofo abstracto. Como filósofo, Dostoyevski es quizá mediocre. El conocimiento profundo del hombre lo saca, en parte, de su enfermedad, que le da ampliada, y de una manera monstruosa, lo que en el hombre normal es de dimensiones exiguas.

La contradicción esquizofrénica es en él tan grande que le impide la pretensión de armonizar sus ideas.

Es evidente que la disolución de la personalidad en un hombre de genio tiene que llegar en literatura a extremos muy raros. Nunca se había dado el caso de este novelista, en que los personajes de su libro se insubordinan contra su creador, como su creador se irrita con ellos y los desprecia. Ello origina que tengan un carácter como de pura naturaleza, más que de artificio literario. Por este motivo, él es como un padre descastado.

En los poetas, lo inconsciente brota a veces de la necesidad de la rima, y la asociación de dos palabras de sonido parecido, de significación lejana, da una impresión a veces extraordinaria. Este es el arte de Víctor Hugo, arte de prestidigitador, de malabarista de las palabras; arte que puede dar origen a frases magníficas y a otras disparatadas.

Aun entre los hombres que pretenden ser clásicos y doctrinarios, si producen una obra abundante, les sale casi siempre a flote su inconsciencia y su contradicción. Así, por ejemplo, en el Balzac aristocratista y monárquico brota a veces su tendencia democrática y plebeya, y en el Flaubert y en el Zola, antirrománticos y realistas, aparece su romanticismo.

Es muy difícil, aun para la conciencia normal del artista, tener una policía tan estrecha del espíritu que sólo brote en él lo consciente. Sería como hacer que en un jardín no nacieran más que las semillas puestas a propósito en la tierra y no los gérmenes traídos por el aire.

Conseguir lo primero es seguir la tradición y la técnica clásica. Abandonarse a lo que llega por la casualidad, por el azar, es la técnica romántica. Esta técnica quizá ha llegado a su máximo en nuestro tiempo en la filosofía de Nietzsche y en la literatura de Dostoyevski. Ni el uno ni el otro han pretendido poner orden en su producción y las contradicciones abundan en sus respectivas obras.

La de Dostoyevski es la más extraordinaria del tiempo, porque este autor, que deja su jardín lleno de plantas parásitas, obra del azar, llega un momento en que ya las considera como si no fueran suyas, las trata con odio y con desprecio, y las ve confundidas y mezcladas, en un ambiente brumoso, como si no fuera él el que las cultivó, sino como si hubieran nacido espontáneamente.

Este es uno de los caracteres más interesantes de Dostoyevski: el ser, más que ningún otro escritor, sujeto y objeto de experimentación.

Algo como la esquizofrenia se puede dar, no como una cosa espontánea, sino como producto trabajado y de técnica. Es el caso de Pirandello, cuya obra de procedimiento deliberado no tiene gran interés psicológico.

El caso de Cervantes es muy digno de analizarse, porque en él salta la genialidad sin ser buscada.

Cervantes es un escritor, en el comienzo de su actividad literaria, correcto y discreto, pero llega un momento de su vida, ya próximo a la vejez, en que inventa a sus dos tipos: Don Quijote y Sancho Panza. Publica la primera parte de su libro, y, al publicarla, se encuentra, probablemente con sorpresa, con que ha conseguido un enorme éxito en España, fuera de España, en todas partes. Entonces se da cuenta de que ha hecho una obra extraordinaria, de que ha delineado dos tipos con caracteres eternos, y para escribir la segunda parte de su novela toma todo el tiempo necesario—diez años—, y la escribe con una gran maestría. Como arte consciente, hay mucho más arte en la segunda parte que en la primera, pero en la primera hay la invención, la intuición, algo que está por encima

de la literatura hábil y de la técnica.

Cervantes reconoce en la segunda parte de su libro que en la primera hay historias intercaladas, de relleno, que no tienen nada que ver con sus personajes ni con la fábula de la obra, como la novela del *Curioso impertinente* y la *Historia del cautivo,* que están embutidas en el texto.

Nota, al hacerla, que hay algo grande en la invención de Don Quijote, y a sus personajes los empieza a tratar con mayor respeto. Ya a su héroe no le tunden constantemente. Dentro de su moral aristocrática, le sale a veces la protesta humana, y así, después de los capítulos en que Don Quijote vive en el castillo de los duques y sufre sus burlas, sospecha el autor, y lo dice, si estos duques no serían más tontos que los demás, cuando les gustaba divertirse con las extravagancias de un pobre loco.

En el caso de Cervantes se puede decir que el elemento inconsciente aparece sin el permiso del autor. No pasa lo mismo en nuestra época, en que hay escritores que han intentado ver de amplificar, de intensificar la inconsciencia en su literatura. Por mucho que se quiera, no puede haber en ella un elemento inconsciente tan fuerte como en otras artes, por ejemplo, en la música, porque ésta es el arte genial por excelencia, nacida del fondo misterioso y profundo de la personalidad, y que es imposible aclarar y analizar.

Se puede contemplar la locura desde fuera, como Cervantes en el *Quijote,* y más en pequeño en *El licenciado Vidriera.* En estos casos, el autor queda siempre como espectador, con una sonrisa de burla y a veces de piedad. Se puede mirarla desde dentro, como Dostoyevski.

Este es el hombre que ha puesto el máximo de atención en las anomalías espirituales, porque era enfermo y médico al mismo tiempo, sujeto y observador.

La pupila de Dostoyevski es como una lente de gran aumento. Esta fuerza de su visión es resultado de una hipertrofia de facultades; es decir, de una enfermedad.

La atención detenida que fija en los menores detalles los movimientos de naturalezas dislocadas y, en parte, brutales, como la suya, puede dar, como en este caso, resultados extraordinarios.

Muchos de los esquizofrénicos de personalidad dividida, por muy vulgares que sean, tienen lo que el psiquíatra Ernesto Dupré, hombre de talento científico y literario, llamaba mitomanía. El esquizofrénico es casi siempre mitómano y egotista. Es decir, que, en pequeño y sin su genialidad, debe de haber muchos tipos parecidos a Dostoyevski.

Ejemplos de doble personalidad se han descrito algunos en la literatura y en la vida. Entre los primeros, y de los más clásicos, está *El doble caso del doctor Jekyll*, de Stevenson. En los libros de Psicología patológica hay varios explicados según las teorías que reinan por el momento.

El pastor protestante que, después de un síncope, se olvida de toda su vida pasada, de sus conocimientos teológicos, de haber estudiado en el Seminario y de su iglesia. El predicador norteamericano que de pronto se transforma en comerciante y hace vida de comerciante, sin acordarse para nada de su existencia anterior, hasta que, al cabo de tres años, vuelve otra vez a sentirse pastor y a predicar en su iglesia. El caso de miss Beauchamp, que, a consecuencia de un choque mental, va adquiriendo personalidades sucesivas diferentes, y el de una mujer llamada Ferida, estudiada por el doctor Azam, de Burdeos, que se manifestaba con dos personalidades, una de las cuales no recordaba absolutamente nada de la otra.

Estos casos, evidentemente, son rarísimos, y tendrían que estar muy comprobados para creerlos. Por su magnitud, son los que interesan más a los psicólogos profesionales y les sirven para sus doctrinas.

Se ve que la esquizofrenia, en general, nunca toma caracteres tan exagerados. El esquizofrénico tiene como norma la inconsecuencia y la contradicción. Es lo que sucede a Dostoyevski, que, sin querer o queriendo, inventa todos sus personajes con las mismas o parecidas taras que tiene él.

No hay necesidad de buscarlos, de irlos contando, de una manera deliberada en sus libros, porque todos ellos tienen el mismo carácter de duplicidad. De Raskolnikoff, el héroe de *Crimen y castigo*, dirá el autor que tiene dos caracteres opuestos, que se manifiestan alternativamente, y afirmará que a ratos detesta a Sonia, que es la mujer que le salva.

El marido engañado, Pavel Pavlovitch, se encuentra con Velchaninof, el antiguo amante de su mujer. Este antiguo amante está enfermo, y el *eterno marido* engañado le cuida con cariño; pero, al cabo de algún tiempo, se halla dispuesto a matarle.

Kirilof, el ingeniero de *Los poseídos*, que se va a suicidar por motivos metafísicos, canta la vida, y dice que cree en ella y en la inmortalidad. Versilof, en *El adolescente*, dice que viven en él sentimientos contrarios, y asegura que se parte en dos.

Estos tipos y otros semejantes no son en el fondo malos ni completamente buenos. Los hermanos Karamazof y su padre, que es un mixto de cínico y de bufón. Smerdiakof, el lacayo siniestro; Stavoroguin, el *dandy* satánico de *Los poseídos,* son anómalos y destartalados. Algunos, los muy inteligentes, son orgullosos, en su mayoría son humildes, de una humildad un poco repulsiva para nosotros, porque a veces raya en la bajeza.

En un sentido clásico no se puede decir que estos tipos sean caracteres.

«Un carácter—dice Stuart Mill—es una voluntad completamente moldeada. Donde no hay voluntad, no hay carácter.»

Esto no obsta para que los tipos de Dostoyevski tengan vida, y una vida enorme. Svidrogailof, el de *Crimen y castigo,* como Smerdiakof o Foma Fomich, de *Stepanchikovo,* nos bailan delante de los ojos con sus gestos y sus muecas.

Los hombres de nuestro autor, en general, no tienen orgullo, no son celosos, ni sienten espíritu de venganza. Son cristianos fervientes. En esto son el polo opuesto del hombre latino, en el cual el orgullo, la presunción y la venganza toman en ocasiones caracteres violentos.

Para Dostoyevski, el orgullo es el mayor pecado. El cree que se puede perdonar todo menos el orgullo.

Las mujeres del novelista, unas son angelicales, otras son buenas, amables, pero caprichosas y fantásticas. Muchas veces no saben a quién quieren, de quién están enamoradas. Así son Catalina Ivanovna y Gronschegnka, de *Los hermanos Karamazof,* y la Nastasia Philippovna, de *El idiota.*

¿Hay en la obra de Dostoyevski un pensamiento secreto? No parece muy probable.

El escritor ruso Merejkovski ha escrito varios estudios intentando dar una explicación simbólica y racional a las ideas y a las fantasías monstruosas de los personajes de Dostoyevski. Quiere pensar, por ejemplo, que las grandes arañas, los escorpiones, las serpientes o los perros amenazadores que ven en sus delirios los tipos del novelista indican algo metafísico. Es decir, que tienen un sentido esotérico.

Yo no creo en tal cosa; creo que no significan más que impresiones de terror y de repugnancia. Me parece que en nada de eso hay misterios ni oscuridades místicas, sino sólo patología, patología genial.

LA GRACIA DE LOS *CLOWNS*

He visto hace pocos días una representación de un circo ambulante en la plaza de un pueblo próximo a París. Había tres gimnastas muy ágiles que daban saltos mortales magníficos, un excéntrico musical tocaba varios instrumentos con gran habilidad, una amazona volaba por el aire con soltura y con elegancia. El que fallaba por completo era el *clown.* No tenía gracia. Era oratorio. Sus chistes me parecieron fúnebres, de un carácter semipolítico. El público los reía a pesar de todo.

El año pasado vi una función de circo en Basilea. Fue tan larga, tan llena de números sensacionales, que, al volver a casa, empecé a tener vértigos y no pude dormir. Después de las amazonas y las focas amaestradas, del orangután que come en un plato y que anda en bicicleta, de escenas divertidas en una aldea suiza, de gimnastas, acróbatas, enanos y excéntricos musicales, me quedó la impresión de que los *clowns* fallaban, que no tenían gracia.

Es lo corriente. Parece rara esta

falta de elemento cómico auténtico. El *clown* verdadero es un mirlo blanco, una cosa excepcional. Un esteta nos diría que lo que llamamos gracia —don muy difícil de explicar—no es sólo lo cómico ni la facultad de hacer reír. Es evidente que la palabra *gracia* tiene demasiadas acepciones para ser precisa y justa.

Hay la gracia llamada divina, que los teólogos dividen en suficiente y en eficaz, y después subdividen y matizan; la gracia estética, lo cómico franco y el chiste desvergonzado y brutal.

Aun en la estética y refinada hay diferencias y distinciones, porque si se encuentra gracia—y la hay—en un cuadro de Botticelli, en una estatua de Donatello o en una sonata de Mozart, no puede ser la misma que la de una estampa de Goya, la de una escena cínica y brutal del abate Swift o la de un *can-can* de Offenbach.

Yo pensaba, al ver al payaso o *clown* en el circo de ese pueblo próximo a París, sólo en la gracia de lo cómico, de lo que hace reír, gracia que tiene su más alto representante en Aristófanes y en Plauto, en algunos humoristas ingleses, sobre todo en Dickens, y en las actitudes y gestos de un buen *clown*. Por cierto que esta risa yo no creo que proceda de un instinto de crítica social, como supone Bergson. Una crítica así me parece que nace de un fondo excesivamente social y semítico.

Yo sospecho que esta gracia clownesca no es muy propia de los pueblos latinos, aceptando que el pueblo latino sea algo más que un nombre de clasificación lingüística. El latino, en general, tiende a la retórica y a la elocuencia, es exageradamente sociable y considera la burla y el humor como un insulto. El germano y, sobre todo, el anglosajón son más analíti-cos, más introspectivos, más insociables, de una vida interior, y se burlan a veces de sí mismos y de sus preocupaciones con una carcajada pánica. De aquí nace el humorismo en la literatura y el *clown* en el circo.

El latino me parece que es incapaz de hacer irónica y alegre su desesperación. Al revés, la exagera y la llena de púas.

En el tiempo, muy lejano, en que yo solía ir al café en España, entre los escritores se comentaba una crónica de *El Barquero*, crítico taurino del *Heraldo de Madrid*, de la cual algunos recordaban párrafos enteros. Era una expresión perfecta del mal humor. Comenzaba de este modo: «La tarde, más patosa que Dios; el toro, que era un perro...» De esta manera seguía hasta el final.

El latino tiene un fondo de irritación. Por eso no produce ni humorismo ni *clowns*.

Al pensar en ello, recuerdo a un tipo que se llamaba Luis Esteso, a quien podía llamarse chistólogo, especialista en chistes. Esteso, hombre serio y triste, cómico para mi gusto sin gracia, era en el fondo un literato con gran afán de cultura y con cierta tendencia a la melancolía. Esteso fabricaba sus chistes mecánicamente, en frío, y los sacaba hasta de los tratados de Psicología y de Obstetricia. En su fuero interno creo que los despreciaba. Una vez, en una pequeña revista de provincia, vi una poesía suya sobre su muerte. Estaba muy bien, muy sentida. El cómico pensaba cómo estaría en su ataúd, en su pueblo, en San Clemente (Cuenca), en un cuarto pobre y encalado, y cómo irían los aldeanos manchegos, con su chaquetilla corta, su gorrilla y su bufanda, a asomarse por la puerta a ver su cadáver.

Con pensamientos habituales como éstos es difícil poder ser alegre.

Yo, actualmente, voy poco al teatro, casi no voy nunca; pero hace tiempo solía ir con alguna frecuencia.

He visto, entre los españoles, cómicos buenos, sobre todo entre los populares; algunos costumbristas que tenían un aire indiferente, como Julio Ruiz y José Mesejo; otros, un tanto fúnebres dentro de su comicidad, como Rosell y Emilio Carreras. Entre todos ellos, el único cómico alegre que recuerdo, que se divertía trabajando, era Manuel Rodríguez.

A éste le fallaba el nombre. Llamarse Manuel Rodríguez en España es como llevar un traje gris.

Rodríguez, Pérez, García o Sánchez no son buenas etiquetas para la popularidad. Los apellidos, en cambio, como Díaz de Mendoza o Ladrón de Guevara son demasiado sonoros. Están bien para las guías oficiales y para las esquelas de defunción adornadas con títulos nobiliarios o académicos. Para gente que tiene que vivir del público, como autores, músicos o cómicos, está mejor llamarse Arniches, Chapí, Chicote o Xirgu.

Rodríguez, Manolo Rodríguez, como le llamaban los amigos, era el más gracioso y el más alegre de los cómicos españoles, que recuerde. Quizá haya en esto un espejismo de juventud.

★

Respecto a los payasos y clowns, que son también artistas, aunque mucha gente los desdeñe, he visto a varios; pero ya no tengo en la memoria bien grabados los caracteres de su trabajo.

Cuando se ha hecho uno viejo y vive del pasado, se siente, si es uno escritor, el no haberse fijado bien en cosas que se tuvieron ante los ojos y a las cuales no se les supo sacar jugo.

En Pamplona, de chico, vi trabajar a Tony Grice; después, en Madrid, a los Halon Lees; luego, en París, a Footit, a Tonitoft, a Chocolat, y creo, aunque no estoy muy seguro, a los Fratellini y a Antonet.

Hubo clowns españoles, italianos y franceses; pero creo que se desviaban del tipo del clown tradicional. El francés tiene en el circo una tendencia intelectualista, el italiano propende a la Commedia dell'arte y el español a la exageración del ímpetu. Charlot, que es un clown genial, le ha dado a su tipo algo del espíritu judío.

Ese humor fantástico y desigual, alegre y fúnebre del clown, no es de países de sol, sino de países de niebla. El latinismo quizá pueda aspirar a la gracia mística; pero no a la gracia humana.

En general, el pueblo que inventa una palabra inventa una idea.

La palabra inglesa clown se ha hecho universal. Originariamente, quiere decir el aldeano rústico, el bufón, el tonto que da lecciones a los listos. El clown es el hermano nórdico de los Sancho Panza y de los Bertoldo meridionales. Primitivamente, es el inglés malicioso y cazurro. Al tomar el oficio franceses, españoles, italianos y yanquis, le han incorporado tradiciones de sus respectivos países.

El repertorio de los clowns va transmitiéndose de generación en generación, y como no es un arte escrito, cada cual va tomando del fondo común lo que le conviene. Los mismo pasa con las pragmáticas del cómico; pero éstas son más limitadas, porque el actor tiene que tomar fórmulas exteriores, y el clown toma lo interior y lo exterior, la letra y la acción.

El más famoso clown del siglo XIX

fue Joa Grimaldi, que trabajaba en el teatro Covent Garden, de Londres. Debió de tener importancia, porque se hicieron muchos retratos suyos y una estampa de su muerte. Dickens publicó sus *Memorias*.

En Inglaterra era tradicional el *clown* shakespeariano, que imitaba, en medio de bufonadas, algunos parlamentos lúgubres de *Hamlet*. Este debía de ser como un trasunto parcial de la *Danza de la Muerte* de la Edad Media. Después, el oficio de *clown* se matizó, se dividió. Quizá por influencia de franceses y de yanquis, se creó el tipo del excéntrico musical. Entre algunos artistas franceses de café-concierto y algunos *clowns*, como Grock, ya no hay más que una diferencia muy pequeña.

Otros, más que humoristas y bufonescos, eran gimnastas, equilibristas, saltadores.

El más notable de los saltadores era Rico. Este y su compañero Alex hacían su entrada en escena en Los Patinadores, en el circo Medrano, de París, antes de la guerra mundial, con una fibra y un brío difícilmente igualados.

La primera gran batuda de circo que recuerdo fue la de los Halon Lees. Hacían cosas maravillosas; un tren que descarrilaba y caía en escena; gente que saltaba por las ventanillas y se cruzaba y se entrecruzaba. Era un espectáculo sorprendente. Después no he visto nada parecido.

Entre los excéntricos musicales había algunos originalísimos. En París, el excéntrico solía entrar en la pista y preguntaba el director, de frac y de corbata blanca: *«Voulez-vous jouer avec moi?»*, cuya frase pronunciaba con acento y énfasis de inglés de teatro: *«Folez-vo chué afec moa?»* En Madrid solía comenzar el número con una conversación con Leonard Parish.

Recuerdo a Gober Belling, muy alto, con un traje gris holgado, unas botas enormes, las rodillas salientes, un paraguas abultado y una maleta, echando bocanadas de humo por la boca.

—Señor Leonard. Yo venir aquí a mi trabajo.

—Señor Bellin. Aquí no se permite fumar — contestaba el señor Leonard.

—¡Aoh!... Sí..., yo comprender bien castellano, señor Leonard... Aquí no permitirse fumar.

Y tiraba el cigarro al suelo e inmediatamente sacaba otro, y luego otros, encendidos, y seguía echando bocanadas de humo como una locomotora.

Después, en medio del circo, entre la gente, se erguía como un fantasma el compañero de Belling, el *augusto*, que se llamaba Philps. Este aparecía en una actitud rígida de muñeco espantado de caja de sorpresas. Iba vestido de frac, con un cuello grande, la corbata blanca, los guantes blancos, la cabeza rapada y una sortijilla en la frente.

Belling le llamaba, y cuando le tenía delante, le cogía con su manaza como si fuera un candelero o una botella y le ponía aquí o allá, y le daba un beso y después una bofetada.

El diálogo de Belling y de su augusto Philps solía ser muy gracioso e ir acompañado de grandes extravagancias.

Hacían también los dos una parodia de una corrida de toros con un perro, a quien le ponían una cabeza de cartón con cuernos. Belling, sin duda, era hombre observador, porque había cogido muchas actitudes y gestos de los toreros y los caracterizaba con gracia. Belling y Philps hacían el paseo con sus capas. Cuando sonaba el clarín para la salida del toro, Philps daba saltos de terror y se quedaba en una cómica actitud de espanto.

—¡Aoh!... Este tener mucho miedo—decía Belling, riéndose—; ya verás, ya verás.

Le cogía a su *augusto* como a un muñeco y se acercaba al perro con cabeza de toro y daba una espantada y echaba a correr y ponía derechos los pelos de su peluca, lo que era de un efecto cómico.

Otro *clown* gracioso y humorista era Little Pich. Little Pich, muy pequeño, parecía un gnomo. Se presentaba vestido de etiqueta, con las mejillas rojas, la sonrisa en los labios y unas botas enormes.

No eran las suyas las botas deformadas y monstruosas, con un dedo gordo del pie grande y saliente, como las de Gober Belling. Estas eran el invento de otro *clown* famoso. Bily Hayden. Las botas de Little Pich eran largas y delgadas. Debían de tener en la suela algunas láminas de acero muy flexible. Hacía con ellas cosas inverosímiles. Una de ellas era dejar el sombrero de copa en el suelo y empezar a inclinarse, a hacer ceremonias, y en una de éstas se encasquetaba el sombrero en la cabeza.

Little Pich estaba casado con una española. Yo lo vi un momento en una casa en Londres. No se parecía a como se presentaba en el circo.

Otro *clown* original era Wedelmann, que, entre otras cosas, cantaba a dúo con un gallo que tenía amaestrado.

Los negros suelen ser *clowns*, bailarines y excéntricos musicales de un brío extraordinario. En una revista de gran espectáculo que se daba hace siete u ocho años en Londres, titulada *Los pájaros negros*, había momentos en que los actores parecía que andaban por el aire más que por el suelo. Una escena en el barrio chino de Nueva York, entre un amarillo grueso, inmóvil, impasible, sentado con las piernas cruzadas, como un Buda, y un violín, del que sacaba una nota, único y discordante, y el negro, con la boca roja, que se reía a carcajadas y se agitaba a su alrededor como un moscardón, era de una extravagancia tal, que hacía reír a las inglesas del público, con chillidos, a pesar de su habitual reserva.

Actualmente, muchas de estas cosas es posible que no le hagan a uno efecto. Puede que los *clowns* hayan decaído; puede que uno no sea bastante ingenuo y bastante cándido para divertirse con sus gracias.

LO QUE DESAPARECE EN ESPAÑA

En una conmoción tan fuerte como la que está sufriendo la España actual, una serie de productos materiales y espirituales de la cultura tienen que transformarse y muchos desaparecer. En algunos pueblos en donde las batallas han sido reñidas y ha tronado el cañón y ha estallado la dinamita, calles, rincones típicos, viejos edificios, han quedado destruidos y arruinados. Restos importantes de arqueología y de Historia se habrán perdido para siempre.

Manifestaciones de menos fuste, que el arqueólogo y el historiador no toman apenas en cuenta, y curiosas e interesantes para el costumbrista, iban perdiéndose ya hacía tiempo y acabarán de perderse definitivamente con el fragor de la guerra y los desastres de la revolución. Entre estas manifestaciones se pueden contar los usos, las costumbres, los trajes y las prácticas de algunos oficios. Todo tendrá que renovarse y se emplearán procedimientos nuevos que ya difícilmente con el tiempo se podrán convertir en tradicionales, porque la industria nueva no permite la tradición.

Haciendo para mí mismo un cuadro comparativo de usos y costumbres de España desde hace cincuenta años, es decir, de la época, ya remota, en que yo dejaba la infancia para entrar en la adolescencia y comenzaba a fijarme y a darme cuenta de lo que pasaba ante mis ojos, veo lo que ha cambiado y se ha transformado el país.

En algunas cosas, España ha dado saltos; por ejemplo, en cuestiones de alumbrado: en muchos pueblos, no sólo aldeas, sino en pueblos grandes, se ha pasado del candil y de la tea a la luz eléctrica.

Yo viví la época de adolescencia entre Madrid, San Sebastián y Pamplona.

En Madrid, por este tiempo, en algunos barrios más o menos pobres, no había aún agua en las casas. Existía el aguador, un tipo desaparecido. El aguador era un personaje que daba un aire aldeano y campesino a la calle. Era casi siempre asturiano, vestía con calzón corto, chaqueta pequeña, un trozo rectangular de cuero sobre el pantalón, en el muslo derecho, para apoyar la cuba antes de echarla al hombro, y una montera en la cabeza. El traje del aguador era de una tela que ya no se ve en ninguna parte, maciza y dura como la piedra. A veces el hombre llevaba patillas y a veces sotabarba; solía estar sentado sobre la cuba con sus compañeros alrededor de los fuentes viejas, que se llamaban de los antiguos viajes de Madrid, que eran de agua salina, agua gorda, que se consideraba por puro

misoneísmo mejor que el agua casi destilada del canal de Lozoya.

Los madrileños siempre han sido catadores y bebedores de agua. Hasta principios de siglo hubo en Madrid, en verano, puestos de agua, aguaduchos, en donde se bebía agua con azucarillos, servida por una buena moza. Esta costumbre dio origen a una zarzuela, *Agua, azucarillos y aguardiente*, con una música admirable del maestro Chueca.

Otro tipo desaparecido de la corte, con una desaparición rápida, fue el maragato. El maragato era pescadero. Habitando una región que no tiene costa, no se comprende por qué se había dedicado a esta especialidad. A la puerta de todas las pescaderías de Madrid se le veía al maragato con su traje regional de aire antiguo. Este consistía en unos calzones anchos, verdes, a rayas negras, atados con cintas a las polainas, un chaleco de cuero o de ante, un jubón de color con botones de filigrana y un sombrero redondo de alas anchas y copa chata, con dos cintas para atrás. Con sus trazas se parecía un poco a los bretones.

Los maragatos, un día, se decidieron a abandonar esta indumentaria patriarcal, y de su carácter y de su vestimenta no les quedó más que un peto y un mandil negro y verde. Fue una ruptura violenta de la tradición en su traje, que hubiera podido producir largas reflexiones retóricas en un hombre elocuente y maestro en la materia vestuaria como Carlyle.

En mi tiempo de chico, en Madrid, daba sus últimas boqueadas el oficio de memorialista. El memorialista era el escribiente del pueblo ínfimo, el secretario particular de criadas, nodrizas, pinches, cigarreras, etc. Yo recuerdo uno de la calle de la Luna, en un tugurio oscuro con un cartel blanco escrito en letras negras, y dos o tres, en portales estrechos de las proximidades del Rastro, que hace cincuenta años, por su confusión, su abigarramiento y su chulería desgarrada, era cosa seria y pintoresca.

En Barcelona había también memorialistas en el centro de la ciudad, en la Rambla, al lado de una antigua casa barroca llamada de la Verónica.

Otro tipo, aunque muy escaso, también desaparecido, era el hombre del *tuti-li-mundi*. Se llamaba *tuti-li-mundi* en España a un cosmorama portátil, como un cajón largo, con un techo de madera, y que tenía en las paredes laterales varios agujeros de cristal por donde se veían paisajes, vistas de ciudades y escenas fantásticas iluminadas. Este cajón solía ir tirado por un caballo o por un burro.

El *tuti-li-mundi* se llamaba también mundo nuevo. De aquí el nombre de una campana de Madrid, próxima a la ronda de Toledo, intitulada Campillo del Mundo Nuevo.

El *tuti-li-mundi* aparecía en los pueblos durante las fiestas; en Madrid se estacionaba en alguna plaza, con frecuencia en la plaza Mayor, y a veces, el hombre que lo exhibía redoblaba con un tambor y explicaba las vistas de su pequeño escenario.

El último que recuerdo haber visto, pasaba en Madrid, hace tres o cuatro años, por la calle Ancha de San Bernardo, tirado por un borriquillo. No sé adónde podría ir. Tenía un aire tan pobre, tan humilde, que me producía melancolía.

En la niñez me había parecido una cosa tan atractiva esta máquina de las vistas, que ahora que se arrastraba en la general indiferencia, por contraste me daba una sensación de tristeza.

No había soñado nunca con asomarme a la Opera, de París; al Real, de Madrid; a la Scala, de Milán, o al Covent Garden, de Londres; en cambio, había soñado con mirar por aquellos agujeros del cosmorama, y pocas veces lo conseguí.

Desde entonces acá, otros oficios, si no han hecho variar el tipo de los obreros, por lo menos les han hecho cambiar de vestimenta. Los cajistas iban en esa época con una blusa azul larga y encima una capa en el invierno. Había dos clases de cajistas: los más antiguos, partidarios del vino, y los más modernos, del café. Entre éstos comenzaban a bullir los socialistas. Los albañiles vestían de blanco en verano, y en invierno llevaban con frecuencia una zamarra o pelliza. Los panaderos, muchos asturianos y gallegos, llevaban todavía monteras de cuero, y algunos castellanos, de pelo.

Los chulos usaban una gorra alta y tufos, como los ratas de *La Gran Vía,* y las mujeres, toda clase de mantones y un pañuelo, que en el moño empingorotado hacía un pico en la cabeza, pañuelo que ahora se vuelve a estilar entre las señoras que van en automóvil.

Entre los obreros, no creo que se pueda mencionar el verdugo. Yo he visto dos en un largo espacio de tiempo. Al uno lo vi en una ejecución que hubo en Pamplona hace más de cincuenta años. La carreta del reo pasó por la mañana por delante de mi casa. El verdugo iba tras ella a pie. Vestía como un campesino: pantalón corto, chaqueta corta y sombrero ancho. Al otro verdugo lo vi en Madrid, y éste vestía como un empleado modesto.

Los pregones de los vendedores de la capital tenían su carácter. Algunos eran muy bonitos y pasaban al teatro. Al madrileño le recordaban las estaciones. Había el de los claveles dobles, el del requesón de Miraflores de la Sierra, el que componía tinajas y artesones, el de las liebres, el de las castañas, de los rábanos, etc. De noche, entre los gritos de los vendedores de periódicos, al menos en el barrio de Chamberí, donde yo viví, se oían dos anuncios melancólicos: el de una mujer que vendía cañamones tostados: «¡La cañamonera, tostaditos!», y la otra, que decía: «La rosera, rosas; a cuarto, rosas.»

Estas *rosas* parece que son unos maíces fritos con miel.

Otro tipo que no se le veía más que muy de tarde en tarde, en alguna plaza, era el hombre de los pajaritos sabios. Sin duda, era solicitado en pueblos de alrededor, salía de Madrid y viajaba.

Llevaba un trípode, donde ponía la jaula, grande, con sus pájaros, jaula de varios compartimientos, y al lado se sentaba él en una silla de tijera.

Era un tipo pequeño, moreno, chato, vestido de negro, con gorrilla, y cara de pocos amigos; parecía un mono viejo. Solía hacer observaciones muy secas a la gente del público con un acento medio andaluz.

Lo que a mí me chocaba al verle es que había en una ilustración de Madrid del año 1855 al 60, no sé si en el *Museo Universal* o en el *Mundo Pintoresco*, un dibujo de Ortega del hombre de los pajaritos sabios de su época, que se parecía mucho al que yo veía.

«No puede ser el mismo—pensaba yo—, porque si antes del sesenta el hombre que dibujó Ortega tenía ya, a juzgar por su aspecto, más de cincuenta años, ahora tendría que tener ciento.»

No pude comprender cuál sería la razón de la semejanza entre el hombre vivo y el dibujado; quizá era un hijo o un pariente del antiguo, que había tomado su tipo y sus costumbres.

El gremio de charlatanes era rico en las plazas madrileñas. Vendían toda clase de productos medicinales, específicos contra la tenia y el dolor de muelas, aceite de alacrán y manteca de serpiente de cascabel.

Después desaparecieron; debieron de refugiarse en las academias, en los ateneos y en las reuniones populares.

Un oficio más de pueblo que de capital era el de galonero.

El galonero, tipo sospechoso, tenía mala fama. Se le consideraba como hombre que tenía negocios turbios, que compraba objetos robados de las iglesias y ermitas y que engañaba a la gente. En general, los que practicaban este oficio eran hombres hechos, fuertes, de treinta a cuarenta años, robustos, de barba crecida, con la piel atezada de andar por los caminos al sol y al aire. Llevaba una cartera. Su grito era: «Oro, plata y galones... que vender.»

Otro personaje, campesino y curioso, que yo, al menos, nunca he visto en Madrid, era el santero. En Pamplona pasaba alguno que otro. Solía ir de pueblo en pueblo, a pie, con la imagen de un santo o de la Virgen sacada de alguna ermita. Esta imagen, muy adornada, que llamaban la demanda, iba dentro de una caja de madera con uno de los lados de cristal.

Alguna gente, no mucha, besaba en el cristal y daba un cuarto, y los más rumbosos, una cuatrena, que debía de ser cuatro maravedises.

Los santeros hacían una relación de los milagros del santo, en verso, que recitaban como una salmodia. Estos santeros, los pocos que recuerdo yo, estaban rojos por el aire y el sol, y se les tenía por redomados truhanes. Vestían capote de paño, fuertes polainas y llevaban algún garrote de espino en la mano.

En Pamplona, más que por las calles del pueblo, se los veía por fuera de las murallas, en lo que se llama la Vuelta del Castillo. También aparecían por estos parajes peregrinos, con su capa y su sombrero llenos de conchas y su báculo con su calabaza, que iban, generalmente, hacia Santiago de Compostela. El último que vi de estos tipos fue uno que se estableció a orillas del Bidasoa, en la casucha de una mina abandonada. Vendía rosarios.

El mendigo, que no ha desaparecido, pero que en lo que cabe ha cambiado de indumentaria, era entonces más pintoresco. Iba como ahora, descuidado, con la barba larga o con las guedejas grises enmarañadas.

En Pamplona usaban con frecuencia la anguarina. La anguarina, según el Diccionario de la Academia, es un gabán de paño pardo y sin mangas que empleaban los labradores de algunas comarcas. Evidentemente, entre los campesinos se usaban también gabanes toscos, sin mangas; pero en Navarra y en Castilla, lo que llamaban anguarinas no sólo tenía mangas, sino que éstas eran muy largas, y, además, cosa que caracterizaba al abrigo llamado así, los que lo llevaban ataban una de las mangas en el puño con un bramante, y les servía de zurrón, y allí guardaban los pedazos de pan, las mazorcas de maíz, o lo que fuera, que les daban en las casas.

Este gabán largo, que aseguran que primitivamente se llamaba hungarino, por proceder de Hungría, no tenía cuello, ni señal de talle; era de paño de saval, y a veces creo que tenía una esclavina corta.

En las aldeas y en el campo vasco, que yo pude observar en el tiempo que fui médico de Cestona, en Guipúzcoa, la gente un poco misteriosa, un tanto próxima a la hechicería, había desaparecido. Quedaban algunos herbolarios que vendían hierbas medicinales, emplasteras que pretendían curar enfermedades fantásticas y curanderos, hombres y mujeres, que reducían fracturas y dislocaciones en personas y en animales. También había algunos que hacían ensalmos para evitar las epidemias del ganado. Uno de ellos estuvo en América y volvió rico, y pasó algún tiempo de temporada en Vera con su familia.

El herbolario más curioso que recuerdo fue uno que conocí en San Juan de Pie de Puerto. Era hombre de unos cuarenta a cincuenta años, de cara ancha, pelo rojizo y anteojos de plata. Hablaba español, francés y vasco, y se mostraba irónico y burlón. Vestía traje de dril y llevaba una caja de metal bastante grande, con una correa en bandolera.

De la caja solía sacar cosas raras: un bocal, con víboras secas, y otro con víboras vivas, aunque aletargadas. Decía que él las cogía con los dedos y las echaba al frasco, y si protestaban mucho, las estrangulaba. También llevaba dos o tres pequeños escorpiones en una botella de cristal. Este herbolario, muy petulante, se creía un químico y un botánico sabio. No me hubiera chocado nada que el tal tipo hiciera algún contrabando de cocaína o de morfina entre España y Francia.

Emplasteras, que a veces hacían de comadronas, había en todas las aldeas. El médico se encontraba a veces con un enfermo con un parche que olía a perros, y que nadie sabía con qué inmundicias estaba compuesto.

Un gremio importante del campo, aunque muy perseguido, era el de los curanderos, que reducían fracturas y dislocaciones. Mucha gente creía más en ellos que en los médicos. Después se ha dado con frecuencia el caso de que, denunciados algunos curanderos por ejercicio ilegal de la Medicina, han presentado su título de licenciado.

—Y entonces, ¿por qué ejercían de esa manera recatada?—les han dicho.

—Porque así teníamos más trabajo.

Cuando yo era chico, en San Sebastián, casi todo el mundo con fractura o dislocación iba a ver a un curandero llamado *Petriquillo*, que era pariente de otro del mismo oficio y del mismo mote que fue llamado a curar a Zumalacárregui cuando éste fue herido en la primera guerra carlista en el balcón del palacio de Begoña, durante el sitio de Bilbao. En Valencia y en el sur de España he visto a algunos zahoríes que emplean la vara de avellano para descubrir, según ellos, el agua subterránea, y algunos saludadores que curan las enfermedades con oraciones y conjuros. Generalmente son mistificadores y pillos.

Al mismo tiempo que los tipos se van esfumando y los oficios cambian, la indumentaria tradicional desaparece en campos y ciudades. Ya apenas hay hilanderas en España, aunque parezca que con la guerra actual se empieza a cultivar de nuevo el lino. Casi todo el traje antiguo ha ido sustituyéndose por el moderno, que, naturalmente, tiene condiciones de comodidad, de baratura, etc.

El sombrero calañés, muy gracioso, que duró, al parecer, hasta la Restauración de 1875, yo no lo he alcanzado; pero he visto de estudiante a un torero viejo, *el Regatero*, que solía estar en el café de las Columnas, de la Puerta del Sol, de Madrid, vestido de majo con ese sombrerito, marsellés de alamares y pantalón corto. También vi una vez a *Frascuelo* en la calle con la misma indumentaria, aunque con pantalón largo.

El sombrero ancho con una copa en forma de cono truncado y un aro alrededor, que se veía mucho hace treinta años en tierra castellana, ha desaparecido casi por completo. En algunos lados le llamaban de catite, que no era denominación exacta, porque el catite tenía la misma clase de copa algo más alta y el ala muy corta. En otras partes le llamaban de zaranda o de cedazo, porque se parecía a este utensilio para cribar; en otras, de Pedro Bernardo, y en Salamanca le decían la gorrilla.

Daba este sombrero a la cabeza del campesino el aire del planeta Saturno de las estampas de los libros de Geografía y Astronomía de las escuelas.

El gran sombrero de teja de los curas, como el de don Basilio, de *El barbero de Sevilla*, también ha desaparecido, porque el que ahora emplean los clérigos es microscópico.

Mucha de la indumentaria popular lleva camino del museo etnográfico, lo cual quiere decir que no tiene vida. Los zaragüelles valencianos, las monteras gallegas, los zorongos aragoneses, las barretinas catalanas, la capa larga de los campesinos, los calzones estrechos adornados con monedas de plata, las chorreras almidonadas y las camisas bordadas de colores pertenecen al pasado y pueden servir solamente para la atracción turística.

Cuando el hombre acepta la idea de que su indumentaria choca en el ambiente, se repliega en sí mismo y la abandona. El espíritu gregario es muy fuerte en cuestiones de vestimenta.

Yo recuerdo dos casos de personas seguras de su actitud. Una era un viejo de Coria a quien vimos en una excursión que hicimos por Extremadura. Este viejo vestía a la antigua, tenía una prestancia que imponía. Otro era un leñador de Soria que vi hace cuarenta años. Llevaba un abrigo como una dalmática con una capucha de lana blanca, y hablaba y se movía con un aire de gran dignidad.

LA NOCHE EN PARIS

Yo, al hacerme viejo, he perdido, como todos los viejos, mis condiciones de buen paseante. No puedo soportar tres o cuatro horas seguidas en marcha, quizá ni dos. Recordando las frases de colegial, podría decir que soy paseante *per se* y escritor *per accidens*.

Me gusta salir de noche y deambular sin objeto por una ciudad tan grande como París, a pesar de ser un habitante de la *banlieue*. De noche parece que se siente uno más libre, menos atado a las convenciones sociales. ¿A qué convenciones sociales podrá estar uno atado, si no conoce uno a nadie? Quizá esta idea es una ilusión. Parece que de noche, lo mismo da ir bien que mal vestido, con sombrero que con gorra o con boina, con cuello almidonado que con bufanda. La cuestión es, si hace frío, llevar un buen gabán y tener unas botas cómodas que no produzcan la menor molestia.

Se comprende que a una persona con un poco de imaginación le guste más andar de noche que de día. El día es para el trabajo y para lo definido; la noche, para la vagancia y para lo inconcreto. El día, para los que están bajo la advocación de Júpiter y de Marte; la noche, para los saturnianos.

De día, naturalmente, todo es claro y bien delineado. La piedra es piedra, el cemento es cemento, el cinc es cinc, y la hojalata, hojalata. Se puede tasar y medir, si se tiene este capricho, el valor aproximado de una casa, la altura de una torre, el nivel del agua en el río, la solidez de un puente.

De noche esto es imposible. Todos los valores están trocados y alterados. Un gran edificio histórico puede parecer un almacén de carbón; el grupo escultórico célebre, un revoltillo de caracoles; en cambio, una mala buhardilla puede tener las trazas del remate de un palacio; un grupo de árboles miserables puede parecer un parque soberbio, y un charco producido por la lluvia, un lago delicioso, con su Loreley fantástico.

Lo mismo ocurre entre las personas. Un guardia de Orden Público semeja un caballero medieval; un chófer, un caballero de la Tabla Redonda, y la criada que sale a pasear al perro, la Dama del Lago.

La noche es el sortilegio de la gran ciudad, sortilegio natural y artificial. En otros tiempos se podría creer que un mundo de duendes y de espíritus correteaba por las plazas y las calles estrechas de las ciudades góticas, presidía los caprichos y las fantasías de la noche, y unas rondas de enanos maliciosos, como los gnomos y los elfos, golpeaban con sus martillos las campanas de los relojes de las iglesias para señalar el paso de las horas.

El día no puede tener población misteriosa. Es duro, crítico, matemático y kantiano; pero cuando llega el crepúsculo y el sol se oculta entre nubes, se debilita y se hace romántico y beethoveniano. Entonces deja que la noche mande y se lance en las ciudades y en los campos a la fantasía, a la serenata y al romance, sus antiguos amores.

Se comprende que el que tenga aficiones de novelista, o de lector de novelas, mire con pasión la ciudad de noche.

A veces se desearía contemplarla en conjunto, abarcarla sentado en los cuernos de la Luna, verla como don Cleofás Pérez del Zambullo, de *El diablo cojuelo*, ve Madrid, o como el profesor Teufelsdroesckh, de *Sartoy Resartus*, siente removerse su pueblo desde su buhardilla erudita, llena de documentos sobre la filosofía de los trajes.

Se piensa en este nuestro mundo sublunar, en la Humanidad que se agita a esas horas debajo de los tejados, entre las sábanas. Los unos andarán soñando; los otros, tosiendo o quejándose; los unos, tristes; los otros, alegres; los unos, llenos de esperanza y de pasión, y los otros, de pena y de tristeza.

Una noche más, y doscientas o trescientas personas habrán nacido y otras tantas habrán muerto en esta urbe, antes bulliciosa e inquieta, a los rayos del sol, y ahora dormida bajo la luz de la luna o de las estrellas.

La ciudad monstruo tiene un terrible presupuesto diario.

Mientras toda la vida se reconcentra entre las paredes y tejados, la fantasía corre por las calles.

El espíritu del misterio comienza a reinar por las avenidas, por las plazas y por los parques solitarios.

Lo mismo es en un barrio que en otro. A medida que la alta noche empieza a sentirse dueña de la ciudad, todo se transforma: lo vulgar se convierte en extraordinario, y lo extraordinario, en vulgar.

La luz de la buhardilla, el interior iluminado de la taberna, el entresuelo en donde suena una radio que da noticias políticas y toca después una romanza de Mozart, el salón abandonado de un palacio, la tienda de un zapatero, el portal de una casa vieja, toman una importancia y una trascendencia sorprendentes.

Antes era también trascendental en la noche, yo no lo veo ahora, el faro verde de los escaparates de las farmacias, que parecía tranquilizar a la humanidad doliente y decirle: «No os asustéis pensando en el catarro, en el dolor de muelas o en el reuma; aquí velo yo para evitaros fastidios y molestias.»

La noche tiene una magia de gran músico y de gran novelista. Esos compases misteriosos de Beethoven, casi mecánicos, con que inicia una sonata; esas callejuelas, esas casuchas de Balzac y de Dickens, sin nada de extraordinario; esos cuartos mezquinos en donde no hay más que un sofá destrozado, como en las novelas de Dostoyevski, se convierten por la imaginación de los autores en antros mágicos propicios al misterio y a las mayores enormidades y desórdenes, en donde un monstruo atractivo, un pulpo sentimental, va anudando con sus tentáculos a los desdichados.

Toda la modernidad, toda la matemática, toda la mecánica de la gran ciudad se la traga la noche con unas horas oscuras de silencio. Bajo su manto retórico desaparecen todas las baratijas de la civilización y del progreso.

Ese clásico manto, tejido en prestigiosos lugares comunes, transforma en romántico y en ilusorio y en algo sin gravedad y sin peso lo más sólido, lo más burgués, lo que tiene unos cimientos más pétreos.

Cuando brilla la luna, ésta se encarga con su fantasmagoría de hacer los cambios de decoración: de iluminar una estatua o un banco del paseo, de rielar en el agua del río, de acariciar el pináculo de la iglesia y de marchar entre las nubes con sus caballos nocturnos, como dice cualquier poeta latino y amanerado.

Esta pálida dama de la noche, con su luz espectral, lo llena todo de misterio y hace toda clase de transmutaciones y permutaciones. Una plaza, unos árboles, un camino se poetizan inmediatamente con su mirada.

Cuando la noche es negra, hay elementos artificiales que sustituyen a la luna en la ciudad. Estos son el gran foco de luz eléctrica, el letrero luminoso, encuadrado por unas barras blancas y azules, también luminosas, que relumbran en la fachada de una casa, el anuncio que se enciende y se apaga, el rayo que lanza un faro desde una torre lejana, recuerdo de una exposición universal y que da idea de algo marítimo.

En las calles ricas, las tiendas relucen como ascuas. Hay esos pisos bajos enteros llenos de automóviles, de reflejos brillantes, monstruos amables y complacientes. Parece que están a nuestra mano, a nuestra disposición y que esa lámina de cristal que nos separa de ellos no es nada.

Los escaparates son los altares modernos del dios Lujo y de la diosa Moda. Perlas, diamantes, diademas, collares, luces azules y rojas de las piedras preciosas...

El filósofo afirma, desdeñoso: «Son chucherías.» Es igual; aunque él, con su gabán raído, sus botas deformadas y su nariz roja, diga que todas estas cosas son baratijas insignificantes, nadie le escucha. Desde hace tres o cuatro mil años éste asegura lo mismo, y no ha conseguido que ni siquiera le oigan. Niní y Lulú están dispuestas, siguiendo la tradición, a perderse por esas piedras brillantes, que no son, ni con mucho, tan bonitas como su cara sonrosada y su pelo rubio y ligero, y dispuestas a marcharse adonde sea, en uno de esos monstruos brillantes alimentados por la gasolina que se exhiben a pocos pasos.

Las fachadas de los cinematógrafos, de los teatros y las terrazas de los cafés están brillantes; los autos encienden sus faros, y sus caparazones charolados relucen como los élitros de los insectos tropicales. A veces, esas fachadas de los cinematógrafos muestran decoraciones con figuras de bulto. Yo, poco cinematográfico, los miro al pasar, sin enterarme de lo que anuncian.

En las avenidas sin tiendas, la impresión es más pomposa y más triste. El arco voltaico brilla en el follaje oscuro; el automóvil pasa, de tarde en tarde, y se detiene en el portal ceremonioso de un palacio. El guardia de Orden Público vigila en la esquina.

En las proximidades de los parques y de los *squares* hay una melancolía solemne de cierta respetabilidad. El arbolado amortigua los ruidos próximos. Los gatos de la vecindad corren por entre la hierba y se persiguen bufando. En cambio, al transeúnte se le acercan a través de la reja y se dejan acariciar por él. Una mujer sale a pasear a un perro abrigado con un manto, como una persona respetable. Hay que dejar para los especialistas el cuidado de discernir si esa cinofilia o canofilia es digna de loa o no.

En las grandes arterias del comercio, la actividad dura hasta muy tarde; la gente bulle todavía en las aceras, los camiones pasan roncando, los autobuses empiezan a marchar medio vacíos. Los escaparates de las tiendas y de los bazares están iluminados.

Al lado de la tienda chillona y llamativa aparece la intelectual, más modesta: la librería, la tienda del óptico, la de antigüedades y de objetos artísticos. De cuando en cuando hay como una orgía de color en un escaparate de flores, con tulipanes, jacintos, rosas y orquídeas espléndidas.

Luego hay unos escaparates de ropas hechas de los grandes bazares con maniquíes vestidos que se parecen a las antiguas figuras de cera de madame Tusseaud o de Grévin. Estos maniquíes, según un amigo, tienen un encanto misterioso, un sortilegio mágico. Basta quitar esos trajes a los monigotes impecables y ponérselos a cualquiera para que empiecen a acortarse, a llenarse de arrugas, y para que a los quince días se conviertan en una piltrafa harapienta.

Antes, estos maniquíes los hacían impersonales, colectivos, casi siempre antipáticos, con un bigote rubio y el pelo planchado; después les dieron un aire medio cubista; ahora presentan un tipo individualizado y característico, como si fueran retratos de personas con nombre y apellidos y documentación correspondiente. Son viejos y jóvenes, gordos y flacos, rubios y morenos, con caras serias y alegres, antipáticas y compungidas, tristes y burlonas, sonrientes y ridículas. Llevan cada uno en el brazo o en el pecho una tarjeta blanca con su número, que es el precio.

¿Cuántos habrá en la ciudad? Probablemente, miles. El mejor día se van a sindicar y van a pedir la semana de cuarenta horas. Los maniquíes de las mujeres no se hacen con tanto realismo, y rubias y morenas, todas son altas, esbeltas, de boca pequeña y de facciones correctas. Es la galantería parisiense.

Al lado de estos museos de figuras de cera callejeros hay escaparates que son un plano inclinado de trajes de mujer, de zapatos, de pieles, de paraguas, de gorras, que, a fuerza de luz roja, verde o azul, de botones, de lentejuelas y de hebillas, llegan a tener cierto atractivo. Esta exhibición de zapatos, ¡qué entusiasmo produce en las mujeres!

Si se aparta uno de las barriadas ricas, el panorama urbano cambia.

Naturalmente, los alrededores del río son tristes. Todas las orillas de los ríos son tristes. Dan una impresión de negrura y de horror. Al contemplar las aguas negras se piensa en ahogados y suicidas, más que en una serenata veneciana en el gran canal.

Las calles populares desiertas tienen un aire peligroso y vulgar. Recuerdan el accidente de que da cuenta el periódico en pocas líneas. El joven que se ha suicidado, porque estaba cansado de la vida, o el empleado modesto que, en un acceso de alcoholismo, ha matado a su mujer y a su hijo; el drama psicopatológico ocurrido en el gabinete de un dentista polaco.

A veces, en medio de un barrio silencioso y desierto, al lado de un bulevar con una tapia negra, sobre la cual aparecen las copas puntiagudas de los cipreses de un cementerio, surge una encrucijada con varios cafés iluminados y *cabarets* llenos de luz azul y roja, como un grupo de luciérnagas en la oscuridad del campo.

Luego hay esos barrios siniestros con una calle que está a orillas de un canal o con un bulevar por encima del que pasa el tren y que tiene grandes columnas, donde se aposta gente maleante.

Esto ya recuerda el apache siniestro que explota a las mujeres y el vagabundo que duerme envuelto en sus harapos, echado en un banco o apoyado en un farol. Son personajes para un género de literatura—quizá ya lugar común—que tiene sus autores y sus lectores.

Hay, por último, el barrio antiguo, pintoresco y popular, con casas viejas, negras, con fachadas decorativas y luego un portal grande, que es al mismo tiempo patio ocupado por unos camiones, con pilas de cajas y de sacos. En el fondo se ve un pasillo como una galería de mina, y al final, una garita iluminada aún por un quinqué de petróleo. No comprende uno qué podrá ser esta casa, qué especialidad tendrá. A veces se ve al portero, que es un viejo que anda despacio y con cuidado, como si le dolieran los pies, y a veces, a la portera, con la cara roja y una melena blanca, que marcha seguida de dos gatos que, cuando ella se sienta, se le suben al hombro.

Siguiendo el paseo, se cruza por delante de restaurantes pobres, en donde unas mujeres y un hombre acaban de comer después de los clientes, al lado de una mesa llena de servilletas; de bares, en donde beben unos cuantos vecinos y charlan con la dueña; de cafetuchos, en donde el mozo y algunos amigos suyos, en mangas de camisa, juegan al billar; de tabernas, en donde tocan el acordeón o la ocarina.

Algún borracho se pone a echar discursos en la calle, con una actitud orgullosa de orador, y lanza apóstrofes y desafía a un enemigo desconocido, y le reta y le confunde, y cuando ya le tiene en su imaginación apabullado, cruza la calle, expuesto a que le atropelle un auto que pasa veloz; pero como hay una Providencia para los borrachos, al discurseador no le pasa nada, y se pone a hablar tranquila y razonablemente con un vecino.

A veces, del barrio negro y pintoresco se pasa, cruzando un bulevar exterior, a una gran feria que se extiende por las plazas y avenidas. Los camiones de los feriantes se han agrupado en un sitio oscuro, cerca de una tapia o de unos arcos, por encima de los cuales pasa el Metropolitano.

Estos camiones sin luz forman como una aldea sombría; parecen también una antigua playa con sus casetas de baño.

Se avanza y se encuentra uno en el foco de la feria. Hay un derroche de luz en las montañas rusas, en los tiovivos y en los columpios. Hay una montaña rusa que se llama el Circo del Monte Blanco, en donde los vagones en los cuales va la gente suben y bajan, y, al mismo tiempo, cambian de color, y hacen lo necesario para que cualquiera se trastorne y se quede dominado por el vértigo.

Hay también un juego que consiste en montarse en unos pequeños automóviles y lanzarse a la persecución de otros y darles encontronazos. Las muchachas chillan. Una decía el otro día a su compañera:

—¡Cómo nos hemos divertido ayer! Yo he sacado el cuerpo todo lleno de cardenales.

A Freud le parecería esto masoquismo de origen sexual.

Después de echar un vistazo por estos tiros al blanco con sus huevos rojos que se sostienen en un surtidor de agua, de contemplar las barracas de las adivinadoras, de la gitana Oliva o de la gitana Esmeralda, que averiguan el porvenir por la metoposcopia; la rueda de la Fortuna, los puestos de turrones, de alfeñiques, de azúcar, y ver esas figuritas hechas de pan de centeno y salpicadas de pimienta o de otras especies, se entra de nuevo en los lugares oscuros y tristes y se sigue adelante por el bulevar, desierto y silencioso.

Aquí, a estas horas en que no hay tumulto de gente ni de autobuses, me gusta leer en una tapia llena de carteles de todos colores las alocuciones políticas apasionadas. Yo las leo como quien oye una música de gramófono.

Luego, al entrar en mi barrio, contemplo alguna casa con cinco o seis pisos iluminados y el cielo fuliginoso y rojo que refleja las luces del centro de París.

LA ORDEN DE LA ROSA-CRUZ

Cada cual tiene sus condiciones mayores o menores para resolver la vida. Esto depende del prestigio, de la atención o confianza que se produce en los demás, rayo luminoso cuyo mecanismo y modo de obrar no se conocen bien. Yo nunca he producido la menor curiosidad ni la menor confianza entre personas de gran posición social, propietarios ricos, políticos importantes, etc.; en cambio, he sido confidente la mayoría de las veces (y de una manera involuntaria) de tipos estrambóticos, desquiciados y absurdos que han considerado necesario contarme sus fantasías o sus desengaños.

Hay gentes que inspiran simpatía cuanto más próximos están; a otros les pasa lo contrario, y su simpatía crece a medida del cuadrado de la distancia. Yo no sé dónde catalogarme; algunos me han dicho que soy un monstruo y otros que soy un pobre hombre. Todo es posible en este mundo fenomenal o fenomenológico.

Como he recibido bastantes confidencias de tipos fracasados, huyo de ellos como de la peste, siguiendo el consejo poco cristiano de Gracián de alejarse del desgraciado; pero no siempre la prudencia vale, y la confesión lamentable salta cuando menos se espera.

Este joven francés, a quien conozco de verlo en un pequeño restaurante con su cartera y sus papeles, con su tipo, como dirían aquí, de normaliano, que me ha saludado a la segunda o tercera vez de verme, con afabilidad, lo había tomado yo por un intelectual, por un universitario; pero a la primera charla con él he podido comprender que es un perfecto chiflado.

Al principio, mientras no se le tocó la manía, me pareció un hombre sensato un tanto irónico y burlón; pero cuando se llegó a su punto flaco, se destapó, cambió de tono y de actitud.

La manía de este joven es la alta ciencia. ¿Qué entiende este joven normaliano por alta ciencia? Entiende una mezcla de teosofía, de espiritismo, de religión yogui y de otra porción de cosas fantásticas, místicas y sin ninguna base.

Este joven francés, lector de unos libros que a mí me parecen anodinos y hueros de J. Peladan, me asegura seriamente que existen en París aún adeptos a la secta mística de los Rosa-Cruces. Me dice que él fue hace poco recomendado por uno de ellos a un pueblo de Austria, y que vio en un templo rosa-cruciano, que no puede decir dónde está, un libro con los secretos y los conocimientos de la Orden. Estos secretos son verdaderas maravillas para producir el mayor asombro.

El joven, que tiene al hablar un

aire un tanto absorto y estuporoso, que es medio albino, me parece un mistagogo enamorado del misterio. La confusión que tiene en la cabeza, él la supone científica. Cree o parece que cree unas cosas absurdas: que los lamas del Tibet tienen el secreto de crear tempestades con la voluntad para impedir que los viajeros demasiado audaces se enteren de sus secretos; dice que ha visto pasar una rosa por una hendidura de un milímetro, de la talla de una mesa, sin estropearse ni deshojarse; que un conocido suyo tiene la facultad de la levitación, y que hace miles de años en Egipto y en Caldea conocían la electricidad.

Estas fantasías casi me chocan menos que el que afirme que en París existe todavía una agrupación de iluminados de los Rosa-Cruces.

Cierto que los hubo hasta hace poco por snobismo y por deseo de singularizarse entre Peladan y sus amigos; pero parece que eso no debía subsistir ya. Pero tantos absurdos subsisten, tantas majaderías se creen, que todo es posible. Después me habla el joven de la filosofía de los *tattvas*, y me deja un libro sobre ellos. Casi todos esos sistemas indios no son más que palabrería.

Por lo que leo, los *tattvas* son modificaciones del Gran Soplo, y hay cinco: Alasha, Vayu, Tejas, Apas y Prithivi.

A mí me basta esto para no persistir en la lectura; todo ello es, como digo, palabrería, al punto que al final del libro hay un glosario. Así, por ejemplo, Ananda es el estado de felicidad, con el cual el alma reintegra el espíritu. Buddhi es la comprensión; Duhkkaha es el dolor. ¿Qué se adelanta con esto? Que el que tenga dolor de muelas, en vez de decirlo sencillamente, diga: «Tengo Duhkkaha en la boca.» No vale la pena.

La hermana o cofradía de la Rosa-Cruz ha tenido siempre un aire misterioso. Según algunos, fue una sociedad de alquimistas, y empezó en Italia en tiempos de los güelfos y gibelinos.

Según otros, ha sido una fantasía inventada en Alemania en el siglo XVII. Otros piensan que es una sociedad secreta masónica, cuyo carácter consistía en defender los estatutos de la Compañía de Jesús e imitar en todo a los jesuitas.

¿Cuál puede ser la verdad? Tiene que ser muy difícil el saberlo.

Se dice que se encuentra algún rastro rosacruciano en el libro de un alquimista, Enrique Kuhnrath, titulado *Anfiteatro de la sabiduría eterna*, publicado en 1599. También se afirma que otros alquimistas famosos, Felipe Müller, Juan de Thorneburg y el barón de Beausoleil, fueron de la secta. En Alemania, estos iluminados de la Rosa-Cruz se llamaban «los invisibles», y se asegura que Cagliostro perteneció a una de esas sociedades.

También parece auténtico que la masonería introdujo el grado de caballero Rosa-Cruz, que es el grado 18 en el antiguo rito escocés.

Es posible que la cofradía de los Rosa-Cruces fuera a la vez cabalística, alquímica y teosófica, y que ellos mismos se dieran por magos para ocultar su atrevimiento de librepensadores.

Al comienzo del siglo XVII, Alemania estaba inundada no solamente de frailes, de monjas y de fanáticos religiosos de todas clases, sino también de un gran número de impostores y de aventureros.

Había un número considerable de alquimistas, de astrólogos y de nigrománticos que hacían horóscopos y decían la buenaventura, una manía universal de conocer los secretos de la

Naturaleza y de enriquecerse por procedimientos misteriosos o, si era necesario, por fórmulas diabólicas.

Al mismo tiempo se desarrollaba una serie de utopías políticas y sociales.

En este momento se publicó un libro que tuvo mucha fama y que se llamaba *Reforma universal y general del mundo entero.*

La *Reforma universal* es un opúsculo satírico acerca de los proyectos y de las utopías del tiempo. Su parte más interesante relata la reunión de un congreso fantástico para reformar el mundo.

En tiempo del emperador Justiniano—se cuenta en el libro—, Apolo, nada menos, viene a visitar la tierra, y se encuentra que está llena de vicios y de maldades. Entonces se decide a reunir a todos los hombres sabios y virtuosos del país para decidir con ellos la manera de remediar los males. Desgraciadamente, no encuentra uno solo en posesión de una inteligencia y de una virtud suficientes para dar los consejos deseados. Congrega a los siete sabios de Grecia y a Catón y a Séneca. Un joven filósofo italiano, hoy desconocido, Jacobo Mazzonius, queda designado como secretario. El congreso se reúne en el Palatium de Delfos, y vienen en seguida los discursos pronunciados por cada uno. Los sabios dicen las cosas más estrambóticas e insensatas que puedan oírse. Tales aconseja abrir una ventana en el pecho de cada hombre, a fin de poder leer en su corazón; Solón, que se ha convertido en un comunista furioso, quiere repartir la propiedad pública y privada de manera que a cada uno le toque una parte igual. Bias propone prohibir toda relación entre los pueblos, destruir los caminos y los puentes e impedir el uso de los barcos. Catón quiere pedir a Dios que envíe un nuevo diluvio para destruir todas las mujeres y todos los hombres de menos de veinte años y suplicarle que encuentre un medio distinto y mejor de procreación.

Los sabios disputan y se contradicen, y se decide por fin llamar al Siglo enfermo a que se presente ante el consejo para que sea interrogado. Se introduce al Siglo. Es un viejo de faz rubicunda que tiene una extraña debilidad en la voz. Se le examina, y se encuentra que tiene la cara pintada. Un examen más profundo demuestra que ninguna parte de su cuerpo está completamente sana.

Los sabios llegan a la conclusión de que no lo pueden curar; pero no queriendo separarse sin dejar la apariencia de que han hecho algo útil e importante, decretan un nuevo impuesto sobre las coles, las remolachas y el perejil. Después redactan un documento lleno de exageraciones y de alabanzas en su honor, y el pueblo, encantado, aplaude con entusiasmo.

Poco después de esta obra se publicó otra titulada *Fama fraternitatis o Cofradía de la célebre Orden de los R C* (Rosas-Cruces). Mensaje dirigido a los gobiernos, a los nobles y a los sabios de Europa.

Esta obra, publicada primeramente en 1615, según unos en Francfort, según otros en Berlín, se agotó, y el impresor Nicolai, de esta ciudad, la hizo reimprimir en 1781; pero falsificó la fecha, y la sustituyó por 1681, y como sitio de impresión puso Regensburg, en lugar de Berlín.

El tal opúsculo, según algunos, es también una sátira contra los reformadores y los Rosa-Cruces; pero, en cambio, para otros está escrito en serio. El libro demuestra la insuficiencia de los procedimientos científicos y teológicos del tiempo, ridiculiza la tontería de los pretendidos alquimistas, y bajo pretexto de buscar las verdaderas leyes y principios del mundo, habla de la misteriosa sociedad de los Rosa-Cruces.

Aquí se cuenta por primera vez la historia del piadoso, espiritual y altamente iluminado padre fray C. Cristián Rosencreutz. Se dice que era un noble alemán educado en un convento; que mucho tiempo antes de la Reforma protestante había hecho una peregrinación a Tierra Santa en compañía de otro hermano de su convento, y que durante su estancia en Damasco habían sido los dos iniciados por algunos sabios árabes en los misterios de la ciencia oculta. Después de haber quedado tres años en Damasco, se fueron a Fez, donde se perfeccionaron en la magia y en el estudio de las relaciones entre el macrocosmos y el microcosmos.

De Africa pasaron a España, y de España, a Alemania, donde Rosencreutz fundó una especie de convento, que llamó Sanctus Spiritus, y quedó allí escribiendo su ciencia oculta y continuando sus estudios. Después tomó como ayudantes a algunos fariles del mismo convento donde él había sido educado, y fundó la primera sociedad de los Rosa-Cruz.

Ellos condensaron entonces el resultado de su ciencia en libros que se asegura que existen todavía hoy y que están en manos de algunos Rosa-Cruces perspicuos.

Se dice que ciento veinte años después de la muerte de Rosencreutz se descubrió la entrada de su tumba. Una escalera conducía a una bóveda subterránea, sobre la puerta de la cual se leía esta inscripción: *Post annos CXX patebo* (después de ciento veinte años padezco). Una lámpara iluminaba la bóveda, y se apagó cuando se acercaron a ella.

La bóveda tenía siete lados y siete ángulos, y cada lado cinco pies de ancho y ocho de alto. La parte superior representaba el firmamento, el suelo y la tierra, y estaba dividida en triángulos, mientras que cada lado tenía diez cuadrados. El centro se hallaba ocupado por un altar con una placa de cobre, en medio de la cual estaban grabadas las letras A. C. R. C. y esta inscripción, fácil de traducir:

HOC UNIVERSI COMPENDIUM
VIVUS MIHI SEPULCHRUM FECI

Bajo el altar se encontró el cuerpo de Rosencreutz intacto y sin la menor señal de putrefacción.

Su mano tenía un libro de pergamino, con letras doradas en la pasta, que terminaba con estas frases, que tampoco necesitan traducción:

Ex Deo nascimur. In Jesu morimur. Per Spiritum Sanctum reviviscimus. Después venían las firmas de los frailes presentes en el entierro del maestro.

En 1615 aparecieron nuevas ediciones de la *Fama fraternitatis* y de la *Reforma universal* y un nuevo opúsculo titulado *Confessio o confesión de la sociedad y fraternidad de los Rosa-Cruz*, publicado en Francfort. Esta confesión tenía el mismo carácter burlón de los dos opúsculos antiguos, y se reía el autor en ella de la *rosicrucianam fabulam* y se aseguraba que la fraternidad de los Rosa-Cruces era la torre de Babel y el caos: *Turris Babel, seu judiciorum de Fraternitatae rosaccae, crucis chaos*. Todavía, un año después, se publicó *El matrimonio químico de Cristian Rosencreutz*, y entonces, sin duda, se hicieron investigaciones para averiguar quién era el autor. El autor parece que era Juan Valentín Andreas, nacido en 1586, en Eremberg, que murió siendo abate en

Stuttgart en 1644. Este abate, muy versado en Teología, en Matemáticas, en Historia y en Ciencias Naturales, pasaba por un hombre muy original. Herder lo compara a una rosa entre espinas.

Juan Valentín Andreas era, en la época que escribía estos opúsculos, un estudiante de Tubinga. Algunos dicen que se llamaba Andrea Von Carolstadt, y aseguran que era un aventurero que había viajado mucho, aunque no había estado ni en Palestina ni en Africa. Se dice también que Andreas fue muy odiado por el clero de la época y que cuando murió le dedicaron un epitafio sobre él, en latín, en el que se decía:

AQUI YACE CAROLSTADT,
QUE FUE UNA PESTE EMPONZOÑADA
PARA LA IGLESIA, HASTA QUE ACABO
POR LLEVARSELO EL DIABLO

En una obra intitulada *Sphinx Rosacea* es donde se asegura que la historia de Cristián Rosencreutz y la sociedad de los Rosa-Cruces fue inventada por Andreas.

Al mismo tiempo que las obras más o menos apologéticas sobre la cofradía de los Rosa-Cruces, se publicaron otras francamente hostiles, algunas coco *El charlatanismo puesto al día* o *Refutación cristiana de los llamados hermanos de la Rosa-Cruz, demostrando que estas personas no son de Dios, sino del Diablo.*

Dejando la bibliografía, que es evidentemente muy extensa, se comprende que la invención de los Rosa-Cruces tuviera relación con los alquimistas y los teósofos, porque la rosa y la cruz eran sus símbolos favoritos.

Respecto al funcionamiento de la sociedad, se sabe muy poco. Se dice que una de las cofradías, fundada en 1622 por Cristián Rose, tuvo centros en La Haya, Amsterdam, Nuremberg, Venecia, Hamburgo, Dantzig y Erfurt.

Sus miembros iban vestidos de negro y llevaban en sus reuniones una cinta azul adornada con una corona de follaje de oro y una rosa. Como signo de reconocimiento, los hermanos llevaban un cordón de seda negra en la solapa. Este adorno se daba a los neófitos después que hubiesen pronunciado el juramento de preferir el ser estrangulados por una cuerda a revelar los secretos que iban a poseer. Iban también los Rosa-Cruces tonsurados, por lo cual en la vida corriente llevaban peluca para que no se les viese la tonsura. Vivían una vida muy tranquila y eran muy devotos. Cuando había una gran fiesta dejaban su casa al salir el sol y salían de la ciudad por la puerta que daba a Oriente. Cuando se encontraban uno con otro, uno de ellos decía: «Ave Frater», a lo cual el otro respondía: «Rosae et Aureae»; después, el primero añadía: «Crucis», y los dos decían juntos: «Benedictus Deus Dominus noster, qui nobis dedit Signum.»

De otras sociedades rosa-crucianas se habla: entre ellas, de una fundada en París en 1660 por un boticario llamado Jacobo Rose.

Esta sociedad fue prohibida cuando el proceso por envenenamiento de la marquesa de Brinvilliers.

En un libro publicado en 1714, y escrito por *Sinecrus Renatus*, se decía que los maestros de la Rosa-Cruz habían partido para la India y que ya no quedaba ninguno en Europa.

En el siglo XVIII, los Rosa-Cruces estuvieron incorporados a la secta de los iluminados y a la masonería. Después, el título de caballero Rosa-Cruz fue un grado masónico en el rito escocés.

En 1888, escritores como Guaita,

Papus, Peladan y otros, que se consideraban especialistas en magia, quisieron renovar en París la Orden de los Rosa-Cruz.

Peladan se separó de sus cofrades porque éstos se mostraban anticlericales y él quiso ser jefe de un movimiento Rosa-Cruz católico. Naturalmente, todo esto no pasó de la esfera del *snobismo*. Se quiso hacer una literatura y una pintura rosa-cruciana; luego, al parecer, la tendencia mística desapareció; pero, por lo que dice mi amigo el francés mistagógico con aire de normaliano, sigue todavía. ¿En dónde? No lo sé. Al parecer, hay que guardar el misterio, si es que algún misterio existe.

FIN DE «PEQUEÑOS ENSAYOS»

ARTICULOS

ARTICULOS

LA LUCHA DE LAS GENERACIONES

A idea de las generaciones en la vida literaria parece que procede de la crítica alemana. Es un procedimiento de estudio histórico que no se sabe a punto fijo la realidad que tiene.

La existencia de las generaciones, más o menos efectivas, lleva casi siempre aneja la hostilidad de las unas por las otras próximas. Si hay motivo por esta hostilidad entre ellas, yo no lo veo claro. Desde hace tiempo se marca la disidencia de una generación con relación a la otra, y ahora con mucha fuerza, desde un punto de vista político.

En mi tiempo, más que hostilidad o lucha, hubo disidencia. En España, hace algo más de cuarenta años, como en casi todos los demás países de Europa, la juventud se encontró con que del mundo entero llegaba una literatura y una filosofía de las más fuertes y de las más expresivas de la Historia.

Aunque muchos de los representantes de esta literatura escribían hacía tiempo en sus respectivos países y otros se habían muerto, para la juventud de 1890 a 1900 se presentaron estos autores en tropel. Eran Ibsen, Tolstoi, Turguenef, Dostoyevski, Niezsche, Baudelaire, Verlaine, etc. La gente joven quedó pasmada. Los viejos, en su mayoría, pretendieron ignorar estos escritores y hacer como que no existían; pero esto era imposible. Al mismo tiempo se conocieron autores más antiguos, como Stendhal, Schopenhauer, Carlyle, etc. Querer desconocerlos por supuestas razones de patriotismo o de política, era una pretensión ridícula. Achacar a los jóvenes antipatriotismo por eso, era un absurdo. Igual defecto se hubiera podido achacar a los franceses del siglo XVII, contemporáneos de Corneille, por leer con predilección a los dramaturgos españoles; lo mismo se podría haber dicho de los novelistas ingleses, como Fielding, Walter Scott y Dickens, por su fervor por Cervantes; de lo mismo se podría acusar a los poetas españoles del Renacimiento por su gusto por los autores italianos y por los latinos.

La literatura del mundo ha vivido siempre así, por intercambios espirituales de unas naciones con otras. Cuando las personalidades literarias son grandes y sugestivas, no hay más remedio que darles paso franco, y las que se presentaron ante el horizonte español hace cuarenta y cinco años lo eran de las más indiscutibles. Hoy, todavía, Dostoyevski es el escritor de quien más se sigue hablando en el mundo y del que se escriben más críticas y comentarios.

Ese aluvión de literatura, que ya venía de Rusia, de Alemania, de Escandinavia y de Francia hace medio siglo, no era una moda de taller como el decadentismo, el dadaísmo o el cubismo, sino una aportación de pensamientos y de métodos psicológicos trascendental, que ha dejado rastro en todas partes. Esa época pasada no se puede comparar con la actual. La influencia que viene en este momento del extranjero es insignificante por su calidad. El único país que en estos diez años últimos ha ejercido una acción literaria en España y en América latina ha sido Francia, y esa influencia no ha pasado de ser técnica y profesional. Ha versado principalmente sobre la poesía, cosa que a los no escritores y a los escritores que no nos dedicamos a la versificación no nos interesa mucho. Esta influencia viene principalmente del poeta francés Mallarmé y, últimamente, de su discípulo Paul Valéry. Se refiere principalmente a la prosodia y a la métrica de los versos, cosa que no llega más que a pequeños grupos de iniciados, y que a la mayoría del pueblo le deja completamente indiferente.

LOS PRODUCTOS DE LA CULTURA

Cuando un hombre piensa en los productos de la cultura, se asombra de que en unas materias se haya llegado tan lejos y en otras se haya conseguido tan poco.

Es muy probable que en la metafísica puramente racionalista no se pueda pasar de Kant, ni en la música de Mozart o de Beethoven, ni en la escultura de la estatuaria griega, ni en la pintura realista de Velázquez. Las artes se detienen porque su área es limitada y ésta ha sido descubierta, explorada y hasta se puede decir que forzada. En todas ellas hay como topes o dioses Términos que marcan sus límites.

En la literatura misma, da la impresión de que en muchos aspectos no se podrá ir más allá, y esto hace pensar en que en la novela de aventuras no se pasará de *Don Quijote*, ni en la novela psicológica de Dostyevski, ni en la poesía sentimental y humilde de Paul Verlaine.

En la Historia y en la política, la limitación es aún mayor. No se avanza, no se conquista terreno. Se vuelve a lo mismo. Se da vuelta a un círculo sin salida. Hoy se vive con los mismos tópicos que en tiempos de Aristóteles o de Séneca. Una comedia política de Aristófanes, modernizándola en sus nombres y en sus circunstancias de la época, parece de una completa actualidad.

La ciencia, únicamente, es de todos los productos de la cultura el que, inagotable, produce constantemente y producirá sin cesar mientras el hombre tenga sus condiciones de investigación y de trabajo. Probablemente, a la investigación científica no se le encontrará nunca límite. Esta dará, como ahora o más que ahora, la impresión de que cuando se encuentra un dato claro y comprobado, al mismo tiempo aparecen a su alrededor dos puntos nuevos oscuros, que hay que definir y aclarar. En esa progresión geométrica avanzará siempre la ciencia, siempre sin resolver los problemas capitales que más le interesan al hombre.

EL EON INDIFERENTE

Hay un gran atractivo para todos los ilusos en las fantasías y misterios de la gnosis. Muchos de los que leen trozos o resúmenes de la filosofía de Plotino o de Jámblico, o de lo que se llama emanatismo, se aficionan a las palabras de la secta y se les oye hablar de los Eones, del Pieroma, de la Enoia y de otras voces que les dan una impresión poética. En esto experimentan la misma atracción por lo oscuro que los teósofos y los espiritistas.

Hay una cita de Plutarco que se refiere a Heráclito, en la cual este antiguo y triste filósofo, explicando las catástrofes del mundo, dice: «La sibila de boca inspirada, hablando sin sonrisas, sin afeites y sin perfumes, espera con su voz un término de mil años, gracias a los dioses.»

Cada mil años, según el remoto pensador, el mundo experimenta una terrible tragedia, que se repite automáticamente. Este es su destino, y, como instrumento de él, hay un Eón, que, como un niño loco que juega a las damas, se divierte en disponer las catástrofes.

Para Heráclito, como después para Vico, cada país sigue una órbita siempre fija y en este largo período de los mil años la recorre y termina su curva. El devenir es un juego eterno con su fin y su justificación en sí mismo. La idea, muy pesimista, tiene su posibilidad de ser exacta. Contra ella se han forjado teorías y sistemas optimistas desde los tiempos más lejanos; pero contemplando los hechos históricos sin pasión, parece que esta teoría del ciclo cerrado y del cataclismo periódico tiene una cierta verdad. Los místicos de todos los sistemas han protestado contra esta curva fatal de la existencia humana; los judíos pensaron, ya en épocas antiguas, que el mundo iba a convertirse de pronto en un espléndido paraíso, y que Jehová iba a crear una nueva Jerusalén, llena de gracias y de perfecciones.

Esta teoría palingenésica, que une la destrucción y la creación, ilusionó los primeros años del cristianismo, y produjo después las tendencias milenarias que se dieron en la Edad Media en toda Europa. Los pronósticos de la destrucción del mundo y de la creación de otro mejor se han repetido en todos los países de Europa en las épocas actuales, y, principalmente, en Inglaterra.

Para los que no tienen un sentimiento de optimismo exaltado y ven los fenómenos de la Historia con juicio frío, la teoría de Heráclito les parece que puede ser próxima a la exactitud. El progreso del mundo no se ve claro, y menos en sentido espiritual y moral. Da la impresión de que todas nuestras luchas, y con ellas las guerras, las hambres y las pestes, no se diferencian gran cosa de las que se dan en la vida de los insectos, y parece que, después de la sangre, de los incendios y de las destrucciones, los países se contentan con vivir como antes y los hombres aspiran no a ascender en el plano de su existencia corriente, sino a mirar como un ideal la vida pasada, que antes les parecía vulgar y sin grandes atractivos. La comprobación de la inutilidad de este agitarse de las masas, de este tejer y destejer, de esta lucha violenta por ideales que fracasan, es cosa muy triste.

El pensar que esas catástrofes están como dirigidas por un niño, loco, inconsciente, por el Eón que juega a las damas y que contempla, sonriendo, los destrozos que produce su capricho, como creía Heráclito, es una idea demasiado dura para nosotros, pobres humanos.

LOS LUGARES COMUNES

Al parecer, antiguamente, los lugares comunes estaban recogidos y catalogados por los retóricos en tratados especiales. Los que lo empleaban, fueran gramáticos, abogados o sofistas, los consideraban útiles y necesarios. Entre los romanos se llamaban *sedes argumentorum* (asiento de argumentaciones) y *loci communes* (lugares comunes).

El abogado, el político, el futuro orador, encontraban en esos tratados frases más o menos brillantes que les servían para rellenar sus discursos. Algunos célebres escritores, como Cicerón y Quintiliano, elogiaban estos tratados, y Aristóteles había publicado su libro *Los tópicos,* con el cual podía convertirse el arte oratorio en un sistema casi mecánico.

Una de las normas para el uso de los lugares comunes estaba en un verso latino concebido así:

Quis? Quid? Ubi? Quibus auxiliis? Cur? Quomodo? ¿Qué? ¿Qué motivo? ¿Dónde? ¿Con qué recursos? ¿Por qué? ¿De qué modo? ¿Cuándo?

En nuestro tiempo, lo que para griegos y romanos era respetable, se convirtió en vulgaridades sin importancia. El lugar común fue una de las cosas desdeñadas de la literatura. Cierto que huir del lugar común es muy difícil o imposible. Algunos escritores, y no de los más vulgares, ni mucho menos, los han defendido. Remy de Gourmont escribió una exégesis de los lugares comunes, y mucho antes que él hizo, al parecer en serie, su defensa Burke. Edmundo Burke, el escritor, fue durante mucho tiempo partidario en Inglaterra del liberalismo aristocrático del antiguo partido que se llama *vhig.* Era gran orador, publicista de primer orden, partidario de todas las libertades; pero al estallar en Francia la Revolución cambió repentinamente y se hizo un adversario de ella violento y apasionado.

En su célebre libro *Reflexiones sobre la Revolución francesa,* Burke hace el elogio de los lugares comunes:

«Vea usted, señor—dice—, que en este siglo de las luces yo soy bastante valiente y decidido para confesar que nosotros, los ingleses, somos generalmente hombres de una naturaleza que, en lugar de remover los viejos prejuicios, los amamos, y para atraer todavía sobre nosotros mayor vergüenza, le diré que los amamos porque son más prejuicios y porque han reinado largo tiempo y porque su influencia ha sido más general. Nosotros tenemos miedo de exponer a los hombres a vivir sólo con el fondo particular de razón que tiene cada uno, porque sospechamos que este capital es exiguo en cada individuo y que es mejor que todos, conjuntamente, intentemos obtener ventajas de la Banca general y de los fondos públicos de las naciones y de los siglos.»

Burke afirma que es más sabio conservar el prejuicio, con el fondo de razón que encierra, que desposeer al buen juicio de su ropaje para dejar a la razón completamente desnuda.

Evidentemente, si todos los prejuicios tuvieran un fondo sólido de razón, sería insensato ir contra ellos; la protesta contra una costumbre tradicional, lógica y bien fundada, sería estúpida, pero con frecuencia el lugar común es un absurdo, y entonces la protesta está bien. Si unas gentes sencillas contemplan pinturas cubistas en donde se ve a un hombre que es mayor que la casa en donde vive, o a una mujer con un pelo verde y se ríe de ello, tiene razón. Cuando el prejuicio no tiene valor, y, en vez de ser una realidad eterna, es una deformación vieja y rutinaria, entonces el instinto de disolverlo y de disociarlo es completamente natural y bueno.

A pesar de todo, no hay que pensar que se puede proscribir el lugar común, porque éste sigue rigiendo la vida y la literatura y, probablemente, lo seguirá siempre.

EPOCA DE RETORICA

Nuestra época es una época de retórica. El siglo XVIII hizo un esfuerzo para conseguir la claridad en las ideas del tiempo. Franceses, ingleses y alemanes se esforzaron en llevar la luz a las razas tenebrosas del espíritu, y en parte lo consiguieron y en parte no. Ver en lo que es era su objetivo, según frase de Stendhal.

Napoleón, genio lógico y matemático, salido de esas zonas luminosas, quiso llevar la claridad por todas partes, y lo que consiguió fue hacer que la tempestad estallase por cuantos sitios pasaba. Allá por donde iba saltaba la chispa y venía la tormenta.

En casi todos los pueblos europeos, antes de Napoleón, había en el ambiente frialdad y claridad; después, en cambio, oscuridad, entusiasmo y tinieblas. En Francia, antes, Montesquieu y Bayle; después, Chateaubriand y Víctor Hugo; en Alemania, antes, Kant y Mozart; después, Hegel y Wagner; en Inglaterra, antes, Swift y Sterne; luego, Byron y Dickens; en España, antes, Jovellanos y Moratín; después, Espronceda y Larra.

En el siglo XVIII, el hombre sabio se dirige a otro que pretende serlo y que tiene nombre, apellido y documentación; en el XIX y en el XX se dirige a las masas anónimas, que no tienen más que estómago y sexo.

No se trata ya de convencer por razonamientos, sino de arrastrar a las multitudes. De aquí la eficacia del grito de guerra para la acción, de lo que se llama, con una palabra inglesa, *slogan*.

Como no se va a actuar en la inteligencia, sino en las zonas inconscientes o semiconscientes de la multitud, la exactitud y la finura del razonamiento no significan nada.

Hegel decía que siempre la Historia tiene un sentido, y ello es cierto: la historia del hombre, la de la mosca y la de la mula.

Con una idea bastante clara de la

debilidad intelectual de la multitud, el siglo XX ha llenado de «ismos» los diccionarios. En filosofía, relativismo, pragmatismo, fenomenologismo; en literatura, simbolismo, modernismo, vanguardismo, ultraísmo, futurismo, unanimismo; en pintura, cubismo, impresionismo, simultaneísmo, construccionismo, musicalismo, etc.

Todas estas fantasías, o todas estas patochadas, dan mucho que hablar a gentes que tienen la especialidad de dedicarse a los juegos de la retórica; pero todo hace pensar que de tales lu-

cubraciones va a quedar muy poco rastro.

Una de las cosas que se observan en esta clase de teorías, sean políticas, sociales o artísticas, es que no se sabe con exactitud nunca en qué punto se encuentran con relación a las demás, porque lo que parece muy moderno y muy radical se ve que de pronto pretende ser conservador, y ésta, al contrario, permite cambios de criterio cómodos para el que se siente muy práctico dentro de su versatilidad.

LA LITERATURA Y LA HISTORIA

Los escritores suponen que conocen un país si conocen su literatura; los políticos tienden a enterarse de las condiciones de un pueblo por la Historia, y ¡por qué Historia! Ninguno de los sistemas es exacto, pero está más cerca de la realidad la tendencia de los escritores que la de los políticos.

En primer lugar, entre los escritores ha habido más hombres de genio que entre los historiadores. No se ha dado en Inglaterra un historiador que esté a la altura de Shakespeare, ni en España otro que esté a la altura de Cervantes, ni en Francia ninguno como Molière.

A la literatura mediocre, el tiempo la hunde indefectiblemente; en cambio, la historia mediana puede resistir por sus datos. El que se atiene a la literatura se inspira en obras geniales; lo que no le pasa al que maneja libros de Historia. Unas cuantas obras literarias dan más la sensación de un país que unas cuantas obras de Historia.

En el libro literario está desconta-

do su carácter eminentemente subjetivo; el libro histórico quiere darse como objetivo y como imparcial, lo que es casi siempre una mistificación. La obra de Historia está más entregada que ninguna otra a la moda y a las corrientes del tiempo.

Varias personas inteligentes que lean, por ejemplo, a Burns, a Byron, a Walter Scott y a Dickens, se forman una idea de Inglaterra, probablemente, más próxima a la realidad que leyendo las obras de los historiadores del país.

¿Qué historiador francés del siglo XIX da una impresión más sintética de la época que Stendhal? Ninguno. Con la amplificación de su genio turbulento, Bayle representa también la vida francesa de esa época, con sus preocupaciones y sus miserias, como nadie.

Cuando se lee el *Quijote* no se tiene presente lo que es objetivo del país, es decir, la política, lo externo e imitado de aquí y de allá; lo que se ve es el pueblo, con su paisaje interior y exterior. Mas en pequeño ocurre lo mismo con los artículos costumbristas de Larra. Si había guerra o no había guerra en el tiempo, no importa gran cosa; si mandaban Toreno o Mendizábal, tampoco. Lo que se advierte en estos artículos es la continuidad del país; lo pasajero, lo del momento, se ha evaporado.

A esto hay que añadir que la Historia no tiene exactitud alguna, ni en sus datos, ni en sus consecuencias. Yo intenté, hace años, conocer la historia de España de la primera mitad del siglo XIX. Durante mucho tiempo leí libros, folletos, papeles, para encontrar hechos exactos y demostrados. No hallé más que incertidumbre y oscuridad. Unos historiadores se copiaban los datos a otros, y el primero que los exponía no indicaba dónde los había encontrado.

Por estas y por otras muchas razones hay que pensar que la tendencia de los escritores a buscar el conocimiento de un país en la literatura, y no en la Historia, es mucho más exacta, aunque parezca lo contrario, que la de los políticos, que quieren hallar estos conocimientos en la Historia y en la estadística.

ESCUELA DE SABIDURIA

En nuestra época ha habido una tendencia muy marcada a las doctrinas esotéricas y espiritistas. La claridad de Hume, de Kant y de los psicólogos franceses no gustó a muchos entusiastas de la palabrería vaga y amena. La filosofía budista, no por lo que tiene en sus principios de realista y de clara, sino por lo añadido después de misterioso y confuso por bonzos y chamanes, ha estado durante mucho tiempo a la orden del día.

Se ha querido creer que las teorías se entienden no por conceptos intelectuales, sino por sentimientos vagos, oscuros y sin perfiles. En lo antiguo, la historia de la filosofía está llena de sectas místicas, que la mayoría, al declinar, no dejan más que nomenclaturas vanas. Es lo que ocurre con las teorías de Plotino expuestas en las *Ennéadas*.

Ya Hegel, en tiempos modernos, manejó la palabrería imprecisa, y ésta ha ido tomando nuevos avatares, unas veces mágicos y otras teosóficos y espiritistas.

En Francia, en nuestro tiempo, hubo un restaurador de la magia que se llamó Estanislao de Guaita; en Alemania, un mago medio hipnotizador, como Rodolfo Steiner, que fundó el Goetheanum en Arlesheim, pueblecillo próximo a Basilea. Los tratadistas de Teosofía Eliphas Leví, Shure, etcétera, y los literatos Peladan, Huysmans, Maeterlinck y otros muchos colaboraron en esta obra de confusión.

El último de los filósofos magos es, sin duda alguna, Hermann Keyserling. Keyserling es un mogol divertido y original y con grandes condiciones de hombre ameno. Viajó mucho, estuvo en Oriente, y se le ocurrió fundar una escuela de la sabiduría en el pueblo de Darmstadt.

La base de esta escuela está en la afirmación gratuita de que el Oriente, por intuición, es superior al Occidente, formado por estudio y experiencia. En esta escuela de sabiduría antiintelectual no se pretendió dar una doctrina fija. Todas las teorías, todas las concepciones y todas las creencias es-taban aceptadas. En la escuela de la sabiduría se invitaba a los discípulos a sublimarse por la contemplación del mundo interior. No se trataba de razonar ni de adquirir conocimientos o teorías, sino de desarrollar el espíritu, unas veces por la reflexión, otras por la poesía y otras por el silencio.

Todos estos procedimientos, imitados de las antiguas escuelas órficas y pitagóricas, se ve que terminan, a la larga o a la corta, en pura palabrería mística o teosófica.

El hombre no puede comprender nada más que con su inteligencia, grande o pequeña, limitada o no. El querer rehuir lo intelectual en el conocimiento no lleva a más que a la retórica y quizá también a la música, pero con la retórica y con la música no se llega al concepto ni a la cultura.

Todas las escuelas de la sabiduría, del tipo de la de Darmstadt, no dejan más que una suma de palabras, que cuando se les pasa el momento, no pasan de ser una escoria sin ningún valor.

LAS DISCUSIONES

¿Qué valor tiene esa frase popular que afirma que de la discusión sale la luz?

Creo que muy poco, o ninguno. Ese seudoaxioma es una superstición de países meridionales, retóricos y gesticulantes.

«Luz y taquígrafos», decía don Antonio Maura, como si de esa reunión de palabras pudiera salir la claridad del mundo.

Con luz y taquígrafos, por ahora, no se ha resuelto nada. Ni Newton, ni Lavoisier, ni Pasteur, ni Planck, hicieron sus descubrimientos con luz y taquígrafos. Con luz y taquígrafos no se ha hecho más que llenar de prosa pesada y vulgar los *Diarios de las Sesiones*.

Yo no recuerdo haber oído discutir a nadie de una manera sencilla, razonada y honesta, con el fin de aclarar un pensamiento. Siempre he presenciado discusiones aparatosas, en las cuales los contendientes intentaban quedar vencedores con un chiste, con una salida de tono o con una mentira.

En general, no discuten los hombres que quieren obtener una verdad, sino los tipos que van a satisfacer el amor propio irritado a costa del contrario. Estos son los que emplean un arsenal de astucias, de bromas, de sofismas y de zancadillas. Los políticos han sido siempre gente de esa clase.

Cuando se ve que dos adversarios tienen ideas opuestas e irreducibles, no se debía discutir. Unicamente la controversia puede ser útil cuando las personas que debaten tienen una aspiración común.

Dos sabios asociados que busquen una solución a un problema científico y que no tengan entre ellos la menor rivalidad, pueden discutir, y su discusión ser fecunda, o dos exploradores que se ven luchando con las mismas dificultades para salir de un atolladero común, o el padre y la madre que traten de la vida o de la salud de su hijo; pero cuando hay rivalidad, cuando entra el amor propio en la discusión, cuando la tendencia de uno y de otro no es la misma, el debate no tiene ya ningún valor.

¿Qué puede sustituir a la discusión y a la controversia, que son tan poco leales y tan infecundas? ¿Hay algún otro procedimiento de aclarar las cuestiones?

Yo no lo sé, ni creo que lo sepa nadie.

ARAÑAS Y MOSCAS

La historia más clásica de la vida de Benito Spinoza, el filósofo de Amsterdam, es la del supuesto pastor protestante Juan Colerus. De este Colerus no se sabe gran cosa, ni se conoce su vida.

Se dice que, después de la biografía del célebre filósofo panteísta, escribió otro libro titulado *Verdad de la resurrección de Jesucristo contra Spinoza*, que publicó en La Haya en 1706.

Algunos han afirmado que el autor de esas dos obras fue un médico llamado Lucas Vraese, natural de Brabante, que no quiso firmar con su verdadero nombre estos dos libros acerca de las ideas de un réprobo, y que publicó después en La Haya, en 1819, *La vida y el ingenio de Benito Spinoza*, en francés, obra que fue retirada de la circulación por la autoridad.

No es fácil tener una opinión razonada, verdadera o falsa, acerca de la paternidad de esas obras.

La vida de Spinoza, de Colerus, apareció, según algunos, primero, en Amsterdam, en holandés, en 1705, y un año más tarde, en francés, en La Haya.

Del filósofo panteísta y pulimentador de lentes tenían, al parecer, sus conocidos y amigos buena opinión, y un peluquero que le servía llamó a su cliente el bienaventurado Spinoza.

El filósofo, según dice Colerus, era hombre de talla media, con los rasgos de la cara bien proporcionados, la piel bastante oscura, el pelo negro y rizoso, las cejas largas y también muy negras, de manera que por su aspecto se le reconocía fácilmente como descendiente de judíos portugueses...

Por lo que se refiere a su indumentaria, no se ocupaba de ella, y sus trajes no eran mejores que los de cualquier menestral...

Sus costumbres eran muy moderadas y su conversación dulce y tranquila. Sabía admirablemente ser dueño de sus pasiones. No se le vio jamás ni muy triste ni muy alegre; era siempre afable y de genio tranquilo. Se entretenía a veces en fumar una pipa de tabaco, y cuando quería reposar su espíritu más largo tiempo, buscaba arañas, que hacía luchar entre ellas, o moscas, que echaba en la tela de araña, y contemplaba en seguida esta batalla, con tanto placer, que estallaba a veces de risa.

Muchos chicos hemos hecho también la experiencia de echar una mosca a una tela de araña y ver qué pasaba. Hemos contemplado el ataque del insecto agresivo contra el pacífico; hemos cogido los detalles de la escena con curiosidad y hasta con ansiedad; pero a mí, al menos, no se me ha ocurrido jamás reír a carcajadas como a ese judío ibérico de genio al ver la prisión y muerte de la mosca. Al revés, a veces he acabado rompiendo la tela de araña y aplastando al insecto agresor con la suela de la bota.

LA LITERATURA DE FREUD

Aunque no tanto como antes, todavía aparecen en periódicos y revistas extranjeras el nombre de Freud y del psicoanálisis. Ha pasado la gran preocupación por su pansexualismo, pero sigue habiendo muchos médicos que tienen fe en sus ideas y en sus procedimientos.

Las afirmaciones de Freud no son en principio absurdas, porque, envueltas en disquisiciones literarias, no pasan de ser hechos conocidos y corrientes.

Es lógico que en la vida ni lo individual ni lo social sean perfectos, y es también lógico que todas las fallas de método y de hábito repercutan en la salud del hombre.

Pero esto, ¿cómo se arregla? Ese señor que a los sesenta años padece un desorden hepático, quizá si se hubiera abstenido de la grasa y del alcohol desde su infancia no lo tendría. Esta señora que muestra un fondo de histerismo, es probable que, casada con su primer novio, no lo hubiera padecido. Muy bien; pero ello, ¿cómo se evita?

Que en la vida erótica y sentimental, como en la vida orgánica y material, hay fallas y equivocaciones, es evidente, no es ningún descubrimiento. En muchas personas, todo es error desde el principio hasta el fin. A base de las equivocaciones psíquicas está hecha gran parte de la literatura moderna.

Hace treinta o cuarenta años escribía en el *Heraldo de Madrid*, periódico entonces de Canalejas, su cuñado, Alejandro Saint-Aubin, que no era un águila en ninguno de sus tres aspectos: de maestro de armas, de pintor y de crítico de arte, aunque él se lo creía.

Tomás Luceño, que era taquígrafo del Senado, autor de sainetes de gracia y que tenía un aire de banquero, decía una vez, muy convencido, en el café:

—¡Qué se va a hacer; ni el mismo Saint-Aubin es perfecto!

Es lo que pasa también en la vida erótica y sentimental, que no es ni muchos menos perfecta, lo que se sabía ya mucho antes de Freud.

EL HOMBRE Y EL ARTE

En esta época más apasionada que racional en que vivimos se ve como nunca que el hombre es enemigo del hombre. *Homo homini lupus.* En medio de las matanzas, las destrucciones y los bombardeos, resuenan gritos de triunfo si la devastación la han realizado los propios, y gritos de venganza si la han llevado a cabo los contrarios.

Entre gente tan colérica y tan sa-

ñuda, hay minorías, que, sin duda, se creen selectas, que manifiestan una efusión y un sentimentalismo por el arte un tanto pueril. Esas personas quieren creer que la vida humana y el dolor cuentan poco al lado de las obras trascendentales de la pintura, de la escultura o de la arquitectura.

Se han matado miles de hombres entre horribles tormentos, pero se ha salvado el gran cuadro, la gran estatua o el soberbio monumento. Se ha ganado la partida.

Si estos estetas emplearan un argumento solamente egoísta, afirmando que para ellos no hay nada más que el arte diríamos: «¡Qué se le va a hacer, es gente limitada! Ponen su efusión artística por encima de todo. No comprenden otra cosa.» Pero no es esto. Al mismo tiempo quieren manifestarse de buena fe, generosos y altruistas, y aseguran que la obra de arte es lo más importante para que los hombres de mañana puedan contemplarla y saborearla.

Es curioso que una persona que pueda mirar indiferente que el prójimo muera en una agonía dolorosa, le importe que el hombre de dentro de cien o de doscientos años tenga la satisfacción de ver una buena estatua, un gran cuadro o un suntuoso edificio.

No es fácil saber si este sentimiento es de candor puro o de candor mezclado con hipocresía.

Para los cultivadores del estetismo, primero es el arte y luego los hombres, lo cual es una idea bastante absurda y disparatada. El arte vive en función del hombre, es para el hombre y solamente para él. El hombre no vive sólo en función del arte, sino de otras muchas cosas más. Tiene esa nota en su clave, pero ésta no es la única, ni quizá la más importante.

Pensar en sacrificar el hombre al arte, aun desde un punto de vista teórico, es una idea banal de un estetismo nacido en los medios decadentistas del siglo XIX; es decir, en lo que valía menos de ese siglo.

EL INUTIL BUEN SENTIDO

Nada de lo que es sensato tiene acción en las masas políticas. El buen sentido no ejerce la menor influencia en ellas. Si examinamos la política francesa de la época moderna, la más movida por motivos intelectuales y racionales, se advierte esto claramente.

Antes de la Revolución del siglo XVIII se manifiestan en Francia tres tendencias filosóficas y sociales. Una la representa Montesquieu, legista, analizador de leyes y de costumbres, hombre de talento claro y agudo; la otra, Voltaire, burlón, conservador, genio de la ironía y de la sátira, y la otra, Rousseau, elocuente, retórico, demócrata y sistemático.

Los tres siembran sus ideas en el medio social, y el que triunfa entre las masas es Rousseau, el de los planes utópicos e irrealizables. Robespierre y sus amigos guillotinan pensando en los sueños quiméricos de Rousseau.

Cuarenta años después de la Revolución francesa, en tiempos de Luis Felipe, en el que reina el término medio, se da un período en Francia de prosperidad y de gloria inaudito. No hay tiempo parecido en ningún país, después de la antigua Grecia. Victor Hugo, Chateaubriand, Balzac, Dumas, Lamartine, Stendhal, Mérimée, *Jorge Sand*, Alfredo de Musset, Alfredo de Vigny, Flaubert, Sainte-Beuve, son la literatura del mundo durante una época larga, que aún dura. Jamás pueblo alguno ha presentado un elenco de nombres conocidos como Francia en este reinado. París es un pedestal, como no lo ha sido nunca. Los escritores, los artistas, los hombres de ciencia, físicos, matemáticos, astrónomos, abunda de una manera extraordinaria y son universales. Entre Broussais y Claudio Bernard está lo más genial de la Medicina francesa. En este tiempo del rey de la Casa de Orleáns, la vida es relativamente fácil, la burguesía se enriquece, al pueblo le pasa lo propio. Se va por buen camino.

Esto no basta; vuelve la utopía, vuelve el descontento y vuelve Rousseau. Se hace en 1848 una revolución doctrinaria, charlatana y sistemática, y otra vez viene el fracaso, y así sigue siempre.

Ultimamente se ha visto que el Gobierno que intenta una reforma agraria que quiere ser radical, se hunde irrevocablemente, y, sin embargo, todo Gobierno revolucionario va como la mosca a la miel a querer realizar esa reforma, que es la causa de su muerte.

Se ve que la lección de la Historia y del buen sentido no sirve para nada en la vida social. Los pueblos, sin duda, necesitan tropezar y caer para tener después la satisfacción de levantarse y encontrar que aún viven.

ACTIVIDAD O INERCIA

Heráclito, filósofo de Efeso, al parecer un tanto laberíntico, del que no quedan más que fragmentos, que recogió y publicó por primera vez en la época moderna el escritor alemán Schleiermacher, decía:

«Nadie se baña en el mismo río dos veces, porque todo cambia constantemente en el río y en el que se baña.»

La frase revela la intuición de un hombre de genio. Se explica que Nietzsche admirara con pasión a este viejo filósofo, que con el tiempo había quedado reducido a un personaje de sainete que lloraba por todo, al lado de Demócrito, que, en cambio, reía por las mismas cosas.

Es indudable: la sentencia del pensador sobre el hombre y el río es exacta. El río se transforma; a cada momento su cauce varía, el agua que corre no es la misma; el hombre, por su parte, tiene también su metabolismo, su movimiento de integración y de desintegración con relación al cosmos, lo que hace que a cada instante sea distinto y nuevo.

Todo cambia, y son únicamente las leyes que rigen las transformaciones en el tiempo y en el espacio las que permanecen inalterables, según Heráclito; lo demás fluye y evoluciona en una marcha constante.

Siguiendo el pensamiento de Heráclito, se puede llegar, como llegó Bergson, a pensar que también el tiempo evoluciona, y cambia, y tiene su devenir.

Desde este punto de vista, las cosas, en conjunto, en el momento en que las vemos, son eternamente nuevas, y para lo que es eternamente nuevo no hay tiempo.

Esto, como metafísica, y ante nuestra imaginación, parece evidente. En cambio, para nuestros ojos, que contemplan los hombres en su evolución histórica, lo que nos parece es que nada cambia, que todo se repite en el tiempo y en el espacio.

La supervivencia de las ideas, de las costumbres, de las supersticiones, de las rutinas más insignificantes y vulgares son extraordinarias. Revelan la fuerza de la inercia. Parece que se ha dado un paso, que se ha resuelto una cuestión, que se ha franqueado un recodo peligroso del camino, y nada; se vuelve a lo mismo con una persistencia incomprensible.

El joven es optimista casi siempre y cree que vencerá la pesadez y la inercia de la materia; piensa que ha hecho su surco profundo en la arena de la playa; pero la marea llega y el surco desaparece.

La doctrina que parece radicalmente opuesta a la de Heráclito es la de Zenón de Elea y su escuela, que negaba el movimiento, porque decía que no podía ser demostrado lógicamente por principios absolutos. Varios ejemplos, como el de la flecha y el de la tortuga, exponía el filósofo para demostrar su tesis.

En el siglo XIX, al cambio constante, al evolucionismo que habían defendido desde las primeras épocas de la Filosofía los pensadores griegos, se le dio un carácter optimista de superación. Nada era lo mismo que lo pasado, sino mejor. El hombre progresaba, las especies se perfeccionaban, dejando de ser las que eran. Los adelantos industriales, las grandes conquistas científicas, hicieron que tal concepto se vulgarizara y pasara a las masas. Pero de aquí surgió una cierta confusión. De un lado, los demagogos predicaban la bondad nativa del hombre, maleado después; doctrina elaborada en el siglo XVIII, sobre todo por Rousseau. Esto indicaba un cambio, pero no ascendente, sino descendente; de otro lado, se cantaban las grandes conquistas de la inteligencia humana y del progreso. De aquí que se formase una hipótesis contradictoria, porque, por una parte, se afirmaba que el hombre bueno había decaí-

do, y, por otro lado, se aseguraba que iba progresando. Este absurdo ha perturbado la política de toda nuestra época.

Todo puede fluir, pero nada indica que, independientemente de la voluntad humana, las cosas cambian en un sentido optimista o pesimista para el hombre. Sólo los planes de éste en el marco limitado de la cultura, elaborada por él mismo en una actividad consciente, pueden desenvolverse en un sentido de ascenso o de descenso, y para que se desenvuelva de un modo ascendente no hay más que un camino: trabajar con todas las fuerzas, teniendo idea de estos viejos problemas, pero sin dejarse llevar demasiado por ellos en un sentido o en otro.

Esas afirmaciones de Keyserling de que se puede avanzar en la cultura por una actividad instintiva e irracional es una idea de una inconsistencia completa, que no puede servir más que para animar a los visionarios y a los energúmenos.

El individuo o la sociedad que quiera avanzar de veras tendrá que hacerlo por el trabajo, por la atención y por la técnica; lo demás es una literatura ya huera y mandada recoger.

Comunistas y anarquistas creían que bastaba con desmelenarse, con gritar, con vestirse de otra manera, con levantar los puños y cantar, para que la sociedad se perfeccionase y mejorase. Naturalmente, todo ello ha resultado un fracaso absoluto y completo.

Hay que trabajar con el máximo esfuerzo, y hay que pensar que la inercia social es muy grande y que sólo se la puede vencer con ciencia, cultura y con habilidad.

LAS BIOGRAFIAS Y LOS ENSAYOS

La gente ha llegado a creer en este tiempo que las biografías y los ensayos son géneros muy nuevos y desconocidos. Es una perfecta candidez que no tiene ninguna base; biografías y ensayos se hacían ya hace dos mil años. Jenofonte, Quinto Curcio, Suetonio, Tácito, Plutarco y Diógenes Laercio fueron en gran parte biógrafos. Después, en el curso de la Historia, siguen las obras biográficas hasta nuestra época; algunos judíos hábiles, como Emilio Ludwig, Estefan Zweig y Andrés Maurois, comprendiendo con su natural viveza la incultura del público, han dado sus obras como si fueran un género nuevo y desconocido. Los editores, también perspicaces, han sabido hacer el reclamo y convencer a las gentes de que estas biografías son una clase de obras desconocidas hasta nuestro tiempo. El que entiende algo de libros sabrá que hay una obra publicada a principios del siglo XIX, la *Biografía universal*, de Michaud, que tiene cincuenta y tantos tomos y cerca de treinta de apéndices.

Con relación a los ensayos, pasa igual; son tan viejos como el mundo, que no tienen de nuevo más que el título. Montaigne puso un rótulo nuevo a un género viejo y le añadió ingenuidad y gracia.

«Yo quiero—dice—que se me vea en mi manera de ser, sencilla, natural y ordinaria, sin estudio y sin artificio, porque soy yo lo que pinto. Mis defectos se señalarán a lo vivo; mis imperfecciones y mi forma, cándida, tanto como mi reverencia pública me lo permite.»

¿Qué diferencia como género hay entre los tratados de Aristóteles, de Platón y de Séneca y los ensayos de Montaigne? No hay más que la personalidad de los autores. Montaigne se diferencia de los clásicos por su forma de espíritu, como de él se diferencian Hume, Carlyle, Maine de Biran, Macaulay y Emerson.

En la biografía y en el ensayo es donde mejor se puede fingir una cultura y una inteligencia que no se tengan. Cualquiera de los dos tipos de obra se puede hacer de una manera casi mecánica. Para ello sirven de ayuda las grandes enciclopedias llenas de datos.

Una persona de mediana cultura tiene medios de fabricar una biografía o un ensayo con relativa facilidad. En Alemania, hace tiempo—supongo que ahora pasará lo mismo—, había librerías que, si se les pedía documentación para un estudio cualquiera, mandaban infinidad de libros con las páginas señaladas de los lugares en donde se encontraban los datos. Consiguiendo los datos, después, un ayudante, un *negro*, como se llama a estos colaboradores en París, podría organizar y ordenar estos datos, y otro le daría una forma más o menos florida al lenguaje. De esta manera le podía quedar al que firmara la obra la impresión de que su libro lo había escrito él.

No le pasará lo mismo si quiere ser autor de una novela, de un drama o de un volumen de poesías. Para esto no tendría más remedio que escribirlos o que comprarlos a uno que los haya hecho.

LA EDAD TRASCENDENTAL

Hablando con el doctor Marañón, le decía yo hace unos meses:

—A mí me parece que desde los veinticuatro o los veinticinco años el hombre no cambia ni se desarrolla espiritualmente. Se defiende, pero no conquista nuevos terrenos. Se adquieren más datos, se perfecciona el oficio, pero nada más. Yo creo que, tomando un punto de vista biológico, desde esa edad todo es decaer.

—Creo que usted exagera—contestó el doctor—. Desde los quince años empieza ya la decadencia fisiológica de los tejidos y el organismo vive a la defensiva.

—¿Tan pronto?

—Sí.

Yo siempre he pensado que la decadencia orgánica en el hombre es más rápida y que empieza en plena juventud. La formación de la conciencia, linterna que sirve para echar la luz sobre las cosas del mundo y examinarlas, termina en esa edad de los veinticuatro o veinticinco años. Después se añaden datos y conocimientos y se afirma el juicio, pero no se pasa de ahí. Como decía Bichat: «El hábito embota la sensibilidad y perfecciona el juicio.» En todos los grandes hombres, filósofos, escritores científicos, la linterna para la observación está formada en plena juventud. La edad no les añade ni más claridad ni más resplandor. A veces, en algunos genios, el espíritu está desarrollado en la infancia de un modo completo. Así ocurre en Mozart, en Pascal, en Rafael, etc. A veces se revela la máxima claridad en la vejez, como en Cervantes; pero esto no quiere decir que no estuviera ya constituida de antemano. A veces necesita ensayos laboriosos, como los de Balzac, para llegar a su mayor claridad.

El que haya hombres que cambien de afición y en la nueva se revelen con gran fuerza, no quiere decir una transformación de su espíritu, porque, evidentemente, una facultad puede encontrar campo más fácil en una terreno que en otro.

Lo que parece evidente es que se puede ser gran estratega y gran político, como Alejandro Magno, Aníbal o Napoleón; músico extraordinario, como Mozart; matemático, como Pascal; pintor, como Rafael, en plena juventud. La filosofía misma, que parece labor de viejo, es también producto de jóvenes, y desde Platón hasta Schopenhauer las obras más importantes de los filósofos se publicaron o, por lo menos, se escribieron más bien en la juventud que en la vejez. Ahora que el hombre de talento o de genio sea reconocido por el medio ambiente, pronto o tarde, no quiere decir nada para sus condiciones, que ya están desarrolladas, no en germen, sino maduradas y formadas en esa edad de los veinticinco a los treinta años.

SOBRE LAS EXPOSICIONES

Las exposiciones universales son una invención del siglo XIX. La idea de ellas germinó en Francia y en Inglaterra. Esa invención de aire docente y al mismo tiempo colosal tiene el carácter de los primeros años del pasado siglo. En esa época la filosofía, la literatura, la ciencia, la músi-

OBRAS COMPLETAS DE PÍO BAROJA

ca y la industria avanzaron en triunfo. Se creyó también que, haciendo un esfuerzo, las artes plásticas darían un resultado paralelo, pero el éxito no acompañó a la idea.

Lo docente, sobre todo en el terreno artístico, ha fallado en la época moderna.

Esos almacenes de cuadros y de estatuas que son las exposiciones tienen poco interés, y no se sabe por qué no han acertado casi nunca ni han revelado grandes genios.

Las instituciones antiguas fueron las que supieron engranarse de un modo vital con las artes y hacerlas fecundas y fructíferas. Las modernas, en cambio, no han tenido éxito. Los cabildos, los gremios, las cámaras de comerciantes y de industriales han dejado como un reguero de obras artísticas que han llenado después los museos; en cambio, las exposiciones, desde su implantación hasta nuestros días, han tenido una esterilidad manifiesta. No se recuerda ni una gran estatua ni un gran cuadro desde hace cien años a esta parte.

Los socialistas, y entre ellos Proudhon, creyeron que había que hacer exposiciones permanentes para la producción artística e industrial. De estas ideas nacieron también los grandes bazares.

La exposición y el gran bazar son producto de la misma tendencia; sólo que el gran bazar es más divertido y más práctico para el público.

Hay actualmente, al menos juzgando por su magnitud, un arte pequeño para la casa y un arte grande para las exposiciones. En el arte pequeño reina el impresionismo, que es la única teoría pictórica moderna que ha dado resultados artísticos de valor. El impresionismo se cotiza, y probablemente se cotizará siempre. El cuadro impresionista en un interior es como una ventana al campo; en cambio, el cuadro grande y el aire clásico no tienen lugar no ya en una casa modesta, ni aun siquiera en una casa rica. Este no puede servir más que para los salones de los edificios del Estado.

La pintura, como la mayoría de las artes, ofrece el aspecto de haber cerrado su circuito, de tener que repetirse por necesidad. Actualmente sólo la literatura puede dar alguna novedad en sus productos. Hay muchas razones para ello. Primeramente, el idioma cambia, lo cual no pasa ni con las líneas ni con los colores; después, la ciencia aporta constantemente nuevos datos a la literatura. El cuadro antiguo compite, aventaja y vence al cuadro moderno. No pasa lo mismo con la obra literaria, que da la impresión, cuando es importante y está lograda, de una cosa nueva.

Al que estuviera acostumbrado a leer poemas antiguos y de repente se encontrara con un libro como *Los hermanos Karamazoff*, de Dostoyevski, o con *La guerra y la paz*, de Tolstoi, estas obras le producirían sorpresa, y si el lector era hombre inteligente, no tendría más remedio que reconocer que eran productos trascendentales y en muchos aspectos nuevos.

Alguno dirá que un cuadro cubista produciría también una gran sorpresa en una persona acostumbrada a ver cuadros antiguos, pero esta sorpresa se convertiría con facilidad en una carcajada.

No hay carcajada posible en algunas de esas obras literarias modernas. Para el lector de libros antiguos, Stendhal, Dickens, Dostoyevski o Tolstoi son cantidades de valor auténtico a las cuales no anulan ni borran las bellezas plásticas. En cambio, las obras pictóricas antiguas aniquilan a las modernas. Si en una exposición de arte moderno se coloca una obra escogida de Rafael, de Velázquez o de Goya, todo el mundo advierte su superioridad y ve, además, que la obra está hecha con los mismos elementos que una moderna.

Evidentemente, parece que ni se añade ni se puede añadir nada al arte que ya está reunido y catalogado en los museos. Solamente en el paisaje y en el ambiente se puede avanzar sobre los antiguos.

Todas las exposiciones de pintura grande dan la impresión de ser iguales. Unicamente en las obras impresionistas es donde se suele encontrar algo que parece logrado y relativamente nuevo.

Algunos todavía, creyendo que el cubismo es cosa que vale la pena de darlo, aunque sea disfrazado, intentan acomodarlo a la pintura corriente. Yo no sé si el cubismo merece el trabajo de domesticarlo y de servirlo al público actual. Yo creo que no.

Hay gente ilusa que dice que el cubismo ha enseñado a dibujar a los artistas. Me parece una candidez. Yo no he visto, al menos, que los cubistas sean grandes dibujantes. Picasso, evidentemente, cuando quiere, es un buen dibujante, pero no tan extraordinario que llame la atención. Otro cubista español que tuvo fama en su tiempo fue Juan Gris. Juan Gris, que de verdad se llamaba González, era un pobre hombre y un dibujante mediocre que pintó unas cuantas extravagancias con intención aviesa que se tomaron por geniales. Este Juan Gris escribió también una serie de cosas confusas, oscuras y mediocres sobre la filosofía del arte, que pasaron por observaciones luminosas.

Era en aquella época en donde cualquier fantasía hacía pensar a la gente que se trataba de algo extraordinario. La evolución del pensamiento

o quizá, mejor dicho, la decadencia del pensamiento en todos los pueblos europeos, fue en esta época, antes de la guerra del 14, verdaderamente extraordinaria.

La gente, que seriamente decía a principios del siglo que no entendía los dramas de Ibsen ni las novelas de Tolstoi, de pronto cambió y empezó a pensar que entendía las mayores tonterías imaginables, y entre ellas los versos sin sentido y algunas estupideces que se llamaron futuristas y dadaístas.

Como una especie de manifiesto que es el *summum* de la insensatez y de la más ridícula presunción, existe todavía en París, en un café llamado Le Boeuf sur le Toit, un cuadro titulado *El ojo cacodilato*, pintado por un señor Picabía y por otro Tristán Tzara. Yo no he visto nada más necio.

Una de las tendencias de las exposiciones fue el crear el gusto por lo colosal. De las distintas exposiciones salieron las galerías de máquinas, los palacios de cristal y, sobre todo, la torre Eiffel, que en su tiempo, y durante muchos años, ha sido como el gran atractivo moderno de la ciudad de París para los tontos.

Algunos tradicionalistas franceses de gusto estético protestaron contra ese aparato de hierro que tiene más aire de andamio que de una torre auténtica; pero en este caso, como en muchos otros, los modernistas triunfaron.

En las exposiciones universales la gente se aburre. Hay demasiadas cosas, y no hay quien sea capaz en un día ni en varios de sacar algo en limpio de ver apresuradamente máquinas, prensas, cacerolas, cacharros, botellas, latas de conserva, cuadros, estatuas y estadísticas.

En la última Exposición Universal de París había el Palacio del Descubrimiento, con unos aparatos ingeniosos que a los hombres de ciencia interesaban, pero que al público corriente no le decían nada. No teniendo como no tenía la gente la más remota idea de un problema de Física o de Biología, ¿cómo le iba a sorprender una representación simbólica y mecánica de un problema físico o biológico y su solución? Era imposible, como escuchar y entender una explicación en un idioma que no se conoce.

Es lo que ocurre en la mayoría de las exposiciones de esta época en el mundo entero.

Todas las cuestiones teóricas y técnicas relacionadas con el arte y la exhibición de cuadros y de estatuas son puntos que se han debatido, principalmente, en París.

Las exposiciones de bellas artes comenzaron en Francia en tiempo de Luis XIV y por iniciativa del ministro Colbert.

Se dijo entonces como gran argumento que los griegos y los romanos gustaban de exhibir en sus palacios las obras que guardaban de la antigüedad clásica, y Francia quería considerarse como la heredera legítima de Grecia y de Roma.

El reinado de Luis XIV, de Luis XV y de Luis XVI se distinguió, entre otras cosas, por el número de exposiciones.

Diderot publicó durante varios años artículos de crítica sobre las exposiciones de bellas artes, que luego reunió su editor con el título de *Los salones*, y éstos más tarde se publicaron unidos a los ensayos sobre la pintura del mismo autor.

Durante la Revolución francesa los artistas se rebelaron contra las formas tradicionales de las exposiciones; comenzaron campañas contra los que se consideraban privilegios intolerables creados por el antiguo régimen.

Hay que reconocer que, a pesar de su radicalismo, estos artistas no deseaban un sistema radical de organización de las exposiciones, porque no les convenía del todo. Las mismas cuestiones se debaten ahora con razones parecidas, y no de gran peso, entre los pintores y escritores, que unos se consideran tradicionalistas y otros independientes.

Ocurre que muchos quieren la limitación en el derecho de exponer, y, por tanto, la existencia de un Jurado de admisión, y otros, en cambio, pretenden que no exista este Jurado y que la exposición sea completamente libre.

Los artistas, en general, que tienen un buen concepto de su arte quieren un Jurado de admisión que rechace todo lo que sea demasiado malo, porque comprenden que una obra que esté rodeada de doscientos mamarrachos se pierde y nadie se fija en ella.

Es evidente que entre los artistas no admitidos en los concursos oficiales puede haber gente original y hasta genial; pero es también cierto que la mayoría de ellos son gentes mediocres y con pretensiones absurdas. ¿Cómo se arregla esto? No se sabe.

Los protestantes suelen exponer los casos en que se han rechazado obras de pintores de talento, y así se habla en Francia de la pintura de Courbet, de Manet y de otros pintores que fueron rechazados y considerados como malos.

Sin embargo, el número de éstos no parece muy crecido.

A pesar de que los artistas han llegado a convencer a mucha gente de que pintar con puntos o con comas, con negro o sin negro, es muy trascendental para el mundo, es lo cierto que, en momentos como los actuales, en que Europa está desgarrada y convulsa, la gente se ocupa poco de cuestiones de arte, primero, porque no es un momento propicio, y después, porque el arte de nuestro tiempo no tiene el aire de llevar en sus entrañas ninguna novedad, ningún porvenir ni ninguna esperanza.

EL AFAN IGUALITARIO

Ve uno, quizá equivocadamente, un fondo de celos, de rencor y de envidia en la pasión igualitaria de la democracia.

Fuera de la política, parece que la envidia, el resentimiento, la cólera, son mayores en el Mediodía que en el Norte. Los pueblos meridionales tienen con frecuencia una envidia hepática, proteica, cósmica, sin objeto, que no depende de nada exterior, que más bien busca un pretexto de fuera para mostrarse. Esta envidia es una enfermedad como el raquitismo o la neurastenia, de otra índole, de otros centros, pero una enfermedad.

Se manifiesta por una alarma ante pequeños éxitos ajenos de una manera verdaderamente cómica. Yo he conocido algún literato y algún artista que, al hablar ante él de una mujer muy guapa o de un militar muy valiente, se desazonaban.

El hombre que siente esa desazón, lo mismo se irrita contra un político, contra un escritor, que contra el contratista de un cuartel o el capitán de Carabineros del pueblo.

Eugenio Sue escribió una novela, *Los siete pecados capitales*, en la cual intentaba demostrar que los llamados pecados capitales son fuerzas, elementos de vida. Sería difícil demostrar que la envidia es un elemento de vida.

En la infancia y en la juventud se comprenden mejor la envidia y los celos que en la vejez. La envidia es una pasión innata que se da hasta en los animales. Se dice que hay perros que mueren de envidia.

Se explica el chico envidioso de su hermano, el pobre del rico, el tonto del listo y el feo del guapo. Cuando la mujer irrumpe en la vida del hombre o el hombre en la de la mujer, la envidia y los celos llegan a la carrera. Al menos los meridionales no podemos dejar de sentir una impresión de celos si en la época de los amores estamos entre los fracasados y enfrente de los afortunados.

Este tipo del hombre del Norte que ve a la mujer preferida hablando con entusiasmo con otro y que lo mira con tranquilidad, al parecer real, es difícil de comprender entre nosotros; tan difícil de comprender es el caso tratándose del hombre enamorado como de la mujer apasionada.

En los pueblos del Norte es frecuente ese hecho. El novio lo explica diciendo:

—Sí, mi novia es muy amiga de Fulano.

El caso contrario se da lo mismo.

Sin embargo, no es muy lógico pensar, dado el carácter exclusivista de las personas jóvenes, que una mujer o un hombre prefieran hablar con otro mejor que con su novio o con su prometida.

El abate Bordelón, en su libro *Diversidades curiosas*, cita varios casos de celos exagerados.

Un alemán estaba celoso del agua donde se lavaba las manos su mujer. Otro no quería que la que él amaba tuviera en su cuarto un cuadro que representaba la figura de un hombre. Un celoso en una comedia de Plauto conviene con su querida que no invocará jamás en sus oraciones el nombre de los dioses, sino de las diosas. Por celos, los cristianos de Siria han establecido la costumbre de que las mujeres se confiesen con las mujeres. Acosta escribe que esta confesión de sexo a sexo se practicaba en los antiguos templos en el Perú, y que el rey no se confesaba más que con el Sol.

La envidia y los celos, dentro de la vida sentimental, parecen condiciones de la naturaleza humana. La envidia intelectual es más rara, aunque ha sido un lugar común señalarla entre escritores, artistas, actores, médicos, etcétera.

Yo he visto hace muchos años a un cómico en un teatro de Madrid que lloraba porque aplaudían a otro. Se hubiera comprendido esta pasión de ánimo si los dos hubiesen sido rivales en hacer un papel noble que entusiasmara a la gente, pero no; eran dos característicos, casi payasos, que hacían reír. Un hombre que hace reír parece que debe de estar muy próximo a reírse del público; pero, sin duda, no es así. En la vejez la envidia intelectual no puede ser patrimonio más que de enfermos o de gente que tenga una fuerte ambición más o menos secreta.

El hombre que con los años se inclina un poco a la soledad y al aislamiento, yo supongo que no puede creer gran cosa ni en la agudeza literaria y artística del público ni en la justicia social.

Al viejo se le habla de éxitos artísticos, políticos y literarios, y tiende a encogerse de hombros. ¡Cuántos éxitos falsos no ha presenciado!

Yo, al menos en el tiempo ya largo que llevo de curiosidad literaria y artística, he visto que casi todo lo que se ha elogiado al salir de la prensa o del taller como una obra maestra, luego ha ido languideciendo y se ha quedado en nada. Lo que parece más definitivo, con más condiciones para luchar contra la acción del tiempo, es lo que más pronto se olvida. Ahí está el caso de *Cyrano de Bergerac*, de Rostand, y las novelas de D'Annunzio. ¿Quién se acuerda de eso? Juzgamos con el gusto del tiempo, y el gusto cambia.

El otro día, paseando con un amigo, yo le decía:

—Muchas veces yo me pregunto: «Si ahora nosotros, que ya somos viejos, viéramos levantarse a nuestro lado un escritor joven de la fibra de un Nietzsche, de un Dostoyevski o de un Tolstoi, que, naturalmente, sería otra cosa por ser de otra época, ¿usted cree que lo comprenderíamos?»

—Yo creo que no—contestó el amigo rotundamente—; es más, quizá a ese escritor joven lo tengamos delante y no lo veamos.

—Sí, es muy posible lo que usted dice—afirmé yo—. La verdad es que no comprendemos más que lo que es muy próximo a nosotros, lo que está en nuestro ambiente y tiene la luz a la que estamos acostumbrados. Probablemente a un chino ilustrado obras como *Madame Bovary*, *Ana Karenina* o *Los hermanos Karamazoff*, que a nosotros se nos figuran trágicas, le parecerán tonterías insignificantes.

Dentro de nuestra atmósfera, nuestras clasificaciones y juicios actuales no son tampoco muy firmes, y no vale la pena de tomarlos en serio. El porvenir dirá su última palabra sobre lo actual, si es que le interesa. *Ai posteri l'ardua sentenza.*

Por otra parte, a nosotros no nos debía preocupar mucho el porvenir, que es un bastidor lejano e inseguro en la decoración del momento.

El escritor, el científico o el artista que se irrita y se exaspera por un juicio más o menos injusto sobre él, es un poco cándido.

¿A quién no se le ha atacado injustamente? ¿A quién no se le han reprochado defectos que no tiene?

Actualmente no es en la zona literaria y artística donde se da más la envidia y los celos, sino en la política. Aquí se multiplica la envidia individual con la colectiva. Nos asomamos a una reunión política y se nota que chorrea la envidia.

El demócrata revolucionario es casi siempre envidioso, unas veces con razón, porque se encuentra ante una desigualdad injusta; otras, sin ella.

El defender la igualdad absoluta como ideal atrae fácilmente la envidia. Se tiende a hacer creer que toda superioridad es una ofensa para los demás, que no hay diferencias cualitativas entre los hombres y que, si las hay, esas diferencias son tan ofensivas, que se deben hacer todos los esfuerzos posibles para borrarlas.

Esto me parece ridículo. Como hay chatos y narigudos, altos y bajos, rubios y morenos, habrá hombres buenos y malos, listos y torpes, superiores e inferiores.

Yo no creo que haya que practicar el culto del héroe a lo Carlyle; pero sí creo que las superioridades verdaderas no molestan ni ofenden mirándolas de cerca. ¿Por qué ha de molestar que Hayden, Mozart o Beethoven fueran muy inspirados? ¿Por qué ha de molestar el humor de Dickens, la tragedia honda de Dostoyevski, la serenidad de Tolstoi o la gracia de Paul Verlaine?

No son princesas altivas con las que no se puede dialogar, sino voces que se avienen a contar sus secretos en la sala elegante como en la buhardilla pobre.

En la pequeña vida cotidiana nuestra, una de las cosas que ofende a muchos es la afición fuerte por algo.

Yo muchas veces he oído este diálogo en la casa de algún amigo que ha reunido con el tiempo una mediana biblioteca:

—¿Cómo ha reunido usted estos libros?—pregunta el visitante—. Habrá usted gastado mucho dinero.

—No. Menos que si hubiera ido al café o al teatro. Los he ido comprando en librerías de viejo y en la feria.

—Es extraño. Yo no veo nada interesante cuando voy a las librerías de viejo o a la feria de libros.

—¡Ah, claro! Usted irá una vez o dos al año. Yo he ido en algunas temporadas todos los días.

Esta superioridad de la pura afición por una cosa sin importancia parece a algunos vagamente ofensiva, y no debía serlo.

Todo el que tiene afición por algo consigue algo, aunque no tenga medios; el filarmónico oye música, el filatélico reúne sellos y al que le gusta la Prehistoria ve cuevas y tiene hachas de piedra o punzontes. El que quiere ser un Don Juan tiene sus pequeñas aventuras y acompaña a alguna dama más o menos otoñal o más o menos favorecida.

En la primera y única controversia de crítica de masas que hubo en el Ateneo, en donde yo discutí con elementos comunistas, uno de éstos me decía:

—Usted habrá escrito esto o lo otro, pero si lo ha hecho es porque le han dado medios.

—No, yo he escrito lo que he escrito, bueno o malo, porque tenía afición. Hoy es fácil en España y en todas partes proporcionarse libros gratis en las bibliotecas; lo difícil es tener afición decidida por algo. Ahí está el caso del entomólogo Fabre. Fabre no tenía medios de ninguna clase, pero tenía voluntad y afición y paciencia para estudiar la vida de los insectos y la estudió. Otro, en las mismas condiciones que él y viviendo en un pequeño pueblo, se hubiera dedicado a politiquear y a chismografiar en las tiendas y en los portales.

Nuestros demócratas exaltados no quieren reconocer la acción de la voluntad y su eficacia.

Yo he visto en algunos pueblos industriales del País Vasco, antes de la crisis actual, familias obreras en donde se reunía un jornal diario de 25 o 30 pesetas. Sin embargo, algunas de estas gentes, la mayoría no eran capaces de hacer estudiar a los hijos y de perfeccionarlos en una técnica. Se comían y se bebían el jornal sin gloria. En cambio, en otros hogares con menos recursos, pero con espíritu emprendedor y burgués, sacaban a flote a los hijos hasta colocarlos en una situación más alta. No es cuestión ahora de qué es mejor o qué es peor desde un punto de vista social: lo indudable es que es distinto en procedimiento y en tendencia.

A mí la acometividad para ganar, para triunfar, para gozar de la vida, me parece bien; ahora el entusiasmo por el dinero bien o mal adquirido me parece una ruin e innoble manifestación espiritual. Es cosa propia de gente inclinada al servilismo.

El espíritu de ambición y de continuidad es algo importante, como lo es también la afición decidida y constante.

A algunos obreros he contado yo, *grosso modo* y lo más dramáticamente posible, los trabajos de Darwin, de Mendel y de Claudio Bernard, la discusión sobre la generación espontánea entre Pouchet y Pasteur y la lucha científica entre la Comisión francesa y la alemana cuando el cólera de Egipto, hace cerca de sesenta años,

que terminó con el descubrimiento del bacilo vírgula por Roberto Koch.

En vez de producir cierta curiosidad y entusiasmo, he oído replicar estúpidamente:

—Si a nosotros nos dieran medios, haríamos lo mismo.

¿Qué íbamos a hacer? Para ello se necesita tener, además de un gran talento y de una gran imaginación, una afición decidida y una serie de años de estudio.

La envidia comunista y democrática se dirige más al próximo que al lejano. El escritor bastante próximo al obrero es de los tipos sociales poco gratos y poco simpáticos para él.

La idea de que hay una gloria literaria más o menos fantástica hace rechinar los dientes al rencoroso. El que se considera proletario cree que el escritor tiene una oficina preparada para toda clase de traiciones.

Los políticos piensan lo mismo. Del medio políticosocial sale muchas veces la predicción que quiere ser fatídica de que se acaba la literatura popular, de que ya no se podrán hacer novelas ni escribir versos. El político quiere sustituir la novela por los artículos de periódico, el folletín por la oratoria de mitin y Don Quijote o el señor Pickwick por el ciudadano Pérez o Fernández.

A mí, aunque esto fuera cierto, que no lo es, no me interesa gran cosa, porque cuando se llega a viejo se dedica uno a releer más que a leer.

En este naufragio literario, no tan temido como deseado, el político hace la salvedad del teatro, porque éste es espectacular y sitio donde el diputado puede lucirse en un palco al lado de una ciudadana más o menos gorda y más o menos elegantemente puesta.

El obrero demócrata y comunista abomina también de la literatura; es político, y ve en la política una posibilidad de encumbrarse que no encuentra en la esfera literaria, y menos en la científica.

En este carácter de hostilidad por la literatura se encuentran de acuerdo reaccionarios y revolucionarios; los unos y los otros quieren acabar con el pájaro de colores que vuela libremente y que a veces sabe cantar y sorprender en medio de los discursos farragosos y las vulgaridades políticas.

Es evidente que, por reflexiones filosóficomorales, no se va a dejar de ser celoso y dominado por la bilis. Si el estómago o el hígado funcionan mal, se será envidioso con motivo o

sin él, el blanco del ojo estará amarillo y los labios tomarán un pliegue amargo y triste.

Con relación a la pasión igualitaria colectiva y al deseo de lucirse entre los políticos, hay que tener en cuenta que un Congreso o una Cámara, por muy democrática que sea, es un recinto muy pequeño para los millones de habitantes de una nación; que la cucaña para subir a él estará cada vez más resbaladiza y más difícil, y que el número de gentes con alma de cupletista es infinito, lo cual quiere decir que los rivales en el campo de la política formarán siempre una muchedumbre inmensa.

PALABRAS NUEVAS

Yo ahora no soy lector de obras filosóficas. Algunas leí de joven, pretendiendo ver claro en asuntos trascendentales, pero después las dejé. La filosofía, como cuestión de escuela, no me interesa nada; que sea una ciencia bien clasificada o que sea un cajón de sastre, no me importa. Lo que me importa son las direcciones que pueda dar a la vida. Yo creo que si el mundo tuviera la tendencia enciclopedista y universal del siglo XVIII, con los medios con que se cuenta en esta época, debía hacer todos los años un pequeño resumen de cien o doscientas páginas con las ideas nuevas y procedimientos nuevos de cada ciencia. Algo de lo que hacían los farmacéuticos con las farmacopeas, códex, etc. Claro que no todos estarían conformes con el idioma que se debía escoger ni con las materias que se habían de tratar.

En el sentido de la cultura general, el mundo parece que, en vez de avanzar, retrocede. Una ola de vulgaridad

y de incomprensión está dominando todos los pueblos.

Los Gobiernos la cultivan, y desde las alturas donde se dan los decretos hasta los llanos en donde se cumplen, la consigna es la mediocridad.

La célebre frase de los frailes de la Universidad de Cervera, en España, en tiempo de Fernando VII: *Lejos de nosotros la peligrosa manía de pensar*, se podría convertir en el lema de nuestra época.

La gente no quiere tomarse el trabajo de discurrir. ¿Para qué? Evidentemente, es mucho más cómodo seguir la corriente general y hacer lo que hace todo el mundo. De este modo está la comida más segura y hay menos choques y dificultades.

Si esto sigue así, los Gobiernos fabricarán una papilla espiritual para sus súbditos, y éstos se la tragarán como los pavos, sin dificultad y sin protesta.

Hoy el mejor país, naturalmente,

es aquel al cual pertenece uno. Ese lo tiene todo: la verdadera religión, la filosofía, la ciencia, el heroísmo, el valor, la gracia, la belleza, la honradez, etc. Si los demás odian a ese país privilegiado es porque los demás tienen todo lo malo: son incultos, cobardes, estúpidos, viciosos, viven fuera de la verdadera religión, etc.

Después de administrar al público una droga por el estilo, naturalmente, se le exige la obediencia.

Stalin dijo que él quisiera que el mundo fuera como un artefacto mecánico para darle cuerda y que todo marchara al compás. Hay siempre entre los que mandan gentes con alma de capataz, que quisieran una obediencia estúpida, ciega, en los otros. Con el advenimiento de la superioridad, no se quiere nada extranjero y nada de crítica.

Un médico de un pueblo del norte de España dijo, al principio de la guerra civil, que había que proscribir la libertad y que no se necesitaba para nada de la ciencia extranjera. Es la petulancia de los tontos.

Habría que haber visto qué hacía este médico en su práctica profesional. Probablemente, aunque se dedicara a curar anginas o sabañones, emplearía el procedimiento de un alemán, perfeccionado por un francés y mejorado por un inglés. Podría tener, aparentemente, sentido la repulsa contra lo extranjero cuando uno se propusiera: «Voy a vivir como un primitivo, y no quiero nada de automóviles, ni de aeroplanos, ni de rayos equis, ni de aspirina.» Decir como decía Unamuno por los extranjeros: «Que inventen ellos», es absurdo. Asegurar esto y después apoderarse del invento y querer tomar un aire de superioridad es, además, ridículo.

Es como si el patán se riera del médico que le cura o del mecánico que le arregla el aparato que él no entiende.

Hay, además, el hecho paradójico de que si el hombre de cualquier país del mundo quisiera y pudiera retrotraerse a vivir sólo de lo suyo, no sabría dónde detenerse, porque a veces hasta el hacha de piedra de sus antepasados que encontrara en el campo resultaría que la habrían fabricado en otra parte. La tradición no se sabe ni dónde empieza ni dónde acaba, quiénes son sus autores ni quién es el auténtico heredero de ella.

Son épocas las nuestras pobres para la cultura, épocas en que se proscribe la libertad y la ciencia. ¿Qué hubiera hecho un pueblo como Alemania si no se hubiera aliado desde el principio de su vida cultural con la libertad? El libre examen se desarrolló en Alemania, y por eso pudo ese país llegar a una floración de filosofía y de ciencia tan brillantes. De ahí que tuviera en su período de esplendor un internacionalismo completo, una curiosidad cósmica. Después, con la intransigencia, Alemania se va secando y achabacanándose.

El carácter de la ciencia es cosmopolita. La civilización es esencialmente la ciencia, y no otra cosa. Lo demás, el arte, la religión, la Historia, la literatura, son como el parque donde se fantasea; la ciencia es el sitio donde se vive y la fábrica donde se trabaja. Es al mismo tiempo lo práctico y lo teórico, el presente y el porvenir. Es, además, la única posibilidad de que el hombre mejore.

A la religión y al arte no les importa que el hombre llegue a ser bueno. Si éste es una crisálida que se ha de convertir en mariposa, ¿qué más da que, como crisálida, sea imperfecta y fea, si ese estado es pasajero y transitorio? La ciencia no tiene como dogma esa transformación tras la muerte y busca la perfección en los momentos actuales. La ciencia es inmanente para ella misma y para la vida. Lo tradicional no ha hecho mejor al hombre. Después de siglos y de siglos, el hombre sigue tan bruto y tan cruel como en épocas remotas. Sólo en la ciencia puede haber una esperanza de superación. Si la habrá o no, no lo sabemos.

La filosofía de nuestro tiempo ya no es una literatura fantástica como la antigua. Desde Kant ha tomado una rigidez, una continencia y una austeridad que la acercan a las normas científicas. Como los delfines, van los filósofos escoltando al barco explorador, que marcha casi siempre pesadamente, pero que avanza por el mar de lo desconocido. De mil proyectos se ensayan ciento y se acierta uno. Ya basta para seguir adelante con entusiasmo.

En esa zona intermedia entre la filosofía y la ciencia es donde en nuestro tiempo más se proyecta y más se combina. Las teorías y las hipótesis atrevidas se exponen a cada paso. De aquí que los que no podemos seguir con gran atención la génesis de esas teorías y sistemas nos encontremos con frecuencia con palabras nuevas.

En el tiempo en que yo era joven, la tendencia positivista, dirigida entonces por Spencer y anteriormente por Stuart Mill, estaba pasando. No cabe duda que estos autores habían puesto muchísimo talento en todo ello; pero como por mucho que tuviesen no podían tener siempre razón, el sistema suyo, aunque no se viniera abajo, se fue olvidando.

Las tesis de Nietzsche sustituyeron a las de Spencer, y se habló en todas partes de la voluntad de dominio, de la tendencia dionisíaca y de la apolínea, de lo dinámico y de la moral de los señores y de la de los esclavos.

Pasó este período un tanto exaltado y metafísico, y le sustituyó, en parte, el pragmatismo, y se habló entonces del valor de la intuición y del impulso vital, de lo cómodo y de lo práctico como normas de vida.

En esa época se injertó una preocupación sociológica y las cuestiones de los mitos, de los *totem* y del tabú entraron en escena, al mismo tiempo que se intentaba una explicación de todo lo psicológico a base de complejos de erotismo.

Hace unos años se ha hablado con frecuencia de una filosofía de los valores, y a algunos estudiantes he oído referirse a ella como de un descubrimiento. No decían con claridad de qué se trataba, y no sentía yo gran deseo de saber lo que era; pero al ver que se repite el nombre, he intentado enterarme, y he visto que debajo hay muy poca cosa. Esta filosofía de nombre nuevo tiene por objeto el averiguar qué jerarquía presentan las nociones morales, estéticas y científicas que ha ido creando el hombre. Yo no veo en esto ninguna novedad, porque todas las religiones, la moral y la literatura, han hecho principalmente esto: valorar la vida, la bondad, el amor, la ciencia, etc. Claro que si se hubiera encontrado una medida única y universal, entonces esta filosofía tendría una gran importancia; pero como no se ha encontrado, no es nada.

Ahora vemos que comienza a aparecer una palabra nueva que no sabemos de antemano la cantidad de vitalidad que lleva. Es un epíteto que se pone a una clase de filosofía: el de filosofía existencial.

Por ahora he visto alusiones a esta filosofía, no he leído una explicación clara y suficiente de ella. Al parecer, el origen de esta filosofía está en el teólogo danés Kierkegaard. Kierkegaard piensa que cuando el hombre abandona sus abstracciones y sus teoremas y sus esquemas filosóficos se encuentra con que es un ser que existe y que vive en una angustia perpetua y que esta angustia es la esencia de la vida. Así, para el teólogo danés, el apotegma de la filosofía humana es: «Sufro, luego soy. Tengo angustia, luego soy hombre.»

Muy bien. Es posible que esta consecuencia triste sea cierta. Lo que no se ve tan cierto es que en tal estado de angustia se encuentren encerradas todas las características de la Humanidad.

El prescindir de las abstracciones filosóficas anteriores no es, evidentemente, una exclusiva de Kierkegaard. La mayoría de los grandes pensadores hicieron lo mismo en uno o en otro sentido. Kant, en el terreno metafísico de crítica pura; Schopenhauer, en la filosofía y en la estética; Nietzsche, en una zona religiosa y ética; William James y Bergson, en un campo ideológico de consecuencias prácticas.

La tendencia fenomenológica de hace unos años ha seguido también la misma corriente, ha intentado obtener de una manera directa los datos inmediatos de la conciencia, prescindiendo de antiguas teorías.

Lo que sucede, creo yo, es que el resultado de esta revisión de valores, como se diría en la época de Nietzsche, no termina en un resultado general e igual para todos los investigadores. Kierkegaard hace una poda de todo lo que cree que oscurece el conocimiento del ser humano, y encuentra que la base de la personalidad es la angustia y la preocupación por Dios, algo que parece muy próximo a la inquietud de Pascal.

Esto puede ser cierto para él, pero no para todos los hombres. Schopenhauer hizo también su poda, y encontró que el fondo de la vida era la voluntad; los materialistas creyeron que era la fuerza; Hartmann, lo inconsciente; Nietzsche, el instinto de vivir, la voluntad de dominio y la superación de la muerte.

No parece que la angustia sea la raíz única de la vida. En unos será la angustia, en otros la rabia, en otros la desesperación, en otros la ambición y el orgullo, en otros la esperanza, y en algunos, muy pocos, la bondad y la santidad.

No se puede creer que esta teoría de la vida, mediatizada por la angustia, se pueda llamar filosofía existencial, como si las demás teorías hubieran hecho caso omiso de la existencia.

Todas las filosofías realistas son en ese sentido filosofías existenciales, desde la de Diógenes hasta la del último sainetero burlón de nuestra época.

Hay quien cree que esta filosofía existencial puede servir de legitimación y de tapadera a todas las tendencias egoístas y malvadas del hombre, ya sean individuales o colectivas. Por la necesidad de lo existencial se puede defender el egoísmo propio, el sacrificio de los demás, y colectivamente el despotismo y la conquista del espacio vital.

No cabe duda que, como dice Shakespeare, y yo no recuerdo la frase con exactitud, el diablo parece servirse para sus fines de los textos de la Escritura.

....

En este día de noviembre lluvioso y un poco triste hemos hablado de la filosofía existencial en un restaurante parisiense, sitio seguramente poco a propósito para disquisiciones filosóficas, y que a mí no me parece peor que un pórtico como el de los atenienses, o un huerto como el de Epicuro.

Presidía la mesa Conchita Montenegro, y estábamos varios escritores, entre ellos Benjamín Fondane.

Yo he instado a este último a que dijera algo de esa filosofía existencial de la que ha hablado en sus libros.

El ha dicho que esa filosofía quiere dar el máximo de valor a los hombres y a los hechos de la vida, y ha desarrollado esta tesis.

Hemos seguido con curiosidad su argumentación, unas veces de acuerdo y otras en desacuerdo. Puede ser que la filosofía clásica haya contemplado los accidentes del vivir nuestro, oscuro y tumultuoso, como hechos sin importancia, y que éstos merezcan más atención y más estudio. Puede ser también que el idealismo antiguo tuviera un prurito de rebajar, de desdeñar lo vital, y un deseo de reducirlo todo a ideas y a conceptos y que la filosofía existencial, si existe, luche, por el contrario, por afirmar la importancia de la vida.

—El estudiar los hechos sin ideas anteriores, que es lo que se llama fenomenología, ¿dejaría una posibilidad de moral?—pregunto yo.

—Sí, dejaría una ética de cada caso—dice Fondane—, una ética en parte por encima del bien y del mal, como puede estar la ética de Cristo por encima de la del Código.

Aquí hemos andado navegando en oscuridad y hemos llegado, si no a la conclusión, por lo menos a la suposición de que Fondane se inclina a creer en el Dios bíblico que lleva cuenta de la vida de cada uno y sabe hasta el número de cabellos que tiene en su cabeza, y que yo soy un agnóstico que podría creer en el Dios ignoto de los griegos y hacer mía la frase del filósofo de la antigüedad, que me parece luminosa, que es ésta: «Los dioses pueden existir; los dioses pueden no existir; lo que es evidente es que, si existen, no se ocupan de nosotros.»

LA UNANIMIDAD

Uno de los ideales de más fuerza en nuestro tiempo, y para mí más erróneo, es querer conseguir la unanimidad completa en la política de un país. Esta unanimidad no se puede obtener con medios suaves, sino exterminando al adversario, y este exterminio, de poder existir, no sólo no sería utópico, sino que sería, además, perjudicial. Con esa pretensión de buscar lo unánime se iría a una guerra constante y a la muerte de la cultura y de la libertad en todas las naciones europeas.

Siempre ha habido en el mundo la tendencia a la unificación, que, acompañada del despotismo, ha traído el crepúsculo de la cultura, y en contra de ella la tendencia a la diversificación, que es la que generalmente ha despertado el sentido de libertad de los hombres y al mismo tiempo los ha llevado al borde de la anarquía.

El exterminio del adversario, si fuera posible, dejaría hoy en Europa dos grandes zonas: la una roja y la otra blanca, o como se las quisiera llamar, las dos en una pugna constante.

Estas dos zonas hostiles, en perpetua guerra y con los procedimientos actuales de lucha, harían de Europa un inmenso cementerio.

Toda persona, por poca claridad que tenga en el cerebro, debe comprender que el intentar la unanimidad absoluta en las ideas es algo irrealizable. La vida entera, animal y espiritual, está basada en diferencias y en contrastes más que en semejanzas; las células de un organismo complejo no son todas iguales, ni sus funciones tampoco. En la variedad, en la diversidad, está su riqueza.

El pensar que una organización política en un mundo que evoluciona constantemente es una cosa definitiva e inmutable, es algo utópico. Absurdo también es el afirmar: «Todo lo que no está conmigo está contra mí.» Ello es una prueba de dogmatismo fanático.

Los hombres, aun los más clarividentes, necesitan unos consultar a los otros, y los más ilustres aprenden y se fecundan con las objeciones de los adversarios, aunque éstos no estén a su altura. Napoleón, que era bastante más genial que los dictadores actuales, se sirvió en su política de dos grandes enemigos suyos: de Talleyrand y de Fouché.

El totalitarismo de hoy es un monstruo cada vez más peligroso para el mundo. La hipertrofia de la institución del Estado ha hecho que Europa no pueda vivir en paz.

Ese Estado monstruoso no tiene ética ni sentido de responsabilidad. Hace lo que le conviene, miente, engaña, falsifica y mata. Pretende estar por encima del bien y del mal.

Los gobiernos totalitarios han acabado con la moral colectiva. Se ha acusado a los jesuítas de aceptar la teoría de que el fin justifica los medios. Los gobiernos totalitarios lo practican en gran escala.

Para ellos, la delación se considera como un mérito. La palabra no tiene valor. El Estado no tiene responsabilidad; en cambio, tiene mala fe. Para él no hay normas humanas y exige de los ciudadanos el más completo servilismo.

Si no hay valores estables para el hombre, la libertad, el honor, la idea de que un ser humano blanco, negro o amarillo, es algo más respetable que un animal, una planta o una piedra, entonces hay que volver a la lucha primitiva, y el ladrón y el asesino están en lo cierto.

Weidmann, el bandido sádico guillotinado hace meses en Versalles, es un dictador en pequeño.

Buscar la unanimidad por la violencia es labor baldía, cosa irrealizable. Esto se puede conseguir en un ejército y con un fin militar, con una disciplina estrecha; pero en la vida normal es imposible que un Estado unánime dure mucho.

Países como Inglaterra y Francia no tienen más remedio que ir a la guerra para terminar de una vez con este morbo social. Hay que acabar, como ha dicho Chamberlain.

Evidentemente, trabajar por la libertad de conciencia, por la tolerancia religiosa, por la convivencia de todos, es trabajar por la paz. El fanatismo blanco o rojo producirá siempre la guerra. El despotismo utiliza férulas que hacen el mismo efecto que los vendajes apretados en el cuerpo vivo. Al principio consolidan la fractura, pero luego anquilosan un miembro y lo dejan sin vida.

No se ve claro que el pensamiento ni la cultura alemana tradicionales sean causantes de las tendencias agresivas que en la actualidad tienen los directores de la política del Imperio.

Ni en Kant, ni en Schopenhauer ni en Goethe se encuentran gérmenes de imperialismo ni del culto a la violencia o de la adoración hacia el Estado.

Se notará esto, por ejemplo, en Hegel y en Nietzsche; pero también se encuentra algo parecido en el inglés Carlyle y en los franceses Gobineau y Vacher de Lapouge. Lo que puedan pensar y fraguar los maestros de escuela, los sargentos y los oficinistas no se debe achacar a los filósofos.

Que la forma del pensamiento alemán clásico no sea la misma que la de los pueblos occidentales, no es razón suficiente para proscribirla.

La tendencia alemana moderna de colectivización no es posible que dependa sólo de su clase, de su cultura, sino de su temperamento, de la geografía del país, de su vida social, etc.

Un grupo de alemanes organizará seguramente mejor un coro musical que un grupo de occidentales o de latinos. Esto no es defecto, sino una cualidad; pero es una cualidad que, exagerada y llevada a otras actividades, se convierte en un defecto y en un peligro.

Yo creo que no debe haber restricciones respecto a la cultura, que se debe seguir la antigua máxima de los fisiócratas, no quizá tanto en asuntos económicos como en otros espirituales. El «dejad hacer, dejad pasar» tiene un gran fondo de sabiduría.

No hemos visto nunca que en la realidad las doctrinas de un libro hayan producido un rápido efecto social, y menos si este libro tenía un carácter de ciencia pura. De Maquiavelo no han salido los políticos sin fe, ni de Escobar los hipócritas de conciencia laxa, ni del marqués de Sade los libidinosos, ni de Nietzsche los violentos, ni de Baudelaire los decadentes. Existían mucho antes que ellos. Una frase, lo que ahora se llama un *slogan*, puede revolucionar mucho mejor que un libro grueso lleno de reflexiones profundas.

Si hay enfermedades espirituales en el mundo, los morbos son viejos, y el que los padece lo más que puede encontrar en los libros es una representación más acabada y más completa de su mal.

Es una candidez pensar que un hombre tranquilo va a leer un libro de Nietzsche y a decirse de improviso: «Me voy a hacer violento», o a leer una poesía de Baudelaire y a pensar: «Me tengo que hacer decadente.»

Esta es una idea de literatos mediocres; ni los mismos libros políticos hacen efecto en las masas.

Yo, al menos, siempre he creído observar que el peligro de toda la literatura es completamente ilusorio.

Ninguna idea llega, con sus complicaciones originales, a entrar en las masas; solamente cuando pierde sus contornos y se convierte en un lugar común empieza a influir y a triunfar.

Las mismas ciencias que han dado motivo a que se inventen artefactos mortíferos de gran poder no se pueden considerar como causantes de los males que en parte producen, porque al mismo tiempo que estos males han hecho grandes bienes, y no es posible evitar que los militares y sus técnicos tomen de la ciencia medios para matar y para destruir.

El comenzar con las restricciones sería el tomar en los países liberales el mismo camino del enemigo. Se empieza, ¿y dónde se acaba? Se termina por hacer un índice prohibitorio, y como todos esos índices hechos a base de una arbitrariedad, luego avergüenzan y dan risa. Algunos países han hecho esta clase de índices; Francia, Inglaterra, Suiza, los países escandinavos, no lo harán jamás. Eso no puede servir más que para pueblos fanáticos, no para países libres que tienen una responsabilidad y una continuidad en la Historia. Ya bastantes restricciones existen sólo con el hecho de un idioma. No es necesario añadir otras.

El público no es tan curioso de las novedades de los países extranjeros para seguir las fantasías que broten en ellos y contagiarse.

Cuando viene el contagio, no viene casi nunca por los libros, sino por vías más sencillas y más rápidas. ¿Qué masas obreras habrán leído íntegro *El capital*, de Karl Marx? Ninguna. Esas masas han leído resúmenes, vulgarizaciones, que son a su vez vulgarizaciones de otras.

El aura comunista no ha venido por unos libros, sino por discursos, por frases retóricas, por gritos y por símbolos. Es decir, por algo sentimental más que por algo intelectual, como llegaron ante las religiones y las sectas.

Sin embargo, en su mayoría, nuestras gentes, que ven, por ejemplo, que no hay apenas católicos que hayan leído el Evangelio, quieren creer que son las explicaciones científicas y filosóficas las que hacen a las gentes tener un credo político. Es la petulan-

cia de pensar que se influye en la masa con razonamientos superiores y metafísicos, cuando en general lo que obra sobre ella es algo muy primario y muy vulgar.

Evidentemente, es trascendental que el mundo intente volver a la tolerancia y a la libertad. A mí, particularmente, me parece que sin ella la vida no vale la pena.

No me preocupa gran cosa el prescindir de ciertas ventajas materiales y sociales que se consideran importantes: comidas, fiestas, espectáculos, ceremonias y deportes. Tampoco me dice nada eso de la Monarquía, de la República, el parlamentarismo, el Imperio o la democracia. Allá los especialistas que se entretengan con esas diversiones estratégicas. Lo que sí me importa, y lo considero como el aire respirable, es el ambiente de libertad y de tolerancia. Esto creo que hace que uno pueda vivir como una persona, aunque sea pobremente, y no como un animal domesticado por un domador tiránico.

21 de abril 1940.

LA HISTORIA

Se dice que la Historia es la maestra de la vida *(Historia magistra vitae)*. Evidentemente, tiene que influir en la vida. ¿Cómo y en qué proporciones? No lo conocemos con exactitud.

El hombre corriente sabe algo de lo que les pasó a sus padres, poco de lo que ocurrió a sus abuelos, nada o casi nada de sus antecesores más lejanos.

En los países de gran cultura, donde han tenido gran preocupación de la

educación nacional por motivos esencialmente patrióticos, se hicieron experiencias con los soldados venidos del campo para ver qué sabían del pasado. «¿Quién era Napoleón? ¿Quién era Luis XIV? ¿Quién era Richelieu?», les preguntaban a los franceses. «¿Quién era Bismarck? ¿Quién era Atila? ¿Quién era Federico *Barbarroja*?», les decían a los alemanes. Las contestaciones, con frecuencia, eran disparatadas. El soldado de la campiña tendía a creer que todos los personajes famosos eran reyes o guerreros o semidioses con fuerzas omnímodas, que iban a caballo vistiendo lujosos uniformes.

La discusión acerca de si es ciencia o no es ciencia la Historia parece una tarea baldía e inútil. Su solución depende de la idea anterior que se tenga de la ciencia. Si se cree que ésta necesita, para serlo, poseer una certidumbre matemática, la Historia no es ciencia, aunque puede y debe estar basada en ella. Lo mismo ocurre a la Medicina; tiene una base científica, pero no es una ciencia pura. La Historia se fundamenta en la filología, en la lingüística, en la etnografía, en la epigrafía, en el folklore, en la economía, en muchas otras disciplinas, en gran parte exactas. Esto no hace que sus consecuencias sean de una exactitud matemática.

El elemento subjetivo del historiador es demasiado importante en su obra. Así, se puede dar el caso de hombres como Maquiavelo, elogiado por unos y denigrado por otros. En Maquiavelo no hay hechos que aclarar, porque la crítica que se hace sobre él se refiere a las teorías publicadas en sus libros, de los cuales no hay la menor duda acerca de su autenticidad. Sin embargo, para unos es el prototipo del hombre cínico e inmoral, aconsejador de toda clase de infamias, y para otros es un patriota y un realista.

Esta disparidad de opinión no puede existir en las Matemáticas, ni en la Física, ni tampoco en la Química, porque todos los químicos están conformes, por ejemplo, en el peso atómico de cada cuerpo simple.

Algunos críticos quieren separar la Historia de lo que llaman historiografía, dándole a la primera una trascendencia científica y a la segunda un aire pintoresco y fantástico. ¿Por qué «historiador» ha de querer decir hombre de ciencia y de exactitud, e «historiógrafo», tipo de fantasía y de poco rigor espiritual? Esto parece una sutileza conceptuosa y artificiosa.

El carácter y la verdad de los hechos históricos han sido siempre muy discutidos, primero, desde el punto de vista de su autenticidad; después, del de su importancia.

Carlyle dice en su obra *Pasado y presente:*

«¡Ah! ¡Qué montón de cenizas, despojos y osamentas calcinadas desentierra la pedantería literaria en sus pesquisas sobre el pasado, para llamarlos historia y filosofía de la Historia! Todos los titanes parecen haber grabado esta inscripción sobre nuestra biblioteca histórica: 'Aquí encontraréis un estéril depósito de escombros'.»

Mommsen asegura que la fantasía es madre de toda la Historia, como de toda la poesía.

Respecto al valor de los hechos, hay diversas teorías: desde los que creen en un determinismo providencial de la Humanidad, que hace que los acontecimientos colaboren en un fin preestablecido, hasta los que aceptan la frase irónica de Pascal: «Si la nariz de Cleopatra hubiese sido más corta, toda la faz de la tierra habría cambiado.»

En esta cuestión se colocan frente a frente la teología y la eventualidad, lo predestinado y lo casual.

La filosofía de la Historia está por ahora entregada a las doctrinas, a los partidos, a sus diferentes tendencias y hasta a las utopías. Lo que se llama Historia universal es, cuando es algo, filosofía. Así, son filosofías las obras de Vico, Herder, Buckle, etc.

En el siglo XIX se lanzaron varias teorías e hipótesis para explicar el determinismo histórico, entre ellas la interpretación materialista de la Historia, que es la que ha tenido el máximo éxito entre los socialistas. Gobineau considera a la raza como lo más importante y trascendental. Taine habla de la tierra, raza y momento, como los factores más eficientes de la Historia. Mauricio Barrès, de la tierra y de los muertos. La teología de Carlyle, de que los grandes hombres sólo por su impulso crean la Historia, es una variante de la idea de la eventualidad de los hechos históricos.

El encontrar una idea capital en la dirección de la historia de un país o del mundo es cuestión de intuición y de fe. Uno puede hallar, como motor de la vida humana, que impulsa hacia el porvenir, la religión; otro, la filosofía; otro, el arte; otro, la economía. Esto es como el que ilumina una estancia con una luz blanca, roja y verde. Según la luz que proyecte, así verá el color de los objetos.

Relacionadas con esta intuición y con esta fe, nacen las ideas de la tradición y del progreso. Ninguna de ellas tiene una completa claridad ni un completo rigor, quizá porque la Humanidad vive y ha vivido entre los dos principios que le son constitucionales. Los tradicionalistas piensan que se puede vivir dentro de una tradición escueta, pero ¿dónde comienza la tradición y dónde acaba? ¿Quién puede marcar sus límites? ¿Cuál es la tradición de cada país? ¿Cuál es la tradición de Francia, cuál la de Alemania, cuál la de España? Esta inseguridad se muestra más clara aún en la literatura. Se afirma: hay un período clásico, castizo, en los idiomas literarios; pero es lo cierto que nadie sabe limitarlo y decir qué época fija abarca, dónde empieza, dónde termina y quién es el autor que representa íntegramente ese período clásico. Cuando Nietzsche quiere demostrar que la decadencia de Grecia empieza

en Sócrates y en los grandes trágicos como Sófocles y Eurípides, se queda uno perplejo; porque si esto es así, ¿cuál fue la época del florecimiento griego?

Con los progresistas pasa lo mismo que con los tradicionalistas. La Humanidad tiene una parte de su vida en lo tradicional y otra en lo progresivo. Cuando se quiere prescindir de lo tradicional, por ejemplo, en el arte, se producen los fenómenos absurdos llamados modernistas que constituyen el dadaísmo, el futurismo, el cubismo y el superrealismo. Es decir, la fantasía estólida y sin base. A un discípulo de Alomar, que consideraba el invento de la palabra *futurismo* de ese escritor como una gran cosa, le decía yo en Barcelona:

—El futurismo me parece que ha pasado ya. Es un futuro pasado.

—Eso es imposible—replicaba él.

—No; porque en la vida lo futuro puede tomar un carácter relativista, y se puede citar el caso de la señorita que decía, señalando a un antiguo novio suyo: «Ese es mi ex futuro.»

En la política, los que se hacen más progresivos, los comunistas, consideran que el mundo del pensamiento empieza en Karl Marx. Antes, para ellos, no había más que oscuridad.

La Historia, que afirma el nexo de la Humanidad antigua y moderna en el tiempo y en el espacio, debe de ser, seguramente, más bien el conocimiento de los procesos psíquicos de las masas y de los hombres que la relación de sus agitaciones externas, que a veces son vanas y no indican nada positivo. Mauricio Barrès, desde su punto de vista, consideraba lo más importante de la tradición la tierra y los muertos. Efectivamente, las ideas de los muertos viven más y tienen más importancia que las de los vivos. Han sido más en número, han dominado más en el tiempo, han tenido más genios; pero los muertos son los vivos de ayer, como los vivos de hoy serán los muertos de mañana.

El historiador, para comenzar su historia, es imposible que pueda tener una objetividad completa. Hasta para hacer una estadística o una bibliografía hay que escoger un acontecimiento o un personaje.

Las inclinaciones varían en los tiempos, y cada época estudia la Historia desde el punto de vista que más le interesa. Dejando a un lado la universal, que es, más que nada, lo que se llama filosofía de la Historia, y, refiriéndose sólo a la historia de un país, hay que reconocer que ésta es siempre demasiado extensa para abarcarla en el globo. Es como el panorama que contempla el paisajista, y del cual necesita escoger un trozo, limitarlo y encuadrarlo.

El historiador no comienza a crear la imagen de un personaje, o a figurarse un acontecimiento, después de reunir todos los documentos, de estudiarlos y aquilatarlos, sino que de antemano, por unos cuantos rasgos esenciales, lleva a los hechos una idea preconcebida. Desde este punto de vista, la Historia es una rama de la literatura, no una rama de la ciencia. Al conocimiento completo de un personaje, o de un hecho, por pura documentación, se llega con poca frecuencia. En el caso raro de que haya relaciones de testigos presenciales y se sepa que éstos no tenían simpatía ni odio por la figura histórica o por el hecho que se trata de analizar o estudiar, se podrá llegar a ese resultado; pero ¿cuándo ocurre esto? Nunca, o casi nunca.

Pasando al punto principal, que es la manera de enseñar la Historia pragmática, se han preguntado los Gobiernos: «¿Cómo se va a hacer esta historia? ¿Cómo va a enseñársela y a explicar a los jóvenes lo que hicieron sus antepasados?»

Mentir, falsear la Historia, es, sin duda, perjudicial. Un siamés me decía en París, delante de una señorita china, con una mansa ironía:

—Los chinos piensan que todo lo que está debajo de la bóveda del cielo es suyo. Así, han creído siempre que no era Portugal el que tenía una colonia en Macao, sino que Portugal era una colonia de China.

La señorita sonreía tristemente al oír esta frase que ponía en solfa a su país. No es conveniente, indudablemente, dar a los jóvenes datos que puedan ser rectificados y tomados en burla por otros.

Queda, entre otros problemas, el de si el entusiasmo y el amor por el propio país pueden dar mayores perspectivas que las que da la pura erudición. No hay que confundir el entusiasmo con la retórica, ni fiarse de ésta, que llega a ser un mecanismo que, cuando es conocido, deja indiferente al lector.

¿Se deben callar las desgracias, las torpezas y los desaciertos del país, o se deben explicar claramente en la Historia? Indudablemente, no se debe mentir; tampoco se debe seguir la máxima de Gracián: «Sin mentir, no decir todas las verdades.» A poder ser, se debe decir todo, lo bueno y lo malo.

Me parece indudable que cualquier persona que lea, por ejemplo, la *Historia de la conquista de Méjico*, por don Antonio Solís, y la de Bernal Díaz del Castillo, llegará a aficionarse más al libro de este último, porque la historia de Bernal Díaz, con sus dificultades y sus fracasos, da una impresión más humana que la relación pomposa de Solís.

Como cuestión práctica, creo que sería mejor hacer la historia para los jóvenes con antologías de textos clásicos y explicaciones cortas y esquemáticas sobre los sucesos y los hombres. Naturalmente, no tiene uno experiencia acerca de ello. No creo que en España haya nadie que la tenga, porque ningún Gobierno se ha propuesto esta tarea. De todas maneras, la obra parece importante, y alguno tendrá que emprenderla sin tardanza.

Enero, 1933.

EL COMUNISMO, IMPLACABLE

En este café de universitarios de París abundan los estudiantes bolcheviques. Se discuten entre ellos con gran calor los acontecimientos de España. Casi todos los jóvenes son gente acre, seria, un tanto soberbia y dogmática. Hablan *ex cathedra*. Creen que todo el que no tiene sus ideas es un mentecato, un imbécil o un cuco.

Varias veces coincido en la misma mesa al lado de una china, alta y simpática, que estudia Ciencias, y de un siamés, sonriente y amable, que traduce a Andrés Gide y a Paul Valéry, a su lengua, con un joven alto de barba rubia como una cinta o barboquejo que rodea la cara y que se llama, en francés, collar o barba española.

Este joven, de unos veintitrés o veinticuatro años, es un *dandy* a la moda proletaria: usa pelo largo, viste un *jersey* azul debajo de la chaqueta gris y pantalones cortos hasta la mitad de la pantorrilla.

Es comunista, y, sin duda, propagandista, quizá a sueldo. Con frecuencia se sientan en su compañía dos muchachas rusas que, al parecer, le admiran. El sentirse admirado le hace tomar un aire de orgullo y de endiosamiento, que disfraza con una indiferencia glacial.

No sé de qué país es este joven *dandy*. Debe de ser del centro de Europa: alemán, austríaco, checoslovaco... Sin duda, ario. Tiene los ojos grises, la piel sin color y los labios finos. Sabe el francés muy bien, aunque se nota que es extranjero. Al parecer, ha viajado mucho.

El joven comunista me habla de España, donde no ha estado; cualquiera diría, por la seguridad con que se expresa, que conoce mejor que yo la vida y los problemas españoles.

Un día se acerca a él un joven, un tipo de judío, bajito, moreno, aguileño y gesticulante, y habla al *dandy* de un mitin en el velódromo de Invierno, y se despide después sin saludarnos.

—¿Es también ese amigo de usted comunista?—pregunto yo al *dandy*.

—¿Qué entiende usted por comunista?—me dice mi interlocutor, con cierta impertinencia agresiva, que acentúa su aire frío e indiferente.

—¿Qué quiere usted que le conteste? A mí me parece que yo, que no soy comunista, no soy el más indicado para definir o para explicar lo que es y en qué consiste. Es más lógico que usted que lo es sea el que sepa y señale los caracteres de la doctrina y de la secta, y diga si su amigo pertenece a ella o no.

—El comunismo, o el marxismo, es una aplicación científica de la economía a la vida. Eso lo sabe todo el mundo. Su sistema es conocido: pretende la sustitución de la propiedad individual por la colectiva, quiere la eliminación de la burguesía y el triunfo íntegro del proletariado.

—El primer punto sería ya materia de discusión. ¿Se puede, realmente, llamar ciencia al marxismo?

—Según la idea que se tenga de la ciencia. ¿Usted ha leído *El capital?*

—He intentado leerlo, pero no he podido con él.

—¿Y por qué?

—Me parece un libro confuso, difuso y pesado. Creo que se puede asegurar que *El capital,* de Karl Marx, es un libro que no lo ha leído nadie íntegro, mientras no se demuestre lo contrario.

—Eso es una broma.

—Como usted quiera.

—Si nadie lo ha leído, ¿cómo se explica usted su influencia en el mundo?

—Eso yo no lo sé. Hay libros que han tenido éxito y una influencia que sorprenden. ¿Por qué el *Emilio,* de Rousseau, produjo tan gran efecto? ¿Por qué la *Nueva Eloísa, Corina, El solitario del monte Salvaje,* ilusionaron a tanta gente en su época? Yo no lo sé. Hay en las famas un fondo circunstancial y de comodidad. Se dice: Homero, el poema; Sófocles, la tragedia; Shakespeare, el drama; Cervantes, la novela; Dickens, el humor; Mozart, la melodía; Napoleón, la guerra; Bakunin, el anarquismo; Karl Marx, el socialismo. Hubo otros autores ilustres, poetas, guerreros y músicos, pero sólo unos pocos quedan como símbolos. También hubo socialistas antes que Karl Marx.

—Eso no nos importa.

—Yo creo que para la Historia tiene importancia.

—Nosotros no aceptamos dudas ni agnosticismos. Tenemos una dialéctica, que es nuestro instrumento de crítica y de trabajo.

—Sí, la dialéctica de Hegel, que implica una confianza en la lógica que a mí me parece un poco absurda. Yo no he visto que nadie se convenza de algo por razonamientos puros.

—Yo, sí.

—Por otra parte, yo creo advertir que toda ciencia política y experimental está siempre en evolución. No es fácil pensar que los datos económicos que cita Karl Marx en su libro, datos, sobre todo, de Inglaterra, de mil ochocientos treinta y tres a mil ochocientos cuarenta y cuatro, tengan hoy mucho valor. Esas ecuaciones entre la mercadería, el dinero y la plusvalía no parecen más que vulgaridades con un aparato científico; no hay en ello nada muy original, ni muy extraordinario.

—Marx ha previsto la lucha actual desde hace un siglo. ¿La parece a usted poco extraordinario?

—Pero antes de Marx había, evidentemente, un socialismo. Al parecer, los economistas ingleses habían afirmado cosas parecidas a él, antes que él. Nada de lo pronosticado por Karl Marx ha resultado cierto. Marx quería creer que la cuestión social era una cuestión pura y exclusivamente económica. Los socialistas actuales ya no lo creen. También afirmaba que los capitales irían concentrándose lentamente en pocas manos, preparando de esta manera el que el Estado fuera el único propietario. Esta ley de concentración de capitales no se ha verificado, y la propiedad burguesa, en vez de disminuir, ha ido en aumento. La revolución social, según él, iba a comenzar en Inglaterra. No ha sido así.

—No importan los detalles, lo que importa es el conjunto. El genio de Marx ha borrado todo el socialismo anterior a él y ha dado normas para la vida nueva en *El capital* y, sobre todo, en el *Manifiesto comunista,* escrito en colaboración con Engels. De ahí ha salido el comunismo moderno, que ha eliminado todas las doctrinas anteriores, que no eran más que anarquía y demagogia.

—Me choca esta palabra en boca de usted. ¿Qué es la demagogia? ¿No es la dominación tiránica del pueblo? ¿El abuso de la influencia popular? ¿Y eso no está dentro del comunismo?

—Para nosotros, no. Usted tiene una mentalidad de pequeño burgués.

—¿Qué quiere usted? Entre Rusia, despótica y sangrienta, y Suiza, Dinamarca o Noruega, civilizadas y humanas, prefiero, naturalmente, a éstas.

—Eso es sentimentalismo.

—¡No sé por qué el sentimentalismo ha de ser despreciable!

—El comunismo no es sentimental; es una doctrina de acero, de aprovechamiento de la energía humana.

—Sin embargo—digo yo—, el socialismo y el comunismo han producido entre las masas obreras el odio al trabajo.

—Eso es un error que en Rusia se va corrigiendo. Nosotros queremos un Estado duro y fuerte, en el cual no se permita la deserción de nadie. El trabajador no debe elegir voluntariamente su trabajo, sino que debe elegirlo el Estado. Tampoco el obrero debe cambiar de profesión por fantasía individual, sino someterse. Queremos la sumisión sin límites a la voluntad de una sola persona: del director sovietista. En las fábricas de Rusia es obligatorio que el trabajo esté terminado a plazo fijo. La falta de puntualidad se castiga con la privación de la carta alimenticia; la reincidencia, con trabajos forzados durante meses o años, y la vuelta a la reincidencia, con el fusilamiento.

—Eso es absolutamente injusto, despótico y bárbaro, porque en las mismas instituciones de la milicia más duras, como en los tercios extranjeros, no se mata a nadie porque sea torpe. Se le educa de otra manera.

—Los comunistas somos antiliberales. Lenin ha dicho que la combinación de las palabras *libertad* y *Estado* es un contrasentido. Sabemos que no puede haber ni libertad ni justicia en este momento de lucha.

—Sin embargo, en España, los comunistas, en sus manifiestos, dicen que defienden la libertad.

—Eso no es más que técnica. Nosotros queremos un régimen férreo durante cierto número de años. El Estado de hoy en todos los países es la represión y la violencia de la burguesía contra el proletariado. El Estado bolchevique es lo contrario: la violencia y el despotismo del proletariado contra la burguesía. El marxismo acepta el Estado para luchar contra la plutocracia a beneficio del proletariado; pero cuando la burguesía esté ya vencida no se necesitará ya del Estado.

—Pero esto de la sociedad sin Estado es una utopía, cuya posibilidad no está demostrada. Además, ¿cómo va a existir la libertad después de un régimen que durante muchísimos años la niegue? Lo lógico es que se pierda toda iniciativa individual. El comunismo tiene necesariamente que favorecer la pasividad, la domesticidad, la decadencia y el parasitismo.

—La dictadura bolchevique únicamente puede ser salvadora.

—Yo no digo que una dictadura no pueda ser útil en momentos de peligro de un país; pero para la ciencia y aun para el arte, el gobierno absoluto no ha sido nunca fecundo, porque los gobiernos antiguos no eran absolutos. El absolutismo es moderno.

—¡Bah! ¡Paradoja!

—No, realidad. Los Borbones de Francia eran mucho más liberales que

Lenin o que Stalin. Los zares lo eran también, a pesar de su fama terrible.

—Bien ese punto que no me interesa. Hablemos de eficacia.

—Desde ese punto de vista, el absolutismo no es eficaz. Napoleón, con su genio, su intuición, su gloria y su Policía formidable, no pudo crear una literatura, ni un arte, ni una ciencia de su época, ni dar tampoco una tranquilidad espiritual al país. Los talentos brillantes que figuraron durante su imperio eran restos del antiguo régimen y de la revolución. En su tiempo hubo constantemente complots y disturbios.

—Es la misma tendencia de las religiones y del fascismo. Tienen la verdad y los demás están en el error. A eso no se puede contestar más que con el puño o con el revólver.

Stalin ha dicho que quisiera que el mundo fuera un mecanismo al que se le diera cuerda y se moviera. Pero ¿por qué ha de ser él el que ha de mover el aparato social y no otro?

—Para nosotros, la dictadura de Napoleón fue débil—dice el comunista—. Nosotros creemos que se debe llegar más lejos, que se debe intervenir en el trabajo particular, que no debe haber libertad de enseñanza, que el padre no es quién para educar a su hijo; es decir, que hay que ir contra muchas ideas de la Revolución, contra las escuelas laicas, contra el liberalismo difuso y disgregador, contra los radicales, contra los individualistas, contra los intelectuales, escritores e ideólogos, que no hacen más que perturbar. Yo creo que debía prohibirse a los filósofos escribir libros y exponer teorías, porque una teoría puede ser perjudicial para las masas.

—¿Y quién lo va a prohibir? ¿A nombre de qué?

—Una Comisión de científicos se encargaría de ello.

—Naturalmente, ¿marxistas?

—Claro es.

—No nos entendemos. Para mí, las ideas de usted son absurdas y desagradables; son la negación de todo lo que se ha considerado como civilizador. Si el mundo va a vivir sin ninguna piedad para nadie, sin la menor poesía, sin arte y sin música y con un trabajo ingrato, no vale seguramente la pena de vivir. ¿Por qué vamos a encontrar legítimo el sacrificar toda la Humanidad que existe ahora para que la de mañana viva un poco mejor, no teniendo siquiera la seguridad de que este ideal se va a realizar? Yo pienso, quizá como dice usted, en pequeño burgués; creo que salimos perdiendo demasiado; además, no veo los resultados. Cuando han valido los países ha sido cuando el Gobierno ha dejado que las facultades individuales se desarrollaran libremente. Con la acción exagerada de los gobiernos se hace que obreros y trabajadores se entreguen al verbalismo de los políticos; se intenta igualar las capacidades, y el distinguirse y el elevarse sobre el término medio toma caracteres de insolencia.

—Usted no tiene el espíritu amplio de los comunistas.

—Ustedes quieren hacer un mundo de autómatas, reservándose el papel de los directores que han de dar cuerda a la maquinaria.

—No nos entendemos.

—Evidentemente. Sin embargo, yo comprendo que se pueda sacrificar uno mismo por una idea; lo que no comprendo es que sea lícito sacrificar a los demás.

—Hay que ser duro.

—Sí, duro como el diamante, y no como el carbón de cocina. Es una frase de Nietzsche.

—Yo no he leído a Nietzsche. Los rusos dicen: «Niestzsche o nitchevo», o sea Nietzsche nada.

—Ustedes le despreciarán; pero le imitan el tono.

—Dentro del comunismo hay que creer. No se permite la crítica.

—Yo no puedo estar de acuerdo con eso. No hace mucho, en Madrid, se han producido grandes matanzas; estas matanzas no han tenido el carácter esporádico que han solido tener los movimientos populares. Dan la impresión de que son algo sistemático.

—¿Y por qué no lo han de ser?

—Es que si lo son y se confirma el caso, el hecho es tan horrible que ha de producir el estremecimiento de toda la Humanidad, porque si han sido fanáticos y criminales escapados de las cárceles los que han producido esas matanzas por barbarie y por salvajismo enardecido por la sangre, se puede comprenderlas y, en parte, explicarlas; pero si han sido resultado de una consigna fría y deliberada de unos profesores, entonces esto es de una brutalidad y de una maldad que lo coloca fuera de lo humano.

—Como le digo a usted, todo lo que favorece nuestra causa es bueno; todo lo que la perjudica es malo. Lenin han dicho: «En la santa lucha por la revolución social, las mentiras, la impostura hacia la burguesía, los capi-talistas y sus gobiernos, son completamente lícitas.» El mismo Lenin ha asegurado: «El bolchevismo no es un pensionado de señoritas. Los niños deben asistir a las ejecuciones capitales y regocijarse con la muerte de los enemigos del proletariado.» Stalin afirma: «Nosotros, comunistas, no reconocemos ninguna ética que pueda poner límite a la libertad de acción de un cuerpo de revolucionarios.»

—Es decir, que ustedes quieren actuar de magos omnipotentes, para quienes todo esté permitido. Matar, robar o torturar, sin dar explicaciones.

—Es que hay, además, en nuestra doctrina comunista una parte esotérica de secreto, de misterio, y una parte más vulgar para el pueblo.

—Si hay algo de esotérico en el comunismo, es, entonces, todavía peor, porque pensar que unos cuantos hombres, reunidos en un sanedrín, pueden disponer a su capricho de la vida de los demás, es cosa que espanta y que produce verdadero terror.

El comunista de la barba española se ha levantado y, con un saludo desdeñoso, se ha marchado del café.

Yo me pregunto:

«¿Este *dandy* satánico representará un estado de espíritu general de la juventud europea? No sé. Si es así, es un síntoma terrible y de un gran peligro para todo el mundo.»

RIEGO Y SU HIMNO

La mayoría de los españoles no conocen la vida y la actuación histórica del general Riego, ni tampoco la letra auténtica de su famoso himno. No hay escrita una vida popular de este caudillo, como no la hay de los otros héroes de la libertad, ya olvidados: el Empecinado, Mina, Torrijos, Zurbano, etc.

En las historias biográficas de Riego ocurre como en casi todas las historias españolas: unos autores se copian a otros y no hay nadie que aporte nuevos datos.

Se dice, por ejemplo, que Riego cantó la canción del Trágala en el teatro del Príncipe, de Madrid, de vuelta de Andalucía; pero no hay testigo presencial del hecho, no hay contemporáneo que diga: «Yo estuve en el teatro y yo la oí.»

No hay tampoco un buen retrato de Riego, ni ningún cuadro, como El fusilamiento de Torrijos, pintado por Gisbert, que está muy bien para muchos de nosotros, a pesar de los que creen que Gisbert no era un buen pintor, y, en cambio, sí lo era Juan Gris, que llegó a convencer a los snobs que tenía una estética y hasta una filosofía, cuando lo único que había tenido en su vida era hambre y miseria.

De los retratos documentales de Riego yo no he visto más que uno, publicado en Inglaterra, con esta leyenda:

«General don Rafael del Riego. London. Printed by P. Simonau. Published Decr, 1823 Sold for the Artist by W. Wise núm. 161. Picadilly.»

Este retrato parece tomado del natural.

Además, hay una estampa titulada Les inmortels, en donde aparecen Quiroga, Riego, López Baños y Arco Agüero. Al pie dice: «Dibujados del natural. Cádiz, 1820. Lit. de C. Motte. En París, en casa de Correard. Librería del Palais Royal.»

Este Correard (Alejandro), librero perseguido y encarcelado muchas veces por su liberalismo, había sido ingeniero geógrafo, y como tal se encontraba en el barco La Medusa cuando naufragó (1816). Fue uno de los diez supervivientes de los ciento y tantos pasajeros que iban en el buque y que sufrieron, hasta salvarse, un sinfín de penalidades y de horrores.

A base de estos retratos originales de Riego se hicieron luego otros muchos, que se repitieron en los libros de Historia.

Hay también una estampa con una escena militar: Don Rafael del Riego se retira a Morón a vista del ejército de O'Donnell. Dibujado por Andrés Rossi y grabado por P. Wagner.

El tipo físico de Riego no era esbelto; era más bien rechoncho, hombre de cabeza gruesa, cara larga, miembros cortos y pelo ensortijado. Espiritualmente era arrebatado, fogoso, expresivo, fácil de palabra. Yo me lo figuro parecido al comandante Franco.

Hay un papel que se publicó en la época en que fue hecho prisionero Riego, que se titula El contrabando masón. Canción realista en que se quiere pintar al héroe de la revolución española. Dice así:

Albricias, serviles;
ya Riego cayó;
aplausos reciba
su diestro aprehensor.

Se sabe que a Arquillos
el quince llegó
cierto contrabando
del bando masón.

Luego se relata en el papel lo que se encontró en el contrabando, como si se fuera a poner a la venta, y se dice:

Se vende, primero,
un gran figurón;
puede, en los teatros,
causar diversión.

Después, un gran molde
con su pelucón,
peinado a lo cónsul,
con alto florón.

Una boca grande,
de rara invención,
que traga-a-la gente
cuando hay pelotón.

Un cuadro que indica
un necio cantor,
con boca de infierno,
lengua de escorpión.

Una miniatura
que muestra un salón,
y, entre muchos diablos,
él es el mayor.

Respecto al *Himno de Riego*, hay para sospechar que no existe una correspondencia exacta ni aproximada entre lo que representa ese himno y la República actual. El *Himno de Riego* es callejero, alegre y saltarín; la República de hoy es grave, sesuda, académica, jurídica y un tanto plúmbea.

El *Himno de Riego* está empapado en sangre de los héroes del liberalismo. El republicanismo español no ha tenido héroes; el socialismo, menos aún. Los republicanos actuales podrán ser hijos espirituales de Salmerón, de Pi y Margall y de Ruiz Zorrilla; pero no son descendientes de los Mina, Riego, *el Empecinado* o Zurbano.

Se explica que estos tipos heroicos no interesen a republicanos ni a socialistas. El valor personal y la audacia no es cosa de nuestro tiempo, al menos de los medios políticos. Si está en alguna parte, es en el ambiente antipolítico.

Respecto al *Himno de Riego*, se han hecho muchas versiones acerca del autor de la música. Se le ha atribuido a varios autores.

Cuando Riego se apoderó de la isla de León y del puente de Zuazo, intentó que se unieran al movimiento las fuerzas de la plaza de Cádiz; pero no lo consiguió, a pesar de los muchos trabajos que hizo para ello don Antonio Alcalá Galiano. Riego encomendó a éste la letra de un himno que mantuviera vivo el espíritu de los soldados; pero habiendo compuesto Alcalá Galiano unas estrofas de arte mayor, Riego las juzgó demasiado académicas y altisonantes para la inteligencia y el gusto de la tropa.

Después colaboraron para hacer otra letra don Evaristo San Miguel y Alcalá Galiano. Este publicó la produción de ambos en sus *Memorias*, de las que tomamos los primeros versos:

San Miguel:

De la guerra guerreros ilustres,
al santuario, atrevidos, marchad,
y la patria ornará, agradecida,
vuestras sienes del lauro inmortal.

Galiano (coro):

Patriotas guerreros:
blandid los aceros,
y unidos marchemos
y unidos juremos
por la patria morir o vencer.

Alcalá Galiano, en sus *Memorias*, dice que a Riego no le gustó esta letra, y supone con una malicia un tanto estólida que tenía parte en su disgusto el no aparecer el nombre del caudillo en la canción.

Don Evaristo San Miguel, entonces

comandante del regimiento de Asturias, y considerando que Riego tenía razón en sus objeciones a la primera letra, escribió otra más sencilla:

> *Soldados: la patria*
> *nos llama a la lid;*
> *juremos por ella*
> *vencer o morir.*
>
> *Serenos, alegres,*
> *valientes, osados;*
> *cantemos, soldados,*
> *el himno a la lid,*
> *y a nuestros acentos*
> *el orbe se admire*
> *y en nosotros mire*
> *los hijos del Cid.*

Se ha atribuido a varios la música de este himno; unas veces, a don Trinidad Huerta; otras, a don José Reart de Copóns, y otras, a don Francisco Sánchez. Algunos aseguran que el *Himno de Riego* fue hecho por un oficial llamado Miranda, a base de una contradanza de Reart.

El maestro Barbieri, después de probar que Huerta tenía quince años y medio (nació en Orihuela en 1804) cuando se compuso el himno, y que éste se halla mejor armonizado que lo que en su edad madura hizo aquel maestro, luego guitarrista, muerto en la miseria en París muy avanzado el siglo; después de demostrar que es absurdo el error de que la letra fuese acomodada a la música de un rigodón compuesto por Reart, porque habiéndole tratado a éste durante muchos años, jamás le oyó hacer tal afirmación, y después, en fin, de hacer notar que no está averiguado que don Francisco Sánchez fuese músico del regimiento de Valencia ni autor del himno, cita un libro impreso en 1828 con el título de *Colección de canciones patriotas,* que contiene veintiocho, y la música, de cuatro, para canto y piano, siendo la primera:

EL
Himno de Riego.
MUSICA
De Gomis Colomer.

José Melchor Gomis Colomer fue un músico valenciano, nacido en Onteniente y muerto en París en 1836. Escribió varias óperas y tuvo gran amistad con el maestro Rossini.

Para el juramento que prestó la Milicia Nacional el 1 de enero de 1822, el autor del himno, don José Gomis Colomer, compuso otro nuevo, que, aun teniendo el mismo corte de aquél, no alcanzó la misma popularidad.

La letra de este último, de don Bernardo Borja y Tarríus, decía así:

> *Al viento tremola*
> *el patrio pendón*
> *que fija el destino*
> *de la gran nación.*
>
> *A su sombra, el fuego*
> *de Bravo y Padilla*
> *se siente en Castilla*
> *de nuevo vivir.*
>
> *Y el eco repite*
> *que maldito sea*
> *quien hollar lo vea*
> *sin antes morir.*

Cuando el triunfo de los milicianos contra los absolutistas el 7 de julio de 1822, se celebró en el teatro del Príncipe con la ópera *Tancredo,* de Rossini, y cada cantante entonó algunas estrofas del *Himno de Riego* con nueva letra. El periódico *El Universal,* de la época, las inserta todas. La más expresiva fue la que cantó la señora Spontoni:

> *En vano sus furias*
> *agita el abismo*
> *cuando el fanatismo*
> *tremola el pendón.*
>
> *De hipócritas viles*
> *la voz despreciamos,*
> *y muerte, gritamos,*
> *o Constitución.*

En *El Restaurador*, periódico furibundo y clerical de fray Manuel Martínez, nombrado obispo de Málaga por sus terribles invectivas contra los liberales, se decía de Riego cuando éste fue preso:

Gritos traidores fueron tus proezas,
traidores gritos tu mayor hazaña;
héroe a gritos, te alzaste en las Cabezas,
y a gritos grita tu cabeza España.

Todavía, en 1836, corrió una nueva letra para la música del *Himno de Riego,* titulada *La moderación:*

Que mueran los que claman
por la Moderación
para atacar los fueros
de la Constitución.

Como se ve, los españoles liberales no supieron adaptar palabras adecuadas a la música de su himno. Pecaron, o por académicos o por ramplones.

Otras muchas letras, la mayoría grotescas y vulgares, se han cantado con la música del *Himno de Riego,* y se han creído que eran auténticas.

Recuerdo que hace diez o doce años un escritor reaccionario daba como letra del *Himno de Riego* en *El Pueblo Vasco,* de San Sebastián, una que dice así:

Si los curas y frailes supieran
la paliza que van a llevar,
subirían al coro cantando:
«¡Libertad, libertad, libertad!»

Yo escribí al periódico diciendo que esta letra era tan auténtica como esa otra que los chicos han cantado con la música de la *Marcha Real:*

¡Hombre! ¡Caramba! Qué cara más estúpida
que tiene usted...

También las chicas de los colegios de monjas suelen cantar, con la *Marcha Real,* estas palabras guerreras:

Guerra al mundo, demonio y carne,
guerra, guerra, guerra,
contra Lucifer.

El pobre Lucifer debe de encontrarse asustado con el encono de estas voces infantiles.

Volviendo al *Himno de Riego,* hay que reconocer que, oficial y popularmente, no tiene letra. Solamente los pueblos de un gran sentimiento social tienen verdaderos himnos patrióticos, con su música y su letra: Francia e Inglaterra.

Es curioso, sin embargo, el que todavía en época moderna, en España, los vascos hayan compuesto dos himnos acertados: uno, el de *San Ignacio,* que es afirmativo, rotundo, despótico, azpeitiano, y el otro, patriótico, como el *Arbol de Guernica,* de Iparraguirre, que es de un lirismo apasionado, un poco italianizante y declamador; pero que responde muy bien a sus fines románticos.

LAS MASAS Y EL SUPERHOMBRE

De chico, en el Instituto—hace ya tantos años que le parece a uno que fue en época prehistórica—, le hablaron a uno de que había diversos sistemas morales, basados en el placer, en el sentimiento, en la utilidad, etc. No entendimos muy bien lo que esto quería decir. La cuestión no nos interesaba gran cosa por entonces. Después, y pasada la edad—para uno, prehistórica—de la infancia, nos encontramos con dos predicaciones de moral, vigentes: una, la popular, la general, la moral de masas; la otra, la literaria, la aristocrática, la moral del Superhombre.

Nos inclinamos a simpatizar con la opinión de la minoría, quizá principalmente porque era de la minoría.

Como todas las pautas de vida, las dos morales son, probablemente, más teóricas que prácticas.

La moral de las masas considera como un objetivo la Humanidad anónima; la moral del Superhombre mira el ideal de la Humanidad en el individuo y en el individuo archidistinguido y selecto.

Todo el siglo XIX fue una predicación constante a favor de las masas y del anónimo. La última manifestación más ostensible del anonimado ha sido el culto al soldado desconocido, con su monumento y todo.

En medio de la efusión por la masa del siglo de las luces, algunos escritores aislados—Schopenhauer, Stendhal, Gobineau, Carlyle, Ibsen, Renan—pensaron al escribir, como los antiguos moralistas, más en el individuo que en la colectividad.

Nietzsche, por su carácter declamador, enfático y *kolossalista*—hermano espiritual de Wagner—, a pesar de su hostilidad contra el gran músico, marcó como una finalidad remota, como un objetivo lejano, el mito del Superhombre. Ciertamente, el mito no era nuevo ni inventado por él; pero él le dio con su imaginación calenturienta y su retórica exaltada unos caracteres brillantes y sugestivos.

El Superhombre—Zaratustra, el carnívoro voluptuoso libre de trabas, el dominador de multitudes—es un último *dandy* byroniano de la filosofía; un vikingo que canta su canción después de haber bebido el vino de la retórica en el cráneo, convertido en copa, de un viejo profesor austero y respetable.

A pesar de que el mito del Super-

hombre parece hoy olvidado y deslucido, hay que reconocer que está en pie y que quizá lo estará siempre.

En esta lucha de dos ideales: Humanidad e individuo, masa y Superhombre, hay quizá la representación sintética de dos espíritus: el del Occidente europeo, individualista; el del Oriente, comunista.

Cuando Ibsen decía en su tiempo: «El hombre solo es el más fuerte», no decía, seguramente, una verdad, sino que expresaba una aspiración.

★

Todo el pensamiento de la Europa de su tiempo—tiempo de preñez—se reconcentró y reflejó en el cerebro poderoso de Kant. Lo que había de florecer en el mundo intelectual estuvo en potencia en el espíritu del profesor báltico: astronomía, física, antropología moral de Oriente y de Occidente. Lo que faltó, lo que no interesó a este viejo chino genial y metódico de Koenigsberg, fue la pasión, la música, el arte. Cierto que Schiller quiso llevar a sus dramas postulados éticos kantianos; pero estos postulados no dieron calor a sus obras. Ni Beethoven ni Dostoyevski podían salir de Kant. El mundo de esos energúmenos es un mundo dinámico de diablos y poseídos regido por divinidades pánicas. En ese mundo nada puede hacer la luz pálida y clara del profesor báltico.

Kant tiene dos herederos trascendentales y enemigos acérrimos entre ellos: Hegel y Schopenhauer.

Hegel, filósofo universitario, toma la actitud política y popular de un profeta. Es un escenógrafo. La Humanidad, la sociedad, la ciencia, la Historia, las civilizaciones, aparecen y desaparecen dramáticamente en su teatro.

Schopenhauer, rechazado por el elemento popular y docente, se queda en la actitud del antiguo moralista solitario que halla al individuo aislado, como podían hacerlo Séneca, Marco Aurelio y Gracián. Es un actor sin compañía y sin público.

En Hegel, el éxito le lleva cada vez más a la escenografía y a la palabrería; en Schopenhauer, al despecho, a la cólera y al consejo individual.

De Hegel y de su inmensa influencia salen los filósofos de la Historia y los socialistas científicos: Karl Marx y los suyos. El mismo Proudhon presume de ser hegeliano, aunque se duda de que hubiese leído al filósofo de Heidelberg. Proudhon maneja como instrumento de crítica el sistema trino hegeliano: la tesis o la afirmación de una idea, la antítesis o la contradicción de esta misma idea y después la síntesis, o sea la suma de afirmaciones y negaciones en una nueva visión de conjunto.

A España, Hegel llega por Sanz del Río, a través de Krause, y por Pi y Margall, a través de Proudhon.

Schopenhauer, que se consideró como el auténtico descendiente de Kant, como el verdadero — para él, Hegel era un mistificador y un farsante—, tuvo una familia espiritual poco numerosa. Su filosofía quedó a la puerta de las Universidades, considerada como filosofía paria.

De Schopenhauer viene Nietzsche, que luego reniega de su maestro. Aunque las dos ramas—de origen kantiano—sean, la una, lozana y frondosa; la otra, pequeña, pero flexible y fuerte, las dos, como posiciones de moral individual y social, se conservan todavía en pie frente a frente: masas y Superhombre.

Cada una de estas formas, radicalmente distintas de moral, posee en cada tiempo su ideario.

La moral y la política de masas tiene su parte de lugares comunes populares que se han convertido en dogmas: la democracia, el sufragio, etc.

La tesis de algunos profesores socialistas partidarios de la moral y de la política colectivista, que no creen gran cosa en los lugares comunes de la democracia, a los que consideran ineficaces, es, poco más o menos, ésta:

En nuestro tiempo se ha descubierto lo necesario para vivir; no se necesitan grandes inventores y menos grandes escritores y artistas. La escultura, la pintura, la arquitectura y la música han acabado su ciclo. No queda más que extender, propagar, lo que ya está producido. La ciencia, si no se acabó, se aleja cada vez más del hombre y se convierte en un juego de iniciados. La literatura vive de los préstamos de la ciencia. Nuestra época es época de aplicar lo descubierto y de igualar los beneficios del hombre.

Para este socialista—probablemente hegeliano—, cuando en el clan primitivo, dominado por un macho poderoso que monopolizaba el poder y las mujeres, se producía un hombre independiente que, con la pareja elegida, se escapaba al bosque a vivir con ella, perjudicaba a la comunidad, le restaba medios.

Desde este punto de vista, el rebelde contra el Gobierno establecido, por su inadaptación, es un elemento malo y faccioso. Esta también es la moral que se desprende de las historietas de la Biblia.

El malo entre los israelitas no es el que mata ni el que roba y menos el que presta a usura—oficio grato a la raza—. El malo es el que sacrifica a un dios extranjero. Así también en

★

la Rusia soviética el malo es el que no cree en el comunismo de Karl Marx o de Lenin ni en la dialéctica de Hegel.

Esto da al país de los Soviets un aire bíblico, oriental, semítico, no europeo. La Europa moral ha sido el liberalismo, el dejar hacer y el dejar pasar.

Frente a la política de masas, que tiene grandes teorizantes y propagandistas, la moral del Superhombre se quedó arruinada, viva, pero alejada de la práctica. No creo que nadie suponga que, como en la floricultura, se pueden producir flores especiales en la vida; se puede crear por métodos particulares un super-César, un super-Mozart, un super-Pasteur o un super-Goya.

A pesar de que Nietzsche quería dar a su Superhombre un aire de futuro, su mito tiene más color de pasado que de porvenir, y se puede pensar que ya no se producirán en la Humanidad tipos como Aníbal, como Pizarro o como Hernán Cortés.

Hay algunos eclécticos teñidos de nietzscheanismo que creen en una posibilidad de superhombría colectiva. Según éstos, la cantidad del cerebro humano aumenta de generación en generación un cierto número de miligramos. Esto hará, según los tales superhombristas, que el hombre de dentro de miles de años tenga un cerebro más poderoso y más fuerte que el del hombre actual.

Pero ¿dónde está comprobado este aumento automático del cerebro del hombre, al menos en los tiempos históricos? ¿Quién sabe con exactitud si a mayor peso cerebral corresponde mayor talento? No se conocen las posibilidades biológicas del hombre, no se las puede examinar por encima de él; lo mismo podemos encontrarnos al comienzo de una era magnífica de progreso que hallarnos en una época de degeneración y de salto atrás.

El Superhombre soñado por Nietzsche—superintelectual o superdinámico—, como realidad posible, no tiene ninguna; no es más que un mito, un tope del pensamiento.

Todo hace pensar también que la vida en nuestro planeta se agotará, dejando en el polvo cósmico las obras maestras, los crímenes y las tonterías de los hombres. ¿Tendrá ocasión el animal humano de dar un salto maravilloso hacia adelante? ¿Tendrá elasticidad? Ello parece muy dudoso.

Mientras tanto, es muy posible que la moral de las masas y la moral del Superhombre sigan durante mucho tiempo como la roca y el mar: frente a frente, sin que venzan del todo ni la una ni el otro.

25 diciembre 1932.

LOS DATOS DE LA HISTORIA

Al novelista que, al tratar asuntos de actualidad, pretende dar a sus libros un carácter histórico, se le reprocha el utilizar datos callejeros, datos e indicios que corren en tertulias, que no tienen una comprobación irrebatible y completa.

La cuestión de la autenticidad de los datos tiene importancia en la literatura novelesca; la tiene mayor en la Historia y en la política del momento.

La literatura histórica no se ha hecho nunca a base de una documentación irreprochable, sino a base de indicios y de intuiciones. Una frase, una anécdota, supone más para esa clase de literatura que cien discursos y cuatrocientos decretos. Se conoce mejor a Talleyrand hombre con unas cuantas anécdotas que con todas las órdenes oficiales que firmó en su vida.

No es sólo la literatura histórico-novelesca la que procede de una manera intuitiva y pragmática, sino que la Historia, la gran Historia, ha sido constituida del mismo modo.

El historiador no comienza a levantar la imagen de un personaje después de reunir todos los documentos, de estudiarlos y de aquilatarlos, sino que de antemano, por unos cuantos rasgos esenciales, lleva una idea preconcebida. Desde ese punto de vista, la Historia es una rama de la literatura, no una rama de la ciencia.

Al conocimiento completo de un personaje por documentación no se puede llegar más que rara vez. Unicamente en el caso poco frecuente de que haya relaciones de testigos presenciales y se sepa que estos testigos presenciales no tenían ni simpatía ni odio por la figura histórica analizada y estudiada, se podrá llegar a ese resultado. Pero ¿cuándo pasa esto? Casi nunca.

Todas las grandes figuras de la Historia, buenas o malas, que se tomen por auténticas están construidas, en parte inventadas, por autores que no las han conocido.

★

La figura más importante para el mundo civilizado es, sin duda, la de Jesucristo. Jesucristo tiene para el ferviente cristiano una vida no sólo ejemplar, sino clara y precisa.

La tal claridad no existe para los críticos racionalistas. Estos, en su mayoría, comienzan por suponer que los Evangelios no están escritos por testigos presenciales de la vida y muerte de Jesús. Creen muchos autores que el primero en el tiempo de los cuatro Evangelios, aceptados como auténticos, es el de San Mateo, formado a base de tradiciones orales; los demás están hechos sobre el primero, y el de San Juan es muy posterior a los otros tres.

No hay documentos de la época que añadan algo, que comprueben o que rectifiquen, aunque sea en pequeños detalles, lo dicho por los Evangelios. En la época antigua, el primer autor que habla de Cristo y del cristianismo con un criterio racionalista es Celso el epicúreo, ya del siglo II, en su *Discurso veraz*. Este discurso no se conoce más que por los fragmentos que copió Orígenes en su refutación, y es lástima, porque, en conjunto, debía de ser de un gran interés.

La crítica histórica sobre la personalidad de Jesucristo es un tejido de contradicciones. Entre los exegetas racionalistas hay desde los que se acomodan a la versión cristiana, dando una explicación folklórica de los milagros, hasta los que miran la figura del Redentor como un mito.

Si del símbolo de la piedad y de la fraternidad humanas se va a buscar al prototipo de la maldad y de la locura sanguinaria, a Nerón, pasa lo mismo. Nerón, histrión y monstruo, es considerado como el Anticristo, como la Bestia del *Apocalipsis*.

El monstruo, a pesar de su monstruosidad, tiene un aire d'annunziano un poco cursi.

Nerón muere el año 68 de nuestra era. Hablan de él y colaboran en su leyenda negra historiadores célebres, entre ellos Tácito, Suetonio, Plutarco y Flavio Josefo.

Tácito nace el 56. Al morir Nerón tiene doce años. No puede recoger personalmente ningún dato directo sobre el gran histrión.

Los *Anales* y las *Historias* los escribe pasado el 96, cerca de treinta años después de muerto el monstruo, y la vida de éste le sirve para hacer ejercicios de retórica severa.

Suetonio, el autor de los *Doce Césares*, uno de los que más carga de colores negros la figura de Nerón, nace, próximamente, al morir el energúmeno. Escribe los *Doce Césares* hacia el 10, es decir, cincuenta años después de muerto el hijo de Agripina.

Respecto a Plutarco, es un griego. No va a Roma, según unos, hasta la época de Vespasiano, el 70; según otros, hasta la de Domiciano, el 81; es decir, cuando ya Nerón ha muerto. Plutarco no sabe apenas el latín; no ha podido enterarse de la vida del supuesto monstruo más que por lo que le han contado.

El único historiador de los cuatro que conoce personalmente a Nerón es Flavio Josefo. Este ha ido a Roma con una embajada a pedir piedad para unos sacrificadores judíos.

Josefo trata mal a Nerón en su historia, como todos; pero Josefo es judío, enemigo natural de los romanos, a quienes considera como idólatras y comedores de tocino, y sus informes, sólo por eso, ya tienen poco crédito.

Los cuatro historiadores famosos que hablan del célebre emperador y lo pintan como un monstruo son recusables.

En la historia de Nerón, lo principal es leyenda popular, quizá verdadera, quizá falsa. Todos son «Se dice...» Se dice que asesinó a su madre y a su mujer; que por diversión, después de un banquete, mandó incendiar Roma. Pero ¿qué testigo presencial lo atestigua? ¿Dónde están los documentos? Séneca es condenado a muerte por un complot político.

Seguramente no hay tampoco datos para rehabilitar al monstruo; sin embargo, algunos historiadores modernos han tendido a ello y a acusar a los aduladores de los Flavios de ennegrecer sistemáticamente la figura de Nerón.

Algo parecido se ha pensado con respecto a Catilina, que era, sin duda, un revolucionario audaz y valiente, a quien el historiador Salustio, por conveniencias personales, le quiso pintar como un aventurero que no tenía más plan que incendiar y robar.

★

Con los Borgias pasa lo mismo. La historia de los envenenamientos del Papa Alejandro VI parece muy sospechosa. Puede ser verdadera y puede ser falsa, una invención popular basada en rumores. César Borgia, el hijo del Papa, el de la divina *Aut Cæsar aut nihil*, es un tipo del príncipe capitán de la época, como otros muchos. Si se destaca más es por el fondo brillante de la Iglesia en que se mueve, por haber sido ensalzado por Maquiavelo y por el interés del protestantismo naciente en pintar con colores sombríos el papado.

Un alsaciano, Burchard, probablemente antilatino y bebedor de cerveza, habla en su *Diario* de las orgías, incestos y envenenamientos del Vaticano en tiempo de los Borgias. Guicciardini, un comedor de macarrones muy enemigo de los españoles, lo asegura también; pero ¿dónde están los comprobantes?

Respecto a Lucrecia Borgia, con todo su aire de mujer fatal, no debía de serlo. Gregorovius estudió su vida y demostró en el libro documentado que le dedicó que no había tal cosa. Probablemente, la ilustre dama, cuando era duquesa de Ferrara y la cantaban el Ariosto y el Bembo, era una italovalenciana rubia, gorda e insignificante, bien alimentada a base de arroz y de macarrones.

Todas las grandes famas históricas, buenas y malas, son muy sospechosas. Se duda de que la emperatriz Teodora fuese en su juventud una especie de cupletista, como la pintó Procopio en la *Historia secreta;* se duda de muchos envenenamientos de Catalina de Médicis, de las ferocidades eróticas de Gilles de Retz *(Barba Azul);* se sabe que la rivalidad amorosa de Felipe II con su hijo y su crueldad con él son falsas. Felipe II debía de ser un burócrata un tanto mediocre. Podría haber sido en nuestra época jefe de Administración de tercera clase. Muchas de las ingeniosidades atribuidas a Enrique IV, a Napoleón y a Talleyrand están inventadas por otros.

En nuestro tiempo se ha podido inventar una leyenda en derredor del kaiser Guillermo, de Mussolini, de Lenin y de Rasputín, gente probablemente mucho más vulgar de como se la ha presentado.

★

Si se pasa de la historia un tanto anecdótica a la historia documental, ocurre lo mismo. Hay idéntica seguridad e incertidumbre. Los decretos, ¿están siempre escritos por los que los firman? Lo que firma Rodríguez, ¿está redactado por Rodríguez o por Fernández? Casi todas las *Memorias* de los generales del primer Imperio que se publicaron en Francia se ha asegurado después que son apócrifas.

La cuestión de la autenticidad de los datos tiene importancia para la política del momento.

¿Se necesitan pruebas materiales, documentos comprobados, para creer en un hecho y, sobre todo, en las intenciones de un personaje? Si es así, el desarrollo de la vida histórica de cualquier país es completamente correcto. Carlos II *el Hechizado* o Luis XV, Fernando VII y el rey Bomba de Nápoles son tan buenos reyes como otros cualesquiera y reinan ateniéndose sólo a las leyes. Los hijos de todas las reinas con fama de casquivanas son perfectamente legítimos. ¿Dónde se encuentran los documentos que prueban lo contrario?

Los Trepof y los Martínez Anido, con su fama de sanguinarios, podrán decir: «¿En dónde están las órdenes con nuestra firma para matar a éste o al otro?»

Seguramente, las órdenes no se encontrarán. Los déspotas y los que practican el terrorismo desde arriba no son partidarios de firmar documentos; las reinas adúlteras, tampoco.

Los políticos españoles actuales quieren emplear dos medidas para los hechos. Practican el embudismo, se hubiera dicho hace años, en que los ismos entusiasmaban. Según esos políticos, para juzgar los errores y las faltas de los gobiernos anteriores, bastan los indicios; en cambio, para juzgar los errores y las faltas suyas, se necesitan pruebas documentarias.

El procedimiento sería cómodo si alguien lo tomara en serio; pero nadie lo toma en serio más que los políticos, que es lo mismo que si no lo tomara nadie. El político que, naturalmente, quiere dar de la política nueva y vieja una impresión de algo serio y decente, tenderá siempre a juzgar de los hechos históricos por los documentos; el pueblo de la calle, por el contrario, formará sus conceptos sentimentales con indicios e intuicio- nes. El poeta, el novelista y el artista, en estas cuestiones, son pueblo.

26 marzo 1933.

EL MONOTEISMO

Durante todo el siglo XIX ha habido una tendencia entre filósofos e historiadores a glorificar a los arios, en contra de los semitas, suponiendo, con una vanidad un poco cómica, que franceses, ingleses y alemanes, en general los celtosajones, eran de origen hindú. Pensaban que al hablar de arios se referían a una raza más que a un grupo de lenguas y a una raza especial semidivina llegada del país de Jauja.

Hoy parece que se ve claro que no hay tales razas arias ni semitas y que el lenguaje no caracteriza étnicamente a los hombres. La etnografía no tiene gran cosa que ver con la lingüística. No hay tampoco en este momento seguridad alguna de que los arioparlantes procedan de Asia.

El antropólogo Tylor defendió el origen europeo de los arios. Unos los creen procedentes del Báltico; otros, originarios del Danubio y del sur de Rusia. En una Memoria de un académico de la Española se dice que los arios vinieron del Polo Norte. ¿Y por qué no de la Luna? Vacher de Lapouge tuvo la fantasía de señalar los caracteres anatómicos de los arios. Esto, científicamente, debe de tener tanto valor como aquello de

Las Marías son muy frías
y de puros celos rabian.

Respecto a los productos literarios antiguos de arios y semitas, por una parte los Vedas, el Zend-Avesta, Upanisads, Picranas, etc.; por otra, la Biblia, hay que reconocer que para un lector moderno que lea en traducciones resúmenes de libros indios y persas son ilegibles y están llenos de inepcias.

La Biblia es otra cosa. Es una obra fuerte, realista, muy varia, con muchos detalles de crueldad, de maldad y de bajeza. La fantasmagoría hindú nos sabe a vagnerismo, a esoterismo y a mistificación.

Toda la metafísica y la mística india se prestan a explicaciones pedantescas en ateneos y sociedades teosóficas y a definiciones sobre una porción de palabras: *nirvana, samsara, tantra, karman, maya, yoga, bhakti...* Esta sacarina oriental sirve para endulzar los pasteles occidentales de los Maeterlinck, de los Keyserling y de las madames Blavatsky.

Hay, ciertamente, poesía en estas entelequias; hay panteísmo y efusión por la vida ambiente. San Francisco de Asís, con su hermano Lobo y su hermana Ceniza, parece darse la mano desde sus jardines de la Umbría con los ermitaños de Kapilavastu y de la Bactriana. Ni el santo italiano ni los asiáticos se parecen al pequeño judío rey del mundo, que se ha sentido siempre el elegido, lo mismo en su zarrapastroso país de origen como en la actual ropavejería o casa de préstamos donde se pasea orgulloso y triunfante con su nariz de loro y sus pies planos.

Muchos contrastes se han querido acusar entre arios y semitas; los arios han tenido una tendencia al politeísmo; pero los semitas primitivos la tuvieron también. Los arios tenían imaginación; también la tuvieron los semitas.

No se ve una línea clara que separe en tiempos pasados a los unos y a los otros. Los dioses fenicios y caldeos hicieron sin dificultad nuevos nidos en Grecia. Sobre todo, Babilonia es la gran inventora de mitos. Los historiadores antisemitas afirman que la religión de Babilonia, primitivamente, no era semítica, sino caldea, y que estos caldeos eran de una raza medio tártara, los sumerios; otros los tienen por un grupo mezclado de turanios, arios, camitas y semitas.

★

Para la mayoría de los sociólogos naturalistas, la religión es un resultado de la intuición en su comienzo del Señor, de la noche, de las prohibiciones y tabúes después del deseo de explicarse la vida y el mundo.

Los religiosos dogmáticos creen en la revelación y en que las verdades religiosas son demostrables como si fueran axiomas matemáticos.

¡Vázquez de Mella, según sus admiradores, inventó la diecisiete prueba matemática de la existencia de Dios! Un ex comunista comprendió también la verdad de la religión por

$$A + B + C = X.$$

Para los dogmáticos, los que no lo son, los incrédulos, los agnósticos, los materialistas, son unos locos, unos insensatos que cierran los ojos ante la luz de la razón. Kant, que no daba ningún valor a las pruebas físicas y metafísicas de la existencia de Dios, y Laplace, que construía su teoría astronómica sin divinidad alguna, eran tan locos como los demás.

Lo raro es que el número de los in-

sensatos aumente y cuente hoy con lo más lucido y luminoso de la plana mayor de la ciencia.

El ser ateo, según Menéndez y Pelayo, es una brutalidad sin chiste, propia de gente soez y de licenciados de presidio. Con estas pequeñas necedades se ha aumentado la ideología de los clericales españoles.

Para William James, las concepciones que él llama infrateístas, por no adaptarse a la naturaleza práctica del hombre, son irracionales.

★

Se ha asegurado siempre que todos los pueblos civilizados y salvajes tienen un Dios, lo que así, dicho en bloque, no parece cierto; también se ha considerado como una afirmación más genuina del monoteísmo la de los primeros versículos del *Génesis*. Lo curioso de estos versículos es que donde unos van plasmando el monoteísmo, otros encuentran que lo que se afirma allí es el politeísmo.

Esta cuestión de interpretación será muy difícil de resolver de una manera definitiva.

Naturalmente, habla uno de ello no por un conocimiento inmediato de los textos en su lengua originaria, sino por lecturas de traducciones.

El caballo de batalla de esta cuestión es el significado de la palabra *Elohim*. Los que comienzan a leer la Biblia en hebreo se encuentran con que en el *Génesis* no se dice que Jehová o Jhaveh, el Dios de los judíos, hizo el mundo, sino que los Elohim hicieron el mundo.

La palabra, según los entendidos, es plural, y se refiere en la misma Biblia a los dioses falsos y a los espíritus. Algunos suponen que Jhaveh, un Baal de los hebreos, uno de los dioses menores, va creciendo en importancia y acaba con el poder de los Elohim, y quizá con su jefe El Elohim, y se convierte en el único y verdadero Dios de los judíos.

Jhaveh da un golpe de Estado; es un Napoleón o un Primo de Rivera del Olimpo israelita.

El historiador Houston Stewart Chamberlain dice en su libro *Los fundamentos del siglo XIX* que quizá se podría traducir más exactamente la palabra *Elohim* por los demonios.

Un joven judío y hebraísta a quien conocí en Rotterdam, y a quien hablaba de esto, me decía que la palabra *Elohim* debía de venir de Eloah, temer, y que los Elohim podían ser los Temibles, los Horrores, las fuerzas que espantan. Algo parecido a los titanes de Hesíodo.

Habrá que esperar que con el tiempo podamos ver traducciones de la Biblia que empiecen diciendo: «Los demonios hicieron el mundo en seis días.» Esta afirmación pesimista, en una época en que ya no se cree en el Demonio, no estaría mal teniendo en cuenta las guerras, las pestes, las hambres, los discursos de los políticos y demás horrores que ha sufrido y sufre la Humanidad.

La hipótesis del politeísmo primitivo de los judíos es lógica, porque los semitas antiguos eran politeístas. Asiria y Babilonia tenían un grande y maravilloso panteón de divinidades astrales, que lo propagaron por el mundo antiguo. Fenicia era un vivero de pequeños dioses, que, además de su nombre ciudadano o comarcano, tenían el genérico de El, Baal, Melek o Adon.

En la creencia a favor o en contra del monoteísmo judaico influye el prejuicio. El librepensador presentará cientos de citas bíblicas en que parece que se afirma la pluralidad de dioses entre los israelitas; pero el creyente siempre encontrará una explicación mejor o peor. Los padres Scios, en sus notas, están dispuestos a cambiar lo blanco en negro y lo rojo en azul.

En la *Historia del pueblo de Israel* dice Renan que al Sinaí se le llamaba la montaña de los Elohim, y que el Sinaí tenía su dios, que probablemente era el rayo.

En cambio, otros creen que el Sinaí era el monte de Sin, el dios luna de los asirios y de los árabes, primitivamente el dios de los caldeos de la ciudad sagrada de Ur.

H. S. Chamberlain no quiere reconocer que los semitas fueran monoteístas, y acepta con fruición la tesis de Robertson Smith, de que el monoteísmo judaico tenía sólo una razón política. Los verdaderos monoteístas, según Chamberlain, son los germanos. Si considera que el gran mérito de los hombres era ser bailarines, un poco como el Zaratustra de Nietzsche, diría que los verdaderos bailarines eran los germanos.

El interés de casta, de religión o de patriotismo triunfa siempre en estas cuestiones.

En un problema más reducido, en el monoteísmo de los vascos, ha pasado lo mismo. Los vascos clericales han afirmado el monoteísmo de sus antepasados con ardor.

Menéndez y Pelayo, que no tenía simpatía por ellos, dice en sus *Heterodoxos:* «Quizá resten vestigios de culto sidérico en las tradiciones vascas sin acudir al problemático Jaungoicoa, dios-luna, y aun habida consideración del elemento ario representado por los celtas.»

¡El problemático Jaungoicoa! Menéndez y Pelayo no quería dejar a los clericales vascos esa supuesta gloria de su monoteísmo primitivo. No les tenía simpatía, y sin duda consideraba el monoteísmo como un mérito;

en cambio, una señora judía bastante sabia defendía el politeísmo de los hebreos y el uso entre ellos de la svástica, porque esto les acercaba a los europeos.

★

Los etnólogos positivistas consideraron hace aproximadamente medio siglo que ya se habían estudiado a fondo los orígenes de las religiones en los idiomas y documentos de los pueblos civilizados y que había que comenzar a estudiarlos en las razas primitivas.

Creían estos investigadores que el monoteísmo tenía que ser el último escalón de la evolución religiosa y que los pueblos debían comenzar por humildes orígenes de idolatría y de tabuismo hasta ascender a la teología. Sir John Lubbock pensaba que el princiipo era el ateísmo. Tylor supuso que el origen era el animismo. Goblet d'Alviella escribió un libro titulado *La idea de Dios*, que es muy lógico y está muy bien, hayan cambiado o no después los datos sobre los que construyó su tesis.

La falla de las investigaciones sobre estos puntos está siempre en el prejuicio del investigador. Será muy difícil que el incrédulo aporte los datos de la misma manera que el creyente.

En religiones antiguas y conocidas vemos que el judío y el mahometano fanáticos acusan al cristiano de idolatría, y los mismos protestantes están inclinados a creer en la tendencia pagana y politeísta de los católicos.

No se puede pensar que los datos de los viajeros acerca de las creencias de los primitivos puedan ser tan exactos y tan objetivos que no ofrezcan dudas de veracidad y de interpretación. ¿Cómo se puede saber a ciencia

cierta si este Kichi-manitú o este churinga es un dios, un espíritu poderoso o un diablo?

En contra de las teorías de los etnólogos de la época de Tylor, Andrés Lang defendió la tesis de que hay pueblos primitivos que, sin pasar por el animismo, tienen la idea de un dios como jefe y legislador que vive en la tierra y después en el cielo.

El padre Schmidt ha insistido en esta idea y ha encontrado que entre los australianos, bosquimanos, bantúes, pigmeos, andamanes pidjianes, zulúes, hay una divinidad única.

Esto no demuestra más sino que el monoteísmo no exige ninguna capacidad extraordinaria. Además, ¿son estos primitivos verdaderamente monoteístas? Chantepie de la Saussaye, en la introducción de su *Manual de historia de las religiones*, dice que no se pueden llamar monoteístas las tendencias hacia una concepción monárquica de la divinidad, y que no hay más que una religión verdaderamente monoteísta, que es la judía, con sus dos hijas: la cristiana y la mahometana.

★

No se ha hecho, no se ha podido hacer aún, el balance crítico, exacto, del monoteísmo. La Humanidad no ha conseguido por el monoteísmo ni mayor bondad ni mayor piedad. La Historia, antes y después de él, ha sido igualmente bárbara, brutal y sañuda.

Lo que sí se puede sospechar es que la tendencia monoteísta, al dar mayor unidad a las sociedades, les dio más energía y más fuerza de combate.

4 junio 1933.

LOS CARBONARIOS

Hay mucha gente que, sin duda, cree que la historia moderna de España es algo claro, bien conocido y bien estudiado, y no hay tal. De éstos debe de ser un señor que me escribe extrañándose de que no hable de una manera más explícita de la participación de los carbonarios en los crímenes políticos del siglo XIX, participación que, como afirmaba en otro artículo, algunos sospechaban que existió en el regicidio del cura Merino.

Si yo no hablo claro de esas supuestas complicidades, no es por política ni por prudencia, sino, sencillamente, porque no las conozco. No creo tampoco que haya nadie que las conozca a fondo.

Hay muchos puntos en nuestra historia moderna que no están esclarecidos ni aun tratados. Para aclararlos habría que pasarse meses y quizá años en los archivos.

Uno de estos puntos es la influencia del carbonarismo en la política española del siglo XIX. Se atribuye vagamente a los carbonarios la muerte del cura de Tamajón en 1821, la matanza de frailes del año 1834, el regicidio de Merino y varios movimientos oscuros; pero todas estas acusaciones no tienen base ni documentación.

La bibliografía sobre el carbonarismo es escasa. Hay un folleto en español, *Los carbonarios*, que debe de ser traducción de otro de Saint-Edme, *Constitución y organización de los carbonari* (París, 1821). En este folleto se habla del origen, nombres, grados y símbolos de la asociación, cosa poco interesante. Hay un libro en alemán, de Jarcke, sobre la influencia de los carbonarios en las revoluciones de Nápoles y Piamonte en 1820 y 21; el otro, de Greco, sobre las tentativas de los carbonarios en Calabria en 1813, y una historia de las sociedades secretas en España, en alemán, de Brük, publicada en Maguncia en 1881.

Hay también un libro de Doering sobre los carbonarios (Weimar, 1822), poco interesante, y otro más curioso, del mismo autor, cuyo título, traducido del alemán, es éste: *Juan Wit, llamado Doering. Fragmentos de mi vida y de mi tiempo. Estancia en las prisiones de Chambery, Turín y Milán, con la historia de mi evasión de la ciudadela de esta ciudad* (Brunswick, 1827).

Este libro lo encuentro extractado en una revista inglesa.

Doering fue uno de los pocos carbonarios que hicieron traición al carbonarismo, algo como un Leo Taxil, de su tiempo.

El tal Doering era un joven alemán, petulante, que quiso demostrar que tenía mucha importancia en las sociedades secretas, y que concluyó haciéndose absolutista.

Afiliado al carbonarismo, recorrió varios países, y conoció en Suiza a un médico italiano, Joaquín de Prati, que le dijo que había que renunciar a maniobras políticas inútiles y que había que emplear el *ferro freddo* (el hierro frío); es decir, el atentado con el puñal. Este personaje se presenta en el libro del joven alemán como un ogro, dispuesto a asesinar a todos los monarcas de Europa.

Doering llegó, según él, al apostolado en el carbonarismo y a ser dueño del terrible secreto de la sociedad, que consistía en arruinar las religiones y acabar con los tronos.

En la literatura popular, el carbonarismo se ha explotado mucho. Carlos Nodier habló de los carbonarios con grandes detalles; pero se sabe que este autor mezclaba en sus obras históricas la realidad con la fantasía. Alejandro Dumas, en *Los mohicanos de París* y en *Salvador;* Paul Féval, en *Los compañeros del silencio,* y otros muchos folletinistas, manejaron los misterios carbonarios a su antojo.

En español hay una novela de Rierra y Comas, del mismo tipo, sobre las sectas secretas, en donde figuran masones, carbonarios, jesuitas, damas angelicales, hombres diabólicos, capitanes negros y un Castillo de los Cuervos.

Como antecedentes históricos, se tiene una idea remota de una asociación antigua de carboneros y leñadores, que comenzó en Alemania y en el Franco Condado en el siglo IV, en la época de la evangelización del centro de Europa. Eran estos llamados carboneros como enviados cristianos que iban a predicar a los bosques. San Teobaldo, nacido en Brie, ordenado en Italia, y que llevó una vida cenobítica en Suabia, fue uno de sus patrones (año 700). Estos misioneros se llamaban los buenos primos.

El carbonarismo fue, en su origen, una sociedad mística y filantrópica, hasta que a principios de nuestro tiempo tomó un carácter político y revolucionario.

Yo tengo un diploma carbonario italiano del siglo XVIII, en el cual Arnoldo Damoride, barón de Villa-Buosa, inicia a Carlos Clemente, conde Teodoro, nacido en Nápoles en 1685, de aprendiz y maestro B. C. C. *(Buon Cugino),* suplicando a todos los *BB... CC... delle U.* (Los Buenos Primos del Universo) reconocerlo como tal. Este documento está firmado en el primer día del segundo mes del año 5707, o sea 1706 de la era corriente.

El diploma tiene alrededor varios atributos cristianos: la cruz y la corona de espinas, y, además, un haz de leña, un canasto, un horno de carbón humeante y una choza. Tiene también dos sellos azules, con tres cabezas y una escalera.

En uno dice: «Apostolato di Mola di Bari», y en el otro: «V. D. Resurezziones Filantropica, 5707.»

Hablando del carbonarismo moderno, Finder dice, en la *Historia de la masonería:* «Bajo el gobierno de Murat se había formado en Nápoles, si no con su concurso, al menos con su aprobación, una sociedad secreta, que se hizo peligrosa y perjudicial para la masonería, porque se confundió con ella, o, por error, se la colocó en la misma línea: la Asociación de los Carbonari. Esta, sin embargo, no tenía nada de común con la masonería ni en su objeto ni en sus formas. Los carbonarios napolitanos perseguían un fin puramente político: el de unir los Estados de Italia y librarlos del yugo extranjero (limpiar el bosque de lobos, en su lenguaje simbólico).»

En el tomo XIV de los *Rituales masónicos,* de Ragón, se frantasea acerca del origen del término Buenos Primos y de la sociedad de los carbonarios, pero sin decir nada nuevo.

Clavel, en su *Historia pintoresca de la masonería,* es el que parece que da datos más completos acerca del carbonarismo, sobre todo en España.

Según este autor, la primera asociación de los carbonarios políticos fue fundada en Nápoles por M. Briot, a base del carbonarismo antiguo.

Murat no sólo no vio con simpatía la fundación de la sociedad, sino que encargó al general Menes que, por todos los medios, desbaratase esta agrupación peligrosa.

Pocos años después—dice Clavel—los carbonarios, vencidos en Nápoles y en el resto de Italia, se refugiaron en España y fundaron numerosas Ventas, principalmente en Cataluña, bajo la dirección del ex mayor napolitano Horacio d'Attelis y de otro militar llamado Pacchiarotti. El carbonarismo fue introducido en Madrid por un refugiado piamontés llamado Pecchio (*Sei mesi in Ispagna nel 1821, lettere de Giuseppe Pecchio*. Madrid, 1821, por don Michali di Burgos).

Al comienzo, la sociedad carbonaria española reunió contra ella a masones y a comuneros; pero en 1823, como las elecciones estaban vivamente disputadas en muchas provincias entre las dos sociedades rivales, los masones solicitaron y obtuvieron el apoyo de los carbonarios, que les dieron la victoria. Después, habiéndoles acercado la necesidad a comuneros y a masones, los primeros exigieron de los segundos, para aceptar la paz, la destrucción del carbonarismo, al que ellos achacaban su derrota electoral, y esta condición fue acordada. Se empleó para arruinar al carbonarismo el socorro de una cuarta sociedad formada por proscriptos italianos, bajo el nombre de Sociedad Europea, que tenía como fin llevar la revolución a los distintos Estados de Europa.

Algunos miembros de esta sociedad comenzaron por corromper con dinero a los jefes más influyentes del carbonarismo, llevaron la discordia a los otros y consiguieron que la asociación fuera disuelta.

El carbonarismo político se desentendía de la cuestión religiosa; sus signos de reconocimiento eran distintos a los de la masonería. El carbonarismo era más familiar y más fraternal que la masonería. Sus grupos eran de tres clases: la Venta particular, la Venta central y la Alta Venta, que correspondían a tres grados: el de aprendiz, el de maestro y el de sumo maestro. En el Ejército, como en la Sociedad Isabelina formada por Aviraneta y sus amigos, en vez de Ventas de tres clases, había decurias, centurias y cohortes.

En España, como en los demás países de Europa, los carbonarios eran románticos, liberales y exaltados. Permitían a los masones ingresar en sus filas, y los más famosos de éstos pertenecían a sus Ventas.

Se sabe la acción del carbonarismo en Francia: tomaron parte en la conspiración del general Bertón en Belfort, en el complot de Colmar con el coronel Carón y en el asunto de los sargentos de La Rochela. Su presidente fue La Fayette. Después, el carbonarismo desapareció, y se formaron en París otras sociedades secretas con espíritu republicano.

En Italia, el carbonarismo debió de evolucionar con Mazzini, que hacia 1830 ó 31 fundó en Marsella *La Giovine Italia,* dando al carbonarismo un aire más práctico y más republicano que lo que había tenido hasta entonces. De Napoleón III se dijo que había sido iniciado en el carbonarismo en Florencia por un Orsini revolucionario, cuyo hijo luego atentó contra la vida del emperador.

En Italia, hace treinta años, se hablaba todavía del carbonarismo como si existiera aún.

En España, de 1820 al 23 hubo carbonarios, principalmente entre los militares y entre algunos comerciantes italianos. Yo copié hace años en el Archivo Histórico Nacional los nom-

bres de algunos sospechosos de carbonarismo en 1822, entre los que había muchos apellidos extranjeros, como Mac Crohon, Moore, Jipini, Nepsenti, etc. También acusaron a Mina
de ser carbonario. En la constitución de la Sociedad La Isabelina, en
1834, había un elemento carbonario.
Dos o tres años después se fundó en
Madrid la Joven España, de la que
era cabeza don Luis González Bravo,
luego moderado, casi absolutista. Esta Joven España era francamente carbonaria. En la época en que Villergas pinta con mucha saña a González
Bravo (en *Los políticos en camisa)*
paseándose por el Prado con un frac
azul de botones dorados, González era
carbonario. Tenían los de la Joven
España sus reuniones en un entresuelo del café de San Sebastián, de la
calle de Atocha y de la plaza del Angel.

No se sabe el rastro que dejaría este carbonarismo; pero debió de seguir
funcionando, cuando se ha asegurado
que don Nicolás María Rivero fue
carbonario, y después, Pi y Margall
reconoció también haberlo sido.

En la muerte de Prim parece que
influyó la masonería y una sociedad
de aire carbonario titulada El Tiro
Nacional, que presidía Paul y Angulo. Don Nicolás Estévanez, que había
pertenecido a esta sociedad y que contaba muchas anécdotas de Paul y Angulo, no sabía nada de la muerte de
Prim. En cambio, el que tenía muchos datos acerca de los preparativos
del crimen, de quiénes habían participado en él, de lo que habían cobrado y de lo que habían hecho con
el dinero era Pérez Galdós. Yo se lo

oí contar en la antigua librería de Fe.
Yo suponía que Galdós hablaría de
esto cuando dedicara un episodio a
Prim; pero, sin duda, no quiso hacerlo. Entre los procesados por la
muerte del general había amigos de
Paul y Angulo que pertenecían a la
fracción exaltada del partido republicano, de tradición carbonaria; había
amigos de Serrano (el duque de la Torre), entre ellos un tal Pastor, jefe de
la Policía secreta cuando el general
Serrano fue regente del reino, y había un antiguo secretario particular
del duque de Montpensier, don Felipe
Solís y Campuzano. El duque, que fue
el que mató en desafío a don Enrique
de Borbón, rival suyo en política y
en masonería, tuvo durante mucho
tiempo en España una fama mefistofélica.

Pasada esta época, el rastro del carbonarismo desapareció de los atentados revolucionarios, que tomaron un
aire social.

Juan Oliva Moncasi, el que disparó
un tiro contra Alfonso XII en la calle Mayor, en octubre del 78, cerca
de la plaza de la Villa, no muy lejos
de donde Morral lanzó su bomba contra Alfonso XIII y la reina Victoria,
dijo que pertenecía a la Internacional.

El otro regicida, Otero (noviembre
de 1879), que disparó dos tiros de
pistola contra Alfonso XII cerca de la
puerta del Príncipe, del Campo del
Moro, también se dijo internacionalista. Desde esta época, todos los atentados revolucionarios en España tomaron carácter anarquista.

23 julio 1933

EL «DIARIO» DE UN PROTESTANTE ESPAÑOL
DEL SIGLO XIX

Luis Usoz y Río fue un bibliófilo y un protestante español que vivió en la primera mitad del siglo XIX. Las enciclopedias y diccionarios enciclopédicos nuestros no lo citan. Se han ocupado de él con alguna extensión Menéndez y Pelayo, que tomó los datos de la vida de Usoz del primer tomo de la Biblioteca Wifferiana de Bohemer, y Cánovas del Castillo, en su libro *El Solitario y su tiempo*.

Yo compré un *Diario* inédito de Usoz hace unos veinte años a un librero de viejo, Mariano Ortiz, *Marianito*, cuando este librero tenía una tienda en una casa de la calle de Tudescos, que iban a derribar para la Gran Vía. *Marianito* me vendió el *Diario* de Usoz y unas cartas de Somoza en dos o tres pesetas. *Marianito* pensaba que había que vender los libros a los suscriptores más baratos que a los demás. Era un romántico de la librería de viejo.

Como la mayoría no conoce la vida de Usoz, haré un resumen de ella.

Usoz y Río, algunos le llamaban Usoz del Río, con la tendencia de hacer eufónicos los apellidos, nació en Las Charcas, hoy Sucre, en el Potosí. Su padre, de origen navarro, era oidor magistrado en la Real Academia de esa ciudad.

Menéndez y Pelayo lo creía a Luis de Madrid. No lo era. En *Le livre noir de messieurs Delavau et Franchet ou répertoire alphabetique de la Police politique*, publicado en París en 1829, en el artículo «Arnao», hay una nota del prefecto de Policía del 17 de julio de 1824, que dice así:

«Don Luis Usoz y Río, edad de diecisiete años, nacido en el gobierno de Las Charcas (Perú meridional) y domiciliado en Madrid, ha recibido últimamente en Bayona un pase provisional para París. Este joven está recomendado a M. González Arnao, su compatriota, que vive en la rue *Faubourg* Montmartre, número 25. El prefecto invita al jefe de Policía Hinaux a que le dé datos sobre la situación y relaciones del joven Usoz en la ciudad. El señor Hinaux no pudo averiguar nada.»

Por este dato de la Policía francesa se ve que Usoz nació a final de 1807 o a principios de 1808. El dato coincide con la identificación que le hacen a don Luis al llegar a Lisboa a final de 1840, en donde le señalan treinta y tres años de edad.

No se sabe cuándo la familia de Usoz se trasladó de América a España; pero debió de efectuarse el traslado ya siendo Luis adolescente, porque en su *Diario* recuerda con su letra algunas canciones oídas en el Perú, lo cual hace pensar que no salió de allí en la primera infancia, pues no hubiera recordado estas canciones de oírlas en la extrema niñez.

En la juventud estudia Humanidades, y después, con el filólogo Orchell y Ferrer, el hebreo y otros idiomas.

Marcha más tarde, no sabemos en qué fecha, a Italia, e ingresa en el Colegio de San Clemente, de Bolonia. Pasa algunos años allí. Conoce a poliglotas célebres, como el cardenal Mezzofanti, y visita las ciudades italianas. En su *Diario* dice que, en 1833, vio pintar en Roma una copia del cuadro de *La Transfiguración* a un pintor: Fonseca. También habla con entusiasmo del cementerio de los protestantes de la misma ciudad.

De vuelta a España, en 1835, Usoz casó con doña María Sandalia del Acebal y Arratia, señorita de familia rica.

Por lo que leo en una biografía del músico Masarnáu, estas familias de Acebal, Arratia, Blanco y otras debían de ser liberales. La de Acebal tenía una tertulia a la que acudían Eugenio de Ochoa, Pedro Madrazo, Pascual Gayangos y don José Somoza y Carvajal, el hereje de Piedrahita, cuando iba a Madrid.

Somoza escribía con frecuencia a doña Paula del Acebal, hermana de la mujer de Usoz, y dirigía las cartas a un hermano de ellas, don Francisco, con las señas de la calle de Embajadores, frente a San Cayetano. Somoza llamaba en su correspondencia a doña Paula mi querida comadre. Sería curioso saber si Somoza y Usoz, el teósofo de Piedrahita y el cuáquero de Madrid, se entendían bien o reñían.

El protestantismo de Usoz tuvo su origen en sus lecturas de la Biblia en hebreo. Debía de dominarlo, porque, según Menéndez y Pelayo, regentó muy joven una clase de esta lengua en la Universidad de Valladolid.

Después cayó en sus manos *La apología cristiana,* del cuáquero Roberto Barclay, traducida al castellano por el cura heterodoxo de Sevilla Félix Antonio de Alvarado, que abjuró del catolicismo y fue a vivir a Inglaterra. Probablemente leería los libros del gran Guillermo Penn.

Por la época de su matrimonio, Usoz se hizo amigo de Jorge Borrow, el célebre autor de *La Biblia en España,* y poco después se trasladó a Inglaterra con cartas de presentación para los miembros de la Sociedad de los Amigos, centro del cuaquerismo.

En Inglaterra conoció y se hizo amigo de Benjamín Barrou Wiffen, otro entusiasta protestante y conocedor de la literatura hispánica, y entre los dos decidieron comenzar a publicar una colección de libros de antiguos reformistas españoles.

Usoz y Río era rico, y su mujer, también. Usoz era un entusiasta de la literatura protestante española. Sin duda, tenía la candidez de pensar que esto podía interesar a sus contemporáneos.

No interesaron las obras que editó. En los países latinos, el que abandona el catolicismo va al ateísmo.

El primer libro que editó Usoz fue un *Cancionero* de obras de burlas provocantes a risa, impreso por primera vez en Valencia en 1519 y adquirido por el Museo Británico. Usoz lo copió y lo publicó con notas y advertencias. Quería dar a entender en ellas que la inmoralidad y la licencia de la época de aquellos cantares provenía de los frailes y clérigos.

Publicó después, desde 1843, en que salió el *Cancionero,* hasta 1865, en que murió, unos veinte volúmenes, entre ellos *El carrascón,* la *Imagen del Antecristo,* la *Epístola consolatoria,* el *Alfabeto cristiano,* la *Muerte de Juan Díaz,* escrita por Senarcieus; el *Tratamento nuevo,* de Juan Pérez; el *Tratado del Papa y de la misa,* de Cipriano de Valera. Usoz puso prólogo y notas a estos libros, hoy difíciles de leer. Usoz los publicó en España, en la imprenta de don Martín Alegría *(ex oeeditus Loetitoe);* otros en casa de Spottiswode, en Londres.

De todos estos libros, el más curioso es *El carrascón,* impreso por primera vez en 1623. Esta obra, escrita por un fraile español que, después de haber abjurado, se retiró a Inglaterra, tiene en la portada estas líneas:

No es comida para puercos,
ni fruto, en perlas son;
y aunque parezco Carrasco,
soy más, pues soy Carrascón,
de las Cortes y Medrano en Cintruénigo.

Entre todos los antiguos protestantes españoles que fueron cultos y distinguidos, Usoz tuvo predilección por Juan de Valdés, el conquense, por quien sintió un verdadero entusiasmo.

¿Qué clase de tipo era este Usoz? Su aspecto físico lo da la identificación que copia en su *Diario* y que le hicieron al llegar a Lisboa en 1840. Edad, treinta y tres años; altura, 63 pulgadas; rostro comprimido (supongo que será estrecho), cejas negras, ojos pardos, nariz y boca regular y cuerpo natural. Al llegar a Cádiz, dice que le dieron un documento de permanencia, en donde le pusieron: cara redonda, cuando era larga.

Por las señas, Usoz parece hombre más bien bajo que alto, moreno, serio, un solitario hipocondríaco. Yo creo que debía de ser algo parecido al abate de Saint-Cyran.

Usoz era un protestante no sólo en religión, sino de todo lo que creía malo en España y en el mundo. Hoy hubiera sido un anarquista, aunque quizá su patriotismo y su misticismo se lo impidiera.

Respecto a su carácter, Cánovas habla de él, al referirse a la amistad que tuvo con Estébanez Calderón, en su libro *El Solitario y su tiempo.*

Cánovas, muy mal psicólogo, como casi todos los políticos, compara a Usoz con el erudito don Bartolomé José Gallardo, y encuentra en los dos caracteres parecidos de misantropía, de desdén y suspicacia, que quiere contrastar con el carácter alegre y abierto de Estébanez *(el Solitario).*

La observación es falsa. Usoz era un atrabiliario, un sombrío, un melancólico; Gallardo, un vanidoso, un quisquilloso, y Estébanez, el andaluz cuco que busca amigos para aprovecharse de ellos.

Estébanez quiere publicar una *Colección de novelas originales españolas,* comenzando por una suya, y busca a Usoz como caballo blanco.

En una carta de Estébanez Calderón a Pascual Gayangos, amigote suyo, andaluz como él y pirata de libros como él, le dice: «Si ese amigo Usoz no se te hubiera manifestado tan desdeñoso, pudiera servirnos de *entrefiot.»* Amistad, sí, pero aprovechamiento también, es la divisa del *Solitario.*

En otra carta a Gayangos, Estébanez dice que encontró a Usoz en San Sebastián, que estuvieron viviendo quince días en el mismo techo y que no se vieron por la huraña del cuáquero. Al encontrarle, *el Solitario* le reprochó su frialdad para Gayangos, y Usoz le contestó que un hombre como éste, que vendía en Francia monedas árabes sacadas de España, obraba mal.

El patriotismo de Usoz era verdad; el de los otros, palabrería. Usoz estaba en San Sebastián, donde había impreso (en la imprenta de Baroja) una carta de Garcilaso sobre las intrigas de Roma.

«El objeto es tirar el catolicismo —escribía Estébanez a Gayangos—. Se ha convertido el tal Luis en un herejote de primera clase.» Luego añadía que había descubierto que Usoz era un miserable porque no había querido regalarle un ejemplar del *Cancionero* de obras provocantes a risa.

Se ve que Usoz despreciaba a Estébanez y a Gayangos, a quienes consideraba probablemente fríos, egoístas, piratas de libros.

De la decantada bondad de Estébanez Calderón (el Solitario), de que habla Cánovas con su falta absoluta de sentido psicológico, es muestra el soneto que le dedicó a Gallardo por una nimiedad, y que empieza así:

Caco, cuco, Joaquín, biblio-pirata.

Soneto que está muy bien como ataque, lleno de furia y de mala intención, y que lo mismo podía estar dirigido a Gallardo que a Estébanez o a Gayangos. «¡De estos meridionales de carácter abierto, alegre y sin doblez, líbranos, Señor!», se podía decir en la letanía.

En donde se muestra mejor el tipo psicológico de Usoz, su naturaleza de puritano, austera y de patriota intransigente, es en el *Diario* inédito que yo tengo. Se ve allí un hombre hipocondríaco, fanático, cándido; se nota su afán europeizador de limpieza e higiene. ¡Y de esto se habla como de un descubrimiento de Costa y de la supuesta generación del 98! Es cómico.

El *Diario* lo forman las impresiones de un viaje por Inglaterra, Escocia, Portugal y España en 1840 y 41.

Las ciudades inglesas y escocesas le producen entusiasmo a Usoz por su actividad, por su trabajo y por su limpieza. El Loch Lamond, el lago de Escocia, le parece el más hermoso del mundo. York le recuerda en algunos detalles a Valladolid y a Burgos.

Su anglofilia no le quita su patriotismo español exacerbado. Visitando el museo de Glasgow, al ver un *Niño Jesús*, de Murillo, dice: «Da pena a un español ver este bello cuadro de Murillo en las márgenes del Clyde, porque es difícil que se restituya a España.»

Compara a Inglaterra con la Roma antigua, y exclama: «Los amigos de la libertad individual, además, y de todos los más preciosos derechos del hombre, no pueden menos de desear el bien y la vida de Inglaterra, porque mientras ella subsista como nación, la libertad tiene un templo en la tierra y los perseguidos liberales un lugar de refugio y acogida. Larga vida, pues, a Inglaterra.»

En octubre de 1840, Usoz se embarca en Southampton para España en el vapor *The Tagus*. Al llegar a Vigo habla de la mala impresión que le produjo la ciudad y el embarco de unos gallegos que iban a Lisboa. Llegan estos infelices rotos, andrajosos, puercos; los marinos ingleses los trataban con tanto desprecio como si fueran bestias, y, a pesar de que pagaban su billete, parecía que los llevaban de balde.

Esto indigna a Usoz. El puritano quisiera que estas gentes fueran limpias y que tuvieran casas bien arregladas, con jardines y flores. Nuestro hombre añade:

«Bien hermosa y bella sería España si en ella hubiese limpieza, tan suma limpieza como suma porquería hay ahora.»

En Lisboa experimenta la misma cólera. Le indigna ver a la reina María y al rey Fernando «que se pasean en carrozas lujosas con lacayos engalanados por las calles de un pueblo llenas de inmundicias. El rey Fernando es un alemán joven, vestido como un director de un café o como un sastre francés».

Portugal está en manos de los frailes. Ellos son los que dirigen la educación del pueblo.

«Y, al cabo —asegura con irritación—, quien dice frailes, dice marranos y holgazanes, y mal puede limpiar y educar un cerdo a otros cerdos.»

Las experiencias de Usoz son fatales. De Lisboa, el cuáquero se traslada a Cádiz, y encuentra el mismo desorden y porquería. No se diferencian gran cosa los dos países, según él. La policía en España es aún peor que en Portugal; la pobretería española es igualmente haraposa, pero menos humilde que la del reino vecino.

En Cádiz y en Sevilla, Usoz visita asilos, iglesias, hospitales, cementerios. Todos, según él, están en un estado lamentable de incultura, de atraso y de suciedad.

El *Diario* termina con una anécdota que indica la anglofilia de nuestro cuáquero y su galofobia:

«El día 20 de abril de 1842 estuvieron en la fonda de la Reina, de Sevilla (en la calle de los Jimios, según la *Guía Murray*), y partieron de ella dos ingleses que pertenecen a la Sociedad de Amigos y venían a abogar en favor de la noble causa de la emancipación de esclavos en nuestras colonias. Venían y se fueron de aquí esos dignísimos cuáqueros como van y vienen ahora regularmente todas las personas decentes y de bien en España, esto es, sin armas y confiados sólo en la protección de la ley del país. Venían, además, muy limpios y afeitados. Hoy, 28 de abril de 1842, acaban de salir con un coche de viaje de esta misma fonda de la Reina dos franceses con bigotes, melenas, costurones en el pescuezo y dos criados. Pusieron dentro del coche un gran pañolón de ropa puerca atado con sus cuatro cabos, como el que ocultaba la amiga vieja de Monipodio; pusieron, además, una escopeta de dos cañones y cuatro pistolas. En los bolsillos de los criados asomaban otras dos pistolas. Luego irán diciendo a Francia estos caballeros viajantes que deben su vida en España a su valor y a sus armas. Los cuáqueros no dirán nada de eso. ¿Quiénes son más valientes y más civilizados? ¿Estos o aquéllos?»

Usoz, que fue en sus comienzos un individualista y un solitario, debió de comenzar más tarde a hacer propaganda evangélica. En Granada se reunieron doce amigos suyos dispuestos a comenzar una campaña cristiana.

Usoz murió el 17 de septiembre de 1865 como un buen puritano, en paz y con gran tranquilidad y sin visado en el pasaporte de ningún clérigo. Su viuda, cumpliendo sus últimas disposiciones, donó a la Biblioteca Nacional de Madrid una copiosa colección de libros, que ahora se encuentran en la Sección de Raros y Curiosos.

11 junio 1933.

EL MISTERIO DE LA MUERTE DEL GENERAL URBIZTONDO

Varias veces oí contar a mi padre que cuando él era joven, hacia 1860, solían pasear por la plaza de la Constitución, de San Sebastián, Aviraneta, el conspirador; don Nazario Eguía, el general carlista manco, y un médico, Guerendiaín o Gerendiaga, entonces de alguna fama.

Los tres andaban por los arcos, juntos, los tres de gran sombrero de copa. El general Eguía, en vez de llevar la chistera negra, la llevaba gris, un sombrero londinense, de *sportman*. Don Nazario, tipo muy distinguido, con la cara noble, el pelo blanco, el aire de lord, vestía con gran elegancia. Vivía en Tolosa y estaba con frecuencia en San Sebastián. Los tres paseantes solían ir a descansar a la imprenta de mi abuelo, Pío Baroja, y hablaban de cosas pasadas. Con ellos se reunía el historiador don Modesto Lafuente y don Antonio Flores, el autor de *Ayer, hoy y mañana*.

Mi padre oyó al general Eguía decir varias veces que había mandado fusilar a muchos alcaldes de pueblo por masones. Don Nazario tenía la preocupación de la masonería. Pensaba que el pliego explosivo que le mandaron en 1829, cuando era capitán general de Galicia, desde Astorga, y que le destrozó las manos, se lo habían mandado los masones. Se achacó el atentado a los liberales, al que fue luego general Linage y a un farmacéutico de Galicia, de quien se dijo había fabricado el pliego.

En el librito de Morayta *La masonería española*, publicado en 1915, se asegura esto claramente: «El brutal don Nazario Eguía, capitán general de Galicia, mandaba allí con su acostumbrada ferocidad, y no se sabe quiénes de sus víctimas hicieron le llegara una carta preparada de forma, según se dijo, por el boticario y masón padre del ministro republicano Chao, que el abrirla estalló, causándole quemaduras tales, que hubo de perder la mano derecha y varios dedos de la izquierda.»

Sin duda, Eguía sabía esto. Don Nazario parece que tenía cierta rivalidad o cierto resquemor con su primo el general don Antonio de Urbiztondo. Eran primos carnales y primos políticos, porque Urbiztondo se casó con una prima de ambos, hija del general don Francisco Eguía, alias *Coletilla*.

Urbiztondo y don Nazario Eguía habían estudiado los dos para cura. Don Nazario había llegado a ordenarse. Eguía era vasquista; Urbiztondo,

españolista; don Nazario era devoto, y don Antonio, indiferente en religión. Por lo que contaba mi padre, Eguía solía criticar la actuación política de su pariente, y decía:

—A mi primo Urbiztondo lo mataron los masones.

★

He recordado esto haciendo un esfuerzo de memoria al leer tardíamente unas críticas de mis últimos libros en el *Times*, en unos periódicos norteamericanos y en otros españoles.

Supone algún crítico que yo he inventado algo denigrante sobre la familia real de España al hablar en *Los visionarios* de la manera de ser de sus miembros y de la muerte en Palacio del general Urbiztondo, en 1856, siendo éste ministro de la Guerra del Gobierno del general Narváez. No hay tal. Yo no he hecho más que recoger datos y rumores.

La Historia, pequeña o grande, unos pretenden hacerla con discursos y decretos; otros, con anécdotas y rumores. Muchas veces en éstos se encuentra la verdad. La historia hecha a base de discursos y de decretos es tan aburrida, de tan poco valor psicológico, que no vale la pena de ocuparse de ella. Para un novelista no tiene interés.

Por sus decretos no se diferencian gran cosa Calomarde de Mendizábal, ni González Bravo de Pi y Margall. Marat es un monstruo, pero si se leen su vida y sus obras, casi no resulta monstruo. Lo mismo pasa a Torquemada, a Borgia y a Nerón. En una biografía sin anécdotas, Talleyrand es un político corriente, sin maquiavelismo alguno, y a Bismarck le sucede lo propio.

El que quiera hacer un esbozo de

historia un poco vivo, no tiene más remedio que recurrir a la anécdota y al rumor.

★

El caso de Urbiztondo es éste. Un día de diciembre de 1856, don Antonio de Urbiztondo, ministro de la Guerra, fue llevado del Palacio Real a su casa en un coche, muerto. Se hizo el secreto más absoluto alrededor de lo ocurrido. Unos dijeron que el ministro había muerto de un ataque apoplético; otros, de una pulmonía fulminante. Los periódicos de la época no hablaron nada del asunto. El 16 de diciembre del mismo año sustituyó a Urbiztondo en el Ministerio don Francisco de Paula Figueras.

Tal oscuridad tuvo el suceso, que en las dos enciclopedias españolas importantes que insertan la biografía del general no se señala la fecha de su muerte, dándola como ignorada.

De un suceso así, de un ministro de la Guerra muerto violentamente en la cámara de un palacio real, ocurrido, por ejemplo, en Francia, se hubieran escrito artículos y hasta libros. La historia de España del siglo XIX, a pesar de ser muy interesante, no ha tenido prestigio. En la cámara donde murió Urbiztondo estaban, según el rumor popular, además de él, Narváez, el rey consorte, don Francisco de Asís, y el marqués de Alcañices.

Narváez se sabe cómo era: un energúmeno y, al mismo tiempo, un hombre frío. Hablaba con palabrotas y juramentos y obraba como un maquiavélico. Era de intuición rápida y de cierta genialidad. Probablemente no tenía el menor entusiasmo monárquico ni religioso. Para él, la política consistía en mandar y dominar. Narváez era crapuloso, indelicado; tenía

su guardia negra, su «ronda de capa», que le vigilaba, dirigida por algunos aventureros extranjeros. Parecía un virrey de América o uno de los viejos corregidores de Castilla y de Andalucía, déspota y soberbio. Le gustaba ser impopular.

El rey consorte, don Francisco de Asís, era un hombre agriado y descontento, casado con una mujer de abrigo como Isabel II. Periódicos extranjeros tan importantes como el *Times* le motejaban de estéril y de impotente. El que en el mundo entero se considerase que si Isabel II tenía hijos no podían ser de su marido, no le debía de hacer mucha gracia. En el acto de presentar a Alfonso XII, niño de pocos días, a los diputados del Congreso, se dice que alguien gritó: «¡Que salga el autor!»

Don Francisco, aunque no era orador, hizo una frase en su vida que tuvo un éxito loco. Una vez, al llegar a París, notó que su mayordomo Lambert no se encontraba en la estación, y preguntó con su vocecilla atiplada: «¿Dónde está Lambert? *Où est Lambert?*» Al día siguiente, todo París se preguntaba en las calles, riendo: «*Où est Lambert?*»

Del marqués de Alcañices no tengo dato alguno; no sé más sino que tenía varios títulos y que entonces era joven. Era el ascendiente del duque de Sesto, el amigo de Alfonso XII, a quien se veía, no hace todavía muchos años, con sus patillas pintadas, sentado en una silla del paseo de Recoletos.

Don Antonio Urbiztondo y Eguía había nacido en San Sebastián en 1803.

La familia paterna de don Antonio se había distinguido como afrancesada y revolucionaria. Debían de ser comerciantes. Antes del incendio de San Sebastián aparece una casa Urbiztondo y Azpiazu. Uno de los Urbiztondos,

don José Xavier, fue nombrado individuo de la Comisión municipal por
los revolucionarios Pinet y Cavainag
cuando entraron los revolucionarios
franceses en San Sebastián el 29 Termidor del año 2 de la República (agosto de 1794). Los franceses habían levantado la guillotina en la plaza Vieja
(hoy Alameda, en el bulevar) y el árbol de la Libertad en la plaza Nueva
(de la Constitución).

En los juicios que se verificaron por
la entrega de la ciudad al ser rescata-
da a España, algunos rubricados por
mi tatarabuelo materno, don Sebastián Ignacio de Alzate, se condena a
don José Xavier de Urbiztondo, reo
contumaz y convicto de infidencia, a
la pena de muerte, siempre que pueda
ser habido, y a su hermano don Sebastián, a cuatro años de arresto en
un castillo.

El Consejo Supremo de la Guerra,
presidido por el príncipe de Castel-
franco, y entre cuyos firmantes aparece un don Josef Antonio de Baroja, es-
pecifica los cargos contra don José
Xavier y le llama joven disoluto, criminal y atolondradamente adicto al
sistema licencioso de aquella época.
Dice que, precipitado por sus principios execrables, luego que vio el día 2
de agosto al enemigo sobre la plaza,
voló a él para sellar su iniquidad con
el último de los delitos, haciéndose
traidor a su rey y señor y a su Patria; que, verificada la rendición de
la plaza, volvió a ella al frente de las
tropas, con el general francés y los
representantes. Que nombrado miembro de la Municipalidad, no sólo cometió las más atroces arbitrariedades
y violencias, sino que ostentando su
irreligión abusó de los Santos Oleos
con la herética profanación de lus-
trarse con ellos los zapatos, habiendo
sido el primero que después de colocado el árbol de la Libertad entonó

los himnos gentílicos que el ateísmo
ha consagrado a esta figurada deidad;
que dirigiendo siempre sus execracio-
nes contra la sagrada persona de Su
Majestad, hizo quemar en la plaza pública su real retrato y el de la reina,
que conservaban en la sala del Ayuntamiento.

Don José Xavier, escapado a Francia, fue condenado a ser en estatua
ahorcado y quemado; a su hermano
don Sebastián le aumentaron la pena
a diez años de presidio y quinientos
ducados de indemnización. Don Sebastián, el revolucionario, se llamaba
Sebastián Canuto, y fue el padre de
don Antonio de Urbiztondo, el general
carlista.

En éste siempre quedó una levadura liberal y antirreligiosa. Cuando
mandó en Cataluña las guerras carlistas de general en jefe en 1837, la Junta de Berga le reprochó que ni por
distracción en ninguno de sus escritos y alocuciones hablaba de Dios.

Después tuvo una trifulca con el
obispo de Mondoñedo, delegado cas-
trense de don Carlos, porque Urbiztondo había alojado sus fuerzas en un
convento y se había apoderado de ca-
ñerías y de cacharros de plomo para
fundir balas. A las protestas del pre-
lado contestó diciendo que para hacer
la guerra se apoderaría del plomo de
las iglesias, con permiso o sin permiso, y que se llevaría hasta las zapatillas del Papa si fueran de plomo.

Se armó el gran escándalo, y Urbiztondo adquirió fama de irreligioso
y de masón. Después tomó parte en
el Convenio de Vergara, y lo defendió
con unos *Apuntes sobre la guerra de
Navarra* (1841).

En 1848, don Antonio era capitán
general de las Vascongadas, cuando
se inició en el país una nueva sublevación carlista. Urbiztondo la sofocó en
Guipúzcoa, prendiendo y fusilando al

abogado de Oñate Alzaa e impidiendo que Elío pudiese reunir partidas en Sangüesa. Después, en 1850, fue nombrado capitán general de Filipinas, y fue recibido allí por los frailes de una manera hostil.

Urbiztondo fue uno de los mejores gobernadores de Filipinas, hábil, rígido, inteligente y honrado.

★

Reunidos aquellos cuatro hombres tan diferentes en la cámara de la reina, el rey Francisco, Narváez, Urbiztondo y Alcañices, un día de diciembre del año 1856, ¿qué pasó allí?

La versión oficial fue que Urbiztondo murió de una congestión. Otros aseguraban que de una pulmonía fulminante. Las versiones extraoficiales fueron varias. La que yo transcribo en mi novela *Los visionarios* es que don Francisco de Asís, en compañía de Urbiztondo, entró en la cámara de Isabell II a reprochar a su mujer su conducta, y que les salieron al paso Narváez y Alcañices. Don Francisco de Asís increpó a Narváez y le acusó de maniobras de tercería. Urbiztondo y Alcañices riñeron y se insultaron con tal violencia, que, frenéticos los dos, sacaron la espada y se atravesaron.

Esta versión se encuentra en varios folletos y en la *Historia de España del siglo XIX*, atribuida a Pi y Margall, aunque escrita por su hijo.

Parece difícil que en la cámara de la reina no hubiera guardias o alabarderos para impedir esta lucha.

Otra versión de lo ocurrido en Palacio es que la causa de la muerte fueron los celos. Urbiztondo tenía fama de hombre frío, de costumbres severas. Una dama de la reina quiso sacarle de su pasividad ordinaria, y comenzó a coquetear con él. Alcañices, enamorado de la dama, desesperado y muerto de celos, vio hablando al ministro y a la dama, y, sacando la espada, atravesó al general.

En una novela por entregas, *El último Borbón. Historia dramática de Isabel II, desde sus primeros años hasta la caída del trono,* de don Antonio Guzmán de León, publicada en Barcelona en 1868, en un capítulo titulado «Un asesinato en Palacio», se da otra explicación de la muerte de Urbiztondo.

El autor dice que la preparación de este atentado se debió al mismo Narváez. Este se encontró con que sus ministros Urbiztondo, Nocedal y Seijas, el primero de la Guerra y los otros dos de Gobernación y de Gracia y Justicia, eran más reaccionarios que su jefe, y que el grupo absolutista pensaba darle zancadilla a él y designar como presidente del Consejo a Urbiztondo, considerándole más sereno y equilibrado. Narváez, entonces, preparó una emboscada y mandó matar a su rival.

Por último, hay la versión del viejo don Nazario Eguía, que decía a mi padre:

«A mi primo Urbiztondo lo mataron los masones.»

Muy hábil tendría que ser el Sherlock Holmes de la Historia que, al cabo de los años, pusiera en claro esta cuestión.

18 junio 1933.

EL ALMA ESTOICA DE DON MARTIN MERINO

Don José Calvo y Martín, profesor de Ampliación de Higiene en el doctorado de Medicina, era, cuando yo le conocí, un viejecillo de más de ochenta años.

Daba su clase en San Carlos en un aula un tanto sombría, con rejas a la calle de Atocha. Bromeaba, y los discípulos le interrumpían groseramente, y muchas veces no le dejaban hablar.

Calvo y Martín era aficionado a contar anécdotas de su tiempo. Mis compañeros de clase no le escuchaban. Yo sí le oía con gusto. Había leído un artículo suyo sobre el médico en *Los españoles pintados por sí mismos,* y me interesaba su tendencia literaria.

Calvo y Martín nos habló de la movilización de la Milicia Nacional, de la que él formaba parte cuando Cabrera se acercó a la puerta de Atocha; del entusiasmo de los liberales cuando María Cristina pasó revista a las tropas entre los gritos de «¡Viva la reina!» «¡Viva la libertad!» Nos habló también de Espronceda, del atentado del cura Merino y de las opiniones de los doctores de su tiempo sobre la normalidad o anormalidad espiritual del regicida.

Los estudiantes, ya todos médicos, eran bastante bárbaros para hacer un chiste estólido y preguntar después al viejo profesor qué le parecía la *Bella Chiquita,* la *Bella Monterde* o si creía en los experimentos seudohipnóticos de Onofroff. Cada tiempo tiene sus preocupaciones, y a la gente de una época no le interesa lo que pasó en las anteriores.

A mí, que tenía cierta curiosidad por lo pasado, aunque no había leído nada de la historia moderna de España, porque no hay libro sobre el siglo XIX que se pueda leer con gusto, me daban las explicaciones de Calvo y Martín la impresión de estampas descoloridas por el tiempo, y los personajes de que hablaba me parecían retratos de daguerrotipo, vagos, borrosos y sin carácter.

Muchos años después me metí de lleno en investigaciones acerca de algunos tipos históricos del siglo XIX, y los personajes vagos y sin carácter se me presentaron con rasgos enérgicos y fuertes.

Ayer, hojeando un tomo de *La Ilustración Francesa* de 1852, veía el retrato de Merino; un retrato un poco teatral, de un viejo de aire antiguo, de cara noble y pelo blanco, con alzacuello, manteo, los brazos cruzados y un puñal afilado en la diestra. En otro número está la escena del atentado en Palacio y el dibujo del cuchillo utilizado por el cura regicida y comprado en el Rastro; un cuchillo-puñal como de presidiario, con la hoja estrecha, calada, muy puntiaguda, el mango de hueso y una lengüeta morilla para apoyar en ella la mano.

He mirado si en algún libro de criminología español o extranjero se habla del regicida que tuvo una personalidad tan fuerte; si se ocupan de él desde un punto de vista científico. No he encontrado nada.

Lombroso no se enteró de la existencia de Merino. Lombroso sabía poco de España. En su libro *El hombre de genio* dice que los países calientes dan más artistas geniales que los templados, y añade que Barcelona no ha producido artistas, y que, en cambio, Sevilla ha dado Velázquez, Murillo... y Cervantes.

No hay estudio antropológico sobre Merino. Tampoco está muy conocida su vida. Todas las noticias que hay sobre él están tomadas de un folleto que se publicó con su causa y de los *Crímenes célebres españoles*, colección dirigida por don Manuel Angelón. El artículo acerca de Merino está escrito por don Eduardo de Inza. Después, todos los que hablan del regicida se repiten. Sin duda, nadie tuvo interés en aclarar su historia y su tipo.

Don Manuel Martín Merino era natural de Arnedo (Logroño), y había tenido una juventud borrascosa. La Rioja es tierra de gente violenta y sutil, íntegramente celtíbera, mixta de berones y de vascones.

El joven Merino cursó sus estudios en el convento de San Francisco, de Santo Domingo de la Calzada. Durante la guerra de la Independencia, Martín se trasladó a Sevilla, y se ordenó en Cádiz en 1813.

Fue religioso profeso de San Francisco en Nelda, en el convento fundado por don Felipe Ramírez de Arellano y doña Luisa Manrique de Lara, su mujer, condes de Aguilar y señores de los Cameros, convento que está en un alto próximo a la villa.

Merino, que daba grandes disgustos a la comunidad por sus ideas filosóficas poco cristianas, terminó escapándose del cenobio. Marchó a Francia, estuvo en Agen, volvió a España en 1821, se secularizó, tomó parte en los sucesos del 7 de julio de 1822 y volvió a emigrar a Francia.

Vivió en pueblos del Alto Garona hasta que le hicieron teniente cura de una aldea próxima a Burdeos. Volvió a Madrid en 1842, y encontró una ca-

pellanía mísera en la iglesia de San Sebastián. Parte de sus ahorros quiso ponerlos en negocios y los perdió. Más que perderlos, le estafaron.

Merino fue a habitar una casa de la calle del Triunfo, número 2, segundo; allí vivía en la mayor estrechez con su criada Dominga Castellanos, a quien dejó heredera.

El cura se consideraba un fracasado, un inadaptado. No era ya español ni francés, sino un celtíbero, un cántabro que se sentía sólo hombre. En su miseria, don Martín se refugió en la lectura. Buen latinista, leía a Tácito, a César, a Tito Livio, a Juvenal, y alternaba estas lecturas con la Biblia.

A pesar de su desdén por lo moderno, le quedaba curiosidad por lo que pasaba en el mundo, e iba todos los días a un gabinete de lectura de San Felipe de Neri, y allí se enfrascaba con avidez en leer periódicos. Al parecer, el golpe de Estado de 2 de diciembre de Napoleón III le excitó sobre manera. Quizá entonces pensó, como otro cura, el padre Mariana, «que en todos tiempos ha merecido gran loa cualquiera que haya atentado contra la vida de los tiranos...»

Observando el retrato de *La Ilustración Francesa*, y comparándolo con los tres que aparecen en los *Crímenes célebres*, de Angelón, se puede rehacer el tipo de Merino.

El cura riojano tenía en la época del atentado sesenta y tres años; era alto, delgado, moreno, de pelo blanco o gris. Tenía la frente ancha, espaciosa, desguarnecida; la cara cuadrada, los pómulos salientes, los arcos cigomáticos acusados, las mandíbulas fuertes y las mejillas chupadas por la falta total de dentatura. Su porte era erguido, el paso seguro y firme, el rostro huraño, la mirada fiera y altiva y la expresión amarga y desdeñosa.

Hablaba muy bien, eligiendo la frase exacta, sabía el latín perfectamente y conocía el francés tan bien como el castellano. En general, era atento y de modales amables.

Su carácter era un tanto contradictorio. Se unían en él la sangre fría, la impasibilidad, el candor, la bondad, el cinismo, la misantropía y el amor por la Humanidad. Decía que no amaba la vida, que él era una hoja seca caída del árbol, y añadía una frase del celtíbero: que la muerte es el consuelo más grande de la vida.

Se creía un misántropo, un escéptico, un pesimista, y, sin embargo, era capaz de sacrificarse por una utopía lejana. Si le contradecían, se mostraba altivo, burlón, irascible y descontento. Dormía poco; debía de tener insomnios intranquilos, y para calmarse leía. *La Ilustración Francesa* dice que era sobrino del guerrillero Merino; pero esto no era cierto.

Después de cometer el atentado en Palacio se le detuvo y se comenzó a interrogarle.

Se le preguntó quién era; contestó que era un saltatumbas. Así se le llama al clérigo que se mantiene asistiendo a los entierros, y, por extensión, a los curas míseros y pobres.

«Preguntado—se dice en el proceso—con qué objeto había venido a Palacio, dijo que a lavar el oprobio de la Humanidad, vengando en cuanto esté de mi parte la necia ignorancia de los que creen que es fidelidad aguantar la infidelidad y el perjurio de los reyes.»

Le preguntan si tiene cómplices; dijo que no servía para instrumento de nadie, que no había dos hombres como él, y que con doce de su temple se libraría Europa de sus tiranos.

El abad de La Granja y arzobispo de Heliópolis, don Luis de Lezo y Garro, le recriminó violentamente.

Merino le hizo callar, recordándole sus intrigas y adulaciones.

Un palaciego le advirtió con furia:

—Si yo me hubiera encontrado al lado de Su Majestad, le hubiera atravesado a usted de una estocada.

—Si tan envidiable es para usted el papel de verdugo, todavía está a tiempo de hacer sus veces—le contestó el regicida, con desdén.

Cuando le notificaron la sentencia de muerte, dijo:

—Siento ahora el no haber presenciado el acto de la vista pública. Allí hubiera pedido que se me alzara un alto y soberbio cadalso donde me viera todo el mundo.

Cuando le van a degradar, Merino acepta todas las mojigangas eclesiásticas con tranquilidad y sin protesta. Al cortarle el pelo para hacer desaparecer su tonsura, dice:

—Corte usted poco, porque hace frío y no quiero acatarrarme.

Le mandan a un señor Puig Esteve, un curita pedante, para discutir con él y catequizarle.

—¡Quién sabe si la teología será una mitología dentro de dos mil años y si alguno de nosotros será un semidiós!—exclama el reo, pensativo.

Puig Esteve saca una Biblia, y lee trozos del Nuevo Testamento.

—Usted—le dice Merino—tiene un carácter inclinado a la ternura; el mío, por el contrario, se afecta con las cosas fuertes.

Se acerca el momento de la ejecución.

—El mundo es un teatro—exclama el reo—; nunca creí representar este papel; pero ya que así me ha tocado en suerte, debo representarlo bien.

Cuando le trajeron la ropa amarilla con manchas rojas, aseguró:

—Ya verán ustedes con qué serenidad la visto; con la misma serenidad que vestiría la túnica de César.

Le montan al reo en un burro, y todas sus frases son para deslucir el efecto teatral de la comitiva. Contempla al público impasible y desvía la mirada de la estampa religiosa que le han puesto en las manos atadas. Al pasar por la iglesia de Chamberí, dice:

—Efectivamente, esa torre está inclinada.

Al dominar con la vista la sierra de Guadarrama, llena de nieves, desde el campo de Guardias, dice:

—¡Qué hermosura!

La Naturaleza le atrae.

Sube al patíbulo con paso firme, se sienta en el banquillo y le dice al verdugo:

—Cuando usted quiera.

Ya con la argolla al cuello, su última frase parece que fue:

—Ahí te quedas, pueblo estúpido...

Así lo dice en su historia Aldama y así lo conservó la tradición popular.

Después de agarrotado, se decidió quemar el cadáver en el cementerio de la puerta de Fuencarral. El arzobispo de Toledo dio la autorización. Se temía que alguien quisiera estudiar el cuerpo de Merino o glorificar su figura. A presencia del gobernador, Ordóñez, comenzó la quema a las diez de la noche, y a las cuatro de la mañana no se había conseguido la cremación. Entonces, el gobernador ordenó partir el cadáver en trozos y echarlos a la fosa común. Se quemaron los papeles y libros de su casa y se intentó hacer el más absoluto silencio sobre su memoria.

La idea generalmente admitida fue que el atentado tuvo un carácter individual, y que Merino no tenía cómplices; pero no faltó quien afirmó que hubo gentes que sabían con anterioridad que se iba a cometer el regicidio. En un folleto titulado *Biografía de sor Patrocinio*, por Dos Amigos Filósofos, se dice que la monja milagrera reveló a algunas personas que el día 2 de febrero peligraría la vida de la reina. A consecuencia de esto, fue desterrada y perseguida la monja. Un escritor clerical, don Vicente La Fuente, y otro no menos clerical, Tirado y Rojas, achacan el intento a la masonería. La Fuente hasta habla de un sorteo que se verificó entre una terna escogida para dar muerte a Isabel II, y dice que en el sorteo hubo trampa para que el ejecutor fuera Merino. Tirado y Rojas dice que la masonería dirigía el brazo del regicida y que su objeto era hacer que el duque de Montpensier fuera el rey de España.

Dada la tendencia natural de nuestros clericales por la mentira, no se puede hacer mucho caso de estas opiniones.

Otra versión que puede ser más cierta y más posible es la de que el cura Merino era carbonario.

El carbonarismo es algo vago y oscuro en la historia de las sociedades políticas de España. Que existió, es indudable, pero no debió de tener nunca centros ni casa propia.

Se supone que el carbonarismo fue introducido en Madrid por el piamontés Pecchio en 1820 ó 1821. Los carbonarios estuvieron unas veces de acuerdo con los masones y otras con los comuneros.

En los *Apuntes históricos críticos*, del marqués de Miraflores, se copia un manifiesto de la Confederación de Comuneros de marzo de 1823, en que se habla de una comisión de carbonarios que se presentó en su asamblea, y se dice que no es cierto que trabajaran en su casa. Después, en otro documento, se asegura que se habían introducido en la Confederación de Comuneros gran número de carbonarios, que, adictos con preferencia a aquella sociedad extranjera, disponían a su arbitrio de la fuerza moral y física de los fondos de los comuneros. Es un poco el caso actual de la F. A. I. en la C. N. T.

El carbonarismo, más o menos transformado, debió de durar hasta muy entrado el siglo XIX; todos suponen que don Nicolás María Rivero fue Gran Maestre de la sociedad, y, al parecer, Figueras y Pi y Margall reconocieron que habían pertenecido a ella.

Hay quien asegura que Merino formaba parte de una sociedad, E. P., cuyo Gran Sol o Gran Oriente era una persona de gran alcurnia (probablemente se querían referir al duque de Montpensier).

Merino pudo muy bien pertenecer al carbonarismo en Francia o en España; sus ideas eran carbonarias. Lo del sorteo es, seguramente, una fantasía.

Merino no era el regicida corriente, el tipo del hombre que odia al rey por algo; él odiaba la institución. Era un anarquista del tiempo, enemigo de la autoridad y de las leyes, y, sobre todo, era un celtíbero, un cántabro.

Esta raza oscura de los cántabros fue siempre violenta y frenética. Morían cantando en la cruz ante los romanos, luchaban como fieras en Numancia y se comían a sus muertos en el sitio de Calahorra. Esta casta huraña y sin sentido práctico tenía un instinto suicida. También lo tenía el cura don Martín Merino, uno de los tipos más específicos de esa estirpe.

9 julio 1933.

MINA, EN EL BAZTAN

Hace ya próximamente un siglo, en febrero de 1835, el general en jefe del Ejército del Norte, don Francisco Espoz y Mina, salió de Pamplona con sus fuerzas. Quería pasar el puerto de Velate, entrar en el Baztán, impedir que los carlistas pudiesen seguir fundiendo cañones en algunas ferrerías próximas a la frontera y al mismo tiempo evitar que sitiasen y entrasen en Elizondo.

Mina llevaba como edecantes a militares que luego habían de hacerse célebres: Serrano, Narváez, Gurrea y Ros de Olano.

El coronel carlista Sagastibelza, natural de Donamaría y conocedor del terreno palmo a palmo, intentaba apoderarse de Elizondo, y el coronel liberal Ocaña ponía los medios para impedirlo. Ya meses antes, el general Córdova había derrotado a Sagastibelza en las proximidades de Elizondo.

Ocaña luchaba como podía en el Baztán, cercado por Sagastibelza y Guibelalde, que lo rodeaban constantemente. La columna de Ocaña, después de un encuentro en Velate, tuvo que encerrarse en Ciga. Sagastibelza sitió el pueblo, pero no pudo rendir la guarnición liberal. Entonces pidió refuerzos a Zumalacárregui, quien se presentó con dos batallones y con alguna artillería. Esto decidió a Espoz y Mina a marchar a socorrer a Ocaña.

Mina salió para el Baztán, con un temporal terrible de nieve, por el alto de Velate. Mina estaba enfermo y consumido; tenía que viajar la mayor parte del tiempo en litera y cubierto con mantas. Sus soldados le llamaban *el Esqueleto*. Las tropas tuvieron más de mil bajas en la marcha. Mina ahuyentó a los carlistas, estuvo en Elizondo desde el 15 al 20 de febrero y se volvió a Pamplona, dejando a Ocaña en el pueblo, avituallado.

Pasaron unas semanas. La situación no mejoraba en el Baztán. Otra vez Zumalacárregui iba acercándose con sus batallones a Elizondo, al mando de los jefes Elío, Sagastibelza, Guibelalde y don Miguel Gómez, después jefe de una famosa expedición.

Mina decidió volver al Baztán llevando la brigada de don Marcelino Oraa, el general que entre los soldados era conocido por su cabello blanco y por su fiereza con el mote del *Lobo Cano*.

Zumalacárregui iba a disputar a los liberales el paso para Elizondo. El día 11 de marzo, a las seis de la mañana, el general Mina salió de Pamplona en dirección del Baztán por el camino del valle de Ulzama con unos mil quinientos hombres, dando órdenes a Oraa para que siguiese la misma dirección, por otros caminos, y al brigadier Méndez Vigo para que se moviese con su brigada desde Aoiz a Zubiri y se colocase en observación de Velate.

La marcha improvisada de Mina fue ocasionada por confidencias que tuvo de que Zumalacárregui, con tres de sus batallones, quería ganar los puertos de la frontera para impedir todo socorro a Elizondo. Al jefe carlista le seguían cuatro batallones más a marchas forzadas.

Mina, en vez de tomar el camino directo al puerto de Velate por Olagüe y la venta de Odolaga, hoy de Arraiz, marchó por Eguarás de Atea.

Quería rodear la parte montañosa de Velate, interceptada por la nieve y ocupada por el enemigo.

Por la tarde, Mina estaba en Lizaso, pueblo entonces de quince casas, hoy con algunas más, con la iglesia en el alto. Desde Lizaso, hacia el Norte, se veía un anfiteatro de montañas nevadas y muchos pueblos pequeños con sus torres negras y sus casonas viejas.

Oraa se adelantó a Mina y entró en Elzaburu.

Cualquiera que lea en una historia de la primera guerra carlista la marcha de Mina y su encuentro posterior con Zumalacárregui y vea después el terreno, no podrá relacionar la topografía y la acción militar. Los que describieron la marcha y la acción no estuvieron en aquellos lugares ni vieron de lejos las montañas donde se celebró.

Zumalacárregui había preparado una emboscada entre Ilarregui, Oroquieta y sus alturas próximas.

Oraa, al llegar a Elzaburu, habló con guías y con pastores, y encontró que la situación suya, y, sobre todo, la de Mina, era muy peligrosa. Este se encontraba en un punto que podía ser sorprendido y atacado simultáneamente por los carlistas que salieran de Oroquieta y por los que bajaran de Velate.

Oraa se apresuró a comunicar al general en jefe que creía oportuno, para evitar un descalabro, que se le reuniese aquella misma noche en Elzaburu. Las tropas de Mina salieron de Lizaso, dejaron pequeñas guarniciones en Aúza y en Larrainzar y se reunieron en Elzaburu con las de Oraa. No había bastantes casas para guarecerse; serían en conjunto unos tres mil hombres. Los carlistas pernoctaron en Oroquieta. Había más de media vara de nieve en el campo y llovía a chaparrón.

Por la mañana, los dos jefes liberales decidieron emprender con sus divisiones el camino a Elizondo, marchando en dirección del Donamaría. Tenían que atravesar el puerto de Elzaburu, puerto bastante alto, divisoria de las aguas del Cantábrico con el Mediterráneo. Tomaron un camino que partía próximo a la iglesia de Elzaburu, y que, más que un camino, era un arroyo medio helado y cubierto de nieve. La tropa se dirigió hacia la cumbre. Al llegar a las alturas de Zazpiturrieta (el lugar de las siete fuentes), con más de una vara de nieve, Oraa creyó que debía adoptar algunas precauciones para prevenir cualquier contratiempo, y mandó tomar las cimas a dos compañías de cazadores, que encontraron y rechazaron a las avanzadas de Zumalacárregui. Al volver, los soldados dijeron al brigadier que a la distancia de una legua del flanco izquierdo varios batallones carlistas iban, a la deshilada, hacia el Baztán.

En esto, un propio que llegaba del lado de Santesteban vino con un parte, en el que se aseguraba que unos batallones carlistas, mandados por Elío, se concentraban en el puerto de Odolaga y comenzaban a avanzar hacia Donamaría.

El puerto de Odolaga, en el valle de Ulzama (en vascuence, Odolaga quiere decir sitio o abundancia de sangre), tenía una venta que se llamaba Venta de la Sangre, hoy de Arraiz. Desde allí era posible acercarse por los altos a Zazpiturrieta, y al camino de Elzaburu o Donamaría por el puerto de Olaveaga. Poco después, desde Aúza vino la noticia de que cinco batallones tomaban posiciones en la carretera de Pamplona.

Si esto era así, los liberales estaban envueltos. A retaguardia, y por el flanco izquierdo, tenían tres mil hombres con Zumalacárregui; a la derecha, cuatro o cinco mil hombres de Elío, y enfrente, los sitiadores de Elizondo, con Sagastibelza y Guibelalde.

Oraa consultó con Mina. *El Lobo Cano* era un táctico. El retroceder era más peligroso que avanzar, y dieron la orden de seguir adelante. El primer encuentro entre Mina y Zumalacárregui había de ser duro. El primero había dicho: «Se hará una guerra sin cuartel.» El segundo había afirmado: «No quiero prisioneros.»

Los soldados liberales, que marchaban por las cumbres sobre una vara de nieve que se derretía en medio de un terrible aguacero, se sentían sobrecogidos. A los carlistas les pasaba lo propio. Acababan los cazadores del *Lobo Cano* de dispersar a las guerrillas de Zumalacárregui, cuando el mismo don Tomás, el jefe carlista ya célebre, que veía la posibilidad de coger prisionero a un caudillo liberal de tanta fama como Mina, avanzó a caballo, sable en mano, por entre la nieve, animó a gritos a su gente y se echó sobre los liberales. La confusión entre éstos fue grande; algunos quedaban heridos por las balas, otros se resbalaban y caían. Los heridos eran rematados a bayonetazos. Mina estuvo a punto de ser cogido preso y dejó su litera y su mula y se salvó como pudo.

La situación era angustiosa para los liberales. A su izquierda y detrás tenían a Zumalacárregui; a la derecha avanzaba, al parecer, Elío, a cerrarles el paso. Ya no se podía retroceder; había que seguir adelante, forzar el paso como fuera.

Repuestos del primer choque, cubiertos de barro, empapados por la lluvia, los soldados siguieron su camino. Los carlistas aparecieron en la parte de Besaburúa Mayor, en las faldas del monte Aritz y Otsola, en los alrededores de Arrarás, atacando por el flanco a sus enemigos. Carlistas y liberales, perseguidos y perseguidores, marchaban por entre la nieve en dirección paralela.

Mina y Oraa, viéndose entre dos fuegos, se batieron con gran pericia y con gran inteligencia; el *Esqueleto* y *el Lobo Cano* hicieron evolucionar sus tropas por aquellos vericuetos con serenidad, como si contaran con el triunfo y estuvieran en un campo de maniobras. Los mismos enemigos llaman a la acción una bella retirada de los liberales. Mina fue herido en el hombro izquierdo, lo que le hizo desangrarse; pero la tropa no se enteró. Sabía que esto desanimaría a sus soldados y necesitaba mostrarse ante ellos sereno e impasible. Uno de sus ayudantes le echó el embozo del capote sobre el hombro para ocultar la sangre. La mujer de Mina, que seguía a su marido, vestida como un aldeano del país, montada a caballo, le atendió.

Entonces—al menos ésta es la tradición—el zorro viejo supo echar mano de un recurso de guerrillero: falsificó una orden de Zumalacárregui a Elío, ordenándole que se retirara y no avanzara con sus batallones hacia Donamaría. Elío, al parecer, suspendió el avance. Mina, después de rechazar a los carlistas, con grandes bajas de una parte y de otra, pudo seguir adelante, dejando unos cien muertos en el campo y llevándose doscientos heridos.

En uno de los lugares propicios, Oraa mandó hacer alto a sus tropas. Fingió una retirada, y, al bajar los carlistas de las alturas, echó sobre ellos la caballería, que los acuchilló, haciéndoles más de cien muertos. Quiso después repetir la suerte, pero ya no dio resultado. Los carlistas fueron cazando a sus enemigos desde lejos.

Zumalacárregui esperaba con ansiedad a Elío para envolver y exterminar a Mina; pero Elío no llegó.

Al avanzar por las regatas que van hacia Donamaría, Erracastillo y Errecagorri, Mina se vio salvado. Cerca de Gaztelu aparecieron fuerzas de la guarnición de Santesteban que salían a proteger su entrada en el pueblo.

El viejo guerrillero navarro había ganado la partida a su discípulo el general guipuzcoano, pero había estado muy expuesto a caer prisionero o a ser sepultado en la nieve. Al irse a acostar, Mina pensó en su herida. La bala, según dice en sus *Memorias,* le llegó algo fría, atravesó tres dobleces de la esclavina de la capa, la levita, la camisa y se quedó entre la piel y la chaqueta de franela, y al mudarse, de noche, cayó al suelo.

Franqueado el camino del Baztán, Mina partió de Santesteban y llegó con sus dos divisiones a las proximidades de Elizondo.

Ros de Olano, testigo presencial del hecho, lo cuenta en sus *Episodios militares:*

«Entraron en la plaza aquellos libertadores de Elizondo con todas las señales de cansancio y llenos de la fiereza de su profesión. Traían los rostros tiznados de pólvora y los hombros cargados de nieve; el barro, por delante, les cubría las rodillas, y por detrás les pasaba de la cintura; brillábales en los bigotes su propio aliento, cuajado de carámbanos, y en los ojos les relampagueaba el ansia de abrigarse y de reposar junto al fuego.»

La tropa desfiló a formar pabellones en la plaza, ante los acordes del *Himno de Riego,* y el general en jefe, impasible y severo, la revistó a caballo. En sus marchas, Mina iba por aquella época unas veces en litera y otra en mula. Aquel anciano—sigue diciendo Ros de Olano—, tan celebrado en época de mayor gloria por sus heroicos hechos, cabalgaba en una poderosa mula torda, de la que él mismo decía ser tan buena bestia, que amanecía con el alba en Alsasua y se ponía el sol en Zaragoza. El traje de este Viriato era una capa parda sobre una levita de paisano y un sombrero redondo forrado de hule y puesto sobre un pañuelo de colores que llevaba liado a la cabeza.»

Ros de Olano añade que a los ojos azules del indomable general se asomaban la perspicacia y la inquebrantable firmeza del caudillo, y que nadie al verle con su traje de hombre de pueblo y con estribos de fraile hubiera pensado que era un guía, sino que al mirarle todos comprendían que era el famoso héroe de la guerra de la Independencia.

Al día siguiente, antes del amanecer, una compañía de cuerpos francos salió de Elizondo para Lecaroz. De orden del general, todos los vecinos debían de estar reunidos en la plaza. Eran casi todos viejos. Los jóvenes estaban en la facción. Mina tenía informes de que los de Lecaroz sabían dónde los carlistas habían escondido varios cañones. El general se presentó con su Estado Mayor y comenzó con los viejos del pueblo un diálogo en vascuence: «¿Dónde están los cañones?», les preguntaba, severamente. Los viejos aseguraban que no lo sabían. Mina, furioso, decidió diezmarlos; los mandó contar de cinco en cinco, y el que hacía el quinto quedaba detenido y condenado a muerte.

El cura del pueblo comenzó a confesar a las víctimas. Ros de Olano dice que fueron cinco; Mina asegura que fueron tres los fusilados.

Sonaron las descargas, y los soldados francos comenzaron a incendiar el pueblo; las tropas de Mina abandonaron la aldea, envuelta en llamas. Unos días después, el general entraba en Pamplona con unas cuantas piezas de artillería.

Los políticos ingleses, muy acostumbrados a las crueldades hechas en beneficio de Inglaterra, inspirados por Wellington, que era un reaccionario y un general mediocre de gran fortuna, protestaron contra las violencias de Mina. No protestaron, en cambio, contra las crueldades de Cabrera y de sus compañeros.

Los autores carlistas, entre ellos Zaratiegui, militar adocenado y pedante, dice que Mina era cruel. No lo era; era un bárbaro, un brutal, pero no un cruel. No tenía la ferocidad semítica de los cabecillas del Mediterráneo, como Cabrera, el conde de España o el Serrador; no sentía delectación alguna con el dolor ajeno. No tenía la crueldad frailuna, crueldad sádica femenina de gente de seminario, como el cura don Jerónimo Merino o el cura Santa Cruz. Naturalmente, hoy nadie legitimaría lo que hizo Mina en Lecaroz o con la madre de Cabrera, pero puede explicárselo.

Mina hizo la guerra de una manera brutal, pero no cruel. En sus tropas no hubo robos, ni martirios, ni violaciones. El hombre que faltaba era fusilado; al pueblo traidor se le incendiaba o se le arrasaba. Probablemente no se podía hacer la guerra de otro modo. En nuestro tiempo se ha hecho lo mismo. Mina quería suprimir los obstáculos fuese como fuese, de cualquier modo. El viejo caudillo era un alma antigua y fuerte, severa e implacable.

13 agosto 1933.

REGATO, EL AGENTE PROVOCADOR

José Manuel del Regato, hombre célebre en España a principios del siglo XIX como traidor a los liberales y agente provocador, pasó por la política sin dejar rastro claro de su filiación y de su origen. No se sabe de dónde era, dónde nació ni dónde murió. El Regato es un barrio de Baracaldo, de Vizcaya. Puede que el apellido del agente procediera de allí.

Al parecer, este hombre era médico o estudiante de Medicina. Apareció en Madrid en 1814 de editor y redactor de un periódico titulado *La Abeja Madrileña*.

Antes había existido, en 1812, *La Abeja Española*, periódico de don Bartolomé José Gallardo.

La Abeja Madrileña apareció como continuación de la otra *Abeja*, y duró desde el 16 de enero al 7 de mayo de 1814. En su número del 6 de abril decía: «Tenemos a mucho honor que se crea que nuestro periódico está escrito por don Bartolomé Gallardo; pero no podemos consentir que se le busque ni aceche por un artículo en el que no ha tenido la más mínima parte. Dos somos solamente los que redactamos en la actualidad este malhadado papel.»

Suprimida la Constitución, Regato huyó a Francia, y tomó parte en la oscura conspiración del general Renovales, relacionada con la de Richart. Escribió, según se dijo, en Francia un folleto, *El carolino*. Entonces se firmaba *Abeille* (abeja).

En 1816, el Gobierno español, que sospechaba una conspiración liberal, envió a la Policía francesa una lista de nombres sospechosos, y al frente de ella venía:

«Regato u Oyo, refugiado español que, debiendo haber sido arrestado en Bayona de orden del conde de Levero, se escapó, y se halla en casa del conde de Toreno. Regato se nombra algunas veces Abeille o Abella, y últimamente no ha podido hacerse preso en París, y se cree refugiado en algún pueblo de la frontera.» (*Memorias* de Espoz y Mina.)

Tuvo por entonces Regato, según sus amigos, muchas aventuras, y estuvo en Bilbao con su mujer preparando un movimiento revolucionario.

Antes de la sublevación de Riego estaba en Inglaterra.

«Como aparte, aunque entonces muy unido conmigo, estaba otro sujeto recién venido de Inglaterra, llamado don José Regato, médico o estudiante de Medicina, en otro tiempo escritor, aunque sólo mediano, atrevidísimo, de muy agudo y claro ingenio, sospechoso a muchos, y, como acreditó el tiempo, no sin motivo; revolucionario de profesión y por afición, y, con todo, acusado de haber servido de espía del rey; acusación conocida por fundada, aunque se explicase, suponiendo en Regato trato doble, en que el Gobierno de Fernando era el verdaderamente engañado.»

Esto dice don Antonio Alcalá Galiano.

Regato debió de estar desde la conspiración del Triángulo, en la que intervinieron Lacy, O'Donojou, Renovales y otros, en relación con la camarilla de Fernando VII, y, sobre todo, con Ugarte, que era el que, según parece, le pagaba.

Regato era inteligente y se había propuesto, por medidas extremas, desacreditar a los ilusos liberales del tiempo. En 1820 parece que fue, como delegado de los masones, en compañía de Alcalá Galiano, San Miguel y Manzanares, a conferenciar con el padre Cirilo.

De 1820 a 22, Regato declamó contra Fernando VII para que le creyeran terrible enemigo suyo, al mismo tiempo que descubría a Fernando los proyectos de los liberales.

Era Regato de los puntos fuertes del café Lorencini, y después de La Fontana de Oro, club de los exaltados, que estaba en la carrera de San Jerónimo, esquina a la calle de la Victoria, y que tenía ventanas a esta callejuela, donde se amontonaba la plebe a escuchar los discursos de los oradores furibundos.

Cuando una parte de éstos consideró que los masones no eran bastante radicales, Regato se unió a la fracción extrema y contribuyó con Moreno Guerra, Torrijos, el general Ballesteros, Romero Alpuente y otros a la fundación de la sociedad de los comuneros ideada por Gallardo. Entre ellos había gente cándida y apasionada, y otros, como el general Ballesteros, Romero Alpuente y quizá el mismo Gallardo, que tenían relaciones subterráneas con los absolutistas.

En La Fontana de Oro se reunían los carbonarios, y Regato debió de entablar relaciones con ellos. Así pudo tener noticias de todos los círculos liberales, masónicos, comuneros, anilleros y carbonarios, conferenciar con sus hombres principales y dar informes auténticos al rey.

Regato aparecía siempre donde hubiese ruido, preparando la algazara y el alboroto a tiempo, haciendo que los grupos liberales aparecieran como insensatos y absurdos.

Carlos Le Brun, en sus *Retratos políticos,* que tienen las semblanzas más agudas acerca de los personajes de la revolución, aunque en lenguaje demasiado alambicado y afectado, dice de Regato:

«Este tesón y esta constancia para estar sin cesar oxeando remordimientos, en una continuación de perfidias, a que sólo se podría creer se prestase la depravación de la voluntad a represas, y en momentos aislados y distantes, es un fenómeno en la moral capaz de excitar la curiosidad filosófica, a hacer la anatomía del corazón de este Regato, a ver si se podría descubrir en él alguna novedad en las fibras, alguna mancha o señal que lo distinguiese del de los demás hombres, para consuelo del género humano, porque se pudiera recelar siquiera que fuese de otra especie o naturaleza.»

Después, Le Brun sigue diciendo:

«Los liberales de España deben buscar oficio si tienen la ambición de figurar, pues lo que es en política se los han dejado en las dos épocas muy atrás los serviles, que siempre van al grano, como ellos a la paja de los principios.»

El partido liberal, cándido, tuvo siempre a Regato por un hombre en el que se podía poner completa confianza. ¿Cómo podía ser traidor un tipo que empleaba las frases revolucionarias del tiempo?

El español, que no cree en muchas cosas auténticas, cree, en cambio, en las palabras declamatorias y en las frases. De aquí la oquedad de sus revoluciones.

Se ve que la política siempre ha sido lo mismo: una cosa turbia, vulgar, de logreros y de histriones, adornada con una literatura de último orden. Es de temer que seguirá siendo igual durante siglos.

El culto de la palabra en su forma oratoria, la elocuencia, y en su forma literaria, el estilo retórico, yo creo que es de países de poca originalidad.

Alcalá Galiano, atrabiliario en su vejez, hombre de simpatías extrañas y torcidas, manifiesta en sus *Memorias* cierta estimación por Regato. «No le tenía yo en el mal concepto que le tenían otros», dice una vez. Le ve a Regato en Córdoba sin pasaporte en 1822 en una zona en que estaba prohibido el paso, y no quiere sospechar de él.

Regato peroraba en esa época en Sevilla, en el café del Turco, contra los moderados.

Alcalá Galiano, en sus *Recuerdos de un anciano*, dice, con su estilo rebuscado y oscuro:

«Regato, persona muy principal entre los comuneros, pero hombre de cuyos antecedentes conocidos debía esperarse que prestase eficaz auxilio a los desobedientes, no hubo de hacerlo, ni tampoco lo contrario, a lo menos claramente; la como oscuridad con que vivió entre los semirrebelados encerraba, sin duda, un misterio, si bien en ello apenas se hizo alto.»

Ya convencido el mismo Alcalá Galiano de la traición de Regato, dice en sus *Memorias*:

«Lo probable es que a nadie sirvió con entera lealtad, y que procuraba mirar por su interés, y aun no sólo por esto, sino también por sus pasiones, violentas en alto grado y rencorosas, para lograr los cuales fines variaba de conducta según iban mudando de aspecto o índole los negocios.»

En febrero de 1823 hubo en Madrid manifestaciones delante de Palacio y del Congreso, dirigidas contra el rey y el Gobierno, preparadas principalmente por Regato.

Cuando los países de la Santa Alianza demostraron su mala voluntad contra el Gobierno constitucional de España, Regato hizo que algunos truhanes a sueldo apedreasen las Embajadas, para que los embajadores dieran informes que apresurasen la guerra y la intervención.

En la *Historia de la vida y reinado de Fernando VII de España* se dice:

«Entre los creadores de la Sociedad de Comuneros había descollado, por sus laboriosas tareas y actividad, don José Manuel Regato, vendido misteriosamente al Real Palacio y más adelante declarado benemérito por las Cortes. Como su misión se reducía a desacreditar la libertad con los excesos, para hacerla aborrecible, inducía a los llamados hijos de Padilla a los tumultos y a las tropelías contra los más encumbrados personajes. Y en estos días, en que a los liberales tanto odio debían de inspirar las potencias del Norte, promovió una asonada para apedrear las casas de los embajadores de la Santa Alianza, con el fin de obligar por sus respectivos reyes la caída del Gobierno representativo de España, so color de vengar el agravio recibido en las personas de sus plenipotenciarios.»

Al final de 1822, las dos sociedades liberales más importantes, comuneros y masones, intentaron reconciliarse, y los primeros nombraron como comisionados para este objeto a Regato, a Romero Alpuente y al general Ballesteros, y los masones, a Istúriz, Riego y Alcalá Galiano. Es raro que estos últimos no recusaran a los delegados de la comunería, que ya para entonces tenían fama de estar vendidos a Fernando VII.

Regato, a la entrada de las tropas de Angulema, se desenmascaró, y fue agente oficial del Gobierno absolutista.

Desde Murcia, en septiembre de 1823, escribió al general Torrijos, que estaba en Cartagena, para que aceptase la misma capitulación que había aceptado con los franceses el general Ballesteros. Torrijos le contestó violentamente negándose a ello y manifestándole su desprecio, y Regato contestó a la carta diciendo que «él había vivido siempre con honor». A su segunda carta, Torrijos ya no contestó.

Abolida la Constitución, Fernando dio una real orden dando las gracias a Regato por los servicios prestados a la Monarquía en tiempo del liberalismo.

Regato vivió de 1823 al 33 en Madrid en una casa del Gobierno, de la calle de Silva.

Regato debió de seguir a las órdenes de Calomarde, y, probablemente, intervino en la celada que se le tendió a Torrijos en 1831.

En las *Memorias* de Mina se dice:

«El célebre en travesuras, para mal de España y los españoles, Regato, jefe de la infame Policía de la camarilla de Fernando, tenía en todas partes agentes muy activos y poco escrupulosos en moralidad, encargados de averiguar el curso de los trabajos de los patriotas; y estos agentes, y el mismo Regato, haciendo un juguete de sus más solemnes juramentos, vendían las confianzas de amistad honrada y sacrificaban al Poder por un vil precio la suerte de la nación.»

En tiempo de la regencia de María Cristina, Regato, destinado a Filipinas, debió de salir escapado de Madrid, sin poder recoger sus papeles.

En el Archivo Histórico Nacional de Madrid vi hace años estos documentos, una serie de partes cifrados, en papel azul, que se referían, principalmente, a cuestiones de Bolsa, y que, a juzgar por la cantidad, no debían de ser sólo suyos, sino también de personajes de Palacio que hacían negocios oscuros, en los cuales Regato era intermediario.

El antiguo y siniestro agente, agazapado en su casa de la calle de Silva como una araña gruesa y peluda, debía de prestarse a toda clase de canalladas.

No se sabe si fue a Filipinas o no. Yo no he encontrado ningún dato acerca de su muerte. Tampoco he visto retratos suyos.

En uno de los *Episodios* de Galdós se pinta a Regato, sin duda por su apellido, como un felino, como un doble gato. Esto es puro infantilismo y depende en gran parte de la idea que tenía Galdós de que escribía para un público de buenos burgueses, un poco lerdos e incapaces de mirar un libro y de tener una idea propia sobre algo, en lo cual quizá tuviera razón.

20 agosto 1933.

CORPAS, EL INTRIGANTE

El lector de novelas muchas veces se pregunta: «¿Por qué a este personaje, que a mí me parece tan interesante, el autor no ha querido tratarle con más extensión?» La mayoría de las veces no es que el autor no ha querido, sino que no ha podido desarrollar su personaje, porque le faltaban elementos de invención.

En la Historia pasa lo mismo. Hay

épocas en las cuales no interesan más que los figurones. A éstos se les pone a plena luz; en cambio, hay tipos curiosos, enigmáticos, atractivos, y que, sin embargo, quedan en la penumbra.

Yo, cuando veo un ejemplar del *Anuario de España*, casi siempre unido a la *Guía Militar* de los años de 1830 al 50, y recorro la lista de generales y de personajes, me choca que en el tiempo no hubiera curiosidad por tipos tan desemejantes y tan extraños como aparecen allí confundidos. Un general ex cabecilla absolutista se encuentra en el escalafón al lado de un liberal exaltado o de un extranjero aventurero.

Los escritores de la época no debían de sentir curiosidad por averiguar, por ejemplo, qué hacían, en 1838 ó 1840, un Chambó, un Chaperón o un Ulman, absolutistas rabiosos, al lado del suizo Rotten, del francés Bernelle, del italiano Borso di Carminati o de un Pedro Méndez Vigo, jacobino exaltado. El Ulman absolutista, pelagatos suizo, en su juventud pinche de una pastelería, tenía, en 1840, una hija, Amalia, que era camarista de Palacio. Sin duda, a los escritores no les llamaba la atención esta reunión de tipos tan diferentes y tan abigarrados.

Los extranjeros comprendían mejor la extrañeza de la época en España, y así, al escribir sus *Memorias*, se veía que sentían la impresión de que, al entrar en nuestro país, se encontraban en un mundo aparte.

De estos tipos que no hacen más que perfilarse en la penumbra en la primera mitad del siglo XIX, uno de los más curiosos es el diplomático absolutista don Cecilio Corpas.

Corpas no tiene personalidad en las historias españolas de la época, pero la tiene, por ejemplo, en los recuerdos del príncipe de Lichnowsky. Este príncipe publicó sus Memorias con este título: *Erinnerungen aus Spanien in den Jahren 1837, 1838 und 1839* («Recuerdos de una estancia en España durante los años 1837, 1838 y 1839»). Francfort, 1841; dos volúmenes, en octavo.

En el libro de Lichnowsky, Corpas tiene una personalidad un poco mefistofélica.

El príncipe dice que había un ser misterioso en el campo carlista, que era el alma de todas las intrigas, conspiraciones, odios y rencillas. Era Corpas.

Este ser misterioso no estaba revestido de ningún carácter oficial; no se le veía en el gabinete del rey, ni en las oficinas del Estado Mayor, ni en los salones del infante don Sebastián. El señor de Corpas era el prototipo casi invisible de esta influencia poderosa y secreta que ha minado sordamente los más grandes Estados; tenía el carácter de esos célebres jefes de camarilla que, colocados entre el trono, los ministros y la nobleza, alzan o hunden a una persona a su placer; disfrutan de un poder inmenso sin que sus nombres figuren en los Anuarios de la corte y desaparecen ignorados a su muerte.

Esta clase de personajes existía todavía poco antes de la primera guerra civil, según Lichnowsky. La camarilla de los reyes de España se asemejaba al país de los lotófagos: una vez que se entraba en ella era imposible salir. El señor de Corpas, nacido en Granada, había sido en su juventud cónsul en Faro. Algunas irregularidades en el ejercicio de sus funciones le hicieron perder su plaza. Más tarde fue nombrado ministro residente en Hamburgo, puesto que no desempeñó jamás, y después fue iniciado en todas las intrigas de la camarilla de Fernando VII.

Era muy difícil en esta época el ser

admitido en las sesiones secretas que se celebraban por la tarde en una antecámara de los salones de Palacio. El rey invitaba a las personas que le había designado su favorito don Antonio Ugarte. Sucedía a veces que una persona recibida en audiencia particular agradaba al rey por la relación de alguna anécdota picante o por observaciones críticas sobre los asuntos del tiempo; entonces el monarca le invitaba, sin prevenir de antemano a su favorito. Este, al cual todo le estaba permitido, usaba, por su parte, de la misma libertad.

Cuando todo el mundo estaba reunido en la camarilla, Fernando VII aparecía con el cigarro en la boca, hablaba al uno y al otro de los asuntos más graves y escuchaba las quejas y las denuncias contra personas eminentes. Estas quejas y estas denuncias quedaban secretas; pero no eran menos funestas a las víctimas propiciatorias. Una vez obtenida la entrada en la camarilla, no se perdía el favor, a menos de una desgracia.

Se contaba la manera singular con la cual el señor de Corpas se procuró esta preeminencia. Un anochecer entró en Palacio envuelto en su capa, se puso el tricornio de una manera particular, como las personas admitidas que tenían derecho a entrar; se colocó en un pasillo y se metió hasta penetrar en la antecámara real. Allí se encontró con don Antonio Ugarte, a quien hizo un profundo saludo; éste creyó que le había llamado el rey. Cuando Fernando VII llegó y Corpas se le acercó para besarle la mano, el rey le tomó por un protegido de Ugarte. Después Corpas continuó siendo admitido en la camarilla, y cuando se supo su audaz estratagema, había llegado a hacerse indispensable al favorito.

Proclamada la Constitución en 1820,

Corpas huyó en compañía del general don Vicente Jenaro de Quesada, el mismo que fue muerto por las turbas cerca de Madrid, en el pueblo de Hortaleza, en 1836, y cuyos restos se mostraron en los cafés de la corte, como cuenta Borrow en la *Biblia de España*.

Quesada era un cubano hijo de andaluz y de criolla, hombre valiente, de carácter entero, ordenancista y de ideas inseguras, como todos los criollos que intervinieron en la política española.

Quesada era por entonces mariscal de campo y gobernador militar de Santander. Habían colocado en esta ciudad la lápida de la Constitución en la plaza, y como todavía Fernando VII no se había decidido por ella, Quesada mandó a su secretario y a sus ayudantes que quitaran la lápida puesta por los liberales.

A los dos o tres días apareció un pasquín que comenzaba así:

Viva la Constitución
y muera el gobernador.

Después de este letrero, venía un ovillejo que decía:

Han hecho una gran cag... Quesada
y su amigo sin igual, Uzal;
debió mandar el ataque Almiñaque;
pero como son cabezas
toditas llenas de viento,
quedaron sin lucimiento
Quesada, Uzal y Almiñaque.

El general Quesada, al ver el pasquín, le puso esta apostilla al margen:

«Como no considero justo privar a este vecindario de una ocurrencia tan graciosa como la que contiene este pasquín, fíjese en la plaza, para diversión de los ociosos.—*El gobernador militar.*»

Quesada y don Cecilio Corpas, según cuenta la *Galería Militar Contemporánea*, marcharon en dirección a Francia en diciembre de 1820 y fueron detenidos en Vitoria. Llegaron sin pasaporte hasta el pueblo de Armiñón, donde, por la influencia de un señor Salazar, se lo dieron a favor de don Cecilio de Corpas, como comerciante de Burgos que pasaba a Hernani y a Irún acompañado de su criado, que era don Vicente Quesada.

Al llegar a un mesón de Vitoria y presentar los pasaportes, un mozo del mesón, sin duda liberal, sospechó del comerciante y de su criado; avisó al alcalde, y se les prendió a los dos. Quesada se escapó; llegó a Lequeitio, y, en una lancha, desembarcó en San Juan de Luz.

Corpas quedó también libre; fue a Bayona, y allí se titulaba cónsul del rey absoluto.

Poco tiempo después, Quesada y Corpas estaban en París. «Quesada declaró haber huido de España a causa de las persecuciones que sus opiniones realistas le habían originado; se le creyó. Se le confiaron sumas importantes para distribuirlas entre los emigrados españoles. Estos no recibieron nada. Quesada las dilapidó con la señorita del mostrador de un café de París situado en la calle de... (callaré el nombre por discreción).»

Esto dice el folleto *Des intrigues politiques qui depuis 1823 jusqu'en 1834 ont préparé le triomphe de la révolution en Espagne.* París. Librería Gouilet, 1934.

Corpas publicó en París un libro, *Précis historique de l'origine et des progrès de la rébellion d'Espagne*, par M. C***., ouvrage traduit de l'espagnol par N. de M***. París, J. G. Dentu, imprimeur. Librairie rue des Petits Augustins, n.º 5. 1823.

Este libro lo compré hace años en los muelles del Sena. El librero había puesto en el ejemplar, con lápiz, el nombre del autor: Corpas, y el del traductor: N. C. Garrez de Mezière.

La obra es de un leguleyo reaccionario. Habla de «Buonaparte»; dice que Mina apenas sabía firmar, que Porlier no tenía ilustración, que el ministro Garay era perjudicialísimo. Habla también mal de los generales Lacy y O'Donnell. En este alegato del absolutismo se asegura que en España, a consecuencia de la revolución, todo se derrumba y se viene abajo.

Al restablecimiento del antiguo orden de cosas, en 1823, Corpas obtuvo, por la intervención de Ugarte, la Embajada de Suiza.

En la época de la caída de Cea Bermúdez, don Cecilio perdió su puesto. A su vuelta a Madrid, Fernando VII no quiso verle, y fue desterrado a Sevilla, donde quedó hasta la muerte del rey. Allí se relacionó con algunas notabilidades carlistas y ensayó arrastrar algunos pueblos de Andalucía a favor de don Carlos; pero habiendo fracasado, se refugió en Portugal, y más tarde, en Francia.

Pasado algún tiempo, se presentó en el teatro de la guerra. Sus partidarios hicieron inútiles esfuerzos para que se le nombrara ministro de Estado.

Al parecer, don Carlos no tenía simpatía por él. Este hombre, dotado de una alta inteligencia y de una memoria prodigiosa, escribía y hablaba perfectamente muchas lenguas. Su espíritu, lleno de finura y de sutilidad, le hacía coger todos los hilos de las intrigas, que combinaba y dirigía a su antojo. Ejercía una gran influencia sobre los hombres que estaban entonces en el Poder, principalmente sobre don Vicente González Moreno, a quien los liberales llamaban el verdugo de Málaga.

En la Memoria militar y política sobre la guerra de Navarra que escribió don José Manuel de Arizaga se habla de la llegada al Cuartel Real de don Cecilio, recomendado eficazmente por el asesor don Antonio de Arjona y por el intendente don Fernando de Freyre, hechura de Corpas, de quien algunos decían que había sido torero.

Corpas, según asegura Arizaga, hizo estremecer el Cuartel Real, agitando las pasiones de tal manera, que las juntas reservadas y los corrillos misteriosos que comenzaron a celebrarse anunciaron una época fértil en novedades, llamando las ambiciosas esperanzas de todos en favor de este nuevo cortesano, a quien suponían con la travesura bastante para inclinar el ánimo de don Carlos a las variaciones que aquél aconsejaba, y por cuya virtud creían conseguir lo que cada cual deseaba.

Corpas, que era antiguo amigo de don Vicente González Moreno (quizá había colaborado en la celada contra el general Torrijos) y ejercía sobre él una influencia decisiva, se relacionó con Maroto; hizo que éste y Moreno se reconciliasen; habló con el canónigo don Juan Echevarría, con el cual adquirió una influencia extraordinaria, y decidió atacar a Eguía, su enemigo, hasta destituirlo.

El general Maroto, en su *Vindicación*, habla de estos proyectos, y dice que Corpas no quedó en buen lugar.

Corpas tenía muchas amistades entre los cortesanos en Madrid, y visitaba la casa del general Córdova. A Corpas se le ocurrió escribir una carta al general en jefe don Luis Fernández de Córdova, con permiso de don Carlos, ofreciéndole su amistad y su benevolencia. La carta la llevó el coronel Santocildes con una credencial invitándole a pasarse al bando carlista.

A pesar de los planes complicados de Corpas y de sus influencias, no llegó a realizarlos.

Al prepararse la expedición real, Corpas y el malagueño don Diego Miguel García, otro intrigante, influyeron para que se dieran cargos a los hombres del partido apostólico amigos suyos.

Cuando la expedición real se acercó a Madrid, Corpas, que se veía ya jefe del Ministerio, se ocupaba en hacer la lista de las personas que iban a ser condecoradas con el Toisón de Oro y con otras cruces al entrar don Carlos, triunfante, en la corte.

En 1837 apareció de nuevo Corpas en Tolosa, donde se hallaba la mayoría de los generales carlistas, entre ellos González Moreno.

Corpas comenzó a desarrollar sus intrigas, y aseguró que Luis Felipe se había entendido con el general Eguía para que éste conspirara contra el carlismo. Corpas afirmó que el secretario del infante don Sebastián era uno de los ganados para este proyecto; inventó un cúmulo de falsedades y lanzó por primera vez la palabra *transacción*, que, con el tiempo, dio su fruto en el Convenio de Vergara.

Todas aquellas falsedades, dichas en tono misterioso, fueron transmitidas al Cuartel Real, y desde entonces se exageraron las desconfianzas, los celos, y principiaron las persecuciones.

Eguía le trasladó la orden de marchar a Turín, y después la de pasar al castillo de San Gregorio, de Navarra. Se afirmó que Elío y otros tendrían el mismo final.

Dos historiadores hablan de Corpas con alguna extensión, sin darle tanta importancia como Lichnowsky: uno, el escritor liberal don José Presas, en su *Pintura de los males que ha causado a la España el Gobierno absoluto de los dos últimos reinados* (Burdeos, 1827), y el otro, Pirala, en la *Historia de la guerra civil.*

Presas pinta a Corpas como un intrigante. Pirala dice de él:

«Diplomático en tiempo de Fernando VII, de carácter inquieto, activo, emprendedor, hallaba en el campo carlista el verdadero teatro de su vida. Obrando con cordura, consiguió, merced a su trato gracioso y epigramático, captarse la voluntad de unos con sus chistosas conversaciones y el afecto de otros con la «jovial franqueza» que demostraba. Oído por todos con interés, unió a Moreno y a Maro-

to, y la casualidad de ser los tres andaluces y también el honrado gentilhombre de cámara Villavicencio, el festivo intendente Freyre, el asesor real Arizaga y algunos más, dio núcleo a un bando que se denominó andaluz.»

Después del Convenio de Vergara no se supo nada de Corpas. Sin duda, se dispuso a vivir en la oscuridad. Entre el Corpas que describe Pirala, de trato gracioso y epigramático y de «jovial franqueza»; el intrigante de Presas, y el tipo misterioso y torcido que pinta Lichnowsky, hay un abismo. No sabemos cuál de los tres retratos sería el más próximo a la realidad.

24 septiembre 1933.

EL CURA GOROSTIDI

Al comenzar esta nota biográfica acerca del cura Gorostidi, recibo una carta de un navarro de la Ribera, en la que me dice, con relación a lo que yo he asegurado en la pequeña historia publicada en *Ahora* titulada «El fusilamiento de *Charandaja*», que no cree que exista la diferencia que yo señalo entre vascos ibéricos y vascos cantábricos. El vasco, según él, tiene una unidad étnica y psicológica en la zona ibérica y en la cantábrica. Esto pienso yo: es una preocupación y quizá un ideal del credo nacionalista vasco; pero no me parece una realidad.

Para escribir la vida del cura Gorostidi, que, por cierto, no aparece en ningún diccionario biográfico o enciclopédico, tengo delante, entre otros, dos libros; uno se titula:

Historia de la guerra de la Divi-

sión Real de Navarra contra el intruso sistema llamado constitucional y su Gobierno revolucionario, por don Andrés Martín, cura párroco de Ustarroz (Pamplona). Imprenta de Javier Gadea. 1825.

El otro libro, o más bien *Memoria*, se titula:

Relación histórica de las operaciones militares del Cuerpo de guipuzcoanos realistas acaudillados por el presbítero don Francisco María de Gorostidi desde su formación, en defensa de su religión y de su rey, hasta la suspirada libertad de S. M. y su real familia. Escrita en Guipúzcoa por una Comisión de oficiales del primer batallón de Guipúzcoa, quienes la dedican a la misma M. N. y M. L. provincia. Con licencia. En San Sebastián. En la imprenta de Ignacio Ramón Baroja. Año de 1824.

En la historia de don Andrés Martín, cura de Ustarroz, se dice en el prólogo que en su obra resplandecerá el espíritu de caridad, de moderación, de mansedumbre, de lenidad, que nos manda el Evangelio de nuestro divino Jesús; pero, a pesar de esta advertencia, se habla en la obra de los enemigos con rabia; se les llama impíos, perversos, canallas, infames, rateros, sanguinarios, etc.

El párroco de Ustarroz une la cólera del vasco ibérico con el furor del cura *(furor clericalis)*.

En la *Memoria* sobre Gorostidi dicen los autores:

«Hemos procurado huir de empapar la pluma en hiel y de acriminar con inútiles invectivas a los que la revolución cegó con sus seducciones o quizá arrastró en su torrente.»

En esta relación no hay insultos ni acusaciones; por el contrario, se habla con frecuencia del valor y del arrojo de los enemigos; se elogia a los jefes liberales Jáuregui *(el Pastor)*, Fernández *(Dos Pelos)* y al comandante Asura.

Esta *Memoria* sobre Gorostidi, serena, sin rencor, representa la tranquilidad del vasco cantábrico, más pacífico que el ibérico, más inclinado a tomar la vida con calma y hasta con risa.

La única nota de humor vasco popular la han dado en la época moderna dos guipuzcoanos: Iparraguirre y Vilinch. Después, la fuente se ha secado.

El mismo San Ignacio, que para la gente tiene la vitola de un fraile agrio y seco, y a quien algún pintor moderno ha representado como un lego necio y cuitado, era natural y espontáneamente un hombre risueño, como buen guipuzcoano.

El padre Alonso Rodríguez dice en su libro *Ejercicio de perfección:*

«Y de nuestro padre Ignacio leemos que al principio de su conversión fue muy tentado de risa y que venció esa tentación a puras disciplinas, dándose tantos azotes cada noche cuantas eran las veces que se había reído en el día, por liviana que hubiese sido la risa.»

El cura Gorostidi era un guipuzcoano, un vasco cantábrico, hombre campechano y militar hábil. No era nada partidario de medidas crueles; no entraba en el género clásico del cura guerrillero, pomposo y cruel, adornado con latines. No tenía el furor fanático y clerical de Merino, de mosén Antón, del canónigo Echevarría, de Tristany, del cura de Flix, del cura de Alcabón o del cura Santa Cruz.

De Gorostidi habla un libro en francés en que se cuentan los hechos de los cabecillas realistas que lucharon contra la Constitución.

Don Francisco Gorostidi era un hidalgo de la casa solar de Igarán, de la villa de Albistur (Guipúzcoa), pueblo de unas treinta casas, entre Tolosa y Azpeitia.

Al parecer, era de familia pobre, porque se dice que fue fámulo en el Seminario. Era ya cura en la guerra de la Independencia. Sirvió desde el principio hasta el fin de esta guerra en la división de Navarra (con Mina) y en la sección guipuzcoana (con Jáuregui).

Al terminar la campaña le hicieron presbítero de Anoeta, pueblo próximo a su villa natal, en donde en la última guerra civil fusiló el cura Santa Cruz al alcalde sin ningún motivo.

En 1822, Gorostidi se echó al campo, y hasta la entrada de los franceses de Angulema, su vida fue una aventura constante y una carrera de obstáculos. Conocía la topografía de las tres provincias vascas y de Navarra palmo a palmo. «Dotado de una suma robustez—dice la relación—, era sobrio y frugal al mismo tiempo, capaz de soportar las mayores fatigas; su trato, franco e igual con todos, le conciliaba mucha popularidad en la comarca.

»Un valor indómito y sosegado en medio de los mayores riesgos, una imaginación fecunda en recursos, un ingenio que parecía cobrar nueva fuerza a cada revés, el talento de sojuzgar los corazones y conservar su ascendiente sobre ellos, aun en las circunstancias más delicadas y tristes, eran propiedades que sobresalían en Gorostidi.»

Al principio, el cura, perseguido por dos columnas enemigas y con escasa gente, tuvo que retirarse a los montes de Cegama, donde se mantenían sus hombres con un poco de maíz crudo, pues no se atrevían a hacer fuego de día para que no se viera el humo, y de noche, porque no se advirtiera la llama.

A veces, cuando se encontraba en algún pueblo de la costa medio sitiado, embarcaba su pequeña tropa en lanchas, en plena noche, y se trasladaba a otro punto. Así hizo varias veces, una de ellas pasando de Motrico a Zarauz.

De Zarauz fueron a Aya, y en Urdaneta, la columna de Jáuregui, su antiguo jefe, a quien elogia siempre por su acometividad y su valor, los ataca. Un comandante Llorente, que opera a las órdenes de Jáuregui, quiere rodearlos y cercarlos e impedirles el paso por el puente de Iraeta. Gorostidi se le anticipa, cruza el Urola y va a toda prisa a los altos de Lastur, hacia el monte Anduz, en donde acampa con sus guerrilleros en una arboleda desviada del camino, situada en un rellano, rodeado por la espalda, casi

en forma de semicírculo, por unas peñas escarpadas.

El comandante Llorente los persigue; oye de noche el relincho de los caballos y rodea a los realistas. Un centinela advierte a Gorostidi que ha oído rumor de gente; dos escuchas, arrastrándose por el suelo, comprueban que están cercados.

Gorostidi consulta con sus guerrilleros. ¿Qué se hace? Un soldado de Iciar sabe que hay un paso muy estrecho entre las rocas, por donde solamente puede pasar un hombre. Gorostidi se decide a dejar caballos e impedimenta, y por el boquete que indica el de Iciar van trepando de noche, uno a uno, sus guipuzcoanos, como cabras, y al amanecer están en el puente de Mendaro, camino de Marquina.

Varias veces, el cura sale de estas emboscadas con habilidad y con maña. El de Albistur conoce el país maravillosamente; hace la guerra de partidario, pero no rehúye las acciones, como en su tiempo rehuía el cura Santa Cruz, que no sabía más que escapar y hacer fechorías crueles y poco nobles.

En Urrestilla y en Beizama, Gorostidi sostiene una acción importante contra Jáuregui.

Después, en Navarra, se une en Estella con Guergué y con Zabala.

El coronel don Sebastián Fernández (Dos Pelos) viene de Logroño a levantar el bloqueo de Estella. No tiene bastante gente. Los realistas, en mayor número, le rechazan. Fernández, derrotado, se dirige a Arróniz y luego a Dicastillo. Perseguido por Gorostidi, se encierra en la iglesia. Gorostidi le cerca, incendia la iglesia y Fernández tiene que entregarse con ciento noventa y siete soldados.

Probablemente, el jefe constitucional y el absolutista se conocían por haber pertenecido los dos a la división de Mina en la guerra de la Independencia.

Dos Pelos, prisionero, va custodiado por una columna de alaveses mandada por Zabala, y en Echarri-Aranaz le fusilan los realistas. Era uno de los guerrilleros más valientes de la Independencia.

En la relación de la campaña de Gorostidi no se habla de este hecho, en el cual el cura no intervino. En la historia de don Andrés Martín se dice que *Dos Pelos* pagó con su vida las muertes que causó en los realistas. Aquí, como al hablar de la muerte del coronel liberal Tabuenca, aparece el rencor del cura de Ustarroz.

En marzo del 23, ya próxima la entrada de las tropas del duque de Angulema, Gorostidi y su gente se establecieron en las alturas de San Marcial, cerca de Irún, y fueron atacados con intrepidez por el regimiento Imperial Alejandro, que estaba a orillas del Bidasoa y que mandaba un O'Donnell.

Después, Gorostidi se entrevistó con *el Trapense*, pasó a Francia, habló con el general Quesada, y éste le mandó que entrara en Vera con el primer batallón de Guipúzcoa, vanguardia del ejército realista aliado. De Vera marchó a Irún y se reunió con las tropas del duque de Angulema para entrar en España.

Los partidarios del cura Gorostidi tenían un himno en castellano que decía:

> *Somos realistas,*
> *no somos ladrones;*
> *somos defensores*
> *de la Religión.*

Sólo por esta pequeña muestra se ve cómo todo el absolutismo y el carlismo de los vascos ha sido de raíz castellana, de raíz que los nacionalistas llamarían *maketa*. El mismo bizcaitarrismo es igualmente *maketo*, católico (es decir, universalista) y ciudadano. En cambio, lo único vasco es lo campesino.

Hace unos veintitantos años fui yo a visitar a un viejo de noventa que vivía en un caserío de Vera de Bidasoa. A mis preguntas, dijo que recordaba haber visto de mozo al brigadier Jáuregui con uniforme brillante y barba larga, montado a caballo; siendo más pequeño, había presenciado la marcha de los partidarios de Mina, que pasaban por delante de su caserío huyendo a Francia.

El viejo añadía:

—Aquí estuvo también el cura Gorostidi por estos campos; pero yo era niño y no recuerdo eso.

Al oírle pensaba yo que sería una confusión de su memoria de viejo; pero he visto que no, que el cura estuvo cinco días acampado en los alrededores de Vera al final de 1823.

Terminada la guerra, Fernando VII concedió una canonjía cardenalicia a Gorostidi en Santiago de Compostela. Esto de canonjía cardenalicia tiene cierto aire de opereta. Parece que los cardenales de Santiago son siete canónigos de la catedral que tienen más preeminencias que los demás.

El cura Gorostidi debió de permanecer tranquilo, disfrutando su canonjía cardenalicia hasta la muerte de Fernando VII, en que se alborotó y le destituyeron.

El cura, que en su primera época de guerrillero (en la guerra de la Independencia) y en su segundo etapa (en su campaña realista del 22 al 23) fue mimado por la fortuna, en la tercera intentona tuvo una suerte fatal.

El 13 de marzo de 1834, al comenzar la guerra carlista, el ex canónigo de Santiago, que se titulaba coronel cardenal y comandante general de Galicia, fue batido en una de sus primeras salidas en el monte de Cabana, jurisdicción de Tabeiros. En el encuentro, después de matarle siete hombres, cayó prisionero y fue fusilado.

Una vieja vasca sirvienta, cuando volvía a su país desde Madrid, decía que sólo delante de sus *montesitos* se encontraba bien y trabajaba a gusto. Lo mismo, sin duda, le pasaba a Gorostidi. Lejos de sus *montesitos* no pudo desenvolverse ni dar una en el clavo.

1 octubre 1933.

LA AVENTURA DE IBARRETA

Enrique de Ibarreta, viajero y explorador español, nació en Bilbao en 1859 y murió en el Chaco en 1898. Fue uno de los últimos aventureros españoles del siglo pasado.

Un pariente mío, Justo de Goñi, que había estudiado en su compañía en la Academia de Ingenieros Militares de Guadalajara, hablaba mucho de él.

Goñi era un hombre original. Había estudiado para ingeniero civil; luego, para ingeniero militar; después se había dedicado a cuestiones de Banca y Bolsa, y, aficionado a la homeopatía, comenzó a estudiar Medicina en San Carlos pasados los cuarenta años y llegó a licenciarse.

Goñi contaba muchas anécdotas de Ibarreta de la época en que los dos estudiaban en Guadalajara. Al parecer, formaban un grupo de estudiantes turbulentos y rebeldes Alvarez del Manzano, muerto de general; Enrique de Ibarreta, Fortunato López Morquecho y mi tío Justo de Goñi.

Ibarreta, el director del grupo, era hombre de imaginación. Era alto, hercúleo, levantaba pesos enormes. Hacía ejercicios de volatinero, saltaba por encima de una porción de sillas, andaba con las manos en el suelo, daba saltos mortales, se descoyuntaba y era el asombro de sus condiscípulos.

No le tenía miedo al frío; al revés, lo desafiaba, y en invierno se levantaba de noche de la cama, salía a la ventana desnudo y andaba por una cornisa a gran altura y bajaba al patio agarrándose a una cañería.

Por lo demás, era generoso y arbitrario. En la Academia le temían, y la mayoría de los profesores estaban deseando que se marchara, porque llevaba la indisciplina allí donde iba. Poco aficionado a la vida ratonera de café y burdel que llevaban sus condiscípulos, no pensaba más que en empresas grandes y difíciles. Esto no se perdona nunca en las colectividades mediocres. Pedagogía, pedantería y entusiasmo por la mediocridad son ramas del mismo tronco.

Al parecer, más que los libros de texto, áridos y estúpidos, le gustaba a Ibarreta leer los libros de viajes de Burton, Livingstone, etc., y novelas de aventuras de Mayne Reid y de Julio Verne.

Mi pariente Goñi contaba también anécdotas de Alvarez del Manzano y de López Morquecho. De éste decía que en el cólera de 1884 había ido en compañía de las autoridades a un pueblo de Alicante o de Murcia, muy castigado por la epidemia. En el pueblo se decía que lo más peligroso era comer pimientos y tomates crudos.

La gente no quería ni tocarlos. Morquecho se sentó en un banco de la plaza, hizo traer un barreño, lo llenó de pimientos y tomates crudos, los aliñó con aceite y vinagre y se los comió ante la estupefacción del vecindario.

Justo Goñi, que a veces decía que se había hecho todo un anglosajón a fuerza de leer a Spencer—y eso que había nacido en Jerez—, quizá exageraba algo con su imaginación andaluza.

Enrique de Ibarreta no pudo seguir en la Academia de Guadalajara, no terminó la carrera y se dedicó libremente a trabajos de ingeniería. Tomó parte en la construcción del ferrocarril de Durango a Bilbao.

Después emigró a la República Argentina e hizo algunas excursiones en el Chaco, recorriendo con Baldrich, hacia 1883, la comarca del río Pilcomayo desde el 24 al 22º de latitud Sur hasta la colonia Crevaux.

Regresó a España en 1894, y como era patriota, se alistó como voluntario y marchó a Cuba a combatir contra los insurrectos. Entonces se aseguró que había dicho que iba a entrar en los Estados Unidos con una jauría de perros rabiosos; pero esto, probablemente, sería una invención.

Al terminar la guerra se fue de nuevo a la Argentina, con el espíritu ansioso de lucha y de aventuras y el bolsillo vacío.

En la Memoria de Beltrán y Rózpide *La Geografía de 1898* se dice: «El Instituto Geográfico Argentino pone gran empeño en conseguir el reconocimiento completo del río Pilcomayo, a fin de obtener la noción definitiva de su navegación y aprovechamiento. Uno de sus más preclaros individuos, el famoso explorador Ramón Lista, ha perdido la vida al acometer tan difícil empresa. Cerca de Orán y del Bermejo, a los pocos días de haberse puesto en camino, el 20 de noviembre de 1897, atormentado por la sed, perdió la razón y se suicidó, según declaración de su compañero Marcoz; si bien hay indicios de que fue asesinado por éste.»

Ibarreta comenzó, en 1898, una nueva tentativa de exploración en el Chaco y en el río Pilcomayo. Ibarreta intentó reconocer el curso de este río. Iba con un reducido número de compañeros. Se embarcó en San Francisco y navegó por el Pilcomayo hasta pasar el 23º de latitud Sur, donde se vio detenido por los esteros de Patiño.

En 1882, el doctor Crevaux se había embarcado en el mismo puerto con diecisiete personas, con la intención de llegar hasta la desembocadura del río, y poco antes de alcanzar el paralelo 23º Sur fue asesinado con su escolta por los indios tobas, escapando únicamente con vida el joven Zeballos, que durante seis meses permaneció prisionero de aquellos indios.

Un año después de verificó la expedición de Thonar, que siguió la orilla derecha del Pilcomayo, y fundó la colonia Guijarro, al sur del paralelo 22º. También hizo otro viaje a las mismas regiones el español Cominges.

Al parecer, no puede navegarse en el Pilcomayo más que en ciertas épocas; falta agua en la estación seca y hay pasajes en el mismo curso inferior en que la profundidad es muy poca. Además, los raigones, los árboles y las masas de vegetales que hay en el cauce entorpecen mucho la navegación.

De la expedición de Ibarreta debe de haber detalles en un libro titulado *Correrías de América*, de don Miguel D. Somonte, editado en Pravia, y en el *Boletín del Instituto Geográfico Ar-*

gentino, obras que he buscado, pero que no he podido encontrar.

La Memoria de Beltrán y Rózpide *La Geografía de 1898* da estos datos:

«Otra expedición exploradora del Pilcomayo salió de la Misión de San Antonio, en Bolivia, el 3 de junio de 1898. Bajo la dirección del español Enrique de Ibarreta, la constituían cuatro argentinos, dos bolivianos y el español Martín Beltrán, y, además, tres indios y tres indias tobas. Iban embarcados en dos chalanas, y se proponían bajar por el río hasta su desembocadura en el Paraguay. A fines de agosto llegaban a los esteros de Patiño, y poco después, según noticias que se recibieron en La Asunción, Ibarreta quedó solo, pues, de acuerdo o no con él, le abandonaron sus compañeros, que estuvieron vagando durante cuatro meses por los bosques y perecieron todos; sólo dos pudieron llegar a Villa Concepción. El Gobierno argentino acudió en socorro de aquél, enviando una expedición al mando del capitán de fragata Montero; otra salió con el mismo objeto de Villa Hayes (Paraguay), dirigida por el señor Wilkin Andersen. A fines de enero de 1899 regresó la expedición de Montero sin haber hallado rastro del explorador y con la convicción de que éste había perecido a manos de los indios. Nueva expedición a las órdenes del teniente coronel Bouchard confirmó la triste suerte de Ibarreta, asesinado a garrotazos por Damongay, cacique de una tribu de orejudos.»

Según otros informes, cortada la marcha de Ibarreta y con sus compañeros extenuados por la fatiga, mandó a dos jóvenes de los más vigorosos entre los suyos para que fueran a las colonias argentinas más próximas. Les dio comunicaciones escritas y les

marcó el rumbo que debían seguir. Estos comisionados pudieron salir con fortuna a territorio civilizado, venciendo las grandes dificultades que puede ofrecer un país inexplorado y salvaje.

Mientras tanto, Ibarreta se quedó a vivir entre los indios, por quienes fue muy bien recibido. No tardó en imponerse ante la tribu que le hospedaba como un ser superior. Su inteligencia, sus conocimientos, su vigor físico y hasta sus condiciones de funámbulo le debieron permitir presentarse como un hombre extraordinario, como un gran brujo. Hacía milagros, preveía y anunciaba los fenómenos naturales de una manera sobrenatural para los salvajes.

Al parecer, los indios dijeron después que Ibarreta se casó con una princesa de la tribu y tuvo descendencia.

Ibarreta debió de vivir feliz en las soledades del Chaco, como el jefe de un clan primitivo, cazando, viajando y explorando regiones desconocidas. Era no solamente admirado, sino querido por los salvajes. Provisto de municiones y de excelentes armas, se ejercitaba en la caza, alejándose a largas distancias del pueblo donde vivía.

¿Qué proyectos tendría aquel hombre en aquellas tierras lejanas e inexploradas? Seguramente los tenía, porque su imaginación no estaba nunca en descanso. La muerte le sorprendió al poco tiempo de instalarse allí.

Se dice que una vez, en una excursión a un país lejano de la tribu de los orejudos, mató a un animal que no conocía. El animal quizá era el totem de la tribu, y los indios, dirigidos por Damongay, dieron muerte al extranjero audaz.

Al saberlo, la tribu en donde vivía lloró por su jefe.

En vista de que las expediciones enviadas por el Gobierno argentino para socorrer al explorador habían fracasado, otro vasco amigo de Ibareta, Carmelo de Uriarte, organizó una excasado, otro vasco amigo de Ibarreta, vivía o no, y si no vivía, recoger sus restos. Uriarte salió en junio de 1899 de Villa Concepción, en el Paraguay. Acompañado de tres hombres, atravesó el Chaco, y, al llegar a las márgenes del río Pilcomayo, tuvo las primeras noticias de Ibarreta, aunque no muy claras y definidas. En noviembre del mismo año emprendió su segunda exploración—esta vez, desde la desembocadura del Pilcomayo—acompañado de seis hombres. Ante las penalidades de la travesía, se vio abandonado por algunos de ellos; pero consiguió atravesar el río y llegar al Chaco argentino. Allí pudo entablar relaciones con los indios tobas, entre los cuales vivió algún tiempo, hasta que cayó rendido por la fatiga y el hambre.

Repuesto, emprendió una tercera expedición, y, después de escapar de graves peligros, llegó al campamento donde había sido muerto Ibarreta, cuyos restos reconoció por algunos objetos que llevaba su amigo y por algunas muelas de oro de su mandíbula. Los huesos y el cráneo fueron enterrados en el cementerio de La Asunción.

Uriarte, que atravesó el Chaco paraguayo, pudo estudiar las diferentes tribus que lo pueblan.

Lo curioso de estas excursiones de Ibarreta y Uriarte es que ninguno de los dos se había preparado para ser explorador. Tenían ambas expediciones el carácter de improvisación de todo lo clásicamente español y vascongado.

Hace años, acudiendo yo al estudio del pintor Juan Echevarría, me dijo que acababa de ver y de hablar a don Carmelo de Uriarte, que estaba por unos días en Madrid. Uriarte consideraba su expedición en busca de su amigo como algo natural, que no tenía nada de extraordinario.

En nuestra época, en que los españoles se han revelado con más fuerza que nunca como águilas en la caza de los empleos y de los sueldos, tipos como Ibarreta y como Uriarte, tan poco prácticos, deben de ser necesariamente considerados como unos pobres insensatos.

15 octubre 1933.

LA PRISION DE CARNICER

Los tres cabecillas carlistas aragoneces de importancia de la primera guerra civil fueron hombres de relativos buenos sentimientos; los tres, rivales y enemigos de Cabrera, más sanguinario y cruel que ellos, pero también más genial.

Carnicer cayó prisionero en una emboscada en Miranda de Ebro; Joaquín Quílez murió en la batalla de Villar de los Navarros (Zaragoza), cuando la expedición real, y Juan Cabañero se pasó al bando cristino y sirvió después a Isabel II.

Manuel Carnicer era de Alcañiz; sus padres habían sido labradores. Tuvo una educación descuidada e incompleta. En 1818 entró en quintas; fue a Madrid, y por su talla y su buena presencia le destinaron a la Guardia real.

Cuando el levantamiento de ésta a

favor del rey absoluto, el 7 de julio de 1822, Carnicer pertenecía a ella. Por motivo de su sublevación, la Guardia real fue diseminada y repartida en otros regimientos. Por esta época, un antiguo herrador de Alcañiz, Joaquín Capapé, alias *el Royo*, andaba campeando y derribando lápidas de la Constitución. Carnicer se unió a su convecino. Capapé, titulado brigadier tosco y bárbaro, le miró con simpatía, le protegió y le fue ascendiendo hasta teniente coronel.

A la entrada de los franceses de Angulema, Carnicer quedó algún tiempo fuera de servicio, y después fue nombrado teniente del ejército regular.

En 1824 se prendió a Capapé porque se levantó contra los franceses de Angulema y a favor de don Carlos. Se le llevó a Zaragoza y se le encontraron dos cartas de don Carlos en que le ordenaba la sublevación. Esto le salvó del fusilamiento.

El año 1832 se hizo una reforma en la oficialidad del Ejército, y fueron excluidos de él la mayor parte de los que habían pertenecido a los filas realistas.

A la muerte de Fernando VII, Carnicer, sin destino, decidió echarse al campo. En Alcañiz, como en casi todos los pueblos, los carlistas comenzaron a tener reuniones secretas y a conspirar a favor de don Carlos. El gobernador de la ciudad, don Juan Aguavera, se enteró de que el punto de cita principal era la casa del brigadier realista Puértolas. Una noche de octubre de 1833, el gobernador sorprendió a los conspiradores, y prendió a Puértolas y a algunos de sus amigos, y, sin dar al caso publicidad, los encerró en el castillo.

Carnicer se enteró, y a la madrugada escapaba de Alcañiz.

Pocos días después aparecían los primeros partes del gobernador de Tortosa en que se hablaba de unos cabecillas que campeaban en la frontera de Aragón, entre ellos un tal Carnicer, de Alcañiz *(Fastos españoles*. Boix. Madrid, 1839).

Carnicer reunió pronto unas docenas de hombres. Sabía la disposición del vecindario de Morella, y pensó en levantar este pueblo. Los morellanos, al conocer sus intenciones, le enviaron una Comisión al mesón Nuevo, hacia el pueblo Forcall u Horcajo. La Comisión convenció al cabecilla de que suspendiera el proyecto hasta que ella avisara el momento oportuno.

Carnicer aplazó el plan, y en Codoñera, a tres horas de Alcañiz, dio el grito de «¡Viva Carlos V!» A los pocos días engrosó su partida con oficiales y soldados de los que habían formado la gente de Capapé.

A mediados de noviembre se presentó en Morella don Rafael Ram del Víu, barón de Hervés, con la intención de sublevar el pueblo en favor de don Carlos y hacer de él el centro de las fuerzas realistas del Maestrazgo.

El gobernador de la plaza, don Carlos Victoria, se prestó a secundar la idea, y la ciudad se levantó en masa. Entró en ella Carnicer; el barón de Hervés formó una Junta, y llamó a todos los mozos realistas de los contornos para que se reconcentraran allí. Entre los que se presentaron había un tortosino de veintiséis años, hombre fuerte, moreno, inquieto, que había sido seminarista. Era Ramón Cabrera.

El barón de Hervés quiso poner la plaza en situación de defensa y abastecerla. El Gobierno mandó para reducir la ciudad sublevada al mariscal de campo don Rafael de Hore, con los brigadieres don Manuel Bretón y don J. García Navarro, al frente de una columna.

Los carlistas quisieron dar la batalla a las tropas regulares fuera de la ciudad; pero, vencidos, abandonaron Morella y escaparon a campo traviesa. El más desgraciado de los jefes fue el barón de Hervés, que, hecho prisionero, fue fusilado en Teruel. También fue fusilado como traidor el ex gobernador de Morella don Carlos Victoria.

Mientras tanto, Carnicer, que había elegido como teatro de la guerra el Maestrazgo, comenzaba a organizar sus tropas, ya numerosas. Al mismo tiempo se iban señalando entre Aragón y La Plana varios cabecillas, entre ellos Quílez, Cabrera y *el Serrador*. Pronto la gente empezó a distinguir a Cabrera. El sino parecía ponerlo a plena luz. Carnicer y Quílez no eran sanguinarios; habían hecho alguna que otra brutalidad sin objeto, pero no eran sistemáticamente crueles. *El Serrador* lo era por bruto. Cabrera, por instinto y por sistema. Pronto comenzó la rivalidad entre los cabecillas.

Partidas de unos y otros tuvieron que sostener una acción en Mayals, que perdieron los carlistas y que dirigió Carnicer. Cabrera dijo de su rival: «Carnicer no sirve para mandar. ¡Cuán distinta sería nuestra suerte si estuviera en otras manos!» (Esto asegura *La vida y hechos de los principales cabecillas y facciosos de las provincias de Aragón y Valencia*, por un Emigrado del Maestrazgo. Valencia. Imprenta de López, 1840.)

En el mismo libro se afirma que Carnicer estaba muy enfermo del pecho.

«Es extraño—añade—que una complexión extenuada y enfermiza como la de Carnicer, quien, afectado del pecho, arrojaba con frecuencia sangre por la boca, pudiera soportar fatigas tan continuadas sin sucumbir. Verda-deramente, su dolencia empeoró algunas veces, reduciéndole a la imposibilidad de mantenerse en campaña. En tal caso apeló al recurso de fingirse muerto, haciendo correr la noticia para adormecer la vigilancia de sus perseguidores y despachando para que se dejase ver a su asistente con el hermoso caballo negro que él montaba. Con semejante artificio logró pasar quieto el tiempo de la convalecencia y restablecerse casi completamente.»

Cuando los cabecillas carlistas del Maestrazgo tuvieron que obrar en colaboración, Cabrera fue para Carnicer, como después para Quílez, la sombra del manzanillo.

Carnicer, a juzgar por su retrato, era hombre de buena figura, alto, esbelto, de facciones correctas, de ojos grandes, bigote largo y patillas. Tenía un lunar en la cara que le señalaba.

En 1835, Cabrera fue al Cuartel Real a conferenciar con don Carlos. A su vuelta llevó la orden del pretendiente para que Carnicer se presentara en Navarra; Carnicer vacilaba, y Cabrera le convenció de que debía ir. Carnicer fue, y en el camino, al pasar por Miranda de Ebro, le reconocieron, le prendieron y le fusilaron. La voz popular acusó a Cabrera de haber denunciado a su rival. ¿Le denunció? No se pudo probar la acusación.

De los historiadores que se han ocupado de este hecho, Calvo de Rochina, en su *Historia de Cabrera*, dice que no; el Emigrado del Maestrazgo supone que sí; Santa Cruz y Temprado, en la *Historia de la guerra última en Aragón y Valencia*, creen que sí; Buenaventura de Córdoba, en la *Historia de Cabrera*, que es en el fondo un panegírico, piensa que no; Ayguals de Izco, en «*El Tigre*» *del Maestraz-*

go, afirma que sí; Pirala se inclina a pensar que no.

La gente lo supuso siguiendo la frase latina de los leguleyos: *Quid prodest? ¿A quién beneficia?*

En la continuación de la *Historia*, de Lafuente, se dice:

«Suponen los que acogen tan grave cargo que Cabrera dio anónimamente aviso a las autoridades de la reina encargadas de la vigilancia del puente de Miranda, por donde debía precisamente pasar Carnicer, cuyas señas y conocimiento del nombre bajo el cual viajaba, así como del disfraz que le encubría y demás circunstancias propias a hacerlo caer en el lazo, fueron minuciosamente comunicadas al que debía de ser su aprehensor.»

Aseguran los continuadores de la historia indicada que no se puede fallar en el pleito contra Cabrera o a favor de Cabrera, y añaden:

«Pero dicho esto, lícito debe sernos añadir, sin incurrir por ello en la nota de parcialidad, que aparece claro, de los hechos consignados en los documentos insertos, que la delación que produjo el arresto y el fusilamiento de Carnicer es verosímil partiese de quien tenía interés en deshacerse de él, o por venganza, o por codicia, o por ambición, sospecha que no es permitido imputar exclusivamente a la memoria de Cabrera, toda vez que la delación pudo tener origen en otros de los enemigos personales de Carnicer.»

Pastor Díaz, en su *Biografía de Cabrera*, dice:

«La voz pública atribuyó a Cabrera la traición que puso en manos de sus enemigos a su jefe y favorecedor. Y cuando decimos voz pública, no hablamos de rumores esparcidos por sus contrarios. No. Estos olvidaron luego la muerte de Carnicer, que al principio celebraron. Pero los que más la sintieron fueron los suyos, los facciosos de Aragón, los que la lloraron y los que no han dudado jamás de que el aviso que precedía a su llegada había partido de la confianza de un falso amigo, que no podía ser otro que su ambicioso rival. En el ejército de Aragón, y aun en los mismos batallones que más obedecían y respetaban a Cabrera, esta opinión ha corrido siempre muy válida y con un asentimiento superior al de una anécdota vulgar. Es un hecho horrible; sin duda, pruebas evidentes de una justificación plena e indubitable faltan.»

En una carta que Pirala, en su *Historia de la guerra civil*, publica como descargo, dice que una persona respetable le escribió en estos términos:

«Cabrera fue portador de la orden del pretendiente para que Carnicer se presentase en Navarra, y Cabrera la anunció en secreto a varias personas relacionadas con el capitán Desy y conmigo, y, tanto aquél como yo, trasladamos la noticia al capitán general de Aragón en el momento que la supimos.»

No sabiendo quién era la persona que alegaba esto, el alegato no tiene gran valor; pero aun suponiéndolo cierto, indicaría una complicidad moral, porque Cabrera, que era muy inteligente, bien podía saber que comunicar una noticia a muchos en secreto era igual que divulgarla.

En el libro de Buenaventura de Córdoba se exponen unas cuantas razones en contra de la imputación de que el cabecilla tortosino participase en la denuncia; pero estas razones tienen muy poco valor.

Santa Cruz y Temprado dicen, hablando de Cabrera:

«El trajo a Carnicer la orden de Carlos V para que se presentara en Navarra, y, a pretexto de que los capitanes Sebil y García conocían el terreno, particularmente el último, que acababa de llegar con él de aquella provincia, le aconsejó que le acompañase. Tendrían o no parte estos dos capitanes en la prisión de Carnicer; pero es lo cierto que, a pesar de no darse aún cuartel en Navarra, porque no se había ajustado el Tratado de Elliot, no fueron fusilados como su jefe, y, por el contrario, canjeados muy pronto. Esta calumnia, si realmente lo es, debía ser rechazada por Cabrera de todas maneras y en cualquier lance, y, sin embargo, Cabañero se la echó en cara delante de muchas personas en la Iglesuela y la sufrió muy resignadamente, sin acordarse que ceñía una espada.»

En el mismo libro se lee:

«Hallándose Cabrera en Camarillas el 16 de febrero de 1836, a la misma hora que su madre era fusilada en Tortosa, fusilaba él a Cristóbal Sebil, de Alcorisa, hermano de uno de los que acompañaban a Carnicer, porque tuvo la indiscreción de decir que éste había sido vendido por Cabrera. Tal rigor produjo, como era natural, el efecto contrario que quería, pues aunque pretextó que le fusilaba por otras causas, como sus soldados sabían que eran falsas, se afirmaron más en la sospecha, que difícilmente podrán desvanecer los parciales y admiradores de este cabecilla.»

En la *Vida militar y política*, de Buenaventura de Córdoba, hay en el tomo I, en una nota, una relación del viaje de Carnicer, escrita en Pau en 1844 por Francisco García, militar carlista que le acompañó desde Lécera.

«De todos modos, apenas echó a andar, como por encanto se esparció la noticia de su salida—se dice en la *Vida y hechos de los principales cabecillas facciosos*—. Las señas de su persona eran tan inequívocas y circunstanciadas, que nadie ha dudado fuese Cabrera el propagador de ellas, valiéndose de este maligno ardid—o más bien traición—para perder a su rival sin comprometerse.»

El capitán Francisco García cuenta cómo salieron de Lécera (Zaragoza) disfrazados de arrieros Carnicer y otros varios; marcharon cerca de Aranda y subieron a Pancorbo.

Al llegar al puente de Miranda de Ebro, el 2 de abril de 1835, les pidieron los pasaportes: primero, en un cuerpo de guardia; después, en una caseta de carabineros.

Aquí preguntaron a Carnicer qué es lo que tenía en la cara, pues con un parche y un pañuelo ocultaba el lunar. Contestó que le dolían las muelas, y entonces el oficial de carabineros le dijo:

«Descúbrete, niño, la cara. Has venido a dar en manos de tus peores enemigos.»

Ante las protestas de Carnicer, el oficial leyó un escrito que decía sustancialmente estas palabras: «Por uno de los vados del Ebro o por el puente de Miranda pasará Carnicer vestido de arriero con otro. Vigilancia, vigilancia; redoblad la vigilancia.»

Fueron todos los presos conducidos al castillo próximo a Miranda, y el 6 de abril fue fusilado Carnicer. A los compañeros de viaje los llevaron a Burgos y los canjearon después.

Carnicer era un cándido, un infeliz, y por un sistema o por otro tenía que sucumbir ante Cabrera, como sucumbió Quílez, y hubiera sucumbido Cabañero a no haberse pasado al otro bando.

En la alocución de Cabañero «A los aragoneses que se encuentran con las armas en la mano bajo el dominio de Cabrera», publicada después del Convenio de Vergara, aseguraba que él se vio obligado a separarse del tortosino para ponerse a cubierto de una cruel persecución. Luego les dice: «Y vosotros, hijos míos, sois ciego instrumento del más cruel e inhumano de los hombres, de Cabrera; de ese catalán que se ha erigido en vuestro señor; de ese que no pelea más que por su propio interés, que os considera como sus esclavos y que os desprecia en el fondo de su corazón.»

Estas son palabras certeras que no le quitan ningún mérito a Cabrera, porque lo mismo se podrían dirigir a Borgia o a Napoleón o a cualquier de estos mediterráneos astutos y maquinadores.

Cabrera es el tipo que da el Mediterráneo, sin escrúpulos, por encima del bien y del mal, como diría un nietzscheano. No podía compartir el mando con nadie, y no es raro que preparase hábilmente la emboscada contra Carnicer.

27 octubre 1933.

LOZANO DE TORRES Y UGARTE, O LA ESCUELA DE LOS FAVORITOS

Mucha gente supone que pasadas la Monarquía y la realeza con el poder personal, el favoritismo y la adulación desaparecerán. Es una candidez. El favoritismo y la adulación existirán siempre mientras haya personas que tengan que pedir algo y otras que puedan otorgar mercedes. Con Monarquía, con República, con socialismo y hasta con anarquismo—si éste fuera posible—habrá adulación y favoritismo. Cuando no se puede adular a un hombre, se adula a la masa.

Los favoritos fueron en la España moderna de dos clases: los favoritos amantes de las reinas, como Godoy, Muñoz o Marfort, y los favoritos amigos de los reyes, políticos o bufones.

El reinado de Fernando VII fue el reinado clásico de los favoritos. En él se empleó por primera vez la palabra camarilla en el sentido de gobierno de compadres, palabra que corrió por el mundo y se empleó en todos los idiomas europeos.

El compadrazgo y la corrupción alegres, ligeros, pueden parecer divertidos, al menos como espectáculo; pero cuando tienen un carácter sombrío y siniestro, como en la España fernandina, son repugnantes.

Fernando VII era un hombre ingenioso, solapado, chusco y cobarde. A un tipo como él le tenían que gustar personajes viles y grotescos como Lozano de Torres y Calomarde.

En el reinado de Fernando se da el máximo de favoritismo. Las dos figuras más clásicas de este favoritismo son don Juan Esteban Lozano de Torres y don Antonio Ugarte. Entre los protegidos del rey, Calomarde es un político torpe, clerical, pero es un político; Chamorro y Ramírez de Avellano son criados; el duque de Alagón es un alcahuete; los dos verdaderos favoritos son Lozano y Ugarte.

Lozano y Ugarte representan dos escuelas de servilismo: la escuela de la adulación baja y desvergonzada y la de la intriga hábil.

Lozano de Torres apareció en Cádiz; es de suponer que fuera de allí. En su juventud estuvo de aprendiz de una relojería; después fue chocolatero, y luego, corredor de comercio. En la época que el Gobierno estaba entregado a la arbitrariedad de Godoy, Lozano obtuvo por los medios torcidos entonces en uso entrar en la Intendencia del Ejército. En la guerra de la Independencia era ya jefe de alguna categoría.

La Regencia del reino le encargó de la administración de un hospital en Cádiz, y al momento comenzaron las irregularidades y las malversaciones. Las Cortes decidieron hacer una información para averiguar lo ocurrido, y se comprobaron los robos y los gatuperios.

Esto no perjudicó en su carrera al futuro personaje, y el Gobierno destinó a Lozano, en 1812, a la Intendencia de Salamanca. Lord Wellington protestó del nombramiento, y escribió a su hermano, embajador en Cádiz, diciéndole que Lozano de Torres era inmoral, inútil y el más ignorante de los hombres, y que no podía servir más que de estorbo.

Por entonces, Lozano no se había definido en política. Corpas, en su *Précis historique*, indica: «Se decía que Lozano de Torres, en 1813, prestó su casa en Cádiz para centro de reunión de los masones y que publicó dos folletos tan republicanos, que *El Conciso*, periódico liberal gaditano, los elogió.»

Después Lozano estuvo empleado en Madrid en el Ministerio de Hacienda, y luego fue ministro de Gracia y Justicia. Ya en este cargo se revela su adulación perruna.

En la *Historia de España*, de Lafuente, continuada por Valera, se dice de Lozano que era hombre ignorante y de malévolos instintos, y que, por la adulación y la bajeza, fingiendo un entusiasmo exagerado y ridículo por la persona del rey, se había encumbrado desde la esfera más humilde hasta el puesto de consejero de Estado.

Se decía que Lozano de Torres llevaba siempre al cuello el retrato del rey y que había convencido a éste de que existía entre ambos una gran identidad de temperamentos, una especie de simpatía magnética que hacía que lo que pasaba al uno tenía que ocurrirle irremisiblemente al otro. El rey, lo creyera o no, se reía.

Lozano, según los contemporáneos, era de lo más inepto, de lo más bajo y tortuoso entre los serviles de la época. Lozano obtuvo una gran cruz en premio de haber sido el primero que anunció el embarazo de la reina. Después estuvo preocupado con este hecho trascendental.

«... y fue el caso—dice Mesonero Romanos en sus *Memorias de un sesentón*—que, anunciado el próximo alumbramiento de la reina y declarado ya fuera de cuenta el tiempo de su embarazo, el ya dicho ministro, por congraciarse, sin duda, con su soberano, tuvo la idea de exponer de manifiesto al Santísimo Sacramento en la iglesia de San Isidro, permanente día y noche, hasta el momento del parto de la reina, acudiendo él mismo en persona a hacer vela todas las noches con los más ridículos extremos, que excitaban la hilaridad de la gente moza y maleante que le ocntemplaba, pero aconteció que el cálculo de los facultativos hubo de resultar equivocado, dilatándose el parto treinta y tantos días, con lo que la hipócrita rogativa salió un poco cara al ministro adulador.»

La gestión de Lozano como ministro fue tan desgraciada, que Fernando VII le destituyó y le envió al castillo de San Antón, de La Coruña; pero el desterrado se arregló para quedarse en Astorga, donde permaneció hasta 1823, época en la cual fue reintegrado en el uso de honores, títulos y tratamiento.

La Universidad de Santiago, para tratar al adulador por la adulación —sistema homeopático—, le otorgó el título de doctor en Derecho civil y canónico. «Otros más lerdos lo han sido», dirían los catedráticos de Compostela.

Lozano de Torres murió desconocido y olvidado.

El otro favorito, típico del tiempo, aunque de distinta vitola, fue don Antonio Ugarte. Ugarte era, según unos, navarro; según otros, vizcaíno, de Bilbao. Era un hombre sagaz, emprendedor y aventurero. De él se ocupan con más extensión que nadie Presas en su *Pintura de los males que ha causado a España el Gobierno absoluto de los dos últimos reinados*, y un folleto: *Contestación a la obra de Presas*, firmado por don Lino Martín Picado Franco, publicado en Burdeos en 1829.

Ugarte dejó su país a la edad de quince años y se presentó en Madrid con la esperanza de hacer fortuna. Su primera profesión no fue, como se dijo, la de mozo de cuerda, sino la de criado, que ejerció durante algún tiempo en la casa del consejero de Hacienda don Juan José Eulate y Santa. Era el muchacho robusto, de una fisonomía agradable y de un ingenio extremadamente vivo.

Al parecer, Ugarte tenía condiciones de don Juan. La mujer de su señor, que le apreciaba mucho, le hizo su secretario; pero un acontecimiento desagradable le obligó a dejar la casa.

Aquí se olfatea algo como una aventura amorosa. La cabeza del señor Eulate debió desdibujarse con el acontecimiento. Echado de la casa, Ugarte se improvisó maestro de baile. Se ve que el vasco era hombre de recursos.

Ugarte se dedicó con gran éxito a los rigodones, a los minués y a las pavanas. Don Manuel Osma, tesorero del Hospital General de Madrid, fue uno de sus discípulos. «En el ejercicio de esta profesión—dice Presas con seriedad—, que exige mucha ciencia (la ciencia del baile, como dice un profesor de Molière), tuvo la fortuna de dar lecciones a una señorita de Burgos que residía entonces en Madrid, en la costanilla de los Capuchinos de la Paciencia (entre la plaza de Bilbao y la calle de San Marcos).

»Su exactitud—asegura Presas—hizo que la señorita concibiera por él la ternura o la afección que produce ordinariamente el trato de todos los días.»

Decir que la señorita de Burgos se entusiasmó de su maestro de baile por «su exactitud» es una candidez o una broma. Dan ganas de preguntarse: «¿A qué llamaría «exactitud» este escritor?»

Esa señorita de Burgos, privilegiada por la Naturaleza, era de las que ejercen una gran influencia sobre la voluntad de los hombres. No podía ver con indiferencia la suerte humilde y modesta de su querido maestro de baile, y empleó todos los medios para obtenerle una plaza de agente de negocios. Una sonrisa, una ojeada de su protectora bastaban para conseguir lo que se deseaba.

Ugarte fue agente de negocios de las Indias de cinco gremios de la villa de Madrid y de la Dirección General de Rentas para sostener los procesos del Fisco.

No sabemos si se manifestó agradecido con la burgalesa o no. Es posible que fuera ingrato, porque, como dijo no sé quién, hay favores tan grandes que no se pagan bien más que con la ingratitud.

Por una de esas casualidades que son frecuentes en las cortes, Ugarte conoció al barón de Strogonoff, embajador de Rusia en Madrid, y este personaje le encargó del cuidado de algunos asuntos particulares. No se sabe si el señor Strogonoff estaba en Madrid con su mujer. Si estaba madame Strogonoff, se puede suponer por qué camino llegó Ugarte a ejercer tanta influencia en su casa. El embajador tuvo que escapar de España con la invasión francesa y depositó en casa del vasco cuanto poseía.

Ugarte continuó con su agencia bajo el reinado de José Bonaparte, sirviendo indistintamente a españoles, a franceses y a sus respectivas señoras, sacando de todos el partido más ventajoso.

Por entonces, la Regencia del reino, establecida en Cádiz, quiso entrar en relaciones con el embajador de Rusia, y resolvió encargar esta misión a don Francisco Cea Bermúdez, conocido ya en San Petersburgo por sus especulaciones mercantiles.

La gran dificultad era que el enviado del Gobierno español pudiese efectuar su viaje atravesando España, entonces ocupada por el ejército enemigo, y pasando por Francia, donde era conveniente tomar informes exactos y dar cuenta fiel al emperador Alejandro del espíritu de este país.

El consejero don Antonio Ranz Romanillos y el ministro de Estado, don Juan Dávila, que habían sugerido al Gobierno la idea de esta empresa, indicaron los medios de llevarla a cabo; se resolvió que Cea solicitara en Málaga del gobernador francés un pasaporte para viajar libremente, y después Ugarte consiguió de los jefes franceses que conocía un salvoconduc-

to para Cea. Ugarte se lo entregó con una carta dirigida al barón de Strogonoff.

Al volver Fernando a ocupar el trono, en 1814, el emperador de Rusia nombró embajador en Madrid a Demetrio Pawlovich Tatischeff, que fué dirigido por Strogonoff a Ugarte.

Strogonoff pintó a Ugarte como un hombre inteligente, sagaz y muy enterado de los asuntos políticos y diplomáticos. Al llegar el embajador ruso a Madrid, llamó a Ugarte y conferenció con él. Sin duda, le dió una buena impresión.

Tatischeff intentó buscar una coyuntura favorable para hablar a Fernando de los servicios importantes hechos por Ugarte, de sus conocimientos, de su actividad y de la devoción especial que había manifestado siempre por la real persona.

No se necesitó más para que el rey considerase a Ugarte como un hombre de la mayor importancia, capaz de resolver con éxito los asuntos más difíciles y espinosos. Desde aquel momento fue recibido en Palacio y tomó una posición preponderante en la camarilla.

Poco después, Fernando VII le encargó del problema más difícil que se presentaba por entonces: la dirección y la organización de las tropas destinadas a la expedición de Ultramar para pacificar las provincias del Río de la Plata.

Ugarte intervino con Tatischeff en la compra de unos barcos rusos para llevar fuerzas españolas a América, barcos que resultaron perfectamente podridos e inútiles. Ugarte, con seguridad, no sabía esta circunstancia; pero Fernando le achacó la culpa, hizo detenerle y llevarle preso al Alcázar de Segovia.

En la revolución de 1820, Ugarte fue puesto en libertad por carambola, dice Mesonero Romanos. En aquella época el favorito debió andar mal.

En los tres años que rigió la Constitución de Cádiz, Ugarte estuvo montado sobre el patíbulo, sin que le arredrasen amenazas ni activas persecuciones, dice don Lino Martín Picado en su *Contestación a Presas*.

En la segunda reacción de 1823, Fernando llamó de nuevo a Ugarte. Tal confianza tenía en él, que en una conferencia que celebró con el duque del Infantado, presidente de la Regencia, y con don Víctor Damián Sáez, les dijo: «Todo lo habéis errado, porque no habéis contado para nada con Ugarte.»

Ugarte fue en esta época prepotente; ponía y quitaba ministros, vigilaba a los políticos. Tenía tanta importancia, que el pueblo le llamaba *Antonio I*, para dar a entender que era más rey que Fernando VII. Casa Irujo, el conde de Ofalia, Cea Bermúdez, López Ballesteros, todos eran hechuras suyas.

Al final de 1823, López Ballesteros obtuvo la cartera de Hacienda por influencia del favorito vasco, y estaba dispuesto a probar su agradecimiento de una manera auténtica. En esto Fernando VII remitió al Consejo de Ministros una orden escrita y firmada por su mano, en la cual ordenaba pagar ocho millones de reales a Ugarte como indemnización de los gastos secretos que había hecho para la organización de los Cuerpos realistas destinados a destruir el Gobierno constitucional. La orden fue leída en el Consejo, y Ballesteros pagó la suma haciendo un empréstito en París.

La gran munificencia de Fernando VII con Ugarte y con los realistas aumentó las cargas del Estado, y un inglés llamado Enrique O'Shea aseguró que el monopolio del bacalao produciría fondos suficientes para pagarlo todo. Ballesteros propuso el arbitrio al rey, y otorgó el monopolio a O'Shea; pero como no daba resultado, lo abolió en agosto de 1825. El bacalao salvador se fue al fondo de los mares.

Fernando VII se irritó con el fracaso, y entre Cea Bermúdez, el conde de Ofalia y otros antiguos protegidos por el favorito le derribaron a éste, y le nombraron, como compensación, embajador en Turín. El rey ya no le quería ver.

Ugarte fue a Italia, y pidió repetidas veces que le permitieran volver a España; pero tuvo que esperar, y cuando le dieron la licencia, murió en el camino.

Nadie habló de su muerte. Ugarte no era un hombre torpe como Lozano de Torres. Debía de ser un ignorante que quería reemplazar los conocimientos que le faltaban con su sagacidad natural.

De Lozano de Torres, todos los contemporáneos hablan mal; de Ugarte, no tanto. Don Pablo de Urquinaona dice, en *La España bajo el poder arbitrario de la Congregación Apostólica*: «Parece increíble que este agente del absolutismo, tan soez como Chamorro y tan estúpido como Calomarde, llegase a ser el árbitro de los ministerios y de la suerte de los españoles.»

El autor de la *Contestación a Presas* hace un elogio del favorito vasco, y asegura que, aunque no tenía carrera literaria o diplomática, era, como Cervantes, un ingenio lego.

10 diciembre 1933.

PIERRARD (EL GENERAL CABALLERO) Y SU MUJER

En la última temporada que vi a don Nicolás Estévanez en París, un año antes de la Gran Guerra, me contaba casi todos los días una porción de anécdotas acerca de la gente de su tiempo. Nuestro punto de reunión era el café de Flora, del bulevar Saint-Germain.

—¿Usted ha oído hablar del general Pierrard?—me preguntó una vez.

—Poco. He oído a mi padre y a algunos amigos suyos citar el nombre de este general; pero no sé gran cosa de lo que hizo.

—Pues lea usted su vida. Era uno de los generales liberales, y luego republicanos, de más carácter. Debía usted haberle hecho aparecer en *Los últimos románticos*, porque vivió aquí, en París, en la emigración, antes de la revolución de septiembre.

—¿Y era tipo curioso?

—Curiosísimo. Un romántico exaltado, valiente, idealista, entusiasta de la poesía, de la música, muy generoso... En Francia le llamaban el general caballero. Pierrard fue siempre un Quijote. Lea usted su vida. Vale la pena. Tuvieron muy mala suerte él y su mujer.

No se me ocurrió preguntar a Estévanez el porqué de su mala suerte. Este verano pasado he leído una biografía de Pierrard. Hace unos días, un amigo, Cayo, encargado de la librería de la calle Ancha El Libro Barato, me mostraba un folleto titulado *El proceso de la calle de la Luna. Asesinato y robo de la excelentísima señora doña Narcisa Martínez de Irujo, viuda del general Pierrard*. Esto seguramente hacía decir a don Nicolás

Estévanez que no sólo el general, sino también su mujer, había tenido mala suerte.

Don Blas Pierrard había nacido en Seymour (Côte d'Or, Francia) en 1813. Su padre, oficial de Caballería —no sé si español o francés—, se fijó en España en 1814. Cuando Blas era muchacho le envió a Reims a estudiar con uno de sus tíos. De vuelta a su patria, entró en un regimiento de Caballería de la Guardia Real y se distinguió después durante la primera guerra civil en los encuentros sangrientos de Huesca y de Barbastro, dándose a conocer como militar valiente, atrevido y fogoso partidario de las ideas liberales.

Terminada la guerra, Espartero le ascendió en 1843 a jefe de escuadrón, y cuatro años más tarde era coronel.

En 1854 estaba en Valencia y mandaba el regimiento de Carabineros de la Reina cuando fue elegido para formar la Junta de Salvación con Prim y otros jefes revolucionarios.

Los servicios importantes que prestó en esta época le valieron el ser nombrado mariscal de campo (1850) y gobernador militar de Madrid.

Después fue enviado como jefe inspector a Filipinas, donde se distinguió por su tacto y por su moderación.

De vuelta a España, Pierrard se concentró con Prim y los principales miembros del partido progresista para acabar con la política arbitraria y reaccionaria de Narváez.

Pierrard no era hombre para entenderse bien con Prim. Prim era seco, bilioso, político, maquiavélico, de doble intención; Pierrard era fuerte, robusto, sonrosado; espiritualmente, un cándido, hombre romántico, desinteresado, enamorado de las ideas e incapaz de una perfidia. En Francia le llamaban el general caballero. Era muy aficionado a la música y a tocar la flauta, y muchas veces, antes de tomar parte en una batalla, solía estar en la tienda de campaña entonando aires de ópera con su instrumento favorito.

Pierrard, que era un valiente, llegaba a presumir de insensible. En una de sus acciones de guerra había sufrido una herida en el pecho, y la bala se le incrustó en la clavícula y no supieron los médicos extraérsela.

En París fue a visitar al célebre cirujano Nélaton, famoso por haber extraído una bala a Garibaldi, herido en Aspromonte.

Yo no recuerdo, de estudiante, haber leído el nombre de este Nélaton en los tratados de operaciones. Me figuro que no debía de ser un cirujano sabio, como Dupuytreu o Velpeau, sino un cirujano para la galería.

Cuando Nélaton fue a operar a Pierrard, éste convidó a sus amigos a presenciar la operación y después a una comida, y, al parecer, muchos de los invitados perdieron el apetito al ver al general sonriendo, con el pecho lleno de sangre, hasta que le extrajeron la bala, que cayó al suelo.

El hecho de armas más conocido de Pierrard fue su intervención en el movimiento revolucionario del cuartel de San Gil, en Madrid, en 1866.

Se habían designado como jefes de la revuelta a los generales Prim y Pierrard, a Moriones, que era coronel, y a don Baltasar Hidalgo, capitán. Ni Prim ni sus amigos le querían a Pierrard; le tenían por un loco, por un romántico. Se pensó que la revolución la dirigiera Moriones; pero éste, para ponerse al frente, exigía que le nombraran general. Después, los revolucionarios designaron a Hidalgo; mas, como no tenía categoría, se decidió que él fuera el director efectivo del movimiento y que Pierrard no tuviera más que una dirección decorativa.

Se le hizo venir a Pierrard, de ocultis, desde Soria, donde estaba desterrado. El general no conocía ni el plan de la revolución ni los elementos con que se contaba. Iba vendido. Don Juan Moreno Benítez le fue a buscar a Vallecas y le tuvo en su casa hasta el momento de ir a su puesto. Un hombre con más prudencia y con más suspicacia que Pierrard no hubiera aceptado el jugarse así la vida en una empresa que no conocía en detalles ni le ofrecía garantías.

Hidalgo fue el que preparó aquel movimiento, el más extenso y el que costó más sangre de todas las sublevaciones militares de España del siglo XIX.

El general Pierrard estuvo hasta las doce y media de la noche del 21 al 22 de junio en casa de don Joaquín Aguirre, en la cuesta de Santo Domingo, número 7. A aquella hora salieron Aguirre y él y fueron hasta la mitad de la calle de Leganitos, donde los esperaban dos redactores de Las Novedades, Montemar y Mathet. El general tomó el brazo de este último y marchó con él a su casa. Vivía el periodista en la plaza de San Marcial, número 2, cuarto cuarto.

Quedó allí Pierrard como el cordero del liberalismo y de la democracia, presto para ser sacrificado. Volvió Mathet a la calle de Leganitos a reunirse con Montemar, que estaba allí de guardia, y éste le dijo que un poco más arriba se encontraría con un cura que vendría como a dar el Viático y que llevaría ocultos el uniforme y la espada del general.

Mathet se acercó al cura, se quitó el sombrero y fue como acompañando al Viático por entre serenos y dependientes de la autoridad, alarmados por los rumores que corrían de sublevación, hasta la plaza de San Marcial.

Al llegar al piso cuarto, el cura sacó el uniforme y la espada y se los ofreció a Pierrard. El general le pidió que los bendijera, porque eran de la patria y de la libertad, y la religión había sido siempre, y debía continuar siendo, el amparo de los oprimidos.

El cura bendijo el uniforme y el arma, y los dos hombres estuvieron rezando fervorosamente por los que iban a morir en la pelea, como un *preux chevalier* y un monje en plena Edad Media. Mientras estos dos ilusos rezaban, había demócratas y republicanos que preparaban sus jugadas de Bolsa.

Una hora después de la llegada del cura apareció en el cuarto piso donde vivía Mathet el ayudante Barbachano, que iba de casa de Sagasta, y el general se puso a dictar la orden de distribución de las fuerzas, y quedó Barbachano en volver al rayar el alba, que era cuando comenzaría la pelea.

Ya solo, Pierrard escribió su testamento y una carta de despedida para su mujer, su querida Narcisa.

Con el crepúsculo del nuevo día, el general vistió su uniforme con la mansedumbre del cordero que llevan al sacrificio.

Desde el balcón presenció el primer movimiento de los artilleros del cuartel de San Gil, oyó los tiros y vio que algunos oficiales caían heridos o muertos. El general, caballero y religioso, estuvo rezando de nuevo.

Ya se había formado la tropa a la puerta de San Gil; el capitán Hidalgo la iba distribuyendo en las avenidas próximas y enviando pelotones al centro.

Barbachano subió al cuarto y encargó al general que no bajase hasta que él hiciera una seña con el pañuelo desde la acera de enfrente, y, hecha ya, corrió Pierrard a montar en el caballo que le esperaba a la puerta.

Como empresa técnica de militar, el pretender dirigir una ofensiva que no había sido estudiada ni preparada por él era un absurdo. A Pierrard le llevaban como a un pelele simbólico.

Al ponerse él a la cabeza de los sublevados, se dirigieron todos por la calle de Leganitos arriba. Se les unieron gran número de paisanos y unos ochenta hombres salidos del cuartel de la Montaña, mandados por dos sargentos.

Hidalgo había enviado gente a la Puerta del Sol a tomar el Ministerio. En tanto, en la calle de Bailén, en la parte que se llamaba cuesta de Caballerizas, se había presentado el regimiento de Burgos con dos piezas de artillería y comenzaba a hostilizar San Gil. El Gobierno de O'Donnell estaba ya sobre aviso.

Pierrard e Hidalgo, con sus militares y paisanos sublevados en el tumulto, habían llegado a la plaza de Santo Domingo, donde estaban tomando disposiciones don Manuel Becerra y el general Contreras.

En la plaza se supo que el grupo de soldados que intentó entrar en el Ministerio de la Gobernación había sido rechazado a tiros y que la fuerza de Artillería de a pie, mandada por Hidalgo para secundarlos, estaba detenida y uno de los cañones abandonado en la calle del Postigo de San Martín. Se quiso rescatarlo, pero no se pudo conseguir su rescate.

En Santo Domingo, los sublevados comenzaron una barricada para cortar la calle de Preciados. El general

Contreras ordenó que se ocuparan los balcones de las casas vecinas. No había un plan de conjunto, y cada jefe obraba a su modo. Pierrard pensó que podría abrirse paso por alguna callejuela hasta la red de San Luis. Avanzó por Preciados, entró en la calle del Olivo, hoy de Mesonero Romanos, y al salir a Jocometrezo le recibieron con una lluvia de balas y tuvo que retroceder a Tudescos y volver a la plaza de Santo Domingo, donde Contreras se preparaba a defender la barricada recién construida.

Pierrard conferenció con Hidalgo, quien le aconsejó que avanzara por la calle Ancha. Lo hizo, pero al acercarse a la Universidad vio que grandes contingentes de tropas del Gobierno iban apareciendo por la calle del Pez, tomando posiciones. No había posibilidad de sostenerse ni de avanzar, y buscando un punto de defensa, corrió por la calle de la Flor Baja y la de Leganitos, con la idea de hacerse fuerte en el alto de San Bernardino. Quería reunir bajo su mando a los artilleros sublevados y con ellos salir, si era necesario, fuera de la ciudad, a Carabanchel; pero los artilleros le abandonaron, encerrándose en el cuartel de San Gil.

En esto, el caballo de Pierrard resbaló en un trozo de asfalto de la calle, tirando al jinete, que se dio un golpazo en la cabeza y perdió el conocimiento. Los que le acompañaban le metieron en la Casa del Duende, de la calle del Duque de Osuna, una casa con una torrecilla que aún existe y que hace esquina a la calle de San Leonardo. Allí le quitaron el uniforme, le vistieron con un traje de paisano y lo llevaron al palacio del duque de Alba. Pierrard fue protegido y ocultó por el duque, después llevado a la Embajada de los Estados Unidos, y pudo escapar de Madrid.

Las noticias de los muertos en las calles y en el cuartel cuando lo atacaron las tropas del Gobierno, la represión cruel y, sobre todo, el fusilamiento de los sesenta y ocho sargentos debieron de afectar horriblemente al general caballero.

El año 1867, Pierrard, Contreras y Moriones entraron por Canfranc con tropas revolucionarias y quisieron apoderarse de Jaca; pero el gobernador de la ciudad y la guarnición los rechazaron. Narváez envió al general Manso de Zúñiga para atacar a los rebeldes, y en el primer encuentro, en Llinás, éste fue muerto.

Pierrard entró en Francia, por Gavarni, desalentado. El Gobierno francés lo internó en Bourges, y después pudo volver a París. Aquí supo la enemistad que tenía contra él el general Prim, que en Madrid se había negado a que dirigiera la insurrección, y en Cataluña había obligado a Moriones a que fuera con él, porque desconfiaba de los impulsos románticos de Pierrard.

Al saber la malquerencia de Prim, debió de tener una gran desilusión; rompió con él y se afilió al partido republicano federal, con Pi, Castelar y Orense, que eran amigos suyos. Cuando la sublevación del 68, fue elegido diputado por Ronda; a la elección de Amadeo trabajó por la República, y murió en octubre de 1872, en Zaragoza, muy solo, tres meses antes de verse realizado su ideal republicano, que él, cándidamente, creía que iba a traer la felicidad del país.

Pierrard tenía una figura que hacía efecto en el pueblo. Era alto, corpulento, de barba larga, blanca, y melenas; un tipo a lo Garibaldi. La mujer del general tuvo también un triste fin. Doña Narcisa Martínez de Irujo, viuda de Pierrard, vivía en 1874 en Madrid en la calle de la Luna, al entrar por la calle de San Bernardo, a mano derecha, en una casa grande de dos pisos, con rejas en el bajo, propiedad del marqués de San Saturnino. Doña Narcisa estaba sorda, y como se veía sola, temía a los criados nuevos y solía ir a comer a las fondas. El día 4 de noviembre de 1874, a la una y cuarto de la madrugada, un guardia de Orden público manifestó al juez de Instrucción, por orden del alcalde de barrio, que en una casa de la calle de la Luna, piso segundo, había una persona asesinada. El juez, el escribano, el alguacil y el guardia fueron a instruir las primeras diligencias.

Se acercaron a la casa número 33, subieron al piso segundo de la izquierda y encontraron dos agentes vigilando la puerta. Pasaron a la habitación, vieron en la sala y en el comedor manchas de sangre; entraron en la alcoba y encontraron el cadáver de una anciana con varias heridas y contusiones que le habían producido la muerte.

Esta señora era doña Narcisa Martínez de Irujo, viuda del general Pierrard.

Recorrieron la casa el juez y sus acompañantes. Reconocieron un cuarto pequeño que tenía una reja, falta de barras, que daba a un jardín con puertas a la calle Ancha y a la de la Estrella, y supusieron si por allí se habrían escapado el autor o los autores del crimen, cuando, al abrir la puerta de un ropero que daba a un gabinete, aparecieron dos mujeres llorosas, una la portera de la casa y otra una asistenta.

Estas dos mujeres, las dos solas o acompañadas de un tal Urseca, que se escapó y no apareció en el proceso, se declararon culpables y fueron condenadas a muerte.

Contribuyó a descubrir el crimen doña Teresa Pierrard, la hermana del general, que estuvo en la casa de la calle de la Luna el mismo día y que habiendo concebido sospechas, por no poder ver a su cuñada, no quiso abandonar la casa hasta saber qué ocurría.

El sino adverso hizo que dos personas de sentimientos generosos como el general y su mujer acabaran los dos de tan triste manera.

17 diciembre 1933.

EL CASO DE MACANAZ

Macanaz era un político de la época fernandina. Don Pedro Macanaz había nacido hacia 1760, no se dice en qué pueblo ni en qué fecha exacta. Según el *Diccionario Larousse*, pertenecía a una familia de origen irlandés. Esto me parece una fantasía. Lo mismo se puede suponer que el apellido Macanaz procede de Mac-Anath, como se le puede encontrar una etimología latina o vasca. Tal es

la seguridad que tienen las etimologías.

Hubo otro Macanaz más célebre que don Pedro: Melchor Rafael, político y escritor del tiempo de Carlos II y de los primeros Borbones, nacido en Hellín.

Pedro Macanaz o de Macanaz, el del tiempo de Fernando VII, obtuvo muy joven un empleo en el ministerio de Estado, fue intendente del reino de Jaén, consejero de Hacienda y secretario de Embajada en Rusia.

Muchos de los políticos fernandinos tuvieron relaciones con Rusia. Cea Bermúdez, León García de Pizarro, Macanaz y algún otro sirvieron en el Cuerpo diplomático de San Petersburgo; algunos fueron rusófilos por absolutismo, como Ugarte, Lozano de Torres y Calomarde.

Cuando en 1808 Fernando VII fue a Bayona, llamado por Napoleón, Macanaz le acompañó, como secretario, y tomó parte en las conferencias, maquinaciones y discusiones, que acabaron con la abdicación forzada de los príncipes españoles.

El principal director de estas tramas era el canónigo navarro don Juan Escóiquiz, hombre intrigante y ambicioso, no desprovisto de talento. Napoleón llamaba irónicamente al canónigo le Petit Ximénez, comparándole en broma con el cardenal Cisneros.

En el folleto conocido Idea sencilla de las razones que motivaron el viaje del rey Don Fernando VII a Bayona en el mes de abril de 1808, por don Juan Escóiquiz (Imprenta Real, 1814), se habla de todos los familiares de Fernando: el duque de San Carlos, Ceballos, el marqués de Ayerbe, Ostolaza, Macanaz, etc., que fueron con él al destierro al palacio de Valencey (Valençay, en francés).

Del libro este de Escóiquiz se hizo una primera edición en Bayona en 1808, y don Pedro Ceballos, que había escrito una Exposición de los hechos y maquinaciones que han preparado la usurpación de la Corona de España y de los medios que el emperador de los franceses ha puesto en obra para realizarlo (Madrid, 1808), contestó al libro de Escóiquiz con dos folletos: Observaciones sobre la obra de Escóiquiz y Nuevas observaciones

por la nota en que Escóiquiz ha pretendido defender su obra (Madrid, 1813 y 1814).

El folleto del canónigo navarro se comentó mucho en papeles anónimos, atacándole al autor como vendido a Napoleón.

Otro comentarista fue el cura don Blas Ostolaza, que escribió Fernando VII, en Valencey, o heroísmo de nuestro deseado rey Don Fernando VII en la prisión de Francia, impreso en Málaga, en la imprenta de Martínez, y reimpreso en la misma ciudad, en la imprenta de Esteban, en 1814. Este papel era extracto de un sermón patriótico-moral predicado en la iglesia del Carmen por el cura Ostolaza, jefe de los diputados serviles en las Cortes de Cádiz.

Ostolaza, años antes, se había agregado en Vitoria o en Bayona, en 1808, a la comitiva de Fernando. Ofició de capellán porque Escóiquiz estaba indispuesto, y siguió hasta Valencey, donde fue confesor del Deseado y de la pequeña corte que le acompañaba.

Ostolaza afirma en su escrito que el príncipe de Benevento (Talleyrand), el señor de Valencey, era un monstruo «propagador de la impiedad, amigo íntimo de «Buonaparte» y encargado de seducir al rey y a los infantes. La princesa, su mujer, era tan anticatólica como él y tan sin decoro como la mejor cómica, y quería hacer casar a los príncipes españoles con alguna de las damitas polacas, inglesas o naturales de aquel país, de las que tenía en su compañía una miscelánea, y que todas, poco más o menos, eran parecidas a la señora a quien obsequiaban».

Escóiquiz protesta de estas frases, que atribuye a la ignorancia de Ostolaza del francés.

Al final de su folleto trae sus conversaciones con Napoleón, y cómo éste le hacía el honor de tirarle de la oreja y le decía:

—Me han hablado de usted mucho, canónigo, y veo que caza usted muy largo.

Y él le contestaba sonriendo:

—Perdóneme Su Majestad, señor; pero me parece que Su Majestad caza infinitamente más largo que yo.

Don Blas Ostolaza, como vemos, afirmaba que la mujer de Talleyrand, duquesa de Benevento, por su primer matrimonio madama Grand, *la Bella India*, tan guapa y tan estúpida, quería seducir a Fernando VII. El don Blas, que tenía tanto miedo de que se perdiese la virtud de Fernando, después, según quedó demostrado, convirtió en harén un colegio de pobres huérfanas de Murcia, del cual era director.

Este cura, solapado e hipócrita, fue fusilado en Valencia años después (1835).

La vida en Valencey, en el palacio que Napoleón había regalado a Talleyrand, debía de ser curiosa. Talleyrand quería interesar a sus huéspedes, a Fernando y a su tío don Antonio, con su conversación amena. Les mostraba también cuadros, libros y ediciones raras. Esto no les llamaba la atención.

Las magnificencias de Valencey, edificado con los planos de Filiberto Delorme, los jardines, los patios majestuosos, los claustros, el valle de Nahon y el bosque de Gatines parece que no hacían mucho efecto en los españoles.

El duque de San Carlos, el marqués de Ayerbe, Macanaz, Ostolaza y Correa no debían hablar más que de los asuntos de España y dedicarse a las murmuraciones, a las cábalas políticas y a los chismes. Don Blas Ostolaza leía a veces en voz alta a Saavedra Fajardo, como nuestro amigo *Azorín*, y Fernando bordaba en un bastidor, en competencia con su tío el infante don Antonio. Unicamente Macanaz debía de dar una nota amable y jovial. Talleyrand dejaba a sus huéspedes prisioneros en relativa libertad. Seguramente sentía por ellos un profundo desdén al ver que no les interesaba nada intelectual.

Llegó un momento en que la pensión ofrecida por Napoleón a los náufragos de Valencey no se pagaba, y Fernando encargó a Macanaz, que era el más corrido y el que sabía mejor el francés, que fuera a París a reclamarla.

Macanaz lo hizo, y la Policía imperial, que no se andaba en bromas, prendió al comisionado y lo encerró en el fuerte de Vincennes, donde estuvo algunos meses. Después, ya libre, permaneció en la capital francesa, vigilado por la Policía, y marchó de nuevo a Valencey.

Al retorno de Fernando VII a España, Macanaz volvió con él, y fue nombrado ministro de Gracia y Justicia en mayo de 1814 en Valencia. A pesar de no ser un absolutista fiel, Macanaz señaló su entrada en el Ministerio prohibiendo la estancia en España de los afrancesados, aunque se aseguraba que él había pedido un empleo a José I.

También decretó, a petición del rey, el proceso contra Argüelles, Martínez de la Rosa, Muñoz Torrero, Juan Nicasio Gallego, el poeta Quintana, Flórez Estrada y los demás liberales famosos de las Cortes de Cádiz, que fueron enviados a distintos presidios.

Macanaz había venido de Francia con una francesa, joven ama de llaves suya, llamada Luisa Robinet, que se había unido al quincuagenario probablemente para explotarlo.

Este hombre, de un carácter franco y lleno de bondad—dice Presas—, deseaba complacer a todo el mundo, pero no le era fácil cumplir con todos. Poco instruido, quizá, acerca de las cualidades y particularidades de los pretendientes, distribuía y aportaba favores a los que no los merecían. Esto no podía dejar de excitar los celos de los unos y el resentimiento de los otros, que se miraban como ofendidos.

Instruidos de que una francesa, con la cual habitaba, tenía mucha parte en la distribución de estas mercedes, le tendieron con astucia un lazo bien preparado para perderlo en el favor de Fernando.

En consecuencia, a fin de que el rey pudiera convencerse por sí mismo de que las gracias, los favores y los empleos, acordados en su nombre y publicados en la *Gaceta*, habían sido vendidos pocos días antes a peso de oro en la misma casa de su ministro, dieron a la francesa, a Luisita, una cierta cantidad de onzas de oro para que esta mujer obtuviera de Macanaz un empleo. Las monedas estaban todas señaladas, según lo que se dijo, con una pequeña marca hecha en la nariz de la efigie.

Los enemigos, asegurados de la cantidad recibida y del lugar en el cual Luisa Robinet la había depositado, dieron al momento a Fernando un conocimiento exacto del sitio, del número de onzas y de la marca que tenían.

El rey, queriendo hacer un ejemplo, marchó en persona a casa de Macanaz, encontró las onzas en el cuarto de Luisa, y, sin saber a punto fijo si este chanchullo se había cometido con el asentimiento del ministro, lo destituyó por decreto en noviembre del mismo año en que le había elevado a su cargo, lo exoneró y ordenó que fuera encerrado en el castillo de San Antón, de La Coruña, en donde estuvo dos años. Así, Macanaz fue, co-

mo hubiera dicho un chusco de mala sombra, víctima de la francesilla.

Pasado su tiempo de cárcel, volvió a Madrid, y diez años después, el 22 de mayo de 1826, el rey le volvió a acordar sus honores y preeminencias.

Se dijo después que a Macanaz no le habían destituido del Ministerio y llevado al castillo de La Coruña por venalidades, sino por guardar copias de las cartas cruzadas entre Napoleón y Fernando, en las cuales se manifestaban todas las adulaciones y bajezas del *Deseado*.

Respecto a Luisa Robinet, no se supo de ella nada. En el Archivo Histórico Nacional, en unas notas de la Policía de la época, encontré que se hablaba de una Luisa que llevaba objetos de moda de París a Madrid, y supuse si sería la francesa de Macanaz.

Hace años, en tiempo de la Dictadura, se contó un caso parecido al de Macanaz, con un jefe superior de Policía que no pertenecía a este Cuerpo. Aquí no intervino ninguna Luisa. Se dijo que para permitir la apertura de un cine en condiciones ilegales se le habían dado a este jefe algunos miles de pesetas con los billetes marcados, y, después de aceptarlos, el superior suyo le exigió que mostrara su cartera, en la que aparecieron los billetes señalados.

Se dijo, y yo me inclino a creerlo, que el Gobierno de la Dictadura, celoso, poco más o menos como todos los Gobiernos monárquicos o republicanos, del prestigio de sus burócratas, no sólo no procesó al jefe de Policía que había tomado el dinero, sino que lo ascendió.

El Estado tiene esa teoría. Es infalible él y sus servidores. El burócrata no delinque ni se equivoca. Si a veces parece que delinque, no es él; son, por el contrario, las gentes desastradas de la calle que no tienen sueldos, ni comisiones, ni pensiones, las causantes de todo lo malo que pasa.

El funcionario es para el Estado, como dijo el actual marqués de Pidal de su padre, «puro como el aliento de los ángeles que rodean el trono del Altísimo».

Por ahora parece que es fatal que, a medida que aumenta la democracia y el socialismo, aumenten también los funcionarios, que forman la plaga casi siempre inútil de la holgazanería y de la sinecura. Todo ello seguirá hasta que el campesino se plante y diga: «No pago.» Entonces esta organización burocrática se vendrá abajo y habrá que crear otra nueva.

24 diciembre 1933.

EL GENERAL RENOVALES

El general don Mariano Renovales pasó como un meteoro por la historia de España. Apareció en el primer sitio de Zaragoza, dejando un rastro de bravura en el puente de La Muela y en la puerta de Sancho; peleó al lado de don Mariano Cerezo, de Sas, del famoso tío Jorge y de Casta Alvarez. Después del segundo sitio, al marchar prisionero de los imperiales camino de Francia, se escapó, y luchó en El Roncal y en el valle de Ansó; por último, complicado en la conspiración del Triángulo, que costó la vida al comisario don Vicente Richard, ahorcado y decapitado en Madrid, se trasladó a Inglaterra y quiso tomar parte en una expedición americana insurrecta, a la cual hizo fracasar después.

Hasta hace poco se creía que don Mariano Renovales era de El Roncal o del valle de Ansó, donde había peleado largo tiempo; pero un biógrafo suyo, don Cristóbal Sanjinés y Osante, encontró su fe de bautismo. Renovales era hijo de don Francisco Javier y de doña Manuela Rebollar, y había nacido en Arcentales, partido judicial de Valmaseda (Vizcaya), el año 1774. Las Encartaciones dieron al sitio de Zaragoza dos jefes: don Lorenzo Calvo de Rozas y Renovales.

Yo encontré hace veinte años, en el archivo de Aranda de Duero, un exhorto de un juez en que reclamaba la captura de don Mariano Renovales y de algunos compañeros suyos de conspiración, varios de ellos tipos muy pintorescos. La semblanza de Renovales, hecha como identificación, era curiosa. Se pintaba a don Mariano como hombre de pequeña estatura, color moreno, ojos oscuros, de mirada viva y penetrante, sombreados por cejas muy negras, muy pobladas y cerdosas. Se decía que tenía una gran cicatriz en el cuello y dos o tres señales de cuchilladas en la cara. Que iba vestido como aldeano, con calzón de paño, chaleco y chaqueta rayada, con botones amarillos y sombrero redondo de hule. Una de las cosas que me impresionó en el exhorto fue que se aseguraba que Renovales se refugiaba para dormir en las cuevas.

Se sabía que Renovales había estado en la Argentina. Según la biografía de Sanjinés, *Memorias sobre la vida de Renovales,* el joven Mariano ingresó en la Milicia española en América a principios de 1793, estuvo en un regimiento de Caballería, en calidad de cadete, y luchó de oficial contra los indios. Se hallaba en Buenos Aires cuando lo atacaron los ingleses, y peleó a las órdenes de don Santiago Liniers, capitán de navío de la Armada española, que se defendió con gran inteligencia y gran éxito.

Los ingleses, que poseían en la bahía de Montevideo una poderosa escuadra, con muchas fuerzas de desembarco, al enterarse de la derrota de sus compañeros, se prepararon a vengarlos, atacando la ciudad por tierra y por mar.

En efecto, el 5 de julio bloquearon Buenos Aires, desembarcando diez mil hombres, a quienes les salió al encuentro el bravo Liniers con fuerzas inferiores a las de los ingleses. Estos derrotaron a los españoles, quienes tuvieron que acogerse a los muros de la ciudad.

El fracaso no abatió el ánimo de los vencidos, pues pasados unos días, después de haber descansado de la lucha, fue atacada de nuevo la plaza de Buenos Aires y rechazados los ingleses, dejando en el campo más de dos mil hombres entre muertos, heridos y prisioneros.

En marzo de 1808, Renovales volvió a España, desembarcó en Bilbao y fue a incorporarse al ejército patriótico, en compañía de varios jóvenes voluntarios. El 14 de junio entraba en Zaragoza con sus acompañantes y se presentaba a Palafox.

El general Lazán le nombró comandante de una guerrilla, y con ella hizo la defensa de la puerta de Santa Engracia, en unión del coronel Marcó del Pont.

Por su valerosa conducta, el teniente del rey nombró a Renovales comandante de la defensa de la puerta de Santa Engracia.

Renovales se batió a todas horas y en todos los momentos en Zaragoza. Se veía que su afición era pelear. En el instante de la lucha, atacado de una furia pánica, voceaba, gritaba, se desesperaba y llevaba su furor bélico a sus soldados.

En uno de los últimos días del primer sitio, Palafox le mandó una minuta concebida en estos términos:

«A don Mariano Renovales le avisa el capitán general que esta noche hay rumores de que se trata de un asalto a la ciudad, con escalas. Entérese usted de toda la línea del Fosal de San Miguel y Huerta de Camporreal. Un asalto se evita con fusiles, con pistolas, con lanzas, con piedras. Si hay serenidad, son perdidos los asaltantes. Usted es activo, y no solamente no dormirá, sino hará que no duerman los demás.—*Palafox.*»

En la lucha furiosa de los últimos días del primer sitio, Renovales, en la calle de la Cadena, hizo fuego incesante con su cañón, ayudado de cien labradores de la parroquia de San Miguel, mientras todo el pueblo, mujeres, viejos y niños, ayudaban como podían a los soldados y paisanos de la ciudad.

Renovales, viendo perdida la plaza, salió al Coso por la puerta que había en el ángulo de la casa del comerciante Carbonell, cerca de la iglesia del Hospital, y abrió una enorme brecha en ésta para entrar en la sacristía, y extrajo todos los ornamentos que existían allí, entregándolos al marqués de Lazán. También intentó reconquistar el convento de Santa Catalina, que constituía una gran fortaleza.

Al terminar el primer sitio, Renovales fue ascendido al empleo de coronel, confiándosele el mando del regimiento de Caballería de Cazadores de Fernando VII y del de húsares después.

Vino el segundo sitio. Renovales tomó parte también en él, y le ascendieron a brigadier.

Comprendido en la capitulación de Zaragoza, fue conducido con sus compañeros como prisionero de guerra a Francia.

Al pasar por el valle de El Roncal, Renovales, que estaba enfermo de la peste, pudo escaparse y marchar después a Caparroso, donde se ocultó. Restablecido, hizo su campaña en El Roncal y en Ansó, terrible y mortífera para los franceses.

Después, cumpliendo órdenes del Gobierno, entregó sus fuerzas a don Francisco Espoz y Mina y se trasladó a Vizcaya.

Por el mismo tiempo tomó parte en una tentativa del marqués de Ayerbe, hecha con el objeto de libertar a Fernando de su destierro de Valencey.

Habían conducido los franceses al marqués de Ayerbe a Pamplona, a fines del año 9, y pensaban llevarle a los pueblos del Alto Aragón, de donde, al parecer, era natural el marqués, para que contribuyese a pacificarlos.

Ayerbe se escapó de Pamplona vestido de calesero, y fue a reunirse con Renovales, que estaba en El Roncal. Le expuso el plan que tenía para sacar al rey de su cautiverio, y Renovales le dijo que debía presentarse a la Junta Central de Sevilla, que autorizase el proyecto y diera medios para realizarlo.

Renovales facilitó al marqués el viaje, y Ayerbe se presentó en la capital andaluza. La Junta aceptó el plan, y estando Renovales en Cataluña volvió a reunirse con el marqués, ya con amplios poderes.

El general eligió gente de confianza y se embarcó con ella y con Ayerbe en un bergantín de guerra español llamado *El Palomo*. El gobernador francés de Tarragona sospechó algo, mandó dar caza al bergantín, y éste, perseguido por navíos franceses, tuvo que bajar por el Mediterráneo, atravesar el Estrecho de Gibraltar y entrar en Cádiz.

Allí Renovales tuvo grandes trifulcas con los marinos de guerra; luego, meses después, en junio de 1810, salió mandando un Cuerpo extraordinario que debía trasladarse al Norte. Ayerbe y el general desembarcaron en La Coruña, y aquí riñeron y se separaron. Ayerbe, siempre preocupado por libertar a Fernando, se encaminó hacia la frontera francesa, y fue asesinado en Lerín, de Navarra. Renovales quedó al frente de sus tropas en la costa cantábrica, y fue avanzando y batiéndose con los franceses, en combinación con Salcedo, Longa y Mina. Concluida la guerra de la Independencia, Renovales, de mariscal de campo, estuvo en Madrid y visitó al rey, pero no se entendió bien con Fernando ni con el presidente del Consejo, don Pedro Ceballos, hombre ingenioso y almibarado.

Entonces, don Mariano fue a Francia; luego, a Inglaterra, y entró en la conspiración del Triángulo. El sector que él dirigía era el de Bilbao.

La conspiración quedó muy oscura, y, a pesar de no haber pruebas, Renovales fue condenado a muerte en 1817. El fallo del Consejo de guerra estaba concebido en estos términos:

«Condenamos a don Mariano Renovales a la pena ordinaria de muerte y a ser arrastrado desde la cárcel al patíbulo, cortándosele después la cabeza por el verdugo, la cual se colocará fuera del pueblo, en uno de los caminos reales, donde sea ajusticiado, a la distancia de trescientos pasos de las puertas; y, en el caso de no poderse verificar la ejecución en su persona, por no ser aprehendido, se ejecutará en su efigie, en la villa de Bilbao y sitio señalado para los suplicios.»

Renovales pudo evitar que le apresaran, embarcándose en un bergantín que salió de Bilbao con destino a Burdeos. Aquí permaneció hasta 1818, época en la cual se trasladó a Londres, adonde habían emigrado gran número de jefes y oficiales partidarios de la Constitución de 1812.

Al parecer, algunos emisarios de los insurrectos americanos ofrecieron a Renovales el mando de una expedición que había de ir a defender la independencia de Méjico. Renovales aceptó; pero luego, arrepentido, fue a ver al embajador de España en Londres, denunció lo que ocurría, y el duque de San Carlos propuso al general y a sus compañeros de emigración una amplia amnistía, a condición de que hicieran fracasar la expedición insurrecta.

Aceptó Renovales la amnistía y el encargo; partió para América y llegó a Nueva Orleáns, donde publicó un manifiesto el 10 de septiembre de 1818.

Tiempo después, procedente de Venezuela, apareció en La Habana, donde quiso desembarcar. El capitán general de la isla de Cuba le negó el permiso. Al día siguiente de llegar, un edecán del capitán general ordenó trasladar a Renovales y llevarlo preso. Le condujeron a la fortaleza de la Cabaña el 21 de mayo de 1819, y a las once y media de la noche expiró, en medio de convulsiones, haciendo sospechar al público la rapidez de este fatal y funesto desenlace que era víctima de un envenenamiento.

A Renovales, tipo de una acometividad y de un valor arrebatador, le faltaba reposo; le faltaba también sentido moral; no sabía poner freno a sus odios y a sus pasiones. En su fondo había el hombre primitivo, el condotiero del Renacimiento.

Alcalá Galiano escribió con cierto desprecio de Renovales, porque en una proclama que dio en Cádiz, cuando estuvo allá el general vizcaíno, dijo estos o los otros absurdos, hizo un dibujo de José Bonaparte borracho y cayéndose, y se expresó con la rudeza de un guerrillero. Alcalá Galiano pretendía, sin duda, que un soldado valiente y bárbaro fuera un erudito de academia. Renovales era algo parecido a Mina; pero en Mina no había sólo el león o el tigre, sino también el zorro.

Renovales, después de una serie de aventuras extraordinarias, llevadas a cabo con un valor y una suerte admirables, echó a perder todo su brillante pasado con una traición a su patria, que luego quiso arreglar con otra traición.

Renovales tenía en sus alocuciones una gran facundia, una elocuencia tosca y bárbara. Su frase favorita era: «¡Ya se acabó la humanidad!», y al afirmar esto debía sentir un gran placer al pensar que con dicha frase toda barbarie quedaba legitimada.

31 diciembre 1933.

EL FALSO AUDINOT

En la historia moderna de España de la primera mitad del siglo XIX se habla con frecuencia de la República; al principio, con timidez y con miedo; después, con más energía y con más seguridad.

Al comienzo, la República es un coco, casi tanto como ahora la F. A. I.; luego va perdiendo sus caracteres de coquismo y se queda reducida a una entelequia jurídica, que no da frío ni calor. La primera vez que se habló en España de República, en el siglo XIX, fue cuando don Agustín Argüelles apareció acusado de conspirador republicano, en 1814, por un francés que dijo llamarse Audinot. Luego vino el intento real de un aventurero, Lucas Francisco Mendialdúa, en Málaga, en 1821; después, la intentona de Jorge Bessières, en Barcelona, en 1822, y la de Uxon y Cugne de Montarloh, en Zaragoza, en el mismo año, en la cual se quiso complicar a Riego.

Después, muchos políticos progresistas manifestaron sus simpatías por la idea republicana, siempre considerándola, por el momento, poco realizable. Abdón Terradas hizo en Cataluña campaña republicana. En Madrid se publicó, en 1840, *El Huracán*, periódico federalistas, y en Barcelona, por el mismo tiempo, aparecieron otros periódicos y folletos de ideas parecidas.

La acusación del supuesto Audinot contra Argüelles produjo, en 1814, gran revuelo en España.

En la *Historia*, de Lafuente, continuada por Valera, se habla de la causa de Audinot:

«Hízose famoso este expediente, así por haber entendido en él y dado dictámenes e informes los Tribunales militares y civiles, la Audiencia, el Supremo de Justicia, el Consejo de Estado y el Tribunal de Cortes, como por la calidad del impostor, y, más todavía, por la índole de la conspiración, que, aunque inverosímil y absurda, envolvía con intención perversa a personas las más eminentes, así españolas como extranjeras, comprometiendo y haciendo aparecer odiosos nombres y sujetos que repugnaba oír sonar juntos. Tratábase, a lo que arrojaban las diligencias, de establecer en la Península una República con el título de Iberiana o Ibérica, y se hizo figurar en la trama a Napoleón, a Talleyrand, a don Agustín Argüelles y a otros jefes del partido liberal español. Argüelles tuvo que dirigir una representación a las Cortes para sincerarse de tan atroz calumnia, pidiendo ser oído judicialmente. Muchas proposiciones se hicieron sobre la misma materia en el Congreso, y por extravagante y ridículo que apareciese la patraña, ocupó a los Tribunales y a la representación nacional, con no poca alarma del país, hasta después de la venida del rey. Y hubiera servido todavía la maquinación para empeorar la suerte de los que por opiniones políticas fueron encarcelados, como después veremos, si felizmente no se hubiera descubierto y confesado el mismo tramoyista, que no era el tal general Audinot, sino un francés cualquiera, cuyo verdadero nombre era Juan *Basteau*. Por último, como implicase en sus declaraciones a personajes de los que a la sazón mandaban, sepultaron al célebre impostor en un calabozo, donde, desesperado, acabó por suicidarse.»

Don Evaristo San Miguel, en la *Vida de don Agustín de Argüelles*, da algunos detalles de la cuestión, aunque no muchos más:

«Se había cogido—dice—a últimos de febrero, en las cercanías de Baza, como sospechoso, a un extranjero que aseguró llamarse Luis Audinot, general francés, portador de papeles importantes.

»Eran éstos cartas y otros documentos que hacían ver la existencia de un Tratado o Convenio secreto entre Napoleón y varios personajes de altas categorías, incluso ciertos grandes de España, para establecer una República con el nombre de Iberiana. Figuraba el nombre de don Agustín Argüelles entre los principales personajes de este drama.

»Que los documentos estaban forjados por los del partido reaccionario; que el francés se dejó coger para que se hicieran públicas sus declaraciones, en que tantos hombres de honor se iban a ver comprometidos, no parece estar sujeto a duda.

»No podía fabricarse una impostura menos verosímil, mas ningunas consideraciones detenían a los que se habían propuesto arrastrarse por el inmundo lodazal de la calumnia. Suponer que Napoleón, a quien el solo nombre de República hacía erizar el cabello; que Napoleón, absorbido entonces en los cuidados que le daba el atender a su defensa propia, se entretuviese en formar en España una República; que en este plan le ayudasen grandes, quienes se veían naturalmente despojados de sus títulos con semejante cambio; que ayudasen a él personas como don Agustín Argüelles, pronunciadas tan solemnemente en contra del emperador de los franceses, no podía menos de presentarse como absurdo a los ojos del buen sentido común, si no se viese el designio de denigrar a toda costa y prepararles nuevos infortunios y rigores para cuando amaneciese el día de la resurección del despotismo.»

Más interesantes que estos párrafos de buen sentido común de don Evaristo San Miguel hubiese sido que hubiera dado detalles de la falsa conjuración y los nombres de las personas que entraban en ella; pero entonces, como ahora, en España, se creía más atrayente que los datos la erudición y la palabrería jurídica.

San Miguel dice que el Gobierno trató de alargar la causa del supuesto Audinot hasta la llegada del rey, y que Argüelles manifestó en el Congreso las grandes inverosimilitudes que había en la denuncia del francés.

Cuando a Argüelles le llevaron preso al cuartel de Guardias de Corps, hoy del Conde-Duque, le carearon con el falso Audinot. Argüelles le confundió en seguida e hizo confesar al francés que no era general y que sus documentos eran falsos. Al parecer, el juez que entendía en la causa, el conde del Pinar, quiso echar un capote al mistificador, pero no le fue posible.

«Cuando todos se hallaban en expectativa—dice San Miguel—sobre el desenlace de un negocio que metía tanto ruido, cayó la cosa por su propio peso, de absurda y de increíble. Confesó el francés su culpa, viéndose hostigado y menos protegido de lo que él se figuraba; declaró que era su verdadero nombre Juan *Barteau*, y que todos los documentos exhibidos eran falsos. Confinado en un calabozo, abandonado por los que habían usado de él como instrumento, terminó sus días apelando al suicidio.»

Otro libro que da algunos datos sobre la denuncia del falso Audinot es la *Historia de la vida y reinado de*

Fernando VII de España, Madrid, Repullés, 1842, atribuido a don Estanislao de Koska Vayo.

«Para ennegrecer aún más las intenciones del bando reformador—se dice en este libro—, valiéronse de un impostor llamado Juan *Berteau*, criado de la duquesa viuda de Osuna, quien, fingiéndose general del Imperio y tomando el nombre de Luis Audinot, supuso ocultos manejos entre los jefes liberales, principalmente entre don Agustín Argüelles y Napoleón, para establecer en la Península una República con el título de Iberiana; trama grosera, cuyos hilos, manejados por agentes oscuros de Granada y Baza, descubríanse fácilmente y mostraban el verdadero intento de los forjadores.

»Gracias al mismo impostor, que tirando de la manta escribió de su puño una relación confesando la inocencia de los acusados y declarando su verdadero nombre, y que todo era invención suya y de cierto prebendado de Granada, de quien había recibido las instrucciones y ochenta reales diarios, como igualmente de otros realistas, que se veían ya encumbrados a altos destinos en premio de sus intrigas, los cuales sepultaron los autos siete estados bajo tierra, temerosos de nuevas pesquisas, y dejaron solo en la infamia de un calabozo al delator *Berteau*, que, reducido a la desesperación y con visos de locura, se quitó la vida con sus propias manos.»

Como se ve, todas las historias del tiempo dicen del asunto, poco más o menos, lo mismo. En ninguna hay detalles precisos, esos detalles que tanto entusiasmaban a Carlyle. Al falso Audinot se le llama unas veces Basteau; otras, Barteau, y otras, Berteau.

El dato de que era un criado de la duquesa viuda de Osuna parece cierto. El nombre de Audinot quizá lo tomó el impostor de un cómico que, en París, al final del siglo XVIII, tenía un teatro de títeres.

No es posible aclarar más lo que ocurrió en este asunto del falso Audinot. Los procesos de la época fernandina desaparecieron.

En una canción del tiempo se habla del francés mistificador. Esta canción, con otras varias, las compré en una estampería de la calle del Sena, cerca del Instituto de Francia, en París, tienda que regentaba una mujer roja, y a donde acudía Anatole France.

El papel tiene por lema *Verdad, Equidad, Justicia*, y se titula *El imparcial Perico*, canción patriótica. Madrid. Imprenta que fue de Fuentenebro. Año de 1814.

Hay en el papel hasta veintiséis coplas, no muy buenas, que reflejan la impresión que produjo en España la denuncia. De ellas entresaco algunas:

En Baza se ha cogido
a un tal Audinot,
preso por sospechoso
de alta traición.

Tráele, Perico; tráele
a este gabacho
por ver si lo que dice
es de borracho.

El tiene declarado
que es un general,
y esto a muchos parece
que les suena mal.

Tráele, Perico; tráele
desde su prisión:
sabremos si es supuesta
su declaración.

Andrajoso y beodo,
general, fraile,
impostor, sedicioso,
truhán, miserable.

Tráele, Perico; tráele
y con discreción
veremos, en conjunto,
al galo Audinot.

Dice Audinot que quiere
ver al Gobierno
para darle noticias
del mismo infierno.

Tráele, Perico; tráele
en esta ocasión,
y se sabrán las tramas
de Napoleón.

La idea de que en el proceso del francés había oscuridades, se revela en la copla siguiente:

¿Qué misterio hay en esto
—dice la nación—
para que no se sepa
quién es Audinot?

Esto es todo lo que he llegado a averiguar del mistificador francés Basteau, Barteau o Berteau, que produjo con sus falsas denuncias una gran curiosidad y emoción en la gente de su tiempo e hizo que por primera vez en el siglo XIX se hablara de la República en España.

7 enero 1934.

EL FINAL DEL NAVID *SAN TELMO*

Esta historia romántica que voy a referir la contaba la otra tarde, en una librería de la calle de Jacometrezo, el ingeniero don Luis Valderrama.

—¿Y dónde ha leído usted esa historia?—le pregunté yo.

—La he leído en un libro de Antonio de San Martín, que se lo dejaré a usted si quiere.

Me ha prestado el libro. Se titula *Glorias de la Marina española. Episodios históricos.*

Antonio de San Martín era un autor de novelas populares que todavía leíamos, los que éramos estudiantes, hace cuarenta años. Recuerdo algunos de sus títulos: *Nerón, Las traviatas de Madrid, La sacerdotisa de Vesta, Desde la timba al timo.* En la misma biblioteca donde aparecieron éstas se publicaron las obras de Paul de Kock y una novela, que supongo era parodia de otra de Julio Verne, que se llamaba *Siete semanas en burro,* de Domingo Sandoval, que tenía éxito entre la gente joven.

La relación de Antonio de San Martín, incluida en las *Glorias de la Marina española* y titulada *Viaje a la Eternidad,* da detalles del final de uno de los barcos comprados a Rusia en tiempo de Fernando VII por Ugarte

y el bailío Tatischeff, compra ruinosa, de la cual he hablado no hace mucho. La primera parte de la narración del novelista popular no está bien documentada, y la he rehecho con los informes de Presas en su *Pintura de los males que ha causado a la España el Gobierno absoluto de los Borbones,* y con las notas del libro *Galería biográfica de los generales de Marina,* del que es autor el vicealmirante don Francisco de Paula Pavía. Madrid, 1873. Contaré los antecedentes de la historia, que podría servir para un romance elegíaco.

A la vuelta de Fernando VII al trono de España, el Gobierno se encontraba con las colonias americanas ya de hecho separadas de la metrópoli. Después de seis años de invasión napoleónica y del reinado de José Bonaparte, era naturalmente muy difícil que el Gobierno español pudiera volver al antiguo régimen de vida con los países de Ultramar.

Se quería enviar barcos y tropas rápidamente a América para recuperar el dominio perdido y detener el separatismo. No había escuadra ni posibilidad de crearla, y se pretendió improvisarla.

El 17 de agosto de 1817 se estipuló en secreto, y por orden del rey, un Convenio entre el embajador de Rusia, Tatischeff; don Francisco Ramón de Eguía, ministro de la Guerra, y el favorito Ugarte, para adquirir con premura barcos de guerra en Rusia, con el asentimiento del emperador Alejandro. Hecha la gestión, se convino entre Tatischeff y Ugarte el modo de verificar el pago. Se emplearía en la compra de los barcos parte de las quinientas mil libras esterlinas que el Gobierno inglés había entregado a Fernando como indemnización por la supresión de la trata de negros en las colonias españolas.

Marcharon algunos oficiales de Marina españoles a Cronstadt, y se decidió la adquisición de cinco navíos y tres fragatas. A éstos se añadieron otras tres embarcaciones que el emperador Alejandro regaló a Fernando VII por el mal estado en que se encontraron los buques que vendía Rusia.

Esta escuadra de barcos averiados salió de Cronstadt en enero de 1819, mandada por el almirante ruso Müller, y fué a Cádiz. Con ella iban algunos oficiales de Marina españoles.

La prisa que tuvo Tatischeff para marchar a Cádiz y ser testigo de la entrega al Gobierno español de la escuadra antes rusa, dio lugar, después de su partida, a pasquines que se colocaron en las calles de Madrid.

En uno de ellos se decía, como si se tratara de un perro, que el embajador de Rusia se había perdido; que respondía al nombre de Tatischeff, y que se gratificaría al que lo encontrara.

Llegada la escuadra ex rusa a la bahía de Cádiz, se nombraron oficiales para reconocer los buques. Algunos de los técnicos los encontraron deficientes. El capitán don Roque Guruceta dio un informe adverso,

muy enérgico, y el Gobierno suspendió al marino de empleo y sueldo.

Considerados como buenos en el reconocimiento por empleados serviles, se rebautizaron los barcos y se les llamó el San Telmo, el Alejandro, la Pronta, la Prueba, la Ligera, la Viva y la Mariana.

Unos meses después se constituyó una división naval formada por los navíos San Telmo y Alejandro, de setenta y cuatro cañones cada uno; la fragata Prueba, de cuarenta, y otras, como la Mariana, para transporte de tropas y pertrechos de guerra. Esta división marcharía al Perú. La mandaría don Rosendo Porlier y Arteguieta, marino valiente y experimentado, que había luchado en Trafalgar a las órdenes de Gravina.

Iban también en el crucero don Melitón Pérez del Camino, al mando de la fragata Prueba; don Blas Arana y don Joaquín Toledo, hombre de poca suerte, que había naufragado varias veces y que había sido herido de gravedad en el combate de Buenos Aires, entre ingleses y españoles, en 1806, en el cual vencieron los españoles al mando de don Santiago de Liniers.

Toledo era el segundo comandante del San Telmo. Este barco, según la tradición que recogió el novelista San Martín, era un hermoso navío de tres puentes, lleno de cañones; tenía el casco negro y el castillo de popa muy alto. Las gentes de Cádiz le llamaban el Navío Negro, y empezaban a asegurar que daba mala suerte y que tendría un final funesto. Esto puede ser fantasía del novelista, pensada a posteriori. El San Telmo, con una tripulación de seiscientas cuarenta y cuatro plazas, conduciría varias compañías de soldados de Infantería de Marina.

El 11 de mayo de 1819 salió la escuadra con rumbo para El Callao. Según la tradición gaditana, al partir el cielo estaba oscuro, sombrío y amenazador.

—Ya no los volveremos a ver más —dijeron las mujeres y los hijos de los marinos desde lo alto de las murallas de Cádiz al despedirse de sus familiares.

Un mes después, el *Alejandro* volvío de arribada. Al parecer hacía agua, y había tenido que retornar al puerto de salida desde la línea equinoccial por no poder continuar el viaje. Meses más tarde se supo que la fragata *Mariana* llegó a un puerto del Perú el 9 de octubre, y que la *Prueba*, al mando del capitán don Melitón Pérez del Camino, pasó a la altura de El Callao, y, como había una escuadra enemiga en sus aguas, entró en Guayaquil.

Transcurrieron semanas, meses, años. No se sabía nada del *San Telmo*. No había noticias de naufragio ni de siniestro. El navío negro había desaparecido como por encanto.

Cuenta San Martín que uno o dos años después de la desaparición del navío, un señor, llamado don Andrés de Arévalo, embarcó en un buque italiano, el *Volturno*, en el puerto de El Callao para Europa.

Al remontar el cabo de Hornos tuvieron que sufrir grandes vendavales, y vieron una mañana de frío intensísimo un banco de hielo de gran extensión que marchaba a la deriva hacia el Este, llevado por las corrientes.

Sobre la deslumbradora blancura del hielo notaron los pasajeros del *Volturno* una masa negra. Hicieron suposiciones acerca de qué podía ser aquello, y advirtieron que era un buque.

Entonces el capitán, el señor Arévalo y cuatro marineros botaron al agua una chalupa, se embarcaron en ella y se acercaron al banco de hielo.

Cuando estaban a poca distancia, pudieron distinguir que el buque era grande, gigantesco, ya desarbolado. Tenía tres puentes, y por las portas asomaban bocas de cañones.

Aquel buque había hundido su proa en el banco de hielo de tal manera, que había quedado completamente empotrado, aprisionado en la enorme masa de agua congelada. En la parte de popa que estaba libre se veía el escudo de España, y debajo, en gruesos caracteres, su nombre: *San Telmo*.

Arévalo había oído hablar en el Perú del navío negro y de su desaparición misteriosa en los mares.

Los marineros de la chalupa llamaron a grandes voces por si se asomaba alguien a las bordas del *San Telmo*, y como no apareció nadie, decidieron el capitán y Arévalo subir a cubierta por las cadenas de popa. El barco estaba desierto. En sus costados no se veían enganchados los botes. Esto hacía suponer que la tripulación se había escapado en ellos. Pero ¿se había salvado? Seguramente, no, porque de haberse salvado hubiese llegado la noticia del salvamento a España.

En el sollado y en los camarotes de los oficiales todo estaba en revuelta confusión. Se veía que había quedado así en el momento de la fuga. Allí estaban los vistosos uniformes, las casacas, los tricornios, las espadas, todo recubierto con una capa de hielo y de polvo. Al marchar hacia la escalera del castillo de popa el capitán italiano y Arévalo vieron a un hombre envuelto en un capote, con los codos apoyados en las rodillas, la cabeza escondida entre las manos y acurrucado sobre sí mismo.

Se acercaron a él. Estaba muerto, petrificado por el frío, como una momia.

Impresionados, estremecidos de espanto, subieron las escaleras hasta la cámara del comandante, que era grande, alta y lujosa.

Sobre un diván, tendido, rígido, como una figura de cera, estaba el jefe de la escuadra, muerto. Tenía el pelo y la barba largos, y vestía un uniforme rico y ajado. Cubría sus piernas un capote azul, forrado de bayeta.

A pocos pasos se veía un perro momificado.

Al navegar el *San Telmo*, en la primavera de 1819, en busca del cabo de Hornos, había hundido tan profundamente su proa en un gran banco de hielo, que no pudo desasirse de él.

El banco era muy grande, de más de una milla; marchaba de Norte a Sur, y el *San Telmo*, enclavado en él, tuvo que seguir despacio su mismo derrotero. Las maniobras para salir del atranco fueron inútiles.

Al ver lo infructuoso de los esfuerzos para librarse de aquella mole que los arrastraba, la tripulación y la tropa decidieron buscar la salvación en las barcas y abandonar el barco fatal.

Comunicaron su designio al comandante, y éste intentó disuadirlos; les dijo que la distancia a tierra era enorme y que no podrían llegar a ella en botes, cruzando aquel mar adusto, violento y terrible.

Los oficiales replicaron que no había otro recurso. Que no querían morir encerrados allí, como ratas, y que los jefes del navío, la marinería, los soldados y los capellanes de a bordo estaban decididos a abandonar el buque fatídico, buscando la salvación en las lanchas.

El comandante replicó que a él el Gobierno español le había entregado el barco, y que no lo abandonaría.

Los oficiales le respondieron que le dejarían vituallas para dos meses, pero que se marchaban.

—¡Adiós, señor comandante!—dijeron los sublevados.

—¡Adiós! Y que no recibáis el castigo de vuestra deslealtad.

La tripulación y las tropas embarcaron con gran barullo, y en el *San Telmo* quedaron solamente el comandante, un condestable de artillería y un perro.

Los fugados, amontonados en los botes, no debieron poder resistir las terribles inclemencias del cabo de Hornos, y, al fin, desaparecieron entre las olas, y no se salvó ninguno. Los dos hombres que quedaron en el *San Telmo* vivieron en el barco días y días, los bastantes para consumir sus vituallas. Tuvieron un momento de ilusión, al ver una vez un barco de alto bordo que navegaba en dirección del Este.

El condestable disparó, uno tras otro, dos cañonazos, y el buque pasó de largo.

Al fin llegó el término fatal. Un día el condestable se acurrucó, aterido, en la escalera del castillo de popa, se apoderó de él el sueño y quedó muerto.

Murió después el perro, y el comandante, transido de sueño, se tendió en el diván para no despertarse jamás. El condestable se llamaba Matías Alvarez. ¿Quién era el comandante? ¿Porlier, Toreno o don Blas Arana? No se supo.

El *San Telmo*, después de visitado por el capitán italiano y por Arévalo, siguió su marcha, arrastrado por el banco de hielo, hacia los mares polares, llevando como un ataúd flotante los cuerpos de los dos hombres y el perro, momificados por el frío.

14 enero 1934.

DON JOSE SEGUNDO FLOREZ

A final del siglo pasado fui yo por primera vez a París con un amigo proyectista a prueba de decepciones. Era éste hombre iluso. Le habían dicho que había un hotel muy barato y muy bueno en una callejuela, la calle Flatters, entre el bulevar de Port-Royal y la calle de Berthollet, y que en aquel hotel se podía pasar una temporada cómodamente por poco dinero.

El hotel bueno y barato resultó imposible, y yo me tuve que ir en seguida a otro de la calle de Vaugirard, antigua casa de madame Montespan, donde unos años después vivió también *Corpus Barga*.

Mi amigo el proyectista, que había vivido mucho tiempo en Francia, tenía amistades raras; una de ellas era un español barbudo, escuálido, con aire de anacoreta, que andaba siempre con un perro muy grande y muy hermoso, que llevaba con una cadena.

Este señor, que no recuerdo cómo se llamaba—quizá no lo supe nunca—y a quien yo conocía por *el Hombre del perro*, llevaba muchos años en París, y, a pesar de esto, pronunciaba las palabras francesas con todas sus letras, sin afectación alguna. Decía Montmartre con su «tre» final muy clara. Decía Montparnasse, terminado en «ase». Hacía lo contrario de lo que hacían algunos petulantes españoles, un poco majaderos, que a los quince días de estar en París pretendían hablar en parisiense y hasta enseñar a los de Burdeos o a los de Marsella la verdadera pronunciación de su idioma. *El Hombre del perro* parecía que no hablaba francés porque no sabía o no quería. Una de las cosas características de este señor era su roñosidad extraordinaria, ya casi patológica. Aquilataba el precio de las cosas hasta unos extremos inconcebibles.

A este *Hombre del perro* le oí contar anécdotas de don José Segundo Flórez, el autor de la vida de Espartero. También le había conocido y hablaba de él don Nicolás Estévanez.

Yo me figuraba que Flórez sería un hombre del año 10 al 20 del siglo pasado; pero, al perecer, era más viejo. En el *Ensayo de un catálogo de periodistas españoles del siglo XIX*, de Ossorio y Bernard, se señala la fecha del nacimiento de Flórez en 1789. En el *Diccionario de extremeños ilustres*, de Díaz Pérez, se dice que nació en 1798.

De todas maneras, tenía que ser muy viejo cuando le conoció el *Hombre del perro*, que contaría a final del siglo de cincuenta a sesenta años.

En un artículo de la *España Moderna*, de don Vicente Barrantes, en el que habla de Martínez Villergas, se dice:

«Maltrecho y no bien reputado entre los suyos por los medios que le proporcionaron la libertad, marchó a París en 1852, donde otro escritor de tanto mérito como él y de menor juicio todavía le dio abrigo en el periódico hispanoamericano *El Eco de Ambos Mundos*. Don José Segundo Flórez, que es el compañero a quien nos referimos, o, dígase con más verdad, fray Segundo Flórez, exclaustrado de la Orden de San Agustín, maestro después de primeras letras en Badajoz, de donde fue materialmente expulsado por torpes vicios de que hacía víctima a la cándida niñez; revolucionario acérrimo en Madrid, afiliado a las más peligrosas sociedades secretas y de la literaria, de Ayguals de Izco, que le publicó, en 1943, una vida de Espartero mejor escrita que pensada, merecería por sus aventuras largo y ejemplar capítulo, desde que nació en El Almendral (provincia de Badajoz), pueblo extremeño, de una honrada familia de labradores, célebre por transmitirse en ella de padres a hijos la singular virtud de componer huesos rotos, hasta que, emigrado a consecuencia de su participación en los motines de 1848, murió apóstata en el seno de una secta como nueva, a la que llamó Religión de la Humanidad su fundador, Augusto Comte, de quien fue el padre Segundo amigo, panegirista y testamentario.»

Don José Segundo Flórez, por las noticias de Barrantes, nació en El Almendral. Fue religioso exclaustrado y profesor de un seminario. Colaboró, en 1835, en el *Boletín Oficial de Badajoz*. Dirigió, por el año 1840, *El Pensamiento Extremeño*, y en 1848, perseguido por el Gobierno de Narváez, emigró a París, donde dirigió *El Eco Hispano-Americano*, y desde 1854, la revista titulada *El Eco de Ambos Mundos*, que tuvo gran éxito. Allí fue también corresponsal de *El Clamor Público*, de Madrid, y de *El Siglo*, de Montevideo. Publicó, además, varios folletos—dice Díaz Pérez—y varias obras didácticas importantes, según Ossorio y Bernard. Yo no he visto estos folletos ni estas obras didácticas.

Lo más importante de Flórez es su libro *Espartero. Historia de su vida militar y política y de los grandes sucesos contemporáneos*. Madrid, 1843-1845; cuatro volúmenes.

Estévanez, aficionado a caricaturizar a los tipos, decía de don José Segundo que había ido a París a pasar ocho días y a poner una corona en la tumba de un paisano ilustre, y que había estado más de cincuenta años y que había muerto allí.

El Hombre del perro contaba anécdotas del ex fraile extremeño; decía que era irritable, de mal humor y que soltaba las verdades en la cara al lucero del alba; aseguraba que tenía mucha afición por los libros y que había reunido una gran biblioteca, rebuscando en las galerías del Odeón y en los cajones de los muelles del Sena.

Don José Segundo era republicano conservador para España y bonapartista para Francia. Decía pestes de Narváez, del conde de San Luis y de González Bravo.

En los últimos tiempos ya no estaba enterado de las cosas que ocurrían en España.

—¿Se murió Mendizábal?—preguntaba.

—Sí.

—¡Pobrecillo! Era un reaccionario, un pastelero. ¿Y Prim?

—A Prim le mataron. ¿No se acuerda usted?

—Es verdad. ¿Y el poeta Zorrilla?

—Ese vive.

Contaba también *el Hombre del perro* las riñas que tenía el exclaustrado en su última época con Santiago Romo Jara, a quien se atribuían toda clase de extravagancias entre los emigrados españoles de París. De Romo Jara circulaba esta tarjeta, más o menos auténtica: «Santiago Romo Jara, *chroniqueur mondain*, redactor del *Diccionario Enciclopédico*, joven de lenguas, profesor de guitarra.»

Se decía que Romo Jara fue una vez a pedirle dinero prestado a Flórez, que le recibió muy fosco; pero, al fin, le dio una moneda de veinte francos.

—Si me la había usted de dar,

¿por qué no la acompañaba con una sonrisa?—le preguntó Romo Jara de una manera insinuante.

Según *el Hombre del perro*, que no distinguía bien Kant de Comte, don José Segundo Flórez tenía en la vejez relaciones de amistad con un cura vasco que había sido cabecilla carlista—él creía con Santa Cruz—y que era capellán en un palacio aristocrático del *faubourg* Saint-Germain.

Yo pensé si este cura sería el guipuzcuano Portuche, que había sido santacrucista y que estaba muy metido en la aristocracia francesa.

No he averiguado cuándo murió don José Segundo.

Lo más curioso de este ex fraile extremeño parisiense fué su íntima amistad con el filósofo y matemático de Montpellier Augusto Comte.

A partir de 1845, Comte, que había abominado de la teología y de la metafísica, intentó transformar su filofía en una religión, como lo hicieron anteriormente Saint-Simon, Enfantin, Pierre Leroux y otros ilusos personajes.

Algunos de sus prosélitos atribuyeron este cambio a una crisis nerviosa del filósofo de Montpellier, que anteriormente había estado loco, complicada con una pasión platónica por una señora llamada Clotilde de Vaux.

Este amor místico llevó al jefe de los positivistas a una serie de ideas absurdas y mistagógicas: la posibilidad de las vírgenes madres, la adoración de la Humanidad, el culto de la tierra y otras fantasías extravagantes.

La tesis de la virgen madre consistía en suponer que la mujer tendría con el tiempo la facultad de fecundarse a sí misma, con lo cual conseguiría la independencia completa del hombre. Era esto tan posible como el abrir las ostras por la persuación.

Comte vivía en un tercer piso de la calle Monsieur le Prince, entre el bulevar Saint-Michel y la plaza del Odeón, y en su casa consagró un altar y un culto a Clotilde de Vaux. El se erigió en gran sacerdote de la Humanidad y en pontífice de la nueva religión. Pretendía casar, bautizar, dar breves, etc.

Antes de morir este papa de la calle Monsieur le Prince, que era como en Madrid ser papa de la calle de la Arganzuela, nombró trece ejecutores testamentarios, sus trece apóstoles, uno más que los de Jesucristo, y les recomendó que conservaran su casa como primer hogar del culto a la Humanidad. Uno de estos testamentarios, discípulos o apóstoles, fue don José Segundo Flórez. No sé qué entusiasmaría al ex fraile de la obra de Comte. Yo empecé a leer el *Curso de filosofía positiva*, del autor de Montpellier, pero no pude seguir. Me pareció pesado, oscuro, con una frase confusa, repleto de lugares comunes. Lo que sí leí y encontré entretenido fue un número del *Almanaque positivista*, y pensé, al ver glorificados los nombres de grandes hombres españoles, si en ello andaría la mano del ex fraile extremeño don José Segundo.

Como digo, no he leído más que a trozos la obra de Comte; me ha parecido una *summa* con aire dogmático que seguramente no durará tanto como la tomista. Esta *summa* está impregnada de misticismo autoritario y social.

Es algo que recuerda a Hegel en lo confuso y en lo gárrulo; pero Hegel, evidentemente, tenía más genio.

Comte se me representa con los rasgos de *monsieur* Homais de Flaubert. Hegel es un iluminado de la Historia y del cosmos. También parece un boticario medio alquimista que cuando machaca en el almirez la magnesia con el azúcar cande piensa que está porfirizando a Sirio con la estrella polar.

Dejando en paz al maestro, y pasando al discípulo, el viejo ex fraile estrafalario solía pasear, según contaba *el Hombre del perro*, por los jardines del Luxemburgo con los testamentarios de Comte, probablemente tan absurdos como él.

Este jardín, en donde Paul Verlaine invitaba a los viejos ladrones, a los granujas en flor y a los amables vagabundos a fumar filosóficamente y a deambular con tranquilidad, era el lugar predilecto de don José Segundo.

Llevaba también el exclaustrado, como el gran poeta saturniano, sobre las espaldas, un viejo pecado de sodomía, cómico vicio frailuno, y no tenía para justificarlo ni el satanismo de los escritores malditos, ni el psicoanálisis judaico de Freud, ni las explicaciones del Corydon, entre bíblicas y paganas y protestantes de Andrés Gide.

21 enero 1934.

LA VIDA DE CHICO

Me preguntaba un conocido hace unos días:

—¿De quién va usted a hablar en el próximo artículo?

—Voy a hablar de Chico, el policía.

—Pero ya se ha ocupado usted de él antes.

—Sí, de su muerte; ahora quiero decir algo de su vida.

—Tiene usted cierta predilección por los monstruos.

—¡Qué quiere usted! Todos los lectores de novelas, todos los aficionados al drama, tienen entusiasmo y curiosidad por los monstruos, por los monstruos psicológicos. Esta es una base, quizá la más fuerte, de la literatura popular, desde Sófocles hasta Dostoyevski, pasando por Shakespeare.

Mi interlocutor supone que un monstruo es algo «repelente», sin el menor interés. Yo le replico:

—Es indudable que a nadie le gustaría tener en su familia o en su casa a un César Borgia, a una Catalina de Médicis, a un Marat, a un Torquemada, a un Chico o a un Morral; pero estos monstruos históricos, en el marco del libro o en el escenario, llegan a interesar y a seducir. La gran literatura, sobre todo la romántica, está hecha a base de monstruos psicológicos, y Edipo, Don Quijote, Don Juan, Fausto y Karamazoff no son otra cosa. A muchos les parece una manifestación de gusto barroco la curiosidad por los tipos raros de la Historia. Es para éstos más interesante ocuparse del artículo 37 de la Constitución o del 49 del Código penal, y suponen que es más práctico.

El practicismo de las leyes y de los decretos es casi siempre ilusorio. Lo que ocurre en España es que se da el espíritu del leguleyo, y no el del historiador.

A la mayoría le choca que se pueda tener curiosidad histórica. Hace años, cuando yo iba a visitar a algunos viejos campesinos de Vera para ver si me daban datos de la expedición de Mina en 1830, decía un ex senador que vivía en el pueblo:

—¡Mire usted que ir ahora a averiguar lo que nos ha contado Galchagorri tantas veces! (Galchagorri era un viejo de un caserío, ya muerto.) A mí eso no me interesa nada.

—Claro que a ese señor no le interesa lo que contaba Galchagorri—replicaba yo—; pero eso no indica superioridad, sino inferioridad. El dato de Galchagorri y de otros Galchagorris es una de las bases de la Historia en pequeño y en grande.

Es extraña la falta de curiosidad de los españoles del siglo XIX por la historia viva. Pasaron por delante de acontecimientos extraordinarios sin el menor deseo de esclarecerlos o de contarlos.

Hubo gente próxima a nosotros que vio de cerca la guerra de la Independencia. La guerra carlista, los pronunciamientos—lecciones de psicología y de patología nacional excepcionales—, desfilaron ante ellos, con el Empecinado, Mina, Lacy, el conde de España, Zumalacárregui, Cabrera, y no se les ocurrió dejar escrita la impresión personal que todo ello les produjo. No tenían la idea de que los tipos que se dibujaban en su campo visual eran la mayoría tipos raros de una época desquiciada, que, probablemente, no se volverían a dar más.

Uno de esos personajes curiosos, de poca importancia política quizá, pero de un relieve acusadísimo, es el policía Chico, don Francisco García Chico. A mí me hubiera gustado insistir en su vida y aclararla, pero esto es cosa larga y difícil. Hace años, para escribir una novela, El sabor de la venganza, tomé datos de la vida de este jefe de Policía, y me detuve para no perderme en un laberinto de papeles y de notas que, aunque no se referían directamente a él, tenían conexión con la época.

Las historias españolas del siglo XIX pasan por la vida y la muerte de Chico como si no tuvieran interés. En la Historia de la revolución de 1854, de Ribot y Fontseré, y en otra de Cristino Martos, no se le da tampoco importancia al policía.

Yo tengo idea de haber leído en la juventud un novelón en el que se habla del libertinaje de Chico, de su casa, adornada con cuadros; de las mesas con vajillas de plata y oro y de las orgías desenfrenadas. Algo que se podría llamar libertinaje y escándalo, como uno de los actos del Tenorio. Pensaba si estas escenas aparecerían en dos novelas de Ayguals de Izco: La marquesa de Bellaflor y El palacio de los crímenes. He vuelto a repasar estos libros, y en ellos se habla de Chico, pero sin ningún detalle. El pobre Ayguals era un novelista popular, falso, que escamoteaba los datos con fraseología huera.

Era también jurídico, orador y de tendencia leyuleya.

En donde hay más detalles sobre la vida de Chico es en las Impresiones y recuerdos de Julio Nombela. Aquí hay un informe de visu no muy valioso, porque todo lo de este escritor es un poco mediocre.

Nombela recoge la opinión popular de que Chico era un libertino. Tenía cuatro o cinco queridas, vivía hecho un príncipe, compraba muebles de lujo, magníficos cuadros y se dedicaba a la orgía. Era el Sardanápalo de la plaza de los Mostenses.

Yo pensé siempre que el encumbramiento de Chico venía de Narváez, que, haciendo un chiste de mozo de café, se podía decir que era un Chico en grande. Pero parece que no. En un librito titulado El eco de la libertad combatida por las bayonetas afrancesadas, folleto original y en verso por P. C. A. y J. R. C. Madrid, 1844; en unos versos progresistas bastante malos y confusos, se atribuye la elevación de Chico a don Lorenzo Arrazola:

> Con un Chico que tenía
> (y este Chico vale un mundo),
> porque el Chico era profundo
> y grande en la tiranía,
> dispuso, según su antojo,
> de quien no le contentaba,
> porque el Chico ejecutaba
> sus órdenes con arrojo.

Según este folleto, Arrazola fue el que nombró a Chico esbirro general, y él pensaba ser un gran inquisidor. Quizá la protección y la elevación primera de Chico se debiese a Arrazola; pero después, los que sostuvieron al policía en su preeminencia, según la voz pública, fueron María Cristina, Muñoz, Narváez, el conde de San Luis y el banquero Salamanca.

Un día de julio de 1854, don Julio Nombela se acercó a la plaza de los Mostenses, donde había vivido, con la intención de hablar con un portero de su antigua casa, el señor Zacarías, y ver cómo iba en el barrio el movimiento revolucionario.

«Los vecinos de la plazuela intentaban apoderarse del policía Chico. Se contaban horrores del que durante tantos años había sido jefe de la Policía y señor absoluto de vidas y haciendas—dice Nombela—. La Historia ha consignado, confirmando lo que por entonces se refería en todas partes, que, favorecido por la reina madre y por los moderados, había vejado y perseguido a cuantos protestaban de los escandalosos negocios que realizaban los políticos o expresaban ideas liberales. Al mismo tiempo, se aseguraba que quedaban impunes robos y asesinatos a cambio de crecidas sumas que le entregaban los criminales; lo cierto es que había llegado a acumular riquezas extraordinarias, y que en su casa estaban las paredes cubiertas de cuadros pintados al óleo, formando una magnífica galería.»

El catálogo de la colección se publicó en el tomo de Madrid del Diccionario de Madoz.

«Parece increíble—asegura Nombela—que aquel hombre taimado, perverso, sin sentimientos humanos, fuera inteligentísimo en el arte pictórico y que atesorar pinturas de verdadero mérito constituyera uno de sus mayores goces.»

El que un hombre taimado y perverso sea aficionado a la pintura no parece increíble, porque se han dado muchos casos de ello: Borgias, Médicis, etc. El suponer que por lo que pudieran dar ladrones y asesinos por dejarlos impunes se enriqueció Chico, me parece más increíble. Seguramente, la fortuna del policía venía de grandes negocios en que participaba.

«No recuerdo si era solterón o estaba separado de su consorte—sigue diciendo Nombela—; lo que no he olvidado es que vivía en la casa de la plaza de los Mostenses, sin más servidumbre ni compañía que un ama de gobierno, mujer de edad y de toda su confianza, según se susurraba en la vecindad.

»Pero en todo Madrid era notorio que mantenía con gran boato a cuatro o cinco amigas íntimas, que unía a la debilidad erótica, impropia de su edad, pues contaba a la sazón cincuenta y tantos o sesenta años, una gula de las más refinadas y que no tenía el diablo por donde cogerle.

»Uno de los vecinos que tenía puesto de verduras en la plazuela de los Mostenses le había dicho a Nombela que el ama de gobierno de don Francisco, que era parroquiana suya, aseguraba que su amo estaba enfermo de mucha gravedad, y que no sería extraño que se las liase, porque las pindongas con quien estaba enredado, su habitual glotonería y la mala vida que llevaba le tenían poco menos que aniquilado.

»Me parece verle—añade el autor—, cuando éramos vecinos, salir de su casa mirando a todas partes con recelo y con cara más falsamente risueña que seria. Su expresión habitual era el cinismo. Según contaban, no se enfadaba nunca, o, por lo menos, aparentaba no enfadarse, y, sonriéndose y con frases de chanza, cometía las más crueles felonías.»

Una semana antes que se sublevase el pueblo, se vio obligado a guardar cama, y la enfermedad que se le declaró alarmó en extremo al médico que le asistía.

A pesar de la gravedad de su estado, cuando se enteró de que había estallado la revolución popular, no dudó de que si los rebeldes triunfaban irían a buscarle, y como para las eventualidades de aquel género tenía preparado un escondrijo, dispuso que le trasladaran a él su ordenanza y el ama de gobierno, quedándose el primero en su compañía, porque también corría peligro.

Cuando fueron a buscarle, el ama de gobierno aseguró que hacía muchos días que no había aparecido por la casa. Registraron los revolucionarios todas las habitaciones y no le encontraron. Sospechando que podía haberse ocultado en la vecindad, no dejaron sin examinar cuidadosamente todos los cuartos y dependencias de la casa, y al ver lo inútil de sus pesquisas, se alejaron, convencidos de que habría buscado refugio en otra parte.

Pero los habitantes de la plazuela, que tomaron las armas desde el primer momento, aseguraron que le habían visto entrar en su albergue, y juraban y perjuraban que de él no había salido.

Entonces, según una versión, de las varias que circularon con viso de verdad, el torero *Pucheta* fue a ver a una de las amigas del jefe policíaco, que, según sus noticias, estaba ofendida y deseaba vengarse de un desprecio que le había hecho, y, sin duda con amenazas o promesas, logró que le indicase dónde podía estar oculto el que buscaba con tanto afán.

Bien por la delación de la amiga despechada, o bien, como aseguraban algunos, porque los emisarios del torero, al volver a la casa por segunda vez, pusieran de rodillas al ama de gobierno y le amenazasen con fusilarla allí mismo si no revelaba dónde estaba escondido su amo, lo cierto es que, al fin y al cabo, consiguieron apoderarse de él y de su compañero, el ordenanza Cano.

«Algunos días después, con referencias a lo que los vecinos del jefe de Policía dijeron y a las revelaciones que hizo el ama de gobierno a las personas con quienes habló, me contó el señor Zacarías—dice Nombela—que todas las habitaciones de la casa, incluso los pasillos, tenían cubiertas las paredes de cuadros; que uno de éstos, de gran tamaño, ocupaba el testero de un corredor, descansando sobre un arca antigua, destinada a guardar útiles de limpieza, y que el cuadro servía de puerta a un cuarto, sin más luz ni aire que los que penetraban por un pequeño ventanillo colocado a bastante altura en la pared de carga, que daba a un patio.

»Apartando el arca y apretando un resorte, disimulado en el cuadro, giraba éste y podía entrarse en el escondrijo, donde no había más que un tablado con un jergón y un colchón, una mesa y un par de sillas.

»En la mañana del 18 fue trasladado el enfermo al misterioso cuarto, y cuando en la noche del 19 se supo que la revolución había triunfado, se encerraron en el escondrijo el amo y el ordenanza, y uno y otro aguardaron el desenlace de la revuelta, confiando en librarse de las iras del pueblo.

»Bien porque la amiga infiel y ofendida, enterada del secreto, lo confiara a *Pucheta,* o porque el ama, a punto de ser fusilada, obedeciera al instinto de conservación, lo cierto es que los paisanos armados y su jefe penetraron en el cuarto donde se encontraba Chico.»

«Si mal no recuerdo—indica Nombela—, la autoridad judicial cerró y selló las puertas de la casa (el palacio de Trastamara); sus parientes se incautaron más tarde de los bienes que dejó, y de aquel hombre terrible sólo quedó en la historia de la revolución de julio de 1854 una triste memoria.»

Es lo que ocurre siempre en la historia moderna de España. Se presenta el pajarraco raro y extraordinario, y nadie tiene la paciencia y la curiosidad de describirlo y dejar su estampa fijada para el porvenir.

ROMERO ALPUENTE

Don Juan Romero Alpuente quedó en la historia de España por haber afirmado que la guerra civil es un don del cielo. En alguna parte he leído yo que esta frase no era completamente original, porque la dijo antes un revolucionario francés de la época del Terror; pero estas frases no suelen ser nunca del todo originales.

Romero Alpuente tenía la preocupación de ser franco, claro y de expresarse sin ambages. Quizá pensaba que estas condiciones las debía a su calidad de aragonés. A muchos les perturba y les desvía de su camino la fama de la región en que nacieron, y el que es andaluz, cree que es gracioso; el catalán, industrioso; el vasco, decidido, y el gallego, sentimental. Estas famas generales no pueden ser ciertas en absoluto nunca. Algunos escritores de talento no pretenden acomodarse a las características de su país, sino más bien acomodan las condiciones de su país a las suyas. Renan, por ejemplo, cuando señala las condiciones espirituales de Bretaña, no hace más que destacar las suyas

propias. Así, más que ser Renan como la Bretaña, es la Bretaña la que es como Renan.

Romero Alpuente no tenía tan grandes pretensiones. Se creía un aragonés típico, y, por tanto, franco y rudo. Quizá se engañaba en una cosa y en otra. Por lo que yo conozco, Aragón no me parece un país homogéneo. El Pirineo, la zona del Ebro y Teruel no tienen rasgos comunes ni en tipos ni en paisajes.

El Pirineo aragonés se asemeja a la Navarra de aire alpino, la región del Ebro es casi igual que la Rioja y la parte de Teruel tiene una zona de poca altura, de aire valenciano, y otra alta, de aspecto castellano conquense.

Romero Alpuente era de Valdecuenca, provincia de Teruel. Valdecuenca es una aldea de cincuenta casas de la diócesis de Albarracín. El terreno es árido, seco, frío en invierno, caliente en verano, con montes de pinos, sabinas y enebros.

La raza es cenceña, morena, de pelo negro y ojos vivos, de tipo que se ha llamado ibero y que estaría bien denominado si se supiera lo que es el ibero. El término *ibero* debió de aplicarse en la antigüedad a ciertos pueblos en un sentido geográfico, pero no etnográfico.

Schulten, en su libro *Hispania*, quiere creer que el ibero era un tipo de raza pequeña o de mediana estatura, delgado, nervudo, de pelo negro, tenaz y austero, y que el celta era alto, lleno de carnes, de color claro e inmoderado en la comida y en la bebida.

Todo esto es pura fantasía, porque las dos palabras, *ibero* y *celta*, no indican dos tipos de raza pura, ni mucho menos. En los países que se llamaron ibéricos y célticos, sobre todo en estos últimos, que abarcan media Europa, había seguramente infinidad de razas diversas.

Es curioso cómo los alemanes, antes tan rigurosos en la ciencia, hayan llegado a ser tan ligeros y tan palabreros como los latinos.

De don Juan Romero Alpuente, aragonés, turolense, se dice que nació hacia 1752.

En un folleto titulado *Contestación que da Pedro Tomillo Albado al discurso que el ciudadano Juan Romero Alpuente publicó en septiembre último sobre la Suprema Junta de Conspiradores*, Madrid, Imprenta de doña Rosa Cruz, calle del Baño, 1821, hay algunos datos sobre la vida oficial de Romero Alpuente. Se dice aquí: «Sirvió al despotismo de fiscal en la Audiencia de Valencia antes de 1808, en cuyo desempeño pedía con furibunda oratoria patíbulos contra los procesados que su tétrica y exaltada bilis acusaba con rigor y furor excesivos, por lo que logró el renombre de terrible y tremendo; sus disputas, apelaciones y terquedades le enviaron a Granada para que continuase sus servicios a la esclavitud; mas, sucediéndose las discordias y bolinas, hubo de

ordenarse su traslación a Canarias; después le llevaron al Tribunal de la Inquisición por desafecto, según decían, a la religión cristiana, aunque nosotros lo ignoramos; mas no puede dudarse que, sin embargo de haber servido al Gobierno absoluto, fue nombrado diputado a Cortes, en donde no es el que menos grita de patriotismo, libertad y esfuerzos por la nación. A él se deben mociones de rigor esclarecido contra todos los que no profesan sus mismas opiniones; indistintamente, grita por la proscripción de los profesores de la libertad o del servilismo si no entran en su modo de pensar.»

Como político, el nombre de Romero Alpuente aparece por primera vez en Zaragoza a principios del siglo XIX, no en el sitio, no debía de ser hombre de armas tomar, sino en un folleto que se titula *El grito de la razón al español invencible o la guerra espantosa al pérfido Bonaparte de un togado aragonés con la pluma. Discursos sobre el actual peligro de estos reinos y las medidas infalibles de salvarlos y restituirlos con ventaja a su dignidad, escritos por don Juan Romero y Alpuente, tres veces víctima del malvado Godoy, dos siendo fiscal del Crimen en la Audiencia de Valencia y una siendo oidor y gobernador de las salas del Crimen en la Chancillería de Granada*. Zaragoza. En la imprenta de Mariano Nicoles.

El grito está firmado en septiembre de 1808, después del primer sitio. El texto lo constituye fraseología patriótica, ditirambos en favor de Fernando VII y de la religión católica, apóstrofes contra Napoleón y Godoy y excitaciones a los vocales de las Juntas.

Si Romero Alpuente tuvo alguna acción en los sitios de Zaragoza, no lo sé, yo no lo he visto citado en la historia de ese tiempo. Quizá por entonces conoció y se hizo amigo de don Lorenzo Calvo de Rozas, vizcaíno terco y corajudo, uno de los inspiradores de la defensa de la ciudad, con quien pasado el tiempo conspiró en Madrid.

En 1813, Romero publicó otro folleto: *Wellington, en España, y Ballesteros, en Ceuta. Discurso.* Hay dos ediciones de él, una de Cádiz y otra de Valencia. En este escrito, el togado aragonés hace una defensa del general Ballesteros, hombre informal y un poco botarate, de la manera chocarrera y gárrula que era su especialidad.

Poco después, nuestro turolense aparece de magistrado en Murcia. En 1817 se dice, en un informe policíaco que se encuentra en el Archivo de Palacio, que se reunía en casa de un alpargatero, con varios oficiales, a conspirar. Se le consideraba como hombre de costumbres crapulosas, y se asegura en la misma nota que vivía con una mujer de mala fama.

Al descubrirse la conspiración de don Juan Van Halen, en Murcia, Romero Alpuente es encerrado en las cárceles de la Inquisición por orden de Elío, y sale con otros presos, entre ellos el general Torrijos y el canónigo don Blas Ostolaza, acusado de corrupción de menores.

Al salir de la prisión marcha destinado a la Audiencia de Madrid y publica un *Discurso sobre la urgentísima necesidad de Cortes extraordinarias.* Madrid, 1820. Poco después es nombrado diputado. Unos meses más tarde da a la estampa un folleto: *Discurso sobre la Suprema Junta Central de Conspiradores contra el sistema constitucional y acerca de la responsabilidad legal y moral de los ministros, escrito por el ciudadano Juan Romero Alpuente.* Madrid. Imprenta que fue de García. 1821.

En este folleto, el autor hace un elogio lírico de la Constitución, que parece escrito hoy por un periodista republicano. Dice así:

«Los españoles, por decirlo todo de una vez, éramos, antes de la Constitución, como una manada de carneros gobernada por un rabadán y unos zagales que, sin el cuidado de mantenernos, nos despellejaban para aprovechar más parte de nuestro vellón, y después nos devoraban a discreción suya, hasta quedar hartos; pero con la Constitución somos los primeros hombres del mundo, porque no sólo somos ya todos iguales ante la ley, las puertas para los empleos civiles y militares están ya abiertas para los pequeños como para los grandes, las contribuciones han de repartirse con proporción a los haberes de cada uno y para el reemplazo del Ejército el rico ha de sacar la suerte del mismo cántaro que el pobre.»

En el folleto muestra su enemistad con el general Elío, que le mandó prender en Murcia: «¡Aún está vivo Elío!», dice. El viejo magistrado es vengativo y vanidoso.

A este discurso contestó el absolutista que, haciendo un paralelismo cómico con el nombre de Juan Romero Alpuente, firmaba con el seudónimo de *Pedro Tomillo Alvado.*

Después, el magistrado revolucionario publicó otro folleto: *Discurso sobre el Ministerio actual, compuesto por los señores San Miguel, Gasco, Valillo, Egea, López Baños, Capar.* Madrid, 1822.

En las Cortes de 1820 al 21 se destacó Romero Alpuente como hombre del partido exaltado. Algunos le tenían por un Marat o un Robespierre. Era un discurseador incansable. Se le atribuía una oratoria gárrula, populachera y pedantesca. Se asegura que le llamaban *el Guzmán,* o sea el gracioso de las Cortes.

Yo he leído dos o tres discursos suyos y no me han parecido más vulgares ni más aburridos que los de los demás diputados.

No todo el mundo tenía mala opinión del viejo magistrado, porque un hombre de talento, como Flórez Estrada, le consideraba mucho.

El ciudadano Romero quería dar siempre en las Cortes la nota estridente. Defendió a Riego con calor, aun en sus extravagancias. Cuando mataron en la cárcel al padre Vinuesa (el cura de Tamajón), el 4 de mayo de 1821, en Madrid, un grupo de revolucionarios, que se titulaba Sociedad del Martillo, sociedad de tendencia carbonaria, el Congreso condenó el atentado, y Romero lo defendió con una inoportunidad manifiesta. Como el rey, con este motivo, había enviado un mensaje a las Cortes, el viejo togado aragonés pretendió que no se contestase al mensaje.

Con la muerte, el 30 de junio de 1822, en el patio del Palacio Real, de don Mamerto Landáburu, se fundó la Sociedad Landaburiana, y se nombró presidente al ciudadano Romero. Esta sociedad se reunía en un salón del convento de Santo Tomás, y pretendía ser un club como el de los jacobinos parisienses.

Romero Alpuente era un viejo Arlequín de la revolución. La gente del pueblo le tomaba en serio, y algunos personas creían en sus palabras.

Alcalá Galiano dice de él que se valía de medios torcidos para recoger aplausos de la gente más baladí; pero éste es un defecto de todos los oradores, comenzando por Alcalá Galiano, y de todos los políticos, que se convierten en cupletistas ante el aplauso del público.

Al entrar los soldados de Angule-

ma, en 1823, Romero Alpuente debió de emigrar a Francia; pero no se destacó en la emigración.

En 1830 publicó *Observaciones sobre el prestigio errado y funesto del general Espoz y Mina,* escritas por el magistrado más antiguo de España y ex diputado a Cortes por el reino de Aragón de 1820, Juan Romero Alpuente.

En el folleto no se expresa la imprenta ni el lugar en que se imprimió, que debió de ser en algún pueblo de Francia. Al final dice: «En los Pirineos, octubre de 1830.»

Romero Alpuente ataca a Mina y le niega toda clase de condiciones, apoyándose en frases de don Antonio Puigblanch.

En agosto de 1831, en la elección de la Junta revolucionaria, que se verificó en París, en la que fue elegido presidente Flórez Estrada, y vocales, Torrijos, Flores Calderón y otros, Romero Alpuente obtuvo 279 votos.

En 1834, Romero Alpuente, que debía de tener ochenta y dos años, formaba parte de la Sociedad Isabelina, cuyo directorio lo constituían el general Palafox, Calvo de Rozas, Flórez Estrada, Juan Olavarría, Romero Alpuente, Becaza y Aviraneta. Eran también de la sociedad Van Halen, Espronceda, García Villalta, Orense y otros.

Al ser descubierta y acusada de conspiración La Isabelina, Romero Alpuente fue preso y llevado a la cárcel de Corte. Escribió varios memoriales a la reina Cristina, pidiendo misericordia, y debió de morir después en la oscuridad. Yo no recuerdo haber leído algo acerca de su muerte o de su entierro.

Romero Alpuente, según sus contemporáneos, tenía un aire frío, antipático y repulsivo.

De él dice Alcalá Galiano, en sus

Memorias, que era de fea, repugnante y aun asquerosa figura. Como Galiano era también hombre muy feo, la fealdad le preocupaba mucho. Se decía que Alcalá Galiano, al lado de Romero, era un Apolo.

Han quedado dos estampas del viejo y gárrulo revolucionario, una dibujada y otra escrita.

Por la dibujada, se ve que, evidentemente, el ciudadano Romero no tenía el aire muy atractivo.

Por su retrato, parece un dómine. Es alto, flaco, esquinado, la cara larga, escuálida y angulosa. Usa patillas, tiene la boca dura de aldeano, con cierto prognatismo de la mandíbula inferior. Sus ojos son inexpresivos, y el aire, un tanto estupefacto. Lleva una gorra de seda negra en la cabeza con una borlita y una corbata de muchas vueltas.

La estampa escrita se encuentra en el folleto *Condiciones y semblanzas de los diputados a Cortes para la legislatura de 1820 y 1821.* Madrid. Juan Ramos y Compañía, 1821.

Este folleto, según dice Mesonero Romanos en las *Memorias de un setentón,* lo escribió don Gregorio González Azaola, famoso naturalista y uno de los diputados retratados en él.

«Alto, seco, frío y feamente feo, pero siempre sereno y siempre imperturbable; habla de todos los asuntos, habla sobre cualquier punto, habla desde la tribuna, habla colgado de ella, habla de cualquier modo, y tan fresco se queda de una manera como de otra. Ministro de Justicia, se conoce que la ama sedientamente; pero también debe amarse al pueblo aún más que al aura popular. Es la piedra de toque de todas las discusiones, pues al punto que en ellas se oye el metal de su voz, no hay nadie que no distinga si se ensaya oro, plata o arsénico.

Tiene sus ciertos grados de originalidad, y sería, con el tiempo, un mediano orador con sólo que se le mudase la figura, con que no bajase tanto el estilo y guardase constante decoro. Gasta gorro y anteojos de hierro, mas sólo por ceremonia o por el bien parecer, pues, de un lado, no los necesita, y por otro, no los quiere necesitar.»

Uno de los puntos más dilucidados de la vida del magistrado turolense es si fue siempre fiel a sus ideas o si anduvo en tratos con los absolutistas. Sus amistades con Regato y Ballesteros en 1822 y 23; su hostilidad contra Mina, cuando éste preparaba su entrada en España en 1830, le hacen un tanto sospechoso.

«De este anciano loco y perverso se dijo que, en sus últimos días y en el destierro en que se vio con los más notables de entre los constitucionales, se vendió al rey Fernando, recibiendo de él la paga como un espía, aunque tal vez siéndole infiel. Pero faltan datos para afirmar si ya servía a su modo al mismo rey cuando todavía en España excitaba a excesos que hacían a la causa constitucional no leve daño.»

Esto asegura Alcalá Galiano, y en otra parte dice que Romero Alpuente «tenía una amiga, hembra de no buena ralea, de la cual hubo algunas fundadas sospechas de que se entendía con el Gobierno de Fernando VII, si bien esto no pasó de sospecha por el mal concepto de aquella en quien recaía.»

Yo, hace años, en una época que fui al Archivo Histórico Nacional, vi en papeles de la Policía alusiones y reticencias respecto a la conducta de Romero Alpuente, pero no había acusaciones claras y concretas.

EL CARACTER DE GODOY

Sobre don Manuel Godoy, príncipe de la Paz, hay una documentación abundante. Se conoce bien su vida; tuvo sus detractores y sus panegiristas (más detractores que panegiristas). Con relación a la acción política del favorito, no ha habido más que dos posiciones, y las dos de carácter ético: la de aquellos que le consideran como un arrivista cínico, inmoral y sin escrúpulos, y la de los que le tenían como un hombre de buenas intenciones y con ciertos atisbos de la vida de Europa de su tiempo. Para unos, es el príncipe de la Paz; para los otros, *el Choricero*.

Lo que se escapa al leer historias, memorias, vejámenes y apologías es el carácter del hombre. Ello sucede porque a Godoy lo que le faltaba precisamente era carácter.

Contemplando sus numerosos retratos, se puede llegar a tener una idea de su tipo físico.

El primer retrato de Godoy debe de ser uno de Esteve, que se encuentra en la Academia de San Fernando. El personaje es aquí joven, está vestido de uniforme, lleva un gran sombrero bicornio con escarapela en la cabeza y una banda en el pecho. La mano derecha desaparece en la chupa, y la izquierda agarra la espada. Una corbata de muchas vueltas oculta el cuello. La cabeza es fina, graciosa, un poco femenina. Casi da la impresión de una mujer vestida de hombre.

Hay otro retrato de Godoy, también de Esteve, en el Museo del Antiguo

Madrid. Aquí aparece el joven guardia de Corps esbelto, elegante, de buen color.

Estos dos retratos son, sin duda, del tiempo en que el valido extremeño enamoró a la reina María Luisa y conquistó a Carlos IV por sus arrumacos y, según la gente contemporánea enemiga suya, por su arte de tocar la guitarra y la flauta.

Existe de una época posterior un grabado en donde Godoy se muestra como un hombre de unos treinta años, tipo aquí de poco carácter, con muchas condecoraciones, entre ellas el Toisón de Oro, y una banda. Es, sin duda, del período de su esplendor como favorito.

El documento más expresivo y más completo para conocer a Godoy es un busto de la Academia de San Fernando. El príncipe de la Paz está vestido a la romana y peinado a lo Tito. Tiene algo de emperador de la decadencia; el ángulo facial, poco abierto; la parte baja de la cara, muy desarrollada, y un ligero prognatismo. Mirado de perfil, se ve que es un tanto morrudo; la nariz tiende a ser respingona; la frente es deprimida. Hay en esta cabeza sensualidad y cierto aire femenino.

En el retrato de Goya, el príncipe aparece también en una actitud de mujer fondona de pereza y de lánguido abandono.

La estampa de Godoy viejo, de capitán general, no tiene carácter; es un lugar común.

Intentando interpretar estos rasgos

fisiognómicos, se puede vislumbrar que Godoy no era un tipo de los que se llaman ibéricos, moreno, de pelo negro y cara estrecha, sino más bien un tipo centroeuropeo, de un descendiente de vándalos o de visigodos radicados en España. Otra afirmación que se impone es su carácter sensual, voluptuoso, femenino.

A medida que se va desbrozando de lugares comunes la cuestión sexual, se advierte que no es el tipo muy masculino el que priva entre las mujeres, ni el muy femenino el que tiene siempre éxito entre los hombres. El carácter moral de los sexos se ha acentuado históricamente por conveniencias morales y literarias. Ya en la Biblia el tipo del hombre y de la mujer son un tópico, un amaneramiento interesado y pragmático, como todo lo judío.

Godoy es un Don Juan. Al extremeño no le bastan la reina María Luisa, su mujer, Teresa de Borbón, y Pepita Tudó; quiere un harén, y se vale de su influencia para conseguir otras mujeres.

Algo característico de Godoy y de casi todos los tenorios es que no tiene gracia. Don Juan no tiene chispa. El Don Juan de Molière es un Don Juan falsificado. Hay en él demasiado ingenio, y es más bien un Mefistófeles impío que un tenorio. Para ser un Don Juan no se necesita sobrepasar la capacidad intelectual de un personaje de Felipe Trigo. Si se es extremeño, se puede ser como uno de esos extremeños de que habla Quevedo, cerrados de barba y de mollera.

De Godoy no se recuerdan frases ingeniosas. Hizo, sin duda, cosas buenas y cosas malas, pero no dijo nunca nada gracioso. Se ve que fue un hombre serio y sensual, lo que es siempre agradable para las mujeres. Las mujeres son como los judíos: serias, ceremoniosas y sensuales. El tomar el mundo a broma las molesta. A un tipo como Molière le engaña la mujer; en cambio, hombres como Godoy engañan y dominan a las mujeres.

El príncipe de la Paz, como político, tiene una época de buena fe, de confianza en su estrella y en la estrella de su país, y otra época de vanidad, de locura, de megalomanía, contagiada, en parte, por Napoleón y por sus generales hijos de taberneros y de mozos de mulas, convertidos en príncipes y en duques. Godoy quiere también ser rey, y, de repente, se hunde en el abismo. Fernando VII, *el Narizotas*, con un coro de sacristanes, le anula y le persigue con saña.

El odio violento, fiero, implacable del *Narizotas* por *el Choricero* es muy natural y está muy explicado. Fernando veía en el extremeño el querido de su madre. Quizá tenía también por el antiguo favorito la antipatía étnica del hombre moreno, cetrino, de nariz corva, por el tipo rubio, sonrosado y de nariz respingona, y la rabia interior por el que, viniendo de la nada, había lucido y había tenido grandes éxitos con las mujeres.

La ambición política de Godoy era muy difícil de realizar. Un hombre como él, que empezó su carrera de estadista cuando la Francia revolucionaria se encontraba en el período más vivo de su historia, y que tenía que tratar y luchar con ella, era imposible que tuviera éxito. La Revolución en ese tiempo da soldados, generales, diplomáticos, un pueblo entusiasta y feroz. Godoy tenía que fracasar. Solamente Inglaterra, con su fuerza y sus Pitt, podía luchar contra Francia y, al último, dominarla. La empresa que se le presentó al valido era gigantesca, y él no tenía nada de gigante.

Godoy no obró por maldad en política; no era un canalla; era un hombre vulgar, sensual, con una inteligencia mediana, muy codicioso, muy soberbio en su encumbramiento, muy ansioso de riquezas y de honores. En la altura, orgulloso, y en la miseria, humilde, lo que es completamente humano entre los botocudos y entre los europeos. Talleyrand y Fouché con talento, Barras o Murat sin él, como la mayoría de los generales del Imperio, eran de la misma madera; gentes que con un uniforme lleno de oro, veinte títulos, treinta cruces y un penacho se inflan y se sienten grandes; pero por cada entorchado que les quitan o por cada cruz de oro o de latón que les falta se achican, se desinflan y se quedan reducidos a nada. Estos hombres son como los caballos antiguos de las carrozas de Palacio y de los coches fúnebres. Después de todo, tipos eminentemente sociales. Lo mismo da que se llamen conservadores, comunistas o anarquistas. Lo mismo es que se trate de una cruz que de la presidencia de un Comité.

La mediocridad espiritual de Godoy se nota en sus *Memorias*. Hay muchos datos en estas *Memorias* del príncipe de la Paz. Su redacción se atribuye al abate Sicilia y a Juan Bautista Esmenard, que aparece oficialmente como el que las tradujo al francés. Fuera de los datos políticos, no hay nada. Todo es anodino y protocolar. *El Choricero* no quiere ser escandaloso ni picante. Odia el pimentón de su tierra. Le falta la gracia, la ironía. Un viejo que ha sido un monstruo de la fortuna, que ha alcanzado en un momento lo que ha querido y que después cae en la miseria, parece lógico que sienta la tragicomedia de la vida, la broma de ser ayer mucho y hoy nada. El no la siente. De viejo,

Godoy es un hombre de cartón; pide, se humilla, se rebaja. No es un espectáculo interesante. Es un pobre diablo que escribe memoriales, acostumbrado al balduque.

Conocer a Godoy en su retiro y en su vejez es conocer al hombre. En su esplendor, el príncipe de la Paz es un pelele con casaca y tricornio, cruces y bandas; lo único que le caracteriza un poco es su erotismo insaciable; en la buhardilla de París es el hombre; lo malo es que es el hombre mediocre.

Para concer a éste, mejor que las apologías y los vejámenes, sirve el informe de los que le conocieron personalmente en la adversidad. De éstos no tengo noticias más que de tres escritores: Mor de Fuentes, Alcalá Galiano y Mesonero Romanos.

Godoy, después de andar por Italia—sus andanzas las ha contado con detalles Juan Pérez de Guzmán—, va a París en 1832, durante la primera aparición del cólera. Así lo dice Angel Ossorio en *La agonía del príncipe de la Paz*.

Esmenard le visitaba, en 1839, en la calle Neuve des Mathurins, número 6. Calle que está cerca de la Opera y es paralela al bulevar Haussmann, que entonces no estaría construido.

Después se traslada a la calle de la Michodière, número 20, callejuela que existe y que va del bulevar de los Italianos a una plazoleta y que, prolongada por otra, sale a la avenida de la Opera.

Godoy tenía una pensión de Luis Felipe de cinco mil francos.

En su miseria le visitó Mor de Fuentes en 1834, habló con él, y el escritor comentó la charla diciendo, —no sé en dónde, no he leído nada de este autor—que «no era tan irracional como suponíamos y pregoná-

bamos los que no le habíamos tratado».

Alcalá Galiano publicó en el número del tomo I de *El Iris*, de 1841, un
artículo titulado «Dos visitas al príncipe de la Paz». Refiere la primera
que le hizo siendo niño, cuando a uno
de sus tíos le nombraron almirante.
Recuerda después la segunda, que fue
el 1 de enero de 1837, en París.

«Acerté, al cabo—dice con su estilo un poco gárrulo—, con su mansión,
que era en el cuarto piso de una casa
decente, pero distante, así como de
lo pobre, de lo suntuoso. Llamé a la
puerta; salió a abrírmela un criado
de modesto porte; le pregunté por su
amo, le dije mi nombre, entróse él
adentro, volvió al poco rato y me
convidó a pasar adelante hasta un
aposento chico y de escaso adorno,
donde vino a recibirme un anciano
vestido casi con pobreza; y el anciano era el que treinta años antes caminaba igual o superior a su rey; al
rey de España, entonces señor todavía
de dos mundos.

....

»El príncipe de la Paz me habló de
su triste situación, de sus justas pretensiones, que con tanta injusticia no
le concedía y le sigue negando el Gobierno de España... Apenas le oía yo,
porque en mi breve visita hubo de
encogérseme el corazón, y los ojos se
me anegaron en lágrimas y se me
escandecieron las mejillas viendo aquel
ejemplo de lo breve y falaz de la
grandeza humana, considerando aquel
lastimoso espectáculo de un hombre
sobreviviendo hasta a su memoria y
considerando el inhumano rencor con
que trataba mi patria a un ente tan
desventurado.

....

»De pedernal debe de tener el pecho
quien si va a visitar al pobre anciano,
un tiempo tan poderoso, no se enternece y pide que se le dé un poco de
pan para vivir y un pedazo de tierra
para ser enterrado en España, al que
sólo aspira a aposentar allí donde
mandó una muestra más de la fortuna
y del rigor de la desgracia.»

Mesoneros Romanos, en las *Memorias de un setentón*, habla de la vejez
de Godoy y de su muerte de un modo
sentimental:

«Elevado personaje en la escena
política, aunque alejado de ella hacia
ya cuarenta y cuatro años, don Manuel de Godoy, que era el decano hoy
viviente de nuestra historia contemporánea, apenas ha excitado la curiosidad de la generación actual, que sólo
le ha conocido en los libros, y eso
con no poca pasión y encarnizamiento.»

Mesonero dice que nadie podía predecir que el serenísimo príncipe de
la Paz, hombre de tantos títulos, había de acabar su abandonada y triste
vejez en París, en una reducida habitación de la rue de la Michodière, número 20, cuarto tercero, servido únicamente por una cocinera y un ayuda
de cámara.

«Nosotros hemos visto—sigue diciendo—a aquel coloso que vieron
nuestros padres regir omnímodamen-
te durante quince años los destinos de la Monarquía y los tesoros del
Nuevo Mundo, reducido a la triste
pensión de seis mil francos que le señaló Luis XVIII, viviendo pobremente en un piso cuarto; y tan resignado,
al parecer, con su suerte y las asom-
brosas peripecias de su vida, que no
era difícil hallarle sentado en una silla de los jardines del Palais Royal o
de las Tullerías, entretenido con los
niños que jugaban en derredor suyo,
recogerles los aros y las peonzas, pres-

tarles su bastón para cabalgar y sentarlos sobre sus rodillas para recibir sus caricias infantiles. Otros de sus comensales en dicho jardín solían ser los cómicos de provincia, que se reunían allí como en Madrid en la plaza de Santa Ana, los cuales solían tomarle por un actor jubilado o un aficionado veterano, y le conocían únicamente por *Monsieur Manuel*, sin sospechar jamás que sobre aquella hermosa cabeza había descansado una corona efectiva de príncipe; que aquellos hombros, hoy encorvados, habían llevado suspendido un manto verdaderamente regio; que aquel anillo, que aún brillaba en su mano, era el anillo nupcial que colocara en ella una nieta de Felipe V y de Luis XIV.»

Después, al hablar de la muerte, dice el mismo autor:

«Sólo su muerte, a los ochenta y cuatro años de edad y cuarenta y cuatro de su caída, volvió a hacer resonar su nombre por un momento y a revelar a la capital vecina su existencia en ella. ¡Sólo algunos españoles testigos de aquella respetable ruina acompañaron su cadáver a la bóveda de San Roque, donde fue depositado mientras se le traslada a su patria! ¡Sólo las presentes líneas ha merecido a la Prensa española la memoria del príncipe de la Paz!»

Esta resignación, de la que habla de una manera sentimental Mesonero Romanos, no parece muy cierta, porque Godoy, a juzgar por sus quejas, sus reclamaciones, sus peticiones humildes, no tenía alma de estoico, ni mucho menos. Era hombre anodino, de memoriales y de balduque.

Godoy, a pesar de su mala fama, no hizo tantas canalladas como Napoleón, Talleyrand o Fouché; no robó tan descaradamente como el mariscal Soult; pero tenía menos talento que ellos, y, sobre todo, menos carácter.

El carácter falló en él. En su juventud pareció algo. En la vejez se vio que no era más que un pobre hombre, apagado, vulgar, que ni siquiera merecía el apodo picante de *Choricero*.

EL BATALLON DE LOS HOMBRES LIBRES

Yo escribí, con los datos que pude encontrar, la historia del Batallón de los Hombres Libres, un puñado de ilusos de todas las naciones que se reunieron a orillas del río Bidasoa en 1823, delante de Behovia, a impedir la entrada de los «cien mil hijos de San Luis», que venían al mando del duque de Angulema a invadir España y a implantar el absolutismo.

En un periódico francés antiguo he encontrado nuevos datos, sobre todo de los franceses que lucharon por la libertad española en esa época. En Tolosa de Francia, en julio de 1824, se celebró un proceso llamado causa de los tránsfugas, para juzgar a los prisioneros hechos por los realistas.

El acta de acusación dirigida contra ellos da detalles sobre la organización de las legiones extranjeras formadas en España cuando la entrada de los franceses de Angulema.

Al parecer, había varios grupos: la legión liberal, los lanceros defensores de la libertad, los lanceros de Napoleón II, a pie y a caballo, y las guerrillas o milicias de los constitucionales. Estos grupos, casi todos formados de carbonarios, se llamaban en las Ventas Batallones de los Hombres Libres.

«La primera legión liberal—dice el acta de acusación—fue organizada y mandada por Carlos Caron, condenado a muerte en Tolón por un complot formado para derribar al Gobierno. En esta legión estaban Moreau de Parthenay y Pombas, los dos cómplices de Berton, condenados a muerte por el Tribunal de Poitiers; figuraban también en ella Nantil, condenado a muerte por la Corte de los Pares en la conspiración del 19 de agosto, oficial que trabajó en la defensa de la plaza de Bilbao en 1822; Lamothe, complicado en la misma conspiración que Nantil, absuelto por el Tribunal, y Fourré y Gamelon, condenados a muerte por complot por la Audiencia del departamento del Loira inferior.»

El coronel Carlos Caron era sospechoso al Gobierno absolutista francés como antiguo edecán del mariscal Ney.

Cuando el movimiento de Colmar, intentado por otro Caron hermano o pariente suyo, Carlos temió ser detenido, huyó de Francia y se presentó en San Sebastián. Su llegada había sido anunciada por gran número de oficiales comprometidos en el asunto del general Berton y que habían sido bastante dichosos para escaparse. Entre ellos estaba el coronel Fabvier, luego famoso en Grecia. De todos éstos había algunos hombres de valor y de inteligencia; uno de ellos era Nantil, oficial de Ingenieros muy distinguido.

También se señalaba por su mérito Delou, a quien Víctor Hugo escondió en su casa. Según dice Honoré Pontois en su libro La conspiración del general Berton, a Delou se le adoraba en Saumur, su país natal.

Pombas, según el mismo autor, era hombre vulgar. Dio una prueba de que, para hacer revoluciones, una persona sin talento que obra vale más que tipos de capacidad superior que deliberan.

Moreau de Parthenay, ex teniente de húsares, estaba en la categoría de esos militares arrebatados que en los regimientos franceses llaman «sableadores».

Todos los oficiales franceses liberales reunidos en San Sebastián acogieron con entusiasmo a Caron, y lo escogieron para el mando. Caron organizó su Estado Mayor, y, a la cabeza de ciento cincuenta hombres, se presentó en la orilla derecha del Bidasoa con la bandera tricolor desplegada, el arma al brazo, cantando aires nacionales. Iban al frente del pequeño batallón Fabvier, Lallemand, Nantil, Bérard, Lamothe, Moreau, Pombas y otros.

El día 6, por la mañana, el Batallón de los Hombres Libres tomó posiciones en la cabeza del puente destruido del Bidasoa.

Al otro lado del río, y al alcance de su voz, estaba el noveno regimiento de Infantería ligera y de Artillería de campaña.

A primera hora de la tarde, el teniente general de Artillería Tirlet fue a la orilla del Bidasoa, delante de Behovia, y dio las órdenes al general de brigada Vallín para que estableciera un puente de barcas. Mandaba todas las fuerzas el mariscal duque de Reggio.

El general Vallín ordenó que una compañía de su brigada comenzase los trabajos para instalar los pontones en el río.

A media tarde se presentó el Batallón de los Hombres Libres y comenzó a llamar a los soldados de las avanzadas francesas y a darse a conocer.

Como parecía que había buenas relaciones entre los de un lado y otro del río, los del Batallón de los Hombres Libres comenzaron a dar vivas:

—¡Viva la Artillería francesa! ¡Viva la República!

Algunos gritaban:

—¡Viva el emperador!

Los soldados de Angulema esperaban indecisos.

En esto, el Batallón de los Hombres Libres comenzó a entonar *La Marsellesa* y después *Le Chant du départ*.

El general Vallín mandó preparar unas baterías, cargar los cañones, y gritó:

—¡Viva el rey! ¡Fuego!

Algunos hombres quedaron muertos en la orilla española y veinte o treinta heridos.

Forzados en seguida a replegarse hacia San Sebastián, protegidos por el regimiento Imperial Alejandro, llegaron a aquella ciudad.

El coronel Caron apresuró la partida de sus compañeros mientras que la salida por el mar era todavía posible. Desembarcaron en seguida en la costa y se unieron a las fuerzas de los constitucionales españoles, que debían de ser las del general don Gaspar de Jáuregui *(el Pastor)*.

Retrocediendo llegaron a La Coruña.

Una rivalidad desgraciada se produjo entre Caron y Fabvier; los franceses que los acompañaban tomaron partido por el uno o por el otro. Se quiso incorporarlos a los regimientos españoles, pero ellos rehusaron. Los franceses, reunidos al coronel Caron, se embarcaron con él; los otros quedaron en La Coruña, y aquéllos fueron a Lisboa, de donde partieron secretamente para Inglaterra.

«La organización del Cuerpo que se mostró en las orillas del Bidasoa —dice Abel Hugo en su *Campaña de España en 1823*—el día que el ejército atravesó este río al mando de S. A. R. el duque de Angulema, se efectuó en Bilbao. Los principales oficiales eran hombres condenados a muerte por contumacia, por complot contra el Gobierno real de Francia. Empujados de los Pirineos a La Coruña, esta tropa, por lo demás poco numerosa, se dividió en dos partes. La primera, la más considerable, marchó a Lugo (probablemente quiere decir a Vigo), y de allí, en seguida, a buscar un refugio en Inglaterra. El resto se reunió a un grupo de piamonteses y de napolitanos que se habían sustraído con la fuga a España del infierno de la ley de su país. Se decoró este conjunto heterogéneo con el título de Legión Liberal extranjera y se la empleó infructuosamente en la defensa de La Coruña.»

La Legión Liberal se componía de franceses y de italianos, y, sobre todo, de piamonteses y de napolitanos.

El general Morillo nombró una Comisión para reorganizar esta Legión. Fue nombrado su coronel Gauchais, jefe condenado a muerte como cómplice de Berton. Había llegado de Inglaterra a La Coruña en los primeros días de abril con veintiséis oficiales franceses; estaban también con él un oficial italiano, Antonio Adolfo Marbot, ex jefe de escuadrón, y el comandante Michelet.

En el Libro Negro de la Policía de París (1829) hay una ficha sobre este militar:

«El señor Michelet, ex jefe de escuadrón, vivía en 1820 y 21 en la rue Neuve des Petits-Champs, número 26; después fue a vivir a la rue Chabanais, número 14, en casa de la señora Gaillard, y más tarde, a la calle de Santa Ana, 79. El señor Michelet ha

1232 OBRAS COMPLETAS DE PÍO BAROJA

partido para España antes que la guerra fuese declarada. Este individuo es de un físico muy notable. Tiene la cara enteramente picada por la viruela.»

Gauchais, embriagado con la acogida que había recibido en La Coruña—dice el acta de acusación—, dirigió una proclama a los habitantes, firmada por él y por los oficiales franceses. Se notaban los pasajes siguientes:

«Unidos de corazón y de acción a la heroica España y fuertes con las viejas banderas de Austerlitz, contribuiremos a impedir la guerra impía que se ha declarado a las libertades de los pueblos o sabremos morir.»

A la llegada de la Legión a La Coruña, se encontró otra Legión Liberal extranjera mandada por un coronel belga llamado Yaussens. Toda la Legión de Caron fue incorporada a este Cuerpo, a excepción de Gauchais, Michelet y Pombas, que encontraron los grados superiores ocupados y que quedaron en La Coruña hasta el día 30 de julio.

El 13 de julio, esta Legión fue llamada a pelear directamente contra los realistas franceses, que avanzaban hacia La Coruña. La Legión entera, compuesta de ciento cincuenta hombres, con una bandera tricolor, hizo un fuego nutrido contra los cazadores del 37 de línea. Cuando ya no les quedaban esperanzas, se embarcaron y fueron a la frontera de Portugal, donde fueron hechos prisioneros por los absolutistas españolas.

Quedaron prisioneros Gauchais, jefe de batallón; Aymar - Desforges, teniente; Lefevre, subteniente; Estevane, subteniente; Christ, sargento mayor; Chauvin, sargento desertor, y los soldados Losdat-Ouverner, Hollard, Crougneau y Arnaud.

Otro Cuerpo, conocido bajo el nombre de Lanceros Franceses defensores de la libertad, o Lanceros de Napoleón II, fue formado en Madrid al comienzo de abril de 1823, bajo el mando de Pascal-Aymar. Este individuo, condecorado con la Legión de Honor, antiguo capitán, había llegado a España para ofrecer a las Cortes sus servicios y los de sus compañeros.

El 7 de abril, el Cuerpo partió de Madrid, dirigiéndose a la frontera francesa.

Quizá el saber la derrota del Batallón de los Hombres Libres en las orillas del Bidasoa hizo cambiar la ruta de la Legión. Los lanceros retornaron para ganar Segovia y tomar después el camino de León y Asturias. Atacaron a los realistas españoles e impusieron tributos a algunos pueblos del paso.

Este Cuerpo luchó reunido a la Legión Liberal, en julio, delante de La Coruña. Los jefes eran Pecarere, capitán en España y antes sargento mayor en Francia; Final, teniente; Payan, subteniente, y varios soldados desertores.

«Fue en Madrid—dice Abel Hugo en el libro citado—, y en los primeros días de abril de 1823, donde se formó el Cuerpo de Lanceros, llamado Franceses defensores de la libertad y de Napoleón II. Dirigido primeramente por el camino de Francia, juzgó prudente seguir otro camino, y después de haber errado algún tiempo en el reino de León y en Asturias, decidió retirarse a La Coruña, donde fue incorporado a la Legión Liberal extranjera. El bergantín que llevaba los tránsfugas de La Coruña llegó a Vigo, donde algunos desembarcaron y fueron hechos prisioneros por aldeanos realistas en el momento en que iban a buscar un asilo en Portugal. No se han tenido después noticias ciertas del destino de aquellos que se alejaron de la costa con el bergantín que los había conducido a Vigo.

Existía también un tercer Cuerpo, llamado las Guerrillas o Milicias Constitucionales, que pelearon en La Coruña contra los franceses.

Este Cuerpo hacía fuego de una manera rabiosa contra los de Angulema, al decir del acta de acusación. El acusado presente Jouanès, que había formado parte de estas guerrillas, dijo que pretendían defenderse hasta el último extremo. Los acusados ausentes en el proceso eran Caron, Michelet, Pombas, Fouré, Gamelon, Nantil, Lamothe, Moreau, Tesser, Aymar Pascal, Hermand, Bac, Cueil, Dumas,

Duclos, Evrard, Laborio, Morland, Regis y Roussy.

En la parte de Cataluña había sido presos, cuando la capitución de Mina, varios franceses liberales, entre ellos el periodista Armando Carrel. En el proceso de Tolosa, el coronel Gauchais fue condenado a muerte, pero el rey conmutó la pena en veinte años de presidio.

Seguramente ninguno de aquellos hombres pensaría que más de cien años después el internacionalismo humanitario podía tomar el aire de una palabra vana, y que los nacionalismos intransigentes volverían a tener más fuerza que nunca.

EL RETORNO DE LOS DIOSES VIEJOS

La etnografía y el estudio de las particularidades de los pueblos son actualmente la vanguardia ideológica del nacionalismo.

Con todo ello, se va iniciando una tendencia a la vanidad política y quizá en retorno a los mitos antiguos y a los dioses viejos.

Hay síntomas que hacen pensar que la unidad ecuménica del mundo civilizado tiende a romperse. Ya no se puede hablar de catolicidad en sentido universalista, porque no existe. No se puede hablar de la ciudad y del orbe.

No son de ayer el pangermanismo, el paneslavismo, el antisemitismo, que deriva a hacerse anticristiano, y la indiferencia y el desdén por las ideas de la Revolución francesa y las socialistas que se advierten en los medios intelectuales.

Ninguna teoría unitaria tiene más

que un valor relativo. El monoteísmo no es una explicación de la Naturaleza y del Universo. Científicamente, no tiene garantías, no sirve tampoco de base a una moral firme.

Casi no se encuentra un hombre que valga actualmente—naturalista, geólogo, astrónomo, físico, químico—que tome como punto de partida a la Biblia. Los no creyentes la atacan; los semicreyentes la dejan a un lado.

La tesis, defendida con tesón por el padre Schmidt, de que en la mayoría de los pueblos primitivos hay una divinidad única, no demuestra gran cosa. Aunque el monoteísmo fuera la forma más antigua de religión, esto no demostraría nada.

Los enemigos de la trascendencia de la tesis dirían que la idea de la creación y de Dios único, tal como la conciben los pueblos salvajes, no indica más que una idea primaria de la

Naturaleza. Es la misma que hacía decir al civilizado Voltaire que no puede haber reloj sin relojero.

Aquí lo difícil sería demostrar que el Universo se parece en algo a un reloj.

Si el monoteísmo y las religiones no tienen valor científico, tampoco lo tienen la democracia y el socialismo y las demás creencias políticas o sectas laicas que están basadas en teorías más o menos hipotéticas.

Al romperse la unidad espiritual del mundo, y al no aceptarse la hegemonía de un solo pueblo, cada país va tendiendo a recogerse en sí mismo. No sabemos si este recogimiento será pasajero o seguirá adelante. Lo más probable es que sea pasajero y que tenga ese aire de oscilación de péndulo de los hechos históricos.

La primera brecha grande contra la unidad de Europa fue la Reforma. Después sigue el desmoronamiento del poder de Roma, que ha pretendido ser el gran unificador de las vanidades humanas.

Desde el Renacimiento hasta el siglo XVIII hubo en el campo literario una reacción contra la unidad, intentando acercarse al politeísmo grecorromano, reacción débil y raquítica que no podía ser del gusto más que de los eruditos, versificadores y artistas.

La Revolución francesa remachó de nuevo la unidad, haciendo una declaración dogmática y quizá ridícula sobre los derechos del hombre. París habló como Roma: *Urbi et orbe*. Esta declaración fué acogida como una buena nueva pos casi todos los países latinos y mirada con suspicacia por los germánicos.

Alemania, a quien por su genio no convenía una tendencia así unitaria y universalista, buscó en Europa lo nacional y estudió las leyendas antiguas escandinavas, germánicas y célticas; los romances españoles, las religiones y la filología. Hizo también, con un sentido ocultamente nacionalista, la crítica despiadada del cristianismo.

Ningún gran pensador alemán moderno ha sido verdaderamente cristiano. No lo fueron ni Kant, ni Hegel, ni Schopenhauer, ni Feuerbach, ni Nietzsche.

A consecuencia de la crítica, quizá más por instinto del pueblo, Alemania y Escandinavia se van apartando del cristianismo. Alemanes y escandinavos, al pensar en Dios, piensan más en su Odin, que es el mismo Wotan, que en el Jehovah judaico. Esto, para ellos, no es como la mitología griega de Júpiter y de Venus, que tenía para los europeos modernos un aire literario y muerto. Los dioses germánicos y escandinavos están aún vivos; tienen sustancias del país, elementos de su raza. Mucho del éxito de Wagner en Alemania dependió de esto. Cierto que los personajes de Wagner corresponden tanto a la mitología germánica como a la que se llama vagamente céltica; pero ello no importa, porque el alemán se considera celtogermano.

El pueblo más dispuesto y más preparado para volver a los dioses antiguos es el escandinavo. Su mitología, sea oriental o no, está completa, y la raza no ha variado. No pasa lo mismo con el pueblo griego actual, que no es étnicamente continuador del heleno antiguo. El griego actual es más eslavo que helénico.

Después de los escandinavos, los alemanes están los más próximos a la vuelta a lo antiguo. Según algunos de sus historiadores, los alemanes siempre han vivido al margen del cristianismo.

El profesor Eugenio Mogk, que se dedicó al estudio de la mitología germánica, atribuye el papel preponderante que han tenido los germanos en la Historia a su profundo respeto a las fuerzas superiores que se manifiestan en la Naturaleza. También afirma que, gracias al instinto fuertemente conservador que posee, este pueblo ha retenido muchas ideas religiosos de los tiempos primitivos y que el cristianismo no llegó puro a los países germánicos, sino que apareció en ellos mezclado con una parte de antiguo paganismo.

Los pueblos que se llaman célticos están muy latinizados para volver a su antigua mitología. Esta mitología, por lo demás, no es única. El celtismo es un lugar común de muy poco valor. La céltica, para la mayoría de los escritores de la antigüedad, era la parte de Europa central y occidental desconocida, y no se puede decir que en ella hubiese una raza única ni una mitología única.

Los franceses han inventado la religión de los derechos del hombre, que les ha dado importancia y simpatía en el mundo, y no la abandonarán para volver a sus antiguos dioses tutelares.

A los italianos les pasa lo mismo; han intervenido de tal manera en el catolicismo, que es difícil que abandonen, ni siquiera literariamente, su gran construcción ideológica por la antigua.

Los españoles estamos semitizados y romanizados, pero aun así se dan tendencias entre nosotros al retorno. Los vascos son ejemplo de ello. Es curioso advertir cómo en el nacionalismo clerical vasquista se van filtrando elementos paganos, la svástica no cristiana que aparece como símbolo, la vuelta a fiestas y ceremonias antiguas. El sentido poco católico de estos movimientos está oculto para los vascos nacionalistas, pero el mejor día puede presentarse cara a cara.

En casi todos los países, la tendencia iniciada por Alemania hace un siglo se va siguiendo más o menos fielmente. Se estudian las antiguas creencias. Las supersticiones no parecen ya deshonra, sino todo lo contrario: una riqueza ideológica de los pueblos.

Lo que hace años era un cuento de viejas, despreciable, hoy se exhuma por los etnógrafos y folkloristas y se guarda como una planta rara en un herbario.

Esta tendencia instintiva de los pueblos a encontrarse en la vida prehistórica o antehistórica, imaginativa y creadora, tiene algunos apologistas exagerados y absurdos que desvían la cuestión y la llevan por cauces falsos.

Con este motivo se dicen muchos absurdos sobre las razas por gentes que no quieren tomarse el trabajo de enterarse. Se habla en los periódicos de raza aria, de raza rubia, de raza morena, braquicéfala, dolicocéfala, etcétera. Estas son generalizaciones sin valor científico. Puede haber, indudablemente, pueblos donde abunden más unos tipos que otros, pero no razas.

La raza aria indicaría una raza que hablara una cierta clase de idioma derivado de otro venido del Asia, y entonces el indio de Méjico y de los Estados Unidos, y el negro de Cuba y de Haití, que hablan español, francés o inglés, pertenecerían a la raza aria.

Tampoco hay raza rubia, ni morena, ni braquicéfala, ni dolicocéfala. En todas las razas se dan rubios y morenos, altos y bajos, caras anchas y caras estrechas. No sabemos si esto será porque lo que actualmente se llama raza esté formado por restos mezclados de otras prehistóricas, o porque espontáneamente, y por una razón desconocida, broten individuos diferentes de un mismo tronco étnico.

El racismo científico zoológico no tiene ningún valor. El que lo puede tener, y lo tiene seguramente, es el racismo popular, en un sentido sentimental.

No hay manera de separar, con un criterio anatómico, los distintos grupos que forman la raza blanca ni los que integran las demás.

Desde este punto de vista, los historiadores racistas, como Gobineau, Chamberlain y Spengler, están mucho más en lo cierto que los antropólogos, que pretenden ser anatómicos, como Ammon, Vacher de Lapouge, Günther, etcétera.

Un punto que sería curioso dilucidar sería el saber si, de intensificarse la tendencia racista, desaparecería la solidaridad humana o, por lo menos, se amenguaría. Yo creo que no, que lo único que pasaría es que los medios de solidaridad cambiarían.

En la edad antigua el medio unitivo ha sido la religión; en la contemporánea ha pretendido serlo la democracia; en el porvenir, lo más probable es que sea la ciencia.

La ciencia no es, seguramente, lo que creía Zola, dando como exacto lo problemático, ni siquiera lo que creía Claudio Bernard, que era un gran fisiólogo, ni las anticipaciones de Haeckel; es algo mucho más ceñido y mucho más exacto. La ciencia, entre otras, tiene una característica, y es que en sus datos están de acuerdo todos los hombres.

La frase de Brunetière, «la bancarrota de la ciencia», es una perfecta tontería.

Es muy difícil saber qué es la ciencia auténtica; esto no se sabe hasta que el tiempo la depura y la cristaliza. Las fantasías de un sabio o de un seudosabio no son la ciencia.

La ciencia, hoy por hoy, es lo único en lo que puede haber unanimidad.

En lo demás, no. Ni en la religión, ni en el arte, ni en la literatura, hay unanimidad. Tompoco se puede extraer de estas instituciones una quinta esencia aceptada por todos. No se puede crear una religión universal, un arte universal, ni una literatura universal. ¿Cómo se va a implantar una unidad espiritual moderna en el mundo a base de religión, de literatura o de arte? Ello parece imposible.

El razonamiento puro, lo intelectual, la ciencia, es lo que puede relacionar a los hombres entre sí; lo sentimental los separará siempre. El blanco, el negro y el amarillo se podrán comprender muy bien e identificarse ante el mismo libro de Matemáticas, de Mecánica o de Física; pero cuando lo dejen y se pongan a contar, a rezar o a reír, se notarán el blanco, el amarillo y el negro todo lo extraño que son el uno para el otro.

Si el racismo llega a resucitar a los viejos dioses, no les podrá dar, naturalmente, el aire fiero que pudieron tener en sus orígenes; tendrá que contentarse con considerarlos como númenes y divinidades tutelares de la estirpe.

El dios antiguo no podrá tener la furia de Dionysos en *Las bacantes*, de Eurípides, contra los que no crean en su poder. El dios antiguo no podrá pasar de ser un símbolo sonriente de la raza.

Si llegara el resurgimiento de los dioses viejos, el fenómeno sería uno de los más interesantes de la Historia.

Cuenta Plutarco el relato del marino Thamas, que, navegando por el Mediterráneo en tiempo de Tilesio, al pasar de noche a la altura de un puerto de Grecia, oyó una voz lastimera que decía:

—¡El Gran Pan ha muerto!

La voz se acompañó de lamentos y

gemidos, como si la Naturaleza entera estuviera de luto.

Esta conseja podía significar el final de los cultos pánicos y el crepúsculo de los dioses que los escandinavos llamaron Ragnarokr. El ocaso de los dioses estaba dentro de la filosofía de Zenón y de los estoicos. Era la purificación de la tierra por el agua y por el fuego.

Después de la destrución del orbe volvía a resurgir otro más limpio y más puro.

Los mitólogos y los folkloristas del porvenir, y los racistas empedernidos, pueden esperar que salga del fondo de los mares un mundo mejor, y que en una aurora luminosa se alce otra voz potente que exclame: «¡El Gran Pan ha resucitado!»

EL ESPIRITU DEL GRANO

En momentos de revuelta como el actual es muy difícil seguir trabajando serenamente en una pequeña especialidad. Aunque no se tenga una misión colectiva que realizar, la inquietud y la ansiedad del ambiente se comunican por contagio. Se exacerba la curiosidad de una manera patológica y se recogen los rumores verdaderos y falsos y las opiniones de unos y otros. El movimiento actual parece una de tantas manifestaciones del equilibrio inestable de España, que ya viene desde la guerra de la Independencia. El país se desplaza de un extremo a otro, no encuentra su centro de gravedad y se arruina sistemáticamente.

Los que son doctrinarios y creen tener el secreto de la felicidad guardado en la palma de la mano preconizan sus remedios; los demás miramos con estupefacción este desgarramiento de España, que viene a marchitar una época de optimismo cándido e inmotivado.

Como las lamentaciones no tienen valor, las dejo a un lado y me hundo todo lo que puedo en la lectura de algunos libros de etnografía, que hablan del hombre verdadero, tanto o más verdadero que el de las utopías

actuales, que se quieren llevar a la práctica a fuerza de tiros y de muertes.

A mí siempre me ha parecido que Europa es una realidad geográfica, y nada más. Desde el siglo XVIII corre la idea, que como muchas ideas falsas y teatrales ha tenido éxito, de que Europa es palabra sinónima de civilización. Los profesores han barajado este concepto pedantesco, lo han adornado con nuevas pedanterías y originalidades fáciles y parece algo.

Examinándolo detenidamente, se ve que no es nada. Si fuera así, Bibi-les-Cochons, Villa Porca o Machacón de Abajo no serían Europa, porque la estadística demostraría, y con la estadística la observación, que hay en esos pueblos un tanto por ciento de zoquetes que atufa.

Si Europa fuera sinónima de civilización en un período histórico, no habría más Europa que Grecia, y después sólo Roma, y luego España, Francia, Inglaterra y Alemania, pero no Rusia ni los países dominados por Turquía.

Ahora, en nuestra época, yo creo no serían Europa ni Grecia, ni Turquía, ni España, ni Portugal, ni Rusia, ni

Bulgaria, ni Yugoslavia, ni Irlanda, ni casi Italia. En cambio, sería Europa los Estados Unidos.

Con esta doctrina tan falsa y tan del gusto de profesores, no habrá dentro de poco más Europa que París, Londres, Berlín y, a lo más, Viena, y cuando se analicen los caracteres de estas ciudades, no quedarán como europeos más que la plaza de la Concordia, la calle de Rívoli, Picadilly Circus y Unter-den-Linden.

A mí me parece bien todo lo que sea producto de la investigación y del ingenio, pero no los caprichos y las vanidades ridículas.

Hace algún tiempo, viajando en el tren con un escritor catalán, me preguntó:

—¿A usted no le gusta Anatole France?

—No; muy poco, casi nada.

—¿Y es usted entusiasta de Dostoyevski?

—Sí.

—Aquí, en Cataluña, no puede salir un Dostoyevski porque se vive demasiado bien.

Me pareció esto una simpleza tan completa, que no le quise replicar. Luego me habló de la superioridad racial de los catalanes.

—Esto primero habrá que estudiarlo para sacar una consecuencia—le dije yo, y luego añadí, con malicia—: Pero, por ahora, donde aparece más el tipo negroide en la Península, como resto prehistórico, es en el Mediterráneo y aquí, en Cataluña.

El hombre se quedó ofendido. Sin embargo, no tiene nada de extraño que los países habitados desde muy antiguo y próximos al mar tengan restos humanos étnicos de todas clases.

No cabe duda que el Asia y Africa han tenido que influir en las tres penínsulas europeas del Sur: Grecia, Italia y España, pero la influencia de Europa ha tenido que ser mayor; el barco del marino y del comerciante no ha podido competir con el pie del viajero terrestre, que pudo transportar de un país a otro mucha humanidad.

El estudio antropométrico irá poco a poco aclarando los puntos, hoy dudosos, relacionados con la etnogenia del pueblo español. Vacher de Lapouge, que era hombre agrio y pesimista, explicaba la decadencia de las razas por la mezcla étnica. Así, decía: «Inglaterra y Escandinavia son productos de una raza; Francia, de dos; Italia y España, de tres.» Hoy se ve que todos los pueblos son mixtos, de varias razas.

A muchos, la aclaración lenta y sistemática no les agrada, porque destruye una idea admitida porque sí, generalmente basada en la vanidad.

—Nosotros, que somos de raza céltica...—he oído decir a varios gallegos.

—Pero si la raza céltica, como raza, no existe—contesto yo—. Celta, kelta o galli era el nombre que daban los romanos a los pueblos que no conocían. Algo como los griegos, que llamaban bárbaros a los extranjeros. Tampoco existe la raza ibera, porque el pueblo ibero tenía una denominación geográfica. Una tribu eslava, germana o negra que hubiera vivido en las inmediaciones del Ebro hubiera formado parte del pueblo ibero.

Tampoco existe raza aria ni semita, porque éstas son las denominaciones lingüísticas, y el hablar una lengua de raíz aria o semítica no presupone una forma de esqueleto o de cráneo ni un color de la piel o de los ojos en el individuo que la habla.

Parecería lógico que los regionalistas y nacionalistas tuvieran una gran curiosidad por los estudios étnicos y folklóricos en sus respectivos países, pero no sucede esto en España. Los catalanes quisieran que, en vez de aparecer la tabla de Cogul con un abrigo prehistórico, con mujeres con esteatopigia, apereciese una edición de *Els segadors*, con letra y música. Respecto a los vascos nacionalistas y sacristanescos, verían realizado su ideal si en alguna cueva o en algún dolmen apareciese una edición del catecismo sublime del padre Astete.

En el País Vasco, y en medio de la mayor indiferencia de los nacionalistas, que tienen una mentalidad pesada, atrasada y vulgar, se está extendiendo la etnografía y el folklore de una manera seria.

Ultimamente ha publicado un profesor del Seminario de Vitoria, Barandiarán, un libro, el *Hombre primitivo en el País Vasco* (San Sebastián, 1934), que es un resumen de lo conocido muy luminoso, en gran parte estudiado por él. Con seguridad, la mayoría de los nacionalistas no se han enterado. Para ellos, un discurso de cualquiera de los diputados, lleno de lugares comunes, jactancioso y hasta con acento chulo, significa más que todos los estudios étnicos y folklóricos que se puedan hacer.

En este libro de Barandiarán se ve cómo antiguamente el pueblo vasco no era un pueblo isla, como cree la gentil cerril del nacionalismo, y así como hoy el catolicismo jesuítico inunda y traspasa el país, en épocas antiguas la influencia de los pueblos indoeuropeos predominó sobre las ideas religiosas de los vascos.

Esta influencia, anterior a la introdución, tardía, del cristianismo, tuvo que ser bastante directa, porque se manifiesta en detalles secundarios.

El profesor Barandiarán cita muchas ideas y personajes míticos vascos, de procedencia indoeuropea, como Urtzi, Odei, Tártalo, etc., que se

unen a los más antiguos de aire astral.

Entre los que no cita, y merece apuntarse, es el producido por la rara asociación creada por la mentalidad popular centroeuropea entre determinados animales y el espíritu del grano. Esta asociación se desconocía que existiera en el País Vasco; pero, al parecer, existe.

La creencia aparece descrita en un libro de un etnógrafo alemán llamado Manharolf, con el título *Lobo de centeno y perro de centeno*, libro publicado en Dantzig hace ya cerca de setenta años, y en la obra frondosa y trascendental de Fraser *El ramo de oro*, en la sección «Los espíritus del trigo y del viento».

Lo esencial de la creencia mítica es considerar que el espíritu del grano, principalmente el del trigo y el del centeno, adopta la forma de un animal, que cambia según los lugares.

Los que, según Fraser, se consideran más o menos como portadores de este espíritu, son el perro, la liebre, el gallo, el ganso, el gato, el macho cabrío, la vaca, el buey o toro, el cerdo y el caballo.

La vida del espíritu del grano, en forma de ciertos animales, abarca toda la Europa central y llega a los pueblos del Norte; en cambio, no aparece en el Sur.

En el País Vasco ha existido la encarnación del espíritu del grano en un animal, y, al parecer, existe aún. El animal elegido por el vasco era el caballo.

Una escritora inglesa, miss Violet Alford, en un «Ensayo sobre los orígenes de las mascaradas de Zuberoa», publicado en español en la *Revista Internacional de Estudios Vascos*, expone los siguientes datos:

«En el País Vascofrancés, cuando los vecinos vienen a deshojar el maíz, en las veladas de otoño, cuando cantan, reunidos a la luz de los faroles o, mejor dicho, de las bombillas eléctricas (ello no influye nada sobre un espíritu que ha visto tantos cambios), tres jóvenes hacen irrupción en la granja. Uno de ellos es Zamari Churia. Está escondido bajo una sábana blanca, camina a gatas, las manos apoyadas en el mango de una horca; las dos puntas de la horca son las orejas, y la cabeza está dibujada sobre la sábana. La cola está representada por unas barbas de maíz.»

»El caballo y sus acompañantes se dedican a bailar y a saltar, mientras las muchachas gritan: «¡Zamari Churia!», que es el espíritu del grano.»

En un artículo del señor Gerhard Bähr, también de la *Revista Internacional de Estudios Vascos*, titulado «Alrededor de la mitología vasca», dice que en Legazpia (Guipúzcoa), cuando, durante la siega del trigo, los niños quieren descansar o tumbarse, agitados por el calor y la galbana, se les anima a seguir trabajando diciéndoles: *Ekin Panai, Bestela zaldi, zurie etorriko zatsue.* («A trabajar, si no os vendrá encima el caballo blanco.»)

En muchos puntos de Francia y Alemania, cuando el viento hace ondular a las espigas, los aldeanos suelen afirmar que el lobo pasa a través del trigo, que el lobo de centeno pasa por el campo.

Cuando, en Francia, un aldeano que vuelve de la siega se retrasa por algo, los demás afirman que le ha mordido *le chien de la moisson.* Aquí el perro sustituye al caballo de Legazpia.

En Alemania se cree que el espíritu del grano reside en la última gavilla. En algunos países, al final de la recolección, se celebra la ceremonia de la expulsión del espíritu del grano, mediante una mascarada análoga a la de Zuberoa.

En estas mascaradas se mata o se expulsa, de una manera simbólica, al espíritu del grano.

A los nacionalistas vascos, el espíritu del grano seguramente les interesará poco.

Estos tradicionalistas no quieren más tradición que la que a ellos les conviene: la de convertir el País Vasco en un pequeño feudo del Papa.

LA INFLUENCIA DEL 98

Yo siempre he afirmado que no creía que existiera una generación del 98. El invento fue de *Azorín,* y aunque no me parece de mucha exactitud, no cabe duda que tuvo gran éxito, porque se ha comentado y repetido en infinidad de periódicos y de libros no sólo de España, sino del extranjero.

El concepto venía a llenar un hueco, como se decía antes con un clisé periodístico, un tanto desgastado a fuerza del uso.

Una generación que no tiene puntos de vista comunes, ni aspiraciones iguales, ni solidaridad espiritual, ni siquiera el nexo de la cosa, no es una generación.

La fecha no es tampoco muy auténtica. De los incluidos en esa generación no creo que la mayoría se hubiera destacado en 1898. Benavente debía de ser ya conocido en este tiempo; quizá también Unamuno. Los demás, me figuro que no. Yo, que aparezco en el elenco, no había publicado por esa época más que algunos articulillos en periódicos de provincias. Andaba por entonces luchando como pequeño industrial en trabajos que no tenían nada de literarios.

Tampoco se sabe a punto fijo quienes formaban parte de esa generación; unos escriben unos nombres, y otros, otros. Algunas han incluido en ella a Costa, y otros, a J. Ortega y Gasset, que se dio a conocer ya muy entrado este siglo.

Yo creo que hay en todo ello un deseo de reunir, de dar aire de grupo a lo que naturalmente no lo tiene, como si se quisiera facilitar las clasificaciones y divisiones de un manual de literatura.

España nunca ha sido país de escuelas literarias; pero, aun así, ha tenido sus épocas de tendencias claras: los afrancesados, con Moratín y sus partidarios; los románticos, capitaneados por Espronceda y Larra, y aun los mismos novelistas realistas, que, sin formar un grupo compacto, tenían una orientación común en arte: Pereda, Galdós, la Pardo Bazán, etc.

En esta generación fantasma de 1898, formada por escritores que comenzaron a destacarse a principios del siglo XX, yo no advierto la menor unidad de ideas. Había entre ellos liberales, monárquicos, reaccionarios y hasta carlistas.

En el terreno de la literatura existía la misma divergencia; había quien pensaba en Shakespeare y quien en Carlyle; había quien tenía como modelo a D'Annunzio, y otros que veían su maestro en Flaubert, en Dostoyevski y en Nietzsche.

Como casi siempre en España, y quizá fuera de España, las influencias predominantes eran extranjeras.

Se ha dicho que la generación seguía la tendencia de Ganivet. Yo, entre los escritores que conocí, no había nadie que hubiese leído a Ganivet. Yo, tampoco. Ganivet, en este tiempo, era desconocido.

En la España actual, el escritor que muere se hunde con su obra en el silencio y en el olvido.

Lo extranjero priva. No me chocaría nada que entre los escritores jóvenes actuales no se haya leído nada de Galdós, ni siquiera para encontrar que no les gusta, y que, en cambio, se comente a algún escritor parisiense que en París no lo conozca ni la familia.

¿Había algo de común en la generación del 98? Yo creo que nada. El único ideal era que todos aspirábamos a hacer algo que estuviera bien, dentro de nuestras posibilidades. Este ideal no sólo no es político, sino casi antipolítico, y es de todos los países y de todos los tiempos, principalmente de la gente joven.

Muy difícil sería para el más lince señalar y decir: «Estas eran las ideas del 98.»

El 98 no tenía ideas, porque éstas eran tan contradictorias, que no podrían formar un sistema ni un cuerpo de doctrina. Ni del horno hegeliano, en donde se fundían las tesis y las antítesis, hubiera podido salir una síntesis con los componentes heterogéneos de nuestra casi famosa generación.

Y, sin embargo, a pesar de la falta de ideal común, por una especie de transmutación misteriosa, vemos que ese 98 fantástico toma, al cabo de algunos años, un aire importante, no sólo en el terreno literario, sino en el político y en el social.

El 98 es el causante de la muerte

de la Monarquía y del advenimiento de la República. Según algunos, el 98 produce la efervescencia republicana y socialista del 14 de abril.

El hecho es inusitado. Yo creo que no había entre los escritores que figuraron en la supuesta generación del 98 ninguno que fuera republicano ni socialista.

Además, ¿qué influencia pudieron ejercer nuestras obras si tuvieron una expansión tan escasa?

Recuerdo que el periodista Luis Morote, hablando, hace tiempo, en un artículo de los escritores del espectral 98, decía que no habíamos sabido escribir obras que llegaran al público, y luego añadía que nuestro influjo en el pueblo había sido funesto.

Cómo se puede ejercer una acción funesta en el público, sin llegar a él, es cosa bastante difícil de comprender. Habría que pensar en un efecto catalítico de presencia.

En las relaciones del 98 con la caída de la Monarquía, se quiere encontrar un paralelismo con la Revolución francesa. Voltaire, Rousseau, Diderot, D'Alembert, etc., engendran, según los autores, la gran Revolución; aquí, para producir nuestra revolución, no muy grande, tenía que haber, aunque fuera en pequeño, otros Voltaire, Rousseau, etc.

¿En dónde estaban los escritores parecidos, de tan inmensa fama e influencia? Creo que nadie los vio. La verdad es que la generación del 98 era muy exigua y nadie le daba importancia. Que Unamuno influyera en el descrédito de la Dictadura y en la caída de la Monarquía, es evidente; pero también es evidente que lo hizo de una manera personal, política y más bien nueva con relación a sus tendencias anteriores. Esta tendencia nuevo creo que nació con la política francófila iniciada durante la guerra.

Viene el movimiento revolucionario de Asturias, el más fuerte, feroz y brutal que ha habido en España, movimiento que marcará el ascenso de la tendencia comunista y el descenso del socialismo, y, sobre todo, de sus jefes, que no saben más que huir del peligro, y ve uno, con sorpresa, que este movimiento también está engendrado, según algunos, por las ideas del 98. El 98, que no tenía ideas, es el que da ideas a las agitaciones sociales. Se ve que sigue la acción catalítica.

Eugenio Montes decía hace poco en el *A B C*:

«Porque la España actual es obra de la generación del 98, que fue—y aún es—, por paradójico y hasta monstruoso que parezca, una especie de F. A. I. intelectual, una generación o asociación biológica de anarquistas.»

No veo dónde podrán estar esos anarquistas.

Si el anarquismo, como quiere suponer este escritor, es el subjetivismo, el predominio del sentimiento sobre el concepto, del paisaje sobre la ciudad, de lo privado sobre lo público y del carácter sobre la razón, la poesía lírica y la novela son íntegramente anarquistas. Desde Ovidio hasta Paul Verlaine, pasando por San Juan de la Cruz y fray Luis de León, todos los poetas son anarquistas. A los novelistas les ocurrirá lo mismo. Cervantes será el primer anarquista de España, y Dickens, Balzac y Dostoyevski, los primeros anarquistas de sus respectivos países.

Respecto a los filósofos, no digamos. Berkeley, Hume, Kant y Schopenhauer serían terriblemente anarquistas.

No creo que nadie haya dado esa latitud al concepto *anarquista*.

El subjetivismo de poetas y de novelistas se ha llamado individualismo, misticismo, romanticismo.

El punto en que se sitúa uno con relación a las ideas influye en dar unos nombres u otros. A Eugenio Montes le parece que el subjetivismo y sus afinidades sentimentales, amor por el paisaje, gusto por lo privado y lo característico, es anarquismo.

A mí, colocado en el extremo opuesto, el amor por la ciudad, por la ceremonia y por el concepto, me parece retórica, es decir, oquedad.

Suponiendo que el grupo de escritores de mi tiempo fuera una generación, habría entre ellos algunos que hubiesen podido influir en la parte formal de la literatura; otros, por su tendencia radical, como yo, podían haber influido algo en las ideas de crítica social. Yo no he visto tal influencia.

Colaboraron, más o menos oscuramente, en el advenimiento de la República, la Institución Libre de Enseñanza, la masonería, las Casas del Pueblo, el catalanismo, la Prensa, la Banca... Nuestra pequeña y astral generación del 98, como generación, no influyó nada.

Se vio que los políticos republicanos no tenían simpatía por los escritores de este tiempo, y Marcelino Domingo, Albornoz y otros escribieron en contra de ellos, porque no eran republicanos. Los políticos nunca han querido nada con los escritores, a quienes llamarían con gusto, como Primo de Rivera, los autointelectuales.

Al instaurarse la República, se notó claramente que los escritores ya viejos, de mi época, no figuraban en la trinca, estaban descartados de las dulzuras del presupuesto. Si alguno consiguió un destino, fue porque lo pidió, no porque se lo ofrecieran.

A mí no se me ocurrió la idea de que pudieran darme un cargo. Ocho o diez días después de la República me

encontré con un conocido en la calle de Alcalá.

—¿Qué anda usted?—me dijo.

—He salido a tomar los billetes para el tren.

—Pero ¿cómo? ¿Se va usted?

—Sí; me voy al pueblo, como todos los años.

—Pero ¿no se va usted a presentar al Gobierno?

—¡Yo al Gobierno! ¿Para qué?

—Pero ¿no es usted republicano?

—Muy poco republicano.

—Pues ¿qué es usted? ¿Monárquico?

—No. Soy de los del individuo contra el Estado.

—Pues yo creía que era usted republicano, y hasta que le darían un cargo.

—¿Y por qué? Si yo no he hecho nada para traer la República.

—Ni nadie. La República ha venido sola.

—Bien. Seguramente hay gente que cree que puede hacer algo útil en un Ministerio de director o de empleado. Yo no creo en la política ni en los Gobiernos. Para mí, un político es un retórico, a quien no hay que tener en cuenta, y el Gobierno que no haga nada es el mejor.

—Veo que es usted un hombre absurdo.

Y el señor conocido se alejó de mí un tanto indignado.

Si un radical como yo no tenía el menor prestigio político entre los republicanos, tampoco lo tenía entre socialistas, comunistas y anarquistas. El periódico El Socialista varias veces se metió conmigo, según me dijeron, no sé por qué motivo.

Cuando me invitaron a acudir a una reunión del Ateneo para una crítica que llamaban de masas de una novela mía—Los visionarios—, la sala, llena de comunistas, estuvo chillando contra mí, porque un novelista, según aquella gente, era un tipo vendido a la burguesía. Unamuno, que estaba en el salón, fue todavía más abucheado que yo.

Respecto a los anarquistas, creía yo que tendrían cierta lejana simpatía por la parte individualista de lo que yo había escrito, pero no. Se mostraban tan hostiles como los demás. En la cárcel de Sevilla, donde estuve para visitar a algún que otro preso que había conocido y me había dado datos en Barcelona, me encontré también con que los anarquistas me atacaban furibundamente y con cierta saña, y tenían un profundo desprecio por los escritores de mi tiempo.

¿Dónde está, pues, nuestra influencia? Quizá se ha influido algo en la burguesía; pero en los demás sectores sociales, nada.

Así, pues, joven profesor, si piensa usted publicar un manual de literatura española, puede usted decir, al hablar de la mítica generación del 98, sin faltar a la verdad: primero, que no era una generación; segundo, que no había exactitud al llamarla de 1898; tercero, que no tenía ideas suyas; cuarto, que su literatura no influyó, ni poco ni mucho, en el advenimiento de la República, y quinto, que tampoco influyó en los medios obreros, donde no llegó, o si llegó, fue mal acogida.

Al escritor, aunque no tan fantasma como el político, le gusta, por vanidad, pensar que su literatura es eficaz, que tiene resonancia en el mundo; pero cuando no lo es y cuando no resuena por ninguna parte, tiene que reconocerlo así, más o menos alegremente.

LOS NECRÓFOROS

Algunos creen que todas las acciones humanas instintivas y racionales tienen su representación en las costumbres de los animales, aun los más inferiores. El padre Ferrer de Valdeabro afirmaba que de las fieras y animales silvestres, así como de las aves, se podían sacar ejemplos para la vida humana. Lo mismo pensó Toussenel, precursor de Michelet en literatura sentimental, acerca de los pájaros.

La verdad es que hoy nadie cree que los animales sean máquinas, como Gómez Pereira y Descartes. No se comprende cómo esta idea tan estólida se ha podido considerar como un descubrimiento de importancia. El animal piensa, quiere y siente en grado menor; pero de la misma manera que el hombre. La calidad de su vida psíquica parece que es igual a la nuestra; lo único que varía es la cantidad.

Lo que no se explica es el instinto, ni por qué esta clase de inteligencia permanece estacionaria y las demás formas de inteligencia se perfeccionan.

Entre los instintos de los animales, uno de los más curiosos es el de los necróforos, portadores de muerto o portadores de muerte.

Los necróforos son insectos coleópteros que tienen la tendencia de enterrar los cadáveres de animales que encuentran en el campo. Hay muchas especies de estos insectos enterradores, cuyas costumbres han estudiado desde hace mucho tiempo los naturalistas.

El trabajo de los necróforos es muy curioso, y se puede pasar un par de horas en el campo viendo cómo estos insectos trabajan con energía para ir sepultando el cuerpo muerto de un ratón o de un topo.

Generalmente, suelen ir arañando y quitando la tierra de un lado y después de otro, hasta que el animal se va hundiendo y desaparece.

La carne muerta no les sirve a estos insectos de alimento, sino de medio de depositar los huevos.

Entre los mamíferos hay también necróforos, y los perros y los gatos tienen tendencia a tapar con tierra los animales muertos y los restos que les desagradan. El cocodrilo entierra los cadáveres, pero es para comérselos después. No es un necróforo; es un cocinero. La hiena los desentierra, y ésta es más bien necrófaga, pero sin tendencia al arte culinario. En el hombre hay representantes de los necróforos y de los necrófagos. Los franceses llaman a los empleados de funerarias que acompañan a los entierros *croque-morts*, roemuertos.

Son muy interesantes los ritos funerarios de los necróforos humanos. En Egipto, la muerte debió de estar a la orden del día. Para los egipcios antiguos, muerte y vida debían de ser algo parecido.

El ciudadano egipcio se pasaba setenta a ochenta años comiendo, bebiendo y haciendo alguna que otra tontería, y después se estaba cientos o miles de años con el cráneo lleno de asfalto o de betún, como muchos políticos actuales, y envuelto en vendas en calidad de momia.

Había pueblos que enterraban y otros que incineraban. Muchos practicaban los dos procedimientos, y otros embalsamaban. No parece que se hayan sacado grandes consecuencias etnológicas ni espirituales ni materiales de esta distinta manera de tratar a los muertos.

En la India antigua se practicaba la cremación de los cadáveres, y para dar más solemnidad y más amenidad al acto, se echaba de propina a las hogueras a algunas personas vivas. Así había más dramatismo.

Los griegos y los romanos debían de alternar la cremación y la inhumación. Se dice que Demócrito prefería la inhumación, esperando una resurrección más fácil. «Esperando la del cielo», como dice una casa en Granada. Heráclito, antagonista de Demócrito, encontraba mejor la cremación, porque, considerando el fuego como el elemento primordial de la Naturaleza, pensaba que éste purificaría las almas.

Plinio dice que entre los romanos se quemaban muchos cadáveres juntos, probablemente de los pobres, para economizar combustible. Sin duda existía la crisis del carbón.

El naturalista latino añade que se tenía cuidado en estos casos de poner el cuerpo de una mujer entre diez de hombre, a fin de que, gracias al calor natural y a la naturaleza femenina, más inflamable, ardieran mejor todos los cuerpos.

Esto no es una forma de erotismo macabro, sino una teoría, que han defendido varios autores, entre ellos el napolitano Alejandro de Alejandro en sus *Días geniales*.

Respecto a la incineración, se dice que fue el mismo Hércules el que la inventó. Cuando este mítico boxeador hizo la guerra a Laomedonte, pidió a su amigo Licinio que le dejara a su hijo Argius para que le acompañara en los combates, y prometió a la familia devolvérselo. Como Argius murió, Hércules no encontró otro medio para cumplir su promesa que quemar el cuerpo del joven y enviarle a su padre una urna con las cenizas de su vástago.

Antiguamente debía de haber muchas profesiones de carácter necrofórico. Los egipcios tenían la manía de la conservación de cadáveres, y momificaban lo mismo hombres que perros, gatos y lagartijas. Los griegos y romanos tenían enterradores, embalsamadores, plañideras y marmolistas, que construían urnas cinerarias. Muchas prácticas antiguas existen, más o menos disfrazadas, en la vida del campo.

En el País Vasco, yo he podido comprobar algunos de estos ritos funerarios. Antes había plañideras, y, por lo que he oído decir, existían no hace aún mucho tiempo en Vergara. Cuando se sacaba un cadáver de una casa, los que lo llevaban tocaban con el ataúd dos o tres veces con alguna esquina de las paredes. En otras partes se le ponía al muerto una moneda en la mano.

Respecto a las plañideras, explica el fuero de Vizcaya:

«Otroxi dixeron que en Vizcaya de muchos llantos y otros actos deshonestos que se hacían cuando alguno muere, se deservía mucho Dios Nuestro Señor y sus magestades; lo qual era en gran cargo de conciencia, daño y perjuicio de las tales personas, que semejantes llantos y actos deshonestos hacían y de toda la tierra.»

En las *Averiguaciones de las antigüedades de Cantabria*, por Henzo, se asegura respecto a las plañideras:

«No son tantas en este tiempo, aunque siempre los llantos son notables, así en la casa del difunto como fuera, cuando las mujeres, a poca distancia, siguen al féretro.

»Las lágrimas, suspiros y llantos son muchos, mezclados con lamentaciones y jaculatorias harto sentidas, hablando ya con la persona difunta,

ya consigo mismas, en tiple unas veces y en bajo otras, y hacen una triste armonía.»

Las vizcaínas usan del «¡Ay, ené!», aspiración que significa ¡ay de mí!

Esta se repite a cada tonada, que son tantas cuantas dicta el afecto o afectación de las que plañen. Las endechas, en tiempos pasados, que cantaban las plañideras alquiladas se llamaban en vascuence Eresiac, y es lo mismo que descendencia, porque en ellas cantaban, juntamente con las obras y hazañas del difunto, su nobleza, derivada de sus ascendientes.

Por lo que se ve, todo esto tiene un aire romano. En Roma, las plañideras se llamaban en latín *proefioe*, y sus quejas contra el Destino o sus lamentos, *nenioe*.

Gorosábal dice, en las *Noticias de las cosas más memorables de Guipúzcoa*:

«Tales eran, a la verdad, los gastos que introdujo en estos actos la emulación, la vanidad y el qué dirán de las gentes, que bien puede decirse que en la provincia de Guipúzcoa los muertos destruían a los vivos.»

Este es un caso de necrofagia económica.

Don Bonifacio de Echegaray ha escrito sobre los ritos funerarios del País Vasco, con un criterio de jurista:

«En la Navarra vasca todavía quedan restos transformados y modificados de estos ritos. Aunque van desapareciendo. Ya las grandes comilonas después de los entierros no se dan; pero todavía se lleva a la fiesta del funeral un carnero, que seguramente representa la víctima del festín que se celebraría en la antigüedad por los amigos y familiares del muerto en algún monte.

»Tampoco creo que hoy se avise a las ovejas, como antes, que el amo de la casa murió ya y que le sustituye uno nuevo.»

Yo no he conocido plañideras, pero sí he visto reuniones de algunas viejas congregadas alrededor de un muerto vestido y puesto sobre una mesa, con la cara tapada con un trapo negro. Las viejas hacían consideraciones sobre la miseria de la vida, dirigiéndose a veces al difunto de una manera lírica y echando de cuando en cuando un trago de vino o de aguardiente. Un poco de *thantha* se dice allí.

Tipos funerarios, de necróforas, con aire ritual, que había en San Sebastián hace muchos años, eran unas mujeres, que llamaban las *Mari-moldaris*.

Eran siete u ocho, parecidas como si fueran hermanas, todas gordas, de ojos negros, de más de cuarenta años, vestidas de luto. Se presentaban en las casas en que moría alguno a preparar los funerales, y al mismo tiempo a comprar, a vender, a cambiar, a llevarse las papeletas del Monte de Piedad o a hacer alguna otra operación comercial a base de la hacienda comprometida del difunto.

Los donostiarras no veían nada curioso en estas mujeres; pero seguramente lo eran, y hubiera valido la pena de que alguien hubiese escrito sobre su vida y sus costumbres.

En las ciudades hay todavía necróforos, empresarios de pompas fúnebres, enterradores, constructores de ataúdes, agentes de sacramentales, hermanos de la Paz y Caridad...

Hay también los necróforos y los necrómanos por afición.

En San Sebastián, hace ya muchos años, había un jovencito que tenía un gran entusiasmo por los entierros y por los muertos. Se presentaba en la casa del difunto, veía el cadáver y luego iba en la comitiva fúnebre.

Si alguno le preguntaba:

—Y tú, ¿a qué vienes?

—Vengo en representación de mi familia—contestaba él.

Su comentario favorito, cuando se moría alguna persona de importancia, era decir:

—¡Qué entierro más hermoso le harán!

Hace muchos años, en la portería de una imprenta, se murió el portero, que era un hombre cojo, que tenía un pie deforme y una bota de un palmo de alta. La mujer, la hija y las vecinas de la casa llamaron a un barbero, que afeitó al muerto y le rizó el pelo y el bigote. Luego, las mujeres le vistieron, le pusieron un cuello de pajarita y la bota monstruosa en el pie deforme. Después le colocaron una botella y, dentro, un papel con el nombre y el apellido, no sé con qué objeto, quizá para que no se confundiera con otros en el cementerio o en el valle de Josafat.

Dos cajistas, uno que se llamaba Zarzuela y otro a quien decían *el Maturranga*, entraron a ver el cadáver.

—¿Y qué lleva dentro de la botella?—preguntó *el Maturranga*, que era un poco borracho.

—Parece que lleva un billete—contestó Zarzuela.

—Pues no le falta más que el puro para ir a los toros—añadió *el Maturranga*.

Este fue el comentario que mereció el adobo que hicieron del muerto las mujeres de la casa.

LOS *GAMBERROS*

Yo no sé de dónde procede la palabra *gamberro*. En femenino, y aplicada a una mujer, desvergonzada y de vida sucia, la he oído en Madrid hace mucho tiempo, hace ya treinta o cuarenta años; en masculino, y refiriéndose a un hombre, apenas la he escuchado.

En estos últimos años, la palabra se ha generalizado muchísimo en el norte de España. A cada paso aparece en los periódicos de San Sebastián y de Bilbao una queja por la audacia y la mala educación de los *gamberros*.

Como la palabra favorita de hace cuarenta años era *golfo*, es muy posible que la de hoy llegue a ser *gamberro*.

El *gamberro*, en general, es un mozo que toma una actitud desvergonzada, hace gala ante el público de ser impertinente, atrevido, irrespetuoso. Alardea de procacidad y de insolencia.

Este tipo insolente, un poco en bruto, se da más que en ninguna parte en las provincias del norte de España, principalmente en las Vascongadas, en Navarra y algo en Santander y en Asturias.

También se da en Galicia, no sé si tanto.

Los focos del *gamberrismo* son San Sebastián y Bilbao, dos ciudades, antes, que pretendían, sobre todo la primera, ser la quinta esencia de la pulcritud y de la corrección más extremadas.

El *gamberro* no se parece al chulo, ni al de la realidad ni al que hemos visto representado y casi ensalzado durante cuarenta años en el teatro del género chico.

La chulería o chulapería era más bien madrileña y andaluza y no llegaba al norte de la Península. Si tenía algún imitador en la zona cantábrica, éste manifestaba tan mala sombra, que todo el mundo se reía de él.

El chulo era un producto viejo, ya casi histórico, amanerado, afectado; más bien son figurines de formas de vestir y de hablar que de actuar.

El *gamberro* actual tampoco se parece al golfo. El golfo era el producto podrido de la ciudad grande, el detrito de las urbe, que observaba, naturalmente con odio, cómo en el banquete de los privilegiados no le quedaban para él ni unas migajas.

Muchas veces se ha dado el caso de tipos de golfos de la ciudad grande que han ido al campo y se han encontrado contentísimos y satisfechos de comer todos los días y de dormir en una buena cama.

El golfo es un personaje final, otoñal, de decadencia del individuo; el *gamberro*, no. Este es un hombre que se inicia.

El tipo nuevo de que se trata no se parece tampoco al matón, que, cuando lo es de verdad, es un ser anómalo, patológico, agresivo, completamente freudiable. Los matones auténticos son los que llenan los presidios y las cárceles.

Tampoco el *gamberro* se parece al fanfarrón mentiroso, héroe bufonesco, imaginativo, que ha dado origen a muchas comedias y sainetes, antiguos y modernos, desde el *Miles Gloriosus*, de Plauto, hasta *Los valientes*, de Javier de Burgos.

El *gamberro* es casi siempre un joven que, íntimamente tímido, se convierte, por contagio con sus amigos y compañeros, en insolente y procaz. Este mozo puede muy bien que en su casa se manifieste respetuoso y atento; pero al salir de ella y llegar a la calle toma una máscara de atrevimiento y desfachatez.

Reunido con otros un día de fiesta, y con un poco de vino en el estómago, tirará un banco de un paseo, molestará a unas muchachas, hará sonar un pito lo más desagradablemente posible, cantará con grandes voces una canción soez y se fingirá borracho, aunque no lo esté, para animarse y poder manifestarse lo más bruto posible.

Claro que esto no es una cosa nueva, ni mucho menos. Es, en pequeño, el mismo ímpetu pánico de las fiestas dionisíacas y de las saturnales romanas.

En Madrid, los jóvenes gamberros se dedican actualmente a jugar a la pelota y al balón en las calles, sin pensar en el pacífico transeúnte que pasa. Yo he visto, no hace mucho, a una señora vieja trastornada y temblorosa porque le habían dado con un balón en la nuca.

Los jóvenes se reían como si fuera una gracia. Se ve que nuestro tiempo no es para los viejos.

El gamberro de las ciudades del norte de España—hoy por lo menos el más caracterizado—tiene su tipo especial.

Lleva boina o la cabeza al descubierto, gabardina o trinchera—no sé si hay alguna diferencia en estas prendas o son la misma—, pañuelito en el cuello y el reloj de pulsera en la muñeca.

El tipo éste no usará casi nunca paraguas, aunque viva en país lluvioso. El paraguas es un artefacto burgués. Da siempre al que lo lleva un aire de pobre hombre que no le hace ninguna gracia al joven petulante, que

siente dentro de su alma un germen de tenorio. En general, nuestro mozo, para sus actos de gamberrismo, no irá nunca solo, sino siempre en compañía de cuatro o cinco.

El ir solo a algo ligeramente peligroso exige una decisión y un valor que no son frecuentes. En cambio, la sociedad con otros anima e impulsa a la barbarie. El gamberro, que es un producto de timidez y de soberbia, buscará el modo de deslucir lo que hacen los demás para marcar su personalidad rústica, o, mejor dicho, la personalidad cerril de la cuadrilla a que pertenece.

Las causas del gamberrismo son múltiples. Se pueden considerar como principales la timidez y el orgullo, la incultura, la petulancia del ambiente, el desplazamiento de la población de los campos, la inmigración del trabajador forastero, la teatralidad meridional y la predicación política extremista.

La timidez y el orgullo son caracteres de los pueblos aislados. Es muy difícil que un campesino de la zona cantábrica sea un individuo social y no tenga un fondo de tímido y de orgulloso.

En el campesino vasco que no sabe castellano esto se acentúa. A poca distancia de su casa ya no le entienden ni se entiende. Es lógico que se reconcentre en sí mismo y se aísle. A este aislamiento contribuyen la incultura y la sensación de sentirla como un hecho irremediable.

Un campesino vasco, en Vera de Bidasoa, le decía al propietario del caserío en donde vivía:

—¿Para qué quieren ustedes que nuestros hijos aprendan el castellano y a leer y a escribir? Si aprenden, no querrán vivir, como nosotros, en el campo en casas aisladas.

Tenía razón. El mozo tímido, orgu-

lloso e inculto, pero con cierto fondo
de respeto, cuando sale de su rincón,
de su caserío o de su aldehuela, para
ser soldado o para trabajar en una
fábrica, si le coge el ambiente ciudadano, lo primero que pierde es ese
fondo de respeto.

La insolencia, la palabra desvergonzada, la expresión sucia, le parecen
una superioridad. Coge también con
fruición la frase petulante, porque la
petulancia se respira en el aire español. Es la atmósfera de todos los países meridionales.

En cada región, la petulancia toma
caracteres distintos. En Andalucía, como es ya antigua y está depurada,
tiene gracia; en Castilla, ceremoniosa
y entonada, está también bien; en
Aragón y en la ribera de Navarra es
agresiva; en Vasconia, es torpe y pesada; en Santander, Asturias y Galicia, es conceptuosa y con cierta soca-
rronería burda y triste. En Castilla y
en Andalucía es donde está más nive-
lado el campo y la ciudad. Esa transformación completa del campesino en
ciudadano no existe como en los pueblos del norte de España. Aquí, el
campesino sufre un avatar: deja una
piel para ponerse otra. ¿Cuál es la
mejor? Eso, allá los doctrinarios.

Otra causa de gamberrismo, paralela al desplazamiento de la población
de los campos en la ciudad, es la inmigración del obrero forastero en la
villa que, por un azar económico, se
convierte en industrial.

El obrero de fuera es casi siempre
insolente, desvergonzado y extremista.
Las zonas mineras son, en este sentido, terribles de actitud, de mala voluntad y de mala intención. El hecho
de cambiar de localidad parece que
basta para hacer agresivo a un individuo o a un grupo de personas.

Le preguntaba a un joven gallego
de la parte costeña:

—¿Es que aquí, en los puertos de
Galicia, hay muchos extremistas?

—No.

—Pues ya ve usted, de los pescadores gallegos que han ido a Pasajes, en
Guipúzcoa, la mayoría son comunistas.

La afluencia del obrero forastero
desmoraliza la aldea. Habría que preguntarse: «¿Qué es desmoralizar?»
Yo creo que se podría decir que desmoralizar es cambiar unos preceptos
de moral por otros, sean buenos o
malos. En este sentido, se podría emplear la palabra *desmoralizar* como se
emplea en Zoología o en Botánica la
palabra *degenerar*, que no es el pasar
de una naturaleza mejor a otra peor,
sino cambiar, perder los caracteres de
familia o de raza para adquirir otros.
En los pueblos que se convierten en
campamento de forasteros, el campesino cambia en seguida y tiende, si
es mozo, a hacerse *gamberro*. A su
vez, el obrero forastero pierde su afecto al pueblo o a la región de origen
y no toma cariño a aquel en donde
vive.

Esto puede producir un patriotismo
más general o puede ser una etapa del
internacionalismo.

La política influye también mucho
en la producción del *gamberro*. El republicanismo, el tradicionalismo, el
nacionalismo y el comunismo han
creado en España una nube de gente
pedante o petulante. En el mundo político hay el insolente obrero y el
insolente señorito. El uno es comunista y el otro es fascista. Los dos llevan
pistola. En Madrid se matan a veces
y peroran otras. En las provincias del
Norte, donde no saben perorar, se matan, pero no peroran.

La petulancia y la teatralidad meridional influyen mucho en ello. Señoritos y obreros de este tipo sueñan

con verse en el Congreso hablando y tomando posturas académicas.

La verdad es que el Congreso, desde el comienzo de la República, ha sido una escuela de *gamberrismo*. Los periódicos han hablado muchas veces de insultos, de gritos, de barbaridades; pero los aficionados a presenciar las sesiones de las Cortes han dicho que el reflejo de los periódicos era pálido ante la realidad.

Todo ello es petulancia y espíritu donjuanesco.

Hace unos días, en un número de una revista inglesa de Etnografía, leía una noticia de una sesión del Instituto Antropológico de Inglaterra, en la cual un sabio etnógrafo, después de explicar y comentar las costumbres de una tribu australiana, cantó unas canciones del país acompañándose de la zambomba. El sabio etnógrafo fue muy solicitado y aplaudido por los demás socios.

A los tres o cuatro españoles que he contado esto les ha parecido una cosa cómica y ridícula. A mí no me ha parecido cómico ni ridículo, sino algo admirable. Tiene, ciertamente, un carácter de escena de Pickwick-Club, pero eso no le quita su grandeza.

Revela un entusiasmo por la ciencia y por el saber, una despreocupación por esa mísera idea de lo ridículo, que nos envenena a los meridionales, que me parece magnífica.

Claro que en Madrid no se podría dar una sesión así, ni en Barcelona, ni en Sevilla; pero eso no demuestra más

sino que somos unos provincianos aparatosos y petulantes.

Si nosotros llegáramos a tener un espíritu parecido de afición a las cosas por ellas mismas, estábamos en el buen camino; pero no lo tenemos, ni posiblemente lo tendremos nunca. El español, como casi todos los habitantes del sur de Europa, es teatral, lo que quiere es proyectar su figura sobre la pantalla. Lo demás no le interesa.

De este modo, la política, la literatura y la vida social se convierten en una pugna, para destacar unos cuantos gestos y unas cuantas actitudes.

Y ésta es la base del *gamberrismo*: un deseo de destacarse, y un deseo de destacarse como bruto y como insolente, del que no puede señalarse como ingenioso y como amable.

El *gamberrismo*, cada día naciente, y la matonería del señorito, creo van a hacer muy difícil la convivencia de unos españoles con otros. No va a haber campo neutral posible. Ya todo el mundo se encierra en sus ideas y en sus preocupaciones. El que no está con él, está contra él. En estos años que llevamos de República, el insulto en la Prensa ha tomado unas proporciones inusitadas. Cada periódico se va convirtiendo en un coto cerrado, amurallado y atrincherado. Dentro, los suyos; fuera, los enemigos.

En un ambiente así, para unos no habrá más solución que el aislamiento, y para los otros, la pistola, cosa lamentable.

LA DECADENCIA DE LAS PLAZAS DE LOS PUEBLOS

No me refiero a las plazas de toros, que no me interesan, sino a las plazas de las ciudades, sobre todo a sus plazas antiguas, centrales, que son como el corazón de un pueblo.

Hay la plaza nórtica y la plaza meridional; la plaza nórtica suele tener soportales; la meridional, no. Antes era muy clásica, como tipo de plaza del Mediodía, el mercado de Valencia, con sus puestos de lona, que de lejos tenía el aire de un puerto lleno de barcos de vela.

Hay también la plaza singular, que es más bien una encrucijada, sin forma pensada de antemano.

En todas partes, las plazas antiguas se van abandonando; únicamente tienen alguna vida en los pueblos que no evolucionan. La plaza debió de ser, en las pasadas épocas históricas, el punto de reunión de todos los ciudadanos. Así fue el Ágora en Atenas y el Foro en Roma, punto de cita de discusiones y de discursos.

Yo, la verdad, no siento una gran simpatía por la vida clásica; no me entusiasman esos escenarios de oradores discípulos de Demóstenes o de Cicerón. Bastante le admiraron a uno de chico con esas historias. El recuerdo lejano de las Filípicas o de las Catilinarias me parece apestoso.

En la Edad Media, las plazas tuvieron gran importancia. Eran el centro de la población, donde solían estar, con frecuencia, la iglesia, el Ayuntamiento, los edificios oficiales.

En ellas se celebraban las ferias, las reuniones de los gremios, las fiestas, las procesiones y las ejecuciones. En los soportales, si los había, se establecían las principales tiendas, y en épocas más modernas, los cafés.

La ciudad clásica, completa, era la que tenía muralla y una gran plaza central. Esto le daba la configuración de una célula viva. Alrededor, la zona militar, que no permitía construcciones, hacía el tejido conjuntivo.

Actualmente, en ninguna de las grandes ciudades de Europa las plazas tienen dinamismo vital.

En París, por lo que yo recuerdo, hay la plaza del Carrousel, que, aunque está en parte cerrada, por su gran tamaño tiene más aire de parque que de otra cosa; la plaza del Palais Royal, completamente muerta, y la plaza de los Vosgos, que también está desierta y abandonada. La plaza de Vendôme es una imitación, sin gran originalidad, de Roma, y la de la Concordia, con sus fuentes, no tiene tampoco líneas clásicas. Es una plaza de exposición universal, para producir la admiración de los americanos y de los paletos.

Londres no tiene plazas de aire centroeuropeo. La mayoría son jardines, *squares*, pequeños parques, que entre la niebla parecen más grandes de lo que son. Algunos de estos espacios abiertos son muy bonitos, como Lincoln's Inn Field; otros no lo son tanto. Parece que el inglés se ha propuesto, al trazar sus calles y sus plazas, que sean lo más inhospitalarias posible para el transeúnte.

El anglómano podrá decir que este carácter está buscado para producir el horror de la vagancia y exaltar el entusiasmo por el hogar.

La zona europea en donde abundan

las bellas plazas creo que es la Alemania del sur y la Italia del norte. En Alemania meridional hay muchas ciudades con plazas preciosas: una de las más decorativa es, seguramente, la de Nuremberg, con sus casas medievales y su fuente gótica.

En la Italia del norte se veían hace años plazas antiguas con vida moderna, sobre todo en Florencia. En Florencia, en una plaza cuadrada con una estatua, creo que de Cosme I, había hace treinta años una gran animación. En las cervecerías de los arcos, por quince céntimos se tomaba café, se oía música y se encontraban periódicos de todas partes. Hoy, por lo que me han dicho, no se parece la vida florentina a lo que era antes.

Aquellos pobres italianos vivían bastante mejor que estos excelsos italianos de ahora, que tienen la honra de llevar una elástica negra, de cantar una canción ridícula que llaman *Giovinezza* y de contemplar todos los gestos de su moderno César de cartón piedra.

La plaza del Duomo, de Milán, muy suntuosa, no tiene aire antiguo. Hay allí demasiada gente, demasiados automóviles y tranvías y un monumento a Víctor Manuel horrendo. Lo típico del centro milanés es la vecina galería en donde se reúnen todos los divos y aprendices de divo de Italia y de otros países a charlar y a gesticular.

En España hay también hermosas plazas.

En Madrid, la plaza clásica de aire antiguo es la plaza Mayor. Esta plaza tiene historia. Allí se ejecutó a don Rodrigo Calderón, se festejó la beatificación de San Ignacio de Loyola, se celebraron torneos, autos de fe, corridas de toros; se proclamó, en 1812, la Constitución de Cádiz; se luchó el 7 de julio contra la Guardia real de Fernando VII; se sublevaron, en 1835, los milicianos, y hubo también acontecimientos revolucionarios en 1848. En 1873, los federales quitaron la hermosa estatua del centro, de Felipe III, como si recordaran alguna ofensa de este rey, del cual seguramente no sabían nada, y en 1931, los republicanos actuales la volvieron a derribar, no sabemos si por antipatía al monarca de la casa de Austria o a su panzudo caballo.

De las demás plazas de Madrid, la plaza de Oriente es bonita y decorativa; pero no tiene aire de plaza clásica, y en ella, como decía un viajero francés, hay más estatuas que árboles.

Las estatuas, toscas, de piedra, de los reyes que hay alrededor, algunas son muy expresivas y están muy bien. La del centro, de Felipe IV, es magnífica.

Supongo que plazas con arcos iguales no se construyeron, al menos en España, hasta el siglo XVII. La Mayor, de Madrid, es de ese tiempo; la de Salamanca debe de ser ya del siglo XVIII, a juzgar por su barroquismo elegante.

Esta plaza de Salamanca, muy bella de trazado, conserva, al parecer, todavía hoy su vida habitual.

Las demás de las otras ciudades españolas han decaído y han ido perdiendo su importancia. La de Bilbao y la de Barcelona tienen un aire de anacronismo; la de Córdoba, ocupada por un mercado, no se nota. Algunas tienen cierta vida, como las de León, Lugo, Burgos y Vitoria.

La plaza del Castillo, de Pamplona, hasta hace poco, y creo que todavía, compite en ser el corazón del pueblo con la de Salamanca. Todo se hacía en Pamplona allí.

En San Sebastián, durante un siglo, se ha hecho el ensayo de tres plazas: la de la Constitución, que ha quedado anticuada; la de Guipúzcoa, ensombrecida y ahogada por los árboles y con los soportales tristes, y, por último, el proyecto de plaza hecho delante de una iglesia de gótico falsificado, llamada El Buen Pastor.

Ninguno de los tres intentos ha tenido éxito, y la gente se ha sentido más atraída por los espacios abiertos que por los cerrados.

Respecto a las pequeñas plazas dedicadas antiguamente a un tráfico especial: del trigo, de la cebada, de la carne o del vino, como las modernas, que son ensanchamientos de una encrucijada, no tienen unidad de traza ni de conjunto.

En los pueblos españoles que son capitales de capitales hay también hermosas plazas. Una de las mejores es, sin duda, la de Medina del Campo, plaza enorme, que indica lo que debían ser las ferias de esta villa en otro tiempo.

Hay pueblos, relativamente pequeños, con plazas hermosas, como Aguilar de Campoo, Cervera de Río Pisuerga, Peñaranda de Bracamonte, Medinaceli, Infantes, Haro, Almazán, Vergara, Oñate, etc. Casi todas estas plazas tienen soportales y tiendas en el interior de los arcos.

En algunas partes, a la plaza la sustituye la calle del Comercio, con porches, y esto pasa en Zaragoza, en Lérida, en Morella, y, fuera de España, en Bayona, donde todavía a la gente le gusta pasear por los arcos y sentarse en sus pastelerías y confiterías, y en Génova y, sobre todo, en Bolonia, en donde se puede recorrer medio pueblo en día de lluvia, sin mojarse, pasando por debajo de los cobertizos.

La decadencia de las grandes plazas centrales cerradas es un fenómeno de la Edad Moderna. Ya desde hace tiempo no son lugares donde la gente se reúne y delibera. Empiezan a ser puntos donde no se quiere pasear.

El hombre de las ciudades actuales tiene una tendencia centrífuga, un fondo de insociabilidad y un cierto robinsonismo un poco estólido, unido a cierto culto por la Naturaleza.

Todo el mundo es hoy un poco naturista, heliófilo y montañero.

Se dice que en las costumbres y en la moda se busca lo higiénico y lo natural. Las mujeres no llevan corsé, porque es antihigiénico; pero no se ve qué higiene puede haber en llevar tacones de a palmo y en embadurnarse los labios con una porquería roja.

Actualmente, y llevados, sin duda, por el gusto de la Naturaleza, hay muchas personas que les gustan, más que el interior de la ciudad, los suburbios, las afueras.

A mí me agradan la ciudad y el campo. Ese término medio de las afueras, con sus hotelitos y sus calles medio urbanizadas y sus barrizales, me produce una impresión muy triste.

La mayoría de esos hoteles me parece la casa del crimen donde mataron a doña Fulana, que era prestamista, que vivía sola, con una criada vieja o con un mozo joven, o el sitio donde encontraron un tórculo y unas planchas para hacer billetes falsos. En cambio, el centro de las ciudades da siempre una sensación de seguridad y de confianza.

Hoy se nota que el pueblo nuevo desborda al viejo y lo va haciendo estallar.

A ello contribuyen los medios de comunicación: trenes, tranvías, autobuses y automóviles. Esto ha quitado la afición a pasearse por las aceras de una plaza y a refugiarse los días de lluvia en sus arcos.

Como no parece bien hacer desaparecer lo viejo sólo por ser viejo, las plazas antiguas, hoy un tanto abandonadas, debían dedicarse a una clase de comercio también antiguo. Así se ha hecho con la plaza del Palais Royal, de París, que tiene librerías, estamperías y tiendas de antigüedades.

Hace años me preguntaron a mí algunos libreros de ocasión dónde me parecía que se debía instalar una feria perpetua de libros, porque el Ayuntamiento estaba dispuesto a complacerlos. Yo les indiqué la plaza Mayor, dentro de los arcos. No sé qué hicieron, porque no estaban conformes unos con otros, y se llevó la feria permanente a la calle de Claudio Moyano, a pleno aire y a pleno sol, sitio bueno para una feria de un mes en verano, pero no para todo el año.

En los arcos de la plaza Mayor hubieran estado muy bien los libros viejos, para que los bibliófilos, producto también viejo, hubiéramos estado en invierno protegidos de las lluvias, y en verano, del sol.

EL FUEGO EN EL HOGAR

En esta época fría del año, cuando comienzo a encender la estufa en mi cuarto, recuerdo con nostalgia las viejas chimeneas, anchas y bajas, de los pueblos.

Un radiador de calefacción es cómodo, pero mudo, negro y triste; la estufa es siniestra; el brasero es pobre, mísero, de portería.

No hay nada comparable a la llama del hogar en la chimenea de campana. Es una de las cosas más entretenidas del mundo. Yo la prefiero al café, al teatro y al cine.

Hay que tener un gusto de salvaje para sentir esta afición. Yo lo tengo.

La chimenea de campana grande, de leña, no es completamente cómoda; calienta la cara y el pecho y deja fría la espalda.

En los días húmedos y ambiente pesado no suele tirar bien. En cambio, con el tiempo claro y muy frío tira demasiado, y como la masa de aire que sale por el tubo con el calor es grande, entra por debajo de las puertas un viento que a veces muge como un toro y que alimenta la respiración del hogar.

El hombre primitivo, el troglodita, a juzgar por sus cavernas, no debía de sentir preocupación alguna por el humo. No lo debía de sentir ni le debía de hacer llorar. Sin duda, no era un sentimental.

La chimenea que no tira bien es engorrosa. Hay un libro de un francés, Hevrard, de Dijon, titulado *La mincología*, en el que se estudia la manera de conseguir que las chimeneas no hagan humo.

En la aldea, a las mujeres ya no les gustan las cocinas bajas de leña, las encuentran incómodas, y prefieren ese cajón negro que se llama cocina económica.

Yo, si tuviera un poco de aliento lírico, cantaría con entusiasmo la chimenea baja y de campana que ha producido el hogar moderno. Para muchos es, seguramente, un motivo poco elevado.

Cuenta Plinio que un pintor de talento llamado Pyreicus se hizo célebre pintando cosas humildes: carpinterías, zapaterías e interiores de cocina. La gente, indignada de que así se profanara la majestad del arte, dio al pintor el mote despreciativo de *Rhyparographo* (pintor de motivos abyectos).

Entre esta gente abundaban, sin duda, los d'annunzianos del tiempo, que, para algunos de nosotros, es distintivo de un carácter próximo a la cursilería.

Los pintores del Norte, y, sobre todo, los flamencos, parecen casi todos *rhyparographos*, y pintarán con delectación cocinas, zapaterías, ventas, posadas y tabernas con sus tipos habituales.

Yo también me siento un tanto *rhyparographo*, porque me parece mucho más típica, como materia artística, la vida del pobre que la vida del rico.

Hoy hay gente entusiasta de las ideas viejas y de la vida nueva: la mayoría de los reaccionarios. Piensan con ternura en Felipe II o en Torquemada al lado de la radio y de un aparato de calefacción; otros tenemos la posición contraria: somos amigos de las ideas nuevas y tenemos simpatía por las costumbres viejas. Para nosotros puede ser agradable divagar acerca de la Panspermia de Arrhenius en un rincón de una chimenea baja de pueblo.

¡Qué chimeneas había antes! Unas, la mayoría, cuadradas; otras, redondas, como un horno; unas, profundas; otras, de poco fondo; la mayoría, negras. Chimeneas con ladrillos al descubierto yo no he visto en España, al menos antiguas. Unicamente las he visto en Inglaterra y en Holanda. De las más curiosas eran las del pueblo de Burguete, en Navarra, que abarcaban toda la cocina. La cocina era íntegramente chimenea, y la salida del humo estaba en medio. Este tipo de cocinas, en gran parte, desapareció de la villa de Navarra después de un incendio.

La materia quemada daba diferente carácter al fuego. El roble, la encina, el pino, el ramaje y los sarmientos ardían de distinta manera. El roble y la encina se iban quemando de un modo solemne y respetable, dejando una ceniza blanca; el pino llameaba con más viveza y los sarmientos parecían dedicarse a una charla viva y meridional, que se concluía pronto.

En Levante, en la costa, había cocinas, y creo que las habrá, con azulejos muy limpios, donde no se encendía apenas el fuego. Muchas veces, en estas casas, hacían la comida en el corral, con una llama de pajas y unas cuantas astillas.

El paralelo geográfico de las cocinas con azulejos y donde no se enciende el fuego no es el mío. Para mí, uno de los pocos encantos de la vida es el humo. El azulejo me es tan antipático como la oratoria.

En el extranjero he visto algunas chimeneas de castillos lujosas, decorativas, con esculturas y columnas; pero ésas no son las que recuerdo con nostalgia; ésas parecen de museo.

En los pueblos de Suiza, las chimeneas, al salir por los tejados, tienen mucho carácter. Presentan formas raras, son retorcidas, con varios codos. Sin duda, el viento que viene de los montes tiene remolinos, y para defenderse de ellos, los fumistas suizos dan a los tubos estas disposiciones extrañas.

Algunas de esas ciudades alpinas, tan correctas, tan mediocres, tan pulcras de tejados para abajo, tienen un aire fantástico de tejados para arriba. A la vaguedad del crepúsculo o en medio de la niebla aparecen sobre las casas una fila de frailes, de soldados, de damas blancas y negras, de caballeros en fila, una población misteriosa y monstruosa.

El que cuida y vigila esta población, tan vulgar de día y tan estrambótica en el crepúsculo o a la luz de la luna, es un deshollinador que se ve por las calles de las ciudades helvéticas, en bicicleta, con un aire de *clown*, negro de carbón y sin sombrero de copa.

En las casas de campo de Inglaterra es frecuente ver chimeneas con una caperuza movible, con una veleta con su angelito, su gallo, su león o su conejo. Estas chimeneas dan mucho carácter al campo inglés.

En el castillo de Urtubi, cerca de San Juan de Luz, que en su tiempo, en el siglo XV, fue de un abate de Vera, lejano ascendiente mío, hay en una habitación cincuenta o sesenta placas de hogar, colocadas en las paredes, y que alguno tuvo la malhadada idea de pintarlas con purpurina de plata.

He pasado horas muy agradables al lado de las chimeneas en pueblos de Castilla, de la Mancha, de Extremadura y de Aragón, viendo cómo la dueña de la casa o la criada echaba ramaje al fuego y movía los tizones, los pucheros y las trébedes.

La última impresión la tengo de Morella, adonde fui hace cuatro años con mi sobrino Julio. Después de cenar en la fonda íbamos a la cocina baja, y así, al amor de la lumbre, estábamos de tertulia con un señor de Valencia y un canónigo de Tortosa, y hablábamos de los recuerdos que quedaban en la comarca de la guerra civil.

Para mí, las impresiones más intensas del fuego del hogar fueron las de Cestona, en donde yo estuve de médico hace ya cuarenta años.

Muchas veces tuve que esperar que un nuevo ciudadano viniera al mundo mientras yo entretenía el tiempo fumando y calentándome los pies a la llama de la cocina de un caserío.

Hay una canción que recordaba siempre en aquellos momentos, canción que, por la música y la letra, da una impresión intensa de la vida del campo vasco. Se llama *Mutil mutil* (muchacho, muchacho).

En esta canción, el amo del caserío le dice al criado, sin duda desde la cama:

—Chico, chico, levántate; mira si es ya de día.

El mozo no se quiere levantar, y contesta:

—Sí, señor amo; es de día. El gallo está cantando.

El amo insiste en sus preguntas:

—Chico, chico, levántate; mira a ver si llueve.

El mozo responde:

—Sí, señor amo; llueve, porque nuestro perro está mojado.

La tercera estrofa de la canción dice:

Mutil, mutil,
jaique ari
sube o te dan
beguira ari.
Nagusiya
suba ba da
gure catua
beroa da.

(Mozo, mozo, levántate. Mira si hay fuego. —Amo, hay fuego; nuestro gato está caliente.)

Es difícil dar una sensación tan completa de la vida del caserío, aislado y triste, en medio de la soledad y de la lluvia.

Cuando volvía de uno de aquellos lugares apartados al pueblo, me parecía entrar en una gran ciudad.

La primera casa en donde viví en Cestona fue la del sacristán, al lado de la iglesia, en la calle de Oquerra. Ocupaba el cuarto que había dejado un notario, y que tenía una biblioteca de libros de Derecho y de religión, que a mí me atraían tan poco, que creo que no llegué a abrirlos.

Después me trasladé a una casa de un médico antiguo, que había ejercido la profesión en el pueblo hacía treinta o cuarenta años.

Tenía esta casa una huerta que daba al Urola, muy bonita, con una calle de perales en abanico y con un árbol grande, torcido, en la orilla, que avanzaba sobre las aguas del río.

El interior de la casa era de aire isabelino. En el comedor había un papel con una composición entera. El escenario lo constituían las cataratas del Niágara, y por sus orillas desfilaban unas señoras con capotas, en un landó, y unas damas escoltadas por negros con librea.

Algunas veces yo tenía que andar a caballo de día y de noche, visitando caseríos lejanos, entre la lluvia y la nieve. El invierno era muy crudo. En ocasiones, en el monte cerrado, a la luz de la luna, las rocas, los troncos de los árboles y las raíces le hacían a uno ver visiones.

Venían rachas también en que no había llamadas, y entonces pasaba las noches en la cocina, al fuego, quemando leña y jugando al mus.

Nos reuníamos la familia, las dos muchachas, la Josepha y la Marcelina, y una mujer, casada, de Azpeitia, que vivía en el sótano, que hablaba un vascuence perfilado y tenía un tipo fino y agudo de figura de Leonardo de Vinci.

De la campana de la chimenea colgaba el llar, con su cadena y su gancho, y de él, el caldero, que se iluminaba con las llamas. A veces, el caldero se sustituía por el tambor, negro y lleno de agujeros, de asar castañas, que estallaban dentro con estrépito.

En un banco se veían las tres herradas con los arcos relucientes. Al lado del fuego solían dormir dos perros, *Diana* y *York,* suspirando de gusto por el calor, y los gatos fraternizaban con ellos, aunque de cuando en cuando les soltaban un zarpazo.

Allí cada cual contaba lo que sabía, lo que había visto o lo que había oído. Las historias ciudadanas se mezclaban con las campesinas, y muchas veces la superstición antigua aparecía con un aire moderno.

Algunas noches aparecía algún vecino o alguna vecina. Si era hombre, charlaba, y si era mujer, hacía media.

Cuando se consideraba que ya era la hora de acostarse, la Josepha llamaba a los perros y les decía en vasco, imperiosamente:

—Vamos.

Los dos perros la seguían con las orejas gachas a la cuadra.

Yo marchaba a mi cuarto con pena de dejar el fuego, me acostaba y, con frecuencia, en el primer sueño, oía el aldabón de la puerta; salía al balcón y preguntaba:

—¿Quién?

Y una voz decía:

—¿Medicua echian al dago? (¿Está el médico en casa?)

Entonces me levantaba y me vestía de mala gana, añorando la cama y el fuego del hogar.

FIN DE OTOÑO EN EL CAMPO

Ayer por la mañana, al pasar por el paseo de Rosales, estuve contemplando el paisaje del noroeste de Madrid dominado por el otoño. El Guadarra-ma parecía azulado, envuelto en la bruma; las arboledas de la Casa de Campo mostraba una gama de colores espléndidos, cantaban los amarillos, como decía un amigo pintor, ya muerto; sonaban unas cornetas estrepitosas de soldados y se oían los silbidos del tren.

La contemplación del panorama me dió una impresión de melancolía. Antes era frecuentador asiduo de estos lugares. Casi todas las mañanas marchaba por el paseo de Rosales, salía por una cuesta del Instituto Rubio, entre un bosquecillo de eucaliptos, y por una tapia rota de este hospital pasaba a un sendero que corría por delante de una hondonada de la Moncloa hasta cerca del cementerio de San Martín, con sus altos cipreses románticos.

La vista de la sierra, con sus montañas azules y sus crestas de plata, continuada por el murallón lejano de Gredos, me exaltaba.

Hacia el lado de Madrid no había más que miserias: el hospital del Cerro del Pimiento, unas barriadas hechas con maderas y con latas y gente harapienta y de mal aspecto.

En el invierno había por aquellos lugares cazadores de verderones y de jilgueros, que instalaban en el suelo sus redes de cuerdas y sus reclamos y se pasaban horas y horas vigilando la caza. Se formaban entre los desmontes arenosos charcos de agua de la lluvia. Supongo que todo esto habrá desaparecido. El sitio estará transformado y urbanizado.

Ese paisaje, duro y un poco seco, de una gran nobleza, me parecía inspirador y me llegaba al alma. Muchas veces he pensado si la altura y el paisaje de Madrid habrán contribuido a la genialidad de hombres como Cervantes, Calderón, Velázquez y Goya.

No era solamente a mí a quien me producía esta impresión. Una vez me acompañó en el paseo un amigo mío suizo, Paul Schmitz.

—¿No vienen por aquí los escritores madrileños?—me preguntó.

—No. ¿Por qué?

—Porque este paisaje parece una invitación a escribir algo genial.

No por su profundidad, sino por su optimismo, recuerdo también una frase de un viejo madrileño con aire de menestral. Hace treinta y cinco o treinta y seis años comenzaban a arreglar el Parque del Oeste obreros del Ayuntamiento, unos pobres carcamales de asilo, débiles y catarrosos, que daban sin ganas en la tierra un azadonazo cada media hora.

El emplazamiento del Parque del Oeste era una serie de escombreras, cruzadas por el arroyo de San Bernardino.

El viejo menestral madrileño, sin duda no desilusionado al ver aquellas arenas infantiles y a los carcamales que reflexionaban antes de dar con la azada en el suelo, dijo, lleno de confianza y de optimismo:

—Dentro de treinta años, ¡qué arboledas habrá aquí!

El caso es que ha pasado el tiempo y las hay; pero no creo que el viejo menestral las haya podido ver.

El Parque del Oeste está en este momento muy romántico, coloreado y matizado por el otoño, con sus árboles de follaje amarillento y rojo cobrizo.

Estos finales de la estación otoñal, cuando ya se acerca el recogimiento del invierno, son de un gran encanto.

Yo no voy casi nunca a los parques en primavera; en otoño, algunas más veces.

Recuerdo unos estanques pequeños, rectangulares, en la Moncloa, al lado de la carretera de El Pardo, rodeados de cipreses, que tenían sobre el agua manchas verdes de hierbas parásitas florecidas; recuerdo también una tarde, en el bosque de Saint-Cloud, una avenida cubierta de una alfombra amarillenta y crujiente de hojarasca, y una mañana en que fui, en una gabarra, desde Delft a Amsterdam por un canal casi abandonado, en el que el agua, inmóvil, casi rebasaba las orillas y estaba cubierta de hojas de sicomoro, anchas y abarquilladas.

Son hermosos los jardines y los parques a final de otoño, tienen una belleza melancólica y un poco académica; pero son mucho más hermosos estos finales otoñales en el campo de verdad, sin estatuas y sin fuentes de mármol.

En los parques reales, recortados y un poco mediocres, con sus estatuas y sus estanques simétricos, la alfombra de hojas secas les da un poco de vida natural. Les quita el artificio de sus adornos y de sus jarrones. Una enredadera amarillenta o un grupo de mirtos al lado de una estatua de un maestro del Renacimiento, en los jardines florentinos del Bóboli, pertenecen más al arte que a la Naturaleza. Nosotros sentimos más inclinación por la Naturaleza que por el arte.

Somos más pánicos o dionisíacos que apolínicos.

Yo no he podido ser un coleccionista de otoños, aunque lo hubiera sido con gusto. Tenía condiciones para ello.

El otoño más nórtico que he presenciado ha sido en Dinamarca, en la península de Jutlandia.

Anduve unos días a pie por este trozo de tierra, por esta llanura desierta, plana y pedregosa que forma la península escandinava. Me pareció admirable.

Al caminar, delante de mí se extendía un horizonte inmenso, sin árboles, con algunas ligeras ondulaciones en el terreno.

Los grandes matorrales de brezo morado (la érica) cubrían el enorme pedregal triste, casi salvaje.

Entre las rocas negruzcas brillaban los charcos, a veces como pequeñas lagunas de color de mica.

En las proximidades de los caminos, alguna choza se hundía en el suelo, rodeada de árboles ya sin hojas para defenderse del vendaval.

La canción del otoño era en la llanura de Jutlandia ruda y titánica, como las sagas dedicadas a Ragnar-Lodbrok, el héroe de Escandinavia, cuando marchaba con sus vikingos a la conquista de Inglaterra. El viento, frío, soplaba con fuerza sobre el mar morado de los brezales, silbaba, suspiraba y mugía como un toro, y de noche, la brisa áspera del mar tomaba unos acentos majestuosos de oratorio del Haendel.

Una impresión de contraste para mí con este otoño nórtico es el recordar un noviembre pasado hace muchos años, en casa de una persona amiga, en una aldea de cosecheros de vinos.

El pueblo tenía grandes caseríos blancos, con su balcón central con algunos geranios de flores brillantes, y su portal ancho y alto.

Alrededor del caserío, extenso, se levantaban cerros arenosos cubiertos de viñas, cuyas hojas, de un amarillo anémico, iban dejando al descubierto los troncos negros y rugosos de las cepas.

En las calles había constantemente un olor dulce y agradable, que procedía de la destilación del orujo en los alambiques caseros. Este olor se mezclaba por las noches con el de la retama quemada en los hornos de cocer pan.

Por las mañanas, el sol apretaba de firme, iluminando los cerros, grises y cobrizos; los viñedos, polvorientos, y los olivos, que escalaban las alturas despatarrándose con aire de espectros retorcidos.

Por las calles, de noche y de día, se veían obreros que, sin duda, trabajaban en los lagares y se congregaban en un café, al que llamaban el Casino, un local grande, destartalado, gris, en donde todos ellos jugaban a las cartas y al dominó, vestidos uniformemente con una gorra y un traje claro.

De noche hacía frío en el pueblo, y en la casa donde yo estaba, en la cocina, se quemaban sarmientos y trozos de vid, que hacían unas fogatas alegres.

Otra impresión del final de otoño, para mí de las más íntimas, es la del País Vasco.

De Cestona, de cuando estaba de médico, recuerdo un pequeño estanque, próximo al río y muy profundo; con un agua tan clara, que daba vértigo el verla. El estanque tenía algunas plantas acuáticas, tenues, finas; un filamento larguísimo que venía desde el fondo terminaba en unas hojitas verdes en la superficie.

En otoño, sin duda, estas plantas morían o quedaba el agua del estanque sin su pequeña vida orgánica.

Había también en Cestona un sitio que me maravillaba. Era hacia un monte llamado Aguiró, en un sendero que llevaba a Deva. Este monte, con otros próximos, formaba un barranco como un embudo; en el fondo se llenaba de agua y sobre el agua caían una infinidad de hojas que lo cubrían casi completamente.

Me parecía aquél un lugar misterioso, para ondinas o para silfos.

El otoño, en Vera de Bidasoa y en sus contornos, tiene también mucho carácter.

Los helechales en los montes, rojos en septiembre y en octubre, están segados; los prados se conservan verdes, como en una juventud perenne;

los árboles se doran con púrpuras diversas: hay los que tienen las hojas secas de amarillo cansino, los que las tienen de pardo oscuro y los que parecen ramilletes de oro viejo.

Algunos árboles exóticos, pinos y abetos, persisten en su verdor sombrío; las acacias, al borde de las carreteras, derraman una lluvia de pequeñas hojas, y los robles enrojecen como si estuvieran quemándose con un fuego interior.

Las hojas secas, en los lugares húmedos, despiden un olor agradable, y en los recodos de los caminos y en las faldas de los montes crujen bajo el pie y danzan, como en una zarabanda de brujas, al impulso del viento.

En las colinas pedregosas, entre las matas de aliagas y de retama, florecen los brezos, porque aunque hay un brezo que da la flor en verano, hay otro que la da en las proximidades del invierno.

El tiempo de otoño en el País Vasco suele ser admirable. Más, quizá, en el País Vasco francés, en donde hay menos fábricas, menos industrias, menos política, menos clericales y menos comunistas que en el español.

El País Vasco francés es encantador; parece hecho para dormir y para soñar.

No hay allí ni montes grandes, ni ríos grandes, ni castillos roqueros de aire amenazador, ni gente muy rica, ni gente muy pobre. Lo que hay es una sonrisa amable para todo.

Otro de los caracteres que da un sello especial al fin del otoño en el Pirineo vasco es el paso de nubes de pájaros de colores que atraviesan las cañadas y emigran hacia el Mediodía. La pasa de las palomas la aprovechan en algunos pueblos para cazarlas con redes, como en Sara y Echalar; pero este espectáculo de engaño no es muy simpático para los sentimentales.

Ni aun siquiera debe de producir gran entusiasmo entre los gastrónomos, porque las palomas torcaces tienen la carne negra y dura.

Estas aves deben de tener una musculatura fortísima para marchar por el aire durante tanto tiempo. En el buche se les encuentran granos de los campos del centro y del norte de Europa, desde donde vienen directamente en un solo vuelo.

Después de estas pasas de los pajarillos y de las palomas, viene la emigración de otras aves.

En los días oscuros, de nubes plomizas, cuando montes, valles, árboles y casas se funden en el mismo color gris, se ve en el cielo a las distintas clases de grullas, que van por el aire, de Norte a Sur, lanzando un grito quejumbroso y estridente.

No se sabe qué motivos de pesimismo tienen estos pobres pajarracos. A veces van en una línea recta, a veces en dos líneas paralelas; pero lo más frecuente es que formen un ángulo agudo que, en ocasiones, da la impresión de un triángulo.

En el norte de Europa, en el mediodía y en el centro, este final de otoño tiene un carácter melancólico y poético; casi tan melancólico como el grito estridente de las grullas que pasan por el aire, y tan poético como los parques antiguos cubiertos de hojas secas.

LOS MESES DE INVIERNO

Hay quien me escribe que ocuparse de cosas antiguas mitológicas y folklóricas es perder el tiempo. Yo, la verdad, no sé quién lo gana.

Para muchos ganar el tiempo es, sin duda, ocuparse de política, que es para mí la ocupación más inútil y más baldía de todas.

Yo, además, como español, tengo tiempo de sobra. Otras cosas me han faltado en la vida, sobre todo dinero y suerte; pero tiempo me ha sobrado siempre a montones.

He sido millonario de días, de horas, de cuartos de hora y de minutos.

Dejando esta cuestión, vuelvo a mi misión de perder el tiempo.

He hablado de las fechas y fiestas importantes de diciembre, comienzo del invierno, y voy a hablar ahora de los demás meses que constituyen la estación del frío.

El carácter que señala en su principio al invierno no es el frío, sino la nieve. Invierno viene del latín *hibernus*, que algunos etimologistas suponen que quiere decir primitivamente portanieves.

De los meses que forman el invierno, diciembre tiene nombre burocrático. Diciembre viene de *december*, de *decen* (diez), y era el décimo mes del calendario romano.

Así como unas veces el mito y la fiesta pagana, al convertirse en cristianos, cambian el nombre y conservan algo de su fondo—el solsticio de invierno transformado en Navidad; el solsticio de verano, en San Juan—, en otros casos sucede lo contrario: subsiste el nombre, aunque variado, y de lo sustantivo de la fiesta o del mito no queda nada. Esto ocurre con el nombre del mes de enero. Enero viene de Jano. Enero es hijo o, si se quiere, nieto de Jano. Jano produce con el tiempo janual, janarico y enero, sin dejar de su personalidad mítica el menor rastro. El nombre, quizá; los atributos, desaparecen.

Jano, en la mitología antigua de los romanos, es una réplica de Júpiter. Es un Júpiter itálico.

Los mitólogos clásicos, como el padre fray Baltasar de Vitoria en el *Teatro de los dioses de la gentilidad*, lo considera principalmente como rey, a quien los hombres después divinizan.

«Fue Jano un exemplo raro de buenos reyes en govierno, en virtud y en religión, y de tanta prudencia y discreción, que reduxo a los hombres a la vida política y sociable.»

El modo de pintarle a Jano fue muy particular, como lo notó el mismo Cartario y otros muchos. Píntasele con dos caras, una atrás y otra adelante. Así lo dice Ovidio:

Videt Janus, quæ post sua terga gerentur.

Esta frase del poeta, en la que atribuye a Jano la facultad única entre los dioses de verse la parte trasera del cuerpo, está escrita, sin duda, en broma por quien no creía gran cosa en las dos caras del dios.

El porqué Jano, hermano gemelo de Júpiter, rey en Italia, considerado como personaje importante del Olimpo y dios de la Naturaleza, toma las modestas proporciones de portero y se le representa con una llave para abrir puertas, necesita una explicación o, por lo menos, una interpretación hipotética. Para algunos mitólogos modernos, la palabra *jano* es anterior a de *janua* (puerta).

El alemán Buttmann fue el primero que hizo esta suposición. El inglés Cook creyó que en las casas romanas el dintel y las dos jambas de la entrada representaban al triple Jano.

Frazer acepta la explicación. Según él, en todas las lenguas de origen ario la palabra raíz, que significa puerta, es semejante. En sánscrito es *dur;* en griego, *thura;* en inglés, *door;* en viejo irlandés, *dorus,* y en latín, *foris.*

Al lado del nombre usual para la puerta que los latinos utilizaban, como todos los que hablaban una lengua aria, aparece el término de *janua,* que, según Frazer, no corresponde en manera alguna a ningún dialecto indogermánico.

La palabra hace pensar en una forma adjetiva derivada del nombre de Jano. El folklorista inglés supone que en los países latinos fue uso corriente poner una imagen o un símbolo de Jano en la puerta principal de la casa, a fin de colocar ésta bajo la protección del dios.

Como guardián perfecto, se le imaginó con dos caras, se le convirtió en bifronte, y así, el dios de la Naturaleza, el hermano de Júpiter y el rey itálico se convirtió, con el tiempo, en un dios portero, en un dios abrepuertas, como un pertiguero de catedral, al que en algunas partes se distingue con el mote, poco distinguido, de *sacaperros.*

Sin duda, después, su primera personalidad mítica, de primera magnitud, se fue esfumando, y quedó reducido a un buen vigilante.

Los romanos le dedicaron el primer mes del año por su calidad de inaugurador, y celebraban en su homenaje el janual con sacrificios y procesiones. Janual se convirtió en *januarius, ianarius o ienarius,* y entre nosotros en enero.

En la palabra *enero* se ha perdido la idea de que es un mes que abre puertas, las puertas del año.

No hay en las alegorías de enero,

ni en las de invierno, nada que recuerde a Jano y a sus grandezas, ni siquiera su carácter porteril. A enero, y, en general, al invierno, se le pinta como un viejo, con una saeta, una pieza de caza en la mano, coronado de ramas secas, o como una mujer con la falda sobre la cabeza y a su lado un niño, que lleva una liebre para indicar que es época de caza. El nombre de enero o januario aparece en el santo patrón de Nápoles, San Jenaro.

Oyendo a la antigua gente napolitana del pueblo, se podrían encontrar en la historia de los milagros de este santo reminiscencias de Jano y de todos los dioses de la gentilidad, porque San Jenaro aparece constantemente en la mitología popular, pero estos milagros que se cuentan de él no se puede considerar que tengan relación especial con Jano.

Uno de los milagros póstumos de San Jenaro es la liquidación de su sangre, que se verifica normalmente el 19 de septiembre, que es la fiesta del patrón y en algunas otras épocas señaladas. En la catedral de Nápoles existe una capilla barroca dedicada a San Jenaro. En el altar, en un tabernáculo de bronce con puertas de plata, hay dos ampollas de cristal con gotas de sangre coagulada del santo.

La supuesta sangre de San Jenaro es una mezcla de una solución etérea de la ancusa *(alkanna tintoria)* en esperma ceti. Esta sustancia se liquida fácilmente al calor de la mano o de un cirio.

Se cuenta que cuando los soldados de la revolución entraron en Nápoles en 1793 y proclamaron la República partenopea, el general francés fue a la catedral a la fiesta de San Jenaro, y oyó que se decía que la sangre del santo patrón no se iba a liquidar. En-

tonces llamó a un ayudante, y le dijo con brutalidad militar:

—Avise usted a los curas que si la sangre del santo no se liquida ahora mismo, bombardeo el pueblo.

La sangre se liquidó, y el arzobispo Zurio Capaze dijo que esto era prueba de que San Jenaro veía con agrado la República.

Respecto a febrero, mes alegre, febrerillo loco, etimológicamente es el mes de la fiebre.

Febrero viene del latín *februarius*, de *februare* (hacer expiaciones). Estas palabras provienen, a su vez, de *febris* (fiebre) y de *fervere* (hervir).

Februs, el dios de la fiebre, era un dios de origen etrusco, que no se diferenciaba gran cosa de Plutón.

Las fiestas februales de los romanos, parentalia y feralia, eran las fiestas de los muertos. Se celebraban al final de los días regidos por el signo del zodíaco Acuario, y se hacían sacrificios en las tumbas a la luz de las antorchas. La época de las fiestas februales era época aciaga.

Al terminar éstas comenzaban las faunalias, en honor de los faunos, es decir, de la Naturaleza, fiestas luego transformadas en los Carnavales.

En el cristianismo, la fiesta de los muertos fue trasladada a noviembre, y el Carnaval siguió celebrándose en la misma época que las faunalias.

El tercer mes del año, el del equinoccio de primavera, está dedicado oficialmente a Marte.

Marzo, un mes inconstante y versátil. Tiene en todos los países un refranero agrícola m u y abundante: «Marzo ventoso y abril lluvioso, sacan a mayo florido y hermoso»; «Marzo vuelve el rabo»; «Cuando marzo mayea, mayo marcea», etc.

El mes de marzo, cuyo nombre está dedicado a Marte, dios de la guerra, entre los romanos estaba consagrado a Mercurio. Se le representaba como un hombre joven, cubierto de una piel de lobo.

En el País Vasco, la única región no latina de España, que seguramente tiene un calendario primitivo con meses lunares, de los tres primeros del año poseen nombre autóctono enero,

que se llama *il beltza* (mes negro), y febrero, *otsa illa* (mes del frío). Ya marzo no tiene nombre antiguo, o no ha llegado a nosotros, y se le conoce por *marchua*. Aquí nos llega a los vascos un rastro del dios de la guerra, que no está mal para el país de Ignacio de Loyola y de Zumalacárregui.

UN SENTIMENTAL

Yo no tengo ningún entusiasmo por visitar los parques zoológicos. Un jardín zoológico me da una impresión desagradable de asombro y casi de espanto. Se maravilla uno de que la sabia Naturaleza haya producido tanto monstruo. El aire perplejo de los pingüinos, con su especie de macferlán negro, andando despacio; los saludos de los osos blancos, que parecen demostrar un sentimiento afectuoso; los gritos de las focas, la serpiente de cascabel, que se acerca con su lengua bífida y va a dar con ella en el cristal de su cárcel si se acerca la mano; el pulpo, que parece una masa gris que está cambiando constantemente de color y que mira con dos ojillos negros y rencorosos; todo esto, unido a tanto bicho raro—aves, mamíferos, reptiles y peces de una morfología absurda—, le deja a uno un poco sobrecogido.

Habíamos ido un domingo por la tarde una señora, un amigo y yo al Jardín Zoológico de Londres. El día estaba gris y negro, bueno para meterse en un rincón, al lado de la chimenea, y leer una novela de Conan Doyle divertida.

Después de contemplar a los osos, a los leones y a los tigres y a los peces extravagantes del acuario, preguntó mi amigo:

—¿Qué haremos ahora?

—Volvamos al hotel—dije yo.

—¡Oh, no! Aquello es fastidioso.

—Yo conozco—indicó la señora—un matrimonio muy simpático. Han vivido mucho tiempo en el extranjero. El es irlandés o medio irlandés. Hablan varios idiomas y un poco el español. Nos recibirán bien.

—Entonces vamos allí.

Tomamos un automóvil y marchamos lo menos durante media hora por calles y plazas desiertas, envueltas en la bruma, hasta un *square* rectangular con el centro ocupado por un parque.

Las casas de la plaza eran negras, de ladrillo; algunas tenían las jambas de las puertas y ventanas pintadas de ocre; otras, *mansardas* de pizarra del mismo color, y sobre el tejado aparecían filas de chimeneas, rectas como los tubos de un órgano, y algunas torcidas en forma de codo o en zigzag caprichoso con caperuzas cónicas que, en medio de la niebla, tomaban un aire de fantasmas.

Aquella plaza, entre la bruma y la llovizna, daba la impresión del colmo de lo inhospitalario.

Entramos en el hotel, y el contraste era tan grande, que se quedaba uno un poco sorprendido. La casa estaba iluminada profusamente; la temperatura era templada; las alfombras, nuevas; los objetos de metal, relucientes.

Nos pasaron a un saloncito-biblioteca con la chimenea encendida, y nos invitaron a sentarnos. El dueño de la casa, el señor Sidney, era un tipo alto, flaco y alegre, de buen humor; la señora, una dama de un aire fino, amable y un poco desvaído.

El señor nos habló de su estancia en el norte de la India, del orgullo de raza de los brahmanes y de los paisajes próximos al Himalaya. Nos contó después su estancia en América, en Venezuela, cerca del Orinoco, y de sus selvas al anochecer con unos crepúsculos espléndidos.

—No se parecía a esto—dijo, irónicamente, señalando la vista del *square*, que se vislumbraba en gris y en negro por los cristales de la ventana.

Realmente, el anochecer era tristísimo. En medio de la plaza se veía un gran plátano, cuyas hojas se habían caído ya casi por completo. Sus ramas formaban unos encajes negros sobre el ambiente gris. El cielo cambiaba constantemente de color; el verde del jardín parecía de cardenillo y brillaban luces en las casas de enfrente.

A la hora de tomar el té llegaron tres personas: un matrimonio de irlandeses, comerciantes de papel, con su hija, muchacha de diecisiete a dieciocho años, muy bonita, rubia con una expresión decidida, voluntariosa y salvaje. Eran los señores de O'Bryen. La muchacha, llamada Elena, tenía la aspiración de salir, de viajar por el mundo, de ir a los países del sol. Estaba por entonces estudiando.

El señor O'Bryen nos preguntó lo que habíamos hecho por la tarde, y yo conté nuestra visita al Jardín Zoológico y las reflexiones un poco pesi-

mistas y al mismo tiempo cómicas que me había sugerido la visita.

De los monstruos zoológicos pasamos a los monstruos humanos. El señor Sidney nos contó que en la India se hacían aún asesinatos rituales, como los de los antiguos *thugs*, que quedaban en el misterio.

—Pero no hay que ir tan lejos —afirmó luego—. Aquí, en Londres, todos los años hay casos de hombres que matan a una mujer, la descuartizan, la meten en una maleta y la dejan en una estación. Es la galantería inglesa. El último crimen ha sido el de un señor muy tranquilo y correcto. Su mujer encontró hace meses en el chaleco de su esposo un recibo de la consigna del Metropolitano. Era de un maletín que había dejado allá. La mujer, sospechando una aventura galante, llamó a un detective particular. El policía fue a la estación con el recibo, sacó el maletín, y, al abrirlo, se encontró con un brazo femenino. El detective no dijo nada a la mujer que le había entregado el talón. Avisó a la Jefatura de Policía; se presentaron los agentes en la consigna, esperaron tres o cuatro días, hasta que el dueño apareció a recoger su maletín, e inmediatamente se le prendió; poco tiempo después se le colgó con una pulcritud británica. Pero la señora O'Bryen les contará a ustedes lo que ella vio en la vecindad de su casa con un asesino de mujeres, tipo muy digno de Thomas de Quincey, el autor del asesinato como una de las bellas artes.

La señora O'Bryen protestó, primero, porque no hablaba francés, y luego, porque, según dijo, no hubiera sabido contar en inglés una historia con un poco de orden y de método. Nunca había tenido la cabeza fuerte.

—No; eso, no, querida mía—le replicó su esposo, cariñosamente.

—A ver, Elena, cuenta tú—dijo el señor Sidney a la muchacha irlandesa.

—Bien; lo contaré, pero yo no conozco la historia con detalles. Nosotros vivimos en una plaza parecida a ésta, y cerca de nuestra casa hay otra pequeña que no tiene nada de particular, absolutamente nada de particular. En esta casa vivía un señor de unos cuarenta a cincuenta años, que salía poco y que decían que era viudo. Yo no le vi nunca. Nadie se ocupaba de él, cuando de pronto empieza a correr por la vecindad la historia de que su mujer había desaparecido. A mí me parecían todas estas cosas habladurías. Mi madre estaba preocupada y creía que había pasado algo.

—Y tenía razón—dijo el señor Sidney.

—No digo que no—replicó la muchacha—. Entonces comenzó la curiosidad de la gente, y creció de tal manera, que todo el mundo estaba como loco. Había que ver a los vecinos agazapados detrás de las persianas, mirando los unos con gemelos, los otros con anteojos a la casa del viudo misterioso, que solía estar herméticamente cerrada. De los más asiduos eran mi padre y mi madre. La gente se subía al tejado, miraba por las buhardillas. Se hacían mil comentarios más o menos disparatados y se inventaban historias complicadas y tenebrosas, como las de Ana Radcliffe, miss Braddon y Conan Doyle. Era una cosa muy cómica.

—Sí, pero muy legítima, muy natural—dijo el señor Sidney.

—Se hicieron muchas pruebas—siguió diciendo la muchacha—: preguntaron por la mujer que se decía desaparecida por teléfono, le mandaron cartas y recados. Nada. No contestó. Se le escribió al supuesto viudo, que se mostró reservado. Averiguaron el nombre de éste. Se llamaba Tomás. Se aseguró que había tenido tres mujeres, a las que había hecho un seguro de vida, y que las tres habían muerto. La cuestión del señor Tomás, a quien empezaron a llamar Tommy, pasó ya de la esfera de la vecindad; cogió toda la plaza y el barrio. Unos decían que a las tres mujeres el señor Tomás las había asesinado; a dos de ellas, ahogándolas, y a la tercera, con un tiro de escopeta.

—Lo curioso es que algunas de estas suposiciones eran ciertas—dijo el señor Sidney.

—Sí—contestó la muchacha—. La expectación en el barrio se acentuó. Unos aseguraban que Tommy era un terrible asesino; otros, y, sobre todo, algunas mujeres, decían que no, que era un hombre muy amable, muy galante, incapaz de hacer daño a nadie.

—Un sentimental del tipo de Landrú—exclamó el señor O'Bryen.

—Entonces—añadió la narradora—comenzó la intervención de la Policía. Se tomaron informes del señor Tomás en Nueva York y en Buenos Aires, donde había vivido, y no se averiguó nada. Uno de la Policía preguntó al señor recluido, desde la calle, al verle en una ventana: «Y su mujer, ¿dónde está, señor Tomás?» «No sé; me ha abandonado.» «¿Y dónde ha ido?» «¡Ah! ¿Quién sabe dónde va una mujer cuando se descarría, señor agente?»

—Entonces era un hombre chusco—dije yo.

—Completamente chusco—afirmó el señor Sidney.

—La Policía comenzó la vigilancia de la casa—siguió diciendo la muchacha—con la esperanza de que Tommy bajara y se le pudiera detener e interrogar; pero Tommy no salía. Los enemigos decían que los agentes debían de entrar en la casa y registrarla, y los partidarios, que no había motivos suficientes. Al parecer, había diálogos muy cómicos. «¿Por qué no sale usted, caballero?», le preguntó un agente desde la calle. «Estoy reumático—contestó él—; la humedad de la calle no me hace ningún provecho.» «Pero hoy hace un tiempo magnífico, señor Tomás.» «No crea usted, señor agente; hay mucha humedad en el aire.»

—Eso tiene algo de teatro Guignol —dije yo.

—Sí; mucho—aseguró el señor Sidney.

—La Policía — añadió Elena — siguió rondando la casa y, al último, la empezó a sitiar. Se prohibió que llevara pan el panadero y carne el carnicero. El misterioso Tommy no se dio por enterado. «Pero salga usted, mi querido señor», le decía un inspector de Policía. «No, no; estoy muy reumático; tengo que esperar a que comience el verano para salir a la calle. Este viento del Noroeste no me conviene nada.» La Policía decidió quitar al presunto asesino el agua de la casa. Entonces Tommy, por lo que dijeron, como hombre que había viajado por países salvajes, puso una lona en el patio para recoger el agua de la lluvia en un cubo. Los vecinos partidarios suyos...

—Los tommystas—interrumpió con humor Sidney.

—Eso es; los tommystas, que no creían en la culpabilidad del bloqueado, se las arreglaron para echarle pedazos de pan y de carne desde las azoteas y de los tejados próximos. En esto apareció una señora que dijo a la Policía que conocía a Tommy, y que su última mujer, la desaparecida, le había dicho que tenía mucho

miedo de ser muerta por su marido, que era un monstruo que había asesinado a las otras mujeres para heredarlas. La Policía fue con un herrero e intentó entrar en la casa rompiendo la puerta; no pudo. En vista de ello, vinieron con una escalera del Servicio de Incendios y entró la Policía por un balcón. En este momento se oyó un tiro. Tommy se había suicidado metiéndose una bala en el cráneo.

—¡Qué tipo!—dijimos varios.

—El cuerpo de la mujer se encontró despedazado en el baño. Tommy la había matado y la había dejado en el fondo de la bañera, que era cuadrada y honda, como suelen ser las de las casas viejas de aquí. Como estos baños suelen tener una tapa, le había puesto la tapa encima. Por la autopsia se vio que la había matado de un tiro con una escopeta de salón. Sin duda, cuando la mujer estaba bañándose, entró en el cuarto, le pegó un tiro en la nuca y le hundió la cabeza en el agua empujándola por la coronilla. Todas las habitaciones de la casa estaban llenas de recuerdos que Tommy dedicaba a su esposa. Escribía unos letreros con una letra comercial muy perfilada y los fijaba con un alfiler en la pared: «No volveremos a ver en el otro mundo.» «A la esposa amada.» «Te amo siempre.» «Tuyo hasta el sepulcro.» «Tu Tommy no te olvida.» Por lo que dijeron, Tommy tenía su técnica, y mataba a las mujeres siempre en el baño después de haberlas asegurado en una Compañía de seguros.

—Con esto ya los tommystas quedarían convencidos—dije yo.

—Pues no crea usted — repuso la muchacha—; algunas viejas damas, al saber lo de los letreros, exclamaron: «¡Pobre! Era un alma de Dios.»

—Sí; indudablemente, Tommy era un sentimental, un inglés sentimental —añadió el señor Sidney con ironía. Estuvimos después charlando de otras cosas, y, ya de noche, nos despedimos muy efusivamente de las personas de aquella casa tan agradable y tan simpática.

LOS HEREJES MILENARISTAS

Con frecuencia, la lectura de un libro aviva una impresión antigua y olvidada que duerme en las zonas de oscuridad de la memoria. Esto me ha ocurrido a mí hoy al repasar una obra francesa sobre el milenario.

Me ha recordado una historia que oí contar a un indiano en San Sebastián hace cerca de cuarenta años.

Yo solía ir entonces a pasar el rato al Círculo Easonense, que estaba en el edificio del Gran Casino.

Había allí tertulia de indianos; hablaban éstos de los lugares que habían dejado en América, de las «portunas» y de la gente que tenía mucha plata; leían los periódicos, jugaban al billar y la mayoría eran muy roñosos.

Yo solía acudir a la biblioteca, donde no había casi nunca nadie más que alguno que iba a escribir cartas.

El empleado de la biblioteca, un gallego amable, me traía los libros que le pedía a un sillón, al lado de la chimenea. Hablábamos, y yo le exponía mis opiniones revolucionarias, que él rechazaba, aunque sonriendo, quizá por influencia de la casaca azul que vestía.

A veces se acercaba a mí uno de los indianos, hombre de unos sesenta años, asmático, pesado y de buen humor.

Este indiano—creo que se llamaba don Ignacio, aunque no estoy seguro—tenía cierta curiosidad por la Historia y por la literatura, y a mí me hacía preguntas acerca de autores y de libros y de cuestiones religiosas, preguntas a las que yo contestaba a propósito de una manera tajante, lo que a él le hacía reír de tal manera, que a veces le entraba la tos y se sofocaba.

Un día, al empleado de la biblioteca y a mí nos contó una historia que ahora he recordado al leer el libro sobre el milenarismo.

Este don Ignacio era soltero.

—Hace años — nos dijo —, poco después de la guerra civil, con mi pacotilla hecha en Chile vine a España con intención de casarme con alguna paisana. Tenía veintiocho o veintinueve años. Representaba más. Para las chicas de aquí era un «mutil zarra», es decir, un mozo viejo.

En mi pueblo, que está cerca de Vergara, no tuve ningún éxito. El cura quiso casarme con solteronas ya de mal genio, y a eso dije. «No. Que sea joven o vieja, guapa o fea, lo primero que exijo es que mi mujer tenga buen genio.»

En esto me escribe un lejano pariente mío, don Fermín; no digo el apellido; ¿para qué? Alguno de ustedes puede conocer a la familia. Este pariente había estado en América, y por entonces vivía en Durango y tenía dos hijas. El buen señor me invita a ir a su casa.

«Bueno, iré—me dije—; quizá esto termine en matrimonio.»

Llegué a Durango, me instalé en

casa de don Fermín, el lejano pariente mío, y conocí a sus hijas. La menor, Carmen, tenía un novio en Bilbao, y la mayor, Shele, estaba un poco entregada al misticismo. A mí ésta me convencía por su edad y por sus circunstancias, aunque su carácter era un poco triste.

El padre, don Fermín, me dijo:

—La chica mayor mía es buena chica, aunque tiene el defecto de que se come los santos; pero ahí usted: a ver si la puede distraer y hacer que se ocupe de cosas más mundanas.

Lo intenté; era imposible. Se le hablaba a Shele, hacía como que oía, pero se notaba que estaba pensando en otra cosa. Pregunté a alguna gente del pueblo si la muchacha tenía o había tenido novio; pero todos me dijeron que no; que lo que se decía es que quería ser monja. «¡Qué se le va a hacer!», pensaba yo. Y para no entristecerme, solía dar grandes paseos por los alrededores.

Un día, al anochecer, al pasar por delante de una ermita, vi a una fila de hombres con la cabeza descubierta que iban rezando el rosario a grandes voces. Al frente marchaba una mujer, un niño tuerto y un hombre de barba larga y melenas. Los seguí de lejos por curiosidad, y vi que se acercaban al pueblo y, a la entrada, se metían en una casa pequeña y cerraban la puerta.

Al volver a casa de don Fermín, y al contar en la cena lo que había visto en el campo, me pareció observar que la Shele, mi presunta novia, quedaba un poco desasosegada y sorprendida.

Expliqué a unos y a otros lo ocurrido, y pregunté qué podía ser aquello. El médico, joven, me dio la clave de la cuestión. Un aldeano de un pueblo próximo se había presentado meses antes en Durango con su mujer y su hijo, que era tuerto. Este hombre—el de las melenas—aseguraba que él era una encarnación de San José; su mujer, de la Virgen, y el chico tuerto, del Niño Jesús. El melenudo, a quien llamaban el adivino o el profeta, comenzó a predicar la proximidad del fin del mundo, la llegada del Juicio final, la inutilidad de los bienes materiales y el comunismo —yo creo que de las cosas y de las mujeres—. La mayoría de los adeptos al profeta eran forasteros de sitios próximos, campesinos arruinados por la guerra civil.

Algunos aldeanos catequizados abandonaron sus caseríos y se fueron a hacer vida común en la casa de Durango. El médico me aseguró que los curas estaban ya alarmados y que iban a dar parte al obispo.

Tres o cuatro días después vuelvo a la ermita de donde había visto salir al profeta y a su gente en fila rezando; hacen la misma ceremonia, los sigo, y, al llegar al pueblo, paro a una vieja mendiga y le pregunto en vascuence qué significaba aquello, porque yo tenía gran curiosidad de saberlo.

La vieja me preguntó si le interrogaba con malas intenciones. Le contesté muy seriamente que no, que quería únicamente aprender. Entonces la vieja me contó una serie de historias raras; me dijo que el fin del mundo se iba acercando; que aparecería un hombre a caballo peor que el diablo, que mandaría en toda la tierra; que sería como un falso Cristo salido del infierno; que andarían las serpientes por los caminos y los dragones por el aire, y que uno de los signos del cataclismo sería que en todas las casas de todos los pueblos habría una tienda.

Yo pensé que esto podría ser malo para el comercio, pero no comprendía qué relación podía tener lo de las tiendas con el Juicio final. Después de estas catástrofes, Dios haría descender el fuego sobre el mundo, aparecerían Jesucristo y la Virgen en las nubes y vendría la felicidad humana.

Le di las gracias a la vieja por sus noticias, y ella me recomendó que si quería más detalles visitara al profeta.

Una semana más tarde estaba acostado cuando oigo ruido por la parte de la huerta. Me visto a oscuras, abro la ventana y me asomo a ella. La muchacha, la Shele, estaba hablando con alguien. La voz de la persona extraña la reconocí en seguida. Era la de la vieja mendiga que me había contado tantas historias absurdas días antes.

A pesar de que yo no soy hombre de imaginación, estos misterios exasperaron mi curiosidad, y a la noche siguiente me fui a una taberna próxima a la casa de don Fermín y me embosqué allí. A las once y media o doce aparecieron la mendiga y el melenudo—que debía de ser el adivino o el profeta—, silbaron muy suavemente, se abrió la ventana del cuarto de la Shele, y al poco tiempo ésta apareció en la puerta, y fueron los tres a la casa pequeña de las afueras del pueblo.

Inmediatamente volví a casa de don Fermín, entré en su cuarto, le llamé y le conté lo que ocurría. El hombre se levantó de la cama como una exhalación, se vistió y salió conmigo; hallamos a un sereno, y los tres llegamos a la casa pequeña de las afueras y comenzamos a llamar dando aldabonazos.

Se abrió la puerta, y vimos a quince o veinte personas arrodilladas en círculo alrededor del melenudo—entre ellas, la Shele—rezando el rosario a la luz de una lamparilla de aceite. Don Fermín cogió a su hija de la mano y la sacó violentamente de la casa.

Al otro día tuve ya una explicación con la muchacha. Me dijo que no quería casarse y que deseaba ir monja. Yo me despedí de don Fermín y me volví a San Sebastián.

—¿Y aquí acabó la cuestión?—le preguntamos a don Ignacio el empleado de la biblioteca y yo, al ver que callaba.

—Aquí acabó para mí—contestó don Ignacio.

—Pero tendría usted noticias de lo que pasó a la muchacha y a aquella gente.

—Sí. Un cura de Vergara me dio noticias de los herejes, como los llamaban allí. El profeta o adivino, al parecer, tuvo un momento de éxito: hizo curaciones milagrosas, y por las noches tenía éxtasis, en los que se le aparecían los ángeles. Las mujeres, sobre todo, eran entusiastas suyas, y hubo cura rural que dijo que era un santo. Al enterarse el obispo, dio parte al Gobierno, pero no se hizo nada. En esto, el profeta cayó enfermo; su mujer pretendió ver al párraco; pero el cura no la quiso recibir. Entonces fue a buscar a uno de los médicos; el profeta tenía una enfermedad contagiosa; el médico hizo que le trasladaran al hospital, y, después de muchos ruegos, consiguieron que un cura viera al enfermo y lo confesara. Pocos días después murió, y la familia, la mujer y el chico tuerto, fueron expulsados de Durango.

—¿Y se acabó con esto la secta? —pregunté yo.

—Por entonces, parece que no —contestó don Ignacio—. Siguieron todos reuniéndose a rezar. Seguían con sus rezos y ceremonias. Algunos sospechaban que la secta iba tomando un aire erótico marcado. Una tarde de Navidad entraron los miñones en la casa pequeña y metieron a todos los aldeanos que estaban allí en la cárcel. Los caseríos de algunos de éstos fueron vendidos en pública subasta. Tiempo después, una noche, el día de San Juan, la gente del pueblo comenzó a encender hogueras en sitios próximos, y no se sabe lo que ocurrió, si fue intención o casualidad; pero la casa pequeña de las reuniones del profeta se quemó. Entre los escombros había, según dijeron, unos huesos de niño calcinados.

—Y la muchacha, la Shele, ¿qué fue de ella?

—La muchacha parece que se escapó de casa y se marchó a un convento del mediodía de Francia; pero luego se cansó, enfermó del estómago y volvió a su pueblo. Pasó algún tiempo, y luego se marchó a Barcelona o a Valencia, y allí vive.

Hoy, leyendo un libro sobre el milenario, recordé esta historia. Sabido es que en la Edad Media hubo la creencia popular de que el mundo se acababa en el año 1000. La aproximación de este año terrible despertaba en la imaginación de las gentes unas visiones siniestras. En cartas y en documentos de la época se leía esta fúnebre indicación de la proximidad del fin del mundo: *Mundi fine appropinquante.*

En estas tendencias milenarias se unían el misticismo, el erotismo, el comunismo y algunas extravagancias oscuras del *Apocalipsis.* Lo mismo ocurría con los herejes de Durango de que nos hablaba don Ignacio en la biblioteca del Casino de San Sebastián.

LA CREENCIA EN LA METEMPSICOSIS Y EN OTRAS FANTASIAS

La otra tarde se hablaba en una librería de un teósofo muerto hace poco. Uno de los circunstantes preguntó con una seriedad propia de las circunstancias:

—¿Habrá transmigrado ya su alma?

—Sí; la familia dice que se encuentra bien.

—¿Pues?

—Parece que se tienen noticias de que está de gallo en Madagascar.

—Y eso ¿cómo se sabe? ¿Por qué conducto?—dijo otro.

—Probablemente por intermedio del velador.

El alma de este buen teósofo no sabemos si estará en un ave de un gallinero de Madagascar, próximo a la paella malgacha, o andará libre por los campos; pero siempre es desagradable, en vez de poder perorar sobre el plano astral, no poder decir más que quiquiriquí.

—Pero ¿es que hay gente entre nosotros que cree en eso?—preguntaba una señora al oír lo que yo contaba de la librería.

—Sí; hay gente, y gente que se cree culta. En toda ella hay un fondo de perturbación y de vanidad. Muchos han sido en otra vida príncipes, reyes, personajes importantes; algunos han llegado a ser faraones y emperadores romanos. Las mujeres todas han sido grandes damas del tiempo de Cleopatra, vestales o sacerdotisas. No he conocido a nadie que haya sido en la encarnación anterior asno, camello, cerdo o lagarto.

Lo que sí se da en los hombres afeminados y en las mujeres hombrunas es la transmigración con el sexo cambiado, y hay la señora varonil que fue en otra vida centurión romano, y el joven mariposo que fue dama en la corte de la Pompadour.

En las creencias de un pueblo hay siempre como dos zonas: una, elevada, de grandes conceptos metafísicos, con figuras estilizadas de dioses, héroes o santos, y otra más baja, de supersticiones groseras y triviales.

Al pasar el tiempo, la parte elevada se la lleva el viento de la Historia; la otra, la más baja y más grosera, es la que persiste.

Es posible que esto suceda porque una la ha inventado el instinto del pueblo, y la otra, la inteligencia de los poetas y de los místicos.

A esta parte baja de la superstición o de la religión inferior se adhieren al mismo tiempo el campesino inculto y bárbaro y el elemento decadente de las ciudades. Así como, en una aldea, un curandero, un saludador o un zahorí puede tener éxito, en la ciudad lo tiene entre ciertos elementos la quiromántica, la echadora de cartas, el mago, la pitonisa y el magnetizador.

Se podría decir que hay una pequeña religión en todas las grandes ciudades europeas, mezcla de animismo, de espiritismo y de magia. En todas esas capitales, comenzando por París, pasa lo mismo: se cree en los sortilegios, en el mal de ojo, en la jettatura, en los amuletos. En esa pequeña religión hay reminiscencias de todas partes y se mezclan ritos de iglesia, prácticas espiritistas, erotismo y toxicomanía.

Los católicos dicen que esto es satanismo, pero no lo parece; no lo es, al menos, de una manera consciente. Esta vieja aventurera que compra un amuleto, poco tiempo después llevará una vela a un santo, rezará con fervor y se confesará devotamente.

Esta pequeña religión mixta es la de los burgueses, de los cabarets, de las mujeres entretenidas, de los chulos y de los invertidos. Es una magia. Va de las prácticas inocentes a otras criminales, como las de Enriqueta Martí, de Barcelona, que, probablemente, hacía filtros con sangre de niño. Esto corresponde en el campo al crimen de Gádor y a casos semejantes de vampirismo.

Toda la gente irregular, de vida desordenada, de instintos desordenados, degenerados, invertidos, sáficas, son casi siempre respetuosos, conservadores, enemigos del escándalo; practican sus ritos en el silencio.

Probablemente, la religión del suburbio de la antigua Roma entre cortesanas, esclavos y libertos sería en su esencia parecida a la de las zonas bajas de las capitales actuales.

En España estamos viendo estos años un despertar del politeísmo y del fetichismo muy curioso con esas imágenes de las vírgenes que llevan las viejas a las casas en una cajita de madera.

¿Cómo subsisten muchas ideas absurdas, de magia, en una sociedad que parece ya inspirada por la ciencia? Yo creo que subsisten, primero, porque esas supersticiones tienen su raíz en las entrañas humanas, y luego, porque la ciencia no influye en la vida.

Se ha visto, con motivo de esa mistificación del duende de Zaragoza, qué serie de tonterías han dicho los periódicos, dignas de la Zululandia o del país de los igorrotes.

Respecto a la creencia en la metempsicosis, es raro que perdure, porque únicamente puede tener su razón de ser en la vanidad.

La India fue el país clásico de la metempsicosis. Existía, sin duda, en ella esa idea tan alejada de la observación de que el alma es algo separado del cuerpo. El pueblo, en general, no cree en esto, y dice de un tipo atravesado: «Tiene muy mala sangre; tiene las entrañas muy negras.» El pueblo es organicista y determinista por instinto.

En general, en Oriente la transmigración a otro campo, ganando o perdiendo en el cambio, se debía a la conducta. Era un premio o un castigo y un postulado moral.

En Grecia, Empédocles y Pitágoras defendieron la metempsicosis, y Platón, si no la defendió, la expuso como algo posible y plausible.

Según Pitágoras, las almas se depositaban en las plantas, en los árboles y en las piedras, lo mismo que en los animales. Pitágoras llegaba, en su ilusión o en su farsa, a decir que recordaba sus existencias anteriores.

Pitágoras y Empédocles se sirvieron, según Frazer, de la antigua doctrina de la metempsicosis como de un medio de convencer a sus discípulos de la necesidad de llevar una vida inocente, pura y ascética en este mundo.

Epicuro, el más sereno y el más racionalista de los filósofos griegos, fue de los más hostiles a la idea de la metempsicosis.

«¿Cómo conciliar la persistencia de la identidad de un espíritu con distintos avatares con la ausencia de memoria que no deja ningún rastro de las supuestas vidas interiores?», decían los epicúreos, y añadían: «¿Qué importa haber existido, aun suponiéndolo cierto, si no queda el menor recuerdo?»

Para los epicúreos, todos los animales tienen un carácter definido: los leones y los tigres son crueles y valientes; los ciervos y las liebres son tímidos y cobardes. ¿Cómo se puede comprender el alma de un ciervo o de una liebre en el cuerpo de un león o de un tigre?

Con relación al punto de vista moral, los epicúreos aseguraban que no podía haber premio o castigo en la transmigración, fuera ascendente o descendente, desde el momento que no existía el recuerdo de las acciones buenas o malas que se habían realizado en una existencia anterior.

La posición epicúrea era la racional. Si fuera posible, se podría tomar una persona, deshacerla en átomos, crearla con los mismos elementos, y sería una persona distinta, porque no recordaría su historia, su pasado.

Suponiendo que la vida de la tierra fuera infinita, podría darse en el tiempo, a fuerza de combinaciones de átomos, de moléculas o de electrones, una combinación idéntica a la actual de cualquiera de nosotros; pero ¿qué valor tendría si no podía existir la memoria? Ninguno.

Frazer, a pesar del respeto por lo tradicional que le caracteriza, habla siempre de la transmigración o reencarnación del alma como de una doctrina de pueblos torpes y primitivos. Cree también que en ciertas etapas de la evolución mental y social, la creencia en la metempsicosis ha sido mucho más extensa y ha ejercido una influencia muy profunda en la vida y en las instituciones del hombre primitivo.

La mayoría de los pueblos negros del Gabón, del Congo y del Niger, de muy baja mentalidad, creen en la transmigración de las almas. El hombre, sobre todo el hechicero, puede tomar la forma del cocodrilo, de la serpiente o del tigre. Levy-Bruhl recoge casos de éstos, contados por exploradores, en su libro *La mentalidad primitiva*.

No se comprende cómo actualmente haya nadie que pueda creer en la metempsicosis ni en la existencia del alma independiente.

Leibniz quiso demostrar que el alma es una mónada, o sea una unidad siempre agual e idéntica a sí misma. Es lo contrario de lo que nos induce a pensar la observación. En la misma persona el alma es distinta cuando es niño y cuando es viejo; también es distinta en el hombre cuando está enfermo y cuando está sano, cuando es alcohólico y cuando es abstemio.

La verdad es que el ocultismo y la mística no han podido anticipar nada en el terreno del conocimiento objetivo. Ningún escrito moderno profético se puede comparar en genialidad con el *Apocalipsis*. Cierto que el *Apocalipsis* es un libro oscuro e indescifrable; per ni aun con esfuerzos se puede considerar realizado algo de lo que en él se expone.

Todos los descubrimientos de ocultistas, espiritistas y teósofos son siempre los mismos y ninguno se comprueba. Son las mismas fantasías que cuenta, un poco en broma, Herodoto cuando habla de Egipto; Filóstrato, en la *Vida de Apolonio de Tiana*; Plotino, en las *Enneadas*; los autores de los Pimandros y de los Hermes, Trimegisto y Swedenborg en sus libros. Lo extraordinario es que estas invenciones, desde los gnósticos y maniqueos antiguos hasta las madamas Blavatsky y Annie Besant, pasando por Templarios kátaros y Rosa-Cruces medievales, no son nada divertidas. Lo que parece a primera vista imaginación acaba en una especie de cubismo monótono, pesado y aburrido.

En cambio, la ciencia positiva materialista, con su labor de hormiga, llega a las maravillas. Lo que ocurre es que todo lo que encuentra la ciencia no sale por inspiración, como Mi-

nerva de la cabeza de Mentor, sino que es un resultado de experiencia, de ensayos y de tanteos. Aquí se puede decir, como Flaubert, que la paciencia es el genio.

Otro carácter de todo lo científico es que se practica con aparatos. Se vuela con aparatos, se comunica a distancia con aparatos, se verá a lo lejos con aparatos. La gente de una mentalidad mágica pasada, protesta. Eso es natural. La inspiración, sus recursos naturales, los ha tenido que conocer y agotar el hombre en el medio millón y en el millón de años que lleva viviendo en el planeta.

Muchos de los ilusos actuales tienen la idea un poco grotesca de que espiritista es sinónimo de espiritual, de alado, de ingenioso, y que materialista es lo contrario; un personaje grosero, sensual, un Kamarrupa. Así, el pobre cretino de las sesiones espiritistas se considera superior a todos los sabios del mundo. Es una consecuencia de la mentalidad mágica y palabrera, que discurre por palabras y no por conceptos.

Si esto fuera verdad, el pequeño histrión de la fiesta pánica o de la procesión de los endemoniados sería muy superior a los sabios, desde Lucrecio a Laplace o a Darwin.

En Alemania mismo, a pesar de su cultura, hace años, ante la palabrería del teósofo Rodolfo Steiner, sus partidarios creían que los Kant y los Schopenhauer, los Claudio Bernard y los Virchow, los Pasteur o los Koch, eran unos desgraciados, unos pobres diablos, al lado del farsante cuco que les hablaba de las almas de colores y les aconsejaba bailar rítmicamente en su templo, próximo a Basilea, las poesías de Goethe.

20 enero 1935.

AMENIDADES COMUNISTAS

Oigo decir a la gente joven que este tiempo nuestro es de los más interesantes de la Historia. A mí, la verdad, no me lo parece. Creo todo lo contrario. El primer tercio del siglo XX lo encuentro pobre y mediocre con relación a la misma época del siglo XIX.

El principio del siglo pasado fue de una brillantez no superada hasta ahora. En la ciencia, en la filosofía, en la literatura y en las artes dio una serie de nombres sonoros que todavía llenan el mundo.

Se piensa en la guerra y surge la figura de Napoleón; en la marina, Nelson; en la pintura, Goya; en la música, Beethoven; en la filosofía, Hegel, Schopenhauer, Shelling; en la literatura, Byron, Walter Scott, Víctor Hugo, Balzac, Dickens. En la ciencia, una pléyade de iniciadores, de creadores.

Nada parecido hay en nuestros tiempos.

La política misma es mediocre en esta época. No hay un Talleyrand, ni un Metternich, ni un Disraeli.

Se nos ha hablado durante mucho tiempo de Rusia como un país de concepciones originales y grandiosas.

Pasa el tiempo y no se advierten ni la originalidad, ni la grandiosidad, ni la eficacia.

Muchas veces uno supone si la Rusia soviética estará sometida a un régimen de pedantería inspirado por maestros de escuela.

He leído últimamente algunos folletos en pro y en contra del bolchevismo. No puede uno garantizar la exactitud de los hechos, ni aun siquiera de los textos; para eso habría que saber ruso.

Leo en uno de los folletos una frase atribuida a Lenin como manifestación de una audacia y de un atrevimiento inauditos:

«En la santa lucha por la revolución social, las mentiras, la impostura hacia la burguesía, los capitalistas y los Gobiernos son completamente lícitas.»

Esto no es muy original. Es la teoría que se ha atribuido a los jesuitas, de que el fin justifica los medios. Eso de la santa lucha es completamente *vieux jeu*.

Hay que reconocer que Nietzsche, pobre profesor alemán, hubiera hecho, de proponérselo, una frase más extraordinaria y más altisonante.

Dice también Lenin:

«El bolchevismo no es un pensionado de señoritas. Los niños deben asistir a las ejecuciones capitales y regocijarse con la ejecución de los enemigos del proletariado.»

Tampoco me parece esto nada de particular. Es la misma predicación, el mismo consejo de los terroristas franceses de 1793 de presenciar el funcionamiento de la guillotina. Una frase parecida a las del *Amigo del Pueblo*, de Marat; del *Orador del Pueblo*, de Freron, y de *El padre Duchesne*, de Hebert.

En el folleto del que copio estos trozos se insertan otros para dar una impresión del terrible cinismo de los bolcheviques. Stalin dice:

«Nosotros, comunistas, no reconocemos ninguna ética que pueda poner límites a la libertad de acción de un cuerpo de revolucionarios.»

Ni él ni ninguno de los gobernantes han reconocido esa ética. No la reconoció Napoleón, ni Bismarck, ni Cavour, ni Clemenceau. Lo único que hicieron éstos es no confesarlo; al revés, disimularon, porque eran más hábiles como políticos que el dictador ruso.

Otra cita terrible, según el autor del folleto, es una de Lunacharski, ya muerto:

«Nosotros odiamos a los cristianos —dijo este político—. Es preciso considerar a los mejores de entre ellos como nuestros peores enemigos. Predican el amor y la misericordia hacia el prójimo. Nosotros queremos tener odio. Es necesario que enseñemos el odio, porque a este precio podremos conquistar el mundo.»

Tampoco la frase es muy original. El elogio del odio parece tomado del libro de Zola *Mes haines.*

Evidentemente, entre los bolcheviques no hay ningún escritor que maneje la alta retórica como Nietzsche, ni el sarcasmo y la ironía como Heine, y eso que, por ser la mayoría judíos, podían parecerse en algo a este poeta alemán, que también lo era.

Actualmente se dice en uno de esos folletos que para realizar el orden social comunista puro se ha fundado una ciudad llamada Magnitogorsk (la ciudad-imán). Esta ciudad pasa por ser el ideal de las concepciones soviéticas. Está bajo el protectorado del Comisariado de Cultos, cosa un tanto paradójica, porque las religiones están absolutamente proscritas en ella y no parece que haya cultos.

No son aceptados en la ciudad más que los hombres y las mujeres que se han comprometido a vivir bajo los principios del colectivismo comunista más rígido. El pueblo cuenta ya con cincuenta mil almas, dicho sin ofender a nadie, porque esto de almas debe de sonar allí mal.

Las casas no tienen habitaciones familiares, sino salas para la vida colectiva, dormitorios comunes, y no se llega a las camas comunes, pero quizá se llegue dentro de poco.

A mí, como viejo individualista, todo esto me parece bastante baladí. Está en contra de la naturaleza del hombre.

Cuando se construye un hotel pobre o rico en Inglaterra o en Marruecos, en el Norte o en el Sur, no se ponen los cuartos separados o individuales y el comedor y el salón colectivos por un capricho, sino porque éste es el gusto general. Solamente cuando hay una necesidad perentoria —la guerra, la miseria, la epidemia— se llega aceptar el dormitorio común.

A la persona que está sana le agrada comer, tomar café, leer los periódicos, ver una función de teatro entre gente; en cambio, no le agrada acostarse cerca de otros. Esto le da la impresión de cuartel, de hospital, de cosa triste y lamentable.

Probablemente, a nadie le gustaría, aunque tuviera medios para ello, ver una función de teatro solo, porque el público forma parte del espectáculo. En cambio, muy poca gente iría a acostarse a un dormitorio común si pudiera ir a otro particular.

Al hombre, aun al más despreocupado y cínico, no le parece bien presentarse en estado de naturaleza ante los demás. A la mujer, menos.

No se muestra un eczema o un lobanillo como una flor, ni se exhibe un parche poroso o un braguero como el Toisón de Oro.

En la nueva ciudad rusa, en la ciudad-imán, no existe la familia. Las palabras *padre, madre, hijo, hija, her-*

manos y *hermanas*, están prohibidas. Como consecuencia natural, el incesto se permite. Los hijos se llevan a establecimientos comunistas de educación hasta los dieciséis años, en que, sin duda, ya pueden comenzar a padrear.

Esto, que los fundadores de la ciudad-imán han creído, sin duda, muy moderno, es muy antiguo; es la vida del clan primitivo. Es también el régimen de los indios del Paraguay, establecido por los jesuitas. En la ciudad-imán, en vez de tocar la campana para marcar las faenas del día el reverendo padre o el fámulo jesuítico, la tocará un judío discípulo de Karl Marx.

A mí este régimen me recuerda una novela de Pigault-Lebrun que leí de estudiante, que no sé en francés cómo se llama, pero que en castellano tiene el título de *Monjas y corsarios.*

Tendría gracia que los bolcheviques, a fuerza de sociología y de pedantería, resultasen discípulos de Pigault-Lebrun y de Paul de Koch.

En la ciudad-imán, según las pragmáticas de la urbe, la mujer que tenga un hijo no irá a verle al establecimiento, sección de párvulos o de adolescentes, letra A o letra B, ni estará autorizada a mirarle con más interés que a los del vecino.

A mí me sigue pareciendo todo ello completamente baladí.

Puede suceder, y en la realidad se dan muchos casos, que la mujer no se ocupe gran cosa del padre de su hijo; puede suceder también que el hombre mire a su pareja y a su vástago con perfecta indiferencia; pero que la madre no se ocupe de su hijo es más raro. El hecho del interés maternal no lo han inventado los reyes, ni la Iglesia, ni la sociedad capitalista, ni la Compañía de Jesús, sino que es instintivo, y se da con tanta fuerza en la mujer como en la hembra de las animales; y para muchos revolucionarios, imitar a los animales es lo mejor que puede hacer el hombre, y, en parte, en lo primario de la vida, es verdad.

Que el mozo joven no tenga afecto por su padre o por su hermano es cosa corriente; que no tenga cariño por su madre, se da también; pero que la madre no sienta afecto por su hijo, es rarísimo.

Hay que suponer que las experiencias de la ciudad-imán no van a dar resultado.

Mientras las realizan, si aparece algún Gogol o algún Dostoyevski—que probablemente no aparecerá—, ¡qué novelas, qué comedias y qué sainetes no podrán escribir de esos dormitorios comunes, si los dejan!

La comedia del comunismo de las mujeres está escrita ya, y no precisamente ahora. Se representó hace la friolera de cerca de cuatrocientos años en un teatro de Atenas. Es la *Asamblea de las mujeres o Las arengadoras,* de Aristófanes.

En la obra, las mujeres atenienses, disgustadas al ver que sus maridos llevan tan mal los asuntos públicos, toman el traje de los hombres, se presentan en la Cámara popular y, dirigidas por una dama impetuosa llamada Praxágoras, instauran un régimen comunista.

Después del golpe de Estado, Praxágora habla con su marido, Blépyrus, que, como no ha encontrado en casa su traje masculino, ha tenido que vestir las sayas de su mujer.

Praxágora desarrolla su sistema de gobierno. Todos los bienes serán comunes en la nueva República. El pobre tendrá pan, pasteles y garbanzos torrados a discreción. Las mujeres serán de propiedad común, y para evitar las injusticias, las más bellas y atractivas se emparejarán con los más viejos y feos, y los rubitos barbilampiños, con las ciudadanas más desagradables y bigotudas.

No habrá dinero, ni usureros, ni prestamistas; tampoco habrá ladrones, porque todo el mundo tendrá lo necesario, y los Tribunales se convertirán en grandes restaurantes.

Ya Atenas es comunista, como hoy España es una República de trabajadores.

En uno de los cuadros de la comedia vemos a dos ciudadanos: el uno, cándido y pobre, quiere llevar todos sus bienes al depósito general; el otro, rico, prendero y cuco, le aconseja que espere, porque dice que los decretos se olvidan pronto en Atenas. Este debe de ser de la escuela de nuestros socialistas domésticos.

Luego, cuando el heraldo llama con su trompa a todos al banquete social, el prendero, el socialista doméstico, se indigna por la tardanza de su ingenuo compañero, que no tiene prisa por comer en el banquete comunista.

En otro cuadro hay dos mujeres asomadas a una ventana, dispuestas de buen grado a someterse a los nuevos decretos de socialización femenina. Una es vieja, pintada y bien vestida; la otra es joven y guapa.

Aparece un viejo dispuesto a emparejarse, y las dos, de común acuerdo, le dirigen a una vecina. Supongamos que por caridad y por altruismo.

Se presenta después un joven barbilindo, y aquí viene el grave problema. La vieja y la joven pretenden acapararle; pero la vieja, con el nuevo decreto en la mano, demuestra su razón, y está a punto de llevárselo cuando aparecen otras dos más viejas y disputan la presa con las primeras. El desgraciado se encuentra traído y llevado por las cuatro mujeres, hasta que la más decrépita se lo lleva.

Se ve cómo la ciudad-imán, novísima en Rusia, no es tan nueva como parece en el mundo, porque hace cuatrocientos años antes de Jesucristo, un hombre de genio se burlaba de otra ciudad en proyecto algo parecida a ésta.

Los comunistas rusos quieren crear una nueva Humanidad, probablemente aún peor que la actual, con procedimientos parecidos a las mujeres independientes y arengadoras de Aristófanes.

No se comprende para qué el comunismo ruso hace experiencias tan cándidas y tan ridículas, propias de revistas cómico-lírico-bailables.

Cualquiera diría que ese comunismo está dirigido por maestros de escuela despechados y por judíos rencorosos. Estas invenciones no pueden servir más que para producir la risa y la burla de todo el mundo y levantar a gente torpe y cerril que intente erguirse sobre los demás adulando los sentimientos más bajos y más vulgares de las masas.

1 febrero 1935.

LOS ENCANTADORES DE SERPIENTES

En el pequeño hotel en donde estuve yo una temporada, hace treinta años, en Londres, había un ingeniero que había pasado casi toda su vida en la India. Era un hombre de unos cuarenta a cincuenta años, alto, rubio, con el pelo como de estopa y la piel desteñida por el sol.

Era escocés, de cerca de Edimburgo, y, no sé si por carácter apático o por hallarse algo enfermo, tenía habitualmente un aire absorto y distraído. Salía muy poco de casa, y solía estar por las tardes en el salón de fumar, sentado en un sillón, delante de un vaso de limonada y con la pipa entre los dientes.

El ingeniero hablaba algo el francés; pero de una manera tan pesada y monótona que aburría a todo el mundo. Yo, como no tenía ninguna ocupación perentoria, le oía sin impaciencia. A la mayoría no le pasaba lo mismo, y una irlandesa, sonrosada como una manzana, de ojos negros y un poco coqueta, le reprochaba su calma y le dirigía bromas, que al ingeniero escocés no le producían el menor efecto.

Este se veía que era un hombre lleno de prejuicios de raza. Una vez se nos acercaron dos brasileños mulatos del Pará y contaron cosas muy curiosas de la vida de los aventureros que iban a explotar el caucho, que ellos llamaban borracha. En seis meses, según decían, se podía hacer uno rico en los bosques del Brasil, en las proximidades del Amazonas y de sus afluentes.

El ingeniero oyó las historias de los brasileños impertérrito y sin desplegar los labios. Cuando se levantaron y se fueron, le pregunté:

—¿No le interesaban esas gentes?

El escocés no contestó, e hizo con la mano izquierda un ademán de desagrado, como si estuviera rechazando un gato que le importunara.

Este gesto era en él habitual cuando tenía que expresar su repugnancia.

Un día me explicó las razones que había tenido para no casarse. Según él, las mujeres inglesas en las colonias tomaban una actitud de petulancia insoportable.

—Y las indias, ¿no le gustaban a usted?—le pregunté yo.

El ingeniero hizo el mismo ademán de desagrado y de repulsión con la mano izquierda; pero de una manera tan expresiva, a pesar de su frialdad, que a mí me hizo reír.

El escocés contaba cosas muy curiosas de los países donde había vivido con muchos detalles. Explicó la discusión que había tenido con uno de los antiguos thugs, adoradores de la muerte, que mataban por devoción, y los argumentos que se habían cambiado entre los dos. El diálogo era gracioso por lo extravagante. El buen sentido del inglés en presencia de un oriental lleno de contradicciones tomaba proporciones muy cómicas.

Hablaba el ingeniero también de los faquires: de unos que se enterraban hasta el cuello y pasaban así meses y hasta años; de otros que se condenaban a llevar los brazos levantados y acababan por no poder bajarlos por la atrofia; de los que se exponían a las mordeduras de los insectos y de los que mascaban cristales y carbones encendidos.

Como de todo esto se han contado grandes fantasías en estos últimos tiempos y se ha exagerado y se ha mentido, a mí no me chocaba mucho.

Al ingeniero y a mí se nos unió en el fumadero del hotel un empleado de Banco, un inglés grueso y jovial, poco inteligente, que se reía mucho y pretendía ser escéptico. Este inglés sabía francés y español. Suponía que el ingeniero y yo éramos dos fantásticos.

Yo le dejé un libro mío, y lo comentó diciendo:

—Es quijotesco, completamente quijotesco. Aquí no podría gustar más que a los irlandeses.

—¿Y por qué sólo a los irlandeses?

—Porque éstos son españoles honorarios.

Una tarde, el ingeniero nos habló de una ceremonia que presenció entre unos *mayas* o encantadores de serpientes.

—Vivía yo—nos dijo—en el campo, en una casa solitaria con varios criados; las fieras llegaban de noche hasta las tapias de nuestros corrales. Entre los criados había uno que tenía la obsesión de las serpientes. El miedo suyo sobrepasaba el miedo del peligro natural, porque consideraba a estos reptiles como monstruos, demonios y semidioses. El criado cantaba himnos especiales y hacía extrañas prácticas. Trazaba alrededor de la casa unas líneas de izquierda a derecha y hundía en el suelo, con la raíz hacia arriba, unos retoños de una planta antidemoníaca que se llama *apamarga*. Cuando mataba una cabra o un cordero, distribuía las entrañas alrededor de la casa, porque decía que esta parte del cuerpo era la que correspondía por derecho propio a los demonios serpentinos.

El pobre criado soñaba con las serpientes, les lanzaba terribles insultos e invocaba al gran pájaro matador de estos ofidios, a quien no recuerdo cómo llaman, pero que, al parecer, es la representación simbólica del sol, que triunfa de los monstruos.

Mi criado conocía las clases y variedades de la cobra, la naja, la cuanilla, y hablaba de sus habilidades y de sus malicias. Estos orientales del pueblo no distinguen fácilmente lo visto de lo inventado; lo confunden todo y lo aceptan todo, con tal que sea divertido.

Un día me dijo que cerca de nuestra casa iba a haber una fiesta de *mayas*.

—¿Qué es eso de *mayas?*—le pregunté.

—*Mayas* son los encantadores de serpientes.

—¿Y es que tú quieres ir a la fiesta?

—Yo no me atrevo, señor; pero otros criados quieren ir.

—Bueno, pues que vayan. Yo iré también.

Fui a caballo con tres criados hasta un campo lejano.

Llegamos a un prado y vimos a un círculo de encantadores de serpientes, y alrededor de ellos, un público de un poblado próximo, formado por hombres, mujeres y chicos. La fiesta llevaba ya algún tiempo, por lo que dijeron.

El principal de los *mayas* era un indio amarillo y flaco, y a él le tocaba ejercer en aquel momento. En medio del círculo había una canasta hecha con una especie de mimbres del país.

El hombre comenzó a tocar la flauta y salió del canasto una cobra grande, de brillantes colores, que comenzó a bailar al compás de la música. Tras de esta serpiente salió otra. El aire que tocaba la flauta era cada vez más animado, y los dos reptiles se enderezaban sobre las colas y abrían la boca, sacaban la lengua y tomaban un aire terrible. La luz parecía exasperarlas. El hombre comenzó a darles golpecitos con una varita fina, y los ofidios, de repente, se echaron sobre el *maya* y comenzaron a morderle aquí y allá.

El encantador, entonces, dio un grito, comenzó a cantar y mordió también él a las serpientes suavemente. Los dos ofidios se fueron desenroscando, y, uno tras otro, como castigados y humillados, volvieron a la canasta de mimbres y se metieron en ella. El hombre, que tenía gotas de sangre que le caían de las heridas, pasó por ellas un tizón ardiendo, y al poco tiempo no tenía nada. El espectáculo había acabado y volvimos a nuestra casa.

Al terminar la relación el ingeniero, el empleado del Banco exclamó:

—En eso que vio usted había un truco.

—No digo que no—contestó el escocés.

—Las serpientes, aunque fueran venenosas, tendrían los colmillos arrancados y no podrían envenenar.

—Eso es muy probable.

—Pues yo he visto—les dije yo a los dos—una cosa tan extraña como ésa o más.

—A ver, cuente usted.

—A principio de mil novecientos dos estuve yo en Tánger, enviado por un periódico de Madrid titulado *El Globo*. No pude hacer cosa de provecho como reportero. El viaje desde Cádiz fue detestable. Nos cogió un temporal deshecho, y tardamos doce o catorce horas en una travesía que habitualmente se hace en dos o tres. Fuimos en un barquito muy malo que se llamaba el *Mogador*. Unos yanquis, al principio muy animosos, quedaron tendidos como sacos en la cámara; un alemán, que pretendía no marearse, barnizó la toldilla con sus deyecciones, y un pobre prestidigitador, ya como muerto, iba por la cubierta rodando de una borda a otra, envuelto en los jugos de su estómago.

Llegamos a Tánger, aunque con muchos apuros; fuimos al hotel Continental, donde estaban algunos periodistas y un médico que luego fue del sultán Muley Hafid.

La humedad, el frío y el mareo a mí me desquiciaron, y no pude reaccionar completamente. Hice algunas excursiones a caballo, pero no tenía humor. Únicamente estuve a gusto en una jira que hicimos al cabo Espartel, en donde el médico emborrachó a un gallo con *whisky*, lo que resultaba un tanto cómico.

Con frecuencia, cuando salía de casa, iba al zoco, con sus moros de blanco y sus judíos de negro y sus camellos. Este Carnaval moruno no me entusiasmaba. Todos estos colorines y este pintoresco exagerado me parecían de teatro.

Varias veces vi a encantadores de serpientes rodeados de público. Una vez encontré a uno de gran aspecto con la cabeza afeitada, la barba negra, el color bronceado y los ojos brillantes. No parecía marroquí. Debía de ser un verdadero *psylle*, como los antiguos de Egipto.

Los espectadores habían formado un círculo. El hombre tenía dos bolsas de cuero. De una sacó dos serpientes que bailaron al son de la flauta. Luego, al encerrarlas a éstas, cogió la otra bolsa, le quitó el tapón y, agarrándola de la cola, sacó una serpiente oscura de un metro y medio, que, al caer en tierra, comenzó, enfurecida, a enroscarse y a abrir la boca.

El hombre le ponía delante una varita, que el reptil mordía furioso, y unos pedacitos de piedra, con los que hacía lo mismo. La risa de la gente parecía excitar al animal y ponerle frenético.

Cuando más furiosa estaba, el domador la cogió por el cuello y la acercó a la boca. Yo creí que le iba a dar un bocado, pero no; por el contrario, le mostró la lengua, y el ofidio se tiró a ella y la mordió.

El *psylle* apretó la lengua con los dedos y se vieron las señales de los dientes del animal, que echaban sangre.

Hecho esto, tiró el reptil al suelo, que se metió en su bolsa de cuero. Después, el hombre comenzó a coger briznas de paja de aquí y de allí, mostrándoselas al público para que viera que no había nada, poniéndoselas en la boca, entre los labios. Cuando ya tenía la boca llena, comenzó a soplar, inflando los carrillos hasta ponerse inyectado, y de repente toda la paja ardió de un golpe y cayeron las briznas quemadas al suelo.

—Otro truco—dijo el empleado de Banca.

—Yo también me lo figuro así. No sé cómo se puede hacer eso; pero que lo he presenciado, no tengo duda. Después he preguntado a varios que han estado en distintos puntos de Marruecos, y ninguno me ha dicho que lo ha visto.

—Es posible que lo haya soñado usted.

—¡Qué voy a soñar! Estoy tan seguro de haberlo visto como de que ahora hablo con usted.

El ingeniero dijo que no se podía pensar que la saliva de los ofidios tuviera alguna condición desconocida por los zoólogos; tampoco era probable que el *psylle* llevara en la boca algún producto químico, como el potasio o el calcio, que se descomponen y se inflaman en un líquido acuoso.

—Nada. Eso era un truco—afirmó el empleado del Banco con una terquedad estúpida.

—Nadie lo duda; nadie cree que fuera un milagro—le contesté yo—. No puede ser más que un fenómeno natural, porque para mí todos los fenómenos son naturales.

Unos días más tarde, el empleado parece que decía, muy convencido, a un señor del hotel:

—El vasco y el escocés son dos visionarios.

17 febrero 1935.

LA SABIDURIA COMUNISTA

Parece que algunos escritores tenemos la virtud o lo que sea de producir la exasperación de parte del público con nuestros comentarios. Un artículo mío publicado en *Ahora*, titulado «Ameninades comunistas», me ha valido la réplica áspera en varios periódicos y algunas cartas agresivas. Me llaman, en letra de imprenta y en letra manuscrita, ignorante, majadero, idiota y rencoroso. Otro dice que me vendo. No sé a quién.

Esta exasperación procede de que no he hablado con el debido respeto de Rusia y del comunismo. Sin duda, todo ello se ha convertido en tabú.

En España, por lo que veo, hay mucha gente que considera el comunismo como algo científico, de una exactitud y de un rigor maravilloso. Naturalmente, Rusia, que lo ha implantado o lo ha intentado implantar, es el pueblo elegido, si no por Dios, por los profetas marxistas.

El que diga algo poco halagüeño sobre Rusia, que sea anatematizado. Todo lo que no es elogio, es falso, tendencioso y malintencionado. Yo no sé ruso, ni he estado en Rusia; no puedo enterarme de lo que pasa allí más que por traducciones e informes en pro o en contra.

Lo mismo me sucede con relación a la mayoría de los países, y lo mismo le sucede al comunista que me impugna. Por eso tengo la tendencia de hablar habitualmente de lo que conozco mejor, que es, naturalmente, España.

He tenido entusiasmo por algunos escritores rusos, como Gogol, Tolstoi y Dostoyevski. De ahí no ha pasado mi rusofilia.

Respecto al comunismo, no sólo nunca he sido comunista, sino que he tenido una marcada aversión por esa teoría o sistema.

Yo pensé, como muchos, si Alemania, después de la guerra y como mira de desquite contra los aliados, se lanzaría al comunismo y a la alianza con Rusia. En un país de gran cultura y de una técnica científica desarrollada se hubieran visto las posibilidades del comunismo mejor que en una tierra acostumbrada a la esclavitud, como Rusia, y con una mentalidad pobre.

Se vio que Alemania prefería la humillación y la mutilación que el bolchevismo con el posible desquite.

Uno de mis comunicantes cree que en Europa y en el mundo no se dan más que el despotismo fascista o el comunismo. Yo creo que no hay tal.

En Europa hay países que realizan el progreso de una manera más noble, más liberal y más humana que Rusia; por ejemplo, los pueblos escandinavos.

Dinamarca y Noruega no tienen apenas Ejército, ni Marina de guerra, ni aristocracia. En Noruega, la propiedad territorial está limitada. No se puede tener más que una finca con veinte trabajadores como máximo. Allí se acabó el latifundio. La enseñanza es gratuita desde las primeras letras hasta la universitaria. Las bibliotecas envían los libros que les piden, adonde sea, dentro del país, gratis. En los dos países se entra y se sale sin dar explicaciones a nadie. No se nota allí

la Policía y hay un gran respeto mutuo dentro de la libertad.

En Rusia es todo lo contrario. El Ejército es enorme; la Policía, terrible y amenazadora. No se permite a la gente salir del paraíso soviético; se persigue a tiros al que quiere escaparse, y cuando matan a un comunista del Gobierno, se fusila a setenta y seis hombres en represalias. Otros dicen que ciento dieciséis. Como compensación a esas inmundas carnicerías, hay fiestas de baile y otras cachupinadas dirigidas por el Estado.

Yo pienso con más simpatía en esos pocos millones de escandinavos que no en los ciento setenta millones de rusos, que antes eran esclavos de un zar y ahora lo son de Stalin.

Me figuro lo que me contestaría un comunista, o simpatizante del comunismo, de los que me escriben, si discutiera conmigo. Me diría:

«Estas ideas de usted son ideas de pequeño burgués.»

Esta pequeña estupidez pasa por ser un argumento. Las cosas tienen algún valor en sí. La libertad, la justicia, la cultura, el respeto a la vida ajena, cuando son hechos y no palabras realizados, son lo más importante de la vida social.

No se puede comparar el resultado que han conseguido los países escandinavos con los que ha obtenido Rusia.

Si en la práctica el comunismo marxista falla, yo creo que falla también en la teoría. Algunos dicen: «Hay que conocer el sistema bien en sus detalles, porque es complicado.» Si es así, no se hará popular nunca, porque la teoría de Einstein, por muy maravillosa que sea —y yo no sé si lo es o no lo es—, no llegará nunca al pueblo.

Yo no he estudiado teorías comunistas, es cosa que no me interesa; pero he hablado con labradores españoles acerca de la socialización de la tierra, uno de los principales dogmas comunistas, y he visto que no la consideran para ellos perjudicial, sino como una medida imposible de llevar a la práctica por lo cara.

Hace unos meses hablaba con un labrador de un pueblo de la montaña de Navarra. Era hombre todavía joven, propietario de un hermoso caserío con maizales, prados, manzanal y helechales en el monte.

Este hombre no había estudiado más que las primeras letras; pero era inteligente y despierto. Le habían nombrado concejal.

—Si viniera un cambio en el régimen de propiedad y convirtiera a los labradores en obreros, ¿lo aceptarían ustedes?—le pregunté yo.

—No sé en qué consistiría eso.

—¿Cuántos trabajan ustedes en su casa?

—Pues todos: mi mujer, mi suegro, mi hijo mozo, uno más pequeño y yo.

—¿Y todos trabajan con el mayor esfuerzo?

—Todos.

—¿Qué jornal pagan en el pueblo a un oficial de albañil o de carpintero?

—Unas ocho pesetas, lo menos; al peón se le pagan cinco, y al aprendiz dos o tres.

—Bueno. Pues figúrese usted que a usted le pagaran ocho pesetas; a su suegro, cinco; al hijo mayor, otras cinco; a la mujer, tres, y al pequeño, dos. Serían veintitrés pesetas de jornal al día y ocho horas de trabajo. ¿Lo aceptarían ustedes?

—¡No lo íbamos a aceptar!

—¿No ganan ustedes ahora tanto?

—No. ¡Ca!

—¿El caserío y los campos son suyos?

—Sí.

—¿Qué representarán de capital?

—Hoy no lo daría nadie; pero yo me figuro que se podrían tasar en siete mil duros, treinta y cinco mil pesetas.

—¿Cuánto rentan?

—El capital en tierras lo más que renta aquí es el dos o el dos y medio por ciento al año.

—Así, su finca, como máximo, rentaría ochocientas setenta y cinco pesetas.

—Eso es.

—Y ustedes, con el trabajo, ¿qué le harán producir al capital?

—Yo creo que un seis por ciento.

—Es decir, dos mil cien pesetas, que, unidas a las ochocientas setenta y cinco de la renta, suman dos mil novecientas setenta y cinco pesetas.

—Ponga usted que cada dos años saquemos quinientas pesetas de manzana.

—Es decir, doscientas cincuenta al año, que, unidas a la cifra anterior, son tres mil doscientas veinticinco pesetas anuales. Quitando los domingos, en que se supone que no trabajan, ganan ustedes, entre todos, cada día hábil, diez pesetas. De la otra manera ganarían veintitrés, en dinero o su equivalente en vales, y en vez de trabajar doce, catorce o dieciséis horas al día, trabajarían ocho.

—Es evidente.

—¿Y usted cree que si el Ayuntamiento se apoderara de todas las propiedades del término municipal podría convertir a los campesinos en obreros pagándoles como tales?

—Imposible. Se arruinaría en menos de un año. Si nosotros, con una trabajo constante y a veces con jornadas de sol a sol, no le sacamos a nuestra tierra más que diez pesetas al día, ¿cómo le iba a sacar el Ayuntamiento con ocho horas veintitrés pesetas, por lo menos, para pagarnos a nosotros? Aun suponiendo que nosotros trabajáramos con el mismo ahínco que ahora.

—¿Y no se le podría hacer un trabajo más intenso o más sabio?

—No creo. Aquí empleamos las mismas máquinas que usan en los caseríos en Francia; usamos abono y sacamos a la tierra tres y cuatro cosechas al año.

—¿Tampoco se podría hacer un trabajo colectivo?

—Tampoco. Las tierras están muy esparcidas.

Este hombre, en una posición de propietario privilegiado, que gana el producto íntegro de su trabajo, considera más beneficioso el jornal corriente; pero supone que no habría Ayuntamiento que pudiera realizar sin arruinarse la socialización de la tierra. Claro que sería posible dar jornales más pequeños; pero entonces la transformación no tenía ventaja alguna. Supongo que en casi toda la zona del norte de España pasará lo mismo que en el País Vasco. En esos países lo revolucionario sería dar el caserío al que vive en él.

La misma pregunta que al campesino vasco-navarro, le hacía hace unos meses a un labrador castellano, de tierra de Burgos, propietario de heredades. Se quejaba de la inseguridad de la vida, de la falta de lluvia, de los pedriscos, de la tasa del trigo.

—¿Usted dejaría sus tierras al Municipio para que se encargara de ellas a condición de que a sus hijos y a usted les dieran un jornal seguro por trabajar ocho horas al día?—le pregunté.

—Hombre, eso sería Jauja—me dice él—. La agricultura es cosa muy mala; por eso, todo el mundo que puede se va a las ciudades.

Casi todos los que tienen oficios rurales creen que si en vez del producto del trabajo les dieran un jornal seguro, como a los demás obreros, saldrían ganando; pero nadie supone que esto podría ser un buen negocio para el Estado o para el Municipio.

Lo extraño es que en Andalucía y en Extremadura, países de tierras fértiles, pasa algo parecido, y se oye decir a los trabajadores del campo: «No queremos tierras, sino jornales.»

Convertir en obreros a los campesinos, asignándoles un jornal suficiente para vivir medianamente, me parece imposible en España. No creo que el país dé para tanto más que en algunas pequeñas zonas, como la huerta de Valencia, la de Murcia y en algunas minas, fábricas y electras.

Así como los trabajadores del campo ven el jornal como una magnífica solución, los obreros de la ciudad de algunas industrias aspiran a la participación en los beneficios.

Es lógico, pero es porque esas industrias de ciudad son resultado de monopolios, de privilegios y de plusvalía. Naturalmente, el empleado del Banco, de la gran empresa, el mozo del hotel de lujo, de *cabaret* elegante, del café frecuentado, prefiere el tanto por ciento de los beneficios al jornal o sueldo; pero es que ese tanto por ciento es el de una industria que nace al calor de un privilegio. Acabado el privilegio, se acababa la ventaja. El que crea que en todo puede pasar lo mismo que en esas industrias excepcionales de ciudad, se engaña de medio a medio.

El comunismo se podría implantar en una gran zona fabril; de hecho está implantado en muchas partes; naturalmente, no el marxista. En un país como España sería la miseria absoluta.

Yo he leído poco de socialismo, comunismo y anarquismo. Esos futuros paraísos no me interesan. «Es usted un egoísta», me dirá alguno. Sí, es uno egoísta en teoría; pero, en la práctica, menos egoísta que muchos socialistas, que son hormiguitas para su casa y saben agenciarse del Estado burgués sueldos, pensiones, comisiones, forzar el escalafón con ganzúa para ascender y colocar a los parientes y amigos. Estos, como decía un cafetero, que los conocía bien, tienen los ojos en el ideal y la mano en el cajón.

Algunos han comparado a Darwin con Karl Marx. No se pueden comparar. El uno es el hombre de ciencia puro, que no tiene más ansia que la averiguación de la verdad; el otro es el judío hábil y aparatoso, que juega con las ideas como un buen discípulo de Hegel y que lleva guardado un fondo de rencor. Aunque la teoría de la evolución de Darwin tenga sus fallas, como toda cosa humana, está comprobada por la paleontología, la biología y la antropología.

No pasa esto con las teorías marxistas. La interpretación materialista de la Historia no tiene valor. Es una hipótesis no demostrada. «La revolución social comunista se implantará en las zonas fabriles de Inglaterra más cultas», dijeron los marxistas hace años. Se ha implantado en un país de civilización pobre, como Rusia. Las fortunas se irán automáticamente acumulando en pocas manos. Ha pasado eso en unas partes y en otras no. La mayoría de las predicciones socialistas han sido fallidas. Sin embargo, se quiere llamar a eso ciencia. Es como querer llamar ciencia a los libros de Flammarion o al *Calendario Zaragozano*.

24 febrero 1935.

LOS ANÓNIMOS

No voy a referirme a los autores que ocultan su nombre ni a las obras que no se sabe quién las ha escrito, sino a las cartas o papeles sin firma que se envían a una persona, y en los cuales, por lo general, se dice algo grosero, desagradable u ofensivo.

Hace algunos años, no muchos, estábamos reunidos alrededor de la mesa, en una casa elegante de San Sebastián, varias personas: los dueños, dos señoras, tres muchachas y cinco hombres: dos médicos, un aristócrata, un oficial de Artillería y yo. De los médicos, uno era de la ciudad, y el otro, más joven, estaba en un pueblo.

Yo veía desde mi silla, por un ventanal, la bahía de la Concha al sol de un día claro de primavera, con el mar verdoso y rizado de olas con espuma.

A los postres se habló de una carta anónima que se había publicado y había producido mucho revuelo en la ciudad.

—En mi tiempo—dije yo—de chico, en Pamplona, se hablaba con frecuencia de gente que había recibido algún anónimo. Sobre todo, estos anónimos se referían a cuestiones amorosas. La mujer despechada o el hombre desdeñado escribían para vengarse, para desacreditar al odioso rival. Yo no sé si ahora en las capitales de provincia se seguirán mandando anónimos.

—No creo—repuso el más viejo de

los médicos—. Ahora la gente empieza a decirse las cosas cara a cara. El anónimo es un arma de ciudades comprimidas y levíticas.

—Pero esa clase de ciudades existen todavía—contesté yo.

—Ahí está el caso de esa mujer de un pueblo de Francia que ha producido con sus anónimos la desgracia de una serie de familias y ha acabado suicidándose—indicó el militar.

—En los pueblos se siguen mandando anónimos—dijo el joven médico de partido—por cuestiones amorosas y por cuestiones políticas. Durante la Dictadura se han enviado muchos anónimos.

—¿Delaciones?

—Eso es. Delaciones o denuncias dirigidas al gobernador, al delegado administrativo o al juez: «En el café de Tal hay una tertulia de conspiradores.» «En la taberna X se reúnen anarquistas y se habla de que hay que matar al rey y a Primo de Rivera.» «En la botica hay una tertulia de separatistas.» «Se habla de que en casa del cura H, que es uno de los jefes carlistas del pueblo, hay reuniones sospechosas.»

—¿Y qué clase de tipos son los que mandan esas denuncias?—preguntó el militar.

—En general, forasteros que tienen o creen tener algún motivo de descontento. Casi siempre, envidiosos. También hay delatores de estos que suelen ser muchas veces sinceros y se creen honrados, y que si denuncian es por razones morales.

—Todas las pequeñas canalladas de la política siempre tienen su disfraz y su justificación—dije yo—. En las cuestiones personales y amorosas no hay manera de inventar un subterfugio para quedar bien ante sí mismo, y el que manda una delación o inventa una calumnia se tiene que ver tal

como es, en toda su deformidad natural.

—¡Ca! Es usted un romántico—me dijo el joven médico.

—¿Usted cree que no notará él mismo su infamia?

—Naturalmente que no.

—Difícil es saberlo.

El aristócrata contó el caso sucedido a un político de Madrid. Este tenía una enfermedad del estómago, y estaba alarmado. Hacía tiempo había prometido a un paisano suyo y amigo de la infancia una plaza; pero, por servir a su jefe, se la había dado a otro. Este paisano postergado, que le tenía un odio africano al político, supo que éste tenía un cáncer y que la familia se lo ocultaba, y le escribió una carta, y al último le decía: «Sé que tiene un cáncer y me felicito de ello.»

—Muy humano—dijo uno de los médicos.

—Humano en el mal sentido—repliqué yo.

—¿Usted no ha escrito nunca anónimos?—me preguntó el médico joven.

—Yo, no; ¿para qué?

—Pero ¿habrá usted recibido alguno?

—Sí; hace algún tiempo, en réplica de algunos artículos antirreligiosos. Probablemente salían de alguna sacristía de aquí, del pueblo. En Cestona, cuando estaba de médico, me mandaron uno o dos. No hacía caso. El otro médico, que era quisquilloso, me enviaba también cartas largas por tiquis miquis sin importancia. Yo cogía las cartas sin abrirlas, las tiraba al fuego y decía: «Bueno, ya hemos despachado la correspondencia.» (Esos antiguos anónimos y ahora algunos de centros comunistas son todos los que he recibido en mi vida, lo que hace pensar que sacristías y centros tienen el mismo carácter eclesiástico.)

La señora de la casa nos invitó a pasar al salón próximo. Habían llegado algunos amigos jóvenes de las muchachas.

Quedamos en el comedor el militar y yo.

Comenzaron a tocar, a cuatro manos, en el piano, una de esas piezas de concierto complicadas, en las que el mérito parece ser hacer mucho ruido. Una de las muchachas de la casa, una chica muy simpática y de aire muy valiente, volvió al comedor de la sala.

—¿Qué hacen ustedes solos? ¿No les gusta a ustedes esta música?—preguntó.

El militar no contestó.

—¿Quién toca?—dije yo—. ¿Alguien de la familia?

—No. ¡Qué prudencia!

—Si se puede hablar francamente, le diré a usted que esto es una pedrea de notas. Es como oír a una mecanógrafa que escribe cien palabras por minuto.

—Tiene usted razón. A mí no me gusta tampoco. ¿Qué decía usted de la gente que escribe anónimos?—preguntó la chica, sentándose a nuestro lado.

—Pues yo decía que la gente que escribe anónimos debe de sentirse por dentro muy sucia, muy miserable, y el joven médico me replicaba que era un romántico al creerlo así.

—¿El supone que todo el mundo está contento con su miseria?

—Sí, sin duda.

—Pues no es cierto. Yo misma, que tengo dieciocho años, me siento muchas veces escandalizada conmigo misma.

—¿De verdad?

—Sí.

—A veces sueño unas cosas tan indecentes, oigo en sueños palabras tan sucias, que me quedo alarmada y me

pregunto: «Pero ¿qué mujer soy yo?»

—Una mujer superior a la mayoría—le dije.

—¿Cree usted?

—Sí; yo también lo creo así—añadió el militar.

—¡Qué amables son ustedes!

—No; verídicos.

—¿Piensa usted que a la generalidad de las mujeres no les pasa lo mismo? Igual; pero no confesarán una cosa así. ¡Ca! La guardarán bajo siete llaves, porque no les conviene mostrarla. Esto dicen los hipócritas que es pudor. ¡Qué pudor! Es falsedad, mentira. ¿Qué mujer va a tener en la imaginación esa limpieza, esa inocencia que a usted le gustaría tener?

—¿Usted cree que ninguna?

—Ninguna. Tendría que vivir en un aislamiento absoluto para no oír el chiste sucio del teatro, la alusión del cine o las brutalidades de la calle. Todo eso que ha oído usted se ha quedado en su memoria, aunque usted no lo haya aceptado, y en el sueño, donde no hay freno, sale a flote.

—Así que no hay que alarmarse...

—Claro que no hay que alarmarse. Uno no es responsable más que de lo que da cabida y acepta en su conciencia.

Luego conté el caso de una solterona que había llevado una vida devota, escrupulosa, y después de unas fiebres había tenido un trastorno cerebral y había comenzado a barbarizar y a decir palabrotas y frases pornográficas, asombrando a la familia.

—No creo que haya ni mujer ni hombre que pueda vivir al margen de las malas pasiones ignorándolas —concluí diciendo—. Los pensamientos más atravesados, las intenciones más aviesas, pueden asaltar a cualquiera. Por eso nos interesan los crímenes y los mayores atropellos, porque somos capaces de sentirlos y hasta de realizarlos.

—Sí, sí; es posible. Creo que tiene usted razón—dijo la muchachita.

—Sobre eso de los anónimos, recuerdo una historia que no deja de ser curiosa—dijo el militar.

—A ver. Cuente usted—dijimos la muchacha y yo.

—Hace treinta años, cuando salí yo de la Escuela de Segovia, me destinaron a una ciudad castellana bastante levítica. Paseaba un día por la mañana, antes de comer, por los arcos de la plaza, con un amigo, cuando cruzó delante de nosotros una mujer morena, esbelta, de cara larga y ojos brillantes, vestida de negro y con mantilla. Volvía sin duda de la catedral, con el libro de misa y un rosario en la mano. Tenía el aire un poco marchito, el color bronceado y ojeras negruzcas alrededor de los ojos.

—¿Quién es esta mujer?—pregunté al amigo.

—Es una señorita de aquí. Se llama Carlota y es hija de una familia aristocrática venida a menos.

—Es guapa.

—Sí; sobre todo tiene tipo. Pero la gente la mira con antipatía y lleva camino de quedarse soltera.

—¿Por qué?

—Le han echado la fama de que envía anónimos a la gente.

—¿Y qué habrá de verdad en ello?

—No lo sé. Aquí se contó que había un capitán que iba a casarse con la hija de un comerciante de la plaza y que el capitán recibió un anónimo y que la boda se deshizo. El anónimo se lo achacaron a esta mujer. Luego, el comerciante se arruinó y murió de la gripe, y hasta de la ruina y de la muerte le quisieron echar la culpa a esta Carlota.

—¿Y es que suelen mandar anónimos aquí?

—No sé. Hace años se habló bastante de anónimos, cuando la historia de esta mujer; luego ya no se ha dicho nada.

—¿Y sería de verdad ésta la autora del anónimo?

—¿Quién lo sabe? No se sabe si hubo tampoco anónimo. El confesor de esta mujer lo sabrá, si lo hubo.

—¿Y en qué concluyó el asunto?

—El capitán, que era un hombre vulgar y satisfecho de sí mismo, y que quizá estaba deseando romper su noviazgo, se marchó del pueblo sin decir nada. La hija del comerciante dijeron que estaba enferma; otros aseguraron que no tuvo nada. Luego se aseguró que entre Carlota y la hija del comerciante se desarrolló un gran odio. La última manifestación de este odio fue bastante miserable. Carlota tenía un canario amaestrado, que lo ponía en el balcón. Se dijo que unos días antes de su santo encontró la jaula abierta y sin pájaro. Carlota se lamentó mucho; pero se consolaba pensando que su canario gozaba de libertad. El mismo día del santo recibió una caja de regalo, como de dulce, con unas cintas, y al desatarla encontró dentro de la caja el canario, muerto, con una astilla de madera que le atravesaba el pecho, y debajo un papel que decía: «Recuerdo.»

—¡Oh! ¡Qué cosa más desagradable!—exclamó la muchacha—. ¡Qué venganza más fea y más ruin!

Por el ventanal del comedor resplandecía la bahía, con el mar verde inundado de sol y con las espumas que dibujaban meandros de plata.

3 marzo 1935.

LA FAMILIA Y SUS VICTIMAS

Un comunista que, sin duda, piensa que soy un buen conservador autoritario, me dice en un carta: «Usted, al parecer, cree que la familia es una institución perfecta.» No. ¡Yo qué voy a creer eso! Para mí no hay nada perfecto en las instituciones humanas ni lo habrá nunca.

Hay obras perfectas, dentro de lo relativo, hechas por el hombre, porque están adaptadas a un fin. La Geometría es perfecta y la teoría de la gravitación. También lo son en el arte algunas estatuas griegas, algunas sonatas de Mozart y de Haydn y algunos cuadros de Rafael y de Velázquez.

Para mí no hay nada perfecto en la Naturaleza desde el punto de vista humano. No sabemos si la Naturaleza tiene un fin. ¿Qué perfección puede tener la erupción de un volcán, un temblor de tierra, una inundación o una epidemia? La misma que puede haber en una víbora, en un escorpión o en un microbio. Es decir, ninguna.

La sabiduría de la Naturaleza, desde nuestro punto de vista de habitantes del planeta, es una ilusión.

Metchnikoff asegura que el aparato digestivo del hombre es de lo más disparatado y peor dispuesto que puede haber en un conjunto de órganos para su función.

Sólo la ciencia y el arte tienen objetivos claros y, por tanto, cimientos sólidos. Lo demás está construido sobre terreno inseguro. Así, las religiones como los sistemas políticos tienden a prohibir el examen de sus orígenes. En ellos está la parte débil. Luego, a veces, sobre los cimientos malos se construyen grandes palacios.

Refiriéndome a la familia, si yo creyera en el valor de las etimologías, sacaría a relucir que algunos etimologistas suponen que esta palabra procede de *famulas* (servidor). Es decir, que familia querría significar primitivamente conjunto de servidores. Ello no quiere decir que haya seguido significando lo mismo. Este supuesto origen no desvía por completo el significado posible y primitivo de la palabra, porque, indudablemente, sin criados no hubiera habido familia.

Proudhon, a quien se tiene por un audaz pensador, y que me parece un retórico y un pedante, habla del matrimonio y de la familia como un predicador, colocando las cuestiones en la esfera del derecho.

Naturalmente, si las cuestiones se ponen no como son, sino como deben ser, entonces todo se simplifica y se resuelve con una facilidad pasmosa.

Proudhon canta el matrimonio y la familia.

«El matrimonio—dice este escritor superficial y seudorrevolucionario en su libro *De la justicia en la revolución y en la Iglesia*—es la unión de dos elementos heterogéneos: el poder y la gracia; el primero, representado por el hombre productor, inventor, sabio, guerrero, administrador, magistrado; el segundo, representado por la mujer, de quien se puede decir que es, por su naturaleza y destino, la idealidad realizada, viva, de todo aquello que el hombre posee en él en un grado superior; la facultad en los tres órdenes del trabajo, del saber y del derecho. He aquí por qué la mujer quiere al hombre fuerte, valiente, ingenioso; ella lo rechaza, si no es más que amable y gracioso, porque él, de su parte, la quiere bella, graciosa, bien hablada, discreta y casta.»

El escritor retórico dice otras vulgaridades respecto al matrimonio y a la familia, que no parecen más que un comentario trivial de la epístola de San Pablo y que podrían figurar en el *Juanito* o en *Las tardes de La Granja*.

¿Dónde está ese hombre fuerte, valiente e ingenioso? ¿Dónde está esa mujer bella, graciosa, discreta, etc.? Si sólo fueran al matrimonio los hombres fuertes, valientes e ingeniosos y las mujeres bellas, graciosas, discretas y castas, el número de los matrimonios en todo el mundo sería escasísimo.

Como no es así, la gente se casa mal o bien: los valientes e ingeniosos como los cobardes y los tontos, las bellas, graciosas y discretas como las feas, sosas e impertinentes, y los cónyuges y la familia que crean van dando tumbos por la vida.

Además, en cuántos hogares no estaría la mujer mejor que el marido al frente de la fábrica, del taller o del laboratorio, y el hombre se encontraría más en su centro en la cocina o zurciendo los calcetines.

La familia va decayendo en todas partes por muchas causas. Los motivos principales son varios: unos, de carácter natural, y otros, social.

El primero, de carácter natural o biológico, es que no hay armonía, entre dos personas, aunque sean hombre y mujer, más que cuando uno se sacrifica o sacrifica al otro. Así, a medida que aumenta la personalidad y el carácter de los cónyuges, aumentan los motivos de discusión. Lo mismo da que la personalidad sean en bien o en mal.

Los motivos sociales que hacen decaer a la familia están en la extinción del mayorazgo, en el aumento de la cultura de la mujer, en la movilidad de la familia, que le hace perder la moral localista del grupo; en la dificultad de tener criados, en el divorcio, en el éxodo a las ciudades y en la insuficiencia de la ganancia del hombre, que inclina a trabajar a la mujer.

Así se nota actualmente en los pueblos industriales, en donde el hombre y la mujer trabajan en fábricas y en comercios, que casi no hay familia.

La familia se tuvo que formar espontáneamente a base del instinto sexual, y fueron sus fundamentos el abrigo, la casa o la choza, la propiedad de la tierra próxima y de los instrumentos del trabajo, los criados y el fuego.

Hoy la mayoría de los empleados y de los obreros de las grandes ciudades no tienen casa, ni tierra, ni instrumento de trabajo, ni criados, ni fuego. Es lógico que tiendan a no tener familia. Esta se disgrega. La mujer quiere ser independiente, no depender del hombre y medirle en lo que vale; a los hijos les pasa lo mismo.

La familia es la representación de la sociedad en pequeño. Tiene su código no escrito, que, en la práctica, es poca cosa. Todo eso de los derechos jurídicos es palabrería. En la realidad, la familia se convierte en un conflicto de fuerzas, y el que más puede predomina, y el débil se deja avasallar.

Padres e hijos, marido y mujer, hermanos y hermanas, tienen, cada uno en su lugar, los mismos derechos en teoría; pero dentro de la casa todos están en una situación distinta. Los padres dicen: «Yo quiero a todos mis hijos igual.» Es falso. Esto es una ilusión jurídica.

En muchas familias hay víctimas y verdugos, sacrificados y sacrificadores, déspotas y esclavos. Tan pronto corresponde al padre, a la madre o a los hijos el papel bueno como el malo. Todo depende del conflicto de la fuerza con la debilidad.

La familia suele ser también la representación genuina de la categoría social. ¿Cómo se va a casar la hija del aristócrata con el hijo del comerciante rico, ni el hijo del carpintero o del herrero con la hija del abogado o del médico? ¿No temblarían las esferas?

En esto, al menos, hay una idea de defensa de grupo o de clase que puede ser mejor o peor entendida. Hay, además, las manifestaciones de egoísmo cínico y despreocupado: los padres pobres que empujan al hijo a hacerse cura cuando no tiene vocación y obligan a la hija a casarse con un indiano viejo y rico, aunque esté enamorada de otro.

Más descarado es el caso de la madre que prostituye a la hija para vivir a su costa. También es muy frecuente el caso del hombre o de la mujer que considera a su madre como a la criada y la trata como a tal. Esto se da con bastante frecuencia en las madres de las cupletistas y de las mujeres de teatro.

En muchas familias hay una Cenicienta parecida a la del cuento. Mientras las hermanas preferidas van al baile o al teatro, la Cenicienta se tiene que ocupar de trabajos feos y viles.

Otras veces la Cenicienta no es la hija, sino el padre o la madre. Hay quien tiene vocación de mártir.

Los mártires de la familia tienen su representación en la literatura.

El tipo más ilustre de la época griega es Antígona, cantada por Sófocles, hija de Edipo y de Yocasta, que acompaña a su padre ciego; es víctima de la piedad filial; sacrifica sus amores por el espíritu de la familia y concluye condenada a ser enterrada viva.

Hay aún actualmente, sobre todo en los pueblos, pequeñas Antígonas que se sacrifican por sus padres o por sus hermanos. Yo, cuando he conocido alguna, le he dicho:

—No se sacrifique usted por nada ni por nadie.

No la he podido convencer.

Otro tipo literario de la ingratitud humana es el del rey Lear con sus dos hijas, Regana y Gonerila, que le desprecian después de heredarle, y Cordelia, que le sigue queriendo.

Una réplica del rey Lear más amarga y más siniestra es el *Padre Goriot*, de Balzac. Este es el rey Lear de la casa de huéspedes. El pobre ex fabricante de fideos ha llegado a colocar a sus dos hijas en la aristocracia: una, casada con un conde, y la otra, con un barón; se ha arruinado por ellas, y muere abandonado y solo en su buhardilla llamándolas y bendiciéndolas y considerándolas como seres angelicales.

En Balzac, por debajo de su cáscara monárquica y católica, hay el observador que pulsa las fuerzas sociales. Por eso todavía viven sus obras y se leen.

La familia, como todas las instituciones humanas, ha sido un manantial de arbitrariedades, de injusticia y de dolores.

Se mira hacia atrás, a una época todavía próxima, y se ve el grupo familiar viviendo en una perfecta injusticia. En la casa rica, el mayorazgo se queda con todo; los demás hijos tendrán que buscarse la vida como puedan; las hijas se casarán, si les dan dote, con aquel que les indique su padre; si no, irán monjas o se las arreglarán a la buena de Dios.

Esta injusticia palmaria ha conservado la familia durante miles de años. Cuando se ha intentado organizarla de una manera más justa, se ha comenzado a cuartear y a desmoronar.

Es curioso que el hombre, que ha inventado tanta palabrería jurídica y ética, es uno de los animales que vive mejor y más a gusto con la injusticia.

Hoy la familia lleva camino de descomponerse. Se ve este cuarto de ciudad grande e industrial con su aparato de calefacción. Por el día, en la casa no ha habido nadie. Llegan el hombre y la mujer de la oficina y del taller, ponen un mantel de papel sobre la mesa, sacan unas latas, echan el contenido al plato, comen y beben y se van al cinematógrafo.

Dónde acabará esta disgregación de la familia, no lo sabemos ni lo podemos suponer. El sistema de divorcio a todo pasto, como en los Estados Unidos, y el de la Ciudad Imán a estilo ruso, no parecen muy propios para crear sociedades fuertes.

Lo curioso y extraño de la evolución histórica de la familia es que ha resistido miles de años cuando estaba constituida de una manera injusta y despótica. En cambio, cuando se le quiere dar una organización justa y lógica, se descompone.

Aquí, como en otras muchas instituciones humanas, la mentira es más vital que la verdad.

24 marzo 1935.

LAS EPOCAS REVOLUCIONARIAS

La tendencia reformista y revolucionaria apareció, en los tiempos modernos de España, en las Cortes de Cádiz. Encerrada primero en la sala de un teatro, y después en una iglesia, en la de San Felipe, quedó allí como comprimida y disfrazada por el patriotismo.

Ya en las Cortes gaditanas se inicia la división de liberales y serviles, una división todavía teórica, ideológica, que no trasciende al país.

La Constitución de 1812 no pareció a los tradicionalistas un gran peligro hasta que comenzaron las inspiraciones liberales de Mina, Richart, Lacy, Porlier, etc.

El levantamiento de Riego hace estallar la revolución engendrada en Cádiz y la lleva a la calle. Los absolutistas afirmaron que este movimiento de 1820 contribuyó a la pérdida de América, por realizarse con las fuerzas que se querían enviar a las antiguas colonias para dominar la rebelión. El reparo tiene poco valor. De todas maneras, las colonias americanas se tenían que perder, y cuanto antes se hubieran perdido hubiera sido mejor para España. América no nos ha dado nunca nada. Ahora mismo, la pequeña producción de nuestros libros nos la saquean de una manera cínica y descarada los americanos.

La sublevación de Riego divide a España en un pequeño sector liberal, en las ciudades, y una masa grande, absolutista y tiránica, en los campos.

A las Cortes de Madrid de los tres años, en sus tres legislaturas, viene gente de valer; pero no hay ningún hombre de fibra que comprenda que un régimen naciente y de minoría necesita una mano fuerte. Se deja perorar en los cafés, se permiten toda clase de sociedades políticas y de iniciativas disparatadas.

Hay masones, comuneros, carbonarios, anilleros, exaltados, moderados. El caos. Los enemigos con la máscara de la exaltación trabajan contra los Gobiernos liberales, y los Regato y sus congéneres andan mezclados en maniobras turbias y desacreditadoras.

A pesar de todo, esta de 1820 al 23 es la mayor revolución de España del siglo XIX. Se hacen muchas imprudencias y muchos disparates: la muerte de Elío, el asesinato del cura de Tamajón, la pedrea a las Embajadas de las naciones de la Santa Alianza.

Se irrita a los absolutistas hasta desesperarlos. No creo que haya canción tan insultante para ellos como el *Trágala*. Se dice que la cantó el general Riego en un palco de un teatro de Madrid; pero no hay testigo presencial del hecho que lo asegure como si lo hubiera visto.

Se compara el *Trágala* con el *Ça ira* y con la *Carmañola* francesa; pero el *Trágala* es más agresivo y más bárbaro.

La letra primera del *Ça ira* no era violenta. Luego se hizo el estribillo más duro:

> *Ah! ça ira, ça ira, ça ira,*
> *les arisocrates à la lanterne.*
> *Les aristocrates on les pendra:*
> *Ah! ça ira, ça ira, ça ira...*

Esto se podrá considerar como atroz, pero no es insultante.

La letra de la *Carmañola* tampoco es muy preciosa:

> *Madam Véto avait promis* ⎫ bis
> *De faire égorger tout Paris.* ⎭
> *Mais son a coup a manqué*
> *Grâce à nos canonnié:*
> *Dansons la Carmagnole.*
> *Vive le son, vive le son.*
> *Dansons la Carmagnole.*
> *Vive le son du canon!*

Todo esto parece circunspecto y político al lado del *Trágala* y de su estribillo, ofensivo y brutal.

Mi abuela materna, que era nacida en 1819, recordaba haber oído cantar el *Trágala* de niña delante de una casa de San Sebastián. No recordaba a punto fijo cuándo; pero debió

de ser en la primera guerra civil. La copla que cantaba siempre era ésta:

> *Señor doctor, estoy empachado.*
> *No me ha sentado*
> *la Constitución.*
> *Pues, amiguito, trague esta china,*
> *que no hay más quina*
> *para ese mal.*
> *Trágala, trágala, trágala,*
> *trágala, trágala, trágala.*
> *Perro,*
> *trágala siempre*
> *tu servilón.*

Se comprende la ira que tenía que producir a un señor absolutista, rico y buen católico que hasta entonces todo el mundo había respetado, oír una noche, delante de su casa, una cencerrada furiosa con estos *Trágalas*.

Yo creo que debió de exasperar a los absolutistas y clericales más aún que la matanza de frailes de Madrid del año 1834.

Los políticos liberales del 20 al 23 tuvieron una política imprudente. Debieron haber comprometido a Fernando VII con el régimen, y entonces la guerra civil se hubiese adelantado diez años y no hubiera tenido un motivo dinástico, además del religioso.

Francia dio el golpe mortal a la primera revolución española con los «cien mil hijos de San Luis». Chateaubriand nos trajo a Calomarde. La retórica afectada sirvió de puente a la brutalidad y al servilismo de un baturro innoble.

A la muerte de Fernando VII (1833), España se lanza a la guerra civil. Durante la regencia de María Cristina se vive en un período de agitación crónica, que no llega a la revolución. Es una época de pronunciamientos y de motines.

En 1841, con la renuncia de María Cristina, comienza la regencia de Espartero. Esta regencia es la revolución de nombre, de etiqueta. En la realidad no es nada. Palabrería, garrulería. Puro chinchín.

Espartero es un político mediocre, perezoso y vano, que no piensa más que en su gloria militar. Teme a Olózaga y a los jefes progresistas, que le pueden hacer sombra, y fracasa.

Tras de él viene la etapa de Narváez. Entra el general en la escena el año 43 con el movimiento de Torrejón de Ardoz, y un año más tarde es el amo del cotarro.

Narváez, como político, vale mucho más que Espartero. No está siempre pendiente de su gloria miilitar. Tiene el andaluz de Loja la intuición y la lucidez para ver los hechos. La certeza es la duda en este hombre, a quien apodan *el Espadón*. Habla de una manera soez, grosera. Es ignorante; pero debajo de su apariencia ruda y desagradable hay un zorro que se pierde de fino.

En su aspecto físico hay algo de esta desarmonía, que concuerda con su carácter moral. Un satírico de la época dice de él:

> *Tiene este santo varón,*
> *por su afán de ser bonito*
> *y sus aires de matón,*
> *semejanza con Nerón*
> *y también con don Pepito.*

Narváez quiere realizar en España un liberalismo posible. La revolución del 54, que parece que triunfa, no triunfa en la realidad, y la insurrección de 1866, una de las más sangrientas del siglo último, fracasa.

La revolución del 68 es teórica y palabrera. Grandes decretos, grandes discursos y grandes frases.

Prim, el mediterráneo de cabeza clara, enemigo durante toda su vida de Narváez, y con una intuición y una clarividencia parecida a la del andaluz de Loja, tiene un sentido para orientarse que no tienen los que le rodean.

Narváez y Prim son los dos grandes políticos del siglo XIX español. Sin duda, la cantera de los políticos de España está en el Mediterráneo y en Andalucía.

Mirando la Historia como un escenario de figuras simbólicas, se podría decir que el asesinato de Prim no fue un resultado del odio y del rencor, sino un resultado de la pedantería española.

La República actual vino, como se sabe, por un movimiento unánime de opinión, sin lucha, sin muertos y sin males. Fue la menor de todas las revoluciones españolas. Han pasado cuatro años, y hay que reconocer que, hasta ahora al menos, no ha tenido éxito.

Las bases de la Monarquía están ya muertas, podridas, en el espíritu del pueblo. No volverán a tener vida. La República, en cambio, aunque sea poca cosa, permite el amparar toda clase de posibilidades.

El poco éxito de la República actual no se puede achacar a nada exterior. No se puede decir que hayan sido presiones de fuera las que imposibilitaron la obra de los Gobiernos.

No había amenaza carlista, ni de restauración monárquica, ni de guerra exterior, y, sin embargo, no se hizo nada de provecho. Ha faltado el político, el catalán del tipo de Prim o el andaluz de la vitola de Narváez.

Quizá no se necesitaba ningún canciller de hierro; bastaba un poco de paciencia, de inteligencia y de buen sentido. No los hubo. Hubo una prisa absurda.

Además, todos estos republicanos verbosos, vacuos y jurídicos no han hecho más que contradecirse.

Antes de la República necesitaban un Gobierno conservador, un Thiers. Después se olvidaron de su aspiración y no llegaron, como diría un francesista, al *tiers* del político vencedor de la Commune.

Se decretó una libertad absoluta de Prensa, y a los pocos días se dictaba una ley de Defensa de la República y se suprimían periódicos.

Se implantó el voto de la mujer en un día, y en otro se propuso por los republicanos que en las primeras elecciones no votara la mujer.

Con la pena de muerte se han hecho también unas combinaciones caprichosas y absurdas.

La Reforma agraria ha sido un fiasco aceptado en frío por los que decían que tenían interés en realizarla.

Ya que no haya genialidad en la política española actual, debía haber, por lo menos, cierta equidad y cierto orden.

Dentro de poco, en España, la República será un régimen conservador, y para un régimen así no se necesitan genios políticos ni grandes divos como Hitler.

Yo creo que basta un hombre inteligente, sereno, ecuánime y que tenga un fondo de buen gusto.

7 abril 1935.

EL VALOR DE LA CRITICA

En el tren he venido leyendo la obra de César Barja, de la Universidad de California, titulada *Libros y autores contemporáneos*. Los autores de que se trata son ocho escritores y poetas, españoles en su mayoría, de los que se llaman de la generación de 1898.

No he de ocultar que lo primero que he leído de este libro es lo que se refiere a mí.

César Barja tiene la ventaja, para ejercer la crítica sobre la literatura nuestra, de vivir alejado de España. A él no le pueden llegar las pasiones del momento, las antipatías personales ni la política. Así, en el libro hay serenidad y no hay animadversión contra nadie. Es una crítica la suya tranquila, apacible y metódica sobre escritores que han pasado su época de producción y que se encuentran ya es una zona más histórica que actual. Esto no quita para que haya en el libro un conjunto de ideas, de preocupaciones y, sobre todo, de simpatías literarias; es decir, un criterio estético y personal.

Todos los impulsivos y los serenos estamos encerrados en nuestro temperamento, somos limitados, y nuestra limitación va desde el blastodermo hasta la muerte.

Yo sospecho que el criterio del autor de esta obra que leo no es el mío.

A mí me gustaría — quizá por ergotismo—leer la crítica, favorable o adversa, del escritor que tuviera ideas estéticas y sociales parecidas a las mías. Esto me daría una impresión completa de mis errores y de mis aciertos.

Hasta ahora, en general, me han considerado como un autor colocado en un terreno un poco falso y absurdo. Sólo me he visto tratado como hombre colocado en su lugar en algunos periódicos norteamericanos, rusos y, sobre todo, escandinavos.

Puede haber una crítica objetiva, es evidente; una crítica puramente científica; pero ésta llega a poco en sus conclusiones. En general, la crítica es objetiva, impresionista, intuitiva. Difícil es saber si acierta o no acierta.

Nuestra época es una época anárquica dentro de su mediocridad. Puede haber una gran cantidad de prejuicios y de lugares comunes; pero cada uno toma de ellos la cantidad que le conviene.

Así se puede decir, como decían los latinos: *Quot capita tot sensus*, que creo que se puede traducir: «Tantas opiniones como cabezas.»

La literatura, como la política, está llena de salvoconductos. Hay gentes que tienen salvoconductos y otras que no lo tienen.

Estamos viendo personas que fueron servidoras de la Monarquía y de la Dictadura, que pertenecieron a partidos reaccionarios y tuvieron pensiones del Gobierno, que ahora son en nuestra República republicanos y socialistas con el beneplácito de todos y tienen sus destinos y sus sueldos. Otros, en cambio, republicanos antiguos, no pasan a disfrutar del presupuesto y están como sometidos a un veto. Difícil sería saber por qué. En literatura pasa igual: a unos se les permite todo, y a otros, nada.

El criterio estético del autor y del crítico depende en gran parte de su cultura y de su temperamento y también mucho de la utilidad.

Cada cual elige el conjunto de ideas que le convienen a su manera de ser. Quizá toda estética es — de una manera tácita o expresa—una forma de defenderse y de atacar.

Esto se me ocurre al leer la afirmación de César Barja, quien asegura que, al impugnar yo las teorías de Ortega y Gasset sobre la novela, no hago más que ratificar, en términos generales, el tipo particular de novelas que yo cultivo. Es decir, que en mis ideas artísticas me defiendo a mí mismo, que tengo un criterio de profesional. No digo que no sea cierto; pero también se puede afirmar que

Ortega tiene, con relación a la novela, un punto de vista de profesional. Se le preguntará a un filósofo: «¿Cómo debe ser la novela?» El filósofo dirá, probablemente: «La novela debe ser una obra bien limitada y sin excesos filosóficos.

Se le preguntará al novelista: «¿Qué debe ser la filosofía?» El novelista contestará: «La filosofía debe ser pensamiento puro, sin metáforas ni imágenes plásticas, que no pueden añadir nada esencial a la idea.»

Se puede sospechar que uno y otro, al expresarse así, defienden, más o menos inconscientemente, sus tendencias y su manera de ser.

El crítico hace lo mismo. Para él la obra mejor es la que más se presta a las florituras del análisis literario. Nadie niega que se puede juzgar; pero el juicio no pasa de ser la visión de un individuo. Como norma general, vale poco o no vale nada. La escala de valores literarios y artísticos se hace siempre muchos años después de la muerte de los autores, y aun así no de una manera definitiva. *Ai posteri l'ardua sentenza*, dijo Manzoni tras de cantar a Bonaparte, un Bonaparte en miniatura.

Los escritores y los artistas, buenos o malos, estamos siempre sujetos a un juicio de revisión, y podemos pasar de improviso de soldados a capitanes generales y de capitanes generales a soldados.

La valorización, la gradación, el rango de un autor y de su obra es imposible fijarlo, porque lo más trascendental de ésta, su carácter humano, se escapa a las comprobaciones. Se cree en un autor como se cree en una religión.

No se elige por datos ni por reflexiones, sino por intuiciones. Cada escritor y cada artista levanta en su espíritu un retablo de imágenes a las que admira. Lo mismo hace el político y el hombre de ciencia. Hay quien varía en su culto y hay quien persiste en él.

Colectivamente pasa lo mismo. El tiempo influye en el cambio. Hay un conjunto de circunstancias imprevistas que escapan a la más fina penetración humana. Nadie sabe cómo se orientará el mundo artístico, literario y científico, no ya dentro de quinientos años, ni aun dentro de cincuenta. El ambiente varía, la luz cambia.

¿Quién podía pensar a mediados del siglo XIX que los pintores prerrafaelistas italianos iban a tener una época de supervivencia, de admiración y de entusiasmo? ¿Quién iba a creer que, al final de ese mismo siglo, el Greco, Goya y Zurbarán llegaran a ser universales?

En la literatura y en el arte se ha acertado muy pocas veces a priori, en parte por la pasión y en parte por la incomprensión. En la ciencia ha pasado lo mismo.

¿Qué quedará de la obra literaria y artística de nuestro tiempo dentro de cien años, si es que queda algo? Nadie lo puede prever.

¡Cuántas obras que se han considerado magníficas e inmortales, al cabo de poco tiempo se han olvidado! Algunas—menos, naturalmente—, consideradas de poco fuste al parecer, han sobrenadado y han tomado importancia con los años.

En la ciencia, Lamarck, con su Filosofía zoológica, y Geoffroy Saint-Hilaire, con su Filosofía anatómica, los dos precursores de la teoría de la evolución, quedan oscurecidos en la época por la influencia de Cuvier.

A pesar de ello, la teoría de la evolución triunfa con Lyell y con Darwin, y sin su auxilio, la Geología, la Paleontología y la Prehistoria serían inexplicables.

La primera edición del gran libro El mundo como voluntad y como representación, de Schopenhauer, se lleva a la fábrica para convertirla de nuevo en pasta de papel. Cuarenta o cincuenta años después, Schopenhauer apasiona al mundo. En la literatura, los casos se repiten. Aristófanes niega a Eurípides con saña, como niega a Sócrates. Entre nosotros, Góngora desprecia a Lope de Vega, y Quevedo, a Góngora. «El Quijote es obra que irá a parar a un muladar», dice uno de los más ilustres escritores de la época.

Molière y Racine tienen negadores sistemáticos.

Contra el poeta Ruiz de Alarcón, los poetas cortesanos de Madrid se desatan en versos desdeñosos e insultantes.

Freron y los suyos atacan a Voltaire y a Diderot, e intentan desacreditarlos.

Byron dice que entre los autores ingleses prefiere Pope a Shakespeare.

Los contemporáneos de Stendhal lo consideran como un escritor fuera de la literatura; Víctor Hugo lo desprecia, y el autor de El rojo y el negro dice en broma que la edición de su libro sobre El amor, como no se vende, la ha dado a un barco para que sirva de lastre.

Mérimée, en una de sus cartas, asegura que Baudelaire es afectado, petulante, que no es poeta, aunque hay en sus Flores del mal una chispa de poesía.

Julio Claretie, en un libro de Semblanzas literarias, dice que Héctor Malot, como psicólogo y novelista, vale más que Emilio Zola. ¡Qué olfato! ¡Quién se acuerda hoy de Héctor Malot!

En París, en 1905, oí asegurar entre profesores que Paul Verlaine había pasado definitivamente, y unos años más tarde, a unos rusos a quien visité con *Corpus Barga* en la calle de l'Estrapade, les oí decir que Dostoyevski era considerado entonces en Rusia como un escritor de segundo orden.

En la pintura ha pasado lo mismo. Hace cuarenta años todavía, *el Greco* era un extravagante, un loco.

Stendhal encuentra indigno de figurar entre los cuadros de la Galería Doria, de Roma, el retrato del Papa Inocencio, hecho por Velázquez. Hoy se considera ese retrato como lo más saliente de esa galería.

A Manet le rechazan los cuadros en las exposiciones de París, cuando, probablemente, él y los impresionistas son lo único fuerte que ha producido la pintura francesa de la época. En cambio, Meissonier y Fortuny, que entusiasmaban por el mismo tiempo, hoy están olvidados.

En la música se dan los mismos o parecidos casos. De las óperas de Mozart se aseguraba por sus contemporáneos que eran muy complicadas.

Se cuenta que, en el estreno de *Las bodas de Fígaro*, el emperador de Austria, después de felicitar a Mozart, le dijo:

—Hay que reconocer, mi querido maestro, que hay demasiadas notas en esta ópera.

—Ni una más que las necesarias, señor—contestó el músico.

Hoy esa ópera nos parece una maravilla de sencillez.

Cuando *El barbero de Sevilla*, de Rossini, se estrenó en Roma, hace ciento diecinueve años, se silbó estrepitosamente. Al representarse *La Favorita*, de Donizetti, en París, fue acogida con una completa indiferencia; se consideró que únicamente los bailables tenían cierta gracia, y se auguró a la obra poca duración en los carteles.

La crítica musical francesa habló durante muchísimo tiempo de Wagner como de un compositor extravagante, pesado y de mal gusto. En París, que se elogiaron obras mediocres, se criticó duramente la *Carmen*, de Bizet, que es la ópera francesa moderna que ha tenido más éxito en el mundo entero.

A Verdi le dijeron en el Conservatorio italiano, donde estudió, que no tenía condiciones musicales.

Al lado de tantas pifias, ¡qué pocos aciertos!

El joven que comienza una obra artística o literaria puede estar tranquilo aunque la crítica le sea adversa.

La crítica puede ser, de por sí, una obra de arte, puede tener importancia como trabajo científico; pero para anticipar el valor más o menos perenne de una obra y de un artista en general no sirve.

El joven que tenga entusiasmo y brío, aunque le pongan reparos, aunque le nieguen sus condiciones, debe persistir en su arte o en su trabajo científico. Otros han sido negados y han llegado a triunfar.

28 abril 1935.

ROMANTICISMO Y CARLISMO

El doctor Justo Gárate, de Bilbao, en su libro *Ensayos euskarianos*, examina la tesis del acercamiento que han hecho algunos escritores entre romanticismo y carlismo.

Podría ser éste uno de los infinitos puntos que tratar, aclarar y discutir si se realizara la idea de formar una Sociedad de Historia Moderna como la que proponía hace poco en *El Sol* Manuel Núñez de Arenas. Esos períodos históricos de los siglos XVIII y XIX son los que han iniciado y tienen en germen y en potencia el mayor número de cuestiones y de problemas vitales que nos obsesionan hoy y no han sido resueltos aún.

Como todavía esa Sociedad pensada por Núñez de Arenas no está en vías de hecho, el escritor aficionado a la Historia moderna no encuentra interlocutor ni pensamiento próximo que le ilumine, y tiene que dedicarse por necesidad al monólogo.

Es raro que se hayan unido estos dos conceptos, tan poco cercanos, de romanticismo y carlismo.

Podrá haber una relación exterior entre estos modos de ser y de pensar en España; pero en su fondo y en su esencia no la hay.

La división y la contraposición aceptada y generalizada por Nietzsche del hombre apolíneo y del hombre dionisíaco me parece la más definitiva para aclarar los conceptos de romanticismo y de clasicismo.

El romanticismo es dionisíaco, pánico; es ruptura de frenos, paso libre a los instintos, a la personalidad, desde la angelical a la demoníaca. Del romanticismo al realismo no hay más que un paso. El primero es un realismo con formas excesivas y desesperadas, y el segundo, un romanticismo recortado y sombrío.

El romanticismo tiende a pintar al hombre desnudo y sin adornos. Si en sus orígenes, en la novela y en el teatro, tendió al escenario de la Edad Media y del cristianismo mejor que a Roma y al paganismo, fue, sin duda, porque en las épocas cristianas y medievales el hombre se muestra más en su estado natural, con menos velos. El cinismo también es una derivación del espíritu romántico y pánico.

El clasicismo es apolíneo; busca la belleza más que el carácter; intenta fijar al hombre en los momentos en que reproduce un gesto tradicional que considera el mejor. El clasicismo tiene siempre un fondo de continencia y de discernimiento. La línea para él debe de ser siempre pura. Acusada, tiende a lo brusco.

El discernimiento, el buen gusto, separa la tendencia clásica y la romántica. El clásico sabe lo que es bueno, o cree que lo sabe; el romántico no lo sabe.

Un escritor español moderno decía que el mérito del escritor estaba en elegir entre lo que se pensaba. Cuando pasaban por la imaginación ananas había que tomarlas, y cuando pasaban patatas, dejarlas.

Para esto hay que tener la idea de que las ananas son buenas y las patatas son malas, y después, saber conocerlas.

Yo no sé si entre lo que he escrito hay ananas o no; si las hay, no sabría distinguirlas.

Los defectos del romanticismo inherentes a su modalidad son la gesticulación, el énfasis, la falsedad por exceso y por amplificación y el contraste mecánico y exagerado. Los defectos del clasicismo se pueden considerar la sequedad, la imitación nimia y la rutina.

Los más genuinos representantes del romanticismo en la época moderna serían, para mí, Beethoven, Goya y Dostoyevski; los del clasicismo, Bach, Canova y Andrés Chénier.

Claro que nada es tan absoluto para estar separado de su tendencia contraria por una frontera inabordable. No sería difícil encontrar en Horacio o en Virgilio detalles románticos, y en Shakespeare o en Calderón, detalles clásicos.

Todas las tendencias son circulares, como la serpiente simbólica que se muerde la cola. El clásico se acerca a veces a la forma romántica, y el romántico, a la forma clásica.

En la política, el extremista de hoy, el comunista, tiene detalles que parecen absolutistas, y el conservador rabioso se manifiesta muchas veces como un demagogo.

Dejando el romanticismo literario y artístico por el político, se ve que éste ha ofrecido muchos aspectos; uno de los más importantes ha sido el liberalismo, con sus varias tendencias antiguas y modernas y sus varios nombres. El liberalismo tiene un sentido lato, extenso, y un sentido restringido.

No creo que el liberalismo, en su sentido lato, venga de Juan Jacobo Rousseau. En la filosofía está ya claramente expresado en los autores griegos; después preside la Reforma y el Renacimiento. Rabelais no es sólo liberal, sino anarquista. El liberalismo es, sobre todo, crítica y acción destructora.

La Jacquería de Francia, la guerra de los comuneros, la lucha constitucional de España, el nihilismo ruso y el anarquismo latino son ramas del mismo tronco.

En el pensamiento moderno se pueden considerar como liberales desde Voltaire y Kant hasta Renan y Nietzsche.

El liberalismo, en un sentido político y restringido, fue la inclinación del siglo XIX, que pretendió con su crítica ir mermando las facultades de la Corona y de la Iglesia para dar libertad y medios de actuar a las gentes capaces e inteligentes. El liberalismo estuvo siempre aliado con la tendencia individualista, y en economía, con el libre cambio.

La frase de los fisiócratas del siglo XVIII: «Dejad hacer, dejad pasar», y la idea de convertir el Estado en una fuerza inerte, únicamente con atribuciones de policía, fueron dogmas del liberalismo. La última manifestación de éste en filosofía se puede considerar la crítica de Herbert Spencer, en su libro El individuo contra el Estado.

Contra la tendencia liberal comenzaron, a principios del siglo XIX, la imperialista y la demócrata—después comunista—, primero, recatándose; después, ya mostrando francamente su fondo autoritario. En nuestro tiempo, estas tendencias han dominado el mundo en casi todos los países, dándose distintos nombres.

El catolicismo fue siempre imperial, y en cada pueblo la Iglesia católica ha sido imperium in imperio, un Estado dentro de otro Estado, con sus leyes, sus derechos y sus privilegios.

Considerándolo así, y creyendo que el fondo del liberalismo es esencialmente romántico, se pregunta uno: «¿Qué relación puede haber en España entre romanticismo y carlismo?» Yo creo que, en su esencia, ninguna. Podrá haberla en sus accidentes.

En la época en que era la moda hacer libros novelescos, a base de las escenas de la Edad Media, la obra del escritor liberal podía parecerse a la del tradicionalista, pero siempre sería el parecido externo y aleatorio.

El carlismo español no creo que desde ningún punto de vista se pueda considerar como una actitud romántica, sino más bien como una postura clásica degenerada y amanerada.

El extranjero ilumina con frecuencia con una luz falsa las cosas de otro país. Así, Chaho, escritor francés fantástico, medio teósofo, escribe sobre la primera guerra civil un libro titulado *Viaje a Navarra*, en el cual quiere pintar a los carlistas vascos con un carácter de héroes de leyenda.

Hace poco, otro francés escribió un libro sobre el cura Santa Cruz, como si éste fuera un personaje romántico, cuando no era más que un sacristán cruel, que no tenía condiciones más que para fusilar y para huir.

Pierre Benoit hizo también una novela mediocre, titulada *Por Don Carlos*, para glorificar el carlismo de la última guerra. Es el libro del francés duro de meollo, que se cree ágil y espiritual.

El carlismo no tenía condiciones para ser romántico. Sus postulados esenciales eran la legitimidad y la intolerancia religiosa.

Cierto que había entre los vascos un fondo de furierismo, de patriarcalismo, y esto podía dar al pueblo un carácter primitivo y pastoril; pero este carácter, en la primera guerra, se acentuó muy poco, y aunque se dice que Zumalacárregui era furierista, el aserto no está comprobado.

La mayoría de los carlistas de la época aseguró siempre que la defensa del trono y el altar constituyó el motivo esencial de la guerra.

La familia de los Borbones nunca fue una familia romántica, excepción hecha de su fundador, Enrique IV. Este sí tiene una vitola de gascón simpático y atrevido. Los demás, no.

No hay reyes entre ellos como Gustavo Adolfo o Gustavo III, los dos de Suecia, conquistadores, valientes, arrojados, muerto uno y otro de una manera romántica. La familia de Borbón, en nuestro país, es una familia extranjera, poco castiza. Cuando tiene algo de español castizo es en lo malo y en lo bajo.

Los Borbones de España fueron reyes ratoneros, cazadores, melancólicos, medio tontos, sin iniciativas. Don Carlos, titulado Quinto, el pretendiente primero, era por el estilo: hombre egoísta, estúpido y sin gracia, casado con dos mujeres antipáticas: una portuguesa, fea y vanidosa, y una brasileña, perruna y herpética.

El segundo pretendiente, Don Carlos —Séptimo para los carlistas—era un gañán, sin interés alguno.

Uno y otro defienden la ley sálica, una ley de sucesión extranjera.

La ortodoxia católica tampoco podía producir romanticismos. El romántico siempre es el hereje Juan Hus o Savonarola, Giordano Bruno o Miguel Servet.

En la rama femenina de los Borbones, enfrente del primer pretendiente Don Carlos, anodino y vulgar, se da Isabel II, con muchos defectos, pero con momentos de gracia y de generosidad.

Los caudillos carlistas tampoco son románticos. Zumalacárregui es un organizador y un estratega de gran talento, pero es un hombre a la antigua, un jefe frío, metódico, no un improvisador. Cabrera es más improvisador, más ardiente, de una genialidad más aparatosa. Su acción tiene un aire revolucionario, mas no lo son sus palabras, ni sus discursos, ni sus escritos, que son pedantescos, como dictados por algún dómine o por algún clérigo.

Entre los caudillos liberales, la vitola romántica se da con más facilidad. En ellos la acción se armoniza mejor con la idea. Las siluetas del *Empecinado*, de Torrijos, de don Diego de León, de Montes de Oca, tienen una prestancia de leyenda que no pueden tener los militares absolutistas.

El último caudillo español de ese tipo es Prim. Henri Regnault lo pintó haciendo su entrada en Madrid, en 1868, entre la turba, y supo darle el carácter de un héroe de la revolución. Es éste uno de los mejores cuadros de la pintura moderna francesa, y, cosa extraña, a Prim no le gustó; se acusaba demasiado en el cuadro el tipo del *condottiero*, y el general quería por entonces no ser el caudillo, sino el político hábil y prudente.

El romanticismo no ha podido ser carlista; ha tenido que ser esencialmente liberal.

En el País Vasco—y yo creo que en España entera—, el romanticismo político está entre dos expediciones que se hicieron por Vera de Bidasoa. La de 1830, dirigida por Espoz y Mina y sus amigos, y la de los sindicalistas, de 1924.

Después este romanticismo se oculta, casi desaparece. Si renacerá o no, eso nadie lo sabe.

Los restos del carlismo, que han olvidado la cuestión dinástica y han acusado la furierista y la racial, como el nacionalismo, pueden llegar a ser románticos. Si el nacionalismo vasco, que prescindió de su amor por los Borbones, llegara a abandonar su carácter de exclusivismo católico y ultramontano y a hacerse vasquista también en religión, sería de lo menos helénico, de lo menos clásico y de lo menos romano de Europa; es decir, de lo más romántico.

19 mayo 1935.

SILUETA RUSA

El otro día, revolviendo mis papeles desordenados para empaquetarlos y llevarlos al pueblo, comencé a leer unas cuartillas escritas por mí hace quince o dieciséis años, poco después de la guerra, en las que hablaba de un ruso a quien conocí un momento y cuya historia lamentable no la he contado, quizá porque me desagradaba el recordarla. Al copiarla ahora he suprimido los comentarios y las diatribas contra la guerra que no vienen a cuento.

En casa de un amigo de Basilea conocí a este ruso y a su hermano. El uno se llamaba Niel o Niels, que debe

de ser la forma escandinava de Nicolis, y el otro, Sergio.

Eran los dos de origen letón, hijos de un propietario de Riga, que se había casado en Kazán con la hija de un general zarista.

Los dos hermanos tenían tipo germánico del Norte. Eran altos, rubios, huesudos, desgarbados, con los ojos azules muy claros y la expresión absorta.

Niel había sido aviador en el ejército del zar durante la guerra.

Yo le pregunté por las impresiones que se experimentan en la navegación aérea en los combates.

—Las impresiones de la guerra aérea no se han podido convertir en conceptos—contestó él vagamente.

—¿Se tiene miedo?

—Sí; siempre se tiene miedo. Por lo menos, no se va tranquilo.

—¿Habrá un ruido horrible?

—Sí, mucho; las impresiones son todas desagradables.

Una vez, según dijo, se le paró el motor y cayó desde tres mil metros de altura, y a los trescientos el aparato comenzó a funcionar de nuevo, y se salvó.

Su impresión general era que el aire no era para los hombres. Otro cualquiera hubiese contado mil aventuras más o menos fantásticas; pero a él, sin duda, no le gustaba hablar de su vida de aviador. En cambio, explicó sus trabajos de aficionado a la pintura con gran lujo de detalles. El dibujo lo dominaba bastante; el color, no. Le hubiera gustado ver los museos de Italia y de España, pero le faltaban medios. Tenía un amigo profesor de la Escuela de Bellas Artes de Stuttgart, y éste le había invitado a ir a vivir con él. Me enseñó croquis y escorzos que estaban bien, un poco esquemáticos y fríos, a la manera de Alberto Durero.

Dos o tres años después, en la terraza del Münster, de Basilea, vi a Sergio, uno de los dos rusos, y le saludé.

—¿Y su hermano?—le pregunté.

—Está enfermo muy grave.

—¿Dónde? ¿Aquí?

—No; en Stuttgart. Yo he venido desde París, donde estoy empleado ahora. Mañana voy a Stuttgart a ver a Niel.

—Yo también voy a Stuttgart.

—Quizá vayamos juntos.

Efectivamente, nos encontramos en la estación y entramos en un vagón de segunda. Ibamos los dos solos. Era una época en que en Alemania sólo viajaban en primera y en segunda los millonarios y los judíos. Hablamos del momento miserable que atravesaba el país, y después me contó la vida de su hermano.

—Niel, como yo—dijo—, ha nacido en Kazán, y ha pasado su niñez en la propiedad de un abuelo nuestro, general ruso. A los nueve o diez años entró con mi hermano mayor, Pedro, en el Cuerpo de cadetes de Kiev, y después fue a San Petersburgo para ser oficial en la Escuela de Aviación, mientras Pedro estudiaba en la de oficiales de Marina y yo me preparaba para ser ingeniero.

Vino la guerra mundial, y Niel se distinguió como gran aviador. Luchó en los aires con los aviones austríacos y alemanes, siempre con gran arrojo, y fue condecorado varias veces.

Estalló la revolución, y Niel se entusiasmó, creyendo que se presentaba una época gloriosa para la Humanidad. En tanto, mi hermano Pedro, mientras hacía guardia como oficial en un barco de guerra, a la entrada del golfo de Botnia, fue muerto por los marineros sublevados.

Mi madre, Niel y yo fuimos a San Petersburgo y después a un puerto de Finlandia a buscar el cadáver de mi hermano para darle una sepultura digna. Encontramos su cuerpo en los arenales próximos a una aldea. Lo enterramos, y por la noche, en la taberna del pueblo, tuvimos una conversación mi madre, Niel y yo. Yo proponía que abandonáramos Rusia. Mi madre y Niel no querían. Discutimos inútilmente.

—Puesto que así lo deseas, vete tú—dijo mi madre—. Nosotros nos quedaremos en Rusia.

Yo me fui. Vino el bolchevismo; Niel y mi madre se establecieron en Kazán, y allí fue preso mi hermano.

Para salvar su vida, tuvo que entrar en el ejército rojo.

Pasé mucho tiempo sin noticias suyas. Año y medio después, un oficial escapado de Rusia me habló de él. Este oficial contaba horrores de la crueldad de los bolcheviques y de la maldad de los chinos y de los judíos. Niel vivía como un santo; daba su sueldo entero y su comida a los aldeanos pobres.

En esta época, una de las muchachas más bonitas de Kazán, hija de un príncipe escapado a Constantinopla, se enamoró de Niel y se casaron. Esta muchacha, comunista entusiasta, era de ideas raras y absurdas.

Niel, por entonces, fue encargado de vigilar el traslado de los prisioneros austríacos a Siberia, y luego de reconocer el Dnieper, en viaje de exploración. Allí tuvo que luchar contra los rusos blancos de Denikin y contra partidas de aldeanos guerrilleros.

Su mujer, que había comenzado a perorar en las reuniones comunistas, se relacionó con aventureros y energúmenos que mandaban como déspotas en la ciudad, y escribió poco después a su marido diciéndole que se debía a la causa de la revolución y que se iba a casar con otro hombre. Añadía que podía hacerlo sin su consentimiento, pero que prefería que se lo enviase. Niel se lo envió.

Muy triste y desolado con las atrocidades de los bolcheviques, no pudo más; pidió licencia como enfermo y marchó a Kazán, donde se había refugiado nuestra madre. Le perseguían sin motivo y se escondió durante una semana en un corredor subterráneo de un convento, en donde hubiera muerto de hambre sin la ayuda de un viejo criado de la familia de mi abuelo. Después, a pie y con grandes privaciones, llegó por entre los cosacos del Don, cruzó las orillas del Dnieper, que ya conocía, hasta alcanzar Odesa. Aquí, con un compañero suyo de la escuela, entró de marinero en un barco mercante de vela, cargado de sal, que iba a Eupatoria. El viaje fue tan horrible, el mar estaba tan tempestuoso, que llegaron extenuados. Niel cogió el tifus y fue cuidado en un lazareto.

En esto se supo que el ejército rojo se acercaba a Eupatoria, y Niel, con otros oficiales rusos, fue trasladado a Constantinopla, y de allí a Egipto por los ingleses. Durante el viaje por mar, la mayoría de los fugitivos murieron. Los demás llegaron al campo de concentración de Tel-el-Kebir, en el interior de Egipto, en donde casi todos cayeron enfermos de disentería.

Cuando Niel curó pudo embarcarse como pinche en un barco, y, al llegar a la Argentina, supo que nuestra madre había sido asesinada en una aldea de nuestras antiguas propiedades.

En la Argentina, mi hermano pudo ganarse la vida dando lecciones. Yo le escribí diciéndole que vivía en Basilea, y vino a reunirse conmigo.

Después de contarme esto, Sergio me describió a Niel como un místico, como un santo.

—Es un Don Quijote sin petulancia y sin alegría—dijo—. No ve la realidad. No puede adaptarse a un mundo tan feo y tan triste como el nuestro.

—¿Y qué ha pasado ahora? ¿Qué enfermedad tiene?—le pregunté yo.

—Eso es lo más lamentable de su vida. Habíamos conocido en Rusia hace ya bastantes años a un pintor alemán que poco tiempo antes de la guerra fue nombrado profesor en una escuela de Stuttgart. Mi hermano fue a verle; le mostró sus dibujos y sus esbozos, y el profesor le dijo que fuera a vivir a su casa con él para que pudiera dedicarse de lleno a la pintura. Niel va y vive en Berg, en un barrio de Stuttgart próximo al río Neckar, y hace progresos en la pintura. El verano pasado, el profesor, que tiene encargos y vende en Norteamérica, se traslada a la Engadina, y Niel se queda solo, al cuidado de la casa y del estudio de Berg. Una mañana, unos jóvenes le invitan a ir con ellos en lancha por el río a una isla del Neckar. Se cae un niño al agua. Niel se tira a salvarlo, con tan mala fortuna que se rompe la columna vertebral. Lo llevan a la casa del profesor, y el médico que le reconoce dice que se le debía operar inmediatamente, pero que él no tiene medios para hacerlo. Se avisa al pintor, que vuelve de la Engadina; se pierde el tiempo y se le lleva a mi hermano a un hospital. Ahora voy a verle. No sé si podré hacer algo por él.

Llegamos a Stuttgart a mediodía. En la estación había un terrible gentío. En el bar, una multitud de viajeros desharrapados estaban comiendo, bebiendo y durmiendo.

Fuimos Sergio y yo a un hotel próximo al Palacio real. Había paseo y música en la plaza del Castillo. Tocaba la banda de un regimiento trozos de óperas de Wagner y valses de Strauss. Los buenos burgueses de la ciudad escuchaban con aire triste y resignado. Ya no se veían oficiales elegantes como en otras épocas.

Comimos Sergio y yo en un restaurante próximo a la plaza Waghalle, y de allí fuimos a un café, en donde el ruso había citado al profesor amigo de Niel.

Yo me reí por dentro del aire ceremonioso del café, en donde los horteras y los empleados de las oficinas se hacían unos saludos ceremoniosos como si estuvieran en la corte de Versalles.

Llegó el pintor y me presentó a él Sergio. Era un alemán de tipo meridional, efusivo y simpático.

—Vamos primero a visitar al director del hospital donde está Niel —indicó el pintor—. Nos dirá cómo está el enfermo, y creo que nos dará permiso para visitarle, porque quizá por la tarde no se permita entrar en el hospital. Voy a pedir hora para verle.

Fue al teléfono y volvió poco después.

—Nos espera a las dos y media —dijo.

Salimos del café y, como era temprano, estuvimos paseando por el parque. Tocaban las campanas del pueblo, y sus distintos tañidos resonaban melancólicamente.

El día estaba triste, frío y sin sol. Aquellas estatuas seudoclásicas del jardín tenían un aire lamentable entre la niebla gris.

El pintor sacó el reloj y dijo:

—Ya es nuestra hora.

Iba a despedirme de los dos, cuando el alemán me indicó:

—Si no tiene usted nada que hacer, le llevaremos al museo.

—Con mucho gusto.

Entré en el museo, y, al despedirme del pintor, éste me dijo:

—Vendremos a buscarle a usted.

Vi el museo, y estuve largo tiempo contemplando *La villa en el mar*, de Böecklin. Es un cuadro romántico, una pintura literaria muy sugestiva. Un mar verde oscuro con meandros blancos, una balaustrada con sus esculturas, sus cipreses, y en ella una mujer de mantilla negra que escucha el rumor de las olas, mientras brilla el resplandor rojo del crepúsculo en unos cristales.

Estaba olvidado de mis compañeros

cuando se presentaron Sergio y el pintor. Iban a ver a Niel al hospital de Charlottenbaun, donde estaba.

Fui con ellos. El hospital era gris ocre con grandes ventanas.

En el antiguo jardín, en vez de flores, había coles y remolachas.

Unas mujeres pálidas recién operadas, envueltas en abrigos, tomaban el aire sentadas en sillas de mimbre.

Pasamos a una oficina. Un empleado alegre tarareaba una canción de café-concierto. Después de algunas explicaciones permitieron que subieran Sergio y el pintor, y a mí me indicaron que esperara en una antesala.

Por la puerta veía pasar unas mujeres con hábito de enfermeras, todas con la cara muy triste.

Al cuarto de hora o media hora bajaron el ruso y el pintor. Sergio tenía una expresión como indiferente y alucinada. El pintor traía la cara descompuesta.

—¿Mal?—le pregunté a Sergio.

—Muy mal. Sin esperanza.

Salimos de Charlottenbaun y echa-mos a andar de prisa hacia el hotel. Sergió se despidió de nosotros. Quedé solo con el pintor.

—La visita ha debido de ser algo triste—le dije.

—Horrible. El pobre Niel está en la cama con la columna vertebral rota. No se puede mover; tiene la cara de un muerto, los párpados caídos, y de cuando en cuando hace unos gestos horrorosos. El interno ha dicho que está gravísimo, pero que su corazón es tan fuerte que resistirá aún mucho.

—¿Quieres algo, Niel?—le ha preguntado su hermano.

—Nada, nada—ha contestado el enfermo.

—Se puede intentar aún una operación.

—No; ¿para qué?

Anduvimos el pintor y yo paseando por la ciudad sin hablarnos apenas.

De noche no pude dormir, y a la mañana siguiente me marché de Stuttgart.

2 junio 1935.

EXPLICACION

Voy a interrumpir hoy mi ocupación habitual, que consiste en contar historietas de otras personas, ocupación apacible, para hablar de mí mismo, cosa agridulce, que al mismo tiempo irrita y agrada a la vanidad.

Yo estoy llegando a esa época en la que se espera poco o no se espera nada, y en la cual se piensa con satisfacción en la soledad y en el silencio; pero hay algunos amigos y algunos simpatizantes, y para ellos escribo estas cuartillas.

Es el caso que el Ayuntamiento de San Sebastián, mi ciudad natal, quiere hacerme un homenaje, que yo agradezco en el alma; a mí, que no soy muy partidario de los homenajes y que no tengo en el pueblo ni en el país la adhesión de la mayoría. Tampoco la tengo en el resto de España ni en la América latina. Hace poco, en un periódico de lejanas tierras, donde se habla castellano, me llamaban «cínico, protervo y aborto de iniquidad».

Claro que son motivos políticos y religiosos los que producen esa antipatía, que, sin duda, es respetable.

Tiempos pasados, un chico de Vera que había ido a vivir a Pamplona me decía que le preguntaban a él:

—Y tú, ¿de dónde eres?

—Yo, de Vera.

—¿De ese pueblo donde vive Pío Baroja?

—Sí.

—Ese hombre es peor que un demonio. Nos desacredita. Debían de pegarle cuatro tiros.

Eso es natural. Es lógico no tener simpatía por el que se considera enemigo, y más en España, país—hasta ahora al menos—dogmático e intransigente. No se va a esperar la benevolencia del que se cree atacado en sus convicciones. Tampoco se puede esperar el asenso del que tiene ideales literarios o sociales distintos y opuestos a los de uno.

Yo, como los demás escritores de cierta independencia, estoy acostumbrado a la invectiva y a la sátira.

Ello no me extraña; lo que sí me choca es ser blanco de acusaciones un tanto raras y estrambóticas.

En estos últimos años me han dicho que tengo una obesidad monstruosa, que he enronquecido gritando en las tertulias de los cafés, que he sido comunista, que estoy vendido a los burgueses, que he claudicado al ser académico, y este verano pasado, un periódico nacionalista y clerical ha asegurado que soy un autor pornográfico y antivasco.

También dijeron en San Sebastián, en los últimos tiempos de la Dictadura, que yo formaba parte de la Unión Patriótica, sin duda por arrivismo, como podían haber dicho que estaba afiliado a la F. A. I., a la Camorra Napolitana o al Ku-Klux-Klan.

Yo me reí de ello; pero no dejó de asombrarme que el que propalaba esta pequeña falsedad fuera de una familia arrivista, cuyos miembros se han distinguido por no tener inconveniente en pertenecer a cualquier partido o fracción política con tal de prosperar y de medrar.

Recriminaciones de esta clase, a pesar de hallarme habituado al desdén y a la invectiva, me dejan un poco estupefacto por lo inesperadas.

El escritor español corriente, por la intoxicación antigua del espíritu latino de puras formas, ya no necesita ideas, ni conocimientos, ni noticias para juzgar a un hombre o a un libro; le basta y le sobra una fraseología formada por los detritos de todos los lugares comunes viejos de la retórica. Al que usa estos procedimientos se le llama «estilista».

Un escritor, según los cánones admitidos por la rutina, tiene que ser un bohemio de café, un hombre de espíritu cáustico, dispuesto a venderse al mejor postor. Todo ello parece reminiscencia de la literatura romántica y de la novela por entregas.

Examinando las pequeñas inculpaciones que me han hecho, confieso que me han asombrado un poco, por lo extrañas y por lo absurdas.

Respecto a obesidad, no creo que parezca, por el volumen, ni un elefante ni una ballena. El crítico del periódico *Le Temps*, Paul Souday, a quien me presentaron en París hace años en un banquete, donde estaba también *Corpus Barga*, me dijo:

—Le hubiera tomado a usted por un oficial de la Marina francesa.

No me consideraba, sin duda, tan monstruoso. No creo que los franceses confundan a sus oficiales de Marina con los cachalotes, con los tiburones o con los pulpos. Sin embargo, la idea de que yo tengo algo de monstruo debe de correr por ahí, porque en un libro de Francisco Pina, dedicado a mí, se refuta esa afirmación.

Cuando era uno joven y flaco, le decían que estaba en los huesos y que parecía un tuberculoso, y cuando quedó uno un poco como todo el mundo, le achacaron una obesidad tremenda. Sin duda, hay gente que no acierta nunca, ni aun siquiera en el volumen o en el peso.

El enronquecer en tertulias de cafés, en mí tiene que ser un poco raro, porque, en contra de todas las pragmáticas convencionales de la vida literaria, creo que hace treinta y cinco o cuarenta años que no voy a ningún café.

Lo de venderse, me parece estúpido. ¿A quién? ¿Para qué? Yo no he visto a nadie que haya querido comprar las convicciones de otro. Yo, al menos, no he tenido nunca el honor de que se me haya acercado alguien haciendo de Mefistófeles, con esta idea de compraventa. No he tenido que resistir seducciones de esta clase y he vivido modestamente de mi trabajo.

Con respecto a la claudicación de entrar en la Academia, es también una simpleza. En Francia, dos escritores universales que llenaron el mundo con su fama—Víctor Hugo y Emilio Zola—solicitaron ingresar en la Academia. Víctor Hugo lo consiguió la segunda vez que se lo propuso. Zola, no.

Pues bien: lo que esos dos escritores de fama inmensa solicitaron, yo, escritor de onda corta—que si ha tenido algún nombre ha sido más por lo que han hablado mal de él y de sus libros que por otra cosa—, no solicité. Eso sí, acepté el cargo y agradecí la benevolencia. Rechazarlo me hubiera parecido una prueba de modestia, que no tengo, o una extraña presunción de genio de café.

La acusación de pornografía y de antivasquismo, de un periódico nacionalista donostiarra, creo que es maniobra política más que otra cosa. Hoy todo es política en España. No hay más que política, que cuando es honesta no parece constituida más que por unos torneos oratorios de escolares sobre temas conocidos y manoseados.

Nadie que lea mis libros encontrará en sus páginas pornografía. Verá, quizá, incorrección, desorden, desaliento, oscuridad; pero pornografía, no. Puesto a buscar, hallará más ascetismo que pornografía.

La pornografía se encuentra mejor en otros escritores que presumen de católicos que en mí.

Yo no puedo ser un pornógrafo. La pornografía es una tendencia a considerar el erotismo como algo trascendental, pecaminoso y demoníaco. Yo no puedo tener esa tendencia, porque no creo ni en lo demoníaco ni en el pecado. La pornografía, para mí, es una cosa fea, baja y ridícula.

El padre Ladrón de Guevara, en un libro — *Novelistas malos y buenos* — afirmaba que yo era impío, clerófobo y deshonesto. Lo de impío quizá sea lo único cierto; pero eso un amigo alemán me decía en broma, en una carta, que mi lema debía ser esta frase en latín: *Solo impietate pius* (sólo pienso en la impiedad).

Yo soy un curioso de la vida, y todo lo que sea falsearla en bien o en mal, por sentido pedagógico, ético o religioso, me desagrada.

El supueso antivasquismo tampoco lo advertirá el lector en mis obras. Yo he escrito mucho del País Vasco, y siempre con simpatía. Tal simpatía no se extiende a los ultramontanos. Estos, por su fanatismo, por su odio al libre examen y a la verdad limpia y pura, me parecen productos exóticos, antirraciales, que han ahogado con sus férulas durante siglos la originalidad que podía haber en nuestro pueblo.

Dos novelas mías, las dos vascas, *El mayorazgo de Labraz* y *Zalacaín el aventurero*, aunque no alcanzaron mucho éxito al publicarse, se han traducido al francés, al inglés, al alemán, al italiano, al bohemio, al sueco y al holandés. *Zalacaín* ha sido durante algún tiempo libro de lectura en la Sorbona, en los colegios de Inglaterra y en las Universidades norteamericanas, y se han hecho de él varias ediciones escolares—últimamente, una en Londres—con un mapa de las provincias vascas y el itinerario recorrido por el personaje.

En ninguno de los prólogos o notas de estas traducciones y ediciones escolares se ha hablado de mí como de un enemigo del País Vasco, sino todo lo contrario.

En la última edición escolar, hecha por los profesores Botsworth y E. G. James, y publicada por Black, editor de Soho Square, de Londres, al referirse a los tipos de *Zalacaín*, se habla de *the Rabelaisiam humour of the Basques*, cosa que no les puede hacer gracia a los clericales si lo leen.

Algún amigo seminacionalista me ha reprochado el mostrarme literariamente castellano. ¿Qué puede ser un escritor vasco del lado de acá de los Pirineos más que castellano? No va a ser gallego ni catalán. El vasco actual está vinculado a la lengua castellana, lo quieran o no lo quieran. Vasconia contribuyó a formar la Castilla primitiva; en el castellano quedaron influencias del vascuence, quizá más que en sus palabras, en su fonética. La pronunciación vasca es más genuinamente castellana que la pronunciación de las comarcas del Sur. Gonzalo de Berceo, el más antiguo poeta en romance, emplea palabras vascongadas.

Hoy todavía, en Alava, se oyen giros y expresiones idénticas a las usadas por el viejo clérigo de San Millán de la Cogoya.

Esto no tiene nada que ver con la política del día. Ahora, sí se puede hacer una afirmación. Aunque el País Vasco llegara a ser independiente de la política de Madrid y de España, sería tan español como cualquiera de las regiones españolas. Compararlo, como hacen los nacionalistas en sus campañas de propaganda, con Cuba y con Filipinas, donde los verdaderos naturales primitivos eran indios, tagalos e igorrotes, es de una estupidez imponderable.

En contraste con el antivasquismo que me han reprochado, en algunas ciudades del Sur me han motejado de poco español o de poco españolista, porque no he hablado con el suficiente respeto y entusiasmo de las mezquitas y de las palmeras. Allí hay la superstición de que una mezquita es mucho más española que una catedral, y una palmera más que un roble. Cada cual elige su paisaje y su paralelo espiritual y literario por intuición y por inclinación. Yo no elegiré el de las palmeras.

Hace no sé cuánto tiempo, y hablando de no sé qué libro mío, decía el periódico *Euzkadi*, de Bilbao, que estaba escrito con la parte más oscura del cerebro de un vasco.

A mí esto no me pareció un reproche. La oscuridad y el instinto primitivo, si alguna vez logra sacarlo a la superficie el vasco, constituirá su gran empresa literaria.

Para comentar a Platón, o a los clásicos, los vascos hemos llegado tarde a la cultura. El tradicionalismo, el nacionalismo y el marxismo del país tienen poco interés ecuménico. Son de segunda mano, y de ello no saldrá nada original ni fuerte. En cambio, el que pueda sondar esa oscuridad ancestral que nos precede, y aún nos envuelve en la prehistoria, en la tradición y en la superstición, hará una obra perdurable.

Los vascos de los últimos cristianos de la Península y hasta de Europa somos gente latinizada a última hora; no hemos tenido el culto de las leyes y de la ciudad como los latinos, ni la tendencia comunista y monoteísta tradicional de los judíos.

Somos nosotros, aunque parece superficialmente lo contrario, los menos católicos de España, los menos políticos y menos romanos.

Me alejo sin querer de mi tema.

Alguno me dirá que no vale la pena de sincerarse ni de explicarse. Ya se comprende que en estos momentos desapacibles de inquietud colectiva, las cuestiones históricas y etnográficas no tienen importancia alguna para la mayoría. Tampoco la tienen las personales. Los políticos se exculpan y se sinceran. ¿Por qué no han de hacerlo los escritores? Al fin y al cabo, en la política, si hay enemigos, hay también partidarios; en cambio, en la pequeña vida literaria de España, la hostilidad va contrarrestada con la defensa.

No es que yo me quiera presentar físicamente como un apuesto mancebo y, moralmente, como un héroe. Ya sé que soy un edificio ruinoso, pero no con los caracteres amanerados y ridículos con que me pintan.

Así que me conviene hacer constar ante los amigos que no tengo la obesidad monstruosa que me atribuyen, ni he enronquecido en las tertulias de los cafés, ni he sido comunista, ni me he vendido, ni he claudicado, ni soy pornógrafo, ni antivasco, ni he pertenecido a la Unión Patriótica de la Dictadura.

Ya no tengo tanta seguridad para decir que no soy un protervo ni un aborto de iniquidad, como ha asegurado un escritor clerical de un periódico americano.

Yo, al menos, no he tenido sueldos, ni pensiones, ni comisiones, ni he viajado nunca a costa del Estado. No creo que sea un gran mérito, pero no todos los plumíferos pueden decir lo mismo.

Alguno me advertirá:

—Bien. Esas son virtudes negativas. Positivamente y en el terreno social, ¿qué ha hecho usted?

—Nada. Yo no tengo la culpa de haber vivido en un período un tanto mediocre y palabrero.

Hechas estas salvedades, que demuestran que no ha cometido uno más crímenes que el de perpetrar algunos libros, voy a insistir en la cuestión —difícil para mí—de índole literaria, aunque también personal, de este homenaje donostiarra.

Un homenaje en vida es un tanto comprometido para los que lo inician y para el que lo acepta; más comprometido aún si el asentimiento general no existe. Si se han engañado los que lo han iniciado, es un fracaso público y notorio.

¿Y cómo tener la seguridad de no engañarse? ¿Quién sabe con certeza cuál es el autor que vale y el que no vale? ¿Quién puede decir: «Este pasará a la Historia, y éste, no»?

Nadie en su época tiene un dinamómetro para medir la fuerza espiritual de sus contemporáneos, y todos, aun los más inteligentes, pueden equivocarse.

Si en meteorología no se sabe el tiempo que hará mañana, ¿quién va a poder inducir el clima literario o artístico que reinará dentro de cincuenta o de cien años?

Cuando me explicaron los organizadores que el homenaje consistiría en colocar un busto en el jardín del antiguo convento de San Telmo, me alegré. No en balde he sido en mi vida un poco frailuno.

El lugar es recóndito y apacible, y se puede considerar que la obra de un artista, como la de Victorio Macho, puede estar allá como tal obra artística, no por la persona que represente. Así, la estatua no tiene por qué ofender los sentimientos de los reaccionarios. No pretende—al menos, por mi parte, ni creo que por parte de nadie—ser un trágala para ellos.

Al ver el busto en ese sitio tranquilo y romántico, al lado de un sauce, mucha gente pensará que es un monumento funerario, quizá de un antiguo fraile, y que el hombre cuya figura reproduce murió ya hace años. Es igual. En el mundo de la literatura y de las artes hay muchos muertos que viven y muchos vivos que mueren casi al nacer.

Yo no sé si flotará en la Historia la literatura española actual; tampoco sé si entre lo que sobrenade quedará alguna parcela de mi obra.

Yo ya no tengo curiosidad ni espíritu crítico para examinar lo que he escrito. Si hay algún aficionado a ello, él verá si en ese montón de papel impreso que he dejado tras de mí queda algo o no queda nada.

Si se borra mi recuerdo y el busto persiste en su sitio, me contentaría, si esto fuera posible, con que la gente que lo contemplara en el porvenir supiera que el que sirvió de modelo a esta estatua era un hombre que tenía el entusiasmo por la verdad, el odio por la hipocresía y por la mentira, y que, aunque dijeran lo contrario en su tiempo, era un vasco que amaba entrañablemente a su país.

15 diciembre 1935.

EL CASO DE CHOPIN

El otro día leí en un periódico unas frases de Paul Valéry sobre la música o, mejor dicho, contra la música, por considerarla sin objeto racional o moral. El reproche no vale la pena de expresarlo, porque es tan viejo como el hombre. Ya se sabe que la música no enseñará nunca a razonar ni dará datos a la inteligencia.

La música es un arte que está fuera de los dominios de la razón. Lo mismo se puede decir que está por debajo de ella como que se encuentra por encima de ella. Por eso es quizá el ar-

te por excelencia. Los demás son artes mixtos, cuyo objeto se comprende, y, por tanto, sus productos son fáciles de someter a juicio.

La música es difícil de someter a juicio. De aquí que la crítica musical sea tan poco amena y tan poco exacta. Si se intenta examinar su esencia, ésta se escapa; si se analiza su técnica en lo que tiene de científica, puede servir a los profesionales; pero a los demás no nos puede interesar, porque no la comprendemos. Lo menos válido es la opinión de los literatos, que muchos son de oído duro, sordos de solemnidad, y que niegan lo que no sienten.

Se comprende que hablar de música es hablar de algo vago e inconcreto y difícil de precisar. Si se pudieran aclarar los conceptos fundamentales de la música en su esencia emocional, habría una base de acuerdo y de inteligencia.

Yo no pretendo entender de música. Si me aprietan mucho, diré que no pretendo entender de nada. No llego a ser ni siquiera aficionado. A lo más, podría llamarme aspirante a aficionado. Cuando quiere uno expresar sus impresiones—por falta probablemente de sentido musical profundo — tiene uno que comparar los productos musicales con los de otras artes y emplear imágenes pictóricas y literarias.

El otro día, en casa de un amigo, una señorita tocó repetidas composiciones de Chopin con entusiasmo de todos los presentes. Yo, disidente interior, me callé.

El caso de Chopin me choca. ¿Por qué ese músico, de escasa inspiración en comparación con otros de su tiempo y de otros anteriores y posteriores a él, tiene tanto éxito? Yo no lo veo claro, no lo comprendo. Yo no tengo un panorama musical muy extenso en la cabeza, ni mucho menos; no conozco tampoco la historia de la música.

Todos los grandes músicos antiguos, que conozco muy fragmentariamente, me han dejado una impresión neta, clara, de su personalidad. Sé, o creo que sé, aproximadamente, cómo son Haendel, Haydn, Glück, etc. Algunos, como Bach, le desconciertan a uno.

Bach me parece un hombre de genio que a veces somete sus frases musicales a unas extrañas torturas, que un profano no comprende bien; las hace pasar por laberintos complicados y las hunde deliberadamente en unos recintos estrechos, que a mí me dan una impresión de polígonos geométricos.

Cuando se oyen algunas páginas musicales de Mozart se dice uno—claro que es una ilusión—: «Si yo fuera un músico, haría esto.»

Lo mismo se dice contemplando algunas pinturas de Rafael, como el fresco del Vaticano la *Escuela de Atenas.*

Alguno dirá: «Ante toda obra maestra se piensa algo parecido.»

No creo. Cuando se contempla *El entierro del conde de Orgaz,* del *Greco,* no se piensa esto. Se dice es maravilloso, es genial; pero a uno, aunque fuera un gran pintor, no se le ocurriría pintar las figuras alargadas de la gloria de este cuadro. Hay siempre en Velázquez, en Zurbarán, en Goya, una sorpresa. En Rafael, no. Es así y ha de ser así.

En lo que han hecho los demás le gusta al que contempla la perfección, y, aunque uno sea arbitrario y de visión defectuosa, le produce admiración lo que no lo es.

Mozart, como Rafael, crea el motivo con una facilidad mágica, y cuando termina uno brota otro y luego otro, hasta que se van agotando todos con una gracia sonriente.

Beethoven, desde el otro extremo del campo musical, se da la mano con Mozart. Beethoven es de una turbulencia perturbadora. Sus motivos se siguen con una ansiedad pánica. Parece que hay siempre allí una caverna de poseídos, de la que salen lamentos, amenazas y quejas desesperadas, y de tarde en tarde se ve un trozo de cielo azul para contrastar con la desgracia. Es algo entre Sófocles y Dostoyevski.

Weber es elocuencia, fuego, dramatismo.

Otro músico delicioso es Schumann.

Es un alemán exuberante, apasionado, con una fantasía eternamente joven que se desborda. A veces recuerda los cuadros de Brueghel y de Patinir. No creo que haya música tan evocadora como la suya. Pinta, describe, destaca las cosas y las figuras con una fuerza extraordinaria y tiene rasgos soberbios de humorismo.

Wagner es solemne, grandioso; pero a veces da la impresión de una suficiencia y de una pedantería llevada al último término; parece decir: «No basta rendirse a lo bueno y a lo inspirado de mis obras; hay que rendirse también a lo pesado y a lo monótono.» Wagner no tiene nunca un rasgo de humorismo. Es siempre serio y pedagógico. Es para una época socialista.

La música de la ópera italiana, que para algunos está desprestigiada, a mí me parece de un tipo acusado, claro, valioso, de lo mejor del siglo XIX.

Rossini tiene la gracia de un polichinela napolitano en *El barbero de Sevilla*. Es una música la suya un poco cínica y brutal, quizá sin espiritualidad, pero con una gracia brillante y sugestiva. Bellini es magnífico con su melodía melancólica, llena de nostalgia de siciliano, y Donizetti está henchido de dramatismo y de pasión. Verdi se destaca, sobre todo en sus primeras óperas, con su aire de romanticismo y de vigor.

Todos los músicos que me atraen me dan una impresión clara, honda, limpia y concreta de lo que son; hagan música de iglesia o música de revista, como Chueca. Entre ellos, Chopin se me representa como una cosa vacilante, incongruente e imprecisa. Su música me parece sólo de superficie.

En muchas de las obras del pianista polaco hay una vaga tristeza difusa poco profunda y que no acaba de encontrar su expresión. Está bien lo vago; pero lo vago en el arte debe estar bien precisado.

En la misma literatura, Paul Verlaine tiene sensaciones de lo vago, de lo impreciso, casi musicales, pero admirablemente definidas.

En Chopin, quitando algunos nocturnos y valses, en donde se nota la inspiración clara, en lo demás todas son vacilaciones y tanteos, que dan impresión de superficialidad y de impotencia.

En *El Carnaval*, de Schumann, hay un trozo llamado «Chopin» que es como un nocturno; pero es infinitamente más romántico y más inspirado que los del pianista polaco.

En los valses tampoco veo que Chopin sea de los primeros. Beethoven tiene valses inmensamente superiores. También me parece mucho más inspirado Weber en su *Invitación al vals*, y José Strauss, el vienés.

Chopin es al mismo tiempo efectista, monótono e incongruente. Cuando encuentra el motivo, es un motivo pobre que se le agota en seguida, se le muere en la mano. Comienza bien, pero en seguida decae, y adorna sus frases con unas escalas de pianista tan banales, tan ramplonas, que producen asombro.

A mí me parece que Chopin, lógicamente, debía estar entre esos músicos un poco sombras sin relieve, como Brahms, Liszt, Berlioz, Saint-Saëns, Massenet. Sin embargo, está entre los primeros.

¿Por qué tan poca profundidad y tanto aparato? Yo me figuro que esto depende de algo adjetivo a la música: literatura, historia o técnica de tocar el piano.

Claro que esto de lo adjetivo a la música no es para todos igual.

Una vez, hablando con el maestro Vives, yo le decía:

—Yo no entiendo de música y he oído poca relativamente; pero la música dramática, con palabras, es la que menos me interesa. De hacerme aficionado, lo sería a oír sonatas.

—Eso es como una química—replicaba él—. Para mí, lo completo es la música, la palabra y el cantor.

—Eso es el teatro—decía yo—: algo adjetivo.

—Para mí no lo es. Yo creo que el *Spirto gentil* es distinto oído a Gayarre que oído a un tenor mediano.

—Oído en el teatro será distinto; pero la música de *La Favorita* será siempre la misma.

No estábamos de acuerdo.

Al pensar en la música de Chopin, que a mí me gusta poco, que en ocasiones me parece cortical, superficial, yo tengo que suponer que hay otras razones que las musicales para que haya tenido y siga teniendo tanto éxito.

Supongo que sirve para que pianistas virtuosos y señoritas del Conservatorio se luzcan fácilmente con esos fuegos artificiales de notas. Pienso también que muchos músicos moder-

nos que no tienen nada que decir defienden la brillantez un poco vacua y delicuescente de Chopin, porque la oquedad del pianista polaco les sirve como defensa para la oquedad suya.

Quizá influya o, por lo menos, ayude a la poetización de Chopin su leyenda: sus amores con *Jorge Sand*, la novelista famosa en su tiempo.

La conquista amorosa del músico no debió de ser grande, porque la escritora había pasado por muchas manos y rodado por todos los caminos. Era, además, una mujeruca gorda, cetrina, poco atractiva, ya tallada y con furor erótico, como él era un hombre desquiciado, de genio insoportable.

Como personalidad y como talento, a pesar de estar un poco olvidada hoy, ella tenía mucho más talento literario que Chopin genio musical.

A pesar de esto, que a mí me parece evidente, la novelista fecunda, de una obra extensa y valiosa, ha sido olvidada, y el músico seudogenial, brillante, aparatoso y casi siempre vacío, ha logrado sobrevivir, como sus obras, más o menos artificiosamente.

10 marzo 1935.

LOS SACRIFICADOS

I

UN PINTOR DE CEMENTERIOS

Hace treinta y tantos años tenía yo la costumbre de ir a pasear por las mañanas a la calle de Rosales. La calle tenía menos casas que ahora, algunas con aire aldeano, y era poco visitada por los madrileños.

A lo lejos se veía la perspectiva de la sierra como una lejana muralla azul coronada de nieve, y cerca, en los barrancos, llenos de cascote, aparecía algún merendero o alguna casucha con su corralillo limitado por árboles y sus gallinas y sus conejos.

No se había comenzado aún el parque del Oeste, y las colinas que hoy presentan arbustos y macizos de verdura eran vertederos cruzados por un arroyo: el de San Bernardino, que tenía en sus orillas hileras muy espaciadas de álamos viejos y corpulentos. Al pie de las colinas aparecía el Manzanares con sus pequeñas corrientes de agua sobre el cauce arenoso; brillaba el estanque de la Casa de Campo entre las ramas secas; se veía la carretera de Segovia, y hacia el Sur se levantaba el cerro de los Angeles.

Un tren se alejaba echando humo; los cornetas hacían ejercicios de música estridente con sus aparatos de metal entre redobles de tambores, y algún rebaño de cabras se esparcía por los montones de escombros y de latas roñosas de conserva, y mientras aquellos animales de aspecto diabólico mordían la hierba corta nacida entre los detritos ciudadanos, el pastor, envuelto en la manta y el cayado blanco en la mano, pasaba con aire de hombre primitivo.

Con frecuencia, después de recorrer la calle de Rosales, seguía yo por delante de la Cárcel Modelo, subía por un camino del Instituto Rubio que cruzaba un bosquecillo de eucaliptos y pasaba por el boquete de la tapia a la senda que limitaba por la parte alta de los campos de la Moncloa y salía al Partidor, donde estaban construyendo un depósito de agua y existía y existe un cementerio—el de San Martín—con unos hermosos cipreses.

En estos paseos me encontré varias veces con un tipo que, por su carácter, me pareció bastante cómico. Era un hombre pequeño, grueso, con la barba roja en punta y el aire atrevido y audaz. Llevaba pantalón ancho, de pana amarillenta; chaqueta también de pana, aunque negra; chalina de color y sombrero flexible. Parecía vestido para representar *La bohemia*, de Puccini, que es una falsificación industrial de la de Murger, como ésta, a su vez, es una falsificación de la realidad.

El hombre era, sin duda, un paisajista. Con frecuencia iba con un álbum bajo el brazo, y una vez le vi en el alto de la Moncloa, cerca de la hondonada del hospital del cerro del Pimiento, con su lienzo y sus pinceles, rodeado por algunos vagabundos y curiosos.

No hubiera sabido cómo se llamaba aquel hombre; pero una vez lo encontré en la Puerta del Sol en compañía de un dibujante catalán, y hablamos.

En pintor era valenciano; se llamaba Pascual Magraner, y vivía en una de las calles que desembocan en la de Rosales, en un piso alto.

Unos días después le vi, se me acercó y paseamos juntos por nuestros sitios habituales. El valenciano era republicano, algo anarquista, exagerado en sus ideas, y hablaba por explosiones. En su juventud, por lo que me dijo, tenía ideas revolucionarias; hacía cuadros impresionistas con unos pinceles muy grandes y mucho a color; pero desde que estaba en Madrid fabricaba cuadritos como cromos, que era lo único que podía vender. Verdaderas porquerías, según él. También dibujaba para una casa editorial.

Aseguraba que la época era muy mala para el arte. No había curiosidad ninguna por la pintura, y a la gente esto le tenía sin cuidado.

El hubiese querido decorar el muro de una escuela. Treinta o cuarenta metros de pared. Esto hubiera constituido una empresa digna de un artista. Se tenía que contentar con hacer aquellos cromos que eran indecencias, inmundicias. Yo le decía que todas las artes iban decayendo.

—¿Es que usted cree que la pintura está también muerta?—me preguntaba a mí, mirándome muy fosco.

—No sé. Yo, si fuera pintor, cultivaría la nota costumbrista, siguiendo de lejos la tradición de Goya.

—Yo la he cultivado antes y la seguiría cultivando con mucho gusto. Pero ¿qué va usted a hacer? Si a la gente no le interesa. Hay que vivir. Hay que hacer una pintura de bazar, una porquería, y copiar monos de periódicos franceses ilustrados, como hago yo.

Las varias veces que paseé con el pintor encontramos una pareja muy amartelada en la avenida de la Moncloa.

La dama venía en un coche, bajaba y se reunía con el galán. El solía esperarla cerca de un árbol, en sitio poco frecuentado. Marchaban juntos hablando muy animadamente y esquivando a las pocas personas que paseaban. A veces se sentaban en un banco. El galán tenía para su dama muchas atenciones.

Ella solía llevar un velo y gastaba tocas de viuda. A pesar del velo, se le notaba que era vieja.

El era un señorito madrileño de edad provecta, flaco, chupado, moreno, con bigote pequeño y el pelo gris.

—¡Qué pareja de enamorados!—dije yo una vez que los vimos.

—Sí; son unos pobres vejestorios —repuso Magraner.

—El es un verdadero silbante, como se decía en Madrid hace años, y ella es una momia.

—Yo he pintado un cuadro en donde aparecen los dos—indicó el pintor.

—¡Hombre, qué extraño! ¿Es que los conoce usted?

—No.

—¿Pues entonces?

—Verá usted. Hace años—contó el valenciano—, cuando vine a vivir a esta casa, iba por las mañanas a pasear por este mismo sitio adonde vamos los dos y llevaba mi álbum. Un día de otoño me acerqué al cementerio de San Martín y vi la puerta abierta. Andaba gente por dentro. «¿Qué diablo será esto?», pensé. Comprendí que era el Día de Difuntos y entré. Había algunos curiosos y pobretería de las casas de los alrededores. En un patio, en un ángulo formado por dos paredes llenas de nichos, un grupo de gentes del pueblo comía y bebía como si estuvieran en una fiesta campestre. Cerca de un sepulcro con una estatua, rodeado de una verja, estaba esta pareja. Yo, que tenía entonces la manía de pintar cementerios, hice un croquis de aquel patio, y luego, un cuadro.

—Me gustaría verle.

—Ahora no lo tengo a mano en el estudio. Si quiere usted, viene usted a mi casa mañana, a esta hora, y ya se lo enseñaré.

—Bueno, pues mañana iré.

Efectivamente, al día siguiente me presenté en su casa, subí noventa y tantos escalones, hasta quedar sin resuello, y llamé en el cuarto del pintor. Me abrió él mismo y me pasó a un pequeño estudio bastante sucio, destartalado y con el suelo lleno de polvo, de papeles y de colillas.

Un chico jugaba con unas estampas viejas.

—Mira tú, *che*—le dijo el pintor—: vete a jugar un rato fuera, que tengo que hablar con este señor.

Vestía el artista valenciano una blusa o guardapolvo gris, lleno de manchas, que hacía destacar su vientre, y fumaba una pipa corta. Parecía un vendedor ambulante.

Estaba con la paleta en la mano pintando uno de esos cuadritos que él llamaba cromos indecentes con un pincel muy pequeño, como si hiciera una miniatura.

—¿Qué le parece a usted?—me preguntó, señalándome su cuadro.

—Está bien. Tiene lo que necesita.

—Es una pintura para cocineras; pero es la única que se paga, y yo no puedo hacer otra, al menos por el momento. Le voy a enseñar lo que hacía antes: mi colección de cementerios; porque tuve una época que no pintaba más que cementerios.

El pintor me dejó arrimados a una silla siete u ocho lienzos con paisajes de camposantos de Madrid y de pueblos de alrededor y él siguió con su obra.

—Veo que es usted de la escuela de aquel pintor catalán, Modesto Urgell, que hizo un cuadro de un cementerio titulándolo con una frase de Bécquer: «¡Dios mío, qué solos se quedan los muertos!»—le dije.

—Sí; vi el cuadro de chico. No estaba mal.

—Le podían llamar a usted el pintor de los cementerios.

—Sí, es verdad. Yo creo que esta manía de los camposantos fue para mí, hace años, algo como la viruela o el sarampión.

—No; ¿por qué? Un cementerio es un jardín bonito, melancólico, lleno de poesía...; pero ¿y el cuadro con la pareja que vemos en la Moncloa? Aquí no está.

—No. Ese es más grande. Ahora se lo enseñaré.

Después de decir esto, dejó los pinceles, cogió un bastidor que estaba de espaldas a la luz y le dio la vuelta; luego le quitó el polvo.

—Ahí lo tiene usted.

El cuadro era curioso. Había exagerado aquí Magraner el carácter impresionista de su pintura. Los colores estaban puestos sobre el lienzo casi puros, sin mezcla y muy divididos,

con un conocimiento científico de los complementarios.

Los cipreses, de mucho bulto, aparecían iluminados por un sol amarillo de otoño.

El aire del cuadro tenía vibración. Este efecto estaba, sin duda, producido por las pinceladas puntillistas blancas, azules y verdes.

Las figuras eran abocetadas y caricaturescas; pero este carácter armonizaba bien con el carácter de la obra. El grupo de los que comían y bebían en el fondo de un patio del cementerio, delante de los nichos, tenía un aire de Goya.

Lo había pintado Magraner con colores violentos. Había un hombre medio enano, con unos pantalones amarillos, levantando una bota de vino en actitud de beber; una mujer con un refajo rojo, que extendía los brazos como si fuera a comenzar un baile, y un soldado de caballería con su uniforme, su casco, su sable y unos cordones dorados en el brazo.

En el fondo aparecían los nichos con sus lápidas de mármol blancas y negras y sus letras doradas, las coronas de perlas falsas, las fotografías y las demás cosas absurdas que suelen ponerse en los cementerios.

En el centro del patio, delante de un sepulcro iluminado con unos farolones, estaban las dos principales figuras, inspiradas en la pareja que solíamos encontrar en la Moncloa. Las dos eran caricaturescas y al mismo tiempo con aspecto de fantasmas. La mujer, rígida, vestida de viuda, de luto riguroso, con manto y joyas, parecía una estatua; el hombre, igualmente de negro, con el sombrero de copa en la mano derecha, un bastón en la izquierda y la cabeza inclinada en señal de respeto, tenía un aire un poco ridículo.

El sepulcro era tan cómico como

todo lo demás. Sobre unos almohadones, reclinada en una actitud lánguida, semiyacente, se veía la figura de un militar con bigote y perilla, con el uniforme entallado lleno de cruces. En la inscripción funeraria se leía: «El teniente general excelentísimo señor don Juan Fernández de Herrera y Suárez de Mendoza.»

—¿Decía así en la sepultura?—pregunté al pintor.

—No sé si lo decía. Yo lo puse porque era también un nombre rimbombante.

El cuadro se llamaba *El respeto a la muerte*.

—¿Qué le parece a usted?—me preguntó el pintor.

—Me parece muy bien.

—¿De verdad?

—Sí.

—Pues lo pinté de memoria.

—¡Bah! Y eso, ¿qué importa?

—¿Usted cree que no?

—Cada cual tiene su opinión. El título es lo que me parece que sobra.

—¿Por qué?

—Me parece por el estilo de aquel otro de un cuadro de Sorolla en donde había una barca con un marinero muerto y que se llamaba *¡Aún dicen que el pescado es caro!* Esta reflexión de cocinera se me figura bastante fuera de lugar. Usted ha pintado esto porque le gustaban los colores, los contrastes, y luego le ha añadido una reflexión moralista porque pensaba que así lo completaba... De todas maneras, yo creo que esto está muy bien.

—Yo no sé si está muy bien o no; lo que sé es que no lo ha querido comprar nadie. Y lo he expuesto varias veces muy barato.

—Eso no demuestra nada.

—¡Que no demuestra! ¡Si tuviera usted chicos como yo!

El pintor se puso a mirar su cuadro con cierta cólera. La verdad es que se destacaba de todo lo hecho por él antes y después de una manera extraña. En medio de la mediocridad de su obra, aquello parecía de otra mano.

—Es raro esto, pero es cosa que no debo hacer—dijo al final.

—¿Por qué no?

—Porque es perder el tiempo.

Me despedí de Magraner, el pintor de los cementerios; lo dejé trabajando en su cromito, como decía él, y me fui a la calle.

Tiempo después supe los nombres y la vida de aquellas dos personas que formaban la pareja que veíamos en el paseo y que el valenciano había pintado en su lienzo. Entonces pensé que el pintor no sólo había hecho un cuadro curioso, sino que había tenido algo como la adivinación del destino de los dos al colocarlos tristes y decaídos cerca de un sepulcro, en medio de otras gentes groseras que gozaban alegremente de la vida.

1 marzo 1936.

II

LA FAMILIA DE MARÍA LUZ

Las dos figuras que aparecían como fantasmas al lado de un sepulcro en el cuadro del pintor Magraner tenían en la vida cuerpo y nombre. Ella se llamaba María Luz Hinojosa; él, Enrique García Heredia.

Es posible que ninguno de los dos, de llegar a verse en el lienzo del valenciano, se hubieran reconocido; probablemente no se parecían.

María Luz y Enrique fueron ya de viejos varias veces a visitar, en el cementerio de San Martín, la tumba del general Heredia, abuelo de Enrique, a quien los dos habían conocido de niños.

María Luz Hinojosa y Enrique García Heredia pertenecían a lo que hace años—y no sé si ahora—la gente que se consideraba distinguida llamaba «la sociedad».

El padre de María Luz, don Carlos Hinojosa y Toledano, era un señor que presumía de aristócrata, con fama de rico. Había sido diputado, tenía fincas en Andalucía y hablaba escuchándose. Era hombre grueso, de cara redonda, moreno, de bigote corto, con aire de moro o de judío. Andaba siempre muy acicalado y llevaba brillantes en la pechera y en los dedos.

Peroraba con frases de político sobre los asuntos de la época. Era jurídico y financiero. Decía a cada paso: «Yo entiendo..., sí que también..., bajo el prisma...» No decía estructurar, porque no se había inventado aún esta bella palabra. A pesar de su retórica y de sus declaraciones de acendrada moralidad, había datos para creer que se había mezclado en algunos chanchullos y en cuestiones no muy claras ni muy limpias. Los que le conocían desde hacía tiempo aseguraban que era aficionado al juego y hombre de prostíbulo, de costumbres crapulosas.

La mujer de don Carlos, la madre de María Luz, doña Pilar, era una manchega de capital de provincia, flaca, dura, esquelética y avara. Tenía los ojos verdes claros y un cierto aspecto gótico. Se afirmaba que en su juventud había sido una mujer bonita y atractiva; pero a medida que envejecía se iba quedando seca y amojamada. Su espíritu, al parecer, se curtía al mismo tiempo que su cuerpo.

Su talento principal consistía en hablar bien. Se expresaba en un castellano muy correcto, con muchos proverbios y refranes, que los colocaba con oportunidad.

La hija mayor del matrimonio, llamada Pilar, como su madre, estaba casada con un negociante rico y antipático, subdirector de un Banco, que se creía el centro del mundo.

María Luz tenía un hermano más joven que ella, Carlos, que estudiaba para abogado y que daba muestras de un sentido claro y práctico de la vida.

Tanto Pilar como Carlos eran de un perfecto egoísmo, pero había en ellos diferencias. Pilar tendía a la inconsciencia y al atolondramiento; Carlos, no; Carlos pretendía ser justo. El creía que en la vida de la calle, como en la vida familiar, la norma debía de ser esa máxima que se atribuye a Robespierre: «La libertad de uno termina donde comienza la libertad de otro.»

—Está bien que cada cual haga lo que quiera—añadía—, pero siempre sin molestar al vecino.

María Luz no se parecía a sus hermanos. Era afectuosa, servicial, muy dócil y amable. Se había educado en el Sagrado Corazón de Jesús. Tenía afición a la música; aprendía el piano y el canto. De físico estaba muy bien. Era esbelta, un poco pálida, con los ojos verdosos, las facciones muy correctas y expresivas. Cuando se mostraba seria tomaba una expresión melancólica y triste; pero por la menor cosa sonreía amablemente.

La familia de María Luz tenía muchas amistades, y las más estrechas, con gentes de la vecindad, entre ellas con la familia de García Heredia, que vivía en el piso alto, y con un ex ministro: don Pedro Pizarro, que ocupaba el principal de la casa y que era hombre de influencia.

Los hijos del coronel García Heredia, Enrique y Luis, estaban casi constantemente en casa de los Hinojosas; eran amigos de Carlos, y el mayor, Enrique, novio un poco de ocultis de María Luz. El general Heredia, abuelo de Enrique, viejo bondadoso, protegía los amores de los dos chicos.

A doña Pilar este noviazgo no le hacía mucha gracia. Ella quería casar a su hija segunda, como a la mayor, con algún rico.

Alguna vez le dijo claramente a Enrique, que tendía a acompañar con frecuencia a María Luz:

—Mira, Enriquito, no quiero que vengas siempre con nosotras, porque esto perjudica a una muchacha.

El pobre chico se iba como perro azotado.

La familia de Hinojosa había hecho un esfuerzo para casar bien a Pilar. No podían hacer el mismo por María Luz. Las rentas disminuían por distintas causas.

María Luz iba al teatro: al Real, a butaca y a veces a palcos por asientos; iba también al Español, a la Zarzuela, a Apolo, y en el verano, a los jardines del Retiro.

Allá adonde fuese aparecía Enriquito como la sombra.

La hostilidad de su madre por su novio, a ella no le molestaba ni a él tampoco. Tenían la seguridad de ser fieles el uno al otro.

María Luz estaba contenta con su vida y con la perspectiva de casarse con Enrique. No era un partido muy brillante, pero ella le quería, y él tenía por ella un entusiasmo loco. Ninguno de los dos aspiraba más que a una posición modesta.

La madre de María Luz se oponía, y hablaba de que Enrique era un enteco, y añadía:

—Eso del contigo pan y cebolla se acabó ya, y el casarse sólo por amor, también. Por eso dice la gente:

*Quien se case por amores
ha de vivir sin dolores.*

María Luz y Enrique se reían de estos refranes.

En esto vino un motivo de ruina y de descrédito a la casa. Don Carlos, con toda su seriedad y todas sus fórmulas oratorias, sus «yo entiendo» y sus «sí que también», se largó de Madrid con una mujer después de haber empeñado algunos títulos de la Deuda.

Por lo que se supo más tarde, don Carlos y un amigo suyo, don Antonio, dos tenorios más que cincuentones, fueron una noche a un teatrillo del centro y convidaron a cenar a unas coristas. El convite se complicó de tal modo, que los dos viejos don Juanes creyeron haber hecho una conquista; sacaron del teatro a las figurantas, que habían rodado más que coches de punto, y las instalaron en un piso a cada una. Don Carlos, el padre de María Luz, comprendió que, «bajo el prisma» de la aventura, aquello no quedaba completo, y «entendió» que debía abandonar a la familia, llevándose antes los cuartos.

Doña Pilar vendió unas pequeñas propiedades que tenía en Valladolid, y, por influencia del vecino influyente don Pedro, pudo colocar a Carlitos en un Ministerio.

Se decidió que María Luz se examinara en el Conservatorio para hacerse profesora de piano y que diera lecciones. Con este motivo se aplazaría también su matrimonio con Enrique. La familia de éste había tenido un quebranto de fortuna.

María Luz terminó pronto sus cursos, y comenzó a ayudar a la familia dando lecciones de piano y de canto.

Carlos daba una parte de su sueldo a su madre.

Fueron aquellos años, a pesar de la vida estrecha de la casa, muy agradables para María Luz. Enrique iba todas las tardes a verla. Solía leer poesías de Espronceda y de Bécquer. Era amigo de Carlos.

María Luz cantaba en el piano arias románticas de óperas italianas, y Enrique las oía vibrando de emoción y de entusiasmo. Las manos blancas, de dedos largos y finos, de su novia se deslizaban por el teclado, y la voz armoniosa se extendía por el aire. Unas veces era aquello de *Lucía*:

Tu che a Dios spiagasti l'all
o bell' alma innamorata,

o la romanza de la misma ópera:

Regnava nel silenzio alta la notte bruna
colpìa la fronte un palido raggio di tetra
[luna.

Otras era el final del dúo de *La Traviata*:

A quel amor, quel amore palpito
de l'universo, de l'universo intero
misterioso, misterioso altero
croce, croce delizia, croce delizia,
delizia al cor.

Después de un sentimentalismo tan delicuescente, no había más que ponerse en un rincón a llorar.

A veces, Carlos, que veía que a su hermana le iban pasando los años—ya tenía veintiséis—, le preguntaba cuándo pensaba casarse.

En esto, el idilio, con sus complicaciones musicales y poéticas, se interrumpía al saber que don Carlos volvía a su casa arruinado.

El padre de María Luz se había gastado todo su dinero; había estado durante algún tiempo de *croupier* y de inspector de juego en casinos de Barcelona y de San Sebastián y, medio ciego y algo paralítico, volvía a su casa con el sencillo fin de que le alimentaran.

No había aprendido nada, al pare-

cer, en sus años de aventuras, y creía que podía mandar, criticar a los demás y definir categóricamente lo que estaba bien y lo que no lo estaba, siguiendo en el uso de los «yo entiendo...», de los «sí que también...» y de «bajo el plasma...».

Carlos no era hombre que se aviniera a dejarse atropellar, y menos por su padre, que había arruinado la casa, por muchos «yo entiendo» que usara, y le llevaba la contraria y discutía con él, hacía alusiones mortificantes a su conducta y le trataba con sequedad, con dureza y con ironía. Hubo vez en que la discusión terminó en riña y en insultos.

—Tienes que respetar a tu padre —le dijo doña Pilar, vibrando de cólera.

—Y él, ¿por qué no se ha respetado? ¿Por qué no nos ha respetado a los demás? ¿O es que cree que tiene bula para hacer lo que le dé la gana?

—El es el amo aquí.

—Muy bien; que viva con su dinero, si lo tiene.

—El que haya en casa será para él.

—El mío, no. Si mi padre viniera humildemente, como el hombre estúpido que ha hecho muchas majaderías y se arrepiente de ellas, bien; ahora, como él viene de cacique y cree que puede mandar y definir y criticar a los demás, y es el que tiene menos derecho para ello, porque no ha demostrado más sino que es un conquistador de criadas y de coristas de dos pesetas, yo me voy de aquí.

—Haz lo que quieras, lo que más te convenga—replicó su madre, con la voz estrangulada de cólera.

—Lo haré; no tengas cuidado. No pienso ocuparme de vosotros para nada. Puedo ser tan egoísta como vosotros; pero siempre seré un poco más inteligente y comprensivo y un poco menos injusto. Unicamente a María

Luz le diré siempre, como le digo ahora, que lo que yo tenga lo compartiré con ella.

María Luz lloraba; su madre permanecía en una actitud irritada y seca.

Se podría sospechar si aquella mujer no tendría un fondo de antipatía por su hija, que se ganaba la afección de todos.

La falta del sueldo de Carlos se notó en la casa. A doña Pilar no se le ocurrió recurrir a su hija mayor. Ésta aparecía en los teatros pintada, teñida de rubio como una *cocotte*; gastaba a manos llenas, pero su madre no se atrevía a pedirle dinero. Además, encontraba siempre expedientes para justificarla. En cambio, exigía a María Luz que trabajara más, como si ella tuviera la culpa de la ruina de la familia.

Por entonces, Carlos, que se había casado, recibió la visita de Enrique Heredia. Venía éste triste y deprimido. Contó que la madre de María Luz estaba trabajando para casar a la muchacha con don Pedro Pizarro, el ex ministro, y que a él le querían trasladar con el objeto de tenerle lejos.

—Yo le hablaré a mi hermana—dijo Carlos—, porque lo que están haciendo con ella es una infamia. Tú háblale, aunque sea escápate con ella. ten valor; pero no os dejéis dominar. Vais a quedar destrozados.

Carlos avisó a María Luz que la quería ver. Le dio cita en el paseo de la Castellana. Se reunieron y pasearon juntos.

—Ayer ha estado Enrique en mi casa—dijo él—y me ha contado lo que ocurre, y veo que te quieren sacrificar. Tu novio, Enrique, es muy bueno; pero es un infeliz. Si tú no le animas, se va a acoquinar.

—¿Y qué voy a hacer, Carlos?

—¿Qué vas a hacer? Ven a mi casa. Deja a esa gente.

—Pero esa gente es mi padre y mi madre.

—Sí; tu padre y tu madre, que te quieren sacrificar. Es decir, que tú, que eres lo mejor de la familia, tienes que perder tu vida y tus ilusiones por un hombre como nuestro padre, que es un idiota, que no ha hecho más que estupideces.

—No digas eso, Carlos. Papá no es un idiota.

—Es peor que eso. Es un miserable.

La violencia y el tono con que pronunció la palabra le hizo a María Luz tal impresión, que comenzó a llorar.

—Desearía estar muerta—dijo.

Carlos cerró los puños de rabia. Marcharon los dos hermanos sin hablarse hasta que ella se serenó.

—Mira, Carlos, yo ya comprendo lo que te pasa a ti...; no les tienes cariño...; los juzgas nada más...; yo les tengo cariño... Además, Enrique es muy bueno; pero no tiene ninguna iniciativa..., no se atreve a nada... ¿Le voy yo a proponer que se escape conmigo?... ¿Qué voy a hacer, Carlitos?

—Ven a mi casa.

—¿Y les vamos a dejar que se mueran?

—Entre todos se les ayudará. Se les dará una limosna, que es lo que merecen. Ya te digo. Ven a mi casa, y yo arreglaré este asunto.

—No puedo dejarlos así, Carlitos. No puedo.

—Pues entonces estás perdida. Te patearán, te sacrificarán. Serás una víctima.

—Pues ¿qué voy a hacer? Lo seré.

—Entonces no te digo nada. Me entriste pensar que los buenos y generosos vais a pagar la culpa de los egoístas y de los canallas; pero si no puede ser de otro modo, no vale la pena de hablar. Únicamente tengo que decirte, como observación final, que, hagas lo que hagas, en mi casa tendrás siempre un rincón donde refugiarte.

María Luz y su hermano se despidieron, y ella le abrazó sollozando.

3 marzo 1936.

III

LA FAMILIA HEREDIA

La familia de García Heredia vivía en la vecindad de María Luz, en un piso alto.

Los padres, don Enrique, coronel retirado, y doña Isabel, habitaban allí hacía mucho tiempo con su dos hijos: Enrique y Luis.

El padre se pasaba el tiempo casi siempre en casa leyendo folletines, paseando por el corredor y haciendo cigarrillos. Salía poco; únicamente con el buen tiempo, porque era un catarroso crónico. Hombre amable, un tanto insustancial, no se ocupaba de nada. La mujer, más emprendedora, nacida en América, llevaba los asuntos de la familia.

Tenían veinte mil duros en diferentes papeles y acciones que les producían de cinco a seis mil pesetas al año. el retiro de don Enrique y el sueldo del hijo mayor, de tres mil pesetas. Con estos ingresos podían vivir en una casa regular y tener dos criadas.

El hijo mayor, Enrique, cuidadoso y discreto, gastaba muy poco; el segundo, Luis, osado y egoísta, necesitaba más. Luis era fuerte, robusto, de tipo vulgar. Presumía de aristócrata, llevaba un sello con escudo en la sortija y ostentaba otro en el membrete de las cartas.

Era muy aficionado a acicalarse y a componerse; consideraba indispensable, de derecho, tener dinero para alternar con los amigos, y se lo sacaba a su madre y a su hermano.

Luis estudiaba en la Universidad, y salía casi siempre mal. Llevaba la existencia del joven elegante y rico. Iba al teatro, se había hecho de un círculo aristocrático, vestía bien, se le veía en coche. En casa de le admiraba. Se creía cándidamente que su vida fácil era consecuencia de su sentido social, de su mundología, de su arte de hacerse amigos, de cierta gracia y de cierto desparpajo.

Es curiosa la cantidad de cinismo, de sentido arrivista que hay en las familias que se consideran más respetables y morales.

El coronel Heredia y su mujer estaban inclinados a pensar que si Enrique no había conseguido algo semejante a lo conseguido por Luis era por su timidez y su indecisión.

En la familia se habían dado con frecuencia los dos tipos: el del audaz y el del apocado, y esta dualidad se seguía dando, al parecer, igualmente.

Luis no salía bien en los exámenes, no estudiaba ni daba importancia a su carrera. En cambio, trabajó e intrigó para obtener un empleo, y lo consiguió. El sueldo le sirvió para nuevas elegancias aparatosas y nuevos triunfos sociales.

Enrique seguía haciendo su vida modesta de enamorado perpetuo, y Luis ascendía en mundanidad y en lujo.

A los tres o cuatro años de esta vida, doña Isabel comenzó a sospechar que la existencia de su hijo menor era un poco insólita. Le hablaban de él, diciéndole que tenía amistades sospechosas, que pertenecía a un círculo de mala fama de la calle del Clavel y que había acudido a un baile de máscaras muy escandaloso.

Entonces comenzó a darse cuenta de la estupidez de sus presunciones antiguas respecto a Luis. ¿Cómo era posible que pudiese llevar la vida que llevaba? Tenía un sastre muy caro, iba a butaca al Real, tomaba palco en los demás teatros. Con un sueldo pequeño esto era materialmente imposible.

¿Viviría de la protección de alguna mujer? No había duda de que, si él no ganaba el dinero que gastaba, alguien se lo tenía que dar.

Doña Isabel se dedicó a observar a su hijo, a registrarle los bolsillos, a leer sus cartas y sus papeles. Una vez le encontró en la cartera más de mil pesetas.

«¿Qué hace este chico? ¿De dónde puede tener tanto dinero? ¿Jugará?», se preguntó la madre.

Durante todo aquel año, Luis anduvo preocupado y un poco cabizbajo; la inquietud aumentó en él, y, al último, cayó enfermo.

Llamaron al médico.

—¿Qué tiene este muchacho?—le preguntó doña Isabel, después del examen del enfermo.

—No parece que tenga gran cosa. Un estado gástrico, un poco de fiebre. Eso pasará pronto.

La fiebre pasó; pero el estado de abatimiento de Luis seguía siendo el mismo.

—Aquí hay algo que no es enfermedad—advirtió doña Isabel al médico.

—¿No será cosa de mujeres?

—Me temo que sea algo peor.

—Yo le sonsacaré—indicó el médico, que se tenía por hombre agudo e insinuante.

A las preguntas de éste, Luis, que tenía el hábito de la mentira, contó fantasías, embustes y no dijo nada en concreto.

Doña Isabel, que no era muy inteligente, pero sí muy enérgica, decidió abordar la cuestión y averiguar la verdad.

—Aquí vamos a hablar claro—dijo a Luis de sopetón—. ¿De dónde tienes tú el dinero que gastas? ¿Quiénes son tus amigos? ¿Qué es ese círculo de mala fama adonde vas?

Luis, al verse descubierto, se echó a llorar. Confesó que entre algunos amigos habían fundado un círculo en un piso de la calle del Clavel; uno de los socios les había prestado dinero, y, embrollando después las cuentas, les exigía grandes cantidades. Esta era la causa de sus preocupaciones.

Doña Isabel no dijo nada a su marido; consultó con Enrique, y le pidió que se enterara; pero ya comprendía que éste no servía para una comisión así, y decidida, bajó al piso principal a visitar al ex ministro don Pedro Pizarro. Le contó lo que le ocurría a su hijo y le pidió que le proporcionara alguno de la Policía para que averiguase lo que le había pasado a Luis.

El político le prometió que le enviaría a su casa un agente ducho en esta clase de indagaciones.

Al otro día se le presentó a doña Isabel un tipo pequeño, arrugado, con aire de cura y sonrisa cínica. Este hombre era conocido en Madrid. Se le llamaba don Pepe.

Don Pepe recibió el encargo, y a las veinticuatro horas estaba de vuelta en casa de doña Isabel a dar cuenta de sus investigaciones. El policía no se recató en velar lo que sabía.

—El hijo de usted, don Luis—contó—, es conocido por toda la gente elegante de Madrid. Dicen que ha estado liado con una horizontal, la Filo Méndez, y que le ha sacado las perras. Don Luis tiene fama de rico, va a los teatros y a los toros, cena en

Lhardy, y el Carnaval pasado se presentó en la Castellana en coche con juguetes que le habían costado tres mil pesetas y se los regaló a los conocidos y conocidas, que son muchos. Luego don Luis se hizo amigo de un marqués, que es uno de los mariposos más conocidos del gremio, y con éste y otros de la misma cuerda fundó un círculo en la calle del Clavel. A este círculo pertenecen un empleado, un militar echado del Ejército, un bolsista, un diplomático de fama ambigua, un duque, que es también de los que estornudan, y varios jovencitos.

Doña Isabel oyó estas explicaciones cínicas sublevada. La cara se le ponía alternativamente roja y pálida de vergüenza.

—El objeto de este círculo ya se sabía cuál era—siguió diciendo don Pepe—. El marqués y el duque pagaban los gastos y prestaban dinero a los jovencitos, y hasta parece que les empujaban a poner firmas falsas en documentos para dominarlos. En esto, un ayuda de cámara, también del gremio, incomodado con el marqués, los denunció a los del círculo porque se jugaba sin permiso, y la Policía los llevó detenidos a todos los puntos y los fichó.

—¿Y que tendría yo que hacer? —preguntó doña Isabel al policía.

—Usted pregúntele a su hijo si ha firmado algo en falso, con otro nombre o cambiando la cantidad, y si ha firmado, recoja usted el documento, pagando lo que sea. Respecto a las deudas, se puede zafar de ellas marchándose de aquí, porque eso no se persigue judicialmente.

Doña Isabel dio una gratificación a don Pepe, que se fue satisfecho. Después de devorar su vergüenza, tuvo con su hijo una explicación borrascosa.

Luis empleó todos sus recursos de hombre embustero; dijo que se iba a suicidar y acabó confesándolo todo y llorando.

La madre explicó a Enrique lo que ocurría.

—¿Qué hacemos? —le preguntó.

—Vamos a escribir a ese marqués; le diremos que Luis está enfermo y que nos indique qué debe y a quién debe.

Se hizo así, y los días siguientes fueron apareciendo acreedores en la casa con pagarés y recibos. Con los intereses verdaderos y falsos y con los que amenazaban denunciar a Luis por estafador, ascendía la suma que había que pagar a más de sesenta mil pesetas.

—¿Y qué se hace? —exclamó doña Isabel.

—Lo mejor es pagar—contestó Enrique—; entregaremos el asunto a un abogado. Si no se paga, nos molestarán constantemente con reclamaciones.

—Pero tú te vas a quedar sin un céntimo, Enrique.

—¡Qué se va a hacer! Viviremos de mi sueldo y del retiro de papá.

Se pagó todo y después todavía hubo que dar dinero a Luis para que se marchara a América.

No se había dicho claramente nada de lo ocurrido a don Enrique; se le contó una fantasía, un lance de honor, y se quedó satisfecho. Luego, para que no se enterara de la ruina, se siguió en la casa pagando los gastos con lo que quedaba del capital.

Luis llegó a América, y al poco tiempo se casó allí con una mujer rica. A pesar de esto, no devolvió el dinero a su familia.

A veces doña Isabel lloraba y decía a su hijo Enrique:

—Luis es un egoísta y un ingrato. Vive bien, se ha casado con una mujer rica; pero ya no se acuerda de nosotros, ya no contesta a las cartas ni quiere indemnizarnos, porque dice que el dinero que tiene no es suyo, sino de su mujer.

Enrique se callaba.

Cuando hablaron de que la madre de María Luz estaba preparando el casamiento de su hija con don Pedro Pizarro, doña Isabel se alarmó.

—¿Qué vas a hacer?—le preguntó a Enrique.

—¡Qué voy a hacer! Nada.

—Te has sacrificado por tu hermano. No permitas que sacrifiquen a tu novia. Muévete. Haz algo. Ten un arranque.

—¡Qué arranque ni qué historias! Yo no soy capaz de convertir las tres mil pesetas que gano en seis mil. ¿Cómo? Que me lo digan y lo haré. No tengo inconveniente en trabajar durante las horas libres de oficina en cualquier parte, llevando las cuentas, aunque sea en un tienda de comestibles o en una pescadería, pero que no me vengan con palabras.

—¿Y vas a dejar a María Luz que se case con el viejo?

—Yo no le puedo decir más sino que estoy dispuesto a todo. Yo no le puedo decir que la voy a sostener espléndidamente a ella y a su familia con tres mil pesetas que tengo; pero si ella quiere afrontar la miseria conmigo, yo estoy dispuesto.

—Me temo que no va a querer..., por sus padres.

—Si no quiere, no se puede hacer nada.

—Pero no puedes dejar eso así.

—No puedo dejarlo, pero no tendré más remedio que dejarlo; con palabras no se arreglan las cuestiones. Toda mi oratoria no serviría para nada.

Ya ves el caso de Luis. Allí también se creía que el desparpajo, la sociabilidad, iban a resolver el conflicto... Estupideces... No se resolvió nada más que nuestra ruina.

—Pero en este caso va tu felicidad, Enrique.

—Sí, ya lo sé. Si yo pudiera cambiar los términos de la cuestión, estaría en seguida resuelta; pero no puedo cambiarlos.

—¿Por qué no?

—Porque no. Los padres de María Luz quieren sacrificar a su hija y vivir ellos bien. María Luz les tiene cariño; no se atreve a decirles: «Ustedes vayan a un asilo o a un hospital; yo me voy a casar con mi novio.»

—Pero no es para tanto. Además, tienen otra hija.

—Sí; otra hija que no les quiere, y un yerno que les trataría a la baqueta, y haría bien. Por estas razones, los padres lo que pretenden es casar a su hija con el viejo y seguir viviendo ellos cómodamente en la misma casa y disfrutar de las ventajas de tener un yerno rico... Yo me presento como solución con mis tres mil pesetas y no me aceptan. A mí ya no me choca.

Doña Isabel comprendía que la actitud de Enrique era lógica, pero le desesperaba y le hacía llorar constantemente. Al menos, si hubiera gritado y protestado, le hubiera parecido que se consolaba; pero Enrique no era partidario de lamentaciones elocuentes.

—No vale la pena de hacer de Segismundo—decía—. Eso, en el teatro, En la vida no da resultado.

15 marzo 1936.

LA HISTORIA DEL *TRAPENSE*

En los años de la segunda época constitucional, de 1820 a 1823, ardía en España la guerra civil, atizada por Fernando VII y su hermano don Carlos. Era la primera vez que se echaban al campo absolutistas y liberales. Los cabecillas realistas de las Vascongadas, Navarra, Cataluña y Valencia proclamaban con entusiasmo al rey neto. Se les unía toda clase de gente dispuesta a saquear y a robar, y hasta el bandido Jaime *el Barbudo*, convertido en defensor de la fe, recorría la sierra de Murcia con el piadoso objeto de matar liberales y de romper las lápidas de la Constitución.

En la frontera francoespañola, el movimiento era mayor. Quesada, don Santos Ladrón, Eraso, Uranga, Juanito el de la Rochapea y el cura Gorostidi operaban en Guipúzcoa y en Navarra, y mosén Antón, Misas, Romanillos, el *Jep del Estanys*, Romagosa, Bessières y *el Trapense* merodeaban en Cataluña. Formaban unos y otros el ejército de la Fe. Todos ellos tenían su historia; todos ellos, a la larga, acabaron mal: muertos en alguna emboscada, fusilados o agarrotados.

De estos cabecillas que guerrearon en Cataluña, los de más carácter eran Jorge Bessières, fusilado en Molina de Aragón por el conde de España, y *el Trapense*.

Se decía que *el Trapense* se llamaba Antonio Marañón; pero ¿éste era el nombre de familia o el de su pueblo? Sabido es que en muchas comunidades religiosas los frailes toman el nombre del pueblo donde nacieron como apellido.

Galli, en su libro *Memoria sobre la guerra de Cataluña*, dice que *el Trapense* era de Marañón. Marañón es un pueblo pequeño de Navarra, del partido judicial de Estella

La primera parte de la vida del *Trapense* es poco conocida. Fernández de los Ríos dice de él que era un aventurero refugiado en la Trapa para ocultar su nombre y su vida, llena de vicios y de crímenes. Esto es un poco vago; habría que señalar qué vicios y qué crímenes eran los suyos.

Galli, especificando más, aseguró que *el Trapense* había servido en la guerra de la Independencia y que ascendió a capitán. Añade que era valiente y jugador de marca, arrastrándole esta pasión a mil excesos, que le desacreditaron completamente. Después de perder su dinero y el de sus compinches, la paga de la compañía y las charreteras, desesperado, se metió en la Trapa.

Algunos autores suponen que Antonio Marañón hizo grandes hazañas en la guerra contra los franceses, y que peleó, no sabemos si solo, al frente de una partida o con otros, entre las orillas del Ebro y la frontera. Después, retirado al convento, unos le suponen fraile y otros sólo lego. No hay datos en las historias del tiempo referentes a la vida del *Trapense* anterior a su época de caudillo absolutista. Únicamente los hay en una novela de A. de Letamendi titulada *Josefina de Comerford o el fanatismo* (Madrid, 1849).

La autenticidad que pueda haber en esta novela histórica no es fácil de averiguar.

Letamendi, en su libro, dice que *el Trapense*, antes de echarse al campo, residía cerca de Barcelona, en el convento de capuchinos de Sarriá. Entonces llevaba hábito de fraile con cordón blanco y crucifijo de bronce dorado en el pecho. Era hombre de largas melenas y barba de color castaño. El autor le llama corpulento y robusto ex fraile de la Trapa.

Según Letamendi, Antonio Marañón vivía por entonces una vida casi mundana y estaba enamorado de su hija espiritual, la fantástica amazona irlandesa y archicatólica Josefina de Comerford, luego su compañera de aventuras.

Al comenzar la campaña absolutista, en 1821, *el Trapense* se distingue. El *Anuario*, de Lesur, por entonces muy documentado de las cosas de España, dice, hablando de la sublevación realista: «Los primeros que comienzan a tener brillo y renombre son Misas, mosén Antón Coll, antiguos jefes de guerrillas; Miralles, Bosoms, Romagosa, Romanillos y Bessières, antes complicados en una sublevación republicana, y el célebre *Trapense*, cuyo nombre verdadero es Antonio Marañón, antes oficial del regimiento de Murcia, que abandonó para meterse en un convento de la Trapa.»

El Trapense hacía una campaña de frenético, de inspirado; recorría las aldeas gritando como un energúmeno. Otros hacían lo mismo; el padre Orri, apodado el *Padre-Puñal*, blandía su arma a los gritos de «¡Viva la religión!», «¡Muera la patria y la nación!», «¡Viva el rey absoluto!», «¡Mueran las leyes!»

Al principio de la campaña absolutista, los frailes capuchinos de Cervera hicieron fuego a los soldados del ejército constitucional; irritados éstos, penetraron en el convento y degollaron a los frailes. *El Trapense* sostuvo en la ciudad una lucha sangrienta con los constitucionales, causándoles muchas bajas, sembrando de cadáveres las calles e incendiando la ciudad por los dos extremos.

El Trapense—afirma Fernández de los Ríos—seguía empleando el día en saquear e incendiar los pueblos y la noche en rezar el rosario con sus bandidos: con el hábito remangado y el crucifijo sobre el pecho, chocando con el sable y las pistolas, galopando en su caballo, látigo en mano, bendiciendo y exterminando; recurriendo a veces a revelaciones, que llegaban vía recta del cielo; a veces, a medidas del terror más refinado, el lego vivía sobre el país.

El éxito mayor del *Trapense* fue la toma de la Seo de Urgel a los constitucionales, el 21 de junio de 1822.

Acaudillaba a los realistas el famoso *Trapense*—dice la *Historia* de Lafuente, continuada por Valera—, siendo él mismo el primero que subió la escala, con el crucifijo por bandera en la mano, según costumbre, y sin que le tocasen las balas, lo cual acabó de fanatizar y enloquecer a los catalanes, que le consideraban invulnerable por especial privilegio y providencia del cielo.

Según el *Anuario*, de Lesur, subió por una escala a la torre llamada la *Lengua de Serp* (la Lengua de la Sierpe), con un crucifijo en una mano y un látigo en la otra. Su valor, en apariencia milagroso, enardeció a los realistas y les hizo seguirle bajo el fuego de fusilería mortífero.

El Trapense tenía como lugarteniente a Jorge Bessières, ex francés, ex tintorero y ex republicano, que se separó de él cuando fueron los absolutistas vencidos en Ayerbe y en Jaca.

Era *el Trapense*—se dice en la continuación de Lafuente—hombre de unos cuarenta y cinco años, de aspecto severo y sombrío, ojos vivos y mirada fija y penetrante; dábase aire de ascético y virtuoso, y bendecía con mucha gravedad a las gentes, que se arrodillaban a su paso y tocaban y besaban su ropaje. Fingía revelaciones para fanatizar y entusiasmar a la crédula muchedumbre; montaba con el hábito remangado, que suponía embotar las balas enemigas y hacerle invulnerable; llevaba en su pecho un crucifijo, y sable y pistolas pendientes de la cintura

El exterior militar del *Trapense*—según el *Anuario*, de Lesur—era muy propio para reclutar gente en un país sometido desde largo tiempo al dominio de los frailes. Marchaba al combate con su hábito monástico, a caballo, llevando un crucifijo o un sable en una mano y el látigo en la otra; no atacaba nunca sin ponerse antes de rodillas e invocar el auxilio del Todopoderoso, y caía sobre el enemigo con una audacia sobrenatural. Con sus predicaciones se levantaban los campesinos, rompían las lápidas de la Constitución, reemplazaban a las autoridades y le seguían, como en procesión, a los gritos de «¡Viva Dios!», «¡Viva el rey!»

La fama del *Trapense* pasó la frontera. Hay varias estampas, hechas en París, con su retrato. Una se titula *Antonio Marañón. Trapiste en costume militaire*, litografía de Villain. Aparece como un hombre de barba, a caballo, vestido con hábito de fraile, escapulario grande en el pecho con una cruz, un crucifijo en la mano derecha y un sable corvo.

Otra estampa hay, en que se le ve afeitado, en una actitud mística, abrazado a un crucifijo; también es de Villain.

La última litografía que conozco es una escena de la toma de la Seo de Urgel, publicada por el periódico francés ultramontano *La Foudre*, en la casa Engelmann. Aquí, *el Trapense* es un viejo, calvo y barbudo, que sube por una escala a un fuerte, llevando en una mano unas disciplinas y en la otra un crucifijo. En la muralla del fuerte hay una bandera que lleva escritas las palabras «¡Viva la religión y el rey neto!»

Lo más probable es que el que dibujó estos retratos no conocía al *Trapense*.

Todos los historiadores hablan de que el fraile guerrillero se presentó en Madrid momentos antes de la ejecución de Riego, y que estuvo en la plaza de la Cebada. Había entrado en España al mismo tiempo que los primeros soldados de Angulema, llevando a la grupa de su caballo a la bella fanática Josefina de Comerford.

Galdós, en su novela *El terror de 1824*, se refiere a él, y quiere hacer su retrato: «Era el *Trapense* joven, de color cetrino, ojos grandes y negros, barba espesa, con un airecillo, más que de feroz guerrillero, de truhán redomado. Había sido lego en un convento, en el cual dio mucho que hacer por su mala conducta, hasta que se metió a guerrillero.»

Como siempre, en Galdós, los datos son poco exactos y la interpretación un tanto mediocre. Lo que dice es el lugar común anticlerical, para uso de buenos burgueses y de tenderos de comestibles.

Para rebajar al guerrillero, asegura que no iba a caballo, sino en mulo; le llama después «bestial fraile» y «retrato fiel de Satanás ecuestre», lo que no concuerda muy bien con el aire que le quiere dar de truhán redomado.

Según Letamendi, *el Trapense* tenía cara de malhechor y vestía muy elegantemente cuando iba a caballo.

El político francés Luis Adolfo Thiers habla también del *Trapense* en un libro escrito por él en la juventud, titulado *Los Pirineos y el mediodía de Francia*, libro hecho con artículos publicados en *El Constitucional* en 1822 y 1823. Thiers, el viejecillo frío y siniestro de la tercera República, era un buen reportero, aunque no tenía ningún rigor en sus investigaciones. Se ve que, como buen francés, no se enteraba de lo que pasaba fuera de Francia. Habla en este libro de Mataflorida, y le llama el *rey* Mataflorida. Los absolutistas llamarían a Mataflorida el regente, porque era de la Regencia de Urgel; pero ¿cómo le iban a llamar el rey? Este disparate de Thiers es un disparate del buen francés que no se entera.

Thiers dedica algunas ironías un poco primarias al *Trapense*. Así como Galdós exigía, sin duda, que el guerrillero fuera discreto y práctico, igual que un comerciante de telas de la calle de Postas, Thiers quería que fuese *raisonnable*.

«No he contemplado a este santo personaje—dice el autor de la *Historia del Consulado y del Imperio*—, porque no se dejaba ver en Toulouse, a causa de la mala acogida que tuvo el último día en que se mostró. He visto un retrato suyo, trazado por uno de nuestros oficiales, que intentaba ocupar sus ocios dibujando, en su estancia de las montañas. El traje es singular: se compone de un hábito de capuchino, de una cruz de lana blanca sobre el pecho, de un rosario y de un sable, ambos colgantes y flotantes. Esta vestimenta produjo en Tarascón una disputa bastante viva, que conmovió a los tarasconenses. Los vecinos, sin duda, contemplaban al fraile y algunos oficiales franceses le defendían. Un oficial le preguntó si no llevaba otro traje en los campos de batalla, y *el Trapense* le dijo que no llevaba otro.

—Eso debe de ser muy incómodo —le advirtió el oficial.

—No; con este hábito he matado más de doscientos franceses.

—Doscientos franceses—exclamó el oficial, indignado—; querrá usted decir que los ha asesinado en los hospitales.

—No, que los he matado, matado...

El oficial se puso furioso, y el rumor llegó a ser tan general, que el fraile tuvo que marchar de Tarascón antes de la hora convenida.»

El Trapense, cuando el triunfo de los soldados de Angulema, era enemigo de la tendencia moderada de éstos, y así se lo dijo libremente al príncipe de Hohenloe.

Después, en 1824, fue nombrado mariscal de campo y comandante general de la Rioja. Entonces, según cuenta A. de Letamendi, persiguió en Logroño a Casimira Manzanares, la hermana del ex ministro Salvador e hija de don Francisco, médico de Escoriaza, fusilado en 1836 por Villarreal.

El Trapense fue enviado al convento de la Trapa en Santa Susana, en el distrito de Caspe, cerca de Maella.

En ningún libro español he visto noticias posteriores del *Trapense*; únicamente las he encontrado en el *Anuario histórico universal*, de Lesur, para 1826. En este *Anuario* hay una nota de Madrid, del 12 de noviembre, y dice así: «El falso monje de la Trapa conocido por *el Trapense*, jefe de guerrilleros, y que durante la campaña de 1823 mandó en Cataluña y en Castilla un cuerpo de mil a mil quinientos hombres, ha muerto el 9 de este mes en su convento, en el que había ingresado en 1824. El hermano Antonio ha muerto de la manera más edificante. El 8 del corriente, a pesar de la fuerza de su enfermedad, se levantó y marchó a la iglesia, sostenido por dos frailes. Recibió los sacramentos con piadoso fervor, volvió a su celda, se tendió en su cama y se dispuso a morir. En la mañana del 9, cuando se preparaban a acostarlo sobre una cruz de ceniza (pues así mueren los trapenses), él mismo se acercó a la cruz, aunque había perdido casi el conocimiento y el uso de la palabra, y se tendió sobre la ceniza. Al cabo de una hora había muerto...»

El Trapense era, indudablemente, un fanático, un perturbado, quizá un anormal esquizofrénico. De todos los curas cabecillas que se distinguieron en España, es el más inconsciente, el más bárbaro y el más genial. El cura Merino, el cura Tapia, Gorostidi, el cura de Flix, el cura Santa Cruz, son todos mucho más vulgares, más mediocres que él.

El Trapense tenía vitola para ser el personaje de un gran escritor byroniano y romántico.

2 julio 1933.

LA EJECUCION DE MIYAR

El día 11 de abril de 1831, *El Diario de Madrid* insertaba esta noticia: «Hoy, a las doce y media, se ejecutará en la plaza de la Cebada al librero Antonio Miyar. Cuando haya muerto, se le pondrá un cartel al cuello que diga: 'Por crimen político'.»

El Diario afirmaba que el librero había intentado sobornar a los jueces, ofreciéndoles millón y medio de reales, para salvar su vida.

En nuestras historias, la ejecución de Miyar no suele merecer más de una línea o dos.

Antonio Miyar era un librero y encuadernador que tenía su establecimiento en la calle del Príncipe, donde después se construyó el teatro Español, dice Morayta. Antes del teatro Español existía allí el del Príncipe, en la calle del mismo nombre, número 31, y parece que ocupaba toda la manzana. No es muy probable que el establecimiento estuviera allí.

En una *Historia de la Milicia Nacional* se dice que la librería se encontraba en el número 4 de la calle del Príncipe, donde estuvo después la imprenta de Gaspar y Roig. Yo he visto algunos libros viejos con la etiqueta o *ex libris* de Miyar.

El librero fue también impresor. En 1882 publicó *La Bibliografía Española*, periódico quincenal del que salieron doce números, según dice Hartzenbusch en sus *Apuntes para un catálogo de periódicos madrileños*.

Miyar debía de ser de origen asturiano; era hombre de unos cuarenta años en 1831, estaba casado y tenía un hijo. De su hijo Pedro se habla en la novela *El último Borbón*, de Antonio Guzmán de León, y se dice de él que fue militar, que perdió un brazo en la guerra carlista y que presenció, en San Sebastián, la marcha a Francia de Isabel II, en 1868, y que, al presenciarla, recordaba la ejecución de su padre.

Antonio Miyar, el librero, contaba con una fortuna cuantiosa, era hombre culto, de costumbres amables y pacíficas; tenía afición a su oficio y era muy liberal.

En el libro *Los mártires de la libertad española*, de don Victoriano Ameller y don Mariano Castillo (Madrid, 1853), viene su retrato.

Era hombre de cara fina, ojos grandes y melancólicos, nariz recta, frente despejada, patillas y cabellera abundante. Debía de ser tipo más bien tímido y débil que fuerte y orgulloso. En otra lámina titulada *Víctimas de la causa popular* hay otro retrato de Miyar con el mismo carácter de hombre suave y débil.

Al final de 1830, y con motivo de la intentona de Mina en la frontera, a la cual siguieron otras en Andalucía, comenzó en España una represión violenta contra el elemento liberal. Se instalaron comisiones militares y se levantaron de nuevo cadalsos como en la época del terror de 1824.

El señor de Calomarde, este baturro tosco e intrigante, con alma de lacayo, estaba dispuesto a colgar a media España en beneficio de su señor.

Calomarde recibió en el mes de marzo una delación de un médico oscuro, matasanos sin parroquia, don Maximiano González, que firmó sus denuncias unas veces con su nombre y apellido y otras llamándose *El incógnito de las diez de la noche* y *El de las diez y media de la noche.*

Don Maximiano escribía sin ortografía y hacía gala de sentimentalismo. El matasanos era un granuja sentimental.

El señor González denunció en su primera delación, como relacionados por correspondencia con los generales Mina y Torrijos, al capitán de Artillería don José Torrecilla, al abogado don Salustiano Olózaga, al ingeniero don Agustín Marcoartú, al propietario don Francisco Bringas y a otros. Todos ellos, según dice Mina en sus *Memorias*, formaban en el círculo liberal de Madrid.

A las cartas de don Maximiano pi-diendo dinero por sus delaciones, ponía el buen Calomarde una nota de su puña y letra: «Désele una onza sin recibo.»

Al parecer, según las denuncias del matasanos, había grandes listas de comprometidos, unos inscritos con sus verdaderos nombres y otros con los masónicos.

Fueron presos en una noche Olózaga, Bringas, Torrecilla y don Francisco Aranda. Al registrar la casa del ingeniero Marcoartú, estaba en ella el librero Miyar. Este, con pocos arrestos y no acostumbrado a tales trances, se aturdió y apeló al cándido recurso de meterse debajo de una cama, donde fue inmediatamente encontrado.

Marcoartú se descolgó por el balcón. Al caer a la calle pasaban por la acera dos guardias de Corps, que, tomándole por un ladrón, sacaron las espadas y le dieron el alto.

—Caballeros, protéjanme ustedes —les dijo el ingeniero con el mayor aplomo—. Estaba con una mujer, ha entrado el marido de improviso y no he hallado otro recurso para que no me sorprendiera que saltar por el balcón. Alejémonos de aquí, porque si me ven voy a comprometerla.

—No tenga usted cuidado—le dijeron los guardias de Corps—; si aparece el marido, le damos la gran paliza.

—No, no; nada de ruidos ni de escándalo—repuso el descolgado—; si no, esa mujer está perdida.

—Entonces vámonos; pero permítanos usted que le acompañemos.

Así, protegido por los dos guardias de Corps, marchó Marcoartú hasta que se despidió de ellos, estrechándoles la mano, dándoles un nombre y señas falsas y ofreciéndoseles a prestarles el servicio que le pidieran en cualquier galanteo en que pudieran necesitar de él.

Al registrar la casa de Marcoartú, la Policía se apoderó de varios papeles y de las listas de los comprometidos. Calomarde mandó enviar pliegos en blanco a los correos de los pueblos dirigidos a los liberales, y dio orden para que cuando llegaran a recogerlos los interesados los detuvieran.

Los presos de Madrid fueron encerrados en los calabozos de la cárcel de Corte y de la cárcel de la Villa, y comenzaron las sumarias. La primera fue la del librero Miyar. El proceso no creo que lo haya visto nadie después, no se sabe si estará o no en la Audiencia.

Los contemporáneos dan varias versiones de los cargos que se hacían contra el pobre librero, bastante baladíes. Había escrito una carta a un emigrado, dice uno; se había encontrado su nombre en la lista de los que tenían correspondencia con el extranjero; había sido preso en casa de Marcoartú...

Según el *Anuario Lesur*, al registrar la cueva de la librería, se encontró una pequeña prensa y una bandera tricolor, sin duda liberal, con una franja verde o morada.

Estas menudencias bastaban para llevar al patíbulo a una persona en la dulce época de los apostólicos.

El librero Miyar fue condenado a muerte, y se mostró resignado y tranquilo.

«Los procesos se actuaban con tanta rapidez y atropellamiento, que acusado en Madrid Juan de la Torre de haber gritado en la tarde del 22 de marzo «¡Viva la libertad!», fue ahorcado el 29. Abierta en el correo una carta que el librero don Antonio Miyar, vecino de la corte, escribía a un expatriado español lamentándose de las proscripciones que asolaban al rei-

no, formósele causa, y expiró colgado del afrentoso patíbulo el 11 de abril.»

Esto dice *La historia de la vida y reinado de Fernando VII*, publicada sin nombre de autor y que parece que fue escrita por don Estanislao de Kotska Bayo (Madrid, Imprenta de Repullés, 1842).

A un magistrado que protestó contra la condena de Miyar, se le destituyó y se le quitó la toga.

El librero fue llevado a la cárcel de Corte. Los liberales que estaban en esta cárcel, uno de ellos Angel Iznardi, periodista en su tiempo de fama, y los que se encontraban en las otras prisiones, oyeron por la noche la salve que cantan los presos al reo que está en capilla. Al saber que el reo era Miyar, se estremecieron de espanto. Se hicieron los preparativos de la ejecución. Se dice que la horca se ponía en medio de la plaza de la Cebada, así lo asegura Mesonero Romanos; pero al mismo tiempo indica que en medio de ella había una fuente. Por los planos antiguos de Madrid, la plaza de la Cebada era un ancho espacio irregular, y la fuente no estaba en el centro, sino a un lado.

La horca se preparaba con dos postes altos clavados en el suelo y unidos por un madero horizontal, del que colgaba la cuerda. En una estampa que dibujó Raffet del suplicio de Riego, la horca era también así.

En esta época de 1831, regida por Calomarde, como en la de Chaperón, la horca estuvo, según parece, varios días de una manera permanente en la plaza de la Cebada.

A la ejecución de Miyar acudió una gran muchedumbre. El pueblo bajo de Madrid era entonces absolutista en su mayoría.

No hay, generalmente, en la historia de España de este tiempo, relaciones de testigos presenciales; nadie o casi nadie tenía afición a escribir sus Memorias, quizá por miedo.

De la ejecución de Miyar hay una relación en el libro *L'Espagne sous Ferdinand VII*, por el marqués de Custine.

El marqués de Custine era un aristócrata y viajero, cuyo padre y abuelo habían sido guillotinados durante el Terror. Custine era católico y realista.

El marqués, como escritor, es muchas veces fantástico; trata de una manera falsa y teatral las cosas del país que describe, como buen francés; pero esto no puede asombrar a nadie, y menos tratándose de una época oscura.

Muchos de nuestros patriotas se asombran de que los extranjeros vean a España a través de Don Quijote. En este lugar común han sido los españoles los que primero han abierto el camino. Los extranjeros no han hecho más que seguirlo.

Dejando este punto, que habría que tratarlo despacio, transcribiré las impresiones del señor marqués, que dice con frecuencia tonterías; pero algunas veces tiene observaciones que no están mal.

En la escena de la ejecución, el marqués no abusa de los manolos, manolas, chisperos, gitanos, frailes y demás comparsería amanerada y pintoresca, fácil de manejar, sobre todo en aquella época.

Custine justifica su curiosidad de querer ver la ejecución por ser un viajero y porque quiere observar las pasiones del pueblo en una ocasión tan solemne. Suprimo un tanto la fraseología del marqués, sentimental y confusa, y dejo lo más concreto y ceñido al asunto.

«Media hora antes de la señalada —dice—me acerqué a la plaza de la Cebada y me detuve cerca del cadalso. En Madrid las ejecuciones son una ceremonia religiosa, porque el cura sanciona todos los actos del poder. Me ha sorprendido el recogimiento, la calma y el silencio del populacho, que se encaminaba, como yo, al lugar del suplicio.

Una hora antes que un criminal sea conducido al patíbulo, varios hombres recorren la ciudad con un cepillo de ánimas y una campanilla en la mano pidiendo limosna a nombre del condenado. Este dinero está destinado a decir misas por el reposo de su alma.»

*¡Para hacer bien por el alma
del que van a ajusticiar!*

Como se dice en *El reo de muerte*, de Espronceda.

«Cuando llegué cerca del cadalso —sigue diciendo el marqués—, lo encontré rodeado de gran número de soldados, lo cual es una innovación. El aparato de fuerza militar no se suele desplegar ordinariamente en Madrid en estas ocasiones.

Al mediodía, con un ruido de tambores, se anunció la llegada del cortejo: oficiales y dragones de a caballo abrieron calle entre el pueblo, que no parecía ni ávido de sangre ni muy conmovido.

Al mirar hacia el lado en que se acercaba la procesión vi aparecer hombres a caballo vestidos con un traje semejante al de los curas. «¿Qué hacen esos señores eclesiásticos?», pregunté a un vecino. «Esos no son curas, son alguaciles», contestó. Yo volví a preguntar por qué los esbirros llevan un traje religioso. No se me supo responder. Por estas connivencias de todo género con la Policía es como la religión católica se desacredita en España.

El silencio redoblaba en torno mío;

la multitud estaba inmóvil; una cruz venía sostenida por un grupo de hombres vestidos de negro, y, al final, entre la multitud que llenaba la calle, apareció el desgraciado reo.

Estaba vestido de blanco, era hombre de unos cuarenta años, iba montado en un burro, sostenido por su confesor y ayudado por otro cura. Sus manos, juntas, estaban negras. Estas manos martirizadas llevaban un papel sobre el cual estaba grabada la imagen de Cristo.

El desgraciado, aunque muy pálido, palideció todavía más cuando contempló el cadalso: volvió la cabeza, se inclinó hacia su confesor y pareció escuchar la palabra cristiana con una piedad que me conmovió hasta hacerme saltar las lágrimas.

Cuando me hallaba a veinte pasos del cadalso, me alejé precipitadamente, preguntándome por lo bajo si el gobierno de los frailes merecía tales sacrificios.»

El marqués dice que, pasado un momento, el son triste de las campanas indicaba que el suplicio había terminado.

Lo que no cuenta Custine está representado en una estampa coloreada, de Ameller y Castillo, *Los mártires de la libertad española*.

Apoyada en el madero que une los dos postes de la horca, hay una gran escalera, y en lo más alto, un hombre sentado: el verdugo. En uno de los peldaños está Miyar, vestido de blanco, con su birrete; debajo, el ayudante del verdugo, y al pie de la escalera, un fraile que muestra imperiosamente un crucifijo. Cerca del cadalso, unos magistrados, dos hombres de levita y tricornio y tropa de Infantería y Caballería.

«Después de la ejecución del desgraciado, un cura — dice el *Anuario Lesur*—subió a lo alto de la escala y dirigió a la plebe un discurso que versó sobre el cuidado particular con que el Cielo velaba por el rey y por la Iglesia, haciendo que sus enemigos fueran siempre descubiertos y castigados.»

Sobre la cuestión del indulto, el marqués de Custine dice lo siguiente:

«Yo sabía que la mujer del desgraciado Miyar había ido a Aranjuez a pedir clemencia. El rey solo era el ofendido y abrigaba una secreta esperanza. Muchas gentes dicen que si el indulto hubiese sido acordado, hubiera habido más descontentos que satisfechos. Sería necesario conocer bien la opinión pública para apreciar la verdad de este aserto. Se asegura que, de hacer buen tiempo, el reo se hubiera salvado. El rey hubiese salido, hubiera encontrado a la mujer que iba a implorar su gracia y se la hubiera concedido. Ha llovido, y el rey ha quedado en su palacio y la lluvia ha decidido la ejecución...»

Hay para sospechar, dadas las amables intenciones de Fernando VII con los liberales, que, aunque hubiese lucido un sol magnífico, *el Deseado* no hubiera salido de su palacio o se hubiera marchado por otro lado para no encontrar a la mujer del librero y no verse en la precisión de otorgar el indulto.

16 julio 1933.

EL TORERO *PUCHETA*

Yo he conocido, todavía no hace muchos años, al conserje de una imprenta que recordaba con detalles la muerte del jefe de Policía don Francisco Chico en la Fuentecilla de la calle de Toledo, durante la revolución de 1854.

También conocía, hace ya más tiempo, a un contratista vascongado amigo de mi padre, arruinado en la construcción de unos ferrocarriles que a un político le hicieron millonario. El contratista, algo más viejo que mi padre, recordaba sucesos de 1854 y 1856 y había conocido al torero y político *Pucheta*, y hablaba de él.

Yo no he comprobado sus noticias. En algunos novelones del siglo XIX se habla del torero político, pero vagamente y con fantasías.

De *Pucheta* no queda como recuerdo más que una frase grosera que aseguran que dijo cuando le presentaron a Isabel II, y que probablemente no será cierta. A algunos reparos de la reina a sus ideas revolucionarias, el torero contestó: «Señora, todo eso es l...»

Pucheta se llamaba José Muñoz Bustamante; era madrileño, y su familia vivía, al parecer, con cierta holgura. El torero tenía alguna educación: sabía leer y escribir bien, había sido dependiente en un comercio, hacía cuentas y leía libros y periódicos.

Como torero, parece que era mediano; no tenía facultades; fue matador de novillos—después, sobresaliente—, y el mismo año de la revolución del 54 tomó la alternativa en la plaza de Madrid. En esta época, en que toreaban y mataban *Cúchares, el*

Chiclanero y *el Tato*—que era entonces un mocito—, *Pucheta* no podía ser más que un matador mediano.

Balzac, como muchos novelistas y dramaturgos, tenía la superstición literaria de creer que en el nombre de una persona iba como indicado su destino. Entre los toreros antiguos y modernos, *Pepe-Hillo, el Chiclanero, Cúchares, el Tato, Lagartijo* y *Frascuelo* tenían apodos de toreros; *Pucheta*, a juzgar por su apodo, no podía ser más que un mal novillero.

Pucheta tenía arrogante figura, según decía el contratista vascongado que le había conocido; era alto, llevaba patillas, vestía de corto, con camisa bordada y calañés. En la época de la revolución del 54 era hombre de más de treinta años. Se le veía con frecuencia en la plaza de Lavapiés y en los alrededores del Rastro, y tenía dinero en abundancia.

En la revuelta de 1848, *Pucheta* se batió en la plaza Mayor, en la de la Cebada y en la calle de Toledo con mucho brío, y adquirió entre la gente del barrio gran prestigio.

Al saber sus ideas y su influencia popular, los progresistas le afiliaron a su partido, le iniciaron en la masonería, le llevaron al círculo democrático La Unión, y *Pucheta* comenzó a ser hombre de importancia. Quizá más o menos claramente, aspiraba a ser un dictador de los barrios bajos de Madrid; quizá pensaba ser un Masaniello.

De la época de sus primeras luchas revolucionarias procedía su odio contra el jefe de Policía don Francisco Chico. La represión del Gobierno de Narváez en 1848 fue muy dura. Las tropas acabaron pronto con el movimiento popular, y después la policía de Chico comenzó sus prisiones. Uno de los hombres al servicio de la Policía, un tal Pinto, tabernero de la calle de las Maldonadas, mató de un tiro de trabuco, en la plaza Mayor, a un vecino suyo que había sido miliciano nacional. Para *Pucheta* era atacarle en lo más vivo, en su feudo. El ex miliciano era amigo suyo, y su taberna de la calle de las Maldonadas, entre la plaza del Rastro y la de la Cebada, sitio de reunión de los revolucionarios del barrio.

Después de las prisiones, los esbirros de Chico llevaban a los detenidos a Leganés; de aquí se los enviaba en cuerdas de presos a Cádiz, donde se los embarcaba para Filipinas. La gente de barrios bajos veía pasar a los detenidos por la calle de Toledo, camino de Leganés.

El año 1851 comenzó un proceso contra don Francisco Chico; el gobernador Ordóñez mandó llevar al jefe de Policía al Saladero; estuvo el policía preso nueve meses, hasta que vino el sobreseimiento de la causa por falta de pruebas.

Los amigos de *Pucheta* fueron a declarar contra Chico. Don Francisco García Chico era un tipo extraño, un jefe de Policía como no ha habido otro. Era el Narváez de la ronda secreta, con alternativas de bondad y violencia. Había sido en su juventud capitán de Caballería, masón y afiliado a La Isabelina.

«La influencia de Chico fue tal—dice un escritor contemporáneo—, que se midió alguna vez con las eminencias de la situación misma, que en él tenía el más abonado instrumento de sus iniquidades, y fue siempre suya la victoria. Se vio alguna vez preferido a los gobernadores civiles y hasta a los mismos ministros, y en su choque con ellos tuvo bastante poder para provocar una crisis. Le defendían Narváez, María Cristina y Muñoz.»

Chico era un gran aficionado a la pintura. He encontrado no hace mucho el catálogo de cuadros que tenía en su casa de la plazuela de los Mostenses, número 20.

Esta casa palaciega, por lo que he visto después, pertenecía, al conde de Trastamara. Era un caserón grande y gris, de dos pisos, con rejas y una portalada decorativa de piedra. Daba a la plazuela de los Mostenses y estaba rodeada por los callejones de San Cipriano, Eguiluz, Santa Margarita y travesía del Conservatorio, que hoy creo que todos han desaparecido.

Cerca estaba la Casa del Pecado Mortal o Hermandad de Nuestra Señora de la Esperanza, asilo para madres solteras, en la calle del Rosal, entre la plaza de los Mostenses y la de la Parada y las calles de Sal si puedes, En hora mala vayas y Aunque os pese.

Cuando comenzaron los derribos para la Gran Vía, durante muchos años, al subir por la calle de Leganitos, se veían a mano izquierda, por encima de una tapia amarilla muy alta de la callejuela de San Cipriano, los árboles de esta casa de Trastamara. Hace treinta años había en ella un Juzgado. Yo estuve una mañana en ella porque un estanquero rubio de la plaza de Santo Domingo, casado con una mujer casi sin nariz, al que había roto un repartidor de pan una luna del escaparate y un globo de luz eléctrica de la entrada con la cesta, se empeñó en decir que aquel repartidor era de mi casa y que yo era el responsable pecuniario del estropicio. Yo no las tenía todas conmigo; pero el juez me dio la razón. No perdí más que la mañana andando por aquellos corredores.

Cerca de la casa habitada por Chico había estado la del conde de Revillagigedo, donde radicó la Confederación de los Comuneros en 1823 y se estableció después el Conservatorio.

La lista de cuadros de la galería de Chico llegaba a setecientos. Tenía obras maestras: Velázquez, Murillo, Zurbarán, Ribera, Goya, Alberto Durero, Miguel Angel y *el Bosco*.

Nada impide, claro es, que un jefe de Policía amenazador y siniestro en la calle sea al mismo tiempo un buen coleccionista apacible y tranquilo en su casa. Pero, y el enorme capital necesario para formar esta colección, ¿de dónde lo podía tener? Cierto que habría cuadros procedentes de conventos clausurados; pero aun así era difícil reunir tanta obra de arte con poco dinero.

Para mí, la explicación de tal hecho la encuentro en este párrafo del libro *El antiguo Madrid*, de Mesonero Romanos. Habla el autor de la plaza de los Mostenses y dice, al referirse a la casa que habitó Chico:

«La del conde de Trastamara, que hoy ocupa ese sitio, era notable por la esplendidez de sus salones y, especialmente, por las magníficas estancias llamadas «las cuadras», caprichosamente enriquecidas de adornos y flores y figuras en relieve y con graciosos saltadores de agua en el centro; bellísimos salones, célebres por los suntuosos bailes dados en ellos por la grandeza de 1831, con asistencia de los reyes, y, posteriormente, por los que dio Narváez cuando la ocupaba y era de su propiedad.»

Si la casa era de Narváez, protector de Chico, la galería de cuadros podía ser suya y quizá también de María Cristina y de Muñoz, aunque figurase a nombre del jefe de Policía.

Don Francisco Chico, al salir del Saladero, adonde fue llevado por el gobernador Ordóñez, estaba enfermo de gota, y al comenzar la revolución del 54 se hallaba completamente retirado y casi olvidado. *Pucheta*, con sus amigos, al creerse victoriosos, formaron la Junta revolucionaria de barrios bajos e hicieron un padrón de gentes amigas de María Cristina a quien había que prender y fusilar. El primero en la lista era don Francisco Chico. No se sabe si los motivos de la enemistad del torero contra el jefe de Policía serían sólo políticos o habría algunos personales.

Al tener dominado Madrid, *Pucheta* mandó practicar una excursión fuera de los límites de su jurisdicción ordinaria para apoderarse de don Francisco Chico. Fueron las turbas dirigidas por el torero a la plaza de los Mostenses, y a pesar de las negativas de un dependiente o portero de Chico, llamado Cano, que fingió ignorar su paradero, el antiguo jefe de Policía cayó en manos de sus perseguidores, y como se hallaba gravísimamente enfermo y en la imposibilidad de mantenerse en pie, fue conducido en un colchón desde la plazuela de los Mostenses a la calle de Toledo, donde le fusilaron, cerca de la Fuentecilla, a la entrada de la calle de la Arganzuela. La misma suerte tuvo su dependiente Cano.

Chico marchó a la muerte con una serenidad extraordinaria, medio incorporado en el colchón en que le llevaban, abanicándose y mirando a un lado y a otro con una impasibilidad magnífica.

El general San Miguel, al saber los fusilamientos, acudió a la plaza de la Cebada, habló a unos y a otros y consiguió pacificar los ánimos.

Pucheta se batió días después en la plaza Mayor y en los barrios bajos con gran bravura, se le nombró jefe y quizá se sintió general.

Los toreros se manifestaron muy revolucionarios en esta asonada. En la calle de las Huertas y en la desembocadura de la del Lobo se levantó una gran barricada, que fue defendida con valor por *Curro Cúchares* y los de su cuadrilla, entre los cuales estaba *el Tato*.

De 1854 en adelante, la fama política de *Pucheta* aumentó: debió de tener esperanzas de ser algo, toreó poco y quizá pensó en abandonar su mísero apodo y convertirse en el político don José Muñoz Bustamante.

La gente le admiraba como caudillo político y no le estimaba como torero.

No le hubieran dicho como le dijo hace años a Mazzantini, cuando era teniente de alcalde, un dueño de un puesto de verduras, a quien había echado una multa injusta:

—Yo le he silbado a usted como torero, y ahora le tengo que silbar como teniente de alcalde.

Pucheta debía de ser el niño mimado del barrio. Se presentaría con su traje corto y su calañés. Él definiría seguramente lo que se había de hacer en su feudo, desde la plaza Mayor y la del Progreso hasta las Rondas, siguiendo los consejos de don Nicolás María Rivero y don Manuel Becerra. Debía de ser el oráculo de la gente del bronce, y el tío Paco el albañil, y el señor Pantaleón el sillero, y el memorialista don Deogracias, y la señora Cándida, alias *la Lagarta*, de la prendería de la calle del Cuervo, creían seguramente en sus palabras como en el Evangelio.

El año 1856 hubo en Madrid nuevas revueltas. Las causas eran un poco oscuras. Intervenían, como siempre, Espartero, O'Donnell, Narváez y sus partidarios. Espartero quedó medianamente. Dicho en lenguaje de la gente del bronce, se rajó.

Los milicianos, cuando vieron que Espartero los abandonaba, se retiraron a sus casas, arrojando las armas.

Los que a todo trance quisieron resistir fueron a incorporarse a las fuerzas del torero *Pucheta*, que logró reunir seiscientos hombres en la plaza de la Cebada.

Al amanecer del 16 de julio, la revolución podía darse ya por vencida; quedaba sólo resistiendo en los barrios bajos *Pucheta* con sus hombres. El Gobierno mandó atacar la calle de Toledo, y los sublevados, después de hacer inútiles esfuerzos, abandonaron sus puestos y salieron de Madrid camino de Leganés.

El Gobierno no quiso dejarles escapar sin perseguirlos, aunque probablemente en el campo se hubieran dispersado.

Pucheta había perdido más de una tercera parte de los suyos, entre muertos, heridos y extraviados, al abandonar Madrid.

Se dispuso que saliera en su persecución el general don Manuel de la Concha, que llevó Infantería, Caballería y cañones.

Los hombres de *Pucheta* fueron alcanzados cerca de Villaverde por una patrulla de Caballería del regimiento de Talavera, que los acuchilló sin piedad. Entre los muertos estaba el torero, a quien parece que persiguieron intencionadamente. El Masaniello madrileño tenía entonces treinta y seis años. Había nacido en 1820.

Años después hubo otro *Pucheta* en barrios bajos, quizá hijo o pariente del anterior. Era también alto y bien formado; llevaba patillas, vestía de corto, enseñaba a los chicos suertes del toreo y les daba luego perras gordas.

3 septiembre 1933.

EL FUSILAMIENTO DE *CHARANDAJA*

En la guerra de la Independencia, la mayoría de los jefes populares tenían su apodo: Juan Martín Díaz era *el Empecinado*; Saturnino Abuin, *el Manco*; Sebastián Fernández, *Dos Pelos*; Gaspar de Jáuregui, *el Pastor*; Juan Palarea, *el Médico*; Joaquín de Pablo, *Chapalangarra*; F r a n c i s c o Abad Moreno, *Chaleco*.

León Iriarte, oficial de Mina, era *Charandaja*.

Supongo que *Charandaja* es una forma vasconizada de «zarandaja», cosa menuda y ligera.

León Iriarte fue antiguo capitán de Mina. Sin duda joven, no llegó a distinguirse en la guerra de la Independencia y no pasó de ser oficial.

El hermano de León Iriarte había sido enterrador en el cementerio de Pamplona. Se valía de los ataúdes para sacar armas de la plaza y llevárselas a los guerrilleros españoles. Al saberlo los franceses, le fusilaron.

Concluida la guerra y abolida la Constitución, *Charandaja* quedó como militar en la clase de ilimitados, con residencia en Pamplona.

Durante esta época, Mina y sus partidarios conspiraban. Un antiguo soldado de su división era el intermediario de las relaciones de los liberales entre París y Navarra y entre Navarra y otros puntos de España. Este intermediario se dejó sobornar por la Policía de Pamplona y vendió los secretos de los conspiradores, convirtiéndose en confidente. Los partidarios de Mina que vigilaban descubrieron las maniobras del traidor, y poco después el soldado fue encontrado muerto en el campo. Por sospechas, fueron encerrados en calabozos e incomunicados los oficiales que vivían retirados en Pamplona: don León Iriarte, alias *Charandaja*, y don Juan Ignacio Noaín.

No se les llegó a probar complicidad en aquella muerte, a pesar de las escrupulosas diligencias del juez, don Rufino González, y aun del empeño que puso en verlos aparecer como autores de ella. Iriarte y Noaín no se vieron libres de la cárcel hasta que se proclamó la Constitución de 1820.

León Iriarte peleó de 1820 al 23 con varios jefes—probablemente con Tabuenca, *Dos Pelos* y Gurrea—, y después volvió a Pamplona a vivir en la oscuridad. Tenía el grado de comandante. Era, al parecer, un hombre pequeño, raquítico y cojo, vivo, turbulento y alborotador. Peleaba siempre a caballo.

En octubre de 1833, el Gobierno, de acuerdo con la Junta extraordinaria de guerra, mandó formar en Pamplona dos compañías de Infantería ligera con el nombre de tiradores de Navarra y tiradores de Isabel II, al mando de oficiales del país, antiguos militares prácticos, que perteneciesen a la clase de ilimitados y que mereciesen la confianza de la Junta. Concedía permiso a cada capitán para que eligiera sus individuos y ordenara a la Diputación que pagara los haberes de la tropa del fondo de la Caja de los voluntarios realistas.

Charandaja fue uno de los comandantes de estos batallones, y después Mina le puso al frente de todos los que formaban los cuerpos francos y los tiradores. Los batallones se habían formado, según dice Zaratiegui en la *Vida de Zumalacárregui*, con los mayores calaveras de Pamplona y de sus contornos.

Charandaja, con sus francos, recorría el valle de Orba, el de Aibar y el terreno entre Aoíz, Lumbier y Sangüesa.

Su objeto era impedir que los campesinos proporcionaran granos a los carlistas. Zumalacárregui quiso oponer a Iriarte las partidas de Lucus, a quien llamaban *Manolín*, y de Cordéu, conocido por *el Rojo de San Vicente*. En estos encuentros, *Charandaja* salía ganando.

Según Zaratiegui, *Charandaja* se parecía al carlista Iturralde por sus cualidades y por haber llevado el mismo género de vida.

Iturralde—el primer jefe carlista de Navarra, antes de Zumalacárregui— era pequeño, violento, lleno de osadía, de arrojo, con poco método militar y de vida desarreglada. Al parecer, *Charandaja* era por el estilo: juerguista, alborotador y mujeriego. Le caracterizaba también su tendencia localista. Lo que pasaba fuera de Navarra le debía de interesar muy poco. Tenía por entonces cerca de cuarenta años.

Me figuro a *Charandaja* porque he conocido navarros de ese carácter audaz y violento.

Varias veces, pensando en lo mal que se armoniza la furia vascónica de los navarros con la tranquilidad apacible de los otros vascos, he leído lo que dicen los historiadores acerca de los pueblos primitivos del país: vascones, várdulos, caristios y autrigones. No he sacado nada en limpio. Yo creo que actualmente hay dos clases de vascos: unos, que miran las aguas del Ebro, y otros, que contemplan las que van al Cantábrico. Los del Ebro, de llanuras, se han hecho, por la raza o por el ambiente, violentos, sociables y oratorios. Los de las aguas del Cantábrico, de valles estrechos, son pacíficos, buenos, sociables y poco habladores. El encierro de los toros en Pamplona y el buey ensogado que se corría en San Sebastián hace años marcarían el carácter no ya sólo de dos ciudades, sino de los dos tipos vascos: el ibero y el cantábrico.

Charandaja era de los representantes de los vascos ibéricos.

En 1835, siendo Mina capitán general del ejército del Norte, tuvo grandes dificultades para luchar contra los carlistas, que estaban en su momento de mayor furia y entusiasmo.

Al saber Mina que el coronel Ocaña, enviado por él, estaba cercado en Ciga por las fuerzas de Sagastibelza, mandó a un oficial—Echalecu—con dieciocho jinetes en busca del general Lorenzo para que se acercase al Baztán, y al coronel don León Iriarte, *Charandaja*, con doscientos tiradores de Isabel II y veinte o veinticinco caballos de flanqueadores—cuerpos francos ambos, de los que era comandante—, a que marchase de noche por sendas y vericuetos hacia los Alduides, en Francia, y desde allí viese el modo de ponerse en comunicación con Elizondo y con la brigada provisional mandada por Ocaña, maniobrando de modo que los enemigos creyeran que había llegado una división de socorro.

Charandaja cruzó los Alduides y el Quinto Real, y entró en Elizondo, venciendo los obstáculos que le puso el enemigo y la terrible y espantosa inclemencia de los elementos. El jefe llegó febril, delirante por la fatiga, y fue preciso meterle en la cama al momento. Los facciosos que estrechaban el pueblo y tenían cercada a la brigada provisional de Ocaña, se asombraron tanto de la llegada de la fuerza enemiga en aquel tiempo de nieves, que se figuraron que caían sobre ellos todas las divisiones de Mina, sin poder adivinar cómo se había hecho aquel prodigio.

Fue una operación la de Iriarte tan arriesgada y tan temeraria—dice Mina en sus *Memorias*—, que él no se la hubiese encomendado a nadie, porque creía que no la hubieran podido realizar ni oficiales ni tropas de línea, y que sólo una gente desesperada y llena de audacia podía llevarla a cabo.

A pesar de ello, Mina no premió aquel servicio, temiendo, con su cautela habitual, que se le atribuyese parcialidad por haber sido Iriarte un oficial de su división en la guerra de la Independencia.

Mina, desde Elizondo, mandó a *Charandaja* con el jefe de la Plana Mayor a recoger un convoy de socorro que venía de Añoa (Francia), y él, por los montes, marchó a Eugui y a Larrasoaña y llegó a Pamplona.

En el incendio de Lecaroz, el mismo *Charandaja* o sus oficiales tomaron parte.

En los preparativos de la batalla de Oriamendi, perdida por los liberales y por la Legión inglesa mandada por Lacy Evans, *Charandaja* marchó al frente de las fuerzas de Sarsfield con sus flanqueadores, hasta que un temporal terrible les obligó a retroceder.

En 1837 hubo en España varios asesinatos y motines. La anarquía y el descontento reinaban en la Península. Era la época de la expedición real. Don Carlos se acercaba a Madrid.

Los cuerpos francos de Navarra, formados por dos batallones de tiradores y un escuadrón de flanqueadores, estaban destacados en pueblos próximos a Pamplona, principalmente en Cizur Mayor y Cizur Menor. Estas tropas se hallaban disgustadas porque, bajo pretextos frívolos o sin motivo alguno, no se les permitía la entrada en la ciudad. Además, no se les pagaba puntualmente. Se les debían tres sueldos.

La mayoría de los sargentos y de los oficiales culpaban de esto al capitán general de la provincia, don Martín José Iriarte, y al general Sarsfield, hombre un poco misántropo, que sentía desprecio por las tropas irregulares.

Como la situación anárquica del país se acentuaba, en muchos de los oficiales y sargentos francos había nacido la idea de que lo más práctico sería que las fuerzas liberales obraran de una manera independiente, para lo cual lo mejor era entrar en Pamplona y proclamar la independencia de Navarra. Con este motivo, redactaron un documento que firmaron la mayor parte de los oficiales, y entre ellos el coronel Iriarte.

El día 26 de agosto de 1837 recibieron los cuerpos francos la orden de trasladarse a Villaba. Dispuestos en la mañana del mismo día a emprender su marcha, salieron de los dos Cizur, y en el camino comenzó a oírse entre la tropa el grito de «¡A Pamplona! ¡A Pamplona!» Acto continuo, los sargentos separaron a la oficialidad, la colocaron a retaguardia, y, poniéndose ellos a la cabeza de las compañías, continuaron la marcha. Dieron vuelta a las murallas de Pamplona, como si quisieran seguir el camino para Villaba. La guardia de la puerta Nueva de la ciudad había salido al exterior para ver pasar a los francos. De pronto, éstos se precipitan sobre ella, sorprenden y se apoderan del cuerpo de guardia, en que estaban los fusiles; penetran todos en Pamplona y van relevando los centinelas de la muralla.

Ya dueños de la ciudad, envían una

Comisión de sargentos con una escolta numerosa a la casa del Ayuntamiento y se instalan en ella.

Esta Comisión manda reunirse al Concejo, a la Diputación, a algunos comerciantes y banqueros, al coronel de la Plana Mayor, don Anastasio Mendívil, y al general Sarsfield.

Abierta la sesión, los sargentos expusieron el abandono y la aversión con que se trataba a los cuerpos francos, la falta de pagas en que se les tenía, el desprecio que se les mostraba. Concluyeron reclamando las pagas vencidas y la seguridad de las venideras y el derecho de quedarse de guarnición en Pamplona. Se terminó proponiendo una contribución que debían pagar las personas pudientes.

Terminada la sesión, los soldados de *Charandaja* llenaron las calles y se manifestaron irritados y feroces. Sarsfield, que había bajado de la Casa Consistorial, fue insultado por los francos.

La Milicia Nacional quiso defenderle. El general huyó a caballo, perseguido por la turba, por el paseo de Valencia hasta la casa donde vivía, enfrente de la Taconera.

La patrulla de nacionales puso una guardia en la casa de Sarsfield; pero los francos arrollaron la guardia, entraron en la casa, mataron al viejo general de un tiro, le acribillaron después a bayonetazos, le bajaron a la calle y le arrastraron hasta la plaza del Castillo.

Después, los sublevados fueron a buscar al coronel Mendívil, le mataron y echaron todos sus muebles y papeles a la calle y les pegaron fuego.

La casa de Sarsfield fue también saqueada, y, a creer la voz pública, se sacó mucho dinero de ella.

¿Qué hacía en tanto *Charandaja*?

El coronel don León Iriarte, según se dedujo de sus declaraciones, no tomó ninguna medida para impedir la sedición; al revés, fue a la cabeza de los batallones, espontáneamente y en plena libertad, a Pamplona; firmó un documento en el que se comprometía a defender la independencia de Navarra, no hizo nada para evitar la desastrosa muerte de Sarsfield y Mendívil, y, según la declaración de un oficial, al preguntarle qué debía hacer, le contestó hiciera lo que los sargentos acordaron.

Charandaja, seguramente unido con sus amigotes, se dedicó a la orgía.

Ya posesionados los francos de Pamplona, estuvieron así cerca de un mes.

El capitán general de Navarra, don Martín José Iriarte, se puso en relaciones con los sublevados. Estos querían que don Martín José dimitiera su cargo de virrey en el teniente general don Francisco Javier Cabrera. Don Martín José accedió y exigió que la brigada de cuerpos francos se acantonara fuera de Pamplona, y después de varias discusiones, dimitió su cargo, y los cuerpos francos salieron de la ciudad a principios de septiembre. Los carlistas, al saber la situación de Pamplona, intentaron atacar la plaza; pero lo que quedaba de la Legión Extranjera los rechazó.

Unos treinta soldados francos se refugiaron en Francia.

Charandaja y sus compañeros no tuvieron idea clara de la gravedad de los hechos; creyeron, sin duda, que no les iba a pasar nada, y no tomaron precauciones. No contaban con Espartero, que buscaba efectos.

Espartero, que el 30 de octubre había fusilado en Miranda diez hombres, toma el 4 de noviembre la vuelta de la Rioja, y deja a Buerens encargado del mando de Alava. En los días 6 y 7 salen de Logroño de ocho a nueve mil infantes con trescientos caballos, y, sin detenerse, marchan a Pamplona, donde el 10 da orden el general para que se reúnan los tiradores y flanqueadores de Navarra y de Isabel II. El 13 los hace formar con todos los demás Cuerpos en la Vuelta del Castillo, los arenga y les obliga a designar a los jefes que han tomado parte en la sublevación de Cizur Mayor y de Cizur Menor. Ya designados los autores, reúne en el acto un Consejo de guerra, presidido por él, en medio del cuadro de las tropas, y condena a ser pasados por las armas al coronel don León Iriarte, al comandante del segundo batallón, don Pablo Barricart, y a siete sargentos que se constituyeron en Comisión en el Ayuntamiento y presentaron diferentes proposiciones revolucionarias. Otros sargentos son diezmados, y los cabos y soldados, destinados a continuar sus servicios en presidio.

Charandaja alega que si marchó con sus tropas a Pamplona fue para evitar mayores males, pues de sublevarse los soldados, muchos hubieran engrosado las filas carlistas; si firmó la petición de la independencia de Navarra fue por el mismo motivo.

Espartero le dice:

—El pueblo le considera a usted culpable.

—¡Ah! Claro; sobre todo, los carlistas y los curas—replica *Charandaja* con ironía.

Espartero considera que ha caído una pieza de caza mayor en la trampa y que no hay que desperdiciar la ocasión de hacer un efecto.

Pueda o no la conducta de *Charandaja* tener atenuantes, Espartero le condena a muerte por haber contribuido al alzamiento y tomado parte en la conspiración dirigida a proclamar la independencia de Navarra.

Inmediatamente, *Charandaja*, Barricart y cuatro sargentos de los condenados, pues los otros se han fugado, son llevados a la ciudadela y puestos en capilla.

En el pueblo hay una agitación sorda. La noticia de que van a fusilar a *Charandaja* corre por todas partes. Los carlistas se alegran; los liberales aseguran que eso es imposible, y no lo creen. A *Charandaja* no le puede fusilar un general liberal; para ellos, León Iriarte es la representación del liberalismo.

El día 16 de noviembre por la mañana comienzan a oirse las cornetas y los tambores. Hace un tiempo frío, de sol pálido. Se forma el cuadro con gran pompa en la Taconera, delante de la casa donde ha vivido el general Sarsfield.

Barricart y los cuatro sargentos —Chatelain, Valero, López y Villagarcía—entran en el cuadro y son fusilados. Ahora le toca a *Charandaja*. Se acercó cojeando y sonriendo y se puso delante de un árbol grueso. Este árbol subsistió con los agujeros de las balas hasta hace poco en el paseo de la Taconera.

Charandaja, pequeño, vestido de uniforme con sus cruces, se distingue por su arrogancia, por su indiferencia y su valor. Cuando desfilan las tropas por delante de los cadáveres, muchos amigos de *Charandaja* piensan en vengarle.

Por la tarde, el general Espartero manda fijar en las calles de Pamplona una orden del día pomposa y altisonante.

17 septiembre 1933.

JORGE BESSIERES

Los informes extranjeros acerca de nuestras guerras y disensiones del siglo XIX suelen ser casi siempre más interesantes y más curiosos que los españoles. Los españoles se hallaban en ese tiempo en el período de la preocupación y del cultivo de lo legalista y de lo jurídico, y, en vez de contar hechos, se dedicaron a discursear y a emplear lugares comunes.

Los extranjeros, que ya habían pasado ese período oratorio y vacuo, buscaban más en los hechos y en las anécdotas el carácter del hombre. Veíase, ciertamente, en el personaje el lado pintoresco, quizá unilateral; pero esto es acercarse a la Humanidad; en cambio, usar el tópico del derecho es marchar por el puente de los asnos, donde se reúnen los más hueros declamadores que pueblan el planeta.

Con relación a Jorge Bessières, yo he hablado de él varias veces en algunos de mis libros. Creo que conozco todo o casi todo lo que se dice de este tipo en las historias españolas. Ultimamente he leído datos acerca de él en varios libros franceses: en la *Galerie espagnole ou notices biographiques*, París, 1823; en el *Tableau des maux causés à l'Espagne par le gouvernement absolu des deux dernières règnes*, por José Presas, Bordeaux, 1827; en el *Anuario Lesur*, y en el folleto *Le père Cyrille et le général Maroto*, por monsieur Louis Lurine, Burdeos, 1839.

Estos libros dan mejor el tipo, la fisonomía material y moral de Jorge Bessières que las historias españolas, y le añaden nuevos detalles.

Jorge Bessières era un aventurero francés, versátil y cínico. Había nacido, según unos, en las cercanías de Montpellier; según otros, en las de Perpiñán, de una familia pobre. Jorge escapó de Francia a fin de librarse de las quintas; entró en España, y en 1808 se encontraba en Barcelona, donde el general Duhesme le tomó como cochero. Ingresado en el ejército francés, desertó pronto y se pasó a los españoles para sustraerse a una corrección disciplinaria, y se enroló en la Legión de Borbón, donde fue ascendido a capitán con categoría de teniente coronel.

Según algunos autores españoles, el ascenso lo obtuvo por prometer a los patriotas asesinar al general Duhesme, su antiguo jefe.

Hecha la paz, Jorge el aventurero quedó licenciado, se casó, volvió a Barcelona y cayó en la miseria. No teniendo medios de vida, siguió a Puigcerdá, a un francés llamado Bonaric, que tenía la idea de establecer una fábrica de tintes.

Bessières fue desterrado de allí por las autoridades, sin que se supiera el motivo; marchó a Ripoll, y trabajó durante algún tiempo en la fábrica de tejidos de M. Barrère, de donde también fue pronto expulsado. El tal Jorge debía de ser hombre inquieto, con cierta fama de demagogo y de masón.

Esto dice la *Galerie espagnole* acerca de los orígenes de Bessières.

Presas, en su libro, da unos datos parecidos, aunque no iguales.

Según este autor, el francés inquieto, de nacimiento oscuro, había ejercido en Cataluña la profesión de tintorero en la fábrica de paños pintados de don Gaspar Remisa (banquero que tuvo mucha fama en su tiempo), fábrica que incendió para satisfacer un injusto resentimiento, causando a su dueño una pérdida de muchos miles de pesetas.

Al restablecerse el régimen constitucional, en 1820, Jorge no había salido de la miseria y no obtuvo ningún empleo. No le quedaba más que ensayar la explotación de la revuelta revolucionaria y vivir de los acontecimientos. Creyendo, sin duda, que en el primer hervor de la libertad los principios democráticos tomarían grandes vuelos, pasó la línea de la exaltación demagógica y se hizo sospechoso a los más ardientes liberales por sus doctrinas sediciosas.

Hacia 1822 preparó en Barcelona una conspiración, a la cual arrastró a un fraile y a un militar. Acusados los tres de haber querido derribar la Monarquía para sustituirla por la República, y llevados a un Consejo de guerra, Bessières fue condenado a muerte, y sus cómplices, absueltos.

Ya había llevado el aventurero francés veinticuatro horas en capilla y se le conducía al cuadro para fusilarlo, cuando la multitud, agrupada a su paso y excitada por los agentes secretos del culpable o por simples motivos de humanidad, pidió gracia. Fue suspendida la ejecución y conmutada la pena por la de destierro.

Era capitán general de Cataluña por entonces don Pedro Villacampa. Pocos meses después, Jorge el republicano y masón se ofrecía a la Regencia de Urgel como un fogoso absolutista. La Regencia le admitió en el número de sus defensores y le dio el cargo de comandante.

Bessières constituyó sus fuerzas con realistas fanáticos, contrabandistas, ex guerrilleros y aventureros franceses. Algunas inteligencias que tenía en Mequinenza con un tal Trujillo le abrieron las puertas del pueblo, donde se proclamó jefe del Ejército de la Fe.

El autor de la *Galerie espagnole* dice, hablando de Bessières: «Es de una talla media, de aire pesado e insignificante. Su vida ha sido la de un aventurero, sin precisión y sin juicio; tiene audacia y alguna inteligencia, pero le faltan las cualidades de un jefe. Habla tan mal el francés como el español.»

Como absolutista, Bessières guerreó en Cataluña y en Aragón; operó con *el Trapense;* luego riñó con él. Se peleó también con Adán Trujillo. Este le acusó de traidor y publicó un bando en el que ofreció dos mil duros por la cabeza del francés, al que llamaba masón y republicano. Bessières hacía algunas mistificaciones extrañas. Bebía en los cálices que robaba en las iglesias y pasaba como banderas realistas y místicas las colchas de damasco cogidas en las casas aristocráticas.

Después Bessières convino con los cabecillas Sempere, Chambó, Capapé, Nicolás de Isidro, Ulmann y otros una marcha sobre Madrid para imponer el absolutismo. El dinero para esta expedición lo dio el banquero parisiense Ouvrand. Así, el realismo español se movía con el ahorro de los pequeños rentistas republicanos de París. Bessières llevaba una fuerza considerable. Tenía como lugartenientes al fraile Bartolomé Talarn, a un tal Portas, sobrino de su mujer, y a un francés, Delpetre. Llegado a Brihuega, derrotó al general O'Daly. Después le detuvieron en su avance las fuerzas del *Empecinado* y del conde de La Bisbal, y tuvo que huir y dispersar su tropa.

Poco después, al acercarse los franceses del duque de Angulema a Madrid, Bessières quiso lucirse y entrar el primero en la corte con su penacho; pero el general liberal Zayas le echó la caballería encima e hizo entre los absolutistas una gran sarracina.

«Bessières—dice Presas—obtuvo de Fernando, en recompensa de los servicios que había prestado a la causa del altar y del trono, el grado de mariscal de campo, que en otros tiempos no se concedía más que después de cuarenta años de buenos y leales servicios; pero esta distinción particular y otros favores que había recibido de la excesiva munificencia de su soberano, lejos de inspirarle sentimientos de gratitud, le trastornaron la cabeza y le turbaron el espíritu, hasta el punto de que no vaciló un instante en acceder a las proposiciones criminales de los ultrarrealistas y en rebelarse contra el rey, que le había colmado de beneficios.»

Este aserto es una candidez del señor Presas, porque la rebelión de Bessières no se dirigía contra Fernando, sino que se hacía con el beneplácito del rey y de su hermano Don Carlos. En la conjura tomaban parte Calomarde, el padre Cirilo de la Alameda y otros, que lanzaron al campo de la sedición al francés inquieto en son de prueba.

Bessières iba a trabajar, como decían los realistas, por el *Hombre de la Plazuela*. El *Hombre de la Plazuela* era Don Carlos, titulado por ellos Quinto. La razón del mote era que en la plazuela de Santa Ana se hallaba por entonces la estatua del emperador Carlos V.

Para realizar sus proyectos, Bessières sedujo al comandante y a varios oficiales del segundo escuadrón del regimiento de Santiago (primero de línea), acantonado en Getafe.

El grito de Bessières fue: «¡Viva la Santa Inquisición!» y «¡Mueran los extranjeros!», grito absurdo en boca de un francés naturalizado español, ex masón y ex republicano.

Partió el hombre de Getafe el 16 de agosto de 1825, a medianoche, con el escuadrón, y tomó el camino de Guadalajara. Pensaba ganar Sigüenza, donde, según el rumor público, debía encontrar refuerzos. En su marcha se le unieron algunos realistas de los pueblos por donde pasaron.

«Antes que Bessières emprendiera esta marcha, la Policía había comunicado el proyecto a Fernando—dice Presas—; pero el rey no quiso que se obrara contra el caudillo hasta que su conducta criminal no tuviera toda la publicidad posible. No quería dar pretexto al partido realista para que censurase al Gobierno, a quien se podría reprochar la persecución sin motivos plausibles de un patriota que se había distinguido defendiendo los derechos del trono y del altar. Fernando comprometió en esta ocasión su suerte y la de todo el reino, amenazado de una guerra civil.»

Fernando VII y Calomarde esperaron no por esta razón, sino porque querían ver si la intentona fracasaba o tenía éxito, para aprovecharse de ella si esto sucedía.

Un oficial del escuadrón de Santiago que no estaba en el complot lo denunció al ministro de Estado, don Francisco Cea Bermúdez, y éste, con los generales San Román y don José de la Cruz, comenzaron a tomar medidas eficaces para sofocar la rebelión.

Se celebró un consejo de ministros, al que no fue llamado Calomarde, sospechoso de amparar el movimiento, y se dispuso que el general conde de España saliera con fuerzas suficientes no sólo para apoderarse del rebelde, sino para inspirar temor a los ultrarrealistas.

El conde de España encargó al teniente coronel don Saturnino Abuin, hombre valiente y muy conocedor del terreno, la misión de apoderarse de Bessières y de los oficiales de su séquito.

Abuin, a quien todo el mundo llamaba Albuin y también *el Manco*, era un antiguo guerrillero atrevido, que en la guerra de la Independencia, después de batirse heroicamente contra los imperiales, hizo traición a su jefe, *el Empecinado*, pasándose a los franceses por rivalidad y por envidia.

La persecución de Abuin contra Bessières tuvo en vilo a todo el país.

La gente palatina y los ministros sabían de lo que se trataba. En la sombra, detrás de la cortina, estaban Fernando, Don Carlos, Calomarde y el padre Cirilo. Los peones que se movían a la luz del sol eran el conde de España, francés; Bessières, francés, y Abuin, afrancesado, traidor a los españoles en la guerra de la Independencia.

Llegaban a cada instante a San Ildefonso, donde se encontraba la Corte pasando el verano, correos que anunciaban que Abuin se acercaba a cortar la retirada a Bessières. Cea Bermúdez, siempre infatigable, trabajaba día y noche y no cesaba de dar órdenes, hasta que recibió el aviso de que Abuin y su tropa habían sorprendido a la partida rebelde en Zafrilla. Bessières había desaparecido.

Abuin se presentó al cura del pueblo y le ordenó que le indicara el sitio donde se encontraba el francés. El cura no quiso obedecer la orden, y Abuin, acostumbrado a procedimientos de guerrillero, sacó la pistola y se la puso en la sien. El cura, ante este argumento, confesó que el rebelde estaba en un barranco próximo al pueblo. Abuin marchó en su busca, le intimó la orden de rendirse y Bessières se entregó sin protesta.

Fueron todos los sublevados conducidos sin resistencia a Molina de Aragón, donde tenía su cuartel el conde de España. El conde llamó a Bessières y tuvo con él una explicación. Después le convidó a cenar y hablaron en confianza. Bessières cayó en el lazo que le tendía el conde, explicó cómo estaba entendido con Fernando y le mostró dos cartas: una del rey, otra de Don Carlos. España cogió las cartas como para examinarlas, y después las quemó en la llama de una vela. Bessières comprendió su imprudencia, y protestó a gritos; pero los oficiales del conde de España le redujeron al silencio.

Al día siguiente por la mañana, 26 de agosto de 1825, Bessières y todos sus oficiales eran fusilados en Molina de Aragón. A pesar de que se quemaron muchos documentos cogidos a los rebeldes, no desaparecieron todos.

Fernando VII, para dar el cambiazo a su amado pueblo, encargó al alcalde de corte, don Matías Herrero Prieto, que viera la causa de Bessières. El alcalde advirtió al rey que había obstáculos para seguirla, porque, además de las importantes personas que hubiese tenido que interrogar, como Calomarde, el padre Cirilo, el antiguo ministro don Víctor Sáez, el obispo de Tarragona, etc., había otras de tan alto rango a las que no llegaba su jurisdicción, entre ellas, Don Carlos y el mismo rey. Fernando entonces mandó que se archivaran los documentos.

Los ultrarrealistas, furiosos contra Cea Bermúdez, que les había ganado la partida, consiguieron que éste saliera del Ministerio. Calomarde, siempre vil y cruel, para contentar a los absolutistas, mandó ejecutar a Pablo

Iglesias en Madrid y al *Empecinado* en Roa.

Se ve, por todo ello, que las canalladas políticas y sangrientas son muy viejas en España.

La familia de Jorge Bessières fue protegida por Fernando VII, y llegó a tener importancia. Unicamente la mujer de Jorge, la Portas, se hundió en la mayor miseria.

En Granada, hace años, se hablaba de una vieja, caída en la más completa penuria, que vivía en el Albaicín, y se decía que era la mujer de Bessières. Como algunos confundían el Bessières de Francia (Juan Bautista), personaje, mariscal del Imperio y duque de Istra, con el aventurero de España (Jorge), creían que aquella desventurada era la duquesa y la esposa del mariscal.

26 noviembre 1933.

FLINTER, EL IRLANDES

Todos los que hablan de la moral política y social a estilo de Maquiavelo recuerdan la frase del general lacedemonio Lisandro, que afirmaba que allí donde no llega la piel del león hay que coser la de la zorra. Gracián repetía la frase con cierta delectación.

Los militares españoles de la primera mitad del siglo XIX que llegaron a algo se vistieron en parte con la túnica del león y con la de la vulpeja. Los que no pudieron adornarse con este último aditamento, los que no se sintieron alguna vez zorros, fueron sacrificados y no tuvieron éxito.

Entre estos hombres que tuvieran algo de león y poco o nada de vulpeja, estuvo Jorge Flinter, el irlandés.

De Flinter habla con algunos detalles en su *Biblia de España* Jorge Borrow, quien le conoció en una fonda de Santander.

Era un hombre delgado—dice él—, de mediana estatura, rubio y con una irregularidad en la mirada que si no era estrabismo se le parecía mucho. Llevaba uniforme militar azul, y por el gusto de perorar se olvidaba de la comida que tenía delante. Hablaba en correctísimo español, pero con un suave acento extranjero. Se entretuvo un buen rato en discurrir acerca de las posibilidades de la guerra, criticando, igualmente, la técnica de los generales carlistas y cristinos.

—Si yo tuviera veinte mil hombres a mis órdenes, en seis meses acababa la guerra.

—Dispense usted, caballero—le dijo un español sentado a la mesa—; yo quisiera que nos dijera usted su nombre.

—Yo me llamo Flinter—contestó el militar—; mi nombre anda de boca en boca en toda España: mujeres, viejos y niños lo repiten. Soy Flinter, el irlandés, y acabo de escaparme de las garras de Don Carlos en las provincias vascongadas.

Flinter añadió que a la muerte de Fernando había tomado el partido de Isabel, como un hombre de honor debía hacerlo, y desde entonces todos habían oído hablar de sus hazañas. Los envidiosos dificultaron sus proyectos, y sin ellos hubiera realizado mayores proezas. Hacía dos años, cuando fue enviado a Extremadura a organizar las milicias liberales, las tropas de Gómez y de Cabrera le rodearon en Almadén, y si sus subalternos le hubieran secundado, los dos rebeldes no hubieran vuelto ante su amo a jactarse de su triunfo. Cuando avanzaron estaba él fortificado detrás de unas tapias. Un hombre se le acercó y le intimó a que se rindiera.

—¿Quién eres tú?—le preguntó.

—Yo soy Cabrera—respondió él.

—Y yo Flinter—replicó el irlandés, enarbolando su sable—. Retírate en seguida, o te mato.

Estas palabras hicieron tal impresión al cabecilla tortosino, que obedeció al instante. Una hora después, Flinter tuvo que rendirse. Fue llevado prisionero a las provincias vascongadas, donde los carlistas se regocijaron con su captura, porque el nombre de Flinter era entre ellos muy sonado y muy temido. Durante veinte meses le tuvieron encerrado en una miserable remazmorra. La desnudez, el hambre y el frío no le desanimaron, porque jamás la desgracia había dominado su ánimo. Al cabo de algún tiempo, su carcelero se compadeció de su suerte. Repetía sin cesar que no podía ver a un hombre tan valiente envejecer sin gloria en una sombría prisión. Combinaron un plan, adquirieron unos disfraces y llegaron fácilmente hasta las líneas carlistas de cerca de Bilbao. Allí fueron detenidos e interrogados. Su presencia de ánimo le salvó. Iba disfrazado de carretero catalán, y la frialdad de sus respuestas y su calma engañaron a sus interrogadores. Les dejaron pasar y pudieron entrar en Bilbao.

—Aquella noche—terminó Flinter—hubo una brillante iluminación en la ciudad, porque el león había roto sus redes.

Jorge Borrow hace varias reflexiones acerca de la jactancia del irlandés, hombre, según él, de corazón intrépido y de palabra fanfarrona, y de la poca gratitud del Gobierno de España.

Jorge Dawson Flinter era hijo de Irlanda y de familia distinguida. A la edad de catorce años empezó su carrera en el Ejército británico con el grado de alférez. Después prestó importantes servicios a la causa de España en la lucha con sus antiguas colonias y mereció de Fernando VII el empleo de teniente coronel en el Ejército. Entonces se nacionalizó español.

Flinter, en 1834, publicó dos folletos, uno en inglés: Jorge Dawson Flinter: *An accout of the present state of the island of Puerto Rico*, Londres («Un informe acerca del estado presente de la isla de Puerto Rico»), y otro en castellano: *Consideraciones sobre la España y sus colonias, y ventajas que resultarían de su mutua reconciliación*, Madrid.

En 1835, Jorge Flinter, nombrado comandante general de la línea de la Mancha, y ascendido después a coronel, fue dedicado a perseguir a los carlistas de Castilla la Nueva y de Extremadura. Varias veces luchó contra ellos y obtuvo grandes triunfos.

En 1836 fue ascendido a brigadier. Al comenzar la expedición de Gómez, Flinter, hombre de varia fortuna, se encontró en una difícil situación. Era ministro de la Guerra el general Rodil, y éste, más teórico que práctico, quería resolver las cuestiones militares desde su despacho y con la pluma mejor que en el campo y con las armas.

Había la eventualidad muy posible de que Gómez, que había entrado en Córdoba, se dirigiera a Almadén, pueblo mal defendido, y en el cual los carlistas podían sacar grandes sumas. El general Rodil escribió al encargado del gobierno de las minas de Almadén, brigadier don Manuel de la Puente y Aranguren, para que llamara a Flinter con sus fuerzas y prepararan la defensa del pueblo. El ministro quería que se sostuvieran dos o tres días, tiempo que, a lo sumo, tardarían en ser socorridos.

Flinter, que había recibido también la orden del ministro, se presentó. Entre los dos brigadieres hicieron un reconocimiento del vasto e irregular recinto del pueblo y de los recursos con que contaban para defenderle. Convinieron en que salvarían mejor el establecimiento minero desde las posiciones inmediatas que no intentando una resistencia dentro de los muros del pueblo.

Conformes los dos en la misma idea, y sabiendo por los confidentes que Gómez se disponía a venir sobre Almadén, salieron ambos a los alrededores, tomaron posiciones, y los carlistas pasaron de largo.

El general Rodil pensó que si atacaban otra vez debían defenderse dentro de la villa.

El brigadier Puente comunicó al ministro que las murallas del pueblo eran unas miserables tapias con bardas y corrales, con una circunferencia de tres cuartos de legua, sin forma regular. Añadió que entre Flinter y él no tenían tropa suficiente para una defensa seria; mas como el marqués de Rodil la exigía, contestó que tanto él como Flinter estaban resueltos a quedar sepultados bajo los miserables escombros de aquellas tapias.

El 23 de octubre de 1836, las tropas de Gómez rodearon rápidamente la villa y comenzaron el ataque. En los primeros momentos, los batallones carlistas no pudieron escalar las tapias de los corrales, a pesar de sus esfuerzos; tan vivo era el fuego de los que sostenían la plaza. A las cuatro

horas, las municiones comenzaron a escasear a los sitiados.

Los carlistas utilizaron dos piezas de montaña, hasta abrir un boquete en los muros. Las tropas de Flinter y de Puente tuvieron que retirarse, unas a la enfermería de los religiosos de San Francisco, y las otras, a un torreón antiguo casi reducido a escombros, sobre los cuales se improvisaron dos parapetos aspillerados. Llegó la noche; los carlistas, para atacar a los defensores, iban horadando los tabiques de las casas y pasaban de unas a otras. Advertido Gómez de que por las bóvedas de la iglesia podía dominar con mayor ventaja uno de los reductos de los sitiados, mandó abrir algunas troneras por el ala del tejado.

Gómez envió al alcalde con su intimación a Puente, y el alcalde suplicó con lágrimas al militar cristino para que pusiera término a los desastres.

Cuando tanto Puente como Flinter vieron que era inútil la resistencia y que sus tropas se pasaban al enemigo, no pudieron menos de capitular, entregándose en honrosas condiciones, que luego Gómez no cumplió.

El general Rodil, al saber la entrada de los carlistas en Almadén, se empeñó en decir que la culpa del desastre había sido del gobernador Puente y del brigadier Flinter, añadiendo que Almadén se había rendido ignominiosamente y que Flinter se había cubierto de vergüenza.

El brigadier don Manuel de la Puente y Aranguren contestó a lo dicho por Rodil en un folleto titulado *Apéndice al manifiesto y causa del excelentísimo señor teniente general marqués de Rodil, contraído esencialmente a la defensa de Almadén del Azogue.* Cádiz. Oficina de la Viuda e Hijo de Bosch. 1839.

Leyendo este folleto se ve que toda

la razón estaba de parte de los brigadieres Puente y Flinter.

Los mismos carlistas no dieron gran importancia militar a la toma de Almadén. Don Buenaventura de Córdoba, en la *Vida militar y política de Cabrera*, dice: «Entonces Flinter, viendo el desmayo de la tropa, se rindió a las once de la mañana del día 24.»

«Al llegar a Guadalupe—añade este libro—, las mujeres de esta población pronunciáronse contra Flinter, pidiendo a gritos su cabeza, y en grupos llegaron hasta la guardia donde estaba el jefe prisionero.» No sabemos por qué sería esto.

El brigadier Flinter pasó muchos meses en la prisión, y al llegar a Santander, el 13 de octubre de 1837, escribió una carta a Espartero, pidiendo el canje de las víctimas de los carlistas, cuya crueldad y barbarie descubría.

Entre las varias cosas que decía en la carta estaban éstas:

«Soy el único oficial que ha podido escapar desde el interior de las provincias durante esta guerra, pues dos desgraciados que lo intentaron fueron cogidos y fusilados. La desesperación de ver perpetuarse nuestro cautiverio, el deplorable estado de mis compañeros de infortunio, el horroroso trato que experimentaron, desnudos, muchos días, sin suministrarles ninguna clase de alimentos, y la ración siempre insuficiente para mantener la vida por mucho tiempo, durmiendo en el frío suelo, sin manta ni paja y sin tener ningún medio para hacer llegar a conocimiento de V. E. o al Gobierno de S. M. tan triste situación, me movieron a meditar una empresa que sólo despreciando la vida se podría llevar a cabo.

»En una marcha terrible, de cerca de cuatrocientas leguas, todos nuestros desgraciados compañeros, que, extenuados por el hambre, la sed y la fatiga, no podían seguir, fueron inhumanamente fusilados o atravesados con la bayoneta; sus insepultos cadáveres, desnudos por los enemigos, eran presa de las aves de rapiña, menos crueles que ellos. Todos los días y a todas horas fuimos tratados con la ignominia y humillación que podía inventar la más grosera barbarie y con toda la crueldad de la más baja venganza.

»En Covarrubias, el jefe enemigo mandó ponerme en capilla. Después de sesenta días de fatigas y desastres, amenazas e insultos, acosados de hambre, de sed y de frío, destrozados nuestros vestidos, chorreando sangre nuestros pies, despojados hasta de nuestras camisas y medias, el desgraciado Puente y yo fuimos consignados a un oscuro calabozo del castillo de Guevara, por orden expresa del pretendiente, en calidad de presos. Permanecimos incomunicados cuarenta y ocho días, sin respirar el aire libre ni ver el sol, hasta que enfermos, flacos como esqueletos, nos condujeron al depósito de Marquina. Allí murió infamemente asesinado el malogrado Beltrán de Lis. Allí fuimos diariamente y siempre castigados al capricho de los que nos custodiaban, sin consideración a edad ni clase y en violación de los tratados. Nuestros soldados, todos prisioneros, más bien parecen espectros que seres humanos. En el corto período de dos meses murieron en Lazcano y Marquina trescientos noventa y cinco de nuestros soldados, de hambre, sin contar los que sucumbieron en diferentes épocas por el mal trato y a palos. En un pequeño calabozo de Marquina, treinta y nueve de nuestros infelices soldados están encerrados actualmente, quienes jamás ven la luz del día. Con ellos se encuentran seis inocentes niños, hijos de

nacionales, que el mayor cuenta doce años y el men or ocho. Apenas caben en pie; están todos en cueros; duermen en el suelo, sin paja; el hedor es insoportable en el calabozo, húmedo, insalubre y sin ventilación.»

Estando en Marquina, Flinter supo que había sido hecho prisionero el brigadier carlista Verástegui. Llegó a su noticia que el jefe carlista había propuesto su canje por él. Flinter, caballeroso y quijotesco, escribió al jefe del ejército del Norte, diciendo que faltaría a su deber como militar y como caballero si no hiciese presente que existía en el depósito de Marquina su compañero el digno brigadier don Manuel de la Puente, quien tenía más derecho que él a ser canjeado, pues era como brigadier más antiguo, estaba agobiado de achaques y casi ciego de tanto padecer. El no podía aceptar su libertad dejando perecer infaliblemente a su desgraciado compañero. Y que cedía su canje a favor de él.

En Santander, según cuenta don Javier de Burgos en los *Anales del reinado de Isabel II*, Flinter indujo a lord John Hay para que convenciera a O'Donnell de que intentase un desembarco en la costa para apoderarse de novecientos prisioneros que existían en aquel depósito desguarnecido. «Con este objeto—dice Burgos—se embarcó en la noche del 3 de octubre con dos batallones, que a la mañana siguiente estaban en Ondárroa y Deva, sosteniendo los vapores ingleses *Comta*, *Fénix* y *Salamandra* a las trincaduras españolas y a la balandra *Atalaya*, encargadas del transporte de los soldados y de la ocupación del litoral.» Burgos no dice si el embarco tuvo o no éxito. Lo que sí asegura es que algunos oficiales de la Legión inglesa tomaron parte en la expedición, con gran indignación de los carlistas.

Según Borrow, Flinter se fue a Madrid, y por la influencia del embajador de Inglaterra, amigo suyo, se le nombró comandante general de Toledo y Ciudad Real, en sustitución del conde de Mirasol. Con una pequeña división, que contaba con seiscientos infantes y doscientos caballos, cayó en las proximidades de Yébenes, a principios de 1838, sobre una fuerza enemiga mandada por el cabecilla Jara, que llevaba dos mil infantes y ochocientos caballos. Flinter los atacó con tal violencia y tal denuedo, que les dejó ciento treinta muertos en el campo, trescientos nueve heridos, cuarenta jefes y oficiales y mil trescientos prisioneros. Los carlistas que cayeron en poder de Flinter le debieron grandes atenciones, y sólo fusiló a los desertores y a dos o tres conocidos como criminales.

Varias veces derrotó Flinter a los carlistas de Orejita; pero su rigor atrajo la censura de los eclesiásticos. Flinter arrancó una noche de su cama al presidente del cabildo de Toledo y le envió de cárcel en cárcel al Peñón de la Gomera.

En las Cortes hubo votos de gracias a Flinter, a Pardiñas y a Oraa. En Valdepeñas tuvo Flinter otro encuentro con los carlistas, igualmente victorioso.

A pesar de todo ello, y habiendo cambiado el Ministerio, el primer ministro, Ofalia, moderado y antiguo amigo de Calomarde, dio oídos a las quejas y acusaciones de robos y saqueos que dirigían al victorioso general irlandés los canónigos realistas de Toledo. Entonces el irlandés, seguramente ya perturbado por la serie de desgracias y sinsabores experimentados por él, comenzó a sentirse abandonado y despreciado y presa de una

intensa melancolía. La toma de Morella por los carlistas le hizo creer que la causa liberal estaba perdida, y entonces, como dice Barrow, dio un triunfo a sus cobardes y envidiosos enemigos cortándose el cuello con una navaja de afeitar. Flinter murió a cincuenta años. Su muerte la ocasionó el desequilibrio mental y el no haber sabido coser a la túnica del león un trozo pequeño de la de la zorra.

3 diciembre 1933.

LA EJECUCION DE ELIO

El general don Francisco Javier Elío era un navarro valiente, decidido, buen soldado, creyente fervoroso y absolutista de corazón. Era, además, déspota, sanguinario e implacable. Don Francisco Javier parecía un español a la antigua. Duro, rígido, de un patriotismo y de un ordenancismo exaltado. Tenía odio por el pueblo, que comenzaba a alborotarse en su tiempo, y a quien seguramente consideraba irreflexivo y loco. Sus entusiasmos los ponía en la religión, en la familia y en el rey, que para él era la representación genuina de la patria. Estos hombres de una pieza a mí me parecen los galgos de la especie humana: corren, pero no comprenden; sirven para perseguir liebres, pero no para olfatear a un zorro o a una perdiz.

Yo no creo del todo en la fisiognomía, pero que hay algo en ella no cabe duda.

Entre los vascos y vasconavarros hay varios tipos. El hombre de cabeza larga, alta y estrecha, como don Francisco Javier Elío; su sobrino, el general carlista don Joaquín; Zurbano y Zumalacárregui. El tipo de cabeza ancha y cara cuadrada: Espoz y Mina, Mina *el Mozo*, Oraa, Urbiztondo, Garat y el abate de Saint-Cyran. El tipo de cabeza triangular, ancha en la frente y estrecha en la mandíbula, tipo jesuítico. Aviraneta en el siglo XIX y en época anterior el teólogo Azpilicueta.

El tipo de inglés, como el general carlista don Nazario Eguía (cara un poco de caballo), y el de Ignacio Manuel de Altuna, a juzgar por la descripción que hace de él Juan Jacobo Rousseau en *Las confesiones*.

Don Francisco Javier Elío, de quien hay un buen retrato de Vicente López, era de estos hombres de cabeza larga y estrecha, cabeza de liebre, cara con poca área, poco solar y muchos pisos.

Estos hombres cuya frente traza una ojiva son con frecuencia unilaterales, fantásticos, no tienen la visión binocular de las cosas; lo ven todo en un solo plano, sin perspectiva y sin volumen. Las ideas en esas caras estrechas no crean, como los organismos, contracuerpos frente a las toxinas microbianas. No hay unidas tesis y antítesis, sino sólo tesis. Monárquicos y republicanos, liberales o absolutistas, son, sobre todo, unilaterales, dogmáticos, afirmativos.

La vida de don Francisco Javier Elío es larga de contar. La familia suya procede del pueblo Elío, de Navarra, donde tenía propiedades. Al comienzo, su apellido es Piñeiro de Elío. Piñeiro era seguramente algún galle-

go. El hombre exógeno tiene siempre tendencia a desaparecer en las casas hidalgas y plebeyas, y el endógeno, a persistir. Piñeiro desapareció, y quedó Elío.

El señor Minguet y Albora, en su libro *El general Elío y su tiempo*, habla de la genealogía del general, y se refiere a datos de familia anteriores al siglo XV y hasta el XIV. Todo eso es fantástico y no tiene ningún valor. Dice el mismo Minguet que los apellidos comenzaron a fijarse y a hacerse hereditarios a principios del siglo XII, lo que es completamente falso, porque el apellido no se inmoviliza en España hasta el siglo XVIII, y aun todavía hay cambios en ellos en la primera mitad del XIX.

Don Francisco Javier nace en 1767. Hace sus primeras armas en Orán y en Ceuta; después se distingue en la guerra del Rosellón, con el general Ricardos.

«Hijo de un militar español, que vertió abundantemente su sangre en la gloriosa batalla de Campo Santo—dice en un manifiesto—, nací militar y me crié entre ellos. Cadete a los dieciséis años, pasé por todos los empleos, y no tuve una graduación que no me costase un servicio o acción particular; la suerte me hizo partícipe de cuantas expediciones militares ocurrieron en España desde el año 1783: guarnición y sitio de Orán, el de Ceuta; en el Rosellón y Navarra, herido en ambos ejércitos; en la corta campaña de Portugal, en 1801; en todas me hallé, y no temo a los informes que todos los generales españoles den de mi conducta militar. El año 1805 fui invitado para ir de comandante general de la campaña de Montevideo, dándome la inmediata graduación de coronel.»

Al llegar a Montevideo se muestra patriota intransigente. Tres años más tarde desconfía de don Santiago de Liniers, virrey de Buenos Aires, y se manifiesta contra él. Elío da una explicación plausible de su desobediencia, desde su punto de vista, en su manifiesto.

Su enemistad con Liniers cuando éste era virrey y Elío jefe en Montevideo, la explica porque supone que Liniers, como francés de origen, oyó las proposiciones de un emisario de Napoleón con demasiado aquiescencia, y Elío no quería más que guerra a muerte contra el intruso José Bonaparte.

Don Francisco Javier vuelve a España, toma parte, con pericia y con éxito, en la guerra de la Independencia, y a la vuelta de Fernando VII es nombrado capitán general de Valencia y de Murcia.

Elío se manifiesta absolutista y favorece la reacción. Según la *Galerie biographique*, manda a lo oriental, como un bajá. Odia, como el conde de España, a los escritores y periodistas. Con Moratín parece que anduvo a bofetadas.

Elío tiene la obsesión de las sociedades secretas. Los liberales ven en él un hombre de puño duro, a quien hay que hacer saltar de su puesto. Se trama una conjura entre Valencia y Madrid y se reciben órdenes falsas para prender y fusilar a Elío. El se irrita y atribuye el complot a los masones, a los que profesa el mayor odio.

Poco después descubre la conspiración del coronel don Joaquín Vidal. Sabe que un grupo de militares liberales está reunido por la noche en la casa de Juan Bautista Conesa. Piensan en restaurar la Constitución de Cádiz.

El señor Minguet dice que era la reunión en una casa de juego de la plaza del Conde de Carlet, y que un cabo del regimiento de la Reina, llamado Padilla, fue el que dio el soplo al general. Elío se presenta en la casa con ocho soldados y sus ayudantes.

Al saber la llegada del general absolutista, Vidal le suelta un sablazo, que sólo le hiere en la mano, y Elío le atraviesa el pecho con la espada. El capitán Solá se suicida y se prende a los demás militares, entre ellos a don Félix Beltrán de Lis, oficial joven, querido en el pueblo. Elío hace que la causa se active, y se condena a muerte a Vidal y a sus doce compañeros. A Vidal lo degradan ante el patíbulo, herido y casi moribundo; a sus doce compañeros los fusilan, y después de fusilados los cuelgan de las horcas con las cabezas destrozadas y las ropas llenas de sangre. La represión es seria. Catorce hombres sacrificados por una reunión liberal, en la que se prepararían muchas cosas, pero que no se realizó ninguna, es algo fuerte. Después de las ejecuciones, Elío sigue persiguiendo a los liberales, prendiéndolos y martirizándolos.

Llega el año 1820, y con la proclamación de la Constitución, Elío la proclama en Valencia, ante los gritos furiosos de los liberales, que dan mueras contra él. Quizá el navarro unilateral no se explica esta hostilidad.

El conde de Almodóvar, militar preso como liberal en la cárcel de la Inquisición, sale de ella y es nombrado capitán general de Valencia. Almodóvar, que sabe la indignación popular que hay contra su antecesor, le dice que en su casa se encuentra en peligro; que vaya a la ciudadela, que allí estará más seguro. Elío, ordenancista y confiado, va.

Elío, con su cabeza larga y estrecha y su frente de ojiva, es, al mismo tiempo que déspota, cándido y fanático. No comprende la natural doblez de los mediterráneos, que dicen que sí y que piensan que no, o al contrario.

Elío, encerrado en la ciudadela, está perdido. Se le encausa. Durante el proceso, el conde de Almodóvar, capitán general de Valencia, presenta la dimisión; el barón de Andilla, mariscal de campo, que le sustituye, amigo del general navaro, se escabulle, toma la actitud de Pilato y deja hacer. En tanto, los grupos liberales de Valencia, masones y comuneros, preparan una campaña contra el preso. Los Beltrán de Lis, parientes del joven oficial sacrificado, claman venganza; un partidario liberal apodado *Borrasca*, llevado por Elío a la ciudadela y salido de ella al proclamarse la Constitución, mueve las masas; gentes de la clase media y oficiales de la Milicia, al pasar por delante de la ciudadela, dan mueras al prisionero. En la farmacia de don Máximo Alcón, los exaltados de la ciudad piden la cabeza de Elío.

En su calabozo, el general navarro escribe un manifiesto con sencillez e ingenuidad. Es un hombre veraz, que cree que no ha hecho otra cosa más que cumplir con su deber.

Lleva dos años encerrado, sujeto a un proceso, cuando el 30 de mayo de 1822 los artilleros de la ciudadela, al hacer la salva de ordenanza, por ser día del nacimiento de Fernando VII, gritan inoportunamente: «¡Viva el rey absoluto! ¡Viva el general Elío! ¡Muera la Constitución!»

Estos artilleros imprudentes hacen un triste favor al prisionero. Se quiso suponer que Elío estaba de acuerdo con ellos, y se encontró ya un motivo para condenarlo a muerte. La condena fue injusta como cosa legal, y tuvo el aparato jurídico, que la hizo más odiosa.

No llegó la condena, en su ociosidad, al atentado que cometieron los cristianísmos absolutistas con el maestro Ripoll, agarrotado también en Valencia por si creía o no creía en las distintas recetas preconizadas por la farmacopea de la Iglesia católica, ni a las barbaridades que hizo el repulsivo y vil Calomarde con algunos pobres infelices como Miyar, Torrecilla, etcétera, en Madrid. Elío era un carnicero legalista, y murió víctima de una condena legal. Elío, desde que supo su condena a muerte, se mostró como lo que era: valiente, fanático y confiado en la religión.

A los liberales valencianos no les bastaba la condena; querían dar el trágala al vencido, ensañarse con él. Realmente, tenían motivo. Se decidió que Elío fuera agarrotado en el llano del Real, en el punto que comenzaron a llamar por entonces campo de la Libertad, terreno que estaba entre la parte exterior de la ciudadela y el convento del Remedio, donde fue ahorcado Vidal y fusilados y luego colgados los doce compañeros suyos de conspiración.

La saña de los liberales fue grande. Elío tenía que ser ejecutado en el mismo sitio que Vidal, y como éste había llevado la ropa de los reos abierta por delante, porque estaba herido, Elío debía llevarla también de la misma manera.

Hubiera sido seguramente más noble y más decente que le hubieran pegado un tiro en un rincón; pero el pueblo tenía esa idea de la venganza legal, que fue tan grata a la raza de Israel, y que después se ha venido ejerciendo por los Gobiernos demagógicos, blancos o negros.

Elío resistió todas las vejaciones que le prepararon sus enemigos con una espíritu místico, de resignación. Después de oír su condena dejó de ser el militar para ser el creyente, y murió como un fanático.

Lo mismo le pasó al maestro Ripoll, con la diferencia de que éste no tenía las manos tintas en sangre, ni legal ni extralegalmente derramada. Se conocen tres estampas de la ejecución de Elío. Una es grande. Elío está en el patíbulo, agarrotado; en el suelo se ve el uniforme y las bandas que le han quitado para degradarle. Alrededor hay soldados de caballería; dentro de una empalizada, gentes de la Milicia. El verdugo baja del patíbulo. Este grabado tiene como leyenda: «Se cumplió la injusticia.»

Hay otra estampa, menos curiosa, que se titula: «El cadáver de Elío es expuesto al público.»

La tercera, que el señor Minguet llama grabado caricaturesco, es la mejor. En ella, alrededor del patíbulo, que es bajo, hay un soldado, un hombre del pueblo con gorra, manta y un trabuco en la mano, un coracero a caballo y un perro. En el fondo se ve una empalizada, alguno que otro árbol, y a mano izquierda, un cerrillo con una ermita. En la figura del agarrotado se nota mucho la altura de la cabeza.

La ejecución de Elío debió de ser un acontecimiento en el pueblo, del que se habló y se comentó durante años. Yo conocí en Valencia, hacia 1890 ó 91, a un viejo, padre de un empleado, que recordaba, de chico, haber visto a Vidal y a sus compañeros con las caras destrozadas colgando de las horcas, y después, a Elío en el patíbulo.

No he mirado lo que dicen las historias del siglo XIX acerca del general agarrotado, para no repetir el lugar común. He leído, en cambio, otros libros que se ocupan únicamente del asunto. Son éstos: *Manifiesto que escribió en su calabozo el general don Francisco Javier Elío, con el objeto de vindicar su honor y persona*, ilustrado con apéndices y notas para conocimiento exacto de lo ocurrido en las causas que se le formaron y en su muerte, por don José Antonio Sombiela. Valencia. Por don Federico Brusola. Impresor de cámara de Su Majestad. Año 1823.

La otra es: *Defensa formada por don José Gallego, subteniente del regimiento de infantería de Zamora, defensor nombrado por el excelentísimo señor don Javier Elío, teniente general de los ejércitos nacionales, en la causa que se ha formado sobre suponérsele complicado en la rebelión de la ciudadela de esta plaza en la tarde del día 30 de mayo de 1822.* Valencia. Imprenta y librería de Manuel López. 1822.

El tercer libro se titula: *El general Elío y su tiempo,* por don Luis Minguet y Albora, y tiene poesías y coplas en contra y en honor del general; pero son muy medianas, y no vale la pena de transcribirlas.

Elío fue para los absolutistas un mártir, y Fernando VII dio a la familia el título de marqués de la Fidelidad.

Se ve claramente. al leer el caso de Elío, lo difícil que es conseguir la libertad individual en los pueblos. Los Gobiernos liberales no la pudieron alcanzar en la realidad; los absolutistas, como es natural, menos. No estaba en su programa. Sólo los Gobiernos viejos, de formas aristocráticas de poco celo social, se han acercado en la práctica a permitir el movimiento espontáneo de las actividades individuales y a dar la justicia relativa (la única posible) sin fanatismo. De ahora en adelante, a medida que los Gobiernos sean democráticos, habrá menos libertad; no se agarrotará a los sanguinarios Elíos ni a los humildes Ripoll, pero se pondrán en el índice expurgatorio cierta clase de ideas, como se hace ahora en España con el fascismo y el anarquismo. A nombre de la libertad, se prohibirá pensar libremente. Cosa, además, estúpida, porque son las persecuciones las que dan presión, intensidad y novedad a muchas de estas ideas, que en el fondo son viejas, manoseadas y sin ningún valor.

4 febrero 1934.

Este quinto tomo de las *OBRAS
COMPLETAS* de Pío Baroja aca-
bóse de imprimir el diecinueve
de junio de mil novecientos
cuarenta y ocho en los talleres gráficos «Bolaños
y Aguilar, S. L.», calle
del General Sanjur-
jo, número 20,
Madrid.

El papel empleado en esta obra se
fabricó en Arrigorriaga, de la
Central de Fabricantes de Papel.